ENGLIS
GREEK
DICTIONARY
(CONCISE)

ΑΓΓΛΟ-ΕΛΛΗΝΙΚΟ
ΕΛΛΗΝΟ-ΑΓΓΛΙΚΟ
ΛΕΞΙΚΟ
(ΣΥΝΟΠΤΙΚΟ)

ΕΚΔΟΣΕΙΣ
ΜΙΧΑΛΗ
ΣΙΔΕΡΗ

Επιμέλεια έκδοσης
Editorial Supervision

Άγγελος Τσακανίκας
Angelos Tsakanikas
BA (Hons), Post Graduate Diploma (Econ)

Τζοάνα Νιέμτσουκ-Τσακανίκα
Joanna Niemczuk - Tsakanika
*BA (Hons), RSA Dip TEFLA, Post Graduate Diploma
(Business, European Languages)*

Έκδοση Φεβρουάριος 1996

ISBN 960 - 7012 - 50 - X

© *Copyright*, Εκδόσεις **ΜΙΧΑΛΗ ΣΙΔΕΡΗ**
Ανδρ. Μεταξά 28 & Θεμιστοκλέους
106 81 Αθήνα, Τηλ. 3301161-2-3, Fax 3301164

ΠΡΟΛΟΓΟΣ

Τα ΑΓΓΛΙΚΑ είναι σήμερα μια διεθνής γλώσσα την οποία μιλάνε εκατομμύρια άνθρωποι σ'όλο τον κόσμο, ενώ υπάρχει πλήθος συγγραμμάτων τα οποία απαιτούν τη βοήθεια ενός σύγχρονου, εύχρηστου και αξιόπιστου λεξικού.

Σκοπός αυτής της έκδοσης είναι να καλύψει την ανάγκη αυτή κατά τον καλύτερο δυνατό τρόπο.

Καταβάλαμε προσπάθεια ώστε να απαλλάξουμε το λεξικό από τα στοιχεία εκείνα που το καθιστούν δύσχρηστο, ενώ η προσοχή μας εστιάστηκε στη πληρότητα του λεξιλογίου.

Σε ιδιαίτερη ενότητα αναγράφονται τα ανώμαλα ρήματα της αγγλικής γλώσσας.

Ελπίζουμε ότι η έκδοση αυτή ανταποκρίνεται στις σύγχρονες απαιτήσεις και θα καλύψει τις ανάγκες σας.

PREFACE

The Greek language is one of the most ancient and most vivid languages. It is spoken by millions of people (Greeks and non–Greeks) all over the world. In recent years there has been a turn to classical and modern Greek authors and philosophers as well as to the study of ancient manuscripts and books. Also, with the increase of the tourism to Greece, the demand for a useful, versatile and manageable dictionary has arisen.

The aim of this edition is to cover these needs in the best possible way.

We have made every effort to relieve this dictionary from those elements which make it difficult to use and our attention is focused on its completeness in vocabulary.

In particular unit the irregukar verbs of the English language are listed

We hope that this edition will respond to modern needs and will meet your expectations and standards.

ΠΕΡΙΕΧΟΜΕΝΑ

CONTENTS

Το αλφάβητο της Αγγλικής   The English Alphabet

Γράμμα		Ονομασία
Letter		Name
A	a	έι
B	b	μπι
C	c	σι
D	d	ντι
E	e	ι
F	f	εφ
G	g	ντζι
H	h	έιτος
I	i	άι
J	j	ντζέι
K	k	κέι
L	l	ελ
M	m	εμ
N	n	εν
O	o	όου
P	p	πι
Q	q	κιουου
R	r	αα
S	s	ες
T	t	τι
U	u	ιουου
V	v	βι
W	w	νταμπλιού
X	x	εξ
Y	y	ουάι
Z	z	ζεντ

Υπάρχουν είκοσι έξι γράμματα στο αγγλικό αλφάβητο και δια-
κρίνονται σε φωνήεντα και σε σύμφωνα.

Φωνήεντα [The vowels] : a, e, i, o, u

Σύμφωνα [The consonants] : b, c, d, f, g, h, j, k, l, m, n, p, q, r, s, t, v,
w, x, y, z.

Προφορά [Pronunciation].				
Γράμμα	Ονομασία	Φων. σύμβολο	Παράδειγμα	Example
Letter	Name	Phonetics	Προφορά	Pronunciation
A a	έι	α, έι, έα, αα	act able dare art ακτ έιμπλ ντέαρ αατ	
B b	μπι	μπ	back μπακ	
C c	σι	κ, τσς	come beach καμ μπίιτσς	
D d	ντι	ντ	do ντου	
E e	ι	ε, ιι	set bee σετ μπίι	
F f	εφ	φ	five φάιβ	
G g	ντζζίι	γκ	give γκιβ	
H h	έιτσς	χ	hit χιτ	
I i	άι	ι, άι	it ice ιτ άις	
J j	τζέι	τζ	just ντζζαστ	
K k	κέι	κ	kept κεπτ	
L l	ελ	λ	low λόου	

Γράμμα		Ονομασία	Φων. σύμβολο	Παράδειγμα				Example
Letter		Name	Phonetics	Προφορά				Pronunciation
M	m	εμ	μ	**my** μάι				
N	n	εν	ν, νγκ	**now** **sing** νάου σινγκ				
O	o	όου	ο, όου, οο, όι, ε	**hot** **no** **order** **oil** **vision** χοτ νόου όοντερ όιλ βίζζιεν				
			ου, ούου, άου	**put** **rule** **out** πουτ ρούουλ άουτ				
P	p	πι	π	**page** πέιντζζ				
Q	q	κιου	κ	**queen** κουίιν				
R	r	αα	ρ	**read** ριιντ				
S	s	ες	σ, σσ - ος	**see** **she** σιι σσι				
T	t	τι	τ, θ, δ	**tea** **thin** **this** τι θιν δις				
U	u	γιου	α, ούου, ερ	**up** **use** **burn** απ γιούουζ μπερν				
V	v	βι	β	**voice** βόις				
W	w	νταμπλγιού	(γ)ου, χου	**west** **where** ουέστ ουέαρ				
X	x	εξ	ζ, κς	**xenon** **flex** ζένον φλεκς				
Y	y	ουάι	γι	**yes** (γ)ιες				
Z	z	ζετ	ζ, ζζ	**zeal** **vision** ζίιλ βίζζιεν				

Επεξηγήσεις προφοράς

Το λεξικό που σας παρουσιάζουμε σήμερα είναι εύχρηστο,
πλήρες και ξεκούραστο γιατί αποδώσαμε την προφορά
των αγγλικών λέξεων με ελληνικά γράμματα, με τις εξής
παρατηρήσεις:

- *Τα γράμματα* [b], [d] *στο μέσον της λέξης γράφονται με
  διαχωριστική παύλα* [-μπ], [-ντ], *για να μη χωρίσουν
  στην απόδοση της προφοράς τα γράμματα* [μ] *και* [ν] *από
  τα* [π] *και* [τ] *αντίστοιχα, αλλά να προφερθούν σαν ένας
  φθόγγος. Παράδειγμα:* **cabin** *[κά-μπιν],* **cadet** *[κα-ντέτ]*
- *Τα συνεχόμενα γράμματα* [mp] *και* [nt] *χωρίζουν στην
  προφορά με παύλα* [μ-π], [ν-τ] *για να ακουσθούν σαν
  δύο ξεχωριστοί φθόγγοι* [μ], [ν] *και* [ν], [τ] *αντίστοιχα.
  Παράδειγμα:* **lamp** *[λαμ-π],* **attentive** *[ατέν-τιβ]*
- *Τα συνεχόμενα γράμματα* [sh] *αποδίδονται στην προφορά
  με διπλό ελληνικό γράμμα* [σσ] *το οποίο πρέπει να προ-
  φέρεται σαν* [σ] *παχύ.*
- *Το* ζζ *είναι παχύ* ζ *όπως στη λέξη* **pleasure** *[πλέζζα].*
- *Το* τσσ (τσς) *είναι παχύ* τ *και* σ *όπως στη λέξη* **cheese**
  [τσσιζ].
- *Το* ντζζ *είναι* ντ *και* ζζ *όπως στη λέξη* **jump** *[ντζζαμ-π].*
- Στα φωνήεντα δώσαμε μια συγκεκριμένη προφορά με ελ-
  ληνικά γράμματα και αποφύγαμε να γράψουμε σύμβολα
  προφοράς τα οποία ο χρήστης θα δυσκολεύεται να τα
  αναγνωρίσει, θα τα εννοεί διαφορετικά και θα τα προφέ-
  ρει ελληνικά κατά το πλείστον και όχι με την προφορά των
  συμβόλων.

The Greek Alphabet   Το αλφάβητο της Ελληνικής

Letter	Name	Name	Example	Pronunciation
Γράμμα	Ονομασία	Ονομασία	Παράδειγμα	Προφορά
A α	ahlfa	άλφα	**άλλο**	alo
B β	veeta	βήτα	**βά**ζο	vazo
Γ γ	ghama	γάμα	**γ**άμος	gamos
Δ δ	dhelta	δέλτα	**δ**εν	dhen
E ε	epsilon	έψιλον	**έ**λα	ela
Z ζ	zeeta	ζήτα	**ζ**έστη	zesti
H η	eeta	ήτα	**η**μέρα	imera
Θ θ	theeta	θήτα	**θ**έλω	thelo
I ι	yiota	γιώτα	**ι**κανός	ikanos
K κ	kapa	κάππα	**κ**αλός	kalos
Λ λ	lamdha	λάμδα	**λ**εμόνι	lemoni
M μ	mee	μι	**μ**αζί	mazi
N ν	nee	νι	**ν**αι	ne
Ξ ξ	ksee	ξι	**ξ**ένος	ksenos
O· o	omeecron	όμικρον	**ό**λα	ola
Π π	pee	πι	**π**άντα	panta
P ρ	ro	ρο	**ρ**ύζι	rizi
Σ ςσ	sighma	σίγμα	**σ**αν	san
T τ	taf	ταυ	**τ**έλος	telos
Y υ	ipsilon	ύψιλον	**υ**γεία	iyia
Φ φ	fee	φι	**φ**ωτιά	fotia
X χ	khee	χι	**χ**έρι	heri
Ψ ψ	psee	ψι	**ψ**άρι	psari
Ω ω	omega	ωμέγα	**ώ**ρα	ora

Pronunciation [Προφορά].

Letter	Pronunciation	Symbol	Example	
Γράμμα	Προφορά	Σύμβολο	Παράδειγμα	

Vowels **Φωνήεντα**

A α	like a in car	**a**	άλλο	alo
E ε	like e in sex	**e**	έλα	ela
H η	like i in sit	**i**	ημέρα	imera
I ι	like i in sit	**i**	ικανός	ikanos
O o	like o in god	**o**	όλα	ola
Y υ	like i in sit	**i**	υγεία	iyia
Ω ω	like o in god	**o**	ώρα	ora

Letter	Pronunciation	Symbol	Example	
Γράμμα	Προφορά	Σύμβολο	Παράδειγμα	

Consonants Σύμφωνα

Β β	like v in valid	**v**	βάζο	**v**azo
Γ γ	1. before α, ο, ω, ου, and consonants, a voiced version of the **ch** sound in Scottish lo**ch**	**g**	γάμος	**g**amos
	2. before ε, αι, η, ι, υ, ει, οι, like y in yes	**y**	γένος	**y**enos
Δ δ	like th in this	**dh**	δεν	**dh**en
Ζ ζ	like z in zone	**z**	ζέστη	**z**esti
Θ θ	like th in thin	**th**	θέλω	**th**elo
Κ κ	like k in keep	**k**	καλός	**k**alos
Λ λ	like l in low	**l**	λεμόνι	**l**emoni
Μ μ	like m in mother	**m**	μαζί	**m**azi
Ν ν	like n in no	**n**	ναι	**n**e
Ξ ξ	like x in six	**ks**	ξένος	**ks**enos
Π π	like p in paper	**p**	πάντα	**p**anta
Ρ ρ	like r in read	**r**	ρύζι	**r**izi
Σ σ ς	like s in six	**s**	σαν	**s**an
Τ τ	like t in test	**t**	τέλος	**t**elos
Φ φ	like f in fire	**f**	φωτιά	**f**otia
Χ χ	like ch in Scottish lo**ch**	**h**	χέρι	**h**eri
Ψ ψ	like ps in hops	**ps**	ψάρι	**ps**ari

Groups of letters Ομάδες γραμμάτων

αι	like **e** in set	**e**	ναι	n**e**
ει	like **i** in tin	**i**	είναι	**i**ne
οι	like **i** in tin	**i**	όλοι	ol**i**
ου	like **oo** in foot	**u**	του	t**u**
αυ	1. before voiceless consonants (θ, κ, ξ, π, σ, τ, φ, χ, ψ) like **uff** in pu**ff**y	**af**	αυτό	**af**to
	2. elsewhere like **av** in a**v**ast	**av**	αυγό	**av**go
γκ	like **ng** in a**ng**ry	**ng**	αγκαζέ	a**ng**aze
γγ	like **ng** in a**ng**ry	**ng**	άγγελος	a**ng**elos

ΣΥΝΤΟΜΟΓΡΑΦΙΕΣ ΑΓΓΛΙΚΗΣ ΚΑΙ ΕΛΛΗΝΙΚΗΣ ΓΛΩΣΣΑΣ

accountancy	accoun, λογισ	λογιστική	exclamation	ex, επιφ	επιφώνημα
accusative case	acc, αιτιατ	αιτιατική	gambling	gam, χαρτοπ	χαρτοπαιξία
abbreviation	abbr, βραχ	βραχυγραφία	feminine	f, n	θηλυκό
abusive	abus, υβριστ	υβριστικός	feminine noun	nf, n	θηλυκό ουσιαστικό
adjective	adj, επιθ, (ε)	επίθετο			
adressing	adres, προσαγ	προσαγορευτικός	figuratively	fig, μεταφ	μεταφορικά
			football	footb, ποδόσφ	ποδόσφαιρο
adverb	adv, επ	επίρρημα	for example	eg, παράδ	παραδείγματος χάρη, π.χ.
anatomy	anat, ανατ	ανατομία			
architecture	archit, αρχιτ	αρχιτεκτονική	Great Britain	GB, MB	βρετανικά αγγλικά
arithmetic	arith, αριθμ	αριθμητική	genetics	gen, γενετ	γενετική
article	art, άρθ	άρθρο	geography	geog, γεωγρ	γεωγραφία
astrology	astrol, αστρολ	αστρολογία	geology	geol, γεωλ	γεωλογία
astronomy	astr, αστρον	αστρονομία	geometry	geom, γεωμ	γεωμετρία
athletics, sport	athl, αθλητ	αθλητικά	grammar	gram, γραμμ	γραμματική
automobile	aut, αυτοκ	αυτοκίνητο	gymnastics	gymn, γυμναστ	γυμναστική
auxilary	aux, βοηθ	βοηθητικός	he	n, ο	αρσενικό
aviation	aviat, αεροπ	αεροπορία			ουσιαστικό
banking	bank, τραπεζ	τραπεζικός	she	n, n	θηλυκό
biblical	bibl, βιβλ	βιβλικός			ουσιαστικό
biology	biol, βιολ	βιολογία	it	n, το	ουδέτερο
botany	bot, βοτ	βοτανική			ουσιαστικό
carpentry	carp, ξυλ	ξυλουργία	humoruly	hum, χούμορ	χιουμοριστικά
chemistry	chem, χημ	χημεία	hunting	hunt, κυν	κυνήγι
church	chur, εκκλ	εκκλησία	imperative	imper, προστ	προστακτική
cinema	cine, κινημ	κινηματογράφος	impersonal	impers, απρόσ	απρόσωπο (ρήμα)
collective	collect, περιλ	περιληπτικός	indefinite article	indart, αόρ άρθ	αόριστο άρθρο
colloquial	col, κοιν	κοινός	informal	infml, άτυπ	άτυπος
commerce	comm, εμπ	εμπόριο	interrogative	interrog, ερωτ	ερωτηματικό
comparative	comp, συγκρ	συγκριτικός	intransitive verb	vi, αμετ ρ	αμετάβατο ρήμα
compound	compd, συνθ	σύνθετος			
computers	comput, πλεκ υπολ	πλεκτρονικοί υπολογιστές	ironically	iron, ειρων	ειρωνικά
			irregular	irreg, ανωμ	ανώμαλος
			journalism	jour, δημοσιογρ	δημοσιογραφία
conjuction	conj, σ	σύνδεσμος			
construction	const, οικοδ	οικοδομική	judicial	jud, δικαστ	δικαστικός
cooking	cook, μαγειρ	μαγειρική	Latin	Lat, Λατ	Λατινικά
cross reference	see, βλεπ	βλέπε	law	lw, νομ	νομική
definite article	def. art, ορ άρθ	οριστικό άρθρο	lemma	lem, λημ	λήμμα
			linguistics	ling, γλωσσολ	γλωσσολογία
demeaning	dem, υποτιμ	υποτιμητικά	literally	lit, κρλ	κυριολεκτικά
diplomacy	dip, διπλωμ	διπλωματία	literature	liter, λογοτ	λογοτεχνία
dressmaking	dress, ραπτ	ραπτική	local	loc, τοπ	τοπικός
economics	econ, οικον	οικονομικά	masculine	m, αρσ	αρσενικό
electricity	elec, ηλεκτρ	ηλεκτρισμός	masculine	nm, ο	αρσενικό
entomology	ent, εντομ	εντομολογία	noun		ουσιαστικό
especially	esp, ειδ	ειδικά	masculine or feminine noun	nmf, ο n	αρσενικό ή θηλυκό
et cetera	etc, κλπ	και λοιπά (κλπ)	plural	plur, οι, τα	ουσιαστικό

English	Abbr.	Greek
mathematics	*math, μαθημ*	μαθηματικά
mechanical	*mech, μηχ*	μηχανικός
mechanics	*mech,μηχ*	μηχανική
medicine	*med, ιατρ*	ιατρική
military	*mil, στρατ*	στρατιωτικός
mineralogy	*min, ορυκτ*	ορυκτολογία
music	*mus, μουσ*	μουσική
mythology	*myth, μυθ*	μυθολογία
nautical	*naut, ναυτ*	ναυτικός
navy	*nav, πολ ναυτ*	πολεμικό ναυτικό
negative	*neg, αρνητ*	αρνητικός
neuter noun	*nn, το, τα*	ουδέτερο ουσιαστικό
noun	*n, ουσ*	ουσιαστικό
numeral	*num, αριθ*	αριθμητικό
of school	*sch, σχολ*	σχολικός
old-fashioned	*old-fash, απαρχ*	απαρχαιωμένος
oneself	*os, εαυτ*	εαυτός
order	*ord, παράγγ*	παράγγελμα
ornithology	*orn, ορνιθ*	ορνιθολογία
painting	*paint, ζωγρ*	ζωγραφική
parliament	*parl, κοινοβ*	κοινοβούλιο
participle	*par, μ*	μετοχή
particle	*part, μο*	μόριο
passive voice	*pas, παθ*	παθητική φωνή
past tense	*pt, αόρ*	αόριστος
personal	*pers, προσ*	προσωπικός
pharmacology	*phar, φαρμ*	φαρμακολογία
philosophy	*phil, φιλοσ*	φιλοσοφία
phonetics	*phon, φων*	φωνητική
photography	*phot, φωτογρ*	φωτογραφία
phrase	*phr, φρ*	φράση
physics	*phys, φυσ*	φυσική
physiology	*physiol, φυσιολ*	φυσιολογία
piscicology	*pisc, ιχθ*	ιχθυολογία
plural	*pl, πληθ*	πληθυντικός
poetry	*poet, ποιησ*	ποίηση
politics	*pol, πολιτ*	πολιτική
popular	*pop, λαϊκ*	λαϊκός
possesive	*poss, κτητ*	κτητικός
post office	*post, ταχυδρ*	ταχυδρομείο
predicative	*pred, κατηγ*	κατηγορούμενο
preposition	*pr, πρ*	πρόθεση
pronoun	*pron, αν*	αντωνυμία
psychiatry	*psych, ψυχιατρ*	ψυχιατρική
psychology	*psychol, ψυχολ*	ψυχολογία
racecource	*rac, ιππόδρ*	ιππόδρομος
radio	*rad, ραδιοφ*	ραδιοφωνία
railway	*rail, σιδηρ*	σιδηρόδρομος
rakish	*rak, μάγ*	μάγκικος
registered trademark	*rt, σημ κατατ*	σήμα κατατεθέν
reflective	*refl, αυτοπ*	αυτοπαθής
relative	*rel, αναφ*	αναφορικός
religious	*relig, θρησκ*	θρησκευτικός
rehtoric	*retor, ρητ*	ρητορική
roman	*rom, ρωμ*	ρωμαϊκός
scholar	*schol, λόγ*	λόγιος
school	*sch, σχολ*	σχολείο
sanitary	*sanit, υγειον*	υγιεινομικός
she	*n, n*	θηλυκό ουσιαστικό
singular	*sing, ενικ*	ενικός
slang	*sl, μαγκ*	μάγκικα
somebody	*sb, κπ*	κάποιος
someone	*so, κπ*	κάποιος
something	*st, κτ*	κάτι
Stock Exchange	*St Exch, χρηματ*	χρηματιστήριο
superlative	*sup, 'υπερθ*	υπερθετικός
something	*sth, κάτ*	κάτι
sports	*spor, αθλ*	αθλητισμός
tax	*tax, φορολ*	φορολογικός
technical	*tech, τεχν*	τεχνικός
telecommunications	*tel, τηλεπ*	τηλεπικοινωνίες
telephony	*teleph, τηλεφ*	τηλεφωνία
television	*TV, τηλεόρ*	τηλεόραση
textiles	*tex, υφ*	υφαντά
theatre	*theat, θέατρ*	θέατρο
theology	*theol, θεολ*	θεολογία
the	*n, τα*	ουδέτερο ουσιαστικό πληθυντικός
time	*tim, χρον*	χρονικός
tools	*tool, εργαλ*	εργαλεία
transitive verb	*vt, μετ ρήμ*	μεταβατικό ρήμα
typography	*typogr, τυπογρ*	τυπογραφία
university	*univ, πανεπ*	πανεπιστήμιο
United States of America	*US, ΗΠΑ*	αμερικάνικα
verb	*v*	ρήμα
zoology	*zool, ζωολ*	ζωολογία

A, a (n) [έι] το πρώτο γράμμα του αγγλικού αλφαβήτου.

a, an (ind art) [ε, εν] ένας, μία, ένα.

aback (adv) [α-μπάκ] προς τα πίσω.

abandon (n) [α-μπάν-ντον] αυθορμητισμός, (v) εγκαταλείπω, παρατώ.

abase (v) [α-μπέις] υποβιβάζω.

abasement (n) [α-μπέισμεν-τ] ξεπεσμός.

abash (v) [α-μπάς] ντροπιάζω.

abashment (n) [α-μπάσσ-μεν-τ] ντροπή.

abate (v) [α-μπέιτ] ελαττώνω, αδυνατίζω.

abatement (n) [α-μπέιτμεν-τ] ελάττωση.

abattoir (n) [ά-μπα-τουαάρ] σφαγείο.

abbess (n) [ά-μπες] ηγουμένη.

abbey (n) [ά-μπι] αβαείο, μονή.

abbot (n) [ά-μποτ] αβάς, ηγούμενος.

abbreviate (v) [α-μπρίβιέιτ] βραχύνω, συντομεύω, συμπτύσσω.

abbreviation (n) [α-μπρίβιέισσον] συντόμευση, συντομογραφία.

abc-book (n) [έι-μπί-σί-μπουκ] αλφαβητάρι.

abdicate (v) [ά-μπ-ντικέιτ] απαρνούμαι, παραιτούμαι, εγκαταλείπω.

abdomen (n) [α-μπ-ντόουμεν] κοιλιά.

abdominal (adj) [α-μπ-ντό-μιναλ] κοιλιακός, γαστρικός.

abduct (v) [α-μπ-ντάκτ] απάγω.

abduction (n) [α-μπ-ντάκσσον] απαγωγή.

abed (adv) [α-μπέ-ντ] κρεβατωμένος.

aberrant (adj) [α-μπέραν-τ] πλανώμενος, ανώμαλος.

aberration (n) [α-μπερέισσον] αποπλάνηση, παραλογισμός, παρεκτροπή [φωτός].

abet (v) [α-μπέτ] ενθαρρύνω, υποκινώ.

abeyance (n) [α-μπέι-ανς] αναβολή.

abhor (v) [α-μπόρ] απεχθάνομαι.

abhorrent (adj) [α-μπό-ρεν-τ] απέχθής.

abide (v) [α-μπάι-ντ] κατοικώ.

abide by (v) [α-μπάι-ντ μπάι] υπακούω.

abiding (adj) [α-μπάι-ντινγκ] μόνιμος.

ability (n) [α-μπίλιτι] ικανότητα, επιδεξιότητα.

abject (adj) [α-μπ-τζέκτ] απελπισμένος.

abjection (n) [α-μπ-τζέκσσον] κατάντια.

abjuration (n) [α-μπ-τζουρέισσον] απάρνηση.

abjure (v) [α-μπ-τζούρ] απορρίπτω.

ablactation (n) [α-μπλακτέισσον] απογαλακτισμός.

ablation (n) [α-μπλέισσον] αφαίρεση, αποκόλληση.

ablaze (adj) [α-μπλέιζ] φλεγόμενος, λάμπων, φουντωμένος.

able (adj) [έι-μπλ] έμπειρος, ικανός.

able-bodied (adj) [έι-μπλ- μπό-ντιντ] αρτιμελής.

ablution (n) [α-μπλούσσον] πλύση.

abnormal (adj) [α-μπνόρμαλ] ανώμαλος.

abode (n) [α-μπόου-ντ] κατοικία, τόπος διαμονής.

abolish (v) [α-μπόλι-ος] καταλύω.

abolition (n) [α-μπολί-σσον] κατάλυση, κατάργηση, ακύρωση.

abominable (adj) [α-μπόμινα-μπλ] απαίσιος, μισητός.

abominate (v) [α-μπόμινεϊτ] απεχθάνομαι, σιχαίνομαι, μισώ.

abomination (n) [α-μπομινέισσον] αποστροφή, σιχαμάρα.

aaborigines (n) [α-μπορίτζινιζ] ιθαγενείς αυτόχθονες.

abort (v) [α-μπόρτ] κάνω έκτρωση, αποβάλλω.

abortion (n) [α-μπόρσσον] έκτρωση.

abound (v) [α-μπάουν-ντ] πλεονάζω, βρίθω, αφθονώ.

abound with (v) [α-μπάουν-ντ γουίθ] αφθονώ, βρίθω.

about (adv) (adj) (pr)[α-μπάουτ] γύρω, πέριξ, περίπου, τριγύρω, ως, κατά, περί.

about to (adj) [αμπάουτ του] έτοιμος για να.

above (adv) [α-μπάβ] υπέρ [για], ανωτέρω, άνω, επάνω, πάνω, υπεράνω, επί.

above all (adv) [α-μπάβ όολ] προπαντός.

aboveboard (adj) [α-μπάβ-μπορ-τ] τίμιος, καθαρός, ειλικρινής (adv) ανοιχτά, τίμια, καθαρά.

abrade (v) [α-μπρέι-ντ] αποξέω, εκτρίβω, λειαίνω.

abrasion (n) [α-μπρέιζον] απόξεσις, λείανση, εκδορά.

abrasive (adj) [α-μπρέισιβ] (n) στιλβωτικό, λειαντικό.

abreast (adv) [α-μπρέστ] παράπλευρα, δίπλα-δίπλα.

abridge (v) [α-μπρίτζ] περικόπτω.

abridgement (n) [α-μπρίτζμεν-τ] σύντμηση, περίληψη.

abroad (adv) [α-μπρόου-ντ] στο εξωτερικό, στα ξένα.

abrogate (v) [α-μπρογκέιτ] καταργώ.

abrupt (adj) [α-μπράπτ] αιφνίδιος, απόκρημνος, απότομος.

abruption (n) [α-μπράσσον] αποκοπή.

abruptness (n) [α-μπράπτνες] βιαιότητα.

abscess (n) [ά-μπσες] απόστημα.

abscind (v) [α-μπσίν-ντ] αποκόπτω.

abscissa (n) [α-μπσίσα] τετμημένη.

abscond (v) [α-μπσκόν-ντ] φυγοδικώ, φεύγω κρυφά, δραπετεύω.

abscondence (n) [α-μπσκόν-ντενς] δραπέτευση.

absence (n) [ά-μπσενς] απουσία, έλλειψη, ανυπαρξία.

absent (adj) [ά-μπσεν-τ] απών, αφηρημένος, ανύπαρκτος.

absent-minded (adj) [ά-μπσεντ-μάιντι-ντ] αφηρημένος.

absent-mindedness (n) [ά-μπσεντ-μάιντι-ντ-νες] αφηρημάδα.

absolute (adj) [α-μπσολούτ] απόλυτος.

absoluteness (n) [ού-μπσολούτνες] απόλυτο.

absolution (n) [α-μπσολούσσον] άφεση αμαρτιών.

absolvatory (adj) [α-μπσόλβατρι] αθωωτικός, απαλλακτικός.

absolve (v) [α-πσόλβ] απαλλάσσω, συγχωρώ, αθωώνω.

absonant (n) [ά-μπσοναντ] αντίθετος, ασυμβίβαστος, παράλογος.

absorb (v) [ά-μπσόορ-μπ] απορροφώ.

absorbed (adj) [α-μπσόρπτ] απορροφημένος, αφοσιωμένος, βυθισμένος.

absorbent (n) [α-μπσόο-μπεντ] απορροφητικό.

absorption (n) [α-μποόορπσσον] απορρόφηση, αφομοίωση.

abstain (v) [α-μπστέιν] απέχω, αποφεύγω, συγκρατούμαι.

abstemious (adj) [α-μπστίμιους] εγκρατής, λιτός, λιτοδίαιτος.

abstemious meal (n) [α-μπστίμιους μίλ] λιτό γεύμα.

absterge (v) [α-μπστέρτζ] καθαρίζω.

abstinence (n) [ά-μπστινενς] αποχή [από πότό].

abstinent (adj) [ά-μπστινεντ] εγκρατής.

abstract (adj) [α-μπστράκτ] αφηρημένος, θεωρητικός, (v) αποσπώ, κλέβω.

abstracted (adj) [α-μπστράκτι-ντ] αφηρημένος, απρόσεκτος.

abstractive (adj) [α-μπστράκτιβ] αφαιρετικός, συνοπτικός.

abstruse (adj) [α-μπστρούς] δυσνόητος.

absurd (adj) [α-μπσέρ-ντ] παράλογος.

absurdity (n) [α-μπσέρ-ντιτι] παραλογισμός.

absurdly (adv) [α-μπσέρ-ντλι] παράλογα, γελοία.

abundance (n) [α-μπάν-ντανς] αφθονία.

abundant (adj) [α-μπάν-νταν-τ] άφθονος, χορταστικός.

abuse (n) [α-μπιούς] εξύβριση, βρισιά (v) [α-μπιούζ] καταχρώμαι, υβρίζω.

abusive (adj) [α-μπιούσιβ] προσβλητικός.

abut (v) [α-μπάτ] συνορεύω.

abut on (v) [α-μπάτ ον] ακουμπώ.

abutment (n) [α-μπάτμεν-τ] στήριγμα.

abysmal (adj) [α-μπίσμαλ] απύθμενος.

abyss (n) [α-μπίς] άβυσσος.

acacia (n) [ακέισσα] ακακία.

academe (n) [ακα-ντίιμ] ακαδημία.

academic (n) (adj) [ακα-ντέμικ] ακαδημαϊκός.

academician (n) [ακα-ντεμίσιαν] ακαδημαϊκός.

academy (n) [ακά-ντεμι] ακαδημία.

accede (v) [ακσίι-ντ] ανέρχομαι, προσχωρώ, αποδέχομαι.

accelerate (v) [ακσέλερέιτ] επιταχύνω.

acceleration (n) [ακσελερέισσον] επιτάχυνση, επίσπευση.

accelerator (adj) [ακσέλερεϊτορ] επιταχυντής, γκάζι αυτοκινήτου.

accent (n) [άκσεν-τ] τόνος [γραμμ] (v) [ακσέν-τ] τονίζω (adj) τονικός.

accentuate (v) [ακσέν-τσσουέιτ] τονίζω.

accept (v) [ακσέπτ] δέχομαι, αποδέχομαι.

acceptable (adj) [ακσέπτα-μπλ] αποδεκτός, δεκτός.

acceptably (adv) [ακσέπτα-μπλι] παραδεκτά, ευπρόσδεκτα.

acceptance (n) [ακσέπτανς] αποδοχή, παραδοχή, έγκριση.

acceptive (adj) [ακσέπτιβ] επιδεκτικός.

acceptor (n) [ακσέπτορ] αποδέκτης.

access (n) [άκσες] πρόσβαση.

accessary (n) [ακσέσαρι] συνεργός (adj) συνένοχος.

accessible (adj) [ακσέσι-μπλ] προσιτός.

accession (n) [ακσέσσον] ένταξη, προσχώρηση, άνοδος, προσθήκη.

accessional (adj) [ακσέσσοναλ] πρόσθετος.

accessor (n) [ακσέσορ] όργανο εκτίμησης.

accessories (n) [ακσέσοριζ] εξαρτήματα.

accessory (n) [ακσέσορι] αξεσουάρ, εξοπλισμός, ηθικός αυτουργός.

accident (n) [άκσι-ντεν-τ] ατύχημα, δυστύχημα.

accidental (adj) [ακσι-ντέν-ταλ] τυχαίος.

acclaim (n) [ακλέιμ] προσφώνηση (v) ζητωκραυγάζω.

acclamation (n) [ακλαμέισσον] επευφημία.

acclimate (v) [ακλάιμετ] εγκλιματίζω.

acclimatization (n) [ακλαϊματαϊζέσσον] εγκλιματισμός.

acclimatize (v) [ακλάιματαϊζ] εγκλιματίζω.

acclivitous (adj) [ακλίβιτους] ανηφορικός.

acclivity (n) [ακλίβιτι] ανηφοριά.

acclivous (adj) [ακλάιβας] ανηφορικός.

accommodate (v) [ακόμο-ντέιτ] βολεύω, εξυπηρετώ, εξοικονομώ.

accommodating (adj) [ακομο-ντέιτινγκ] καλόβολος, συγκαταβατικός.

accommodation (n) [ακομο-ντέισσον] προσαρμογή, συμβιβασμός, κατοικία.

accompaniment (n) [ακάμπανιμεν-τ] συνοδεία [μουσο], ακομπανιαμέντο.

accompany (v) [ακάμπανι] ακομπανιάρω.

accomplice (n) [ακόμπλις] συνεργός.

accomplish (v) [ακόμπλις] διεξάγω, εκπληρώνω, καταφέρνω.

accomplishable (adj) [ακόμπλισσαμπλ] πραγματοποιήσιμος.

accomplishment (n) [ακόμπλισσμεν-τ] χάρισμα, κατόρθωμα.

accord (n) [ακόο-ντ] συμφωνία (v) ταιριάζω, συμβιβάζω.

accordance (n) [ακόο-ντανς] συμφωνία.

accordant (adj) [ακόο-νταν-τ] αρμονικός.

according to (adv) [ακόο-ντινγκ του] αναλόγως, σύμφωνα, κατά.

accordingly (adv) [ακόο-ντινγκλι] συνεπώς, ώστε, ανάλογα.

accordion (n) [ακόο-ντιον] φυσαρμόνικα.

accost (v) [ακόστ] πλευρίζω, διπλαρώνω.

accostable (adj) [ακόστα-μπλ] ευπρόσιτος.

accouchement (n) [ακούσσμεν-τ] τοκετός.

account (n) [ακάουν-τ] περιγραφή, κατάθεση, απολογισμός, υπολογισμός, λογαριασμός (v) λογαριάζω, υπολογίζω.

account for (v) [ακάουν-τ φορ] λογοδοτώ.

accountability (n) [ακαουν-τα-μπίλιτι] ευθύνη.

accountable (adj) [ακάουν-τα-μπλ] υπεύθυνος.

accountancy (n) [ακάουν-τανσι] λογιστική.

accountant (n) [ακάουν-ταν-τ] λογιστής.

accounting (adj) [ακάουν-τινγκ] λογι-

στικός (n) λογοδοσία.

accredit (v) [ακρέ-ντιτ] εξουσιοδοτώ, διαπιστεύομαι.

accretion (n) [ακρίσσον] προσαύξηση, συμπλήρωμα.

accrue (v) [ακρού] προκύπτω, προέρχομαι.

accruement (n) [ακρούμεν-τ] προσθήκη.

accumulate (v) [ακιούμιουλέιτ] συσσωρεύω.

accumulation (adj) [ακιούμιουλέισσον] συσσώρευση.

accumulative (adj) [ακιούμιουλατιβ] συσσωρευτικός.

accumulator (n) [ακιούμιουλέιτορ] συσσωρευτής, αποταμιευτής.

accuracy (n) [άκιουρασι] ακρίβεια.

accurate (adj) [άκιουρατ] ακριβής.

accurse (v) [ακέρς] αναθεματίζω, καταριέμαι.

accusal (n) [ακιούζαλ] κατηγορία.

accusant (n) [ακιούζαν-τ] κατήγορος.

accusation (n) [ακιουζέισσον] κατηγορία.

accusative (adj) [ακιούζατιβ] αιτιατική.

accustom to (v) [ακάστομ του] συνηθίζω, εξοικειώνω.

ace (n) [είς] άσος (adj) επιδέξιος.

acerb (adj) [ασέρ-μπ] στυφός, δριμύς.

acerbity (n) [ασέρ-μπιτι] όξινος γεύση, πίκρα.

acetic (adj) [ασέτικ] οξικός, οξεικός.

ache (n) [είκ] πόνος, άλγος (v) πονώ.

ache for (v) [είκ φορ] καρδιοχτυπώ.

achieve (v) [ατσσίιβ] εκπληρώνω.

achieved (adj) [ατσσίιβ-ντ] τετελεσμένος.

achievement (n) [ατσσίβμεν-τ] εκπλήρωση, πραγματοποίηση.

achiever (n) [ατσσίιβερ] εκτελεστής.

Achilles (n) [Ακίλιζ] Αχιλλέας.

achromatic (adj) [ακρόματικ] αχρωματικός.

achromatopsy (n) [ακρομάτοπσι] αχρωματοψία.

acid (adj) [άσι-ντ] ξινός, όξινος (n) οξύ.

acidulate (v) [ασίντζζουλέιτ] ξυνίζω, οξοποιώ, πικρίζω.

acknowledge (v) [ακνόλιντζζ] ομολογώ, παραδέχομαι, αναγνωρίζω.

acknowledgement (n) [ακνόλιντζζμεντ] ομολογία, αναγνώριση, εξομολόγηση.

acme (n) [άκμι] κολοφώνας.

acne (n) [άκνι] ακμή [ιατρ].

acorn (n) [έικοον] βελανίδι.

acoustic (adj) [ακούστικ] ακουστικός.

acoustics (n) [ακούστικς] ακουστική.

acquaintance (n) [ακουείν-τανς] γνωριμία, γνωστός [φίλος].

acquiesce (v) [ακουιές] συναινώ, συμφωνώ, συγκατατίθεμαι.

acquiescence (n) [ακουιέσενς] συγκατάθεση.

acquired (adj) [ακουάιερ-ντ] επίκτητος.

acquirement (n) [ακουάιερμεν-τ] απόκτηση.

acquisition (n) [ακουιζίσσον] απόκτηση, κτήση, απόκτημα.

acquisitive (adj) [ακουίζιτιβ] κτητικός, άπληστος, πλεονέκτης.

acquit (v) [ακουίτ] αθωώνω, απαλλάσσω, εξοφλώ.

acquittal (n) [ακουίταλ] αθώωση.

acquittance (n) [ακουίτανς] απαλλαγή, εξόφληση [χρέους].

acre (n) [έικε] ακρ, = 4046,71 τμ.

acrid (adj) [άκρι-ντ] στυφός, πικρός.

acrimonious (adj) [ακριμόνιους] οργισμένος, πικρόχολος.

acrimony (n) [άκριμονι] βιαιότητα, πικρότητα.

acrobat (n) [άκρο-μπατ] ακροβάτης.

acronym (n) [άκρονιμ] αρχικά λέξεων.

Acropolis (n) [Ακρόπολις] Ακρόπολη.

across (adv) [ακρός] εγκαρσίως, κατά πλάτος, αντίπερα.

acrostic (n) [ακρόστικ] ακροστιχίδα.

act (n) [ακτ] πράξη, έργο (v) διαδραματίζω, ενεργώ, πράττω, υποκρίνομαι.

acting (n) [άκτινγκ] ηθοποιία, υποκριτική.

actinograph (n) [ακτίνογκραφ] ακτινογράφος.

action (n) [άκσον] ενέργεια, πράξη, σκηνή [θεάτρου], υπόθεση [δικαστηρίου].

activate (v) [άκτιβέιτ] δραστηριοποιώ.

active (adj) [άκτιβ] δραστήριος.

activity (n) [ακτίβιτι] δράση.

actor (n) [άκτορ] ηθοποιός.

actual (adj) [άκτσοιουαλ] αληθής.

actuality (adj) [ακτσοιουάλιτι] πραγματικότητα, επικαιρότητα.

actually (adv) [άκτσοιουαλι] πραγματικά.

acumen (n) [ακιούμεν] διορατικότητα, οξυδέρκεια.

acupuncture (n) [άκιουπάνκτσσα(ρ)] βελονισμός.

acute (adj) [ακιούτ] οξύνους, αιχμηρός.

acuteness (n) [ακιούτνες] οξύτητα.

adage (n) [ά-ντιντζζ] παροιμία, γνωμικό.

Adam and Eve (n) [Ά-νταμ αν-ντ Ιιβ] οι πρωτόπλαστοι, Αδάμ και Εύα.

adamant (n) [ά-νταμαν-τ] διαμάντι, αδάμας (adj) αμετάπειστος, ανένδοτος.

Adam's apple (n) [Ά-νταμ'ζ απλ] καρύδι [λαιμού].

adapt (v) [α-ντάπτ] προσαρμόζω, συμμορφώνω.

adaptability (n) [α-νταπτα-μπίλιτι] προσαρμοστικότητα.

adaptable (adj) [α-ντάπτα-μπλ] ευπροσάρμοστος.

adaptably (adv) [α-ντάπτα-μπλι] ταιριαστά, ευάρμοστα.

adaptation (n) [α-νταπτέισσον] εφαρμογή, προσαρμογή.

add (v) [α-ντ] προσθέτω, αθροίζω.

add to (v) [α-ντ του] επαυξάνω, προσδίδω.

add up (v) [α-ντ απ] αθροίζω.

addendum (n) [α-ντέν-νταμ] προσθήκη [ιδ σε βιβλίο], συμπλήρωμα, παράρτημα.

adder (n) [ά-ντα] έχιδνα.

addict (v) [α-ντίκτ] εθίζω, κυριεύομαι (n) [ά-ντικτ] εθισμένος, παραδεδομένος.

addiction (n) [α-ντίκσσον] εθισμός, παράδοση.

adding (adj) [ά-ντινγκ] αθροιστικός.

addition (n) [α-ντίσσον] άθροιση.

additional (adj) [α-ντίσσοναλ] πρόσθετος.

additive (adj) [ά-ντιτιβ] πρόσθετος.

addle (v) [α-ντλ] θολώνω, κλουβιάζω.

address (v) [α-ντρές] προσφωνώ, (n) [ά-ντρες] διεύθυνση, αγόρευση, σύσταση.

addressee (n) [α-ντρεσίί] παραλήπτης.

adduce (v) [α-ντιούς] αναφέρω, επικαλούμαι.

adenoid (adj) [ά-ντενοϊ-ντ] αδενοειδής.

adequacy (n) [ά-ντικουασι] επάρκεια.

adequate (adj) [ά-ντικουετ] επαρκής.

adhere (v) [α-ντχίρ] προσκολλώμαι.

adhere to (v) [α-ντχίρ του] εμμένω.

adherence (n) [α-ντχίρανς] προσκόλληση.

adherent (n) [α-ντχίρεν-τ] οπαδός.

adhesion (n) [α-ντχίιζζον] προσκόλληση, αφοσίωση.

adhesive (n) [α-ντχίισιβ] συγκολλητικός, κολλητικός, αυτοκόλλητος.

adipose (adj) [ά-ντιπουους] λιπαρός.

adiposity (n) [α-ντιπόσιτι] παχυσαρκία.

adit (n) [ά-ντιτ] είσοδος.

adjacent (adj) [αντζζέισεν-τ] διπλανός.

adjective (n) [άντζζεκτιβ] επίθετο.

adjoin (v) [αντζζόιν] γειτονεύω.

adjoining (adj) [αντζζόινινγκ] πλαϊνός, παρακείμενος, συνεχόμενος.

adjournment (n) [αντζζόρνμεν-τ] αναβολή, διακοπή.

adjudge (n) [αντζζάντζζ] αγκυροβόλιο.

adjudicate (v) [αντζζού-ντικέϊτ] δικάζω, αποφαίνομαι.

adjudication (n) [αντζζου-ντικέισσον] απόφαση [δικαστική], κατακύρωση.

adjunct (n) [άντζζανκτ] παρεπόμενος, προσδιορισμός [γραμμ].

adjust (v) [αντζζάστ] συμβιβάζω, προσαρμόζω.

adjustable (adj) [αντζζάσταμπλ] προσαρμοστικός, ρυθμιζόμενος.

adjustment (n) [αντζζάστμεν-τ] προσαρμογή.

adjutant (n) [άντζζιουταν-τ] υπασπιστής [στρατ].

admeasure (v) [α-ντμέζζα] καταμετρώ.

administer (v) [α-ντμίνιστα(ρ)] διαχειρίζομαι, διευθύνω, διοικώ.

administrate (v) [α-ντμίνιστρέιτ] διαχειρίζομαι, διοικώ.

administration (n) [α-ντμινιστρέισσον] διοίκηση, διαχείριση.

admirable (adj) [α-ντμάιρα-μπλ] θαυμάσιος, θαυμαστός, περίφημος.

admiral (n) [ά-ντμιραλ] ναύαρχος.

admiration (n) [α-ντμιρέισσον] θαυμασμός, κατάπληξη.

admire (v) [α-ντμάια] θαυμάζω, εκτιμώ.

admissible (adj) [α-ντμίσι-μπλ] επιτρεπτός, παραδεκτός.

admission (n) [α-ντμίσσον] εισδοχή, ομολογία, παραδοχή, είσοδος.

admit (v) [α-ντμίτ] αποδέχομαι.

admix (v) [α-ντμίκς] προσμειγνύω.

admixture (n) [α-ντμίκστοσα] ανάμειξη.

admonish (v) [α-ντμόνις] προειδοποιώ.

admonition (n) [α-ντμονίσσον] προειδοποίηση.

admonitory (adj) [α-ντμόνιτρι] προειδοποιητικός.

adolescence (n) [α-ντολέσενς] εφηβεία.

adolescent (n) [α-ντολέσεν-τ] έφηβος.

adopt (v) [α-ντόπτ] υιοθετώ, ασπάζομαι [μεταφ].

adoption (n) [α-ντόπσσον] υιοθεσία.

adorable (adj) [α-ντόορα-μπλ] αξιαγάπητος (n) χρυσός [μεταφ].

adoration (n) [α-ντοορέισσον] λατρεία.

adore (v) [α-ντόορ] λατρεύω, υπεραγαπώ, προσκυνώ.

adorn (v) [α-ντόον] διακοσμώ, ευπρεπίζω.

adornment (n) [α-ντόονμεν-τ] διακόσμηση, καλλωπισμός.

adrenalin (n) [α-ντρέναλιν] αδρεναλίνη.

adrift (adj) [α-ντρίφτ] ακυβέρνητος.

adroit (adj) [α-ντρόιτ] επιδέξιος, ταχύς.

adroitness (n) [α-ντρόιτνες] προσφώνηση [νομ], αγόρευση, σύσταση.

adscititious (adj) [α-ντσιτίσσας] τυχαίος, συμπτωματικός.

adulation (n) [α-ντιουλέισσον] λιβάνισμα [μεταφ], κολακία.

adult (adj) [ά-νταλτ] ενήλικος.

adulterant (n) [α-ντάλτεραν-τ] νοθευτικό.

adulterate (v) [α-ντάλτερέπτ]νοθεύω.

adulterated (adj) [α-ντάλτερέιτι-ντ] κίβδηλος.

adulterer (n) [α-ντάλτερα(ρ)] μοιχός.

adultery (n) [α-ντάλτερι] μοιχεία.

adumbrate (v) [ά-νταμ-μπρέϊτ] προσχεδιάζω.

advance (n) [α-ντβάνς] προέλαση, πρόοδος (v) διεισδύω, προελαύνω, προκαταβάλλω, προχωρώ.

advanced (adj) [α-ντβάνσο-ντ] προηγμένος, προχωρημένος.

advancement (n) [α-ντβάνσμεν-τ] πρόοδος, προαγωγή.

advantage (n) [α-ντβάαν-τιντζζ] κέρδος, όφελος, πλεονέκτημα, συμφέρον.

advantageous (adj) [α-ντβααν-τέιντζζας] ωφέλιμος, επικερδής.

advent (n) [ά-ντβεν-τ] έλευση, ερχομός.

adventure (n) [α-ντβέν-τοσα] περιπέτεια.

adventurer (n) [α-ντβέν-τοσαρα(ρ)] τυχοδιώκτης.

adventurism (n) [α-ντβέν-τοσαρίζμ] τυχοδιωκτισμός.

adventurous (adj) [α-ντβέν-τοσαρας] τολμηρός.

adverb (n) [ά-ντβερ-μπ] επίρρημα.

adverbial (adj) [α-ντβέρ-μπιαλ] επιρρηματικός.

adversary (adj) [ά-ντβερσαρι] αντίπαλος.

adverse (adj) [α-ντβέρς] εναντίος.

adversity (n) [α-ντβέροιτι] δυστυχία.

advert (v) [α-ντβέρτ] αναφέρομαι (n) [ά-ντβερτ] διαφήμιση.

advertence (n) [α-ντβέρτενς] προσεκτικότητα.

advertise (v) [ά-ντβερταϊζ] διαφημίζω.

advertisement (n) [α-ντβατάιζμεν-τ] αγγελία [εμπορ], διαφήμιση.

advice (n) [α-ντβάις] συμβουλή.

advisability (n) [α-ντβάιζα-μπίλιτι] σκοπιμότητα.

advisable (adj) [α-ντβάιζα-μπλ] ορθός, σκόπιμος.

advise (v) [α-ντβάιζ] συμβουλεύω.

advisement (n) [α-ντβάιζμεν-τ] μελέτη.

adviser (n) [α-ντβάιζερ] σύμβουλος.

advocate (n) [ά-ντβοκετ] συνήγορος (v) [α-ντβοκέπτ] υποστηρίζω.

aerial (adj) [έριαλ] εναέριος (n) κεραία [ασυρμάτου].

aeroplane (n) [έροπλέιν] αεροπλάνο.

aesthete (n) [ίισθιτ] ωραιοπαθής, αισθητικός.

aesthetic (adj) [ισθέτικ] αισθητικός.

affability (n) [αφα-μπίλιτι] φιλοφροσύνη.

affable (adj) [άφα-μπλ] καταδεχτικός.

affair (n) [αφέα(ρ)] δουλειά, υπόθεση.

affectation (n) [αφεκτέισσον] εκζήτηση, επιτήδευση, ακκισμός, πόζα, νάζι.

affected (adj) [αφέκτι-ντ] προσποιητός.

affecting (adj) [αφέκτινγκ] συγκινητικός.

affection (n) [αφέκσσον] αγάπη, στοργή.

affectionate (adj) [αφέκσσονετ] τρυφερός, φιλόστοργος.

affective (adj) [αφέκτιβ] συναισθηματικός.

affectivity (n) [αφεκτίβιτι] συναισθηματικότητα.

affiliated (adj) [αφίλιέιτι-ντ] συνεταιρισμένος.

affiliation (n) [αφιλιέισσον] ίδρυση [εταιρίας].

affinity (n) [αφίνιτι] συγγένεια, σχέση.

affirm (v) [αφέρμ] διαβεβαιώνω, πρεσβεύω.

affirmation (n) [άφαμέισσον] επιβεβαίωση.

affirmative (adj) [αφέρματιβ] καταφατικός.

affix (v) [αφίκς] επισυνάπτω.

afflation (n) [αφλέισσον] πνοή.

afflatus (n) [αφλέιτας] έμπνευση.

afflict (v) [αφλίκτ] θλίβω, πλήττω.

affliction (n) [αφλίκσσον] βάσανο, πίκρα.

affluence (n) [άφλουενς] ευημερία.

affluent (adj) [άφλουεν-τ] πλούσιος.

affray (n) [αφρέι] τσακωμός, συμπλοκή.

affright (v) [αφράιτ] τρομάζω (n) τρόμος.

affront (n) [αφράν-τ] πρόκληση.

aficionado (n) [αφισσιανά-ντοου] υποστηρικτής.

afire (adj) [αφάια(ρ)] φλεγόμενος.

aflame (adj) [αφλέιμ] αναμμένος.

afloat (adj) [αφλόουτ] αβύθιστος.

aforethought (adj) [αφόοθοοτ] προμελετημένος.

afraid (adj) [αφρέι-ντ] φοβισμένος.

afresh (adv) [αφρέος] εκ νέου, πάλι.

Africa (n) [Άφρικα] Αφρική.

aft (adv) [άφτ] προς την πρύμνη.

after (adv) [άαφτα] κατόπιν, αφού, μετά (adj) επόμενος.

afterlife (n) [άαφταλάιφ] υπόλοιπος βίος, υπερπέραν.

aftermath (n) [άαφταμααθ] συνέπεια.

afternoon (n) [άαφτανούν] απόγευμα.

afterthought (n) [άαφταθόοτ] μεταγενέστερα.

afterwards (adv) [άαφταγοο-ντζ] έπειτα, μετά, ύστερα.

afterwhile (adv) [άαφταγουάιλ] μετέπειτα, αφού, μετά.

again (adv) [αγκέιν] πάλι, ξανά.

against (adv) [αγκέινστ] εναντίον, κόντρα, κατά.

agape (n) [άγκαπι] αγάπη [εκκλ].

agate (n) [άγκεϊτ] αχάτης [ορυκτ].

age (n) [έιντζζ] ηλικία, γηρατειά, εποχή, περίοδος, χρόνος (v) ηλικιώνομαι.

age-old (adj) [έιντζζ-όουλ-ντ] αιωνόβιος.

aged (adj) [έιντζζ-ντ] γερασμένος.

ageless (adj) [έιντζζλες] αγέραστος.

agency (n) [έιντζζενσι] πρακτορείο.

agenda (n) [αντζζέν-ντα] σημειωματάριο.

agent (n) [έιντζζεν-τ] μεσίτης, παράγοντας, πράκτορας, αντιπρόσωπος.

agent provocateur (n) [άαζζον προβοκατέρ] προβοκάτορας.

agglomerate (v) [αγκλόμερεϊτ] συγκεντρώνω (n) σωρός, άθροισμα, σύνολο.

agglomeration (n) [αγκλομερέισσον] άθροισμα, σύνολο.

aggrandize (v) [ανγκράν-νταϊζ] αυξάνω, μεγαλώνω.

aggrandizement (n) [άγκραν-ντάιζμεν-τ] μεγέθυνση.

aggravate (v) [άγκραβεϊτ] χειροτερεύω.

aggress (v) [αγκρές] επιτίθεμαι.

aggression (n) [αγκρέσσον] επίθεση.

aggressive (adj) [αγκρέσιβ] επιθετικός.

aghast (adj) [αγκάαστ] κατάπληκτος.

agile (adj) [ά-ντζζαϊλ] ευκίνητος.

agility (n) [αντζζίλιτι] ευκινησία.

agitate (v) [άντζζιτεϊτ] διαταράσσω, προπαγανδίζω.

agitation (n) [άντζζιτέισσον] αναστάτωση, ταραχή, αναβρασμός.

agitator (adj) [αντζζιτέιπα(ρ)] υποκινητής, ταραξίας.

agonizing (adj) [άγκοναϊζινγκ] φρικτός.

agony (n) [άγκονι] αγωνία, οδύνη.

agrarian (adj) [αγκρέριαν] αγροτικός.

agrarian police (n) [αγκρέριαν πολίς] αγροφυλακή.

agree (v) [αγκρίι] συμφωνώ, δέχομαι,.

agree to (v) [αγκρίι του] συμφωνώ.

agree with (v) [αγκρίι γουίθ] συμμορφώνομαι, δέχομαι, εγκρίνω.

agreeable (adj) [αγκρία-μπλ] ευχάριστος.

agreement (n) [αγκρίιμεν-τ] συμφωνία, συνθήκη, συμβόλαιο.

agriculture (n) [αγκρικάλτσσα(ρ)] γεωργία.

agronomist (n) [αγκρόνομιστ] αγρονόμος.

ah! (ex) [άα] αχ!, ω!.

aha! (ex) [αχαά] χαχά! μπα! ω!

ahead of (pr) [αχέ-ντ οβ] προ.

aid (n) [έι-ντ] βοήθεια (v) ωφελώ, βοηθώ.

aide-de-camp (n) [έι-ντ-ντεκομ] υπασπιστής.

aileron (n) [έιλερον] πτερύγιο.

ailment (n) [έιλμεν-τ] αδιαθεσία.

aim (n) [έιμ] επιδίωξη, σκοπός, στόχος (v) σκοπεύω, κατευθύνω.

aim at (v) [έιμ ατ] επιδιώκω, αποβλέπω.

aim to (v) [έιμ του] λογαριάζω, σκοπεύω.

aiming (n) [έιμινγκ] σκόπευση.

aimless (adj) [έιμλες] άσκοπος.

air (adj) [έα(ρ)] αεροπορικός (n) αέρας (v) αερίζω.

air cadet (n) [έα κα-ντέτ] ίκαρος.

air conditioning (n) [έα κον-ντίσσονινγκ] κλιματισμός.

air defence (n) [έα ντιφένς] αεράμυνα.

air duct (n) [έα ντακτ] αεραγωγός.

air fight (n) [έα φάιτ] αερομαχία.

air force (n) [έα φοος] αεροπορία.

air hostess (n) [έα χόουστες] αεροσυνοδός.

air-cooled (adj) [έα-κουλ-ντ] αερόψυκτος.

airborne troops (n) [έα-μπόον τρουπς] αεραγήματα.

aircraft (n) [έακρααφτ] αεροσκάφος.

aircraft carrier (n) [έακράφτ κάριερ] αεροπλανοφόρο.

airgun (n) [έαγκάν] αεροβόλο.

airily (adv) [έαριλι] απερίσκεπτα.

airing (n) [έαρινγκ] αερισμός.

airlift (n) [έαλιφτ] αερογέφυρα.

airmail (adj) [έαμεϊλ] αεροπορικός.

airplane (n) [έαπλεϊν] αεροπλάνο.

airport (n) [έαπόουρτ] αεροδρόμιο.

airship (n) [έασσιπ] αερόπλοιο.

airtight (adj) [έατάιτ] αεροστεγής.

airway (n) [έαουεϊ] αεροπορική γραμμή.

airy (adj) [έαρι] ανάλαφρος, ευάερος.

ajar (adj) [αντζζάαρ] μισάνοιχτος.

akin (adj) [ακίν] συγγενής.

alabaster (n) [άλα-μπααστα] αλάβαστρο.

alacrity (n) [αλάκριτι] προθυμία.

alarm (v) [αλάαμ] συνεγείρω, τρομάζω (n) συναγερμός, πανικός.

alarm clock (n) [αλάαμ κλοκ] ξυπνητήρι.

alarming (adj) [αλάαμινγκ] ανησυχητικός.

alarum (n) [αλάαραμ] συναγερμός.

alas (ex) [αλάς] αλίμονο!, αχ!, φευ.

albacore (n) [άλ-μπακορ] τόνος [ιχθ].

Albania (n) [Αλ-μπέινια] Αλβανία.

albeit (conj) [οολ-μπίι-ιτ] καίτοι, αν και.

album (n) [άλ-μπαμ] άλμπουμ.

albumin (n) [άλ-μπιουμιν] λεύκωμα [ιατρ].

alchemist (n) [άλκεμιστ] αλχημιστής.

alchemy (n) [άλκεμι] αλχημεία.

alcohol (n) [άλκοχολ] αλκοόλ.

alcoholic (adj) [αλκοχόλικ] αλκοολικός.

alcoholism (n) [άλκοχολισμ] αλκοολισμός.

alcove (n) [άλκοουβ] γωνιά.

ale (n) [έιλ] μπίρα.

alert (adj) [αλέρτ] γρήγορος, ξύπνιος [μεταφ] (n) επιφυλακή, πανικός.

alertness (n) [αλέρτνες] επαγρύπνηση.

alevin (n) [άλιβιν] σολομός, ψαράκι.

alfresco (adv) [αλφρέσκοου] υπαίθρια.

algebra (n) [άλτζζι-μπρα] άλγεβρα.

algebraic (adj) [αλντζζι-μπρέικ] αλγεβρικός.

Algeria (n) [Αλτζζίρια] Αλγερία.

algidity (n) [αλντζζί-ντιτι] ψυχρότητα.

algorism (n) [άλγκοριζμ] αλγόριθμος.

alias (adv) [έιλιας] άλλως (n) ψευδώνυμο.

alibi (n) [άλι-μπαΐ] άλοθι.

alidade (n) [άλι-ντεΐ-ντ] γωνιόμετρο, αναγωγέας.

alien (adj) [έιλιεν] αλλοδαπός.

alienate (v) [έιλιενεΐτ] απαλλοτριώνω, απομακρύνω.

alienation (n) [εΐλιενέισσον] αλλοτρίωση.

alienist (n) [έιλιενιστ] ψυχίατρος.

alight (adj) [αλάιτ] αναμμένος, φλεγόμενος (v) αφιππεύω.

alighting (n) [αλάιτινγκ] προσγείωση.

align (v) [αλάιν] ευθυγραμμίζω.

alignment (n) [αλάινμεν-τ] ευθυγράμμιση.

alike (adj) [αλάικ] όμοιος.

aliment (n) [άλιμεν-τ] τροφή (v) τρέφω.

alimentary (adj) [αλιμέν-τρι] θρεπτικός.

alimentation (n) [αλιμεν-τέισσον] τροφοδότηση.

alimony (n) [άλιμονι] διατροφή [επί διαζυγίου].

aline (v) [αλάιν] παρατάσσω.

alive (adj) [αλάιβ] ζωντανός.

alkali (n) [άλκαλαΐ] αλκάλι.

alkaline (adj) [άλκαλαϊν] αλκαλικός.

alkalinity (n) [αλκαλίνιτι] αλκαλικότητα.

alkaloidal (adj) [αλκαλόι-ντλ] αλκαλοειδής.

all (pron) [όολ] όσος (adj) όλος (n) σύμπαν.

all at once (adv) [όολ ατ ουάνς] αίφνης.

all but (adv) [όολ μπατ] σχεδόν.

All Fools' Day (n) [ολφουλζ-ντεΐ] πρωταπριλιά.

all right (adj) [όολ ράιτ] εντάξει, καλά.

all round (adv) [όολ ράουν-ντ] ολόγυρα.

All Souls' Day (n) [Όολ Σόουλ'ζ Ντέι] ψυχοσάββατο.

all-fired (adj) [όολφαϊρ-ντ] υπερβολικός (adv) εντελώς, πλήρως.

Allah (n) [άλα] Αλάχ.

allay (v) [αλέι] καθησυχάζω, ανακουφίζω.

allegation (n) [αλεγκέισσον] ισχυρισμός.

allege (v) [αλέντζζ] ισχυρίζομαι, επικαλούμαι.

allegiance (n) [αλίιντζζιανς] υποταγή, πίστη.

allegoric (adj) [αλιγκόρικ] αλληγορικός.

allegorist (n) [άλιγκοριστ] αλληγορητής.

allegorize (v) [άλιγκοραΐζ] αλληγορώ.

allegory (n) [αλέγκορι] αλληγορία.

alleluia (ex) [αλελούουια] αλληλούια.

allergic (adj) [αλέρντζζικ] αλλεργικός.

allergy (n) [άλεντζζι] αλλεργία.

alleviate (v) [αλίιβιεΐτ] απαλύνω, ανακουφίζω.

alley (n) [άλι] σοκάκι, δρομάκι.

alleyway (n) [άλιγουεΐ] σοκάκι.

alliance (n) [αλάιανς] συμμαχία, συνασπισμός.

allied (n) [αλάι-ντ] συμμαχικός.

alligator (n) [αλιγκέιτορ] αλιγάτορας.

alliterate (v) [αλίτερεΐτ] παρηχώ.

alliteration (n) [αλιτερέισσον] παρήχηση.

alliterative (adj) [αλίτερεϊυβ] παρηχητικός.

allocate (v) [άλοουκέιτ] καταμερίζω, κατανέμω, χορηγώ.

allocation (n) [αλακέισσον] κατανομή, μερισμός.

allocution (n) [άλακιούσσον] προσφώνηση.

allogamy (n) [αλόγκαμι] αλλογαμία, ετεροεπικονίαση [βοτ].

allot (v) [αλότ] κατανέμω [ευθύνες], μοιράζω [ρόλους].

allotment (n) [αλότμεν-τ] μέρισμα.

allow (v) [αλάου] επιτρέπω, ανέχομαι.

allowance (n) [αλάουανς] επιχορήγηση, επίδομα.

allowed (adj) [αλάου-ντ] επιτρεπόμενος, παραδεδεγμένος.

alloy (n) [άλοϊ] κράμα [μετάλλων].

alloy (v) [αλόϊ] συντήκω, αλλοιώνω [μεταφ], μειώνω [μεταφ].

allude to (v) [αλιού-ντ του] υπαινίσσομαι.

allure (v) [αλιούα] σκανδαλίζω, γαργαλίζω.

alluring (adj) [αλιούρινγκ] δελεαστικός.

allusion (n) [αλιούζζον] υπαινιγμός.

allusive (adj) [αλιούσιβ] υπαινισσόμενος.

allusively (adv) [αλιούσιβλι] υπαινικτικά.

alluvial (adj) [αλούουβιαλ] προσχωματικός.

ally (n) [άλαϊ] σύμμαχος.

almighty (adj) [οολμάιτι] πανίσχυρος.

almond (n) [ααμον-ντ] αμύγδαλο.

almost (adv) [όολμόουστ] περίπου.

alms (n) [άαμς] ελεημοσύνη.

alms-deed (n) [άαμζ-ντίι-ντ] φιλανθρωπία.

almshouse (n) [άαμζχάουζ] πτωχοκομείο.

aloe (n) [άλοου] αλόη [βοτ].

aloft (adv) [αλόφτ] ψηλά, πάνω.

alone (adj) [αλόουν] μεμονωμένος.

along (pr) [αλόνγκ] παραπλεύρως (adv) εμπρός, κατά μήκος.

alongshore (adv) [αλόνγκσοόρ] παραλιακά.

alongside (adv) [αλόνγκσάι-ντ] πλάι.

aloof (adv) [αλούουφ] μακριά.

alopecia (n) [αλοπίιοσια] αλωπεκία.

aloud (adv) [αλάου-ντ] μεγαλοφώνως.

alphabet (n) [άλφα-μπετ] αλφαβήτα.

alpine (adj) [αλπάιν] υψηλός, ορεινός

[μεταφ].

alpinist (n) [άλπινιστ] αλπινιστής.

already (adv) [όολρε-ντι] ήδη, κιόλας.

also (adv) [όολσοου] επίσης, και.

altar (n) [οολτα(ρ)] θυσιαστήριο, τράπεζα [αγία], βωμός.

alter (v) [οολτα(ρ)] αλλοιώνω, διασκευάζω, μετατρέπω.

alterable (adj) [όολτερα-μπλ] μετατρέψιμος.

alterant (adj) [όολτεραν-τ] μεταβάλλων (n) μεταλλάκτης.

alteration (n) [οολτερέισσον] αλλαγή, μεταποίηση, αλλοίωση.

alternate (adj) [οολτερνέιτ] αναπληρωματικός, εναλλακτικός (v) εναλλάσσω.

alternative (n) [οολτέρνατιβ] εναλλακτική λύση, διέξοδος [μεταφ].

alternator (n) [όολτερνεΐτορ] εναλλακτήρας.

although (conj) [όολδοου] μολονότι.

altitude (n) [άλτιτιου-ντ] υψόμετρο.

altogether (adv) [όολτουγκέδα(ρ)] τελείως, εντελώς, ολότελα, όλως.

altruism (n) [άλτρουιζμ] ανιδιοτέλεια.

altruist (n) [άλτρουιστ] αλτρουιστής.

alum (n) [άλαμ] στύψη.

alumina (n) [αλιούμινα] αλουμίνα.

aluminium (n) [αλιουμίνιουμ] αλουμίνιο.

alveolate (adj) [αλβίιολεΐτ] κυψελωτός.

alveolus (n) [αλβίιολας] κυψελίδα.

alvine (adj) [αλβάιν] κοιλιακό.

always (adv) [όολγουέιζ] πάντοτε.

amain (adv) [αμέιν] βίαια, δυνατά.

amalgamate (v) [αμάλγκαμεΐτ] αναμειγνύω, ενώνω, συγχωνεύω.

amalgamation (n) [αμαλγκαμέισσον] ένωση, συγχώνευση.

amaranth (n) [άμαρανθ] αμάρανθος [βοτ].

amass (v) [αμάς] συγκεντρώνω.

amateur (adj) [άματα(ρ)] ερασιτεχνικός (n) ερασιτέχνης.

amateurish (adj) [άματσσιαρισς] ερασιτεχνικός, αδέξιος, επιπόλαιος.

amateurism (n) [άματσσιαριζμ] ερασιτεχνισμός.

amatory (adj) [άματορι] ερωτικός.

amaze (v) [αμέιζ] εκπλήσσω.

amazement (n) [αμέιζμεν-τ] έκπληξη, κατάπληξη, νταμπλάς [μεταφ].

amazon (n) [άμαζον] αμαζόνα.

ambassador (n) [αμ-μπάσα-ντα(ρ)] πρέσβυς, πρεσβευτής.

ambassadorial (adj) [αμ-μπασα-ντόριαλ] πρεσβευτικός.

amber (n) [άμ-μπα(ρ)] κεχριμπάρι.

ambience (n) [άμ-μπιενς] περιβάλλον, ατμόσφαιρα, κλίμα.

ambient (adj) [άμ-μπιεν-τ] περιβαλλοντικός.

ambiguity (n) [αμ-μπιγκιούιτι] διφορούμενο.

ambiguous (adj) [αμ-μπίγκιους] διφορούμενος, αμφίλογος, ασαφής.

ambit (n) [άμ-μπιτ] περιφέρεια, περίμετρος, έκταση, τομέας [μεταφ].

ambition (n) [αμ-μπίσσον] φιλοδοξία, στόχος, επιδίωξη, φιλότιμο.

ambitious (adj) [αμ-μπίσιας] φιλόδοξος.

ambivalent (adj) [αμ-μπίβαλεν-τ] αμφίθυμος, αντιμαχόμενος.

ambrosia (n) [αμ-μπρόουζια] αμβροσία, γευστική απόλαυση.

ambry (n) [άμ-μπρι] σκευοφυλάκιο.

ambulance (n) [άμ-μπιαλανς] ασθενοφόρο.

ambulant (adj) [άμ-μπιαλαντ] κινούμενος, περιφερόμενος.

ambulatory (adj) [άμ-μπιουλλατορι] κινητός, όρθιος, περιπατητικός.

ambush (n) [άμ-μπους] ενέδρα, καρτέρι (v) ενεδρεύω.

Ameer (n) [αμίρ] εμίρης.

ameliorate (v) [αμίλιορεϊτ] βελτιώνω.

amen (ex) [άαμεν] αμήν.

amenable (adj) [αμίνα-μπλ] υπάκουος, υπόλογος.

amenably (adv) [αμίνα-μπλι] υπεύθυνα, επιδεκτικά, υπάκουα.

amend (v) [αμέν-ντ] βελτιώνω.

amendment (n) [αμέν-ντμεν-τ] επανόρθωση, διόρθωση, τροπολογία.

amenity (n) [αμίνιτι] θελκτικότητα.

amentia (n) [αμένσσια] άνοια.

amercement (n) [αμέρσμεν-τ] χρηματική ποινή, πρόστιμο.

America (n) [Αμέρικα] Αμερική.

americium (n) [αμερίσιαμ] αμερίκιο.

amethyst (n) [άμεθιστ] αμέθυστος.

amiability (n) [έιμια-μπίλιτι] καλωσύνη.

amid[st] (adv) [αμί-ντ[στ]] μεταξύ.

amiss (adv) [αμίς] κακώς, στραβά.

amity (n) [άμιτι] φιλία, ομόνοια.

ammeter (n) [άμιτα] αμπερόμετρο.

ammo (n) [άμοου] πυρομαχικά.

ammonia (n) [αμόουνια] αμμωνία.

ammunition (n) [άμιουνίσσον] πολεμοφόδια, πυρομαχικά.

amnesia (n) [αμνίίζζια] αμνησία.

amnesty (n) [άμνεστι] αμνηστία (v) αμνηστεύω.

amoeba (n) [αμίι-μπα] αμοιβάδα.

amoebic (adj) [αμίι-μπικ] αμοιβαδικός.

amok (n) [αμόκ] αμόκ.

among (adv) [αμόνγκ] ανάμεσα, εις, μέσα.

amongst (adv) [αμόνγκστ] μεταξύ.

amoral (adj) [άμοραλ] αδιάφορος.

amorist (n) [άμοριστ] ερωτιάρης.

amorous (adj) [άμορας] ερωτύλος.

amorphous (adj) [αμόρφας] άμορφος.

amortize (v) [άμορτάιζ] εξοφλώ.

amount (n) [αμάουν-τ] ποσότητα.

amount to (v) [αμάουν-τ του] ανέρχομαι [λογαριασμός], ισοδυναμώ.

ampere (n) [άμπα] αμπέρ.

amphibian (n) [αμφί-μπιαν] αμφίβιο.

amphibious (adj) [αμφί-μπιους] αμφίβιος.

amphibology (n) [αμφι-μπόλοντζζι] αμφιβολογία, διφορούμενος λόγος.

amphitheatre (n) [αμφιθίατα] αμφιθέατρο.

amphora (n) [άμφαρα] αμφορέας.

ample (adj) [αμπλ] ευρύχωρος, φαρδύς.

amplification (n) [α-μπλιφικέισσον] αύξηση, μεγέθυνση.

amplify (v) [άμπλιφαϊ] αυξάνω, μεγενθύνω, επεκτείνω, ενισχύω.

amplitude (n) [άμπλιτιου-ντ] μέγεθος, ευρύτητα, αφθονία, πλάτος.

amply (adv) [άμπλι] άφθονα, υπεραρκετά.

ampule (n) [άμπιουλ] αμπούλα.

ampulla (n) [αμπούλα] αμπούλα.

amputate (v) [άμπιουτέιτ] ακρωτηριάζω [ιατρ].

amputation (n) [αμπιουτέισσον] αποκοπή, ακρωτηριασμός [ιατρ].

amulet (n) [άμιουλετ] φυλαχτό.

amuse (v) [αμιούζ] διασκεδάζω [ψυχαγωγώ], τέρπω, γλεντώ.

amusement (n) [αμιούζμεν-τ] διασκέδαση, ευθυμία, ψυχαγωγία.

amusing (adj) [αμιούζιγνκ] διασκεδαστικός, αστείος.

amyl (n) [άμιλ] άμυλο.

amylaceous (adj) [αμιλέισσας] αμυλώδης, αμυλοειδής.

amylase (n) [άμιλέϊζ] αμυλάση.

an (article) [αν] μια, ένα.

ana (pr) [ανά] ανά.

Anabaptist (n) [ανα-μπάπτιστ] Αναβαπτιστής.

anabatic (adj) [ανα-μπάτικ] αναβατικός.

anabiosis (n) [ανα-μπαϊόουσις] αναβίωση.

anabiotic (adj) [ανα-μπαϊότικ] αναβιωτικός (n) αναβιωτικό.

anabolism (n) [ανά-μπολιζμ] αναβολισμός.

anachronism (n) [ανάκρονιζμ] αναχρονισμός.

anadromous (adj) [ανά-ντρομας] ανάδρομος, αναδρομικός.

anaemic (adj) [ανίμικ] αναιμικός.

anaesthesia (n) [ανισθίιζια] αναισθησία.

anaesthetize (n) [ανίισθεταϊζ] ναρκώνω.

anagram (n) [άναγκραμ] αναγραμματισμός, ανάγραμμα.

analgesic (adj) [αναντζζέζικ] αναλγητικός.

analogize (v) [ανάλο-ντζζαϊζ] παραλληλίζω.

analogous (adj) [ανάλογκας] ανάλογος, παρόμοιος, παρεμφερής.

analogy (n) [ανάλο-ντζζι] αναλογία, αντιστοιχία, παρομοίωση.

analysis (n) [ανάλισις] ανάλυση.

analyst (n) [άναλιστ] αναλυτής.

analytic (adj) [αναλίτικ] αναλυτικός.

analytics (n) [αναλίτικς] αναλυτική.

analyze (v) [άναλαϊζ] αναλύω.

anamnesis (n) [αναμνίισις] ανάμνηση.

anamorphosis (n) [αναμόοφοουσις] αναμόρφωση [βοτ].

anamorphous (adj) [αναμόοφας] παραμορφωμένος.

anaplasty (n) [ανάπλαστι] ανάπλαση.

anarchic (adj) [ανάακικ] αναρχικός.

anarchism (n) [άναρκιαμ] αναρχισμός.

anarchy (n) [άναακι] αναρχία.

anastomosis (n) [αναστομόουσις] αναστόμοση.

anatomical (n) [ανατόμικαλ] ανατομικός.

anatomist (n) [ανάτομιστ] ανατόμος.

anatomize (n) [ανάτομαϊζ] ανατέμνω, αναλύω, ερευνώ.

anatomy (n) [ανάτομι] ανατομή, ανατομική, ανατομία.

ancestor (n) [άνσεστα(ρ)] πρόγονος.

ancestral (adj) [ανσέστραλ] πάτριος, πατρογονικός, προπατορικός.

ancestry (n) [άνσεστρι] καταγωγή.

anchor (n) [άνκα] άγκυρα (v) αγκυροβολώ.

anchorage (n) [άνκαριντζζ] αγκυροβολία, αγκυροβόληση, αγκυροβόλιο.

anchovy (n) [άν-τσσαβι] σαρδέλα.

anchylosis (n) [ανκιλόουσις] αγκύλωση.

anchylotic (adj) [ανκιλότικ] αγκυλωτός.

ancient (adj) [έινσσιεν-τ] αρχαίος.

ancillary (adj) [άνσιλαρι] υποτακτικός, επικουρικός.

and (conj) [αν-ντ] και, δε.

and so (conj) [αν-ντ σόου] λοιπόν.

andiron (n) [άν-ντιαν] πυροστιά.

androgen (n) [άν-ντροντζζεν] ανδρογόνο.

androgynous (adj) [αν-ντρόντζινας] ανδρόγυνος [βοτ], ερμαφρόδιτος.

anecdote (n) [άνεκ-ντόουτ] ανέκδοτο.

anemograph (n) [ανέμοουγκρααφ] ανεμογράφος.

anemometer (n) [ανεμόμιτα(ρ)] ανεμόμετρο.

anent (pr) [ανέν-τ] περί.

aneroid (adj) [άνιροϊ-ντ] ανεροειδής.

aneurism (n) [άνιουριζμ] ανεύρυσμα.

anew (adv) [ανιού] πάλι, ξανά.

angary (n) [άνγκαρι] αγγαρεία.

angel (n) [έιν-ντζζελ] άγγελος.

angelic[al] (adj) [αν-ντζζέλικ[αλ]] αγγελικός.

angelica (n) [αν-ντζζέλικα] αγγέλικα.

anger (n) [άνγκα(ρ)] αγανάκτηση, οργή (v) πειράζω, οργίζω, εξοργίζω.

angina (n) [αντζζάινα] αμυγδαλίτιδα.

angle (n) [ανγκλ] γωνία, άποψη.

angler (n) [άνγκλα(ρ)] ψαράς, αλιεύς, βατραχόψαρο [ζωολ].

angry (adj) [άνγκρι] θυμωμένος, εξωργισμένος, οργισμένος.

anguine (adj) [άνγκουιν] φειδίσιος.

anguish (n) [άνγκουισς] σπαραγμός, αγωνία, χτικιό (v) βασανίζω.

angular (adj) [άνγκιουλα(ρ)] γωνιακός, γωνιώδης.

anhydrite (n) [ανχάι-ντραϊτ] ανυδρίτης.

anil (n) [άνιλ] ινδικοφόρος, ινδικό [χρωστική ουσία], λουλάκι.

anile (adj) [άναϊλ] ξεμωραμένη.

aniline (n) [άνιλιν] ανιλίνη.

anility (n) [ανάιλιτι] ξεκούτιασμα.

anima (n) [άνιμα] ψυχή.

animadversion (n) [ανιμα-ντβέρσσον] παρατήρηση, σχόλιο, μομφή.

animadvert (n) [ανιμα-ντβέρτ] επικρίνω, σχολιάζω δυσμενώς.

animal (adj) [άνιμαλ] ζωικός, σαρκικός (n) ζώο, κτήνος.

animalcule (n) [ανιμάλκιουλ] ζωύφιο, μικροοργανισμός.

animalism (n) [άνιμαλιζμ] ζωικότητα, έλλειψη πνευματικότητας.

animality (n) [ανιμάλιτι] ζωώδες.

animalize (v) [άνιμαλαϊζ] ζωοποιώ.

animate (v) [άνιμεϊτ] ζωογονώ, ζωντανεύω (adj) ζωντανός.

animated (adj) [άνιμεϊτι-ντ] ζωντανός, ζωηρός [θερμός].

animated by (v) [άνιμεϊτι-ντ μπάι] διαπνέομαι.

animosity (n) [ανιμόσιτι] εχθρότητα.

animus (n) [άνιμας] σκοπός, φρόνημα, κίνητρο, ελατήριο.

anion (n) [ανάιον] ανιόν [χημ].

anise (n) [άνις] άνηθο, γλυκάνισο.

ankle (n) [ανκλ] αστράγαλος.

anklebone (n) [άνκλ-μπόουν] αστράγαλος, κότσι.

annalist (n) [άναλιστ] χρονικογράφος.

annals (n) [άναλς] χρονικά.

annex (n) [ανέξ] επισυνάπτω, συνάπτω (n) [άνεξ] παράρτημα.

annexation (n) [ανεξέισσον] προσάρτηση, οικειοποίηση.

annexure (n) [ανέκοσσα(ρ)] προσαρτημένο, προσθήκη.

annihilate (v) [ανάι-ιλεϊτ] εξολοθρεύω.

annihilation (n) [αναϊιλέισσον] εκμηδένιση, εξολόθρευση, αφανισμός.

anniversary (n) [ανιβέρσαρι] επέτειος.

annotate (v) [άνατέιτ] σχολιάζω.

annotation (n) [ανατέισσον] υποσημείωση, σχολιασμός, σχόλιο.

annotator (n) [ανατέιτορ] σχολιαστής.

announce (v) [ανάουνς] αναγγέλω, ανακοινώνω, κηρύσσω, διακηρύσσω.

announcement (n) [ανάουνσμεν-τ] αγγελία, ανακοίνωση, προκήρυξη.

annoy (v) [ανόι] εκνευρίζω, ενοχλώ.

annoyance (n) [ανόιανς] ενόχληση.

annoying (adj) [ανόιινγκ] ενοχλητικός.

annual (adj) [άνιουαλ] ετήσιος (n) επετηρίδα, ετήσια έκδοση.

annuity (n) [ανιούιτι] επίδομα.

annul (v) [ανάλ] καταργώ, λύνω.

annulet (n) [ανιούλιτ] δακτυλιδάκι.

annulment (n) [ανάλμεν-τ] ακύρωση, κατάργηση, καταγγελία.

annunciation (n) [ανανσιέισσον] Ευαγγελισμός [εκκλ], αναγγελία.

anode (n) [άνοου-ντ] άνοδος, θετικό ηλεκτρόδιο.

anodic (adj) [άνόου-ντικ] ανοδικός.

anodize (v) [άνοου-νταϊζ] οξειδώ.

anodyne (adj) [άνοου-νταϊν] ανώδυνος, κατευναστικός (n) παυσίπονο.

anoesis (n) [ανοουίισις] άνοια.

anoint (v) [ανόιν-τ] χρίζω, μυρώνω.

anointing (n) [ανόιν-τινγκ] χρίσμα.

anomalous (adj) [ανόμαλας] ανώμαλος, αντικανονικός, ακανόνιστος.

anomia (n) [ανόουμια] αμνησία.

anonymity (n) [ανονίμιτι] ανωνυμία.

anonymous (adj) [ανόνιμους] ανώνυμος.

anopheles (n) [ανόφιλιιζ] ανωφελής.

anorak (n) [άνορακ] αδιάβροχος επενδυτής με κουκούλα, μοντγκόμερι.

anorexia (n) [ανορέξια] ανορεξία.

anorthopia (n) [ανορθόουπια] στραβισμός [ιατρ].

another (pron) [ανάδα(ρ)] ακόμη ένας, έτερος, άλλος.

answer (n) [άανσα(ρ)] απάντηση, απόκριση (v) απαντώ, αποκρίνομαι.

answer back (v) [άανσα μπακ] αντιμιλώ.

answerable (adj) [άανσερα-μπλ] υπεύθυνος, υπόλογος, ανάλογος.

ant (n) [αν-τ] μέρμηγκας, μυρμήγκι.

antagonism (n) [αν-τάγκονιζμ] ανταγωνισμός, αντιζηλία, αντιπάθεια.

antagonist (n) [αν-τάγκονιστ] αντίπαλος, ανταγωνιστής, αντίζηλος.

antagonistic (adj) [αν-ταγκονίστικ] αντίζοος, δυσμενής, εναντιος.

antagonize (v) [αν-τάγκοναϊζ] αντιμεπωπίζω προκλητικώς, κοντράρω.

antarctic (adj) [αν-τάαρκτικ] ανταρκτικός.

antecede (v) [αν-τισίι-ντ] προηγούμαι.

antechamber (n) [άν-τετοσέιμ-μπα] προθάλαμος.

antediluvian (adj) [άν-τε-ντιλούβιαν] προκατακλυσμιαίος.

antelope (n) [άν-τιλοουπ] αντιλόπη.

antemeridian (adj) [αντιμερί-ντιαν] προμεσημβρινός.

antemetic (adj) [αντιμέτικ] αντιεμετικός.

antenna (n) [αν-τένα] αντένα.

antenuptial (adj) [αν-τινάπσσαλ] προγαμιαίος.

antepenult (n) [αντιπενάλτ] προπαραλήγουσα.

antepenultimate (adj) [αντιπενάλτιμητ] προπροτελευταίος.

anterior (adj) [αν-τίρια(ρ)] προγενέστερος, προηγούμενος.

anteroom (n) [άν-τιρουμ] προθάλαμος, αίθουσα αναμονής.

anthem (n) [άνθεμ] αντίφωνο, ύμνος.

anther (n) [άνθερ] ανθήρας [βοτ].

anthologist (v) [ανθόλοντζζιστ] ανθολόγος.

anthologize (v) [ανθόλοντζζαΐζ] ανθολογώ, απανθίζω.

anthology (n) [ανθόλοντζζι] ανθολογία, απάνθισμα.

anthracite (n) [άνθρασαϊτ] ανθρακίτης.

anthrax (n) [άνθραξ] άνθρακας.

anthropoid (n) [άνθροποϊ-ντ] ανθρωποειδές (adj) ανθρωποειδής.

anthropological (n) [ανθροπολόντζζι-καλ] ανθρωπολογικός.

anthropologist (n) [ανθροπόλοντζζιστ] ανθρωπολόγος.

anthropology (n) [ανθροπόλοντζζι] ανθρωπολογία.

anthropomorphism (n) [ανθροπομόοφιζμ] ανθρωπομορφία.

anthropophagous (adj) [ανθροπόφα-γκας] ανθρωποφάγος.

anthropophagy (adj) [ανθροπόφα-ντζζι] ανθρωποφαγία.

anthroposophy (n) [ανθροπόσοφι] ανθρωποσοφία, ανθρώπινη σοφία.

anti-dazzle (adj) [αν-τι-ντάζλ] αντιθαμβωτικός, αντιτυφλωτικός.

anti-semitic (adj) [αν-τι-σεμίτικ] αντισημιτικός.

anti-semitism (n) [άν-τισέμιτιζμ] αντισημιτισμός.

antibiotic (n) [άν-τι-μπάιότικ] αντιβιοτικό.

antibody (n) [άν-τι-μπό-ντι] αντίσωμα.

antic (n) [άν-τικ] γελωτοποιός, παλιάτσος (adj) γελοίος, αστείος.

antichrist (n) [άν-τικράϊστ] αντίχριστος.

anticipant (adj) [αν-τίσιπαν-τ] προσδοκών, προεξοφλών, αναμένων.

anticipate (v) [αν-τίσιπέιτ] ελπίζω, προσδοκώ, προεξοφλώ, προλαμβάνω.

anticipation (n) [αν-τισιπέισσον] προσδοκία, αναμονή, πρόβλεψη.

anticipatory (adj) [αν-τισιπέιτορι] προκαταβολικός, προληπτικός.

anticlimax (n) [αν-τικλάιμακς] αντικλί-μαξ, κατάπτωση.

anticline (n) [αν-τικλάιν] αντίκλινο.

anticoagulant (adj) [αν-τικοουάντζζι-ουλαν-τ] αντιπηκτικός, αντιθρομβωτικός (n) αντιπηκτικό.

antics (n) [άν-τικς] καραγκιοζιλίκια.

anticyclone (n) [άν-τισάικλοουν] αντικυκλώνας.

antidote (n) [άν-τι-ντοουτ] αντίδοτο.

antifreeze (n) [άν-τιφρίιζ] αντιψυκτικό.

antigen (n) [άν-τιντζζεν] αντιγόνο.

antiglow (adj) [άν-τιγκλόου] αντιθαμπωτικός.

antihistamine (n) [αν-τιχίσταμιν] αντισταμινικό.

antimony (n) [άν-τιμανι] αντιμόνιο.

antipathy (n) [αν-τίπαθι] αντιπάθεια.

antiphlogistic (adj) [αν-τιφλοουντζζί-στικ] αντιφλογιστικός.

antiphon (n) [άν-τιφον] αντίφωνο.

antiphonal (adj) [αν-τιφόναλ] αντιφωνικός [εκκλ] (n) αντιφωνάριο.

antiphrasis (n) [αν-τίφρασις] αντίφραση.

antipodal (adj) [αν-τίπο-νταλ] αντιποδικός, εκ διαμέτρου αντίθετος.

antipole (n) [άν-τιποουλ] αντίπολος.

antipyretic (adj) [άν-τιπαϊρέτικ] αντιπυρετικόν [φάρμακο].

antiquarian (adj) [αν-τικουέαριαν] αρχαιολογικός (n) παλαιοπώλης.

antiquary (n) [άν-τικιουερι] αρχαιοσυλλέκτης.

antique (n) [αν-τίικ] αντίκα.

antiquity (n) [αν-τίικουιτι] αρχαιότητα.

antirabies (adj) [αν-τιρέι-μπιζ] αντιλυσσικός.

antiroyalist (adj) [αν-τιρόιαλιστ] αντιβασιλικός.

antiseismic (adj) [αν-τισάιζμικ] αντισεισμικός.

antiseptic (adj) [αν-τισέπτικ] αντισηπτικός.

antistatic (adj) [αν-τιστάτικ] αντιπαρασιτικός.

antitype (n) [άν-τιταϊπ] αντίτυπο, αντίστοιχος τύπος.

antonym (n) [άν-τονιμ] αντίθετο.

antrum (n) [άν-τραμ] άντρο.

anus (n) [έινας] πρωκτός, έδρα.

anvil (n) [άνβιλ] αμόνι.

anxiety (n) [ανξάιετι] ανησυχία, αγωνία, έγνοια, λαχτάρα, άγχος.

anxious (adj) [άνξιας] ανήσυχος, ανυπόμονος (v) δυσανασχετώ.

any (pron) (adj) [ένι] οποιοσδήποτε, κάθε, κανείς [με άρνηση], καθόλου.

any time (adv) [ένι τάιμ] οποτεδήποτε.

anybody (pron) [ένι-μπό-ντι] καθείς.

anyhow (adv) [ένιχάου] πάντως, πρόχειρα, όπως και να'χει.

anyone (pron) [ένιουάν] καθείς, καμιά.

anything (pron) [ένιθινγκ] οτιδήποτε.

anyway (adv) [ένιγουέι] οπωσδήποτε.

anywhere (adv) [ένιγουέα(ρ)] οπουδήποτε, πουθενά.

anywise (adv) [ένιγουαϊζ] με οποιοδήποτε τρόπο, κατά κανένα τρόπο.

aorist (n) [έιοριστ] αόριστος.

aorta (n) [εϊόρτα] αορτή.

apace (adv) [απέις] γρήγορα, γοργά.

apart (adv) [απάατ] σε απόσταση, μακρυά, χωριστά (adj) ξεχαρβαλωμένος.

apart from (adv) [απάατ φρομ] εκτός, χωριστά, χωρίς.

apartment (n) [απάατμεν-τ] δώμα, διαμέρισμα [οικία].

apathetic (adj) [απαθέτικ] απαθής, ασυγκίνητος, ψυχρός [μεταφ].

apathy (n) [άπαθι] ασυγκινησία, αδιαφορία, απάθεια, ομφαλοσκοπία.

ape (n) [έιπ] μαϊμού, πίθηκος (v) μαϊμουδίζω, πιθηκίζω.

ape-man (n) [έιπμαν] πιθηκάνθρωπος.

apeak (adv) [απίκ] κάθετα.

apepsy (n) [απέποι] απεψία.

apery (n) [έιπερι] αποικία πιθήκων, πιθηκισμός.

aperient (adj) [απίριεν-τ] καθαρτικός, υπακτικός (n) καθαρτικό.

aperitif (n) [απεριτίιφ] απεριτίφ.

aperitive (adj) [απέριτιβ] καθαρκτικός.

aperture (n) [άπατσσα] οπή, άνοιγμα.

apex (n) [έιπεξ] κορυφή, άκρο.

aphasia (n) [αφείζια] αφασία.

aphesis (n) [άφισις] αφαίρεση.

aphis (n) [έιφις]αφίς, μελίγκρα.

aphony (n) [άφονι] αφωνία.

aphorism (n) [άφοριζμ] αφορισμός, ορισμός, ρητό, απόφθεγμα.

aphoristic (adj) [αφορίστικ] αφοριστικός, αποφθεγματικός.

aphrodisiac (adj) [αφρο-ντίζιακ] αφροδισιακός, αφροδίσιος.

Aphrodite (n) [Άφρο-ντάιτι] Αφροδίτη.

aphtha (n) [άφθα] άφθα [ιατρ].

apiarist (n) [έιπιαριστ] μελισσουργός.

apiary (n) [έιπιαρι] μελισσουργείο.

apical (adj) [έιπικαλ] κορυφαίος, ακραίος.

apiculture (n) [έιπικάλτσσα] μελισσοκομία, μελισσουργία.

apiece (adv) [απίις] έκαστο, καθένα, κατά τεμάχιο, το κομμάτι.

apish (n) [έιπισς] μιμητής.

Apocalypse (n) [Απόκαλιψ] αποκάλυψη.

apocalyptic (adj) [αποκαλίπτικ] αποκαλυπτικός, ζοφερός, δυσοίωνος.

apocope (n) [απόκοπι] αποκοπή.

apocryphal (adj) [απόκριφαλ] απόκρυφος.

apodictic (adj) [απο-ντίκτικ] αποδεδειγμένος, αναμφισβήτητος.

apodosis (n) [από-ντοσις] απόδοση.

apolaustic (adj) [απαλαούστικ] απολαυστικός, φιλήδονος.

apologetic (adj) [απολοντζζέτικ] απολογητικός, μετανοιωμένος.

apologetically (adv) [απολοντζζέτικλι]

απολογητικά.
apologetics (n) [απολοντζζέτικς] Απολογητική.
apologia (n) [απολόουντζζια] απολογία, συνηγορία, υπεράσπιση.
apologist (n) [απόλοντζζιστ] απολογητής, υπερασπιστής, συνήγορος.
apologize (v) [απόλοντζζάιζ] ζητώ συγγνώμη, απολογούμαι.
apologue (n) [άπολογκ] απόλογος, αλληγορικός μύθος.
apology (n) [απόλοντζζι] συγγνώμη, απολογία, δικαιολογία, υπεράσπιση.
apoplectic (adj) [αποπλέκτικ] αποπληκτικός η απόπληκτος.
apoplexy (n) [απόπλεξι] ταμπλάς.
apostle (n) [απόστλ] κήρυκας.
apostolate (n) [απόστολιτ] αποστολή.
apostolic (adj) [αποστόλικ] αποστολικός.
apostrophe (n) [απόστροφι] αποστοφή, απόστροφος.
apothecary (n) [απόθικαρι] φαρμακοποιός.
apothegm (n) [άποθεμ] απόφθεγμα.
apotheosis (n) [αποθιόουσις] αποθέωση, θεοποίηση.
apotropaic (adj) [αποτροπέικ] αποτρόπαιος, αποτρεπτικός.
appal (v) [απόολ] εκφοβίζω, τρομάζω.
apparatus (n) [απαρέιτας] συσκευή, μηχάνημα, εξοπλισμός.
apparel (n) [απάρελ] φορεσιά, κεντήματα (v) ντύνω, ενδύω.
apparent (adj) [απάρεν-τ] εμφανής, φαινομενικός.
apparition (n) [απαρίσσον] φάντασμα, εμφάνιση, οπτασία.
appeal (n) [απίλ] έφεση, έκκληση, επίκληση (v) επικαλούμαι, απευθύνομαι.
appeal court judge (n) [απίλ κόοτ ντζζαντζζ] εφέτης.
appealing (adj) [απίιλινγκ] συγκινητικός, συμπαθητικός, γοητευτικός.

appealingly (adv) [απίιλινγκλι] συγκινητικά, συμπαθητικά, ελκυστικά.
appear (v) [απία] αναφαίνομαι, εμφανίζομαι, φαίνομαι.
appearance (n) [απίερανς] εμφάνιση.
appease (v) [απίιζ] καθησυχάζω.
appellation (n) [απελέισσον] όνομα, επωνυμία, ονομασία.
append (v) [απέν-ντ] επισυνάπτω.
appendage (n) [απέν-ντιντζζ] παράρτημα, συμπλήρωμα, εξάρτημα [μεταφ].
appendicitis (n) [απέν-ντισάιτις] σκωληκοειδίτιδα [ιατρ].
appendix (n) [απέν-ντιξ] προσάρτημα.
apperception (n) [απερσέπσσον] διαίσθηση, ενόραση.
appertain (v) [απερτέιν] ανήκω, αρμόζω, ταιριάζω.
appetence (n) [άπιτενς] επιθυμία, πόθος, όρεξη, έλξη, ορμή, λαχτάρα.
appetite (n) [άπετάιτ] όρεξη, ορμή.
appetizer (n) [άπεταϊζα(ρ)] λιχουδιά, ορεκτικό, μεζές.
appetizing (adj) [απετάιζινγκ] ορεκτικός, ελκυστικός.
applaud (v) [απλόο-ντ] επευφημώ, επιδοκιμάζω, χειροκροτώ.
applause (n) [απλόοζ] επευφημία, παλαμάκια, χειροκρότημα.
apple (n) [απλ] μήλο.
appliance (n) [απλάιανς] εφαρμογή, μηχάνημα, όργανο, μέσο, συσκευή.
applicable (adj) [απλίκα-μπλ] εφαρμόσιμος, ισχύων.
applicant (n) [άπλικαν-τ] υποψήφιος.
application (n) [απλικέισσον] εφαρμογή, επίθεση, αίτηση, επιμέλεια.
apply (v) [απλάι] επιθέτω, εφαρμόζω, προσαρμόζω, απευθύνομαι.
apply for (v) [απλάι φοο(ρ)] γυρεύω, αιτούμαι, προσέρχομαι.
appoint (v) [απόιν-τ] εκλέγω, αναδείχνω, διορίζω, ονομάζω, καθιστώ.

appointed (adj) [απόιν-τι-ντ] διωρισμένος, τακτός, ορισμένος.

appointment (n) [απόιν-τμέν-τ] συνάντηση, συνέντευξη, ανάδειξη.

apposition (n) [αποζίσσον] παράθεση, παράταξη.

appraisal (n) [απρέιζαλ] εκτίμηση, αξιολόγηση, αποτίμηση.

appraise (v) [απρέιζ] εκτιμώ, διατιμώ, υπολογίζω, αποτιμώ.

appreciable (adj) [απρίσσια-μπλ] αξιόλογος, υπολογίσιμος, αισθητός.

appreciably (adj) [απρίσσια-μπλι] αρκετά, αξιόλογα, αισθητά.

appreciate (v) [απρίσσιεϊτ] εκτιμώ, υπολογίζω, αναγνωρίζω, νιώθω.

appreciation (n) [απρισσιέισσον] υπολογισμός, αξιολόγηση, εκτίμηση.

apprehend (v) [απριχέν-ντ] αρπάζω, αντιλαμβάνομαι, φοβούμαι.

apprehensive (adj) [απριχένσσιβ] ανήσυχος, φοβισμένος, έξυπνος.

apprehension (n) [απριχένσσον] ανησυχία, φόβος, σύλληψη.

apprentice (adj) [απρέν-τις] αρχάριος, μαθητευόμενος.

apprenticeship (n) [απρέν-τισσιπ] μαθητεία.

apprise (v) [απράιζ] πληροφορώ, λέγω.

apprize (v) [απράιζ] εκτιμώ, υπολογίζω.

approach (n) [απρόουτσς] μεθόδευση, πρόσβαση, προσπέλαση (v) πλησιάζω.

approachable (adj) [άπρόουτσσαμπλ] προσιτός, ευκολοπλησίαστος.

approbation (n) [απρο-μπέισσον] έγκριση, συγκατάθεση, συμφωνία.

approbatory (adj) [απροου-μπέιτοουρι] επιδοκιμαστικός, εγκριτικός.

appropriate (adj) [απρόουπριετ] κατάλληλος, αρμόζων (v) οικειοποιούμαι.

appropriately (adv) [απρόουπριετλι] κατάλληλα, ορθά, ανάλογα.

appropriateness (n) [απρόουπριετνες]

καταλληλότητα, ορθότητα.

approval (n) [απρούβαλ] έγκριση, επιδοκιμασία.

approve (v) [απρούβ] εγκρίνω, επικροτώ, κυρώνω [νόμο].

approved (adj) [απρούβ-ντ] αποδεδειγμένος, εγκεκριμένος, δοκιμασμένος.

approver (n) [απρούβα(ρ)] καταδότης.

approving (adj) [απρούβινγκ] επιδοκιμαστικός.

approximate (v) [απρόξιματ] πλησιάζω.

approximately (adv) [απρόξιμετλι] κατά προσέγγιση, περίπου, περί.

approximation (n) [απρόξιμέισσον] προσέγγιση, εγγύτης, πλησίασμα.

appurtenance (n) [απέρτινανς] εξάρτημα, παράρτημα, αξεσουάρ.

appurtenant (adj) [απέρτιναν-τ] σχετικός, κατάλληλος.

apricot (n) [έιπρικότ] βερίκοκο.

April (n) [Έιπραλ] Απρίλης.

apron (n) [έιπρον] ποδιά,.

apse (n) [απς] αψίδα, κόγχη.

apt (adj) [απτ] κατάλληλος, έξυπνος.

aptitude (n) [άπτιτιου-ντ] προσόν, καταλληλότητα, ευφυΐα, εξυπνάδα.

aptness (n) [άπτνες] επικαιρότητα, καταλληλότητα, ορθότητα, εξυπνάδα.

aptotic (adj) [απότικ] άπτωτος [γραμμ].

aquarelle (n) [άκουαρελ] υδατογραφία.

aquarium (n) [ακουέιριαμ] ενυδρείο.

aquatic (adj) [ακουάτικ] υδρόβιος.

aqueduct (n) [άκουε-ντάκτ] υδραγωγείο.

aquiline (adj) [άκουιλάιν] αετίσιος, γαμψός.

Arab (n) [Άρα-μπ] Άραβας.

Arabia (n) [Αρέι-μπια] Αραβία.

arable (adj) [άρα-μπλ] καλλιεργήσιμος.

arbatus bush (n) [άα-μπατας μπουσς] κουμαριά.

arbiter (n) [άαρ-μπιτα] κριτής, διαιτητής [ποδοσφαίρου], ρυθμιστής.

arbitral (adj) [άα-μπιτραλ] διαιτητικός.

arbitrament (n) [άα-μπιτραμεν-τ] διαιτησία, κρίση.

arbitrary (adj) [άα-μπιτρερι] αυθόρμητος, παρορμητικός, ιδιότροπος.

arbitrate (v) [άα-μπιτρεϊτ] διαιτητεύω.

arbitrator (n) [άα-μπιτρεϊτα] διαιτητής.

arbor (n) [άα-μπα] άξονας.

arboraceous (adj) [αα-μπορέισσας] δεντρόφυτος, δασώδης.

arboreal (adj) [αα-μπόριαλ] δεντρικός, δένδρινος, δενδρόβιος.

arboreous (adj) [αα-μπόριας] δεντρόμορφος, δεντρώδης.

arborescent (adj) [αα-μπορέσεν-τ] δεντροειδής, δεντρόμορφος.

arboriculture (n) [αα-μπόρικάλτοσα(ρ)] δενδροκομία.

arbour (n) [άα-μπερ] κληματαριά.

arc (n) [άακ] τόξο [γεωμ].

arcade (n) [αακέι-ντ] αψίδωση, καμαροσειρά, στοά, καμάρα.

arcadian (adj) [αακέι-ντιαν] ποιμενικός, απλοϊκός, ειδυλλιακός.

arcane (adj) [αακέιν] απόκρυφος, μυστικός, μυστηριώδης, κρυφός.

arcanum (n) [αακέιναμ] μυστήριο, μυστικό, ελιξήριο.

arch (n) [αατσς] αψίδα, στοά, καμάρα, τόξο [κτιρίου].

arch-bishop (n) [άατο-μπίσσοπ] δεσπότης, αρχιεπίσκοπος [εκκλ].

archaean (adj) [αακίιαν] αρχαϊκός.

archaic (adj) [άακέικ] αρχαϊκός, απηρχαιωμένος.

archangel (n) [αακέιν-ντζζελ] αρχάγγελος, ταξιάρχης [εκκλ].

archdiocese (n) [αατσσ-ντάιοσις] αρχιεπισκοπή.

arched (adj) [αατσσ-ντ] αψιδωτός.

archeological (adj) [αακιολότζικαλ] αρχαιολογικός.

archeologist (n) [αακιόλοτζιστ] αρχαιολόγος.

archeology (n) [αακιόλοτζι] αρχαιολογία.

archer (n) [άατσσα(ρ)] τοξότης.

archery (n) [άατσσερι] τοξοβολία.

archetypal (adj) [άακετάιπαλ] αρχέτυπος.

archetype (n) [άακετάιπ] αρχέτυπο.

archimandrite (n) [αακιμά-ντραιτ] αρχιμανδρίτης.

archipelago (n) [άακιπέλαγκο] αρχιπέλαγος.

architect (n) [άακιτεκτ] αρχιτέκτονας.

architectonic (adj) [αακιτεκτόνικ] αρχιτεκτονικός.

architecture (n) [άακιτέκτσσερ] αρχιτεκτονική.

architrave (n) [άακιτρεϊβ] κορνίζα.

archival (adj) [άακκάιβαλ] αρχειακός.

archives (n) [άακαϊβζ] αρχείο.

archivist (n) [άακιβιστ] αρχειοφύλακας.

archly (adv) [άατσσλι] τσαχπίνικα, ναζιάρικα, πειραχτικά, πονηρά.

archness (n) [άατσσνες] πονηριά, νάζι, τσαχπινιά, κατεργαριά.

archon (n) [άακον] άρχων.

archway (n) [άατσσγουέι] στοά, θολωτός διάδρομος, καμάρα.

arctic (adj) [άακτικ] αρκτικός.

arcuate (adj) [άακιουεϊτ] τοξοειδής.

ardency (n) [άα-ντενσι] φλόγα, μανία.

ardent (adj) [άα-ντεν-τ] πύρινος [μεταφ], διακαής, ένθερμος.

ardour (n) [άα-ντα] ζήλος, θέρμη.

arduous (adj) [άα-ντουας] επίπονος, κοπιώδης, επίμοχθος.

area (n) [έαρια] επιφάνεια, περιοχή.

arena (n) [αρίινα] στοίβος, αρένα.

arenacious (adj) [αρινέισσας] αμμώδης, αμμοειδής.

areolar (adj) [αρίιολαρ] διάκενος.

Areopagus (n) [αρίόπαγκας] Άρειος Πάγος.

arete (n) [αρέιτ] ράχη, κορυφογραμμή.

argent (n) [άαντζζεν-τ] ασήμι.

argentic (n) [ααντζζέν-τικ] αργυρικός.

argentiferous (adj) [ααντζζεν-τίφιρας] αργυρούχος.

argillaceous (adj) [ααντζζιλέισσας] αργιλώδης, αργιλικός.

argilliferous (adj) [ααντζζιλίφερας] αργιλούχος, αργιλοφόρος.

argol (n) [άαγκολ] πουρί.

argue (v) [άαγκιου] επιχειρηματολογώ, λογομαχώ, μαλώνω.

argufy (v) [άαγκιουφαϊ] μαλώνω, φιλονικώ, τσακώνομαι.

arguing (n) [άαγκιουινγκ] τσακωμός.

argument (n) [άαγκιουμεν-τ] καβγάς.

argumentative (adj) [ααγκιουμεν-τέιτιβ] λογικός, αποδεικτικός, μαχητικός.

argy-bargy (n) [άαντζζι-μπάαντζζι] λογομαχία, διαπληκτισμός, καυγάς.

arid (adj) [άρι-ντ] ξερός, άνυδρος.

aridity (n) [αρί-ντιτι] ξηρασία.

ariel (n) [έαριελ] γαζέλα.

arise (v) [αράιζ] σηκώνομαι.

aristocracy (n) [αριστόκρασι] αριστοκρατία.

aristocrat (n) [αρίστοκρατ] αριστοκράτης.

arithmetic (n) [αριθμέτικ] αριθμητική.

arithmetical (adj) [αριθμέτικαλ] αριθμητικός.

ark (n) [άακ] κιβωτός.

arm (n) [άαμ] μπράτσο, όπλο, χέρι (v) εξοπλίζω, οπλίζω.

armada (n) [ααμάα-ντα] αρμάδα.

armament (n) [άαμαμεν-τ] στράτευμα, οπλισμός, εξοπλισμός.

armature (n) [άαματσσα] οπλισμός.

armband (n) [άαμ-μπάν-ντ] περιβραχιόνιο.

armchair (n) [άαμτσσεα] πολυθρόνα.

armed (adj) [άαμ-ντ] ένοπλος.

Armenian (n) [Ααμίινιαν] Αρμένης.

armful (n) [άαμφουλ] αγκαλιά.

armhole (n) [ααμχόουλ] μασχάλη.

arming (n) [άαμινγκ] θωράκιση.

armistice (n) [άαμιστις] ανακωχή.

armless (adj) [άαμλες] κουλός.

armlet (n) [άαμλιτ] περιβραχιόνιο.

armour (n) [άαμα] πανοπλία.

armoury (n) [άαμαρι] οπλοστάσιο.

armpit (n) [άαμπίτ] μασχάλη.

arms drill (n) [άαμζ ντριλ] αρματωσιά, πανοπλία, όπλα, εξοπλισμός.

army (n) [άαμι] στρατιά, στρατός.

aroma (n) [αρόουμα] άρωμα.

aromatic (adj) [αροουμάτικ] αρωματικός.

aromatize (v) [αρόουματαϊζ] αρωματίζω.

around (adv) [αράουν-ντ] γύρω, τριγύρω (pr) προς, ως, κατά, περί, διά.

arouse (v) [αράουζ] αφυπνίζω, διεγείρω, προκαλώ.

arraign (v) [αρέιν] κατηγορώ, καταγγέλω, εγκαλώ, κλπτεύω.

arrange (v) [αρέιν-ντζζ] διαθέτω, διασκευάζω, διατάσσω, τακτοποιώ, ταξινομώ.

arrangement (n) [αρέιν-ντζζμεν-τ] παράταξη, διάθεση, διαρρύθμιση, τακτοποίηση, συνδυασμός.

arranging (n) [αρέιν-ντζζινγκ] οργάνωση.

arrant (adj) [άραν-τ] περιβόητος, διαβόητος, πλήρης, τέλειος, σκέτος.

array (n) [αρέι] στολή, εξοπλισμός (v) συγκροτώ, συντάσσω, καταρτίζω.

arrears (n) [αρίαζ] καθυστερούμενα.

arrest (n) [αρέστ] στάση, παύση, σύλληψη (v) αναχαιτίζω, εμποδίζω, καθυστερώ, συλλαμβάνω.

arresting (adj) [αρέστινγκ] ελκυστικός, συναρπαστικός, ζωηρός, παραστατικός.

arrhythmia (n) [αρίθμια] αρρυθμία.

arriswise (adv) [άρισγουαϊζ] διαγώνια.

arrival (n) [αράιβαλ] άφιξη, έλευση.

arrive (v) [αράιβ] αφικνούμαι, φθάνω.

arriviste (n) [αριβίιστ] φιλόδοξος.

arrogance (n) [άρογκανς] αλαζονεία.

arrogant (adj) [άρογκαν-τ] αλαζονικός.

arrogate (v) [άρογκεϊτ] σφετερίζομαι, διεκδικώ, προσάπτω.

arrogation (n) [αρογκέισσον] σφετερισμός, διεκδίκηση άδικη.

arrow (n) [άροου] σαΐτα , βέλος.

arse (n) [άας] κώλος, πισινός.

arsenal (n) [άασεναλ] οπλοστάσιο.

arsenic (n) [άασενικ] αρσενικό.

arson (n) [άασον] εμπρησμός.

arsonist (adj) [άασονιστ] εμπρηστής.

art (n) [άατ] τέχνη, καλλιτεχνία, κόλπο.

arterial (adj) [αατίριαλ] αρτηριακός.

arteriosclerosis (n) [αρτιριοουσκλιρόουσις] αρτηριοσκλήρωση.

artery (n) [άατερι] αρτηρία [οδός].

artesian (n) [αατέζιαν] αρτεσιανός.

artful (adj) [άατφουλ] έξυπνος, πονηρός, ψεύτικος.

artfully (adv) [άατφουλι] επιδέξια, δόλια, προσποιητά.

artfulness (n) [άατφουλνες] εξυπνάδα.

arthritis (n) [ααθράιτις] αρθρίτιδα.

article (n) [άατικλ] άρθρο, πράγμα, όρος.

articular (adj) [αατίκιουλα] αρθρωτικός.

articulate (adj) [αατίκιουλετ] έναρθρος, αρθρωτός (v) [αρτίκιουλέιτ] αρθρώνω.

articulation (n) [αατικιουλέισσον] άρθρωση, σύνδεση, προφορά.

artifice (n) [άατιφίς] επινόηση, κόλπο.

artificer (n) [αατίφισερ] χειροτέχνης, τεχνίτης, τεχνουργός, βιοτέχνης.

artificial (adj) [αατιφίσσιαλ] πλαστός, συνθετικός, τεχνητός, ψεύτικος.

artificiality (n) [αατιφισσιάλιτι] προσποίηση, υποκρισία, ανειλικρίνεια.

artillery (n) [αατιλερι] πυροβολικό.

artilleryman (n) [αατίλεριμαν] πυροβολητής.

artily (adv) [άατιλι] ψευτοκαλλιτεχνικά.

artisan (n) [άατιζαν] τεχνίτης, μάστορας, χειροτέχνης, βιοτέχνης.

artist (n) [άατιστ] καλλιτέχνης, αρτίστας, ζωγράφος, μακετίστας.

artistic (adj) [αατίστικ] καλλιτεχνικός, φιλότεχνος, έντεχνος.

artistry (n) [άατιστρι] καλλιτεχνία, τέχνη, μαστοριά.

artless (adj) [άατλες] άτεχνος, αδέξιος, χονδροειδής, ακατέργαστος.

artlessness (n) [άατλεσνες] φυσικότητα.

arty (adj) [άατι] καλλιτεχνίζων, ψευδοκαλλιτεχνικός, επιτηδευμένος.

arty bloke (n) [άατι μπλόουκ] κουλτουριάρης.

Aryan (n) [Έαριαν] Άριος.

as (adv) [αζ] καθόσο (conj) καθώς, επειδή (adv) καταπώς, όπως, όσο.

asbestos (n) [αζ-μπέστος] αμίαντος.

ascend (v) [ασέν-τ] αναρριχώμαι.

ascendant (n) [ασέν-ταν-τ] υπέρτερος, κυρίαρχος, άνοδος, ανάληψη [του Χριστού].

ascensional (n) [ασένσσοναλ] ανηφορικός, ανοδικός.

ascent (n) [ασέν-τ] ανάβαση, άνοδος, ανύψωση, ανήφορος.

ascertain (v) [ασατέιν] διαπιστώνω.

ascertainment (n) [ασατέινμεν-τ] διαπίστωση, εξακρίβωση.

ascetic (n) [ασέτικ] ασκητής (adj) ασκητικός, μοναστικός, εγκρατής.

asceticism (n) [ασέτισισμ] ασκητισμός, ασκητεία, αυτοέλεγχος.

ascribable (adj) [ασκράι-μπα-μπλ] αποδοτέος, αποδιδόμενος.

ascribe (v) [ασκράι-μπ] αποδίδω, προσάπτω, καταλογίζω.

ascription (n) [ασκρίπσσον] απόδοση, επίρριψη.

asepsis (n) [εϊσέπσις] ασηψία.

aseptic (adj) [εϊσέπτικ] άσηπτος.

ash (n) [ας] στάχτη.

ash-pan (n) [άσσπαν] σταχτοδοχείο [για τζάκια].

ash-tree (n) [αος τρίι] μελιά.

ashamed (adj) [ασσέιμ-ντ] ντροπιασμένος.

ashen (adj) [άσσεν] χλωμός.

ashes (n) [άσσιζ] σποδός, στάχτη, τέφρα.

ashore (adv) [ασσόο(ρ)] επί της ακτής.

ashpit (n) [άσσπιτ] σταχτοδοχείο.

ashtray (n) [άσστρέι] τασάκι.

ashy (adj) [άσσι] τεφρώδης, σταχτής.

Asia (n) [Έιζζια] Ασία.

Asian (n) [Έιζζιαν] Ασιάτης.

aside (adv) [ασάι-ντ] παράμερα, πλάι.

asinine (adj) [ασινάιν] γαϊδουρινός, ηλίθιος, βλακώδης.

ask (v) [αασκ] αποτείνομαι, ερωτώ.

askance (adv) [αασκάνς] στραβά.

askew (adv) [ασκιού] πλάγια, επικλινώς (adj) πλάγιος.

aslant (adj) [ασλάαν-ατ] γερτός.

asleep (adj) [ασλίιπ] αποκοιμισμένος.

aslope (adv) [ασλόουπ] πλάγια.

asocial (adj) [εϊσοούσσιαλ] απροσάρμοστος [κοινωνικά].

asp (n) [ασπ] αστρίτης.

asparagus (n) [ασπάρανγκας] σπαράγκι.

aspect (n) [άσπεκτ] προσανατολισμός, θέα, άποψη, μορφή, εμφάνιση.

aspen (n) [άσπεν] λεύκα [βοτ].

asperge (v) [ασπέρντζζ] αγιάζω.

asperges (n) [ασπέρντζζιζ] αγιασμός, ράντισμα, ραντισμός.

aspergillum (n) [ασπερντζζίλαμ] ραντιστήρι αγιασμού, αγιαστούρα.

aspertion (n) [ασπέρσσον] συκοφαντία, κακολογία, ράντισμα με αγιασμό.

asphalt (n) [άσφαλτ] πίσσα, κατράμι, ά-σφαλτος.

asphyxia (n) [ασφίξια] ασφυξία.

asphyxiate (v) [ασφίξιεΐτ] πνίγω, ασφυκτιώ, πνίγομαι.

aspic (n) [άσπικ] πηκτή.

aspirant (adj) [άσπιραν-τ] φιλόδοξος, ε-πίδοξος (n) υποψήφιος.

aspirate (adj) [άσπιρτ] δασύς [φθόγγος] (n) δασεία.

aspirate (v) [άσπιρέιτ] αναρροφώ [ια-τρ], αντλώ [ατμό ή και αέρια].

aspirator (n) [άσπιρεΐτα(ρ)] αναρροφη-τήρας.

aspiration (n) [ασπιρέισσον] επιθυμία, φιλοδοξία, εισπνοή, αναρρόφηση.

aspire to (v) [ασπάια του] φιλοδοξώ.

aspirin (n) [άσπιριν] ασπιρίνη.

aspiring (adj) [ασπάιρινγκ] υψούμενος.

ass (n) [ας] γάιδαρος, γαϊδούρι.

assail (v) [ασέιλ] επιτίθεμαι, προσβάλλω.

assailant (n) [ασέιλαν-τ] επικριτής.

assassin (n) [ασάσιν] δολοφόνος.

assault (v) [ασόολτ] προσβάλλω, βιαιο-πραγώ (n) βιαιοπραγία, έφοδος.

assay (n) [ασέι] ανάλυση, έλεγχος.

assemblage (n) [ασέμ-μπλαντζζ] συνέ-λευση, πλήθος, συναρμολόγηση.

assemble (v) [ασέμ-μπλ] συγκεντρώνω, μαζεύω, μοντάρω, συνέρχομαι.

assembly (n) [ασέμ-μπλι] ομήγυρη, συ-νέλευση.

assent (n) [ασέν-τ] συγκατάθεση (v) συ-γκατατίθεμαι.

assentient (adj) [ασένσσεν-τ] συναινετι-κός, συγκατατιθέμενος.

assert (v) [ασέρτ] διαβεβαιώνω, ισχυρί-ζομαι.

assert oneself (v) [ασέρτ ουάνσέλφ] επι-βάλλομαι.

assertion (n) [ασέρσσον] ισχυρισμός, βεβαίωση, διεκδίκηση.

assertive (adj) [ασέρτιβ] κατηγορηματι-κός, δογματικός, θετικός.

assess (v) [ασές] αποτιμώ, εκτιμώ, υπο-λογίζω, δασμολογώ.

assessment (n) [ασέςμεν-τ] αποτίμηση.

assessor (n) [ασέσα(ρ)] εκτιμητής.

asset (n) [άσετ] περιουσιακό στοιχείο, προσόν, απόκτημα, ενεργητικό.

asseverate (v) [ασέβερεϊτ] διαβεβαιώ, βεβαιώνω, διακηρύσσω.

asseveration (n) [ασεβερέισσον] διαβεβαίωση, διακήρυξη, όρκος.

assiduity (n) [ασι-ντούιτι] προσήλωση, φιλεργία, επιμέλεια.

assiduous (adj) [ασί-ντουας] φιλόπονος.

assign (v) [ασάιν] παραχωρώ, δίδω, προσδιορίζω, τάσσω.

assignation (n) [ασιγκνέισσον] ραντεβού, κατανομή, απόδοση.

assignee (n) [ασάινίι] πληρεξούσιος.

assignment (n) [ασάινμεν-τ] παραχώρηση.

assignor (n) [ασάινορ] εντολέας.

assimilable (adj) [ασίμιλα-μπλ] αφομοιώσιμος.

assimilate (v) [ασίμιλέιτ] εξομοιώνω.

assimilation (n) [ασίμιλέισσον] αφομοίωση, εξομοίωση.

assist (v) [ασίστ] βοηθώ, συντρέχω.

assist at (v) [ασίστ ατ] παρίσταμαι.

assistance (n) [ασίστανς] ενίσχυση, εξυπηρέτηση, βοήθεια.

assistant (n) [ασίσταν-τ] βοηθός.

assize (n) [ασάιζ] κακουργιοδικείο.

associate (n) [ασόουσσιετ] συνέταιρος, σύντροφος [εμπορ], εταίρος.

associate with (v) [ασόουσσιεϊτ ουίθ] συναναστρέφομαι.

association (n) [ασοουσιέισσον] κοινωνία, σύλλογος, σωματείο.

assonance (n) [ασόνανς] παρήχηση.

assort (n) [ασόοτ] ταξινομώ, συνδυάζω, συμβιβάζω, ταιριάζω.

assortment (n) [ασόοτμεν-τ] συλλογή, ποικιλία, κατάταξη, ταξινόμηση.

assuage (v) [άσουέιντζ] καταπραΰνω, κατευνάζω, μαλακώνω.

assume (v) [ασιούμ] υποθέτω, υποκρίνομαι, προσποιούμαι, κοκκορεύομαι.

assumed (adj) [ασιούμ-ντ] προσποιητός, πλαστός, ψευδής, υποθετικός.

assumption (n) [ασάμσσον] προσποίηση.

assumptive (n) [ασσάμ-πτιβ] υποθετικός, δογματικός, απαιτητικός.

assurance (n) [ασσούρανς] διαβεβαίωση, εγγύηση, πεποίθηση.

assure (v) [ασσούα] εγγυώμαι, εξασφαλίζω, ασφαλίζω, βεβαιώνω.

astatic (adj) [αστάτικ] αστατικός.

asterisk (n) [άστερισκ] αστερίσκος.

asthenia (n) [ασθινάια] αδυναμία, ατονία.

asthma (n) [άσ(θ)μα] άσθμα.

asthmatic (adj) [ασ(θ)μάτικ] ασθματικός.

astigmatism (n) [αστίγκματίζμ] αστιγματισμός, αστιγμία.

astir (adv) [αστέρ] στο πόδι.

astonish (v) [αστόνισς] εκπλήσσω.

astonishing (adj) [αστόνισσινγκ] εκπληκτικός, θαυμαστός, τρομερός.

astonishment (n) [αστόνισσμεν-τ] έκπληξη, κατάπληξη, θαυμασμός.

astounded (adj) [άστάουν-ντι-ντ] έκθαμβος.

astral (adj) [άστραλ] αστρικός.

astragalus (n) [αστράνγκαλας] αστράγαλος.

astride (adv) [αστράι-ντ] δρασκελιστά.

astringent (adj) [αστρίν-ντζζεν-τ] αιμοστατικός, στρυφνός [μεταφ].

astrologer (n) [αστρόλοντζζα(ρ)] αστρολόγος.

astrology (n) [αστρόλοντζζι] αστρολογία.

astronaut (n) [άστρονοοτ] αστροναύτης.

astronautics (n) [αστρονόοτικς] αστροναυτική.

astronomer (n) [αστρόνομα(ρ)] αστρονόμος.

astronomical (adj) [αστρονόμικαλ] αστρονομικός.

astronomy (n) [αστρόνομι] αστρονομία.

astrophysics (n) [αστροουφίζικς] αστροφυσική.

astute (adj) [αστιούτ] έξυπνος, οξυδερκής, πονηρός, πανούργος.

astuteness (n) [αστιούτνες] εξυπνάδα.

asunder (adv) [ασάν-ντα(ρ)] χωριστά, σε κομμάτια.

asylum (n) [ασάιλαμ] ασυλία, άσυλο.

asymmetric(al) (adj) [εϊσιμέτρικ(λ)] α-σύμμετρος, ασυμμετρικός.

asymmetry (n) [εϊσίμετρι] ασυμμετρία.

asyntactic (adj) [εϊσιν-τάκτικ] ασύντακτος. •

at (pr) [ατ] πάνω, προς, εις, σε, παρά.

at a distance (adv) [ατ α ντίστανς] μακριά, ξέμακρα.

ataraxy (n) [άταρακσι] αταραξία.

atavism (n) [άταβισμ] ομοιότητα.

atheism (n) [ίθεϊζμ] αθεϊσμός.

atheist (n) [ίθεϊστ] άθεος.

Athena (n) [Αθίινα] Αθηνά.

Athenaeum (n) [αθίιναμ] Αθήναιο.

Athenian (adj) [Αθίινιαν] αθηναϊκός (n) Αθηναίος.

Athens (n) [Άθενζ] Αθήνα.

athermic (adj) [αθέρμικ] άθερμος.

athirst (adj) [αθέρστ] διψασμένος.

athlete (n) [άθλιιτ] αθλητής.

athletic (adj) [αθλέτικ] αθλητικός.

athleticism (n) [αθλέτισιζμ] αθλητισμός, λατρεία του αθλητισμού.

athletics (n) [αθλέτικς] άθληση, αθλητισμός, αθλητικές ασκήσεις.

athwart (adv) [αθγουόστ] δια μέσου, εγκάρσια (pr) δια.

Atlantean (adj) [ατλάν-τιαν] Ατλάντειος.

atlas (n) [άτλας] άτλας.

atmolisis (n) [ατμόλισις] ατμόλυση.

atmometer (n) [ατμόμπτα(ρ)] ατμόμετρο.

atmosphere (n) [άτμοσφία(ρ)] ατμόσφαιρα, ατμοσφαίρα, κλίμα [μεταφ].

atmospheric (adj) [ατμοσφέρικ] ατμοσφαιρικός.

atmospherics (n) [ατμοσφέρικς] παράσιτα [ατμοσφαιρικά].

atom (n) [άτομ] άτομο [φυσική], σωμάτιο [μτφ], κομματάκι [μτφ].

atomic (adj) [ατόμικ] ατομικός.

atomicity (n) [ατομίσιτι] ατομικότητα.

atone (v) [ατόουν] εξιλεώνομαι.

atonement (n) [ατόουνμεν-τ] εξιλέωση.

atonic (adj) [ατόνικ] άτονος.

atop (pr) [ατόπ] επί (adv) στην κορυφή.

atrabilious (adj) [ατρα-μπίλιας] μελαγχολικός, υποχονδριακός.

atrocious (adj) [ατρόουσσιας] άγριος.

atrocity (n) [ατρόσιτι] ωμότητα, φρικαλεότητα, θηριωδία.

atrophic (adj) [ατρόφικ] ατροφικός.

atrophy (n) [άτροφι] ατροφία (v) ατροφώ.

atropine (n) [άτροπαϊν] ατροπίνη.

attach (v) [ατάτς] συνδέω, συνοδεύω, προσκολλώ, κατάσχω, συνάπτω.

attach to (v) [ατάτς του] κολλώ.

attaché (n) [ατασσέι] ακόλουθος [στρατ].

attached (adj) [ατάτσσ-τ] συνημμένος, αφοσιωμένος.

attached to (adj) [ατάτσσ-τ του] προσηλωμένος.

attaching (n) [ατάτσσινγκ] προσκόλληση.

attachment (n) [ατάτσσμεν-τ] σύνδεση, δεσμός, αφοσίωση, συνάρτηση.

attack (n) [ατάκ] επίθεση, προσβολή, παροξυσμός (v) επιτίθεμαι, προσβάλλω.

attain (v) [ατέιν] επιτυγχάνω, πετυχαίνω.

attainable (adj) [ατέινα-μπλ] πραγματοποιήσιμος, κατορθωτός.

attainment (n) [ατέινμεν-τ] επίτευξη, πραγματοποίηση, επίτευγμα.

attaint (v) [ατέιν-τ] διαφθείρω, αμαυρώνω.

attar (n) [άταα(ρ)] έλαιο, ροδέλαιο.

attemper (v) [ατέμ-πα(ρ)] αμβλύνω, απαλύνω, καταπραΰνω, μαλακώνω.

attempt (n) [ατέμ-π-τ] απόπειρα, προσπάθεια (v) επιχειρώ, προσπαθώ.

attend (v) [ατέν-ντ] προσέχω, επιμελούμαι, φροντίζω, συνοδεύω, παρίσταμαι.

attendance (n) [ατέν-ντανς] φροντίδα, παρουσία, περίθαλψη, υπηρεσία.

attendant (adj) [ατέν-νταν-τ] συνοδός (n) υπάλληλος, ακόλουθος, θεράποντας.

attention (n) [ατένσσον] προσήλωση, επιμέλεια, προσοχή.

attentive (adj) [ατέν-τιβ] προσεκτικός, προσηλωμένος, ευγενικός.

attenuate (adj) [ατένιουεΐτ] ισχνός, αραιωμένος (v) λεπτύνω, ελαφρύνω, μετριάζω.

attenuation (n) [ατενιουέισσον] εξασθένηση, αραίωση, μείωση.

attest (v) [ατέστ] επιβεβαιώ, πιστοποιώ, εγγυώμαι, βεβαιώνω ενόρκως.

attestation (n) [ατεστέισσον] επικύρωση, μαρτυρία, κατάθεση.

attic (n) [άτικ] σοφίτα, πατάρι.

Attica (n) [Άτικα] Αττική.

attire (n) [ατάια] περιβολή, φορεσιά.

attitude (n) [άτιτιου-ντ] συμπεριφορά.

attorney (n) [ατέρνι] πληρεξούσιος.

Attorney General (n) [Ατέρνι ντζζένεραλ] Γενικός Εισαγγελέας.

attract (v) [ατράκτ] ελκύω, μαγεύω.

attraction (n) [ατράκσον] έλξη, γοητεία.

attractive (adj) [ατράκτιβ] ελκυστικός.

attractiveness (n) [ατράκτιβνες] γοητεία, θελκτικότητα, ελκυστικότητα.

attribute (v) [ατρί-μπιουτ] αποδίδω, καταλογίζω (n) [άτρι-μπιουτ] επιθετικός προσδιορισμός [γραμ], χαρακτηριστικό [γνώρισμα], κατηγορούμενο, ποιόν.

attribution (n) [ατρι-μπιούσσον] απόδοση, αρμοδιότητα.

attributive (adj) [ατρί-μπιουτιβ] επιθετικός (n) γνώρισμα, ιδιότητα.

attrition (n) [ατρίσσον] τριβή, φθορά [στρατ], συντριβή [θρησκ].

attune (v) [ατιούν] τονίζω, κουρδίζω, εναρμονίζω, προσαρμόζω.

atypical (adj) [εϊτίπικλ] παράτυπος.

aubergine (n) [όου-μπαντζζιιν] μελιτζάνα.

auburn (adj) [όου-μπερν] ερυθροκάστανος, πυρόξανθος.

auction (n) [όοκσσον] δημοπρασία, εκπλειστηριασμός, πλειστηριασμός.

auctioneer (n) [οκοσονία(ρ)] εκπλειστηριαστής, δημοπράτης.

auctorial (adj) [οκτόριαλ] συγγραφικός.

audacious (adj) [οο-ντέϊσσιας] τολμηρός, παράτολμος.

audacity (n) [οο-ντάσιτι] αποθράσυνση, θάρρος, θράσος, αυθάδεια.

audibility (n) [οο-ντι-μπίλιτι] ακουστικότητα, ακουστότητα.

audible (adj) [όο-ντι-μπλ] ακουστός.

audience (n) [όο-ντιενς] ακροαματική διαδικασία, ακροατήριο.

audio-visual (adj) [οο-ντιοουβίζουαλ] οπτικο-ακουστικός.

audit (n) [όο-ντιτ] λογιστικός έλεγχος, περιοδικός έλεγχος.

auditing (n) [όο-ντιτινγκ] έλεγχος [λογαριασμού].

audition (n) [οο-ντίσσον] ακοή, ακρόαση, δοκιμή ηθοποιού.

auditive (adj) [όο-ντιτιβ] ακουστικός.

auditor (n) [όο-ντιτα(ρ)] μαθητής, ελεγκτής λογαριασμών.

auditorial (adj) [οο-ντιτόριαλ] αναφερόμενος σε λογιστικό έλεγχο.

auditorium (n) [οο-ντιτόριουμ] αίθουσα θεάτρου, ακροατήριο.

auditory (adj) [όο-ντιτρι] ακουστικός.

augean (adj) [οουντζζίιαν] βρωμερός.

auger (n) [όογκα(ρ)] τρύπανο.

augment (n) [όογκμεν-τ] αύξηση (v) αυξάνω, μεγαλώνω.

augmentation (n) [οογκμε-ν-τέισσον] αύξηση, μεγέθυνση, συμπλήρωμα.

augur (n) [όογκα(ρ)] οιωνοσκόπος, μάντις (v) προλέγω, προφητεύω.

August (n) [Όογκαστ] Αύγουστος.
august (adj) [οογκάστ] σεβαστό.
aunt (n) [άαν-τ] θεία.
auntie (n) [άαν-τι] θεία, θείτσα.
aura (n) [όορα] πνοή, αύρα [ιατρ].
aural (adj) [όοραλ] ακουστικός.
aureola (n) [οορίολα] φωτοστέφανος, ηλιακό στέμμα [αστρον].
aurist (n) [όοριστ] ωτολόγος.
auspice (n) [όοσπις] αιγίδα.
auspicious (adj) [οοσπίσσιας] αίσιος.
austere (adj) [οοστία(ρ)] αυστηρός.
austerity (n) [οοστέριτι] αυστηρότητα, σοβαρότητα, λιτότητα [οικον].
Australia (n) [Όστρέιλια] Αυστραλία.
Austria (n) [Όστρια] Αυστρία.
authentic (adj) [οοθέν-τικ] αυθεντικός.
authenticate (v) [οοθέν-τικεΐτ] επικυρώνω, επισημοποιώ.
authenticated (adj) [οοθεν-τικέιτι-ντ] επικυρωμένος, αυθεντικός.
authenticity (n) [όοθεν-τίσιτι] αυθεντία.
author (n) [όοθα(ρ)] συγγραφέας.
authoritarian (adj) [όοθοριτάριαν] απολυταρχικός, τυραννικός.
authoritarianism (adj) [οθοριτάριανιζμ] αυταρχισμός, αυταρχικότητα.
authoritative (adj) [οοθοριτέιτιβ] αυταρχικός, επιτακτικός, επίσημος.
authority (n) [οοθόριτι] αρχή [διοικ], εξουσία, μαέστρος [μεταφ], κύρος.
authorization (n) [οοθοραΐζέισσον] εξουσιοδότηση, εντολή.
authorize (v) [όοθοράιζ] εξουσιοδοτώ.
authorship (n) [όοθορσσιπ] συγγραφή, πατρότητα [συγγράμματος].
autism (n) [όοτιζμ] αυτισμός.
autobiography (n) [όοτο-μπαϊόγκραφι] αυτοβιογραφία.
autocar (n) [όοτοκα(ρ)] αυτοκίνητο.
autocephalos (adj) [οοτοσέφαλας] αυτοκέφαλος [εκκλ].

autochthonic (adj) [οοτοκθόνικ] αυτόχθων.
autocracy (n) [οοτόκρασι] απολυταρχία, αυταρχικότητα.
autocrat (n) [όοτοκρατ] μονοκράτορας, αυτοκράτορας, δικτάτορας.
autocratic (adj) [οοτοκράτικ] αυταρχικός, απολυταρχικός, δικτατορικός.
autogamy (n) [οοτόγκαμι] αυτογαμία.
autogenesis (n) [οοτοντζζένεσις] αυτογονία, αυτογένεση.
autogenic (adj) [οοτοντζζένικ] αυτογενής.
autograph (n) [όοτογκραφ] αυτόγραφο.
autography (n) [οοτόγκραφι] αυτογραφία.
autogravure (n) [οοτογραβουα(ρ)] αυτοχάραξη.
autolysis (n) [οοτοουλάισις] αυτόλυση, αυτολυσία.
automated (adj) [οοτομέιτι-ντ] αυτοματοποιημένος.
automatic (adj) [οοτομάτικ] αυτόματος (n) αυτόματο.
automation (n) [οοτομέισσον] αυτοματισμός.
automobile (n) [οοτομο-μπίλ] αυτοκίνητο.
autonomist (n) [οοτόνομιστ] αυτονομιστής.
autonomous (adj) [οοτόνομας] αυτόνομος.
autonomy (n) [οοτόνομι] αυτονομία.
autopsy (n) [όοτοψι] αυτοψία [ιατρ].
autotrophic (adj) [οοτοτρόφικ] αυτότροφος, αυτοτροφικός.
autotype (n) [όοτοταΐπ] πανομοιότυπο, ακριβές αντίγραφο.
autumn (adj) [όοταμ] φθινοπωριάτικος (n) φθινόπωρο, χινόπωρο.
auxiliary (adj) [οονγκζίλιαρι] επικουρικός, βοηθητικός.
avail oneself (v) [αβέιλ ουάνσέλφ] επωφελούμαι.

availability (n) [αβεϊλα-μπίλιτι] διαθεσιμότητα.

available (adj) [αβέιλα-μπλ] διαθέσιμος, προσιτός, αυταρχικός, εύκαιρος.

avalanche (n) [άβαλαανς] χιονοστιβάδα, κατολίσθηση.

avarice (n) [άβαρις] γυφτιά, φιλαργυρία, τσιγγουνιά, φιλοχρηματία.

avaricious (adj) [αβαρίσσιας] φιλάργυρος, τσιγγούνης, λαίμαργος.

avenge (v) [αβέν-ντζζ] εκδικούμαι.

avenger (n) [αβέν-ντζζα(ρ)] εκδικητής.

avenue (n) [άβενιου] λεωφόρος.

aver (v) [αβά(ρ)] βεβαιώ, ισχυρίζομαι.

average (adj) [άβεριντζζ] μέσος [όρος], μέτριος, συνήθης.

averse (adj) [αβέρς] αντίθετος, ενάντιος, αποστρεφόμενος.

aversion (n) [αβέρζζιον] αντιπάθεια, απέχθεια, αποστροφή, μίσος.

avert (v) [αβέρτ] αποστρέφω, απομακρύνω, αποτρέπω, αποτρέφω.

avertable (adj) [αβέρτα-μπλ] αποτρέψιμος.

aviary (n) [έιβιερι] πτηνοτροφείο.

aviate (v) [έιβιεϊτ] ίπταμαι, πετάω.

aviation (n) [εϊβιέισσον] αεροπλοΐα.

aviator (n) [εϊβιέιτα(ρ)] πιλότος.

aviculture (n) [εϊβικάλτσσα(ρ)] πτηνοτροφία.

avid (adj) [άβι-ντ] διακαής.

avidity (n) [αβί-ντιτι] πλεονεξία.

avoid (v) [αβόι-ντ] αποφεύγω, διαφεύγω, παραιτούμαι [αποφεύγω].

avoidance (n) [αβόι-νταντς] αποφυγή.

avow (v) [αβάου] δηλώ, πρεσβεύω.

avowal (n) [αβάουαλ] ομολογία.

avulsion (n) [αβάλσσον] απόσπαση.

avuncular (adj) [αβάνκιουλα(ρ)] καλόκαρδος, πρόσχαρος [μεταφ].

await (v) [αουέιτ] αναμένω, περιμένω.

awake (adj) [αουέικ] ακοίμητος, άυπνος, ξυπνητός, ξύπνιος.

awakening (n) [αουέικενινγκ] αφύπνιση, έγερση [από ύπνο], ξύπνημα.

award (n) [αουόο-ντ] αποζημίωση, επιδίκαση (v) κατακυρώνω, βραβεύω.

aware (adj) [αουέα(ρ)] ενήμερος.

away (adv) [αουέι] μακριά.

awe (n) [όο] φόβος, δέος, σεβασμός.

awestruk (adj) [όοστρακ] έντρομος.

awful (adj) [όοφουλ] τρομακτικός.

awkward (adj) [όοκουα-ντ] αδέξιος.

awl (n) [όολ] σουβλί, τρυπητήρι.

awn (n) [όον] αιθέρας, άγανο.

awning (n) [όονινγκ] τέντα.

awry (adj) [αράι] στραβός.

axe (n) [αξ] μπαλτάς, πελέκι, τσεκούρι (v) πελεκώ, απολύω προσωπικό.

axilla (n) [αξίλα] μασχάλη.

axillary (adj) [αξίλαρι] μασχαλιαίος.

axiom (n) [άξιομ] αξίωμα.

axis (n) [άξις] άξονας.

axle (n) [αξλ] άξονας [οπτικά].

azalea (n) [αζέιλια] αζαλέα [βοτ].

azimuth (n) [άζιμαθ] αζιμούθιο.

azoic (adj) [αζόικ] αζωικός.

azote (n) [αζόουτ] άζωτο.

Aztec (n) [άζτεκ] Ατζέκος.

azure (adj) [αζιούρ] κυανός.

azurine (adj) [άζιουριν] υποκύανος.

azyme (n) [άζαϊμ] άζυμο.

B, b (n) [μπι] το δεύτερο γράμμα του αγγλικού αλφαβήτου.

babble (n) [μπα-μπλ] φλυαρία, πολυλογία (v) φλυαρώ, μουρμουρίζω.

babbler (n) [μπά-μπλα(ρ)] λογάς, γάς.

babe (n) [μπέι-μπ] βρέφος, μωρό, αθώος.

Babel (n) [Μπέι-μπλ] Βαβέλ, χάβρα.

baboon (n) [μπα-μπούουν] βαβουίνος.

babouche (n) [μπά-μπουςς] παντόφλα.

baby (n) [μπέι-μπι] μπέμπης, μωρό, βρέφος (adj) βρεφικός.

baby-farmer (n) [μπέι-μπιφάαρμερ] βρεφοτρόφος.

baby-sit (v) [μπέι-μπισιτ] φυλάω νήπιο.

baby-sitter (n) [μπέι-μπισίτα(ρ)] φύλακας νηπίων.

babyish (n) [μπέι-μπι-ιος] παιδαριώδης, νηπιώδης, μωρουδίστικος.

Babylon (n) [μπά-μπιλον] Βαβυλών.

baby's bid (n) [μπέι-μπιζ μπι-ντ] σαλάρα.

baccarat (n) [μπάκαρα] μπακαράς.

bacchant (n) [μπάκαντ] μέθυσος.

bacchic (adj) [μπάκικ] βακχικός.

Bacchus (n) [Μπάκους] Βάκχος.

baccy (n) [μπάκι] καπνός.

bachelor (n) [μπάτσσελα(ρ)] άγαμος.

bachelorhood (n) [μπάτσσελαχου-ντ] αγαμία.

bacillary (adj) [μπασίλαρι] βακτηριακός.

bacilliform (adj) [μπασίλιφοομ] βακιλόμορφος, βακιλοειδής.

bacillus (n) [μπασίλας] βάκιλος.

back (adv) [μπακ] πίσω (n) νώτα, φόντο, πλάτη (v) ποντάρω, υποστηρίζω.

back door (adj) [μπάκ-ντοο(ρ)] κρυφός, παρασκηνιακός, παράνομος.

back number (n) [μπακ-νάμ-μπα(ρ)] παλαιό τεύχος.

back out (v) [μπακ άουτ] υπαναχωρώ.

back slang (n) [μπάκ-σλανγκ] κορακίστικα.

back street (n) [μπακ στριτ] στενωπός.

back up (v) [μπακ απ] υποβοηθώ.

back-formation (n) [μπάκ-φορμμέισσον] νεολογισμός.

backbite (v) [μπάκ-μπάιτ] κακολογώ, διασύρω [μεταφ].

backboard (n) [μπάκ-μπόορ-ντ] ακουμπιστήρι, ράχη, πλάτη.

backbone (n) [μπάκ-μπόουν] σπονδυλική στήλη, ράχη, ραχοκοκαλιά.

backchat (n) [μπάκ-τσσατ] αναίδεια.

backdrop (n) [μπάκ-ντροπ] φόντο.

backer (n) [μπάκκα(ρ)] υποστηριχτής.

backfire (v) [μπακφάια(ρ)] αποτυγχάνω, ναυαγώ, ανατρέπομαι.

backgammon (n) [μπάκ-γκάμον] τάβλι.

background (n) [μπάκ-γκράουν-ντ] πείρα, ιστορικό, φόντο [ζωγραφιάς].

backhand (n) [μπάκ-χάν-ντ] ανάποδο κτύπημα, ανάποδη γραφή.

backing (n) [μπάκινγκ] υποστήριξη.

backing out (n) [μπάκινγκ άουτ] υπαναχώρηση.

backlash (n) [μπάκλάσς] παίξιμο, τζόγος, αντίκτυπος [μεταφ].

backpedal (v) [μπακ-πέ-ντλ] υποχωρώ, ανακαλώ, υπαναχωρώ.

backrest (n) [μπάκρέστ] οπίσθιο στήριγμα [μηχανής κλπ], πλάτη.

backset (n) [μπάκσετ] αναχαίτιση, εμπόδιο, αντιξοότητα, αναποδιά.

backside (n) [μπάκσάιντ] οπίσθιο μέρος, κώλος, πισινά, πισινός.

backslide (v) [μπάκ-σλαϊ-ντ] ξανακυλάω, κατρακυλάω.

backsliding (n) (adj) [μπάκ-σλάι-ντινγκ] κατρακύλισμα.

backstage (n) [μπάκοτέιντζζ] παρασκήνια (adj) παρασκηνιακός.

backstairs (n) [μπάκστεάζ] σκάλα [υπηρεσίας] (adj) ύπουλος, μυστικός.

backstitch (n) [μπάκστίτος] πισωβελονιά, πισοκέντι.

backstroke (n) [μπάκστρόουκ] ανάσκελα, ύπτια κολύμβηση.

backsword (n) [μπάκσοο-ντ] σπάθα.

backward (adj) [μπάκουόοντ] οπίσθιος, καθυστερημένος (adv) ανάποδα.

backwardation (n) [μπακουοο-ντέισσον] μεταφορά.

backwash (n) [μπάκουάσς] αντιμάμαλο, πίτυλος.

backwater (n) [μπάκουότα(ρ)] ποταμολίμνη, τέλμα, νερά, απόνερα.

bacon (n) [μπέικον] καπνιστό χοιρινό.

bacony (adj) [μπέικονι] παχύς, λιπώδης, λιπαρός.

bacteria (n) [μπακτίρια] βακτηρίδια.

bacterial (adj) [μπακτίριαλ] βακτηριακός, μικροβιακός.

bactericide (n) [μπακτίρισαϊ-ντ] βακτηρικτόνο, μικροβιοκτόνο.

bacteriologist (n) [μπακτιριόλοντζζιστ] βακτηριολόγος.

bacteriology (n) [μπακτιριόλοντζζι] βακτηριολογία.

bacteriophage (n) [μπακτίριοφεϊντζζ] βακτηριοφάγος.

bacterium (n) [μπακτίριαμ] βακτηρίδιο.

bad (n) [μπαντ] ατυχία, ζημιά, έλλειμμα, (adj) ελαττωματικός, ελλιπής, άσχημος.

bad-lands (n) [μπά-ντλαν-ντζ] ερημότοπος, ξεροτόπια.

baddish (adj) [μπάντισς] μάλλον κακός, κακούτσικος.

badge (n) [μπαντζζ] έμβλημα, κονκάρδα, σήμα, σινιάλο, διακριτικό.

badger (n) [μπάντζζα(ρ)] ασβός (v) ενοχλώ, παρενοχλώ, πειράζω, πιλατεύω.

badinage (n) [μπά-ντιναζζ] αστεϊσμός, ελαφρό πείραγμα.

baffle (v) [μπαφλ] μπλέκω, μπερδεύω, διαψεύδω, χαλώ (n) διάφραγμα

baffling (adj) [μπάφλινγκ] δυσνόητος, παραπλαντικός, δύσκολος.

bag (n) [μπαγκ] σακούλα, τσάντα (v) τοποθετώ εντός σάκκου.

baggage (n) [μπάγκιντζζ] μπαγκάζια, αποσκευές.

baggage cart (n) [μπάγκιντζζ καατ] σκευοφόρος.

baggy (adj) [μπάγκι] φαρδύς, κρεμαστός.

bagman (n) [μπάγκμάν] πλασιέ.

bagnio (n) [μπάνιοου] φυλακή, κάτεργο, μπάνιο, μπουρδέλο.

bagpipe (n) [μπάγκπάϊπ] τσαμπούνα.

bail (n) [μπέιλ] εγγύηση (v) εγγυώμαι.

bailee (n) [μπεῖλίι] θεματοφυλακας.

bailey (n) [μπέιλι] εξωτερικό τείχος.

bailie (n) [μπέιλι] δημοτικός σύμβουλος.

bailiff (n) [μπέιλιφ] κλητήρας, επιστάτης.

bailment (n) [μπέιλμεν-τ] παρακατάθεση, παροχή εγγύησης.

bailor (n) [μπέιλα(ρ)] παρακαταθέτης.

bailsman (n) [μπέιλζμαν] εγγυητής.

bait (v) [μπέιτ] δελεάζω, δολώνω (n) δέλεαρ, δόλωμα.

baize (n) [μπέιζ] τσόχα.

bake (v) [μπέικ] φουρνίζω.

bakehouse (n) [μπέικχάους] αρτοποιείο.

baker (n) [μπέικα(ρ)] αρτοποιός.

bakery (n) [μπέικερι] φούρνος.

baking (n) [μπέικινγκ] ψήσιμο.

balance (n) [μπάλανς] εξισορρόπηση, ζυγαριά (v) αντισταθμίζω, ισορροπώ.

balance sheet (n) [μπάλανς σσίτ] ισολογισμός.

balanced (adj) [μπάλανσ-τ] ισόρροπος.

balancing (n) [μπάλανσινγκ] ισοζύγιο.

balcony (n) [μπάλκονι] εξώστης.

bald (adj) [μπόολντ] φαλακρός, γυμνός, άδενδρος, γουλί [μεταφ].

bald head (n) [μπόολντ χε-ντ] φαλάκρα.

bald mountain (n) [μπόολντ μάουν-τιν] ξεροβούνι.

baldachin (n) [μπάλ-ντακιν] επιστέγασμα, ουρανός, κουβούκλιο.

baldric (n) [μπόολ-ντρικ] τελαμώνας.

bale (n) [μπέιλ] δέμα [πάκο], δυστυχία, συμφορά (v) δεματίζω, αμπαλάρω.

baleen (n) [μπαλίν] φάλαινα.

baleful (adj) [μπέιλφουλ] ολέθριος.

balk (v) [μπόοκ] αποφεύγω, εμποδίζω, ανατρέπω, απογοητεύω (n) ανάχωμα, καδρόνι, αφετηρία, απογοήτευση, αναποδιά.

Balkan (adj) [Μπόολκαν] βαλκανικός.

ball (n) [μπόολ] σφαίρα, βόλι, μπάλα.

ball bearings (n) [μπόολ μπέαρινγκς] ρουλεμάν.

ballad (n) [μπάλα-ντ] μπαλάντα.

ballad-monger (n) [μπάλα-ντμόνγκα(ρ)] συνθέτης μπαλαντών.

ballast (v) [μπάλαστ] σαβουρώνω, στραθεροποιώ (n) σαβούρα.

ballerina (n) [μπαλερίινα] μπαλαρίνα.

ballet (n) [μπάλέϊ] μπαλέτο.

ballistic (adj) [μπαλίστικ] βαλιστικός.

balloon (n) [μπαλούν] μπαλόνι (v) φουσκώνω.

ballot (n) [μπάλοτ] δελτίο [ψηφοδέλτιο], δέμα (v) ψηφίζω.

ballroom (n) [μπόολρουουμ] ευγενής [χορός] (n) αίθουσα χορού.

balls (n) [μπόολζ] κουραφέξαλα.

balm (n) [μπάαμ] βάλσαμο.

balneal (adj) [μπάλνιαλ] λουτρικός.

balsam (n) [μπάαλσαμ] βάλσαμο.

Baltic (n) [Μπάαλτικ] Βαλτική.

baluster (n) [μπάλαστα(ρ)]κάγκελλο, κολονάκι.

balustrade (n) [μπάλαστρέι-ντ] κιγκλίδωμα, κάγκελο [σκάλας κτλ].

bamboo (n) [μπαμ-μπούου] μπαμπού.

ban (n) [μπαν] απαγόρευση, αφορισμός.

banal (adj) [μπανάαλ] κοινός, κοινότοπος, τετριμμένος.

banality (n) [μπανάλιτι] κοινοτοπία.

banana (n) [μπανάανα] μπανάνα.

band (n) [μπαν-ντ] σπείρα, συμμορία, ταινία, μπάντα, φιλαρμονική, τσούρμο.

bandage (v) [μπάν-ντιντζζ] επιδένω (n) δέσιμο, επίδεσμος, επίδεση.

bandana (n) [μπάν-ντανα] φουλάρι.

bandbox (n) [μπάν-ντ-μποκς] χαρτοκούτα.

bandit (n) [μπάν-ντιτ] ληστής.

banditry (n) [μπάν-ντιτρι] ληστεία.

bandmaster (n) [μπάν-ντμάστα(ρ)] αρχιμουσικός.

bandog (n) [μπάν-ντογκ] μανδρόσκυλο.

bandoleer (n) [μπαν-ντολίια(ρ)] φυσιγγιοθήκη, φυσεκλίκι.

bandsaw (n) [μπάν-ντσόο] πριονοκορδέλα, πριονοταινία.

bandstand (n) [μπάν-ντσταν-ντ] εξέδρα ορχήστρας.

bandy (v) [μπάν-ντι] ανταλλάσσω, επιστρέφω (adj) στραβοπόδης.

bandy-legged (adj) [μπάν-ντιλεγκ-ντ] στραβοκάνης.

bane (n) [μπέιν] όλεθρος, πληγή, κατάρα.

baneful (adj) [μπέινφουλ] καταστροφικός, επιζήμιος, δηλητηριώδης.

bang (n) [μπανγκ] κτύπημα, κρότος.

bangle (n) [μπανγκλ] βραχιόλι.

banian (n) [μπάνιαν] ινδός έμπορος, βανιανός, ρόμπα, πουκαμίσα.

banish (v) [μπάνιος] προγράφω, διώχνω [μεταφ], εξορίζω, αποβάλλω.

banishment (n) [μπάνισσμεντ] εκτόπιση, εξορία.

banister (n) [μπάνιστα(ρ)] κολονάκι.

bank (n) [μπανκ] όχθη, τράπεζα, ανάχωμα (v) δένω, στοιβάζω, σωριάζω.

bankable (adj) [μπάνκα-μπλ] αποδεκτός, διαπραγματεύσιμος.

bankbill (n) [μπάνκ-μπιλ] τραπεζογραμμάτιο.

banker (n) [μπάνκα(ρ)] τραπεζίτης.

banking (adj) [μπάνκινγκ] τραπεζικός.

banknote (n) [μπάνκνόουτ] τραπεζογραμμάτιο, χαρτονόμισμα.

bankrupt (n) [μπάνκραπτ] χρεωκοπημένος, ο πτωχεύσας [νομ].

bankruptcy (n) [μπάνκραπσι] πτώχευση, χρεωκοπία.

banner (n) [μπάνα(ρ)] σημαία.

banquet (n) [μπάνκουιτ] συμπόσιο.

banter (n) [μπάντα(ρ)] αστείο, πείραγμα (v) πειράζω, ειρωνεύομαι.

bantering (n) [μπάντερινγκ] χαριεντισμός.

bantling (n) [μπάντλινγκ] κουτσούβελο.

bap (n) [μπαπ] φρατζολάκι.

baptism (n) [μπάπτιζμ] βάπτισμα.

baptistery (n) [μπάπτιστρι] βαπτιστήριο, κολυμβήθρα.

baptize (v) [μπάπτάιζ] βαπτίζω.

bar (n) [μπάα] βέργα, μπάρα, μπιμπαρία, σύρτης, μπαρ (v) κλείνω (pr) εκτός.

barfly (n) [μπάαφλαϊ] ταβερνόβιος.

barb (n) [μπάα-μπ] δόντι, αιχμή.

barbarian (adj) [μπαα-μπέαριαν] βάρβαρος, άγριος.

barbaric (adj) [μπαα-μπάρικ] βαρβαρικός, τραχύς, πρωτόγονος.

barbarism (n) [μπάα-μπαρισμ] βαρβαρότητα, αγριότητα.

barbarity (n) [μπαα-μπάριτι] αγριότητα.

barbarize (v) [μπάα-μπαραϊζ] διαφθείρω.

barbecue (n) [μπάαμπεκιου] ψησταριά.

barbed (adj) [μπαα-μπ-ντ] ακιδωτός, οδοντωτός.

barbed wire (n) [μπαα-μπ-ντ ουάιερ] συρματόπλεγμα.

barber (n) [μπάα-μπα(ρ)] κουρέας.

barber's shop (n) [μπάαμπερ'ζ σσοπ] κουρείο.

barbican (n) [μπάα-μπικαν] πύργος.

barbiturates (n) [μπαα-μπίτιουουριτς] βαρβιτουρικά [χημ].

barcarole (n) [μπάακαρόουλ] βαρκαρόλα.

bard (n) [μπάα-ντ] ποιητής.

bardic (adj) [μπάα-ντικ] βαρδικός.

bare (adj) [μπέα] γυμνός, φαλακρός (v) απογυμνώνω, αποκαλύπτω.

barefaced (adj) [μπέαρφεϊσ-τ] αδιάντροπος, αναίσχυντος, ξετσίπωτος.

bareheaded (adj) [μπέαχέντι-ντ] ασκεπής, ξεσκούφωτος.

barely (adj) [μπέαλι] φτωχικά.

bargain (n) [μπάαγκεϊν] ευκαιρία, παζάρι (v) διαπραγματεύομαι.

bargain for (v) [μπάαγκεϊν φορ] υπολογίζω, αναμένω.

bargain-basement (n) [μπάαγκεϊν-μπέισμεν-τ] τμήμα εκπτώσεων.

bargainer (n) [μπάαγκεϊνα(ρ)] διαπραγματευτής, παζαρευτής.

bargaining (n) [μπάαγκεϊνινγκ] παζάρι.

bargainor (n) [μπάαγκεϊνορ] πωλητής.

barge (n) [μπάαντζζ] μαούνα.

barge-couple (n) [μπάαντζζκαπλ] διαδοκίδα, τραβέρσα.

barge-course (n) [μπάαντζζκοος] διάζωμα.

bargee (n) [μπάαντζζίι] μαουνιέρης.

baric (adj) [μπάρικ] βαρομετρικός.

baritone (n) [μπάριτουν] βαρύτονος.

bark (n) [μπάακ] γάβγισμα, βήχας, φλούδα (ν) φωνάζω, ξεγδέρνω.

bark at (ν) [μπάακ ατ] χουγιάζω.

barker (n) [μπάακα(ρ)] κράχτης, διαλαλητής, πιστόλι, περίστροφο.

barking (n) [μπάακινγκ] γάβγισμα.

barley-sugar (n) [μπάαλι-σσούγκαρ] κάντιο, καραμέλα.

barm (n) [μπααμ] ζύμη, μαγιά.

barman (n) [μπάαμαν] σερβιτόρος.

barmy (adj) [μπάαμι] ανόπτος.

barn (n) [μπάαν] σιταποθήκη, αχυρώνας.

barnacle (n) [μπάανακλ] τσιμπίδα, κολλητσίδα [μεταφ], τσιμπούρι [μεταφ].

barnstorm (ν) [μπάανστόομ] περιοδεύω.

barogram (n) [μπάρογκραμ] βαρογραφία, βαρογράφημα.

barograph (n) [μπάρογκρααφ] βαρογράφος, βαρομετρογράφος.

barology (n) [μπαρόλοντζζι] βαρολογία.

barometer (n) [μπαρόμπα(ρ)] βαρόμετρο.

baron (n) [μπάρον] βαρόνος.

baronage (n) [μπάρονιντζζ] βαρώνοι, ευγενείς.

baroness (n) [μπαρονές] βαρώνη.

baronial (adj) [μπαρόουνιαλ] βαρωνικός.

barony (n) [μπάρονι] βαρωνία.

baroscope (n) [μπάροσκοουπ] βαροσκόπιο.

barracks (n) [μπάρακς] στρατώνας, παραπήγματα, κατάλυμα.

barracoon (n) [μπάρακούουν] παράπηγμα, κλούβα.

barrage (n) [μπαράαζζ] υδατοφράκτης.

barrator (n) [μπάρατα(ρ)] φιλόδικος, κακόπιστος, διάδικος.

barratrous (adj) [μπάρατρας] φιλόδικος.

barratry (n) [μπάρατρι] ναυταπάτη, φιλοδικία, συναλλαγή.

barrel (n) [μπάρελ] κύλινδρος, βαρέλι, βυτίο, κάννη.

barrel organ (n) [μπάρελ όργκαν] λατέρνα.

barren (adj) [μπάρεν] άγονος, άκαρπος.

barricade (n) [μπαρικέι-ντ] οδόφραγμα.

barrier (n) [μπάρια(ρ)] οδόφραγμα.

barring (pr) [μπάρρινγκ] αποκλειομένου, εκτός, πλην.

barrister (n) [μπάριστα(ρ)] δικηγόρος.

barrow (n) [μπάροου] καροτσάκι.

barter (n) [μπάατα(ρ)] ανταλλαγή (ν) παραχωρώ [μεταφ], ξεπουλάω.

bartizan (n) [μπάατιζαν] σκοπιά.

barycentric (adj) [μπαρισέντρικ] βαρυκεντρικός.

baryon (n) [μπέαριον] βαρυόνιο.

baryphonia (n) [μπαριφόουνια] βαρυφωνία, βαρεία φωνή.

barytone (n) [μπάριτοουν] βαρύτονος.

bas-relief (n) [μπασριλίιφ] ανάγλυφο.

basal (adj) [μπέιολ] βασικός.

basalt (n) [μπάσολτ] βασάλτης.

base (adj) [μπείς] μικροπρεπής, παρακατιανός (n) βάση (ν) βασίζω.

baseborn (adj) [μπέισε-μποον] παρακατιανός, νόθος.

baseless (adj) [μπείςλες] αβάσιμος.

basely (adv) [μπείςλι] ταπεινά, χυδαία.

basement (n) [μπέισμεν-τ] υπόγειο.

baseness (n) [μπέισνες] χυδαιότητα.

bash (v) [μπασς] κτυπώ, τσακίζω, παρα-

μορφώνω (n) προσπάθεια.
bashful (adj) [μπάσσφουλ] σεμνός.
bashfulness (n) [μπάσσφουλνες] συστολή, ντροπή.
bashing (n) [μπάσσινγκ] ξυλοκόπημα.
basic (adj) [μπέισικ] βασικός.
basicity (n) [μπασίσιτι] βασικότητα.
basil (n) [μπάζιλ] βασιλικός [βοτ].
basilar (adj) [μπάσιλα(ρ)] της βάσεως.
basin (n) [μπέισιν] λεκάνη, νιπτήρας, κλειστή θάλασσα.
basinet (n) [μπάσινετ] κράνος.
basis (n) [μπέισις] βάση, βάθρο.
bask (v) [μπάασκ] λιάζομαι, χαίρομαι.
basket (n) [μπάασκετ] καλάθι.
basket-ball (n) [μπάασκετ-μπουλ] καλαθόσφαιρα.
basket-stitch (n) [μπάασκετ-στιτσς] σταυροβελονιά.
basket-work (n) [μπάασκετ-ουόρκ] καλαθοπλεκτική, καλαμωτή.
Basque (n) [μπάασκ] Βάσκος.
bass (n) [μπέις] μπάσος (adj) βαθύφωνος.
bass fish (n) [μπας φισς] λαβράκι.
bass-wood (n) [μπάσσου-ντ] φλαμουριά.
bastard (adj) (n) [μπάαστα-ντ] νόθος, μούλος, μπάσταρδος.
baste (v) [μπέιστ] τρυπώνω, λιπαίνω.
bastion (n) [μπάστιον] προπύργιο.
bat (v) [μπατ] κτυπώ με ρόπαλο, βλεφαρίζω (n) νυχτερίδα.
batch (n) [μπατσς] φουρνιά ψωμιού, χαρμάνι, παρτίδα, ποσότητα.
bate (v) [μπέιτ] κόβω, μειώνω, πέφτω (n) παρασκεύασμα [βυρσοδεψίας].
bath (n) [μπααθ] λουτρό.
bathe (v) [μπέιδ] λούζω, πλένω, βουτάω (n) μπάνιο.
bathed (adj) [μπέιδ-ντ] βουτηγμένος.
bather (adj) [μπέιδα(ρ)] λουόμενος.
bathing (n) [μπέιδινγκ] μπάνιο.
bathing suit (n) [μπέιδινγκ σουτ] μαγιό,

μπανιερό.
bathos (n) [μπέιθος] αντικλίμακα.
bathrobe (n) [μπάαθρόου-μπ] μπουρνούζι.
bathroom (n) [μπάαθρουμ] λουτρό [δωμάτιο], μπάνιο [δωμάτιο].
baths (n) [μπααθς] λουτρά.
bathyscaphe (n) [μπάαθισκεϊφ] βαθύσκαφος.
bating (pr) [μπέιτινγκ] εκτός.
batman (n) [μπάτμαν] ιπποκόμος.
baton (n) [μπάτον] ράβδος.
battalion (n) [μπατάλιον] τάγμα [στρατ], μεγάλη ομάδα, πλήθος.
batten (n) [μπάτεν] σανίδα, πήχυς, μπάρα, βέργα (v) ξυλοστρώνω, παχαίνω.
battening (n) [μπάτενινγκ] σανίδωμα.
batter (v) [μπάτα(ρ)] κατακτυπώ, σφυρηλατώ (n) κουρκούτι.
battery (n) [μπάτερι] βιαιοπραγία, πυροβολαρχία.
battle (n) [μπατλ] μάχη, πάλη.
battle-cry (n) [μπάτλκραϊ] πολεμική κραυγή, πολεμικό σύνθημα.
battue (n) [μπατίουου] παγανιά, σφαγή.
batty (adj) [μπάτι] τρελός.
baulk (v) [μπόολκ] κωλύνω.
bauxite (n) [μπόοξάιτ] βωξίτης.
bawbee (n) [μπάου-μπι] πεντάρα.
bawd (n) [μπόου-ντ] μαστροπός.
bawdy-house (n) [μπόο-ντιχάουσ] πορνείο, παλιόσπιτο.
bawl (v) [μπόουλ] ουρλιάζω (n) κραυγή.
bay (n) [μπέι] δάφνη, όρμος.
bay tree (n) [μπέι τρίι] δάφνη.
bay-leaves (n) [μπέιλίιβζ] βάγια.
baying (n) [μπέιινγκ] γάβγισμα.
bayonet (n) [μπεϊγιονέτ] λόγχη, ξιφολόγχη (v) λογχίζω.
bayou (n) [μπάιου] βάλτος.
bazaar (n) [μπαζάα(ρ)] παζάρι.
be (v) [μπιι] αποτελώ, διατελώ, είμαι, υ-

πάρχω, ζω, βρίσκομαι.

beach (n) [μπίιτσς] ακτή, παραλία (v) προσαράσσω.

beachcomber (n) [μπίιτσσκόουμερ] α-λήτης, ακαμάτης.

beached (adj) [μπίιτο-τ] προσπραγμέ-νος, καθισμένος [ναυτ].

beachhead (n) [μπίιτσσχέ-ντ] προγεφύ-ρωμα.

beacon (n) [μπίικον] φρυκτός, φάρος.

bead (n) [μπίι-ντ] περιδέριο.

beading (n) [μπίι-ντιννγκ] σφαιροειδές [κόσμημα], αστράγαλος.

beak (n) [μπίικ] ράμφος, ρύγχος.

beam (n) [μπίιμ] δένδρο, ακτίνα, δοκά-ρι, ζυγός (v) ακτινοβολώ.

beamish (adj) [μπίιμος] λαμπερός.

bean (n) [μπίιν] φασουλιά, σπέρμα.

bear (v) [μπέα(ρ)] συνοδεύω, βαστώ, παράγω, υποφέρω, φορώ (n) αρκούδα.

bear arms (v) [μπέα(ρ) ααμς] οπλοφορώ.

bear (children) (v) [μπέαρ [τσίλντρεν]] τεκνοποιώ.

bear up (v) [μπέαρ απ] αντέχω..

bear-leader (n) [μπέαλίι-ντα(ρ)] παιδα-γωγός, φροντιστής, συνοδός.

bearable (adj) [μπέαρα-μπλ] ανεκτός.

beard (n) [μπίε-ντ] γένι, μούσι.

bearded devil (n) [μπίεντι-ντ ντέβιλ] τραγογένης (adj) γενάτος.

beardless (adj) [μπίεντλες] σπανός.

bearer (n) [μπέαρα(ρ)] κομιστής.

bearing (n) [μπέαριννγκ] συμπεριφορά, διαγωγή, ύφος, στάση.

bearing fruit (adj) [μπέαρινγκ φρρουτ] οπωροφόρος.

bearish (adj) [μπέαρισς] αρκουδήσιος, απότομος, αγενής.

beast (n) [μπίιστ] κτήνος, ζώο, θεριό.

beast of burden (n) [μπίιστ οβ μπε-ντν] υποζύγιο.

beastly (adj) [μπίιστλι] κτηνώδης.

beat (n) [μπίιτ] κτύπημα, τέμπο (v) δέρ-νω, κτυπώ, καταστρέφω.

beaten (adj) [μπίιτεν] κτυπημένος.

beater (n) [μπίιτα(ρ)] σφυρηλάτης.

beatific (adj) [μπιατίφικ] μακάριος.

beatification (n) [μπιατιφικέισσον] μα-καριότητα, ευδαιμονία.

beatify (v) [μπιάτιφαΐ] μακαρίζω.

beating (n) [μπίιτινγκ] δάρσιμο.

beatitude (n) [μπιάτιτιου-ντ] μακαριό-τητα, ευδαιμονία.

beau (adj) [μπόου] ωραίος, φιλαράκος.

beauteous (adj) [μπίουτιας] ωραίος.

beautician (adj) [μπιουτίσσαν] αισθητικός.

beautification (n) [μπιουτιφικέισσον] καλλωπισμός, στολισμός.

beautiful (adj) [μπιούτιφουλ] πανέμορ-φος, υπέροχος (adv) ωραία.

beautify (v) [μπιούτιφαΐ] ομορφαίνω.

beautifying (adj) [μπιούτιφάιννγκ] καλ-λωπιστικός.

beauty (n) [μπιούτι] ομορφιά, καλλονή (adj) καλλωπιστικός.

beaver (n) [μπίιβα(ρ)] κάστορας.

becalm (v) [μπικάαμ] καθησυχάζω.

because of (adv) [μπίκός οβ] εξαιτίας, για, ένεκα (conj) καθότι, διατί.

beck (n) [μπεκ] ρυάκι, νόημα.

beckon (v) [μπέκον] καλώ, γνεύω.

becloud (v) [μπικλάου-ντ] συννεφιάζω.

become (v) [μπικάμ] καθίσταμαι.

bed (n) [μπε-ντ] κρεβάτι, στρώμα.

bed-clothes (n) [μπε-ντκλόουδς] κλινο-σκεπάσματα, στρωσίδια.

bed-rock (n) [μπέ-ντροκ] θεμέλιο [με-ταφ] (adj) βασικός.

bedabble (v) [μπι-ντά-μπλ] καταβρέχω, λεκιάζω, πιτσιλίζω.

bedaub (v) [μπι-ντόο-μπ] ρυπαίνω, λε-ρώνω, φορτώνω.

bedazzle (v) [μπι-ντάζλ] θαμβώνω, ζα-λίζω, καταπλήσσω, γοητεύω.

bedding (n) [μπέ-ντινγκ] στρωσίδι.

bedel (n) [μπι-ντλ] αρχικαμαριέρης.

bedevil (v) [μπι-ντέβιλ] δαιμονίζω, πειράζω, γοητεύω, μαγεύω.

bedew (v) [μπι-ντιού] δροσίζω.

bedfellow (n) [μπέ-ντφελοου] σύντροφος.

bedight (adj) [μπι-ντάιτ] στολισμένος.

bedim (v) [μπι-ντίμ] σκοτεινιάζω.

bedizen (v) [μπι-ντίζεν] καταστολίζω.

bedlam (n) [μπέ-ντλαμ] τρελλοκομείο.

bedlamite (n) [μπέ-ντλαμαϊτ] τρελλός (v) τρελαίνομαι.

bedplate (n) [μπέ-ντπλέϊτ] βάση.

bedraggle (v) [μπι-ντράγκλ] λερώνω.

bedraggled (adj) [μπι-ντράγκλ-ντ] λερωμένος, κουρελιάρης.

bedridden (adj) [μπέ-ντρίντεν] κλινήρης.

bedroom (n) [μπέ-ντρουμ] κρεβατοκάμαρα, κοιτώνας.

bedstraw (n) [μπέ-ντστροο(ρ)] κολλητοίδα.

bee (n) [μπίι] μέλισσα.

bee-keeper (n) [μπίι-κίπα(ρ)] μελισσοκόμος.

beech tree (n) [μπίιτος τρίι] οξιά.

beef (n) [μπίιφ] βοδινό.

beefy (adj) [μπίιφι] σωματώδης.

beehive (n) [μπίιχάιβ] κυψέλη.

beekeeping (n) [μπίικίπινγκ] μελισσοκομία.

beer (n) [μπίια(ρ)] ζύθος, μπίρα.

beet (n) [μπίιτ] κοκκινογούλι.

beetle (n) [μπίιτλ] σκαθάρι, βαρειά, κόπανος, (adj) πυκνός.

beetle-crusher (n) [μπίιτλκράσσα] ποδάρα, χοντροπάπουτσο.

beetroot (n) [μπίιτρούτ] παντζάρι.

before (adv) [μπίιφόο(ρ)] μπροστά.

beforehand (adv) [μπιιφόο(ρ)χάν-ντ] προηγουμένως.

befoul (v) [μπιφάουλ] λερώνω, σπιλώνω.

befriend (v) [μπιιφρέ-ντ] παραστέκω,

βοηθώ, φέρομαι φιλικά σε.

beg (v) [μπεγκ] ικετεύω, απιτούμαι, επαιτώ.

beget (v) [μπιγκέτ] γεννώ, προκαλώ [μεταφ], δημιουργώ [μεταφ].

begettor (n) [μπιγκέττα(ρ)] δημιουργός, γεννήτωρας.

beggar (adj) [μπέγκα(ρ)] επαίτης, ζητιάνος (v) καταστρέφω.

begging (n) [μπέγκινγκ] ζητιανιά.

begin (v) [μπιγκίν] αρχίζω.

beginner (adj) [μπιγκίνα(ρ)] αρχάριος.

beginning (n) [μπιγκίνινγκ] καταγωγή, αφετηρία (adj) αξιόπιστος.

begonia (n) [μπιγκόουνια] βιγόνια.

begrudge (v) [μπιγκράντζζ] φθονώ, τσιγγουνεύομαι.

beguile (v) [μπιγκάιλ] απατώ, κοροϊδεύω, κοιμίζω, γοητεύω.

behave (v) [μπιχέιβ] φέρομαι.

behaviour (n) [μπιχέιβια(ρ)] διαγωγή.

behead (v) [μπιχέ-ντ] αποκεφαλίζω.

behest (n) [μπιχέστ] εντολή.

behind (adv) [μπιιχάιν-ντ] αποπίσω, κατόπιν (n) οπίσθια.

behind the scenes (adj) [μπιιχάιν-ντ δε σίινζ] παρασκηνιακός.

behindhand (adj) [μπιιχάιν-ντχαν-ντ] καθυστερημένος.

behold! (ex) [μπιιχόουλ-ντ] ιδού! (v) βλέπω, κοιτάζω.

beholden (adj) [μπιιχόουλ-ντεν] οφειλέτης.

behove (v) [μπιιχόουβ] επιβάλλεται.

being (adv) [μπίι-ινγκ] καθόσο (n) οντότητα, ύπαρξη, ον, πλάσμα.

bel-esprit (n) [μπελέσπριτ] διάνοια.

belabour (v) [μπιλέι-μπα(ρ)] ξυλοφορτώνω, κατακρίνω [μεταφ].

belated (adj) [μπιλέιτι-ντ] καθυστερημένος.

belay (v) [μπιλέι] προσδένω, άκυρο.

belch (v) [μπελτσ] ρεύομαι.

belcher (n) [μπέλτσα(ρ)] φουλάρι.

beldam (n) [μπέλ-νταμ] παλιόγρια.

beleaguer (v) [μπιλίιγκα(ρ)] πολιορκώ.

beleaguerment (v) [μπιλίιγκα(ρ)μεντ] πολιορκία.

belfry (n) [μπέλφράι] καμπαναριό.

Belgian (adj) [Μπέλντζζιαν] βελγικός (n) Βέλγος.

belie (v) [μπιλάι] διαψεύδω, αδικώ.

belief (n) [μπιλίιφ] πίστη, πεποίθηση.

believable (adj) [μπιλίιβα-μπλ] αληθοφανής, πιστευτός.

believe (v) [μπιλίιβ] πιστεύω, φρονώ.

belike (adv) [μπιλάικ] πιθανώς.

belittle (v) [μπιλίτλ] μειώνω.

bell (n) [μπελ] καμπάνα (v) βρυχώμαι.

bell-ringer (n) [μπελρίνγκα(ρ)] κωδωνοκρούστης.

belle (n) [μπελ] καλλονή, ωραία.

belles lettres (n) [μπελ λέτρ] λογοτεχνία

bellicose (adj) [μπέλικόουζ] πολεμοχαρής, φιλοπόλεμος.

bellied (adj) [μπέλι-ντ] φουσκωμένος.

belligerence (n) [μπελίντζζερενς] επιθετικότητα.

belligerent (adj) [μπελί-ντζζερεν-τ] φιλοπόλεμος [μεταφ].

bellman (adj) [μπέλμαν] τελάλης.

bellow (v) [μπέλοου] ουρλιάζω.

bellowing (n) [μπέλοουινγκ] ούρλιασμα.

bellows (n) [μπέλοουζ] φυσερό.

belly (n) [μπέλι] κοιλιά, στομάχι.

belly-button (n) [μπέλι-μπάτον] αφαλός.

bellyache (n) [μπέλι-εϊκ] γκρίνια.

bellying (adj) [μπέλινγκ] φουσκωμένος, πρησμένος.

belong (v) [μπιλόνγκ] ανήκω, αρμόζω.

belongings (n) [μπιλόνγκινγκζ] υπάρχοντα.

beloved (adj) [μπιλάβ-ντ ή μπιλάβι-ντ] πολυαγαπημένος.

below (adv) (pr) [μπιλόου] υπό, κάτω.

belt (n) [μπελτ] λουρίδα, ζωστήρας.

belting (n) [μπέλτινγκ] ιμάντες.

bemuse (v) [μπιμιούουζ] καταπλήσσω, μπερδεύω, ζαλίζω.

ben (adj) [μπεν] εσωτερικός [σκωτ] (pr) (adv) μέσα (n) κορυφή βουνού.

bench (n) [μπέν-τος] πάγκος, εδώλιο, θρανίο (v) τοποθετώ πάγκους.

bend (n) [μπεν-ντ] στροφή, κλίση (v) κλίνω, σκύβω, γέρνω, υποκλίνομαι.

bended (adj) [μπέν-ντι-ντ] λυγισμένος.

bender (n) [μπέν-ντα(ρ)] τανάλια, γλέντι, κύναιδος [χυδ].

bending (adj) [μπέν-ντινγκ] γερτός, σκυφτός (n) κάμψη, σκύψιμο.

bends (n) [μπεν-ντζ] αερεμβολισμός.

beneath (adv) [μπινίιθ] από κάτω, υπό.

benedict (n) [μπενε-ντίτ] νιόπαντρος.

benediction (n) [μπενε-ντίκσσον] ευλογία.

benefaction (n) [μπενεφάκσσον] ευεργεσία, δωρεά.

benefactor (n) [μπενεφάκτα(ρ)] ευεργέτης, δωρητής.

beneficent (adj) [μπενεφίσσεντ] αγαθοεργός, γενεναιόδωρος.

beneficial (adj) [μπενεφίσσαλ] χρήσιμος, ευεργετικός, ωφέλιμος.

beneficiary (adj) [μπενεφίσσαρι] δικαιούχος, ωφελημένος.

benefit (v) [μπένεφιτ] ωφελούμαι (n) χρησιμότητα, καλό, συμφέρον.

benefit by (v) [μπένεφιτ μπάι] καρπώνομαι [μεταφ].

benevolence (n) [μπενέβολενς] καλωσύνη, φιλανθρωπία, δώρο.

benevolent (adj) [μπενέβολεν-τ] φιλανθρωπικός, καλοπροαίρετος.

benighted (adj) [μπινάιτι-ντ] νυχτωμένος.

benign (adj) [μπινάιν] πράος, μαλακός, καλόηθης [ιατρ].

benignity (n) [μπινίγκνιτι] ευμένεια, πραότητα.

benison (n) [μπένιζαν] ευχή, ευλογία.

bent (adj) [μπεν-τ] γυρτός, κύναιδος [χυδ], τρελλός (n) κλίση, τάση, ροπή.

bent on (adj) [μπεν-τ ον] αποφασισμένος.

benumb (v) [μπινάμ] ναρκώνω.

benzedrine (n) [μπένζε-ντριιν] βενζεδρίνη [ιατρ], αμφεταμίνη.

benzene (n) [μπενζίιν] βενζόλιο].

benzine (n) [μπενζίιν] βενζίνη.

benzol (n) [μπένζολ] βενζόλη.

bequeath (v) [μπίκουίίθ] κληροδοτώ.

bequeathal (n) [μπικουίδαλ] κληροδότηση.

bequest (n) [μπικουέστ] κληροδοσία, δωρεά, κληροδότημα.

berate (v) [μπιρέιτ] επιπλήττω.

berate rudely (v) [μπιρέιτ ρού-ντλι] σκυλοβρίζω.

berceuse (n) [μπεασέζ] νανούρισμα.

bereave (v) [μπιρίιβ] στερώ.

bereavement (n) [μπιρίιβμεν-τ] απώλεια [θάνατος], πένθος.

beret (n) [μπέρεϊ] μπερές.

berg (n) [μπεργκ] παγόβουνο.

bergamot (n) [μπέργκαμοτ] περγαμότο.

berhyme (v) [μπιράιμ] εξυμνώ.

berkelium (n) [μπερκίλιαμ] βερκέλιο.

Berlin (n) [Μπερλίν] Βερολίνο.

berry (n) [μπέρι] ρόγα, μούρο (v) μαζεύω μούρα.

berserk (adj) [μπέσερκ] μανιακός.

berth (n) [μπερθ] θέση πλεύρισης πλοίου (v) πλευρίζω.

bertha (n) [μπέρθα] μπέρτα.

berthing (n) [μπέρθινγκ] πλεύρισμα, θέση πλευρίσματος.

beryl (n) [μπέριλ] βήρυλος [χημ].

beryllium (n) [μπερίλιαμ] βηρύλλιο.

beseech (v) [μπισίιτος] ικετεύω.

beset (v) [μπισέτ] περικυκλώνω, πολιορκώ, επιτίθεμαι, βασανίζω.

besetment (n) [μπισέτμεν-τ] πολιορκία, αποκλεισμός, στενοχώρια.

besetting (adj) [μπισέτινγκ] επίμονος, κυρίαρχος, τυραννικός.

beshrew (v) [μπισσρούου] καταριέμαι.

beside (adv) [μπισάι-ντ] παρά, δίπλα σε.

beside oneself (adj) [μπισάι-ντ ουάνσέλφ] έξαλλος, εκτός εαυτού.

besides (adv) [μπισάι-ντζ] άλλωστε, εκτός, εξάλλου, επιπλέον.

besiege (v) [μπεσίιντζζ] πολιορκώ.

besieger (n) [μπεσίιντζζα(ρ)] πολιορκητής.

beslobber (v) [μπισλό-μπα(ρ)] σαλιώνω.

beslave (v) [μπισλέιβ] υποδουλώνω.

besmear (v) [μπισμία(ρ)] πασαλείφω, κηλιδώνω [μεταφ].

besmirch (v) [μπισμέρτος] βρωμίζω, λερώνω, βεβηλώνω [μεταφ].

besom (n) [μπίζομ] σκούπα από κλαδιά, παλιογύναικο [μεταφ].

besotted (adj) [μπισότι-ντ] ηλίθιος, ξετρελαμένος.

bespangle (v) [μπισπάνγκλ] στολίζω.

bespatter (v) [μπισπάτα(ρ)] λασπώνω.

bespectacled (adj) [μπισπέκτακλ-ντ] διοπτροφόρος, γυαλάκιας.

bespoke (adj) [μπισπόουκ] επί παραγγελία.

besprent (adj) [μπισπρέν-τ] ραντισμένος, σπαρμένος.

best (adj) [μπεστ] άριστος, καλύτερος.

best man (n) [μπεστ μαν] παράνυμφος.

bestead (v) [μπιστέ-ντ] ενισχύω, βοηθώ.

bested (adj) [μπιστέ-ντ] κυκλωμένος, τοποθετημένος.

bestial (adj) [μπίιστιαλ] κτηνώδης.

bestir (v) [μπιστέρ] κινούμαι.

bestow (v) [μπιστόου] δίδω, παρέχω.

bestowal (n) [μπιστόουαλ] χορήγηση, απονομή, παροχή.

bestride (v) [μπιστράι-ντ] ιππεύω.

bet (v) [μπετ] στοιχηματίζω.

bet on (v) [μπετ ον] ποντάρω.

bethel (n) [μπέθελ] ιερό, ευκτήριο.

bethink (v) [μπιθίνκ] συλλογίζομαι.

betide (v) [μπτάι-ντ] λαχαίνω, στέκομαι.

betimes (adv) [μπιτάιμζ] νωρίς.

betoken (v) [μπιτόουκεν] μαρτυρώ.

betray (v) [μπιτρέι] προδίδω, καταδίδω.

betrayal (n) [μπιτρέιαλ] προδοσία.

betrayer (n) [μπιτρέια(ρ)] προδότης.

betroth (v) [μπιτρόουδ] αρραβωνιάζω.

betrothed (adj) [μπιτρόουδ-ντ] αρραβωνιαστικός, μνηστευμένος.

better (adj) [μπέτα(ρ)] καλύτερος (adv) καλύτερα (v) βελτιώνω (n) παίκτης.

betterment (n) [μπέτα(ρ)μεν-τ] βελτίωση, πρόοδος, καλυτέρευση.

betting (n) [μπέτινγκ] στοίχημα.

between (adv) [μπιτουίν] μεταξύ.

betwixt (adv) [μπιτουίκστ] αναμεταξύ.

bevel (n) [μπέβελ] λοξότμηση (v) λοξεύω, λοξοτομώ.

beverage (n) [μπέβεριντζζ] ποτό.

bevy (n) [μπέβι] παρέα, σμήνος.

beware (v) [μπίουέα(ρ)] προσέχω.

bewilder (v) [μπιουίλ-ντα(ρ)] τρελαίνω.

bewilderment (n) [μπιουίλ-νταμεν-τ] σύγχυση, αμηχανία.

bewitch (v) [μπιουίτσς] μαγεύω, ματιάζω, γοητεύω.

bewray (v) [μπιρέι] αποκαλύπτω.

bey (n) [μπέι] μπέης.

beyond (adv) [μπιόον-ντ] πέρα, πιο πέρα, υπεράνω.

bezant (n) [μπέζαντ] βυζαντινό [νόμισμα].

bezel (n) [μπέζελ] λοξότμηση (v) λοξεύω, λοξοτομώ.

bhang (n) [μπανγκ] χασίς, ινδική κάνναβις.

biannual (adj) [μπαϊάνιουαλ] εξαμηνιαίος.

bias (n) [μπάιας] κλίση, τάση, προτίμηση, μεροληψία, προαίρεση, προκατάληψη.

biased (adj) [μπάιασ-τ] μεροληπτικός.

bib (n) [μπι-μπ] βρύση, κάνουλα, ρου-

μπινές, σαλιάρα (v) πίνω, τα κοπανάω.

bibelot (n) [μπί-μπελόου] μπιμπελό, κομψοτέχνημα.

Bible (n) [Μπάι-μπλ] Βίβλος.

biblical (adj) [μπί-μπλικαλ] βιβλικός.

bibliographer (n) [μπι-μπλιόγκραφα(ρ)] βιβλιογράφος.

bibliography (n) [μπι-μπλιόγκραφι] βιβλιογραφία.

bibliomania (n) [μπι-μπλιομέινια] βιβλιομανία.

bibliophile (n) [μπί-μπλιοφαϊλ] βιβλιόφιλος.

bibliopole (n) [μπι-μπλιοπόουλ] βιβλιοπώλης.

bibulous (adj) [μπί-μπιουλας] μπεκρής.

bice (n) [μπάις] βαθύ κυανό.

bicephalous (adj) [μπαϊσέφαλας] δικέφαλος.

bicker (v) [μπίκα(ρ)] λογομαχώ (n) διαπληκτισμός, καυγάς.

biconcave (adj) [μπάικονκέιβ] αμφίκοιλος.

biconvex (adj) [μπάικονβέξ] αμφίκυρτος.

bicorn (adj) [μπάικορν] δικέρατος.

bicycle (n) [μπάισικλ] ποδήλατο.

bicyclist (n) [μπάισικλιστ] ποδηλάτης.

bid (n) [μπι-ντ] προσφορά, αγορά, δήλωση (v) διατάσσω, ζητώ, πλειοδοτώ.

bid farewell (v) [μπί-ντ φέαουέλ] αποχαιρετίζω, κατευοδώνω.

bid the lowest price (v) [μπι-ντ δε λόουεστ πράις] μειοδοτώ.

biddable (adj) [μπί-νταμπλ] πράος.

bidder (n) [μπί-ντα(ρ)] υπερθεματιστής.

bidding (n) [μπί-ντινγκ] διαταγή, εντολή, πρόσκληση.

bide (v) [μπάι-ντ] ανέχομαι.

bidet (n) [μπίι-ντεϊ] μπιντές.

bier (n) [μπία(ρ)] φέρετρο.

biff (n) [μπιφ] ράπισμα (v) χαστουκίζω.

bifid (adj) [μπάιφι-ντ] διχαλωτός.

bifurcate (v) [μπάεφερκεϊτ] διχάζω, διχάζομαι, διακλαδίζομαι.

bifurcation (v) [μπαϊφερκέισσον] δια-κλάδωση, διχασμός.

big (adj) [μπιγκ] μεγάλος, χοντρός (n) βαρβάτος [μεταφ].

big landowner (n) [μπιγκ λάν-ντόου-να(ρ)] τσιφλικάς.

big talk (n) [μπιγκ τόοκ] καυχησιολο-γία, φούμαρα.

big-boned (adj) [μπίγκ-μπόουν-ντ] χον-δροκόκαλος.

big-head (n) [μπίγκχε-ντ] φαντασμένος, καυχησιάρης.

big-mouth (n) [μπίγκμάουθ] μπούρδας.

bigamy (n) [μπίγκαμι] διγαμία.

bigger (adj) [μπίγκα(ρ)] μεγαλύτερος.

bight (n) [μπάιτ] καμπή, κολπίσκος, θη-λειά, σπείρα, δίπλα.

bigot (n) [μπίγκοτ] θρησκόληπτος.

bigoted (adj) [μπίγκοτι-ντ] στενόμυα-λος, φανατικός, αδιάλλακτος.

bigwig (adj) [μπιγκουίγκ] μεγαλόσχη-μος (n) σπουδαίο πρόσωπο.

bijou (n) [μπίιζζουου] κόσμημα (adj) μικρός, κομψός.

bike (n) [μπάικ] δίκυκλο (v) ποδηλατώ.

bikini (n) [μπικίινι] μαγιό μπικίνι.

bilateral (adj) [μπαϊλάτεραλ] αμφίπλευ-ρος, διμερής.

bile (n) [μπάιλ] χολή.

bilge (n) [μπιλντζζ] υδροσυλλέκτης, ύ-φαλα [ναυτ] (v) σπάζω, φουσκώνω.

biliary (adj) [μπίλιαρι] ηπατικός.

bilingual (adj) [μπάιλίνγκουαλ] δίγλωσ-σος.

bilious (adj) [μπίλιας] πικρόχολος.

bilk (v) [μπιλκ] εξαπατώ, ξεφεύγω.

bilker (n) [μπίλκα(ρ)] απατεώνας.

bill (n) [μπιλ] χαρτονόμισμα, αφίσα, κλαδευτήρα, ταμπέλα, ράμφος, ακρω-τήριο, τιμολόγιο, νομοσχέδιο, (v) τιμο-λογώ, πελεκίζω, κλαδεύω, τοιχοκολλώ.

bill of exchange (n) [μπιλ οβ εξτσέι-ντζζ] συναλλαγματική.

bill of lading (n) [μπιλ οβ λέιν-ντινγκ] φορτωτική [ναυτ].

bill of sale (n) [μπιλ οβ σέιλ] πωλητήριο.

bill sticking (n) [μπιλ στίκινγκ] τοιχο-κόλληση.

billed (adj) [μπιλ-ντ] προγραμματισμένος.

billet (n) [μπίλετ] κούτσουρο, κατάλυμα (v) στρατωνίζω.

billet orderly (n) [μπίλετ όρ-ντερλι] θα-λαμοφύλακας.

billhook (n) [μπίλχούκ] κλαδευτήρι.

billiards (n) [μπίλια-ντζζ] μπιλιάρδο.

billing (n) [μπίλινγκ] χρέωση, χαϊδολο-γήματα, διαφήμιση.

billion (n) [μπίλιον] δισεκατομμύριο.

billy (n) [μπίλι] βραστήρας [Αυστρ].

billy-goat (n) [μπίλι-γκουοτ] τράγος.

bimestrial (adj) [μπαϊμέστριαλ] δίμηνος.

bimetallic (adj) [μπαϊμέταλικ] διμεταλ-λικός.

bimonthly (adj) [μπάιμάνθλι] διμηνιαίος.

bin (n) [μπιν] δοχείο, κιβώτιο, καλάθι (v) αποθηκεύω, παλιώνω.

binary (adj) [μπάιναρι] δυαδικός.

binate (adj) [μπάινεϊτ] διπλός.

bind (v) [μπάιν-ντ] δένω, περιορίζω (n) δεσμός, σύζευξη, κολλητσίδα, μπελάς.

binder (n) [μπάιν-ντα(ρ)] δέτης, τσιμέ-ντο, συνδετικό υλικό.

binding (adj) [μπάιν-ντινγκ] δεσμευτι-κός, στυπτικός (n) δέσμευση.

bindweed (n) [μπάιν-ντ-ουίι-ντ] περικο-κλάδα, χωνάκι, καλυστεγία.

binge (n) [μπίντζζ] γλέντι, όργιο.

bingo (n) [μπίνγκο] μπίνγκο.

binoculars (n) [μπάινόκιουλαρς] διό-πτρα, κιάλια.

bint (n) [μπιν-τ] κορίτσι [αργκό].

biochemistry (n) [μπαϊοκέμιστρι] βιο-χημεία.

biogenesis (n) [μπαϊοντζζένισις] βιογένεση.

biogenetic (adj) [μπαϊοντζζενέτικ] βιογενετικός.

biographer (n) [μπαϊόγκραφα(ρ)] βιογράφος.

biographic (adj) [μπαϊογκράφικ] βιογραφικός.

biography (n) [μπαϊόγκραφι] βιογραφία.

biology (n) [μπαϊόλοντζζι] βιολογία.

biologic (adj) [μπαϊόλόντζζικ] βιολογικός.

biologist (n) [μπαϊόλοντζζιστ] βιολόγος.

biometry (n) [μπαϊόμετρι] βιομετρία.

bionomics (n) [μπαϊοουνόμικς] βιονομία.

biophysics (n) [μπαϊοφίζικς] βιοφυσική.

bioplasm (n) [μπαϊοουπλάζμ] βιοπλάσμα, πρωτόπλασμα.

bioplast (n) [μπάιοουπλααστ] βιοπλάστης, βιογόνο.

biopsy (n) [μπάιοοπσι] βιοψία [ιατρ].

bioscope (n) [μπάιοουσκοουπ] βιοσκόπιο.

biostatics (n) [μπαϊοστάτικς] βιοστατική.

biotic (adj) [μπαϊότικ] βιοτικός.

biotype (n) [μπάιοουταϊπ] βιότυπος.

bipartisan (adj) [μπαϊπάτιζαν] δικομματικός, διακομματικός.

bipartite (adj) [μπάιπάατάιτ] διμερής, αμφιμερής.

birch (-tree) (n) [μπερτος [τρίι] σημύδα

bird (n) [μπερ-ντ] πουλί, πτηνό.

bird-breeder (n) [μπερ-ντ-μπρίιντα(ρ)] πτηνοτρόφος.

bird-cage (n) [μπερ-ντκέιντζζ] κλουβί πουλιών.

bird-song (n) [μπερ-ντσόονγκ] κελάηδημα.

birdseed (n) [μπερ-ντσίιντ] κανναβούρι.

birth (n) [μπερθ] γέννα, τοκετός, καταγωγή.

birthday (adj) [μπέρθ-ντεϊ] γενέθλιος (n) γενέθλια.

birthplace (n) [μπέρθπλέις] γενέτειρα.

birthrate (n) [μπέρθρέιτ] γεννητικότητα.

birthright (n) [μπέρθράιτ] πατρογονικά δικαιώματα, πρωτοτόκια.

bis (adv) [μπις] δις, ξανά.

biscuit (n) [μπίσκιτ] μπισκότο.

bisect (v) [μπάισεκτ] διχοτομώ.

bisection (n) [μπαϊσέκσον] διχοτόμηση.

bisexual (adj) [μπαϊσέκσσουαλ] ερμαφρόδιτος.

bisexuality (n) [μπαϊσεκσουάλιτι] ερμαφροδιτισμός, ερμαφροδισία.

bishop (n) [μπίσσοπ] επίσκοπος.

bishopric (n) [μπίσσοπρικ] επισκοπή [εκκλ], δεσποτικό.

bishop's staff (n) [μπίσσοπ'ς στααφ] πατερίτσα.

bison (n) [μπάισν] βίσων.

bissextile (n) [μπισέκσταϊλ] δίσεκτον έτος (adj) δίσεκτος.

bistoury (n) [μπίστορι] νυστέρι.

bit (n) [μπιτ] κόψη, απόκομμα, τεμάχιο, χαλινάρι, μπιτ δόντι (v) χαλιναγωγώ.

bitch (n) [μπιτος] σκύλα, λύκαινα.

bite (n) [μπάιτ] δάγκωμα, μπουκιά (v) δαγκώνω, δολώνω, μαγκώνω, τρώω.

biting (adj) [μπάτινγκ] σαρκαστικός, καυστικός, πικρός, πιπεράτος.

bitt (n) [μπιτ] κιονοδετώ, ρίχνω.

bitter (adj) [μπίτα(ρ)] πικρός, στυφός, φαρμακερός, δριμύς.

bitter almond (n) [μπίτα(ρ) άαμον-ντ] πικραμύγδαλο.

bitter orange (n) [μπίτα(ρ) όριννῦζζ] νεράτζι.

bitterness (n) [μπίτανες] δριμύτητα, ξινίλα, πίκρα.

bittersweet (adj) [μπίτασουίιτ] γλυκόπικρος, γλυκόξινος.

bitts (n) [μπιτς] κίονες [ναυτ].

bitumen (n) [μπίτιουμεν] άσφαλτος.

bituminiferous (adj) [μπιτιουμινίφερας] ασφαλτούχος.

bituminous (adj) [μπιτιούμινας] ασφαλτούχος, ασφαλτώδης.

bivalent (adj) [μπιβέιλεν-τ] δισθενής.

bivalve (n) [μπάιβαλβ] δίθυρο, δίλοβο.

bivouac (v) [μπιβουάκ] στρατοπεδεύω (n) καταυλισμός [στρατ].

biz (n) [μπιζ] επιχειρήσεις.

bizarre (adj) [μπιζάα(ρ)] εκκεντρικός.

blab (v) [μπλα-μπ] φλυαρώ.

black (adj) [μπλακ] μαύρος, σκοτεινός.

black Maria (n) [μπλακ Μαρία] κλούβα της αστυνομίας [ΗΠΑ].

black marketeer (n) [μπλακ μάρκετία(ρ)] μαυραγορίτης.

black out (v) [μπλακ άουτ] συσκοτίζω.

black spot (n) [μπλακ σποτ] μαυράδι.

black-eyed (adj) [μπλακ-άι-ντ] μαυρομάτης.

black-haired (adj) [μπλακ-χέαρ-ντ] μαυρομάλλης.

blackball (v) [μπλάκμπόολ] καταψηφίζω, αποκλείω.

blackboard (n) [μπλάκ-μποοντ] μαυροπίνακας.

blackbottom (n) [μπλάκμπότομ] νέγρικος χορός.

blacken (v) [μπλάκεν] αμαυρώνω.

blackfish (n) [μπλάκφιος] ροφός.

blackguard (n) [μπλάκγκάαντ] παλιάνθρωπος, αγύρτης, μόρτης.

blackhead (n) [μπλάκχε-ντ] φαγέσωρος, μαύρο σπυρί, μπιμπίκι.

blackish (adj) [μπλάκιος] μαυριδερός.

blacklead (n) [μπλάκλε-ντ] γραφίτης, μολυβδίτης, πλομπαγίνη.

blackleg (n) [μπλάκλέγκ] απεργοσπάστης, απατεώνας, κατεργάρης.

blacklist (n) [μπλάκλίστ] μαυροπίνακας, μαύρη λίστα.

blackmail (n) [μπλάκμέιλ] εκβιασμός.

blackness (n) [μπλάκνες] μαυρίλα.

blackout (n) [μπλάκάουτ] λιγοθυμία.

blackshirt (n) [μπλάκσοσέρτ] μελανοχιτώνας, φασίστας.

blacksmith (n) [μπλάκσμίθ] πεταλωτής.

bladder (n) [μπλά-ντα(ρ)] κύστη, φούσκα, κουλούρα κολυμβήσεως.

blade (n) [μπλέι-ντ] έλασμα [βοτ], λεπίδα.

blain (n) [μπλέιν] φλεγμονή.

blamable (adj) [μπλέιμα-μπλ] αξιόμεμπτος, επιλήψιμος.

blame (n) [μπλέιμ] φταίξιμο, καταδίκη (v) κατηγορώ, κατακρίνω.

blameless (adj) [μπλέιμλες] αθώος, άψογος, άμεμπτος.

blameworthy (adj) [μπλέιμουέρδι] επιλήψιμος, κατακριτέος.

blanch (v) [μπλαντς] ασπρίζω.

bland (adj) [μπλααντος] πράος, ήπιος.

blandish (v) [μπλάν-ντισς] κολακεύω, χαϊδεύω, καλοπιάνω.

blank (adj) [μπλανκ] άγραφος, ανέκφραστος (n) κενή θέση, τζίφος.

blanket (n) [μπλάνκιτ] κουβέρτα.

blankets (n) [μπλάνκιτς] κλινοσκεπάσματα.

blankly (adv) [μπλάνκλι] ανέκφραστα.

blare (n) [μπλέα(ρ)] σάλπισμα (v) ηχώ, ουρλιάζω, διαλαλώ.

blarney (n) [μπλάνι] καλόπιασμα, κολακεία (v) κολακεύω.

blaspheme (v) [μπλάσφίιμ] βλαστημώ.

blast (n) [μπλάαστ] ριπή, σφύριγμα, ήχηση, έκρηξη (v) καταστρέφω, καίω.

blast furnace (n) [μπλάαστ φέρνις] υψικάμινος.

blast-off (v) [μπλαστ-οφ] απογειώνομαι (n) εκτόξευση.

blasted (adj) [μπλάαστι-ντ] κατεστραμμένος, καμμένος, ξεραμένος.

blasting (n) [μπλάαστινγκ] ανατίναξη, συντριβή, γκρέμισμα.

blastoderm (n) [μπλάστο-ντερμ] βλαστόδερμα.

blastula (n) [μπλάστιουλα] βλαστίδιο.

blatancy (n) [μπλέιτανσι] χυδαιότητα.

blatantly (adv) [μπλέιταν-τλι] κατάφορα, κραυγαλέα, χυδαία, σκανδαλωδώς.

blaze (n) [μπλέιζ] φωτιά, ανάφλεξη, λάμψη, ακτινοβολία, λαμπρότητα (v) καίομαι, αστράφτω, σημαδεύω, χαράσσω.

blazon (n) [μπλέιζν] οικόσημο (v) διακοσμώ, εξυμνώ.

bleach (v) [μπλίιτος] ασπρίζω.

bleacher (n) [μπλίιτσσα(ρ)] λευκαντικό.

bleaching (n) [μπλίιτσοινγκ] άσπρισμα.

bleak (adj) [μπλίικ] γυμνός, ψυχρός, σκοτεινός, θλιβερός, άχαρος.

blear (adj) [μπλέα(ρ)] δακριασμένος, θαμπός, ασαφής, (v) θολώνω, σβήνω.

bleat (v) [μπλίιτ] βελάζω, γκρινιάζω [μεταφ] (n) βέλασμα.

bleed (v) [μπλίι-ντ] αιμορραγώ.

bleeding (adj) [μπλίι-ντινγκ] ματωμένος (n) αιμορραγία, αφαίμαξη.

blemish (n) [μπλέμιος] ελλάττωμα, μουντζούρα (v) καταστρέφω, χαλώ.

blemishing (n) [μπλέμισσινγκ] ρύπανση, στιγματισμός.

blend (n) [μπλεν-ντ] χαρμάνι, μίγμα (v) ανακατεύω.

blended (adj) [μπλέν-ντι-ντ] ανάκατος.

blending (n) [μπλέν-ντινγκ] ανάμειξη.

bless (v) [μπλες] ευλογώ, δοξάζω.

blessed (adj) [μπλεστ] μακάριος.

blessing (n) [μπλέσινγκ] ευλογία.

blessing with holy water (n) [μπλέσινγκ ουίδ χόουλι ουότα(ρ)] αγιασμός.

blether (n) [μπλέδα(ρ)] φλυαρία.

blight (n) [μπλάιτ] στάχτη, αφίς, πληγή (v) καταστρέφω, καίω, ξεραίνω [φυτό].

blighter (n) [μπλάιτα(ρ)] τύπος, μούτρο.

blimey (ex) [μπλάιμι] πανάθεμά με!.

blind (adj) [μπλάιν-ντ] τυφλός (v) στραβώνω (n) παντζούρι.

blind man's bluff (n) [μπλάιν-ντ μανζ μπλαφ] τυφλόμυγα [παιχνίδι].

blind-side (n) [μπλάιν-ντσάι-ντ] αδυναμία, ασθενές σημείο.

blinding (adj) [μπλάιν-ντινγκ] εκτυφλωτικός, εκθαμβωτικός.

blindness (n) [μπλάιν-ντνες] τύφλωση.

blink (v) [μπλινκ] παιχνιδίζω, βλεφαρίζω (n) βλέμμα.

blinker (n) [μπλίνκα(ρ)] παρωπίδα.

bliss (n) [μπλις] ευδαιμονία.

blister (n) [μπλίστα(ρ)] φουσκάλα, καντήλα (v) πληγιάζω.

blithe (adj) [μπλάιδ] χαρούμενος.

blithering (adj) [μπλίδερινγκ] ανόητος.

blizzard (n) [μπλίζα-ντ] χιονοθύελλα.

bloat (v) [μπλόουτ] καπνίζω, παστώνω [ρέγγες], πρήζομαι, κορδώνομαι.

bloated (n) [μπλόουτι-ντ] υπερμεγέθης, παραχαϊδεμένος.

bloater (n) [μπλόουτα(ρ)] καπνιστή ρέγγα.

blob (n) [μπλο-μπ] άμορφη μάζα.

block (n) [μπλοκ] κορμός, τάβλα, τροχαλία (v) αποφράσσω, αποκλείω, σταματώ.

blocked (adj) [μπλοκτ] αποκλεισμένος.

blockhead (n) [μπλόκχέ-ντ] βλάκας, τούβλο, ζώον [άνθρ], ξόανο.

blockhouse (n) [μπλόκχαους] φυλάκιο.

blockish (adj) [μπλόκισς] βλάκας, πεισματάρης, μουλάρι.

bloke (n) [μπλόουκ] μάγκας.

blond (adj) [μπλον-ντ] ξανθός.

blood (n) [μπλα-ντ] αίμα, φόνος, συγγένεια, σόι (v) παίρνω αίμα.

blood corpuscle (n) [μπλα-ντ κόοπασελ] αιμοσφαίριο.

blood donation (n) [μπλα-ντ ντοουνέισσον] αιμοδοσία.

blood poisoning (n) [μπλα-ντ πόιζονινγκ] λοίμωξη του αίματος, σηψαιμία.

blood pressure (n) [μπλα-ντ πρέσσια(ρ)] πίεση.

blood vessel (n) [μπλα-ντ βεσλ] αγγείο.

blood-stained (adj) [μπλα-ντ-στέιν-ντ] αιματοβαμμένος.

blood-sucker (n) [μπλά-ντ-σάκα(ρ)] βδέλλα, παράσιτο.

bloodhound (n) [μπλά-ντχάουν-ντ] λαγωνικό.

bloodiness (n) [μπλά-ντινες] δυσάρεστη κατάσταση.

bloodless (adj) [μπλά-ντλες] αναίμακτος, αναιμικός, ωχρός, άψυχος.

bloodlust (n) [μπλά-ντλαστ] αιμοβορία.

bloodshed (n) [μπλά-ντσσέντ] αιματοχυσία, μακελλιό.

bloodstain (n) [μπλά-ντστέιν] αιματοκηλίδα.

bloodthirsty (adj) [μπλά-ντθέρστι] αιμοδιψής, αιμοβόρος, αιμοχαρής.

bloody (adj) [μπλά-ντι] αιμοσταγής.

bloom (v) [μπλουμ] ανθίζω, ακμάζω (n) άνθος, λουλούδι, ακμή.

bloomer (n) [μπλούουμα(ρ)] σφάλμα.

bloomers (n) [μπλούουμαζ] βράκα.

blooming (adj) [μπλούουμιγνκ] ανθηρός, λουλουδιασμένος (n) άνθηση.

blot (n) [μπλοτ] κηλίδα, μουντζούρα (v) λερώνω.

blotter (n) [μπλότα(ρ)] στυπόχαρτο.

blotto (adj) [μπλότοου] σκνίπα.

blouse (n) [μπλάουζ] μπλούζα.

blow (n) [μπλόου] βολή, μπουνιά (v) διώχνω, σβήνω, λαχανιάζω, ανθίζω.

blow out (v) [μπλόου άουτ] φυσώ.

blow up (v) [μπλόου απ] ανατινάζω, μεγεθύνω, φουσκώνω, φυσώ.

blower (n) [μπλόουα(ρ)] φυσερό.

blowfly (n) [μπλόουφλάι] κρεατόμυγα.

blowing (n) [μπλόουιγνκ] ρόγχος.

blown (adj) [μπλόουν] πνευστός.

blowzy (adj) [μπλάουζι] βρωμιάρης.

blubber (v) [μπλά-μπα(ρ)] σκούζω (adj) πρησμένος, διογκωμένος.

bludjeon (n) [μπλά-ντζζον] ρόπαλο,

στειλιάρι (v) κτυπώ, ξυλοκοπώ.

blue (adj) [μπλου] γαλάζιος, (n) μπλε.

blue-gum (n) [μπλούουγκαμ] ευκάλυπτος.

blueprint (n) [μπλούουπριντ] σχεδιάγραμμα [μεταφ].

blues (n) [μπλούουζ] μπλουζ.

bluey (adj) [μπλούουι] γαλαζωπός.

bluff (n) [μπλαφ] κάβος, μπλόφα, απάτη, κοροϊδία (v) μπλοφάρω, εξαπατώ.

bluffly (adv) [μπλάφλι] ανυποκρίτως, σταράτα, ντόμπρα.

bluish (adj) [μπλούισς] γαλαζωπός.

blunder (n) [μπλάν-ντα(ρ)] στραβομάρα, γκάφα (v) προσκρούω, σκοντάφτω.

blunderer (n) [μπλάν-νταρα(ρ)] αδαής.

blunt (adj) [μπλαντ] τσεκουράτος, αναίσθητος (v) στομώνω (n) σακκοράφα.

blur (n) [μπλερ] κηλίδα, μουντζούρα, θαμπάδα (v) θαμπώνω.

blurb (n) [μπλερ-μπ] διαφήμιση.

blurred (adj) [μπλερ-ντ] θολός.

blurt out (v) [μπλερτ άουτ] ξεφουρνίζω [μεταφ].

blush (n) [μπλασς] ρόδισμα, (v) ντρέπομαι.

blushing dawn (n) [μπλάσσιγνκ ντόον] χρυσαυγή.

bluster (n) [μπλάστα(ρ)] νταπλίκι, θόρυβος (v) πνέω, λυσσομανώ, μαίνομαι.

blusterer (n) [μπλάσταρα(ρ)] φανφαρόνος.

blustering (adj) [μπλάστερινγκ] ανεμώδης, αρειμάνιος.

boa (n) [μπόα] βόας.

boar (n) [μπόο(ρ)] χοίρος, κάπρος.

board (n) [μπόο-ντ] τροφή, σανίδα (v) τρέφω, επιβιβάζομαι, πλευρίζω.

board (fees) (n) [μπόο-ντ [φίζζ]] τροφεία.

boarder (n) [μπόο-ντα(ρ) τρόφιμος.

boarding (n) [μπόο-ντινγκ] επιβίβαση, σανίδωμα.

boarding house (n) [μπόο-ντινγκ χάουζ] πανσιόν, οικοτροφείο.

boarding school (n) [μπόο-ντινγκ σκουλ] οικοτροφείο.

boast (n) [μπούοτ] καύχημα, καμάρι (v) καυχώμαι, ξιπάζομαι, περιαυτολογώ.

boaster (adj) [μπόουστα(ρ)] καυχησιάρης (n) σκαρπέλο.

boastful (n) [μπόουστφουλ] καυχησιάρης, μεγαλόφρονας.

boastfulness (n) [μπόουστφουλνες] αλαζονεία.

boat (n) [μπόουτ] λέμβος, καράβι, πλοίο, σκάφος (v) λεμβοδρομώ.

boat race (n) [μπόουτ ρέις] λεμβοδρομία.

boatbuilder's yard (n) [μπόουτ-μπίλνταζ ιάαντ] ταρσανάς.

boathook (n) [μπόουτχουκ] κοντός, κοντάρι, γάντζος, σταλίκι.

boating (n) [μπόουτινγκ] βαρκάδα.

boatman (n) [μπόουτμαν] βαρκάρης.

boatswain (n) [μπόουτσουέιν] λοστρόμος, ναύκληρος.

bob (n) [μπο-μπ] τούφα, μάτσο, πήδημα, τίναγμα, καμπάνισμα, πατίνι (v) κουρεύω, κονταίνω, κρούω.

bobbed (adj) [μπο-μπ-ντ] κοντός.

bobbery (n) [μπό-μπρι] ταραχή, θόρυβος, σαματάς (adj) ευέξαπτος.

bobbin (n) [μπό-μπιν] κουβαρίστρα, πηνίο, μασούρι, μπομπίνα.

bobbinet (n) [μπό-μπινετ] δαντέλα.

bobbish (adj) [μπό-μπισς] εύθυμος, ζωηρός, κεφάτος.

bobby-sock (n) [μπό-μπισοκ] καλτσάκι.

bobby-soxer (n) [μπό-μπισόκσα(ρ)] κοριτσόπουλο.

bobtail (n) [μπό-μπτέιλ] αλογοουρά.

bode (v) [μπόου-ντ] υπόσχομαι.

bodeful (adj) [μπόου-ντφουλ] δυσοίωνος, απειλητικός.

bodega (n) [μποοντίιγκα] οινοπωλείο.

bodice (n) [μπό-ντις] μπούστος.

bodied (n) [μπό-ντι-ντ] ένσαρκος.

bodiless (adj) [μπόντιλες] άϋλος.

bodily (adv) [μπόντιλι] αυτοπροσώπως (adj) σωματικός, υλικός.

bodkin (n) [μπό-ντκιν] σουβλί.

body (n) [μπό-ντι] σώμα, κορμός, πτώμα, αμάξωμα, συμμορία, καρότσα.

bodyguard (n) [μπό-ντιγκάαντ] σωματοφυλακή, συνοδεία.

bog (n) [μπογκ] έλος, τουαλέτα.

bogey (n) [μπόουγκι] μπαμπούλας.

boggle (v) [μπόγκλ] διστάζω, ταλαντεύομαι, δυστροπώ, μπερδεύομαι.

boggler (n) [μπόγκλα(ρ)] διστακτικός.

boggy (adj) [μπόγκι] βαλτώδης.

bogle (n) [μπόγκλ] μπαμπούλας.

bogue (fish) (n) [μπόουγκιου [φιος]] γόπα.

bogus (adj) [μπόουγκας] ψευδής.

bohea (n) [μπουχίι] μαύρο τσάι.

boil (n) [μπόιλ] σπυρί (v) βράζω.

boil again (v) [μπόιλ αγκέιν] ξαναβράζω.

boiled (adj) [μπόιλ-ντ] βραστός.

boiler (n) [μπόιλα(ρ)] βραστήρας.

boiler-room (n) [μπόιλα-ρουμ] λεβητοστάσιο.

boilersuit (n) [μπόιλερσιούτ] φόρμα.

boiling (adj) [μπόιλινγκ] ζεματιστός (n) ζέση, βράσιμο.

boiling hot (adj) [μπόιλινγκ χοτ] κοχλαστός.

boiling-point (n) [μπόιλινγκπόιντ] σημείο βρασμού.

boisterous (adj) [μπόιστερας] βίαιος.

bold (adj) [μπόουλ-ντ] ατρόμητος.

boldly (adv) [μπόουλ-ντλι] παλληκαρίσια, τολμηρά, θαρραλέα.

boldness (n) [μπόουλ-ντνες] τόλμη.

bole (n) [μπόουλ] στέλεχος, βώλος.

bolero (n) [μπολέροου] μπολερό.

boll (n) [μπόουλ] κάψα.

bollard (n) [μπόλαα-ντ] δέστρα.

bollocks (n) [μπάλοκς] όρχεις, τρίχες.

bolometer (n) [μπολόμπτα(ρ)] βολόμετρο.

Bolshevik (n) [Μπόλσσεβικ] μπολσεβίκος.

bolster (n) [μπόλστα(ρ)] μαξιλάρα σκαρπέλο (v) υποστυλώνω.

bolster up (v) [μπόλστα(ρ) απ] στηλώνω.

bolt (v) [μπόουλτ] εξορμώ, κλείνω, κοσκινίζω, (n) σύρτης, αμπάρα, τόπι.

bolt-head (n) [μπόουλτ-χε-ντ] αποστακτήρας [χημ].

bolt-hole (n) [μπόουλτ-χόουλ] κρύπτη, κρυψώνας, καταφύγιο.

bolting (n) [μπόουλτιντγκ] κλείδωμα, καταβρόχθισμα, δραπέτευση.

bomb (n) [μπομ] μπόμπα, βόμβα (v) βομβαρδίζω.

bombard (v) [μπομ-μπάαντ] κανονιοβολώ, βομβαρδίζω.

bombardment (n) [μπομ-μπάα-ντμεν-τ] βομβαρδισμός.

bombasine (n) [μπόμ-μπαζιιν] μαλλομέταξο.

bombast (n) [μπόμ-μπάαστ] στόμφος.

bona fide (adj) [μπόουναφάι-ντ] αξιόπιστος, πραγματικός, γνήσιος.

bonbon (n) [μπόν-μπόν] ζαχαρωτό.

bond (n) [μπον-ντ] συνάφεια, χρεόγραφο, δεσμός (v) συνδέω, αποθηκεύω, κρατώ (adj) δέσμιος, δούλος.

bondage (n) [μπόν-ντιντζζ] υποδούλωση, σκλαβιά, δέσμευση.

bonded (adj) [μπόν-ντι-ντ] δεσμευμένος, υποκείμενος.

bonds (n) [μπον-ντζ] δεσμά.

bondslave (n) [μπόν-ντσλεϊβ] σκλάβος.

bondsman (n) [μπόν-ντσμαν] δούλος.

bone (adj) [μπόουν] κοκάλινος (n) κόκαλο, οστούν.

bone-dry (adj) [μπόουν-ντράι] κατάξερος, ολόστεγνος.

boned (adj) [μπόουν-ντ] ξεκοκαλιασμένος.

bonehead (adj) [μπόουνχε-ντ] κουτός.

boneless (adj) [μπόουνλες] ακόκαλος, άψυχος [μεταφ].

bonfire (n) [μπόνφαϊα(ρ)] φωτιά.

bonhomie (n) [μπόνομι] καλοκαγαθία.

boning (n) [μπόουνινγκ] χωροστάθμιση, ξεκοκάλισμα.

bonito (n) [μπονίτοου] λακέρδα.

bonkers (adj) [μπόνκαζ] τρελλός.

bonnet (n) [μπόνετ] καπέλλο, γείσο, καπό (v) φορώ σκούφο.

bonny (adj) [μπόνι] όμορφος, νόστιμος.

bonus (n) [μπόουνους] μποναμάς.

bony (adj) [μπόουνι] κοκαλιάρης.

boo! (ex) [μπούου] γιούχα! (v) σφυρίζω, αποδοκιμάζω, περιγελώ.

book (n) [μπουκ] βιβλίο, κιτάπι (v) εγγράφω, καπαρώνω, αγκαζάρω.

book in advance (v) [μπουκ ιν αντβάανς] εξασφαλίζω.

bookbinder (n) [μπούκ-μπάιν-ντα(ρ)] βιβλιοδέτης.

booked (adj) [μπουκ-τ] κλεισμένος.

booking (n) [μπούκινγκ] εγγραφή, καταχώρηση, αγγαζάρισμα.

booking office (n) [μπούκινγκ όφις] εκδοτήριο, ταμείο.

bookish (adj) [μπούουκισς] μελετηρός.

bookkeeper (n) [μπούουκκίιπα(ρ)] λογιστής.

booklet (n) [μπούκλετ] φυλλάδα.

bookseller (n) [μπούκσέλα(ρ)] βιβλιοπώλης.

bookseller's (n) [μπούκσέλαζ] βιβλιοπωλείο.

bookshop (n) [μπούκσσόπ] βιβλιοπωλείο.

bookstall (n) [μπούκστοολ] υπαίθριο βιβλιοπωλείο.

bookworm (n) [μπούκουέρμ] βιβλιόψειρα, βιβλιοσκώληκας.

boom (n) [μπουμ] φράγμα, βροντή, πρόοδος (v) βροντώ, ανέρχομαι.

boon (n) [μπούουν] όφελος, αγαθό, δώρο, χάρη (adj) χαρούμενος, ευδιάθετος.

boor (adj) [μπόο(ρ)] χοντράνθρωπος (n) χωριάτης, γάιδαρος.

boorish (adj) [μπόορισς] αγροίκος, άξεστος, πρόστυχος.

boorishness (n) [μπόορισονες] βλαχιά.

boost (v) [μπούουστ] αναπτερώνω, ανεβάζω, διαφημίζω (n) ώθηση, προώθηση.

booster (n) [μπούουστα(ρ)] ενισχυτής.

boot (n) [μπουτ] υπόδημα (ν) κλωτσώ.

boot black (n) [μπούουτ μπλακ] λούστρος.

boot polish (n) [μπούουτ πόλισς] μπογιά [παπουτσιών].

bootee (n) [μπουουτί] μποτίνι.

booth (n) [μπούουδ] παράγκα.

bootlace (n) [μπούουτλεϊς] κορδόνι.

bootleg (v) [μπούουτλεγκ] μεταφέρω.

bootlegger (n) [μπούουτλεγκα(ρ)] λαθρέμπορος.

bootless (adj) [μπούουτλες] ανωφελής.

bootlicker (n) [μπούουτλίκα(ρ)] κόλακας, τσανακογλείφτης.

bootmaker (n) [μπούουτμέικα(ρ)] παπουτσής.

boots (n) [μπούουτς] καμαριέρης.

booty (n) [μπούουτι] λεία.

booze (v) [μπούουζ] πίνω.

boozed (adj) [μπούουζ-ντ] μεθυσμένος.

boozer (n) [μπούουζα(ρ)] μπεκρής.

boozy (adj) [μπούουζι] πιωμένος.

border (v) [μπόο-ντα(ρ)] πλαισιώνω, (n) άκρο, μπορντούρα (adj) μεθοριακός.

border on (v) [μπόο-ντα(ρ) ον] συνορεύω.

borderer (n) [μπόο-ντερα(ρ)] ακρίτας.

borderland (n) [μπόο-νταλαν-ντ] μεθόριος, παραμεθόριος περιοχή.

borderline (adj) [μπόο-ντελάιν] οριακός, μεθόριος.

bore (n) [μπόο(ρ)] διάμετρος, οπή (ν) διατρυπώ, κουράζω, τρυπώ.

bored (adj) [μπόο-ντ] βαριεστημένος.

boredom (n) [μπόο-ντομ] πλήξη.

boring (n) [μπόορινγκ] τρύπημα, γεώτρηση (adj) ανιαρός.

boron (n) [μπόορον] βόριο [χημ].

borrow (v) [μπόροου] δανείζομαι.

borrowed (adj) [μπόροου-ντ] δανεικός.

borrower (n) [μπόροουα(ρ)] δανειζόμενος, οφειλέτης, τράκας.

borrowing (n) [μπόροουινγκ] δανεισμός.

bort (n) [μπορτ] διαμαντόσκονη.

bosh (n) [μπους] ανοησία.

bosom (n) [μπούζαμ] κόλπος, μπούστος, στήθος [γυναίκας].

bosom friend (adj) [μπούζαμ φρεν-ντ] επιστήθιος [φίλος].

boss (n) [μπος] προϊστάμενος, εργοδότης, αφέντης, αφεντικό.

bossy (adj) [μπόσι] αυταρχικός.

botanic(al) (adj) [μποτάνικ[αλ]] βοτανικός.

botanize (v) [μπότανάϊζ] βοτανολογώ, βοτανίζω, συλλέγω βότανα.

botanizer (n) [μπότανάϊζα(ρ)] βοτανολόγος, βοτανικός.

botany (n) [μπότανι] φυτολογία, βοτανική, βοτανολογία.

botch (v) [μποτσς] μπαλώνω, αποτυγχάνω (n) ελάττωμα, μουντζούρα, έκτρωμα.

botchy (adj) [μπότσι] τσαπατσούλικος.

botfly (adj) [μπότφλαϊ] αλογόμυγα.

both (adj) (pron) [μπόουθ] αμφότεροι.

bother (n) [μπόδα(ρ)] αναστάτωση, ενόχληση (ν) πειράζω, φορτώνομαι.

botheration (n) [μποδερέισσον] αναστάτωση, μπελάς, ταραχή.

bothersome (adj) [μπόδερσαμ] ενοχλητικός, στενάχωρος.

bothy (n) [μπόδι] καλύβα.

bottle (n) [μποτλ] μπουκάλι, μπιμπερό, δέμα (ν) εμφιαλώνω.

bottle up (v) [μποτλ απ] καταπίνω.

bottled (adj) [μποτλ-ντ] εμφιαλωμένος.

bottleneck (n) [μπότλνέκ] στόμιο φιάλης, μποτιλιάρισμα.

bottom (n) [μπότομ] βάση, πυθμένας (adj) τελευταίος (v) πατώνω, εμβαθύνω.

bottomless (adj) [μπότομλες] άπατος.

bottommost (adj) [μπότομμόουστ] κατώτατος, βαθύτατος.

bottomry (n) [μπότομρι] ναυτικό δάνειο, θαλασσοδάνειο.

botulism (n) [μπότιουλιζμ] αλλαντίαση.

bough (n) [μπάου] παρακλάδι.

bought up (adj) [μπόστ απ] ανάρπαστος.

boulder (n) [μπόουλ-ντα(ρ)] τρόχαλο.

boulevard (n) [μπούλεβάα-ντ] λεωφόρος [ΗΠΑ], οδική αρτηρία [ΗΠΑ].

boulter (n) [μπόουλτα(ρ)] παραγάδι.

bounce (v) [μπάουνς] αναπηδώ, κτυπώ, ορμώ (n) αναπήδημα, παλμός.

bounceable (adj) [μπάουνσα-μπλ] ελαστικός, αναπηδητικός.

bouncer (n) [μπάουνσα(ρ)] φαφλατάς.

bouncing (adj) [μπάουνσινγκ] πηδηχτός, ελαστικός, δυνατός.

bound (v) [μπάουν-ντ] ορίζω, σκιρτώ (n) αναπήδημα, σάλτο.

bound together (adj) [μπάουν-ντ τουγκέδα(ρ)] αλληλένδετος.

boundary (adj) [μπάουν-νταρι] μεθόριος, σύνορο, όριο.

bounden (adj) [μπάουν-ντεν] υποχρεωμένος, δεσμευμένος.

boundless (adj) [μπάουν-ντλες] άμετρος, άπειρος, απέραντος.

bounteous (adj) [μπάουντιας] μεγαλόψυχος, άφθονος, πλούσιος.

bountiful (adj) [μπάουντιφουλ] ευεργετικός, γενναιόδωρος.

bounty (n) [μπάουντι] πριμοδότηση, γενναιοδωρία, απλοχεριά.

bouquet (n) [μπουκέι] ανθοδέσμη.

bourdon (n) [μπόο-ντον] βόμβος.

bourgeois (n) [μπούαζζουα] μεσοα-

στός, αστός, μπουρζουάς.

bourgeoisie (n) [μπούαζζουαζίι] αστική τάξη, μεσαία τάξη.

bourn (n) [μπόον] ρυάκι.

bout (n) [μπάουτ] κρίση, προσβολή, συνάντηση, πάλη, αγώνας.

boutique (n) [μπουτίικ] μπουτίκ.

bovine (adj) [μπόουβαϊν] βοδινός.

bow (n) [μπόου] υπόκλιση, φιόγκος, χαιρετισμός (v) [μπάου] υποχωρώ, σκύβω.

bow tie (n) [μπόου τάι] παπιγιόν.

bow-backed (adj) [μπόου-μπακτ] καμπούρης, κυρτωμένος.

bow-net (n) [μπόου-νετ] κύρτος.

bow-saw (n) [μπόουσόο] πριόν.

bow-shot (n) [μπόουσσοτ] βολή τόξου.

bow-sprit (n) [μπόου-σπριτ] πρόβολος.

bowdlerize (v) [μπόου-ντλεραϊζ] περικόπτω, ευνουχίζω.

bowed (adj) [μπόου-ντ] τοξοειδής.

bowel movement (n) [μπάουελ μούβμεν-τ] κένωση.

bowels (n) [μπάουελζ] σωθικά.

bower (n) [μπάουα(ρ)] περγουλιά, κιόσκι, κρεβατίνα, κληματαριά.

bowery (adj) [μπάουερι] σκιερός

bowing (n) [μπάουινγκ] σκύψιμο.

bowl (n) [μπόουλ] κούπα, μπολ (v) ρίχνω, σερβίρω [μπάλα].

bowline (n) [μπόουλαϊν] καντηλίτσα.

bowling (n) [μπόουλινγκ] μπόουλινγκ.

bowman (n) [μπόουμαν] τοξότης.

bowstring (n) [μπόουστρινγκ] χορδή τόξου.

box (n) [μποξ] θήκη, πυξίδα, θεωρείο, κιβώτιο, κάσα (v) πακετάρω.

box office (n) [μποξ όφις] θυρίδα.

boxer (n) [μπόξα(ρ)] μποξέρ.

boxing (n) [μπόξινγκ] πυγμαχία.

boy (n) [μπόι] αγόρι, νεαρός.

boyfriend (n) [μπόι φρεν-ντ] φίλος [κοπέλας], αγόρι, γκόμενος.

boy scout (n) [μπόι σκάουτ] πρόσκοπος.

boycott (n) [μπόικοτ] μποϊκοτάζ.

boyish (adj) [μπόιιος] αγορίστικος, παιδιάστικος, νεανικός, ζωηρός.

bra (n) [μπράα] σουτιέν.

brassy (adj) [μπράασι] μπρούντζινος, σκληρός, ξεδιάντροπος, οξύς.

brace (n) [μπρέις] στήριγμα, μπράτσο (v) δυναμώνω, συνδέω, τονώνω.

brace up (v) [μπρέις απ] τονώνω.

bracelet (n) [μπρέισλετ] βραχιόλι.

braces (n) [μπρέισιζ] τιράντα [ανδρικές].

brachial (adj) [μπράκιαλ] βραχιόνιος.

bracing (adj) [μπρέισινγκ] τονωτικός.

bracket (n) [μπράκετ] υποστήριγμα, αγκύλη, απλίκα (v) παρενθέτω, συνδέω.

brackets (n) [μπράκετς] αγκύλες.

brackish (adj) [μπράκισς] υφάλμυρος.

bradawl (n) [μπρά-ντοολ] σουβλί.

brae (n) [μπρέι] βουνοπλαγιά.

brag (n) [μπραγκ] φούμαρα (v) καυχώμαι, ξιπάζομαι.

braggadocio (n) [μπραγκαντότσσιου] καυχησιάρης, καυχησιολογία.

braggart (adj) [μπράγκαατ] μεγάλαυχος, καυχησιάρης, φανφαρόνος.

Brahman (n) [Μπράαμαν] βραχμάνος.

braid (n) [μπρέι-ντ] πλεξούδα, πλοκάμι, σειρίτι, γαϊτάνι (v) πλέκω, επενδύω.

braiding (n) [μπρέι-ντινγκ] πλέξιμο.

brain (adj) [μπρέιν] εγκεφαλικός (n) εγκέφαλος (v) ανοίγω το κεφάλι.

brain-storm (n) [μπρέινστοομ] σύγχυση, υστερική κρίση, ιδέα.

brainchild (n) [μπρέιντσσάιλντ] δημιούργημα.

brainwave (n) [μπρέινουέιβ] φαεινή ιδέα.

braised (adj) [μπρέιζ-ντ] κοκκινιστός.

brake (v) [μπρέικ] φρενάρω (n) φρένο.

brakedown (n) [μπρέικ-ντάουν] βλάβn.

bramble (n) [μπραμ-μπλ] βάτος.

bran (n) [μπραν] πίτουρο.

branch (adj) [μπράαντος] περιφερειακός (n) διακλάδωσn, κλαδί, βραχίονας.

brand (n) [μπραν-ντ] δαυλί, εμπορικό σήμα (v) σφραγίζω, καυτηριάζω.

branded (adj) [μπράν-ντιι-ντ] σφραγισμένος, σημαδεμένος.

brandied (adj) [μπράν-ντι-ντ] εμποτισμένος, δυναμωμένος.

brandish (v) [μπράν-ντισς] σείω, κραδαίνω, επισείω.

brandling (n) [μπράν-ντλινγκ] σκουλήκι δολώματος.

brandy (n) [μπράν-ντι] κονιάκ.

branks (n) [μπράνκς] μαγουλάδες.

brash (adj) [μπρασς] φουριόζος, αναιδής, χυδαίος (n) χάλικες, πύρωσn.

brashy (adj) [μπράσσι] εύθραυστος.

brass (adj) [μπραας] μπρούντζινος (n) χαλκός, παραδάκι.

brass band (n) [μπραας μπαν-ντ] φανφάρα.

brass hat (n) [μπραας χατ] ανώτερος αξιωματικός, γαλονάς.

brass mortar (n) [μπραας μόοτα(ρ)] χαϊβάνι.

brassard (n) [μπράσαα-ντ] περιβραχιόνιο.

brassiere (n) [μπράζια(ρ)] σουτιέν.

brat (n) [μπρατ] μπόμπιρας, κουτσούβελο, παλιόπαιδο, μυξιάρικο.

brattice (n) [μπράτις] αεραγωγός.

bravado (n) [μπραβάα-ντοου] ψευτοπαλλικαριά, παλλικαρισμός.

brave (adj) [μπρέιβ] θαρραλέος, ανδρείος, γενναίος, (v) αψηφώ.

brave man (n) [μπρέιβ μαν] λεβέντης.

brave person (n) [μπρέιβ πέρσον] παλικάρι.

bravery (n) [μπρέιβερι] θάρρος, ανδρεία, κουράγιο.

bravo! (ex) [μπράβο] μπράβο!.

braw (adj) [μπροο] ομορφοντυμένος, λαμπρός, ωραίος, ευχάριστος.

brawl (n) [μπρόολ] καυγάς (v) καυγαδίζω, φωνάζω.

brawler (n) [μπρόολα(ρ)] καβγατζής, θορυβοποιός, φωνακλάς.

brawn (n) [μπρόον] «πηχτή».

brawny (adj) [μπρόονι] μυώδης.

bray (v) [μπρέι] ουρλιάζω (n) γκάρισμα.

braze (v) [μπρέιζ] συγκολλώ.

brazen (adj) [μπρέιζεν] μπρούτζινος, διαπεραστικός, θρασύς.

brazenly (adv) [μπρέιζενλι] αδιάντροπα, αναίσχυντα, ασύστολα, ξεδιάντροπα.

brazier (n) [μπρέιζα(ρ)] μαγκάλι, χαλκωματάς.

breach (n) [μπρίτσος] αθέτηση, παραβίαση, ρήξη (v) διαρρηγνύω.

breach of the law (n) [μπρίτσος οβ δε λόο] παρανομία, παράβαση του νόμου.

breach of trust (n) [μπρίτσος οβ τραστ] κατάχρηση.

bread (n) [μπρε-ντ] άρτος, ψωμί.

bread-winning (adj) [μπρε-ντγουίνινγκ] βιοποριστικός.

breadcrust (n) [μπρέ-ντκράστ] κόρα ψωμιού.

breadth (n) [μπρε-ντθ] ευρύτητα.

breadwinner (n) [μπρέ-ντουίνα(ρ)] τροφοδότης οικογένειας, βιοπαλαιστής.

break (v) [μπρέικ] κομματιάζω, χαλώ, χρεοκοπώ (v) θλάση, άνοιγμα, ρεπό.

break away (v) [μπρέικ αουέι] αποσκιρτώ, αποσχίζομαι, ξεκόβω.

break down (v) [μπρέικ ντάουν] αναλύω, αποσυνθέτω, χαλάω.

break in (v) [μπρέικ ιν] διακόπτω.

break into (v) [μπρέικ ίντου] κάνω διάρρηξη.

break off (v) [μπρέικ οφ] λύνω, χαλάω.

break one's word (v) [μπρέικ ουάνς ουέρντ] αθετώ τον λόγο μου.

break open (v) [μπρέικ όπεν] παραβιάζω [πόρτα κτλ], βιάζω.

break out (v) [μπρέικ άουτ] ξεσπώ.

break the law (v) [μπρέικ δε λόο] εγκληματώ, παραβιάζω το νόμο.

break to pieces (v) [μπρέικ του πίισιζ] θρυμματίζω, κατακερματίζω.

break up (v) [μπρέικ απ] σαραβαλιάζω.

break wind (v) [μπρέικ γουίν-ντ] κλάνω, πέρδομαι.

breakable (adj) [μπρέικα-μπλ] εύθραυστος.

breakage (n) [μπρέικιντζζ] θράυση, σπάσιμο, ράγισμα.

breakaway (n) [μπρέικαουέι] απομάκρυνση, φυγή (adj) αποσπασθείς.

breakdown (n) [μπρέικ-ντάουν] κατάρρευση, υπερκόπωση.

breaker (n) [μπρέικα(ρ)] θραύστης, παραβάτης [νόμου].

breakfast (n) [μπρέκφαστ] πρόγευμα.

breaking (n) [μπρέικινγκ] διάρρηξη.

breakneck (adj) [μπρέικνεκ] ιλιγγιώδης, επικίνδυνος.

breakwater (n) [μπρέικουότερ] κυματοθραύστης, μώλος.

breast (n) [μπρεστ] θώρακας.

breastbone (n) [μπρέστ-μπόουν] στέρνο.

breastplate (n) [μπρέστπλέιτ] πανοπλία θώρακα, θώρακας.

breastwork (n) [μπρέστουερκ] πρόχειρο πρόχωμα.

breath (n) [μπρεθ] αναπνοή.

breath of life (n) [μπρεθ οβ λάιφ] πνεύμα.

breathe (v) [μπρίιδ] αναπνέω, εισπνεώ, φυσώ, ανασαίνω.

breathe in (v) [μπρίιδ ιν] εισπνέω.

breathing out (n) [μπρίιδινγκ άουτ] εκπνοή.

breathless (adj) [μπρέθλες] λαχανιασμένος, ξεψυχισμένος.

breeches (n) [μπρίτσσις] γλουτός, κυλότα, βράκα, περισκελίδα.

breed (n) [μπρίι-ντ] σόι, ράτσα, φάρα, γενεά (v) γεννώ, αναπαράγω, εκτρέφω, γεννώ [μεταφ].

breeding (n) [μπρίι-ντινγκ] πολλαπλασιασμός, αναπαραγωγή.

breeze (n) [μπρίιζ] αύρα, αεράκι, μαϊστράλι, μελτέμι, καυγάς.

breezy (adj) [μπρίιζι] ανεμοδαρμένος, αερότος, αλέγρος, ανάλαφρος.

brevet (adj) [μπρέβιτ] τιμητικός.

breviary (n) [μπρέβιαρι] σύνοψη [εκκλ].

brevity (n) [μπρέβιτι] συντομία.

brew (v) [μπριού] βράζω.

brewage (n) [μπρούουιντζζ] μπύρα, ζύθος, ζυθοποιΐα.

brewer (n) [μπρούουα(ρ)] ποτοποιός.

brewery (n) [μπρούερι] ποτοποιείο.

briar (n) [μπράια(ρ)] βάτος.

bribable (adj) [μπράι-μπα-μπλ] δωροδοκούμενος, αργυρώνητος.

bribe (n) [μπράι-μπ] δωροδοκία (v) λαδώνω [μεταφ].

bribery (n) [μπράι-μπερι] δωροδοκία.

bric-a-brac (n) [μπρίκα-μπρακ] κειμήλια, μπιμπελό.

brick (adj) [μπρικ] τούβλινος (n) τούβλο, λεβέντης.

bricklayer (n) [μπρίκλέια(ρ)] πλινθοκτίστης, χτίστης.

brickwork (n) [μπρίκουέρκ] τοιχοποιία, πλιθοδομή, πλιθόκτισμα.

bridal (adj) [μπράι-νταλ] γαμήλιος (n) γάμος, γαμήλιο δείπνο.

bridal chamber (n) [μπράι-νταλ τσόειμπα (ρ)] παστάδα.

bride (n) [μπράι-ντ] νύμφη, νύφη.

bridegroom (n) [μπράι-ντγκρούμ] μελλόνυμφος, νιόπαντρος, γαμπρός.

bridesmaid (n) [μπράι-ντζμέι-ντ] παράνυμφος.

bridge (n) [μπριντζζ] γέφυρα (v) γεφυ-

ρώνω, συνδέω με γέφυρα.

bridge house (n) [μπριντζζ χάους] πύργος [ναυτ].

bridgehead (n) [μπρίντζζχέ-ντ] προγεφύρωμα.

bridging (n) [μπρίντζζινγκ] διαδοκίδα.

bridle (n) [μπράι-ντλ] ζεύξη, χαλινάρι (v) καπιστρώνω.

brief (adj) [μπρίιφ] βραχύς, σύντομος (n) δικογραφία (v) προετοιμάζω.

briefcase (n) [μπρίιφκέις] τσάντα.

briefing (n) [μπρίιφινγκ] ενημέρωσπ.

briefly (adv) [μπρίιφλι] σύντομα.

briefness (n) [μπρίιφνες] συντομία.

briefs (n) [μπρίιφς] γυναικεία κυλότα, σώβρακο.

brigade (n) [μπρίγκέι-ντ] ταξιαρχία.

brigadier (n) [μπριγκαντία(ρ)] ταξίαρχος [στρατ].

brigand (n) [μπρίγκαν-ντ] ληστής.

bright (adj) [μπράιτ] φωτεινός.

brighten (v) [μπράιτεν] φωτίζω, ευθυμώ.

brighten up (v) [μπράιτεν απ] ζωηρεύω.

brightness (n) [μπράιτνες] λάμψη, φωτεινότητα, καθαριότητα.

brilliance (n) [μπρίλιανς] λαμπρότητα, αίγλη, ανταύγεια, γυαλάδα.

brilliancy (n) [μπρίλιανσι] λαμπρότητα.

brilliant (adj) [μπρίλιαντ] αριστούχος, λαμπερός, λαμπρός.

brilliantine (n) [μπρίλιαντιιν] μπριγιαντίνη.

brilliantly (adv) [μπρίλιαντλι] λαμπρώς.

brim (n) [μπριμ] άκρη, χείλος.

brim over (v) [μπριμ όουβερ] υπερχειλίζω.

brimful (adj) [μπρίμφουλ] ολόγιομος.

brimming over (adv) [μπρίμινγκ όουβα(ρ)] φίσκα.

brine (n) [μπράιν] άλμη.

bring (v) [μπρινγκ] τραβώ, φέρω.

bring a charge (v) [μπρινγκ α τσόαντζζ] καταγγέλλω.

bring about (v) [μπρινγκ α-μπάουτ] ε-πιφέρω, μηχανεύομαι, παρέχω [ευκαιρία], προξενώ.

bring forth (v) [μπρίνγκ φοοθ] γεννώ.

bring forward (v) [μπρινγκ φόοουά-ντ] προσκομίζω.

bring in (v) [μπρινγκ ιν] αποφέρω.

bring near (v) [μπρινγκ νία(ρ)] πλησιάζω.

bring round (v) [μπρινγκ ράουν-ντ] συνεφέρνω.

bring shame on (v) [μπρινγκ σσέιμ ον] καταντροπιάζω.

bring to (v) [μπρινγκ του] καταντώ.

bring to a head (v) [μπρινγκ του α χε-ντ] αποκορυφώνω.

bring to a standstill (v) [μπρινγκ του α στάν-ντστίλ] ακινητοποιώ.

bring to an end (v) [μπρινγκ του εν εν-ντ] περατώνω.

bring to mind (v) [μπρινγκ του μάιν-ντ] αναπολώ.

bring together (v) [μπρινγκ τουγκέ-δα(ρ)] συγκεντρώνω, συνάγω.

bring up (v) [μπρινγκ απ] ανακινώ [μεταφ], ανατρέφω, ξερνώ.

brink (n) [μπρινκ] χείλος [μεταφ], απότομη άκρη.

briny (adj) [μπράινι] γλυφός, αλμυρός (n) θάλασσα.

brio (n) [μπρίοου] ζωντάνια.

brisk (adj) [μπρισκ] ταχύς, εύστροφος, βιαστικός, ζωηρός (v) δυναμώνω.

briskness (n) [μπρίσκνες] γρηγοράδα.

brisky (adj) [μπρίσκι] ζωηρός.

bristle (n) [μπρισλ] σκληρη τρίχα.

Britain (n) [Μπρίταν] Βρετανία.

British (adj) [Μπρίτις] βρετανικός(n) Βρετανός.

brittle (adj) [μπριτλ] εύθραυστος.

broach (v) [μπρόουτσς] ανοίγω [συζή-

τηση], τρυπώ, εισάγω, θίγω.

broad (adj) [μπρόο-ντ] ευρύς, ανοικτός.

broad bean (n) [μπρόο-ντ μπιν] κουκί.

broad-minded (adj) [μπρόο-ντ-μάιν-ντιντ] φιλελεύθερος.

broadcast (v) [μπρόο-ντκάαστ] εκπέμπω (n) εκπομπή.

broadcaster (n) [μπρόο-ντκαασται(ρ)] εκφωνητής.

broadcasting (adj) [μπρόο-ντκάαστινγκ] ραδιοφωνικός (n) ραδιοφωνία.

broadcasting station (n) [μπρόο-ντκάαστινγκ στέισσον] ραδιοσταθμός.

broaden (v) [μπρόο-ντεν] πλατύνω.

broadness (n) [μπρόο-ντνες] πλάτος.

brochure (n) [μπρόουσσα(ρ)] διαφημιστικό φυλλάδιο.

brock (n) [μπροκ] ασβός, τρόχος.

broider (v) [μπρόι-ντα(ρ)] κεντώ.

broil (v) [μπρόιλ] ψήνω (n) φασαρία.

broiler (n) [μπρόιλα(ρ)] μάγειρας, ψησταριά, καυγατζής.

broiling (n) [μπρόιλινγκ] ψήσιμο.

broke (adj) [μπρόουκ] αδέκαρος.

broken (adj) [μπρόουκεν] σπασμένος.

broken in pieces (adj) [μπρόουκεν ιν πίισιζ] διαλυμένος.

broker (n) [μπρόουκα(ρ)] μεσίτης.

brokerage (n) [μπρόουκεριντζζ] μεσιτεία, προμήθεια [ποσοστό].

broker's fee (n) [μπρόουκα'ζ φίι] μεσιτεία.

bronchitis (n) [μπρόνκάιτις] βρογχίτιδα.

bronchotomy (n) [μπρονκότομι] βρογχοτομία.

bronchus (n) [μπρόνκας] βρόγχος.

bronze (adj) [μπρονζ] μπρούντζινος, ο-ρειχάλκινος (n) ορείχαλκος.

brooch (n) [μπρούουτσς] πόρπη.

brood (v) [μπρούου-ντ] κλωσώ, (n) κουτσούβελα.

brooding (n) [μπρούου-ντινγκ] επώαση.

brook (n) [μπρούκ] ρυάκι (v) ανέχομαι,

υπομένω, επιδέχομαι.

brooklet (n) [μπρούκλετ] ρυάκι.

broom (n) [μπρουμ] σκούπα.

broomstick (n) [μπρούμστίκ] σκουπόξυλο.

broth (n) [μπροθ] ζωμός, ζουμί.

brothel (n) [μπρόθελ] πορνείο.

brother (n) [μπράδα(ρ)] αδελφός.

brother-in-law (n) [μπράδα(ρ)-ινλόο] κουνιάδος.

brotherhood (n) [μπράδαχου-ντ] αδελφοσύνη.

brotherliness (n) [μπράδαλινες] αδελφικότητα, αδελφοσύνη.

brought (adj) [μπρόοτ] φερμένος.

brow (n) [μπράου] μέτωπο, φρύδι.

browbeat (v) [μπράου-μπίιτ] φοβίζω.

brown (adj) [μπράουν] καφετής, μελαχρινός (v) σκουραίνω, ροδίζω, τσιγαρίζω.

bruise (n) [μπρουζ] μαύρισμα, μελανιά (v) μωλωπίζω.

bruit (n) [μπρούουτ] φημολογώ.

brumal (adj) [μπρούουμαλ] χειμερινός.

brume (n) [μπρούουμ] ομίχλη.

brumous (n) [μπρούουμας] ομιχλώδης.

brunch (n) [μπρα-ντσς] κολατσιό.

brunt (n) [μπραντ] ορμή.

brush (v) [μπρασς] καθαρίζω (n) βούρτσα.

brush down (v) [μπρασς ντάουν] βουρτσίζω.

brush up (v) [μπρασς απ] φρεσκάρω, ανακαινίζω.

brushwood (n) [μπράσσου-ντ] χαμόκλαδα, θάμνοι.

brushy (adj) [μπράσσι] φουντωτός, τριχωτός, θαμνώδης.

brusque (adj) [μπρουσκ] απότομος, κοφτός, τραχύς [για συμπεριφορά].

brutal (adj) [μπρούταλ] κτηνώδης, ζωώδης, σκληρός, βάρβαρος.

brutality (n) [μπρουτάλιτι] βαρβαρότητα, κτηνωδία.

brutalization (n) [μπρουταλιζέισσον] αποκτήνωση.

brute (n) [μπρουτ] ζώο [άνθρ], θηρίο, κτήνος, τετράποδο.

brutish (adj) [μπρούτισς] ζωώδης, κτηνώδης, απάνθρωπος.

bryology (n) [μπραϊόλοντζι] βρυολογία.

bryony (n) [μπράιονι] αγριόκλημα.

bubble (n) [μπα-μπλ] φουσκάλα (v) αφρίζω, βράζω.

bubble-bath (n) [μπά-μπλ-μπάαθ] αφρόλουτρο.

bubbly (adj) [μπά-μπλι] αφρώδης (n) σαμπάνια [αργκό].

bubonocele (n) [μπιουμπόνοσιιλ] βουβωνοκήλη.

buccal (adj) [μπούκαλ] στοματικός, παρειακός.

buccinal (adj) [μπάκσιναλ] σαλπιγγοειδής, βυκανοειδής.

Bucephalus (n) [μπιουσέφαλας] Βουκεφάλας, Βουκέφαλος.

bucket (n) [μπάκιτ] κουβάς.

bbuckle (n) [μπακλ] πόρπη (v) κουμπώνω, κάμπτω, τσαλακώνω.

buckle on (v) [μπακλ ον] ζώνω.

buckled (adj) [μπακλ-ντ] φέρων αγκράφα, λυγισμένος, στρεβλωμένος.

buckskin (n) [μπάκσκιν] καστόρι.

bucolic (adj) [μπιουκόλικ] ποιμενικός.

bud (n) [μπα-ντ] βλαστάρι (v) φύομαι.

Buddha (n) [Μπού-ντα] Βούδας.

buddy (n) [μπά-ντι] σύντροφος.

budge (v) [μπα-ντζζ] κινούμαι, υποχωρώ, αναδεύω, σαλεύω.

budget (n) [μπάντζζετ] προϋπολογισμός (v) προϋπολογίζω.

budgetary (adj) [μπάντζζεταρι] οικονομικός, προϋπολογιστικός.

buff (n) [μπαφ] βουβαλόδερμα, τροχός λειάνσεως (v) στιλβώνω.

buffalo (n) [μπάφαλο] βουβάλι.

buffer (n) [μπάφα(ρ)] αποσβεστήρας.

buffet (n) [μπάφετ] ράπισμα, κυλικείο (v) θαλασσοδέρνω, μπατσίζω.

buffoon (n) [μπαφούν] παλιάτσος.

buffoonery (n) [μπαφούνερι] μασκαραλίκι.

bug (n) [μπαγκ] μαμούδι, ιός, μανία, ελάττωμα, βλάβη (v) κατασκοπεύω, ενοχλώ.

bugaboo (n) [μπάγκαμπουου] φόβητρο, μπαμπούλας, εφιάλτης.

bugbear (n) [μπάγκ-μπέα(ρ)] μπαμπούλας, εφιάλτης.

bugger (n) [μπάγκα(ρ)] ομοφυλόφιλος, παιδεραστής, κτηνοβάτης, πούστης.

buggery (n) [μπάγκερι] σοδομία.

buggy (n) [μπάγκι] αμαξάκι [μόνιππο].

bugle (n) [μπιούγκλ] σάλπιγγα.

bugler (n) [μπιούγκλα(ρ)] σαλπιγκτής.

build (v) [μπιλ-ντ] κάνω, εγείρω, κτίζω.

builder (n) [μπιλ-ντα(ρ)] κτίστης.

building (adj) [μπιλ-ντινγκ] οικοδομικός (n) έγερση, κατασκευή.

building site (n) [μπιλ-ντινγκ σάιτ] οικόπεδο.

built-in (adj) [μπίλτιν] χωνευτός.

bulb (n) [μπαλ-μπ] λάμπα.

bulbiferous (adj) [μπαλμπίφερας] βολβώδης.

bulbil (n) [μπάλ-μπιλ] βολβίσκος.

bulbous (adj) [μπάλ-μπας] βολβοειδής.

Bulgaria (n) [Μπουλγκέαρια] Βουλγαρία.

Bulgarian (n) [Μπουλγκέαριαν] Βούλγαρος (adj) βουλγάρικος.

bulge (n) [μπαλ-ντζζ] εξόγκωμα (v) διογκώνω, προεξέχω.

bulging (adj) [μπάλ-ντζζινγκ] εξωγκωμένος, κυρτός, τουρλωτός.

bulk (n) [μπαλκ] μάζα, (v) στοιβάζω.

bull (n) [μπουλ] ταύρος (v) προσπαθώ να υψώσω τις τιμές (adj) υψωτικός.

bullace (n) [μπούλας] αγριοκορομηλιά, αγριοδαμάσκηνο.

bullate (adj) [μπούλεϊτ] φυσαλλιδώδης.

bulldozer (n) [μπουλ-ντοουζα(ρ)] μπουλντόζα.

bullet (n) [μπούλιτ] βόλι, μπάλα, σφαίρα [όπλου], βολίδα [σφαίρα].

bullet-proof (adj) [μπούλιτπρουουφ] αλεξίσφαιρος.

bulletin (n) [μπούλετιν] ανακοινωθέν, δελτίο ειδήσεων.

bullfight (n) [μπούλφαιτ] ταυρομαχία.

bullish (adj) [μπούλισς] υψωτικός.

bullshit (n) [μπούλσσίτ] μπούρδες.

bully (n) [μπούλι] νταής, παλικαράς (v) τρομοκρατώ, εκβιάζω.

bullying (n) [μπούλινγκ] χούγιασμα.

bulrush (n) [μπούλράσς] ψάθα.

bulwark (n) [μπούλουακ] προπύργιο (v) αμύνομαι.

bum (n) [μπαμ] αλανιάρης, ποπός (v) ζητιανεύω (adj) ψευδής, άχρηστος.

bumble-bee (n) [μπαμ-μπλ-μπίι] βόμβος, μπούμπουρας.

bumbledom (n) [μπάμ-μπλ-ντομ] γραφειοκρατία, υπαλληλοκρατία.

bump (n) [μπαμ-π] κτύπος, τίναγμα(v) προσκρούω.

bump (on the head) (n) [μπαμ-π [ον δε χεντ]] καρούμπαλο.

bumper (n) [μπάμ-πα(ρ)] κανάτα, κούπα (adj) μεγάλος, γεμάτος, άφθονος.

bumpiness (n) [μπάμ-πινες] επιφανειακή ανωμαλία.

bumpkin (n) [μπάμ-πκιν] άξεστος.

bumptious (adj) [μπάμσσας] υπεροπτικός, φαντασμένος.

bumpy (adj) [μπάμ-πι] ανώμαλος.

bun (n) [μπαν] κουλουράκι.

bunch (n) [μπαντσς] δέσμη, τούφα, μάτσο, μπουκέτο, δεμάτι.

bunco (v) [μπάνκοου] εξαπατώ.

bundle (n) [μπαν-ντλ] μπόγος, δέμα, μάτσο, πάκο (v) σωριάζω.

bundle (off) (v) [μπαν-ντλ [οφ]] τσου-βαλιάζω [μεταφ].

bundle up (v) [μπαν-ντλ απ] αμπαλάρω.

bung (v) [μπανγκ] βουλώνω, κλείνω, ταπώνω (n) βύσμα, φελλός, τάπα.

bung up (v) [μπανγκ απ] πωματίζω.

bungle (v) [μπανγκλ] χαλνώ (n) λάθος.

bungler (adj) [μπάνγκλα(ρ)] αδέξιος, σκιτζής, άπειρος.

bunk (n) [μπανκ] κουκέτα, φούμαρα (v) πλαγιάζω, φεύγω.

bunker (n) [μπάνκα(ρ)] καρβουνιέρα, ο-χυρό (v) ανθρακεύω, φορτώνω [καύσιμα].

bunny (n) [μπάνι] κουνελάκι.

buoy (n) [μπόι] σημαδούρα (v) επιπλέω.

buoyancy (n) [μπόιανσι] άνωση, αισιο-δοξία [μεταφ], κέφι [μεταφ].

buoyant (adj) [μπόιαν-τ] ελαφρός.

bur (n) [μπαρ] κολλητσίδα, ρίνισμα (v) σύρω το «ρ».

burble (v) [μπερ-μπλ] φλυαρώ.

burden (v) [μπέρ-ντεν] φορτώνω, κατα-πιέζω, επιβαρύνω (n) φόρτος.

burdensome (adj) [μπέρ-ντενσόμ] φορ-τικός, επαχθής, οχληρός.

bureau (n) [μπιουρόου] γραφείο.

bureaucracy (n) [μπιουρόκρασι] γρα-φειοκρατία, χαρτοβασίλειο.

bureaucrat (n) [μπιούρόκρατ] γραφειο-κράτης.

burgeoning (n) [μπέρντζ(ζ)ιονινγκ] φού-ντωμα.

burgess (n) [μπέρντζ(ζ)ις] πολίτης.

burgher (n) [μπέργκα(ρ)] αστός.

burglar (n) [μπέργκλαρ] διαρρήκτης.

burglary (n) [μπέργκλαρι] κλέψιμο.

burgle (n) [μπέργκλ] παραβιάζω.

burial (adj) [μπέριαλ] νεκρώσιμος (n) εκφορά, ταφή, θάψιμο.

burin (n) [μπιούριν] καλέμι.

burinist (n) [μπιούρινιστ] χαράκτης.

burke (v) [μπερκ] αποσιωπώ [μεταφ].

burl (n) [μπερλ] κόμπος, ρόζος.

burlap (n) [μπέρλαπ] κανναβάτοο.

burlesque (n) [μπερλέσκ] παρωδία (adj) γελοίος (v) διακωμωδώ, παρωδώ.

burly (n) [μπέρλι] γεροδεμένος.

burn completely (v) [μπερν κομπλίτλι] κατακαίω.

burn down (v) [μπερν ντάουν] αποτε-φρώνω, πυρπολώ.

burn incense (v) [μπερν ίνσένς] λιβανίζω.

burn the midnight oil (v) [μπερν δε μί-ντνάιτ όιλ] ξαγρυπνώ.

burn up (v) [μπερν απ] απανθρακώνω.

burner (n) [μπέρνα(ρ)] εστία [σόμπας], μπεκ, ράμφος [μεταφ].

burnet (n) [μπέρνιτ] ποτήρι [βοτ].

burning (adj) [μπέρνινγκ] πύρινος (n) καύση.

burning charcoal (n) [μπέρνινγκ τσάρ-κόουλ] χόβολη.

burnish (v) [μπέρνισς] γυαλίζω, (n) λούστρο, βερνίκι.

burnous (n) [μπερνόουζ] μπουρνούζι, κελεμπία.

burp (n) [μπερπ] ρέψιμο (v) ρεύομαι.

burr (n) [μπερ] κολλιτσίδα.

bursary (n) [μπέρσαρι] λογιστήριο, υ-ποτροφία.

bursar's office (n) [μπέρσα'ζ όφις] λογι-στήριο.

burst (v) [μπερστ] διαρρηγνύω (n) έ-κρηξη, ριπή.

burst in (v) [μπερστ ιν] μπουκάρω.

burst into (v) [μπερστ ίντου] ξεσπώ.

burst into laughter (v) [μπερστ ίντου λάαφτα(ρ)] χαχανίζω.

burst open (v) [μπερστ όουπεν] διαρρη-γνύω.

burst out (v) [μπερστ άουτ] ξεσπώ.

bursting (adv) [μπέρστινγκ] τίγκα.

bury (v) [μπέρι] ενταφιάζω, θάβω, κη-δεύω, κουκουλώνω, χώνω.

burying (n) [μπέρινγκ] χώσιμο.

bus (n) [μπας] λεωφορείο.

bus owner (n) [μπας όουνα(ρ)] λεωφορειούχος.

bush (n) [μπουσε] θάμνος, δάσος, δακτύλιος, κουζινέτο (v) φουντώνω.

bushy (adj) [μπούσσι] δασύς.

busily (adv) [μπίζιλι] δραστήρια.

business (adj) [μπίζνις] επιχειρηματικός (n) ασχολία, υπόθεση, πράγμα.

businessman (n) [μπίζνισμαν] επιχειρηματίας.

busk (n) [μπασκ] έλασμα (v) ετοιμάζω, βιάζομαι.

buskin (n) [μπάσκιν] τραγωδία, σανδάλια γυναικεία.

busky (adj) [μπάσκι] θαμνώδης.

bust (n) [μπαστ] προτομή, γλέντι, πτώχευση (v) σπάζω, ρίχνω (adj) σπασμένος

bustle (n) [μπασλ] μαξιλαράκι, φασαρία (v) βιάζω, σπρώχνω.

busy (adj) [μπίζι] περαστικός, πολυσύχναστος, απασχολημένος (v) απασχολώ.

busybody (n) [μπίζι-μπόντι] ανακατωσούρης, πολυπράγμονας.

but (prep) [μπατ] παρά, δε (conj) αλλά, μα, όμως, πλην.

butcher (n) [μπούτσσα(ρ)] κρεοπώλης (v) κρεουργώ.

butchery (n) [μπούτσσερι] σφαγείο.

butler (n) [μπάτλερ] οικονόμος.

butt (n) [μπατ] κορόιδο (v) εφορμώ.

butt in (v) [μπατ ιν] πετάγομαι.

butter (n) [μπάτα(ρ)] βούτυρο, κολακεία [μεταφ] (v) βουτυρώνω.

butter milk (n) [μπάτα(ρ) μιλκ] ξινόγαλο.

butterfly (n) [μπάταφλάι] πεταλούδα.

buttock (n) [μπάτοκ] γλουτός (v) ανατρέπω αντίπαλο.

buttocks (n) [μπάτοκς] καπούλια.

button (n) [μπάτον] κουμπί (v) κουμπώνω.

buttonhole (n) [μπάτονχόουλ] θηλιά.

buttress (n) [μπάτρες] αντιστήριγμα (v) στηρίζω.

butty (n) [μπάτι] σύντροφος.

buxom woman (n) [μπάξομ ούουμαν] γυναικάρα.

buy (v) [μπάι] αγοράζω, ψωνίζω.

buyable (adj) [μπάια-μπλ] αγοραζόμενος.

buyer (n) [μπάια(ρ)] αγοραστής.

buzz (v) [μπαζ] βουίζω (n) βούισμα.

buzzer (n) [μπάζα(ρ)] σειρήνα.

buzzing (n) [μπάζινγκ] βόμβος.

by (adv) [μπάι] κοντά, δίπλα, παρά (adj) περασμένος (pr) κατά, διά, με, (conj) μα.

by accident (adv) [μπάι άξιντεντ] τυχαίως.

by air (adv) [μπάι έα(ρ)] αεροπορικώς.

by chance (adv) [μπάι τσσαανς] κουτουρού, τυχαίως, τυχόν.

by far (adv) [μπάι φαρ] κατά πολύ.

by mail (adv) [μπάι μέιλ] ταχυδρομικώς.

by night (n) [μπάι νάιτ] νύχτα.

by no means (adv) [μπάι νόου μίινζ] ουδόλως, ποσώς.

by oneself (adj) [μπάι ουάνσέλφ] μόνος.

by the way (adv) [μπάι δε ουέι] παρεμπιπτόντως.

by train (adv) [μπάι τρέιν] σιδηροδρομικώς.

by-law (n) [μπάιλόο] τοπικός νόμος.

by-pass (adj) [μπάιπάας] παρακαμπτήριος.

by-product (n) [μπάιπρόντακτ] παράγωγο, υποπροϊόν.

bygone (adj) [μπάιγκόν] παλιός.

byre (n) [μπάια(ρ)] σταύλος.

Byronic (adj) [μπαϊρόνικ] βυρωνικός, κυνικός.

bystander (n) [μπάισταν-ντα(ρ)] θεατής.

byway (n) [μπάιγουέι] ιδιωτικός δρόμος.

byword (n) [μπάιουερ-ντ] περίγελος, παροιμία, ρητό.

Byzantine (adj) [Μπίζαν-τάιν] βυζαντινός.

C

C, c (n) [σιι] το τρίτο γράμμα του αγγλικού αλφαβήτου.

cab (n) [κα-μπ] ταξί.

cabal (n) [κα-μπάλ] σκευωρία (v) συνωμοτώ.

cabaret (n) [κά-μπαρεϊ] καμπαρέ.

cabbage (n) [κά-μπιντζζ] λάχανο, βλάκας (v) σουφρώνω.

cabby (n) [κά-μπι] ταξιτζής.

cabin (n) [κά-μπιν] καμπίνα.

cabin boy (n) [κά-μπιν μπόι] καμαρότος.

cabinet (n) [κά-μπινετ] βιτρίνα, ερμάριο.

cabinet-maker (n) [κά-μπινετ-μέικερ] επιπλοποιός.

cable (n) [κέι-μπλ] παλαμάρι, τηλεγράφημα, καλώδιο (v) τηλεγραφώ.

cable-car (n) [κέι-μπλ-καρ] τελεφερίκ.

cabman (n) [κά-μπμαν] αμαξάς.

cabotage (n) [κά-μποτιντζζ] ακτοπλοΐα.

cacao (n) [κακάοου] κακάο.

cache (n) [κασς] κρύπτη (v) κρύβω.

cachet (n) [κάσσεϊ] σφραγίδα, στάμπα.

cachectic (adj) [καχεκτίκ] καχεκτικός.

cackle (n) [κακλ] φλυαρία, χάχανο.

cactus (n) [κάκτας] κάκτος.

cad (n) [κα-ντ] παλιάνθρωπος.

cadastral (adj) [κα-ντάστραλ] κτηματογραφικός, κτηματολογικός.

cadaver (n) [κα-ντάαβα(ρ)] πτώμα.

cadaverous (adj) [κα-ντάαβαρας] κιτρινιάρης, ισχνός.

cadence (n) [κέι-ντενς] ρυθμός.

cadet (n) [κα-ντέτ] υστερότοκος.

cadge (v) [καντζζ] ζητιανεύω.

cadger (n) [κάντζζα(ρ)] τρακαδόρος.

cadish (adj) [κά-ντιος] πρόστυχος.

cadmium (n) [κά-ντμιαμ] κάδμιο.

cadre (n) [κάα-ντα(ρ)] σχέδιο.

caducity (n) [κα-ντιούσιτι] φθαρτότητα.

caducous (adj) [κα-ντιούκας] φθαρτός.

caesarean (adj) [Σιζέαριαν] καισαρικός.

café (n) [καφέι] καφενείο.

cafeteria (n) [καφιτίρια] καφετέρια.

caff (n) [καφ] καφενείο, καφεστιατόριο.

caffeic (adj) [καφίικ] καφεϊκός.

caffeine (n) [κάφιιν] καφεΐνη.

cage (n) [κέιντζζ] (adj) κλούβα, κλουβί (v) εγκλωβίζω, φυλακίζω.

cagey (adj) [κέιντζζι] κρυψίνους.

caique (n) [καϊκ] πλοιάριο, καΐκι.

cairn (n) [κέαν] τύμβος.

caitiff (adj) [κέιτιφ] δειλός.

cajole (v) [καντζζόουλ] καλοπιάνω, ρίχνω.

cake (n) [κέικ] κέικ, πίττα, γλυκό (v) πήζω; ξεραίνομαι, σφίγγω.

calaboose (n) [κάλα-μπούουζ] φυλακή.

calamitous (adj) [καλάμπτας] τραγικός.

calamity (n) [καλάμπτι] όλεθρος.

calamus (n) [κάλαμας] καλάμι.

calciferous (adj) [καλσίφερας] ασβεστούχος, ασβεστολιθικός.

calcium (n) [κάλσιαμ] ασβέστιο.

calculable (adj) [κάλκιουλα-μπλ] υπολογίσιμος, μετρήσιμος.

calculate (v) [κάλκιουλεϊτ] λογαριάζω.

calculated (adj) [καλκιουλέπι-ντ] σκόπιμος.

calculating (adj) [καλκιουλέιτινγκ] συμφεροντολόγος, ιδιοτελής.

calculator (n) [κάλκιουλέπα(ρ)] υπολογιστής.

calculus (n) [κάλκιουλας] λίθος [ιατρ], λογισμός [μαθημ].

calendar (adj) [κάλεν-ντα(ρ)] ημερολογιακός (n) ημερολόγιο (v) γράφω σε η-μερολόγιο.

calender (adj) [κάλεν-ντερ] στιλβωτικός κύλινδρος, μάγγανο.

calf (n) [κααφ] μοσχάρι, γάμπα.

calibrate (v) [κάλι-μπρεϊτ] διαβαθμίζω.

calibration (n) [καλι-μπρέισσον] διακρίβωση, διαμέτρηση.

calibre (n) [κάλι-μπα(ρ)] ολκή.

calico (n) [κάλικοου] κάμποτο.

call (n) [κόολ] φωνή, τηλεφώνημα, έλξη, επίσκεψη (v) φωνάζω, καλώ, ξυπνώ.

call-girl (n) [κόολ-γκερλ] πόρνη.

caller (n) [κόολα(ρ)] επισκέπτης (adj) νωπός, φρέσκος.

calligrapher (n) [καλίγκραφα(ρ)] καλλιγράφος.

calling (n) [κόολινγκ] απασχόληση, κλήση.

callosity (n) [καλόσιτι] κονδύλωμα, α-φύσικη σκληρότητα.

callous (adj) [κάλας] ροζιασμένος.

callow (adj) [κάλοου] άπτερος.

callus (n) [κάλας] τύλος, κάλος.

calm (adj) [κάαμ] ατάραχος, ήρεμος, φιλήσυχος (n) γαλήνη, κάλμα (v) ηρεμώ.

calm down (v) [κάαμ ντάουν] ημερεύω.

calmative (n) [κάαματιβ] καταπραϋντικό (adj) καταπραϋντικός.

calmly (adv) [κάαμλι] ήσυχα, ήρεμα.

calmness (n) [κάαμνες] αταραξία.

caloric (adj) [καλόρικ] θερμικός.

calorie (n) [κάλορι] θερμίδα.

calorifier (n) [καλόριφαϊα(ρ)] θερμαντικό σώμα, καλοριφέρ.

calory (n) [κάλορι] θερμίδα.

caltrop (n) [κάλτροπ] τρίβολος [στρατ], κολλητσίδα [βοτ].

calumniate (v) [καλάμνιεϊτ] συκοφαντώ.

calvary (n) [κάλβαρι] Γολγοθάς.

calve (v) [κάαβ] γεννώ [για αγελάδα], α-πορρίπτω [για παγόβουνο].

cam (n) [καμ] έκκεντρο, δόντι.

camaraderie (n) [καμαράα-ντερι] συναδελφικότητα.

camber (n) [κάμ-μπα(ρ)] κυρτότητα.

cambist (n) [κάμ-μπιστ] αργυραμοιβός.

cambium (n) [κάμ-μπιαμ] κάμβιο [βοτ], μαλακός ξυλώδης ιστός.

camel (n) [κάμελ] καμήλα.

camellia (n) [καμίλια] καμέλια.

cameo (n) [κάμιοου] καμέα.

camera (n) [κάμερα] φωτογραφική μηχανή.

cami-knickers (n) [καμι-νίκαζ] κομπιναιζόν.

camion (n) [κάμιον] καμιόνι.

camisole (n) [κάμισοουλ] πουκάμισο.

camomile (n) [κάμομαϊλ] χαμομήλι.

camouflage (n) [κάμαφλάαζζ] καμουφλάζ (v) καμουφλάρω.

camp (n) [καμ-π] στρατώνας, κατασκήνωση (v) στρατοπεδεύω.

campaign (n) [καμ-πέιν] καμπάνια, ε-ξόρμηση (v) εκστρατεύω.

campaigner (n) [καμ-πέινα(ρ)] παλαίμαχος, βετεράνος.

campanile (n) [καμ-πανίλι] κωδωνοστάσιο, καμπαναριό.

camphor (n) [κάμφο(ρ)] καμφορά.

camping (n) [κάμ-πινγκ] κατασκήνωση.

campion (n) [κάμ-πιον] λυχνίδα, σιληνή.

campus (n) [κάμ-πας] πανεπιστημιούπολη.

can (v) [καν] μπορώ, κονσερβοποιώ (conj) (part) (adv) τάχα (n) μπιτόνι, παγούρι, κονσέρβα, τενεκές.

Canada (n) [Κάνα-ντα] Καναδάς.

canal (n) [κανάλ] διώρυγα, κανάλι.

canalization (n) [καναλαϊζέισσον] διοχέτευση, σωλήνωση.

canalize (v) [κάναλαϊζ] κατασκευάζω διώρυγα, αρδεύω.

canard (n) [κανάα-ντ] ψευδής είδηση.

canary (n) [κανέαρι] καναρίνι.

cancel (v) [κάνσελ] ακυρώνω.

cancer (n) [κάνσα(ρ)] καρκίνος.

cancerous (adj) [κάνσερας] καρκινώδης.

candela (n) [κάν-ντελα] κερί.

candelabrum (n) [κάν-ντιλάα-μπραμ] κηροπήγιο, κηροστάτης.

candescence (n) [καν-ντέσενς] πυράκτωση, εκτύφλωση.

candid (adj) [κάν-ντι-ντ] ευθύς, ντόμπρος (n) στιγμιότυπο.

candidate (adj) [κάν-ντι-ντέιτ] υποψήφιος.

candidature (n) [κάν-ντι-ντέιτσοσα(ρ)] υποψηφιότητα.

candied (adj) [κάν-ντι-ντ] σακχαρόπηκτος, μελιστάλαχτος.

candle (n) [καν-ντλ] κερί.

candlestick (n) [κάν-ντλστίκ] καντηλέρι, μικρό κεράκι, κηροπήγιο.

candour (n) [κάν-ντα] ευθύτητα.

candy (n) [κάν-ντι] κουφέτο.

cane (adj) [κέιν] καλαμένιος (n) κάλαμος, ψάθα, μπαστούνι (v) ραβδίζω.

cane sugar (n) [κέιν σσούγκα(ρ)] καλαμοζάχαρο, σακχαρόζη.

canine (n) [κέιναϊν] κυνικός.

caning (n) [κέινινγκ] ραβδισμός.

canker (n) [κάνκα(ρ)] έλκος, πληγή, γάγγραινα, σκώρος (v) κατατρώγω.

cannabis (n) [κάνα-μπις] κάνναβις, χασίς.

canned (adj) [καν-ντ] μεθυσμένος, αποχαυνωμένος.

cannelloni (n) [κανελόουνι] κανελόνια.

cannellure (n) [κάνελιουα(ρ)] αυλάκι.

canner (n) [κάνερ] κονσερβοποιός.

cannibal (n) [κάνι-μπαλ] κανίβαλος.

cannikin (n) [κάνικιν] τενεκεδάκι.

canniness (n) [κάνινις] σωφροσύνη.

canning (n) [κάνινγκ] κονσερβοποίηση.

cannon (n) [κάνον] κανόνι.

canny (adj) [κάνι] προσεκτικός, σώφρων.

canoe (n) [κανού] κανό (v) κωπηλατώ.

canon (n) [κάνον] πρωτοσύγκελλος, κανόνας [εκκλ].

canonicals (n) [κανόνικαλζ] ιερατικά άμφια.

canonicity (n) [κανονίσιτι] κανονικότητα, αυθεντικότητα.

canonize (v) [κάνοναϊζ] αγιοποιώ, ανακηρύσσω άγιο, καθιερώνω.

canoodle (v) [κανού-ντλ] χαϊδολογώ, κανακεύω, τρίβομαι.

canopy (n) [κάνοπι] ουρανός, θόλος.

cant (n) [καν-τ] πλάγιασμα, τίναγμα (v) κλίνω, γέρνω, πλαγιάζω.

cantankerous (adj) [καν-τάνκερας] ανάποδος, δύστροπος, καυγατζής.

cantatrice (n) [κάν-τατρις] αοιδός.

canted (adj) [κάν-τι-ντ] κεκλιμένος.

canteen (n) [καν-τίιν] καντίνα.

canter (n) [κάν-τα(ρ)] καλπασμός.

canticle (n) [κάν-τικλ] ύμνος.

canting (adj) [κάν-τινγκ] υποκριτικός.

canto (n) [κάν-τοου] μελωδία.

canton (n) [κάν-τον] καντόνιο (v) διαιρώ σε καντόνια, επισταθμεύω.

cantor (n) [κάν-το(ρ)] σολίστας, ιεροψάλτης.

canvas (n) [κάνβας] καμβάς.

canvass (n) [κάνβας] ψηφοθηρία, έρευνα (v) συζητώ, εξετάζω, ψιλοκοσκινίζω.

canyon (n) [κάνιον] κάνιο.

caoutchouc (n) [κάουτσσουουκ] καουτσούκ.

cap (n) [κάπ] προφυλακτικό, σκούφια (v) καλύπτω, σκεπάζω, πωματίζω.

capability (n) [κεΐπα-μπίλιτι] ικανότητα.

capable (adj) [κέιπα-μπλ] ικανός.

capable of (adj) [κέιπα-μπλ οβ] δεκτικός.

capacious (adj) [καπέισσας] περιεκτικός.

capacitate (v) [καπάσπεΐτ] εξουσιοδοτώ.

capacity (n) [καπάσιτι] αντίληψη, αποδοτικότητα, χωρητικότητα.

cape (n) [κέιπ] μπέρτα, κάβος.

caper (n) [κέιπα(ρ)] κάπαρη, χοροπήδημα (v) χοροπηδώ.

capers (n) [κέιπαζ] καραγκιοζιλίκια.

capillarity (n) [καπιλάριτι] τριχοειδές.

capital (adj) [κάπιταλ] θανατικός, κεφαλαιουχικός (n) πρωτεύουσα, κεφάλαιο.

capitalism (n) [κάπιταλίζμ] κεφαλαιοκρατία, καπιταλισμός.

capitalize (v) [κάπιταλάιζ] κεφαλαιοποιώ, εκμεταλλεύομαι, επωφελούμαι.

capitation (n) [καπιτέισσον] χαράτσι, κεφαλικός φόρος.

Capitol (n) [κάπιτολ] Καπιτώλιο.

capitulate (v) [καπίτιουλέιτ] συνθηκολογώ, υποχωρώ.

capitulation (n) [καπίσιουλέισσον] συνθηκολόγηση.

caprice (n) [καπρίις] καπρίτσιο.

capricious (adj) [καπρίσσιας] καπριτσιόζος, παράξενος.

capriciously (adv) [καπρίσσιασλι] καπριτσιόζικα, παράξενα, ιδιότροπα.

capriciousness (n) [καπρίσσιασνες] ιδιοτροπία, παραξενιά.

Capricorn (n) [Κάπρικόον] Αιγόκερως.

capsicum (n) [κάπσικαμ] πιπεριά .

capsize (v) [καπσάιζ] ανατρέπω [βάρκα κτλ], αναποδογυρίζω.

capsule (n) [κάπσιουλ] κάψουλα.

captain (n) [κάπτεν] αρχηγός (v) διοικώ.

captaincy (n) [κάπτενσι] αρχηγία.

caption (n) [κάπσον] τίτλος, λεζάντα.

captious (adj) [κάπσιας] φιλοκατήγορος.

captiousness (n) [κάπσσιασνες] δυστροπία.

captivate (v) [κάπτιβέϊτ] γοητεύω.

captive (adj) [κάπτιβ] αιχμάλωτος.

capture (n) [κάπτσσα(ρ)] άλωση, κατάληψη, σύλληψη (v) παίρνω, αιχμαλωτίζω.

car (n) [καα(ρ)] αυτοκίνητο.

carabineer (n) [καρα-μπινία(ρ)] καραμπινιέρος.

caracole (v) [κάρακοουλ] περιστρέφω.

carafe (n) [καράφ] καράφα.

caramel (n) [κάραμελ] καραμέλα.

carapace (n) [κάραπεΐς] καύκαλο.

carat (n) [κάρατ] καράτι.

caravan (n) [κάραβαν] καραβάνι.

carbine (n) [κάα-μπάιν] καραμπίνα.

carbohydrate (n) [καα-μποχάι-ντρέίτ] υδατάνθρακας.

carbonate (n) [κάα-μπονπ] ανθρακικό άλας.

carbonated (adj) [κάα-μπονέίτι-ντ] αεριούχος, σαμπανιζέ.

carbonize (v) [κάα-μποναΐζ] ανθρακώ.

carboy (n) [κάα-μποΐ] νταμιτζάνα.

carbuncle (n) [κάα-μπάνκλ] πολύτιμος λίθος, γρανάτης ή ρουμπίνι.

carburetted (adj) [καα-μπιουρέττι-ντ] ανθρακούχος.

carburettor (n) [κάα-μπιουρέτα(ρ)] καρμπιρατέρ.

carburize (v) [κάα-μπιουραΐζ] ανθρακώ.

carcass (n) [κάακας] ψοφίμι.

carcinogen (n) [καασίνοντζ[εν] καρκινογόνος ουσία.

carcinoma (n) [καασινόουμα] καρκίνωμα.

card (v) [κάα-ντ] ξαίνω, λαναρίζω (n) κάρτα, τραπουλόχαρτο, δελτάριο.

cardsharper (n) [κάα-ντ-σσάαρπερ] χαρτοκλέφτης.

cardamon (n) [κάα-νταμον] καρδάμωμο.

cardboard (n) [κάα-ντ-μποο-ντ] χαρτόνι.

cardiac (adj) [κάα-ντιακ] καρδιακός.

cardinal (n) [κάα-ντιναλ] απόλυτος [αριθμός], καρδινάλιος.

cardiogram (n) [κάα-ντιογκραμ] καρδιογράφημα.

cardiograph (n) [κάα-ντιογκρααφ] καρδιογράφος.

cardiology (n) [καα-ντιόλοντζζι] καρδιολογία.

carditis (n) [καα-ντάιτις] καρδίτιδα.

cardoon (n) [καα-ντούουν] αγριαγκινάρα.

care (n) [κέα(ρ)] φροντίδα, έγνοια, μέριμνα, πρόνοια (v) νοιάζομαι, ανησυχώ.

careen (v) [καρίιν] καλαφατίζω, γέρνω.

careenage (n) [καρίινιντζζ] καρνάγιο, κατάκλιση, τροπιστήριο.

career (n) [καρία(ρ)] καριέρα.

careerist (n) [καρίαριστ] αρριβίστας.

carefree (adj) [κέαφρίι] ξέγνοιαστος.

careful (adj) [κέαφούλ] προσεχτικός.

careless (adj) [κέαλες] αδιάφορος.

carelessness (n) [κέαλεσνές] αμέλεια.

caress (v) [καρές] χαϊδεύω, (n) χάδι.

caressing (adj) [καρέσινγκ] χαδιάρικος, χαϊδευτικός (n) χάιδεμα.

caretaker (n) [κέατέικα(ρ)] επιστάτης.

carfax (n) [κάαρφακς] σταυροδρόμι.

cargo (n) [κάαγκοου] φορτίο.

caricature (n) [καρίκατσιούα(ρ)] καρικατούρα (v) γελοιογραφώ.

caries (n) [κέαριιζ] τερηδόνα.

carillon (n) [κάριλιον] κωδωνοστοιχία.

carious (adj) [κέαριας] σάπιος.

carking (adj) [κάακινγκ] βασανιστικός.

carman (n) [κάαμαν] οδηγός.

carnage (n) [κάανιντζζ] σφαγή.

carnal (adj) [κάαναλ] σαρκικός.

carnality (n) [καανάλιτι] φιληδονία.

carnation (n) [καανέισσον] γαριφαλιά.

carnival (n) [κάανιβαλ] καρναβάλι.

carnivora (n) [καανίβορα] σαρκοφάγα.

carob (n) [κάρο-μπ] ξυλοκέρατο.

carob-tree (n) [κάρο-μπ-τρίι] σαρκικός,

χαρουπιά [βοτ].

carols (n) [κάρολζ] κάλαντα.

carotid (n) [κάροτί-ντ] καρωτίδα.

carotin (n) [κάροτιν] καροτίνη.

carouse (n) [καράουζ] γλέντι (v) γλεντώ.

carp (n) [κάαπ] κυπρίνος (v) επικρίνω.

carpal (n) [κάαπαλ] καρπικός [ανατ].

carpel (n) [κάαπελ] καρπόφυλλο [βοτ].

carpenter (n) [κάαπεν-τα(ρ)] μαραγκός.

carpentry (n) [κάαπεν-τρι] ξυλουργική.

carpet (n) [κάαπετ] τάπητας, (v) στρώνω.

carping (adj) [κάαπινγκ] επικριτικός.

carpus (n) [κάαπες] καρπός.

carriage (n) [κάριντζζ] αμάξι, μεταφορά.

carriage fees (n) [κάριντζζ φίιζ] κόμιστρα, μεταφορικά.

carrier (n) [κάρια(ρ)] κομιστής.

carrion (n) [κάριον] ψοφίμι (adj) σάπιος.

carrot (n) [κάροτ] καρότο.

carry (v) [κάρι] μεταφέρω, φορώ, συγκινώ (n) βεληνεκές, θέση χαιρετισμού.

carry out (v) [κάρι άουτ] εκπληρώνω.

carry-cot (n) [κάρι-κοτ] φορητό λίκνο βρέφους, πορτ-μπεμπέ.

cart (n) [κάατ] αραμπάς, καροτσάκι, σούστα [όχημα], κάρο.

cart-wheel (n) [κάατ-ουίιλ] τροχός.

cartage (n) [κάατιντζζ] μεταφορικά.

carte (n) [κάατ] μενού, κατάλογος.

cartel (n) [καατέλ] καρτέλ.

carter (n) [κάατερ] καροτσιέρης.

cartilage (n) [κάατιλιντζζ] χόνδρος.

cartload (n) [κάατλόου-ντ] αμαξιά.

cartography (n) [κάατόγκραφι] χαρτογραφία.

cartomancy (n) [κάατομανσι] χαρτομαντεία.

carton (n) [κάατν] κούτα.

cartoon (n) [καατούν] γελοιογραφία.

cartouche (n) [καρτούουσς] φυσίγγιο, διακοσμητικό πλαίσιο.

cartridge (n) [κάατριντζζ] φυσέκι, φυσίγγιο.

cartridge belt (n) [κάατριντζζ μπελτ]

μπαλάσκα, φυσιγγιοθήκη.

carunkle (n) [καράνκλ] σαρκίο, οζίδιο.

carve (v) [κάαβ] γλύφω, πελεκώ, χαράσσω.

carved (adj) [κάαβ-ντ] πελεκητός, γλυπτός.

carver (n) [κάαβα(ρ)] σκαλιστής.

caryatid (n) [καριάτι-ντ] Καριάτιδα [αρχιτ].

cascade (n) [κάσκέι-ντ] καταρράκτης, υδατόπτωση (adj) διαδοχικός (v) πίπτω.

case (n) [κέις] δίκη, περίπτωση, κάσα, κρούσμα (v) περικλείω, επενδύω.

case-law (n) [κέις-λόο] νομολογία.

casemate (n) [κέισμεϊτ] πυροβολείο.

casement (n) [κέισμεν-τ] θυρίδα.

caseous (adj) [κέισιους] τυρώδης.

cash (adj) [κασς] ταμιακός (n) μετρητά, παράς (v) εξαργυρώνω.

cash desk (n) [κασς ντεσκ] ταμείο.

cashable (adj) [κάσσα-μπλ] εξαργυρώσιμος.

cashier (v) [κασσία(ρ)] αποτάσσω (n) ταμίας.

cashmere (n) [κάσσμια(ρ)] κασμίρι.

casing (n) [κέισινγκ] επένδυση, αμπαλλάρισμα, καλούπωμα [οικοδ].

casino (n) [κασίνο] καζίνο.

cask (n) [κάασκ] βυτίο, βαρέλι.

casket (n) [κάασκιτ] κασετίνα.

casque (n) [κάασκ] κράνος, κάσκα.

cassation (n) [κασέισσν] ακύρωση.

casserole (n) [κάσερόουλ] κατσαρόλα.

cassiterite (n) [κασίτεραϊτ] κασσιτερίτης.

cassock (n) [κάσοκ] ράσο.

cast (adj) [κααστ] χυτός (n) ρίψη, απόστασαη, φόρμα (v) απορρίπτω, αποβάλλω.

cast anchor (v) [κααστ άνκα(ρ)] φουντάρω.

cast iron (n) [κααστ άιον] μαντέμι.

cast off (v) [κααστ οφ] απορρίπτω, λασκάρω (adj) πεταμένος.

castanets (n) [καστανέτς] καστανιέτες.

castaway (n) [κάασταγουεϊ] ναυαγός, απόβλητος [μεταφ].

caste (n) [κάαστ] κάστα.

castellated (adj) [κάστελεϊτι-ντ] πυργωτός, οδοντωτός.

castellation (n) [καστελέισσον] πυργοποιία.

caster (n) [κάαστα(ρ)] κατασκευαστής εκμαγείων, τροχίσκος, καρούλι, αλατιέρα.

castigate (v) [κάστιγκεϊτ] τιμωρώ.

castigation (n) [καστιγκέισσον] τιμωρία, σωφρονισμός, διόρθωσn.

casting (n) [κάαστινγκ] τήξη, καλούπωμα, πέταμα, ρίξιμο, χύσιμο.

castle (n) [κααλ] φρούριο, κάστρο.

castled (adj) [κααλ-ντ] πυργωτός.

castor (n) [κάστο(ρ)] κάστορας.

castrate (v) [καστρέιτ] ευνουχίζω.

castration (n) [καστρέισσον] ευνούχιση.

casual (adj) [κάζζιουαλ] συμπτωματικός.

casualty (n) [καζζιουάλτι] τραυματίας.

casuist (n) [κάζουιστ] σοφιστής,

casuistry (n) [κάζουιστρι] σοφιστεία.

cat (n) [κατ] γάτα (v) ξερνώ.

catabolism (n) [κατά-μπολισμ] καταβολισμός.

cataclysm (n) [κατάκλισμ] κατακλυσμός.

catacomb (n) [κάτακόουμ] κατακόμβn.

catalepsy (n) [κάταλέπσι] καταληψία.

catalogue (n) [κάταλόγκ] λίστα, κατάλογος (v) καταρτίζω πίνακα.

catalysis (n) [κατάλισις] κατάλυση.

catalyst (n) [κάταλιστ] καταλύτης.

catamaran (n) [καταμαράν] στρίγγλα.

catamenia (n) [καταμίνια] έμμηνα.

catamite (n) [κάταμαϊτ] κίναιδος.

catamount (n) [κάταμαουν-τ] αιλουροειδές.

cataplasm (n) [κάταπλαζμ] κατάπλασμα.

cataplexy (n) [κάταπλεκσι] καταπληξία, σοκ.

catapult (n) [κάταποουλτ] καταπέλτης, σφεντόνα [παιδιού] (v) εξακοντίζω.

cataract (n) [κάταρακτ] καταρράκτης.

catarrh (n) [κατάα(ρ)] καταρροή.

catastrophe (n) [κατάστροφι] καταστροφή, χαλασμός.

catcall(ing) (n) [κάτκόο (λινγκ)] γιουχάισμα.

catcalls (n) [κάτκόολς] πρόγκα.

catch (v) [κάτσς] αρπάζω, πιάνω, φτάνω (n) πιάσιμο, μπετούγια, αρπάγη.

catch on (v) [κατος ον] μπαίνω.

catch up (v) [κατος απ] καταφθάνω, μπουρδουκλώνω.

catcher (n) [κάτσσα(ρ)] άρπαγας.

catchily (adv) [κάτσσιλι] ελκυστικά.

catchiness (n) [κάτσσινες] πονηρία, παγίδα.

catching (n) [κάτσσινγκ] πιάσιμο, τσάκωμα (adj) κολλητικός, μεταδοτικός.

catchment (n) [κάτσσμεν-τ] συλλογή νερού.

catchpole (n) [κάτσσποουλ] δικαστικός κλητήρας.

catchword (n) [κάτσσουέρ-ντ] λέξη-οδηγός, σύνθημα, σλόγκαν.

catchy (adj) [κάτσσι] πονηρός, ελκυστικός.

catechism (n) [κάτικιζμ] κατήχηση, διαλεκτική, μαιευτική.

catechist (n) [κάτικιστ] κατηχητής.

catechize (v) [κάτικάιζ] κατηχώ.

categorical (adj) [κατιγκόρικαλ] κατηγορηματικός, απόλυτος.

category (n) [κάτιγκορι] κλάση.

catenary (n) [κατέναρι] αλυσσοειδής καμπύλη.

caterer (n) [κέιτερα(ρ)] προμηθευτής, τροφοδότης.

catering (n) [κέιτερινγκ] τροφοδοσία.

caterpillar (n) [κάτεπιλα(ρ)] ερπύστρια, κάμπια.

catfish (n) [κάτφιος] γατόψαρο.

catharsis (n) [κάθαασις] κάθαρση.

cathartic (n) [καθάατικ] καθαρτικό (adj) καθαρτικός.

cathedral (n) [καθίι-ντραλ] μητρόπολη [εκκλ], καθεδρικός ναός (adj) καθεδρικός.

catheter (n) [κάθατα(ρ)] καθετήρας.

catholic (adj) (n) [κάθολικ] γενικός, παγκόσμιος, ανεκτικός, φιλελεύθερος.

catholicity (n) [καθολίοιτι] καθολικότητα.

catnap (v) [κάτνάπ] λαγοκοιμούμαι.

cattily (adv) [κάτιλι] μοχθηρά.

cattiness (n) [κάτινες] μοχθηρία.

cattish (adj) [κάτιος] γατίσιος, ύπουλος.

cattle (n) [κατλ] βοοειδή, κτήνη.

cattle rustling (n) [κατλ ράστλινγκ] ζωοκλοπή.

cattle trade (n) [κατλ τρέι-ντ] ζωεμπόριο.

cattleman (n) [κάτ-λμαν] ζωοτρόφος.

catty (adj) [κάτι] γατίσιος, ύπουλος, κακόγλωσσος, ευκίνητος, εύστροφος.

catwalk (n) [κάτ-ουόοκ] στενή επιμήκης γέφυρα, πεζοδρόμιο γέφυρας.

caucus (n) [κόοκας] κλίκα.

caudal (adj) [κόο-νταλ] ουραίος .

caul (adj) [κοολ] κουκούλα.

cauldron (n) [κόολ-ντρον] καζάνι, χύτρα, κακάβι, λέβητας, λεβέτι.

cauliflower (n) [κολιφλάουα(ρ)] κουνουπίδι.

caulk (v) [κόοκ] καλαφατίζω.

causal (adj) [κόοζαλ] αιτιώδης.

causality (n) [κοοζάλιτι] αιτιότητα.

causation (n) [κοοζέισσον] πρόσκληση, αιτία.

causative (adj) [κόοζατίβ] αιτιολογικός, μεταβατικός.

cause (n) [κόοζ] αιτία, υπαίτιος, δικαιολογία, σπέρμα, (v) προκαλώ, επιφέρω.

cause a loss (v) [κόοζ α λος] ζημιώνω.

causerie (n) [κοουζερίι] κουβεντολόι.

caustic (adj) [κόοστικ] καυστικός.

cauter (n) [κόοτα(ρ)] καυτήρας.

cauterize (v) [κόοτεράιζ] καυτηριάζω.

cautery (n) [κόοτερι] καυτήρι.

caution (n) [κόοσσον] περίσκεψη, προσοχή (v) προειδοποιώ.

cautious (adj) [κόοσσιας] επιφυλακτικός.

cautiousness (n) [κόοσσιασνες] προφύλαξη.

cavalcade (n) [καβαλκέι-ντ] καβαλλαρία, πομπή, παρέλαση.

cavalier (n) [καβαλία(ρ)] ιππέας, καβαλιέρος (adj) αυθαίρετος, ακατάδεχτος.

cavalry (n) [κάβαλρι] καβαλαρία.

cave (n) [κέιβ] σπηλιά, σπήλαιο.

cave in (v) [κέιβ ιν] υποχωρώ.

caveat (n) [κάβιατ] προειδοποίηση, α-
νακοπή.

cavern (n) [κάβερν] σπήλαιο.

cavernous (adj) [κάβερνας] σπηλαιώδης.

caviar (n) [κάβιαα(ρ)] χαβιάρι.

cavil (v) [κάβιλ] μικρολογώ, στρεψοδι-
κώ (n) στρεψοδικία.

cavity (n) [κάβιτι] κοιλότητα, λακούβα.

caw (v) [κόο] κράζω (n) κράξιμο.

cay (n) [κέι] αμμόλοφος.

cayenne (n) [κέιεν] καϋένη, κοκκινοπίπερο.

cease (v) [σίις] διακόπτω, παύω.

cease-fire (n) [σίισ-φάι(ρ)] ανακωχή.

ceaseless (adj) [σίισλες] ακατάπαυστος.

cecity (n) [σίισιτι] τύφλωση.

cedar (adj) [σίι-ντα(ρ)] κέδρινος.

cede (v) [σίι-ντ] εκχωρώ, παραδέχομαι.

ceiling (n) [σίλινγκ] ταβάνι.

celandine (n) [σέλαν-νταϊν] χελιδόνι [βοτ].

celebrate (v) [σέλε-μπρέιτ] εορτάζω,
μνημονεύω, υμνώ, ψάλλω, δοξάζω.

celebrated (adj) [σέλε-μπρέιτι-ντ] ξα-
κουσμένος, διάσημος, ένδοξος.

celebration (n) [σελε-μπρέισσον] λει-
τουργία, τελετή, πανηγυρισμός, γιορτή.

celeriac (n) [σιλέριακ] ραπανοσέλινο.

celery (n) [σέλερι] σέλινο [βοτ].

celestial (adj) [σελέστιαλ] θείος, θεσπέ-
σιος, εξαίσιος, επουράνιος.

celibacy (n) [σέλι-μπασι] αγαμία.

celibate (adj) [σέλι-μπατ] άγαμος.

cell (n) [σελ] κελί, πυρήνας.

cellar (n) [σέλα(ρ)] κατώγειο, κελάρι.

cellarer (n) [σέλαρα(ρ)] κελλάρης.

cellaret (n) [σέλερετ] φιαλοθήκη.

celliform (n) [σέλιφοομ] κυψελοειδής.

cellist (n) [τσσέλιστ] βιολοντσελίστας.

cello (n) [τσσέλοου] βιολοντσέλο.

cellophane (n) [σέλοφεϊν] σελοφάν.

cellular (adj) [σέλιουλα(ρ)] κυτταρικός.

cellulite (adj) [σέλιουλαϊτ] κυτταρώδης.

cellule (n) [σέλιουλ] μικρό κύτταρο.

celluloid (n) [σέλιουλόι-ντ] ζελατίνη.

cellulose (n) [σέλιουλοϊς] κυτταρίνη.

Celt (n) [Κελτ] Κέλτης.

Celtic (n) [Κέλτικ] κελτική γλώσσα.

celticism (n) [Κέλτισισμ] κελτισμός.

cembalo (n) [τσσέμ-μπαλοου] κύμβαλο.

cement (v) [σιμέν-τ] τσιμεντάρω (n) τσιμέντο.

cementation (n) [σεμεν-τέισσον] επί-
στρωση, στερέωση, τσιμέντωση.

cemetery (n) [σέμετρι] νεκροταφείο.

cemotaph (n) [σέμοταφ] μνημείο.

cenotaph (n) [σένοταφ] κενοτάφιο.

cense (v) [σενσ] θυμιατίζω.

censer (n) [σένσα(ρ)] θυμιατήρι.

censing (n) [σένοινγκ] λιβάνισμα.

censor (n) [σένσο(ρ)] λογοκριτής, τιμη-
τής (v) λογοκρίνω.

censorious (adj) [σένσοριας] επικριτικός.

censorship (n) [σένσοσσίπ] λογοκρισία.

censure (n) [σένσσα(ρ)] μομφή (v) επι-
πλήττω.

census (n) [σένσας] απογραφή.

cental (n) [σέν-ταλ] εκατόλιτρο.

centenarian (adj) [σεν-τενέριαν] εκατο-
χρονίτης.

centenary (n) [σεν-τίναρι] εκατονταετηρίδα.

centering (n) [σέν-τερινγκ] κεντράρι-
σμα, θολότυπος, καλούπι.

centigramme (n) [σέν-τιγκραμ] εκατο-
στόμετρο.

centilitre (n) [σέν-τιλίτα(ρ)] εκατοστό-
λιτρο.

centimetre (n) [σέν-τιμιτα(ρ)] πόντος.

centipede (n) [σέν-τιπιι-ντ] σαρανταπο-
δαρούσα [ζωολ], ψαλίδα.

central (adj) [σέν-τραλ] κεντρικός.

centralism (n) [σέν-τραλισμ] συγκε-
ντρωτισμός.

centralize (v) [σέν-τραλάιζ] συγκεντρώνω.

centrally (adv) [σέν-τραλι] κεντρικά.

centre (n) [σέν-τα(ρ)] καρδιά, ομφαλός,

κέντρο (ν) κεντράρω, (adj) κεντρικός.

centrepiece (n) [σέν-τεπίις] καρέ.

centric (adj) [σέν-τρικ] κεντρικός.

centrifuge (n) [σέν-τριφιούντζζ] φυγοκεντρωτής.

centripetal (adj) [σεν-τριπέταλ] κεντρομόλος.

centrist (adj) [σέν-τριστ] κεντρώος.

centurion (n) [σεντσιούριον] εκατόνταρχος.

century (n) [σέν-τοσιουρι] εκατονταετία.

cephalic (adj) [σιφάλικ] κεφαλικός.

ceraceous (adj) [σερέσσοας] κηρώδης.

ceramic (adj) [σεράμικ] κεραμικός.

ceramics (n) [σεράμικς] κεραμική.

cerated (adj) [σίρέιτι-ντ] κηρωτός.

cereals (n) [σίαριαλς] δημητριακά.

cerebral (adj) [σερέ-μπραλ] εγκεφαλικός.

cerebrem (n) [σέρε-μπρεμ] εγκέφαλος.

ceremonial (adj) [σερεμόουνιαλ] τυπικός, τελετουργικός (n) εθιμοτυπία.

ceremonially (adv) [σερεμόονιαλι] εθιμοτυπικά, τελετουργικά.

ceremony (n) [σέρεμονι] παράταξη, τελετή.

ceresin (n) [σέρεοιν] κηροζίνη.

cerium (n) [σίαριαμ] δημήτριο.

cermet (n) [σέρμετ] κεραμομέταλλο.

cerography (n) [σιαρόγκραφι] κηρογραφία.

cert (n) [σερτ] βεβαιότητα.

certain (adj) [σέρτεν] ασφαλής, αλάνθαστος.

certainly (adv) [σέρτενλι] ασφαλώς, πώς, βεβαίως, ναι, εννοείται (conj) δα.

certainty (n) [σέρτεν-τι] σιγουριά, βεβαιότητα, βέβαιο, ασφάλεια.

certes (adv) [σέρτιζ] βεβαίως.

certificate (n) [σερτίφικατ] τίτλος, ενδεικτικό, πτυχίο, βεβαίωση (v) [σερτίφικέιτ] απονέμω πτυχίο, χορηγώ.

certify (v) [σέρτιφαϊ] πιστοποιώ.

cerulean (adj) [σιρούουλιαν] βαθυγάλανος.

cerumen (n) [σιρούουμιν] κυψελίδα.

cervical (adj) [σέρβικλ] αυχενικός.

cervine (adj) [σέρβαϊν] ελαφίσιος.

cervix (n) [σέρβιξ] αυχένας, τράχηλος της μήτρας.

cessation (n) [σεσέισσον] κατάπαυση.

cession (n) [σέσσιον] εκχώρηση.

cesspit (n) [σέσπιτ] βόθρος.

cesspool (n) [σέσπουλ] βόθρος.

cetic (adj) [σίιτικ] κήτειος.

cetin (n) [σίιτιν] κητίνη [χημ].

chafe (v) [τσέιφ] συγκαίω (n) εκδορά.

chaff (n) [τσάαφ] άχυρο, χόρτο, πείραγμα (v) πειράζω, κοροϊδεύω.

chaffinch (n) [τσάαφιν-τος] σπίνος.

chaffy (adj) [τσάαφι] αχυρώδης.

chafing (n) [τσέιφινγκ] τριβή.

chagrin (n) [σσάγκραν] λύπη (v) θλίβω.

chain (n) [τσέιν] αλυσίδα, (v) δένω.

chain store (n) [τσέιν στόο(ρ)] υποκατάστημα.

chains (n) [τσσέιντζ] δεσμά.

chair (n) [τσέα(ρ)] καθέδρα, προεδρείο, σκαμνί, καρέκλα (v) προεδρεύω.

chairmanship (n) [τσέαμανσοιπ] προεδρία.

chaise (n) [σσεζ] μόνιππο.

chalice (n) [τσάλις] δισκοπότηρο.

chalk (n) [τσόοκ] κιμωλία.

challenge (n) [τσάλεν-ντζζ] επερώτηση (v) προκαλώ, προσβάλλω.

challenging (n) [τσάλεν-ντζζινγκ] προκλητικός.

chalybeate (adj) [καλάι-μπίατ] σιδηρούχος.

chalybite (n) [κάλι-μπαϊτ] χαλυβίτης.

chamber (n) [τσέιμ-μπα(ρ)] δωμάτιο, θαλάμη, βουλή (v) εγκλείω, διαμένω.

chamber of commerce (n) [τσέιμ-μπα(ρ) οβ κόμερς] επιμελητήριο.

chambermaid (n) [τσέιμ-μπερμέιν-ντ] καμαριέρα, θαλαμηπόλος.

chameleon (n) [σσεμίλιαν] χαμαιλέων (adj) ευμετάβλητος, άστατος.

chamfer (n) [τσάμφερ] λοξότμητη γωνία (v) λοξοτομώ.

chamois (n) [σσάμουαα] αγριοκάτσικο.

champ (v) [τσσαμ-π] μασώ, ανυπομονώ (n) πρωταθλητής.

champagne (n) [σσαμ-πέιν] σαμπάνια.

champaign (n) [σσάμ-πεϊν] κάμπος.

champion (adj) [τσάμπιον] πρωταθλητης (n) μαχητής (v) προασπίζω.

championship (n) [τσσάμπιονσσιπ] πρωτάθλημα.

chance (adj) [τσσανς] τυχαίος (n) σύμπτωση (v) τολμώ.

chancel (n) [τσσάνσελ] ιερό ναού.

chancellor (n) [τσσάανσελα(ρ)] καγκελάριος.

chanciness (n) [τσσάανσινες] αβεβαιότητα.

chancre (n) [σσάνκα(ρ)] συφιλιδικό έλκος.

chancy (adj) [τσσάανσι] αβέβαιος.

chandelier (n) [σσάν-ντελία(ρ)] πολύφωτο.

chandler (n) [τσσάν-ντλα(ρ)] κηροποιός.

chandlery (n) [τσσάαν-ντλερι] αποθήκη κεριών, είδη κηροπλαστικής.

change (adv) [τσσέιν-ντζζ] λιανά (n) αλλαγή, ρέστα, φάση (v) αλλάζω, χαλώ.

changeability (n) [τσσέιν-ντζζα-μπίλιτι] ευμεταβλητότητα.

changeable (adj) [τσσέιν-ντζζα-μπλ] ακατάστατος, ρευστός.

changeful (adj) [τσσέιν-ντζζφουλ] άστατος, ασταθής.

changefully (adv) [τσσέιν-ντζζφουλι] άστατα.

changeless (n) [τσσέιν-ντζζλες] αμετάβλητος.

changeover (n) [τσσέιν-ντζζόουβερ] ριζική αλλαγή, μετάσταση.

changing room (n) [τσέιν-ντζζινγκ ρουμ] αποδυτήριο.

channel (n) [τσσάνελ] αυλάκι, (v) αυλακώνω.

chant (n) [τσάαν-τ] άσμα, τραγούδι, ψαλμός (v) τραγουδώ, ψάλλω.

chanter (n) [τσσάαν-τα(ρ)] ψάλτης.

chantilly (n) [σσόν-τιλι] σαντιγί.

chanting (n) [τσσάαν-τινγκ] ψάλσιμο.

chaos (n) [κέιος] χάος, σύγχυση.

chaotic (adj) [κέιότικ] χαώδης.

chap (n) [τσσαπ] τύπος, σαγόνι, φιλαράκος (v) σκάζω.

chape (n) [τσσέιπ] πτέρνα σπάθης.

chapel (n) [τσσάπελ] εξωκλήσι.

chapelry (n) [τσσάπελρι] περιοχή.

chaperon (v) [σσάπερουν] οδεύω, συνοδεύω (n) συνοδός.

chapfallen (adj) [τσσάπφοολεν] κατηφής.

chapiter (n) [τσσάπιτα(ρ)] κιονόκρανο.

chaplaincy (n) [τσσάπλινσι] αξίωμα ιερέως.

chaplet (n) [τσσάπλιτ] στεφάνι, γιρλάντα.

chapman (n) [τσσάπμαν] έμπορος.

chapter (n) [τσσάπτα(ρ)] κεφάλαιο, θέμα.

char (v) [τσσάαρ] καίω, μαυρίζω, ξενοδουλεύω (n) καθαρίστρια, τσάι.

charabanc (n) [σσάρα-μπανγκ] τουριστικό λεωφορείο, πούλμαν.

character (n) [κάρακτα(ρ)] μορφή, χαρακτήρας, γράμμα (v) χαρακτηρίζω, χαράσσω.

characteristic (adj) [καρακτερίστικ] χαρακτηριστικός (n) ιδιότητα, ιδίωμα.

characteristically (adv) [καρακτερίστικλι] χαρακτηριστικά.

characterization (n) [καρακτεραϊζέισσον] χαρακτηρισμός.

characterize (v) [κάρακτεραϊζ] χαρακτηρίζω, διακρίνω.

charcoal (n) [τσσαακόουλ] κάρβουνο.

charge (n) [τσσαντζζ] γέμισμα, φορτίο, κατηγορία, χρέωση (v) γεμίζω, φορτώνω.

chargé d'affaires (adj) [σσάαζζεϊ ντ'αφέα] επιτετραμμένος.

charge-sheet (n) [τσσάατσ-σσιιτ] βιβλίο συμβάντων.

chargeable (adj) [τσσάντζζα-μπλ] φορολογήσιμος, επιβαρυνόμενος.

charger (n) [τσσάαντζζερ] πιατέλα.

charging (n) [τσσάαντζζινγκ] γέμισμα

[όπλου].

charily (adv) [τσέαριλι] επιφυλακτικά, λιτά.

chariness (n) [τσέαρινες] επιφυλακτικότητα, περίσκεψη, φειδώ.

chariot (n) [τσάριοτ] άρμα.

charioteer (n) [τσάριοτίερ] αρματηλάτης.

charitable (adj) [τσάριτα-μπλ] ελεήμων, επιεικής, καλοκάγαθος.

charity (n) [τσάριτι] έλεος, ευσπλαχνία, ελεημοσύνη (adj) φιλανθρωπικός.

charivari (n) [σσαριβάαρι] ψευτοσερενάτα, κακοφωνία.

charlady (n) [τσάαλεϊ-ντι] καθαρίστρια.

charlatan (n) [σσάαλαταν] κομπογιαννίτης, τσαρλατάνος.

charlatanism (n) [σσάαλατανισμ] αγυρτεία.

charm (n) [τσάαμ] γοητεία, έλξη, μαγεία, χάρη (v) ελκύω, θέλγω, μαγεύω.

charmer (n) [τσάαμερ] γόης.

charming (adj) [τσάαμινγκ] θελκτικός.

charmingly (adv) [τσάαμινγκλι] μαγευτικά, σαγηνευτικά, νόστιμα.

charnel (n) [τσάανελ] οστεοφυλάκιο.

chart (v) [τσάατ] χαρτογραφώ (n) χάρτης.

charter (n) [τσάατα(ρ)] καταστατικό, προνόμιο, ναύλωση (v) ναυλώνω.

charterer (n) [τσάατερα(ρ)] ναυλωτής.

charthouse (n) [τσάατχαους] θάλαμος χαρτών.

charting (n) [τσάατινγκ] χαρτογράφηση.

charwoman (n) [τσάαο'γουμαν] παραδουλεύτρα, καθαρίστρια.

chary (adj) [τσέαρι] προσεκτικός, λιτός.

chase (n) [τσέις] κυνήγι, προτομή, σελιδοθέτης (v) κυνηγώ, γλύφω, σκαλίζω.

chaser (v) [τσέεισα(ρ)] διώκτης.

chasing (v) [τσέεισινγκ] γλυφή.

chasm (n) [καζμ] γκρεμός, παράληψη.

chassis (n) [σσάσι] σκελετός, σασί.

chaste (adj) [τσέειστ] αγνός, σεμνός.

chasten (v) [τσέεισν] τιμωρώ, παιδεύω, κολάζω, απαλύνω.

chastening (n) [τσέεισινινγκ] τιμωρία, ποινή (adj) πειθαρχικός, απαλυντικός.

chastise (v) [τσάαστάϊζ] κολάζω.

chastisement (n) [τσάαστάϊζμεν-τ] τιμωρία.

chastity (n) [τσάαστιτι] αγνότητα.

chat (n) [τσσατ] συνομιλία (v) φλυαρώ.

chattel (n) [τσάατελ] κινητή περιουσία, δούλος, κτήμα.

chatter (n) [τσάατα(ρ)] φλυαρία (v) λιμάρω, σαλιαρίζω, φλυαρώ.

chatterbox (n) [τσάατα(ρ)-μπόξ] φλύαρος.

chatterer (n) [τσάαταρα(ρ)] φαφλατάς.

chatty (adj) [τσάατι] ομιλητικός.

chauffeur (n) [σσόουφα(ρ)] σοφέρ.

chauvinism (n) [σσόουβανισμ] σωβινισμός.

chauvinist (n) [σσόουβανιστ] εθνικιστής.

cheap (adj) [τσσίιπ] ευτελής, οικονομικός [φθηνά], φτηνός (adv) φτηνά, εύκολα.

cheapen (v) [τσσίιπεν] εξευτελίζω.

cheaply (adv) [τσσίιπλι] φτηνά.

cheapness (n) [τσσίιπνες] φτήνια.

cheat (n) [τσσίιτ] ψεύτης (v) ξεγελώ, απατώ.

cheating (n) [τσσίιτινγκ] ζαβολιά.

check (n) [τσσεκ] έλεγχος (v) ελέγχω.

checker (n) [τσσέκερ] ελεγκτής.

checking (n) [τσσέκινγκ] σταμάτημα, ανακοπή, κατάσχεση.

checkmate (n) [τσσέκμέιτ] ματ [σκάκι], πανωλεθρία, αποτυχία.

cheek (n) [τσσίικ] παρειά (v) αυθαδιάζω.

cheekbone (n) [τσσίικ-μπόουν] ζυγωματικό, μήλο [πρόσωπο].

cheekily (adv) [τσσίικιλι] αναιδώς.

cheekiness (n) [τσσίικινες] αναίδεια.

cheeky (adj) [τσσίικι] αναιδής.

cheep (n) [τσσίιπ] τιτίβισμα, τσίριγμα ποντικού (v) τσιρίζω.

cheer (n) [τσσία(ρ)] διάθεση, κέφι, ιαχή (v) ενθαρρύνω, χειροκροτώ.

cheer up (v) [τσσίαρ απ] ενθαρρύνω.

cheerful (adj) [τσσίαρφουλ] γελαστός.

cheerfulness (n) [τσίαφουλνες] ευθυμία.
cheerfully (adv) [τσίαφουλι] γελαστά, εύθυμα, χαρωπά.
cheerily (adv) [τσίαριλι] κεφάτα, γελαστά.
cheeriness (n) [τσίαρινες] κέφι.
cheering (adj) [τσίαρινγκ] ενθαρρυντικός (n) επευφημία.
cheering up (n) [τσίαρινγκ απ] ενθάρρυνση.
cheerio (ex) [τσίριοου] γειά-χαρά!.
cheerless (adj) [τσίαρλες] άκεφος.
cheers! (ex) [τσίας] εβίβα!.
cheery (adj) [τσίιρι] κεφάτος.
cheese (n) [τσίιζ] τυρί.
cheesed (adj) [τσίιζ-ντ] αποκαρδιωμένος.
cheeseparing (n) [τσίιζπέαρινγκ] τσιγγουνιά (adj) τσιγγούνης.
cheesy (adj) [τσίιζι] τυρώδης.
chef (n) [σσεφ] αρχιμάγειρος.
chemical (n) [κέμικαλ] χημική ουσία, χημικό προϊόν (adj) χημικός.
chemise (n) [σσεμίιζ] φανέλα, προστατευτικό τείχος.
chemist (n) [κέμιστ] χημικός.
chemistry (n) [κέμιστρι] χημεία.
chemotherapy (n) [κιμοουθέραπι] χημειοθεραπεία.
chemurgy (n) [κέμουρτζι] γεωργική χημεία.
cheque (n) [τσεκ] επιταγή.
chequer (n) [τσέκερ] σχήμα σκακιέρας (v) διαφοροποιώ, ποικίλω.
cherish (v) [τσέρισς] τρέφω, θαυμάζω, αγαπώ.
cherished (adj) [τσέρισσ-ντ] χιλιάκριβος.
cheroot (n) [σσερούουτ] μικρό πούρο.
cherry (n) [τσέρι] κεράσι.
cherub (n) [τσέρα-μπ] χερουβείμ, αγγελούδι, ωραίο παιδί.
cherubic (adj) [τσερά-μπικ] χερουβικός, παχουλός, αθώος.
chesil (n) [τσέτζιλ] χαλίκια.
chess (n) [τσες] ζατρίκιο, σκάκι.

chess piece (n) [τσες πίις] πιόνι.
chessboard (n) [τσέσ-μπόο-ντ] σκακιέρα.
chessmen (n) [τσόσεμεν] τεμάχια, κομμάτια, πεσσοί του σκακιού.
chest (adj) [τσέστ] θωρακικός (n) μπαούλο, στέρνο, στήθος.
chestnut (n) [τσέστνάτ] κάστανο.
chevalier (n) [σσέβαλιεΐ] ιππότης.
chew (v) [τσιού] μασώ, στοχάζομαι (n) μάσημα.
chewing (n) [τσσούινγκ] μάσημα.
chiaroscuro (n) [κιααροσκούροου] φωτοσκίαση.
chiasmus (n) [καϊάζμας] χιασμός.
chic (n) [σσικ] κομψότητα (adj) κομψός, αριστοκρατικός, σικ.
chicane (n) [σσικέιν] δικολαβισμός (v) εξαπατώ.
chicanery (n) [σσικένερι] στρεψοδικία.
chichi (adj) [σσίισσι] εξεζητημένος.
chick (n) [τσσικ] νεοσσός, πιτσιρίκα.
chicken (n) [τσίκεν] όρνιθα, δειλός.
chicken coop (n) [τσίκεν κουπ] ορνιθώνας.
chicken-pox (n) [τσίκεν-πόξ] ανεμοβλογιά.
chickpea (n) [τσίκπίι] ρεβίθι.
chicle (n) [τσσικλ] τσίχλα, τσίκλα.
chicly (adv) [σσίκλι] κομψά, σικ.
chicory (n) [τσίκορι] ραδίκι.
chide (v) [τσσάι-ντ] μαλώνω.
chiding (n) [τσσάι-ντινγκ] κατσάδα.
chief (adj) [τσσίιφ] κορυφαίος, κύριος (n) προϊστάμενος ηγέτης.
chiefly (adv) [τσσίιφλι] κυρίως, προ παντός.
chieftain (n) [τσσίιφτεν] ηγέτης.
chieftaincy (n) [τσσίιφτεινσι] οπλαρχηγία.
chiffon (n) [σσίφον] σιφόν, τούλι.
chiffonier (n) [σσιφονία(ρ)] σιφονιέρα.
chignon (n) [σσίνιον] κότσος.
chilblain (n) [τσσίλ-μπλέιν] χιονίστρα.
child (n) [τσσάιλ-ντ] παιδί, γόνος.
childbearing (n) [τσσάιλ-ντ-μπέαρινγκ]

τεκνοποΐία.

childbed (n) [τσάιλ-ντ-μπε-ντ] λοχεία, τοκετός, γέννα.

childbirth (n) [τσάιλ-ντ-μπέρθ] γέννα.

childhood (n) [τσάιλ-ντχου-ντ] παιδική ηλικία.

childish (adj) [τσάιλ-ντισς] παιδικός.

childishly (adv) [τσάιλ-ντισσλι] παιδικά.

childishness (n) [τσάιλ-ντισσνες] παιδικότητα.

childless (adj) [τσάιλ-ντλές] άτεκνος, άκληρος, χωρίς απογόνους.

childlike (adj) [τσάιλ-ντλαϊκ] αθώος, ευθύς, ειλικρινής.

chiliasm (n) [κίλιαζμ] χιλιασμός.

chiliast (n) [κίλιαστ] χιλιαστής.

chill (n) [τσιλ] ρίγος, κρύο, μούδιασμα (v) κρυώνω (adj) κρύος, αυστηρός.

chilled (adj) [τσσιλ-ντ] παγωμένος.

chillily (adv) [τσσίλιλι] κρύα.

chilliness (n) [τσσίλινες] φρέσκο.

chilling (n) [τσσίλινγκ] ψύξη.

chillness (n) [τσσίλινες] ψύχος.

chilly (adj) [τσσίλι] κρύος.

chiloplasty (n) [κάιλόπλαστι] χειλεοπλαστία, χειλεοπλαστική.

chilopod (n) [κάιλόπο-ντ] χηλόποδα.

chime (n) [τσσάιμ] κτύπος, μελωδία, αρμονία (v) κτυπώ, συμφωνώ.

chimera (n) [κιμίαρα] ουτοπία.

chimerical (adj) [κιμίρικαλ] φανταστικός, απραγματοποίητος.

chiming (n) [τσσάιμινγκ] κωδωνοκρουσία.

chimney (n) [τσσίμνι] τσιμινιέρα.

chimp (n) [τσσιμ-π] χιμπατζής.

chimpanzee (n) [τσσίμ-πανζί] χιμπατζής.

chin (n) [τσσιν] πηγούνι.

china (n) [τσσάινα] πορσελάνη, είδος πορσελάνης, γυαλικά, πιατικά.

China (n) [Τσάινα] Κίνα.

chinaware (n) [τσσάιναουέα(ρ)] πορσελάνη (adj) πορσελάνινος.

chinchilla (n) [τσσιντσσίλα] τσιντσιλά.

chine (n) [τσσάιν] φαράγγι, ράχη (v) κόβω.

Chinese (adj) [Τσάινίζ] κινέζικος (n) Κινέζος, κινέζικα.

chink (n) [τσσινκ] σχισμή, κουδούνισμα, λεφτά (v) κτυπώ, τσουγκρίζω.

chinstrap (n) [τσσίνστραπ] υποσιάγονο.

chintz (n) [τσσιν-τς] κρετόν.

chinwag (n) [τσσίνουαγκ] ψιλοκουβέντα.

chip (n) [τσσιπ] σκλήθρα (v) πελεκώ.

chip in (v) [τσσιπ ιν] συνεισφέρω.

chip-board (n) [τσσίπ-μποο-ντ] νοβοπάν.

chipper (adj) [τσσίπα(ρ)] ζωηρός.

chippings (n) [τσσίπινγκς] χαλίκι.

chippy (adj) [τσσίπι] ανιαρός.

chiromancy (n) [κάιρομανσι] χειρομαντεία.

chiropodist (n) [κιρόπο-ντιστ] θεραπευτής κάλων, πεντικιουρίστας.

chiropractic (n) [καϊροπράκτικ] χειροπρακτική.

chirp (v) [τσσερπ] κελανδώ (n) πτύβισμα.

chirping (n) [τσσέρπινγκ] κελάδημα.

chirpy (adj) [τσσέρπι] αλέγρος.

chirr (v) [τσσερ] τρίζω (n) τερετισμός.

chirrup (v) [τσσίραπ] κελαϊδώ (n) τερετισμός.

chirrupy (adj) [τσσίραπι] ζωηρός.

chirurgeon (n) [καϊρέρτζον] χειρούργος.

chisel (n) [τσσιζλ] κοπίδι, καλέμι, τομέας (v) λαξεύω, σκάβω.

chit (n) [τσσιτ] νιάνιαρο, επιστολή.

chit-chat (n) [τσσιτ-τσσατ] κουβεντολόι.

chiton (n) [κάιτον] χιτώνας, χιτών.

chivalric (adj) [σσίβαλρικ] γενναίος.

chivalrous (adj) [σσίβαλρας] προστατευτικός, γενναίος.

chivalrousness (n) [σσίβαλρασνες] ιπποτισμός, ευγένεια.

chivalry (n) [σσίβαλρι] ιπποσύνη.

chivy (v) [τσσίβι] κυνηγώ, γκρινιάζω (n) αμπάριζα.

chloral (n) [κλόραλ] χλωράλη.

chloric (adj) [κλόρικ] χλωρικός.
chloride (n) [κλόράι-ντ] χλώριο.
chlorine (n) [κλόρίιν] χλώριο.
chlorites (n) [κλόραϊτς] χλωρίτες.
chloroform (n) [κλόροφόομ] χλωρο-
φόρμιο (v) χλωροφορμίζω.
chlorophyll (n) [κλόροφίλ] χλωροφύλλη.
chlorotic (adj) [κλορότικ] χλωρωτικός.
chock (n) [τσοοκ] τάκος, σφήνα.
chocolate (n) [τσοκόλιτ] σοκολάτα (adj)
σοκολατένιος, σοκολατής.
choice (adj) [τσόις] διαλεχτός (n) εκλογή.
choicely (adv) [τσόοιολι] εκλεκτικά.
choiceness (n) [τσόοισνες] υπεροχή.
choir (n) [κουάια(ρ)] χορωδία.
choke (v) [τσόουκ] φράσσω (n) φυλα-
κή.
choler (n) [κόλα(ρ)] οργή, θυμός.
cholera (n) [κόλερα] χολέρα [ιατρ].
choleric (adj) [κολέρικ] θυμώδης, χολερικός.
cholesterol (n) [κολέστερόλ] χοληστερίνη.
choline (n) [κόουλιιν] χολίνη.
choose (v) [τσοούουζ] διαλέγω.
choosy (adj) [τσοούουζι] μίζερος.
chop (n) [τσοπ] τσεκουριά, μπριζόλα
(v) κόβω, μεταπίπτω.
choppy (adj) [τσόπι] κυματώδης.
choral (adj) [κόοράλ] χορωδιακός.
chorale (n) [κοράλ] χορικό.
chord (n) [κόο-ντ] χορδή.
chore (n) [τσόο(ρ)] αγγαρεία.
choreographer (n) [κοριόγκραφα(ρ)]
χορογράφος.
choreography (n) [κοριόγκραφι] χορο-
γραφία.
choric (adj) [κόρικ] χορικός.
chorion (n) [κόριον] χόριο [ανατ].
chorology (n) [κορόλοντζζι] χωρολο-
γία, βιογεωγραφία.
chortle (v) [τσοοοτλ] γελώ.
chorus (n) [κόορας] χορωδία.
chose (n) [τσόουζ] αντικείμενο.

chosen (adj) [τσόοουζεν] διαλεκτός.
chough (n) [τσαφ] καλιακούδα.
chrism (n) [κριζμ] χρίσμα.
chrisom (n) [κρίζαμ] χρίσμα,.
Christ (n) [Κράιστ] Χριστός.
Christadelphian (n) [κριστα-ντέλφιαν]
χριστάδελφος.
christen (v) [κρισν] βαπτίζω.
Christendom (n) [κρίσν-ντόμ] χριστια-
νοσύνη.
christening (n) [κρίσνινγκ] βάφτιση.
Christian (n) [κρίστιαν] Χριστιανός
(adj) χριστιανικός.
Christianity (n) [κριστιάντι] χριστιανισμός.
Christmas (n) [κρίσμας] Χριστούγεννα
(adj) χριστουγεννιάτικος.
chromatic (adj) [κρομάτικ] χρωματικός.
chromatics (n) [κρομάτικς] χρωματική.
chromatid (n) [κρόουματι-ντ] χρωματίδιο.
chromatin (n) [κρόουματιν] χρωματίνη.
chrome (n) [κρόουμ] χρώμιο.
chromic (adj) [κρόουσμικ] χρωμικός.
chromite (n) [κρόουμαϊτ] χρωμίτης.
chromium (n) [κρόουμιαμι] χρώμιο.
chromolithography (n) [κροουμολιθό-
γκραφι] χρωμολιθογραφία.
chromosome (n) [κρόουμασόουμ]
χρωματόσωμα.
chromosphere (n) [κρόουμασφια(ρ)]
χρωμόσφαιρα.
chronic (adj) [κρόνικ] χρόνιος.
chronically (adv) [κρόνικλι] χρόνια.
chronicity (n) [κρονίσιτι] χρονιότητα.
chronicle (n) [κρόνικλ] χρονικό (v) εξι-
στορώ.
chronicler (n) [κρόνικλα(ρ)] χρονικο-
γράφος.
chronography (n) [κρονόγκραφι] χρο-
νογραφία.
chronologer (n) [κρονόλοντζζα(ρ)]
χρονολόγος.
chronological (adj) [κρονολόντζζικαλ]

χρονολογικός.
chronology (n) [κρονόλοντζι] χρονολογία.
chrysalis (n) [κρίσαλις] χρυσαλλίδα.
chrysanthemum (n) [κρισάνθεμαμ] χρυσάνθεμο.
chryselephantine (n) [κρισελιφάν-τιν] χρυσελεφάντινος.
chrysolite (n) [κρίσολαΐτ] χρυσόλιθος.
chthonian (n) [θθόουνιαν] υποχθόνιος.
chub (n) [τσσα-μπ] ασπρόψαρο.
chubby (adj) [τσσά-μπι] στρουμπουλός.
chuck (v) [τσσακ] αφήνω, ρίχνω, πετώ (n) ρίψη, τσοκ, σφικτήρας τόρνου.
chuckle (n) [τσσακλ] καγχασμός (v) κρυφογελώ, χαιρεκακώ.
chug (v) [τσσαγκ] αγκομαχώ, λαχανιάζω.
chum (n) [τσσαμ] παλιόφιλος (v) συγκατοικώ, συνοικώ.
chumy (n) [τσσάμι] φιλικός.
chunk (n) [τσσανκ] τεμάχιο.
chunky (adj) [τσσάνκι] κοντόχοντρος.
church (n) [τσσερτος] ναός (v) εκκλησιάζω.
church service (n) [τσσερτος σέρβις] ακολουθία [εκκλ].
church-goer (n) [τσσερτος-γκόουα(ρ)] εκκλησιαζόμενος.
churchwarden (n) [τσσερτσουόρ-ντεν] εκκλησιαστικός επίτροπος.
churchyard (n) [τσσέρτσσιαα-ντ] νεκροταφείο, κοιμητήριο.
churl (n) [τσσερλ] τσιγγούνης,μούργος.
churlish (adj) [τσσέρλισς] αγροίκος.
churlishly (adv) [τσσέρλισσλι] δύστροπα.
churlishness (n) [τσσέρλισσνες] βαναυσότητα.
churn (v) [τσσερν] βουτυροποιώ (n) βούτπ.
churning (n) [τσσέρνινγκ] δαρμός.
chute (n) [τσσιούτ] τσουλήθρα.
chutney (n) [τσσιάτ-νι] τουρσί.
chyle (n) [κάιλ] χυλός.
chylification (n) [καϊλιφικέισσον] χυλοποίηση.

chyme (n) [κάιμ] χυμός.
ciborium (n) [σι-μπόριαμ] αρτοφόριο, δισκοπότηρο.
cicada (n) [σικάα-ντα] τζίτζικας.
cicadae (n) [σικέι-ντα] τζίτζικας.
cicala (n) [σικάαλα] ακρίδα.
cicatrice (n) [σίκατριις] ουλή.
cicatrix (n) [σίκατρικς] ουλή.
cicatrization (n) [σίκατραΐζέισσον] επούλωση.
cicatrize (v) [σίκατραΐζ] επουλώνω.
cicerone (n) [τσσιτσσερόουνι] ξεναγός.
cider (n) [σάι-ντα(ρ)] μηλίτης.
cigar (n) [σιγκάα(ρ)] πούρο.
cigarette (n) [σίγκαρέτ] τσιγάρο.
cilia (n) [σίλια] βλεφαρίδες.
ciliary (adj) [σίλιαρι] βλεφαρικός.
ciliate (adj) [σίλιεΐτ] βλεφαριδωτός, τριχοφόρος.
cilice (n) [σίλις] κιλίκιο, ύφασμα από τρίχες κατσίκας.
cimmerian (adj) [σιμίριαν] κατασκότεινος.
cinch (n) [σιντος] καταζώστης, έποχο, ίγκλα (v) στριμώχνω [μεταφ].
cincture (n) [σίνκτσσα(ρ)] τείχος, ζώνη, (v) ζώνω, περιζώνω.
cinders (n) [σίν-νταζ] στάκτη.
cinecamera (n) [σινικάμερα] κινηματογραφική μηχανή λήψεως, κάμερα.
cinema (n) [σίνεμα] σινεμά.
cinematic (adj) [σίνιμάτικ] κινηματογραφικός.
cinematography (n) [σινιματόγκραφι] κινηματογραφία.
cinemicrography (n) [σινιμαϊκρόγκραφι] κινηματομικρογραφία.
cinereous (adj) [σινίαριας] σταχτής.
cinnamon (n) [σίναμον] κανέλα.
cipher (n) [σάιφα(ρ)] τζίφρα, μηδέν (v) λογαριάζω, κρυπτογραφώ.
circa (adv) [σέρκα] περίπου.
circle (n) [σερκλ] κύκλος (v) περικλύω.

circlet (n) [σέρκλιτ] μικρός κύκλος.

circling (adj) [σέρκλινγκ] περιστρεφόμενος.

circs (n) [σερκς] συνθήκες.

circuit (n) [σέρκιτ] περίμετρος, περιφέρεια, έκδοση (v) περιτρέχω.

circuitry (n) [σέρκιτρι] κύκλωμα.

circular (adj) [σέρκιουλα(ρ)] κυκλικός.

circularity (n) [σέρκιουλάριτι] κυκλικότητα.

circularize (v) [σέρκιουλαράιζ] αποστέλλω εγκύκλιο.

circulate (v) [σέρκιουλέιτ] διαδίδω, κυκλοφορώ, εκδίδω.

circulating (adj) [σέρκιουλέιτινγκ] κυκλοφορών.

circulation (n) [σερκιουλέισσον] κυκλοφορία, διανομή, έκδοση.

circulatory (adj) [σερκιουλέιτορι] κυκλοφοριακός.

circumambulate (v) [σερκαμάμ-μπιουλέιτ] περιφέρομαι.

circumcise (v) [σέρκομσαϊζ] περιτέμνω.

circumcision (n) [σερκαμσίζζον] περιτομή.

circumference (n) [σέρκάμφερανς] περιφέρεια, περίμετρος.

circumferential (adj) [σερκαμφερένσολ] περιφερειακός.

circumflexion (n) [σέρκαμφλέκσσον] κάμψη.

circumnavigate (v) [σέρκαμνάβιγκέιτ] περιπλέω.

circumnavigation (n) [σέρκαμνάβιγκέισσον] περίπλους.

circumpolar (adj) [σέρκαμ-πόουλα(ρ)] αειφανής.

circumscribe (v) [σερκαμσκράι-μπ] περιγράφω, περικλύω.

circumscription (n) [σερκαμσκρίπσσον] καθορισμός.

circumspect (adj) [σέρκαμσπέκτ] προσεκτικός, επιφυλακτικός.

circumspection (n) [σέρκαμσπέκσσον] προσοχή, επιφύλαξη.

circumstance (n) [σέρκαμστάανς] συμβάν.

circumstantial (adj) [σερκαμστάανσσιαλ] λεπτομερής, τυχαίος, έμμεσος.

circumstantiate (v) [σερκαμστάνσσιέιτ] στηρίζω με βάση ενδείξεις.

circumvent (v) [σέρκαμβέν-τ] εξαπατώ, καταστρατηγώ.

circumvolution (n) [σερκαμβολούσον] κυκλοφορία, διανομή, έκδοση, στροφή.

circus (n) [σέρκας] τσίρκο.

cirrhosis (n) [σιρόουσις] κίρρωση.

cirrose (adj) [σίροους] θυσανοειδής.

cirrus (adj) [σίρας] θυσανοειδής, (n) έλιξ.

cistern (n) [σίστερν] δεξαμενή.

cistus (n) [σίστας] αγριοφασκομηλιά.

citadel (n) [σίτα-ντελ] ακρόπολη.

citation (n) [σαϊτέισσον] παραπομπή, μνεία, απόσπασμα, κλήση.

cite (v) [σάιτ] προσκομίζω, αναφέρω.

citer (n) [σάιτε(ρ)] κατήγορος.

cithara (n) [σίθαρα] κιθάρα.

citified (adj) [σίτιφάι-ντ] αστικοποιημένος.

citizen (n) [σίτιζεν] αστός.

citizenship (n) [σίτιζενσσιπ] υπηκοότητα, ιθαγένεια.

citrate (n) [σίτρεϊτ] κιτρικό άλας.

citric (adj) [σίτρικ] κιτρικός.

citrine (adj) [σίτριν] κίτρινος, (n) κιτρίνης.

citron (n) [σίτρον] κίτρο.

citrous (adj) [σίτρας] εσπεριδοειδής.

citrus (n) [σίτρας] κίτρος [βοτ].

city (n) [σίτι] άστυ, πόλη.

city hall (n) [σίτι χόολ] δημαρχείο.

civic (adj) [σίβικ] αστικός.

civics (n) [σίβικς] αγωγή του πολίτη.

civil (adj) [σίβιλ] ανθρώπινος, ευγενής.

civil guard (n) [σίβιλ γκάα-ντ] πολιτοφύλακας, πολιτοφυλακή.

civil servant (n) [σίβιλ σέρβαν-τ] δημόσιος υπάλληλος.

civil war (n) [σίβιλ ουόο(ρ)] εμφύλιος πόλεμος.

civilian (adj) [σιβίλιαν] πολιτικός (n) πολίτης, ιδιώτης.

civility (n) [σιβίλιτι] ευγένεια, ανθρωπιά.

civilization (n) [σιβιλαϊζέισσον] πολιτισμός.

civilize (v) [σίβιλάιζ] εκπολιτίζω.

clack (n) [κλακ] κτύπημα, φλυαρία, (v) κροτώ, φλυαρώ.

clad (adj) [κλα-ντ] ενδεδυμένος.

claim (n) [κλέιμ] τίτλος, δικαίωμα, α-παίτηση (v) αξιώνω, απαιτώ, διεκδικώ.

claimant (n) [κλέιμαν-τ] διεκδικητής, ε-νάγων, μνηστήρας.

clam (n) [κλαμ] αχιβάδα, μύδι, χτένι, στρείδι, ολιγόλογος.

clamant (adj) [κλέιμαν-τ] κραυγαλέος.

clamber (v) [κλάμ-μπερ] αναρριχώμαι (n) σκαρφάλωμα.

clammy (adj) [κλάμι] υγρός, ιδρωμένος.

clamorous (adj) [κλάμορας] κραυγαλέος.

clamorously (adv) [κλάμορασλι] κραυ-γαλέα, θορυβωδώς.

clamour (n) [κλάμα(ρ)] θόρυβος (v) φωνασκώ.

clamp (n) [κλαμ-π] μάγκανο, λαβίδα (v) σφίγγω, αρπάζω, καταπιέζω.

clamper (n) [κλάμ-πα(ρ)] τεχνίτης καρ-φωτής, πέταλο.

clan (n) [κλαν] γενιά, φυλή, κλίκα (v) συσπειρώνομαι.

clandestine (adj) [κλαν-ντέστιν] κρυφός.

clang (n) [κλανγκ] κρότος, αντίχηση (v) αντηχώ, συνηχώ, κροτώ.

clank (n) [κλανκ] κρότος (v) κροτώ.

clannish (adj) [κλάνιος] πατρώος.

clap (v) [κλαπ] κροτώ, κολλώ, κλείνω (n) κρότος, παλαμάκια, γλώσσα, πλήκτρο.

clapboard (n) [κλάπ-μποο-ντ] σανίδα.

clapper (n) [κλάπα(ρ)] χειροκροτών, κρόταλο, ροκάνα.

clapping (n) [κλάπινγκ] παλαμάκια.

claptrap (n) [κλάπτραπ] φλυαρία.

claque (n) [κλακ] κλάκα.

claret (n) [κλάρετ] κόκκινο κρασί (adj) μπορντώ, ερυθρός.

clarification (n) [κλαριφικέισσον] δια-σαφήνιση, διασάφηση.

clarify (v) [κλάριφάι] αποσαφηνίζω, διασαφηνίζω, επεξηγώ.

clarinet (n) [κλαρινέτ] κλαρίνο.

clarion (adj) [κλάριον] διαυγής, ηχηρός (n) σάλπιγκα.

clash (n) [κλασς] κρότος, σύγκρουση, συμπλοκή (v) κρούω, συγκρούω.

clasp (n) [κλαασπ] πόρπη (v) θηλυκώνω.

class (adj) [κλάας] ταξικός (n) είδος, γέ-νος, τάξη (v) ταξινομώ.

classical (adj) [κλάσικαλ] κλασικός.

classifiable (adj) [κλασιφάια-μπλ] ταξι-νομήσιμος, κατατακτέος.

classification (n) [κλάσιφικέισσον] κα-τάταξη, ταξινόμηση, υπαγωγή.

classified (adj) [κλάσιφαϊ-ντ] ταξινομη-μένος, απόρρητος.

classify (v) [κλάσιφαΐ] κατατάσσω.

classily (adv) [κλάασιλι] κομψά.

classiness (n) [κλάασινις] αριστοκρατι-κότητα, κομψότητα.

classless (adj) [κλάασλες] αταξικός.

classy (adj) [κλάασι] κομψός.

clatter (v) [κλάτα(ρ)] κτυπώ, κινούμαι, φλυαρώ (n) σαματάς, φασαρία.

clause (n) [κλόοζ] άρθρο, πρόταση, ρήτρα.

claustrophobia (n) [κλόστροφόμπια] κλειστοφοβία.

clavicle (n) [κλάβικλ] κλεις.

clavier (n) [κλάβια(ρ)] πιάνο.

claviform (adj) [κλάβιφοομ] ροπαλοει-δής, κορινοειδής.

claw (n) [κλόο] δαγκάνα, νύχι [ζώου] (v) σχίζω, αρπάζω, γδέρνω.

clawed (adj) [κλόο-ντ] νυχάτος.

clay (n) [κλέι] άργιλος, πηλός (v) αναμι-γνύω με πηλό.

clayey (adj) [κλέιι] πηλώδης, θνητός.

clean (adj) [κλίιν] καθαρός, άγραφος (v) καθαρίζω (adv) απόλυτα, τέλεια.

cleaner (n) [κλίινερ] καθαριστής.

cleaning (n) [κλίινινγκ] καθαρισμός (adj) καθαριστικός.

cleanliness (n) [κλένλινες] πάστρα.

cleanly (adv) [κλίινλι] καθαρά.

cleanness (n) [κλίινες] κάθαρση.

cleanse (v) [κλένζ] εξαγνίζω.

cleansing (n) [κλένζινγκ] κάθαρση (adj) απορρυπαντικός.

clear (adj) [κλία(ρ)] καθαρός (v) καθαρίζω (adv) φανερά, τελείως, μακριά.

clear away (v) [κλία(ρ) αγουέι] ξεστρώνω [τραπέζι].

clear of (adj) [κλία(ρ) οβ] απαλλαγμένος.

clear out (v) [κλία(ρ) άουτ] εκκαθαρίζω, ξεκουμπίζομαι.

clear up (v) [κλία(ρ) απ] διαλευκαίνω, εξακριβώνω, ξανοίγω.

clearage (n) [κλίαριντζζ] εκχέρσωση.

clearance (n) [κλίαρανς] καθαρισμός, εκχέρσωση, τζόγος, παίξιμο.

clearcole (n) [κλίακοουλ] κολλάρισμα.

clearing (n) [κλίαρινγκ] ξέφωτο, καθάρισμα, συμψηφισμός, εκτελωνισμός.

clearly (adv) [κλίαλι] καθαρά, σίγουρα.

clearness (n) [κλίανες] καθαρότητα, διαύγεια, σαφήνεια.

clearway (n) [κλία(ρ)ουέι] οδός απαγορεύεται η στάθμευση.

cleat (n) [κλίτ] τάκος, σφήνα, δέστρα (v) στερεώνω με τάκο.

cleavage (n) [κλίβιντζζ] ρωγμή, σχίσιμο.

cleave (v) [κλίβ] σκίζω, σχίζω.

cleaver (n) [κλίίβα(ρ)] μπαλτάς.

cleavers (n) [κλίίβερς] κολλητσίδα [βοτ].

cleek (n) [κλίικ] γάντζος, ρόπαλο.

clef (n) [κλεφ] κλειδί [μουσ].

deft (n) [κλεφτ] χαραμάδα (adj) σχιστός.

cleft-graft (v) [κλέφτ-γκραφτ] εγκεντρίζω, εμβολιάζω [δέντρο].

cleft-palate (n) [κλεφτ-πάλατ] λυκόστομα.

cleg (n) [κλεγκ] αλογόμυγα.

clem (v) [κλεμ] λιμοκτονώ.

clematis (n) [κλέματις] κληματίς.

clemency (n) [κλέμενσι] επιείκεια.

clement (adj) [κλέμεν-τ] επιεικής.

dench (v) [κλεν-τσ] σφίγγω, στερεώνω.

clergy (n) [κλέρντζ[ι] ιερατείο.

clergyman (n) [κλέρντζζιμαν] κληρικός.

cleric (adj) [κλέρικ] κληρικός.

clerical (adj) [κλέρικαλ] ιερατικός.

clerk (n) [κλερκ] γραφέας, κλητήρας, υπάλληλος (v) είμαι γραμματέας.

clever (adj) [κλέβα(ρ)] έξυπνος, δεινός.

cleverish (adj) [κλέβερισς] εξυπνούλης.

cleverly (adv) [κλέβαλι] έξυπνα.

cleverness (n) [κλέβανες] ευφυΐα.

clevis (n) [κλέβις] αγκύλιο.

clew (n) [κλούου] κουβάρι νημάτος (v) κουβαριάζω, νετάρω.

cliche (n) [κλισσέι] κοινοτυπία, στερεότυπο, τσιγκογραφία.

click (v) [κλικ] κτυπώ, κάνω κλικ.

clicker (n) [κλίκα(ρ)] αρχιστοιχειοθέτης.

client (n) [κλάιεν-τ] εντολοδότης.

clientele (n) [κλαϊεν-τέλ] πελατεία.

cliff (n) [κλιφ] γκρεμός, κρημνός.

climate (n) [κλάιμετ] κλίμα.

climatic (adj) [κλαϊμάτικ] κλιματικός.

climatize (v) [κλάιματαϊζ] εγκλιματίζω.

climatology (n) [κλαϊματόλοντζζι] κλιματολογία.

climax (n) [κλάιμαξ] αποκορύφωμα, κλίμακα [ρητ].

climb (v) [κλάιμ] ανεβαίνω, (n) ανάβαση.

climbable (adj) [κλάιμα-μπλ] αναβάσιμος.

climber (n) [κλάιμα(ρ)] ορειβάτης.

climbing (n) [κλάιμινγκ] αναρρίχηση, ορειβασία (adj) ανερχόμενος.

climbing vine (n) [κλάιμινγκ βάιν] κληματαριά.

clime (n) [κλάιμ] κλίμα, τόπος.

clinch (v) [κλιντσ] σφίγγω, στερεώνω, καρφώνω, πιάνομαι (n) σφίξιμο, λαβή.

clincher (n) [κλίντσσα(ρ)] ακαταμάχητο επιχείρημα.

cling (v) [κλίνγκ] κολλώ, πιάνομαι.

clinging (adj) [κλίνγκινγκ] επίμονος.

clingingly (adv) [κλίνγκινγκλι] προσκολλημένα, επίμονα.

clingy (adj) [κλίνγκι] κολλώδης.

clinic (n) [κλίνικ] κλινική.

clinical (adj) [κλίνικαλ] κλινικός.

clinically (adv) [κλίνικαλι] κλινικά.

clink (n) [κλινκ] κουδούνισμα (v) κροταλίζω.

clint (n) [κλιν-τ] πυρολιθικός βράχος.

clip (n) [κλιπ] σούστα, κοπή, φάπα (v) ακροτομώ, συνδέω, σφίγγω, τρυπώ, κτυπώ.

clip-joint (n) [κλίπ-ντζζοϊν-τ] κέντρο διασκέδασης πολύ ακριβό.

clipper (n) [κλίπα(ρ)] κουρέας ζώων, νομισματοκόπος, επιβατηγό αεροσκάφος, ταχύπλοο ιστιοφόρο.

clippers (n) [κλίπερς] κλαδευτική ψαλίδα.

clipping (n) [κλίπινγκ] κούρεμα.

clique (n) [κλικ] σπείρα [ομάδα], κλίκα.

cliquish (adj) [κλίκιος] της κλίκας.

clitoris (n) [κλίτερις] κλειτορίδα.

cloaca (n) [κλοουέικα] οχετός.

cloacal (adj) [κλοουέικαλ] περιττωματικός.

cloak (n) [κλόουκ] επενδυτής, μανδύας (v) συγκαλύπτω.

cloakroom (n) [κλόουκρουμ] ιματιοθήκη.

clobber (n) [κλό-μπα(ρ)] κόλλα μαύρη, ρούχα, εφόδια (v) ρίχνομαι, συντρίβω.

clock (n) [κλοκ] ρολόι, μπαγκέτα (adj) ωρολογιακός (v) χρονομετρώ.

clockmaker (n) [κλόκμέικερ] ρολογάς.

clockwise (adj) [κλόκουάιζ] κατά την φορά των δεικτών του ωρολογιού.

clod (n) [κλο-ντ] βόλος, σβώλος.

clodhopper (adj) [κλό-ντχόπα(ρ)] αγροίκος, χωριάτης, αδέξιος.

clog (n) [κλογκ] τσόκαρο, εμπόδιο, βάρος (v) εμποδίζω, φράσσω, γεμίζω.

cloister (n) [κλόιστα(ρ)] μονή (v) μονάζω.

cloistered (adj) [κλόιστα-ντ] μονάζων.

cloistral (adj) [κλόιστραλ] μοναστικός.

clone (n) [κλόουν] κλώνος [βιολ].

clop (n) [κλοπ] ποδοβολητό.

close (adj) [κλόουσ] πυκνός (pr) παρά (v) κλείω (n) αυλή, τέλος (adv) κοντά.

close-up (n) [κλόους-απ] πρώτο πλάνο.

closed (adj) [κλόουζ-ντ] κλειστός.

closely (adv) [κλόουσλι] κάργα, επισταμένως, λεπτομερώς, πυκνά.

closeness (n) [κλόουσνες] οικειότητα, στενότητα, εγγύτητα.

closer (adv) [κλόουσα(ρ)] παραδώθε (adj) πλησιέστερος.

closet (n) [κλόζιτ] καμαράκι.

closing (n) [κλόουζινγκ] κλείσιμο.

closing day (n) [κλόουζινγκ ντέι] αργία.

clot (n) [κλοτ] θρόμβος (v) πήζω.

cloth (n) [κλοθ] πανί, ρούχο.

clothe (v) [κλόουδ] ενδύω, ντύνω.

clothes (n) [κλόουδζ] ένδυμα.

clothes brush (n) [κλόουδζ μπρασς] βούρτσα.

clothes line (n) [κλόουδζ λάιν] σκοινί απλώματος ρούχων, σχοινί.

clothes peg (n) [κλόουδζ πεγκ] μανταλάκι.

clothing (n) [κλόουδινγκ] ενδύματα.

clotted (adj) [κλότι-ντ] πηγμένος.

cloud (n) [κλάου-ντ] σύννεφο (v) συννεφιάζω.

cloud burst (n) [κλάου-ντ-μπέρστ] μπόρα.

cloud over (v) [κλάου-ντ όουβα(ρ)] επισκιάζω, σκοτεινιάζω.

cloudberry (n) [κλάου-ντ-μπερι] άγριο βατόμουρο [βοτ].

clouded (adj) [κλάου-ντι-ντ] νεφελώδης.

cloudiness (n) [κλάου-ντινες] συννεφιά.

cloudless (adj) [κλάου-ντλες] ανέφελος.

cloudlet (n) [κλάου-ντλετ] συννεφάκι.

cloudy (adj) [κλάου-ντι] θαμπός.

clout (n) [κλάουτ] μπάλωμα, χαστούκι (v) καρπαζώνω, μπαλώνω, πεταλώνω.

clout nail (n) [κλάουτνεϊλ] πλατυκέφαλο κοντό καρφί.

clove (n) [κλόουβ] γαρύφαλλο, σκελίδα.

clove of garlic (n) [κλόουβ οβ γκάαλικ] σκελίδα σκόρδου [βοτ].

cloven (adj) [κλόουβεν] διχαλωτός.

clover (n) [κλόουβα(ρ)] τριφύλλι.

clown (n) [κλάουν] κλόουν.

clownery (n) [κλάουνερι] χωριατιά.

clowning (n) [κλάουνιννγκ] γελοία συμπεριφορά, καραγκιοζιλίκια.

clownish (adj) [κλάουνισς] άξεστος.

cloy (v) [κλόι] μπουχτίζω.

club (n) [κλα-μπ] κλομπ, όμιλος, ρόπαλο (v) οργανώνω, συμμετέχω.

clubable (adj) [κλά-μπα-μπλ] κοινωνικός.

clubbed (adj) [κλά-μπ-ντ] σχήματος ροπάλου.

cluck (v) [κλακ] κακαρίζω (n) κακάρισμα.

clue (n) [κλου] ένδειξη, ίχνος.

clueless (adj) [κλούουλες] ανίδεος.

clump (n) [κλαμπ] όγκος (v) μαζεύω, κτυπώ.

clumsiness (n) [κλάμζινες] αδεξιότητα.

clumsy (adj) [κλάμζι] αδέξιος.

cluster (n) [κλάστα(ρ)] ομάδα, όμιλος, τούφα, τσαμπί, (v) αρμαθιάζω.

clustered (adj) [κλάστα-ντ] συγκεντρωμένος.

clutch (n) [κλατσς] ομάδα, δέσμη, πιάσιμο, συμπλέκτης (v) πιάνω, κλωσσώ.

clutter (n) [κλάτα(ρ)] σωρός (v) βρωμίζω.

clyster (n) [κλίστα(ρ)] κλύσμα.

co-axial (adj) [κόου-άκσιαλ] ομοαξονικός.

co-belligerent (adj) [κόου-μπελίντζερεν-τ] συνεμπόλεμος (n) συνεμπόλεμος.

co-operative (n) [κόου-όπερατιβ] κοινοπραξία.

co-partner (n) [κόου-πάατνα(ρ)] συνέταιρος.

co-pilot (n) [κόου-πάιλοτ] συγκυβερνήτης.

co-signatory (adj) [κόου-σίγκνατρι] συνυπογράφων.

co-star (v) [κόου-σταα(ρ)] συμπρωταγωνιστώ.

coach (n) [κόουτσς] αμάξι, βαγόνι, προπονητής (v) πηγαίνω με αμαξι, προπονώ.

coach-house (n) [κόουτσσ-χάους] αμαξοστάσιο.

coach-office (n) [κόουτσσ-οφις] πρακτορείο λεωφορείων.

coach-work (n) [κόουτσσ-ουέρκ] κατασκευή αμαξωμάτων.

coachbuilder (n) [κόουτσσ-μπίλ-ντερ] αμαξοποιός, κατασκευαστής.

coaching (n) [κόουτσσιννγκ] φροντιστήριο.

coachman (n) [κόουτσσμαν] αμαξάς.

coaction (n) [κόουάκσσον] αλληλενέργεια.

coadjutant (adj) [κοουάντζζαταν-τ] αλληλοβοηθητικός (n) βοηθός.

coadjutor (n) [κοουάντζζουτο(ρ)] βοηθός, τοποτηρητής αρχιερέως.

coagulant (n) [κοουάγκουλαν-τ] πηκτικό.

coagulate (v) [κοουάγκιουλεϊτ] πήζω.

coagulated (adj) [κοουάγκιουλέιτι-ντ] πηχτός.

coagulation (n) [κοουαγκιουλέισσον] πήξη.

coaita (adj) [κόουαϊτα] ατελής ο πανίσκος [ζωολ], πίθηκος.

coal (n) [κόουλ] άνθρακας, κάρβουνο (v) ανθρακεύω.

coal-gas (n) [κόουλ-γκας] ανθρακαέριο, φωταέριο, γκάζι.

coal-mine (n) [κόουλ-μάιν] ανθρακωρυχείο.

coal-pit (n) [κόουλ-πιτ] ανθρακωρυχείο.

coal-screen (n) [κόουλ-σκριιν] ανθρακοκόσκινο.

coal-tar (n) [κόουλ-ταα(ρ)] ανθρακόπισσα, πίσσα, ανθρακάσφαλτος.

coaler (n) [κόουλερ] καρβουνιάρης.

coalesce (v) [κοουαλές] συγκολλώμαι, συμφύομαι, συγχωνεύομαι.

coalescence (n) [κοουαλέσενς] συνασπισμός.

coalfield (n) [κόουλφιιλ-ντ] ανθρακοφόρα περιοχή, κοίτασμα.

coaling (n) [κόουλινγκ] ανθράκευση.

coalition (n) [κόαλίσσον] συμμαχία.

coalman (n) [κόουλμαν] καρβουνιάρης.

coalminer (n) [κόουλμάινα(ρ)] ανθρακωρύχος.

coarse (adj) [κόος] τραχύς, χυδαίος.

coarsely (adv) [κόοσλι] χυδαία.

coarsen (v) [κόοσεν] προστυχεύω.

coarseness (n) [κόοσνες] χυδαιότητα, προστυχιά.

coast (n) [κόουστ] ακτή, παραλία (v) παραπλέω, κατηφορίζω, τσουλάω.

coastal (adj) [κόουσταλ] παραθαλάσσιος.

coastal shipping (n) [κόουσταλ σσίπινγκ] ακτοπλοΐα.

coastguard (n) [κόουστγκάα-ντ] ακτοφυλακή.

coat (n) [κόουτ] παλτό, μαλλί, επίστρωση, μεμβράνη (v) επενδύω, ντύνω.

coat of arms (n) [κόουτ οβ άαμζ] θυρεός.

coat-armour (n) [κόουτ-άαμα(ρ)] θυρεός.

coatee (n) [κοουτίι] ζακέττα.

coating (n) [κόουτινγκ] επένδυση.

coax (v) [κόουξ] κολακεύω (n) κόλακας.

coaxer (n) [κόουαξε(ρ)] κόλακας.

coaxingly (adv) [κόουξινγκλι] γαλίφικα.

cob (n) [κο-μπ] τεμάχιο, πλιθιά, γλάρος, καλαμπόκι (v) ρίχνω, κτυπώ, κοπανώ.

cob-loaf (n) [κό-μπ-λοουφ] καρβέλι ψωμί.

cobalt (n) [κόου-μπoolτ] κοβάλτιο.

cobble (n) [κο-μπλ] βότσαλο, άτεχνο μπάλωμα (v) λιθοστρώνω, μπαλώνω.

cobbler (n) [κό-μπλα(ρ)] μπαλωματής.

cobblestone (n) [κό-μπλστοουν] κροκάλη.

cobbly (adj) [κό-μπλι] λιθόστρωτος, ανώμαλος, κακοστρωμένος.

cobra (n) [κόου-μπρα] κόμπρα.

cobweb (n) [κό-μπουε-μπ] αράχνη.

coca (n) [κόουκα] κόκα [φαρμακ].

cocaine (n) [κόουκέιν] κοκαΐνη.

cocainism (n) [κοουκέινιζμ] κοκαϊνομανία, κοκαϊνισμός.

cocainist (n) [κοουκέινιστ] κοκαϊνομανής.

coccus (n) [κόκας] κόκκος.

coccyx (n) [κόκσικς] κόκκυξ.

cochlea (n) [κόκλια] κοχλίας.

cock (n) [κοκ] κόκορας, κάνουλα, βελόνα (v) ανασηκώνω, οπλίζω, σωριάζω.

cock up (v) [κοκαπ] χαλάω.

cock-a-hoop (adj) [κοκ-α-χούουπ] θριαμβευτικός (adv) ενθουσιωδώς.

cock-and-bull story (n) [κόκ-αν-ντ-μπούλστόρι] μπούρδα.

cock-fighting (n) [κόκ-φάιτινγκ] κοκορομαχία.

cockade (n) [κόκέι-ντ] κονκάρδα.

cockcrow (n) [κόκρόου] λάλημα πετεινού, χαραυγή, χαράματα.

cocked (adj) [κοκ-τ] σηπτός, οπλισμένος.

cocker (v) [κόκα(ρ)] χαϊδεύω (n) κόκερ [σκύλος ισπανικός].

cockerel (n) [κόκερελ] κοκοράκι.

cockeyed (adj) [κοκάι-ντ] αλλήθωρος.

cockily (adv) [κόκιλι] προκλητικά.

cockiness (n) [κόκινες] αναίδεια, θράσος.

cockle (n) [κοκλ] αγριοκουκιά, παπαρούνα [βοτ], αχιβάδα (v) ζαρώνω.

cockleshell (n) [κόκλοσελ] κογχύλιο, κοχύλι, βαρκούλα.

cockloft (n) [κόκλοφτ] σοφίτα.

cockroach (n) [κόκροουτσ] κατσαρίδα.

cockscomb (n) [κόκσκουμ] λειρί.

cocksure (adj) [κόκσιουα(ρ)] γεμάτος αυτοπεποίθηση, δογματικός.

cocktail (n) [κόκτέιλ] κοκτέιλ.

coco (n) [κόουκοου] κοκοφοίνικας.

cocoa (n) [κόουκοου] κακάο.

coconut (n) [κόουκοουνάτ] καρύδι.

cocoon (n) [κακούν] βόμβυκας.

cod (n) [κο-ντ] βακαλάος (v) εμπαίζω.

cod-liver oil (n) [κο-ντ-λίβερ όιλ] μουρουνέλαιο.

coddle (v) [κο-ντλ] κανακεύω, σιγοβράζω.

code (adj) [κόου-ντ] κωδικός (n) κώδικας (v) κωδικοποιώ.

coded message (n) [κόου-ντι-ντ μέσιντζζ] κρυπτογράφημα.

codeine (n) [κόου-ντίιν] κωδεΐνη.

codex (n) [κόου-ντεξ] κώδικας.

codfish (n) [κό-ντφίσς] μουρούνα.

codger (n) [κόντζζα(ρ)] γεροπαράξενος.

codicil (n) [κό-ντισιλ] παράρτημα.

codification (n)· [κόου-ντιφικέισσον] κωδικοποίηση.

codify (v) [κόου-ντιφάι] κωδικοποιώ.

coding (n) [κόου-ντινγκ] κρυπτογράφηση.

codling (n) [κό-ντλινγκ] μπακαλιαράκι, άγουρο μήλο, φηρίκι.

coed (n) [κόουε-ντ] μαθήτρια, φοιτήτρια, συμαθήτρια.

coeducation (n) [κόε-ντουκέισσον] μικτή εκπαίδευση.

coefficient (n) [κόεφίσσιεν-τ] συντελεστής [μαθημ] (adj) συνεργός.

coemption (n) [κοέμ-πσσον] μονοπώληση.

coequal (n) [κοουίικουαλ] ίσος (adj) ισότιμος.

coerce (v) [κοουέρς] εξαναγκάζω.

coercion (n) [κοουέρσσον] εξαναγκασμός.

coessential (adj) [κόουισέσσαλ] ομοούσιος.

coeval (adj) [κόουίβαλ] σύγχρονος, συνομήλικος (n) σύγχρονος.

coexist (v) [κόουεγκ-ζίστ] συμβαδίζω.

coexistence (n) [κόουεγκ-ζίστανς] συνύπαρξη.

coffee (n) [κόφι] καφές.

coffee house (n) [κόφι χάους] καφενείο.

coffee pot (n) [κόφι ποτ] καφετιέρα.

coffer (n) [κόφερ] κορβανάς.

cofferdam (n) [κόφερ-νταμ] φράγμα στεγανοποίησης.

coffin (n) [κόφιν] κάσα (v) ενταφιάζω.

coffle (n) [κοφλ] καραβάνι.

cog (n) [κογκ] δόντι [μηχανής] (v) βαραίνω, φτιάχνω, κλέβω.

cogency (n) [κόουντζζενσι] πειστικότητα, ισχύς, δύναμη.

cogent (adj) [κόουντζζεν-τ] σαφής, πειστικός.

cogged (adj) [κογκ-ντ] οδοντωτός.

cogitate (v) [κόντζζιτέιτ] σκέπτομαι.

cogitation (n) [κοντζζιπέισσον] διαλογισμός.

cogitative (adj) [κόντζζιτεΐτιβ] στοχαστικός, βαθύνους.

cognac (n) [κόνιακ] κονιάκ.

cognate (n) [κόγκνεϊτ] συγγενής.

cognition (n) [κογκνίσσον] γνώση.

cognitive (adj) [κόγκνιτιβ] γνωστικός.

cognizance (n) [κόγκνιζανς] γνώση, αντίληψη, έμβλημα.

cognizant (n) [κόγκνιζαν-τ] γνώστης.

cognize (v) [κογκνάιζ] γνωρίζω.

cognomen (n) [κογκνόουμεν] επώνυμο.

cognovit (adj) [κογκνόουβιτ] αναγνώριση.

cogwheel (n) [κόγκουίιλ] οδοντωτός τροχός, γρανάζι.

cohabit (v) [κόουχά-μπιτ] συμβιώ.

cohabitation (n) [κοουχά-μπιτέισσον] συμβίωση.

coheir (n) [κοουέα(ρ)] συγκληρονόμος.

coheiress (n) [κουέαρες] συγκληρονόμος.

cohere (v) [κοουχία(ρ)] συνεννούμαι, συνδέομαι, κολλώ, στέκω.

coherence (n) [κοχίιερενς] συνέπεια, συνοχή, συνειρμός.

coherent (adj) [κοουχίιρεν-τ] συνδεδεμένος, λογικός, συνεπής.

coherer (n) [κοουχίιρερ] συνοχεύς.

cohesion (n) [κόουχίιζζιον] συνάφεια.

cohesive (adj) [κόουχίισιβ] συνεκτικός.

cohesiveness (n) [κόουχίισιβνες] συνεκτικότητα.

coif (n) [κόιφ] σκούφος.

coiffeur (n) [κουαφα] κομμωτής.

coiffure (n) [κουαφουα] κτένισμα.

coign (n) [κόιν] ακρογωνιαίος λίθος.

coil (n) [κόιλ] κουλούρα, έλικας, σπείρα, θόρυβος (v) κουλουριάζω, ελίσσω.

coin (n) [κόιν] νόμισμα (v) κόπτω.

coinage (n) [κόινιντζζ] νεολογισμός.

coincide (v) [κοϊνσάι-ντ] συμπίπτω.

coincidence (n) [κοῖνσι-ντενς] συγκυρία.

coincident (n) [κοῖνσι-ντεν-τ] σύμφωνος, ανάλογος, συμπίπτων.

coincidental (adj) [κοουινσι-ντέν-ταλ] συμπτωματικός.

coiner (n) [κόινα(ρ)] νομισματοκόπος, παραχαράκτης.

coir (n) [κόια(ρ)] κοῖρ, ίνα ψάθας.

coition (n) [κοῖσσον] συνουσία.

coitus (n) [κόιτας] συνουσία.

coke (n) [κόουκ] κόκα, κοκαΐνη, κωκ (v) μετατρέπω σε οπτάνθρακα.

col (n) [κολ] διάσελο, αυχένας.

cola (n) [κόουλα] κόλα [βοτ].

colander (n) [κόλαν-ντα(ρ)] σουρωτήρι.

cold (adj) [κόουλ-ντ] κρύος, ασυγκίνητος, αδιάφορος (n) κρύο, πούντα, συνάχι.

coldness (n) [κόουλ-ντνες] ψυχρότητα.

cole (n) [κόουλ] λάχανο, κράμβη.

coleen (n) [κολίν] κορίτσι.

coleslaw (n) [κόουλσλοου] λαχανοσαλάτα.

colewort (n) [κόουλουερτ] λαχανίδα.

colic (n) [κόλικ] κωλικός (adj) κωλικός.

colicky (adj) [κόλικι] κωλικός.

colitis (n) [κολάιτις] κολίτιδα.

collaborate (v) [κολά-μπορέιτ] συνεργάζομαι, συμπράττω.

collaboration (n) [κολα-μπορέισσον] συνεργασία, σύμπραξη.

collage (n) [κολάαζζ] κολάζ.

collapse (n) [κολάπς] συντριβή, λιποθυμία, πτώση (v) καταρρέω, σωριάζομαι.

collapsible (adj) [κολάπσι-μπλ] πτυσσόμενος.

collar (n) [κόλα(ρ)] γιακάς, κολάρο (v) αρπάζω, μπαγλαρώνω, τσιμπώ.

collar-bone (n) [κόλα-μπόουν] κλειδοκόκκαλο, κλείδωση.

collateral (adj) [κολάτεραλ] παράλληλος, πλάγιος, βοηθητικός.

collation (n) [κολέισσον] ταξινόμηση, παραβολή, κολατσιό.

collator (n) [κολέιτο(ρ)] συγκρίνων.

colleague (n) [κόλιγκ] συνεργάτης.

collect (v) [κολέκτ] μαζεύω (n) συναπτή.

collected (adj) [κολέκτι-ντ] συγκεντρωμένος, ήρεμος.

collectedness (n) [κολέκτι-ντνες] αυτοκυριαρχία, κατάνυξη.

collecting (n) [κολέκτινγκ] μάζεμα.

collection (n) [κολέκσσον] συλλογή.

collective (adj) [κολέκτιβ] ομαδικός.

collective farm (n) [κολέκτιβ φάαμ] κολεκτίβα, κολχόζ.

collectively (adv) [κολέκτιβλι] κοινά.

collectivism (n) [κολέκτιβιζμ] κολεκτιβισμός.

collector (n) [κολέκτο(ρ)] εισπράκτορας, συλλέκτης.

college (n) [κόλιντζζ] κολέγιο.

collegial (adj) [κολίιντζζιαλ] κολεγιακός.

collegian (n) [κολίντζζιαν] κολεγιόπαις.

collegiate (adj) [κολίντζζιέτ] κολεγιακός.

collet (n) [κόλιτ] δακτύλιος, κρίκος.

collide (v) [κολάι-ντ] προσκούω, συγκρούομαι.

collie (n) [κόλι] κόλλι [σκύλος].

collier (n) [κόλια(ρ)] ανθρακορύχος.

colliery (n) [κόλιερι] ανθρακωρυχείο.

collimate (v) [κόλιμεϊτ] παραλληλίζω, ευθυγραμμίζω, σκοπεύω.

collimator (n) [κόλιμεϊτορ] διοπτήρας σκόπευσης.

collision (n) [κολίζιον] πρόσκρουση.

collocate (v) [κόλοκεϊτ] παραθέτω.

collocation (n) [κολοκέισσον] σύνθεση, παράθεση, σύνταξη.

collogue (v) [κολόουγκ] συσκέπτομαι,

συνωμοτώ.

colloid (n) [κολόι-ντ] κολλωειδές.

colloidal (adj) [κολόι-νταλ] κολλωειδής.

collop (n) [κόλοπ] τεμάχιο, φέτα.

colloquial (n) [κολόουκουιαλ] ομιλου-μένη (adj) κοινολεκτικός.

colloquy (n) [κόλουκουι] διάλογος, διάλεξη.

collotype (n) [κολόουταϊπ] κολλοτυπία [τυπογρ].

collude (v) [κολιού-ντ] συνεργώ.

collusion (n) [κολιούζν] συμπαιγνία.

collusive (adj) [κολιούσιβ] δόλιος.

collywobbles (n) [κόλιουο-μπλζ] κοιλόπονος, διάρροια, κόψιμο.

colonel (n) [κέρνελ] συνταγματάρχης.

colonial (adj) [κολόνιαλ] αποικιακός (n) άποικος.

colonialism (n) [κολούνιαλιζμ] αποικιοκρατία.

colonialist (n) [κολούνιαλιστ] αποικιοκράτης, αποικιοκρατικός.

colonist (n) [κόλονιστ] άποικος.

colonization (n) [κολοναϊζέισσον] συνοικισμός, αποικισμός.

colonize (v) [κόλοναϊζ] αποικίζω.

colonizing (n) [κόλοναϊζινγκ] οικισμός.

colonnade (n) [κόλονέι-ντ] περιστύλιο, στοά.

colony (n) [κόλονι] αποικία.

colophon (n) [κόλοφον] κορωνίδα.

colophony (n) [κολόφονι] κολοφώνιο.

colorific (adj) [καλερίφικ] χρωματιστός.

colossal (adj) [κολόσαλ] κολοσσιαίος.

colossally (adv) [κολόσαλι] τεράστια.

colossus (n) [κολόσας] κολοσσός.

colostrum (n) [κολόστραμ] πρωτόγαλα.

colostomy (n) [κολόστομι] κολοστομία.

colour (n) [κάλα(ρ)] χρώμα, χροιά (v) χρωματίζω.

colour-blindness (n) [κάλα-μπλάι-ντνες] αχρωματοψία.

colourable (adj) [κάλορα-μπλ] αληθοφανής, εύλογος, απατηλός.

coloured (adj) [κάλα-ντ] έγχρωμος.

colourful (adj) [κάλαφούλ] ζωηρόχρωμος, γραφικός.

colouring (adj) [κάλαινγκ] χρωστικός (n) χρώμα, βαφή.

colourless (adj) [κάλαλες] ωχρός, χλωμός (n) άχνα.

colt (n) [κοολτ] πουλάρι, πρωτάρης.

coltish (adj) [κόουλτισς] ζωηρός.

coltishly (adv) [κόουλτισσλι] ζωηρά.

column (n) [κόλαμ] κολόνα, κίονας, στήλη, στύλος.

columnar (adj) [κολάμνα(ρ)] κιονοειδής.

columned (adj) [κόλαμ-ντ] περίστυλος.

columnist (n) [κόλαμνιστ] χρονογράφος, τακτικός αρθρογράφος.

coma (n) [κόουμα] κώμα [ιατρ], λήθαργος, κόμη [αστρον], κόμα [οπτικ].

comatose (adj) [κόμάτουζ] κωματώδης.

comb (n) [κόουμ] χτένι, χτένα, κηρήθρα (v) χτενίζω, ξαίνω.

combat (n) [κόμ-μπατ] αγώνας, αερομαχία, μάχη (v) μάχομαι.

combatant (adj) [κομ-μπάταν-τ] μάχιμος (n) μαχητής.

combative (adj) [κόμ-μπατιβ] εριστικός, μαχητικός, επιθετικός.

combativeness (n) [κόμ-μπατιβνες] μαχητικότητα.

combativity (n) [κομ-μπατίβιτι] μαχητικότητα.

comber (n) [κόουμα(ρ)] χάνος.

combinable (adj) [κομ-μπάινα-μπλ] συνδυαζόμενος.

combination (n) [κομ-μπινέισσον] συνδυασμός, ένωση.

combine (v) [κομ-μπάιν] συνδυάζω (n) κοινοπραξία, συνδικάτο, κομπίνα.

combiner (n) [κομ-μπάινα(ρ)] συνδυαστής.

combing (n) [κόουμινγκ] χτένισμα.

combustibility (n) [κομ-μπαστιμπίλιτι]

ευφλεκτικότητα.
combustible (adj) [κομ-μπάστιμπλ] εύφλεκτος (n) καύσιμο.
combustion (n) [κόμ-μπάστσσον] ανάφλεξη, καύση [χημ].
come (ex) [καμ] έλα! (v) έρχομαι, φθάνω, γίνομαι, κατάγομαι, κάνω.
come about (v) [καμ α-μπάουτ] συμβαίνω, γίνομαι, επιφέρω.
come across (v) [καμ ακρός] βρίσκω [τυχαίως], λαχαίνω.
come now (ex) [καμ νάου] έλα!
come on (ex) [καμ ον] άντε!.
comedian (n) [κομί-ντιαν] κωμικός.
comedienne (n) [κομι-ντιέν] κωμικός.
comedy (n) [κόμε-ντι] κωμωδία.
comely (adj) [κάμλι] κόσμιος, όμορφος.
comer (n) [κάμα(ρ)] ερχόμενος.
comet (n) [κόμετ] κομήτης.
comfit (n) [κάμφιτ] ζαχαρωτό.
comfort (n) [κάμφαт] ανακούφιση, άνεση (v) τονώνω, αναπαύω, βαλσαμώνω.
comfortable (adj) [κάμφτα-μπλ] άνετος.
comfortably (adv) [κάμφτα-μπλι] άνετα.
comforting (adj) [κάμφατινγκ] παρήγορος.
comfortless (adj) [κάμφατλες] στενόχωρος.
comfy (adj) [κάμφι] άνετος, βολικός.
comic (adj) [κόμικ] αστείος (n) κωμικός.
comical (adj) [κόμικαλ] κωμικός.
comically (adv) [κόμικαλι] αστεία.
coming (n) [κάμινγκ] άφιξη, έλευση (adj) ερχόμενος, προσεχής, μέλλων.
comity (n) [κόμιτι] ευγένεια.
comma (n) [κόμα] κόμμα [γραμμ].
command (n) [κομάαν-ντ] υπεροχή, αρχηγία, διαταγή (v) εξουσιάζω, διατάζω.
commandant (n) [κόμααν-ντάν-τ] διοικητής, στρατιωτικός διοικητής.
commandeer (v) [κομααν-ντία(ρ)] επιτάσσω, παίρνω αυθαίρετα.
commander (n) [κομάαν-ντα(ρ)] διοικητής, κυβερνήτης.

commander-in-chief (n) [κομάν-ντερ-ιν-τσσίιφ] αρχιστράτηγος.
commanding (adj) [κομάαν-ντινγκ] διοικών, διοικητής.
commandment (n) [κομάαν-ντμεν-τ] διαταγή, εντολή.
commando (n) [κομάαν-ντο] καταδρομέας.
commemorate (v) [κομέμορέϊτ] τιμώ τη μνήμη, μνημονεύω.
commemoration (n) [κομεμορέισσον] εορτασμός επετείου.
commemorative (adj) [κομέμορέτιβ] αναμνηστικός.
commence (v) [κομένς] αρχίζω.
commencement (n) [κομένσμεν-τ] αρχή.
commend (v) [κομέν-ντ] επαινώ, συνιστώ.
commendable (adj) [κομέν-ντα-μπλ] αξιέπαινος.
commendation (n) [κομεν-ντέισσον] έπαινος, επιδοκιμασία.
commensurable (adj) [κομένσσερα-μπλ] σύμμετρος, συνδιαιρετός.
commensurate (adj) [κομένσσεριτ] σύμμετρος, ισόμετρος, ισομεγέθης.
comment (v) [κόμεν-τ] σχολιάζω (n) σχόλιο, σημείωση.
commentable (adj) [κομέν-ταμπλ] επαινετός.
commentary (n) [κόμεν-τρι] σχόλιο.
commentate (v) [κόμεν-τεϊτ] σχολιάζω.
commentation (n) [κομεν-τέισσον] σχολίαση, περιγραφή.
commentator (n) [κόμεν-τέιτο(ρ)] σχολιαστής.
commerce (n) [κόμερς] εμπόριο.
commercial (adj) [κομέρσσαλ] εμπορεύσιμος, εμπορευματικός.
commiserate (v) [κομίζερεϊτ] συμπονώ.
commiseration (n) [κομιζερέισσον] ψυχοπόνια, λύπη.
commiserative (adj) [κομίζερέϊτιβ] ευσπλαχνικός.

commissar (n) [κομισάα(ρ)] κομισάριος, κυβερνητικός επίτροπος.

commission (n) [κομίσσον] εντολή, επιτροπή, προμήθεια (v) αναθέτω.

commissioner (n) [κομίσσονα(ρ)] διοικητής, επίτροπος.

commissure (n) [κόμισσουα(ρ)] σύνδεσμος, ταινία, δεσμίδα.

commit (v) [κομίτ] κάνω, εμπιστεύομαι, παραδίδω, φυλακίζω, υπόσχομαι.

commitment (n) [κομίτμεν-τ] διάπραξη, δέσμευση, φυλάκιση.

committee (n) [κομίτιι] επιτροπή.

commode (n) [κομόου-ντ] κομός.

commodious (adj) [κομόου-ντιας] άνετος, πρόσφορος, κατάλληλος.

commodity (n) [κομό-ντιτι] εμπόρευμα, προϊόν, είδος, αγωθόν.

commodore (n) [κόμο-ντοο(ρ)] μοίραρχος, αρχιπλοίαρχος.

common (adj) [κόμον] κοινόχρηστος, δημόσιος, αγοραίος (n) βοσκότοπος.

commoner (n) [κόμονα(ρ)] αστός, λαός, δημότης, πολίτης.

commonly (n) [κόμονλι] κοινός.

commonness (n) [κόμονες] χυδαιότητα, προστυχιά, λαϊκότητα.

commonplace (n) [κόμονπλέις] ασημαντολογία (adj) κοινός, συνήθης.

commons (n) [κομάνζ] λαός, κοινό.

commonwealth (n) [κόμονουελθ] πολιτεία, κράτος, κοινοπολιτεία.

commotion (n) [κομόουσσον] αναστάτωση, αναταραχή, σύγχυση.

communal (adj) [κομιούναλ] κοινός, δημόσιος, κοινόχρηστος.

communalism (n) [κομιούναλιζμ] σύστημα τοπικής αυτοδιοίκησης.

commune (n) [κομιούν] κοινότητα, κοινόβιο (v) συνομιλώ, κοινωνώ.

communicable (adj) [κομιούνικα-μπλ] μεταδοτικός, ομιλητικός.

communicant (n) [κομιούνικαν-τ] κοι-

νωνός (adj) επικοινωνών, συγκοινωνών.

communicate (v) [κομιούνικέιτ] ανακοινώνω, επικοινωνώ.

communication (n) [κομιουνικέισσον] μετάδοση, διαβίβαση.

communicative (adj) [κομιούνικατιβ] ομιλητικός, διαχυτικός.

communicator (n) [κομιουνικέιτορ] μεταδότης.

communion (n) [κομιούνιον] σχέση, Θεία Μετάληψη, Θεία Κοινωνία.

communiqué (n) [κόμιουνίκεϊ] ανακοινωθέν.

communism (n) [κόμιουνιζμ] κομμουνισμός.

communist (n) [κόμιουνιστ] κομμουνιστής.

community (n) [κομιούνιτι] κοινότητα, κοινωνία, πολιτεία.

communize (n) [κόμιουναϊζ] κομμουνιστικοποιώ, κρατικοποιώ.

commutable (adj) [κομιούτα-μπλ] μετατρέψιμος, ανταλλάξιμος.

commutate (v) [κόμιουτεϊτ] μεταλλάσσω.

commutator (n) [κομιουτέιτο(ρ)] συλλέκτης, μεταγωγός.

commute (v) [κομιούτ] ανταλλάσσω, εναλλάσσω, αντικαθιστώ.

commuter (n) [κομιούτα(ρ)] κάτοχος διαρκούς εισιτηρίου.

compact (adj) [κόμ-πακτ] στερεός, πυκνός (n) συμφωνία, συμβόλαιο (v) συμπτύσσω, συνθέτω, αποτελώ.

companion (n) [κομ-πάνιον] σύντροφος, συνταξιδιώτης (adj) συμπληρωματικός, συνοδός (v) συνοδεύω.

companionable (adj) [κομ-πάνιονα-μπλ] κοινωνικός.

company (n) [κόμ-πανι] εταιρικός (n) εταιρία, λόχος (v) συναιτερίζομαι.

comparable (adj) [κόμ-περα-μπλ] ανάλογος, παρεμφερής, ισάξιος, εφάμιλλος.

comparative (adj) [κομ-πάρατιβ] συγκριτικός, σχετικός.

compare (v) [κομ-πέα(ρ)] συγκρίνω, παρομοιάζω, σχετίζω (n) σύγκριση.

compare with (v) [κομ-πέα ουίδ] συγκρίνω.

compared (n) [adj] [κομ-πέα-ντ] συγκριτικός.

comparison (n) [κομ-πάρισον] παραβολή, παρομοίωση, σύγκριση.

compartment (n) [κομ-πάατμεν-τ] χώρισμα, διαμέρισμα, τμήμα.

compass (n) [κάμ-πας] πυξίδα, περιοχή (v) περιβάλλω, σχεδιάζω, επιτυγχάνω.

compassion (n) [κο-μπάσσον] συμπάθεια, οίκτος, πόνος, λύπηση.

compassionate (adj) [κομ-πάσσονιτ] ευσπλαχνικός (v) λυπούμαι, συμπονώ.

compatibly (adv) [κομ-πάτι-μπλι] αρμονικά, ταιριαστά, κατάλληλα.

compatriot (n) [κομ-πάτριοτ] συμπατριώτης.

compel (v) [κομ-πέλ] αναγκάζω.

compensate (v) [κόμ-πενσεῖτ] αποκαθιστώ, αναπληρώ, αμείβω.

compensation (n) [κομπενσέισσον] αποζημίωση, επανόρθωση.

compensational (adj) [κομ-πενσέισσοναλ] αναπληρωματικός.

compensative (adj) [κομ-πενσέιτιβ] αντισταθμιστικός.

compete (v) [κομ-πίιτ] ανταγωνίζομαι.

competence (n) [κόμ-πιτενς] ικανότητα, αποδοτικότητα, επάρκεια, εμπειρία.

competency (n) [κόμ-πιτενσι] ικανότητα, επάρκεια, ειδικότητα.

competent (adj) [κόμ-πιτεν-τ] ικανός, καλός, έμπειρος, παραδεκτός.

competition (n) [κομ-πετίσσον] συναγωνισμός, διαγωνισμός.

competitive (adj) [κομ-πέτιτιβ] ανταγωνιστικός, διαγωνιστικός.

competitiveness (n) [κομ-πέτιτιβνές] ανταγωνιστικότητα.

competitor (n) [κομ-πέτιτα(ρ)] συναγωνιστής, ανταγωνιστής.

compilation (n) [κομ-πιλέισσον] σύνταξη, συλλογή.

compile (v) [κομπάιλ] συντάσσω.

complacent (adj) [κομ-πλέισεν-τ] ικανοποιημένος, μακάριος.

complain (v) [κομ-πλέιν] γκρινιάζω.

complaining (n) [κομ-πλέινινγκ] μεμψιμοιρία.

complaint (n) [κομ-πλέιν-τ] πάθηση, παράπονο, νόσημα.

complaisant (adj) [κόμ-πλισαν-τ] πρόθυμος, υποχρεωτικός.

complement (n) [κόμ-πλιμεν-τ] συμπλήρωμα, σύνολο (v) συμπληρώνω.

complementary (adj) [κομ-πλιμέν-ταρι] συμπληρωματικός.

complete (adj) [κομ-πλίιτ] πλήρης, αμέριστος, ολομερής (v) αποτελειώνω.

completeness (n) [κομ-πλίιτ-νες] πληρότητα.

completion (n) [κομ-πλίισσον] συμπλήρωση, τέλεση, αποπεράτωση.

complex (adj) [κόμ-πλεξ] σύνθετος (n) πολύπλοκο, ψύχωση, συγκρότημα.

complexion (n) [κομ-πλέξιον] επιδερμίδα, θωριά, χροιά.

complexity (v) [κομ-πλέξιτι] περιπλοκή.

compliance (n) [κομ-πλάιανς] ελαστικότητα, συμμόρφωση, υπακοή.

complicate (v) [κόμ-πλικειτ] δυσχεραίνω, μπλέκω (adj) συνεπτυγμένος.

complication (n) [κομ-πλικέισσον] επιπλοκή, μπερδεψιά.

complicity (n) [κομ-πλίσιτι] συνενοχή, συνεργία.

compliment (n) [κόμ-πλιμεν-τ] έπαινος (v) [κομ-πλιμέν-τ] συγχαίρω.

complimentary (adj) [κομ-πλιμέν-ταρι] κολακευτικός.

comply (v) [κομ-πλάι] συμμορφώνομαι, υπακούω, υποχωρώ.

component (adj) [κομ-πόουνεν-τ] συνθετικός, συστατικός (n) στοιχείο.

comport (v) [κομ-πόοτ] συμπεριφέρομαι, αρμόζω, ταιριάζω.

compose (v) [κομ-πόουζ] απαρτίζω, αποτελώ, γράφω, συγγράφω.

composed (adj) [κομ-πόουζ-ντ] συνιστώμενος, ατάραχος, ήσυχος.

composer (n) [κομ-πόουζα(ρ)] μουσικοσυνθέτης, συνθέτης.

composite (adj) [κόμ-ποζιτ] μικτός, σύνθετος (n) σύνθετο.

composition (n) [κομ-ποζίσσον] σύνθεση, σύσταση, έκθεση [γραπτή].

compositor (n) [κομ-πόζιτο(ρ)] στοιχειοθέτης, συνθέτης.

compost (n) [κόμ-ποουστ] κοπρόχωμα, φουσκί, λίπασμα.

composure (n) [κομ-πόουζζα(ρ)] πρεμία, γαλήνη, αυτοκυριαρχία.

compound (adj) [κόμ-παουν-ντ] πολυσύνθετος (v) συνδυάζω, αναμιγνύω, ρυθμίζω (n) μίγμα, σύνθεση.

comprehend (v) [κομ-πρεχέν-ντ] κατανοώ.

comprehensible (adj) [κομ-πρεχένσιμπλ] σαφής, κατανοητός.

comprehension (n) [κομ-πρεχένσιον] κατανόηση, αντίληψη.

comprehensive (adj) [κομ-πρεχένσιβ] πλήρης, ευρύς, περιεκτικός.

comprehensiveness (n) [κομ-πρεχένσιβνες] περιεκτικότητα.

compress (n) [κόμ-πρες] επίθεμα, κομπρέσα (v) [κομ-πρές] πιέζω.

compression (n) [κομ-πρέσσον] συμπίεση, πίεση, θλίψη.

compressor (n) [κομ-πρέσορ] συμπιεστής.

comprise (v) [κομ-πράιζ] περιλαμβάνω, συμπεριλαμβάνω.

compromise (n) [κόμ-προμάιζ] τακτοποίηση, συμβιβασμός (v) διακυβεύω.

compromising (adj) [κόμ-προμάιζινγκ] ενοχοποιητικός.

compulsion (n) [κομ-πάλσιον] εξαναγκασμός, πίεση.

compulsive (adj) [κομ-πάλσιβ] ακάθεκτος, ισχυρός.

compulsory (adj) [κομ-πάλσορι] αναγκαστικός, υποχρεωτικός.

compunction (n) [κομ-πάνκσσον] δισταγμός, τύψη, μετάνοια.

computable (adj) [κομ-πιούτα-μπλ] υπολογίσιμος.

computation (n) [κομ-πιουτέισσον] υπολογισμός.

computer (n) [κομ-πιούτα(ρ)] υπολογιστής [ηλεκτρονικός].

computerize (v) [κομ-πιούτεραϊζ] υπολογίζω, αυτοματοποιώ με υπολογιστή.

comrade (n) [κόμρεϊ-ντ] σύντροφος, συνάδελφος, φίλος.

comradeship (n) [κόμρεϊ-ντσοιπ] συναδελφικότητα.

con (adv) [κον] ενάντια (n) ενάντιος (v) μαθαίνω, κυβερνώ [ναυτ].

concave (adj) [κόνκεϊβ] κοίλος (n) κοίλωμα (v) βαθουλώνω.

conceal (v) [κονσίλ] κρύβω, τρυπώνω.

concede (v) [κονσίι-ντ] παραχωρώ, ομολογώ, παραδέχομαι.

conceit (n) [κονσίιτ] αλαζονεία, έπαρση.

conceivable (adj) [κονσίιβα-μπλ] νοητός, αντιληπτός, κατανοητός.

conceive (v) [κονσίιβ] σκέπτομαι, συλλαμβάνω [ιδέες], υποθέτω, κατανοώ.

concentrate (v) [κόνσεν-τρεϊτ] συγκεντρώνω, συγκλίνω.

concentration (n) [κονσεν-τρέισσον] προσοχή, συγκέντρωση.

concept (n) [κόνσεπτ] έννοια.

conception (n) [κονσέπσσον] σύλληψη [ιδέας], αντίληψη.

concern (n) [κονσέρν] ενδιαφέρον, φροντίδα, έννοια, σκέψη (v) αφορώ, ανησυχώ, ενέχομαι, ασχολούμαι.

concerned (adj) [κονσέρν-ντ] ενδιαφερόμενος, ανεχόμενος.

concert (n) [κόνσερτ] συναυλία, κονσέρτο, κοντσέρτο [μουσ].

concert (v) [κονσέρτ] συμφωνώ, εναρμονίζομαι, συντονίζομαι.

concerted (adj) [κονσέρτι-ντ] συμφωνημένος, προσχεδιασμένος.

concertina (n) [κονσερτίνα] κονσερτίνα, φυσαρμόνικα.

concerto (n) [κοντσσέρτοου] κοντσέρτο.

concession (n) [κονσέσσον] παραδοχή, εκχώρηση, παραχώρηση.

conch (n) [κον-τσς] κογχύλη.

concierge (n) [κόνσιερντζζ] θυρωρός, φύλακας, επιστάτης.

conciliar (adj) [κονσίλια(ρ)] συνοδικός.

conciliate (v) [κονσίλιεϊτ] συμβιβάζω, κατευνάζω, συμφιλιώνω.

conciliation (n) [κονσιλιέισσον] συμφιλίωση, συνδιαλλαγή.

conciliatory (adj) [κονσίλιετρι] συμβιβαστικός, διαλλακτικός.

concise (adj) [κονσάις] σαφής, σύντομος, περιληπτικός, συνοπτικός.

conclave (n) [κόνκλεϊβ] διαβούλιο.

conclude (v) [κονκλούουντ] συμπεραίνω.

concluding (adj) [κονκλούου-ντινγκ] τελικός, τελευταίος.

conclusion (n) [κονκλούουζον] τέλος, επίλογος, λήξη, πόρισμα.

conclusive (adj) [κονκλούουσιβ] τελικός, αδιαφιλονίκητος.

concoct (v) [κονκόκτ] κατασκευάζω.

concoction (n) [κονκόκσσον] παρασκευή, μίγμα.

concord (n) [κόνκοο-ντ] αρμονία, ενότητα, ομόνοια, συνεννόηση.

concourse (n) [κόνκοος] συμβολή, συγκέντρωση, πλήθος, πλατεία.

concrete (adj) [κόνκριτ] συγκεκριμένος, πραγματικός (n) μπετόν.

concubine (n) [κόνκιου-μπαϊν] παλλακίδα.

concur (v) [κόνκα(ρ)] συμπίπτω.

concurrent (adj) [κονκάρεν-τ] σύγχρονος, σύμφωνος.

concuss (v) [κονκάς] συγκλονίζω.

concussion (n) [κονκάσσον] διάσειση, κλονισμός.

condemn (v) [κον-ντέμ] καταδικάζω, κατακρίνω.

condemnation (n) [κον-ντεμνέισσον] καταδίκη, επίκριση, μομφή.

condensation (n) [κον-ντενσέισσον] υγροποίηση.

condense (v) [κον-ντένς] συμπυκνώ.

condensed (adj) [κον-ντένσο-ντ] επίτομος.

condescend (v) [κον-ντισέ-ντ] συγκατατίθεμαι, καταδέχομαι.

condescending (adj) [κον-ντισένντινγκ] προστατευτικός.

condiment (n) [κόν-ντιμεν-τ] καρύκευμα [το μπαχαρικό], άρτυμα.

condition (n) [κον-ντίσσον] προϋπόθεση, περίπτωση, όρος.

conditional (adj) [κον-ντίσσοναλ] υποθετικός [γραμμ].

conditioned (adj) [κον-ντίσσον-ντ] ορισμένος, υπό όρους.

conditions (n) [κον-ντίσσονζ] συνθήκες.

condolences (n) [κον-ντόουλενσιζ] συλλυπητήρια.

condom (n) [κόν-ντόμ] προφυλακτικό.

conduce to (v) [κον-ντιούς του] συντελώ.

conduct (n) [κόν-ντακτ] διεύθυνση, φέρσιμο, αγωγή (v) [κον-ντάκτ] διαχειρίζομαι, διοικώ, άγω, διεξάγω, φέρω.

conduct oneself (v) [κον-ντάκτ ουάνσελφ] συμπεριφέρομαι.

conduction (n) [κον-ντάκσσον] διεξαγωγή, μεταβίβαση.

conductive (adj) [κον-ντάκτιβ] αγώγιμος.

conductivity (n) [κον-ντακτίβιτι] αγωγιμότητα.

conductor (n) [κον-ντάκτο(ρ)] μαέστρος, οδηγός, αγωγός.

conductress (n) [κον-ντάκτρες] διευθύντρια, εισπρακτόρισσα.

conduit (n) [κόν-ντιτ] αγωγός [σωλήνας], οχετός, λαγούμι, λούκι.

cone (n) [κόουν] κώνος, χωνί.

confection (n) [κονφέκσσον] κατασκευή, γλύκισμα, καραμέλα.

confectionary (n) [κονφέκσσονρι] γλύκισμα (adj) κατασκευασμένος.

confectioner (n) [κονφέκσσονα(ρ)] ζαχαροπλάστης.

confectionery (n) [κονφέκσσονρι] γλύκισμα, ζαχαροπλαστείο.

confectioner's (shop) (n) [κονφέκσσιονερ΄ζ [σσοπ]] ζαχαροπλαστείο.

confederacy (n) [κονφέ-ντρασι] ομοσπονδία, συνεργία.

confederate (adj) [κονφέ-ντερατ] ομόσπονδος (n) σύμμαχος, συνωμότης, συνεργός (v) συνασπίζω.

confederation (n) [κονφε-ντερέισσον] συνομοσπονδία, ομοσπονδία.

confer (v) [κονφέρ] παρέχω, απονέμω, συσκέπτομαι.

conference (n) [κόνφερανς] συνέδριο, διάσκεψη, σύσκεψη.

confess (v) [κονφές] εκμυστηρεύομαι, ομολογώ, παραδέχομαι.

confession (n) [κονφέσσον] αναγνώριση, εξομολόγηση, ομολογία.

confessor (n) [κονφέσο(ρ)] πνευματικός, εξομολογητής.

confidant (n) [κονφι-ντάν-τ] έμπιστος φίλος, μυστικοσύμβουλος.

confide (v) [κονφάι-ντ] εμπιστεύομαι, εκμυστηρεύομαι, αναθέτω.

confidence (n) [κόνφι-ντενς] πεποίθηση.

confident (adj) [κόνφι-ντεν-τ] βέβαιος, πεπεισμένος, τολμηρός.

confidential (adj) [κονφι-ντένσσαλ] εμπιστευτικός, ιδιαίτερος, έμπιστος.

confine (v) [κονφάιν] περιορίζω, φυλακίζω, εγκλείω, εντοπίζω.

confirm (v) [κονφέρμ] σταθεροποιώ.

confirmation (n) [κονφερμέισσον] στερέωση, επικύρωση, βεβαίωση.

confirmative (adj) [κονφέρματιβ] στερεωτικός, επαληθευτικός.

confirmatory (adj) [κονφέρματρι] ενισχυτικός, εγκριτικός.

confirmed (adj) [κονφέρμ-ντ] έμμονος, ριζωμένος, καθιερωμένος.

confiscate (v) [κόνφισκέιτ] κατάσχω, δημεύω (adj) δημευμένος.

confiscation (n) [κονφισκέισσον] δήμευση, κατάσχεση.

conflagration (n) [κονφλαγκρέισσον] πυρκαγιά.

conflict (n) [κόνφλικτ] σύγκρουση, πάλη, μάχη, ρήξη (v) συγκρούομαι.

conform (v) [κονφόρμ] προσαρμόζω, συμμορφώνω.

conformable (adj) [κονφόομα-μπλ] σύμφωνος, υπάκουος.

conformal (adj) [κονφόομλ] σύμμορφος.

conformation (n) [κονφοομέισσον] διάταξη, κατασκευή.

conformist (n) [κονφόομιστ] κονφορμιστής.

conformity (n) [κονφόομιτι] ομοιομορφία, προσαρμογή, υπακοή.

confound (v) [κονφάουν-ντ] μπερδεύω, ταράσσω, συγχέω, συγχύζω.

confounded (adj) [κονφάουντι-ντ] αναθεματισμένος, συγχυσμένος.

confraternity (n) [κονφρατέρνιτι] συντεχνία, αδελφότητα.

confront (v) [κονφρόν-τ] αντιμετωπίζω, αντικρύζω θαρραλέα.

confrontation (n) [κονφρον-τέισσον] αναμέτρηση.

confuse (v) [κονφιούζ] ταράσσω, καταπλήσσω, ζαλίζω, μπερδεύω, περιπλέκω, ανακατεύω.

confusion (n) [κονφιούζιον] σύγχυση, ταραχή, συσκότιση, ανακάτεμα.

confute (v) [κονφιούτ] ανατρέπω, αντικρούω, ανασκευάζω.

congeal (v) [κον-ντζζίιλ] παγώνω.

congenial (adj) [κον-ντζζίινιαλ] συγγενής, ομοειδής, ταιριαστός.

congenital (adj) [κον-ντζζένιταλ] συγγενής, σύμφυτος.

congest (n) [κον-ντζζέστ] συσσωρεύω, φράσσω, συγκεντρώνω.

congestion (n) [κον-ντζζέστιον] συμφόρηση, συνωστισμός.

congratulate (v) [κονγκράτσσιουλέιτ] συγχαίρω, εύχομαι ευημερία.

congratulations (n) [κονγκράτσσιουλέισσονζ] συγχαρητήρια.

congregate (v) [κόνγκρεγκέιτ] συγκεντρώνω, συναθροίζω.

congregation (n) [κονγκρεγκέισσον] συγκέντρωση [ανθρώπων].

congress (n) [κόνγκρες] σύνοδος, κογκρέσο, συνέδριο, συνέλευση.

conic (adj) [κόνικ] κωνικός.

conical (adj) [κόνικαλ] κωνικός.

conically (adv) [κόνικαλι] κωνικά.

conifer (n) [κόνιφα(ρ)] κωνοφόρο.

coniferous (adj) [κόνιφερας] κωνοφόρος.

conjectural (adj) [κον-ντζζέκτσουραλ] υποθετικός, συμπερασματικός.

conjecture (n) [κον-ντζζέκτοσα(ρ)] εικασία, πιθανολογία, υπόθεση (v) εικάζω.

conjugal (adj) [κόν-ντζζιουγκαλ] συζυγικός.

conjugate (v) [κόννντζζουγκέϊτ] κλίνομαι, είμαι κλιτός, κλίνω.

conjugation (n) [κον-ντζζιουγκέισσον] κλίση [γραμμ], σύζευξη.

conjunct (adj) [κον-ντζζάνκτ] συναφής, συνδεδεμένος.

conjunction (n) [κον-ντζζάνκοσον] σύνδεση, συνδρομή.

conjunctiva (n) [κον-ντζζανκτάιβα] επιπεφυκώς.

conjunctivitis (n) [κον-ντζζανκτιβάιτις] επιπεφυκίτις.

conjure (v) [κονζούα(ρ)] εξορκίζω, ικετεύω, επικαλούμαι.

conjurer (n) [κόν-ντζζερα(ρ)] ταχυδακτυλουργός, θαυματοποιός.

conjuring (adj) [κόν-ντζζερινγκ] ταχυδακτυλουργικός.

conk out (v) [κονκ άουτ] κακαρώνω.

conker (n) [κόνκερ] αγριοκάστανο.

conman (n) [κόνμαν] απατεώνας.

connect (v) [κονέκτ] συνδέω, συνενώνω, συναρτώ, ενώνω, σχετίζω.

connecting (adj) [κονέκτινγκ] ενωτικός.

connection (n) [κονέκσσον] συγγένεια, συνάρτηση, σχέση.

connexion (n) [κονέκσσον] σύνδεση, συγγένεια, σχέση.

connivance (n) [κονάιβανς] συνενοχή, συνεννόηση, ανοχή.

connive (v) [κονάιβ] ανέχομαι, συνεργώ.

connoisseur (n) [κονισέ(ρ)] ειδήμονας, τεχνοκρίτης, γνώστης.

connote (v) [κονόουτ] υπονοώ.

conquer (v) [κόνκα(ρ)] κατακτώ.

conqueror (n) [κόνκερερ] κατακτητής, πορθητής.

conquest (n) [κόνκουεστ] κατάκτηση.

conscience (n) [κόνσσιενς] συνείδηση.

conscientious (adj) [κονσσιένσσιας] ευσυνείδητος.

conscientiousness (n) [κονσσιένσσιουσνες] ευσυνειδησία.

conscious (adj) [κόνσσες] συνειδητός.

consciousness (n) [κόνσσιουσνες] συναίσθηση.

conscript (n) [κόνσκριπτ] κληρωτός (v) [κονσκρίπτ] στρατολογώ, επιστρατεύω.

conscription (n) [κονσκρίποσον] στρατολογία, στρατολόγηση.

consecrate (v) [κόνσεκρέϊτ] ευλογώ, καθιερώ, αφιερώνω.

consecration (n) [κονσεκρέισσον] αγιασμός, ευλογία, χειροτονία.

consecutive (adj) [κονσέκιουτιβ] διαδοχικός, συνεχής.

consensus (n) [κονσένσας] ομοφωνία, αποδοχή, συγκατάθεση.

consent (n) [κονσέν-τ] συμφωνία (v) συναινώ, συμφωνώ, ευδοκώ.

consent to (v) [κονσέν-τ του] συναινώ.

consequence (n) [κόνσικουενς] συνέπεια, αποτέλεσμα, απόρροια.

consequently (adv) [κόνσικουεν-τλι] ακολούθως, επομένως (conj) άρα.

conservation (n) [κονσερβέισσον] διατήρηση, συντήρηση.

conservative (adj) [κονσέρβατιβ] συντηρητικός.

conservator (n) [κόνσερβάιτε(ρ)] φύλακας, συντηρητής, επιμελητής.

conservatory (n) [κονσέρβατρι] ωδείο, σχολή καλών τεχνών.

conserve (v) [κονσέρβ] προφυλάττω, διατηρώ, συντηρώ.

consider (v) [κονσί-ντα(ρ)] σκέφτομαι, έχω, κοιτάζω, κρίνω, φρονώ.

considerable (adj) [κονσί-ντεραμπλ] αξιόλογος, σεβαστός (pron) κάμποσος.

considerate (adj) [κονσί-ντερετ] διακριτικός, περιποιητικός.

consideration (n) [κονσι-ντερέισσον] σκέψη, στοχασμός, μελέτη.

considering (pr) [κονσί-ντερινγκ] δεδομένου, αναλόγως.

consign (v) [κονσάιν] παραδίδω, εμπιστεύομαι, αποστέλλω, στέλλω.

consignation (n) [κόνσιγκνέισσον] παρακαταθήκη.

consignment (n) [κονσάινμεν-τ] αποστολή, διεκπεραίωση.

consist of (v) [κονσίστ οβ] αποτελούμαι.

consistence (n) [κονσίστενς] συνέπεια, σύσταση, πυκνότητα.

consistent (adj) [κονσίστεν-τ] συνεπής, σταθερός, αμετάβλητος.

consolable (adj) [κονσόουλα-μπλ] ευπαρηγόρητος.

consolation (n) [κονσολέισσον] παρηγοριά, βάλσαμο [μεταφ].

console (v) [κονσόουλ] παρηγορώ, βαλσαμώνω (n) [κόνσοουλ] κονσόλα, αγκώνας, χειριστήριο.

consolidate (v) [κονσόλι-ντέιτ] σταθεροποιώ, εμπεδώνω.

consolidation (n) [κονσολι-ντέισσον] στερέωση, κατοχύρωση.

consonance (n) [κόνσονανς] συμφωνία, ομοφωνία, ταυτότητα.

consonant (n) [κόνσοναν-τ] σύμφωνο (adj) σύμφωνος, ανάλογος.

consort (n) [κόνσοοτ] σύζυγος, συμβία (v) συναναστρέφομαι.

consortium (n) [κονσόοτιαμ] κοινοπραξία, ένωση, συνεταιρισμός.

conspicuous (adj) [κονσπίκιας] εμφανής, ορατός, περίοπτος.

conspiracy (n) [κονσπίρασι] επιβουλή, συνωμοσία, σκευωρία.

conspirator (n) [κονσπίρατα(ρ)] συνωμότης, συνεργός, συνένοχος.

conspire (v) [κονσπάια(ρ)] συνωμοτώ.

constable (n) [κόνστα-μπλ] αστυφύλακας, χωροφύλακας.

constabulary (n) [κονστά-μπιουλαρι] αστυνομία (adj) αστυνομικός.

constancy (n) [κόνστανσι] πίστη.

constant (adj) [κόνσταν-τ] σταθερός, επίμονος (n) σταθερά, παράμετρος.

constantly (adv) [κόνσταν-τλι] συνεχώς.

constellation (n) [κονστελέισσον] αστερισμός.

consternation (n) [κονστερνέισσον] κατάπληξη, τρόμος.

constipation (n) [κονστιπέισσον] δυσκοιλιότητα.

constituency (n) [κονστίτουενσι] εκλογείς, διαμέρισμα.

constituent (adj) [κονστίτιουεν-τ] ψηφίζων (n) συνθετικό, ψηφοφόρος.

constitute (v) [κόνστιτιουτ] συνιστώ, καθιστώ, οργανώνω.

constitution (n) [κονστιτιούσσον] κατασκευή, σύνθεση, δομή.

constitutional (adj) [κονστιτιούσσοναλ] καταστατικός, συνταγματικός.

constrain (v) [κονστρέιν] αναγκάζω, συγκρατώ, περιορίζω.

constrained (adj) [κονστρέιν-ντ] βεβιασμένος, αφύσικος, αμήχανος.

constraint (n) [κονστρέιν-τ] ανάγκη, βία, εξαναγκασμός.

constrict (v) [κονστρίκτ] συσφίγγω, στενεύω, μικραίνω, σφίγγω.

constriction (n) [κονστρίκσσον] σύσφιξη, σφίξιμο, συστολή.

constrictor (n) [κονστρίκτο(ρ)] σφιγκτήρας, συσφιγκτήρ [ζωλ].

construct (v) [κονστράκτ] κατασκευάζω (n) [κόνστρακτ] κατασκευή, έννοια, ιδέα.

construction (adj) [κονστράκσσον] οικοδομικός (n) δομή, οικοδομή, σχηματισμός.

constructive (adj) [κονστράκτιβ] δημιουργικός (n) οικοδομική.

constructor (n) [κονστράκτο(ρ)] κατασκευαστής, οικοδόμος.

construe (v) [κονστρού] αναλύω, συντάσσομαι, ερμηνεύω.

consul (n) [κόνσαλ] πρόξενος, ύπατος.

consular (adj) [κόνσιουλα(ρ)] προξενικός.

consulate (n) [κόνσιουλετ] αξίωμα του προξένου, υπατεία, προξενείο.

consult (v) [κονσάλτ] συμβουλεύομαι.

consultant (n) [κονσάλταν-τ] εμπειρογνώμονας, σύμβουλος.

consultation (n) [κονσαλτέισσον] προσφυγή, σύσκεψη.

consulting (n) [κονσάλτινγκ] συμβουλεύων, σύμβουλος.

consume (v) [κονσιούμ] καταστρέφω, δαπανώ, χαλώ, σώνω.

consumer (adj) [κονσιούμα(ρ)] καταναλωτικός (n) καταναλωτής.

consummate (v) [κόνσαμεϊτ] τελειοποιώ, συντελώ, εκτελώ.

consummate (adj) [κονσάμιτ] τέλειος.

consummation (n) [κόνσαμέισσον] ολοκλήρωση.

consumption (n) [κονσάμσσον] κατανάλωση, φθίση, φυματίωση.

contact (n) [κόν-τακτ] επαφή, σχέση (v) [κον-τάκτ] επικοινωνώ, συναντώ.

contagion (n) [κον-τέιντζζιον] μόλυσμα, μετάδοση [αρρώστιας].

contagious (adj) [κον-τέιντζζας] κολλητικός, λοιμώδης.

contain (v) [κον-τέιν] παίρνω, περιέχω.

container (n) [κον-τέινα(ρ)] περιέχων, συγκρατών, δοχείο, κουτί.

containment (n) [κον-τέινμεν-τ] συγκράτηση, περιορισμός.

contaminate (v) [κον-τάμινεϊτ] μιαίνω, μολύνω.

contamination (n) [κον-ταμινέισσον] μόλυνση, μίανση, μόλυσμα.

contemplate (v) [κόν-τεμπλεϊτ] ατενίζω, θωρώ, αναπολώ.

contemplation (n) [κον-τεμ-πλέισσον] παρατήρηση, μελέτη.

contemporary (adj) [κον-τέμ-πορέρι] σύγχρονος (n) συνομήλικος.

contempt (n) [κον-τέμ(π)τ] καταφρόνηση.

contemptibility (n) [κον-τεμπτι-μπίλιτι] χυδαιότητα, προστυχιά.

contemptuous (n) [κον-τέμ-πσσιας] περιφρονητικός.

contend (v) [κον-τέν-ντ)] μάχομαι, αγωνίζομαι, αντιπαλεύω, πολεμώ.

content (n) [κόν-τεν-τ] περιεχόμενο, ουσία, έννοια, περιεκτικότητα.

content(ed) (adj) [κον-τέν-τ(ιντ)] ευχαριστημένος.

contention (n) [κον-τένσσον] έρις, φιλονικία, διαφωνία, διαφορά.

contentment (n) [κον-τέν-τμεν-τ] ευχαρίστηση, αυτάρκεια.

contest (n) [κόν-τεστ] αγώνας, αμφισβήτηση, πάλη [μεταφ].

contest (v) [κον-τέστ] αγωνίζομαι, διαφιλονικώ, διεκδικώ.

contestant (n) [κον-τέσταν-τ] αγωνιστής, αντίπαλος, διάδικος.

context (n) [κόν-τεκστ] συμφραζόμενα, απόσπασμα.

contextual (adj) [κον-τέξτσσιουαλ] αναφερόμενος εις, εξαρτώμενος.

continence (n) [κόν-τινενς] εγκράτεια, αγνότητα.

continent (n) [κόν-τινεν-τ] ήπειρος (adj) εγκρατής, αγνός.

continental (adj) [κον-τινέν-ταλ] ηπειρωτικός (n) Ευρωπαίος.

contingency (n) [κον-τίν-ντζζενσι] δυνατότητα, τύχη, απρόοπτο.

contingent (adj) [κον-τίν-ντζζεν-τ] ενδεχόμενος, συμπτωματικός.

continual (adj) [κον-τίνιουαλ] συνεχής, επίμονος, συχνός.

continuance (n) [κον-τίνιουανς] συνέχιση, διάρκεια, παραμονή.

continuation (n) [κον-τινιουέισσον] συνέχιση, επέκταση.

continue (v) [κον-τίνιου] επεκτείνω, παρατείνω, διαρκώ, συνεχίζω.

continuity (n) [κον-τινιούιτι] συνέχεια.

continuous (adj) [κον-τίνιουας] συνεχής.

contort (v) [κον-τόοτ] διαστρέφω.

contortion (n) [κον-τόοσσον] στρέβλωση.

contour (n) [κόν-τοο(ρ)] σουλούπι, περίμετρος (v) περιγράφω.

contraband (n) [κόν-τρα-μπάν-ντ] λαθρεμπόριο, λαθρεμπορία.

contraception (n) [κον-τρασέπσσον] αντισύλληψη.

contraceptive (n) [κον-τρασέπτιβ] αντισυλληπτικό, προφυλακτικό.

contract (n) [κόν-τρακτ] σύμφωνο, συμ-

βόλαιο (v) [κον-τράκτ] συμβάλλομαι.

contraction (n) [κον-τράκσσον] στένωση, μάζεμα, σύσπαση.

contractor (n) [κον-τράκτο(ρ)] ανάδοχος, εργολήπτης, εργολάβος.

contradict (v) [κον-τρα-ντίκτ] διαψεύδω, αντικρούω, αντιμιλώ.

contradict oneself (v) [κον-τρα-ντίκτ ουάνσέλφ] διαψεύδομαι.

contradiction (n) [κον-τρα-ντίκσσον] αντίκρουση, αντιλογία.

contrary (adj) [κόν-τραρι] εναντίος, αντίθετος (n) αντίθετο.

contrast (v) [κον-τράαστ] παραθέτω, συγκρίνω, ξεχωρίζω (n) [κόν-τρααστ] αντίθεση, σύγκριση, διαφορά, κοντράστ.

contravene (v) [κον-τραβίιν] καταπατώ, αθετώ, αντικρούω.

contravener (n) [κον-τραβίινερ] παραβάτης.

contravention (n) [κον-τραβένσσον] παράβαση, πταίσμα.

contretemps (n) [κόν-τρατομ] ατύχημα, αναποδιά, εμπόδιο.

contribute (v) [κον-τρί-μπιουτ] εισφέρω, καταβάλλω, συμβάλλω, δίδω, βοηθώ.

contribution (n) [κον-τρι-μπιούσσον] εισφορά, συμβολή, οβολός.

contributor (n) [κον-τρί-μπιουτα(ρ)] συνεργάτης, συντελεστής.

contrite (adj) [κόν-τραϊτ] συντετριμμένος, μετανιωμένος.

contrive (v) [κον-τράιβ] επινοώ, κατορθώνω, κατασκευάζω.

control (n) [κον-τρόουλ] εξουσία, έλεγχος, κουμάντο (v) ελέγχω, διευθύνω.

control oneself (v) [κον-τρόουλ ουάνσέλφ] συγκρατούμαι.

controller (n) [κον-τρόουλα(ρ)] ελεγκτής, διαχειριστής, ρυθμιστής.

controversial (adj) [κον-τροβέρσσαλ] αμφιλεγόμενος.

controversy (n) [κον-τρόβερσι] διένεξη.

contusion (n) [κον-τιούζν] μώλωπας.

conundrum (n) [κονάν-ντραμ] αίνιγμα.

convalescence (n) [κονβαλέσενς] ανάρρωση (v) αναρρώνω.

convalescent ward (n) [κονβαλέσεν-τ ουόο-ντ] αναρρωτήριο.

convection (n) [κονβέκσσον] μεταφορά, ατμοσφαιρική διαταραχή.

convene (v) [κονβίιν] συγκαλώ.

convenience (n) [κονβίινιενς] ευκολία.

convenient (adj) [κονβίινιεν-τ] κατάλληλος, εύκολος, σκόπιμος, βολικός (n) βολικό.

convent (n) [κόνβεν-τ] μονή.

convention (n) [κονβένσσον] συμφωνία, συνέλευση, σύμβαση.

conventional (adj) [κονβένσσοναλ] συμβατικός, κατά συνθήκη.

converge (v) [κονβέρντζζ] συγκλίνω, συμπίπτω, συντρέχω.

convergence (n) [κονβέρντζζενς] σύγκλιση, σύμπτωση.

conversation (n) [κονβερσέισσον] συζήτηση, ομιλία, διάλογος.

converse with (v) [κονβέρς ουίδ] συνομιλώ (n) [κόνβερς] συνομιλία (adj) αντίστροφος.

conversely (adv) [κονβέρσλι] τανάπαλιν.

conversion (n) [κονβέρζζιον] επεξεργασία, οικειοποίηση, προσηλυτισμός.

convert (v) [κονβέρτ] αλάσσω, μεταποιώ (adj) [κόνβερτ] νεοφώτιστος.

converter (n) [κονβέρτερ] μετατροπέας, προσηλυτιστής.

convertible (adj) [κονβέρτι-μπλ] μετατρεπτός, μετατρέψιμος.

convex (adj) [κόνβεξ] κυρτός.

convey (v) [κονβέι] μεταβιβάζω, διοχετεύω, υποδηλώνω.

conveyance (n) [κονβέιανς] μεταβίβαση, διαπεραίωση, μεταφορά.

convict (v) [κονβίκτ] καταδικάζω.

conviction (n) [κονβίκσσον] πειθώ, πε-ποίθηση, καταδίκη, πίστη.

convince (v) [κονβίνς] πείθω.

convincible (adj) [κονβίνσι-μπλ] εύπιστος.

convincing (adj) [κονβίνοινγκ] πειστικός.

convivial (adj) [κονβίβιαλ] εορταστικός, εύθυμος, γλεντζές.

convoke (v) [κονβόουκ] συγκροτώ.

convoy (n) [κόνβοϊ] εφοδιοπομπή (v) συνοδεύω [ναυτ], οδεύω.

convulse (v) [κονβάλς] συγκλονίζω, συνταράσσω, συσπώ.

convulsion (n) [κονβάλσσιον] αναταραχή, συγκλονισμός, σπασμός.

cony (n) [κόουνι] κουνέλι.

coo (v) [κου] γουργουρίζω.

cook (n) [κουκ] μάγειρας (v) μαγειρεύω, βράζω.

cooker (n) [κούκα(ρ)] κουζίνα.

cookery (n) [κούκερι] μαγειρική.

cookhouse (n) [κούκχαους] μαγειρείο.

cool (adj) [κουλ] ψυχρός (v) ψύχω, πρεμώ, ψυχραίνω (n) δροσιά, θράσος.

coolie (n) [κούουλι] εργάτης.

coolness (n) [κούουλνες] φρεσκάδα, αταραξία, ψυχραιμία.

cooper (n) [κούουπα(ρ)] βαρελοποιός, βυτιοποιός, βαρελάς.

cooperate (v) [κοου-όπερεϊτ] συνεργάζομαι, συμπράττω.

cooperation (n) [κοου-οπερέισσον] συνεργασία, σύμπραξη.

cooperative (n) [κοου-όπερέιτιβ] συνεταιρισμός, συνεργατική.

coordinate (n) [κοου-όο-ντινετ] ίσος, συντεταγμένη (v) [κοουόρ-ντινέίτ] συντονίζω (adj) [κοουό-ντινεϊτ] ίσος.

coordination (n) [κοουοο-ντιρνέισσον] συντονισμός.

cope (v) [κόουπ] αντεπεξέρχομαι.

copier (n) [κόπια(ρ)] αντιγραφέας.

copious (adj) [κόουπιας] άφθονος.

copper (n) [κόπα(ρ)] χαλκός, μπάτσος

(v) μπακιρώνω (adj) χάλκινος.

coppice (n) [κόπις] αλσύλλιο.

copulate (v) [κόπιουλεϊτ] συνευρίσκομαι, συνουσιάζομαι.

copulation (n) [κοπιουλέισσον] σύνδεση.

copy (n) [κόπι] αντίγραφο, κόπια (v) αντιγράφω, κοπιάρω, μιμούμαι.

copy-book (n) [κόπι-μπούκ] τετράδιο.

copyright (n) [κόπιραϊτ] πνευματική ιδιοκτησία.

coquet (n) [κόκετ] κοκέτης.

coquetry (n) [κόκετρι] χαριεντισμός.

coquette (n) [κόκετ] κοκέτα.

coral (adj) [κόραλ] κοραλένιος (n) κοράλλιο, κοράλι.

cord (n) [κόο-ντ] σχοινί (v) δεματιάζω.

cordate (adj) [κόο-ντεϊτ] καρδιοειδής [βοτ], καρδιόσχημος.

corded (adj) [κόο-ντι-ντ] σχοινόδετος.

cordial (adj) [κόο-ντιαλ] φιλικός, θερμός.

cordon (n) [κόο-ντον] κορδόνι, στεφάνι, διάζωμα, ζώνη (v) περιζώνω.

cordon off (v) [κόο-ντον οφ] αποκλείω.

core (n) [κόο(ρ)] κέντρο, ψυχή, πυρήνας (v) εκπυρηνίζω.

cork (n) [κόοκ] τάπα, φελός (adj) φελώδης (v) κλείνω.

corkscrew (n) [κόοκσκριου] ανοικτήρι.

corky (adj) [κόοκι] φελλώδης.

corm (n) [κομ] βολβός.

corn (n) [κόον] δημητριακά, καλαμπόκι, κάλος (v) σπείρω, παστώνω.

corn cob (n) [κόον κο-μπ] κότσαλο καλαμποκιού.

cornea (n) [κόονια] κερατοειδής.

corner (adj) [κόονα(ρ)] γωνιακός (n) στροφή (v) παγιδεύω, στρίβω.

corner-stone (n) [κόοναστόουν] γωνιόλιθος, αγκωνάρι, στήριγμα.

cornet (n) [κοονέτ] κλειδοσάλπιγγα, κορνέτα, χάρτινο χωνί.

cornflakes (n) [κόονφλεϊκς] νιφάδες καλαμποκιού, κόρνφλεϊκς.

cornflour (n) [κόονφλαουρ] ριζάλευρο, αραβοσιτάλευρο.

cornice (n) [κόονις] κορνίζα.

corny (adj) [κόονι] σιτοπαραγωγός, τετριμμένος, φτηνός, σαχλός.

corona (n) [κορόουνα] φωτοστέφανο.

coronal (n) [κόρουναλ] διάδημα, γιρλάντα (adj) μετωπικός.

coronary (n) [κόρενρι] στεφανικός.

coronation (n) [κόρονέισσον] στέψη.

coroner (n) [κόρονα(ρ)] ιατροδικαστής.

corporal (n) [κόοπαραλ] δεκανέας (adj) σωματικός.

corporate (adj) [κόοπορίτ] ενσωματωμένος, συναιτερικός.

corporation (n) [κοοπορέισσον] σύλλογος, σωματείο, εταιρία.

corps (n) [κόο(ρ)] σώμα στρατού.

corpse (n) [κόοπς] κουφάρι, λείψανο, πτώμα, σώμα.

corpulence (n) [κόοπιουλενς] παχυσαρκία.

corpulent (adj) [κόοπιουλέν-τ] παχύσαρκος, σωματώδης.

corpus (n) [κόοπας] γραμματολογία, κώδικας, συλλογή, πτώμα.

correct (adj) [κορέκτ] ορθός, σωστός (v) διορθώνω, επανορθώνω, επιτιμώ, νουθετώ, σωφρονίζω, φτιάνω, φτιάχνω.

correction (n) [κορέκσσον] διόρθωση, διόρθωμα, επανόρθωση.

correctional (adj) [κορέκσσοναλ] επανορθωτικός.

correctly (adv) [κορέκτλι] σωστά.

correctness (n) [κορέκτνες] ακρίβεια.

correlate (v) [κόριλεϊτ] συγγενεύω, ανταποκρίνομαι (n) αντίστοιχο.

correlation (n) [κοριλέισσον] αλληλεξάρτηση, συσχετισμός.

correlative (adj) [κορέλατιβ] σχετιζόμενος, διαζευκτικός (n) συνακόλουθο.

correspond (v) [κόρεσπον-ντ] αλληλογραφώ, συμφωνώ.

correspond to (v) [κόρεσπον-ντ του] αναλογώ, ανταποκρίνομαι.

correspondence (n) [κορεσπόν-ντανς] συμφωνία, αλληλογραφία.

correspondency (n) [κορεσπόν-ντενσι] αντιστοιχία, σχέση, αναλογία.

correspondent (n) [κορεσπόν-ντεν-τ] επιστολογράφος, ανταποκριτής (adj) ανταποκρινόμενος.

corridor (n) [κόρι-ντοο(ρ)] διάδρομος.

corroborate (v) [κορό-μπορέιτ] επιβεβαιώνω, υποστηρίζω.

corroboration (n) [κορο-μπορέισσον] επιβεβαίωση, ενίσχυση.

corrode (v) [κορόου-ντ] σκουριάζω.

corrodent (adj) [κορόου-ντεν-τ] διαβρωτικός (n) διαβρωτικό.

corrosion (n) [κορόουζζιον] οξείδωση.

corrosive sublimate (n) [κορόουζιβ σάμπλιμέιτ] διχλωριούχος υδράργυρος, άχνη.

corrugate (v) [κόραγκέιτ] συρρικνώνω.

corrugated (adj) [κοραγκέιτ-ντ] κυματοειδής, αυλακωτός.

corrupt (adj) [κοράπτ] χαλασμένος, διεφθαρμένος (v) χαλώ, διαφθείρω.

corrupt dealer (n) [κοράπτ ντίιλε(ρ)] ρουσφετολόγος.

corrupter (n) [κοράπτα(ρ)] διαφθορέας.

corruptible (adj) [κοράπτι-μπλ] φθαρτός, ευάλωτος.

corruption (n) [κοράπσσον] σύψη, αλλοίωση, διαφθορά.

corsage (n) [κοοσάα] μπούστος.

corsair (n) [κόοσεα(ρ)] πειρατής.

corse (n) [κόος] πτώμα [ποιητ].

corset (n) [κόοσιτ] κορσές, ζώνη [εσώρουχο].

Corsican (n) [Κόοσικαν] Κορσικανός.

cortege (n) [κοοτέζζ] συνοδεία.

cortex (n) [κόοτεκς] φλούδα.

cortical (adj) [κόοτικλ] φλοιώδης.

cortisone (n) [κόοτιζοουν] κορτιζόνη.

corundum (n) [κοράν-νταμ] κορούνδιο.

coruscate (v) [κόρεσκέϊτ] λάμπω.

coruscation (n) [κορεσκέισσον] λάμψη, σπινθηροβόλημα, στίλβη.

corvine (adj) [κόοβάϊν] κορακοειδής.

cosecant (n) [κοσέκαν-τ] συντέμνουσα.

cosily (adv) [κόουζιλι] αναπαυτικά, άνετα, ζεστά, χουζούρικα.

cosine (n) [κόουσαϊν] συνημίτονο.

cosiness (n) [κόουζινες] άνεση.

cosmetic (n) [κοζμέτικ] φτιασίδι.

cosmetician (n) [κοσμετίσσαν] πωλητής καλλυντικών, αισθητικός.

cosmetics (n) [κοζμέτικς] καλλυντικά.

cosmic (adj) [κόζμικ] κοσμικός.

cosmocracy (n) [κοζμόκρασι] κοσμοκρατορία.

cosmogony (n) [κοζμόγκονι] κοσμογονία.

cosmography (n) [κοζμόγκραφι] κοσμογραφία.

cosmology (n) [κοζμόλοντζζι] κοσμολογία, φιλοσοφία της φύσης.

cosmonaut (n) [κόζμονόοτ] κοσμοναύτης, αστροναύτης.

cosmopolitan (n) [κοζμοπόλιταν] κοσμοπολίτης (adj) κοσμοπολιτικός.

cosmos (n) [κόζμος] κόσμος.

Cossack (n) [Κόσακ] κοζάκος.

cosset (v) [κόσιτ] κανακεύω.

cost (n) [κοστ] κόστος, τίμημα (v) αξίζω, έχω, στοιχίζω.

cost accounting (n) [κοστ ακάουν-τινγκ] κοστολόγηση.

cost of living (n) [κοστ οβ λίβινγκ] τιμάριθμος.

costal (adj) [κόοσταλ] πλευρικός.

costing (n) [κόστιγκ] κοστολόγηση.

costive (adj) [κόστιβ] δυσκοίλιος.

costliness (n) [κόστλινες] ακρίβεια.

costly (adj) [κόστλι] ακριβός.

costume (n) [κόστιουμ] στολή (v) ντύνω, κουστουμάρω, μεταμφιέζω.

costumer (n) [κοστιούμα(ρ)] ενδυματολόγος, μοδίστρα.

costumier (n) [κοστιούμια(ρ)] κοστουμιέρης, μοδίστρα.

cosy (adj) [κόουζι] αναπαυτικός (n) κάλυμμα τσαγιέρας.

cot (n) [κοτ] κούνια, καλύβα.

cot-case (n) [κοτ-κεϊς] κατάκοιτος.

cote (n) [κόουτ] κοτέτσι, περιστερώνας.

cottage (n) [κότιντζ] καλύβα, σπιτάκι.

cottage industry (n) [κότιντζζ ίν-ντα-στρι] οικοτεχνία.

cottager (n) [κότσαντζερ] χωρικός.

cottier (n) [κότιε(ρ)] χωρικός, κάτοικος καλύβας.

cotton (n) [κότον] βαμβάκι.

cotton quilt (n) [κότον κουιλτ] πάπλωμα.

cotyledon (n) [κοτιλίι-ντον] κοτυληδών.

couch (n) [κάουτσ] καναπές, σοφάς, ντιβάνι, στρώμα, ανάκλιντρο.

couchette (n) [κουσσέτ] κοκέττα.

couchant (adj) [κάουτσσαν-τ] πρηνής, κατακεκλιμένος.

cougar (n) [κούουγκααρ] πούμα [ζωολ].

cough (n) [κοφ] βήχας (v) βήχω.

coulisse (n) [κουλίις] αυλάκι.

coulomb (n) [κουλόμ] κουλόμπ.

council (n) [κάουνσιλ] συμβούλιο.

councillor (n) [κάουνσιλο(ρ)] σύμβουλος.

counsel (n) [κάουνσελ] καθοδήγηση, νουθεσία (v) συμβουλεύω, συνιστώ.

counsellor (n) [κάουνσελο(ρ)] σύμβουλος, δικηγόρος.

count (n) [κάουν-τ] κόντες, λογαριασμός, μέτρημα (v) λογαριάζω, μετρώ.

count on (v) [κάουν-τ ον] βασίζομαι, στηρίζομαι, λογαριάζω [πρόθεση να].

countenance (n) [κάουν-τενανς] όψη, ύφος (v) εγκρίνω, ευνοώ.

counter (n) [κάουν-τα(ρ)] πάγκος, (adj)

αντίθετος (adv) αντίθετα (v) αντιδρώ.

counter-espionage (n) [κάουν-τερ-έ-σπιονάαζζ] αντικατασκοπεία.

counter-evidence (n) [κάουν-τερ-έβιντενς] ανταπόδειξη.

counter-productive (adj) [κάουν-τερ-προ-ντάκτιβ] επιζήμιος.

counter-proposal (n) [κάουν-τερπρο-πόουζαλ] αντιπρόταση.

counteract (v) [κάουν-τεράκτ] αντενεργώ.

counterattack (n) [κάουν-τερατακ] α-ντεπίθεση (v) αντεπιτίθεμαι.

counterbalance (n) [κάουν-τερ-μπάλανς] αντιστάθμισμα, ισοφάριση (v) συμψηφίζω, εξουδετερώνω.

counterblast (n) [κάουν-τε-μπλαστ] α-ντεπίθεση, ανταπάντηση.

countercharge (n) [κάουν-τετσσάαντζζ] αντικατηγορία, αντέγκληση.

countercheck (n) [κάουν-τατσσεκ] ανα-χαίτιση, εμπόδιο, επίπληξη.

counterclaim (n) [κάουν-τακλέιμ] αντα-παίτηση, απαίτηση.

counterfeit (adj) [κάουν-ταφιτ] ψευδής (v) πλαστογραφώ (n) απομίμηση.

counterfeiter (n) [κάουν-τερφιτα(ρ)] παραχαράκτης.

counterfoil (n) [κάουν-τερφόιλ] διπλότυπο, στέλεχος.

countermand (v) [κάουν-τερμαν-ντ] α-νακαλώ (n) ακύρωση.

countermarch (v) [κάουν-τερμάατσς] αντιβαδίζω (n) αντιβάδισμα.

countermove (n) [κάουν-τεμουουβ] α-ντίδραση.

counterpane (n) [κάουν-τερπέιν] πά-πλωμα, κάλυμμα κρεβατιού.

counterpart (n) [κάουν-ταπάατ] ισότι-μο, αντίτυπο, σωσίας.

counterplea (n) [κάουν-τερπλι] αντα-πάντηση.

counterplot (n) [καουν-τερπλότ] αντι-στρατήγημα, αντιτέχνασμα.

counterpoise (n) [κάουν-ταπόιζ] αντίβαρο, ισορροπία.

counterrevolution (n) [κάουν-ταρεβολιούσσον] αντεπανάσταση.

countersign (v) [κάουν-τασάιν] προσυπογράφω (n) παρασύνθημα.

countersink (v) [κάουν-τασινκ] φρεζάρω, βυθίζω (n) τρυπάνι, φρέζα.

counterweight (n) [κάουν-ταουέιτ] αντίρροπο, αντίβαρο.

countess (n) [κάουν-τες] κοντέσσα.

countless (adj) [κάουν-τλες] αμέτρητος, αναρίθμητος.

countrified (adj) [κάν-τριφαϊ-ντ] επαρχιώτικος, χωριάτικος, υπαίθριος.

country (adj) [κάν-τρι] εξοχικός, χωρικός (n) κράτος, πολιτεία.

country house (n) [κάν-τρι χάους] έπαυλη, θέρετρο.

country inn (n) [κάν-τρι ιν] χάνι.

county (n) [κάουν-τι] κομητεία (adj) αριστοκρατικός.

coup (n) [κούου] αιφνιδιασμός, κόλπο.

coup d'etat (n) [κου ντ'ετά] πραξικόπημα.

couple (n) [καπλ] ζευγάρι.

couplet (n) [κάπλετ] λιανοτράγουδο.

coupling (n) [κάπλινγκ] ένωση, ζεύξη.

coupon (n) [κούπον] απόκομμα.

courage (n) [κάριντζζ] ανδρεία.

courageous (adj) [καρέιντζζας] θαρραλέος, ανδρείος, εύψυχος.

courageously (adv) [καρέιντζζασλι] ευθαρσώς, γενναία.

courgette (n) [κοοζζέτ] κολοκυθάκι.

courier (n) [κούρια(ρ)] αγγελιοφόρος, ταχυδρόμος, μαντατοφόρος.

course (n) [κόος] διεύθυνση, πορεία, φορά (v) κυνηγώ, ρέω.

coursing (n) [κόοσινγκ] καταδίωξη.

court (adj) [κόοτ] ανακτορικός (n) αυλή (v) ερωτοτροπώ.

court of appeal (n) [κόοτ οβ απίλ] εφετείο.

court of first instance (n) [κόοτ οβ φερστ ίνστανς] πρωτοδικείο.

court of justice (n) [κόοτ οβ ντζζάστις] δικαστήριο.

court shoe (n) [κόοτ σσου] γόβα.

court-martial (n) [κόοτ-μάασσαλ] στρατοδικείο.

courteous (adj) [κέρτιας] αβρός, ευγενής, ευγενικός.

courtesan (n) [κόοτεζαν] πόρνη.

courtesy (n) [κέρτεσι] ευγένεια.

courtier (adj) [κόοτιερ] αυλικός.

courting (n) [κόοτινγκ] φλερτ, κόρτε.

courtliness (n) [κόοτλινες] ευγένεια, κομψότητα, φιλοκαλία.

courtly (adj) [κόοτλι] ευγενής.

courtship (n) [κόοτοσιπ] ερωτοτροπία.

courtyard (n) [κόοτιάα-ντ] αυλή.

cousin (n) [καζν] εξαδέλφη.

couth (adj) [κούουθ] ευγενής.

couvalent (adj) [κοουβάλεν-τ] ομοιοπολικός.

cove (n) [κόουβ] λιμανάκι, όρμος, χαράδρα (v) αψιδώ.

covenant (n) [κάβεναν-τ] συνθήκη, σύμφωνο, συμβόλαιο.

covenanter (n) [κάβεναν-τα(ρ)] συμβαλλόμενος, οφειλέτης.

cover (n) [κάβα(ρ)] περιτύλιγμα, σκέπη, φάκελος, πώμα, στέγασμα (v) καλύπτω, ντύνω, διανύω, κρύβω.

cover charge (n) [κάβερ τσάαρντζζ] κουβέρ.

coverage (n) [κάβεριντζζ] ασφάλεια.

covering (n) [κάβερινγκ] κάλυμμα, επένδυση (adj) καλυπτικός.

coverlet (n) [κάβαλετ] κουβέρτα.

covert (adj) [κάβερτ] κρυφός.

covertly (adv) [κάβερτλι] κρυφά.

covertness (n) [κάβερτνες] κρυφό.

coverture (n) [κάβερτσσα(ρ)] κάλυψη.

covet (v) [κάβιτ] λιγουρεύομαι.

coveted (adj) [κάβετι-ντ] ποθητός.

coveter (n) [κάβιτα(ρ)] ορεγόμενος.

covetous (adj) [κάβιτας] φιλοκερδής.

covetousness (n) [κάβιτασνες] απληστία.

covin (n) [κάβιν] σκευωρία.

coving (n) [κόουβινγκ] θόλος.

cow (n) [κάου] αγελάδα, ελέφαντας, φάλαινα, φώκια (v) φοβίζω.

cow pat (n) [κάου πατ] σβουνιά.

cowardice (n) [κάουα-ντις] ανανδρία.

cowardly (adj) [κάουα-ντλι] δειλός, άνανδρος (adv) δειλά.

cowboy (n) [κάου-μπόι] γελαδάρης.

cower (v) [κάουα(ρ)] μαζεύομαι.

cowhide (n) [κάουχαϊ-ντ] μαστίγιο.

cowl (n) [κάουλ] κουκούλα.

cowshed (n) [κάουσσέ-ντ] στάβλος.

cowslip (n) [κάουσλιπ] πρίμουλα η εαρινή [βοτ], πασχαλίτσα.

cox (n) [κοκς] πηδαλιούχος.

coxswain (n) [κόκοουεϊν] τιμονιέρης.

coy (adj) [κόι] δειλός, ντροπαλός.

coyness (n) [κόινες] νάζι.

coyote (n) [κάιοουτ] λύκος.

cozen (v) [κάζν] εξαπατώ, κλέβω.

crab (n) [κρα-μπ] κάβουρας, καρκίνος, ξυνόμηλο (v) καταστρέφω, εμποδίζω.

crabbed (adj) [κρα-μπ-ντ] δύστροπος.

crabbedness (n) [κρά-μπε-ντνες] τραχύτητα, δυστροπία.

crabby (adj) [κρά-μπι] στρυφνός.

crack (n) [κρακ] κτύπημα, χαραμάδα, ρήγμα (v) θραύω, ραΐζω, σκάω, τρίζω.

cracked (adj) [κρακ-ντ] μισοσπασμένος, ραγισμένος, σπασμένος.

cracker (n) [κράκα(ρ)] κροτίδα.

cracking (n) [κράκινγκ] πυρόλυση, σκάσιμο (adj) ταχύτατος, δρομαίος.

crackle (v) [κρακλ] κροταλίζω, τρίζω (n) κροτάλισμα, τρίξιμο.

crackling (n) [κράκλινγκ] ξεροψημένη πέτσα γουρουνιού, τριγμός.

crackpot (adj) [κράκποτ] τρελός.

cradle (n) [κρέι-ντλ] κοιτίδα, κούνια (v) κουνώ, ξεπλένω.

cradling (n) [κρέι-ντλινγκ] αψιδότυπος, ξυλότυπος.

craft (n) [κράαφτ] πλεούμενο, πονηρία, ικανότητα, τέχνη.

craftily (adv) [κράαφτιλι] πονηρά.

craftiness (n) [κράαφτινες] πονηρία, κατεργαριά, πανουργία, δολιότητα.

craftsman (n) [κράαφτσμαν] τεχνίτης, χειροτέχνης, επαγγελματίας.

crafty (adj) [κράαφτι] πανούργος, κατεργάρης, δόλιος, πονηρός.

crag (n) [κραγκ] γκρεμνός.

craggy (adj) [κράγκι] απόκρημνος.

cragsman (n) [κράγκζμαν] ορειβάτης.

cram (v) [κράμ] χώνω, παραγεμίζω.

crammed (adj) [κραμ-ντ] γεμάτος.

cramp (n) [κραμπ] σύσπαση.

cramped (adj) [κραμ-π-ντ] πιασμένος, στενόχωρος, μπερδεμένος.

crampon (n) [κράμ-πον] αρπάγη.

crane (n) [κρέιν] λέλεκας, γερανός [μηχάνημα], γερανός [ζωολ].

cranial (adj) [κρέινιαλ] κρανιακός.

cranium (n) [κρέινιαμ] κρανίο.

crank (n) [κρανκ] μανιβέλλα, μανία, βίδα (adj) ασταθής (v) λυγίζω.

crankily (adv) [κράνκιλι] δύσκολα.

cranky (adj) [κράνκι] ασταθής.

cranny (n) [κράνι] σχισμή, ρωγμή.

crap (v) [κραπ] χέζω (n) σκατά.

craps (n) [κραπς] μπαρμπούτι.

crapulence (n) [κράπουλενς] κραιπάλη, μέθη, παραλυσία.

crash (n) [κρασς] χρεοκοπία, κραχ, κρότος (v) καταπίπτω, τσακίζομαι.

crashing (n) [κράσσινγκ] κρότος (adj) καταπίπτων, συγκρουόμενος.

crasis (n) [κρέισις] κράση [γραμμ].

crass (adj) [κρας] ηλίθιος.
cratch (n) [κρατος] φάτνη, παχνί.
crate (n) [κρέιτ] καφάσι.
crater (n) [κρέιτα(ρ)] κρατήρας.
cravat (n) [κραβάτ] λαιμοδέτης.
crave (v) [κρέιβ] παρακαλώ, εκλιπαρώ.
crave for (v) [κρέιβ φοο(ρ)] νοσταλγώ.
craven (adj) [κρέιβν] δειλός.
craving (n) [κρέιβινγκ] πόθος, επιθυμία, λαχτάρα, δίψα για κάτι.
craw (n) [κροο] πρόλοβος.
crawl (v) [κρόολ] έρπω, βρίθω (n) σύρσιμο, κρόουλ, ιχθυοτροφείο, καλαμωτή.
crawling (adj) [κρόολινγκ] αργοκίνητος.
crayfish (n) [κρέιφίσς] καραβίδα.
crayon (n) [κρέιγιόν] κιμωλία.
craze (n) [κρέιζ] ψύχωση (v) τρελαίνω, μωραίνω, ραγίζω.
crazily (adv) [κρέιζιλι] άφρονα.
craziness (n) [κρέιζινες] τρέλα.
crazy (adj) [κρέιζι] τρελός.
creak (v) [κρίικ] τρίζω (n) τριγμός.
creaking (n) [κρίικινγκ] τριγμός.
cream (n) [κρίμ] κρέμα (v) ξαφρίζω.
creamy (adj) [κρίιμι] παχύς, κρεμ.
crease (n) [κρίις] ζάρα, σούφρα, τσάκιση (v) ζαρώνω, σουφρώνω, σουρώνω.
creasing (n) [κρίισινγκ] ζάρωμα.
create (v) [κρίέιτ] πλάθω.
creation (n) [κρίέισσον] δημιουργία, δημιούργημα, κατασκεύασμα.
creativity (n) [κρίιέιτίβιτι] δημιουργικότητα, επινοητικότητα.
Creator (n) [Κρίέιτο(ρ)] πλάστης.
creature (n) [κρίτσσερ] πλάσμα.
credence (n) [κρι-ντενς] πίστη.
credentials (n) [κρι-ντένσσιαλζ] διαπιστευτήρια.
credibility (n) [κρε-ντι-μπίλιτι] αξιοπιστία.
credible (adj) [κρέ-ντι-μπλ] πιστευτός, αξιόπιστος.
credit (adj) [κρέ-ντιτ] πιστωτικός (n) πί-

στωση (v) πιστεύω.
credit with (v) [κρέ-ντιτ ουίδ] πιστώνω.
creditably (adv) [κρέ-ντιτα-μπλι] αξιόπιστα, αξιέπαινα.
creditor (n) [κρέ-ντιτο(ρ)] πιστωτής, δανειστής, πίστωση.
credulous (adj) [κρέ-ντιουλας] εύπιστος, μωρόπιστος, αγαθόπιστος.
creed (n) [κρί-ντ] πίστη.
creek (n) [κρίικ] ρυάκι, κολπίσκος.
creel (n) [κρίιλ] ψαροκόφινο.
creep (v) [κρίιπ] γλυστρώ, αναρριχιέμαι, έρπω (n) ερπυσμός, διόγκωση.
creeper (n) [κρίιπα(ρ)] έρπων, τσιγγέλι, ταινιόδρομος.
creepily (adv) [κρίιπιλι] αργά.
creeping (adj) [κρίιπινγκ] συρόμενος (n) ερπυσμός, μυρμηκίαση.
creepy (adj) [κρίιπι] έρπων.
cremate (v) [κριμέιτ] καίω.
crematorium (n) [κρεματόριαμ] κρεματόριο, αποτεφρωτήριο.
crenate (adj) [κριινέιτ] οδοντωτός [βοτ].
crenellated (adj) [κρένιλέιτι-ντ] φέρων επάλξεις [αρχιτ], οδοντωτός [αρχιτ].
crêpe (n) [κρεπ] ύφασμα κρεπ.
crepitate (v) [κρέπιτεϊτ] τρίζω.
crepuscular (adj) [κρεπάσκιουλα(ρ)] δειλινός, θαμπός.
crescent (n) [κρέσεν-τ] μισοφέγγαρο, μηνίσκος.
cress (n) [κρες] κάρδαμο.
crest (n) [κρεστ] κάλλαιον, λόφος.
crestfallen (adj) [κρέστφοολεν] απογοντευμένος, ταπεινωμένος.
Cretan (n) [Κρίταν] Κρητικός.
Crete (n) [Κρίιτ] Κρήτη.
crevasse (n) [κρεβάς] ρωγμή.
crevice (n) [κρέβις] σχισμή.
crew (n) [κρούου] φάρα.
crib (n) [κρι-μπ] κούνια (v) αντιγράφω.
cribber (n) [κρί-μπα(ρ)] αντιγραφέας.

cribbing (n) [κρί-μπινγκ] σανίδωμα, α-ντιγραφή.

crick (n) [κρικ] στραβολαίμιασμα (v) νευροκαβαλικεύω.

cricket (n) [κρίκετ] γρύλος, κρίκετ.

crier (n) [κράια(ρ)] κλητήρας.

crime (n) [κράιμ] αδίκημα, αμαρτία, κρίμα (v) παραπέμπω.

criminal (adj) [κρίμιναλ] κακοποιός (n) κακούργος, εγκληματίας.

criminal court (n) [κρίμιναλ κόοτ] κακουργοδικείο.

criminal lawyer (n) [κρίμιναλ λόοϊα(ρ)] ποινικολόγος.

criminalist (n) [κρίμιναλιστ] εγκληματολόγος.

criminate (v) [κρίμινεϊτ] κατηγορώ, ε-νοχοποιώ, καταδικάζω.

criminological (adj) [κριμινολόντζζι-καλ] εγκληματολογικός.

crimp (n) [κριμ-π] πτύχωση (v) κατσαρώνω (adj) σγουρός.

crimpy (adj) [κρίμ-πι] κατσαρός.

crimson (adj) [κρίμζον] κατακόκκινος (n) πορφυρούν (v) ερυθραίνω, κοκκινίζω.

cringe (v) [κριν-ντζζ] μαζεύομαι.

crinkle (v) [κρινκλ] τσαλακώνω (n) πτυχή, ζαρωματιά (adj) ρυτιδωμένος.

crinoline (n) [κρίνολιν] κρινολίνο.

cripple (n) [κριπλ] ανάπηρος, παράλυτος (v) ακρωτηριάζω, κουτσαίνω.

crippled (adj) [κρίπλ-ντ] παράλυτος.

crisis (n) [κράισις] κρίση.

crisp (adj) [κρισπ] τραγανός, ξηρός (n) τσιπς (v) κατσαρώνω.

crispation (n) [κρισπέισσον] σύσπαση.

criterion (n) [κραϊτίριον] κριτήριο.

critic (n) [κρίτικ] κριτικός.

critical (adj) [κρίτικαλ] κριτικός.

critically (adv) [κρίτικαλι] κριτικά.

criticism (n) [κρίτισιζμ] κριτική.

criticize (v) [κρίτισαϊζ] κριτικάρω.

critique (n) [κριτίικ] κριτική.

critter (n) [κρίτερ] πλάσμα, ον.

croak (n) [κρόουκ] κρωγμός (v) κοάζω, κράζω, κρώζω [βάτραχος].

croaker (n) [κρόουκα(ρ)] ζωό που κράζει, γκρινιάρης.

crock (n) [κροκ] πήλινο αγγείο, ψωράλογο.

crockery (n) [κρόκερι] πιατικά.

crocky (adj) [κρόκι] τσακισμένος.

crocodile (n) [κρόκο-ντάιλ] κροκόδειλος.

crocus (n) [κρόουκας] κρόκος.

crofter (n) [κρόφτα(ρ)] μικροκτηματίας.

crony (n) [κρόουνι] στενός φίλος.

crook (n) [κρουκ] τσιγγέλι, γάντζος, μαγκούρα, πατερίτσα (adj) ανέντιμος, άκεφος.

crooked (adj) [κρούκι-ντ] αγκυλωτός, ζαβός, κυρτός, πλάγιος.

crookedness (n) [κρούκι-ντνες] μοχθηρία.

croon (v) [κρούουν] σιγοτραγουδώ.

crop (n) [κροπ] (v) θερίζω, κόβω, κουρεύω, κλαδεύω, σπέρνω.

crop up (v) [κροπ απ] ξεφυτρώνω, ξετρυπώνω.

cropper (n) [κρόπα(ρ)] κόφτης.

crops (n) [κροπς] δημητριακά.

croquette (n) [κροουκέτ] κροκέτα.

cross (adj) [κρος] διαγώνιος, εγκάρσιος, κακόκεφος, θυμωμένος, νευριασμένος (n) σταυρός (v) διασταυρώνω, τέμνω, υπερβαίνω, διασχίζω (adv) αντίπερα.

cross-cut (n) [κροσ-κατ] διατομή.

cross-examination (n) [κρος-εξαμινέισσον] αντιπαράσταση.

cross-grained .(adj) [κροσ-γκρέιν-ντ] κακότροπος.

cross-legged (adv) [κροσ-λέγκ-ντ] οκλαδόν, σταυροπόδι.

crossbar (n) [κρόσ-μπάα(ρ)] τραβέρσα, διάζευγμα, δοκάρι.

crossbreed (n) [κρόσ-μπρίι-ντ] διασταύρωση [βιολ], υβρίδιο.

crossing (n) [κρόσινγκ] διάβαση, διασταύρωση, διάπλους, σταυροδρόμι.

crossroads (n) [κρόσορόου-ντζ] σταυροδρόμι.

crossword puzzle (n) [κρόσουέρ-ντ παζλ] σταυρόλεξο.

crotch (n) [κροτσς] διχάλα.

crow (v) [κρόου] κράζω, λαλώ (n) κοράκι, κράχτης.

crow bar (n) [κρόου μπαα(ρ)] μοχλός, μπάρα, λοστός.

crowd (n) [κράου-ντ] όχλος, κοπάδι, σμήνος (v) στοιβάζω, στριμώχνω.

crowded (adj) [κράου-ντι-ντ] κατάμεστος, γεμάτος.

crowing (n) [κρόουινγκ] κράξιμο.

crown (n) [κράουν] διάδημα, στέμμα (v) στεφανώνω.

crown prince (adj) [κράουν πρινς] διάδοχος.

crowning (n) [κράουνινγκ] στέψη, ολοκλήρωση, κορυφή (adj) τελικός, τέλειος.

crucial (adj) [κρούουσσαλ] κρίσιμος, αποφασιστικός.

crucible (n) [κρούσι-μπλ] χοάνη.

Crucifix (n) [Κρούσιφίξ] Εσταυρωμένος.

crude (adj) [κρούου-ντ] ανώριμος, άτεχνος, χυδαίος.

crude oil (n) [κρούου-ντ όιλ] πετρέλαιο.

cruel (adj) [κρούουελ] ανελέητος, αιμοβόρος, σκληρός, ωμός.

cruelty (n) [κρούουελτι] ασπλαχνία.

cruet stand (n) [κρούουετ σταν-ντ] λαδωτήρι.

cruise (n) [κρούουζ] κρουαζιέρα.

cruiser (n) [κρούουζερ] καταδρομικό.

crumb (n) [κραμ] ψίχα, θρύψαλο.

crumble (v) [κραμ-μπλ] τσακίζω.

crumbling (adj) [κράμ-μπλινγκ] σαραβαλιασμένος.

crumbly (adj) [κράμ-μπλι] ετοιμόρροπος, εύθρυπτος.

crumpet (n) [κράμ-πιτ] φρυγανιά.

crumple (v) [κραμ-πλ] ζαρώνω.

crumpled (adj) [κραμ-πλ-ντ] ζαρωμένος, ρυτιδωμένος, κυρτός.

crunch (v) [κραν-τσς] κριτσανίζω (n) τρίξιμο, τραγάνισμα.

crunchy (adj) [κράν-τσσι] τριζάτος.

crupper (n) [κράπερ] οπίσθια.

crural (adj) [κρούραλ] μηριαίος.

crusader (n) [κρούσέι-ντερ] σταυροφόρος.

crush (n) [κρασς] συντριβή, στρίμωγμα, πλάκωμα (v) θλίβω, καταπιέζω, συντρίβω.

crushed (adj) [κρασσ-τ] τσακιστός.

crusher (n) [κράσσερ] κόπανος.

crushing (adj) [κράσσινγκ] συντριπτικός (n) θλίψη, συντριβή.

crust (n) [κραστ] κόρα, κέλυφος, τσίπα.

crusty (adj) [κράστι] φλοιώδης.

crutch (n) [κρατς] πατερίτσα.

crux (n) [κρακς] επίκεντρο.

cry (n) [κράι] βοή, κλάμα, ικεσία, φωνή (v) κλαίω, φωνάζω, αναγγέλλω.

cry out (v) [κράι άουτ] αναφωνώ.

crying (adj) [κράιινγκ] γοερός, κραυγαλέος (n) κλάμα, κλάψιμο.

cryotherapy (n) [κράιοουθέραπι] κρυοθεραπεία, ψυχροθεραπεία.

crypt (n) [κριπτ] κρύπτη.

cryptic (adj) [κρίππικ] μυστικός.

cryptographic (adj) [κριππογκράφικ] κρυπτογραφικός.

crystal (n) [κρίσταλ] κρύσταλλος.

crystalline (adj) [κρίσταλαϊν] κρυστάλλινος, κρυσταλλικός.

crystallize (v) [κρίσταλάιζ] κρυσταλλώ, αποκρυσταλλώνω.

cube (n) [κιού-μπ] κύβος [γεωμ].

cubic (adj) [κιού-μπικ] κυβικός.

cubicle (n) [κιού-μπικλ] θαλαμίσκος.

cubism (n) [κιού-μπιζμ] κυβισμός.

cuckold (v) [κάκολ-ντ] κερατώνω (n) απατημένος σύζηγος, κερατάς.

cuckoo (n) [κούκουου] κούκος.

cucumber (n) [κιούκαμ-μπα(ρ)] αγγούρι.

cucurbit (n) [κιούκερ-μπιτ] κολοκύθα.

cuddle (v) [κα-ντλ] αγκαλιάζω.

cudgel (n) [κάντζζελ] ρόπαλο, στειλιάρι (v) ξυλοκοπώ.

cuff (v) [καφ] χαστουκίζω (n) ρεβέρ παντελονιού, μανικέτι.

cuirass (n) [κουιράς] θώρακας πανοπλίας.

culinary (adj) [κάλινρι] μαγειρικός.

cull (v) [καλ] επιλέγω, διαλέγω, δρέπω, μαζεύω (n) σκάρτο.

cully (n) [κάλι] στενός φίλος.

culm (n) [καλμ] καλάμη.

culminant (adj) [κάλμιναν-τ] κορυφαίος.

culminate (v) [κάλμινέιτ] μεσουρανώ, κορυφώνομαι.

culmination (n) [καλμινέισσον] αποκορύφωμα.

culottes (n) [κουλότς] κυλότες.

culpability (n) [καλπα-μπίλιτι] ενοχή, υπαιτιότητα.

culpable (adj) [κάλπα-μπλ] κατακριτέος, αξιοκατάκριτος.

culprit (n) [κάλπριτ] ένοχος.

cult (n) [καλτ] λατρεία, συρμός.

cultivable (adj) [κάλτιβα-μπλ] αρόσιμος, καλλιεργήσιμος.

cultivate (v) [κάλτιβέιτ] εκτρέφω.

cultivator (n) [καλτιβέιτορ] καλλιεργητής, καλλιεργητική μηχανή.

cultural (adj) [κάλτσεραλ] καλλιεργητικός, εκπολιτιστικός.

culture (n) [κάλτσσερ] καλλιέργεια, κουλτούρα.

culver (n) [κάλβερ] φάσσα [ζωολ].

culvert (n) [κάλβερτ] οχετός, υπόγειος αγωγός καλωδίων, κανάλι.

cumber (v) [κάμ-μπα(ρ)] εμποδίζω, βαραίνω (n) κώλυμα, εμπόδιο.

cumbersome (adj) [κάμ-μπασαμ] βαρύς, άβολος, δυσκίνητος.

cumin (n) [κιούμιν] κύμινο.

cummerbund (n) [κάμα-μπαν-ντ] πλατειά ζώνη, ζωνάρι.

cumulate (v) [κιούμιουλέϊτ] συσσωρεύω, επισωρεύω.

cuneiform (adj) [κιούνίφορμ] σφηνοειδής, σφηνοειδής γραφή.

cunning (adj) [κάνινγκ] πονηρός (n) μαγκιά, πανουργία (v) πονηρεύομαι.

cunt (n) [καν-τ] μουνί [χυδ].

cup (n) [καπ] κύπελλο (v) κοιλαίνω, χουφτιάζω.

cupboard (n) [κάμπα-ντ] σκευοθήκη, αρμάρι, ερμάρι, ντουλάπι.

cupidity (n) [κιουπί-ντιτι] φιλοχρηματία, πλεονεξία.

cupola (n) [κιούπολα] θόλος.

cupping (n) [κάπινγκ] βεντούζα.

cur (n) [κερ] κοπρόσκυλο, φοβιτσιάρης, κοπρίτης, μούργος.

curable (adj) [κιούρα-μπλ] θεραπεύσιμος.

curator (n) [κιούρέϊτορ] κηδεμόνας, έφορος, φύλακας.

curb (v) [κερ-μπ] καταστέλλω, χαλιναγωγώ (n) χαλινάρι, κράσπεδο.

curd (n) [κερ-ντ] σβόλος.

curdle (v) [κερ-ντλ] πήζω.

curdled (adj) [κερ-ντλ-ντ] πηχτός.

cure (n) [κιούρ] νοσηλεία, κούρα (v) θεραπεύω, παστώνω.

curer (n) [κιούρερ] θεραπευτής.

curio (n) [κιούριοου] μπιμπελό.

curiosity (n) [κιουριόσιτι] περιέργεια, αξιοπερίεργο αντικείμενο.

curious (adj) [κιούριας] περίεργος, παράδοξος, παράξενος.

curl (n) [κερλ] μπούκλα (v) κατσαρώνω.

curly (adj) [κέρλι] κατσαρός, σγουρός.

currant (n) [κάραν-τ] σταφίδα.

currency (n) [κάρενσι] τρέχουσα τιμή, κυκλοφορία, νόμισμα.

current (adj) [κάρεν-τ] ισχύων, τρεχούμενος (n) ρεύμα, ροή, ρους.

currently (adv) [κάρεν-τλι] γενικά.

curriculum vitae (n) [καρίκιουλαμ βίτάι] βιογραφικό σημείωμα.

curry (v) [κάρι] καρυκεύω.

currycomb (n) [κάρικόουμ] ξυστρί.

curse (n) [κερς] βλαστήμια, κατάρα (v) καταριέμαι, βλασφημώ (adj) καταραμένος.

cursorily (adv) [κερσόριλι] επιτροχάδην.

cursory (adj) [κέρσορι] βιαστικός.

curt (adj) [κερτ] απότομος.

curtail (v) [κερτέιλ] κονταίνω.

curtailment (n) [κερτέιλμεν-τ] ελάττωση.

curtain (n) [κέρτεν] κουρτίνα.

curtly (adv) [κέρτλι] απότομα.

curtness (n) [κέρτνες] απότομο.

curtsey (n) [κέρτσι] ρεβερέντζα, υπόκλιση.

curtsy (n) [κέρτσι] υπόκλιση.

curve (n) [κερβ] καμπύλη (v) κάμπτω.

curved (adj) [κερβ-ντ] καμπύλος.

cushion (n) [κούσσον] μαξιλάρι.

cusp (n) [κασπ] ακμή, άκρο.

cuss (n) [κας] βλαστήμια, μάγκας, τύπος (v) βλαστημώ, βρίζω.

cussed (adj) [κάσ-τ] πείσμων.

custody (n) [κάστο-ντι] επιτήρηση.

custom (n) [κάστομ] μόδα, έθιμο, έξη, τελωνειακοί δασμοί, πελατεία.

customary (adj) [κάστομέρι] εθιμικός.

customer (n) [κάστομερ] καταναλωτής, μουστερής, πελάτης.

customs (adj) [κάστομζ] δασμολογικός (n) ήθη.

customs house (n) [κάστομζ χάους] τελωνείο.

cut (n) [κατ] τομή (adj) κομμένος (v) κόβω.

cut away (v) [κατ αουέι] αποκόβω.

cut off (v) [κατ οφ] διακόπτω.

cut out (v) [κατ άουτ] περικόπτω.

cut out for (adj) [κατ άουτ φοο(ρ)] πλασμένος.

cut up (v) [κατ απ] κομματιάζω.

cut-throat (n) [κατ-θρόουτ] μαχαιροβγάλτης (adj) εξοντωτικός.

cute (adj) [κιούτ] νοστιμούλης (n) μινιόν.

cutlet (n) [κάτλιτ] κοτολέτα.

cutoff (n) [κάτοφ] κατατομή.

cutter (n) [κάτερ] κοφτήρι.

cutting (adj) [κάτινγκ] κοφτερός (n) κοπή.

cuttlefish (n) [κάτλφίσς] σουπιά.

cutty (adj) [κάτι] μικρός, κοντός.

cyanic (adj) [σαϊάνικ] κυανούς.

cyanide (n) [σάιανάι-ντ] κυάνιο (v) ενανθρακώ.

cyclamen (n) [σάικλαμεν] κυκλάμινο.

cycle (n) [σάικλ] κύκλος, ποδήλατο (v) ανακυκλώνομαι, ποδηλατώ.

cyclic (adj) [σάικλικ] κυκλικός.

cycling (n) [σάικλινγκ] ποδηλασία.

cyclist (n) [σάικλιστ] ποδηλάτης.

cyclone (n) [σάικλόουν] κυκλώνας.

cyclop (n) [σάικλόπ] κύκλωπας.

cylinder (n) [σίλιν-ντερ] κύλινδρος.

cyma (n) [σάιμα] κύμα, κυμάτιο.

cymbal (n) [σίμ-μπαλ] κύμβαλο.

cynical (adj) [σίνικαλ] κυνικός.

cynicism (n) [σίνισιζμ] κυνισμός.

cynosure (n) [σίνοσσουα(ρ)] στόχος.

cypress (n) [σάιπρες] κυπαρίσσι.

Cypriot (n) [Σίπριοτ] Κύπριος (adj) κυπριακός.

Cyprus (n) [Σάιπρας] Κύπρος.

cyrillic (n) [σιρίλικ] κυριλλικός.

cyst (n) [σιστ] κύστη.

cystic (adj) [σίστικ] κυστικός.

cystitis (n) [σιστάιτις] κυστίτιδα.

cytogenous (adj) [σαϊτόντζζενας] κυτταρογόνος.

cytoplasm (n) [σάιτοπλαζμ] κυτόπλασμα.

czar (n) [ζάα(ρ)] Τσάρος.

czarina (n) [ζααρίνα] τσαρίνα.

Czech (adj) [Τσεκ] τσέχικος (n) Τσέχος.

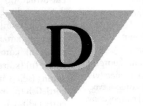

D, d (n) [ντι] το τέταρτο γράμμα του αγγλικού αλφαβήτου.

dab (v) [ντα-μπι] κτυπώ χαϊδευτικά (n) τσίμπημα, επάλειψη.

dable (v) [ντα-μπλ] πιτσιλίζω.

dable in (v) [ντα-μπλ ιν] ανακατεύομαι.

dactylic (adj) [ντακτίλικ] δακτυλικός.

dad (n) [ντα-ντ] μπαμπάς.

daddy (n) [ντά-ντι] μπαμπάς.

daft (adj) [ντάαφτ] ανόητος.

dagger (n) [ντάγκερ] στιλέτο.

dahlia (n) [ντίλια] ντάλια [βοτ].

daily (adj) [ντέιλι] ημερήσιος.

daily wage (n) [ντέιλι ουέιντζζ] ημερομίσθιο.

daintily (adv) [ντέιν-τιλι] κομψά.

dainty (adj) [ντέιν-τι] νόστιμος, κομψός (n) εύγεστο, λιχουδιά.

dairy (n) [ντέρι] γαλακτοπωλείο.

dairy farming (n) [ντέρι φάαμινγκ] γαλακτοκομία.

dais (n) [ντέιζ] εξέδρα, βάθρο.

daisy (n) [ντέιζι] μαργαρίτα.

dale (n) [ντέιλ] λαγκάδα, κοιλάδα.

dalliance (n) [ντάλιενς] χαριεντισμός.

dally (v) [ντάλι] χαριεντίζομαι.

daltonism (n) [ντάλτονιζμ] δαλτωνισμός.

dam (n) [ντάμ] υδατοφράκτης.

damage (n) [ντάμιντζζ] βλάβη, φθορά [v] ζημιώνω, διαφθείρω, καταστρέφω.

damaged (adj) [ντάμιντζζ-ντ] χαλασμένος.

damask (adj) [ντάμασκ] δαμασκηνός.

dame (n) [ντέιμ] κυρία.

dammed (adj) [ντάμ-ντ] αναθεματισμένος.

damnable (adj) [ντάμνα-μπλ] επικατάρατος, απαίσιος.

damnation (n) [νταμνέισσον] κατάρα.

damp (adj) [νταμ-π] υγρός (v) υγραίνω, νοτίζω (n) υγρασία.

damp off (v) [νταμ-π οφ] σαπίζω.

dampen (v) [ντάμ-πεν] απογοητεύω, σαλιώνω, βρέχω.

dampness (n) [ντάμ-πνες] υγρασία, υγρότητα.

damsel (n) [ντάμζελ] κόρη, δεσποινίδα.

damson (n) [νταμζν] δαμάσκηνο.

dance (n) [ντάανς] χορός (v) χορεύω.

dancer (n) [ντάανσα(ρ)] χορευτής.

dancing (n) [ντάανσινγκ] χορός.

dandified (adj) [ντάν-ντιφαϊ-ντ] κομψευόμενος, φιλάρεσκος.

dandruff (n) [ντάν-ντραφ] πιτυρίδα.

dandy (n) [ντάν-ντι] δανδής.

Dane (adj) [Ντέιν] Δανέζικος (n) Δανός.

danger (n) [ντέιν-ντζζα(ρ)] κίνδυνος.

dangerous (adj) [ντέιν-ντζζαρας] επικίνδυνος, ριψοκίνδυνος.

dangle (v) [ντανγκλ] ταλαντεύω.

Danish (adj) [Ντάνισς] δανικός.

dank (adj) [ντανκ] υγρός.

Danube (n) [Ντάνιου-μπ] Δούναβης.

daphne (n) [ντάφνι] δάφνη [βοτ].

dapper (adj) [ντάπερ] κομψός.

dappled (adj) [ντάπλ-ντ] παρδαλός.

dare (v) [ντέαρ] τολμώ.

daredevil (adj) [ντέα-ντέβιλ] τολμηρός.

daring (adj) [ντέαρινγκ] ριψοκίνδυνος, τολμηρός (n) θάρρος.

dark (adj) [ντάακ] σκοτεινός.

darken (v) [ντάακεν] μαυρίζω.

darkly (adv) [ντάακλι] σκοτεινά.

darkness (n) [ντάακνες] σκοτάδι.

darn (v) [ντάαν] μαντάρω, καρικώνω.

darning (n) [ντάανινγκ] μαντάρισμα.

dart (n) [ντάατ] βλήμα, βέλος, πένσα [ραπτική], σαΐτα (v) χιμώ.

dash (n) [ντασς] έφοδος, κτύπημα, παύλα, στάλα (v) πετώ, ορμώ, χυμώ.

dash out (n) [ντασς άουτ] εξορμώ.

dashing (adj) [ντάσσινγκ] δραστήριος.

dastard (n) [ντάστα-ντ] άνανδρος.

data (n) [ντέιτα] δεδομένα.

data exchange (n) [ντέιτα εκστοέιν-ντζζ] ανταλλαγή δεδομένων.

data tape (n) [ντέιτα τέιπ] ταινία.

data validation (n) [ντέιτα βαλι-ντέισσον] επικύρωση δεδομένων.

date (n) [ντέιτ] ραντεβού, ημερομηνία, χουρμάς (**v**) χρονολογούμαι, ορίζω.

date-palm (n) [ντέιτ-πάμ] χουρμαδιά.

dated (n) [ντέιτι-ντ] παλιός.

daub (v) [ντόο-μπ] επικαλύπτω.

daughter (n) [ντόοτερ] θυγατέρα.

daunt (v) [ντόον-τ] τρομάζω.

davenport (n) [ντάβενποστ] σεκρετέρ.

davit (n) [ντάβιτ] καπόνι.

dawdle (v) [ντόοντλ] τεμπελιάζω.

dawn (n) [ντόον] αρχή, αυγή, (v) χαράζω.

dawning (n) [ντόονινγκ] αυγή.

day (n) [ντέι] ημέρα, ξημέρωμα.

day-tripper (n) [ντέι-τρίπερ] εκδρομέας.

daybreak (n) [ντέι-μπρέικ] αυγή.

daydream (v) [ντέι-ντρίιμ] ρεμβάζω.

daylight (n) [ντέιλαϊτ] αυγή.

daze (n) [ντέιζ] ζάλισμα, σάστισμα (v) βουβαίνω.

dazed (adj) [ντέιζντ] ζαλισμένος.

dazzle (v) [νταζλ] τυφλώνω (n) θάμπος.

dazzled (adj) [νταζλ-ντ] έκθαμβος.

de-escalation (n) [ντίι-εσκαλέισσον] αποκλιμάκωση.

deacon (n) [ντίικον] διάκονος.

dead (adj) [ντε-ντ] ψόφιος, νεκρός.

deaden (v) [ντε-ντν] νεκρώνω.

deadline (n) [ντέ-ντλαϊν] χρονικό όριο, τελευταία προθεσμία, διορία.

deadlock (n) [ντέ-ντλόκ] αδιέξοδο.

deadly (adj) [ντέ-ντλι] φονικός, καίριος [πλήγμα], θανάσιμος, μοιραίος.

deadweight (n) [ντέ-ντουέιτ] νεκρό.

deaf (adj) [ντεφ] κουφός.

deafen (v) [ντέφεν] κουφαίνω.

deafening (adj) [ντέφενινγκ] εκκωφαντικός.

deafness (n) [ντέφνες] κώφωση.

deal (n) [ντίιλ] ποσό (v) διανέμω.

deal in (v) [ντίιλ ιν] εμπορεύομαι.

dealer (n) [ντίιλερ] έμπορος.

dealing (n) [ντίιλινγκ] σχέση, συναλλαγή.

dealings (n) [ντίιλινγκζ] παρτίδα.

dean (n) [ντίιν] πρύτανης.

deanery (n) [ντίινερι] κοσμητεία.

dear (adj) [ντία(ρ)] αγαπητός, (n) φίλος.

dearest (adj) [ντίαριστ] φίλτατος.

dearly (adv) [ντίαλι] ακριβά.

dearness (n) [ντίανες] ακρίβεια.

dearth (n) [ντερθ] ανεπάρκεια.

deary (n) [ντίιρι] χρυσό μου.

death (n) [ντεθ] θάνατος, χάρος, χαμός.

deathless (adj) [ντέθλες] αθάνατος.

deathly (adv) [ντέθλι] νεκρικά.

debar (v) [ντι-μπάα] αποκλείω.

debase (v) [ντι-μπέις] υποτιμώ.

debate (n) [ντι-μπέιτ] διαμάχη, συζήτηση (v) συζητώ, μελετώ.

debauch (n) [ντι-μπόοτσς] όργιο, ασωτία (v) διαφθείρω, αποπλανώ, οργιάζω.

debauchery (n) [ντι-μπόοτσερι] ακολασία, ασέλγεια, παραλυσία.

debenture (n) [ντι-μπέντσσερ] ομόλογο [δανείου], χρεόγραφο.

debilitate (v) [ντι-μπίλιτεϊτ] εξασθενίζω, καταβάλλω, εξουθενώνω.

debility (n) [ντι-μπίλιτι]αδυναμία.

debit (adj) [ντέ-μπιτ] παθητικός, χρεωστικός (n) παθητικό, χρέωση (v) χρεώνω.

debonair (adj) [ντέ-μπονέα(ρ)] εγκάρδιος, προσηνής, ανέμελος.

debouch (v) [ντι-μπάουτς] εξέρχομαι, ξεχύνω, εξορμώ.

debris (n) [ντέ-μπρι] μπάζα.

debt (n) [ντετ] οφειλή, χρέος.

debtor (n) [ντέτο(ρ)] οφειλέτης.

debts (n) [ντετς] βερεσέδια.

debunk (v) [ντι-μπάνκ] αποκαλύπτω.

debut (n) [ντέ-μπιου] ντεμπούτο.

decade (n) [ντέκέϊ-ντ] δεκαετία.

decadence (n) [ντέκα-ντενς] παρακμή.

decadent (n) [ντέκα-ντεν-τ] παρακμάζων, διεφθαρμένος.

Decalogue (n) [Ντέκαλόγκ] δέκα εντολές.

decameter (n) [ντέκαμπτερ] δεκάμετρο.

decamp (v) [ντικάμ-π] αποστρατοπεδεύω, απέρχομαι.

decant (v) [ντικάν-τ] μεταγγίζω.

decanter (n) [ντικάν-τερ] καράφα.

decapitate (v) [ντικάπιτέπ] αποκεφαλίζω.

decarbonize (v) [ντικάα-μποναϊζ] εξανθρακώνω, ξεκαρβουνιάζω.

decay (n) [ντικέι] παρακμή, σαπίλα, φθορά, λιώσιμο, σάπισμα, μαρασμός [μεταφ], ρέψιμο (v) εκφυλίζω, λιώνω.

decayed (adj) [ντικέι-ντ] σαθρός.

decease (v) [ντισίις] αποθνήσκω (n) θάνατος.

deceased (n) [ντισίισ-ντ] μακαρίτισσα, μακαρίτης.

deceit (n) [ντισίτ] ανειλικρίνεια, απάτη.

deceitful (adj) [ντισίτφουλ] απατηλός.

deceitfully (adv) [ντισίτφουλι] κακόπιστα.

deceive (v) [ντισίιβ] απατώ, γελώ.

deceiver (n) [ντισίιβερ] απατεώνας.

decelerate (v) [ντισέλερεϊτ] επιβραδύνω.

December (n) [Ντιοέμ-μπερ] Δεκέμβρης.

decency (n) [ντίισενοι] κοσμιότητα.

decent (adj) [ντίισεν-τ] αξιοπρεπής, σεμνός (n) μετριόφρονας.

decentralization (n) [ντιισεν-τραλαϊζέισσον] αποκέντρωση.

deception (n) [ντισέπσσον] εξαπάτηση.

deceptive (adj) [ντισέπτιβ] ψευδής.

decide (v) [ντισάι-ντ] αποφασίζω.

decided (adj) [ντισάι-ντι-ντ] οριστικός.

deciduous (adj) [ντισίντιας] φυλλοβόλος.

decimal (adj) [ντέσιμαλ] δεκαδικός.

decimal point (n) [ντέσιμαλ πόιν-τ] υποδιαστολή.

decimate (v) [ντέσιμέιτ] αποδεκατίζω.

decipher (v) [ντισάιφα(ρ)] αποκρυπτογραφώ, ερμηνεύω.

decision (n) [ντισίζιον] απόφαση.

decisive (adj) [ντισάισιβ] οριστικος, καθοριστικός, αποφασιστικός.

deck (n) [ντεκ] κατάστρωμα, πάτωμα (v) κοσμώ, στολίζω.

deck hand (n) [ντεκ χαν-ντ] μούτσος.

declaim (v) [ντικλέιμ] αγορεύω.

declarable (adj) [ντικλέαρα-μπλ] δηλωτέος, φορολογήσιμος.

declaration (n) [ντεκλαρέισσον] δήλωση, διακήρυξη, ανακήρυξη.

declare (v) [ντικλέαρ] δηλώνω, ισχυρίζομαι, αγγέλλω.

declassification (n) [ντικλασιφικέισσον] αποχαρακτηρισμός.

declension (n) [ντικλένσσιον] παρακμή, φθορά (v) κλίνω [γραμμ].

declination (n) [ντεκλινέισσον] κλιση.

decline (n) [ντικλάιν] πτώση, εξασθένηση, έκπτωση (v) κλίνω, παρακμάζω.

declivity (n) [ντεκλίβιτι] κλιτύς.

decoder (n) [ντίικόου-ντερ] αποκρυπτογράφος.

décolleté (n) [ντέικολτέϊ] ντεκολτέ.

decompose (v) [ντίικομ-πόουζ] διαλύω, σαπίζω, σήπομαι.

decompress (v) [ντιικομ-πρές] αποσυμπιέζω, μειώνω την πίεση.

decongestion (n) [ντίικον-ντζζέστοσον] αποσυμφόρηση.

decontaminate (v) [ντιικον-τάμινεϊτ] απολυμαίνω.

decor (n) [ντίικο(ρ)] ντεκόρ.

decorate (v) [ντέκορέιτ] διακοσμώ.

decoration (n) [ντεκορέισσον] διακόσμηση, παράσημο, στολίδι.

decorator (n) [ντέκορέιτορ] διακοσμητής.

decorous (adj) [ντέκορας] σεμνός.

decorously (adv) [ντέκορασλι] κόσμια.

decoy (n) [ντίικόι] κράχτης.

decrease (n) [ντίκριις] ελάττωση, μείωση (v) [ντικρίις] ελαττώνω.

decree (n) [ντικρίι] ψήφισμα (v) διατάσσω, θεσπίζω.

decrepit (adj) [ντίκρεπιτ] ερειπωμένος.

decry (v) [ντικράι] κατηγορώ.

dedicate (v) [ντέ-ντικέιτ] αφιερώνω.

dedication (n) [ντε-ντικέισσον] αφοσίωση.

deduce (v) [ντι-ντιούς] συμπεραίνω.

deduct (v) [ντι-ντάκτ] αφαιρώ.

deduction (n) [ντι-ντάκοσον] αφαίρεση, παρακράτηση, περικοπή.

deductive (adj) [ντι-ντάκτιβ] παραγωγικός, συμπερασματικός.

deed (n) [ντίι-ντ] έργο, άθλος.

deed of contract (n) [ντίιν-ντ οβ κόντρακτ] συμφωνητικό.

deed of sale (n) [ντίιν-ντ οβ σέιλ] πωλητήριο.

deem (v) [ντίιμ] θεωρώ, κρίνω.

deep (adj) [ντίιπ] βαθύς, (adv) βαθιά.

deep in debt (adj) [ντίιπ ιν ντετ] καταχρεωμένος (n) κατάχρεος.

deepen (v) [ντίιπεν] βαθαίνω.

deeply (adv) [ντίιπλι] βαθύτατα.

deepness (n) [ντίιπνες] βάθος.

deer (n) [ντίιρ] ελάφι.

deescalate (v) [ντίεσκελέιτ] αποκλιμακώνω.

deface (v) [ντιφέις] λερώνω.

defalcation (n) [ντιφαλκέισσον] κατάχρηση, σφετερισμός.

defamation (n) [ντεφαμέισσον] δυσφήμιση, συκοφαντία.

defame (v) [ντιφέιμ] κακολογώ, διασύρω.

default (n) [ντιφόολτ] αθέτηση (v) παραβαίνω.

defaulter (adj) [ντιφόολτα(ρ)] φυγόδικος (n) καταχραστής.

defeat (n) [ντίφίιτ] ήττα (v) ρίχνω, νικώ.

defeated (adj) [ντιφίιτι-ντ] ηττημένος.

defeatism (n) [ντιφίιτιζμ] ηττοπάθεια.

defecate (v) [ντέφεκεϊτ] αφοδεύω.

defecation (n) [ντεφεκέισσον] αφόδευση.

defect (n) [ντίφέκτ] ελάττωμα (v) αποστατώ.

defective (adj) [ντιφέκτιβ] ελαττωματικός.

defector (adj) [ντιφέκτορ] αυτόμολος (n) αποστάτης.

defects (n) [ντιφέκτς] τρωτό.

defence (n) [ντιφένς] άμυνα, απολογία, προάσπιση, υπεράσπιση.

defenceless (adj) [ντιφένολες] ανυπεράσπιστος, απροστάτευτος.

defend (v) [ντιφέν-ντ] προασπίζω.

defend oneself (v) [ντιφέν-ντ ουάνσέλφ] αμύνομαι.

defendant (adj) [ντιφέν-νταν-τ] εναγόμενος, κατηγορούμενος.

defender (n) [ντιφέν-ντερ] υπέρμαχος.

defer (v) [ντιφέρ] αναβάλλω.

deference (n) [ντέφερενς] συμόρφωση, σεβασμός, σέβας.

deferment (n) [ντιφέρμεν-τ] αναβολή.

defiance (n) [ντιφάιανς] απείθεια.

defiant (adj) [ντιφάιαν-τ] απειθής.

deficiency (n) [ντιφίσσιενσι] ατέλεια.

deficient (adj) [ντιφίσσιεν-τ] ανεπαρκής.

deficit (n) [ντέφισιτ] έλλειμμα.

defile (n) [ντιφάιλ] λαγκάδι, δίοδος, στενωπός (v) ρυπαίνω.

define (v) [ντιφάιν] καθορίζω, ορίζω, προσδιορίζω, ρυπαίνω.

defined (n) [ντιφάιν-ντ] ορισμένος.

definite (adj) [ντέφινιτ] καθορισμένος.

definitely (adv) [ντέφινιτλι] οριστικά.

definition (n) [ντέφινίσσον] καθορισμός, προσδιορισμός, ορισμός.

definitive (adj) [ντεφίνιτιβ] οριστικός.

definitude (n) [ντιφίνιτιουτ-ντ] σαφήνεια, ευστοχία.

deflagration (n) [ντεφλαγκρέισσον] ανάφλεξη, κατάκαυση.

deflate (v) [ντιφλέιτ] ξεφουσκώνω.

deflationary (adj) [ντιφλέισσοναρι] αντιπληθωριστικός.

deflect (v) [ντιφλέκτ] εκτρέπω.

deflection (n) [ντιφλέκσσον] εκτροπή.

deflower (v) [ντιφλάουα(ρ)] διακορεύω, απογυμνώνω.

defoliate (v) [ντιφόουλιεϊτ] μαδώ.

deform (v) [ντιφόομ] στραβώνω.

deformed (adj) [ντιφόομ-ντ] δύσμορφος.

deformity (n) [ντιφόομιτι] ασχήμια, δυσμορφία, παραμόρφωση.

defraud (v) [ντιφρόο-ντ] απατώ.

defray (v) [ντιφρέι] πληρώνω.

defrost (v) [ντιφρόστ] ξεπαγώνω.

deft (adj) [ντεφτ] σβέλτος.

deftly (adv) [ντέφτλι] επιδέξια.

defunct (n) [ντιφάνκτ] νεκρός.

defuse (v) [ντιφιούζ] εκτονώνω.

defy (v) [ντιφάι] προκαλώ.

degenerate (adj) [ντιντζζένερετ] έκφυλος (v) [ντιντζζενερέιτ] επιδεινώνομαι, διαφθείρομαι, εκφυλίζω.

degradation (n) [ντεγκρα-ντέισσον] υποβιβασμός, εξαθλίωση.

degrade (adj) [ντιγκρέι-ντ] καθαιρώ.

degree (n) [ντιγκρίι] βαθμός.

dehumanize (v) [ντιχιούμαναϊζ] αποκτηνώνω.

dehydrate (v) [ντιχάι-ντρεϊτ] αφυδατώνω.

deification (n) [ντήφικέισσον] θεοποίηση.

deify (v) [ντίιφαϊ] θεοποιώ.

deign (v) [ντέιν] ευδοκώ.

deity (n) [ντέι-ιτι] θεότητα.

dejected (adj) [ντιντζζέκτι-ντ] αποθαρρυμένος, αποκαρδιωμένος.

dejection (n) [ντιντζζέκοον] ακεφιά.

delay (n) [ντιλέι] άργητα, αργοπορία, χασομέρι (v) αναβάλλω, καθυστερώ.

delectable (adj) [ντιλέκτα-μπλ] τερπνός.

delegate (n) [ντέλιγκετ] αντιπρόσωπος (adj) απεσταλμένος (v) [ντέλιγκέιτ] εξουσιοδοτώ.

delegation (n) [ντέλιγκέισσον] πρεσβεία.

delete (v) [ντιλίτ] διαγράφω.

deleterious (adj) [ντελιτίριας] επιβλαβής.

deletion (n) [ντιλίισσον] σβήσιμο.

deliberate (adj) [ντελί-μπερετ] εσκεμμένος (v) [ντελί-μπερέιτ] σκέφτομαι, μελετώ.

deliberately (adv) [ντελί-μπερετλι] σκόπιμα, εσκεμμένα.

deliberation (n) [ντελι-μπερέισον] σκέψη, μελέτη, σύσκεψη.

deliberative (adj) [ντελί-μπερατιβ] συμβουλευτικός, επιτροπή κλπ εξετάσεως.

delicacy (n) [ντέλικασι] λεπτότητα.

delicate (adj) [ντέλικετ] λεπτός, ευγενής.

delicious (n) [ντελίσσιας] νοστιμότατος.

delight (n) [ντιλάιτ] χάζι, χάρμα, ηδονή, τέρψη (ν) αρέσω, μαγεύω, τέρπω.

delight in (ν) [ντιλάιτ ιν] γουστάρω.

delightful (adj) [ντιλάιτφουλ] ηδονικός, μαγευτικός, τερπνός.

delimit (ν) [ντιλίμιτ] ορίζω, οριοθετώ.

delineate (ν) [ντιλίνιεϊτ] διαγράφω.

delineation (n) [ντιλινιέισσον] περιγραφή.

delinquency (n) [ντιλίνκουενσι] εγκληματικότητα.

delirious (adj) [ντιλίριους] παραληρών, παραμιλών, έξαλλος.

deliver (ν) [ντιλίβερ] απαλλάσω, γλιτώνω.

deliver a child (ν) [ντιλίβερ α τσάιλντ] ξεγεννώ παιδί.

deliverance (n) [ντιλίβερενς] απελευθέρωση, απαλλαγή, διάσωση, σωτηρία.

delivery (n) [ντιλίβερι] απελευθέρωση, επίδοση, παράδοση.

dell (n) [ντελ] λαγκάδα, λόγγος.

delouse (ν) [ντιλάους] ξεψειριάζω.

delta (n) [ντέλτα] δέλτα.

delude (ν) [ντιλού-ντ] εξαπατώ.

deluge (n) [ντέλιουντζζ] κατακλυσμός, καταρρακτώδης βροχή.

delusion (n) [ντιλούζζιον] εξαπάτηση, παραπλάνηση, ψευδαίσθηση.

delve (ν) [ντελβ] ερευνώ, σκάβω.

demagnetization (n) [ντιμαγνεταϊζέισσον] απομαγνήτιση.

demagogy (n) [ντίμαγκόγκι] δημαγωγία.

demand (n) [ντιμάαν-ντ] αξίωση, απαίτηση (ν) απαιτώ, ζητώ.

demarcate (ν) [ντίμαακέιτ] οριοθετώ.

demean (ν) [ντιμίιν] ξεπέφτω.

demeanour (n) [ντιμίινα(ρ)] συμπεριφορά, διαγωγή.

demented (adj) [ντιμέν-τι-ντ] τρελός.

demerit (n) [ντιμέριτ] κακή διαγωγή, απαξία, σφάλμα, μειονέκτημα.

demigod (n) [ντέμιγκό-ντ] ημίθεος.

demilitarize (ν) [ντιμίλιτεράιζ] αποστρατικοποιώ, αφοπλίζω.

deminish (ν) [ντιμίνιος] μετριάζω.

demise (n) [ντιμάις] θάνατος.

demo (n) [ντέμοου] διαδήλωση.

demobilize (ν) [ντίμόου-μπιλαϊζ] αποστρατεύω.

democracy (n) [ντιμόκρασι] δημοκρατία.

democrat (n) [ντέμοκρατ] δημοκράτης.

democratize (n) [ντιμόκρατάιζ] εκδημοκρατίζω.

demography (n) [ντιμόγκραφι] δημογραφία.

demolish (ν) [ντιμόλισς] κατεδαφίζω, ρίχνω, χαλώ, γκρεμίζω.

demolished (adj) [ντιμόλισσ-ντ] χαλασμένος, κατεδαφισμένος.

demolition (n) [ντεμολίσσον] καταστροφή, γκρέμισμα.

demon (n) [ντίμον] δαίμονας.

demonstrate (ν) [ντέμονστρέιτ] διαδηλώνω, αποδεικνύω.

demonstration (n) [ντεμονστρέισσον] απόδειξη, διαδήλωση, εκδήλωση.

demonstrative (adj) [ντεμονστράτιβ] δεικτικός [γραμμ], εκδηλωτικός.

demonstrator (n) [ντεμονστρέιτορ] διαδηλωτής.

demoralization (n) [ντιμοραλαϊζέσσον] αποθάρρυνση.

demoralize (n) [ντιμόραλαϊζ] εξαχρειώνω, διαφθείρω.

demote (ν) [ντιμόουτ] υποβιβάζω.

Demotic Greek (n) [Ντημότικ Γκρίικ] ρωμαίικα, δημοτική.

demotion (n) [ντιμόουσσον] υποβιβασμός.

demur (n) [ντιμέρ] ενδοιασμός, εναντίωση (ν) διστάζω, αντιτίθεμαι.

demure (adj) [ντιμούα(ρ)] σεμνότυφος, κόσμιος, σοβαρός.

demystify (ν) [ντιμίστιφαϊ] απομυθοποιώ.

den (n) [ντεν] τρώγλη, λημέρι.

den of vice (n) [ντεν οβ βάις] καταγώγιο, διαφθορείο.

denationalization (n) [ντιναςσιοναλαΐζέισσον] απεθνικοποίηση.

denationalize (v) [ντιναςσιοναλάιζ] απεθνικοποιώ.

denatured (adj) [ντίνείτσα-ντ] μετουσιωμένος.

denial (n) [ντινάιαλ] άρνηση.

denigrate (v) [ντένιγκρεϊτ] αμαυρώ, κακολογώ, δυσφημώ.

denigration (n) [ντενιγκρέισσον] δυσφήμιση.

Denmark (n) [Ντένμαρκ] Δανία.

denominate (v) [ντινόμινεϊτ] ονομάζω.

denomination (n) [ντινομινέισσον] ονομασία, θρήσκευμα, δόγμα.

denominator (n) [ντινόμινέιτορ] ονομαστής, παρονομαστής.

denotation (n) [ντινοουτέισσον] προσδιορισμός, ένδειξη.

denote (v) [ντινόουτ] σημαίνω, δηλώνω.

denouement (n) [ντεϊνούουμον] τελική έκβαση, λύση.

denounce (v) [ντινάουνς] κατηγορώ, προδίνω, καταγγέλλω.

dense (adj) [ντενς] αργόστροφος.

density (n) [ντένσιτι] πυκνότητα.

dent (n) [ντεν-τ] βαθούλωμα.

dental (adj) [ντέν-ταλ] οδοντικός.

dental clinic (n) [ντέν-ταλ κλίνικ] οδοντιατρείο.

dentex (n) [ντέν-τεκς] συναγρίδα.

dentifrice (n) [ντέν-τιφρις] οδοντόπαστα.

dentist (n) [ντέν-τιστ] οδοντίατρος.

denture (n) [ντέν-τοσσα(ρ)] μασέλα.

denudation (n) [ντίινιουντέισσον] γύμνωση.

denude (v) [ντινιού-ντ] εκγυμνώνω, απογυμνώνω.

denunciation (n) [ντίινανσιέισσον] αποκήρυξη, καταγγελία.

deny (v) [ντινάι] αποκρούω, αρνούμαι, διαψεύδω, απέχω.

deodorant (n) [ντιόου-ντοραν-τ] αποσμητικός, αποσμητικό.

deontology (n) [ντιον-τόλοντζζι] δεοντολογία, καθηκοντολογία.

deoxidation (n) [ντιοκσι-νταϊζέισσον] αποξείδωση.

depart (v) [ντιπάατ] απέρχομαι.

department (n) [ντιπάατμεν-τ] τμήμα.

departmental (adj) [ντιπαατμέν-ταλ] τμηματικός, υπηρεσιακός.

departure (n) [ντιπάατσσα(ρ)] ξεκίνημα.

depend on (v) [ντιπέν-ντ ον] εξαρτώμαι.

dependable (adj) [ντιπέν-ντα-μπλ] έγκυρος, αξιόπιστος.

dependant (adj) [ντιπέν-νταν-τ] εξαρτώμενος, προστατευόμενος.

depict (v) [ντιπίκτ] παριστάνω.

depilate (v) [ντέπιλεϊτ] αποτριχώνω.

deplete (v) [ντιπλίιτ] μειώνω.

deplorable (adj) [ντιπλόορα-μπλ] αξιοδάκρυτος, αξιοθρήνητος.

deplore (v) [ντιπλόο(ρ)] θρηνώ.

deploy (v) [ντιπλόι] αναπτύσσω.

depopulate (v) [ντιπόπιουλεϊτ] ερημώνω.

depopulation (n) [ντιπόπιουλέισσον] μείωση πληθυσμού, ερήμωση.

deport (v) [ντιπόοτ] απελαύνω.

deportment (v) [ντιπόοτμεν-τ] διαγωγή.

depose (v) [ντιπόουζ] καθαιρώ.

deposit (n) [ντιπόζιτ] απόθεμα, παράβολο, καπάρο, κατάθεση (v) τοποθετώ.

deposition (n) [ντιποζίσσον] απόθεση, εκθρόνιση, μαρτυρία.

depositor (n) [ντιπόζιτορ] καταθέτης.

depository (n) [ντιπόζιτρι] ταμείο.

depot (n) [ντέπουου] σταθμός.

deprave (v) [ντιπρέιβ] διαστρέφω.

depraved (adj) [ντιπρέιβ-ντ] σάπιος, φαύλος, εξαχρειωμένος.

depravity (n) [ντιπράβιτι] διαφθορά.

deprecate (v) [ντέπρικεϊτ] αποδοκιμάζω.

depreciate (v) [ντιπρίσσιέπτ] υποβιβάζω.

depress (v) [ντιπρές] κατεβάζω.

depressed (adj) [ντιπρέσ-ντ] πιεσμένος, θλιμμένος, μελαγχολικός.

depressive (adj) [ντιπρέσιβ] νευρασθενικός.

deprivation (n) [ντεπριβέισσον] στέρηση, καθαίρεση, απόλυση.

depth (n) [ντεπθ] βαθύτητα, βάθος.

depths (n) [ντεπθς] βάθη, έγκατα.

deputation (n) [ντεπιουτέισσον] εξουσιοδότηση, αντιπροσωπεία.

depute (v) [ντιπιούτ] εξουσιοδοτώ.

deputize (v) [ντέπιουταϊζ] αναπληρώ, αντιπροσωπεύω.

deputy (n) [ντέπιουτι] αναπληρωτής, εκπρόσωπος, τοποτηρητής, βουλευτής.

deputy chairman (n) [ντέπιουτι τσέαμαν] αντιπρόεδρος.

deputy commander (n) [ντέπιουτι κομάαν-ντερ] υπαρχηγός.

deputy manager (n) [ντέπιουτι μάναντζερ] υποδιευθυντής.

derail (v) [ντιρέιλ] εκτροχιάζω.

derange (v) [ντιρέιν-ντζζ] αναστατώνω.

derating (n) [ντιρέιτινγκ] μείωση απόδοσης.

derelict (adj) [ντέριλικτ] εγκαταλειμμένος, αδέσποτος (n) ναυάγιο, απόκληρος.

deride (v) [ντιράι-ντ] χλευάζω.

derision (n) [ντιρίζζον] χλεύη, γελοιοποίηση.

derisive (adj) [ντιράιζιβ] χλευαστικός.

derivation (n) [ντεριβέισσον] παραγωγή [γραμμ], σχηματισμός.

derive (v) [ντιράιβ] αποκομίζω.

dermatitis (n) [ντερματάιτις] δερματίτιδα.

derogate (v) [ντέρογκέιτ] αφαιρώ.

derogation (n) [ντερογκέισσον] προσβολή, υποτίμηση.

derrick (n) [ντέρικ] γερανός.

dervish (n) [ντέρβιος] δερβίσης.

desalination (n) [ντισαλινέισσον] αφαλάτωση.

descend (v) [ντισέν-ντ] κατέρχομαι.

descendant (n) [ντισέν-νταν-τ] απόγονος, επίγονος.

descending (adj) [ντισέν-νινγκ] φθίνων.

descent (n) [ντισέν-ντ] κατωφορία.

descrepancy (n) [ντσκρέπανσι] ασυμφωνία.

describe (v) [ντισκράι-μπ] περιγράφω.

descry (v) [ντισκράι] διακρίνω.

desecrate (v) [ντέσικρέιτ] βεβηλώνω.

desert (n) [ντέζερτ] έρημος (v) [ντιζέρτ] εγκαταλείπω, λιποτακτώ.

desert island (n) [ντέζερτ άιλα-ντ] ερημόνησι, ξερονήσι.

deserted (adj) [ντιζέρτιντ] έρημος.

deserve (v) [ντιζέρβ] δικαιούμαι.

deserving (adj) [ντιζέρβινγκ] άξιος.

desiccate (v) [ντέσικεϊτ] ξεραίνω.

design (n) [ντιζάιν] σχέδιο, σκοπός, πρόθεση (v) σχεδιάζω.

designate (v) [ντέζιγκνέιτ] καθορίζω.

designation (n) [ντεζιγκνέισσον] χαρακτηρισμός, ονομασία.

designer (n) [ντιζάινερ] σχεδιαστής, σχεδιάστρια.

designing (n) [ντιζάιννινγκ] σχεδιασμός, δολοπλόκος, ραδιούργος.

desirable (adj) [ντιζάιρα-μπλ] επιθυμητός, ζηλευτός, λαχταριστός.

desire (n) [ντιζάια(ρ)] όρεξη, πόθος, θέλημα (v) επιθυμώ, ποθώ, γουστάρω.

desired (adj) [ντιζάια-ντ] επιθυμητός.

desirous (adj) [ντιζάιρας] επιθυμών.

desist (v) [ντιζίστ] σταματώ.

desk (n) [ντεσκ] έδρα, γραφείο.

desmotropism (n) [ντεσμότροπισμ] δεσμοτροπία.

desolate (adj) [ντέσολετ] ακατοίκητος, ερημικός (v) μαστίζω.

despair (n) [ντισπέαρ] απελπισία.

desperate (adj) [ντέσπερετ] αλόγιστος, απεγνωσμένος.

despicable (adj) [ντισπίκα-μπλ] αξιοκαταφρόνητος, ευτελής.

despicably (adv) [ντισπίκα-μπλι] αξιοκαταφρόνητα, κατάπτυστα.

despise (v) [ντισπάιζ] περιφρονώ, οικτίρω.

despite (pr) [ντισπάιτ] παρά (n) κακία.

despoil (v) [ντισπόιλ] ληστεύω.

despondency (n) [ντισπόν-ντενσι] αποθάρρυνση, απελπισία.

despondent (adj) [ντισπόν-ντεν-τ] αποθαρρυμένος, απελπισμένος.

despot (n) [ντέσποτ] δεσπότης.

despotic (adj) [ντεσπότικ] απολυταρχικός.

despotism (n) [ντέσποτιζμ] απολυταρχία.

dessert (n) [ντιζέρτ] επιδόρπιο.

destine (v) [ντέστιν] προορίζω.

destiny (adj) [ντέστινι] ριζικό, μοίρα.

destitute (adj) [ντέστιτιουτ] στερημένος, άμοιρος.

destitution (n) [ντεστιτιούσσον] ανέχεια, ένδεια, φτώχεια.

destocking (n) [ντιστόκινγκ] πώληση αποθεμάτων.

destroy (v) [ντιστρόι] εξολοθρεύω.

destruction (n) [ντιστράκσον] καταστροφή, φθορά, χαλασμός.

destructive (adj) [ντιστράκτιβ] επιβλαβής.

desuetude (n) [ντεσουίιτιουντ] αχρηστία, διακοπή.

desultory (adj) [ντέσολτερι] ασύνδετος, ξεκάρφωτος.

detach (v) [ντιτάτσς] αποσυνδέω.

detached (adj) [ντιτάτσσ-τ] απεσταλμένος, αμερόληπτος.

detail (n) [ντίιτεϊλ] λεπτομέρεια.

detailed (adj) [ντίιτεϊλ-ντ] αναλυτικός.

details (n) [ντίιτεϊλζ] καθέκαστα.

detain (v) [ντιτέιν] σταματώ, προφυλακίζω, καθυστερώ.

detained (adj) [ντιτέιν-ντ] κρατούμενος.

detect (v) [ντιτέκτ] εντοπίζω.

detection (n) [ντιτέκσσον] αναζήτηση, ανακάλυψη, ανίχνευση.

detective (n) [ντιτέκτιβ] ντετέκτιβ (adj) ανιχνευτικός.

detente (n) [ντεϊτάαν-τ] ύφεση, εκτόνωση.

detention (n) [ντιτένσιον] κράτηση, φυλάκιση, κατοχή [νομ].

deter (v) [ντιτέρ] εμποδίζω.

detergent (n) [ντιτέρντζζεν-τ] καθαριστικό, απορρυπαντικό.

deteriorate (v) [ντιτίριορέιτ] χειροτερεύω, επιδεινώνω, εκφυλίζομαι.

determination (n) [ντιτέρμινέισσον] σκοπός, πυγμή, προσδιορισμός.

determinative (adj) [ντιτέρμινατιβ] αποφασιστικός, καθοριστικός.

determine (v) [ντιτέρμιν] ορίζω.

determined (adj) [ντιτέρμιν-ντ] καθοριστικός, αποφασιστικός.

determinism (n) [ντιτέρμινιζμ] αιτιοκρατία, νομοτέλεια.

deterrent (adj) [ντιτέρεν-τ] αποτρεπτικός (n) προληπτικό.

detest (v) [ντιτέστ] απεχθάνομαι, αποστρέφομαι, μισώ, σιχαίνομαι.

detestable (adj) [ντιτέστα-μπλ] αποκρουστικός, απεχθής, βδελυρός.

dethrone (v) [ντιθρόουν] εκθρονίζω.

detonate (v) [ντετόνεϊτ] εκπυροσοκροτώ.

detonation (n) [ντετονέισσον] έκρηξη.

detour (n) [ντιιτούρ] παρακαμπτήριος οδός, λοξοδρόμηση, στροφή.

detoxification (n) [ντιτοξιφικέισσον] αποτοξίνωση.

detract (v) [ντιτράκτ] αφαιρώ.

detraction (n) [ντιτράκσσον] μείωση, υποτίμηση.

detractor (n) [ντιτράκτορ] δυσφημιστής.

detriment (n) [ντέτριμεν-τ] ζημιά.

detrimental (adj) [ντετριμέν-ταλ] καταστρεπτικός, επιβλαβής.

detuning (n) [ντιτιούνινγκ] αποσυντονισμός.

devalue (v) [ντιβάλιου] υποτιμώ.

devastate (v) [ντέβαστέιτ] ερημώνω, καταστρέφω, λυμαίνομαι.

devastation (n) [ντεβαστείσσον] ερήμωση, καταστροφή, ρήμαγμα.

develop (v) [ντιβέλοπ] αναπτύσσω, αξιοποιώ, τελούμαι.

developed (adj) [ντιβέλοπ-τ] εξελιγμένος.

development (n) [ντιβέλοπμεν-τ] πρόοδος, αξιοποίηση, εμφάνιση.

deviate (v) [ντίιβιέιτ] παρεκκλίνω.

device (n) [ντιβάις] επινόηση, φάμπρικα [μεταφ], μέσο, τέχνασμα.

devil (n) [ντέβιλ] δαίμονας.

devilish (adj) [ντέβιλισς] καταχθόνιος, σατανικός, διαβολεμένος.

devious (adj) [ντίιβιας] λοξός.

deviously (adv) [ντίιβιασλι] λοξά.

devise (v) [ντιβάιζ] επινοώ.

devisor (n) [ντιβάιζορ] κληροδότης.

devitalize (v) [ντιβάιταλαϊζ] νεκρώνω, αφαιρώ, απονεκρώνω.

devoid (adj) [ντιβόι-ντ] στερημένος, απηλλαγμένος.

devolution (n) [ντεβολούουσσον] μεταβίβαση.

devote (v) [ντιβόουτ] αφιερώνω.

devoted (adj) [ντιβόουτι-ντ] αφοσιωμένος.

devotee (n) [ντιβόουτίι] λάτρης.

devotion (n) [ντιβόουσσον] αφιέρωση.

devour (v) [ντιβάουα(ρ)] κατατρώγω, καταβροχθίζω.

devout (adj) [ντιβάουτ] ευλαβής, κατανυκτικός, ευσεβής, θεοσεβής.

dew (n) [ντιού] δροσιά, δρόσος.

dewlap (n) [ντιούλαπ] λωγάνιο.

dexterity (n) [ντεκστέριτι] επιδεξιότητα.

dexterous (adj) [ντέκοστερας] επιδέξιος.

diabetes (n) [νταϊα-μπίιτιζ] υπεργλυκαιμία, ζάχαρο, διαβήτης [ιατρ].

diabolic (adj) [νταϊα-μπόλικ] διαβολικός, πονηρός, σατανικός.

diadem (n) [ντάια-ντιμ] στέμμα.

diaeresis (n) [νταϊέρεσις] διαίρεσις.

diagnosis (n) [ντάιαγκνόουσις] διάγνωση.

diagonal (adj) [νταϊάγκοναλ] διαγώνιος.

diagram (n) [ντάιαγκραμ] διάγραμμα.

dial (n) [ντάιαλ] πλιακό ωρολόγι, πλάκα ωρολογιού, ταμπλό.

dialect (n) [ντάιαλεκτ] διάλεκτος.

dialogue (n) [ντάιαλόγκ] διάλογος.

diameter (n) [νταϊάμπιτα(ρ)] διάμετρος.

diamond (adj) [ντάιαμον-ντ] αδαμάντινος (n) διαμάντι, καρό.

diaper (n) [ντάιπερ] λινό ή βαμβακερό ύφασφα, πάνα [ΗΠΑ].

diaphanous (adj) [νταϊάφανας] διάφανος.

diaphragm (n) [ντάιαφραμ] διάφραγμα [ανατ], μεμβράνη.

diarist (n) [ντάιαριστ] χρονικογράφος.

diarrhoea (n) [ντάιαρία] διάρροια.

diary (n) [ντάιαρι] ημερολόγιο.

diastole (n) [ντάιαστόουλ] διαστολή [καρδίας].

dice (n) [ντάις] κύβοι, ζάρια, ζάρι.

dicey (adj) [ντάιοι] επικίνδυνος, παρακινδυνευμένος, αναξιόπιστος.

dichotomy (v) [νταϊκότομι] διχοτόμηση.

dick (n) [ντικ] φιλαράκος.

dictate (v) [ντικτέιτ] υπαγορεύω.

dictator (n) [ντικτέιτορ] δικτάτορας.

diction (n) [ντίκσσον] λεκτικό.

dictionary (n) [ντίκσσονρι] λεξικό.

dictum (n) [ντίκταμ] ρήση, ρητό.

didactic (adj) [ντιντάκτικ] διδακτικός, δασκαλίστικος.

diddle (v) [ντι-ντλ] εξαπατώ.

die (n) [ντάι] κύβος (v) πεθαίνω.

die out (v) [ντάι άουτ] εξαφανίζομαι.

diesel (n) [ντίζελ] ντίζελ.

diet (n) [ντάιετ] δίαιτα.

dietary (n) [ντάιεταρι] διαιτολόγιο.

differ (v) [ντίφερ] διίσταμαι.

difference (n) [ντίφερενς] διαφωνία.

different (adj) [ντίφερεν-τ] διαφορετικός.

differential (adj) [ντιφερένσιαλ] διαφορικός [n) διαφορετικό.

difficulty (n) [ντίφικαλτι] δυσκολία.

diffidence (n) [ντίφι-ντενς] ατολμία.

diffract (v) [ντιφράκτ] διαθλώ.

diffuse (adj) [ντιφιούζ] διάχυτος (v) διαχέω, εκδίδω.

diffusion (n) [ντιφιούζον] διάχυση, διασπορά, διασκόρπιση.

dig (n) [ντιγκ] ανασκαφή, σπόντα [μεταφ] (v) σκάπτω, σκαλίζω.

dig out (v) [ντιγκ άουτ] ξεθάβω, ξεχώνω.

dig up (v) [ντιγκ απ] ξεχώνω.

digest (v) [νταϊντζζέστ] χωνεύω, τακτοποιώ (n) περίληψη.

digestion (n) [νταϊντζζέστιον] πέψη, χώνευση, χώνεψη.

digger (n) [ντίγκερ] σκάπτης, χρυσοθήρας.

digging (n) [ντίγκινγκ] σκάψιμο.

digit (n) [ντίντζζιτ] αριθμός, δάχτυλο, ψηφίο.

dignified (adj) [ντίγκνιφάι-ντ] αξιοπρεπής, επιβλητικός.

dignify (adj) [ντίγκνιφάι] τιμώ.

dignity (n) [ντίγκνιτι] αξιοπρέπεια, σεμνότητα, φιλοτιμία, αξίωμα.

digression (n) [ντίγκρέσσον] παρέκβαση, εκτροπή, απομάκρυνση.

dike (n) [ντάικ] τάφρος, χαντάκι.

dilapidated (adj) [ντιλαπιντέιτι-ντ] ρημαγμένος, ετοιμόρροπος.

dilate (v) [νταϊλέιτ] διαστέλλω.

dilatory (adj) [ντιλέιτορι] επιβραδυντικός.

dilemma (n) [ντιλέμα] δίλημμα.

dilettante (n) [ντιλιτάν-τι] ερασιτέχνης.

diligence (n) [ντίλιντζζενς] επιμέλεια.

diligent (adj) [ντίλιντζζεν-τ] εργατικός, επιμελής, φιλόπονος.

dill (n) [ντιλ] άνηθος.

dillydally (v) [ντίλι-ντάλι] χρονοτριβώ.

dilutant (n) [νταϊλούταν-τ] διαλυτικό.

diluvial (adj) [ντιλούβιαλ] κατακλυσμιαίος.

dim (adj) [ντιμ] σκοτεινός, θαμπός, μουντός (v) θαμπώνω.

dime (n) [ντάιμ] δεκάρα.

dimension (n) [ντιμένσσον] μέγεθος.

diminish (v) [ντιμίνισς] ελαττώνω.

diminution (n) [ντιμινιούσσον] μείωση.

diminutive (adj) [ντιμίνιουτιβ] υποκοριστικό [γραμ].

dimness (n) [ντίμνες] αμυδρότητα.

dimple (n) [ντιμ-πλ] λακκάκι.

dimwit (n) [ντιμγουίτ] μπούφος.

din (n) [ντιν] βαβούρα, ντόρος.

dine (v) [ντάιν] τρώγω, δειπνώ.

dinghy (n) [ντίν-γκι] βάρκα.

dingle (n) [ντινγκλ] φαράγγι.

dingy (adj) [ντίννντζζι] μουντός.

dining room (n) [ντάινινγκ ρουμ] τραπεζαρία.

dinky (adj) [ντίνκι] κομψός.

dinner (n) [ντίνερ] δείπνο.

dinosaur (n) [ντάινοσόρ] δεινόσαυρος.

diocese (n) [ντάιοσίι] επισκοπή.

diopter (n) [ντάϊόπτερ] διόπτρα.

dioxide (n) [ντάιοξάϊντ] διοξείδιο.

dip (v) [ντιπ] βαπτίζω, βουτώ, βυθίζω.

diphtheria (n) [ντιφθίίρια] διφθερίτιδα.

diphthong (n) [ντίφθονγκ] δίφθογγος.

diploma (n) [ντιπλόουμα] δίπλωμα.

diplomacy (n) [ντιπλόουμασι] διπλωματία.

diplomat (n) [ντίπλομα τ] διπλωμάτης.

diplomatic (adj) [ντιπλομάτικ] διπλωματικός, εύστροφος.

diplomatist (n) [ντιπλόουματιστ] διπλωμάτης.

dipper (n) [ντίπερ] άρκτος.

dipping (n) [ντίπινγκ] βούτηγμα.

dipsomania (n) [ντιπσομέινια] διψομανία.

diptych (n) [ντίπτικ] δίπτυχο.

dire (adj) [ντάιρ] τρομερός, φοβερός, κακός, αδήριτος, έσχατος.

direct (v) [νταϊρέκτ] διοικώ, διευθύνω, στέλνω (adj) ευθύς, ντόμπρος.

direction (n) [νταϊρέκσον] διοίκηση, διεύθυνση, οδηγία.

directly (adv) [ντιρέκτλι] αμέσως, απόλυτα, τέλεια, ακριβώς.

director (n) [νταϊρέκτορ] διευθυντής.

directory (n) [νταϊρέκτορι] οδηγός, τηλεφωνικός κατάλογος.

direful (adj) [ντάιρφουλ] τρομερός.

dirge (n) [ντερντζ] θρήνος.

dirk (n) [ντερκ] εγχειρίδιο, στιλέτο.

dirt (n) [ντερτ] ακαθαρσία, λέρα.

dirty (adj) [ντέρτι] ρυπαρός, ακάθαρτος, βρώμικος (v) λερώνω, βρωμίζω.

dirty cheap (adv) [ντέρτι τσσίπ] κοψοχρονιά.

dirty story (n) [ντέρτι στόρι] σόκιν.

dirtying (n) [ντέρτιινγκ] ρύπανση.

disability (n) [ντισα-μπίλιτι] ανικανότητα.

disadvantage (n) [ντισα-ντβάν-τιντζζ] μειονέκτημα, ελάττωμα.

disaffected (adj) [ντισαφέκτι-ντ] δυσαρεστημένος.

disagree (v) [ντισαγκρίι] διαφωνώ.

disagreeable (adj) [ντισαγκρίια-μπλ] άνοστος [μεταφ], δυσάρεστος.

disagreement (n) [ντισαγκρίιμεν-τ] διάσταση, διαφωνία, διχασμός.

disallow (v) [ντισαλάου] αρνούμαι.

disappear (v) [ντίσαπίαρ] χάνομαι.

disappoint (v) [ντισαποίν-τ] απογοητεύω, διαψεύδω.

disapprobation (n) [ντισαπρο-μπέισσον] αποδοκιμασία.

disapprove of (v) [ντισαπρούβ οβ] αποδοκιμάζω, καταδικάζω.

disarm (v) [ντισάαρμ] αφοπλίζω.

disarrange (v) [ντισαρέιν-ντζζ] ανασταιτώνω, ανατρέπω.

disarranged (adj) [ντισαρέιν-ντζζ-ντ] ασυγύριστος.

disarray (n) [ντισαρέι] αναστάτωση.

disaster (n) [ντιζάαστερ] καταστροφή.

disastrous (adj) [ντιζάαστρους] ολέθριος, πάνδεινος.

disavow (v) [ντισαβάου] αποκηρύσσω.

disband (v) [ντισ-μπάν-ντ] απολύω, διαλύω [εχθρό].

disbelieve (v) [ντισ-μπιλίιβ] δυσπιστώ.

disbursement (n) [ντισ-μπέρσμεν-τ] εκταμίευση.

disc (n) [ντισκ] τροχίσκος, δίσκος.

discard (v) [ντισκάαρ-ντ] απορρίπτω.

discern (v) [ντισέρν] διαβλέπω, διακρίνω.

discernible (adj) [ντισέρνι-μπλ] ορατός, αισθητός, ευδιάκριτος.

discerning (adj) [ντισέρνινγκ] διορατικός, κριτικός, παρατηρητικός.

discharge (n) [ντισ-τσάαντζζ] απόλυση, εκφόρτωση, εκπλήρωση, εξόφληση (v) απαλλάσσω, αποτάσσω, ξεχρεώνω.

disciple (n) [ντισάιπλ] οπαδός.

discipline (n) [ντίσιπλιν] πειθαρχία, ευπείθεια (v) πειθαρχώ, επιβάλλω.

disclaim (v) [ντισκλέιμ] αποποιούμαι, αποκηρύσσω, αρνούμαι.

disclose (v) [ντισκλόουζ] αποκαλύπτω.

discolour (v) [ντισκόλορ] ξεβάφω.

discomfit (v) [ντισκάμφιτ] νικώ.

discomfort (n) [ντισκόμφορτ] ανησυχία.

discomposure (n) [ντισκομπόουζζα(ρ)] διατάραξη, σύγχυση.

disconnect (v) [ντισκονέκτ] αποσυνδέω.

discontinuance (n) [ντισκον-τίνιουανς] παύση, διακοπή.

discontinue (v) [ντισκον-τίνιου] διακόπτω, σταματώ.

discord (n) [ντισκόορ-ντ] διαφωνία.

discordant (adj) [ντισκόορ-νταν-τ] κακόφωνος, ασύμφωνος.

discount (n) [ντισκάουν-τ] έκπτωση.

discounting (n) [ντισκάουν-τινγκ] προεξόφληση.

discourage (v) [ντισκάριντζζ] αποθαρρύνω, αποκαρδιώνω.

discourse (n) [ντισκόορς] ομιλία.

discourteous (adj) [ντισκέρτιας] αγενής.

discover (v) [ντισκάβερ] ανακαλύπτω, πληροφορούμαι.

discovery (n) [ντισκάβερι] ανακάλυψη.

discredit (n) [ντισκρέ-ντιτ] δυσφήμιση, (v) ντροπιάζω, δυσφημώ.

discreet (adj) [ντισκρίιτ] διακριτικός, εχέμυθος.

discrepancy (n) [ντισκρέπανσι] διαφορά, αντίφαση, αναντιστοιχία.

discretion (n) [ντισκρέσσον] επιφυλακτικότητα, εχεμύθεια.

discriminate (v) [ντισκρίμινέιτ] διακρίνω.

discriminator (n) [ντισκριμινέιτορ] διευκρινιστής.

discursive (adj) [ντισκάρσιβ] απεραντολόγος, ασυνάρτητος.

discus (n) [ντίσκας] δίσκος.

discus thrower (n) [ντίσκας θρόουερ] δισκοβόλος.

discuss (v) [ντισκάς] κουβεντιάζω.

disdain (n) [ντισ-ντέιν] περιφρόνηση (v) περιφρονώ, καταφρονώ.

disdained (adj) [ντισ-ντέιν-ντ] παραπεταμένος [μεταφ].

disease (n) [ντιζίιζ] νόσος, νόσημα.

diseconomy (n) [ντισικόνομι] αντιοικονομία.

disembark (v) [ντισεμ-μπάαρκ] αποβιβάζω.

disembarrass (v) [ντισεμ-μπάρας] ανακουφίζω, ξεμπλέκω.

disembogue (v) [ντισεμ-μπόουγκ] εκβάλλω, χύνομαι.

disembowel (v) [ντίσεμ-μπάουελ] ξεκοιλιάζω.

disengage (v) [ντισενγκέιντζζ] απαλλάσσω, απελευθερώνω.

disentangle (v) [ντισεν-τάνγκλ] απαλλάσσω, ελευθερώνω.

disesteem (v) [ντισεστίιμ] καταφρονώ.

disfavour (n) [ντισφέιβορ] δυσμένεια.

disfiguration (n) [ντισφιγκιουρέισσον] παραμόρφωση.

disgorge (v) [ντισγκόοντζζ] ξερνώ.

disgrace (n) [ντισγκρέις] ατιμία, αίσχος (v) ατιμάζω, στιγματίζω.

disguise (n) [ντισγκάιζ] μεταμορφώνω, καμουφλάζ (v) μασκαρεύω.

disgust (n) [ντισγκάστ] αηδία, αναγούλα (v) μπουχτίζω.

dish (n) [ντισς] έδεσμα, πιάτο.

dish cloth (n) [ντισς κλοθ] πατσαβούρα.

dishabituate (v) [ντισχα-μπίτσιουέιτ] ξεμαθαίνω, ξεσυνηθίζω.

dishearten (v) [ντισχάαρτεν] αποκαρδιώνω.

dished (adj) [ντισστ] βαθουλωτός.

dishevelled (adj) [ντισσέβελ-ντ] απεριποίητος, ξεμαλλιασμένος.

dishonest (adj) [ντισόνεστ] δόλιος, άτιμος.

dishonesty (n) [ντισόνεστι] σαπίλα.

dishonour (n) [ντισόνορ] ατιμία (v) ατιμάζω, ντροπιάζω.

dishwasher (n) [ντίισσγουόσσερ] λαντζιέρης.

dishwater (n) [ντίισσγουότερ] απόπλυμα.

disillusion (v) [ντισιλούζν] απογοητεύω.

disincentive (n) [ντισινσέντιβ] αντικίνητρο, αποτρεπτικός.

disinclination (n) [ντισινκλινέισσον] απροθυμία, δισταγμός.

disinfect (v) [ντισινφέκτ] απολυμαίνω, αποστειρώνω.

disinflation (n) [ντισινφλέισσον] αντιπληθωρισμός.

disinherit (v) [ντισινχέριτ] αποκληρώνω.

disintegrate (v) [ντισίν-τιγκρέιτ] θρυμματίζω, σκορπώ, τρίβομαι.

disintegration (n) [ντισιν-τιγκρέισσον]

φάγωμα.

disinter (v) [ντισιν-τέρ] ξεθάβω.

disinterested (adj) [ντισίν-τρεστιντ] ανιδιοτελής, αδιάφορος.

disjoin (v) [ντισντζζόιν] αποσυνδέω, αποσπώ, αποσυνδέομαι.

disjoint (v) [ντισντζζόιν-τ] τεμαχίζω.

disk (n) [ντισκ] δίσκος [πλίου κτλ].

dislike (v) [ντιολάικ] αντιπαθώ.

dislocate (v) [ντιολοουκέπτ] εξαρθρώνω, βγάζω [πόδι, χέρι].

dislodge (v) [ντιολόντζζ] εκδιώκω.

dismal (adj) [ντίζμαλ] μελαγχολικός, θλιβερός, πένθιμος.

dismantle (v) [ντισμάν-τλ] απογυμνώ, κατεδαφίζω, διαλύω.

dismay (v) [ντισμέι] κατατρομάζω.

dismember (v) [ντισμέμ-μπερ] διαμελίζω.

dismiss (v) [ντισμίς] διαλύω, αποδιώχνω, παύω, ξαποστέλνω.

dismissal (n) [ντισμίσαλ] απόλυση.

dismount (v) [ντισμάουν-τ] ξεπεζεύω.

disnatured (adj) [ντισνέιτσερ-ντ] αφύσικος, άστοργος.

disobedience (n) [ντίσο-μπίι-ντιενς] ανυπακοή, παρακοή.

disobey (v) [ντισο-μπέι] παραβαίνω, απειθαρχώ, παρακούω.

disoblige (v) [ντισο-μπλάιντζζ] προσβάλλω, πληγώνω, ενοχλώ.

disorder (n) [ντισόορ-ντερ] ακαταστασία, διατάραξη, μπέρδεμα.

disorientate (v) [ντισοριεν-τέιτ] αποπροσανατολίζω.

disown (v) [ντισόουν] αποκηρύσσω, αρνούμαι, απαρνιέμαι.

disparate (adj) [ντίσπαριτ] αταίριαστος.

disparity (n) [ντισπάριτι] ανισότητα, ανομοιότητα, διαφορά.

dispatch (v) [ντισπάτς] χαλάω, στέλνω (n) αποστολή, διεκπεραίωση.

dispel (v) [ντισπέλ] διασκεδάζω.

dispensable (adj) [ντισπένσα-μπλ] επουσιώδης, περιττός.

dispensary (n) [ντισπένσερι] ιατρείο, κλινική, θεραπευτήριο.

dispensation (n) [ντισπενσέισσον] άφεση, διανομή, απονομή.

dispense (v) [ντισπένς] χορηγώ.

dispenser (n) [ντισπένσερ] αποθηκάριος, φαρμακοποιός.

disperse (v) [ντισπέρς] διαλύω, διασπείρω.

dispirited (adj) [ντισπίριτντ] αποθαρρυμένος.

displace (v) [ντισπλέις] μετακινώ.

displacement (n) [ντισπλέισμεν-τ] μετακίνηση, εκτόπιση, μετατόπιση.

display (n) [ντισπλέι] εκδήλωση, επίδειξη, μόστρα, ρεκλάμα (v) εκθέτω.

displease (v) [ντισπλίιζ] ενοχλώ.

displeased (adj) [ντισπλίιζ-ντ] δυσαρεστημένος.

displeasing (adj) [ντισπλίιζινγκ] δυσάρεστος.

displeasure (n) [ντισπλέζερ] δυσαρέσκεια.

disposable (adj) [ντισπόουζα-μπλ] διαθέσιμος.

disposal (n) [ντισπόουζαλ] πώληση, σειρά, διάθεση.

dispose (v) [ντισπόουζ] τακτοποιώ, διατάσσω, ρυθμίζω.

dispossess (v) [ντισποουζές] στερώ.

disproof (n) [ντισπρούφ] αναίρεση.

disproportion (n) [ντισπροπόορσσον] δυσαναλογία, διαφορά.

disprove (v) [ντισπρούβ] αποδεικνύω, αναιρώ, ανασκευάζω.

disputable (adj) [ντισπιούτα-μπλ] αμφισβητήσιμος, συζητήσιμος.

disputant (n) [ντισπιούταν-τ] καυγατζής.

dispute (n) [ντισπιούτ] ρήξη, διαμάχη, φιλονικία (v) συζητώ, φιλονεικώ.

disqualification (n) [ντισκουολιφικέισσον] ανικανότητα.

disquiet (n) [ντισκουάιετ] ανησυχία.

disregard (v) [ντισριγκάαρ-ντ] αγνοώ.

disrepair (n) [ντισριπέαρ] ερείπωση.

disreputable (adj) [ντισρέπιουταμπλ] αισχρός, άτιμος.

disrespect (n) [ντισρισπέκτ] ασέβεια, α-ναίδεια, αυθάδεια.

disrobe (v) [ντισρόου-μπ] γδύνω.

disrupt (v) [ντισράπτ] αποδιοργανώνω, εξαρθρώνω [μεταφ].

disruption (n) [ντισράπσσον] αναστά-τωση, διακοπή.

dissatisfied (adj) [ντισάτισφάι-ντ] δυσα-ρεστημένος.

dissatisfy (v) [ντισάτισφάι] δυσαρεστώ.

dissect (v) [ντισέκτ] διαμελίζω.

dissection (n) [ντισέκσσον] τεμαχισμός.

dissemble (v) [ντισέμ-μπλ] αποκρύπτω.

dissembler (n) [ντισέμ-μπλερ] υποκριτής.

disseminate (v) [ντισέμινέιτ] διαδίδω.

dissension (n) [ντισένσιον] διχογνωμία.

dissent (n) [ντισέν-τ] αντιγνωμία.

dissenter (adj) [ντισέν-τερ] αντικαθε-στωτικός (n) αμφισβητίας.

dissertation (n) [ντισερτέισσον] διατριβή.

disservice (n) [ντισέρβις] ζημιά.

dissident (adj) [ντίσι-ντεν-τ] διαφωνών.

dissillusionment (n) [ντισιλούζιονμεν-τ] απογοήτευση.

dissimilar (adj) [ντισίμιλαρ] ανομοιό-μορφος, διαφορετικός.

dissipate (v) [ντίσιπέιτ] σκορπίζω [περι-ουσία], διώχνω.

dissipated (adj) [ντισιπέιτι-ντ] άσωτος.

dissipation (n) [ντισιπέισσον] διάλυση, εξαφάνιση, ασωτία.

dissociate (v) [ντισόουσιεϊτ] αποσπώ.

dissoluble (adj) [ντισόλιου-μπλ] διαλυ-τός, ευδιάλυτος.

dissolute (adj) [ντίσολουτ] ακόλαστος.

dissolve (v) [ντιζόλβ] διαλύω.

dissolver (n) [ντιζόλβερ] διαλύτης.

dissonance (n) [ντίσσονανς] διαφωνία, κακοφωνία, φάλτσο.

dissonant (adj) [ντίσσοναν-τ] κακόηχος, κακόφωνος, παράτονος.

dissuade (v) [ντίσσουέι-ντ] μεταπείθω, αποτρέπω.

distaff (n) [ντίσταφ] ρόκα.

distance (n) [ντίστανς] απόσταση, δρόμος.

distant (adj) [ντίσταν-τ] μακρινός.

distaste (n) [ντιστέιστ] αντιπάθεια.

distemper (n) [ντιστέμ-περ] ασβεστό-χρωμα, ασβέστωμα.

distend (v) [ντιστέν-τ] διαστέλλω.

distich (n) [ντίστιτς] δίστιχο.

distil (v) [ντιστίλ] αποστάζω.

distill (v) [ντιστίλ] διυλίζω.

distiller (n) [ντιστίλερ] διυλιστής.

distinct (adj) [ντιστίνκτ] ξεχωριστός.

distinction (n) [ντιστίνκσσον] αρχοντιά, διάκριση, διαστολή.

distinguish (v) [ντιστίνγκουις] διακρίνω.

distinguish oneself (v) [ντιστίνγκουις ουάνσέλβ] αναδεικνύομαι.

distinguished (adj) [ντιστίνγκουισσ-ντ] αξιόλογος, διαπρεπής.

distort (v) [ντιστόορτ] στραβώνω, δια-ψεύδω, αδικώ.

distortion (n) [ντιστόορσσον] διαστρο-φή, παραμόρφωση, παραχάραξη.

distract (v) [ντιστράκτ] αποσπώ, απομα-κρύνω, περισπώ.

distrain (v) [ντιστρέιν] κατάσχω.

distraught (adj) [ντιστρότ] ταραγμένος, αναστατωμένος, τρελός.

distress (n) [ντιστρές] αγωνία, ανησυ-χία, απελπισία (v) πικραίνω, θλίβω.

distribute (v) [ντιστρί-μπιουτ] διανέμω, μοιράζω, διαδίδω.

distributed (adj) [ντιστρίμπιουτι-ντ] κα-ταμεριζόμενος.

distributor (n) [ντιστρί-μπιουτορ] απο-κλειστικός αντιπρόσωπος.

district (adj) [ντίστρικτ] περιφερειακός (n) περιοχή, μαχαλάς.

district attorney (n) [ντίστρικτ ατέρνι] εισαγγελέας [ΗΠΑ].

distrust (n) [ντιστράστ] δυσπιστία, καχυποψία (v) δυσπιστώ.

distrustful (adj) [ντιστράστφουλ] καχύποπτος, πονηρός, δύσπιστος.

disturb (v) [ντιστέρ-μπ] αναστατώνω, θορυβώ, ταράζω.

disturbance (n) [ντιστέρ-μπανς] διαταραχή, φασαρία, χαλασμός.

disunite (v) [ντισγιουνάιτ] διαχωρίζω, διασπώ, διχάζω [μεταφ].

disuse (n) [ντισγιούζ] αχρησία.

ditch (n) [ντιτς] τάφρος, βόθρος.

dither (v) [ντίδερ] τρέμω.

dittany (n) [ντίτανι] δίκταμο.

ditto marks (n) [ντίτοου μαρκς] ομοιωματικά.

ditty (n) [ντίτι] τραγουδάκι.

diuretic (adj) [ντάιουρέτικ] διουρητικός.

divan (n) [ντιβάαν] σοφάς, ντιβάνι, καφενείο, καπνοπωλείο.

dive (n) [ντάιβ] κατάδυση, κουτούκι (v) καταδύομαι.

diver (n) [ντάιβερ] καταδυόμενος.

diverge (v) [ντάιβέρντζζ] διχάζομαι, χωρίζομαι, αποκλίνω.

divergence (n) [ντάιβέρντζζενς] εκτροπή, απομάκρυνση, απόκλιση.

diverse (adj) [ντάιβέρς] διάφορος.

diversified (adj) [ντάιβέρσιφάι-ντ] πολυμερής.

diversify (v) [ντάιβέρσιφάι] διαφοροποιώ, παραλλάσσω, ποικίλλω.

diversion (adj) [ντάιβέρζιον] παρακαμπτήριος (n) παρεκτροπή.

diversity of form (n) [ντάιβέρσιτι οβ φόρμ] ποικιλομορφία.

divert (v) [ντάιβέρτ] διοχετεύω, εκτρέπω.

divest (v) [ντάιβέστ] γδύνω.

divide (v) [ντιβάι-ντ] διαχωρίζω.

dividend (adj) [ντίβιντεν-ντ] διαιρετέος (n) μέρισμα, διαιρέτης.

dividers (n) [ντιβάι-ντερζ] διαβήτης.

divination (n) [ντίβαϊνέισσον] μαντεία.

divine (adj) [ντιβάιν] δαιμόνιος.

divinity (n) [ντιβίνιτι] θειότητα.

division (n) [ντιβίζιον] διανομή, κατηγορία, μερισμός.

divisor (n) [ντιβάιζορ] διαιρέτης.

divorce (n) [ντιβόουρς] διαζύγιο.

divulge (v) [ντιβάλντζζ] αποκαλύπτω, διατυμπανίζω.

dizziness (n) [ντίζινες] ζαλάδα.

dizzy (adj) [ντίζι] ιλιγγιώδης.

do (n) [ντόου] ντο.

do (v) [ντου] προκαλώ, κάνω, φτιάνω.

do away with (v) [ντου αγουέι γουίδ] καταργώ, καταστρέφω.

do up (v) [ντου απ] ανακαινίζω.

docile (adj) [ντόσαϊλ] πειθήνιος.

docility (n) [ντοσίλιτι] ευπείθεια, υπακοή.

dock (n) [ντοκ] δεξαμενή (v) περικόπτω.

docker (n) [ντόκερ] εκφορτωτής.

docket (n) [ντόκιτ] επικεφαλίδα, περίληψη (v) καταγράφω.

dockyard (n) [ντόκγιάρντ] ναύσταθμος, ναυπηγείο, νεώριο.

doctor (n) [ντόκτορ] ιατρός, διδάκτωρ.

doctrine (n) [ντόκτριν] δόγμα.

document (n) [ντόκιουμεν-τ] τεκμήριο, ντοκουμέντο (v) τεκμηριώνω.

Dodecanese (n) [Ντοου-ντέκανίζ] Δωδεκάνησα.

doe (n) [ντόου] ελαφίνα, λαγίνα.

dog (n) [ντογκ] σκύλος.

dogma (n) [ντόγκμα] δόγμα.

doing (n) [ντούινγκ] έργο, δράση, πράξη.

doldrums (n) [ντόλ-ντραμς] μελαγχολία, απραξία, εκκρεμότητα.

dole (n) [ντόουλ] βοήθημα.

doleful (adj) [ντόουλφούλ] λυπητερός.

doll (n) [ντολ] κούκλα.

dollar (n) [ντόλαρ] δολάριο.

dolly (n) [ντόλι] κουκλίτσα.

dolose (adj) [ντολόους] δόλιος.

dolour (n) [ντόλερ] θλίψη, πόνος.

dolphin (n) [ντόλφιν] δελφίνι.

dolt (n) [ντολτ] ηλίθιος, βλάκας.

dome (n) [ντόουμ] θόλος, τρούλος.

domestic (adj) [ντομέστικ] οικογενεια-
κός, εγχώριος, εσωτερικός.

domesticate (v) [ντομέστικέπτ] εξημερώνω.

dominant (adj) [ντόμιναν-τ] υπερι-
σχύων, υπερέχων, κυριαρχικός.

dominate (v) [ντόμινέιτ] δεσπόζω, ε-
ξουσιάζω, κυριαρχώ, κυριεύω.

dominion (n) [ντομίνιον] εξουσία.

domino (n) [ντόμινοου] ντόμινο.

dona (n) [ντόουνα] γκόμενα.

donate (v) [ντόουνέιτ] δωρίζω.

donation (n) [ντόουνέισσον] προσφορά.

donator (n) [ντοουνέιτορ] δότης.

done (adj) [νταν] ψημένος.

donkey (n) [ντόνκι] γαϊδούρι.

donor (n) [ντόουνερ] δότης.

don't (part) [ντόουν-τ] μη.

doom (n) [ντουμ] κρίση, απόφαση, μοι-
ραίο (v) δικάζω.

door (n) [ντόορ] θύρα, πόρτα, είσοδος.

door frame (n) [ντόορ φρέιμ] περβάζι.

doorstep (n) [ντόορστεπ] κατώφλι.

doorway (n) [ντόοργουέι] θύρα.

dope (v) [ντόουπ] ναρκώνω, ντοπάρω.

dopey (adj) [ντόουπι] χασικλωμένος.

Dorian (n) [Ντόριαν] δώριος.

Doric (adj) [Ντόρικ] δωρικός.

dormancy (n) [ντόορμανσι] νάρκη.

dormant (adj) [ντόορμαν-τ] κοιμώμενος.

dorsal (adj) [ντόρσλ] νωτιαίος.

dorsally (adv) [ντόρσλι] κυρτά.

dose (n) [ντόους] δόση, σκονάκι.

doss down (v) [ντος ντάουν] κοιμάμαι

στρωματσάδα.

doss out (v) [ντος άουτ] λημεριάζω.

dossier (n) [ντόσιερ] φάκελος.

dot (n) [ντοτ] τελεία, στίξη.

dotard (adj) [ντόουταρ-ντ] ξεκούτης,
ξεμωραμένος.

dotted (adj) [ντότι-ντ] διάστικτος.

double (adj) [ντα-μπλ] διπλάσιος, ζευ-
γαρωτός (v) διπλασιάζω, διπλώνω.

double entry (n) [ντα-μπλ έν-τρι] διπλο-
γραφία.

double up (v) [ντα-μπλ απ] κουβαριά-
ζομαι, κουλουριάζομαι.

double-edged (adj) [ντά-μπλ-έντζζντ]
δίστομος, δίκοπος.

doubly (adv) [ντά-μπλι] διπλά.

doubt (n) [ντάουτ] αβεβαιότητα, δι-
σταγμός, αμφιβολία (v) αμφιβάλλω.

doubtful (adj) [ντάουτφουλ] διστακτικός.

doubtless (adv) [ντάουτλες] αναμφίβολα.

dough (n) [ντόου] ζύμη, πάστα.

doughnut (n) [ντόουνάτ] λουκουμάς.

dove (n) [νταβ] περιστερά.

dovetail (v) [ντάβτεϊλ] συνδέω, ενώνω.

dower (v) [ντάουερ] κληροδοτώ.

down! (ex) [ντάουν] κάτω, γιούχα, χά-
μω (n) πούπουλο, χνούδι.

down to (adv) [ντάουν του] μέχρι (conj) ως.

downfall (n) [ντάουνφόολ] πτώση.

downing (n) [ντάουνινγκ] κατάρριψη.

downpour (n) [ντάουνπουρ] νεροποντή.

downtrodden (adj) [ντάουν-τρό-ντεν]
καταπατηθείς.

downward (adj) [ντάουνγουόρ-ντ] κα-
θοδικός, κατηφορικός.

downy (adj) [ντάουνι] χνουδάτος.

dowry (n) [ντάουρι] προίκα, χάρη.

doxology (n) [ντοξόλοντζζι] δοξολογία.

doze off (v) [ντόουζ οφ] γλαρώνω.

dozen (n) [νταζν] δωδεκάδα.

drachma (n) [ντράκμα] δραχμή.

draconian (adj) [ντρακόνιαν] δρακόντειος, αυστηρότατος.

draft (v) [ντράαφτ] στρατολογώ, συντάσσω (n) στρατολογία, συνάλλαγμα.

drafter (n) [ντράαφτερ] συντάκτης.

drag (v) [ντραγκ] σύρω, τραβώ.

drag on (v) [ντραγκ ον] χρονίζω.

dragged (adj) [ντραγκ-ντ] συρτός.

dragnet (n) [ντράγκνέτ] γρίπος, ανεμότρατα, μπλόκο αστυνομίας.

dragoman (n) [ντράγκομαν] δραγουμάνος, διερμηνέας.

dragon (n) [ντράγκον] δράκοντας.

drail (n) [ντρέιλ] συρτή.

drain (n) [ντρέιν] αγωγός, υπόνομος, χαντάκι (v) ξηραίνω.

drainage (n) [ντρέινιντζ] αποχέτευση.

drape (v) [ντρέιπ] επενδύω, καλύπτω.

drastic (adj) [ντράστικ] δραστικός.

draught (n) [ντράαφτ] έλξη, ρουφηξιά, γουλιά, πούλι, ρεύμα.

draughtsman (n) [ντράαφτσμαν] σχεδιαστής.

draw (n) [ντρόο] έλξη, ισοπαλία, κράχτης (v) τραβώ, ξεκοιλιάζω, ζαρώνω.

draw in (v) [ντρόο ιν] ρουφώ.

draw near (v) [ντρόονίαρ] σιμώνω, εγγίζω, ζυγώνω, φθάνω, φτάνω.

draw on (v) [ντρόο ον] αντλώ.

draw out (v) [ντρόο άουτ] βγάζω.

draw up (v) [ντρόο απ] καταστρώνω.

drawer (n) [ντρόοερ] συρτάρι.

drawers (n) [ντρόοερς] σώβρακο.

drawing (n) [ντρόοινγκ] σχέδιο, έλξη, ζωγραφιά, μακέτα.

drawn (adj) [ντρόον] κουρασμένος.

dread (n) [ντρε-ντ] δέος, τρόμος (v) τρέμω.

dream (v) [ντρίμ] ονειρεύομαι, φαντάζομαι, υποθέτω (n) όνειρο, ονειροπόλημα.

dredge (v) [ντρεντζ] ονειροπολώ.

dredger (n) [ντρέντζερ] φαγάνα.

dregs (n) [ντρεγκς] ονειροπόλος, μούργα, υποστάθμη, κατακάθι.

dress (n) [ντρες] ενδυμασία, φορεσιά, φουστάνι (v) ενδύω, επενδύω, ντύνω.

dress up (v) [ντρες απ] διακοσμώ.

dressed (adj) [ντρεσ-ντ] ντυμένος.

dresser (n) [ντρέσερ] ντουλάπι.

dressing (n) [ντρέσινγκ] διακόσμηση, καρύκευμα, επίδεση, ντύσιμο.

dressmaker (n) [ντρέσμέικερ] μοδίστρα.

dressy (adj) [ντρέσι] φιλάρεσκος, λουσάτος, φιγουράτος.

dribble (v) [ντρί-μπλ] στάζω.

dribblet (v) [ντρί-μπλετ] στάλα.

drier (n) [ντράιερ] ξηραντήριο.

drift (n) [ντριφτ] προώθηση (v) μεταφέρω.

driftage (n) [ντρίφτιντζ] παρέκλιση, έκπτωση, ξεπεσμός, φύκια.

drifter (n) [ντρίφτερ] ανεμότρατα.

drill (v) [ντριλ] γυμνάζω, τρυπανίζω (n) γύμνασμα, τρυπάνι, άσκηση.

drilled (adj) [ντριλ-ντ] διάτρητος.

drilling (n) [ντρίλινγκ] τρυπάνι.

drink (v) [ντρινκ] απορροφώ, πίνω (n) αναψυκτικό, ποτό.

drinker (n) [ντρίνκερ] πότης.

drip (n) [ντριπ] στάξη, σάχλας (v) στάζω.

dripping (n) [ντρίπινγκ] στάξιμο (adj) βουτηγμένος.

drive (n) [ντράιβ] παρόρμηση, περίπατος (v) οδηγώ.

drive mad (v) [ντράιβ μα-ντ] μουρλαίνω, τρελαίνω.

drive off (v) [ντράιβ οφ] ξεκινώ.

drivel (n) [ντρίβελ] αερολογία, μπούρδα, παραλογισμός (v) αερολογώ, σαλιαρίζω, τσαμπουνώ.

driver (n) [ντράιβερ] οδηγός.

driving wheel (n) [ντράιβινγκ γουίλ] βολάν, τροχός.

drizzle (n) [ντριζλ] ψιλή βροχή.

droit (n) [ντρόιτ] δικαίωμα, δίκαιο.

droll (adj) [ντρόουλ] κωμικός, αστείος,

γελοίος (n) παλιάτσος.

drone (n) [ντρόουν] κηφήνας, χαραμοφάης, παράσιτο (v) βουίζω.

drooling (n) [ντρούουλινγκ] σαλιαρίσματα.

droop (n) [ντρούουπ] μαρασμός, κατάπτωση, χαμήλωμα, γέρσιμο.

drop (n) [ντροπ] παστίλια, πτώση, στάλα, κάμψη (v) στάζω, πέφτω, ρίχνω.

dropping (n) [ντρόπινγκ] ρίξιμο, κάθοδος.

droppings (n) [ντρόπινγκς] κοτσιλιά.

dropsy (n) [ντρόπσι] υδρωπικία.

drought (n) [ντράουτ] ξηρασία.

drove (n) [ντρόουβ] κοπάδι.

drown (v) [ντράουν] πνίγομαι.

drowse (v) [ντράουζ] αποκοιμίζω, νυστάζω (n) νύστα, νάρκη.

drowsy (adj) [ντράουζι] νυσταγμένος.

drubbing (n) [ντρά-μπινγκ] ξυλοκόπημα.

drudgery (n) [ντράντζζερι] μόχθος, αγγαρεία, σκλαβιά.

drug (v) [ντραγκ] αφιονίζω, ντοπάρω (n) ναρκωτικό, φάρμακο.

drug addict (adj) [ντραγκ άντικτ] τοξικομανής, χασικλής.

drugs (n) [ντραγκς] ναρκωτικά.

drum (n) [ντραμ] νταούλι.

drunk (adj) [ντρανκ] πιωμένος.

dry (adj) [ντράι] άβρεχτος, μπρούσκος (v) ξηραίνω, στεγνώνω.

dry cleaner's (n) [ντράι κλίνερ'ς] καθαριστήριο.

dry dock (n) [ντράι ντοκ] νεώριο.

dry land (n) [ντράι λαντ] ξηρά.

dry up (v) [ντράι απ] ξεραίνω.

dryasdust (n) [ντράιαζ-νταστ] βαρετός (n) σχολαστικός.

dryly (adv) [ντράιλι] ξερά, στεγνά.

dryness (n) [ντράινες] ξεραΐλα.

drysalter (n) [ντράισολτερ] αλλαντοπώλης, χρωματοπώλης.

dub (v) [ντα-μπ] ανακηρύσσω.

dub up (v) [ντα-μπ απ] πληρώνω.

dubious (adj) [ντιού-μπιους] διστακτικός, αβέβαιος, αμφίβολος.

ducal (adj) [ντιούκαλ] δουκικός.

duchess (n) [ντάτσες] δούκισσα.

duchy (adj) [ντάτσι] δουκικός.

duck (n) [ντακ] νήσσα, πάπια.

duckling (n) [ντάκλινγκ] παπάκι.

ductile (adj) [ντάκτάιλ] όλκιμος, ελατός.

due (adj) [ντιού] πληρωτέος, οφειλόμενος.

duel (n) [ντιούελ] μονομαχία.

duelist (n) [ντιούελιστ] μονομάχος.

duet (n) [ντιουέτ] διωδία, ντουέτο.

duffel (n) [νταφλ] καμηλό.

duffer (n) [ντάφερ] αργόστροφος.

dug (n) [νταγκ] μαστός, βυζί.

dug-up (adj) [ντάγκαπ] ορυκτός.

dugout (n) [ντάγκάουτ] πιρόγα.

duke (n) [ντιούκ] δούκας.

dulcet (adj) [ντάλσιτ] μελωδικός.

dulcify (v) [ντάλσιφαϊ] καταπραϋνω.

dull (adj) [νταλ] ανάλατος, βλάκας, θολός (v) αποβλακώνω, χαζεύω, ναρκώνω.

dull-witted (adj) [νταλγουίτεντ] βαρύς [άνθρωπος].

dullard (n) [ντάλααρ-ντ] βλάκας.

dullness (n) [ντάλνες] βλακεία.

dumb (adj) [νταμ] μουγγός.

dummy (n) [ντάμι] ανδρείκελο.

dumpy (n) [ντάμ-πι] κοντοστούμπης.

dune (n) [ντιούν] αμμόλοφος.

dung (n) [ντανγκ] κοπριά.

dungeon (n) [ντάν-ντζζον] μπουντρούμι.

dungy (adj) [ντάνγκι] βρωμερός.

dunk (v) [ντανκ] εμβαπτίζω.

duodenum (n) [ντιουοντίναμ] δωδεκαδάκτυλο.

duotone (adj) [ντιούοουτοουν] δίχρωμος (n) διχρωμία.

dupe (n) [ντιούπ] χάνος [μεταφ], κορόιδο (v) εξαπατώ.

duplicate (adj) [ντιού-μπλικέιτ] διπλός (n) διπλότυπο (v) διπλασιάζω.

duplicator (n) [ντιούπλικέιτορ] πολύγραφος.

duplicity (n) [ντιουπλίσιτι] υποκρισία, δολιότητα, διπροσωπία.

durable (adj) [ντιούρα-μπλ] διαρκής.

duration (n) [ντιουρέισσον] διάρκεια.

during (pr) [ντιούρινγκ] κατα.

dusk (n) [ντασκ] ημίφως, σκοτεινιά, λυκόφως, σκιόφως, σούρουπο.

dusky (adj) [ντάσκι] μουχρός, μισοφωτισμένος, ακαθόριστος, μελαχροινός.

dust (n) [ντναστ] χώμα, σκόνη, τέφρα (v) ξεσκονίζω, σκουπίζω, ραντίζω.

dust rag (n) [ντναστ ραγκ] ξεσκονόπανο.

dust-cart (n) [ντναστ-καρτ] σκουπιδιάρικο.

dustbin (n) [ντάστ-μπιν] σκουπιδοτενεκές.

duster (n) [ντάστερ] ξεσκονόπανο.

dustily (adv) [ντάστιλι] σκονισμένα.

dustiness (n) [ντάστινες] σκόνισμα, σκόνη.

dustman (n) [ντάστμαν] σκουπιδιάρης.

dustpan (n) [ντάστπαν] φαράσι.

Dutch (adj) [Ντατς] ολλανδικός.

duteous (adj) [ντιούτιους] υπάκουος, πειθαρχικός, ευπειθής.

dutiable (adj) [ντιούτια-μπλ] φορολογήσιμος.

duties (n) [ντιούτις] καθήκοντα.

dutiful (adj) [ντιούτιφουλ] υπάκουος, πειθαρχικός, ευπειθής, ευσυνείδοτος.

duty (n) [ντιούτι] οφειλή [γραμμ], υπηρεσία, καθήκον, φόρος, βάρδια, τέλος.

duty-free (adj) [ντιούτι-φρίι] αδασμολόγητος, αφορολόγητος, ατελώνιστος.

dwarf (n) [ντουόορφ] νάνος.

dwell (v) [ντουέλ] ζω, διαμένω, κατοικώ.

dwell on (v) [ντουέλ ον] σκέπτομαι επί μακρόν, στοχάζομαι, ενδιατρίβω.

dweller (n) [ντουέλερ] κάτοικος.

dwelling (n) [ντουέλινγκ] τόπος διαμονής, κατοικία, στέγη [μεταφ], οίκημα.

dye (n) [ντάι] βάμμα, βαφή [το υλικό], χρώμα [μπογιά], μπογιά (v) βάφω, χρωματίζω.

dyed (adj) [ντάι-ντ] βαμμένος.

dyeing (n) [ντάιινγκ] βαφή [το υλικό], βάψιμο.

dyeworks (n) [ντάιγουόρκς] χρωματουργείο.

dying (adj) [ντάιινγκ] ετοιμοθάνατος.

dyke (n) [ντάικ] ανάχωμα.

dynamic (adj) [ντναϊνάμικ] δραστήριος, ενεργητικός, δυναμικός, ζωτικός [άνθρ].

dynamical (adj) [ντναϊνάμικαλ] δυναμικός.

dynamics (n) [ντναϊνάμικς] δυναμική.

dynamism (n) [ντάιναμιζμ] δυναμοκρατία, δυναμισμός.

dynamite (n) [ντάιναμάιτ] δυναμίτιδα.

dynamo (n) [ντάιναμόου] δυναμό.

dynamometer (n) [ντναϊναμόμιτερ] δυναμόμετρο.

dynastic (adj) [ντναϊνάστικ] δυναστικός.

dynasty (n) [ντάιναστι] δυναστεία.

dysentery (n) [ντισέν-τερι] δυσεντερία.

dyspepsia (n) [ντισπέπσια] δυσπεψία.

E

E, e (n) [ïï] το πέμπτο γράμμα του αγγλικού αλφαβήτου.

each (pron) [ίιτς] έκαστος, κάθε.

each one (pron) [ίιτσ ουάν] καθένας.

eager (adj) [ίιγκα(ρ)] ανυπόμονος, άπληστος, διάπυρος, πρόθυμος, διακαής.

eager to excel (adj) [ίιγκα(ρ) του εξέλ] φιλότιμος.

eagerness (n) [ίιγκανες] ζήλος.

eaglet (n) [ίιγκλετ] αετόπουλο.

ear (n) [ία(ρ)] αυτί, λαβή.

ear of corn (n) [ίαρ οβ κοον] στάχυ.

eardrum (n) [ία-ντράμ] τύμπανο [αυτιού].

earl (n) [ερλ] κόμης.

earlier (adj) [έρλια(ρ)] πρωινός.

early (adv) [έρλι] νωρίς (adj) [πρώιμος.

earn (v) [ερν] αποσπώ, κερδίζω.

earnest (n) [έρνιστ] καπάρο, εγγύηση, ένδειξη, γεύση (adj) ειλικρινής, επίμονος.

earnings (n) [έρνινγκς] αποδοχές.

earring (n) [ίαρινγκ] σκουλαρίκι.

earth (n) [ερθ] υδρόγειος, γη, τρύπα.

earthen (adj) [έρθεν] πήλινος.

earthenware (n) [έρθενουα(ρ)] πιατικά.

earthly (adj) [έρθλι] επίγειος.

earthquake (n) [έρθκουεϊκ] σεισμός.

earthworm (n) [έρθουερμ] γεωσκώληκας.

earthy (adj) [έρθι] γήινος.

earwax (n) [ίαουάξ] κυψελίδα.

ease (n) [ίιζ] απόλαυση, άνεση, ευκολία (v) καθησυχάζω, απαλύνω.

ease up (v) [ίιζ απ] χαλαρώνω.

easeful (adj) [ίιζφουλ] ήρεμος.

easel (n) [ίιζελ] τρίποδο.

easily (adv) [ίιζιλι] άνετα, εύκολα.

easing (n) [ίιζινγκ] διευκόλυνση.

east (n) [ίιστ] ανατολή.

Easter (adj) [Ίιστα(ρ)] Λαμπριάτικος (n) Πάσχα.

eastern (adj) [ίιστερν] ανατολικός.

easy (adj) [ίιζι] άνετος, βολικός.

easy-going (adj) [ίιζιγκόουινγκ] καλόβολος, ανέμελος.

easy-peasy (adj) [ίιζι-πίιζι] πανεύκολο.

eat (v) [ίιτ] τρώω, φθείρω.

eat away (v) [ίιτ αουέι] καταβροχθίζω.

eat into (v) [ίιτ ίν-του] διαβρώνω.

eat up (v) [ίιτ απ] αποτρώγω.

eatable (adj) [ίιτα-μπλ] φαγώσιμος.

eaten (adj) [ίιτεν] φαγωμένος.

eater (n) [ίιτα(ρ)] φαγάς.

eau de Cologne (n) [όο ντε Καλόουν] κολόνια.

eaves (n) [ίιβζ] μαρκίζα, γείσο.

eavesdrop (v) [ίιβζ-ντροπ] αφουγκράζομαι, κρυφακούω.

ebb tide (n) [ε-μπ τάι-ντ] άμπωτη.

eccentric (adj) [εκσέν-τρικ] εκκεντρικός.

eccentricity (n) [εκσεν-τρίσιτι] εκκεντρικότητα, χούι [λαϊκ].

ecclesiastical (adj) [εκλιζιάστικαλ] εκκλησιαστικός.

eccrinology (n) [εκρινόλοντζζι] εκκρινολογία.

echelon (n) [έσσελον] κλιμάκιο.

echo (n) [έκοου] αντήχηση, ηχώ (v) αντηχώ, αντιλαλώ.

eclectic (adj) [εκλέκτικ] εκλεκτικός.

eclecticism (n) [εκλέκτισιζμ] εκλεκτικισμός.

eclipse (n) [ικλίπς] έκλειψη.

ecological (adj) [ικολόντζζικαλ] οικολογικός.

economic (adj) [ιικόνομικ] οικονομικός.

economical (adj) [εκονόμικαλ] οικονομικός, λιτός, προσιτός.

economist (n) [ικόνομιστ] οικονομολόγος.

economy (n) [ικόνομι] οικονομία.

ecstasy (n) [έκστασι] ξέσπασμα.

ecstatic (adj) [εκστάτικ] εκστατικός.

ecumenical (adj) [ικουμένικαλ] οικουμενικός.

eczema (n) [έκιμα] έκζεμα.

edacious (adj) [ι-ντέισσες] λαίμαργος.

edge (n) [εντζζ] ακμή, άκρη, κόψη, όχθη.

edible (adj) [έ-ντι-μπλ] φαγώσιμος.

edict (n) [ι-ντίκτ] διάταγμα.

edifice (n) [έ-ντιφις] οικοδόμημα.

edify (v) [έ-ντιφάι] διαπαιδαγωγώ.

edifying (adj) [έ-ντιφάιινγκ] εποικοδομητικός, ηθοπλαστικός.

edit (v) [έ-ντιτ] εκδίδω, σχολιάζω.

edition (n) [ε-ντίσσον] έκδοση.

editor (n) [έ-ντιτο(ρ)] διευθυντής, εκδότης, συντάκτης, σχολιαστής.

editor-in-chief (n) [έ-ντιτορ ιν τσσίιφ] αρχισυντάκτης.

educate (v) [έντζζιουκέϊτ] ανατρέφω,

εκπαιδεύω, διαπλάσσω.

educated (adj) [έντζζιουκέιτι-ντ] σπουδασμένος, μορφωμένος.

education (n) [εντζζιουκέισσον] ανατροφή, εκπαίδευση, μάθηση.

educational (adj) [έντζζιουκέισσοναλ] εκπαιδευτικός.

eel (n) [ίιλ] χέλι [ζωολ].

eerie (adj) [ίιρι] τρομαχτικός.

efface (v) [ιφέις] απαλείφω, εξαφανίζω.

effect (n) [εφέκτ] αποτέλεσμα, συνέπεια (v) πραγματοποιώ.

effective (adj) [εφέκτιβ] αποτελεσματικός.

effectiveness (n) [εφέκτιβνες] δραστηριότητα.

effectual (adj) [εφέκτιουαλ] τελεσφόρος.

effeminacy (n) [εφέμινασι] θηλυπρέπεια, έλλειψη ανδρισμού.

effeminate (adj) [εφέμινέιτ] θηλυπρεπής.

efficacious (adj) [εφικέισσας] δραστικός.

efficacy (n) [έφικασι] δραστικότητα.

efficiency (n) [εφίσσενσι] αποδοτικότητα.

efficient (adj) [εφίσσιεν-τ] αποδοτικός.

effigy (n) [έφιντζζι] ομοίωμα.

effluent (n) [έφλουεν-τ] απόβλητα.

effort (n) [έφατ] προσπάθεια.

effuse (v) [ιφιούζ] διαχέω, ξεχύνω.

effuse (adj) [ιφιούς] διάχυτος [βοτ].

effusive (adj) [ιφιούσιβ] εκδηλωτικός.

egg (n) [εγκ] αβγό.

egg cup (n) [εγκ καπ] αβγοθήκη.

eggplant (n) [έγκπλάαν-τ] μελιτζάνα.

ego (n) [ίιγκοου] εγώ, έπαρση.

egocentric (adj) [ίιγκοουσέν-τρικ] εγωκεντρικός.

egoism (n) [ίιγκοουίζμ] φιλαυτία.

egoist (adj) [ίιγκοουίστ] εγωιστής.

egoistical (adj) [ίιγκοουίστικαλ] εγωιστικός.

egomania (n) [ιιγκοουμέινια] εγωκεντρισμός.

egomaniac (adj) [ιιγκοουμέινιακ] εγωπαθής.

egotism (n) [ίιγκατιζμ] εγωισμός.

egotist (n) [ίιγκοουτιστ] εγωιστής.

egress (n) [ίιγκρες] έξοδος.

egression (n) [ιγκρέσσον] έξοδος.

egret (n) [ίιγκρετ] ψαροφάγος.

Egypt (n) ['Ιιντζζιιπτ] Αίγυπτος.

Egyptian (adj) ['Ιιντζζίπσσαν] αιγυπτιακός (n) Αιγύπτιος.

eight (num) [έιτ] οκτώ [αριθ], οχτάρι.

eighteen (num) [έϊτίιν] δεκαοκτώ.

eightfold (adj) [έιτφοουλ-ντ] οχταπλάσιος.

eighth (adj) [έιτθ] όγδοος.

eirenic (adj) [ιαρίινικ] ειρηνικός.

either (adj) (pron) [ίιδε(ρ)] εκάτερος, ή ο ένας ή ο άλλος.

eitheror (conj) [ίιδε(ρ)οο(ρ)] ή, είτε.

ejaculate (v) [ιντζζάκιουλεϊτ] αναφωνώ, εκσπερματώνω.

ejection (n) [ιτζέκσσον] εκβολή.

elaborate (adj) [ιλά-μπορετ] λεπτομερής (v) [ιλά-μποpέιτ] κατεργάζομαι.

elaboration (n) [ιλα-μποpέισσον] επεξεργασία.

elapse (v) [ιλάπς] διαρρέω [χρόνος], παρέρχομαι.

elastic (adj) [ελάστικ] ελαστικός (n) λάστιχο.

elated (adj) [ιλέιτι-ντ] περίχαρος.

elation (n) [ιλέισσον] αγαλλίαση.

elbow (n) [έλ-μποου] γωνία, αγκώνας (v) σπρώχνω.

elder (adj) [έλ-ντα(ρ)] μεγαλύτερος, πρεσβύτερος (n) άρχοντας.

elderly (adj) [έλ-νταλι] ηλικιωμένος.

eldest (adj) [έλ-ντεστ] μεγαλύτερος.

elect (v) [ιλέκτ] αποφασίζω, εκλέγω.

elected (adj) [ιλέκτι-ντ] αιρετός.

election (n) [ιλέκσσον] απόφαση, εκλογή.

elective (adj) [ιλέκτιβ] αιρετός, εκλεγόμενος, εκλογικός, προαιρετικός.

elector (n) [ιλέκτο(ρ)] εκλογέας.

electoral (adj) [ιλέκτοραλ] εκλογικός.

electoral fraud (n) [ιλέκτοραλ φρόο-ντ] καλπονοθεία.

electric (adj) [ιλέκτρικ] ηλεκτρικός.

electric fitter (n) [ιλέκτρικ φίτα(ρ)] ηλεκτροτεχνίτης.

electric motor (n) [ιλέκτρικ μόουτο(ρ)] ηλεκτροκινητήρας.

electric shock (n) [ιλέκτρικ σσοκ] ηλεκτροπληξία.

electrical (adj) [ιλέκτρικαλ] ηλεκτρολογικός, ηλεκτρισμένος.

electrician (n) [ιλεκτρίσσαν] ηλεκτρολόγος.

electricity (n) [ιλεκτρίσιτι] ηλεκτρολογία, ηλεκτρισμός.

electrifiable (adj) [ιλεκτριφάια-μπλ] ηλεκτρίσιμος.

electrify (v) [ιλέκτριφάι] εξηλεκτρίζω, ηλεκτρίζω.

electron (n) [ιλέκτρον] ηλεκτρόνιο [φυσ].

electronic (adj) [ιλεκτρόνικ] ηλεκτρονικός.

elegance (n) [έλεγκανς] κομψότητα, καλαισθησία, καλλιέπεια.

elegant (adj) [έλεγκαν-τ] κομψός, καλαίσθητος, γλαφυρός.

elegiac (adj) [έλιντζζάιακ] ελεγειακός.

elegy (n) [έλιντζζι] ελεγεία.

element (n) [έλεμεν-τ] στοιχείο, υλικό.

elementary (adj) [ελεμέν-ταρι] στοιχειώδης.

elements (n) [έλεμεν-τς] στοιχεία.

elephant (n) [έλεφαν-τ] ελέφαντας.

elevate (v) [έλεβέιτ] αναδείχνω, ανυψώνω.

elevated (adj) [ελεβέιτι-ντ] ανυψωμένος, υψηλός, ευγενής, ανώτερος.

elevation (n) [έλεβέισσον] ανύψωση, ψήλωμα, ανάδειξη, έξαρση.

elevator (n) [έλεβέιτορ] ανυψωτήρας.

eleven (num) [ιλέβεν] ένδεκα, έντεκα [αριθ], ενδεκάδα.

eleventh (adj) [ιλέβενθ] ενδέκατος.

elf (n) [ελφ] έλφα, ξωτικό, αερικό.

elicit (v) [ιλίσιτ] εξάγω, αποσπώ.

eligibility (n) [ελιντζζι-μπιλιτι] εκλογι-μότητα.

eligible (adj) [ελιντζζι-μπλ] εκλέξιμος.

eliminate (v) [ελίμινεΐτ] αποβάλλω, α-πομακρύνω, εξαφανίζω.

elimination (n) [ελιμινέισσον] αποβο-λή, εξαφάνιση, εξάλειψη.

elision (n) [ιλίζζιον] έκθλιψη.

elite (n) [ελίτ] εκλεκτοί.

elixir (n) [ιλίκσα(ρ)] ελιξήριο.

ellipse (n) [ελίπς] έλλειψη [μαθημ].

elliptical (adj) [ελίπτικαλ] ελλειπτικός.

elocution (n) [έλοκιούσσον] άρθρωση, ορθοφωνία.

elongate (v) [ιλονγκγκέιτ] προεκτείνω, επιμηκύνω.

elongation (n) [ιλονγκγκέισσον] επιμή-κυνση, προέκταση.

elope (v) [ιλόουπ] αλληλοαπάγομαι, κλέβομαι, απάγω.

eloquence (n) [έλοκουενς] ευγλωττία, ευφράδεια.

eloquent (adj) [έλοκουεν-τ] εύγλωττος.

else (adv) [ελς] αλλιώς (adj) άλλος (conj) διαφορετικά.

elsewhere (adv) [έλσουέα(ρ)] αλλού.

elucidate (v) [ιλούσι-ντέιτ] διευκρινίζω, επεξηγώ, ξεκαθαρίζω.

elude (v) [ιλιού-ντ] αποφεύγω.

elusive (adj) [ιλούσιβ] διαφεύγων.

emaciated (adj) [ιμάσιέιτι-ντ] ισχνός.

emanate (v) [έμανέιτ] προέρχομαι.

emancipate (v) [ιμάνσιπέιτ] χειραφετώ.

embalm (v) [εμ-μπάαμ] ταριχεύω.

embank (v) [εμ-μπάνκ] επιχωματώνω.

embankment (n) [εμ-μπάνκμεν-τ] επί-χωμα, ανάχωμα, προκυμαία.

embark (v) [εμ-μπάακ] επιβιβάζω.

embarkation (n) [εμ-μπααακέισσον] επι-βίβαση, μπαρκάρισμα.

embarrass (v) [εμ-μπάρας] στενοχωρώ,

σαστίζω, ταπεινώνω.

embarrassed (adj) [εμ-μπάρασ-τ] αμή-χανος.

embarrassment (n) [εμ-μπάρασμεν-τ] αμηχανία, στενοχώρια, μπελάς.

embassy (n) [έμ-μπασι] πρεσβεία.

embattle (v) [εμ-μπάτλ] οχυρώνω.

embay (v) [ιμ-μπέι] εγκλείω.

embayment (n) [ιμ-μπέιμεν-τ] κόλπος.

embed (v) [ιμ-μπέ-ντ] στερεώνω.

embellish (v) [ιμ-μπέλισς] κοσμώ.

embellishment (n) [ιμ-μπέλισσμεν-τ] καλλωπισμός.

embers (n) [έμ-μπαζ] ανθρακιά.

embezzle (v) [εμ-μπέζλ] υπεξαιρώ.

embezzler (n) [εμ-μπέζλα(ρ)] καταχραστής.

emblem (n) [έμ-μπλεμ] έμβλημα.

embodiment (n) [εμ-μπό-ντιμεν-τ] εν-σάρκωση.

embody (v) [εμ-μπό-ντι] ενσαρκώ.

emboss (v) [εμ-μπός] αναγλυφώ.

embrace (n) [εμ-μπρέις] αγκάλιασμα, (v) φιλώ.

embrasure (n) [εμ-μπρέιζζα(ρ)] κού-φωμα, πολεμίστρα.

embrocate (v) [έμ-μπροκέιτ] εντρίβω.

embroider (v) [εμ-μπρόι-ντα(ρ)] κεντώ.

embroidery (n) [εμ-μπρόι-ντερι] κέντημα.

embryo (n) [έμ-μπριο] έμβρυο.

embryonic (adj) [εμ-μπριόνικ] εμβρυϊκός.

emerald (n) [έμεραλ-ντ] σμαράγδι.

emerge (v) [εμέρντζζ] εμφανίζομαι.

emergence (n) [εμέρντζζενς] εμφάνιση.

emergency (adj) [εμέρντζζενσι] επείγων.

emergent (adj) [ιμέρντζζεν-τ] αναδυόμενος.

emeritus (adj) [ιμέριτας] ομότιμος.

emery (n) [έμρι] σμύριδα, σμύρη.

emetic (adj) [εμέτικ] εμετικός.

emigrant (n) [ίμιγκραν-τ] απόδημος, μετανάστης.

emigrate (v) [ίμιγκρεΐτ] αποδημώ.

emigration (n) [εμιγκρέισσον] αποδημία, μετανάστευση.

eminence (n) [έμινενς] ύψος, ψήλωμα, εξοχή [εδαφική], περιωπή.

eminent (adj) [έμινεν-τ] διαπρεπής, επιφανής, υπέροχος.

emir (n) [εμίρ] εμίρης.

emirate (n) [έμιρατ] εμιράτο.

emission (n) [ιμίσσον] έκλυση.

emit (v) [ιμίτ] αναδίνω, εκπέμπω.

emollient (adj) [ιμόλιεν-τ] μαλακτικός.

emotion (n) [ιμόουσσον] συναίσθημα, συγκίνηση, αίσθημα.

emotional (adj) [ιμόουσσοναλ] συγκινησιακός, συναισθηματικός.

emotionalize (v) [ιμόουσσοναλαΐζ] συναισθηματοποιώ.

emotions (n) [ιμόουσσονζ] συναισθήματα.

emperor (n) [έμ-περα(ρ)] αυτοκράτορας.

emphasis (n) [έμφασις] τόνος, έμφαση, υπογράμμιση.

emphasizing (n) [έμφασάιζινγκ] τονισμός.

emphatic (adj) [εμφάτικ] κατηγορηματικός.

empire (n) [έμ-πάιερ] εξουσία, αυτοκρατορία.

empirical (adj) [εμ-πίρικαλ] εμπειρικός.

employ (n) [έμ-πλοι] απασχόληση, υπηρεσία (v) παρέχω εργασία.

employee (n) [έμ-πλόιι] υπάλληλος.

employer (n) [εμ-πλόια(ρ)] χρήστης, αφεντικό, εργοδότης.

employment (n) [εμ-πλόιμεν-τ] εργασία, μεταχείριση.

empower (v) [εμ-πάουα(ρ)] εξουσιοδοτώ, καθιστώ πληρεξούσιο.

empty (adj) [έμ-πτι] έρημος, κούφιος (v) αδειάζω.

emulation (n) [εμιουλέισσον] συναγωνισμός, άμιλλα.

emulsion (n) [ιμάλσιον] γαλάκτωμα.

enact (v) [ενάκτ] θεσπίζω, εκδίδω.

enactment (n) [ενάκτμεν-τ] νόμος.

enamel (n) [ίναμελ] εφυάλωμα, εμαγέ.

encage (v) [ινκέιντζζ] εγκλωβίζω.

encamp (v) [ενκάμ-π] στρατοπεδεύω.

encephalic (adj) [ενσεφάλικ] εγκεφαλικός.

encephalitis (n) [ενσεφαλάιτις] εγκεφαλίτιδα.

enchant (v) [εν-τσσάαν-τ] αλυσοδένω, θέλγω, καταγοητεύω.

enchanting (adj) [εν-τσσάαν-τινγκ] γοητευτικός, μαγευτικός.

enchantment (n) [εν-τσσάαν-τμεν-τ] μαγεία, θέλγητρο.

enchantress (n) [εν-τσσάαν-τρες] μαγεύτρα, μάγισσα.

encircle (v) [ενσέρκλ] κυκλώνω.

encirclement (n) [ενσέρκλμεν-τ] κύκλωση, περικύκλωση, κύκλωμα.

enclose (v) [ενκλόουζ] εγκλείω.

enclose with walls (v) [ενκλόουζ ουίδ γουόλζ] τειχίζω.

enclosed (adj) [ενκλόουζ-ντ] εσώκλειστος.

enclosing (n) [ενκλόουζινγκ] φράξιμο.

enclosure (n) [ενκλόουζζα(ρ)] κλείσιμο, φράκτης, φράγμα.

encomiastic (adj) [ενκοουμιάστικ] εγκωμιαστικός, κολακευτικός.

encomium (n) [ενκόουμιαμ] εγκώμιο.

encompass (v) [ινκάμ-πας] περιβάλλω.

encore (n) [όνκοο] ανάκληση μπιζάρισμα.

encounter (v) [ενκάουν-τα(ρ)] συναντώ (n) εμπλοκή.

encourage (v) [ενκάριντζζ] εγκαρδιώνω, εμψυχώνω, ενθαρρύνω.

encouragement (n) [ενκάριντζζμεν-τ] εμψύχωση.

encouraging (adj) [ενκάριντζζινγκ] ενθαρρυντικός (n) σπρώξιμο.

encroach upon (v) [ινκρόουτσς απόν] καταπατώ.

encroachment (n) [ινκρόουτσμεν-τ] αντιποίηση.

encyclopaedia (n) [ενσάικλοουπίιντια] εγκυκλοπαίδεια.

encyclopedic (adj) [ενσάικλοουπίιντικ] εγκυκλοπαιδικός.

end (n) [εν-ντ] λήξη, άκρη, όρος (v) τερματίζω.

endanger (v) [εν-ντέιν-ντζζερ] κινδυνεύω.

endeavour (n) [εν-ντέβερ] απόπειρα, προσπάθεια (v) προσπαθώ.

endemic (adj) [εν-ντέμικ] ενδημικός.

ending (n) [έν-ντινγκ] τερματισμός.

endive (n) [έν-ντιβ] αντίδι.

endless (adj) [έν-ντλες] άπειρος, διαρκής.

endlessly (adv) [έν-ντλεσλι] συνεχώς, ακατάπαυστα.

endorse (v) [εν-ντόος] προσυπογράφω [επιδοκιμάζω].

endorsement (n) [εν-ντόορσμεν-τ] οπισθογράφηση.

endoscopy (n) [εν-ντόσκοπι] ενδοσκόπηση [ιατρ].

endurable (adj) [εν-ντιούρα-μπλ] ανεκτός, υποφερτός, ανθεκτικός.

endurance (n) [εν-ντιούρανς] σθένος, καρτερία, αντοχή, υπομονή.

endure (v) [εν-ντιούρ] αντέχω.

enduring (adj) [εν-ντιούρινγκ] ανθεκτικός, διαρκής, μόνιμος.

enema (n) [ένιμα] κλύσμα, υποκλυσμός.

enemy (n) αντίπαλος.

energetic (adj) [ενερντζζέτικ] δραστήριος, δυναμικός, ενεργητικός.

energy (n) [ένερντζζι] δραστηριότητα.

enervate (v) [έναβέπ] εξασθενίζω.

enervation (n) [εναβέισοον] αποχαύνωση.

enfeeble (v) [ενφίι-μπλ] εξασθενίζω.

enfeeblement (n) [ενφίι-μπλμεν-τ] εξασθένιση.

enforce (v) [ενφόος] επιβάλλω.

enforceable (adj) [ενφόρσα-μπλ] εκτελεστός.

engage (v) [ινγκέιντζζ] δεσμεύω.

engage in commerce (v) [ινγκέιντζζ ιν κόμερς] εμπορεύομαι.

engage upon (v) [ινγκέιντζζ απόν] καταπιάνομαι.

engaged (adj) [ινγκέιντζζ-ντ] μνηστευμένος, απασχολημένος.

engagement (n) [ινγκέιντζζμεν-τ] υποχρέωση, πρόσληψη, εμπλοκή.

engaging (adj) [ινγκέιντζζιν] θελκτικός, χαριτωμένος, ευχάριστος.

engender (v) [ινντζζέν-ντερ] προξενώ.

engine (n) [έν-ντζζιν] μηχανή.

engine-room (n) [έν-ντζζιν-ρουμ] μηχανοστάσιο.

engineer (n) [έν-ντζζινίιρ] μηχανικός (v) κατασκευάζω.

engineering (n) [έν-ντζζινίιρινγκ] μηχανολογία, μηχανική.

England (n) [Ίνγκλαν-ντ] Αγγλία.

English (n) [Ίνγκλις] εγγλέζικα, αγγλικά (adj) αγγλικός, εγγλέζικος.

engorge (v) [ινγκόοντζζ] καταβροχθίζω, μπουκώνω.

engraft (v) [ινγκράαφτ] ενοφθαλμίζω.

engrave (v) [ενγκρέιβ] χαράζω.

engraving (n) [ενγκρέιβινγκ] χαρακτική.

engross (v) [ενγκρόους] αντιγράφω.

engrossed (adj) [ενγκρόους-τ] απορροφημένος, βυθισμένος.

engrossing (adj) [ενγκρόουσινγκ] συναρπαστικός.

engulf (v) [ενγκάλφ] καταπίνω.

enhance (v) [ενχάανς] αυξάνω.

enhancement (n) [ενχάανσμεν-τ] αύξηση, εξύψωση, ανατίμηση.

enharmonic (adj) [ενχααμόνικ] εναρμόνιος.

enigma (n) [ενίγκμα] γρίφος, αίνιγμα.

enigmatic (adj) [ενιγκμάτικ] ανεξήγητος (n) σφίγγα [μεταφ].

enjoy (v) [εν-ντζζόι] απολαμβάνω.

enjoyable (adj) [εν-ντζζόια-μπλ] ευχάριστος, απολαυστικός.

enjoyment (n) [έν-ντζζόιμεν-τ] τέρψη, ευχαρίστηση, απόλαυση.

enlarge (v) [ένλάαντζζ] διευρύνω, επαυξάνω, μεγαλώνω, μεγεθύνω.

enlargement (n) [ένλάαντζζμεν-τ] διεύρυνση, μεγέθυνση.

enlighten (v) [ενλάιτεν] ενημερώνω, διαφωτίζω, φωτίζω.

enlightening (adj) [ενλάιτενινγκ] ενημερωτικός, διαφωτιστικός, κατατοπιστικός.

enlightenment (n) [ενλάιτνμεν-τ] διδασκαλία, ενημέρωση, φώτιση.

enlist (v) [ενλίστ] στρατολογώ, επιστρατεύω, κατατάσσομαι.

enliven (v) [ενλάιβεν] αναζωογονώ, εμψυχώνω, φαιδρύνω.

enmity (n) [ένμιτι] έχθρα, μίσος.

ennoble (v) [ενόου-μπλ] εξευγενίζω.

enormous (adj) [ινόομας] θεόρατος, πελώριος, τεράστιος, υπέρογκος, αχανής.

enough (adv) [ινάφ] αρκετά (adj) ικανός.

enrage (v) [ενρέιντζζ] εξοργίζω.

enrapture (v) [ενράπτσσα(ρ)] εκστασιάζω.

enrich (v) [ενρίτσς] πλουτίζω.

enrichment (n) [ενρίτσσμεν-τ] εμπλουτισμός, πλουτισμός.

enrol (v) [ενρόουλ] εγγράφω.

enrolled (adj) [ενρόουλ-ντ] εγγεγραμμένος.

ensign (n) [ενσάιν] έμβλημα.

enslave (v) [ενσλέιβ] σκλαβώνω.

ensnaring (n) [ενονέαρινγκ] παγίδευμα.

ensue (v) [ινσιούου] προκύπτω.

entail (v) [ιντέιλ] συνεπάγομαι.

entangle (v) [εν-τάνγκλ] εμπλέκω.

entanglement (n) [εν-τάνγκλμεν-τ] εμπλοκή, περιπλοκή, μπέρδεμα.

enter (v) [έν-τα(ρ)] εισχωρώ, αναγράφω, μπαίνω, καταχωρίζω.

enter upon (v) [έν-τερ απόν] καταπιάνομαι.

enteric (adj) [εν-τέρικ] εντερικός.

enterprise (n) [έν-ταπράιζ] εγχείρημα, τόλμημα.

enterprising (adj) [έν-ταπράιζινγκ] τολμηρός, δραστήριος (n) ρέκτης.

entertain (v) [εν-τατέιν] διασκεδάζω, υποθάλπω, φιλεύω, φιλοξενώ.

entertaining (adj) [εν-τατέινινγκ] διασκεδαστικός, ψυχαγωγικός.

enthral (v) [ινθρόολ] συναρπάζω.

enthrone (v) [ενθρόουν] ενθρονίζω.

enthusiasm (n) [ενθούζιασμ] ζήλος, μέθη [μεταφ], ενθουσιασμός.

enthusiast (n) [ενθούζιαστ] θιασώτης.

enthusiastic (adj) [ενθούζιάστικ] ένθερμος.

entice (v) [ιν-τάις] τραβώ, παγιδεύω.

entire (adj) [εν-τάιερ] ολόκληρος, σωστός.

entitle (v) [εν-τάιτλ] τιτλοφορώ.

entity (n) [έν-τιτι] ύπαρξη, οντότητα.

entomb (v) [ιν-τούουμ] ενταφιάζω.

entomic (adj) [εν-τόμικ] εντομικός.

entomologist (n) [έν-τομόλοντζζιστ] εντομολόγος.

entrails (n) [έν-τρέιλζ] εντόσθια.

entrance (n) [έν-τρανς] μπάσιμο, είσοδος, μπούκα (v) συναρπάζω.

entrant (n) [έν-τραν-τ] εισερχόμενος, υποψήφιος, διαγωνιζόμενος.

entrap (v) [ιν-τράπ] παγιδεύω.

entreat (v) [ιν-τρίτ] ικετεύω.

entreaty (n) [ιν-τρίιτι] παράκληση.

entrench (v) [εν-τρέν-τος] οχυρώνω.

entresol (n) [όν-τρεσολ] ημιώροφος.

entrust (v) [εν-τράστ] αναθέτω, εμπιστεύομαι, εναποθέτω.

entry (n) [έν-τρι] αναγραφή, εισδοχή, είσοδος, καταχώρηση.

entwine (v) [ιν-τουάιν] συνυφαίνω.

enumerate (v) [ινιούμερεϊτ] απαριθμώ.

enumeration (n) [ινιουμερέισσον] απαρίθμηση.

envelop (v) [ενβέλοπ] περικυκλώνω.

envelope (n) [ένβελοουπ] φάκελος.

enviable (adj) [ένβια-μπλ] ζηλευτός.

envied (adj) [ένβι-ντ] επίζηλος.

envious (adj) [ένβιας] ζηλιάρης.

environment (n) [ενβάιρονμεν-τ] περίγυρος, περιβάλλον.

envoy (adj) [ένβοΐ] απεσταλμένος.

envy (n) [ένβι] ζήλια (v) φθονώ.

enzyme (n) [ένζαϊμ] ένζυμο.

epaulette (n) [έπολετ] επωμίδα.

ephemeral (adj) [ιφέμεραλ] εφήμερος.

epic (adj) [έπικ] επικός (n) έπος.

epicentre (n) [έπισεν-τερ] επίκεντρο.

epicurean (adj) [επικιούριαν] επικούρειος, φιλήδονος.

epidemic (n) [επι-ντέμικ] επιδημία.

epidermis (n) [επι-ντέρμις] επιδερμίδα.

epigram (n) [έπιγκραμ] επίγραμμα.

epileptic (adj) [επιλέπτικ] επιληπτικός.

epilogue (n) [έπιλογκ] επιλογος.

Epiphany (n) [Επίφανι] Θεοφάνεια.

episode (n) [έπισοου-ντ] επεισόδιο.

episodic (adj) [επισό-ντικ] επεισοδιακός, επουσιώδης, ασήμαντος.

epitome (n) [επίτομι] περίληψη.

epoch (n) [ίιποκ] εποχή.

epoch-making (adj) [ίιποκμέικινγκ] κοσμοϊστορικός, μνημειώδης.

equal (v) [ίικουαλ] ισοφαρίζω.

equal in force (adj) [ίικουαλ ιν φοος] ισοδύναμος.

equality (n) [ικουόλιτι] ισότητα.

equalize (v) [ίικουαλάιζ] εξισώνω.

equally (adv) [ίικουαλι] εξίσου.

equals (n) [ίικουαλς] ίσον.

equanimity (n) [ικουανίμιτι] γαλήνη.

equate (v) [ικουέιτ] εξισώνω.

equation (n) [ικουέισσον] εξίσωση.

equator (n) [ικουέιτα(ρ)] ισημερινός.

equatorial (adj) [ικουεϊτόριαλ] ισημερινός.

equerry (n) [ίικουερι] αυλικός.

equestrian (adj) [ικουέστριαν] έφιππος.

equilateral (adj) [εκουιλάτεραλ] ισόπλευρος.

equilibrist (n) [ικουιλί-μπριστ] ακροβάτης.

equilibrium (n) [ικουιλί-μπριουμ] ισορροπία, ισοζύγιο.

equinox (n) [έκουινοξ] ισημερία.

equip (v) [εκουίπ] αρματώνω.

equipment (n) [ικουίπμεν-τ] οπλισμός, εφόδιο, εξοπλισμός.

equivalent (adj) [ικουίβαλεν-τ] ισάξιος.

era (n) [ίιρα] εποχή.

erase (v) [ιρέιζ] εξαλείφω.

eraser (n) [ιρέιζα(ρ)] γομολάστιχα.

erect (adj) [ιρέκτ] ίσιος, όρθιος (v) κτίζω.

ergo (adv) [έργκοου] ώστε.

ermine (n) [έρμιν] ερμίνα.

erode (v) [ιρόου-ντ] διαβρώνω.

erotic (adj) [ιρότικ] ερωτικός.

errata (n) [ιράατα] παροράματα.

erratic (adj) [ιράτικ] ασταθής, ανώμαλος.

erroneous (adj) [ιρόουνιας] άστοχος.

error (n) [έρα(ρ)] αμάρτημα, λάθος.

eruct (v) [ιράκτ] ρεύομαι.

erudite (adj) [έρου-νταΐτ] πολυμαθής.

erupt (v) [ιράπτ] εκρήγνυμαι, ξεσπώ.

eruption (n) [ιράπσσον] έκρηξη.

escalate (v) [έσκαλεϊτ] κλιμακώνω.

escape (n) [εσκέιπ] απόδραση (v) φεύγω.

escape from (v) [εσκέιπ φρομ] σκαπουλάρω, δραπετεύω.

escape notice (v) [εσκέιπ νόουτις] λανθάνω.

escapee (n) [έσκαπίι] δραπέτης.

eschatological (adj) [έσκατολόντζζικαλ] εσχατολογικός.

eschew (v) [ιστσσιούου] αποφεύγω.

escort (n) [έσκοοτ] κουστωδία, συνοδεία (v) πηγαίνω, συνοδεύω.

esculent (adj) [έσκιουλεν-τ] εδώδιμος.

escutcheon (n) [εσκάτσσον] θυρεός.

Eskimo (n) [Έσκιμόου] εσκιμώος.

esoteric (adj) [εσοτέρικ] ιερόκρυφος, εσωτερικός, απόκρυφος.

especially (adv) [εσπέσσαλι] ειδικώς, ιδιαιτέρως, κυρίως.

Esperanto (n) [Εσπεράν-το] εσπεράντο.

espionage (n) [έσπιονάαζζ] κατασκοπεία.

espousal (n) [ισπάουζλ] γάμος.

essayist (n) [έσεϊιστ] δοκιμιογράφος.

essence (n) [έσενς] ουσία.

essential (adj) [εσένσσαλ] αναγκαίος, ουσιώδης, αιθέριος.

establish (v) [εστά-μπλιος] δημιουργώ, εδραιώνω, ιδρύω.

establishment (n) [εστά-μπλισσμεν-τ] ί-δρυση, κατεστημένο.

estate (adj) [εστέιτ] ακίνητος [περιουσία] (n) κτήμα.

esteem (n) [εστίμ] σεβασμός, υπόληψη (v) εκτιμώ, σέβομαι.

esteemed (adj) [εστίμ-ντ] δόκιμος.

estimate (n) [έστιματ] προϋπολογισμός (v) [εστιμέιτ] λογαριάζω, εκτιμώ.

estimated (adj) [έστιμέιτι-ντ] προβλεπόμενος.

estimation (n) [εστιμέισσον] εκτίμηση.

estrange (v) [εστρέιν-ντζζ] απομακρύνω.

estrangement (n) [εστρέιν-ντζζμεν-τ] ψύχρανση.

estuary (n) [έσστουέρι] στόμιο, εκβολή.

eternal (adj) [ιτέρναλ] αιώνιος.

eternity (n) [ιτέρνιτι] αθανασία.

ether (n) [έθερ] αιθέρας [χημ].

etherial (adj) [εθέριαλ] αιθέριος.

ethical (adj) [έθικαλ] ηθικός.

ethics (n) [έθικς] ηθική.

ethnology (n) [εθνόλοντζζι] εθνολογία.

etiquette (n) [έτικέτ] ετικέττα.

etymological (adj) [ετιμολόντζζικαλ] ε-τυμολογικός.

etymology (n) [ετιμόλοντζζι] ετυμολογία.

Euboea (n) [Ίου-μπία] Εύβοια.

eucalyptus (n) [ιουκαλίπτας] ευκάλυπτος.

eudemonism (n) [ιου-ντέμονιζμ] ευδαιμονισμός.

eulogist (n) [ιούλοντζζιστ] υμνητής, ε-γκωμιαστής.

eunuch (n) [ιούνοκ] ευνούχος.

euphemism (n) [ιούφιμιζμ] ευφημισμός.

euphony (n) [ιούφονι] ευφωνία.

eureka (ex) [ιουρίίκα] εύρηκα.

eurhythmics (n) [ιουρίθμικς] ρυθμική.

Europe (n) [ιούραπ] Ευρώπη.

European (adj) [ιούραπίαν] ευρωπαϊκός (n) Ευρωπαίος.

euthanasia (n) [ιουθανέιζια] ευθανασία.

evacuate (v) [ιβάκιουεϊτ] αδειάζω.

evacuation (n) [ιβακιουέισσον] διακομιδή.

evade (v) [ιβέι-ντ] αποφεύγω.

evaluate (v) [ιβάλιουεϊτ] αξιολογώ.

evaluator (n) [ιβαλιουέιτορ] εκτιμητής.

evangelist (n) [εβάν-ντζζελιστ] ευαγγελιστής, ιεροκήρυκας.

evaporate (v) [εβάπορεϊτ] εξατμίζω.

evasion (n) [ιβέιζον] αποφυγή.

eve (n) [ίβ] παραμονή.

even (conj) [ίιβεν] καν (adv) ομαλώς, ακόμη, μάλιστα (adj) απλός, λείος, (n) πάτοι.

even now (adv) [ίιβεν νάου] ήδη.

even number (adj) [ίιβεν νάμ-μπα(ρ)] ζυγός αριθμός.

evening (n) [ίιβνινγκ] βράδυ (adv) βράδυ (adj) βραδινός.

evenness (n) [ίιβεν-νες] ομαλότητα.

event (n) [ιβέν-τ] αγώνισμα, γεγονός.

eventful (adj) [ιβέν-τφουλ] περιπετειώδης.

events (n) [ιβέν-τς] διατρέξαντα.

eventual (adj) [ιβέν-τοσσουαλ] τελικός, πιθανός, ενδεχόμενος.

eventuality (n) [ιβέν-τοσσουάλιτι] πιθανότητα, ενδεχόμενο.

ever (adv) [έβερ] αεί, ποτέ.

ever since (adv) [έβερ σινς] έκτοτε.

evergreen oak (n) [έβεργκρίίν όουκ] πουρνάρι (adj) αειθαλής.

everlasting (adj) [έβερλάαστινγκ] παντοτινός, αδιάκοπος.

every (pron) [έβρι] έκαστος, καθείς, κάθε.

everybody (pron) [έβρι-μπό-ντι] καθένας (n) όλοι, πάντες, σύμπαν.

everyday (adj) [έβρι-ντέι] συνήθης.

everyone (pron) [έβριουάν] όλοι.

everything (pron) [έβριθινγκ] κάθε τι (n) σύμπαν.

everywhere (adv) [έβριουέα(ρ)] παντού.

evict (v) [ιβίκτ] εκδιώκω, εξώνω.

eviction (n) [ιβίκσσον] έξωση.

evidence (n) [έβι-ντενς] μαρτυρία.

evident (adj) [έβι-ντεν-τ] εμφανής.

evidently (adj) [έβι-ντεν-τλι] προφανώς.

evil (n) [ίιβιλ] πληγή, κακό.

evil eye (n) [ίιβιλ άι] μάτιασμα.

evocative (adj) [ιβόκατιβ] υποβλητικός.

evolution (n) [εβολιούσσον] εξέλιξη.

evolve (v) [ιβόλβ] εξελίσσομαι.

evulsion (n) [ιβάλσσον] ξερίζωμα.

evzone (n) [έβζόουν] τσολιάς.

ewe (n) [ιού] προβατίνα.

ex officio (adj) [έξ οφίσσιο] αυτεπάγγελτος.

ex-serviceman (n) [έξ-σέρβισμαν] απόστρατος.

exact (adj) [εκζάκτ] ακριβής, πιστός, λεπτολόγος (v) απαιτώ.

exact money from (v) [εκζάκτ μάνεϊ φρομ] χαρατσώνω.

exacting (adj) [εκζάκτινγκ] απαιτητικός.

exactitude (n) [εκζάκτιτιου-ντ] ευστοχία, ορθότητα, πιστότητα.

exactly (adv) [εκζάκτλι] ακριβώς.

exactness (n) [εκζάκτνες] ακρίβεια [μετάφρασης], πιστότητα.

exactor (n) [εκζάκτο(ρ)] εκβιαστής.

exaggerate (v) [εξάντζζερεϊτ] μεγαλοποιώ, παρακάνω.

exalt (v) [εξόολτ] εξυψώνω [μεταφ], μεγαλώνω, υπερυψώνω.

examination (n) [εξαμινέισσον] ακτινοσκόπηση, εξέταση.

examine (v) [εξάμιν] ανακρίνω.

examiner (n) [εξάμινα(ρ)] εξεταστής, ελεγκτής, ανακριτής.

example (n) [εξάαμ-πλ] δείγμα.

exasperate (v) [εξάασπερεϊτ] ερεθίζω, εξοργίζω, εκνευρίζω.

exasperation (n) [εξαασπερέισσον] απόγνωση, εξοργισμός.

excavate (v) [έξκαβέιτ] ανασκάπτω, ορύσσω, σκάβω [τάφρο].

excavation (n) [εξκαβέισσον] ανασκαφή, διόρυξη, εσκαφή.

excavator (n) [εξκαβέιτορ] εκσκαφέας.

exceed (v) [εξίι-ντ] πλεονάζω, υπερβαίνω.

excel (v) [εξέλ] θριαμβεύω [μεταφ], αριστεύω, διαπρέπω, εξέχω.

excellence (n) [έξελενς] υπεροχή.

Excellency (adj) [Έξελενσι] εκλαμπρότατος, εξοχότατος.

excellent (ex) [έξελεν-τ] λαμπρώς, εξαίσιος, έξοχος, υπέροχος.

except (adv) [εξέπτ] παρεκτός (conj) πλην (v) εξαιρώ, αποκλείω.

except that (adv) [εξέπτ δατ] πλην.

exception (n) [εξέπσσον] εξαίρεση.

exceptional (adj) [εξέπσσοναλ] εκλεκτός, έξοχος, σπουδαίος.

excerpt (n) [εξέρπτ] απόσπασμα.

excess (adj) [εξές] υπερβολικός (n) υπέρβαση, κατάχρηση, ακρότητα.

excess of blood (n) [έξες οβ μπλαντ] υπεραιμία.

excessive (adj) [εξέσιβ] υπερβολικός.

exchange (n) [εξτοσέιν-ντζζ] ανταλλαγή (v) εναλλάσσω, χαλάω.

exchange letters (v) [εξτοσέιν-ντζζ λέτερς] αλληλογραφώ.

excitable (adj) [εξάιτα-μπλ] ευερέθιστος.

excitation (n) [εξιτέισσον] διέγερση, ερεθισμός.

excite (v) [εξάιτ] προκαλώ, διεγείρω.

excited (adj) [εξάιτι-ντ] ερεθισμένος.

excitement (n) [εξάιτμεν-τ] διέγερση.

exciting (adj) [εξάιτινγκ] διεγερτικός.

exclaim (v) [εξκλέιμ] αναφωνώ.

exclamation (n) [εξκλαμέισσον] αναφώνηση, κραυγή.

exclamation mark (n) [εξκλαμέισσον μααk] θαυμαστικό.

exclamatory (adj) [εξκλάματορι] επιφωνηματικός, στομφώδης.

exclude (v) [εξκλούου-ντ] αποκλείω.

exclusion (n) [εξκλούουζζιον] εξαίρεση.

exclusive (adj) [εξκλούουσιβ] αποκλειστικός, κλειστός.

excommunicate (v) [εξκομιούνικέιτ] αναθεματίζω, αφορίζω.

excrement (n) [έξκριμεν-τ] αφόδευμα.

excretion (adj) [έξκρίισσον] έκκριμα.

excursion (adj) [εξκέζζιον] εκδρομικός (n) εκδρομή.

excursive (adj) [εκσκέρσιβ] αμεθόδευτος, περιπλανώμενος.

excusable (adj) [εξκιούζα-μπλ] συγχωρητέος, δικαιολογημένος.

excuse (n) [εξκιούς] απολογία, (v) [εξκιούζ] δικαιολογώ.

execrate (v) [έκσικρεΐτ] απεχθάνομαι, βδελύσσομαι, καταρώμαι.

execration (n) [εκσικρέισσον] απέχθεια.

execusatory (adj) [εκσκιούζατρι] δικαιολογητικός.

execute (v) [έξεκιουτ] εκτελώ.

execution (n) [εξεκιούσσον] εκτέλεση.

executioner (n) [έξεκιούσσονερ] δήμιος.

executive (adj) [εξέκιουτιβ] εκτελεστικός.

executory (adj) [εξεκιούτορι] εκτελεστός.

exegesis (n) [εκσιντζζίισις] εξήγηση.

exegetic (adj) [εκσιντζζέτικ] ερμηνευτικός.

exemplify (v) [εξέμ-πλιφάι] παραδειγματίζω.

exempt (adj) [εξέμ-πτ] αμέτοχος (v) απαλλάσσω, εξαιρώ.

exemption (n) [εξέμ-πσσον] απαλλαγή, εξαίρεση, ατέλεια [δασμού].

exercise (n) [έξασάιζ] άσκηση, χρήση (v) γυμνάζω, εξασκώ.

exercise authority (v) [έξασάιζ οοθόρι-

τι] κυριαρχώ.

exercise book (n) [έξασάιζ μπουk] τετράδιο ασκήσεων.

exert (v) [εξέρτ] ασκώ, καταβάλλω.

exhalation (n) [εξαλέισσον] εξαγωγή, εξάντληση, εξουθένωση.

exhale (v) [εξχέιλ] εκπνέω.

exhaust (n) [ιγκζόοστ] εξάτμιση (v) εξαντλώ, ξεθεώνω.

exhausted (adj) [ιγκζόοστι-ντ] κατάκοπος.

exhausting (adj) [ιγκζόοστινγκ] εξαντλητικός, εξουθενωτικός.

exhaustion (n) [ιγκζόοστοσσον] εξάντληση.

exhaustive (adj) [ιγκζόοστιβ] εξαντλητικός.

exhibit (v) [εξί-μπιτ] επιδεικνύω, εμφανίζω, προσάγω (n) έκθεμα.

exhibition (n) [εξι-μπίσσον] έκθεση.

exhibitor (n) [εξί-μπιτορ] εκθέτης.

exhilarating (adj) [εξίλερέιτινγκ] ευφρόσυνος.

exhort (v) [εξόοτ] παρακινώ, παροτρύνω.

exhortation (n) [εξοοτέισσον] παραίνεση.

exhume (v) [έξχιουμ] ξεθάβω.

exigence (n) [έκσιντζζενς] ανάγκη.

exigent (adj) [έκσιντζζεν-τ] πιεστικός, απαιτητικός, επιτακτικός.

exigible (adj) [εκσίντζζι-μπλ] απαιτητός.

exile (v) [έξαϊλ] εκτοπίζω, εξορίζω (n) εκτόπιση, εξόριστος, εξορία.

exist (v) [εξίοτ] υπάρχω.

existence (n) [εξίστενς] ύπαρξη.

existent (adj) [εξίστεν-τ] υπάρχων.

existential (adj) [εξιστένσσαλ] υπαρκτικός, υπαρξιακός.

existentialism (n) [εξιστένσσιαλιζμ] υπαρξισμός.

existentialist (n) [εξιστένσσιαλιστ] υπαρξιστής.

exit (n) [έξιτ] έξοδος [πόρτα].

exodus (n) [έξοντας] έξοδος.

exonerate (v) [εξόνερεΐτ] αθωώνω.

exorcise (v) [έξοοσαϊζ] εξορκίζω.

exorcism (n) [έξοοσιζμ] ξόρκι.

exorcist (n) [έξοοσιστ] εξορκιστής.

exotic (adj) [εξότικ] εξωτικός.

expand (v) [εξπάν-ντ] αυξάνω, διευρύνω, επεκτείνομαι, φουντώνω.

expanse (n) [εξπάνς] περιοχή.

expansionism (n) [εξπάνσιονιζμ] επεκτατισμός.

expatriate (adj) [εξπάτριετ] εκπατρισμένος (v) εκπατρίζω.

expatriation (n) [εξπατριέσσον] εκπατρισμός, μισεμός.

expect (v) [εξπέκτ] αναμένω.

expectant (adj) [εκσπέκταν-τ] αναμένων.

expectant mother (n) [εκσπέκταν-τ μάδερ] μέλλουσα μητέρα.

expectation (n) [εξπεκτέισσον] ελπίδα.

expectorate (v) [εξπέκτορεϊτ] φτύνω.

expedience (n) [εξπίι-ντιενς] σκοπιμότητα, καταλληλότητα.

expediency (n) [εξπίι-ντιενσι] σκοπιμότητα, συμφεροντολογία.

expedition (n) [εξπε-ντίσσον] αποστολή, εκστρατεία.

expeditionary (adj) [εξπε-ντίσσονερι] εκστρατευτικός.

expel (v) [εξπέλ] εκβάλλω, απελαύνω.

expend (v) [εξπέν-ντ] δαπανώ, ξοδεύω.

expenditure (n) [εξπέν-ντιτσσα(ρ)] κατανάλωση, δαπάνη.

expense (n) [εξπένς] δαπάνη.

expensive (adj) [εξπένσιβ] ακριβός, δαπανηρός.

experience (n) [εξπίιριενς] εμπειρία (v) δοκιμάζω.

experiment (v) [εξπέριμεν-τ] πειραματίζομαι (n) πείραμα, δοκιμή.

experimental (adj) [εξπέριμέν-ταλ] πειραματικός, δοκιμαστικός.

experimentation (n) [εξπεριμεν-τέισσον] πειραματισμός.

expert (n) [έξπερτ] δεξιοτέχνης, τεχνίτης (adj) έμπειρος, επιδέξιος.

expiate (v) [έξπιεϊτ] εξιλεώνομαι, επανορθώνω, πληρώνω για.

expiation (n) [εξπιέισσον] εξιλέωση.

expiatory (adj) [εξπιέτορι] εξιλαστήριος.

expiration (n) [εξπαϊρέισσον] εκπνοή.

expire (v) [εξπάιρ] εκπνέω [μεταφ], εκψυχώ.

expiry (n) [εξπάιρι] εκπνοή, λήξη.

expiry date (n) [εξπάιρι ντέιτ] λήξη.

explain (v) [έξπλέιν] αναπτύσσω, εξηγώ.

explanation (n) [εξπλανέισσον] αιτιολογία, διευκρίνιση, εξήγηση.

explanatory (adj) [εξπλάνατορι] επεξηγηματικός, ερμηνευτικός.

expletive (n) [εξπλίτιβ] επιφώνημα.

explicit (adj) [εξπλίσιτ] σαφής.

explicitly (adv) [εξπλίσιτλι] ρητώς.

explode (v) [εξπλόου-ντ] σκάω.

exploit (v) [εξπλόιτ] αξιοποιώ, εκμεταλλεύομαι (n) ανδραγάθημα.

exploitation (n) [εξπλοϊτέισσον] εκμετάλλευση, αξιοποίηση.

exploration (n) [εξπλοορέισσον] εξερεύνηση, διερεύνηση, έρευνα.

exploratory (adj) [εξπλόορατόρι] διερευνητικός, αναγνωριστικός.

explore (v) [εξπλόο] εξερευνώ.

explorer (n) [εξπλόορερ] ερευνητής.

explosion (n) [εξπλόουζζιον] έκρηξη.

explosive (adj) [εξπλόουσιβ] εκρηκτικός.

exponent (n) [εξπόουνεν-τ] εκφραστής, ερμηνευτής.

export (adj) [έξποοτ] εξαγωγικός (n) εξαγωγή (v) [εξπόοτ] εξάγω.

exporter (n) [εξπόοτερ] εξαγωγέας.

expose (v) [εξπόουζ] γυμνώνω.

exposed (adj) [εξπόουζ-ντ] ακάλυπτος.

exposition (n) [εξποζίσσον] εξήγηση.

exposure (n) [εξπόουζζα(ρ)] έκθεση.

expound (v) [εξπάουν-ντ] εκθέτω.

express (v) [εξπρές] διατυπώνω, εκφράζω (n) εξπρές.

express train (n) [εξπρές τρέιν] ταχεία.

expression (n) [εξπρέσσον] έκφραση.

expressionism (n) [εξπρέσσιονιζμ] εξπρεσιονισμός.

expressionless (adj) [εξπρέσσιονλες] ανέκφραστος.

expressive (adj) [εξπρέσιβ] εκδηλωτικός.

expressiveness (n) [εξπρέσιβνες] εκφραστικότητα.

expressly (adv) [εξπρέσλι] ρητώς.

expropriate (v) [εξπροούπριεϊτ] απαλλοτριώνω.

expropriation (n) [εξπροούπριεϊσσον] απαλλοτρίωση.

expulsion (n) [εξπάλσσιον] απέλαση, αποπομπή, διώξιμο, έξωση.

exquisite (adj) [έξκουίζιτ] εξαίσιος, έξοχος, πανέμορφος.

exstant (adj) [εξτάν-τ] θετικός, παρών, πραγματικός.

extemporaneous (adj) [εξτεμ-πορέινιας] αυτοσχέδιος, πρόχειρος.

extemporary (adj) [εξτέμ-πορέρι] αυτοσχέδιος, πρόχειρος.

extemporize (v) [εξτέμ-πορáιζ] αυτοσχεδιάζω.

extend (v) [εξτέν-ντ] επεκτείνω, διευρύνω.

extended (adj) [εξτέν-ντι-ντ] ευρύς, τεταμένος.

extensile (adj) [εξτένσαϊλ] έκτατος.

extension (n) [εξτένσσον] έκταση.

extensive (adj) [εξτένσιβ] διεξοδικός, εκτενής, μακρύς, εκτεταμένος.

extensor (adj) [εξτένσορ] εκτείνων.

extent (n) [εξτέν-τ] έκταση, μήκος, μέγεθος, περιοχή (v) επεκτείνω.

extenuate (v) [εξτένιουέιτ] ελαφρύνω.

extenuating (adj) [εξτένιουεϊτινγκ] ελαφρυντικός.

extenuation (n) [εξτένιουέισσον] ελάφρυνση, δικαιολογία.

extenuator (n) [εξτένιουέιτορ] μετριαστής.

exterior (n) (adj) [εξτίριο(ρ)] απέξω.

exterminate (v) [εξτέρμινέιτ] εξοντώνω.

extermination (n) [εξτέρμινέισσον] εξολόθρευση, εξόντωση.

external (adj) [εξτέρναλ] ορατός, υλικός.

extinct (adj) [εξτίνκτ] εκλείψας.

extinction (n) [εξτίνκσσον] κατάσβεση.

extol (v) [εξτόολ] εξυμνώ, επαινώ.

extort (v) [εξτόοτ] εκβιάζω.

extortion (n) [εξτόοσσον] εκβιασμός.

extra (adj) [έξτρα] πρόσθετος (n) έξτρα.

extra pay (n) [έξτρα πέι] επίδομα.

extract (n) [έξτραακτ] περικοπή, εκχύλισμα (v) [εξτράακτ] αποσπώ, εκβάλλω.

extraction (n) [εξτράακσσον] αφαίρεση.

extractor (n) [εξτράακτορ] εξαγωγέας.

extradition (n) [εξτρα-ντίσσον] έκδοση.

extrajudicial (adj) [έξτραντζζιου-ντίσαλ] εξώδικος.

extramarital (adj) [εξτραμάριταλ] εξωσυζυγικός.

extraordinary (adj) [έξτρόο-ντινέρι] έκτακτος, σπάνιος.

extravagance (n) [εξτράβαγκανς] υπερβολή, σπατάλη.

extravagant notion (n) [εξτράβαγκαν-τ νόουσσον] φαντασιοπληξία.

extreme (adj) [εξτρίιμ] ακραίος, έσχατος (n) άκρο.

extremely (n) [εξτρίιμλι] έπακρο.

extremism (n) [εξτρίιμιζμ] εξτρεμισμός.

extremist (adj) [εξτρίιμιστ] εξτρεμιστικός (n) εξτρεμιστής.

extremity (n) [εξτρίιμιτι] άκρη, ακρότητα.

extricate (v) [έξτρικεϊτ] εξάγω, διαχωρίζω, απελευθερώνω.

extrication (n) [εξτρικέισσον] απαγκίστρωση.

extroversion (n) [εξτροβέρσσιον] εξωστρέφεια.

extrovert (n) [έξτροουβερτ] εξωστρεφής.

extrude (v) [εξτρούου-ντ] εξωθώ.

exuberance (n) [εγκζιού-μπερανς] ζωντάνια, ευρωστία, σφρίγος.

exult (n) [εξάαλτ] αγάλλομαι, πανηγυρίζω.

exultation (n) [εξααλτέισσον] αγαλλίαση.

exuviate (v) [εγκζιούβιέιτ] απορρίπτω, αποβάλλω, αλλάζω δέρμα.

eye (n) [άι] ματιά, τρύπα, μάτι.

eye specialist (n) [άι σπέσσιαλιστ] οφθαλμίατρος.

eye-glass (n) [άιγκλάας] μονόκλ.

eye-wash (n) [άι-ουόσς] κολλύριο.

eyebrow (n) [άι-μπράου] φρύδι.

eyelash (n) [άιλασς] βλεφαρίδα.

eyeless (n) [άιλες] τυφλός.

eyelid (n) [άιλι-ντ] βλέφαρο.

eyewitness (n) [άιουίτνες] αυτόπτης μάρτυρας.

F, f (n) [εφ] το έκτο γράμμα του αγγλικού αλφαβήτου.
fab (adj) [φα-μπ] υπέροχος, απίθανος, καταπληκτικός, σπουδαίος.
fabaceous (adj) [φα-μπέισσες] κυαμοειδής.
fable (n) [φέι-μπλ] φαντασίωση.
fabric (n) [φά-μπρικ] δομή.
fabricate (v) [φά-μπρικέϊτ] σκαρώνω.
fabrication (n) [φα-μπρικέισσον] κατασκευή, σκηνοθεσία, σκάρωμα.
fabulist (n) [φά-μπιουλιστ] μυθογράφος.
fabulous (adj) [φά-μπιουλας] μυθικός.
facade (n) [φασάα-ντ] πρόσοψη.
face (n) [φέις] μορφή (v) αντικρίζω.
face-to-face (adj) [φέις-του-φέις] αντιμέτωπος (adv) αντίκρυ.
face value (n) [φέις βάλιου] άρτιο.
facetiae (n) [φασίοσιι] ανέκδοτα.
facetious (adj) [φασίσας] κωμικός.
facies (n) [φεΐσσί-ιζ] όψη.
facile (adj) [φασάλ] εύκολος.
facilitate (v) [φασίλιτεϊτ] διευκολύνω.
facility (n) [φασίλιτι] ευκολία, ευχέρεια.
facing (adv) [φέισινγκ] αντίκρυ (adj) αντικρινός (n) επίστρωση.
facsimile (n) [φάκσιμιλι] πανομοιότυπο.
fact (n) [φακτ] συμβάν, γεγονός.
faction (n) [φάκσσον] κλίκα.

factitious (adj) [φακτίσσας] προσποιητός.
factor (n) [φάκτορ] παράγοντας.
factory (n) [φάκτορι] εργοστάσιο.
facts (n) [φακτς] δεδομένα.
faculty (n) [φάκαλτι] ικανότητα.
fade (v) [φέι-ντ] μαραίνω, ξασπρίζω.
faded (adj) [φέι-ντι-ντ] ξέθωρος.
fading (n) [φέι-ντινγκ] απόχρωση.
fag (n) [φαγκ] χαμαλίκι.
fag end (n) [φαγκ εν-ντ] υπόλειμμα.
faggot (n) [φάγκοτ] δεμάτι, μάτσο.
fail (v) [φέιλ] αποτυγχάνω.
failing (n) [φέιλινγκ] αδυναμία.
failure (n) [φέιλια(ρ)] αποτυχία.
fain (adj) [φέιν] πρόθυμος, διατεθειμένος (adv) ευχάριστα.
faint (adj) [φέιν-τ] εξασθενημένος (n) λιγοθυμία (v) λιποθυμώ.
fainthearted (adj) [φέιν-τχάατιντ] άτολμος.
faintness (n) [φέιν-τνες] ατονία.
fair (adj) [φέα(ρ)] ωραίος, δίκαιος (n) παζάρι, πρίμα.
fairness (n) [φέανες] δικαιοσύνη.
fairy (n) [φέαρι] νεράϊδα, αερικό.
fairy tale (n) [φέαρι τέιλ] μύθος.
faith (n) [φέιθ] δόγμα, μπέσα, πίστη.
faithful (adj) [φέιθφουλ] αφοσιωμένος.
faithless (adj) [φέιθλες] άπιστος.

fake (n) [φέικ] παραχάραξη (v) αντιγράφω, πλαστογραφώ.

fakir (n) [φακίρ] φακίρης.

fall (n) [φόολ] πέσιμο, έκπτωση (v) πέφτω.

fall for (v) [φόολ φο(ρ)] χάβω.

fall in (v) [φόολ ιν] υποχωρώ.

fall out (v) [φόολ άουτ] χαλάω, συμπίπτω.

fall through (v) [φόολ θρου] αποτυγχάνω.

fallacious (adj) [φαλέισσες] εσφαλμένος.

fallacy (n) [φάλασι] πλάνη.

fallen (adj) [φόολεν] αμαρτωλός.

falling (adj) [φόολινγκ] ξεχαρβαλωμένος (n) πέσιμο.

fallow (adj) [φάλοου] ακαλλιέργητος (n) αγρανάπαυση.

false (adj) [φόολς] αναληθής, ψευδής.

false witness (n) [φόολς ουίτνες] ψευδομάρτυρας, ψευτομάρτυρας.

falsehood (n) [φόολχου-ντ] ψέμα.

falseness (n) [φόλονες] απάτη.

falsification (n) [φοολσιφικέισσον] διαστρέβλωση, νοθεία.

falsify (v) [φόολσιφάι] παραποιώ.

falter (v) [φόλτερ] παραπαίω.

fame (n) [φέιμ] φήμη, προβολή.

familial (adj) [φαμίλιαλ] οικείος.

familiar (adj) [φαμίλια(ρ)] λαϊκός.

familiarity (n) [φαμιλιάριτι] εγκαρδιότητα.

familiarize (v) [φαμιλιαραΐζ] συνηθίζω.

family (n) [φάμιλι] οικογένεια.

famine (n) [φάμιν] πείνα, λιμός.

famish (v) [φάμισς] λιμοκτονώ.

famous (adj) [φέιμας] ξακουστός.

fan (n) [φαν] ανεμιστήρας, θαυμαστής (v) ριπίζω.

fan heater (n) [φαν χίτερ] αερόθερμο.

fanatic (n) [φανάτικ] φανατικός.

fanaticism (n) [φανάτισιζμ] φανατισμός.

fanciful (adj) [φάνσιφουλ] παράδοξος.

fancy (n) [φάνσι] φαντασία (v) νομίζω.

fanfare (n) [φάνφεα(ρ)] φανφάρα.

fanlight (n) [φάνλαϊτ] φεγγίτης.

fantasia (n) [φαν-τέιζια] φαντασία.

fantastic (adj) [φαν-τάστικ] φαντασιώδης.

fantasy (n) [φάν-τασι] φαντασία.

far (adv) [φάα(ρ)] άπω, μακριά.

far off (adv) [φάαρ οφ] μακριά (adj) μακρινός.

farce (n) [φάας] φάρσα (v) παραγεμίζω.

farcical (adj) [φάασικλ] γελοίος.

fare (n) [φέαρ] ναύλος, αγώγι.

fare-dodger (n) [φέα-ντό-νντζζα(ρ)] τζαμπατζής.

farewell (adj) [φέαουέλ] αποχαιρετιστήριος (n) αποχαιρετισμός.

farina (n) [φαρίνα] φαρίνα.

farm (n) [φάαμ] φάρμα, τσιφλίκι.

farmer (n) [φάαμερ] κτηνοτρόφος, αγρότης.

farming (adj) [φάαμινγκ] καλλιεργητικός (n) γεωργία, γεωπονία.

farraginous (adj) [φαρέιντζζινας] ετερόκλητος, ανάμικτος.

farrier (n) [φάριερ] πεταλωτής.

farsighted (adj) [φάασάιτι-ντ] πρεσβύωπας, υπερμέτρωπας.

farsightedness (n) [φάασάιτι-ντνες] προβλεπτικότητα.

fart (n) [φάατ] πορδή (v) κλάνω.

farther in (adv) [φάαδερ ιν] παραμέσα.

farthest (adj) [φάαδεστ] απώτατος.

farthing (n) [φάαδινγκ] πεντάρα.

fascinate (v) [φάσινεϊτ] συναρπάζω, μαγεύω.

fascination (n) [φρασινέισσον] μαγεία.

fascism (n) [φάσσιζμ] φασισμός.

fascist (adj) [φάσσιστ] φασιστικός (n) φασίστας.

fashion (n) [φάσσον] μορφή, μόδα, νεωτερισμός (v) διαπλάθω, κατασκευάζω.

fashion model (n) [φάσσον μόντελ] μανεκέν.

fashionable (adj) [φάσσονα-μπλ] κομψός.

fast (adj) [φάαστ] γερός, γρήγορος (n) νηστεία (v) νηστεύω.

fast-moving (adj) [φάαστμούβινγκ] γοργοκίνητος.

fasten (v) [φάαστεν] δένω.

fastidious (adj) [φαστί-ντιας] απαιτητικός.

fasting (n) [φάαστινγκ] νηστεία.

fat (adj) [φατ] χονδρός (n) λίγδα, πάχος.

fatal (adj) [φέιταλ] θανατηφόρος.

fate (n) [φέιτ] ριζικό, τύχη.

father (n) [φάαδερ] πατέρας.

father-in-law (n) [φάαδερινλόο] πεθερός.

fatherhood (n) [φάαδερχου-ντ] πατρότητα.

fatherly (adj) [φάαδερλι] πατρικός.

fathom (n) [φάδομ] οργυιά [ναυτ] (v) μαντεύω, βυθομετρώ.

fathomless (adj) [φάδομλες] ανεξήγητος.

fatigue (n) [φατίγκ] εξάντληση.

fatless (adj) [φάτλες] άπαχος.

fatling (n) [φάτλινγκ] θρεφτάρι.

fatten (v) [φάτεν] παχαίνω.

fattening (n) [φάτενινγκ] πάχυνση.

fatty (adj) [φάτι] λιπώδης, παχύσαρκος.

faucet (n) [φόοσετ] κρούνος, βρύση.

fault (n) [φόολτ] λάθος.

faultless (adj) [φόολτλες] τέλειος.

faulty (adj) [φόολτι] στραβός.

fauna (n) [φόονα] πανίδα.

favour (n) [φέιβορ] χατίρι (v) προτιμώ.

favourite (n) [φέιβοριτ] φαβορί, ευνοούμενος (adj) αγαπημένος.

favus (n) [φέιβας] κασίδα.

fawn upon (v) [φόον απόν] κολακεύω.

fay (n) [φέι] νεράιδα.

fealty (n) [φίιαλτι] πίστη.

fear (n) [φίαρ] τρόμος, δειλία (v) φοβούμαι.

fearful (adj) [φίαφουλ] έντρομος.

fearless (adj) [φίαλες] γενναίος.

feasible (adj) [φίιζι-μπλ] εφικτός, βιώσιμος (n) βολετό.

feast (n) [φίιστ] πανυγήρι, γλέντι (v) ξεφαντώνω.

feast day (n) [φίιστ ντέι] αργία.

feat (n) [φίιτ] άθλος, ανδραγάθημα (adj) έντεχνος, εύτακτος.

feather (n) [φέδερ] πούπουλο, φτερό.

feathery (adj) [φέδερι] πουπουλένιος.

feature (n) [φίιτσσα(ρ)] γνώρισμα.

febrile (adj) [φίι-μπραϊλ] πυρετικός.

February (n) [Φέ-μπρουαρι] Φεβρουάριος.

feckless (adj) [φέκλες] ανίκανος.

fecundate (v) [φέκαν-ντέιτ] γονιμοποιώ.

federal (adj) [φέ-ντεραλ] ομοσπονδιακός.

fee (n) [φίι] αμοιβή, δικαίωμα.

feeble (adj) [φίι-μπλ] ασθενικός.

feed (n) [φίι-ντ] τάισμα (v) τρέφω, σιτίζω.

feedbag (n) [φίι-ντ-μπάγκ] ντορβάς.

feeding (n) [φίι-ντινγκ] τάισμα.

feeding bottle (n) [φίι-ντινγκ μποτλ] μπιμπερό, θήλαστρο.

feeding up (n) [φίι-νινγκ απ] υπερσιτισμός.

feel (v) [φίιλ] αγγίζω, εξετάζω, αισθάνομαι (n) αφή, άγγιγμα.

feel anxious (v) [φίιλ άνξιας] καρδιοχτυπώ.

feel like (v) [φίιλ λάικ] γουστάρω.

feeling (adj) [φίιλινγκ] ευαίσθητος (n) αφή, εντύπωση, αίσθημα.

feelings (n) [φίιλινγκς] συναισθήματα.

fees (n) [φίιζ] δίδακτρα.

feeze (v) [φίιζ] βιδώνω, ανησυχώ (n) ταραχή, αναστάτωση.

feign (v) [φέιν] προσποιούμαι.

feigned (adj) [φέιν-ντ] επίπλαστος.

felicity (n) [φελίσιτι] ευδαιμονία.

fell (v) [φελ] καταρίπτω (n) προβιά (adj) άγριος, απαίσιος, θανατερός.

fellah (n) [φέλα] φελλάχος.

feller (n) [φέλερ] ξυλοκόπος.

fellow (n) [φέλοου] σύντροφος.

fellow citizen (n) [φέλοου σίτιζεν] συμπολίτης.

fellowship (n) [φελοουσσιπ] αλληλεγγύη.

felonious (adj) [φελόουνιας] κακούργος.

felony (n) [φέλονι] έγκλημα.

felt (adj) [φελτ] τσόχινος (n) τσόχα.

female (adj) [φίιμέιλ] γυναικείος, θηλυκός (n) γυναικάκι, γύναιο.

feminine (adj) [φέμινιν] θηλυκός.

feminism (n) [φέμινιζμ] φεμινισμός.

feminist (n) [φέμινιστ] φεμινιστής.

femur (n) [φίμερ] μηρός.

fen (n) [φεν] έλος, βάλτος.

fence (n) [φενς] φράκτης (v) ξιφομαχώ, περιφράζω, προστατεύω.

fencer (n) [φένσερ] ξιφομάχος.

fend off (v) [φεν-ντ οφ] παραμερίζω.

fennel (n) [φένελ] μάραθος.

ferial (adj) [φίριαλ] εορτάσιμος.

ferine (adj) [φιράιν] ανήμερος.

ferity (n) [φέριτι] αγριότητα.

ferment (v) [φέρμεν-τ] ζυμώνομαι.

fern (n) [φερν] φτέρη [βοτ].

ferocity (n) [φερόσσιτι] αγριότητα.

ferret (n) [φέριτ] κουνάβι, νυφίτσα (v) ερευνώ εξονυχιστικά [μεταφ].

ferryman (n) [φέριμαν] πορθμέας.

fertile (adj) [φέρταϊλ] εύφορος.

fertility (n) [φερτίλιτι] ευφορία.

fertilization (n) [φερτιλαϊζέισσον] λίπανση, γονιμοποίηση.

fertilize (v) [φερτιλάιζ] λιπαίνω.

fervent (adj) [φέρβεν-τ] θερμός.

fervour (n) [φέρβερ] θέρμη, πάθος, ζήλος.

fess up (v) [φες απ] ομολογώ.

fester (v) [φέστερ] σαπίζω, μολύνω (n) έλκος, φλεγμονή.

festival (n) [φέστιβαλ] γιορτή, φεστιβάλ (adj) πανηγυρικός, γιορτινός.

festive (adj) [φέστιβ] χαρούμενος.

festivity (n) [φεστίβιτι] γιορτή.

fetch (v) [φετς] αποδίδω.

fetching (adj) [φέτσσινγκ] ελκυστικός.

fete (v) [φέιτ] πανηγυρίζω (n) γιορτή.

fetid (adj) [φίτι-ντ] δύσοσμος.

fetishism (n) [φίτισσιζμ] ειρηνοποιός.

fetters (n) [φέτας] δεσμά.

feudal (adj) [φιού-νταλ] φεουδαρχικός.

feudalism (n) [φιού-νταλιζμ] φεουδαρχία.

fever (n) [φίιβερ] πυρετός.

few (n) [φιού] ολίγοι, μειοψηφία.

few and far between (adj) [φιού εν-ντ φάα μπιτουίν] σπάνιος.

few in number (adj) [φιού ιν νάμ-μπερ] ολιγάριθμος.

fey (adj) [φέι] ετοιμοθάνατος.

fez (n) [φεζ] φέσι.

fiance (n) [φιόνσεϊ] μνηστήρας.

fiancee (n) [φιονσέι] μνηστή.

fiasco (n) [φιάσκοου] φιάσκο.

fib (v) [φι-μπ] ψεύδομαι (n) ψέμα.

fibber (n) [φί-μπερ] ψεύτρα.

fiberglass (n) [φάι-μπαγκλάας] υαλοβάμβακας.

fibre (n) [φάι-μπερ] ίνα, κλωστή.

fibrous (adj) [φάι-μπρας] ινώδης.

fickle (adj) [φικλ] αλλοπρόσαλλος.

fickleness (n) [φίκλνες] αστάθεια.

fictile (adj) [φίκταϊλ] εύπλαστος.

fiction (n) [φίκοσον] μύθευμα.

fictitious (adj) [φικτίσσιας] πλαστός.

fiddle (n) [φι-ντλ] λύρα, βιολί.

fiddler (n) [φί-ντλερ] απατεώνας.

fidelity (n) [φι-ντέλιτι] αφοσίωση.

fidget (n) [φίντζζετ] νευρόσπαστο.

fief (n) [φίιφ] τιμάριο, φέουδο.

field (adj) [φίιλ-ντ] υπαίθριος (n) λιβάδι.

field mouse (n) [φίιλ-ντ μάους] αρουραίος.

field of battle (n) [φίιλ-ντ οβ μπατλ] πεδίο μάχης.

fiend (n) [φίιν-ντ] δαίμονας.

fiendish (adj) [φίιν-ντισς] μοχθηρός.

fierce (adj) [φίας] ανήμερος.

fierceness (n) [φίασνες] αγριάδα.

fiery (adj) [φάιρι] φλογερός.

fiesta (n) [φιέστα] εορτή, φιέστα.

fife (n) [φάιφ] φλογέρα.

fifteen (num) [φίφτίιν] δεκαπέντε.

fifth (adj) [φιφθ] πέμπτος.

fiftieth (adj) [φίφτεθ] πεντηκοστός.

fifty (num) [φίφτι] πενήντα [αριθ].

fig (n) [φιγκ] σύκο [βοτ], συκή.

fight (n) [φάιτ] μάχη (v) παλεύω, πολεμώ.

fighter (n) (adj) [φάιτερ] μαχητής.

figuration (n) [φιγκιουρέισσον] δια-
μόρφωση, σχήμα, μορφή.

figurative (adj) [φίγκιουρατιβ] συμβολικός.

figure (n) [φίγκιουρ] σχήμα, μορφή.

filament (n) [φίλαμεν-τ] νημάτιο.

filch (n) [φιλτσς] κλέβω, ξαφρίζω.

file (n) [φάιλ] φάκελος, λίμα (v) λιμάρω.

filing (n) [φάιλινγκ] ταξινόμηση.

filing cabinet (n) [φάιλινγκ κά-μπινετ]
αρχειοθήκη, κλασέρ.

filing clerk (n) [φάιλινγκ κλερκ] αρχει-
οφύλακας.

filings (n) [φάιλινγκς] ρινίσματα.

fill (v) [φιλ] πληρώ, σφραγίζω.

fill out (v) [φιλ άουτ] φουσκώνω.

fill up (v) [φιλ απ] γεμίζω.

filling (adj) [φίλινγκ] χορταστικός (n)
πλήρωση, γέμισμα.

fillister (n) [φιλιστα(ρ)] εντομή.

filly (n) [φίλι] φοραδίτσα.

film (n) [φιλμ] μεμβράνη, πέτσα, φιλμ
(v) κινηματογραφώ.

filmy (adj) [φίλμι] μεμβρανώδης.

filtering (n) [φίλτερινγκ] διύλιση.

filth (n) [φιλθ] ακαθαρσία, βρώμα.

filthiness (n) [φίλθινες] ρυπαρότητα.

filthy (adj) [φίλθι] ακάθαρτος, βρωμερός.

filthy talk (n) [φιλθι τόοκ] αισχρολογία.

filtrate (n) [φίλτρεΐτ] διήθημα (v) φιλ-
τράρω, διυλίζω, διηθώ.

fiment (n) [φίμεν-τ] εξάρτημα.

fin (n) [φιν] πτερύγιο.

final (adj) [φάιναλ] τελειωτικός.

finale (n) [φινάαλι] φινάλε.

finality (n) [φαινάλιτι] τελικό.

finalize (v) [φάιναλαϊζ] παγιώνω.

finally (adv) [φάιναλι] τελικώς.

finance (v) [φαϊνάνς] πιστοδοτώ.

finances (n) [φάινανσιζ] οικονομικά.

financial (adj) [φαϊνάνσιαλ] περιουσιακός.

financier (n) [φαϊνάνσιερ] κεφαλαιούχος.

financing (n) [φάινάνσινγκ] χρηματο-
δότηση.

find (v) [φάιν-ντ] ευρίσκω, οικονομώ
(n) εύρημα, ανακάλυψη.

find out (v) [φάιν-ντ άουτ] διαπιστώνω.

finding (n) [φάιν-ντινγκ] ανακάλυψη.

fine (adj) [φάιν] άριστος, φίνος (n) πρό-
στιμο, πρίμα (v) καθαρίζω, τιμωρώ.

finesse (n) [φινές] φινέτσα.

finger (adj) [φίνγκερ] δαχτυλικός (v)
πασπατεύω (n) δάκτυλο.

finicky (n) [φίνικι] λεπτολόγος.

finish (n) [φίνισς] λήξη, τέλος, πέρας
(v) περατώνω, τελειώνω.

finished (adj) [φίνισσ-τ] τελειωμένος.

Finn (n) [Φιν] Φινλανδός.

fir (n) [φιρ] ελάτι, έλατο.

fir tree (n) [φιρ τρίι] έλατο.

fire (adj) [φάιερ] πυροσβεστικός (n)
φωτιά, πυρετός (v) ανάβω, βάλλω.

fire brigade (n) [φάιερ μπριγκέι-ντ] πυ-
ροσβεστική.

fire-extinguisher (n) [φάιερ-εξτίνγκου-
ισσερ] πυροσβεστήρας.

firebrand (n) [φάιερ-μπράν-ντ] δαυλός.

firefly (n) [φάιερφλάι] πυγολαμπίδα.

fireman (n) [φάιερμαν] πυροσβέστης.

firepan (n) [φάιερπαν] μαγκάλι.

fireplace (n) [φάιερπλέις] τζάκι.

fireship (n) [φάιερσσίπ] μπουρλότο.

fireside (n) [φάιασάι-ντ] γωνιά.

firewood (n) [φάιερου-ντ] δαδί.

firework (n) [φάιερουέρκ] πυροτέχνημα.

firing (adj) [φάιερινγκ] πυροδοτικός (n) πυρ.

firm (adj) [φέρμ] σταθερός, πάγιος, συ-
μπαγής (n) φίρμα (v) στερεώνω.

firmament (n) [φέρμαμεν-τ] στερέωμα.

firman (n) [φέρμεν] φιρμάνι.

firmness (n) [φέρμνες] ευστάθεια.

firry (adj) [φέρι] ελάτινος.

first (adv) [φερστ] πρώτα (adj) αρχικός (n) πρωτιά, φόρμουλα.

first mate (n) [φερστ μέιτ] αντιπλοίαρχος, ύπαρχος.

fiscal (adj) [φίσκαλ] ταμιακός.

fish (n) [φιος] ιχθύς (v) ψαρεύω.

fisherman (n) [φίσσερμαν] ψαράς.

fishery (n) [φίσσερι] ψάρεμα.

fishily (adv) [φίσσιλι] ύποπτα.

fishiness (n) [φίσσινες] ψαρίλα.

fishing (n) [φίσσινγκ] ψαρότοπος.

fishing boat (n) [φίσσινγκ μπόουτ] τράτα, ψαρόβαρκα.

fishmonger (n) [φίσσμόνγκερ] ψαράς.

fissure (n) [φίσσιερ] ρήγμα (v) σχίζω.

fist (n) [φιστ] γροθιά, πυγμή.

fistular (adj) [φίσσιουλαρ] σωληνοειδής, συριγγώδης.

fit (adj) [φιτ] κατάλληλος (n) κρίση, έκρηξη (v) εναρμονίζω.

fit for (v) [φιτ φοο] προετοιμάζω.

fit in (v) [φιτ ιν] ταιριάζω.

fit into (v) [φιτ ίν-του] χωράω.

fit out (v) [φιτ άουτ] εφοδιάζω, εξοπλίζω (n) εξοπλισμός, εφόδια.

fitly (adv) [φίτλι] δεόντως.

fitness (n) [φίτνες] ορθότητα.

fitter (n) [φίτερ] μονταδόρος.

fitting (adj) [φίτινγκ] προσφυής (n) εφαρμογή.

five (n) [φάιβ] πέντε.

fix (v) [φιξ] στερεώνω, ορίζω, καθηλώνω, καρφώνω (n) στίγμα.

fix up (v) [φιξ απ] οργανώνω.

fixate (v) [φιξέιτ] στερεώνω.

fixation (n) [φιξέισσον] στερέωση.

fixative (adj) [φίξατιβ] στερεωτικός (n) στερεωτικό [φωτογρ].

fixed (adj) [φιξ-τ] σταθερός, ακίνητος.

fixer (n) [φίξερ] διακανονιστής.

fixing (n) [φίξινγκ] στερέωση.

fixture (n) [φίξτσσα(ρ)] αγώνας.

fizz (n) [φιζ] τσίριγμα, άφρισμα.

fizzy (adj) [φίζι] αφρώδης.

fjord (n) [φγιόο-ντ] φιόρδ.

flabbergast (v) [φλά-μπαγκααστ] καταπλήσσω, αναστατώνω.

flabbiness (n) [φλά-μπινες] πλαδαρότητα.

flabby (adj) [φλά-μπι] χαλαρός.

flaccid (adj) [φλάκσι-ντ] χαλαρός.

flaccidity (n) [φλακσοί-ντιτι] χαλαρότητα.

flag (n) [φλαγκ] σημαία (v) ατονώ.

flagellate (v) [φλάντζζελεΐτ] μαστιγώνω.

flagging (n) [φλάγκινγκ] λιθόστρωση.

flagon (n) [φλάγκον] καράφα.

flagrant (adj) [φλέιγκραν-τ] σκανδαλώδης.

flagship (n) [φλάγκσσιπ] ναυαρχίδα.

flair (n) [φλέαρ] διαίσθηση, οξυδέρκεια.

flake (n) [φλέικ] ράφι, βάση.

flaky (adj) [φλέικι] λεπτοειδής.

flamboyance (n) [φλαμ-μπόιανς] φανφαρονισμός.

flame (n) [φλέιμ] φλόγα, θέρμη, ζέση.

flaming (adj) [φλέιμινγκ] φλεγόμενος.

flange (n) [φλαννττζζ] στεφάνη.

flank (v) [φλανκ] πλευροκοπώ (n) πλευρό [στρατ] (adj) πλευρικός.

flankguard (n) [φλάνκγκάα-ντ] πλαγιοφυλακή.

flannel (n) [φλάνελ] φανέλα.

flap (v) [φλαπ] κτυπώ, φτερουγίζω (n) ράπισμα, βαλβίδα, κλαπέτο, ταραχή.

flapjack (n) [φλάπιντζζάκ] κρέπα.

flare (n) [φλέαρ] αναλαμπή.

flare up (v) [φλέαρ απ] αναλάμπω, θεριεύω, θυμώνω (n) φούντωμα.

flash (n) [φλασς] αστραπή (v) φωτίζω, σπινθηροβολώ.

flashily (adv) [φλάσσιλι] φανταχτερά.

flashy (adj) [φλάσσι] αστραφτερός.

flask (n) [φλαασκ] φιάλη, παγούρι.

flat (adj) [φλατ] επίπεδος, σαχλός, ξεθυμασμένος (n) ρηχά, διαμέρισμα.

flat dish (n) [φλατ ντισς] πιατέλα.

flat roof (n) [φλατ ρουφ] ταράτσα.

flat-iron (n) [φλάτ-άιον] σίδερο.

flatly (adv) [φλάτλι] σαφώς, ρητώς.

flatten (v) [φλάτεν] ισοπεδώνω.

flatter (v) [φλάτερ] καλοπιάνω.

flatterer (n) [φλάτερερ] κόλακας.

flattery (n) [φλάτερι] κολακεία.

flatus (n) [φλέιτας] αέριο.

flaunt (v) [φλόον-τ] επιδεικνύω.

flavour (v) [φλέιβορ] αρωματίζω, νοστιμεύω (n) γεύση, άρωμα.

flaw (n) [φλόο] ρωγμή, ατέλεια (v) ραγίζω.

flawless (adj) [φλόολες] ανελλιπής.

flax (n) [φλαξ] λινάρι.

flay (v) [φλέι] γδέρνω.

flaying (n) [φλέιινγκ] γδάρσιμο.

flea (n) [φλίι] ψύλλος.

fleam (n) [φλίιμ] νυστέρι.

fleck (n) [φλεκ] στίγμα, κηλίδα.

fled (adj) [φλε-ντ] φευγάτος.

fledgeling (n) [φλέντζζλινγκ] ξεπεταρούδι, αρχάριος.

flee (v) [φλίι] φεύγω.

fleece (v) [φλίις] αρμέγω, μαδώ (n) μαλλί.

fleeing (n) [φλίιινγκ] φυγή.

fleet (adj) [φλίιτ] ταχύς (n) στόλος.

fleet admiral (n) [φλίιτ ά-ντμιραλ] αρχιναύαρχος.

fleeting (adj) [φλίιτινγκ] σύντομος.

flench (v) [φλεντος] γδέρνω.

flesh (n) [φλεσς] σάρκα, κρέας.

flesh-eating (adj) [φλέσσίιτινγκ] σαρκοβόρος, σαρκοφάγος.

fleshed (adj) [φλεσσ-τ] παχύσαρκος.

fleshy (adj) [φλέσσι] παχύς.

flex (v) [φλεξ] κάμπτω, λυγίζω, κάμπτομαι, πτύσσω, διπλώνω.

flexibility (n) [φλέξι-μπίλιτι] ευκαμψία.

flexible (adj) [φλέξι-μπλ] εύκαμπτος.

flexile (adj) [φλέξάιλ] εύκαμπτος.

flicker (v) [φλίκερ] τρεμολάμπω.

flight (n) [φλάιτ] πτήση, σκάλα,.

flight lieutenant (n) [φλάιτ λιουτέναν-τ] σμηναγός.

flight sergeant (n) [φλάιτ σάαντζζεν-τ] επισμηνίας.

flimsy (adj) [φλίμσι] ψιλός.

flinch (v) [φλιν-τος] υποχωρώ.

fling (n) [φλινγκ] πέταγμα, εκτίναξη (v) ρίπτω, ορμώ.

flint (n) [φλιν-τ] πυρίτης.

flip (v) [φλιπ] κτυπώ, ρίχνω, ξεσηκώνω, (adj) επιπόλαιος.

flipper (n) [φλίιπερ] πτερύγιο.

flirt (v) [φλερτ] φλερτάρω (n) ερωτύλος.

flite (v) [φλάιτ] μαλώνω.

flitter (v) [φλίιτερ] φτερουγίζω.

flivver (n) [φλίβερ] σαραβαλάκι.

float (n) [φλόουτ] πλωτήρας, σχεδία (v) πλέω, κυλώ, γλιστρώ.

flock (v) [φλοκ] συνέρχομαι, μαστιγώνω (n) κοπάδι, μπουλούκι, ποίμνιο.

flog (v) [φλογκ] μαστιγώνω, παραδέρνω.

flogging (n) [φλόγκινγκ] μαστίγωση.

flood (n) [φλα-ντ] πλημμύρα, ροή (v) ξεχειλίζω, κατακλύζω.

flood tide (n) [φλα-ντ τάι-ντ] παλίρροια.

floor (n) [φλόο] όροφος, δάπεδο, πάτωμα (v) σανιδώνω.

floor tile (n) [φλόο τάιλ] πλακάκι.

floorcloth (n) [φλόορκλοθ] σφουγγαρόπανο.

flooring (n) [φλόορινγκ] παρκέ.

flop (n) [φλοπ] φιάσκο, γδούπος.

flora (n) [φλόορα] χλωρίδα.

floral (adj) [φλόοραλ] ανθοστόλιστος.

floriculture (n) [φλόορικάλτσσα(ρ)] ανθοκομία.

florid (adj) [φλόορι-ντ] ανθηρός.

florist (n) [φλόοριστ] ανθοπώλης.

florist's (n) [φλόοριστ΄ς] ανθοπωλείο.

flounder (v) [φλάου-ντα(ρ)] παλεύω,

παραπαίω, τσαλαβουτώ.

flour (n) [φλάουα(ρ)] φαρίνα (v) αλευρώνω.

flow (n) [φλόου] ρεύμα (n) κυλώ, ρέω.

flow in (v) [φλόου ιν] εισρέω.

flower (adj) [φλάουερ] λουλουδένιος (n) άνθος, λουλούδι (v) ανθίζω.

flower bed (n) [φλάουερ μπε-ντ] πρασιά.

flowerpot (n) [φλάουαπότ] ανθοδοχείο, γλάστρα.

flowing (adj) [φλόουινγκ] ρέων, άνετος, απαλός (n) τρέξιμο [υγρού].

flu (n) [φλούου] γρίππη.

fluctuate (v) [φλάκτσουέπ] κυμαίνομαι.

flue (n) [φλου] φουγάρο, πούπουλο (v) διευρύνω.

fluent (adj) [φλούεν-τ] άνετος.

fluently (adv) [φλούεν-τλι] τροχάδην [μεταφ].

fluff (n) [φλαφ] χνούδι, λάθος.

fluffy (adj) [φλάφι] χνουδάτος.

fluid (adj) [φλούί-ντ] αβίαστος, ρευστός, υγρός (n) υγρό.

fluidity (n) [φλουί-ντιτι] ρευστότητα.

fluky (adj) [φλούουκι] τυχαίος.

flume (n) [φλούουμ] αυλάκι.

flunkey (n) [φλάνκι] χαμερπής.

fluoresce (v) [φλούορες] φθορίζω.

fluorine (n) [φλόοραϊν] φθόριο.

flurry (n) [φλάρι] αναστάτωση.

flush (v) [φλασς] σηκώνω, ξεχύνομαι (n) χείμαρρος, εκροή, υπεραιμία, φούντωμα (adj) ισόπεδος, ομαλός, επίπεδος.

flute (n) [φλουτ] φλογέρα.

fluted (adj) [φλούτι-ντ] ραβδωτός.

fluting (n) [φλούτινγκ] ράβδωση.

flutist (n) [φλούτιστ] αυλητής.

flutter (v) [φλάτερ] φτερουγίζω (n) φτερούγισμα, κυματισμός, παλμός.

flux (n) [φλαξ] αστάθεια, ροή (v) ρέω.

fly (n) [φλάι] μύγα (v) πετώ.

flyer (n) [φλάιερ] ιπτάμενος.

flying (n) [φλάινγκ] πτήση.

flyleaf (n) [φλάιλίιφ] εξώφυλλο.

foal (n) [φόοαλ] πουλάρι.

foam (n) [φόομ] αφρός (v) αφρίζω.

fob off (v) [φο-μπ οφ] πασάρω.

focal (adj) [φόουκαλ] εστιακός.

focalization (n) [φοουκαλαϊζέισσον] εστίαση, συγκέντρωση.

focalize (v) [φόουκαλαϊζ] εστιάζω.

fodder (n) [φό-ντερ] ζωοτροφή.

foe (n) [φόου] αντίπαλος, εχθρός.

foetus (n) [φίτας] έμβρυο.

fog (n) [φογκ] ομίχλη, πούσι.

foggy (adj) [φόγκι] ομιχλώδης.

foil (n) [φόιλ] έλασμα (v) ματαιώνω.

fold (n) [φολ-ντ] δίπλα, πτυχή, μαντρί (v) κουλουριάζω, σουφρώνω.

folder (n) [φόλ-ντερ] φάκελλος.

foliage (n) [φόλιντζζ] φύλλωμα.

folk (adj) [φόουκ] δημώδης.

folk customs (n) [φόουκ κάστομζ] ηθογραφία.

folklore (n) [φόουλκλόο] λαογραφία.

follicular (adj) [φολίκιουλαρ] θυλακοειδής.

follow (v) [φόλοου] ακολουθώ.

following (adv) [φόλοουινγκ] κάτωθι (adj) ακόλουθος, επόμενος.

folly (n) [φόλι] τρέλα, ζούρλα.

foment (v) [φοουμέν-τ] ενθαρρύνω.

fondle (v) [φον-ντλ] χαϊδεύω.

font (n) [φον-τ] κολυμβήθρα.

food (adj) [φούου-ντ] τροφικός (n) φαΐ.

fool (n) [φουλ] παλαβός, βλάκας.

foolhardly (adj) [φούουλχαα-ντλι] τολμηρός, απερίσκεπτος.

foolish (adj) [φούουλισς] ανόητος, κουτός, χαζός (n) άφρων, λωλός.

foot (n) [φουτ] βήμα, πόδι.

foothold (n) [φούτχοουλ-ντ] βάση, πάτημα, στήριγμα, έρεισμα.

footnote (n) [φούτνουτ] παραπομπή.

footpath (n) [φούτπάαθ] ατραπός.

footprint (n) [φούτπριν-τ] πατημασιά.

footstep (n) [φούτστέπ] βήμα.

fop (adj) [φοπ] λιμοκοντόρος.

for (adv) [φοο] υπέρ (pr) δια, εξ αιτίας, λόγω, αντί, επί, πρός, για (conj) διότι.

for heaven's sake (ex) [φορ χέβενς σέικ] αμάν!, για όνομα του Θεού!.

for instance (adv) [φορ ίνστανς] αίψνης.

forage (n) [φόριντζζ] τροφή.

foray (n) [φόρεϊ] πλιάτσικο (v) λεηλατώ.

forbearance (n) [φοο-μπέαρανς] αποχή, αποφυγή, υπομονή, ανοχή.

forbearing (adj) [φοο-μπέαρινγκ] υπομονετικός, επιεικής.

forbid (v) [φοο-μπί-ντ] απαγορεύω, εμποδίζω, αποκλείω.

forbidding (adj) [φοο-μπί-ντινγκ] αυστηρός, βλοσυρός, εχθρικός.

force (n) [φόος] βία, ζόρι, φόρα (v) αναγκάζω, ζορίζω, πιέζω, χώνω, εξωθώ.

force entry (v) [φόος έν-τρι] παραβιάζω.

forced (adj) [φόοσ-τ] υποχρεωτικός.

forceful (adj) [φόοσφουλ] ισχυρός.

forceps (n) [φόοσεπς] πένσα.

forces (n) [φόοσις] στρατός.

forcible (adj) [φόσι-μπλ] βίαιος.

ford (n) [φόο-ντ] διάβαση.

fore (adj) [φόο(ρ)] μπροστινός.

forearm (n) [φόοάαμ] βραχίονας.

foreboding (n) [φοο-μπόου-ντινγκ] προαίσθηση, προμήνυμα.

forecast (n) [φόοκάαστ] πρόβλεψη, πρόγνωση (v) προβλέπω.

forecourt (n) [φόοκόοτ] προαύλιο.

forefather (n) [φόοφάαδερ] πρόγονος.

forefinger (n) [φόοφίνγκερ] δείχτης.

foregone (adj) [φοογκόν] προκαθορισμένος, τακτοποιηθείς.

foreground (n) [φόοχκραουν-ντ] πρώτη σειρά, πρώτο πλάνο.

forehead (n) [φόοχε-ντ] κούτελο.

foreign (adj) [φόριν] ξένος.

foreign currency (n) [φριν κάρενσι] συνάλλαγμα.

foreigner (adj) [φόρινερ] αλλοδαπός (n) ξένος.

foreman (n) [φόομαν] επιστάτης.

foremost (adj) [φόομόουστ] πρώτιστος.

forensic medicine (n) [φορένσικ μέ-ντισιν] ιατροδικαστική.

foreordain (v) [φόοροο-ντέιν] προκαθορίζω, προορίζω.

forerunner (adj) [φόοράνερ] πρωτοπόρος.

foresee (v) [φόοσίι] προλαμβάνω.

foreshadow (v) [φροοσσά-ντοου] προαγγέλλω, προδιαγράφω.

forest (adj) [φόρεστ] δασικός (n) δάσος.

forestall (v) [φόοστόολ] προλαβαίνω.

forester (n) [φόρεστερ] δασοφύλακας.

foretell (v) [φόοτέλ] προφητεύω.

forever (adv) [φορέβερ] αιώνια.

foreword (n) [φόοουα-ντ] πρόλογος.

forge (v) [φόοντζζ] απομιμούμαι, νοθεύω (n) κάμινος.

forger (n) [φόοντζζερ] παραχαράχτης.

forget (v) [φοογκέτ] ξεχνώ.

forgetfulness (n) [φοογκέτφουλνες] λήθη.

forgetting (n) [φοογκέτινγκ] λήθη.

forgive (v) [φοογκίβ] συγχωρώ.

forgiveness (n) [φοογκίβνες] συγγνώμη, συγχώρηση.

forgiving (adj) [φοογκίβινγκ] επιεικής.

forgotten (adj) [φοογκότεν] ξεχασμένος.

fork (n) [φόοκ] διακλάδωση, διχάλα, πιρούνι, καβάλος (v) σπκώνω, σκαλίζω.

forkful (n) [φόοκφουλ] πιρουνιά.

forlorn (adj) [φόολόον] απροστάτευτος.

form (n) [φόομ] διάγραμμα, σχήμα, φόρμα (v) αποτελώ, σχηματίζω.

formal (adj) [φόομαλ] επίσημος.

formality (n) [φοομάλιτι] επισημότητα.

formalize (v) [φόομαλαϊζ] διαμορφώνω.

format (n) [φόομστ] σχήμα.

formation (n) [φοομέισσον] κατάρτιση.

former (adv) [φόομερ] τέως.

formerly (adv) [φόομαλι] πρώτα, τέως.

formidable (adj) [φοομί-ντα-μπλ] τρομακτικός, τρομερός, επίφοβος.

forming (n) [φόομιγγκ] σχηματισμός.

formula (n) [φόομιουλα] υπόδειγμα.

formulate (v) [φόομιουλέϊτ] διατυπώνω.

fornicator (n) [φροονικέιτορ] πόρνος.

forsake (v) [φοοσέικ] αφήνω.

forsaken (adj) [φοοσέικεν] έρημος.

fort (n) [φόοτ] φρούριο, οχυρό.

forthcoming (adj) [φόοθκάμινγκ] ερχόμενος, επερχόμενος.

forthright (adj) [φόοθραϊτ] ευθύς, ειλικρινής, ντόμπρος.

forthwith (adv) [φόοθγουίδ] αμέσως.

fortify (v) [φόοτιφαϊ] ενισχύω, ενθαρρύνω, κατοχυρώνω, οχυρώνω.

fortitude (n) [φόοτιτιου-ντ] ευψυχία.

fortnight (n) [φόοτναϊτ] δεκαπενθήμερο.

fortress (n) [φόοτρες] κάστρο.

fortuitous (adj) [φοοτιούιτας] τυχαίος.

fortuity (n) [φοοτιούιτι] δυστύχημα.

fortunate (adj) [φόοτσσιουνετ] καλότυχος.

fortunately (adv) [φόοτσσιουνατλι] ευτυχώς, κατά καλή τύχη.

fortune (n) [φόοτσσιουν] ριζικό.

fortune hunter (n) [φόοτσσιουν χάντερ] τυχοδιώκτης.

fortune-teller (n) [φόοτσσιουν-τέλερ] χαρτορίχτρα.

forty (num) [φόοτι] σαράντα [αριθ] (n) σαρανταριά.

forward (adj) [φόοουα-ντ] μπροστινός, πρόθυμος, προοδευτικός (v) [φοοργουέρ-ντ] στέλνω, προάγω (conj) (adv) εμπρός.

forwarding (n) [φόοουα-ντινγκ] διαβίβαση, διεκπεραίωση.

fossa (n) [φόσα] βόθρος.

fossick (v) [φόσικ] ψάχνω.

fossil (n) [φόσιλ] απολίθωμα.

foster (adj) [φόστα(ρ)] θετός (v) τρέφω.

foul (adj) [φάουλ] ρυπαρός, (v) μολύνω.

foul language (n) [φάουλ λάνγκουιντζζ] χυδαιότητα.

foul-mouthed (adj) [φάουλμάουθ-τ] αισχρολόγος.

found (v) [φάουν-ντ] θεμελιώνω.

foundation (n) [φαουν-ντέισσον] πλάση, θεμέλιο, ίδρυμα.

founder (n) [φάουν-ντερ] θεμελιωτής, ιδρυτής (v) βυθίζω.

founding (adj) [φάουν-ντινγκ] ιδρυτικός (n) θεμελίωση, ίδρυση.

foundry (n) [φάουν-ντρι] μεταλλοχοϊα, χώνευση, χύτευση, χυτήριο.

fountain (n) [φάουν-τιν] βρύση.

fountain pen (n) [φάουν-τιν πεν] στυλογράφος, στυλό.

four (num) [φόο(ρ)] τέσσερα, τετράδα.

four hundred (adj) [φόο(ρ) χά-ντρεντ] τετρακόσιοι.

fourfold (adj) [φόοφόολ-ντ] τετραπλός.

fourteen (num) [φότίιν] δεκατέσσερα.

fourth (adj) [φόοθ] τέταρτος.

fowl (n) [φάουλ] πτηνό, κότα.

fraction (n) [φράκσσον] τεμαχισμός, κλάση, κλάσμα.

fractional (adj) [φράκσσοναλ] κλασματικός, μηδαμινός.

fracture (n) [φράκτσσα(ρ)] σπάσιμο.

fragile (adj) [φράντζζαϊλ] εύθραυστος.

fragment (n) [φράγκμεν-τ] θραύσμα.

fragmentary (adj) [φραγκμέν-ταρι] αποσπασματικός, τμηματικός.

fragrance (n) [φρέιγκρενς] άρωμα, ευωδιά.

fragrant (adj) [φρέιγκρααν-τ] εύοσμος.

frail (adj) [φρέιλ] εύθραυστος.

frame (n) [φρέιμ] σκελετός, περβάζι, κορνίζα (v) κατασκευάζω, πλαισιώνω.

framer (n) [φρέιμερ] συντάκτης.

framework (n) [φρέιμουέρκ] σκελετός [αυτοκινήτου], πλαίσιο.

franc (n) [φρανκ] φράγκο [οικ].

France (n) [Φράανς] Γαλλία.

frank (adj) [φρανκ] ειλικρινής.

frankincense (n) [φράνκινσένς] λιβάνι.

frankly (adv) [φράνκλι] ειλικρινά.

frankness (n) [φράνκνες] ειλικρίνεια.

frantic (adj) [φράν-τικ] δαιμονιώδης (n) αλλόφρονας.

fraternal (adj) [φρατέρναλ] αδελφικός.

fratricidal (adj) [φρατρισάι-ντλ] αδελφοκτόνος.

fraud (n) [φρόο-ντ] δόλος, απάτη.

fraudulence (n) [φρόο-ντιουλενς] δολιότητα, δόλος, δόλια πρόθεση.

fray (v) [φρέι] φαγώνομαι.

fray out (v) [φρέι άουτ] τρίβω.

frayed (adj) [φρέι-ντ] ξεφτισμένος.

freak (n) [φρίικ] έκτρωμα.

freakish (adj) [φρίικισς] ιδιότροπος, ός.

freckle (n) [φρεκλ] πανάδα.

free (adv) [φρίι] χάρισμα (v) λυτρώνω (adj) ανεξάρτητος, ελευθέριος.

free time (n) [φρίι τάιμ] σχόλη.

freedom (n) [φρίι-ντομ] ελευθερία, άνεση.

freely (adv) [φρίιλι] ελεύθερα.

freeze (n) [φρίιζ] ψύξη, πάγωμα, καθήλωση (v) καταψύχω, παγώνω, ψύχω.

freezer (n) [φρίιζερ] κατάψυξη.

freezing (adj) [φρίιζινγκ] ψυκτικός.

freight (n) [φρέιτ] φορτίο (v) ναυλώνω.

French (n) [Φρεν-τος] γαλλικός.

Frenchman (n) [Φρέν-τσσμαν] Γάλλος.

frenzied (adj) [φρένζι-ντ] αλλόφρωνας.

frenzy (n) [φρένζι] παραφροσύνη.

frequency (n) [φρίικουενσι] συχνότητα.

frequent (adj) [φρηκουέν-τ] συχνός, διαδεδομένος (v) [φρηκουέν-τ] συχνάζω.

frequented (adj) [φρηκουέν-τι-ντ] πολυσύχναστος, περαστικός.

frequently (adv) [φρίικουεν-τλι] συχνά.

fresco (n) [φρέσκοου] φρέσκο.

fresh (adj) [φρρες] πρωτοφανής, φρέσκος.

freshen (v) [φρέσσεν] δροσίζω.

freshly (adv) [φρέσσλι] πρόσφατα.

freshness (n) [φρέσσνες] δροσερότητα.

fret (v) [φρετ] χαλώ, ερεθίζω (n) μαίανδρος.

fretful (adj) [φρέτφουλ] γκρινιάρης.

fricassee (n) [φρίκασεϊ] φρικασέ.

friction (n) [φρίκοσον] εντριβή.

Friday (n) [Φράι-ντέι] Παρασκευή.

fried (adj) [φράι-ντ] τηγανητός.

friend (n) [φρεν-ντ] φίλη, φίλος.

friendly (adj) [φρέν-ντλι] φιλικός.

frieze (n) [φρίιζ] διάζωμα.

frigate (n) [φρίγκιτ] φρεγάτα.

fright (n) [φράιτ] δέος, τρόμος.

frighten (v) [φράιτεν] τρομάζω.

frightful (adj) [φράιτφουλ] τρομακτικός, απαίσιος (n) φρίκη.

frigid (adj) [φρίντζζι-ντ] ψυχρός.

frill (n) [φριλ] πλισές, φραμπαλάς.

frills (n) [φριλζ] μπιχλιμπίδια.

fringe (adj) [φριν-ντζζ] περιθωριακός, ανορθόδοξος (n) φράντζα.

frivolity (n) [φριβόλιτι] ελαφρότητα.

frivolous (adj) [φρίβολας] ανόητος.

frizz (n) [φριζ] κατσάρωμα, (v) κατσαρώνω.

frizzle (v) [φριζλ] κατσαρώνω.

frizzle up (v) [φριζλ απ] ξεροτηγανίζω.

frock (n) [φροκ] φόρεμα, ράσο.

frog (n) [φρογκ] βάτραχος.

from (pr) [φρομ] εκ, από.

from head to toe (adv) [φρομ χε-ντ του τόου] πατόκορφα.

front (adj) [φραν-τ] μπροστινός, πρώτος, μέτωπο (v) αντικρίζω.

frontage (n) [φρόν-τιντζζ] πρόσοψη.

frontal (adj) [φρόν-ταλ] μετωπικός.

frontier (adj) [φρρόν-τίερ] παραμεθόριος (n) όριο, σύνορο.

frost (n) [φροστ] πάχνη, πάγος, παγετός, παγωνιά (v) παγώνω.

frostbite (n) [φρόστ-μπάιτ] κρυοπάγημα.

frosting (n) [φρόστινγκ] πάγωμα.

froth (n) [φροθ] αφρός, ρηχότητα, καϊμάκι (v) αφροκοπώ.
frothing (n) [φρόθινγκ] ξάφρισμα.
frothy (adj) [φρόθι] αφρισμένος.
frown (v) [φράουν] κατσουφιάζω.
frozen (adj) [φρόουζεν] καταψυγμένος.
frugal (adj) [φρούγκαλ] λιτοδίαιτος, λιτός.
fruit (n) [φρουτ] φρούτο (v) καρπίζω.
fruitful (adj) [φρούτφουλ] καρποφόρος.
frustrate (v) [φραστρέιτ] διαψεύδω.
fry (v) [φράι] τηγανίζω.
frying (n) [φράινγκ] τηγάνισμα.
frying pan (n) [φράινγκ παν] σαγανάκι.
fuchsia (n) [φιούσσια] φούξια.
fuck (v) [φακ] γαμώ.
fuel (n) [φιούελ] καύσιμα, προσάναμμα, τροφή [μεταφ].
fuel oil (n) [φιούελ όιλ] μαζούτ.
fugitive (n) [φιούντζιτιβ] φυγάς, πρόσφυγας, πλάνης.
fulcrum (n) [φούλκραμ] υπομόχλιο.
fulfil (v) [φουλφιλ] εκπληρώ, εξοφλώ.
fulfilment (n) [φουλφίλμεν-τ] ικανοποίηση, εκπλήρωση, εκτέλεση.
fulgurating (adj) [φάλγκιουρέιτινγκ] αστραφτερός, σουβλερός.
full (adj) [φουλ] γεμάτος (v) σουρώνω.
full moon (n) [φουλ μουν] πανσέληνος.
full stop (n) [φουλ στοπ] τελεία.
full up (adv) [φουλ απ] κομπλέ, τίγκα (adj) κορεσμένος, ολόγιομος.
fullness (n) [φούλνες] αφθονία.
fully (adv) [φούλι] εντελώς, πληρέστατα.
fulsome (adj) [φούλσαμ] κακόγουστος.
fumble (v) [φαμ-μπλ] ψηλαφίζω.
fume (v) [φιούμ] καπνίζω.
fume (n) [φιούμ] ατμός, καπνός.
fun (n) [φαν] διασκέδαση, κέφι.
function (n) [φάνκσσον] λειτουργία, σκοπός (v) εργάζομαι, λειτουργώ.
functions (n) [φάνκσσονζ] καθήκοντα.
fund (n) [φαν-ντ] απόθεμα, πηγή.

fundamental (adj) [φαν-νταμέν-ταλ] στοιχειώδης, ουσιαστικός.
funds (n) [φαν-ντζ] κεφάλαια.
funeral (n) [φιούνεραλ] κηδεία, (adj) νεκρώσιμος, νεκρικός.
fungus (n) [φάνγκας] μύκητας.
funicular (n) [φιουνίκιουλαρ] σχοινοκίνητος, σχοινικός.
funnel (n) [φάνελ] φουγάρο.
funny (adj) [φάνι] διασκεδαστικός.
fur (n) [φερ] τρίχα, γούνα.
furbish (v) [φέρ-μπισς] ξεσκουριάζω, γυαλίζω, καθαρίζω.
furious (adj) [φιούριας] θυμωμένος.
furnace (n) [φέρνις] φούρνος.
furnish (v) [φέρνισς] προμηθεύω.
furniture-shop (n) [φέρνιτσερσσοπ] επιπλοπωλείο.
furrier (n) [φέριερ] γουναράς.
furrow (n) [φάροου] αυλάκι, (v) οργώνω.
further (adv) [φέρδερ] μακρύτερο (adj) επιπλέον (v) υποστηρίζω (adv) μακρύτερα.
further education (n) [φέρδερ εντζιουκέισσον] επιμόρφωση.
further on (adv) [φέρδερ ον] παρέκει.
furthermore (adv) [φέρδερμόο] επιπλέον.
furthest (adj) [φέρδεστ] απώτατος.
furtive (adj) [φέρτιβ] κρυφός.
furtively (adv) [φέρτιβλι] κλεφτά.
fury (n) [φιούρι] οργή, λύσσα.
fuse (n) [φιούζ] ασφάλεια (v) κολλώ.
fuss (n) [φας] φασαρία (v) ενοχλώ.
fuss-pot (n) [φάσποτ] μικρολόγος.
fussy (adj) [φάσι] ψείρας.
futile (adj) [φιούταϊλ] ασήμαντος.
futility (n) [φιουτίλιτι] ανώφελο.
future (adj) [φιούτσερ] μέλλων, (n) μέλλον.
future (tense) (n) [φιούτσερ τενς] μέλλοντας.
fuzz (n) [φαζ] χνούδι, κατσαρά.
fuzzy (adj) [φάζι] χνουδωτός.

G, g (n) [τζ/ί] το έβδομο γράμμα του αγγλικού αλφαβήτου.

gab (n) [γκα-μπ] πολυλογία.

gabardine (n) [γκά-μπα-ντίν] καμπαρντίνα.

gabble (v) [γκα-μπλ] φλυαρώ, μωρολογώ (n) συγκεχυμένη ομιλία, φλυαρία.

gabbler (n) [γκά-μπλερ] φλύαρος.

gable (n) [γκέι-μπλ] καλκάνι, αέτωμα.

gad (v) [γκα-ντ] περιπλανώμαι, περιφέρομαι άσκοπα (n) περιπλάνηση.

gadabout (n) [γκά-ντα-μπάουτ] αλήτης, πλάνης, αλανιάρης, σουρτούκης.

gadfly (n) [γκά-νταλαϊ] αλογόμυγα, οίστρος.

gag (v) [γκαγκ] φιμώνω [μεταφ] (n) φίμωτρο, στοματοδιαστολέας [χειρ].

gaiety (n) [γκέιτι] ευθυμία, κέφι.

gain (n) [γκέιν] κέρδος, αύξηση, βελτίωση, ωφέλημα (v) αποκτώ, κερδίζω.

gainful (adj) [γκέινφουλ] κερδοφόρος.

gait (n) [γκέιτ] περπάτημα, βάδισμα.

gall (n) [γκοολ] χολή [ζώου], χολοδόχος κύστη (v) πικάρω, χολώνω.

gall-bladder (n) [γκοολ-μπλά-ντερ] χοληδόχος.

gall-stone (n) [γκοολ-στόουν] χολόλιθος.

gallant (adj) [γκάλαν-τ] γενναίος, ευγενής (n) μνηστήρας, εραστής, γαλαντόμος.

gallantry (n) [γκάλαν-τρι] ανδρεία, γεν-ναιότητα, ανδραγαθία, γενναιοψυχία.

gallery (n) [γκάλερι] αίθουσα τέχνης, στοά [ορυχείου], θεωρείο, γκαλερί.

galley (n) [γκάλι] κάτεργο, γαλέρα.

gallon (n) [γκάλον] γαλόνι.

gallop (n) [γκάλοπ] καλπασμός (v) καλπάζω.

gallows (n) [γκάλοουζ] αγχόνη, κρεμάλα,

galvanize (v) [γκάλβαναϊζ] γαλβανίζω.

gamble (v) [γκαμ-μπλ] ποντάρω, παίζω.

gambler (n) [γκάμ-μπλερ] παίκτης, τζογαδόρος, χαρτοπαίκτης.

gambling (adj) [γκάμ-μπλινγκ] χαρτο-παικτικός (n) χαρτοπαιξία.

gambol (v) [γκάμ-μπολ] σκιρτώ, χορο-πηδώ (n) σκίρτημα.

game (n) [γκέιμ] παιδιά, διασκέδαση, ά-θλημα, θήραμα, κυνήγι, παιχνίδι.

gaming (adj) [γκέιμινγκ] χαρτοπαιχτι-κός (n) τζόγος, χαρτοπαιξία.

gang (n) [γκανγκ] όμιλος, παρέα, ομά-δα, συμμορία (v) περπατώ, πηγαίνω.

ganger (n) [γκάνγκερ] επιστάτης.

gangling (adj) [γκάνγκλινγκ] ψηλόλιγνος.

gangplank (n) [γκάνγκπλανκ] διαβάθρα [ναυτ], μαδέρι, σανιδόσκαλα.

gangrene (n) [γκάνγκριν] γάγγραινα.

gangster (n) [γκάνγκστερ] συμμορίτης.

gap (n) [γκαπ] άνοιγμα, ρήγμα, οπή.

gape (v) [γκέιπ] ανοίγω το στόμα, χασμουριέμαι, χαζεύω, χαίνω, χάσκω.

garage (n) [γκαράαζζ] γκαράζ.

garbage (n) [γκάα-μπιντζζ] απορρίμματα.

garble (v) [γκάα-μπλ] διαστρέφω, διαστρεβλώνω, παραμορφώνω, διαψεύδω.

garden (n) [γκάα-ντεν] κήπος, πάρκο.

gardener (n) [γκάα-ντενερ] κηπουρός, περιβολάρης.

gardenia (n) [γκαα-ντίνια] γαρδένια.

gardening (n) [γκάα-ντενινγκ] κηπουρική.

gargle (n) [γκάαγκλ] γαργαρισμός, γαργάρα (v) γαργαρίζω, γουργουρίζω.

garish (adj) [γκέαιος] χτυπητός, φανταχτερός, κακόγουστος.

garland (n) [γκάαλαν-ντ] στεφάνι, γιρλάντα.

garlic (n) [γκάαλικ] σκόρδο [βοτ].

garment (n) [γκάαμεν-τ] περιβολή, ένδυμα, φόρεμα, ρουχικά.

garnish (v) [γκάανιος] διακοσμώ, στολίζω.

garniture (n) [γκάανιτσοερ] διάκοσμος.

garret (n) [γκάρετ] υπερώο, σοφίτα.

garrison (n) [γκάρισον] φρουρά.

garrulous (adj) [γκάριλας] ïιολυλογάς.

garter (n) [γκάατερ] περικνημίδα, καλτσοδέτα.

gas (n) [γκας] αέριο, γκάζι, (v) αερολογώ.

gasbag (n) [γκάσ-μπαγκ] ασκός αερίου, πολυλογάς, αερολόγος.

gaseous (adj) [γκάσιας] αεριώδης.

gash (n) [γκασς] εντομή, κόψιμο, τομή.

gasket (n) [γκάσκετ] παρέμβρυσμα, φλάντζα.

gaslight (n) [γκάσλαϊτ] αερίοφως.

gasp (v) [γκάασπ] αγκομαχώ, λαχανιάζω.

gastric (adj) [γκάστρικ] γαστρικός.

gastritis (n) [γκαστράτις] γαστρίτιδα.

gastronomic (adj) [γκαστρονόμικ] γαστρονομικός.

gastronomy (n) [γκαστρόνομι] γαστρονομία.

gate (n) [γκέιτ] καγκελόπορτα, φράκτης, είσοδος, αυλόπορτα, πόρτα, πύλη.

gates (n) [γκέιτς] πρόθυρα.

gateway (n) [γκέιτουέι] είσοδος, πύλη, εξώθυρα, εξώπορτα, πόρτα.

gather (v) [γκάδερ] συναθροίζω, συγκεντρώνω, μαζεύω.

gather up (v) [γκάδερ απ] περιμαζεύω.

gathering (n) [γκάδερινγκ] συλλογή, συγκέντρωση, συντροφιά, μάζεμα.

gauge (n) [γκόοντζζ] μέτρο, βασική μονάδα μέτρησης (v) υπολογίζω, μετρώ.

gaunt (adj) [γκόον-τ] κάτισχνος, κοκκαλιάρης, απελπισμένος.

gauze (n) [γκόοζ] γάζα.

gawky (adj) [γκόοκι] αδέξιος.

gay (adj) [γκέι] εύθυμος, ομοφυλόφιλος.

gaze (n) [γκέιζ] ματιά (v) κοιτάζω, ατενίζω.

gazette (n) [γκαζέτ] εφημερίδα.

gazing (n) [γκέιζινγκ] ενατένιση.

gear (n) [γκίαρ] εργαλεία, σύνεργα, εξαρτήματα (v) συνδέω, προσαρμόζω, συμπλέκω, συμπλέκομαι, εξοπλίζω.

geisha (n) [γκέισσα] γκέισα.

gelatin (n) [ντζζέλατιν] ζελατίνη.

geld (v) [γκελ-ντ] ευνουχίζω.

gem (n) [ντζζεμ] πέτρα, διαμάντι.

gendarme (n) [Ζζόν-ντααμ] χωροφύλακας [Γαλλ].

gender (n) [ντζζέν-ντερ] γένος, φύλο.

gene (n) [ντζζίιν] γονίδιο.

genealogy (n) [ντζζινιάλοντζζι] γενεαλογία.

general (adj) [ντζζένεραλ] γενικός, συνήθης (n) στρατηγός.

general practitioner (n) [ντζζένεραλ πρακτίσσονερ] παθολόγος.

generality (n) [ντζζενεράλιτι] γενικότητα, πλειονότητα, αοριστία.

generalize (v) [ντζζένεραλαϊζ] γενικεύω.

generally (adv) [ντζζένεραλι] γενικά.

generate (v) [ντζζένερέιτ] γεννώ, παράγω, δημιουργώ, γεννοβολώ.

generation (n) [ντζζενερέισσον] γέννηση, δημουργία, ράτσα, γενεά, γενιά.

generator (n) [ντζζενερέιτορ] γενήτορας.

generic (adj) [ντζζενέρικ] γενικός.

generosity (n) [ντζζενερόσιτι] γεναιοψυχία, απλοχεριά, γενναιοφροσύνη.

generous (adj) [ντζζένερας] μεγάθυμος, μεγαλόψυχος, φιλότιμος, γενναίος.

Genesis (n) [Τζένεσις] γένεση [εκκλ].

genetics (n) [ντζζενέτικς] γενετική.

genetive (case) (n) [ντζζένιτιβ κέις] γενική [γραμμ].

genial (adj) [ντζζίινιαλ] πρόσχαρος, προσηνής, εγκάρδιος, καλοσυνάτος.

genital (adj) [ντζζένιταλ] γεννητικός.

genius (n) [ντζζίινιας] ιδιοφυΐα, μεγαλοφυΐα, ταλέντο, πνεύμα, δαίμονας.

genocide (n) [ντζζένοσάι-ντ] γενοκτονία.

gentility (n) [ντζζεν-τίλιτι] αριστοκρατικότητα, αρχοντιά.

gentle (adj) [ντζζεν-τλ] ευγενικός, απαλός, μειλίχιος, πράος, χαμηλός [φωνή].

gentleman (n) [ντζζέν-τλμάν] κύριος, ιππότης, ευγενικός άνθρωπος, λεβέντης.

gentleness (n) [ντζζέν-τλνες] καλωσύνη, ανεκτικότητα, απαλότητα, γλυκύτητα.

gentry (n) [ντζζέν-τρι] μικρή αριστοκρατία, καλή κοινωνία, αρχοντολόι.

genuine (adj) [ντζζένιουιν] πραγματικός, αυθεντικός, βέρος, γνήσιος.

genuineness (n) [ντζζένιουινες] γνησιότητα.

geography (n) [ντζζιόγκραφι] γεωγραφία.

geology (n) [ντζζιόλοντζζι] γεωλογία.

geometry (n) [ντζζιόμετρι] γεωμετρία.

geranium (n) [ντζζεράνιαμ] γεράνι, πελαργόνιο.

geriatrics (n) [ντζζεριάτρικς] γηριατρική.

germ (adj) [ντζζερμ] μικροβιολογικός (n) μικρόβιο.

German (adj) [Τζέρμαν] γερμανικός (n) Γερμανός.

Germany (n) [Τζέρμανι] Γερμανία.

gerund (n) [ντζζέραν-ντ] γερούνδιο.

gest (n) [ντζζεστ] ανδραγάθημα, έπος.

gesticulate (v) [ντζζεστίκιουλέιτ] χειρονομώ, εκφράζω με χειρονομίες.

gesticulation (n) [ντζζεστίκιουλέισσον] χειρονομία.

gesture (n) [ντζζέστοσερ] σχήμα, χειρονομία (v) χειρονομώ.

get (v) [γκετ] κερδίζω, παίρνω, πετυχαίνω.

get a move on (ex) [γκετ α μουβ ον] άντε!.

get away (v) [γκετ αγουέι] διαφεύγω.

get better (v) [γκετ μπέτερ] καλυτερεύω.

get even with (v) [γκετ ίιβεν γουίδ] εκδικούμαι.

get hold of (v) [γκετ χόολ-ντ οβ] πιάνω.

get in (v) [γκετ ιν] εισχωρώ, μπαίνω.

get into (v) [γκετ ίν-του] φορώ.

get into debt (v) [γκετ ίν-του ντετ] χρεώνομαι.

get lost (v) [γκετ λοστ] χάνομαι.

get maggoty (v) [γκετ μάγκοτι] σκουληκιάζω.

get married (v) [γκετ μάρίι-ντ] παντρεύομαι, στεφανώνομαι.

get on (v) [γκετ ον] διεισδύω, προβαίνω, προελαύνω, προχωρώ.

get on well with (v) [γκετ ον γουέλ γουίδ] μονοιάζω, τα πηγαίνω καλά.

get out of (v) [γκετ άουτ οβ] ξεκόβω, βγάζω [εξαλείφω], βγαίνω.

get over (v) [γκετ όουβερ] συνέρχομαι.

get rid of (v) [γκετ ρι-ντ οβ] ξεμπερδεύω, εξαποστέλλω, ξεφορτώνω.

get square (v) [γκετ σκουέαρ] πατσίζω.

get tanned (v) [γκετ ταν-ντ] μαυρίζω.

get tired (v) [γκετ τάια-ντ] κουράζομαι.

get to the bottom of (v) [γκετ του δε μπότομ οβ] ξακρίζω, ξεδιαλύνω.

get undressed (v) [γκετ αν-ντρέσ-ντ] γδύνομαι.

get up (v) [γκετ απ] ορθώνομαι, σηκώνομαι, σηκώνω [αφυπνίζω].

get well soon (adv) [γκετ γουέλ σουν] περαστικά [για ασθένεια].

geyser (n) [γκίιζερ] θερμοπίδακας.

ghastly (adj) [γκάαστλι] τρομακτικός.

ghost (n) [γκόουστ] πνεύμα, φάντασμα.

giant (n) [ντζζάιαν-τ] κολοσσός, γίγαντας, γίγας (adj) γιγαντιαίος.

gibbet (n) [ντζζί-μπιτ] αγχόνη, κρεμάλα, φούρκα [κρεμάλα].

gibe (n) [ντζζάι-μπ] περιγέλασμα.

giddiness (n) [γκί-ντινες] ζαλάδα, ιλιγγος.

giddy (adj) [γκί-ντι] άμυαλος, ζαλισμένος.

gift (n) [γκιφτ] δωρεά, χάρισμα, δώρο, ταλέντο.

gifted (adj) [γκίφτι-ντ] ιδιοφυής, μεγαλοφυής, πολυτάλαντος, προικισμένος.

gigantic (adj) [ντζζαϊγκάν-τικ] γιγάντιος, τεράστιος.

giggle (n) [γκίγκλ] χάχας, ο γελών ηλίθια.

gigolo (n) [ντζζίγκολοου] καβαλιέρος επι πληρωμή, ζιγκολό.

gild (v) [γκιλ-ντ] επιχρυσώνω, χρυσώνω.

gills (n) [γκιλς] σπάραχνα, βράγχια.

gilt (adj) [γκιλτ] επίχρυσος (n) χρυσαλοιφή.

ginger (n) [ντζζι-ντζζα] πιπερόριζα [βοτ].

gipsy (n) [ντζζίπσι] γύφτος, τσιγγάνος.

giraffe (n) [ντζζιράαφ] καμηλοπάρδαλη.

girdle (n) [γκέρ-ντλ] ζώνη, ζωνάρι.

girl (n) [γκερλ] κοπέλα, κόρη, νέα, κορίτσι.

girlfriend (n) [γκέρλφρέν-ντ] φιλενάδα, γκόμενα.

girlish (adj) [γκέρλισς] κοριτσίστικος.

girth (n) [γκερθ] ίγγλα, περιφέρεια [δέντρου].

gist (n) [γκιστ] κύρια σημεία, ουσία [μεταφ].

give (v) [γκιβ] δωρίζω, αναθέτω, κατανέμω, δίνω, προσφέρω, χαρίζω.

give a hand (v) [γκιβ α χαν-ντ] βοηθώ.

give an account (v) [γκιβ αν ακάουν-τ] λογοδοτώ.

give away (v) [γκιβ αουέι] διατυμπανίζω.

give birth to (v) [γκιβ μπερθ του] τεκνοποιώ, γεννώ [για γυναίκα].

give in (v) [γκιβ ιν] υποτάσσομαι, ενδίδω.

give off (v) [γκιβ οφ] αναδίνω, αναπέμπω, αποπνέω, βγάζω [καπνό κτλ].

give out (v) [γκιβ άουτ] καταρρέω [μεταφ], διαχέω.

give up (v) [γκιβ απ] ξεκόβω, παύω.

give way (v) [γκιβ ουέι] ενδίδω, υποχωρώ.

glacial (adj) [γκλέισσιαλ] παγωμένος.

glacier (n) [γκλέισσιερ] παγετώνας.

glad (adj) [γκλα-ντ] ευχαριστημένος.

gladden (v) [γκλά-ντεν] χαροποιώ.

glade (n) [γκλέι-ντ] ξέφωτο.

glance (n) [γκλάανς] εποστρακισμός, ματιά, κοίταγμα, βλέμμα.

glare (n) [γκλέαρ] αντηλιά (v) λαμποκοπώ, ακτινοβολώ, λάμπω, αγριοκοιτάζω.

glass (adj) [γκλάας] γυάλινος (n) ποτήρι.

glasses (n) [γκλάασιζ] γυαλιά.

glasshouse (n) [γκλάασχάους] θερμοκήπιο.

glassmaker (n) [γκλάασμέικερ] υαλουργός.

glasspaper (n) [γκλάασπέιπερ] γυαλόχαρτο.

glassware (n) [γκλάασγουέαρ] γυαλικά, γυαλάδικο.

glaucoma (n) [γκλοουκόουμα] γλαύκωμα.

glaze (n) [γκλέιζ] λούστρο, γυαλάδα (v) βάζω τζάμια, λουστράρω.

gleam (n) [γκλίιμ] αντιφεγγιά, ακτίνα (v) ακτινοβολώ, λάμπω.

glib (adj) [γκλι-μπ] εύστροφος.

glide (v) [γκλάι-ντ] γλιστρώ.

glider (n) [γκλάι-ντερ] ανεμόπτερο.

glimmer (n) [γκλίμερ] αμυδρό φως (v) θαμποφέγγω.

glinding (n) [γκλί-ντινγκ] κατολίσθηση.

glint (n) [γκλιν-τ] λάμψη, ακτίνα (v) λάμπω.

glissade (n) [γκλισάα-ντ] γλίστρημα.

glitter (v) [γκλίτερ] σπιθοβολώ, αστράφτω (n) λαμποκόπημα.

gloat (over) (v) [γκλόουτ όουβερ] επιχαίρω, θριαμβολογώ.

globe (n) [γκλόου-μπ] υδρόγειος.

gloom (n) [γκλουμ] ακεφιά, σκότος, νέφος.

gloomy (adj) [γκλούουμι] νεκρικός, άκεφος, μελαγχολικός.

glorify (v) [γκλόριφάι] λατρεύω, τιμώ.

glorious (adj) [γκλόριας] λαμπρός, υπέροχος, ένδοξος, περιφανής.

glory (n) [γκλόρι] πομπή, δόξα, αίγλη.

gloss (n) [γκλος] γυαλάδα (v) λουστράρω.

glossary (n) [γκλόσαρι] λεξιλόγιο.

glossy (adj) [γκλόσι] γυαλιστερός.

glove (n) [γκλαβ] γάντι.

glow (n) [γκλόου] φέγγος (v) πυρακτώνω.

glow-worm (n) [γκλόου-ουέρμ] κωλοφωτιά, πυγολαμπίδα.

glower (v) [γκλόουερ] αγριοκοιτάζω.

glowing (n) [γκλόουινγκ] πύρωμα.

glue (n) [γκλου] κόλλα (v) κολλώ.

glum (adj) [γκλαμ] σκυθρωπός.

glut (n) [γκλατ] κορεσμός.

gluttonous (adj) [γκλάτονας] λαίμαργος.

gluttony (n) [γκλάτονι] αδηφαγία, λαιμαργία, πολυφαγία.

glycerine (n) [γκλίσεριν] γλυκερίνη.

gnarled (adj) [νάαλ-ντ] ροζιάρης.

gnash (v) [νασς] τρίζω [δόντια].

gnat (n) [νατ] σκνίπα, κουνούπι.

gnaw (v) [νόο] κατατρώγω.

gnome (n) [νόουμ] καλλικάντζαρος, τελώνιο, γνωμικό, αφορισμός.

go (v) [γκόου] μεταβαίνω.

go about (v) [γκόου α-μπάουτ] περιέρχομαι, κυκλοφορώ.

go across (v) [γκόου ακρός] περπατώ, διαβαίνω, διασχίζω.

go after (v) [γκόου άφτερ] παρακολουθώ.

go against (v) [γκόου αγκέινστ] αντιστρατεύομαι, αντιβαίνω.

go ahead (v) [γκόου αχέ-ντ] προπορεύομαι.

go at (v) [γκόου ατ] επιτίθεμαι.

go away (v) [γκόου αγουέι] απέρχομαι.

go bust (v) [γκόου μπαστ] χρεοκοπώ.

go down (v) [γκόου ντάουν] κατέρχομαι, φτηναίνω, συμβαίνω.

go forward (v) [γκόου φόοουαντ] προχωρώ.

go off (v) [γκόου οφ] εκπυρσοκροτώ, ξεκόβω [σταματώ].

go on strike (v) [γκόου ον στράικ] απεργώ.

go out (v) [γκόου άουτ] βγες.

go over (v) [γκόου όουβερ] προσχωρώ.

go red (v) [γκόου ρε-ντ] κατακοκκινίζω.

go through (v) [γκόου θρου] περονιάζω, δεινοπαθώ, διανύω.

go without (v) [γκόου ουίδάουτ] στερούμαι.

go wrong (v) [γκόου ρόονγκ] χαλάω [σχέδια].

goad (v) [γκόου-ντ] κεντώ, (n) βουκέντρα.

goal (n) [γκόουλ] στόχος, επιδίωξη.

goalkeeper (n) [γκόουλκίιπερ] τερματοφύλακας.

goat (n) [γκόουτ] τράγος, κατσίκα.

gob (n) [γκο-μπ] στόμα, φλέγμα.

gobbet (n) [γκό-μπιτ] μπουκιά, κομμάτι.

gobble (v) [γκο-μπλ] καταβροχθίζω, χάφτω (n) λαρυγγισμός.

goblet (n) [γκό-μπλετ] κούπα.

goblin (n) [γκό-μπλιν] ξωτικό.

God (n) [Γκο-ντ] Ύψιστος, Θεός.

god-forsaken (adj) [γκο-ντφορσέικεν] παντέρημος.

godchild (n) [γκο-νττσάιλ-ντ] βαπτιστικός, βαφτιστήρι.

goddaughter (n) [γκο-ντ-ντόοτερ] αναδεξιμιά.

goddess (n) [γκό-ντες] θεά.

godfather (n) [γκο-ντφάαδερ] νουνός.

godmother (n) [γκό-ντμάδερ] νουνά.

godparent (n) [γκό-ντπερεν-τ] ανάδοχος.

godsend (n) [γκό-ντσέ-ντ] θεόπεμπτος τύχη.

godson (n) [γκό-ντσάν] αναδεκτός (adj) βαφτιστικός.

goggle (v) [γκογκλ] γουρλώνω.

going (n) [γκόουινγκ] μετάβαση, πηγαιμός.

gold (adj) [γκόολ-ντ] χρυσός, μαλαματένιος (n) χρυσός, μάλαμα.

gold coin (n) [γκόουλντ κόιν] φλουρί.

gold mine (n) [γκόουλντ μάιν] πακτωλός, χρυσωρυχείο.

gold rush (n) [γκόουλντ ρασς] χρυσοθηρία.

gold digger (n) [γκόουλντ-ντίγκερ] χρυσοθήρας.

gold dust (n) [γκόουλντ-ντταστ] χρυσόσκονη.

gold-plated (adj) [γκόουλντ-πλέιτιντ] επίχρυσος.

goldfinch (n) [γκόουλ-ντφιν-τος] καρδερίνα.

goldfish (n) [γκόουλ-ντφιος] χρυσόψαρο.

goldminer (n) [γκόουλ-ντμάινερ] χρυσωρύχος.

goldsmith (n) [γκόουλ-ντσμιθ] χρυσικός.

golf (n) [γκολφ] γκολφ.

gondola (n) [γκό-ντταλα] λέμβος.

gondolier (n) [γκο-ντολίερ] γονδολιέρης.

gonorrhea (n) [γκονορία] βλεννόρροια.

good (adj) [γκου-ντ] κατάλληλος, χρήσιμος, υγιεινός (n) καλό, συμφέρον.

good afternoon (ex) [γκου-ντ άφτερνούν] καλησπέρα!.

good day (ex) [γκου-ντ ντέι] χαίρετε!.

good evening (ex) [γκου-ντ ίβνινγκ] καλησπέρα!.

good hearted (adj) [γκου-ντ χάατιντ] καλόκαρδος.

good humour (n) [γκου-ντ χιούμορ] ευδιαθεσία, κέφι.

good life (n) [γκου-ντ λάιφ] καλοπέραση.

good looks (n) [γκου-ντ λουκς] ομορφιά.

good luck (n) [γκου-ντ λακ] τύχη.

good morning (ex) [γκου-ντ μόονινγκ] καλημέρα!.

good night (ex) [γκου-ντ νάιτ] καληνύχτα!.

good turn (n) [γκου-ντ τερν] εκδούλευση.

good-for-nothing (adj) [γκου-ντ-φοονάθινγκ] ανεπρόκοπος (n) χαραμοφάης.

good-looking (adj) [γκου-ντ-λούκινγκ] όμορφος.

goodbye (ex) [γκου-ντ-μπάι] αντίο!, αποχαιρετισμός, γειά!.

goodness (n) [γκού-ντνες] καλοσύνη.

goodwill (n) [γκού-ντουίλ] ευμένεια, εύνοια, προθυμία.

goose (n) [γκους] χήνα [ζωολ].

gooseberry (n) [γκούζ-μπερι] ριβήσιο, φραγκοστάφυλο.

gore (v) [γκοο(ρ)] ξεκοιλιάζω.

gorge (n) [γκόοντζζ] χαράδρα.

gorilla (n) [γκορίλα] γορίλας.

gospel (n) [γκόσπελ] ευαγγέλιο.

gossamer (adj) [γκόσαμερ] αραχνοϋφαντος.

gossip (n) [γκόσιπ] σπερμολογία, κουτσομπολιό (v) φλυαρώ, λιμάρω.

Gothic (adj) [Γκόθικ] γοτθικός.

gourd (n) [γκόο-ντ] κολοκύθα.

gourmand (n) [γκόομον] καλοφαγάς.

gourmet (n) [γκόομεϊ] καλοφαγάς.

gout (n) [γκάουτ] ουρική αρθρίτιδα [ιατρ].

govern (v) [γκάβαν] ελέγχω, διαχειρίζομαι.

governess (n) [γκάβανες] παιδαγωγός.

government (n) [γκάβμεν-τ] κυβέρνηση.

governor (n) [γκάβανορ] κυβερνήτης.

gown (n) [γκάουν] φόρεμα (v) ντύνω.

gownsman (n) [γκάουνζμαν] τηβεννοφόρος, τακτικός καθηγητής.

grab (n) [γκρα-μπ] αρπαγή (v) αρπάζω.

grace (n) [γκρείς] χάρη, ομορφιά, φιλοφροσύνη (v) κοσμώ, στολίζω, ομορφαίνω.

graceful (adj) [γκρέισφουλ] ευχαρίς, χαριτωμένος, λυγερός.

grade (v) [γκρέι-ντ] διαβαθμίζω, ταξινομώ (n) βαθμίδα, σκαλί, τάξη.

gradual (adj) [γκράντζζουαλ] προοδευτικός, σταδιακός, βαθμιαίος.

graduate (adj) [γκράντζζουετ] απόφοιτος (v) [γκράντζζουέιτ] βαθμολογώ.

graduation (n) [γκραντζζουέισσον] αποφοίτηση, διαβάθμιση.

graft (v) [γκρααφτ] ενοφθαλμίζω, κεντρώνω (n) δωροδοκία, λάδωμα.

grain (n) [γκρέιν] κόκκος, δημητριακά, σίτος.

grammar (n) [γκράμα(ρ)] γραμματική.

grammatical (adj) [γκραμάτικαλ] γραμματικός.

gramme (n) [γκραμ] γραμμάριο.

granary (n) [γκράναρι] σιταποθήκη.

grand (adj) [γκραν-ντ] ονειρώδης.

grandchild (n) [γκράν-νττσσαϊλ-ντ] εγγόνι.

granddaughter (n) [γκράν-ντ-ντόοτερ] εγγονή.

grandeur (n) [γκράν-ντιαρ] μεγαλείο.

grandfather (n) [γκράν-ντφάαδερ] παππούς.

grandiloquent (adj) [γκράν-ντιλάκουεν-τ] μεγαλόστομος.

grandiose (adj) [γκράν-ντιόουζ] μεγαλοπρεπής, επιβλητικός.

grandmother (n) [γκράν-ντμάδερ] γιαγιά.

grandson (n) [γκράν-ντσαν] εγγονός.

granite (n) [γκρανιτ] γρανίτης.

granny (n) [γκράνι] κυρούλα.

grant (v) [γκρααν-τ] δίνω (n) χορήγημα.

grantee (n) [γκράαν-τί] εκδοχέας.

granular (adj) [γκράνιουλα(ρ)] κοκκώδης, κοκκωτός, κοκκιώδης.

grape (n) [γκρέιπ] σταφύλι.

grapefruit (n) [γκρέιπφρουουτ] γκρέιπ φρούτ, αγριόφραπα.

graphic (n) [γκράφικ] γραφίστας.

graphite (n) [γκράφαϊτ] γραφίτης.

grapple (n) [γκραπλ] αγκίστρωση.

grasp (v) [γκράασπ] αρπάζω (n) πιάσιμο.

grass (adj) [γκράας] χορταρένιος (n) χλόη, γρασίδι, χορτάρι, χόρτο.

grasshopper (n) [γκράασχόπερ] ακρίδα.

grate (v) [γκρέιτ] ξύνω, τρίβω.

grateful (adj) [γκρέιτφρούλ] ευγνώμονας.

gratification (n) [γκρατιφικέισσον] ικανοποίηση, αμοιβή.

gratify (v) [γκράτιφάι] ευαρεστώ.

grating (adj) [γκρέιτινγκ] ενοχλητικός, κακόηχος (n) δικτυωτό, τρίψιμο.

gratis (adv) [γκράτις] δωρεάν.

gratitude (n) [γκράτιτιου-ντ] χάρη.

gratuitous (adj) [γκρατιούίτας] δωρεάν, χαριστικός, μάταιος, άδικος, περιττός.

gratuity (n) [γκράτιουτι] φιλοδώρημα.

grave (adj) [γκρέιβ] κρίσιμος, σοβαρός, (n) λάκκος, τάφος, τύμβος.

gravedigger (n) [γκρέιβ-ντίγκερ] νεκροθάφτης.

gravely (adv) [γκρέιβλι] σοβαρά.

graveyard (n) [γκρέιβγιάα-ντ] νεκροταφείο.

gravitation (n) [γκραβιτέισσον] βαρύτητα, παγκόσμια έλξη.

gravity (n) [γκράβιτι] κρισιμότητα, σπημασία, σοβαρότητα, βαρύτητα.

gravy (n) [γκρέιβι] σάλτσα.

gray (n) [γκρέι] γκρι [ΗΠΑ].

graze (v) [γκρέιζ] ξεγδέρνω, βόσκω (n) εκδορά, αμυχή.

grease (n) [γκρίις] λίγδα, ξύγκι, γράσο (v) γρασάρω, λιπαίνω.

greaseproof paper (n) [γκρίισπρούφ πέιπερ] λαδόχαρτο.

greasy (adj) [γκρίισι] λιπώδης, λαδωμένος.

great (adv) [γκρέιτ] πολύ (adj) σπουδαίος, άριστος, μέγας, περιφανής, ψηλός.

great-grandchild (n) [γκρέιτγκράν-νττσσαϊλ-ντ] δισέγγονος.

great-grandfather (n) [γκρέιτ-γκράν-ντφάαδα(ρ)] προπάππους.

great-grandmother (n) [γκρέιτγκράνντμάδα(ρ)] προγιαγιά.

greatcoat (n) [γκρέιτκόουτ] χλαίνη, μανδύας [στρατ].

greater (adj) [γκρέιτα(ρ)] μεγαλύτερος (adv) πιο.

greatly prized (adj) [γκρέιτλι πράιζντ] περιζήτητος.

greatness (n) [γκρέιτνες] μεγαλείο, μέγεθος.

Greece (n) [Γκρίις] Ελλάδα.

greed (adj) [γκρίι-ντ] άπληστος (n) πλεονεξία, απληστία, λαιμαργία.

greediness (n) [γκρίι-ντινες] πλεονεξία, απληστία.

greedy (adj) [γκρίι-ντι] λαίμαργος, φιλοκερδής, λιχούδης, άπληστος.

Greek (n) [Γκρίικ] Έλληνας (adv) ελληνικά (adj) ελληνικός.

green (adj) [γκρίιν] άγουρος, αμάθητος, πρωτόπειρος, χλωρός (n) λαχανικό.

green apple (n) [γκρίιν απλ] ξινόμηλο [ΗΠΑ].

green beans (n) [γκρίιν μπίινς] φασολάκια.

greenery (n) [γκρίινερι] πρασινάδα.

greenfly (n) [γκρίινφλάι] μελίγκρα.

greengrocer (n) [γκρίινγκρόουσα(ρ)] οπωροπώλης, μανάβης.

greengrocery (n) [γκρίινγκρόουσερι] μαναβική.

greenhouse (n) [γκρίινχαους] σέρα, θερμοκήπιο.

greenness (n) [γκρίιννες] χλόη.

greens (n) [γκρίινζ] χορταρικά.

greet (v) [γκρίιτ] δέχομαι [δεξιούμαι], υποδέχομαι, χαιρετίζω.

greeting (adj) [γκρίιτινγκ] χαιρετιστήριος (n) ασπασμός, χαιρέτισμα, χαιρετισμός.

greetings (n) [γκρίιτινγκς] χαιρετίσματα.

gregarious (adj) [γκριγκέριας] αγελαίος, κοπαδιαστός.

grenade (n) [γκρενέι-ντ] βόμβα.

grey (adj) [γκρέι] σταχτύς, φαιός (n) γκρι.

grey-bearded (n) [γκρέι-μπίερ-ντιντ]

ψαρογένης.

grey-haired (adj) [γκρέι-έαρ-ντ] ψαρής (n) γκριζομάλλης.

greyhound (n) [γκρέιχάου-ντ] λαγωνικό.

grid (n) [γκρι-ντ] πλέγμα, σκάρα.

gridiron (n) [γκρί-νταϊ-αν] σχάρα.

grief (n) [γκρίιφ] θλίψη [μεταφ], λύπη, οδύνη [ηθική], πίκρα.

griefstricken (adj) [γκρίιφστρίκεν] τεθλιμμένος.

grievance (n) [γκρίιβανς] παράπονο.

grieve (v) [γκρίιβ] θλίβω, πικραίνω.

grievous (adj) [γκρίιβας] οδυνηρός.

grill (n) [γκριλ] φαγητό της σχάρας (v) ψήνω στη σκάρα, καψαλίζομαι, ανακρίνω.

grille (n) [γκρίιλ] γρίλια, κάγκελο.

grilled meat (n) [γκριλ-ντ μίιτ] ψητό.

grim (adj) [γκριμ] αγριωπός.

grimace (n) [γκρίμας] γκριμάτσα, μορφασμός (v) μορφάζω.

grime (v) [γκράιμ] λερώνω.

grimy (adj) [γκράιμι] ρυπαρός.

grin (n) [γκριν] γκριμάτσα.

grind (n) [γκράιν-ντ] σπασίλας (v) αλέθω, φθείρω, λειαίνω, κοπανίζω, τραγανίζω, τροχίζω (n) τριγμός, άλεσμα, λείανση.

grindstone (n) [γκράιν-ντστόουν] τροχός, ακόνι.

grip (n) [γκριπ] σφίξιμο, λαβή, χειρολαβή (v) κατακτώ, αδράχνω, μαγγώνω.

gripe (v) [γκράιπ] κλαίγομαι.

grist (n) [γκριστ] άλεσμα.

grit (n) [γκριτ] αμμοχάλικο, χόνδρος (v) τρίζω [δόντια].

grits (n) [γκριτς] μπλιγούρι.

grizzled (adj) [γκριζλ-ντ] σταχτύς.

groan (n) [γκρόουν] στεναγμός, μουγκρητό, βογκητό (v) μουγκρίζω.

groats (n) [γκρόουτς] αποφλοιωμένα δημητριακά, μπλιγούρι.

grocer (n) [γκρόουσα(ρ)] μπακάλης.

groceries (n) [γκρόουσερις] εδώδιμα.

grocery (n) [γκρόουσερι] μπακάλικο.

groggy (adj) [γκρόγκι] ασταθής, εξασθενημένος, ετοιμόρροπος.

groin (n) [γκρόιν] αχαμνά.

groom (n) [γκρούουμ] ιπποκόμος, νεόνυμφος, γαμπρός, σταβλίτης.

groomsman (n) [γκρούουμζμαν] παράνυμφος.

groove (n) [γκρούουβ] αυλακιά.

grope (v) [γκρόουπ] ψηλαφίζω.

groping (n) [γκρόουπινγκ] ψασοπάτεμα.

gross (adj) [γκρόους] σωματώδης, αγενής, μεικτός (n) σύνολο, όγκος, γρόσσα.

grotesque (adj) [γκροουτέσκ] αφύσικος, τερατώδης.

grouch (n) [γκράουτσ] γκρίνια.

ground (n) [γκράουν-ντ] περιοχή, έδαφος (adj) τριμμένος (v) θεμελιώνω.

ground floor (n) [γκράουν-ντ φλόο(ρ)] ισόγειο.

grounded (adj) [γκράουν-ντι-ντ] προσηραγμένος, καθισμένος [ναυτ].

grounding (n) [γκράουν-ντινγκ] στήριξη, κατάρτιση, γείωση.

grounds (n) [γκράουν-ντζ] αιτιολογικό, σκεπτικό.

group (n) [γκρουπ] συγκρότημα, ομάδα, όμιλος, γκρουπ.

grousing (adj) [γκράουζινγκ] παραπονιάρης.

grove (n) [γκρόουβ] αλσύλλιο.

grovel (v) [γκρόβλ] σέρνομαι.

grovelling (adj) [γκρόβελινγκ] χαμερπής.

grow (v) [γκρόου] μεγαλώνω, αυξάνω, ψηλώνω, ριζώνω.

grow old (v) [γκρόου όολ-ντ] γερνώ.

grow powerful (v) [γκρόου πάουερφουλ] τρανεύω.

grow quiet (v) [γκρόου κουάιετ] ησυχάζω.

grow taller (v) [γκρόου τόολα(ρ)] μακραίνω, ψηλώνω.

grow thick (v) [γκρόου θικ] πυκνώνω.

grow too much (v) [γκρόου τούου ματος] παραγίνομαι.

grow up (v) [γκρόου απ] μεγαλώνω.

grow wise (v) [γκρόου ουάιζ] φρονιμεύω.

grower (n) [γκρόουερ] καλλιεργητής.

growing (n) [γκρόουινγκ] ψήλωμα.

growl (n) [γκρόουλ] ψίθυρος.

growth (n) [γκρόουθ] ανάπτυξη, επέκταση, εξέλιξη.

grub (n) [γκρα-μπ] μαμούνι (v) σκαλίζω.

grubber (n) [γκρά-μπερ] σκαφτιάς, εκριζωτής, ερευνητής.

grubby (adj) [γκρά-μπι] λερωμένος.

grudge (v) [γκραντζζ] φθονώ.

gruesome (adj) [γκρούουσαμ] φρικιαστικός, απαίσιος, μακάβριος.

gruff (adj) [γκραφ] τραχύς, εχθρικός, απότομος.

grumble (n) [γκραμ-μπλ] μουρμούρα, γκρίνια (v) γογγύζω.

grumpy (adj) [γκράμ-πι] σκυθρωπός.

grunt (v) [γκραν-τ] γρυλίζω.

grunting (n) [γκράν-τινγκ] γρυλισμός.

guarantee (n) [γκαραν-τίι] ενέχυρο, ασφάλεια, εγγύηση (v) εγγυούμαι.

guarantor (n) [γκάραν-τόο(ρ)] εγγυητής.

guard (n) [γκάα-ντ] προστασία, άμυνα, φρουρά (v) φυλάσσω, προσέχω.

guard-room (n) [γκάα-ντ-ρουμ] πειθαρχείο.

guarded (adj) [γκάα-ντι-ντ] επιφυλακτικός.

guardhouse (n) [γκάα-ντχάους] φυλάκιο.

guardian (n) [γκάα-ντιαν] κηδεμόνας, φρουρός (v) επιτροπεύω.

guardianship (n) [γκάα-ντιανσσιπ] κηδεμονία.

guardroom (n) [γκάα-ντρουουμ] φυλάκιο, πειθαρχείο.

guardsman (n) [γκάα-ντζμαν] εθνοφρουρός.

gudgeon (n) [γκά-ντντζζαν] γωβιός, κοκκοβιός.

guerrilla (n) [γκερίλα] ανταρτοπόλεμος.

guess (n) [γκες] εικασία, μάντευμα (v) εικάζω, μαντεύω, βρίσκω.

guest (n) [γκεστ] φιλοξενούμενος, ξένος, μουσαφίρης, καλεσμένος.

guest room (n) [γκεστρουμ] ξενώνας.

guffaw (n) [γκάφαου] καγχασμός (v) καγχάζω.

guffaws (n) [γκάφαουζ] θυμηδία.

guidance (n) [γκάι-ντανς] καθοδήγηση, προσανατολισμός, οδηγία.

guide (v) [γκάι-ντ] ξεναγώ, κατευθύνω (n) οδηγός, σύμβουλος, παράδειγμα.

guild (n) [γκίλ-ντ] σωματείο.

guile (n) [γκάιλ] πανουργία.

guillotine (n) [γκίλοτίν] λαιμητόμος, καρμανιόλα, γκιλοτίνα.

guilt (n) [γκιλτ] ενοχή, κρίμα.

guilty (adj) [γκίλτι] ένοχος.

guinea (n) [γκίνι] χρυσό νόμισμα.

guinea pig (n) [γκίνι πιγκ] πειραματόζωο.

guitar (n) [γκιτάα(ρ)] κιθάρα.

guitar-player (n) [γκτάα-πλέιερ] κιθαρίστας.

gulf (n) [γκαλφ] κόλπος, βάραθρο.

gullet (n) [γκάλετ] οισοφάγος.

gullibility (n) [γκαλι-μπίλιτι] ευπιστία, ευήθεια, αφέλεια.

gullible (adj) [γκάλι-μπλ] αφελής, χαζός.

gully (n) [γκάλι] ρεματιά, φαράγγι.

gulp (n) [γκαλπ] ρούφηγμα.

gulp down (v) [γκαλπ ντάουν] καταπίνω.

gum (n) [γκαμ] κόλλα, γόμα.

gun (n) [γκαν] κανόνι, κουμπούρα, τουφέκι.

gun flint (n) [γκαν φλιν-τ] στουρνάρι.

gun-carriage (n) [γκαν-κάριντζ] κιλλίβαντας πυροβόλου.

gunboat (n) [γκαν-μπόουτ] κανονιοφόρος.

gunfire (n) [γκάν-φαϊα(ρ)] πυρ.

gunman (n) [γκάν-μαν] κακοποιός, κουμπούρας, πιστολάς.

gunnel (n) [γκάνελ] κουπαστή.

gunner (n) [γκάνερ] οπλίτης, πυροβολητής.

gunpowder (n) [γκάν-παου-ντερ] πυρίτιδα, μπαρούτι.

gunshop (n) [γκάν-σσοπ] οπλοπωλείο.

gunshot (n) [γκάν-σσοτ] κουμπουριά, πιστολιά, τουφεκιά, κανονιά.

gunsmith (n) [γκάν-σμιθ] οπλουργός.

gup (n) [γκαπ] κουτσομπολιό.

gurgle (v) [γκεργκλ] γαργαρίζω.

gurgling (adj) [γκέργκλινγκ] γάργαρος.

gush (v) [γκασς] ρέω, αναβλύζω, παφλάζω (n) εκροή, ανάβλυση.

gusset (n) [γκάσιτ] τσόντα.

gust (n) [γκαστ] ριπή, σπιλιάδα.

gustation (n) [γκαστέισσον] γεύση.

gutless (adj) [γκάτλες] ψοφοειδής.

guts (n) [γκατς] κότσια, έντερο.

gutsy (adj) [γκάτσι] ψυχωμένος.

gutter (n) [γκάτερ] χαντάκι, οχετός.

guttersnipe (n) [γκάτερσνάιπ] αλητόπαιδο, αλανιάρης, γαβριάς.

guttural (adj) [γκάτεραλ] λαρυγγικός.

guzzle (v) [γκαζλ] καταβροχθίζω.

guzzler (n) [γκάζλερ] φαγάνα.

gymnasium (n) [ντζζιμνέιζιαμ] γυμναστήριο.

gymnastics (n) [ντζζιμνάστικς] γυμναστική, σωματική αγωγή.

gynecologist (n) [γκαϊνεκόλοντζζιστ] γυναικολόγος.

gynecology (n) [γκαϊνεκόλοντζζι] γυναικολογία.

gypsy (adj) [ντζζίπσι] γύφτικος (n) αθίγγανος, ατσίγγανος.

gyration (n) [ντζζαϊρέισσον] περιστροφή.

gyre (n) [ντζζάιρ] περιστροφή, γύρος,

H, h (n) [έιτς] το όγδοο γράμμα του αγγλικού αλφαβήτου.

H-bomb (n) ['Έιτσς-Μπομ-μπ] υδρογονοβόμβα.

ha (ex) [χάα] επιφώνημα αμφιβολίας, έκπληξης κλπ.

haberdasher (n) [χά-μπα-ντάσσα(ρ)] έμπορος ψιλικών.

haberdashery (n) [χά-μπα-ντάσσερι] ψιλικά, ψιλικατζίδικο.

habit (n) [χά-μπιτ] έξη, συνήθεια, έθιμο.

habitable (adj) [χά-μπιτα-μπλ] κατοικήσιμος, οικήσιμος.

habitant (n) [χά-μπιταν-τ] κάτοικος.

habitation (n) [χά-μπιτέισσον] κατοίκηση, κατοικία.

habits (n) [χά-μπιτς] συνήθειες.

habitual (adj) [χα-μπίτσσουαλ] συνήθης.

habituate (v) [χα-μπίτσσουεϊτ] συνηθίζω.

habituation (n) [χα-μπιτσσιουέισσον] εξοικείωση, εθισμός.

habitude (n) [χά-μπιτιου-ντ] έξη.

habitué (n) [χα-μπίτσουέι] θαμώνας.

hackney carriage (n) [χάκνι κάριντζζ] άμαξα, μόνιππο.

hacksaw (n) [χάκσόο] μεταλλοπρίονο, σιδηροπρίονο, πριόνι.

haemorrhage (n) [χέμοριντζζ] αιμορραγία.

haemorrhoids (n) [χέμοροϊ-ντς] αιμορροΐδες, ζοχάδες.

haft (n) [χααφτ] λαβή [ξίφους κλπ], χερούλι.

hag (n) [χαγκ] παλνόγρηα, μέγαιρα.

haggard (adj) [χάγκα-ντ] τσακισμένος.

haggle (v) [χαγκλ] διαπραγματεύομαι.

haggling (n) [χάγκλινγκ] παζάρεμα.

hail (n) [χέιλ] χαλάζι (v) χαιρετίζω, ζητωκραυγάζω.

hailstorm (n) [χέιλστοομ] χαλαζοθύελλα.

hair (n) [χέα(ρ)] κόμη, μαλλιά.

hair style (n) [χέα στάιλ] κόμμωση.

hair-raising (adj) [χέαρρέιζινγκ] ανατριχιαστικός, τρομαχτικός.

hair-remover (n) [χέαρριμούβερ] αποτριχωτικό.

hair-splitting (n) [χέασπλίτινγκ] λεπτολογία.

hairbrush (n) [χέα-μπράσς] βούρτσα.

hairclip (n) [χέακλιπ] τσιμπιδάκι.

hairdresser (n) [χέα-ντρέσσα(ρ)] κουρέας.

hairdressing salon (n) [χέα ντρέσινγκ σάλον] κομμωτήριο.

hairnet (n) [χέανέτ] φιλές μαλλιών.

hairpin (n) [χέαπιν] φουρκέτα.

hairstylist (n) [χέαστάιλιστ] κομμωτής.

hairy (adj) [χέαρι] δασύς, τριχωτός.

halcyon (n) [χάλσιαν] αλκυόνα, ψαροπούλι (adj) γαλήνιος, ήρεμος.

half (adj) [χάαφ] μισός (n) ήμισυ.

half-baked (adj) [χάαφ-μπέικ-τ] μισοψημένος, ατελής, ημιτελής.

half-brother (adj) [χάαφ-μπράδερ] ετεροθαλής.

half-caste (n) [χάαφ-κάαστ] μιγάδας.

half-cooked (adj) [χάαφ-κούουκ-ντ] μισοψημένος.

half-finished (adj) [χάαφφρίνισσ-τ] ημιτελής.

half-hearted (adj) [χάαφχάατιντ] ανόρεχτος [μεταφ].

half-hourly (adj) [χάαφ-άουαλι] ημίωρος.

half-mast (adj) [χάαφ-μάαστ] μεσίστιος.

half-time (n) [χάαφ-τάιμ] ημιχρόνιο.

halfmoon (n) [χάαφμουν] μηνίσκος, η-μισέληνος, μισοφέγγαρο.

halfwit (n) [χάαφουίτ] βλάκας, χαζός.

halidom (n) [χάλι-ντομ] παρεκκλήσιο.

hall (n) [χόολ] διάδρομος, αίθουσα.

hallelujah (n) [χάλελούια] αλληλούια.

hallo (ex) [χαλόου] γειάσου!, ε!.

hallow (v) [χάλοου] καθαγιάζω.

hallucination (n) [χαλουσινέισσον] παραίσθηση, οπτασιασμός.

hallucinatory (adj) [χαλουσινέιτερι] ψευδαισθησιακός.

halo (n) [χέιλου] φωτοστέφανος, ιερότητα.

halojens (n) [χάλοντζζενς] αλογόνα, α-λατογόνα [χημ].

halt (n) [χόολτ] στάση, παύση (v) παύω.

halter (n) [χόολτερ] καπίστρι.

halting (n) [χόολτινγκ] κατάπαυση.

halva (n) [χάλβα] χαλβάς.

halve (v) [χάαφ] διχάζω, χωρίζω.

ham (n) [χαμ] ζαμπόν, χοιρομέρι.

hamburger (n) [χάμ-μπέργκερ] μπιφτέκι.

hamlet (n) [χάμλετ] χωριουδάκι.

hammer (n) [χάμα(ρ)] σφύρα, κόκορας [όπλου], σφυρί, βαριά (v) σφυρηλατώ.

hammer in (v) [χάμερ ιν] μπήζω.

hammer out (v) [χάμερ άουτ] εκπονώ.

hamper (n) [χάμ-πα(ρ)] κάνιστρο.

hand (n) [χαν-ντ] χέρι, ανάμιξη, πάσα, μπάζα, δείχτης (v) εγχειρίζω, επιδίδω.

hand over (v) [χαν-ντ όουβα(ρ)] δίνω.

hand-operated (adj) [χάν-ντοπερέιτι-ντ] χειροκίνητος.

hand-organ (n) [χάν-ντόογκαν] οργανάκι.

hand-picked (adj) [χάν-ντπικ-τ] επίλεκτος.

handbag (n) [χάν-ντ-μπάγκ] τσάντα.

handful (n) [χάν-ντφουλ] χεριά, χούφτα.

handicap (n) [χάντικαπ]εμπόδιο, μειονέκτημα, αναπηρία.

handicraft (n) [χάν-ντικρααφτ] βιοτεχνία.

handiwork (n) [χάν-ντιουερκ] χειροτεχνία, δημιούργημα, εργόχειρο.

handkerchief (n) [χάντκερτσσίιφ] μαντίλι.

handle (n) [χαν-ντλ] πόμολο, χερούλι, λαβή (v) αγγίζω, ψηλαφώ, διευθύνω.

handlebars (n) [χάν-ντλ-μπάαζ] τιμόνι [ποδηλάτου].

handless (adj) [χάν-ντλες] κουλός.

handling (n) [χάν-ντλινγκ] αντιμετώπιση.

handmade (adj) [χάν-ντμεϊ-ντ] χειροποίητος.

handrail (n) [χάν-ντρεϊλ] χειρολαβή.

handsaw (n) [χάν-ντσόο] πριόνι.

handsome (adj) [χάν-ντσομ] ανδροπρεπής, αδρός, όμορφος, ωραίος.

handstitch (n) [χάν-ντστίτος] γαζί.

handwork (n) [χάν-ντουερκ] χειροτεχνία.

handwoven material (n) [χάν-νουόβεν ματίαριαλ] υφαντό.

handwritten (adj) [χάν-ντρίτεν] χειρόγραφο.

handy (adj) [χάν-ντι] ευπρόσιτος, χρήσιμος, βολικός (adv) κοντά, πλησίον.

hang (v) [χανγκ] αναρτώ, κρεμνώ.

hang up (v) [χανγκ απ] αναρτώ.

hangar (n) [χάνγκα(ρ)] υπόστεγο.

hangdog (adj) [χάνγκ-ντογκ] ένοχος.

hanger (n) [χάνγκα(ρ)] κρεμάστρα.

hanger-on (n) [χάνγκερον] φορτικός άνθρωπος, παράσιτος.

hanging (n) [χάνγκινγκ] κρέμασμα.

hangman (n) [χάνγκμαν] δήμιος.

hangnail (n) [χάνγκνέιλ] παρανυχίδα.

hanky (n) [χάνκι] μαντίλι.

hansom (n) [χάνσομ] μόνιππο.

hap (n) [χαπ] τύχη, σύμπτωση, ατύχημα, συμβάν (v) συμπίπτω, γίνομαι.

haphazardly (adv) [χάπχάζαντλι] τυχαία, στα κουτουρού.

hapless (adj) [χάπλες] ατυχής, δύσμοιρος.

happen (v) [χάπεν] τυχαίνω, στέκομαι, συμβαίνω, συμπίπτω.

happenings (n) [χάπενινγκς] διατρέξαντα.

happily (adv) [χάπιλι] ευτυχώς.

happiness (n) [χάπινες] ευτυχία.

happy (adj) [χάπι] ευχαριστημένος, καλότυχος, αίσιος, ευτυχής.

happy life (n) [χάπι λάιφ] καλοπέραση.

hara-kiri (n) [χαρα-κίρι] χαρακίρι.

harangue (v) [χαράνγκ] ρητορεύω.

harass (v) [χαράς] ξεθεώνω, συγχύζω.

harassment (n) [χαράσμεν-τ] παρενόχληση, ταλαιπωρία.

harbinger (n) [χάα-μπίντζζα(ρ)] προάγγελος, πρόδρομος.

harbour (n) [χάα-μπα] λιμήν (v) περιθάλπω, στεγάζω.

harbour guard (n) [χάα-μπα γκάα-ντ] λιμενοφύλακας.

harbourage (n) [χάα-μπεριντζζ] άσυλο.

harbouring (n) [χάα-μπαρινγκ] υπόθαλψη.

hard (adv) [χάα-ντ] γερά, δυνατά (adj) αυστηρός, άκαμπτος, πικρός, ωμός.

hard of hearing (adj) [χάα-ντ οβ χίιρινγκ] κουφός, βαρήκοος.

hard to please (adj) [χάα-ντ του πλίιζ] δύσκολος, ζόρικος.

hard work (n) [χάα-ντ ουέρκ] εργατικότητα.

hard working (adj) [χάα-ντ ουέρκινγκ] προκομμένος, φίλεργος.

hard-core (adj) [χάα-ντκόο(ρ)] σκληροπυρηνικός.

hard-hit (adj) [χάα-ντχιτ] δοκιμασμένος.

hard-up (adj) [χάαρ-νταπ] στενοχωρημένος.

harden (v) [χάα-ντεν] σκληραίνω.

hardened (adj) [χάα-ντεν-ντ] αδιόρθωτος.

hardening (n) [χάα-ντενινγκ] σκληραγωγία, πώρωση.

hardihood (n) [χάα-ντιχου-ντ] αντοχή, θάρρος, τόλμη, θράσος.

hardily (adv) [χάα-ντιλι] τολμηρά.

hardness (n) [χάα-ντνες] σκληρότητα.

hardship (n) [χάα-νττσσιπ] δεινοπάθεια.

hardware shop (n) [χάα-ντουέα(ρ) σσοπ] σιδηροπωλείο.

hardy (adj) [χάα-ντι] ανθεκτικός, σκληρός.

hare (n) [χέα(ρ)] λαγός.

harebell (n) [χέα-μπέλ] κωδωνίσκος.

harebrained (adj) [χέα-μπρέιν-ντ] απερίσκεπτος, άμυαλος.

harem (n) [χάαρεμ] γυναικωνίτης.

haricot bean (n) [χάρικοτ μπίιν] φασόλι [βοτ], εντεράδα.

harlequin (n) [χάαλεκουιν] αρλεκίνος.

harlot (n) [χάαλοτ] πόρνη.

harm (n) [χάαμ] βλάβη, ζημιά, κακό (v) ζημιώνω.

harmful (adj) [χάαμφουλ] βλαβερός.

harmless (adj) [χάαμλες] ακίνδυνος.

harmonica (n) [χααμόνικα] φυσαρμόνικα.

harmonious (adj) [χααμόουνιας] αρμονικός.

harmonium (n) [χααμόουνιαμ] αρμόνιο.

harmonization (n) [χααμοναϊζέισσον] εναρμόνιση.

harmonize (v) [χάαμονάιζ] συνδιαλλάσσω, συμβιβάζω, ταιριάζω.

harmony (n) [χάαμονι] αρμονία.

harness (n) [χάανες] σαγή (v) ζεύω.

harnessing (n) [χάανεσινγκ] ζέψιμο.

harp (n) [χάαπ] άρπα.

harpoon (n) [χααπούουν] καμάκι.

harrow (n) [χάροου] βωλοκόπος, σβάρνα (v) σβαρνίζω, τυρανώ.

harrowing (adj) [χάροουινγκ] βασανιστικός, οδυνηρός.

harry (v) [χάρι] εισβάλω, λεπλατώ, διαρπάζω, παρενοχλώ, βασανίζω.

harsh (adj) [χάασς] τραχύς, κακόφωνος, σκληρός, στρυφνός, τσουχτερός.

harshness (n) [χάασσνες] σκληρότητα.

harvest (n) [χάαβεστ] θερισμός, τρύγος.

hashish (n) [χάσσιος] ινδική κάνναβις.

haste (n) [χέιστ] σπουδή, ταχύτητα, φούρια, βιασύνη (v) σπεύδω.

hasten (v) [χέιοεν] επισπεύδω.

hastily (adv) [χέιστιλι] πεταχτά.

hasty (adj) [χέιστι] βιαστικός, απερίσκεπτος, οξύθυμος, τρεχάτος.

hat (n) [χατ] καπέλο.

hat rack (n) [χατ ρακ] κρεμάστρα.

hatbox (n) [χάτ-μπόξ] καπελιέρα.

hatch (v) [χατσς] κλωσώ (n) καταπακτή, επώαση.

hatch way (n) [χατσς ουέι] μπουκαπόρτα.

hatcher (n) [χάτσσερ] κλώσσα.

hatchery (n) [χάτσσερι] εκκολαπτήριο, ιχθυοτροφείο.

hatchet (n) [χάτσσετ] μπαλτάς, τσεκούρι.

hate (v) [χέιτ] μάχομαι, μισώ.

hated (adj) [χέιτι-ντ] μισητός.

hateful (adj) [χέιτφουλ] μισητός.

hatred (n) [χέιτρι-ντ] έχθρα, μίσος.

hatter (n) [χάτερ] πιλοποιός.

haughtiness (n) [χόοτινες] έπαρση.

haughty (adj) [χόοτι] υπερήφανος, ψηλομύτης (n) περιφρονητικός.

haul (v) [χόολ] ρυμουλκώ, έλκω.

haulage (n) [χόολιντζζ] έλξη.

haulage contractor (n) [χόολιντζζ κοντράκτορ] μεταφορέας.

haunch (n) [χόον-τος] ισχίο, γοφός.

haunches (n) [χόον-τοσιζ] οσφύς.

haunt (v) [χόον-τ] συχνάζω.

have (v) [χαβ] αποκτώ, έχω, κρατώ.

have a bad time (v) [χαβ α μπα-ντ τάιμ] κακοπερνώ.

have a fit (v) [χαβ α φιτ] κρεπάρω.

have a liking for (v) [χαβ α λάικινγκ φοο] συμπαθώ.

have a part (in) (v) [χαβ α πάαρτ [ιν]] συμμερίζομαι.

have a relapse (v) [χαβ α ρίλάπς] υποτροπιάζω.

have a turn (v) [χαβ α τερν] λαχταρίζω.

have an affair (v) [χαβ αν αφέαρ] νταραβερίζομαι ερωτικά.

have an idea (v) [χαβ αν άι-ντία] υποπτεύομαι.

have an operation (v) [χαβ αν οπερέισσον] χειρουργούμαι.

have enough (v) [χαβ ινάφ] χορταίνω.

have faith in (v) [χαβ φέιθ ιν] πιστεύω.

have in mind (v) [χαβ ιν μάι-ντ] μελετώ.

have mercy on (v) [χαβ μέρσι ον] ευσπλαχνίζομαι.

have pins and needles (v) [χαβ πινζ εντ νίι-ντλζ] μυρμηδίζω.

have pity on (v) [χαβ πίτι ον] σπλαχνίζομαι.

have recourse to (v) [χαβ ρικόος του] προσφεύγω.

have room (v) [χαβ ρουμ] χωράω.

have something soled (v) [χαβ σάμθινγκ σόουλ-ντ] σολιάζω.

haven (n) [χέιβεν] άσυλο, λιμένας.

haversack (n) [χάβασακ] σακίδιο.

having a sense of pride and honour (adj) [χάβινγκ α σενς οβ πράι-ντ εν-ντ ό-να] φιλότιμος.

having ties with (adj) [χάβινγκ τάιζ ουίδ] συνδεδεμένος.

havoc (n) [χάβοκ] θραύση.

hawk (n) [χόοκ] γεράκι [ζωολ].

hawker (n) [χόοκα(ρ)] πλανόδιος.

hay (n) [χέι] σανός, άχυρο.

hayloft (n) [χέιλοφτ] αχερώνας.

haystack (n) [χέιστάκ] θημωνιά.

hazard (n) [χάζα-ντ] κίνδυνος, τύχη, μπαρμπούτι (v) θαρρεύω, τολμώ.

hazardous (adj) [χάζα-ντας] επικίνδυνος.

haze (n) [χέιζ] ελαφριά ομίχλη, αχλή, καταχνιά (v) δυναστεύω.

hazelnut (n) [χέιζελνατ] φουντούκι [βοτ].

haziness (n) [χέιζινες] θαμπάδα.

hazy (adj) [χέιζι] ομιχλώδης, μουντός.

he (pron) [χι] αυτός, εκείνος.

head (n) [χε-ντ] αρχηγός, κεφάλι.

head cook (n) [χε-ντ κουκ] αρχιμάγειρος.

head for (n) [χε-ντ φοο] κατευθύνομαι.

head of (a) department (n) [χε-ντ οβ [α] ντιπάατμεν-τ] τμηματάρχης.

head of the family (n) [χε-ντ οβ δε φάμιλι] οικογενειάρχης.

head of university (n) [χε-ντ οβ ιουνιβέρσιτι] πρύτανης.

head start (n) [χε-ντ σταατ] αβάντα, ωφέλεια, κέρδος, προσόν.

head-on (adj) [χε-ντόν] μετωπικός.

headache (n) [χέ-ντέικ] ζαλάδα.

headband (n) [χέ-ντ-μπάν-ντ] κεφαλόδεσμος.

headdress (n) [χέ-ντ-ρές] κάλυμμα.

header (n) [χέ-ντα(ρ)] κεφαλιά.

heading (n) [χέ-ντινγκ] καθοδήγηση.

headlamp (n) [χέ-ντλάμ-π] φανάρι.

headland (n) [χέ-ντλά-ντ] κάβος.

headless (adj) [χέ-ντλες] ακέφαλος.

headlight (n) [χέ-ντλάιτ] προβολέας.

headline (n) [χέ-ντλάιν] επικεφαλίδα.

headlong (adv) [χέ-ντλόνγκ] κατακέφαλα (adj) ραγδαίος [πτώση].

headquarters (n) [χέ-ντκουόοταζ] διοικητήριο, αρχηγείο, στρατηγείο.

headscarf (n) [χέ-ντσκάαφ] μαντίλα.

headstrong (adj) [χέ-ντστρόνγκ] ξεροκέφαλος (n) ισχυρογνώμονας.

headwaters (n) [χέ-ντουόοταζ] κεφαλάρι.

headway (n) [χέ-ντουεϊ] προέλαση.

heady (adj) [χέ-ντι] μεθυστικός.

heal (v) [χίιλ] θεραπεύω.

healing (adj) [χίιλινγκ] φαρμακευτικός (n) επούλωση, ίαση.

health (n) [χελθ] υγεία, υγιεινή.

healthy (adj) [χέλθι] υγιεινός, υγιής, γερός.

heap (n) [χίιπ] στοίβα, πληθώρα.

heap up (v) [χίιπ απ] επισωρεύω.

hear (v) [χία(ρ)] ακροάζομαι, ακούω, εκδικάζω.

hear wrongly (v) [χία(ρ) ρόνγκλι] παρακούω.

hearing (n) [χίιρινγκ] ακοή, εκδίκαση.

hearse (n) [χερς] νεκροφόρα.

heart (n) [χάατ] αγάπη, καρδιά, ανθρωπιά, ψυχή, κέντρο, πυρήνας, ουσία.

heart attack (n) [χάατ ατάκ] έμφραγμα.

heart condition (n) [χάατ κο-ντίσσον] καρδιοπάθεια.

heart failure (n) [χάατ φέιλια(ρ)] καρδιακή ανεπάρκεια, ανακοπή.

heart specialist (n) [χάατ σπέσιαλιστ] καρδιολόγος.

heartbeat (n) [χάατ-μπίιτ] καρδιοχτύπι.

heartbreak (n) [χάατ-μπρέικ] σπαραγμός.

heartbroken (adj) [χάατ-μπρόουκεν] τεθλιμμένος.

heartburn (n) [χάατ-μπέρν] καούρα.

hearten (v) [χάατεν] ενθαρρύνω.

hearth (n) [χάαθ] εστία.

hearting (adj) [χάατινγκ] ενθαρρυντικός.

heartless (adj) [χάατλες] άκαρδος, άπονος.

hearty (adj) [χάατι] εγκάρδιος.

heat (n) [χίιτ] ζέστη (v) πυρανώ.

heat up (v) [χίιτ απ] ζεσταίνω.

heat-stroke (n) [χίιτστρόουκ] θερμοπληξία.

heated (adj) [χίιτι-ντ] βίαιος.

heater (n) [χίιτερ] θερμοσίφωνας.

heath (adj) [χίιθ] χερσότοπος, θαμνότοπος, ρείκι [βοτ].

heathen (adj) [χίιδεν] εθνικός.

heating (adj) [χίτινγκ] θερμαντικός (n) θέρμανση, ζέσταμα, τζάκι.

heatwave (n) [χίιτουέιβ] καύσωνας.

heave (v) [χίιβ] σηκώνω, τραβώ.

heaven (n) [χέβεν] παράδεισος.

heaven-sent (adj) [χέβενσεν-τ] ουρανοκατέβατος, ουρανόσταλτος.

heavenly (adj) [χέβενλι] επουράνιος.

heavy (adj) [χέβι] βαρύς, σθεναρός.

heavy fall (n) [χέβι φόολ] βρόντος.

heavy load (n) [χέβι λόου-ντ] φόρτος.

heavy loss (n) [χέβι λος] πανωλεθρία.

heavy stick (n) [χέβι στικ] μαγκούρα.

hecatomb (n) [χέκατουουμ] εκατόμβη.

heckler (n) [χέκλερ] θορυβοποιός.

hectare (n) [χέκταρ] εκτάριο.

hectic (adj) [χέκτικ] ταραχώδης.

hector (v) [χέκτορ] καταπιέζω.

hectoring (n) [χέκτορίνγκ] καταπίεση.

hedge (n) [χεντζζ] περίφραγμα, φράχτης (v) φράζω, φράσσω.

hedgehog (n) [χέντζχογκ] σκαντζόχοιρος.

hedging (n) [χέντζινγκ] περίφραξη.

hedonism (n) [χέ-ντονιζμ] ηδονισμός, ηδονισμός [φιλοσ] [ψυχολ].

heed (v) [χίι-ντ] προσέχω.

heedful (adj) [χίι-ντφουλ] συνετός.

heedless (adj) [χίι-ντλες] αμέριμνος.

heel (n) [χίιλ] φτέρνα, τακούνι.

hegemony (n) [χιντζζέμονι] ηγεμονία.

height (n) [χάιτ] λόφος, μέγεθος, ύψος.

heighten (v) [χάιτεν] υψώνω.

heinous (adj) [χέινας] στυγερός.

heir (n) [είρ] κληρονόμος.

heirloom (n) [είρλούμ] οικογενειακό κειμήλιο.

helicopter (n) [χέλικόπτερ] ελικόπτερο.

hell (n) [χελ] κατάρα [μεταφ], κόλαση, Άδης, βασίλειο των νεκρών.

Hellenist (n) [Χέλενιστ] ελληνιστής.

Hellenistic (adj) [Χελενίστικ] ελληνιστικός.

hello (ex) [χάλοου] χαίρετε! (n) γειά.

helm (n) [χελμ] κράνος, τιμόνι.

helmet (n) [χέλμιτ] κράνος.

helmsman (n) [χέλμζμαν] τιμονιέρης.

helot (n) [χέλοτ] είλωτας.

help (n) [χελπ] βοήθεια, αρωγή (v) εξυπηρετώ, παραστέκω, βοηθώ.

helper (adj) [χέλπερ] βοηθός.

helpful (adj) [χέλπφουλ] χρήσιμος.

helping (n) [χέλπινγκ] μερίδα.

helplessness (n) [χέλπλεσνες] ανημποριά.

helpmate (n) [χέλπμέιτ] ταίρι.

helter-skelter (adv) [χέλτασκέλτα(ρ)] ατάκτως, φύρδην μίγδην.

helve (n) [χελβ] χειρολαβή.

Helvetian (adj) [χελβίισσν] ελβετικός, Ελβετός (n) Ελβετός.

hem (n) [χεμ] στρίφωμα, ούγια, ποδόγυρος (v) στριφώνω.

hem in (v) [χεμ ιν] εγκλωβίζω.

hem-line (n) [χεμλαϊν] ποδόγυρος.

hemiplegia (n) [χεμιπλίντζζια] ημιπληγία.

hemisphere (n) [χέμισφίερ] ημισφαίριο.

hemispherical (adj) [χέμισφέρικαλ] ημισφαιρικός.

hemlock (n) [χέμλοκ] κώνειο.

hemming (n) [χέμινγκ] στρίφωμα.

hemp (n) [χεμ-π] καννάβι.

hempseed (n) [χέμ-ποϊι-ντ] κανναβούρι.

hen (n) [χεν] κότα, όρνιθα.

hen coop (n) [χεν κουπ] κοτέτσι.

hen roost (n) [χεν ρουστ] ορνιθώνας.

hence (adv) [χενς] εντεύθεν, εξ ου.

henceforth (adv) [χένσφόοθ] εντεύθεν, από τούδε, στο εξής.

henchman (n) [χέντσμαν] μπράβος.

henhouse (n) [χένχάους] ορνιθώνας.

hennery (n) [χένερι] πτηνοτροφείο.

hepatitis (n) [χεπατάιτις] ηπατίτιδα.

Her Majesty (n) [Χερ Μάντζζεστι] μεγαλειοτάτη.

herald (n) [χέραλ-ντ] αγγελιοφόρος.

heraldic (adj) [χεράαλ-ντικ] εραλδικός.

herb (adj) [χερ-μπ] ποίμνιο, χόρτο.

herb tea (n) [χερ-μπ τί] αφέψημα.

herbivorous (adj) [χερ-μπίβορους] χορτοφάγος [ζώο].

Herculean (adj) [Χερκιούλιαν] Ηράκλειος.

Hercules (n) [Χέρκιουλιτζ] Ηρακλής.

herd (n) [χερ-ντ] αγέλη, κοπάδι.

herdsman (n) [χέρ-ντζμαν] βοσκός.

here (adv) [χία(ρ)] εδώ, προς τα εδώ.

hereditary (adj) [χερέ-ντιτρι] κληρονομικός, πατροπαράδοτος.

heredity (n) [χερέ-ντυ] κληρονομικότητα.

heresy (n) [χέρεσι] αίρεση.

heretical (adj) [χερέτικαλ] αιρετικός.

heritage (n) [χέριτιντζζ] κληρονομιά.

heritor (n) [χέριτορ] κληρονόμος.

hermetic (adj) [χερμέτικ] απόκρυφος.

hermetical (adj) [χερμέτικαλ] στεγανός.

hermit (n) [χέρμπτ] ερημίτης.

hermitage (n) [χέρμπταντζζ] ερημητήριο.

hernia (n) [χέρνια] κήλη.

hero (n) [χίιροου] ήρωας.

hero-worship (n) [χίροου-ουέρσσιπ] η-ρωολατρία.

Herod (n) [Χέρο-ντ] Ηρώδης.

heroic (adj) [χιρόικ] ηρωικός.

heroics (n) [χιρόικς] στόμφος.

heroin (n) [χέροουιν] ηρωίνη.

heroin addict (n) [χέροουιν ά-ντικτ] η-ρωινομανής.

heroine (n) [χέροουιν] ηρωίδα.

heroism (n) [χίροουιζμ] ηρωισμός.

herring (n) [χέρινγκ] ρέγγα.

herringbone (n) [χέρινγκ-μπόουν] ψαροκόκαλο [σχέδιο].

Hertzian (adj) [Χέρτσιαν] ερτζιανός.

hesitancy (n) [χέζιτανσι] δισταγμός, κόμπιασμα, αποθυμία.

hesitant (adj) [χέζιταν-τ] διστακτικός.

hesitate (v) [χέζιτεϊτ] διστάζω.

hesitation (n) [χεζιτέισσον] δισταγμός.

hessian (n) [χέσιαν] καννάβατσο, λινάτσα.

heterodox (adj) [χέτεροου-ντοξ] ετερόδοξος, ανορθόδοξος.

heterogeneous (adj) [χετερόντζζενας] ε-τερογενής, ετερόκλιτος.

heterosexual (adj) [χετεροσέξουαλ] ετερόφυλος.

hew (v) [χιού] κόπτω, τεμαχίζω.

hexagon (n) [χέξαγκον] εξάγωνο.

hey! (ex) [χέι] ε!, βρε!.

heyday (n) [χέι-ντέι] ακμή, φόρτε.

hiatus (n) [χαϊέιτας] κενό, χάσμα.

hibiscus (n) [χαϊ-μπίσκας] ιβίσκος.

hiccup (n) [χίκαπ] λόξυγγας.

hidden (adj) [χί-ντεν] μυστικός.

hide (n) [χάι-ντ] τομάρι, πετσί, φυλάχτρα (v) κρύπτω, αποκρύπτω.

hide-and-seek (n) [χάι-ντ-εν-σίικ] κρυφτούλι, κρυφτό.

hideaway (n) [χάι-νταουέι] κρησφύγετο.

hideous (adj) [χί-ντιας] αποτρόπαιος, φρικαλέος, φρικτός.

hideout (n) [χάι-ντάουτ] κρυψώνα, καταγώγιο, λημέρι.

hiding (n) [χάι-ντινγκ] απόκρυψη.

hiding place (n) [χάι-ντινγκ πλέις] κρύπτη, κρυψώνα, καταφύγιο.

hierarchical (adj) [χαϊεράακικαλ] ιεραρχικός.

hierarchy (n) [χάιεράακι] ιεραρχία.

hieroglyphic (adj) [χαϊερογκλίφικ] ιερογλυφικός.

high (adj) [χάι] ισχυρός, ευγενής, ψηλός, αντικυκλώνας.

high blood pressure (n) [χάι μπλα-ντ πρέσσερ] υπέρταση.

high commissioner (n) [χάι κομίσσονερ] ύπατος αρμοστής.

high noon (n) [χάι νουν] καταμεσήμερο.

high priest (n) [χάι πρίιστ] αρχιερέας.

high school (n) [χάι σκουλ] γυμνάσιο.

high temperature (n) [χάι τέμ-πρα-τσσα(ρ)] πυρετός.

high up (adv) [χάι απ] ψηλά.

high-handedness (n) [χάι-χάν-ντι-ντνες] αυταρχικότητα.

high-mindedness (n) [χάι-μάιν-ντι-ντνες] υψηλοφροσύνη.

high-speed (adj) [χάισπίι-ντ] πολύστρο-φος [μηχανή].

higher (adj) [χάια(ρ)] ανώτερος.

highest (adj) [χάιεστ] ύπατος, υπέρτα-τος, ύψιστος.

highest point (n) [χάιεστ πόιν-τ] μεσου-ράνημα.

highhanded act (adj) [χάιχάν-ντι-ντ άα-κτ] αυθαίρετος (n) αυθαιρεσία.

highlander (n) [χάιλα-ντερ] βουνίσιος.

highlight (n) [χάιλάιτ] αποκορύφωμα.

highly strung (adj) [χάιλι στρανγκ] νευ-ρικός.

highminded (n) [χαϊμάιν-ντι-ντ] υψη-λόφρονας.

Highness (n) [Χάινες] υψηλότητα.

hight (adj) [χάιτ] καλούμενος.

highway (n) [χάιουέι] δημοσιά, αυτοκι-νητόδρομος.

hijinks (n) [χάιντζζ ινκς] γλέντι.

hike (v) [χάικ] πεζοπορώ (n) εκδρομή.

hiker (n) [χάικερ] πεζοπόρος.

hilarious (adj) [χιλέιριας] εύθυμος, κω-μικός, ξεκαρδιστικός.

hilarity (n) [χιλάριτι] ευθυμία.

hill (n) [χιλ] λόφος, ύψωμα.

hillbilly (n) [χιλ-μπιλι] ορεσίβιος.

hillock (n) [χίλλοκ] λοφίσκος.

hillside (n) [χιλσάι-ντ] πλαγιά.

hilly (adj) [χίλι] λοφώδης, ορεινός.

hind (adj) [χάιν-ντ] οπίσθιος.

hinder (v) [χίν-ντα] δυσχεραίνω.

hinge (n) [χιν-ντζζ] μεντεσές.

hinny (n) [χίνι] ημίονος, μουλάρι.

hint (n) [χιν-τ] υπαινιγμός (v) υποδείχνω.

hint at (v) [χιν-τ ατ] υπαινίσσομαι, υπο-δηλώνω.

hinterland (n) [χίν-ταλαν-ντ] ενδοχώρα.

hip (n) [χιπ] ισχίο, γοφός, μελαγχολία [κοιν] (v) μελαγχολώ.

hipped (adj) [χιπ-τ] μελαγχολικός.

hippocampus (n) [χιπόκαμ-μπας] ιππό-καμπος.

hippodrome (n) [χίπο-ντρόουμ] ιππό-δρομος.

hippopotamus (n) [χιποπόταμας] ιππο-πόταμος.

hire (n) [χάια(ρ)] αμοιβή, ενοικίαση (v) προσλαμβάνω, αγκαζάρω, ενοικιάζω.

hire out (v) [χάιερ άουτ] μισθώνω.

hired man (n) [χάια-ντ μαν] μισθοφόρος.

hirer (n) [χάιερερ] μισθωτής.

His Grace (n) [Χιζ Γκρέις] θεοφιλέστα-τος, μακαριότατος.

His Holiness (n) [Χιζ Χόουλινες] πανα-γιότατος.

His Majesty (n) [Χιζ Μάντζζεστι] μεγα-λειότατος.

His/Your Highness (n) [Χιζ-Ιόο Χάι-νες] υψηλότατος.

His/Your Reverence (n) [Χιζ-ιόο Ρέβε-ρενς] σεβασμιότατος.

hiss (v) [χις] σφυρίζω.

hissing (n) [χίσινγκ] σφύριγμα.

historian (adj) [χιστόοριαν] ιστορικός, ιστοριοδίφης.

historic (adj) [χιστόρικ] ιστορικός.

historical (n) [χιστόρικαλ] ιστορικός.

history researcher (n) [χίστορι ριισέρ-τσσα(ρ)] ιστοριοδίφης.

histrionic (adj) [χιστριόνικ] θεατρικός, δραματικός, μελοδραματικός, θεατρινί-στικος.

histrionics (n) [χιστριόνικζ] θεατρινι-σμοί, μελοδραματισμοί.

hit (v) [χιτ] χτυπώ (n) χτύπημα.

hitch (v) [χιτος] τραβώ, αγκιστρώνω (n)

κόμβος, τράβηγμα.

hoard up (v) [χόο-ντ απ] θησαυρίζω.

hoard up money (v) [χόο-ντ απ μάνεϊ] χρηματίζομαι.

hoarfrost (n) [χόοφρόστ] πάχνη.

hoarse (adj) [χόος] βραχνός.

hoarseness (n) [χόοσνες] βραχνάδα.

hoax (n) [χόουξ] φάρσα, απάτη.

hoaxer (n) [χόουξερ] ματσαράγκας.

hobble (v) [χο-μπλ] κουτσαίνω.

hobby (n) [χό-μπι] χόμπυ, πάρεργο.

hobnob (v) [χό-μπνό-μπ] νταραβερίζομαι.

hocus-pocus (n) [χόουκαςπόουκας] ταχυδακτυλουργία, απάτη.

hod (n) [χο-ντ] πηλοφόρι.

hodja (n) [χό-νντντζζαα] χότζας.

hoe (n) [χόου] τσάπα (v) σκαλίζω.

hoeing (n) [χόουινγκ] σκάλισμα.

hog (n) [χογκ] χοίρος, γουρούνι.

hoggish (adj) [χόγκισς] άπληστος.

hoist (v) [χόιστ] έρω, ανεβάζω (n) ανύψωση, σήκωμα, παλάγκο, βίντσι.

hoisterous (adj) [χόιστερας] θορυβώδης.

hoisting (n) [χόιστινγκ] ανύψωση.

hold (n) [χόουλ-ντ] λαβή, στήριγμα, πιάσιμο (v) συγκρατώ, διατηρώ, βαστώ.

hold back (v) [χόουλ-ντ μπακ] συγκρατώ, εμποδίζω, κρύβω.

hold firm (v) [χόουλ-ντ φερμ] αντέχω.

hold forth (v) [χόουλ-ντ φοοθ] μακρηγορώ.

hold in contempt (v) [χόουλ-ντ ιν κοντέμ-πτ] περιφρονώ.

hold in custody (v) [χόουλ-ντ ιν κάστοντι] προφυλακίζω.

hold in high regard (v) [χόουλ-ντ ιν χάι ριγκάα-ντ] υπολήπτομαι.

hold one's ground (v) [χόουλ-ντ ουάνζ γκράουν-ντ] αμύνομαι.

hold one's tongue (v) [χόουλ-ντ ουάνζ τανγκ] σιωπώ.

hold up (v) [χόουλ-ντ απ] στήνω.

holding (n) [χόουλ-ντινγκ] πιάσιμο, συ-

γκράτηση, κλήρος.

holding back (n) [χόουλ-ντινγκ μπακ] κρατημός (adj) ανασταλτικός.

hole (n) [χόουλ] οπή, κενό.

holed (adj) [χόουλ-ντ] τρυπητός.

holey (adj) [χόουλι] τρυπητός, τρύπιος.

holiday (n) [χόλι-ντέι] διακοπές.

holiness (n) [χόουλινες] αγιότητα.

Holland (n) [Χόλαν-ντ] Ολλανδία.

hollow (adj) [χόλοου] διάκενος, κούφιος (n) γούβα, τρύπα, αυλάκι.

hollow of hand (n) [χόλοου οβ χαν-ντ] φούχτα, χούφτα.

hollow out (v) [χόλοου άουτ] κοιλαίνω, κουφώνω, βαθύνω.

hollowness (n) [χόλοουνες] κοιλότητα.

holocaust (n) [χόλοουκοοστ] ολοκαύτωμα.

holy (adj) [χόουλι] άγιος, ιερός.

holy bread (n) [χόουλι μπρε-ντ] αντίδωρο.

Holy Communion (n) [Χόουλι Κομιούνιον] μετάληψη, κοινωνία.

holy martyr (n) [χόουλι μάατα(ρ)] ιερομάρτυρας.

holy orders (n) [χόουλι όο-νταζ] Ιεροσύνη.

Holy Week (n) [Χόουλι Ουίικ] μεγάλη εβδομάδα.

holy-oil (n) [χόουλιόιλ] μύρο.

home (adj) [χόουμ] οικιακός (n) οικία, οικογένεια, πατρίδα.

home comforts (n) [χόουμ κάμφατς] κομφόρ, ανέσεις.

home guard (n) [χόουμ γκάα-ντ] εθνοφρουρά, εθνοφυλακή.

home-made (adj) [χόουμμέι-ντ] σπιτικός.

homeless (adj) [χόουμλες] άστεγος.

homeopathic (adj) [χοουμιοπάθικ] ομοιοπαθητικός.

homeopathy (n) [χοουμιόπαθι] ομοιοπαθητική.

Homer (n) [Χόουμερ] Όμηρος.

Homeric (adj) [Χοουμέρικ] ομηρικός.

homesick (adj) [χόουμσίκ] νοσταλγικός.

homesickness (n) [χόουμσίκνες] νοσταλγία.

homestead (n) [χόουμστέ-ντ] αγροτική κατοικία, σπίτι, φάρμα.

hometown (n) [χόουμτάουν] χωριό.

homicide (n) [χόμισαϊ-ντ] φόνος.

homily (n) [χόμιλι] ομιλία, διάλεξη.

homing (n) [χόμινγκ] παλινόστηση (adj) παλινοστών.

homogeneity (n) [χομοντζζενεϊ-ιτι] ομογένεια, ομοιογένεια.

homogeneous (adj) [χομόντζζινας] ομογενής, ομοιογενής.

homosexual (adj) [χοουμοουσέξουαλ] ομοφυλόφιλος, κίναιδος.

homosexuality (n) [χομοσεξουάλιτι] ομοφυλοφιλία.

hone (n) [χόουν] ακόνι.

honest (adj) [όνεστ] έντιμος, ευθύς.

honesty (n) [όνεστι] ακεραιότητα.

honey (n) [χάνι] μέλι, βάλσαμο.

honey-coloured (adj) [χάνικόλαντ] μελής.

honeycomb (n) [χάνικόουμ] κελί.

honeysuckle (n) [χάνισακλ] αγιόκλημα.

honorary (adj) [όνορερι] επίτιμος.

honour (n) [όνορ] τιμή, υπόληψη, αξιοπρέπεια (v) τιμώ, σέβομαι.

honourable (adj) [όνορα-μπλ] τίμιος, αξιότιμος (n) χρηστός.

honoured (adj) [όνα-ντ] τιμημένος.

hood (n) [χου-ντ] καπό, αισχρός.

hoodlum (n) [χού-ντλαμ] κακοποιός.

hoodoo (v) [χού-ντού] γρουσουζεύω.

hoodwink (v) [χού-ντουινκ] τυφλώνω, κοροϊδεύω, εξαπατώ.

hoof (n) [χουφ] οπλή, νύχι.

hook (v) [χουκ] αγκιστρώνω (n) αρπαγή, κόρακας, αγκίστρι.

hook up (v) [χουκ απ] κρεμώ.

hookah (n) [χούκαα] λουλάς.

hooked (adj) [χουκ-ντ] γαμψός.

hooker (n) [χούκερ] πόρνη [αργκό].

hooking on (n) [χούκινγκ ον] κρέμασμα.

hooligan (n) [χούουλιγκαν] αλήτης, μάγκας, ταραξίας, μόρτης.

hooliganism (n) [χούουλιγκανιζμ] αλητεία.

hoop (n) [χούουπ] γύρος [βαρελιού], στεφάνι [βαρελιού].

hoop-skirt (n) [χούουπ-σκέρτ] κρινολίνο.

hoopoe (n) [χούου-που] τσαλαπετεινός.

hoot (v) [χούουτ] κορνάρω.

hooter (n) [χούουτερ] σειρήνα.

hooting (n) [χούουτινγκ] γιουχάισμα.

hop (n) [χοπ] πυροστιά (v) σκιρτώ.

hope (n) [χόουπ] ελπίδα (v) ευελπιστώ, εύχομαι, προσδοκώ.

hopeful (adj) [χόουπφουλ] ελπιδοφόρος (n) φέρελπις.

hopeless (adj) [χόουπλες] απελπιστικός.

hopscotch (n) [χόπσκοτος] κουτσό.

horde (n) [χόο-ντ] ορδή, στίφος.

horizon (n) [χοράιζον] ορίζοντας.

horizontal (adj) [χοριζόν-νταλ] οριζόντιος.

hormone (n) [χόομοουν] ορμόνη.

horn (adj) [χόον] κοκάλινος (n) κέρας, κλάξον, κόρνο, χωνί.

horn-owl (n) [χόον-άουλ] μπούφος.

horoscope (n) [χόροσκοουπ] ωροσκόπιο.

horrible (adj) [χόρι-μπλ] τρομακτικός, απαίσιος, φρικαλέος, φρικτός.

horrid (adj) [χόρι-ντ] φρικτός.

horrifying (adj) [χόριφαϊνγκ] φρικιαστικός.

horror (n) [χόρα(ρ)] απέχθεια.

horse (n) [χόος] ίππος, ιππικό.

horse lover (adj) [χόος λάβερ] φίλιππος.

horse-cab (n) [χόος-κα-μπ] αμαξάκι.

horse-grooming (n) [χόος-γκρούμινγκ] ιπποκομία.

horse-race (n) [χόος-ρέις] ιπποδρομία.

horse-whip (n) [χόος-ουίπ] καμουτσίκι.

horsefly (n) [χόοσφλαϊ] αλογόμυγα.

horseman (n) [χόοσμαν] ιππέας.

horsemanship (n) [χόοσμανσσιπ] ιππική.

horsepower (n) [χόοσπαουερ] ιπποδύναμη.

horseshoe (n) [χόοςσσου] πέταλο.

horsetail (n) [χόοςτεϊλ] αλογοουρά.

horsewoman (n) [χόοουμαν] αμαζόνα.

horsy (adj) [χόσοι] φίλιππος.

hortative (adj) [χόοτατιβ] προτρεπτικός.

horticultural (adj) [χοοτικάλτσσεραλ] φυτοκομικός, κπουρικός.

horticulture (n) [χόοτικάλτσσερ] κπουρική, φυτοκομία.

hosanna (ex) [χοουζάνα] ωσανά.

hose (n) [χόουζ] μάνικα, σωλήνας.

hospitable (adj) [χόσπιτα-μπλ] φιλόξενος, γενναιόδωρος [μεταφ].

hospital (adj) [χόσπιταλ] νοσοκομειακός (n) θεραπευτήριο.

hospital (private) (n) [χόσπιταλ [πράιβατ]] κλινική [ιδιωτική].

hospitality (n) [χόσπιτάλιτι] φιλοξενία.

host (n) [χόουστ] μεγάλο πλήθος.

hostage (n) [χόστιντζ] όμηρος.

hostel (n) [χοστλ] πανδοχείο.

hostess (n) [χοουστές] ξενοδόχος.

hostile (adj) [χόσταϊλ] εχθρικός.

hostilities (n) [χοστίλιτιζ] εχθροπραξίες.

hostility (n) [χοστίλιτι] έχθρα.

hot (adj) [χοτ] ζεστός, καυτερός.

hot air (n) [χοτ έα(ρ)] αερολογία.

hot dog (n) [χοτ ντογκ] λουκάνικο.

hot drink (n) [χοτ ντρινκ] ρόφημα.

hot house (n) [χοτ χάους] θερμοκήπιο.

hot springs (n) [χοτ σπρινγκς] θέρμες, λουτρά.

hot-blooded (adj) [χοτ-μπλά-ντι-ντ] θερμόαιμος.

hot-tempered (adj) [χοτ-τέμ-παντ] θυμώδης, ορμητικός.

hot-water bottle (n) [χοτ-ουότα μποτλ] θερμοφόρος, θερμοφόρα.

hotel (n) [χοουτέλ] ξενοδοχείο.

hotelier (n) [χοουτέλιερ] ξενοδόχος.

hotheaded (adj) [χοτχέν-ντε-ντ] ορμητικός, ασυγκράτητος.

hounding (n) [χάουν-ντινγκ] καταδίωξη.

hour (n) [άουα(ρ)] ώρα.

hour hand (n) [άουα χαν-ντ] ωροδείχτης.

hourly (adj) [άουαλι] ωριαίος.

house (n) [χάους] σπίτι, ξενοδοχείο, πανσιόν (v) σπιτώνω.

house agency (n) [χάους έιντζενσι] μεσιτικό γραφείο.

house estate agent (n) [χάους εστέιτ έιντζζεν-τ] κτηματομεσίτης.

house of worship (n) [χάους οβ ουέρσσιπ] τέμενος.

house-painter (n) [χάουσπέιν-τερ] σοβατζής.

householder (n) [χάουσχόολ-ντερ] σπιτονοικοκύρης.

housekeeping (n) [χάουσκίπινγκ] οικοκυρική, νοικοκυριό.

Houses of Parliament (n) [Χάουζιζ οβ Πάαλιμεν-τ] κοινοβούλιο.

housewife (n) [χάουσουάιφ] οικοδέσποινα, νοικοκυρά.

housing (n) [χάουζινγκ] στέγαση.

hovel (n) [χόβλ] καλύβι, τρώγλη.

hover (v) [χόουβερ] πλανόμαι, ζυγιάζομαι, ισοζυγίζω.

how (adv) [χάου] πώς, τί.

however (conj) [χάουέβερ] όμως, αλλά.

howl (v) [χάουλ] κραυγάζω.

howler (n) [χάουλερ] λάθος, γκάφα.

howlet (n) [χάουλετ] γκιώνης.

howling (adj) [χάουλινγκ] κραυγαλέος (n) σκούξιμο, ούρλιασμα.

howsoever (adv) [χάουσοουέβερ] οπωσδήποτε, με οποιοδήποτε μέσο.

hoy (n) [χόι] μαούνα, βάρκα.

hoyden (n) [χόι-ντεν] αγορακόριτσο.

hubble-bubble (n) [χά-μπλ-μπάμπλ] ναργιλές.

hubbub (n) [χά-μπ-μπα-μπ] φασαρία.

hubby (n) [χάμπι] άντρας [αργκό], σύζυγος.

hubris (n) [χιού-μπρις] αυθάδεια.

huckstering (n) [χάκστερινγκ] καπηλεία.

huddle up (v) [χα-ντλ απ] κουβαριάζομαι.

hue (n) [χιού] όψη, χρώμα.

huff (n) [χαφ] θυμός, τσαντίλα.

hug (n) [χαγκ] αγκάλιασμα (v) αγκαλιάζω, καλλιεργώ.

huge (adj) [χιούντζζ] πελώριος.

hulking (adj) [χάλκινγκ] ασουλούπωτος.

hull (n) [χαλ] σκάφος.

hullabaloo (n) [χάλα-μπαλούου] θόρυβος, πανδαιμόνιο, φασαρία.

hulled oats (n) [χαλ-ντ όουτς] πλιγούρι.

hum (v) [χαμ] ζουζουνίζω, τραγουδώ, βομβώ, ψιλοτραγουδώ (n) βοή.

human (adj) [χιούμαν] ανθρώπινος.

human sacrifice (n) [χιούμαν σάκριφάις] ανθρωποθυσία.

humane (adj) [χιουμέιν] ανθρωπινός.

humanism (n) [χιούμανιζμ] ανθρωπισμός.

humanist (n) [χιούμανιστ] ανθρωπιστής.

humanistic (adj) [χιουμανίστικ] ανθρωπιστικός.

humanity (n) [χιουμάντι] ανθρωπότητα.

humble (adj) [χαμ-μπλ] ταπεινός (n) ταπεινόφρονας (v) ταπεινώνω.

humble abode (n) [χαμ-μπλ α-μπόουντ] φτωχικό.

humbleness (n) [χάμ-μπλνες] ταπεινότητα.

humbug (n) [χάμ-μπάγκ] απάτη.

humdrum (adj) [χάμ-ντράμ] ανιαρός.

humid (adj) [χιούμι-ντ] υγρός.

humidity (n) [χιουμί-ντιτι] υγρασία.

humiliate (v) [χιουμιλιεΐτ] εξευτελίζω.

humiliating (adj) [χιουμιλιεΐτινγκ] εξευτελιστικός, ταπεινωτικός.

humiliation (n) [χιουμιλιέισσον] ταπείνωση, προσβολή.

humility (n) [χιουμίλιτι] ταπεινότητα.

humming (n) [χάμινγκ] σφύριγμα.

humorist (n) [χιούμοριστ] ευθυμολόγος.

humoristic (adj) [χιουμορίστικ] πνευματώδης, χιουμοριστικός.

humorous (adj) [χιούμορας] αστείος.

humour (n) [χιούμα(ρ)] διάθεση, χιούμορ.

hump (n) [χαμ-π] καμπούρα.

Hun (n) [Χαν] Ούνος.

hunch (n) [χαν-τος] κυρτώνω.

hunchback (adj) [χάν-τσο-μπάκ] καμπούρης.

hundred (num) [χάν-ντρε-ντ] εκατό [αριθ], εκατοντάδα.

hundred-drachma note (n) [χάν-ντρεντ-ντράκμα νόουτ] κατοστάρικο.

hundredfold (adj) [χάν-ντρέ-ντφόουλντ] εκατονταπλάσιος.

hundredth (adj) [χάν-ντρε-ντθ] εκατοστός.

Hungarian (adj) [Χανγκέαριαν] ουγγρικός (n) Ούγγρος.

Hungary (n) [Χάνγκαρι] Ουγγαρία.

hunger (n) [χάνγκερ] πείνα.

hunger for (v) [χάνγκερ φοο] ορέγομαι.

hungry (adj) [χάνγκρι] πεινασμένος.

hunk (n) [χανκ] μεγάλο κομμάτι.

hunt (n) [χαν-τ] κυνήγι (v) κυνηγώ.

hunt for (v) [χαν-τ φοο] αγρεύω.

hunter (n) [χάν-τερ] κυνηγός.

hunting (adj) [χάν-τινγκ] κυνηγετικός (n) δίωξη, κυνήγι.

hunting dog (n) [χάν-τινγκ ντογκ] λαγωνικό.

huntress (n) [χάν-τρες] κυνηγός.

huntsman (n) [χάν-τσμαν] κυνηγός [ο].

hurdle (n) [χερ-ντλ] φράκτης.

hurl (v) [χερλ] εκσφενδονίζω.

hurl down (v) [χερλ ντάουν] κρημνίζω.

hurling (n) [χέρλινγκ] εκτόξευση.

hurrah (v) [χουουράα] ζητωκραυγάζω.

hurricane (n) [χάρικέιν] καταιγίδα.

hurried (adj) [χάρι-ντ] βιαστικός.

hurriedly (adv) [χάρι-ντλι] πεταχτά.

hurry (v) [χάρι] τρέχω (n) βιασύνη.

hurt (adj) [χερτ] πειραγμένος (v) πονώ, τραυματίζω (n) τραύμα.

hurt oneself (v) [χερτ ουάνσέλβ] χτυπώ.

husband (n) [χάσ-μπαν-ντ] σύζυγος.

husband-to-be (n) [χάσ-μπαν-ντ-του-μπίι] μελλόνυμφος.

husbandry (n) [χάσ-μπα-ντρι] οικονομία.

hush (ex) [χαος] σουτ [επιφ] (n) σιωπή, ησυχία (v) φιμώνω.

hush up (v) [χαος απ] αποσιωπώ.

husk (n) [χασκ] φλοιός (v) ξεφλουδίζω.

hussy (n) [χάσι] παλιοθήλυκο.

hustle (n) [χασλ] σπρωξιά.

hustler (n) [χάσλερ] δραστήριος.

hut (n) [χατ] καλύβα, υπόστεγο.

hut encampment (n) [χατ ενκάμ-πμεντ] παραπήγματα.

hyacinth (n) [χαϊάσινθ] ζουμπούλι.

hybrid (adj) [χάι-μπρί-ντ] νόθος.

hydrangea (n) [χαϊ-ντρέιν-ντζζα] ορτανσία.

hydraulic (adj) [χάι-ντρόλικ] υδραυλικός.

hydrocarbon (n) [χαϊ-ντροουκάαμπον] υδρογονάθρακας.

hydrocephalous (adj) [χαϊ-ντροουσέφαλας] υδροκέφαλος.

hydrochloric (adj) [χαϊ-ντροουκλόρικ] υδροχλωρικός [χημ].

hydrodynamics (n) [χαϊ-ντροουνταϊνάμικς] υδροδυναμική.

hydroelectric (adj) [χαϊ-ντροουιιλέκτρικ] υδροηλεκτρικός.

hydrogen (n) [χάι-ντραντζζεν] υδρογόνο.

hydrography (n) [χάι-ντρόγκραφι] υδρογραφία.

hydrology (n) [χαϊ-ντρόλοντζζι] υδρολογία.

hydrophobia (n) [χαϊ-ντροουφόμπια] υδροφοβία, λύσσα.

hydrostatic (adj) [χαϊ-ντροουστάτικ] υδροστατικός.

hydrotherapy (n) [χαϊ-ντροουθέραπι] υδροθεραπεία.

hyena (n) [χαϊίνα] ύαινα [ζωολ].

hygiene (n) [χάιντζζίιν] υγιεινή.

hymen (n) [χάιμεν] υμένας.

hymeneal (adj) [χαϊμενίιαλ] υμέναιος, νυμφικός, γαμήλιος.

hymn (n) [χιμ] ύμνος.

hymn(-singing) (n) [χιμ[σίνγκινγκ]] υμνολογία.

hymnographer (n) [χιμνόγκραφερ] υμνωδός.

hyperbola (n) [χάιπερ-μπόολα] υπερβολή [γεωμ].

hypersensitive (adj) [χαϊπερσένσιτιβ] υπερευαίσθητος.

hypertensive (adj) [χάιπερτένσιβ] υπερτασικός.

hypertrophy (n) [χάιπερτρόουφι] υπερτροφία [ιατρ].

hyphen (n) [χάιφεν] ενωτικό σημείο.

hypnosis (n) [χιπνόουσις] ύπνωση.

hypnotic (adj) [χιπνότικ] υπνωτικός.

hypnotist (n) [χίπνοτιστ] υπνωτιστής.

hypnotize (v) [χίπνοουταϊζ] υπνωτίζω.

hypochondria (n) [χαϊποκόν-ντρια] υποχοντρία.

hypochondriac (adj) [χαϊποκόνντριακ] υποχόντριος, υποχοντριακός.

hypocrisy (n) [χιπόκρισι] υποκρισία.

hypocrite (n) [χίποκριτ] υποκριτής.

hypocritical (adj) [χιποκρίτικαλ] υποκριτικός.

hypodermic (adj) [χαϊποου-ντέρμικ] ενδοδερμικός.

hypostatic (adj) [χαϊποστάτικ] υποστατικός.

hypotenuse (n) [χαϊπότενιουζ] υποτείνουσα [γεωμ].

hypothermy (n) [χαϊπόθερμι] υποθερμία.

hypothetical (adj) [χαϊποθέτικαλ] υποθετικός [υποθ].

hysteria (n) [χιστίρια] υστερία.

hysterical (adj) [χιστέρικαλ] υστερικός.

I, i [άι] το ένατο γράμμα του αγγλικού αλφαβήτου.

I (pron) [άι] εγώ.

I am afraid (adv) [άι αμ αφρέι-ντ] δυστυχώς.

I am (I'm) (v) [άι αμ [άι'μ]] είμαι.

I beg your pardon? (v) [άι μπεγκ ιοο πάα-ντον?] ορίστε;, παρακαλώ;.

I say! (ex) [άι σέι] μπα!.

iambus (n) [άιαμ-μπας] ίαμβος.

ice (n) [άις] πάγος, παγωτό (v) παγώνω.

ice bag (n) [άις μπανγκ] παγοκύστη.

ice bucket (n) [άις μπάκετ] παγωνιέρα.

ice cream (n) [άις κρίιμ] παγωτό.

ice pack (n) [άις πακ] παγοκύστη.

ice-boat (n) [άισ-μπόουτ] παγοθραυστικό.

ice-cold (adj) [άισκόουλ-ντ] ξεπαγιασμένος (n) μπούζι.

ice-floe (n) [άισφλόου] ογκόπαγος.

iceberg (n) [άις-μπεργκ] παγόβουνο.

icebox (n) [άισ-μποξ] ψυγείο.

icebreaker (n) [άισ-μπρέικερ] παγοθραύστης, παγοθραυστικό.

Iceland (n) [Άισλαν-ντ] Ισλανδία.

iceskate (n) [άισσκέϊτ] παγοπέδιλο.

icicle (n) [άισικλ] παγάκι.

icon (n) [άικον] εικόνα [εκκλ].

icon-painter (n) [άικονπέιν-τα(ρ)] αγιογράφος.

icon-stand (n) [άικονσταν-ντ] προσκυνητάρι.

iconoclasm (n) [αϊκόνοκλαζμ] εικονοκλασία, εικονομαχία.

iconography (n) [άικονόγκραφι] εικονογραφία.

icy (adj) [άισι] κατεψυγμένος.

icy cold (adj) [άισι κόουλ-ντ] παγερός.

idea (n) [αϊ-ντία] ιδέα, γνώση.

ideal (adj) [αϊ-ντίιλ] ιδανικός (n) ιδανικό.

idealism (n) [αϊ-ντίιλιζμ] ιδεαλισμός.

idealist (n) [αϊ-ντίιλιστ] ιδεαλιστής.

idealistic (adj) [αϊ-ντιιλίστικ] ιδεαλιστικός.

idealization (n) [αϊ-ντιιλαϊζέισσον] εξιδανίκευση, ιδανικοποίηση.

idealize (v) [αϊ-ντίιλαϊζ] ιδανικεύω, εξιδανικεύω.

ideally (adv) [αϊ-ντίιλι] ιδανικά.

identical (adj) [αϊ-ντέν-τικαλ] απαράλλακτος.

identification (n) [αϊ-ντεν-τιφικέισσον] αναγνώριση, ταύτιση.

identify (v) [αϊ-ντέν-τιφαϊ] αναγνωρίζω, ταυτίζω (n) ταυτότητα.

identity card (n) [αϊ-ντέν-τιτι κάαντ] ταυτότητα.

ideogram (n) [αϊ-ντίαγκράμ] ιδεόγραμμα.

ideograph (n) [αϊ-ντίιογκράαφ] ιδεό-γραμμα.

ideological (adj) [αϊ-ντιιολότζικαλ] ιδε-ολογικός.

ideology (n) [αϊ-ντιιόλοτζι] ιδεολογία.

idicant (n) [ίν-ντικαν-τ] ένδειξη, σύ-μπτωμα (adj) ενδεικτικός.

idiocy (n) [ί-ντιοσι] πλιθιότητα.

idiom (n) [ί-ντιομ] ιδιωματισμός.

idiomatic (adj) [ι-ντιομάτικ] ιδιωματικός.

idiosyncrasy (n) [ι-ντιοσίνγκρασι] ιδιο-συγκρασία, ιδιορρυθμία.

idiot (n) [ί-ντιοτ] πλίθιος, βλάκας.

idiotic (adj) [ι-ντιοτικ] πλίθιος.

idle (adj) [άι-ντλ] τεμπέλης (v) αδρανώ.

idleness (n) [άι-ντλνες] τεμπελιά.

idler (n) [άι-ντλερ] άεργος.

idling (n) [άι-ντλινγκ] ραχάτι.

idly (adv) [άι-ντλι] τεμπέλικα.

idol (n) [άι-ντολ] είδωλο.

idolater (n) [αϊ-ντόλατερ] ειδωλολά-τρης, θαυμαστής [μεταφ].

idolatry (n) [αϊ-ντόλατρι] ειδωλολατρία.

idolization (n) [αϊ-ντολαϊζέισσον] ειδω-λοποίηση.

idolize (v) [άι-ντολάιζ] ειδωλοποιώ, θε-οποιώ, λατρεύω.

idyll (n) [άι-ντιλ] ειδύλλιο.

idyllic (adj) [άι-ντίλικ] ειδυλλιακός.

if (adv) [ιφ] σαν (conj) ανίσως, άμα, εάν, αν.

if not (adv) [ιφ νοτ] ειδάλλως.

if only (ex) [ιφ όουνλι] άμποτες!.

ignite (v) [ιγκνάιτ] ανάβω.

ignition (n) [ιγκνίσσον] ανάφλεξη.

ignition spark (n) [ιγκνίσσον σπάακ] σπινθήρας.

ignominious (adj) [ιγκνομίνιας] ατιμω-τικός.

ignorance (n) [ίγκνορανς] αμάθεια.

ignorant (adj) [ίγκνοράν-τ] αμαθής.

ignore (v) [ιγκνόο(ρ)] αγνοώ [περιφρο-νώ], αντιπαρέρχομαι, παραβλέπω.

Iliad (n) [Τλια-ντ] Ιλιάδα.

ill (n) [ιλ] κακό, ατυχία (adj) ασθενής.

ill at ease (adj) [ιλ ατ ίζ] στενοχωρημένος.

ill feeling (n) [ιλ φίιλινγκ] εμπάθεια.

ill-bred (adj) [ιλ-μπρέ-ντ] ανάγωγος.

ill-considered (adj) [ιλκονσί-νταντ] α-ψυχολόγητος.

ill-fated (adj) [ιλφέιτιντ] κακορίζικος.

ill-luck (n) [ιλλακ] κακοδαιμονία.

ill-mannered (adj) [ιλμάνα-ντ] ανάγωγος.

ill-mannered person (n) [ιλμάναντ πέρ-σον] χωριάτης [μεταφ].

ill-natured (n) (adj) [ιλνέιτσσιαντ] κα-κόψυχος.

ill-omened (adj) [ιλόουμεν-ντ] δυσοίωνος.

ill-treatment (n) [ιλτρίιτμεν-τ] κακομε-ταχείριση, κάκωση.

ill-wisher (n) [ιλουίσσα(ρ)] κακοθελητής.

illdoer (adj) [ιλ-ντούα(ρ)] κακοποιός.

illegal (adj) [ιλλίιγκαλ] αθέμιτος.

illegality (n) [ιλιγκάλιτι] αδίκημα.

illegible (adj) [ιλλέντζι-μπλ] δυσανά-γνωστος.

illegitimate (adj) [ιλλεντζζίτιματ] νόθος.

ill-humoured (adj) [ιλχιούμα-ντ] κακό-κεφος, στριμμένος.

illicit (adj) [ιλίσιτ] παράνομος.

illiteracy (n) [ιλίτερασι] αμάθεια.

illiterate (adj) [ιλίτερετ] αμαθής.

illness (n) [ίλνες] νόσος, πάθος.

illogical (adj) [ιλόντζζικαλ] άλογος, πα-ράλογος.

illuminate (v) [ιλιούμινεΐτ] φωταγωγώ, φωτίζω.

illumination (n) [ιλιουμινέισσον] φω-τοχυσία, φωτισμός, φως.

illusion (n) [ιλιούζζιον] ίνδαλμα.

illusory (adj) [ιλιούζζορι] ψευδαισθητι-κός, πλασματικός.

illustrate (v) [ίλαστρέιτ] επεξηγώ.

illustrated (adj) [ίλαστρέιτι-ντ] εικονο-γραφημένος.

illustration (n) [ιλαστρέισσον] εικονογραφία, εικονογράφηση.

illustrious (adj) [ιλάστριας] επιφανής.

image (n) [ίμιντζζ] είδωλο.

imagery (n) [ίμιντζζρι] αγάλματα.

imaginary (adj) [ιμάντζζινερι] υποθετικός.

imagination (n) [ιμαντζζινέισσον] φαντασία, όνειρο, φαντασίωση.

imaginative (adj) [ιμάντζζινατιβ] δημιουργικός, επινοητικός.

imagine (v) [ιμάντζζιν] εικάζω.

imbalance (n) [ιμ-μπάλανς] ανισορροπία.

imbecile (n) [ίμ-μπισιλ] ηλίθιος.

imitable (adj) [ίμιτα-μπλ] μιμητός.

imitate (v) [ίμπέϊτ] μιμούμαι.

imitation (n) [ιμιτέισσον] μίμηση.

imitative (adj) [ιμπέτιβ] μιμητικός.

imitator (n) [ιμπέιτο(ρ)] μιμητής.

immaculate (adj) [ιμάκιουλετ] αμόλυντος, αγνός, άμωμος.

immaterial (adj) [ιματίριαλ] άυλος, πνευματικός, ασήμαντος.

immature (adj) [ιματσσιούα(ρ)] ανώριμος, ανήλικος, ασχημάτιστος.

immeasurable (adj) [ιμέζζεραμπλ] αμέτρητος, άμετρος.

immediacy (n) [ιμίι-ντιασι] αμεσότητα.

immediate (adj) [ιμίι-ντιετ] άμεσος.

immediately (adv) [ιμίι-ντετλι] σύντομα (ex) [ιμίι-ντιατλι] αμέσως!.

immense (adj) [ιμένς] απέραντος.

immensity (n) [ιμένσιτι] απειρία.

immersed (adj) [ιμέρσο-ντ] απορροφημένος, βυθισμένος.

immigrant (n) [ίμιγκράν-τ] μετανάστης.

immigrate (v) [ίμιγκρέιτ] μεταναστεύω.

immigration (n) [ίμιγκρέισσον] μετανάστευση, εποίκηση.

imminent (adj) [ίμινεν-τ] επικείμενος.

immobility (n) [ιμο-μπίλιτι] ακινησία.

immobilize (v) [ιμόου-μπιλάιζ] ακινητοποιώ.

immodest (adj) [ιμό-ντεστ] άσεμνος.

immodesty (n) [ιμό-ντεστι] απρέπεια.

immoral (adj) [ιμόραλ] ανήθικος.

immorality (n) [ίμοράλιτι] ανηθικότητα.

immortal (adj) [ιμόσταλ] αθάνατος.

immortality (n) [ιμοστάλιτι] αθανασία, αιώνια ζωή, αφθαρσία.

immortalize (v) [ιμόοταλάιζ] απαθανατίζω, διαιωνίζω.

immovability (n) [ιμουουβα-μπίλιτι] σταθερότητα.

immovable (adj) [ιμούουβα-μπλ] ακίνητος, αμετακίνητος, σταθερός.

immune (adj) [ιμιούν] απαλλαγμένος, άτρωτος, απρόσβλητος.

immunity (from) (n) [ιμιούνιτι [φρομ]] απαλλαγή, εξαίρεση.

immutable (adj) [ιμιούτα-μπλ] αμετάβλητος, αναλλοίωτος.

imp (n) [ιμ-π] διαβολάκι.

impaired (adj) [ιμ-πέα-ντ] πεσμένος.

impale (v) [ιμ-πέιλ] διαπερνώ.

impart (v) [ιμ-πάατ] μεταδίδω.

impartial (adj) [ιμ-πάασσαλ] δίκαιος, αμερόληπτος.

impartiality (n) [ιμ-πααστσιάλιτι] αμεροληψία.

impassable (adj) [ιμ-πάσα-μπλ] αδιάβατος.

impasse (n) [ιμ-πάς] αδιέξοδος.

impassioned (adj) [ιμ-πάσσιον-ντ] εμπαθής, ένθερμος, παθιασμένος.

impatience (n) [ιμ-πέισσενς] αδημονία, ανυπομονσία.

impatient (adj) [ιμ-πέισσεν-τ] ανυπόμονος (v) αδημονώ.

impeach (v) [ιμ-πίιτσ] κατηγορώ.

impeachment (n) [ιμ-πίιτσσμεν-τ] κατηγορία, καταγγελία.

impeccability (n) [ιμ-πεκα-μπίλιτι] εντέλεια, τελειότητα, αναμαρτησία.

impeccable (adj) [ιμ-πέκα-μπλ] άψογος, άμεμπτος.

impeccant (adj) [ιμ-πέκαν-τ] αναμάρτητος.

impede (v) [ιμ-πίι-ντ] δυσχεραίνω.

impediment (n) [ιμ-πέ-ντιμεν-τ] κώλυμα.

impel (v) [ιμ-πέλ] σπρώχνω, ωθώ.

impend (v) [ιμ-πέν-ντ] επίκειμαι.

impending (adj) [ιμ-πέν-ντινγκ] επικρεμάμενος.

impenetrable (adj) [ιμ-πένετραμπλ] αδιαπέραστος.

imperative (adj) [ιμ-πέρατιβ] αυταρχικός.

imperative (mood) (n) [ιμ-πέρατιβ μουντ] προσταγή, προστακτική.

imperceptible (adj) [ιμ-περσέπτι-μπλ] αδιάκριτος, αδιόρατος.

imperfect tense (n) [ιμ-πέρφεκτ τενς] παρατατικός [γραμμ].

imperfection (n) [ιμ-περφέκσσον] ατέλεια [χαρακτήρα].

imperial (adj) [ιμ-πίιριαλ] αυτοκρατορικός, μεγαλοπρέπης.

imperialism (n) [ιμ-πίιριαλιζμ] ιμπεριαλισμός, επεκτατισμός.

imperialist (n) [ιμ-πίιριαλιστ] ιμπεριαλιστής.

imperil (v) [ιμ-πέριλ] εκθέτω.

impersonal (adj) [ιμ-πέρσοναλ] απρόσωπος, αμερόληπτος.

impersonate (v) [ιμ-πέρσονεϊτ] παριστάνω, υποκρίνομαι.

impersonation (n) [ιμ-περσονέισσον] προσωποποίηση, ερμηνεία.

impersonator (n) [ιμ-περσονέιτορ] μιμητής, θεατρίνος, υποκριτής.

impertinence (n) [ιμ-πέρτινενς] αναίδεια, αυθάδεια, θρασύτητα.

impertinent (adj) [ιμ-πέρτινεν-τ] αυθάδης, αναιδής, θρασύς.

impetuosity (n) [ιμ-πετιουόσιτι] βιαιότητα, ορμητικότητα.

impetuous (adj) [ιμ-πέτιουας] βίαιος.

impetus (n) [ίμ-πιτας] ώθηση.

impiety (n) [ιμ-πάιετι] ασέβεια, ανευλάβεια.

impious (adj) [ίμ-πιας] αθεόφοβος, ανευλαβής, ασεβής, βέβηλος.

impish (adj) [ίμ-πισς] διαβολικός.

implacable (adj) [ιμ-πλάκα-μπλ] αδιάλλακτος, αμείλικτος.

implanted (adj) [ιμ-πλάαν-τι-ντ] ριζωμένος.

implement (n) [ίμ-πλιμεν-τ] εργαλείο, όργανο, σκεύος, σύνεργο.

implicate (v) [ίμ-πλικεϊτ] ενοχοποιώ, αναμιγνύω.

implore (v) [ιμ-πλόο(ρ)] ικετεύω.

imploring (adj) [ιμ-πλόορινγκ] ικετευτικός, παρακλητικός.

impolite (adj) [ιμ-πολάιτ] αγενής.

impolitic (adj) [ιμ-πολίτικ] αδέξιος.

imponderable (adj) [ιμ-πό-ντεραμπλ] αστάθμητος, ελαφρότατος.

import (v) [ιμ-πόοτ] εισάγω, εννοώ.

importable (adj) [ιμ-πόοτα-μπλ] εισαγώγιμος.

importance (n) [ιμ-πόοτανς] σοβαρότητα.

important (adj) [ιμ-πόοταν-τ] σοβαρός.

importation (n) [ιμ-ποοτέισσον] εισαγωγή.

imported (adj) [ιμ-πόοτι-ντ] φερμένος.

importer (n) [ιμ-πόοτα(ρ)] εισαγωγέας.

importunate (adj) [ιμ-πόοτσσιουνεϊτ] πειστικός, επίμονος.

importunity (n) [ιμ-ποοτσσιούνιτι] φορτικότητα.

impose (v) [ιμ-πόουζ] θέτω.

imposing (adj) [ιμ-πόουζινγκ] επιβλητικός.

imposition (n) [ιμ-ποζίσσον] επιβολή, φόρος, δασμός.

impossible (adj) [ιμ-πόσι-μπλ] ακατόρθωτος, ανέφικτος, αδύνατος.

impossibility (n) [ιμποσι-μπίλιτι] αδύνατον, αδυνατότητα.

impostor (n) [ίμ-πόστερ] αγύρτης, ψεύτης, μασκαράς [μεταφ].

imposture (n) [ιμ-πόστσσα(ρ)] απάτη, δολία, εξαπάτηση.

impotence (n) [ίμ-ποτενς] ανικανότητα,

σεξουαλική ανικανότητα.

impotent (adj) [ίμ-ποτεν-τ] ανίκανος, α-νίσχυρος.

impoverish (v) [ιμ-πόβερισς] φτωχαί-νω, εξασθενίζω, εξαντλώ.

impoverished (adj) [ιμ-πόβερισσ-τ] ξε-πεσμένος.

imprecation (n) [ιμ-πρικέισσον] κατάρα.

imprecise (adj) [ιμ-πρισάις] συγκεχυμέ-νος [λόγος], ανακριβής.

impregnable (adj) [ιμ-πρέγκναμπλ] α-πόρθητος.

impregnation (n) [ιμ-πρεγκνέισσον] γο-νιμοποίηση.

impresario (n) [ιμ-πρεσάαριο] θιασάρ-χης, ιμπρεσάριος.

imprescriptible (adj) [ιμ-πρισκρίπτι-μπλ] απαραβίαστος.

impress (v) [ιμ-πρές] αποτυπώνω, επι-στρατεύω (n) αποτύπωμα, τύπος.

impression (n) [ιμ-πρέσσον] στάμπα.

impressionable (adj) [ιμ-πρέσσονα-μπλ] ευσυγκίνητος, ευαίσθητος.

impressionism (n) [ιμ-πρέσσονιζμ] ι-μπρεσιονισμός.

impressionist (n) [ιμ-πρέσσονιστ] ι-μπρεσιονιστής.

impressive (adj) [ίμ-πρέσιβ] εντυπωσιακός.

imprint (n) [ίμ-πριν-τ] σφραγίδα (v) [ιμ-πρίν-τ] αποτυπώνω.

imprison (v) [ιμ-πρίζον] εγκλείω.

imprisonment (n) [ιμ-πρίζονμεν-τ] έ-γκλειση, φυλάκιση, κάθειρξη.

improbable (adj) [ιμ-πρό-μπα-μπλ] α-πίθανος.

impromptu (adj) [ιμ-πρόμ-πτιου] πρό-χειρος, αυτοσχέδιος.

improper (adj) [ιμ-πρόπα] άκοσμος, α-κατάλληλος.

impropriety (n) [ιμ-προπράιετι] ατόπημα.

improve (v) [ιμ-προύουβ] τελειοποιώ.

improvement (n) [ιμ-προύουβμεν-τ] τε-λειοποίηση, ανάπτυξη.

improvidence (n) [ιμ-πρόβι-ντενς] α-προβλεψία, απρονοησία.

improvisation (n) [ιμ-προβιζέϊσσον] αυτοσχεδιασμός.

improvise (v) [ίμ-προβάιζ] αυτοσχεδιάζω.

improvised (adj) [ίμ-προβάιζ-ντ] αυτο-σχέδιος.

imprudence (n) [ιμ-πρού-ντενς] απερι-σκεψία, απρονοησία.

imprudent (adj) [ίμ-πρού-ντεν-τ] αστό-χαστος, αούνετος.

impulse (n) [ίμ-παλς] ορμή, φόρα.

impulsion (n) [ιμ-πάλσσιον] ώθηση.

impulsive (adj) [ιμ-πάλσιβ] αυθόρμη-τος, αδιάντροπος.

impulsiveness (n) [ιμ-πάλσιβνες] αμερι-μνησία.

impunity (adv) [ιμ-πιούνιτι] ατιμωρητί.

impute (v) [ιμ-πιούτ] καταλογίζω.

imputed (adj) [ιμ-πιούτι-ντ] τεκμαρτός.

in (adv) [ιν] εντός, μέσα.

in a fluster (adj) [ιν α φλάστερ] εκνευρι-σμένος.

in a hurry (adv) [ιν α χάρι] βιαστικά.

in a rage (adj) [ιν α ρέιντζζ] μανιασμένος.

in accord (adj) [ιν ακόο-ντ] σύμφωνος.

in addition (adv) [ιν α-ντίσσον] επιπλέον.

in advance (adv) [ιν α-ντβάανς] προκα-ταβολικώς.

in an underhand way (adv) [ιν αν άν-νταχάν-ντ ουέι] λοξά.

in any case (adv) [ιν ένι κέις] πάντα, πάντως.

in between (adv) [ιν μπιτουίίν] ανάμεσα.

in bloom (adj) [ιν μπλουμ] λουλουδια-σμένος.

in bulk (adj) [ιν μπαλκ] χοντρικός.

in case (conj) [ιν κέις] μήπως.

in cash (n) [ιν κασς] μετρητοίς.

in code (adj) [ιν κόου-ντ] συνθηματικός.

in detail (adv) [ιν ντίτέιλ] λεπτομερώς.

in disorder (adj) [ιν ντιόο-ντερ] ανάστατος.

in distress (adj) [ιν ντιστρές] πονεμένος.

in exchange for (pr) [ιν εξτσσέιν-ντζζ φοο] αντί.

in fact (adv) [ιν φακτ] πράγματι.

in fancy dress (n) [ιν φάνσι ντρες] μασκέ.

in flower (adj) [ιν φλάουα(ρ)] λουλου-διασμένος.

in front (adj) [ιν φραν-τ] μπροστινός.

in front of (adv) [ιν φρον-τ οβ] ενώπιον, εμπρός (pr) προ.

in good health (n) [ιν γκου-ντ χελθ] σύγκαλα.

in good time (adv) [ιν γκου-ντ τάιμ] ε-γκαίρως.

in great demand (adj) [ιν γκρέιτ ντιμά-αν-ντ] περιζήτητος.

in great detail (adv) [ιν γκρέιτ ντιτέιλ] καταλεπτώς.

in love (adj) [ιν λαβ] ερωτευμένος.

in mid-air (n) [ιν μι-ντέα(ρ)] μεσούρανα.

in mind (adv) [ιν μάιν-ντ] υπόψη.

in no time (adv) [ιν νόου τάιμ] μάνι μά-νι, αυτοστιγμεί.

in one lot (adv) [ιν ουάν λοτ] μαζί.

in one piece (adj) [ιν ουάν πίις] μονο-κόμματος.

in order that (conj) [ιν όοα(ρ)-ντερ δατ] όπως.

in order to (conj) [ιν όορ-ντα(ρ) του] να, για να, έτσι ώστε.

in other words (adv) [ιν άδερ ουέρ-ντς] άλλως.

in particular (adv) [ιν πατίκιουλαρ] ιδι-αιτέρως, προπαντός.

in person (adv) [ιν πέρσον] αυτοπροσό-πως, προσωπικά.

in poor taste (adj) [ιν πούουα τέιστ] ά-κομψος.

in prose (adj) [ιν πρόουζ] πεζός.

in question (adj) [ιν κουέσττουν] προ-κείμενος, επίδικος.

in short (adv) [ιν σσοτ] κοντολογίς, σύντομα.

in spite of (adv) [ιν σπάιτ οβ] παρά.

in tears (adj) [ιν τίιαζ] κλαμένος.

in the end (adv) [ιν δι εν-ντ] τελικά.

in truth (adv) [ιν τρουθ] όντως.

in turn (adv) [ιν τερν] εναλλάξ.

in vain (adv) [ιν βέιν] μάταια.

in writing (adv) [ιν ράιτινγκ] εγγράφως (adj) έγγραφος, γραπτός.

in-and-out (n) [ιν-εν-άουτ] μαίανδρος.

in-between (adj) [ιν-μπιτουίν] ενδιάμεσος.

in-laws (n) [ινλόοζ] πεθερικά.

inability (n) [ινα-μπίλιτι] αδυναμία.

inaccessibility (n) [ιναξεσι-μπίλιτι] ασυγ-κινησία, απρόσιτο.

inaccessible (adj) [ιναξέσι-μπλ] απρο-σπέλαστος, δύσβατος.

inaccuracy (n) [ινάκιουρασι] ανακρί-βεια, σφάλμα, λάθος.

inaccurate (adj) [ινάκιουρεϊτ] ανακριβής.

inaction (n) [ινάκσσον] απραξία.

inactivate (v) [ινάκτιβεϊτ] αδρανώ.

inactive (adj) [ινάκτιβ] αδρανής.

inactivity (n) [ινακτίβιτι] απραξία.

inadaptable (adj) [ινα-ντάπτα-μπλ] α-προσάρμοστος.

inadequacy (n) [ινά-ντικουασι] ανεπάρ-κεια, ανικανότητα.

inadequate (adj) [ινά-ντικουεϊτ] ανε-παρκής.

inadmissible (adj) [ινα-ντμίσι-μπλ] ανε-παρκής, ακατάλληλος.

inadvertence (n) [ινα-ντβέρτενς] αμέ-λεια, αβλεψία, απροσεξία.

inadvertent (adj) [ινα-ντβέρτεν-τ] αμελής.

inalienable (adj) [ινέιλιενα-μπλ] ανα-φαίρετος, αναπόσπαστος.

inalterable (adj) [ινόλτερα-μπλ] αναλ-λοίωτος, αμετάβλητος.

inanity (n) [ινάνιτι] ανονσία, κενότητα.

inappealable (adj) [ιναπίιλα-μπλ] ανέκ-κλητος.

inappeasable (adj) [ιναπίιζα-μπλ] ακα-ταπράϋντος.

inapplicable (adj) [ιναπλίκα-μπλ] άσχετος.

inapposite (adj) [ινάποζιτ] άσχετος.

inappreciable (adj) [ιναπρίσσια-μπλ] α- νεπαίσθητος, πολύτιμος.

inapproachable (adj) [ιναπρόουτσσα- μπλ] απλησίαστος.

inappropriate (adj) [ιναπρόουπριετ] α- κατάλληλος.

inapt (adj) [ινάπτ] άτεχνος, αδέξιος.

inaptitude (n) [ινάπτιτιου-ντ] αδεξιότητα.

inarch (v) [ινάατος] εμβολιάζω.

inarticulate (adj) [ιναατίκιουλέϊτ] άναρθρος.

inartificial (adj) [ινααρτιφίσσιαλ] άτεχνος.

inartistic (adj) [ιναατίστικ] άτεχνος.

inattention (n) [ινατένσσον] απροσεξία.

inattentive (adj) [ινατέν-τιβ] αφηρημένος.

inaudible (adj) [ινόο-ντι-μπλ] ανεπαί- σθητος [ήχος], μη ακουόμενος.

inaugural (adj) [ινόογκιουραλ] εναρ- κτήριος, των εγκαινίων.

inaugurate (v) [ινόογκιουρέϊτ] εγκαθι- στώ, εγκαινιάζω.

inauguration (n) [ινόογκιουρέισσον] έ- ναρξη, εγκαινίαση, εγκαίνια.

inauspicious (adj) [ινοοσπίσσιας] ατυ- χής, δυσοίωνος.

inborn (adj) [ιν-μπόον] έμφυτος.

inbred (adj) [ίν-μπρε-ντ] έμφυτος.

incalculable (adj) [ινκάλκιουλα-μπλ] α- νυπολόγιστος, αμέτρητος.

incapable (adj) [ινκέιπα-μπλ] ανίκανος.

incapacitate (v) [ινκαπάσιτεϊτ] καθιστώ ανίκανο, αχρηστεύω.

incapacity (n) [ινκαπάσιτι] ανικανότητα.

incarcerate (v) [ινκάασερέϊτ] φυλακίζω.

incarceration (n) [ινκάασερέισσον] φυ- λάκιση, κάθειρξη.

incarnate (v) [ινκααν έϊτ] ενσαρκώνω (adj) [ινκάαρνιτ] ενσώματος.

incarnation (n) [ινκαανέϊσσον] ενσάρ- κωση, προσωποποίηση.

incase (v) [ινκέις] εγκλείω.

incendiarism (n) [ινσέν-ντιαριζμ] ε- μπρησμός, πυρπόληση.

incendiary (adj) [ινσέν-ντιαρι] εμπρη- στικός (n) εμπρηστής.

incense (v) [ινσένς] εξαγριώνω, προκαλώ.

incense (v) [ίνσενς] λιβανίζω (n) θυμίαμα.

incense-burner (n) [ίνσενς-μπέρνερ] λι- βανιστήρι.

incensory (n) [ινσένσορι] θυμιατήρι.

incentive (adj) [ινσέν-τιβ] ερεθιστικός (n) κίνητρο.

incessant (adj) [ινσέσαν-τ] συνεχής.

incessantly (adv) [ινσέσαν-τλι] ολοένα.

incest (n) [ίνσεστ] αιμομειξία.

incestuous (adj) [ινσέστιας] αιμομικτικός.

inch (n) [ιν-τος] ίντσα, δάκτυλο.

inchoate (adj) [ίνκοοέϊτ] πρωτάρης, α- τελής, νεοσύστατος.

incident (n) [ίνσι-ντεν-τ] συμβάν.

incidental (adj) [ινσι-ντέν-ταλ] τυχαίος.

incidentally (adj) [ινσι-ντέν-ταλι] τυχαία.

incidious (adj) [ινσί-ντιας] επίβουλος.

incinerate (v) [ινσίνερέϊτ] αποτεφρώνω, κατακαίω.

incineration (n) [ινσινερέϊσιον] αποτέ- φρωση, καύση.

incinerator (n) [ινσινερέϊτορ] κλίβανος, κρεματόριο.

incipience (n) [ινσίπιενς] έναρξη.

incipient (adj) [ινσίπιεν-τ] αρχικός, αρ- χόμενος.

incise (v) [ινσάιζ] σχίζω, χαράσσω.

incision (n) [ινσίζζιον] εγκοπή.

incisive (adj) [ινσάισιβ] κοφτερός.

incisor (n) [ινσάιζοο(ρ)] κοπτήρας, τομέας.

incitation (n) [ινσαϊτέισσον] παρακίνη- ση, προτροπή.

incite (v) [ινσάιτ] κεντώ, ωθώ.

incitement (n) [ινσάιτμεν-τ] κίνητρο.

incivil (adj) [ινσίβιλ] αγροίκος.

incivility (n) [ινσιβίλιτι] αγένεια.

inclement (adj) [ινκλέμεν-τ] ανεπιεικής,

ανηλεής, δριμύς καιρός.

inclination (n) [ινκλινέισσον] γέρσιμο, διάθεση, κλίση, ροπή, τάση.

incline (v) [ινκλάιν] κλίνω, γέρνω.

inclose (v) [ινκλόουζ] εσωκλείω.

inclosure (n) [ινκλόουζζα(ρ)] περίφρακτο.

include (v) [ινκλιού-ντ] περικλείνω.

including (pr) [ινκλιού-ντινγκ] συμπεριλαμβανομένου.

inclusive (adj) [ινκλιούσιβ] συμπεριλαμβανόμενος, περιεκτικός.

incognito (adv) [ινκογκνίιτοου] ινκόγκνιτο, ανωνύμως, ανεπισήμως.

incoherence (n) [ίνκοουχίιρενς] ασυναρτησία, έλλειψη συνοχής.

incoherent (adj) [ινκοουχίιρεν-τ] ασυνάρτητος, ασύνδετος.

incombustible (adj) [ινκο-μπάστι-μπλ] άφλεκτος, άκαυστος.

income (n) [ίνκαμ] απολαβή.

income tax (n) [ίνκαμτακς] φόρος εισοδήματος.

incoming (adj) [ινκάμινγκ] εισερχόμενος, προερχόμενος.

incomings (n) [ινκάμινγκζ] εισοδήματα.

incommensurable (adj) [ινκομένσσαρα-μπλ] ασύγκριτος.

incommode (v) [ινκομόου-ντ] ενοχλώ, ανησυχώ (n) ασφαλιστής.

incommunicable (adj) [ινκομιούνικα-μπλ] μη ανακοινώσιμος.

incommunicado (adj) [ινκομιουνικάαντο] απομονωμένος.

incommutability (n) [ινκομιουτα-μπίιλιτι] αναλλοίωτο.

incommutable (adj) [ινκομιούτα-μπλ] αμετάβλητος, αναλλοίωτος.

incomparable (adj) [ινκόμ-πραμπλ] απαράμιλλος, ασύγκριτος.

incompatible (adj) [ινκομ-πάτιμπλ] αδιάλλακτος, ασύφωνος.

incompetence (n) [ινκόμ-πιτενς] ανεπιτηδειότητα, ανικανότητα.

incompetent (adj) [ινκόμ-πιτεν-τ] αναρμόδιος, ανίκανος.

incomplete (adj) [ινκομ-πλίιτ] ημιτελής.

incomprehensible (adj) [ινκομ-πρεχένσι-μπλ] ακατανόητος.

inconceivable (adj) [ίνκονσίιβαμπλ] αδιανόητος, ακατανόητος.

inconsequence (n) [ινκόνσικουενς] ανακολουθία, ασυνέπεια.

inconsiderable (adj) [ινκονσί-ντεραμπλ] ασήμαντος.

inconsiderate (adj) [ινκονσί-ντερετ] αναίσθητος, αδιάκριτος.

inconsistency (n) [ινκονσίστενσι] ανακολουθία, ασυνέπεια.

inconsistent (adj) [ινκονσίστεν-τ] αντιφατικός, ασυνεπής.

inconsolable (adj) [ινκονσόουλαμπλ] απαρηγόρητος.

inconspicuous (adj) [ινκονσπίκιουους] διακριτικός, σεμνός.

inconstancy (n) [ινκόνστανσι] αστάθεια.

inconstant (adj) [ινκόνσταν-τ] ασταθής, ευμετάβλητος, ρευστός.

incontinence (n) [ινκόν-τινενς] ακράτεια, ακολασία.

incontinent (adj) [ινκόν-τινεν-τ] άσωτος.

incontrovertible (adj) [ινκον-τροουβέρτι-μπλ] αναμφισβήτητος.

inconvenience (n) [ινκονβίινιενς] ανησυχία (v) ενοχλώ, στενοχωρώ.

inconvenient (adj) [ίνκονβίινιεν-τ] άβολος, δύσχρηστος, ενοχλητικός.

incorporate (v) [ινκόοπορεϊτ] ενσωματώνω, συγχωνεύω.

incorporation (n) [ινκοοπόρέισσον] ενσωμάτωση, συγχώνευση.

incorporeal (adj) [ινκοοπόοριαλ] ασώματος, ψυχικός, άυλος.

incorrect (adj) [ινκορέκτ] απρεπής.

incorrigible (adj) [ινκόριντζζι-μπλ] αδιόρθωτος, αθεράπευτος [μεταφ].

incorruptibility (n) [ινκοράπτι-μπίιλιτι]

αδιαφθαρσία, τιμιότητα.

incorruptible (adj) [ινκοράπτιμπιλ] α-κατάλυτος, αιώνιος.

incorruption (n) [ινκοράπσσον] α-φθαρσία, αιωνιότητα.

incorruptness (n) [ινκοράπτνες] τιμιό-τητα, ακεραιότητα.

increase (n) [ίνκριις] ανάπτυξη (v) [ιν-κρίις] αυγατίζω, αυξάνω.

incredible (adj) [ινκρέ-ντι-μπλ] αφάνταστος.

incredulity (n) [ινκρε-ντιούλιτι] δυσπιστία.

incredulous (adj) [ινκρέ-ντιουλας] δύσπιστος.

increment (n) [ίνκριμέν-τ] προσαύξηση.

incremental (adj) [ινκριμέν-ταλ] επαυξητικός.

incriminate (v) [ινκρίμινεῑτ] ενοχοποιώ.

incriminating (adj) [ινκρίμινεῑτινγκ] ε-νοχοποιητικός.

incrimination (n) [ινκριμινέισσον] ενοχοποίηση.

incriminatory (adj) [ινκριμινέιτρι] ενοχοποιητικός, επιβαρυντικός.

incubate (v) [ίνκιου-μπεῑτ] κλωσσώ.

incubation (n) [ινκιου-μπέισσον] επώαση.

incubator (n) [ινκιου-μπέιτορ] εκκολαπτήριο, επωαστήριο.

inculcate (v) [ίνκαλκεῑτ] εντυπώνω.

inculpate (v) [ίνκαλπεῑτ] ενοχοποιώ.

incur (v) [ινκέρ] διατρέχω, υφίσταμαι [ζημιά], συνάπτω [δάνειο].

incurable (adj) [ινκιούρα-μπλ] αθεράπευτος, αγιάτρευτος, ανίατος.

indecency (n) [ιν-ντίισενσι] απρέπεια.

indecent (adj) [ιν-ντίισεν-τ] πρόστυχος.

indecision (n) [ιν-ντισίζζιον] διστακτικότητα, δυστοκία.

indeclinable (adj) [ιν-ντικλάιναμπλ] ά-κλιτος.

indecorous (adj) [ιν-ντέκορας] άκοσμος.

indeed (adv) [ιν-ντίι-ντ] αλήθεια, ναι.

indefatigable (adj) [ιν-ντιφάτιγκαμπλ] άοκνος, ακούραστος.

indefinite (adj) [ιν-ντέφινιτ] αόριστος.

indelible (adj) [ιν-ντέλι-μπλ] ανεξίτηλος, αναπόσβεστος.

indemnify (v) [ιν-ντέμνιφαῑ] εξασφαλίζω, αποζημιώνω.

indemnity (n) [ιν-ντέμνιτι] αποζημίωση, εξασφάλιση, εγγύηση.

indentation (n) [ιν-ντεν-τέισσον] εσοχή.

indented (adj) [ιν-ντέν-τι-ντ] δαντελωτός.

independence (n) [ιν-ντιπέν-ντενς] ανεξαρτησία.

independent (adj) [ιν-ντιπέν-ντεν-τ] α-δέσμευτος, ανεξάρτητος.

indescribable (adj) [ιν-ντισκράι-μπα-μπλ] ανέκφραστος, απερίγραπτος.

indestructibility (n) [ιν-ντιστρακτι-μπίλιτι] αφθαρσία.

indestructible (adj) [ιν-ντιστράκτιμπλ] ακατάλυτος, άφθαρτος.

index (n) [ίν-ντεξ] ευρετήριο, δείχτης (v) αποδελτιώνω.

index card (n) [ίν-ντεξ κάα-ντ] καρτέλα.

India (n) [Ίιν-ντια] Ινδία.

india rubber (n) [ίιν-ντια ρά-μπα(ρ)] γόμα, καουτσούκ.

Indian (adj) [Ίν-ντιαν] ινδικός (n) ινδιάνος, Ινδός.

indicate (v) [ίν-ντικεῑτ] υποδεικνύω.

indication (n) [ιν-ντικέισσον] υπόδειξη.

indicative (adj) [ιν-ντίκατιβ] δεικτικός.

indicator (n) [ίν-ντικέιτορ] δείκτης.

indicatory (adj) [ιν-ντίκατρι] ενδεικτικός.

indict (v) [ιν-ντάιτ] κατηγορώ.

indictment (n) [ιν-ντάιτμεν-τ] έγκληση, κατηγορητήριο, μήνυση.

indifference (n) [ιν-ντίφερενς] αδιαφορία, απάθεια, ψυχρότητα.

indifferent (adj) [ιν-ντίφερεν-τ] απαθής.

indigenous (adj) [ίν-ντίντζζενας] εντόπιος (n) αυτόχθονας.

indigestible (adj) [ιν-νταϊντζζέστιμπλ] αχώνευτος, δύσπεπτος.

indigestion (n) [ιν-νταϊντζζέσστσσον] δυσπεψία.

indignant (adj) [ιν-ντίγκναν-τ] αγανακτισμένος.

indignation (n) [ιν-ντιγκνέισσον] αγανάκτηση, δυσανασχέτηση.

indignity (n) [ιν-ντίγκνιτι] αναξιοπρέπεια.

indigo (n) [ίν-ντιγκοου] λουλάκι.

indigo blue (adj) [ίν-ντιγκοου μπλου] λουλακής.

indirect (adj) [ιν-νταϊρέκτ] έμμεσος.

indirectly (adv) [ιν-νταϊρέκτλι] πλαγίως.

indiscreet (adj) [ιν-ντισκρίπτ] αδιάκριτος.

indispensable (adj) [ιν-ντισπένσαμπλ] αναπόφευκτος, απαραίτητος.

indisposed (adj) [ιν-ντισπίουζ-ντ] ανήμπορος.

indisposition (n) [ιν-ντισποζίσσον] αδιαθεσία, αντιπάθεια.

indisputable (adj) [ιν-ντισπιούταμπλ] αναμφισβήτητος.

indissoluble (adj) [ιν-ντισόλιουμπλ] διαρκής, αδιάλυτος.

indistinct (adj) [ιν-ντιστίνκτ] δυσδιάκριτος, ωχρός.

individual (n) [ιν-ντιβί-νντζζουαλ] υποκείμενο.

individualism (n) [ιν-ντιβί-νντζζουαλιζμ] ατομικισμός.

individualistic (adj) [ιν-ντιβί-νντζζουαλίστικ] ατομικιστικός.

individuality (n) [ιν-ντιβι-νντζζουάλιτι] ατομισμός.

individualize (v) [ιν-ντιβί-νντζζουαλάιζ] χαρακτηρίζω.

individually (adv) [ιν-ντιβίνντζζουαλι] χώρια, χωριστά.

indivisible (adj) [ιν-ντιβίζι-μπλ] αδιαίρετος.

indoctrination (n) [ιν-ντοκτρινέισσον] διαπαιδαγώγηση, κατήχηση.

indolence (n) [ίν-ντολενς] αδράνεια [με-

ταφ], ραθυμία, νωχέλεια.

indolent (adj) [ίν-ντολεν-τ] νωθρός, αργός.

indomitable (adj) [ιν-ντόμιτα-μπλ] ακατάβλητος.

Indonesia (n) [Ιν-ντοουνίιζζια] Ινδονησία.

Indonesian (adj) [Ιν-ντοουνίιζζιαν] Ινδονησιακός (n) Ινδονήσιος.

induction (n) [ιν-ντάκσσον] επαγωγή, κατάταξη [στρατ].

inductive (adj) [ιν-ντάκτιβ] επαγωγικός.

indulge (v) [ιν-ντάλντζζ] χαρίζομαι, ικανοποιώ.

indulge in (v) [ιν-ντάλντζζ ιν] παραδίνομαι.

indulgence (n) [ιν-ντάλντζζενς] απόλαυση.

indulgent (adj) [ιν-ντάλντζζεν-τ] επιεικής.

industrial (adj) [ιν-ντάστριαλ] βιομηχανικός.

industrialist (n) [ιν-ντάστριαλιστ] βιομήχανος.

industrialization (n) [ιν-ντιαστριαλαϊζείσσον] εκβιομηχάνιση.

industrialize (v) [ιν-ντάστριαλάιζ] εκβιομηχανίζω, βιομηχανοποιώ.

industrious (adj) [ιν-ντάστριας] επιμελής.

industry (n) [ίν-ντιαστρι] βιομηχανία.

inebriate (n) [ινίι-μπριετ] μέθυσος (v) μεθώ (adj) μεθυσμένος.

ineffective (adj) [ινεφέκτιβ] άκαρπος, πλαδαρός.

ineffectiveness (n) [ινεφέκτιβνες] ανικανότητα.

ineffectual (adj) [ινεφέκτοσσουαλ] ανώφελος, αναποτελεσματικός.

inefficient (adj) [ινεφίσσιεν-τ] ανίκανος.

inelegant (adj) [ινέλεγκαν-τ] κακόζηλος.

inept (adj) [ινέπτ] ανάρμοστος.

inequal (adj) [ινίκουαλ] άνισος.

inert (adj) [ινέρτ] αδρανής.

inertia (n) [ινέρσσια] αδράνεια.

inescapable (adj) [ινεσκέιπα-μπλ] αναπόδραστος, ανεκτίμητος.

inevitable (adj) [ινέβιτα-μπλ] μοιραίος.

inexcusable (adj) [ινεξκιούζα-μπλ] αδικαιολόγητος, ασυγχώρητος.

inexhaustible (adj) [ινεξόοστι-μπλ] α-κατάβλητος, ακένωτος.

inexorable (adj) [ινέξερα-μπλ] ανηλεής.

inexpensive (adj) [ινεξπένσιβ] αδάπανος.

inexperience (n) [ινεξπίριενς] απειρία.

inexplicable (adj) [ινεξπλίκα-μπλ] α-συγχώρητος, ανεξήγητος.

inexpressible (adj) [ινεξπρέσι-μπλ] α-νέκφραστος, απερίγραπτος.

inextricable (adj) [ινεξτρίκα-μπλ] αδιέ-ξοδος, αξεδιάλυτος.

infallibility (n) [ινφαλι-μπίλιτι] αλάθητο.

infallible (adj) [ινφάλι-μπλ] αλάθητος, αλάνθαστος, σίγουρος.

infamous (adj) [ίνφαμας] ανήθικος, αισχρός, άτιμος, ατιμωτικός.

infamy (n) [ίνφαμι] ατιμία, δημόσιος ε-ξευτελισμός.

infant (n) [ίνφαν-τ] βρέφος, νήπιο, μωρό.

infanticide (n) [ινφάν-τισάι-ντ] βρεφοκτονία, νηπιοκτονία.

infantile (adj) [ίνφαν-ταϊλ] παιδικός, βρεφικός, νηπιακός.

infantry (n) [ίνφαν-τρι] πεζικό.

infantryman (n) [ίνφαν-τριμαν] φαντάρος.

infatuate (v) [ινφάτσουέιτ] αποβλακώνω.

infatuated (adj) [ινφάτσουεΐτι-ντ] ξε-τρελλαμένος.

infect (v) [ινφέκτ] διαφθείρω.

infection (n) [ινφέκσσον] λοίμωξη, μό-λυνση, μίασμα, μόλυσμα.

infectious (adj) [ινφέκσσας] λοιμώδης.

infer (v) [ινφέρ] συμπεραίνω, συνάγω.

inference (n) [ίνφερενς] πόρισμα.

inferior (adj) [ινφίρρια(ρ)] παρακατιανός.

inferiority (n) [ινφιριόριτι] κατωτερότητα, μειονεκτικότητα.

infernal (adj) [ινφέρναλ] αβυσσαλέος, καταχθόνιος, υποχθόνιος.

infertile (adj) [ίνφερταϊλ] άγονος.

infest (v) [ινφέστ] μαστίζω.

infidel (adj) [ίνφι-ντελ] άθεος.

infidelity (n) [ινφι-ντέλιτι] απιστία, μοιχεία.

infiltrate (v) [ίνφιλτρεΐτ] διεισδύω.

infinite (adj) [ίνφινιτ] άπειρος.

infinitesimal (adj) [ινφινιτέσιμαλ] απει-ροστός, απειροελάχιστος.

infinitive (n) [ινφίνιτιβ] απαρέμφατο.

infinity (n) [ινφίνιτι] απειρία.

infirm (adj) [ινφέρμ] ασθενικός.

infirmary (n) [ινφέρμερι] νοσοκομείο.

infirmity (n) [ινφέρμιτι] ασθένεια.

infix (v) [ίνφιξ] καρφώνω (n) επενθετικό.

inflame (v) [ινφλέιμ] αναφλέγω.

inflammable (adj) [ινφλάμα-μπλ] ευε-ρέθιστος, εύφλεκτος.

inflammation (n) [ινφλαμέισσον] ανά-φλεξη, φλεγμονή.

inflate (v) [ινφλέιτ] εμφυσώ.

inflated (adj) [ινφλέιτι-ντ] διογκωμένος, πληθωρικός.

inflation (n) [ινφλέισσον] διόγκωση.

inflexibility (n) [ινφλεξι-μπίλιτι] ακαμψία.

inflexible (adj) [ινφλέξι-μπλ] άκαμπος, αλύγιστος, δύσκαμπτος.

inflict (v) [ινφλίκτ] επιβάλλω.

infliction (n) [ινφλίκοσον] επιβολή.

inflow (n) [ίνφλοου] συρροή.

influence (n) [ίνφλουενς] επίδραση (v) επηρεάζω, επιδρώ.

influent (n) [ίνφλουουεν-τ] παραπόταμος.

influential (adj) [ινφλουένσσαλ] σημαί-νων, ισχυρός.

influenza (n) [ινφλουένζα] γρίπη.

influx (n) [ίνφλαξ] εισροή, συρροή.

inform (v) [ινφόομ] ειδοποιώ, πληρο-φορώ, προδίδω.

inform against (v) [ινφόομ αγκέινστ] μαρτυρώ [προδίδω].

informal (adj) [ινφόομαλ] ανεπίσημος.

informally (adv) [ινφόομαλι] εξωδίκως, ανεπισήμως.

informant (n) [ινφόομαν-τ] πληροφο-

ριοδότης.
information (n) [ινφορμέισσον] κατατόπιση, πληροφόρηση.
informative (adj) [ινφόρματιβ] πληροφοριακός, διαφωτιστικός.
informed (adj) [ινφόομ-ντ] πληροφορημένος, ενήμερος.
informer (n) [ινφόομα(ρ)] καταδότης, προδότης, χαφιές.
infrastructure (n) [ινφραστράκτοσα(ρ)] υποδομή.
infrequent (adj) [ινφρρίκουεν-τ] σπάνιος, σποραδικός, ανάριος.
infringe (v) [ινφρίν-ντζζ] παραβιάζω [νόμο], παραβαίνω.
infuriate (v) [ινφιούριεϊτ] θυμώνω.
infuse (v) [ινφιούζ] εμφυσώ.
ingenious (adj) [ιν-ντζζίνιους] ευφυής.
ingenuity (n) [ιν-ντζζινιούιτι] ευφυία.
ingenuous (adj) [ιν-ντζζίνιουας] άδολος, απονήρευτος, αφελής.
inglorious (adj) [ινγκλόοριας] άδοξος.
ingrate (adj) [ινγκρέιτ] αγνώμων.
ingratitude (n) [ινγκράτιτιου-ντ] αγνωμοσύνη, αχαριστία.
ingredient (n) [ινγκρίι-ντιεν-τ] συστατικό.
ingredients (n) [ινγκρίι-ντιεν-τς] συστατικά.
inhabit (v) [ινχάμ-μπιτ] κατοικώ.
inhabitable (adj) [ινχάμ-μπιτα-μπλ] κατοικήσιμος.
inhabitant (n) [ινχάμ-μπιταν-τ] κάτοικος.
inhalation (n) [ινχαλέισσον] εισπνοή.
inhale (v) [ινχέιλ] εισπνέω.
inherent (adj) [ίνχερεν-τ] έμφυτος.
inherit (v) [ινχέριτ] κληρονομώ.
inheritance (n) [ινχέριτανς] κληρονομιά.
inhibit (v) [ινχί-μπιτ] αναστέλλω.
inhibited (adj) [ινχί-μπιτι-ντ] ανασταλείς, ανασχεθείς.
inhibition (n) [ινχι-μπίσσον] αναχαίτιση.
inhibitory (adj) [ινχι-μπίτορι] ανασταλτικός, απαγορευτικός.

inhospitable (adj) [ινχοσπίτα-μπλ] αφιλόξενος.
inhuman (adj) [ινχίουμαν] απάνθρωπος, άσπλαχνος.
inhumane (adj) [ινχιουμέίν] απάνθρωπος.
inhumanity (n) [ίνχιουμάνιτι] απανθρωπιά, σκληρότητα.
inimical (adj) [ινίμικαλ] εχθρικός.
inimitable (adj) [ινίμιτα-μπλ] αμίμητος, μοναδικός, ασυναγώνιστος.
initial (adj) [ινίσσαλ] αρχικός, πρώτος (n) τζίφρα (v) μονογραφώ.
initials (n) [ινίσσαλζ] μονογραφή.
initiate (n) [ινίσσιέιτ] μύστης (v) αρχίζω, εισάγω, μυώ.
initiation (n) [ινισσιέισσον] αρχή, έναρξη, εγκαινίαση, μύηση.
initiative (n) [ινίσσατιβ] πρωτοβουλία.
injection (n) [ιν-ντζζέκοσον] ένεση.
injure (v) [ίν-ντζζερ] βλάπτω.
injuring (n) [ίν-ντζζαρινγκ] τραυματισμός.
injurious (adj) [ίν-ντζζαρας] επιβλαβής.
injury (n) [ίν-ντζζουρι] ατύχημα, ζημιά (v) ζημιώνω.
injustice (n) [ιν-ντζζάστις] αδικία.
ink (n) [ινκ] μελάνι (v) μελανώνω.
ink-pad (n) [ινκ-πα-ντ] ταμπόν.
ink-stain (n) [ινκ-στέιν] μελανιά.
inkpot (n) [ινκποτ] μελανοδοχείο.
inky (adj) [ίνκι] μελανωμένος.
inland (adj) [ίνλαν-ντ] εγχώριος.
inlay (n) [ίνλεϊ] ψηφίδα.
inlet (n) [ίνλετ] όρμος, είσοδος.
inmate (adj) [ίνμεϊτ] τρόφιμος.
inn (n) [ιν] ταβέρνα, πανδοχείο, χάνι.
innards (n) [ίναα-ντζ] σπλάχνα.
innate (adj) [ίνεϊτ] έμφυτος.
inner (adj) [ίνερ] ενδότερος.
inner tube (n) [ίνα τιού-μπ] σαμπρέλα, θάλαμος [ποδηλάτου].
inner wall (n) [ίνα ωόολ] τοίχωμα.
innermost (adj) [ίναμόουστ] ενδόμυχος.

innkeeper (n) [ίνκίιπερ] ξενοδόχος.

innocence (n) [ίνοσενς] αθωότητα.

innocent (adj) [ίνοσεν-τ] αθώος.

innominate (adj) [ινόμινεΐτ] ανώνυμος.

innovate (v) [ίνοβεΐτ] νεωτερίζω.

innovation (n) [ινοβέισσον] νεωτερισμός (adj) νεωτεριστικός.

innovator (adj) [ινοβέιτορ] πρωτοπόρος (n) νεωτεριστής.

innumerable (adj) [ινιούμερα-μπλ] ακαταμέτρητος, αναρίθμητος.

inoculate (v) [ινόκιουλεΐτ] εμβολιάζω.

inoculation (n) [ινοκιουλέισσον] ενοφθαλμισμός, εμβολιασμός.

inoffensive (adj) [ινοφένσιβ] άκακος.

inopportune (adj) [ινόπορτσσουν] άκαιρος, ανεπίκαιρος.

inordinate (adj) [ινόο-ντινετ] υπέρμετρος, άμετρος.

inorganic (adj) [ινογκάνικ] ανόργανος.

input (n) [ίνπουτ] είσοδος, εισροή.

inquest (n) [ίνκουεστ] ανάκριση.

inquire (v) [ίνκουάια(ρ)] ερωτώ.

inquiring (adj) [ίνκουάιρινγκ] ερευνητικός.

inquiry (n) [ινκουάιρι] ανάκριση.

inquisitive (adj) [ινκουΐζιτιβ] αδιάκριτος, φιλοπερίεργος.

inquisitor (n) [ίνκουΐζιτα(ρ)] ανακριτής.

insane (adj) [ινσέίν] παλαβός (n) παράφρονας.

insanity (n) [ίνσάνιτι] τρέλα.

insatiable (adj) [ινσέίσσα-μπλ] αχόρταγος, άπληστος (n) βουλιμία.

inscribe (v) [ίνσκράι-μπ] χαράσσω.

inscription (n) [ινσκρίπσσον] εγγράφαξη, αφιέρωση, αναγραφή.

inscriptive (adj) [ινσκρίπτιβ] επιγραφικός, χαρακτικός.

inscrutable (adj) [ινσκρούτα-μπλ] ανεξιχνίαστος, αδιαπέραστος.

insect (n) [ίνσεκτ] έντομο.

insectarium (n) [ινσεκτέαριαμ] εντομο-

τροφείο.

insecticide (adj) [ινσέκτισαϊ-ντ] εντομοκτόνος (n) εντομοκτόνο.

insecure (adj) [ινσεκιούα] επισφαλής.

insecurity (n) [ινσεκιούριτι] ανασφάλεια.

insensibility (n) [ινσενσι-μπίλιτι] λιποθυμία, αναισθησία.

insensible (adj) [ινσένσι-μπλ] αναίσθητος, αδιάφορος, ασυγκίνητος.

insensitive (adj) [ινσένσιτιβ] αναίσθητος.

insensitivity (n) [ινσενσιτίβιτι] παχυδερμία.

inseparable (adj) [ινσέπερα-μπλ] αδιάσπαστος, αδιαχώριστος.

insert (v) [ινσέρτ] εισάγω, ενθέτω.

insertion (n) [ινσέρζζον] εισαγωγή, καταχώριση, παρένθεση.

inset (n) [ίνσετ] παρεμβολή, τσόντα.

inshore (adj) [ίνσοόο] παράκτιος.

inside (adv) [ινσάι-ντ] απομέσα, μέσα.

inside out (adv) [ινσάι-ντ άουτ] ανάποδα [μέσα έξω].

insignia (n) [ινσίγκνια] διάσημα.

insignificant (adj) [ινσιγκνίφικαν-τ] ασήμαντος, άσημος, μηδαμινός.

insincere (adj) [ινσινσία(ρ)] απατηλός.

insincerity (n) [ίνσινσέριτι] υποκρισία.

insipid (adj) [ινσίπι-ντ] ανούσιος.

insist (v) [ινσίστ] εμμένω, επιμένω.

insistence (n) [ινσίστενς] επιμονή.

insolence (n) [ίνσολενς] αυθάδεια.

insolent (adj) [ίνσολεν-τ] θρασύς.

insoluble (adj) [ινσόλιου-μπλ] ανεξιχνίαστος [έγκλημα], αξεδιάλυτος.

insolvency (n) [ινσόλβενσι] πτώχευση.

insolvent (adj) [ινσόλβεν-τ] αφερέγγυος.

insomnia (n) [ινσόμνια] αϋπνία.

inspect (v) [ινσπέκτ] επιθεωρώ.

inspection (n) [ινσπέκσσον] έλεγχος.

inspector (n) [ινσπέκτορ] ελεγκτής.

inspectorate (n) [ινσπέκτορετ] επιθεώρηση.

inspiration (n) [ινσπιρέισσον] πνοή [μεταφ], φώτιση, οίστρος.

inspire (v) [ινσπάια(ρ)] εμπνέω.

inspired (adj) [ινσπάια-ντ] μεγαλόπνευστος, εμπνευσμένος.

inspirid (adj) [ινσπίρι-ντ] ανούσιος.

inspirit (adj) [ινσπίριτ] γλυκανάλατος.

instability (n) [ινστα-μπίλιτι] αστάθεια, ρευστότητα.

install (v) [ινστόολ] καθιστώ.

installation (n) [ινσταλέισσον] εγκατάσταση, εγκαθίδρυση.

installment (n) [ινστόολμεν-τ] δόση [πληρωμή].

instance (n) [ίνστανς] λόγος [παράδειγμα].

instant (n) [ίνσταν-τ] στιγμή.

instantaneous (adj) [ινσταν-τέινιας] α-καριαίος, άμεσος.

instantly (adv) [ίνσταν-τλι] αυθωρεί, αυτοστιγεί.

instigate (v) [ίνστιγκεϊτ] υποκινώ, εξωθώ.

instigation (n) [ινστιγκέισσον] πρόκληση.

instigator (n) [ινστιγκέιτορ] μοχλός.

instill (v) [ινστίλ] εμφυσώ.

instillment (n) [ινστίλμεν-τ] εντάλαξη.

instinct (n) [ίνστινκτ] ένστικτο (adj) πλήρης, γεμάτος.

instinctive (adj) [ινστίνκτιβ] ενστικτώδης.

institute (n) [ίνστιτιουτ] ινστιτούτο.

institution (n) [ινστιτιούσσον] θεσμός, ίδρυμα, παράδοση.

institutional (adj) [ινστιτιούσσοναλ] θεσμικός, οργανωμένος.

institutionalize (v) [ίνστιτιούσσοναλαϊζ] θεσμοποιώ, επιβάλλω.

instruct (v) [ινστράκτ] διδάσκω.

instruction (n) [ινστράκσσον] διδασκαλία, παιδεία, ορισμός.

instructive (adj) [ινστράκτιβ] διδακτικός.

instructor (n) [ινστράκτορ] διδάσκαλος, εκπαιδευτής, γυμναστής.

instrument (n) [ίνστρουμεν-τ] εργαλείο, όργανο [μουσ], σύνεργο.

instrumental (adj) [ίνστρουμεν-ταλ] συντελεστικός, ενόργανος.

insubordinate (adj) [ινσα-μπόοντινετ] ανυπάκουος.

insubordination (n) [ινσα-μπόοντινέισσον] απειθαρχία.

insufferable (adj) [ινσάφερα-μπλ] αβάστακτος, αφόρητος.

insufficient (adj) [ινσαφίσσιεν-τ] ανεπαρκής, ελλιπής.

insular (adj) [ίνσιουλα(ρ)] νησιώτικος, απομονωμένος.

insulate (v) [ίνσιουλεϊτ] απομονώνω [ν-λεκτ], αποκόπτω, μονώνω.

insulating (adj) [ίνσιουλεϊτινγκ] μονωτικός.

insulation (n) [ινσιουλέισσον] μόνωση, απομόνωση.

insulin (n) [ίνσιουλιν] ινσουλίνη.

insult (n) [ινσάλτ] προσβολή, βρισιά (v) θίγω, βρίζω.

insulting (adj) [ινσάλτινγκ] εξυβριστικός.

insuperable (adj) [ινσούπερα-μπλ] ανυπέρβλητος, αξεπέραστος.

insurance (adj) [ινσσούρανς] ασφαλιστικός (n) ασφάλιση.

insurance policy (n) [ινσσούρανς πόλισι] ασφαλιστήριο.

insurance premium (n) [ινσσσούρανς πρίμιαμ] ασφάλιστρο.

insure (v) [ινσσούα] ασφαλίζω.

insurer (n) [ινσσούρα] ασφαλιστής.

insurgent (n) [ινσέρντζζεν-τ] αντάρτης.

insurmountable (adj) [ινσερμάουν-ταμπλ] αξεπέραστος.

insurrection (n) [ινσερέκσσον] επανάσταση, εξέγερση.

intact (adj) [ιν-τάκτ] ανέπαφος, σώος.

intake (n) [ίν-τεϊκ] εισαγωγή.

intangible (adj) [ιν-τάν-ντζζι-μπλ] άυλος, ακατάληπτος, δυσνόητος.

integer (adj) [ίν-τεντζζερ] ακέραιος.

integral (adj) [ίν-τεγκραλ] ακέραιος (n)

ολοκλήρωμα.
integrate (v) [ίν-τεγκρέϊτ] ενοποιώ.
integration (n) [ιν-τεγκρέισσον] ολοκλήρωση, ένταξη, ενσωμάτωση.
integrity (n) [ιν-τέγκριτι] ακεραιότητα.
intellect (n) [ίν-τελεκτ] ευφυΐα.
intellectual (adj) [ιν-τελέκτσσουαλ] πνευματικός, νοερός.
intelligence (n) [ιν-τέλιντζζενς] εξυπνάδα, ευφυΐα, νους.
intelligent (adj) [ιν-τέλιντζζεν-τ] έξυπνος, ευφυής, νοήμων.
intelligible (adj) [ιν-τέλιντζζι-μπλ] νοητός, κατανοητός, ευνόητος.
intemperance (n) [ιν-τέμ-περανς] ακράτεια, υπερβολή, παραλυσία.
intemperate (adj) [ιν-τέμ-περετ] ακρατής, ασυγκράτητος, ακόλαστος.
intend (v) [ιν-τέν-ντ] εννοώ, σχεδιάζω.
intended (adj) [ιν-τέν-ντι-ντ] προσδοκώμενος, μελλοντικός.
intense (adj) [ιν-τένς] έντονος [προσπάθεια], ισχυρός.
intensification (n) [ιν-τενσιφικέισσον] ένταση, δυνάμωμα, επίταση.
intensifier (n) [ιν-τένσιφαϊερ] ενισχυτής.
intensify (v) [ιν-τένσιφαΐ] εντείνω.
intensity [ιν-τένσιτι] (n) ένταση.
intensive (adj) [ιν-τένσιβ] εντατικός.
intent (adj) [ιν-τέν-τ] προσηλωμένος, αφοσιωμένος (n) σκοπός.
intention (n) [ιν-τένσσον] πρόθεση, βλέψη, σκοπός.
intentional (adj) [ιν-τένσσοναλ] σκόπιμος.
inter (v) [ιν-τέρ] ενταφιάζω, θάβω.
interaction (n) [ιν-τεράκσσον] αλληλεπίδραση.
intercede (v) [ιν-τερσίι-ντ] επεμβαίνω.
interception (n) [ιν-τερσέποσσον] ανάσχεση [αεροπ], αναχαίτιση.
interchange (n) [ίν-τερτσσέιν-ντζζ] εναλλαγή.

intercommunal (adj) [ιν-τερκομμιούναλ] διακοινοτικός.
intercontinental (adj) [ιν-τερκον-τινένταλ] διηπειρωτικός.
intercourse (n) [ίν-τακοος] συναναστροφή, συνουσία, σχέση.
interdependence (n) [ιν-τα-ντιπένντενς] αλληλεξάρτηση.
interest (n) [ίν-τερεστ] τόκος, ενδιαφέρον (v) ενδιαφέρω.
interest-bearing (adj) [ίν-τερεστ-μπέαρινγκ] τοκοφόρος.
interested (adj) [ίν-τρεστι-ντ] ενδιαφερόμενος.
interesting (adj) [ίν-τρεστινγκ] ενδιαφέρων.
interfere (v) [ιν-ταφία(ρ)] ανακατεύω, χώνομαι.
interference (n) [ιν-τερφίερενς] παρέμβαση, ανάμειξη, επέμβαση.
interfering (n) [ιν-τερφίερινγκ] ανάμιξη.
interior (adj) [ιν-τίιρια(ρ)] ενδότερος, εσωτερικός, ντόπιος.
interjection (n) [ιν-τερντζζέκσσον] αναφώνηση, επιφώνημα [γραμμ].
interlace (v) [ιν-τερλέις] συμπλέκω.
interlocutor (n) [ιν-τερλόκιουτα(ρ)] συνομιλητής.
interlude (n) [ίν-τερλιου-ντ] ιντερμέτζο, ενδιάμεσο, διάλειμμα.
intermarriage (n) [ίν-τερμάριντζζ] επιγαμία, επιμειξία.
intermediary (n) [ιν-τερμίι-ντιαρι] διάμεσος, μεσολαβητής.
intermediate (adj) [ιν-τερμίι-ντιετ] ενδιάμεσος (n) διάμεσος (v) [ιν-τερμίι-ντιεϊτ] μεσολαβώ.
interment (n) [ίν-τερμεν-τ] ταφή.
interminable (adj) [ιν-τέρμινα-μπλ] ατελεύτιτος.
intermingle (v) [ιν-τερμίνγκλ] αναμιγνύω.
intermission (n) [ιν-ταμίσσον] διάλειμμα.
internal (adj) [ιν-τέρναλ] εσωτερικός.
international (adj) [ιν-τανάσσοναλ] διεθνής.

internationalize (v) [ιν-τερνάσσονα-λάιζ] διεθνοποιώ.

internecine (adj) [ιν-τερνίισαϊν] αλλη-λοκτόνος, φονικός.

internee (n) [ιν-τερνίι] έγκλειστος.

interplanetary (adj) [ιν-ταπλάνιτρι] δια-πλανητικός.

interplay (n) [ίν-ταπλέι] αλληλεπίδραση.

interpose (v) [ίν-ταπόουζ] παρεμβάλ-λω, παρενθέτω.

interpret (v) [ιν-τερπρέτ] διερμηνεύω.

interpretation (n) [ιν-τερπριτέισσον] σημασία, εκδοχή, έννοια.

interpreter (n) [ιν-τέρπριτερ] διερμηνέας.

interrogate (v) [ιν-τέρογκεϊτ] εξετάζω.

interrogation (n) [ιν-τερογκέισσον] α-νάκριση, εξέταση, ερώτηση.

interrogative (adj) [ιν-τερόγκατιβ] ερω-τηματικός.

interrupt (v) [ιν-τεράπτ] διακόπτω.

interruption (n) [ιν-τεράπσσον] διακο-πή, εκκρεμότητα.

intersect (v) [ιν-τασέκτ] διχοτομώ.

intersection (n) [ιν-τασέκσσον] τομή.

interval (n) [ίν-ταβαλ] χώρος, διάλειμμα.

intervene (v) [ιν-ταβίιν] ανακατεύω, με-σολαβώ.

intervention (n) [ιν-ταβένσσον] μεσο-λάβηση, ανάμειξη, επέμβαση.

interventionism (n) [ιν-ταβένσσονίζμ] επεμβατισμός, παρεμβατισμός.

interview (n) [ίν-ταβιου] ακρόαση.

intestinal (adj) [ιν-τέστιναλ] εντερικός.

intestine (n) [ίν-τεστιν] άντερο, έντερο.

intestines (n) [ίν-τεστινζ] εντόθια.

intimacy (n) [ίν-τιμασι] οικειότητα.

intimate (adj) [ίν-τιμετ] φιλικός.

intimation (n) [ιν-τιμέισσον] γνωστο-ποίηση, αναγγελία, υπαινιγμός.

intimidate (v) [ιν-τίμι-ντεϊτ] τρομοκρατώ.

intimidating (adj) [ιν-τιμι-ντέϊτινγκ] εκ-φοβιστικός.

intimidation (n) [ιν-τιμι-ντέισσον] εκ-φοβισμός, φοβέρα.

into (adv) [ίν-του] εντός (pr) εις.

intolerable (adj) [ιν-τόλερα-μπλ] ανυ-πόφορος, αφόρητος, αβίωτος.

intolerance (n) [ιν-τόλερανς] αδιαλλαξία.

intolerant (adj) [ιν-τόλεραν-τ] αδιάλλα-κτος, μισαλλόδοξος.

intoxicate (v) [ιν-τόξικεϊτ] μεθώ.

intoxicating (adj) [ιν-τοξικέιτινγκ] με-θυστικός.

intoxication (n) [ιν-τοξικέισσον] μέθη.

intramuscular (adj) [ιν-τραμάσκιου-λα(ρ)] ενδομυϊκός.

intransigence (n) [ιν-τράνσιντζζενς] α-διαλλαξία.

intransitive (adj) [ιν-τράνσιτιβ] αμετάβατος.

intravenous (adj) [ιν-τραβίινας] ενδο-φλέβιος.

intrepid (adj) [ιν-τρέπι-ντ] απτόητος, ά-φοβος.

intricacy (n) [ίν-τρικασι] περιπλοκή.

intricate (adj) [ίν-τρικιτ] περίπλοκος (n) δαίδαλος, σύνθετος.

intrigue (n) [ιν-τρίιγκ] δολοπλοκία (v) σκανδαλίζω.

intriguer (n) [ιν-τρίιγκα(ρ)] μηχανορ-ράφος.

intriguing (adj) [ιν-τρίιγκινγκ] ραδι-ούργος.

intrinsic (adj) [ιν-τρίνσικ] εσωτερικός.

introduce (v) [ιν-τρο-ντιούς] εισάγω.

introduction (n) [ιν-τρο-ντάκσσον] προεισαγωγή, εισαγωγή.

introductions (n) [ιν-τρο-ντάκσσονς] συστάσεις.

introductory (adj) [ιν-τρο-ντάκτορι] ει-σαγωγικός, εισηγητικός.

introjection (n) [ιν-τροντζζέκσσον] πα-ρεμβολή, ενδοπροβολή.

introspection (n) [ιν-τροουσπέκσσον] αυτοανάλυση.

introversion (n) [ιν-τροβέρζζον] ενδο-στρέφεια, εσωστρέφεια.

introvert (n) [ίν-τροβερτ] εσωστρεφής.

intrude (v) [ιν-τρού-ντ] επεμβαίνω.

intrude oneself (into) (v) [ίν-τρού-ντ ουάνσέλφ [ίν-του]] παρεισφρέω.

intruding (adj) [ιν-τρού-ντινγκ] παρείσακτος.

intrusive (adj) [ιν-τρούσιβ] οχληρός.

intuition (n) [ιν-τιουίσσον] διαίσθηση.

intuitive (adj) [ιν-τίουιτιβ] έμφυτος.

inundate (v) [ιναν-ντέιτ] πλημμυρίζω.

inundation (n) [ιναν-ντέισσον] πλημμύρα.

inure (v) [ινιούα(ρ)] εξοικειώνω.

inutility (n) [ινιουτίλιτι] αχρηστία.

invade (v) [ινβέι-ντ] εισβάλλω, κατακλύζω [μεταφ].

invader (n) [ινβέι-ντερ] εισβολέας.

invalid (adj) [ινβάλι-ντ] άκυρος.

invalidate (v) [ινβάλι-ντέιτ] αναιρώ.

invalidity (n) [ινβαλί-ντιτι] ακυρότητα.

invaluable (adj) [ινβάλιουαμπλ] ανεκτίμητος, ατίμητος.

invariable (adj) [ινβέρια-μπλ] αμετάβλητος, στερεότυπος.

invasion (n) [ινβέιζζον] εισβολή.

inveigh (v) [ινβέι] καταφέρομαι.

invent (v) [ινβέν-τ] πλάθω, επινοώ.

invention (n) [ινβένσσον] ανακάλυψη, πλάσμα, σκάρωμα.

inventive (adj) [ινβέν-τιβ] επινοητικός.

inventiveness (n) [ινβέν-τιβνες] επινοητικότητα, εφευρετικότητα.

inventor (n) [ινβέν-το(ρ)] εφευρέτης.

inventory (n) [ίνβεν-τρι] απογραφή [εμπορ], κατάλογος [τιμών].

inverse (adj) [ινβέρς] αντίστροφος.

inversion (n) [ινβέρζζιον] αντιστροφή.

invert (v) [ινβέρτ] αναστρέφω.

inverted (adj) [ινβέρτι-ντ] ανεστραμμένος.

inverted commas (n) [ινβέρτι-ντ] εισαγωγικά.

invest (v) [ινβέστ] επενδύω.

investigate (v) [ινβέστιγκέιτ] εξετάζω.

investigation (n) [ινβεστιγκέισσον] διερεύνηση, έρευνα.

investing (n) [ινβέστινγκ] τοποθέτηση.

investment (n) [ινβέστμεν-τ] επένδυση.

investor (n) [ινβέστορ] επενδυτής.

inveterate (adj) [ινβέτερετ] μανιακός, αθεράπευτος.

invigilation (n) [ινβιντζζιλέισσον] επίβλεψη.

invigilator (n) [ινβιντζζιλέιτορ] επόπτης [σε εξετάσεις], επιτηρητής.

invigorate (v) [ινβίγκορέιτ] αναζωογονώ.

invincible (adj) [ινβίνσι-μπλ] ακαταμάχητος, ακατανίκητος.

inviolability (n) [ινβάιολα-μπίλιτι] ασυλία.

inviolable (adj) [ινβάιολα-μπλ] απαράβατος.

inviolate (adj) [ινβάιολέιτ] απαραβίαστος.

invisible (adj) [ινβίζι-μπλ] αθέατος.

invisible income (n) [ινβίζι-μπλ ίνκαμ] άδηλοι πόροι.

invitation (n) [ινβιτέισσον] κάλεσμα, πρόσκληση [σε δεξίωση κτλ].

invite (v) [ινβάιτ] δελεάζω, επισύρω.

invited (adj) [ινβάιτι-ντ] καλεσμένος.

inviting (adj) [ινβάιτινγκ] ελκυστικός.

invocation (n) [ινβοουκέισσον] επίκληση.

invocatory (adj) [ινβόκατρι] παρακλητικός.

invoice (v) [ίνβοϊς] τιμολογώ (n) τιμολόγιο.

invoke (v) [ινβόουκ] επικαλούμαι.

involuntary (adj) [ινβόλον-τρι] αθέλητος.

involution (n) [ινβολούουσσον] περιπλοκή.

involve (v) [ινβόουλβ] περιπλέκω.

involved (adj) [ινβόλβ-ντ] περίπλοκος.

involvement (n) [ινβόλβμεν-τ] ανάμιξη.

invulnerable (adj) [ινβάλνερα-μπλ] απρόσβλητος, άτρωτος.

inward (adj) [ίνουα-ντ] εσωτερικός.

inwardly (adv) [ίνουα-ντλι] απομέσα.

inwardness (n) [ίνουα-ντνες] εσωτερικότητα, πνευματικότητα.

inwards (n) [ίν-αντζ] εντόσθια.

iodine (n) [άιο-ντάιν] ιώδιο.

Ionian Sea (n) [Αϊόνιαν Σίι] Ιόνιο.

Ionic (adj) [Αϊόνικ] ιωνικός.

ionosphere (adj) [αϊόνοσφία(ρ)] ιονόσφαιρα.

Iranian (adj) [Ιρέινιαν] Πέρσης.

irascible (adj) [ιράσι-μπλ] θυμώδης.

irate (adj) [άιρέιτ] θυμώδης.

ire (n) [άιρ] οργή, θυμός.

Ireland (n) [Άιρλαν-ντ] Ιρλανδία.

irenic (adj) [αϊρίινικ] ειρηνοποιός.

iridescence (n) [ίρι-ντέσενς] ιριδισμός.

iridium (n) [ιρί-ντιαμ] ιρίδιο.

iris (n) [άιρις] ίριδα [ματιού], είδος κρίνου.

Irish (adj) [Άιρισχ] ιρλανδικός.

Irishman (n) [Άιρισσμαν] Ιρλανδός.

irk (v) [ερκ] ενοχλώ, στενοχωρώ.

irksome (adj) [έρκσαμ] ζόρικος.

iron (n) [άιον] σίδηρος (v) σιδερώνω (adj) σιδερένιος.

iron bar (n) [άιον μπάα(ρ)] λοστός.

Iron Curtain (n) [Άιον Κέρτεν] παραπέτασμα [πολιτ].

iron industry (n) [άιον ίν-νταστρι] σιδηροβιομηχανία.

iron mine (n) [άιον μάιν] σιδηρορυχείο.

iron ore (n) [άιον όορ] σιδηρομετάλλευμα.

iron plate (n) [άιον πλέιτ] λαμαρίνα.

iron-clad (adj) [άιον-κλα-ντ] θωρακισμένος, σιδερόφραχτος.

ironbound (adj) [άιον-μπάουν-ντ] σιδερόδετος.

ironical (adj) [αϊρόνικαλ] ειρωνικός.

ironing (n) [άιονινγκ] σιδέρωμα.

ironing board (n) [άιονινγκ μπόο-ντ] σανίδα [σιδερώματος].

ironist (n) [άιονιστ] είρωνας.

ironmonger (n) [άιονμόνγκερ] σιδεράς, σιδηροπώλης.

ironmongery (n) [άιονμόνγκερι] κιγκαλερία.

ironmonger's (n) [άιονμόνγκαζ] σιδηροπωλείο.

ironware (n) [άιονουέα(ρ)] σιδερικά.

irony (n) [άιρονι] ειρωνεία.

irrational (adj) [ιράσσοναλ] άλογος, ακαταλόγιστος.

irreconcilable (adj) [ιρεκονσάιλαμπλ] αδιάλλακτος, ασυμβίβαστος.

irreconciled (adj) [ιρεκονσάιλ-ντ] ασυμφιλίωτος.

irregular (adj) [ιρέγκιουλα(ρ)] αντικανονικός, άτακτος.

irregularity (n) [ιρεγκιουλάριτι] αταοθαλία, διάλειψη, παρατυπία.

irrelevant (adj) [ιρέλεβαν-τ] ξεκάρφωτος.

irreligious (adj) [ιριλίντζ̌ιας] άθρησκος.

irremovable (adj) [ιριμούβα-μπλ] αμετακίνητος.

irreparable (adj) [ιρέπερα-μπλ] αδιόρθωτος.

irreplaceable (adj) [ιριπλέισα-μπλ] δυσαναπλήρωτος.

irrepressible (adj) [ιριπρέσι-μπλ] ακατάσχετος.

irreproachable (adj) [ιριπρόουτσσα-μπλ] αδιάβλητος, άψογος.

irreputable (adj) [ιρεπιούτα-μπλ] αδιάσειστος, ακαταμάχητος.

irresistible (adj) [ιριζίστι-μπλ] ακαταμάχητος.

irresolute (adj) [ιρέζολιουτ] άβουλος, αναποφάσιστος, διστακτικός.

irresolution (n) [ιρεζελιούσσον] αβουλία, αναποφασιστικότητα.

irresponsibility (n) [ιρισπονσι-μπίλιτι] ανευθυνότητα.

irresponsible (adj) [ιρισπόνσιμπλ] ανεύθυνος.

irreverent (adj) [ιρέβερεν-τ] ανευλαβής.

irreversible (adj) [ιρεβέρσι-μπλ] ανέκκλιτος.

irrevocability (n) [ιρεβοκα-μπίλιτι] αμετάκκλιτο, ανέκλητο.

irrevocable (adj) [ιρέβοκα-μπλ] αμετά-
κλητος, ανέκκλητος.
irrigable (adj) [ίριγκα-μπλ] αρδεύσιμος.
irrigate (v) [ίριγκεϊτ] ποτίζω.
irrigation (n) [ιριγκέισσον] πότισμα.
irrigative (adj) [ίριγκατιβ] αρδευτικός.
irritable (adj) [ίριτα-μπλ] ευέξαπτος, ο-
ξύθυμος.
irritate (v) [ίριτεϊτ] ερεθίζω, οργίζω,
νευριάζω.
irritating (adj) [ιριτέιτινγκ] ερεθιστικός,
εκνευριστικός, πειραχτικός.
irritation (n) [ιριτέισσον] οργή, φαγούρα.
ischemia (n) [ισκίϊμια] ισχαιμία.
Islam (n) [ιζλαμ] Ισλάμ.
Islamic (adj) [ισλάμικ] ισλαμικός.
island (adj) [άιλαν-ντ] νησιώτικος (n) νησί.
islander (n) [άιλαν-ντα(ρ)] νησιώτης.
islet (n) [άιλετ] νησίδα, νησάκι.
ism (n) [ιζμ] θεωρία, ιδεολογία.
isobar (n) [άισο-μπαα] ισοβαρής.
isobaric (adj) [άισοου-μπάρικ] ισοβαρής.
isolate (v) [άισολεϊτ] απομονώνω.
isolated (adj) [αϊσολέιτι-ντ] χωριστός.
isolation (n) [αϊσολέισσον] μόνωση.
isolation ward (n) [αϊσολέισσον ουόο-
ντ] απομονωτήριο.
isolationism (n) [αϊσολέισσονιζμ] απο-
μονωτισμός.
isolationist (adj) [αϊσολέισσονιστ] απο-
μονωτικός.

Israel (n) [Ίσραεϊλ] Ισραήλ.
Israeli (adj) [Ίσραεϊλι] ισραηλινός.
Israelite (n) [Ισρελάιτ] Ισραηλίτης.
issue (n) [ίσσιου] δημοσίευση, φύλλο
(v) εκδίδω, προέρχομαι.
issue from (v) [ίσσιου φρομ] προέρχομαι.
issues (n) [ίσσιους] παρεπόμενα.
isthmus (n) [ίσθμας] ισθμός.
it (pron) [ιτ] το [γραμ].
Italian (n) [Ιτάλιαν] Ιταλός (adj) ιταλικός.
italics (n) [ιτάλικς] λοξά στοιχεία τυπο-
γραφίας.
itch (n) [ιτσ] κνησμός.
itch(ing) (n) [ίτσο[ινγκ]] κνησμός.
itchd (v) [ιτσ-ντ] έχω φαγούρα.
item (n) [άιτεμ] αντικείμενο.
itemize (v) [άιτεμάιζ] αναλύω.
iterate (v) [ιτερέιτ] επαναλαμβάνω.
iteration (v) [ιτερέτσσον] επανάληψη.
itinerant (adj) [αιτίνεραν-τ] οδοιπορικός.
itinerary (n) [αϊτίνερερι] δρομολόγιο.
its (pron) [ιτς] αυτού, του.
itself (pron) [ιτσέλφ] το ίδιο.
ivory (n) [άιβορι] ελεφαντοστούν.
ivory-turner (n) [άιβορι τέρνερ] ελεφα-
ντουργός.
ivy (n) [άιβι] κισσός.

J, j (n) [ντζζέι] το δέκατο γράμμα του αγγλικού αλφαβήτου.

jab (n) [ντζζα-μπ] μπηχτή.

jabber (v) [ντζζά-μπερ] φλυαρώ.

jack (n) [ντζζακ] γρύλος, βαλές.

Jack of all trades (n) [Ντζζακ οβ όολ τρέιντς] πολυτεχνίτης.

jackal (n) [ντζζάκαλ] τσακάλι.

jackanapes (n) [ντζζάκανεϊπς] παλιόπαιδο, πειραχτήρι, ζιζάνιο.

jackass (n) [ντζζάκας] όνος, ζώο.

jacket (n) [ντζζάκετ] ζακέτα.

jacks (n) [ντζζακς] πεντόβολα.

jacktation (n) [ντζζακτέισσον] καυχησιολογία, κομπασμός.

Jacob (n) [Ντζζέικο-μπ] Ιακώβ.

jaded (adj) [ντζζέιντιντ] κουρασμένος.

jag (v) [ντζζαγκ] σχίζω, κόβω.

jaguar (n) [ντζζάγουαρ] Τζαγκουαρ.

jagged (adj) [ντζζαγκιντ] δαντελωτός.

jail (n) [ντζζέιλ] φυλακή.

jailed (adj) [ντζζέιλντ] φυλακισμένος.

jam (n) [ντζζαμ] μαρμελάδα.

jamming (n) [ντζζάμινγκ] εμπλοκή.

janissary (n) [τζάνισερι] γενίτσαρος.

janitor (n) [ντζζάνιτορ] θυρωρός.

January (n) [Ντζζένιουαρι] Ιανουάριος.

Japan (n) [Ντζζαπάν] Ιαπωνία.

Japanese (adj) [Ντζζάπανίιζ] ιαπωνικός (n) Ιάπωνας.

Japanese(man) (n) [Ντζζάπανίιζ [μαν]] Ιάπωνας.

jar (n) [ντζζάαρ] κακοφωνία, κιούπι.

jargon (n) [ντζζάαγκον] αργκό.

jarring (adj) [ντζζάαρινγκ] τραχύς, δυσάρεστος, παράτονος.

jasmine (n) [ντζζάσμιν] γιασεμί.

jaundice (n) [ντζζόον-ντις] ίκτερος.

jaunty (adj) [ντζζόον-ντι] άνετος.

javelin (n) [ντζζάβελιν] ακόντιο.

jaw (n) [ντζζόο] πάρλα, επίπληξη.

jawbone (n) [ντζζόο-μπόουν] σιαγόνα.

jazz (n) [ντζζαζ] τζαζ.

jazzy (adj) [ντζζάζι] φιγουράτος.

jealous (adj) [ντζζέλας] ζηλιάρης.

jealousy (n) [ντζζέλασι] ζήλια, ζηλοτυπία.

jeans (n) [ντζζίινζ] μπλού-τζην.

jeep (n) [ντζζίιπ] τζιπ.

jeer (n) [ντζζίιρ] χλεύη (v) εμπαίζω.

jeer at (v) [ντζζίιρ ατ] μυκτηρίζω.

jeering (adj) [ντζζίιρινγκ] σαρκαστικός (n) γιουχάισμα.

Jehovah (n) [ντζζίχόουβα] Ιεχωβάς.

jejune (adj) [ντζζιντζζούουν] πληκτικός, βαρετός, ανούσιος.

jell (v) [ντζζελ] πήζω.

jellied (adj) [ντζζέλιι-ντ] πηχτός.

jelly (n) [ντζζέλι] ζελέ, μπελτές.

jellyfish (n) [ντζζέλιφισς] τσούχτρα.

jeopardy (n) [ντζζέπα-ντι] κίνδυνος.

Jeremiad (n) [Τζερεμάια-ντ] Ιερεμιάδα.

jerk (n) [ντζζερκ] τίναγμα, τικ (v) τινάζω.

jerky (adj) [ντζζέρκι] ανώμαλος.

jerry (n) [ντζζέρι] ουροδοχείο.

jersey (n) [ντζζέρζιι] φανέλλα.

jest (v) [ντζζεστ] αστειεύομαι (n) αστείο.

jester (n) [ντζζέστα(ρ)] αστειολόγος.

jesting (n) [ντζζέστιινγκ] σκέρτσο.

Jesuit (n) [Ντζζέζιουιτ] Ιησουίτης.

Jesus (n) [Ντζζίιζας] Ιησούς.

jet (n) [ντζζετ] εκτόξευση.

jet black (adj) [ντζζετ-μπλάκ] στιλπνός, κατάμαυρος, ολόμαυρος.

jettison (n) [ντζζέτισον] απόρριψη.

jetty (n) [ντζζέτι] προβλήτα, μόλος.

Jew (n) [Ντζζιού] Ιουδαίος.

jewel (n) [ντζζιούελ] κόσμημα.

jewel-case (n) [ντζζιούελ κέις] κοσμηματοθήκη.

jeweller (n) [ντζζιούλερ] κοσμηματοπώλης.

jewellery (n) [ντζζιιούλρι] κοσμήματα.

jewellery box (n) [ντζζιιούλρι μπόξ] κασετίνα [κοσμημάτων].

jeweller's (n) [ντζζιιούελερ'ζ] κοσμηματοπωλείο.

jeweller's shop (n) [ντζζιιούελερ'ζ σσοπ] χρυσοχοείο.

jewels (n) [ντζζιιούλς] τιμαλφή.

Jewish (adj) [Ντζζούισς] εβραίικος.

jib (n) [ντζζι-μπ] κοψιά (v) κωλώνω.

jilt (v) [ντζζίλτ] εγκαταλείπω εραστή.

jingle (v) [ντζζινγκλ] κουδουνίζω (n) κροτάλισμα.

jinx (n) [ντζζινξ] γρουσουζιά.

jitters (n) [ντζζίτερς] νευρικότητα.

job (n) [ντζζο-μπ] δουλειά, θέση.

job-chaser (n) [ντζζο-μπ-τσσείσερ] θεσιθήρας.

jockey (n) [ντζζόκιι] τζόκεϋ.

jocular (adj) [ντζζόκιουλα(ρ)] αστείος.

joggle (v) [ντζζογκλ] σκουντώ.

john (n) [ντζζον] ουρητήριο.

join (v) [ντζζόιν] ενώνω, συμβάλλω.

join on (v) [ντζζόιν ον] τσοντάρω.

join together (v) [ντζζόιν τουγκέδερ] συγκολλώ, συνενώνω.

joinder (n) [ντζζόιν-ντερ] συγχώνευση, συνεκδίκαση.

joiner (n) [ντζζόινερ] ξυλουργός.

joinery (n) [ντζζόινερι] ξυλουργική.

joining (adj) [ντζζόινινγκ] ενωτικός (n) σύνδεση.

joint (adj) [ντζζόιν-τ] κοινός, ενιαίος (n) έγωση, κλείδωση.

jointed (adj) [ντζζόιν-τιντι] αρθρωτός.

joist (n) [ντζζόιστ] πάτερο, μαδέρι.

joke (n) [ντζζόουκ] αστείο (v) αστειεύομαι.

joker (n) [ντζζόουκερ] ευφυολόγος.

joking (n) [ντζζόουκινγκ] αστεϊσμός.

jolly (adj) [ντζζόλι] ευχάριστος.

jolt (v) [ντζζόολτ] σκουντώ (n) ξάφνιασμα, τίναγμα.

jolting (n) [ντζζόολτινγκ] τράνταγμα, ταρακούνημα.

Jonah (adj) [Τζόουνα] άτυχος.

jonquil (n) [ντζζόνκουιλ] είδος νάρκισσου.

jostle (n) [ντζζόσλ] συνωστισμός (v) σπρώχνω, σκουντώ.

jot down (v) [ντζζοτ ντάουν] σημειώνω.

journal (n) [ντζζέρναλ] εφημερίδα, ημερολόγιο, περιοδικό.

journalism (n) [ντζζέρναλιζμ] δημοσιογραφία.

journalist (adj) [ντζζέρναλιστ] αρθρογράφος (n) δημοσιογράφος.

journalistic (adj) [ντζζερναλίστικ] δημοσιογραφικός.

journey (n) [ντζζέρνι] διαδρομή, οδοιπορία, ταξίδι (v) ταξιδεύω.

joust (n) [ντζζάουστ] κονταρομαχία.

jovial (adj) [ντζζόουβιαλ] εύθυμος.

joy (n) [ντζζόι] χαρά, ευθυμία.

joyful (adj) [ντζζόιφουλ] περιχαρής.

joyous (adj) [ντζζόιας] χαρούμενος.

joyride (n) [ντζζόιραϊντ] αυτοκινητάδα.

jubilant (adj) [ντζζιού-μπιλαν-τ] χαρούμενος, περίχαρος.

Judaic (adj) [Ντζζιουντέιικ] εβραϊκός.

Judaism (n) [Ντζζιού-νταιιζμ] Εβραϊσμός.

judge (n) [ντζζαντζζ] διαιτητής, κριτής (v) δικάζω, εκδικάζω.

judgment (n) [ντζζάντζζμεν-τ] κρίση.

judicatory (adj) [ντζζούου-ντικεϊτερι] δικαστικός.

judicature (n) [ντζζούου-ντικατσσερ] δικαιοσύνη.

judicial (adj) [ντζζουντίσσαλ] δικαστικός.

judiciary (adj) [ντζζουντίσσαρι] δικασιικός.

judicious (adj) [ντζζουντίσσιας] συνετός.

jug (n) [ντζζαγκ] στάμνα, φυλακή.

jugal (adj) [ντζζούουγκαλ] ζυγωματικός.

jugate (adj) [ντζζούουγκεϊτ] συνεζευγμένος.

juggernaut (n) [ντζζάγκκανοοτ] Κρίσνα.

juggler (n) [ντζζάγκλα(ρ)] ταχυδακτυλουργός.

juggling (adj) [ντζζάγκλινγκ] ταχυδακτυλουργικός (n) ταχυδακτυλουργία.

juice (n) [ντζζιούς] χυμός, ζουμί.

juicy (adj) [ντζζιούσι] χυμώδης.

jujube (n) [ντζζούντζζουμπ] τζιτζιφιά [βοτ], καραμέλα.

July (n) [Ντζζουλάι] Ιούλης.

jumble (v) [ντζζάμ-μπλ] ανακατεύω.

jumbled (adj) [ντζζάμ-μπλντ] συγκεχυμένος.

jump (v) [ντζζαμ-π] πηδώ (n) άλμα.

jump for joy (v) [ντζζαμ-π φοο ντζζόι] πετώ [από χαρά].

jump(ing) (n) [ντζζάμ-π[ινγκ]] πήδημα.

jump over (v) [ντζζαμ-π όουβερ] πηδώ, υπερπηδώ.

jumper (n) [ντζζάμ-περ] πουλόβερ, άλτης.

jumpiness (n) [ντζζάμ-πινες] σπασμωδικότητα.

junction (n) [ντζζάνκσσον] ζεύξη.

June (n) [Ντζζιούν] Ιούνιος.

jungle (n) [ντζζανγκλ] ζούγκλα.

junk (n) [ντζζανκ] σαβούρα.

junk dealer (n) [ντζζανκ ντίλερ] παλιατζής.

junky (n) [ντζζάνκι] τοξικομανής.

jurisdiction (n) [ντζζουρισ-ντίκσσον] αρμοδιότητα, δικαιοδοσία.

jurisprudence (n) [ντζζούρισπρούντενς] νομολογία, νομικά.

jurist (adj) [ντζζούριστ] νομικός.

juror (n) [ντζζούρορ] κριτής.

jury (n) [ντζζούρι] ένορκοι (adj) αυτοσχέδιος, προσωρινός.

jussive (adj) [ντζζούσιβ] προστακτικός.

just (adv) [ντζζαστ] μόλις (adj) δίκαιος, σωστός (conj) δα.

justice (n) [ντζζάστις] δικαιοσύνη.

justice of peace (n) [ντζζάστις οβ πίις] ειρηνοδίκης.

justifiable (adj) [ντζζαστιφάια-μπλ] εύλογος, δικαιολογημένος.

justification (n) [ντζζαστιφικέισσον] δικαιολόγηση, δικαιολογία.

justified (adj) [ντζζάστιφάι-ντ] δικαιολογημένος.

justify (v) [ντζζάστιφαϊ] αιτιολογώ, οχυρώνομαι.

justify oneself (v) [ντζζάστιφάι ουάνσελφ] δικαιώνομαι.

jut out (v) [ντζζατ άουτ] προέχω.

juvenile (adj) [ντζζιούβεναϊλ] εφηβικός.

juvenility (n) [ντζζιουβενίλιτι] νεανικότητα.

juxtapose (v) [ντζζάξταποουζ] αντιπαραθέτω.

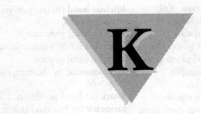

K, k (n) [κέι] το ενδέκατο γράμμα του αγγλικού αλφαβήτου.

kale (n) [κέιλ] λαχανίδα.

kaleidoscope (n) [καλάι-ντοσκοουπ] καλειδοσκόπιο.

kangaroo (n) [κανγκαρούοου] καγκουρό.

karate (n) [καράατι] καράτε.

kathetometer (n) [καθετόμπερ] καθετόμετρο.

kathode (n) [κάθοου-ντ] κάθοδος [πλεκτρ].

katoptric (adj) [κατόπτρικ] κατοπτρικός.

katoptrics (n) [κατόπτρικς] κατοπτρική.

keel (n) [κίιλ] καρίνα.

keen (adj) [κίιν] κοφτερός, δριμύς.

keenness (n) [κίνες] σπουδή, οξύτητα.

keep (v) [κίιπ] κρατώ, φυλάγω.

keep afloat (v) [κίιπ αφλόουτ] επιπλέω.

keep back (v) [κίιπ μπακ] παρακρατώ.

keep busy (v) [κίιπ μπίζι] ασχολούμαι.

keep off (v) [κίιπ οφ] απομακρύνω.

keep quiet (v) [κίιπ κουάετ] σιγώ.

keep secret (v) [κίιπ σίικρετ] κουκουλώνω.

keep silent (v) [κίιπ σάιλεν-τ] σωπαίνω.

keep up (v) [κίιπ απ] συντηρώ.

keep up with (v) [κίιπ απ ουίδ] συμβαδίζω.

keep watch (v) [κίιπ ουότς] φρουρώ.

keeper (n) [κίιπα(ρ)] φύλακας.

keeping (n) [κίιπινγκ] διατήρηση.

keepsake (n) [κίιπσέικ] ενθύμιο.

keg (n) [κεγκ] βαρελάκι.

kennels (n) [κένελς] κυνοτροφείο.

kepi (n) [κέπι] πηλίκιο [μαθητ].

kerb (n) [κερ-μπ] κράσπεδο.

kerchief (n) [κέρτσιφ] τσεμπέρι, φακιόλι.

kernel (n) [κέρνελ] κουκούτσι.

kettle (n) [κετλ] κατσαρόλα, χύτρα.

key (n) [κίι] τόνος, κλειδί.

key-holder (n) [κίιχόουλ-ντα(ρ)] κλειδούχος.

keyboard (n) [κίι-μπόο-ντ] πληκτρολόγιο.

keyhole (n) [κίιχόουλ] κλειδαρότρυπα.

khaki (n) [κάακι] χακί.

kick (v) [κικ] κλοτσώ (n) χτύπημα.

kick-off (n) [κικ-οφ] λάκτισμα.

kickback (n) [κίκ-μπάκ] ρεγάλο.

kid (n) [κι-ντ] πιτσιρίκος, τραγί.

kidnap (v) [κί-ντναπ] απάγω.

kidnapper (n) [κί-ντναπερ] απαγωγέας.

kidnapping (n) [κί-ντναπινγκ] απαγωγή [παιδιού].

kidney (n) [κί-ντνιι] νεφρό.

kidney bean (n) [κί-ντνιι μπίιν] φασόλι.

kidskin (n) [κί-ντσκιν] κατσικόδερμα.

kill (v) [κιλ] ξεκάνω, φονεύω.

kill off (v) [κιλ οφ] ξεκαθαρίζω.

killer (n) [κίλα(ρ)] φονιάς.

killing (n) [κίλινγκ] φόνος.

killjoy (n) [κίλντζζοϊ] γρουσούζης.

kiln (n) [κιλν] καμίνι, κλίβανος.

kilogram (n) [κίλογκραμ] κιλό.

kilometre (n) [κίλομιτερ] χιλιόμετρο.

kilometric (adj) [κιλομέτρικ] χιλιομετρικός.

kilowatt (n) [κίλοουοτ] κιλοβάτ.

kilt (n) [κιλτ] φουστανέλλα.

kimono (n) [κιμόουνοου] κιμονό.

kind (adj) [κάιν-ντ] καλός, αγαθός (n) είδος, γένος.

kind of (adv) [κάιν-ντ οβ] κάπως.

kind-hearted (adj) [κάιν-ντ-χάατιντ] καλόψυχος, χρυσός [μεταφ].

kind-natured (adj) [κάιν-ντ-νέιτσσα-ντ] καλοκάγαθος.

kindergarten (n) [κίν-νταγκάατεν] νηπιαγωγείο, παιδικός σταθμός.

kindle (v) [κιν-ντλ] ανάβω.

kindly (adj) [κάιν-ντλι] καλός, φιλικός (adv) εγκάρδια, καλά.

kindness (n) [κάιν-ντνες] ευγένεια.

kindred (n) [κίν-ντρι-ντ] συγγενής.

kinetic (adj) [κινέτικ] κινητικός.

king (n) [κινγκ] ρήγας.

king-fisher (n) [κίνγκ-φισσερ] ψαροφάγος.

kingdom (n) [κίνγκ-ντομ] βασίλειο.

kink (n) [κινκ] συστροφή, χούι.

kinship (n) [κίνσσιπ] ομοιότητα.

kinsman (adj) [κίνζζμαν] συγγενής.

kiosk (n) [κίοσκ] περίπτερο.

kip (n) [κιπ] ύπνος (v) κοιμούμαι.

kismet (n) [κίζζμετ] μοίρα, κισμέτ.

kiss (n) [κις] φιλί (v) φιλώ.

kiss lovingly (v) [κις λάβινγκλι] γλυκοφιλώ.

kissing (n) [κίσινγκ] φίλημα.

kit (n) [κιτ] σύνεργα, δοχείο.

kitbag (n) [κίτ-μπαγκ] σάκος στρατιωτικός.

kitchen (n) [κίτσσεν] κουζίνα.

kitchen sink (n) [κίτσσεν σινκ] νεροχύτης.

kitchen-boy (n) [κίτσσεν-μπόι] λαντζιέρης.

kitchen-hood (n) [κίτσσεν-χουου-ντ] απορροφητήρας.

kite (n) [κάιτ] χαρταετός.

kitten (n) [κίτεν] γατάκι, γατούλα.

kitty (n) [κίτι] ψιψίνα.

kleptomaniac (n) [κλέπτομέινιακ] κλεπτομανής.

knack (n) [νακ] ικανότητα, κόλπο.

knapsack (n) [νάπσακ] γυλιός.

knave (n) [νέιβ] βαλές, απατεώνας.

knead (v) [νίι-ντ] ζυμώνω.

kneading (n) [νίι-ντινγκ] ζύμωμα.

kneading-trough (n) [νίι-ντινγκ-τροο] σκαφίδι.

knee (n) [νίι] καμπή, γόνατο.

knee-cap (n) [νίικ-άπ] επιγονατίδα.

kneel (v) [νίιλ] γονατίζω.

kneeling (adv) [νίιλινγκ] γονατιστά (n) γονυκλισία, γονάτισμα.

knickers (n) [νίκαζζ] βράκα.

knife (n) [νάιφ] κάμα, μαχαίρι.

knight (n) [νάιτ] ιππότης, άλογο [σκακιού].

knightly (adj) [νάιτλι] ιπποτικός.

knit (v) [νιτ] πλέκω [κάλτσες].

knitted (adj) [νίτι-ντ] πλεκτός.

knitting (n) [νίτινγκ] πλεκτό.

knitting workshop (n) [νίτινγκ ουέρκσσοπ] πλεκτήριο.

knock (v) [νοκ] βαρώ, συγκρούομαι (n) βρόντημα, χτύπημα.

knock about (v) [νοκ α-μπάουτ] παραδέρνω, βολοδέρνω.

knock against (v) [νοκ αγκέινστ] σκοντάφτω, τρακάρω.

knock down (v) [νοκ ντάουν] κατακυρώνω (adj) εξευτελιστικός.

knock in (v) [νοκ ιν] μπήγω.

knock on (v) [νοκ ον] κρούω.

knocker (n) [νόκερ] χτυπητήρι.

knoll (n) [νόουλ] λοφίσκος.

knop (n) [νοπ] διόγκωση.

knot (n) [νοτ] δυσκολία, κόμπος, ρό-
ζος, ναυτικό μίλι.

knotty (adj) [νότι] οζώδης.

know (v) [νόου] ξέρω, κατέχω, γνωρίζω.

know in advance (v) [νόου ιν α-ντβά-
ανς] προδικάζω.

knowable (adj) [νόουα-μπλ] αναγνωρί-
σιμος.

knowing (adj) [νόουινγκ] πονηρός, ξύ-
πνιος, έξυπνος.

knowledge (n) [νόλεντζζ] είδηση, επί-
γνωση, φως, γνώση.

knowledgeable (adj) [νόλέντζζαμπλ]
κατατοπισμένος, έξυπνος.

known (adj) [νόουν] γνώριμος.

knuckle (n) [νακλ] άρθρωση δακτύλου,

κλείδωση, ρόζος.

knur (n) [νερ] ρόζος δένδρου.

kolkhoz (n) [κόλχαουζ] κολχόζ, συλλο-
γικό αγρόκτημα.

kooky (adj) [κούουκι] υπερμοντέρνος.

kopeck (n) [κόουπεκ] καπίκι.

kopje (n) [κόπι] λοφίσκος, υψωματάκι.

Koran (n) [Κοράν] κοράνι.

Korean (n) [Κορίαν] κορεάτης.

kosher (adj) [κόουσσα] αγνός.

kowtow (n) [κόουτόου] κινέζικη υπό-
κλιση, τεμενάς.

krona (n) [κρόουνα] κορώνα.

kudos (n) [κιού-ντος] τιμή, φήμη.

kyle (n) [κάιλ] στενό, δίοδος.

L

L, l [ελ] το δωδέκατο γράμμα του αγγλικού αλφαβήτου.

lab (n) [λα-μπ] εργαστήριο.

label (n) [λέι-μπλ] ετικέτα.

labial (adj) [λέι-μπιαλ] χειλικός.

labile (adj) [λέι-μπίιλ] ασταθής.

laboratory (n) [λά-μπορατρι] παρασκευαστήριο, εργαστήριο.

laborious (adj) [λα-μπόοριας] επίπονος.

labour (n) [λέι-μπα] εργασία, κόπος (v) κοπιάζω, μοχθώ.

labour over (v) [λέι-μπαρ όουβα(ρ)] εκπονώ.

laboured (adj) [λέι-μπα-ντ] επίπονος, βαρύς, αφύσικος, άκομψος.

labourer (n) [λέι-μπορα(ρ)] εργάτης.

labyrinth (n) [λά-μπρινθ] λαβύρινθος.

lace (n) [λέις] δαντέλα, νταντέλα.

lace-up shoe (n) [λέις απσου] σκαρπίνι.

lacerate (v) [λάσερεϊτ] ξεσχίζω.

laceration (n) [λασερέισσον] σκίσιμο.

lack (n) [λακ] απουσία, έλλειψη (v) απολείπω, χρειάζομαι.

lackey (n) [λάκι] λακές.

laconic (adj) [λακόνικ] λακωνικός.

lactic (adj) [λάκτικ] γαλακτικός.

lacuna (n) [λακιούνα] χάσμα, κενό.

ladder (n) [λά-ντερ] κινητή σκάλα.

laddie (n) [λά-ντι] αγοράκι.

ladle (n) [λέι-ντλ] κουτάλα.

lady (n) [λέι-ντι] κυρία, λαίδη.

lady of the house (n) [λέι-ντι οβ δε χάους] οικοδέσποινα.

ladybird (n) [λέι-ντι-μπέρ-ντ] παπαδίτσα [εντομ].

lag behind (v) [λαγκ μπιχάιν-ντ] αργοπορώ, υστερώ.

lagoon (n) [λαγκούουν] λιμνοθάλασσα.

lair (n) [λέα(ρ)] σφηκοφωλιά, σπηλιά, φωλιά, άντρο (v) φωλιάζω.

laird (n) [λάια-ντ] κτηματίας.

laity (n) [λέιτι] λαϊκοί, κοσμικοί.

lake (n) [λέικ] λίμνη.

lam (v) [λαμ] κτυπώ, κοπανίζω.

lamb (n) [λαμ] αμνός, αρνάκι.

lame (adj) [λέιμ] κουτσός.

lament (v) [λαμέν-τ] θρηνολογώ.

lamentable (adj) [λαμέν-τα-μπλ] αξιοθρήνητος, οικτρός.

lamentation (n) [λαμεν-τέισσον] θρήνος.

lamp (n) [λαμ-π] λάμπα, καντήλα.

lamp-post (n) [λαμ-πόουστ] φανοστάτης.

lampmaker (n) [λάμ-πμέικερ] φαναρτζής.

lampoon (n) [λαμ-πούουν] σάτιρα.

lampoonist (n) [λαμ-πούουνιστ] λιβελογράφος.

lampshade (n) [λάμ-πσσεϊ-ντ] αμπαζούρ.

lance (n) [λάανς] λόγχη.

lance-corporal (n) [λάανς-κόοπραλ] υ-ποδεκανέας.

lancer (n) [λάανσα(ρ)] λογχοφόρος.

lancet (n) [λάανσιτ] νυστέρι.

lanciform (adj) [λάνσιφοομ] λογχοειδής.

lancination (n) [λανσινέισσον] σχάση, τομή, νυστεριά, σουβλιά.

land (n) [λαν-ντ] ξηρά, κτήμα, γη (v) ξε-μπαρκάρω, προσγειώνω.

land at (v) [λα-ντ ατ] προσεγγίζω.

land registrar (n) [λαν-ντ ρέντζζιστρά-αρ] υποθηκοφύλακας.

landed (adj) [λάν-ντιντ] κτηματικός.

landfill (n) [λάν-ντφιλ] επιχωμάτωση.

landing (n) [λάν-ντινγκ] αποβίβαση, προσγείωση, απόβαση.

landing stage (n) [λάν-ντινγκ στέιντζζ] σκάλα [αποβάθρα].

landlady (n) [λάν-ντλέι-νι] σπιτονοικοκυρά.

landless (n) [λάν-ντλες] ακτήμονας.

landlord (n) [λάν-ντλοο-ντ] ιδιοκτήτης.

landmark (n) [λάν-ντμαακ] σταθμός.

landowner (n) [λάν-ντόουνα(ρ)] κτηματίας.

landscape (n) [λάν-ντσκέιπ] τοπίο.

landslide (n) [λάν-ντολάι-ντ] κατάπτωση.

lane (n) [λέιν] πάροδος, σοκάκι.

language (n) [λάνγκουιντζζ] γλώσσα.

languid (adj) [λάνγκουι-ντ] χαυνός, ά-τονος, οκνός, ράθυμος.

languish (v) [λάνγκουιςς] μαραζώνω.

languor (n) [λάνγκερ] ατονία.

lank (adj) [λανκ] μαλακός, ισχνός.

lanky (adj) [λάνκι] ξερακιανός.

lanoline (n) [λάνολιν] λανολίνη.

lantern (n) [λάν-ταν] φανάρι.

lap (v) [λαπ] παφλάζω, πλαταγίζω.

Lapland (n) [Λάπλαν-ντ] Λαπωνία.

Lapp (n) [Λαπ] Λάπωνας.

lapse (n) [λαπς] παράβαση, λάθος.

lapse into (v) [λαπς ίν-του] ολισθαίνω.

lard (n) [λάα-ντ] λαρδί, λίπος.

larder (n) [λάα-ντα(ρ)] κελάρι.

large (adj) [λάαρντζζ] χονδρός, μέγας.

larger (adj) [λάαντζζερ] μεγαλύτερος.

largesse (n) [λααντζζές] απλοχεριά.

largest (adj) [λάαντζζεστ] μέγιστος.

largish (adj) [λάαντζζιος] μεγαλούτσικος.

lark (n) [λάακ] αστείο, (v) αστειεύομαι.

larva (n) [λάαβα] νύμφη [ζωολ].

laryngitis (n) [λάριν-ντζζάιτις] λαρυγγίτιδα.

larynx (n) [λάρινξ] λάρυγγας.

lasagne (n) [λασάνια] λαζάνια.

lascivious (adj) [λασίβιας] λάγνος.

laser (n) [λέιζερ] λέιζερ.

lash (v) [λασς] εξαγριώνω, μαστιγώνω (n) ματόκλαδο, βίτσα, βούρδουλας.

lash out (v) [λασς άουτ] λακτίζω.

lashing (n) [λάσσινγκ] δαρμός.

lass (n) [λας] κορίτσι, αγαπημένη.

lassie (n) [λάσι] κοπελιά.

lassitude (n) [λάσιτιου-ντ] κόπωση, ατονία.

lasso (n) [λάσσου] λάσο.

last (adj) [λάαστ] τελευταίος (v) αντέχω (n) καλαπόδι (adv) τελευταία, πρόσφατα.

last but one (adj) [λάαστ μπατ ουάν] προτελευταίος.

lasting (adj) [λάαστινγκ] διαρκής.

latch (v) [λατος] μανταλώνω (n) μάνταλο.

late (adj) [λέιτ] αργοπορημένος (n) αεί-μνηστος, μακαρίτης, τέως.

latency (n) [λέιτενσι] εκκρεμότητα.

lateness (n) [λέιτνες] αργοπορία.

latent (adj) [λέιτεν-τ] λανθάνων.

later (adj) [λέιπερ] νεότερος (adv) ύστερα.

lateral (adj) [λάτεραλ] πλάγιος.

latest (adj) [λέιτεστ] τελευταίος.

lathe (n) [λέιδ] τόρνος, τροχός αγγειο-πλάστου.

lather (n) [λάαδα(ρ)] σαπουνάδα, α-φρός (v) σαπουνίζω.

Latin (adj) [Λάτιν] λατινικός (n) λατινικά.

latitude (n) [λάτιτιου-ντ] πλάτος.

latrine (n) [λατρίν] απόπατος.

latticed (adj) [λάτιο-ντ] καφασωτός.

Latvia (n) [Λάτβια] Λετονία.

laud (v) [λόο-ντ] θεοποιώ, επαινώ, υμνώ, δοξάζω (n) έπαινος, ύμνος.

laudable (adj) [λόο-ντα-μπλ] αξιέπαινος.

laudanun (n) [λόο-νταναμ] λάβδανο.

laugh (v) [λάαφ] γελώ (n) γέλιο.

laugh at (v) [λάαφ ατ] περιγελώ.

laughing stock (n) [λάαφινγκ στοκ] περίγελος, κορόιδο, ρεζίλης.

laughter (n) [λάαφτερ] γέλιο.

launch (n) [λόον-τος] λέμβος, πλοιάριο (v) λανσάρω, καθελκύω.

launch a campaign (v) [λόον-τος α καμπέιν] εξορμώ.

launching (n) [λόον-τσσινγκ] εξαπόλυση, καθέλκυση, εκτόξευση.

launching out (n) [λόον-τσσινγκ άουτ] ξάνοιγμα.

laundry (n) [λόον-ντρι] μπουγάδα.

laundry room (n) [λόον-ντρι ρουμ] πλυντήριο, πλυσταριό.

laurel (n) [λόορελ] δάφνη.

lava (n) [λάαβα] λάβα.

lavatory (n) [λάβατρι] τουαλέτα.

lavender (n) [λάβεν-ντερ] λεβάντα.

lavish (adj) [λάβισς] γεναιόδωρος (v) επιδαψιλεύω, σπαταλώ.

lavishness (n) [λάβισσνες] σπατάλη.

law (n) [λόο] νόμος, δίκαιο.

law court (n) [λόο κόοτ] δικαστήριο.

law practice (n) [λόο πράκτις] δικηγορία.

law abiding (adj) [λόο-μπάι-ντινγκ] φιλόνομος, νομοταγής.

law-making (n) [λόο-μέικινγκ] νομοπαρασκευή.

lawful (adj) [λόοφουλ] έγκυρος, έννομος.

lawgiver (n) [λόογκίβερ] νομοθέτης.

lawless (adj) [λόολες] παράνομος.

lawlessness (n) [λόολεσνες] ανομία.

lawn (n) [λόον] χλόη, γκαζόν.

lawn tennis (n) [λόον τένις] αντισφαίριση.

lawsuit (n) [λόοσούτ] δίκη, αγωγή.

lawyer (n) [λόοιερ] δικηγόρος.

lax (adj) [λαξ] αμελής, χλιαρός.

laxative (adj) [λάξατιβ] ευκοίλιος.

laxity (n) [λάξιτι] αμέλεια.

lay (adj) [λέι] λαϊκός (v) κατευνάζω, βάζω, στρώνω, γαμώ [χυδ] (n) γκόμενα.

lay down (v) [λέι ντάουν] αποθέτω.

lay out (v) [λέι άουτ] εκθέτω, σελιδοποιώ, φυτεύω, χαράζω.

lay the foundations (v) [λέι δε φαουντέισσονς] θεμελιώνω.

lay up (v) [λέι απ] αποταμιεύω.

layabout (n) [λέια-μπαουτ] αλήτης, χασομέρης.

layer (n) [λέιερ] στρώση (v) καταβολιάζω.

layette (n) [λέιέτ] μωρουδιακά.

laying out (n) [λέιινγκ άουτ] χάραξη.

layman (n) [λέιμάν] λαϊκός, ιδιώτης.

layout (n) [λέιαουτ] σελιδοποίηση, διάταξη.

laziness (n) [λέιζινες] τεμπελιά.

lazy (adj) [λέιζι] αμελής, οκνηρός.

lazybones (n) [λέιζι-μπόουνζ] κηφήνας, σπάρος, τεμπελόσκυλο.

lead (v) [λίι-ντ] οδηγώ, τείνω (n) πρωτιά.

lead (adj) [λε-ντ] μολύβδινος (n) μολύβι.

lead astray (v) [λίι-ντ αστρέι] ξεμυαλίζω.

lead to (v) [λίι-ντ του] συνεπάγομαι.

leaden (adj) [λέ-ντεν] μολύβδινος.

leader (adj) [λίι-ντερ] κορυφαίος (n) κεφαλή, αρχηγός, ηγέτης.

leadership (n) [λίι-ντερσσιπ] αρχηγία.

leading (adj) [λίι-ντινγκ] ηγετικός (n) διεύθυνση, διοίκηση.

leading lady (n) [λίι-ντινγκ λέι-ντι] πρωταγωνίστρια.

leading person (n) [λίι-ντινγκ πέρσον] κορυφή [μεταφ].

leady (adj) [λέ-ντι] μολυβδοειδής.

leaf (n) [λίιφ] φύλλο.

leafy (adj) [λίιφι] φυλλώδης.

league (n) [λίγκ] συνασπισμός.

leak (n) [λίικ] διαφυγή (v) τρέχω.

leak out (v) [λίικ άουτ] διαφεύγω.

leakage (n) [λίικιντζ] απώλεια.

leal (adj) [λίλ] πιστός [σκωτ].

lean (adj) [λίιν] ισχνός (v) σκύβω.

lean meat (n) [λίιν μίιτ] ψαχνό.

lean on (v) [λίιν ον] στηρίζομαι.

leaning (adj) [λίινινγκ] γερτός.

leanness (n) [λίινες] ισχνότητα.

leap (v) [λίιπ] αναπηδώ (n) άλμα, σάλτο.

leap about (v) [λίιπ α-μπάουτ] χοροπηδώ.

leap year (n) [λίιπ γίαρ] δίσεκτο έτος.

learn (v) [λερν] διδάσκομαι.

learn by heart (v) [λερν μπάι άατ] απομνημονεύω, αποστηθίζω.

learning (n) [λέρνινγκ] εκμάθηση, παιδεία.

lease (n) [λίις] μίσθωση (v) εκμισθώνω.

leasehold (n) [λίισχοουλ-ντ] μίσθιο.

leash (n) [λί ις] λουρί (v) δένω.

leasing (n) [λίισινγκ] εκμίσθωση.

least (adj) [λίιστ] ελάχιστος.

leather (adj) [λέδερ] δερμάτινος (v) ξυλοφορτώνω (n) δέρμα.

leave (n) [λίιβ] άδεια (v) αναχωρώ, φεύγω.

leave behind (v) [λίιβ μπιχάιν-ντ] αφήνω φεύγοντας, ξεχνώ.

leave out (v) [λίιβ άουτ] ξεχνώ, παραλείπω, πηδώ [παραλείπω].

leaven (n) [λέβεν] ζύμη, μαγιά.

leavings (n) [λίιβινγκζ] αποφάγια.

Lebanese (n) [Λέ-μπανίιζ] Λιβανέζος.

Lebanon (n) [Λέ-μπανον] Λίβανος.

lecherous (adj) [λέτσερας] λάγνος, ακόλαστος, ασελγής.

lechery (n) [λέτσερι] ακολασία.

lecture (n) [λέκτσερ] ομιλία.

lecturer (n) [λέκτσερερ] λέκτορας.

ledge (n) [λεντζ] μαρκίζα.

ledger (n) [λέντζζερ] καθολικό.

lee (adj) [λίι] υπήνεμος.

leech (n) [λίιτος] βδέλλα.

leek (n) [λίικ] πράσο.

leer (n) [λίιρ] λοξοκοιτάζω.

left (adj) [λεφτ] αριστερός.

left overs (n) [λεφτ όουβαζ] απομεινάρια.

left-wing (adj) [λεφτ-ουίνγκ] αριστερός.

lefthanded (adj) [λέφτχάν-ντι-ντ] αριστερός, ζερβός.

leftist (n) [λέφτιστ] αριστεριστής.

leg (n) [λεγκ] κνήμη, μπρός, πόδι.

legacy (n) [λέγκασι] κληρονομιά.

legal (adj) [λίιγκαλ] ένδικος, νόμιμος.

legal inquiry (v) [λίιγκαλ ινκουάιρι] διαδικασία.

legality (n) [λιιγκάλτι] νομιμότητα.

legalize (v) [λίιγκαλαϊζ] επικυρώ.

legate (n) [λέγκετ] απεσταλμένος.

legate (v) [λιγκέιτ] κληροδοτώ.

legation (n) [λιγκέισσον] πρεσβεία.

legend (n) [λέντζζεν-ντ] θρύλος.

legendary (adj) [λέντζζεν-ντρι] θρυλικός.

legging (n) [λέγκινγκ] περικνημίδα.

legible (adj) [λέντζζι-μπλ] ευανάγνωστος.

legion (n) [λίιντζζιον] λεγεώνα.

legionary (n) [λίιντζζιονέρι] λεγεωνάριος.

legislate (v) [λέντζζιολέιτ] θεσμοθετώ, θεσπίζω, νομοθετώ.

legislation (n) [λέντζζιολέισσον] νομοθεσία.

legislative (adj) [λέντζζιολατιβ] νομοθετικός.

legislator (n) [λέντζζιολέιτορ] νομοθέτης.

legislature (n) [λέντζζιολέιτσσερ] νομοθετικό σώμα.

legist (adj) [λίιντζζιστ] νομομαθής.

legitimacy (n) [λεντζζίτιμασι] νομιμότητα.

legitimate (adj) [λεντζζίτιμετ] νόμιμος.

legitimatize (v) [λεντζζίτιματάιζ] νομιμοποιώ.

legs (n) [λεγκζ] κανιά, πόδια.

leisure (n) [λέζζα] αργία.

lemma (n) [λέμα] λήμμα.

lemon (n) [λέμον] λεμόνι.

lemonade (n) [λέμονέι-ντ] γκαζόζα.

lend (v) [λεν-ντ] δανείζω.

lendable (adj) [λέν-ντα-μπλ] δανείσιμος.

lender (n) [λέν-ντερ] δανειστής.

lending (adj) [λέν-ντινγκ] δανειστικός (n) δανεισμός.

length (n) [λενγκθ] μάκρος.

lengthen (v) [λένγκθεν] μακραίνω.

lengthy (adj) [λένγκθι] διεξοδικός.

leniency (n) [λίνιενσι] επιείκεια.

lenient (adj) [λίνιεν-τ] επιεικής.

lens (n) [λενζ] φακός, κάτοπτρο.

Lent (n) [Λεν-τ] σαρακοστή [εκκλ].

lent (adj) [λεν-τ] δανεικός.

lentils (n) [λέν-τιλζ] φακή [βοτ].

leonine (adj) [λίιοναϊν] λεόντιος.

leopard (n) [λέπα-ντ] λεοπάρδαλη.

leper (n) [λέπερ] λεπρός.

leprosy (n) [λέπροσι] λέπρα.

lesbian (n) [λέσ-μπιαν] λεσβία.

less (adv) [λες] λιγότερο, (pr) πλην, μείον, εκτός (adj) μικρότερος.

lessee (n) [λέσιι] μισθωτής.

lessen (v) [λέσεν] μειώνω, μικραίνω.

lessening (n) [λέσενινγκ] πάρσιμο.

lesson (n) [λέσον] παράδειγμα.

lessor (n) [λέσοο] εκμισθωτής.

lest (conj) [λεστ] μη, μήπως, μη τυχόν.

let (n) [λετ] μίσθωση (ex) ας (v) αφήνω, εκμισθώνω.

let down (v) [λετ ντάουν] κατεβάζω, ξεπλέκω [μαλλιά].

let go of (v) [λετ γκόου οβ] αφήνω.

let it be known (v) [λετ ιτ μπι νόουν] γνωρίζω.

let on (v) [λετ ον] αποκαλύπτω, μαρτυράω.

let out (v) [λετ άουτ] διατυμπανίζω, μισθώνω, ξεσκεπάζω.

lethargic (adj) [λαθάαντζζικ] αργός, κοιμισμένος.

lethargy (n) [λέθαντζζι] νάρκη, υπνηλία.

letter (n) [λέτερ] γραφή, επιστολή.

letter-case (n) [λέτα-κέϊς] χαρτοφυλάκιο.

letter-writer (n) [λέτα-ράιτερ] αλληλογράφος.

letterbox (n) [λέτα-μπόξ] γραμματοκιβώτιο.

lettered (adj) [λέτα-ντ] σοφός.

lettuce (n) [λέτις] μαρούλι.

leukaemia (n) [λουκίιμια] λευχαιμία.

Levantine (n) [Λέβαν-ταϊν] λεβαντίνος.

level (adj) [λέβελ] λείος, επίπεδος (v) κατεδαφίζω, λειαίνω (n) επίπεδο, στάθμη.

level down (v) [λέβελ ντάουν] εξισώνω, ισοπεδώνω.

level up (v) [λέβελ απ] ισοπεδώνω.

levelling (n) [λέβελινγκ] ισοπέδωση.

lever (n) [λίβερ] μανιβέλα, λεβιές.

leverage (n) [λίβεριντζζ] μόχλευση.

leveret (n) [λέβερετ] λαγουδάκι.

leviable (adj) [λέβια-μπλ] επιβλητέος, εισπρακτέος.

levitation (n) [λεβιτέισσον] μετεώρηση.

levity (n) [λέβιτι] ελαφρότητα.

lewd (adj) [λιού-ντ] άσεμνος.

lewdness (n) [λιού-ντνες] ασέλγεια.

lexical (adj) [λέξικαλ] λεξικολογικός.

lexicographer (n) [λεξικόγκραφα(ρ)] λεξικογράφος.

lexicography (n) [λεξικόγκραφι] λεξικογραφία.

lexicon (n) [λέξικον] λεξικό.

liability to (n) [λαϊα-μπίλιτι του] τάση, επιρρέπεια, ευπάθεια.

liable (n) [λάια-μπλ] υπεύθυνος [νομ], υπόλογος.

liaison (n) [λιέιζον] παράνομος ερωτικός δεσμός.

liar (n) [λάια(ρ)] ψεύτρα, ψεύτης.

libation (n) [λάι-μπέισσον] σπονδή.

libel (n) [λάι-μπελ] λίβελος (v) δυσφημώ.

libeller (n) [λάι-μπελερ] λιβελογράφος.

liberal (adj) [λί-μπεραλ] γενναιόδωρος, γενναίος (n) φιλελεύθερος.

liberalism (n) [λί-μπεραλιζμ] φιλελευθερισμός, ανεκτικότητα.

liberality (n) [λι-μπεράλιτι] ελευθεροφροσύνη, ελευθεριότητα.

liberalization (n) [λι-μπεραλαϊζέισσον] φιλελευθεροποίηση.

liberate (v) [λί-μπερέιτ] ελευθερώνω.

liberation (adj) [λι-μπερέισσον] απελευθερωτικός (n) απελευθέρωση.

liberator (n) [λι-μπερέιτορ] απελευθερωτής, σωτήρας.

liberty (n) [λί-μπατι] ελευθερία, άδεια, θάρρος, αναίδεια, τόλμη.

librarian (n) [λαϊ-μπρέαριαν] βιβλιοθηκάριος.

library (n) [λάι-μπρερι] βιβλιοθήκη.

Libya (n) [Λί-μπια] Λιβύη.

Libyan (n) [Λί-μπιαν] Λίβυος (adj) λιβυκός.

licence (n) [λάισενς] άδεια [γάμου]

licence plate (n) [λάισενς πλέιτ] πινακίδα.

license (v) [λάισενς] δίνω άδεια.

licensed (adj) [λάισενσ-ντ] εξουσιοδοτημένος, εγκεκριμένος.

lichen (n) [λίτσσεν] λειχήνα [παθολ].

lick (v) [λικ] λείχω, ξυλοφορτώνω.

lid (n) [λιντ] κάλυμμα, καπάκι.

lie (n) [λάι] ψέμα (v) ψεύδομαι.

lie down (v) [λάι ντάουν] ξαπλώνω.

lie flat (v) [λάι φλατ] κατάκειμαι.

lie hidden (v) [λάι χί-ντεν] υποβόσκω.

lie in (v) [λάι ιν] χουζουρεύω.

lie in wait (v) [λάι ιν ουέιτ] καιροφυλακτώ.

lieu (n) [λιου] τόπος, θέση.

lieutenant (n) [λιουτέναν-τ] αναπληρωτής.

lieutenant commander (n) [λιουτέναν-τ κομάαν-ντερ] πλωτάρχης.

lieutenant-colonel (n) [λιουτέναν-τκέρνελ] αντισυνταγματάρχης .

lieutenant-general (n) [λιουτέναν-τντζζένεραλ] αντιστράτηγος.

life (n) [λάιφ] ζωή, ύπαρξη, βίος.

life giving (adj) [λάιφ γκίβινγκ] ζωοδότης, ζωογόνος.

life jacket (n) [λάιφ ντζζάκιτ] σωσίβιο.

life-belt (n) [λάιφ-μπελτ] σωσίβιο.

lifeboat (n) [λάιφ-μπόουτ] ναυαγοσωστικό.

lifebuoy (n) [λάιφ-μπόι] κουλούρα [ναυτ].

lifeguard (n) [λάιφγκάα-ντ] ναυαγοσώστης.

lifeless (adj) [λάιφλες] νεκρός.

lifelong (adj) [λάιφλόννγκ] ισόβιος.

lifer (n) [λάιφερ] ισοβίτης.

lifetime (n) [λάιφταϊμ] ζωή.

lift (n) [λιφτ] ασανσέρ, ύψωση (v) αίρω, ορθώνω.

lift up (v) [λιφτ απ] ανασηκώνω, ανεβάζω, ανορθώνω, ορθώνω, σηκώνω.

lifting (n) [λίφτινγκ] σήκωμα.

ligament (n) [λίγκαμεν-τ] σύνδεσμος.

ligature (n) [λίγκατσερ] σύνδεσμος, δεσμός, σύνδεση, λιγκατούρα, σύμπλεγμα.

light (adj) [λάιτ] ελαφρός, φωτεινός (n) λάμψη, φανάρι (v) ανάβω, φωτίζω.

light breeze (n) [λάιτ μπρίιζ] ζέφυρος.

light up (v) [λάιτ απ] καταυγάζω, φωτίζω.

light-coloured (adj) [λάιτ-κάλα-ντ] ανοιχτόχρωμος.

light-footed (adj) [λάιτ-φούτι-ντ] αλαφροπόδης.

lighten (v) [λάιτεν] ελαφρώνω.

lightening (adj) [λάιτενινγκ] ελαφρυντικός (n) ελάφρυνση.

lighter (n) [λάιτερ] μαούνα, αναπτήρας.

lighterman (n) [λάιταμαν] μαουνιέρης.

lighthouse (n) [λάιτχάους] φάρος.

lighthouse-keeper (n) [λάιτχαους-κίιπερ] φαροφύλακας.

lighting (adj) [λάιτινγκ] φωτιστικός (n) αστραπή, φωτισμός.

lightly (adv) [λάιτλι] απαλά, σιγά.

lightness (n) [λάιτνες] ελαφρότητα.

lightning (n) [λάιτνινγκ] αστραπή.

lightning and thunder (n) [λάιτνινγκ

εν-ντ θάν-ντερ] αστραπόβροντα.

lightning conductor (n) [λάιτνινγκ κον-ντάκτορ] αλεξικέραυνο.

lignite (n) [λίγκναϊτ] λιγνίτης.

lignite mine (n) [λίγκναϊτ μάιν] λιγνιτωρυχείο.

like (conj) [λάικ] καθώς, όπως, σαν (adj) συναφής (v) αρέσω, καλαρέσω.

like that (adv) [λάικ δατ] έτσι.

like this (adv) [λάικ δις] έτσι.

likeable (adj) [λάικα-μπλ] ευχάριστος.

likelihood (n) [λάικλιχου-ντ] πιθανότητα.

likely (adv) [λάικλι] πιθανώς (adj) ευλογοφανής.

liken (v) [λάικεν] παρομοιάζω.

likeness (n) [λάικνες] ομοιότητα.

likewise (adv) [λάικουάιζ] επίσης.

liking (n) [λάικινγκ] όρεξη.

lilac (n) [λάιλακ] πασχαλιά.

Lilliputian (adj) [Λιλιπούσον] λιλιπούτειος.

lily (n) [λίλι] κρίνος, κρίνο.

limb (n) [λιμ] μέλος, κλώνος, άκρη, χείλος.

limber (n) [λίμ-μπα(ρ)] εύκαμπτος, ευλύγιστος, ευκίνητος.

limber up (v) [λίμ-μπερ απ] εξασκούμαι.

lime (n) [λάιμ] ασβέστης, τίτανος, κίτρο, μοσχολέμονο, γλυκολέμονο.

limelight (n) [λάιμλάιτ] προβολέας, δημοσιότητα [μεταφ].

limestone (n) [λάιμστόουν] ασβεστόλιθος.

limit (n) [λίμιτ] σύνορο, απροχώρητο, όριο (v) περιορίζω.

limitary (adj) [λίμιτερι] οριακός.

limitation (n) [λιμιτέισσον] περιστολή, περιορισμός.

limited (adj) [λίμιτι-ντ] στενόχωρος.

limitless (adj) [λίμιτλες] αστείρευτος.

limits (n) [λίμιτς] εσχατιά.

limousine (n) [λιμουζίιν] λιμουζίνα.

limp (v) [λιμ-π] κουτσαίνω.

limpet (n) [λίμ-πετ] πεταλίδα.

limpid (adj) [λίμ-πι-ντ] διαφανής.

limply (adv) [λίμ-πλι] χαλαρά.

linden (n) [λίν-ντεν] φλαμουριά.

line (n) [λάιν] σπάγγος, όριο, αράδα (v) σημειώνω, ριγώνω, χαρακώνω.

line up (v) [λάιν απ] παρατάσσω.

lineage (n) [λίνιντζζ] καταγωγή, σόι, γενεαλογία, φύτρα [μεταφ].

linear (adj) [λίνια(ρ)] γραμμικός.

lined (adj) [λάιν-ντ] ραβδωτός, ριγωτός.

linen (adj) [λίνεν] λινός (n) λινό.

liner (n) [λάινερ] πλοίο [γραμμής], αεροπλάνο, υπερωκεάνιο.

linesman (n) [λάινζμαν] επόπτης γραμμών.

linger (v) [λίνγκα(ρ)] καθυστερώ.

linger about (v) [λίνγκερ α-μπάουτ] κλωθογυρίζω.

linguist (n) [λίνγκουιστ] πολύγλωσσος.

linguistic (adj) [λινγκουίστικ] γλωσσολογικός, γλωσσικός.

linguistics (n) [λινγκουίστικς] γλωσσολογία.

lining (n) [λάινινγκ] επένδυση.

link (n) [λινκ] δεσμός, κρίκος (v) δένω.

linked (adj) [λινκ-ντ] συναφής.

linnet (n) [λίνετ] σπίνος, φλώρος.

linoleum (n) [λινόουλιαμ] μουσαμάς.

linotype (n) [λάινοουταϊπ] λινοτυπία.

linseed (n) [λίνσιι-ντ] λιναρόσπορος.

linseed oil (n) [λίνσιι-ντ όιλ] λινέλαιο.

lion (n) [λάιον] λεοντάρι, λιοντάρι.

lion-cub (n) [λάιον-κά-μπ] λεονταράκι.

lion-hearted (adj) [λάιον-άαρτιντ] λεοντόκαρδος, λιονταρόψυχος.

lioness (n) [λάιονες] λέαινα.

lip (n) [λιπ] χείλος (v) αγγίζω με τα χείλη.

lipid (n) [λίπι-ντ] λιποειδής [βιοχ].

lipstick (n) [λίπστικ] κραγιόν.

liquefy (v) [λίκουιφαϊ] υγροποιώ.

liqueur (n) [λικιούα(ρ)] λικέρ.

liquid (adj) [λίκουι-ντ] ρευστός (n) υγρό.

liquid paste (n) [λίκουι-ντ πέιστ] χυλός.

liquidate (v) [λίκουι-ντέιτ] εξοφλώ, ξεπουλώ.

liquidation (n) [λίκουι-ντέισσον] ρευστοποίηση, δολοφονία, ξεπούλημα.

liquidity (n) [λικουί-ντιτι] ρευστότητα.

liquidize (v) [λίκουι-ντάιζ] πολτοποιώ.

liquidizer (n) [λίκουι-ντάιζερ] μίξερ.

liquor (n) [λίκερ] ποτό, υγρό [ΗΠΑ].

liquor shop (n) [λίκερ σσοπ] ποτοπωλείο [ΗΠΑ].

liquorice (n) [λίκεριος] γλυκόριζα.

lira (n) [λίρα] λιρέττα [νομισμ].

Lisbon (n) [λίζ-μπον] Λισαβόνα.

lisp (v) [λισπ] τραυλίζω (n) ψεύδισμα.

lissom (adj) [λίσαμ] ευλύγιστος.

list (n) [λιστ] λίστα (v) αναγράφω.

listen (v) [λισν] υπακούω.

listen to (v) [λισν του] ακούω.

listener (n) [λίονερ] ακροατής.

listening (n) [λίσνινγκ] ακρόαση.

listless (adj) [λίστλες] αδιάφορος.

lit up (adj) [λιτ απ] μισοπιωμένος.

literal (adj) [λίτεραλ] επακριβής.

literary (adj) [λίτερερι] φιλολογικός.

literate (adj) [λίτερετ] εγγράμματος.

literature (n) [λίτρατσσα(ρ)] λογοτεχνία.

lithe (adj) [λάιδ] ευλύγιστος.

lithographer (n) [λιθόγκραφα(ρ)] λιθογράφος.

lithography (n) [λιθόγκραφι] λιθογραφία.

litigant (adj) [λίτιγκαν-τ] διάδικος.

litigious (adj) [λιτίντζζιας] επίδικος.

litre (n) [λίιτα(ρ)] λίτρα, λίτρο.

litter (n) [λίτερ] βρομιά (v) ρυπαίνω.

little (adj) [λιτλ] κοντός, μικρός.

Little Red Riding Hood (n) [Λιτλ Ρε-ντ Ράι-ντινγκ Χου-ντ] κοκκινοσκουφίτσα.

liturgy (n) [λίταντζζι] ιερουργία.

livable (adj) [λίβα-μπλ] βιώσιμος.

live (v) [λιβ] μένω (adj) [λάιβ] ζωηρός, ηλεκτρισμένος (adv) ζωντανά.

live in poverty (v) [λιβ ιν πόβατι] φυτοζωώ.

live together (v) [λιβ τουγκέδερ] συζώ.

livelihood (n) [λάιβλιχου-ντ] βιοπορισμός.

liveliness (n) [λάιβλινες] ζωντάνια.

lively (adj) [λάιβλι] εύθυμος, ξύπνιος.

liven (v) [λάιβν] ζωντανεύω.

liver (v) [λίβερ] ήπαρ, συκώτι.

livery (n) [λίβερι] περιβολή [μεταφ].

livestock (n) [λάιβστόκ] ζωντανά.

livid (adj) [λίβι-ντ] πολύ ωχρός.

living (adj) [λίβινγκ] ζωντανός (n) μισθός, ζωή.

living image (n) [λίβινγκ ίμαντζζ] σωσίας.

living together (n) [λίβινγκ τουγκέδερ] συμβίωση.

living-room (n) [λίβινγκρουμ] σαλόνι.

lizard (n) [λίζα-ντ] σαύρα.

load (v) [λόου-ντ] φορτώνω (n) φορτίο, γομάρι, βάρος.

loaded (adj) [λόου-ντι-ντ] γεμάτος.

loading (n) [λόου-ντινγκ] φόρτωση, γέμισμα [όπλου].

loaf (v) [λόουφ] τεμπελιάζω (n) ψωμί.

loafer (n) [λόουφερ] χασομέρης.

loafing (n) [λόουφινγκ] χασομέρι.

loan (v) [λόουν] δανείζω (n) δάνειο.

loath (adj) [λόουθ] ακούσιος.

loathe (v) [λόουδ] απεχθάνομαι.

loathing (n) [λόουδινγκ] απέχθεια.

loathsome (adj) [λόουδσαμ] αηδής.

lobe (n) [λόου-μπ] λοβός.

lobster (n) [λό-μπστερ] αστακός.

local (adj) [λόουκαλ] εγχώριος.

locality (n) [λόουκάλιτι] τοπίο.

localize (v) [λόουκαλαϊζ] εντοπίζω.

location (n) [λοουκέισσον] τοποθεσία.

lock (n) [λοκ] κλειδαριά (v) κλείνω.

lock up (v) [λοκ απ] φυλακίζω.

locking (n) [λόκινγκ] κλείσιμο.

lock-out (n) [λόκ-άουτ] ανταπεργία.

locksmith (n) [λόκσμιθ] κλειδαράς.

lockup (n) [λόκαπ] κρατητήριο.

locomotive (n) [λόουκαμόουτιβ] ατμομηχανή.

locus (n) [λόουκας] τόπος , θέση.

locust (n) [λόουκαστ] ακρίδα.

lode (n) [λόου-ντ] κοίτασμα.

lodge (v) [λοντζζ] εγκαθίσταμαι.

lodge a complaint (v) [λοντζζ α κομπλέιν-τ] καταγγέλλω.

lodger (adj) [λόντζζερ] ένοικος.

lodging (n) [λόντζζινγκ] στέγαση.

lodging house (n) [λόντζζινγκ χάους] χάνι.

lodgment (n) [λόντζζμεν-τ] στέγαση, ενοίκηση, διαμονή.

loft (n) [λοφτ] σοφίτα, εξώστης.

lofty (adj) [λόφτι] επιβλητικός.

log (n) [λογκ] κούτσουρο.

logarithm (n) [λόγκαριθμ] λογάριθμος.

logbook (n) [λόγκ-μπουκ] ημερολόγιο.

logic (n) [λόντζζικ] λογική.

logical (adj) [λόντζζικαλ] λογικός.

logistics (n) [λοντζζίστικς] επιμελητεία.

loins (n) [λόινζ] οσφύς.

loiter (v) [λόιτερ] χαζεύω.

loll about (v) [λολ α-μπάουτ] ραχατεύω.

lollipop (v) [λόλιποπ] μαντζούνι.

lolly (n) [λόλι] παραδάκι.

London (n) [Λάν-ντον] Λονδίνο.

Londoner (n) [Λάν-ντονα] Λονδρέζος.

lone (adj) [λόουν] μονάχος, έρημος.

loneliness (n) [λόουνλινες] μοναξιά.

lonely (adj) [λόουνλι] έρημος.

long (adj) [λονγκ] μακρύς (v) ποθώ.

long for (v) [λονγκ φοο] αποζητώ.

long time (n) [λονγκ τάιμ] πολυκαιρία.

long-distance (adj) [λονγκ-ντίστανς] υπεραστικός.

long-haired (adj) [λονγκ-χέα-ντ] μακρυμάλλης.

long-lasting (adj) [λονγκ-λάαστινγκ] μακροχρόνιος.

long-lived (adj) [λόνγκ-λίβ-ντ] μακρόβιος.

long-sighted (n) [λόνγκ-σάιτι-ντ] πρεσβύωπας.

long-sightedness (n) [λόνγκ-σάιτιντνες] πρεσβυωπία.

long-term (adj) [λόνγκ-τέρμ] μακροπρόθεσμος.

longevity (n) [λον-ντζζίβιτι] μακροβιότητα, μακροζωία.

longing (n) [λόγκινγκ] καημός.

longish (adj) [λόγκισς] μακρουλός.

longitude (n) [λόνντζζιτιου-ντ] μήκος [γεωγραφικό].

look (n) [λουκ] ματιά, ύφος, όψη, εμφάνιση (v) κοιτάζω, προσέχω (adv) ιδού.

look after (v) [λουκ άαφτερ] μεριμνώ, περιθάλπω, φροντίζω.

look at (v) [λουκ ατ] κοιτάζω.

look for (v) [λουκ φοο] ψάχνω.

look forward to (v) [λουκ φόοουα-ντ του] αποβλέπω, αδημονώ.

look into (v) [λουκ ίν-του] εξετάζω.

look like (v) [λουκ λάικ] μοιάζω.

look out for (v) [λουκ άουτ φοο] καραδοκώ.

look up to (v) [λουκ απ του] υπολήπτομαι.

looker (n) [λούκερ] θεατής.

looking-glass (n) [λούκινγκ-γκλάας] καθρέπτης, καθρέφτης.

lookout (n) [λούκαουτ] επιφυλακή, σκοπιά, φρουρά.

loom (n) [λούουμ] αργαλειός (v) διαφαίνομαι.

loon (n) [λούουν] χωριάτης.

loop (n) [λουπ] βρόχος, θηλιά.

loophole (n) [λούπχοουλ] πολεμίστρα.

loose (adj) [λούους] χαλαρός (n) χύμα.

loose thread (n) [λούους θρε-ντ] ξέφτι.

loose-tongued (adj) [λούους-τάνγκ-ντ] ελευθερόστομος.

loosely (adv) [λούουσλι] χαλαρά.

loosen (v) [λούουσεν] λασκάρω.

looseness (n) [λούουσνες] αστάθεια.

loosening (n) [λούουσενινγκ] λύσιμο.

loosening up (n) [λούσενινγκ απ] προθέρμανση [αθλ].

loot (n) [λούουτ] λεία, λάφυρο (v) λεπλατώ, τρυγώ [μεταφ].

looting (n) [λούουτινγκ] αρπαγή.

lop (v) [λοπ] κλαδεύω, κρεμάω (n) αποκλάδι.

lope (v) [λόουπ] καλπάζω.

lopsided (adj) [λόπσάι-ντι-ντ] ετεροκλινής.

loquacity (n) [λοκουέσιτι] πολυλογία.

loquat (n) [λόουκουατ] μούσμουλο.

lord (n) [λό-ντ] λόρδος, κύριος.

lordy (adj) [λόο-ντι] αρχοντικός.

lorn (adj) [λοον] μονάχος, έρημος.

lorry (n) [λόρι] καμιόνι, φορτηγό.

lose (v) [λούουζ] χάνω.

lose consciousness (v) [λούουζ κόνσσιεσνες] λιποθυμώ.

lose courage (v) [λούουζ κάριντζζ] δειλιάζω.

lose heart (v) [λούουζ χάατ] λιγοψυχώ.

lose one's bearings (v) [λούουζ ουάν'ς μπέαρινγκς] αποπροσανατολίζομαι.

lose one's nerve (v) [λούουζ ουάν'ς νερβ] λιγοψυχώ.

lose one's temper (v) [λούουζ ουάν'ς τέμ-περ] παραφέρομαι.

lose one's way (v) [λούουζ ουάν'ς ουέι] πελαγώνω, περιπλανιέμαι.

lose weight (v) [λούουζ ουέιτ] αδυνατίζω, σουρώνω, φυραίνω.

loser (adj) [λούουζερ] ηττημένος.

losing (adj) [λούουζινγκ] χαμένος.

loss (n) [λος] βλάβη, ζημιά, φθορά, χαμός.

lost (adj) [λοστ] χαμένος.

lot (n) [λοτ] ριζικό, τύχη.

lotion (n) [λούσσον] λοσιόν.

lots (adj) [λοτς] μπόλικος.

lottery (n) [λότερι] λαχειοφόρος (n) λοταρία, λαχείο.

lotus (n) [λόουτας] λωτός.

lotus-eater (n) [λόουτας ίιτερ] λωτοφά-γος, ονειροπόλος.

loud (adj) [λάου-ντ] δυνατός, ηχηρός, σκαστός, χτυπητός.

loudhailer (n) [λάου-ντχέιλερ] τηλεβόας.

loudly (adv) [λάου-ντλι] δυνατά.

loudspeaker (n) [λάου-ντσπίικερ] τηλεβόας, μεγάφωνο.

lounge (v) [λάουν-ντζζ] ραχατεύω (n) εντευκτήριο.

lounge about (v) [λάουν-ντζζ α-μπάουτ] ραχατεύω.

louse (n) [λάους] ψείρα.

lout (adj) [λάουτ] αγροίκος.

lovable (adj) [λάβα-μπλ] συμπαθής.

love (n) [λαβ] έρωτας, αγάπη (v) αγαπώ.

love affair (n) [λαβ αφέα(ρ)] ειδύλλιο, ερωτοδουλειά.

love-letter (n) [λάβλέτερ] ραβασάκι.

lovebirds (n) [λάβ-μπέρ-ντς] πιτσουνάκια.

love child [n] [λαβ τσσάλ-ντ] εξώγαμος.

loved (adj) [λαβ-ντ] προσφιλής.

loveless (adj) [λάβλες] ανέραστος.

lovelorn (adj) [λάβλόον] ερωτοχτυπημένος.

lovely (adj) [λάβλι] αξιαγάπητος.

love nest (n) [λαβ νεστ] ερωτική φωλιά.

lover (n) [λάβερ] λάτρης, εραστής.

lovey-dovey (adj) [λάβι-ντάβι] ερωτευμένος [αργκό].

loving (adj) [λάβινγκ] αγαπητικός.

low (adj) [λόου] χαμηλός (v) μουγκανίζω.

low blood pressure (n) [λόου μπλα-ντ πρέσσερ] υπόταση.

lower (adj) [λόουερ] χαμηλότερος (v) εξευτελίζω, κατεβάζω.

lower down (adj) [λόουερ ντάουν] παρακάτω.

lower oneself (v) [λόουα ουάνσελφ] ταπεινώνομαι.

lowering (n) [λόουερινγκ] χαμήλωμα, κατέβασμα.

lowermost (adj) [λόουαμοουστ] χαμηλότατος, κατώτατος.

lowest (adj) [λόουεστ] κατώτατος.
lowly (adj) [λόουλι] ταπεινός.
loyal (adj) [λόιαλ] πιστός, έμπιστος, ευθύς.
loyalty (n) [λόιαλτι] πίστη, αφοσίωση, πιστότητα.
lozenge (n) [λόζεν-ντζζ] παστίλια, ρόμβος [γεωμ], ρομβοειδές σχέδιο.
lubricant (n) [λού-μπρικαν-τ] γράσο, λιπαντικό, ορυκτέλαιο.
lubricate (v) [λού-μπρικεϊτ] γρασάρω, λαδώνω, λιπαίνω.
lubrication (n) [λου-μπρικέιοσον] λίπανση, λάδωμα.
lucid (adj) [λιούσι-ντ] σαφής, ευκρινής.
lucidity (n) [λιουσί-ντιτι] σαφήνεια.
Lucifer (n) [Λιούσιφα(ρ)] Εωσφόρος.
luck (n) [λακ] τύχη, τυχερό.
lucky (adj) [λάκι] ευτυχής, τυχερός.
lucrative (adj) [λούκρατιβ] επικερδής.
lucre (n) [λουκρ] χρήμα, κέρδος.
ludicrous (adj) [λού-ντικρας] παράλογος.
lues (n) [λούουιιζ] σύφιλη.
lug (v) [λαγκ] τραβώ, σέρνω (n) έλξη.
luggage (n) [λάγκιντζζ] μπαγκάζια.
lukewarm (adj) [λιούκουόομ] χλιαρός, αδιάφορος [μεταφ].
lull (n) [λαλ] ανάπαυλα (v) γαληνεύω.
lulling (adj) [λάλινγκ] λικνιστικός.
lumbago (n) [λάμ-μπέιγκοου] οσφυαλγία, λουμπάγκο.
lumber (n) [λάμ-μπερ] σαράβαλα.
lumberjack (n) [λάμ-μπαντζζακ] υλοτόμος, ξυλοκόπος.
luminary (n) [λούμινέρι] φωτοδότης.
luminosity (n) [λουμινόσιτι] φωτεινότητα.

luminous (adj) [λούμινας] φωτεινός, λαμπρός, φωτοβόλος.
lump (n) [λαμ-π] μάζα, όγκος.
lunacy (n) [λούνασι] ζούρλα.
lunar (adj) [λούνα(ρ)] σεληνιακός.
lunatic (n) [λούνατικ] τρελλός.
lunatic asylum (n) [λούνατικ ασάιλαμ] φρενοκομείο.
lunch (v) [λαν-τος] γευματίζω.
lung (n) [λανγκ] πνεύμονας.
lurch (v) [λερτος] τυλαντεύομαι.
lure (v) [λιού(ρ)] παρασέρνω (n) δόλωμα.
lurid (adj) [λιούρι-ντ] τρομακτικός.
lurk (v) [λερκ] κρύβομαι, ενεδρεύω.
lust (n) [λαστ] ηδονή, πόθος (v) ποθώ.
lust for (v) [λαστ φοο] ορέγομαι.
lusty (adj) [λάστι] ρωμαλέος, υγιής.
lute (n) [λιούτ] λαούτο.
luxuriant (adj) [λαγκζζιούριαν-τ] άφθονος, πλούσιος, πληθωρικός.
luxuriate (v) [λαγκζζιούριεϊτ] εντρυφώ, ζω πολυτελώς, ευδοκιμώ.
luxurious (adj) [λαγκζζιούριας] πολυτελής, ακριβός (n) λουξ.
luxury (n) [λάκσσερι] πολυτέλεια.
lyceum (n) [λαϊσίιαμ] λύκειο.
lye (n) [λάι] σταχτόνερο.
lying (adj) [λάιινγκ] ψευδής.
lymph (n) [λιμφ] λύμφη.
lymphatic (adj) [λιμφάτικ] λυμφατικός.
lynch (v) [λιν-τος] λιντσάρω.
lyre (n) [λάιρ] λύρα.
lyric (adj) [λίρικ] λυρικός.
lyrical (adj) [λίρικαλ] λυρικός.

M, m (n) [εμ] το δέκατο τρίτο γράμμα του αγγλικού αλφαβήτου.

macabre (adj) [μακάα-μπα(ρ)] μακάβριος.

macadam (n) [μακά-νταμ] σκυρόστρωμα, μακαντάμ.

macaroni (n) [μακαρόουνι] μακαρόνια.

macaroon (n) [μακαρούουν] αμυγδαλωτό.

mace (n) [μέις] ραβδος, σκήπτρο.

Macedonia (n) [Μασε-ντόουνια] Μακεδονία.

Macedonian (n) [Μασε-ντόουνιαν] Μακεδόνας.

machiavellian (adj) [μακιαβέλιαν] μακιαβελλικός, πανούργος.

machinate (v) [μάκινεϊτ] μηχανορραφώ, ραδιουργώ, μηχανεύομαι.

machination (n) [μακινέισσον] δολοπλοκία, μηχανορραφία.

machine (n) [μασσίν] μηχανή.

machine gun (n) [μασσίν γκαν] πολυβόλο.

machine-made (adj) [μασσίιν-μέιντ] μηχανοποίητος.

machine-operated (adj) [μασσίιν-όπερέιτε-ντ] μηχανοκίνητος.

machinery (n) [μασσίνερι] μηχανήματα.

machinist (n) [μασσίνιστ] μηχανικός.

mackerel (n) [μάκερελ] σκουμπρί.

mackintosh (n) [μάκιν-τοος] αδιάβροχο.

mad (adj) [μα-ντ] τρελός (n) αλλόφρονας.

mad about (adj) [μα-ντ α-μπάουτ] ξελογιασμένος.

madam (n) [μά-νταμ] μαντάμ.

madcap (n) [μά-ντκάπ] τρελλάρας.

madden (v) [μά-ντεν] βουρλίζω.

maddening (adj) [μά-ντενινγκ] εκνευριστικός, εξωφρενικός.

made (adj) [μέι-ντ] φτιαγμένος.

made man (adj) [μέι-ντ μάν] φτασμένος.

madhouse (n) [μά-ντχαους] τρελοκομείο.

madman (n) [μά-ντμαν] παράφρονας.

madness (n) [μά-ντνες] ζούρλια, τρέλα.

maecenas (n) [μαϊσίινας] μαικήνας.

mafia (n) [μάφια] μαφία.

magazine (n) [μάγκαζίιν] περιοδικό.

maggot (n) [μάγκοτ] σκουλήκι, λόξα [κοιν].

magic (n) [μάντζζικ] μαγεία.

magical (adj) [μάντζζικαλ] μαγευτικός.

magician (n) [μαντζζίσσαν] μάγος.

magistrate (n) [μάντζζιστρέϊτ] δικαστής.

magistrate's court (n) [μάντζζιστρέιτ'ς κόοτ] ειρηνοδικείο.

magnanimity (n) [μαγκνανίμιτι] μεγαλοψυχία, μεγαθυμία.

magnanimous (adj) [μαγκνάνιμας] μεγαλόψυχος (n) μεγαλόφρονας.

magnate (n) [μάγκνεϊτ] μεγιστάνας.

magnesium (n) [μαγκνίιζιαμ] μαγνήσιο.

magnet (n) [μάγκνετ] μαγνήτης.

magnetic (adj) [μαγκνέτικ] μαγνητικός.

magnetism (n) [μάγκνετιζμ] μαγνητισμός.

magnetize (v) [μάγκνεταϊζ] μαγνητίζω.

Magnificat (n) [Μαγκνίφικατ] μεγαλυνάρι.

magnificent (adj) [μαγκνίφισεν-τ] λαμπρός, μεγαλειώδης, πλούσιος.

magnifier (n) [μαγκνιφάιερ] μεγεθυντικός φακός.

magnify (v) [μάγκνιφαϊ] μεγαλοποιώ.

magnitude (n) [μάγκνιτιου-ντ] μέγεθος, έκταση, σπουδαιότητα.

magnolia (n) [μαγκνόουλια] μανόλια.

magpie (n) [μάγκπαϊ] κίσσα.

magus (n) [μέιγκας] μάγος, αστρολόγος.

maharajah (n) [Μαχαράαντζζα] μαχαραγιάς.

maharanee (n) [Μαχαράανι] μαχαρανή.

mahogany (n) [μαχόγκανι] μαόνι.

maid (n) [μέι-ντ] οικιακή βοηθός.

maiden (adj) [μέι-ντεν] παρθενικός (n) παρθένος, κόρη.

maidenhood (n) [μέι-ντενχού-ντ] παρθενιά, παρθενικός υμένας.

maidservant (n) [μέι-ντσέρβαν-τ] θεραπαινίδα.

mail (adj) [μέιλ] ταχυδρομικός (v) ταχυδρομώ (n) ταχυδρομείο.

mailbag (n) [μέιλ-μπαγκ] σάκος.

mailing (n) [μέιλινγκ] ταχυδρόμηση.

maim (v) [μέιμ] ακρωτηριάζω.

maimed (adj) [μέιμ-ντ] σημαδεμένος.

main (adj) [μέιν] κύριος, βασικός.

mainland (n) [μέινλαν-ντ] ξηρά, στεριά.

mainly (adv) [μέινλι] κυρίως.

mainstay (n) [μέινστεϊ] στάντζος [ναυτ], στύλος [μεταφ], αντιστύλι.

maintain (v) [μεϊν-τέιν] ισχυρίζομαι, συντηρώ, υπερασπίζω, τηρώ.

maintenance (n) [μέιν-τενανς] διατήρηση, συντήρηση, προάσπιση.

maisonnette (n) [μεϊζονέτ] μαιζονέτα.

maize (n) [μέιζ] καλαμπόκι.

majestic (adj) [μαντζζέοτικ] μεγαλειώδης, μεγαλοπρεπής, ολύμπιος.

majesty (n) [μάντζζεστι] μεγαλείο, εξοχότητα, μεγαλειότητα.

major (n) [μέιντζζορ] ταγματάρχης.

major-general (n) [μέιντζζοντζζένεραλ] υποστράτηγος.

majority (n) [μαντζζόριτι] πλειοψηφία.

make (n) [μέικ] κατασκευή, μορφή, μάρκα (v) κατασκευάζω, φτιάχνω.

make a fool of (v) [μέικ α φουλ οβ] ρεζιλεύω [μετ].

make a packet (v) [μέικ α πάκετ] ματσώνομαι.

make amends (v) [μέικ αμέ-ντζ] επανορθώνω [αποζημιώνω].

make an impression (v) [μέικ αν ιμπρέσσον] φαντάζω.

make faces (v) [μέικ φέισιζ] μορφάζω.

make fun of (v) [μέικ φαν οβ] χλευάζω.

make up (v) [μέικ απ] ετοιμάζω, αποτελώ, μακιγιάρω, συμφιλιώνω, συνθέτω.

maker (n) [μέικα] βιομήχανος, δημιουργός, κατασκευαστής.

makeshift (adj) [μέικσοϊφτ] πρόχειρος.

makeweight (n) [μέικουέιτ] συμπλήρωμα βάρους, κατιμάς.

maladjusted (adj) [μαλαντζζάστι-ντ] απροσάρμοστος.

malady (n) [μάλα-ντι] ασθένεια.

malaise (n) [μαλάιζ] εξάντληση.

malapropos (adv) [μαλαπροπόου] ακατάλληλα, άκαιρα, άτοπα.

malar (adj) [μέιλα] ζυγωματικός.

malaria (n) [μαλέαρια] ελονοσία.

male (adj) [μέιλ] αρσενικός (n) άρρενας.

malediction (n) [μαλι-ντίκσσον] κατάρα.

malevolence (n) [μαλέβολενς] μοχθηρία, κακοβουλία, κακότητα.

malevolent (n) [μαλέβολεν-τ] κακεντρεχής.

malice (n) [μάλις] εχθρότητα.

malicious (adj) [μαλίσσιας] κακόψυχος (n) χαιρέκακος.

malign (adj) [μαλάιν] βλαβερός.

malignant (adj) [μαλίγκναν-τ] μοχθηρός, κακοήθης [ιατρ].

malingerer (n) [μαλίνγκερερ] κατά προσποίηση ασθενής.

malleable (adj) [μάλια-μπλ] μαλακός.

malnutrition (n) [μαλνιουτρίσσον] υποσιτισμός.

malt (n) [μόολτ] βύνη.

Malta (n) [Μόολτα] Μάλτα.

Maltese (adj) [μοολτίζ] Μαλτέζος.

maltreat (v) [μαλτρίιτ] κακοποιώ.

maltreatment (n) [μαλτρίιτμεν-τ] κακοποίηση.

mammal (n) [μάμαλ] θηλαστικό.

mammogram (n) [μάμαγκραμ] μαστογραφία.

Mammon (n) [Μάμον] μαμμωνάς.

mammoth (adj) [μάμοθ] πελώριος (n) μαμούθ.

man (n) [μαν] άνθρωπος, άντρας, άτομο, πρόσωπο (v) επανδρώνω.

man and wife (n) [μαν εν-ντ ουάιφ] ανδρόγυνο.

man-eater (n) [μάν-ίιτερ] ανθρωποφάγος.

man-hour (n) [μάν-άουα(ρ)] εργατώρα.

manage (v) [μάνιντζζ] διευθύνω, ρυθμίζω.

management (n) [μάνιντζζμεν-τ] διαχείριση, διεύθυνση.

management staff (n) [μάνιντζζμεν-τ στάαφ] στελέχη.

manager (n) [μάνατζζερ] διευθυντής.

mandarin (n) [μάν-νταριν] μανταρίνι.

mandate (n) [μάν-ντέιτ] εντολή.

mandolin (n) [μάν-ντολιν] μαντολίνο.

mane (n) [μέιν] χαίτη.

manful (adj) [μάνφουλ] ανδρείος.

manganese (n) [μάνγκανίιζ] μαγγάνιο.

mange (n) [μέιν-ντζζ] ψώρα [ζώων].

manger (n) [μέιν-ντζζερ] φάτνη.

mangy (adj) [μέιν-ντζζι] ψωριάρης.

manhandling (n) [μάνχάν-ντλινγκ] κακοποίηση.

manhood (n) [μάνχου-ντ] ανδρισμός.

mania (n) [μέινια] μανία, πάθος.

manicure (n) [μάνικιούρ] μανικιούρ.

manifest (adj) [μάνιφεστ] έκδηλος (v) εμφανίζω, διαδηλώνω.

manifestation (n) [μανιφεστέισσον] αποκάλυψη, διαδήλωση, εξωτερίκευση.

manifesto (n) [μανιφέστοου] μανιφέστο, διακύρηξη, προκήρυξη.

manifold (adj) [μάνιφοουλ-ντ] πολύτροπος, πολυπληθής.

manipulate (v) [μανίπιουλέϊτ] μαγειρεύω, χειρίζομαι.

manipulation (n) [μανιπιουλέισσον] χειρισμός.

mankind (n) [μάνκαϊν-ντ] ανθρωπότητα.

manlike (adj) [μάνλάικ] ανδρικός.

manliness (n) [μάνλινες] λεβεντιά.

manly (adj) [μάνλι] ανδρικός, ανδροπρεπής, αντρίκειος, αρρενωπός.

manned (adj) [μαν-ντ] επανδρωμένος.

manner (n) [μάνερ] τρόπος, έθιμο, ήθος.

mannerism (n) [μάνεριζμ] εκζήτηση, επιτήδευση, ιδιομορφία.

manning (n) [μάνινγκ] επάνδρωση.

manoeuvre (n) [μανούουβερ] μανούβρα (v) μηχανορραφώ.

manor (n) [μάνορ] φέουδο, κτήμα.

manor lord (n) [μάνορ λόο-ντ] τιμαριούχος, κτηματίας, τσιφλικάς.

manservant (n) [μάνσέρβαν-τ] θαλαμηπόλος, υπηρέτης.

mansion (n) [μάνσσιον] μέγαρο.

mantilla (n) [μαν-τίλα] μαντίλα.

mantle (n) [μαν-τλ] μανδύας.

manual (n) [μάνιουαλ] εγκόλπιο.

manufacture (n) [μάνιουφάκτσσα(ρ)] βιομηχανία (v) παράγω.

manufacturer (n) [μανιουφάκτσερερ] κατασκευαστής, βιομήχανος.

manufacturing (adj) [μανιουφάκτσερινγκ] μεταποιητικός.

manumit (v) [μανιουμίτ] απελευθερώνω.

manure (n) [μανιούρ] φουσκί, λίπασμα, κοπριά (v) λιπαίνω.

manuscript (n) [μάνιουσκριπτ] χειρόγραφο.

many (adj) (pron) [μένι] πολυάριθμοι, πολλοί, πολλές, πολλά.

map (n) [μαπ] χάρτης (v) χαρτογραφώ.

map out (v) [μαπ άουτ] χαράσσω.

mar (v) [μάα] καταστρέφω, χαλώ.

Marathon (n) [Μάραθον] μαραθώνιος [δρόμος], Μαραθώνας.

marble (adj) [μάα-μπλ] μαρμάρινος, κρύος, χλωμός (n) μπίλια.

marble mason (n) [μάα-μπλ μέισον] μαρμαράς.

March (adj) [Μάατσος] μαρτιάτικος (n) Μάρτης.

march (ex) [μάατσος] μαρς (εμπρός) (v) προέλαση, οδοιπορία (v) προχωρώ.

marchioness (n) [μάατσσονές] μαρκησία.

mare (n) [μέαρ] φοράδα.

margarine (n) [μάαντζζερίιν] μαργαρίνη.

marge (n) [μάαντζζ] μαργαρίνη.

margin (n) [μάαντζζιν] άκρη, χείλος, παρυφή, περιθώριο.

marginal (adj) [μάαντζζιναλ] περιθωριακός, οριακός.

marguerite (n) [μααγκερίιτ] μαργαρίτα.

marigold (n) [μάριγκοολ-ντ] κατιφές, χρυσάνθεμο.

marijuana (n) [μαριουάανα] μαριχουάνα.

marina (n) [μαρίινα] μαρίνα, λιμανάκι.

marine (adj) [μαρίιν] ναυτικός (n) ναυτικό, πεζοναύτης.

marine underwriter (n) [μαρίιν άνντερράιτερ] ναυτασφαλιστής.

mariner (n) [μάρινερ] ναυτικός.

marital (adj) [μάριταλ] συζυγικός.

maritime (adj) [μάριταϊμ] ναυτικός.

marjoram (n) [μάαντζζοραμ] μαντζουράνα.

mark (n) [μάακ] μάρκα [νόμισμα], δείγμα, τεκμήριο (v) προσέχω, μαρκάρω.

mark out (v) [μάακ άουτ] χαράζω.

mark up (v) [μάακ απ] ακριβαίνω, ανατιμώ [εμπορ].

marked (adj) [μάακ-τ] φανερός, σαφής, έκδηλος, έντονος, σημαδεμένος.

marker pen (n) [μάακα πεν] μαρκαδόρος.

market (n) [μάακετ] αγορά.

market garden (n) [μάακετ γκάα-ντεν] λαχανοπερίβολο, μποστάνι.

market town (n) [μάακετ τάουν] κωμόπολη.

marketable (adj) [μάακετα-μπλ] εμπορεύσιμος.

marking (n) [μάακινγκ] σήμανση.

marksman (n) [μάακσμαν] σκοπευτής.

marmelade (n) [μάαμελέϊ-ντ] μαρμελάδα.

marocain (n) [μαροκέιν] μαροκέν.

maroon (adj) [μαρόουν] καστανός.

marquee (n) [μάακιι] αντίσκοινο.

marquis (n) [μάακουις] μαρκήσιος.

marriage (n) [μάριντζζ] παντρειά.

marriage contract (n) [μάριντζζ κόντρακτ] προικοσύμφωνο.

married (adj) [μάρι-ντ] έγγαμος.

married couple (n) [μάρι-ντ καπλ] ανδρόγυνο, αντρόγυνο.

marrow (n) [μάροου] μυελός.

marry (v) [μάρι] παντρεύω.

marsh (n) [μάασς] έλος, βάλτος.

marshal (n) [μάασσαλ] στρατάρχης [στρατ] (v) τακτοποιώ, τάσσω.

marshy (adj) [μάασσι] βαλτώδης.

marsupial (adj) [μααισιούπιαλ] μαρσιποφόρος.

marten (n) [μάατεν] κουνάβι.

martial (adj) [μάασσαλ] μαχητικός.

martin (n) [μάατιν] χελιδώνι.

martyr (n) [μάατια] μάρτυρας.

marvellous (adj) [μάαβελες] εκπληκτικός, θαυμάσιος, δαιμόνιος.

Marxism (n) [Μάαξιζμ] μαρξισμός.

Marxist (adj) [Μάαξιστ] μαρξιστικός (n) μαρξιστής.

mascara (n) [μασκάαρα] μάσκαρα.

mascot (n) [μάοκοτ] φυλακτό.

masculine (adj) [μάσκιουλιν] ανδρικός.

masculinity (n) [μασκιουλίνιτι] αρρενωπότητα, ανδροπρέπεια.

mash (v) [μας] λιώνω.

mask (n) [μαασκ] λεοντή, μάσκα (v) μασκαρεύω, καλύπτω.

masked (adj) [μαασκ-τ] μασκοφορεμένος (n) μασκέ.

masochism (n) [μάσοκιζμ] μαζοχισμός.

masochist (n) [μάσοκιστ] μαζοχιστής.

mason (n) [μέισον] μασόνος.

masquerade (n) [μασκερέι-ντ] υπόκριση, μασκαράτα (v) μασκαρεύω.

masquerader (n) [μασκερέ-ντερ] μασκαράς.

Mass (n) [Μας] Θεία Λειτουργία.

mass (adj) [μας] πάνδημος (n) λειτουργία, μάζα, σωρός.

massacre (n) [μάσακα(ρ)] σφαγή (v) κατασφάζω, σφάζω.

massage (n) [μασάαζζ] εντριβή, (v) μαλάζω.

masses (n) [μάσιζ] λαός, μάζες.

massive (adj) [μάσιβ] συμπαγής.

mast (n) [μάαστ] ιστός, άλμπουρο.

mastectomy (n) [μαστέκτομι] μαστεκτομή.

master (n) [μάαστα(ρ)] άρχοντας, αφέντης, κύριος (v) υπερνικώ.

masterly (adj) [μάαστερλι] αριστοτεχνικός.

masterpiece (n) [μάαστερπίις] αριστοτέχνημα, μεγαλούργημα.

mastery (n) [μάαστερι] έλεγχος, υπεροχή, νίκη, μαεστρία.

mastic (n) [μάστικ] μαστίχα.

masticate (v) [μάστικέϊτ] μασώ.

mastiff (n) [μάστιφ] μολοσσός.

masturbate (v) [μάστα-μπέϊτ] αυνανίζομαι.

masturbation (n) [μαστα-μπέισσον] αυνανισμός.

mat (n) [ματ] ψάθα, χαλάκι.

matador (n) [μάτα-ντοο(ρ)] ταυρομάχος.

match (v) [ματος] συμφωνώ (n) όμοιος, ματς.

matchbox (n) [μάτοσ-μπόξ] κουτί.

matched (adj) [ματσσ-τ] ταιριαστός.

matching (n) [μάτοσινγκ] συνδυασμός, ταίριασμα.

matchmaker (n) [μάτσσμέικερ] προξενητής, προξενήτρα.

matchmaking (n) [μάτσσμέικινγκ] προξενιά.

mate (n) [μέιτ] συνάδελφος, ταίρι (v) ζευγαρώνω, συνδυάζω.

material (adj) [ματίριαλ] υλικός, ουσιαστικός (n) ύλη, ρούχο, υλικό.

materialism (n) [ματίριαλιζμ] υλισμός, ματεριαλισμός.

materialist (n) [ματίριαλιστ] υλιστής.

materialistic (adj) [ματίριαλίστικ] υλιστικός.

materialization (n) [ματιριαλαϊζέισσον] υλοποίηση, πραγμάτωση.

materialize (v) [ματίριαλαϊζ] υλοποιώ.

materially (adv) [ματίριαλι] υλιστικά.

maternal (adj) [ματέρναλ] μητρικός.

maternity hospital (n) [ματέρνιτι χόσπιταλ] μαιευτήριο.

matey (adj) [μέιτι] φιλικός.

mathematic (adj) [μαθεμάτικ] μαθηματικός.

mathematical (adj) [μαθεμάτικαλ] μαθηματικός.

mathematician (n) [μαθεματίσσαν] μαθηματικός.

mathematics (n) [μαθεμάτικς] μαθηματικά.

mating (n) [μέιτινγκ] ζευγάρωμα.

matins (n) [μάτινς] όρθρος [εκκλ].

matriarchal (adj) [μέϊτριάακαλ] μητριαρχικός.

matriarchy (n) [μέιτριααακι] μητριαρχία.

matricide (n) [μεῖτρισάι-ντ] μητροκτονία.

matrimony (n) [μάτριμοουνι] παντρειά.

matrix (n) [μέιτριξ] φόρμα.

matron (n) [μέιτρον] οικοδέσποινα.

matron of honour (n) [μέιτρον οβ όνα] κουμπάρα.

matt (adj) (n) [ματ] ματ, θαμπός.

matted (adj) [μάτι-ντ] μπερδεμένος.

matter (v) [μάτερ] σημαίνω (n) σημασία, ουσία, ύλη.

mattock (n) [μάτοκ] αξίνα.

mattress (n) [μάτρες] στρώμα.

mature (adj) [ματσσούρ] ώριμος (v) λήγω, ωριμάζω.

maturity (n) [ματσσούριτι] ωρίμανση, ωριμότητα.

maudlin (adj) [μόο-ντλιν] μισοκακόμοιρος.

mausoleum (n) [μοοσολίιαμ] μαυσωλείο.

mauve (adj) [μόουβ] μαβής.

mawkish (adj) [μόοκισς] ευκολοσυγκίνητος.

maxim (n) [μάξιμ] αξίωμα, ρητό.

maximization (n) [μαξιμαϊζέισσον] μεγιστοποίηση.

maximize (v) [μάξιμαϊζ] μεγιστοποιώ, μεγαλοποιώ.

maximum (n) [μάξιμαμ] μέγιστο.

May (n) [Μέι] Μάης, Μάιος.

may (ex) [μέι] άμποτες!, είθε!, ας (v) μπορώ.

May Day (adj) [Μέι Ντέι] πρωτομαγιάτικος (n) Πρωτομαγιά, κίνδυνος [sos].

maybe (adv) [μέι-μπι] πιθανώς.

maybug (n) [μέι-μπάγκ] χρυσόμυγα.

mayonnaise (n) [μέϊιονέιζ] μαγιονέζα.

mayor (n) [μέ-ιο(ρ)] δήμαρχος.

maypole-dance (n) [μέιπουυλ-ντάανς] γαϊτανάκι.

maze (n) [μέιζ] λαβύρινθος.

mazy (adj) [μέιζι] δαιδαλώδης.

me (pron) [μίι] εμένα, μου.

meadow (n) [μέ-ντοου] λιβάδι.

meagre (adj) [μίγκα(ρ)] φτωχικός.

meal (n) [μίιλ] φαρίνα, φαγητό.

mealy-mouthed (adj) [μίλι-μάουθ-ντ] ανειλικρινής, κρυψίνους.

mean (adj) [μιν] ευτελής, μίζερος, φτωχικός (v) σκοπεύω (n) στεναγμός.

meander (n) [μίαν-ντα(ρ)] μαίανδρος.

meaning (n) [μίινινγκ] σημασία.

meanness (n) [μίνες] τσιγκουνιά.

means (n) [μίνζ] μέθοδος, πόροι.

means of transport (n) [μίνζ οβ τράανσποοτ] συγκοινωνία.

measles (n) [μίιζλζ] ιλαρά [παθολ].

measly (adj) [μίιζλι] ασήμαντος.

measurable (adj) [μέζζερα-μπλ] μετρητός.

measure (n) [μέζζερ] ρέγουλα (v) εκτιμώ.

measured (adj) [μέζζα-ντ] μετρημένος, μελετημένος.

measureless (adj) [μέζζαλες] απεριόριστος.

measurements (n) [μέζζαμεν-τς] μέτρα, καταμετρήσεις.

measuring tape (n) [μέζζαρινγκ τέιπ] μετροταινία.

meat (n) [μίιτ] κρέας, τροφή.

meat hook (n) [μίιτ χουκ] τσιγκέλι.

meat-eater (n) [μίιτ-ίιτερ] κρεατοφάγος.

meatball (n) [μίιτ-μπόολ] κεφτές.

meatpie (n) [μίιτπάι] κρεατόπιτα.

mechanic (n) [μεκάνικ] μηχανικός.

mechanical (adj) [μεκάνικαλ] μηχανικός.

mechanical engineer (n) [μεκάνικαλ έν-ντζζινίιερ] μηχανολόγος.

mechanics (n) [μεκάνικς] μηχανική.

mechanism (n) [μέκανιζμ] μηχανισμός.

mechanization (n) [μεκαναϊζέισσον] μηχανοποίηση.

mechanize (v) [μέκαναϊζ] μηχανοποιώ.

medal (n) [μέ-νταλ] αριστείο.

medallion (n) [με-ντάλιον] μενταγιόν.

meddle (v) [με-ντλ] παρεμβαίνω.

meddler (adj) [μέ-ντλερ] ανακατωσούρης.

meddling (n) [μέ-ντλινγκ] πολυπραγμοσύνη.

mediate (v) [μί-ντιέιτ] μεσιτεύω.

mediation (n) [μί-ντιέισσον] μεσίτευση, μεσολάβηση.

mediator (n) [μι-ντιέιτορ] μεσίτης.

medical (adj) [μέ-ντικαλ] ιατρικός.

medical attendance (n) [μέ-ντικαλ ατέν-ντανς] κούρα.

medical charges (n) [μέ-ντικαλ τσσάαρ-ντζζιζ] νοσήλια.

medical lieutenant (n) [μέ-ντικαλ λιου-τέναν-τ] υπίατρος.

medicinal (adj) [με-ντίσιναλ] φαρμα-κευτικός, ιατρικός, ιαματικός.

medicine (n) [μέ-ντισιν] ιατρική.

medieval (adj) [μί-ντιίιβαλ] μεσαιωνικός.

mediocre (adj) [μί-ντιόουκερ] μέτριος, υποδεέστερος, ασήμαντος.

mediocrity (n) [μι-ντιόκριτι] μετριότητα.

meditate (v) [μί-ντιτέϊτ] αυτοσυγκε-ντρώνομαι, στοχάζομαι.

meditation (n) [μι-ντιτέισσον] αυτοσυ-γκέντρωση, στοχασμός.

Mediterranean (adj) [Με-ντιτερέινιαν] μεσογειακός.

medium (adj) [μί-ντιαμ] μέσος (n) μέ-τρο, φορέας, περιβάλλον.

medley (n) [μέ-ντλι] κυκεώνας, σύμ-φυρμα, ανακατωσούρα.

meet (v) [μίιτ] αντικρύζω, συναντώ, συ-ντρέχω, εκβάλλω.

meeting (n) [μίιτινγκ] συγκέντρωση, α-ντάμωση, ραντεβού.

megacycle (n) [μέγκασάικλ] μεγάκυκλος.

megalomania (n) [μεγκαλομέινια] μεγα-λομανία.

megaphone (n) [μέγκαφοουν] μεγάφωνο.

melancholy (adj) [μέλανκολι] σκοτεινός (n) μελαγχολία.

mellow (adj) [μέλοου] χυμώδης, ώρι-μος (v) απαλύνω, γλυκαίνω.

melodious (adj) [μελόου-ντιας] μελωδικός.

melodrama (n) [μέλοου-ντράαμα] μελό-δραμα.

melodramatic (adj) [μελοου-ντραμάτικ] μελοδραματικός.

melody (n) [μέλο-ντι] μελωδία.

melon (n) [μέλον] πεπόνι.

melt (v) [μελτ] λιώνω, σβήνω, ξεθωριάζω.

melted (adj) [μέλτι-ντ] αναλυτός.

melting (n) [μέλτινγκ] τήξη.

member (n) [μέμ-μπερ] στέλεχος.

member of parliament (n) [μέμ-μπερ οβ πάαλαμεν-τ] βουλευτής.

membrane (n) [μέμ-μπρέιν] μεμβράνη, υμένας, περγαμηνή.

memento (n) [μεμέν-τοου] αναμνηστικό.

memoirs (n) [μέμουααζ] βιβλιογραφία, απομνημονεύματα.

memorabilia (n) [μεμορα-μπίιλια] εν-θυμήματα.

memorable (adj) [μέμορα-μπλ] αξιο-μνημόνευτος, μνημειώδης.

memorandum (n) [μεμοράν-νταμ] ση-μείωμα, μνημόνιο.

memorial (adj) [μεμόοριαλ] αναμνηστικός.

memorize (v) [μέμοοραΐζ] αποστηθίζω.

memorizing (n) [μέμοράιζινγκ] απο-μνημόνευση.

memory (n) [μέμορι] ανάμνηση.

menace (n) [μένις] απειλή, φοβέρα (v) φοβερίζω.

menagerie (n) [μενάντζζερι] ζωοτρο-φείο [θηρίων], θηριοτροφείο.

mend (v) [μεν-ντ] μαντάρω.

mendacious (adj) [μεν-ντάσιας] αναληθής.

mendacity (n) [μεν-ντάσιτι] ψευδολογία.

mending (n) [μέν-ντινγκ] επιδιόρθωση, επισκευή.

meningitis (n) [μενιν-ντζζάιτις] μηνιγ-γίτιδα.

menopause (n) [μέναποοζ] εμμηνόπαυση.

menstrual (adj) [μένστραλ] έμμηνος, καταμήνιος, εμμηνορροϊκός.

mental (adj) [μέν-ταλ] νοερός.

mental hospital (n) [μέν-ταλ χόσπιταλ] ψυχιατρείο.

mentality (n) [μεν-τάλιτι] νοοτροπία.

mentally disturbed (adj) [μέν-ταλι ντιστέρ-μπντ] φρενοβλαβής.

mention (n) [μένσσον] μνεία (v) θίγω.

menu (n) [μένιου] μενού.

mercantile (adj) [μέρκαν-ταϊλ] εμπορικός.

mercenary (n) [μέρσενρι] άπληστος.

merchandise (n) [μέρτσσαν-νταϊς] εμπόρευμα, πραμάτεια.

merchant (n) [μέρτσσαν-τ] έμπορος (adj) εμπορικός.

merciful (adj) [μέρσιφουλ] ελεητικός, πανάγαθος, σπλαχνικός.

mercury (n) [μέρκιουρι] υδράργυρος.

Mercury (n) [Μέρκιουρι] Ερμής.

mercy (n) [μέρσι] λύπηση.

mercy killing (n) [μέρσι κίλινγκ] ευθανασία, ανώδυνη θανάτωση.

merely (adv) [μίηρλι] απλώς.

merge (v) [μερντζζ] συγχωνεύω.

meridian (n) [μερί-ντιαν] ζενίθ.

meringue (n) [μεράνγκ] μαρέγκα.

merit (v) [μέριτ] αξίζω (n) προσόν.

meritocracy (n) [μεριτόκρασι] αξιοκρατία.

mermaid (n) [μέρμέι-ντ] γοργόνα.

merriment (n) [μέριμεν-τ] ευθυμία, κέφι.

merry (adj) [μέρι] εύθυμος.

merrymaking (n) [μέριμέικινγκ] γιορτή.

mesh (n) [μεσς] πλέγμα, δίκτυ, θηλιά.

meshes (n) [μέσσιζ] δίχτυ [μεταφ].

mess (adv) [μες] κουλουβάχατα (n) μπέρδεμα, βρομιά (v) βρωμίζω.

mess up (v) [μες απ] σαραβαλιάζω, μαγαρίζω (n) θαλάσσωμα.

message (n) [μέσιντζζ] μήνυμα.

messanger (n) [μέσιν-ντζζα(ρ)] άγγελος.

messroom (n) [μέορούμ] καρέ.

messy (adj) [μέσι] βρώμικος.

met (adj) [μετ] μετεωρολογικός.

metabolic (adj) [μετα-μπόλικ] μεταβολικός.

metabolism (n) [μετά-μπολιζμ] μεταβολισμός.

metal (n) [μέταλ] μέταλλο.

metal plate (n) [μέταλ πλέιτ] έλασμα.

metal worker (n) [μέταλ ουόρκερ] μεταλλουργός.

metal works (n) [μέταλ ουέρκς] μεταλλουργείο.

metalled (adj) [μέταλ-ντ] χαλκόστρωτος.

metallic (adj) [μετάλικ] μεταλλικός.

metallurgy (n) [μετάλαντζζιι] μεταλλουργία.

metaphor (n) [μέταφοο] μεταφορά.

metaphorical (adj) [μεταφόρικαλ] μεταφορικός [γραμμ].

metaphysics (n) [μεταφίζικς] μεταφυσική.

mete (n) [μίιτ] όριο, σύνορο.

mete out (v) [μίιτ άουτ] απονέμω.

meteor (n) [μίτιοο] μετέωρο.

meteorite (n) [μίιτιοράιτ] αερόλιθος.

meteorologist (n) [μίιτιορόλοντζζιστ] μετεωρολόγος.

meteorology (n) [μίιτιορόλοντζζι] μετεωρολογία.

meter (n) [μίιτερ] μετρητής.

method (n) [μέθο-ντ] μέθοδος.

methodical (adj) [μεθό-ντικαλ] μεθοδικός, συστηματικός.

Methodist (n) [Μέθο-ντιστ] μεθοδιστής.

methodological (adj) [μεθο-ντολόντζζικαλ] μεθοδολογικός.

methodology (n) [μέθο-ντόλοντζζι] μεθοδολογία.

metope (n) [μέτοουπ] μετόπη.

metre (n) [μίιτερ] μέτρο.

metric (n) [μέτρικ] μετρική.

metrical [adj] [μέτρικαλ] μετρικός.

metropolis (n) [μετρόπολις] μητρόπολη, πρωτεύουσα.

metropolitan (adj) [μετροπόλιταν] μητροπολιτικός.

mettle (n) [μετλ] θάρρος, κουράγιο, ψυχή.

mew (v) [μιού] περιορίζω.

mezzanine (n) [μέζανίιν] ημιόροφος.

mezzosoprano (n) [μέτσοσοπράανου] μεσόφωνος.

miaow (v) [μιάου] νιαουρίζω.

miasma (n) [μιάζμα] μίασμα.

micro-organism (n) [μάικροου-όογκανιζμ] μικροοργανισμός.

microbe (n) [μάικροου-μπ] μικρόβιο.

microbial (adj) [μαϊκρόου-μπιαλ] μικροβιακός.

microcosm (n) [μάικροκοζμ] μικρόκοσμος, μικρογραφία.

microeconomics (n) [μάικροεκονόμικς] μικροοικονομική.

microphone (n) [μάικροουφοουν] μικρόφωνο.

microscope (adj) [μάικροσκόουπ] μικροσκοπικός (n) μικροσκόπιο.

microscopic (adj) [μαϊκροσκόπικ] μικροσκοπικός.

microwave (n) [μάικρογουέιβ] μικροκύμα [φυσ].

midday (adj) [μί-ντντέι] μεσημεριανός (n) μεσημέρι.

middle (adj) [μι-ντλ] κεντρικός, μεσαίος (n) μέση, μέσο.

Middle Ages (n) [Μι-ντλΈιντζζις] μεσαίωνας.

middle-aged (adj) [μί-ντλέιντζζ-ντ] μεσήλικος, μεσόκοπος.

middle-aged spread (n) [μί-ντλ-έιντζζ-ντ σπρε-ντ] γεροντόπαχο.

middleman (n) [μί-ντλμάν] μεσάζοντας.

midge (n) [μι-νντζζ] σκνίπα.

midnight (n) [μί-ντνάιτ] μεσάνυχτα.

midst (n) [μι-ντστ] μέσο, μέση.

midwife (n) [μί-ντγουάιφ] μαία.

might (n) [μάιτ] δύναμη.

mighty (adj) [μάιτι] ισχυρός.

migraine (n) [μάιγκρεϊν] ημικρανία.

migrant (adj) [μάιγκράν-τ] απόδημος.

migratory (adj) [μαϊγκρέιτορι] αποδημτικός.

mild (adj) [μάιλ-ντ] μαλακός.

mildew (n) [μιλ-ντιου] μούχλα.

mildness (n) [μάιλ-ντνες] ηπιότητα.

mile (n) [μάιλ] μίλι.

militancy (n) [μίλιτανσι] μαχητικότητα.

militant (n) [μίλιταν-τ] αγωνιστής (adj) μαχητικός, αγωνιστικός.

militarism (n) [μίλιταριζμ] στρατοκρατία.

militarize (v) [μίλιταραϊζ] στρατιωτικοποιώ.

military (adj) [μίλιταρι] στρατιωτικός, πολεμικός.

military service (n) [μίλιταρι σέρβις] θητεία, στρατιωτικό.

militia (n) [μιλίσσα] εθνοφυλακή.

militiaman (n) [μιλίσιαμαν] εθνοφρουρός.

milk (v) [μιλκ] αρμέγω (n) γάλα.

milk-tub (n) [μίλκ-τά-μπ] καρδάρα.

milk-white (adj) [μίλκ-γουάιτ] γαλακτώδης.

milkman (n) [μίλκμαν] γαλατάς.

milksop (n) [μίλκσοπ] μαμόθρεφτο.

milky (adj) [μίλκι] γαλακτερός.

Milky Way (n) [Μίλκι ουέι] Γαλαξίας.

mill (n) [μιλ] μύλος (v) κόβω.

mill owner (n) [μιλ όουνερ] μυλωνάς.

mill-hand (n) [μιλ-χάν-ντ] εργάτης.

millenarian (n) [μιλενεάριαν] χιλιαστής.

millenarianism (n) [μιλιενεάριανίζμ] χιλιασμός.

millennium (n) [μιλένιαμ] χιλιετηρίδα.

miller (n) [μίλερ] μυλωνάς.

millet (n) [μίλετ] κεχρί.

milliner (n) [μίλινερ] καπελού.

milling-machine (n) [μίλινγκ-μασσίιν] φρέζα.

million (n) [μίλιον] εκατομμύριο.

millionaire (adj) [μίλιονέαρ] εκατομμυριούχος.

millstone (n) [μίλστοουν] μυλόπετρα.

mime (n) [μάιμ] μίμος, ηθοποιός.

mimic (n) [μίμικ] μίμος (v) μιμούμαι.

mimicry (n) [μίμικρι] μιμική.

mimosa (n) [μιμόουζα] μιμόζα.

minaret (n) [μίναρετ] μιναρές.

mince (v) [μινς] εκφράζομαι, λιανίζω.

mincing (adj) [μίνσινγκ] σκερτσόζικος, λικνιστός (n) νάζι.

mind (n) [μάιν-ντ] μυαλό (v) προσέχω.

minder (n) [μάιν-ντερ] επιτηρητής.

mindful (adj) [μάιν-ντφουλ] επιμελής.

mindless (adj) [μάιν-ντλες] άμυαλος.

mine (n) [μάιν] νάρκη, μεταλλείο (v) ανοίγω, ναρκοθετώ.

mine-sweeper (n) [μάιν-σουίπερ] ναρκαλιευτικό.

minefield (n) [μάινφίιλ-ντ] ναρκοπέδιο.

miner (n) [μάινερ] ανθρακωρύχος.

mineral (adj) [μίνεραλ] ανόργανος, ορυκτός (n) ορυκτό, μετάλλευμα.

mineralogical (adj) [μινεραλόντζζικαλ] ορυκτολογικός.

mineralogist (n) [μινεράλοντζζιστ] μεταλλειολόγος, ορυκτολόγος.

mineralogy (n) [μινεράλοντζζι] μεταλλειολογία, ορυκτολογία.

mingle (v) [μινγκλ] ανακατεύω.

mingling (n) [μίνγκλινγκ] ανάμειξη.

miniature (n) [μίνιατσσουρ] μινιατούρα.

minimal (adj) [μίνιμαλ] ελάχιστος.

minimize (v) [μίνιμάιζ] ελαχιστοποιώ.

minimum (n) [μίνιμαμ] μίνιμουμ.

mining (adj) [μάινινγκ] μεταλλευτικός (n) μετάλλευση.

minister (n) [μίνιστερ] πάστορας, πρεσβευτής, υπουργός (adj) απεσταλμένος.

ministerial (adj) [μινιστίριαλ] υπουργικός.

ministry (n) [μίνιστρι] υπουργείο.

minium (n) [μίνιαμ] μίνιο.

Minoan (adj) [Μινόουαν] μινωικός.

minor (adj) [μάινα(ρ)] ολιγώτερος.

minority (n) [μαϊνόριτι] μειονότητα.

mint (n) [μιν-τ] μέντα, δυόσμος (v) νομισματοποιώ (n) νομισματοκοπείο, πηγή.

minus (adv) [μάινας] μείον.

minute (n) [μίνιτ] στιγμή.

minute (adj) [μαϊνιούτ] λεπτομερής.

minutely (adv) [μινιούτλι] λεπτομερώς.

minutes (n) [μίνιτς] πρακτικά.

minx (n) [μινξ] διαβολοθήλυκο.

miracle (n) [μίρακλ] θαύμα.

miracle-making (adj) [μίρακλ-μέικινγκ] θαυματουργός.

miraculous (adj) [μιράκιουλας] θαυματουργός, θαυμάσιος.

mirage (n) [μιράαζζ] αντικατοπτρισμός, αυταπάτη.

mire (n) [μάιρ] τέλμα, βούρκος.

mirror (n) [μίρα(ρ)] καθρέφτης (v) καθρεφτίζω.

mirthful (adj) [μίρθφούλ] χαρούμενος.

misadventure (n) [μισα-ντβέν-τσσα(ρ)] ατύχημα.

misanthrope (n) (adj) [μίσανθροουπ] μισάνθρωπος.

misappropriate (v) [μισαπρόουπριέιτ] καταχρώμαι, υπεξαιρώ.

misbehave (v) [μισ-μπιχέιβ] ασχημονώ.

miscarriage (n) [μίσκαριντζζ] αποτυχία.

miscarry (v) [μίσκάρι] αποβάλλω.

miscellaneous (adj) [μισιλένιας] ποικίλος, ανάμικτος, ετερόκλιτος.

mischance (n) [μιστσσάανς] ατυχία.

mischief (n) [μιστσσίιφ] αταξία, κακό.

mischievous (adj) [μιστσσίβας] άτακτος, ταραξίας (n) χαιρέκακος.

miscible (adj) [μίσι-μπλ] αναμίξιμος.

misconceive (v) [μισκονσίιβ] παρανοώ.

misconduct (n) [μισκόν-ντακτ] παράπτωμα, μοιχεία.

misconduct (v) [μισκον-ντάκτ] κακοδιαχειρίζομαι, μοιχεύω.

misconstrue (v) [μισκονστριού] παρερμνεύω, παρεξηγώ.

misdemeanour (n) [μίσ-ντμίινα] παρά-
πτωμα, ατόπημα, πταίσμα.

miser (n) [μάιζερ] τσιγκούνης.

miserable (adj) [μίζερα-μπλ] κακόμοιρος.

miserliness (n) [μάιζερλινες] τσιγκουνιά.

miserly (adj) [μάιζερλι] τσιγκούνης, τσι-
γκούνικος, φιλάργυρος.

misfire (v) [μισφάια(ρ)] σφάλλω.

misfortune (n) [μισφόορτσσουν] ατυχία.

misgiving (n) [μισγκίβινγκ] φόβος, α-
νησυχία, αμφιβολία, υποψία.

mishap (n) [μίσχαπ] ατύχημα.

misinterpret (v) [μισιν-τερπρίτ] παρα-
γνωρίζω, παρεξηγώ.

misinterpretation (n) [μισιν-τερπρι-
τέισσον] παρερμηνεία.

mislay (v) [μιολέι] χάνω, παραπετώ.

mislead (v) [μιολίι-ντ] εξαπατώ.

misleading (adj) [μιολίι-ντινγκ] παρα-
πειστικός (n) παραπλάνηση.

mismanagement (n) [μισμάναντζζμεν-
τ] κακοδιοίκηση.

misogynist (n) [μισόντζζινιστ] μισογύνης.

misrepresent (v) [μισρεπριζέν-τ] παρα-
ποιώ, διαστρέφω, διαψεύδω.

Miss (n) [Μις] δεσποινίδα.

miss (v) [μις] αναζητώ, γλυτώνω.

missile (n) [μίσάιλ] βλήμα.

missing (adj) [μίσινγκ] απών.

mission (n) [μίσσον] αποστολή.

missionary (n) [μίσσιονερι] ιεραπόστολος.

misspell (v) [μισπέλ] ανορθογραφώ.

missus (n) [μίσαζ] κυρά.

mist (n) [μιστ] αντάρα, ομίχλη.

mistake (n) [μιστέικ] παρανόηση, πλάνη.

mistaken (adj) [μιστέικεν] παρεξηγημέ-
νος (v) λαθεύω.

Mister (n) [μίστα] κύριος.

mistletoe (n) [μίσλτόου] ιξός, γκι.

mistress (n) [μίστρες] οικοδέσποινα, κυ-
ρία, ερωμένη, μαιτρέσα.

mistrial (n) [μιστράιαλ] κακοδικία.

mistrust (n) [μιστράστ] δυσπιστία, κα-
χυποψία (v) δυσπιστώ.

misty (adj) [μίστι] ομιχλώδης, καταχνια-
σμένος, βουρκωμένος.

misunderstand (v) [μισαν-νταστάν-ντ]
παρανοώ, παρεξηγώ.

misunderstanding (n) [μισαν-νταστάν-
ντινγκ] παρανόηση.

misuse (n) [μισιούς] κατάχρηση (v) [μι-
σιούζ] καταχράζω.

mite (n) [μάιτ] πιστρίκος, ψιχίο.

mitigating (adj) [μίτιγκέιτινγκ] ελαφρυ-
ντικός.

mitre (n) [μάιτερ] μίτρα [εκκλ].

mix (v) [μιξ] αναμιγνύω.

mix with (v) [μιξ ουίδ] συναναστρέφο-
μαι, προσθέτω [υλικά κλπ].

mix-up (v) [μιξ-απ] συγχέω, ανακατεύω
(n) ανακάτεμα.

mixed (adj) [μιξ-τ] ανάκατος.

mixing (n) [μίξινγκ] μίξη.

mixture (n) [μίξτοερ] μίγμα.

moan (n) [μόουν] στεναγμός (v) βογκώ.

moaning (n) [μόουνινγκ] οιμωγή.

moat (n) [μόουτ] χαντάκι.

mob (adj) [μο-μπ] οχλοκρατικός (n)
μπουλούκι.

mobile (adj) [μόου-μπαϊλ] κινητός.

mobility (n) [μο-μπίλιτι] ευκινησία.

mobilization (n) [μοου-μπίλαϊζέισσον]
επιστράτευση.

mobilize (v) [μόου-μπιλαϊζ] επιστρα-
τεύω, κινητοποιώ.

mobster (n) [μό-μπστα] κακοποιός.

mock (v) [μοκ] εμπαίζω.

mock attack (n) [μοκ ατάκ] ψευδεπίθεση.

mocker (n) [μόκερ] χλευαστής.

mockery (n) [μόκερι] γελοιοποίηση, κο-
ροϊδία, χλεύη.

mocking (adj) [μόκινγκ] κοροϊδευτικός.

modal (adj) [μόου-νταλ] τροπικός.

mode (n) [μόου-ντ] μέθοδος, τρόπος.

model (adj) [μό-ντελ] πρότυπος (v) διαπλάθω (n) μοντέλο.

moderate (adj) [μό-ντερετ] μέτριος (v) [μο-ντερέιτ] συγκρατώ, μετριάζω.

moderation (n) [μο-ντερέισσον] μετριασμός, εγκράτεια.

modern (adj) [μό-ντερν] μοντέρνος.

modernist (n) [μό-ντανιστ] νεωτεριστής.

modernistic (adj) [μο-ντανίστικ] νεωτεριστικός.

modernization (n) [μο-ντανάιζέισσον] εκσυγχρονισμός.

modernize (v) [μό-ντανάιζ] εκσυγχρονίζω.

modest (adj) [μό-ντεστ] ηθικός, ντροπαλός (n) μετριόφρονας.

modesty (n) [μό-ντεστι] σεμνότητα.

modicum (n) [μό-ντικαμ] ελάχιστο.

modification (n) [μό-ντιφικέισσον] διασκευή, τροποποίηση.

modify (v) [μό-ντιφάι] μετατρέπω.

module (n) [μό-ντιουλ] θαλαμίσκος.

Mohammed (n) [Μοχάμε-ντ] Μωάμεθ.

moist (adj) [μόιστ] υγρός, νοτερός.

moisten (v) [μόισεν] σαλιώνω.

moistening (n) [μόισενινγκ] βρέξιμο.

moistness (n) [μόισνες] υγρασία.

moisture (n) [μόιτσσερ] υγρασία.

molar (n) [μόουλα] γομφίος.

mole (n) [μόουλ] ελιά, μώλος.

molecule (n) [μόλεκιουλ] μόριο.

molest (v) [μολέστ] ενοχλώ.

mollycoddle (v) [μολικοντλ] μαμοθρέφω.

mollify (v) [μόλιφάι] μαλακώνω.

mollusc (n) [μόουλασκ] μαλάκιο.

Moloch (n) [Μόουλοχ] Μολώχ.

mom (n) [μομ] μανούλα [ΗΠΑ].

moment (n) [μόουμεν-τ] στιγμή.

momentary (adj) [μόουμεν-τρι] παροδικός.

momentous (adj) [μομέν-τας] κρίσιμος, σημαντικός, βαρυσήμαντος.

momentum (n) [μομέν-ταμ] ροπή.

monarch (n) [μόναακ] μονάρχης.

monarchic (adj) [μονάακικ] μοναρχικός.

monarchy (n) [μόνακι] μοναρχία.

monastery (n) [μόναστρι] μονή.

monastery board (n) [μόναστρι μπόορντ] ηγουμενικό συμβούλιο.

monastic (adj) [μονάστικ] μοναχικός.

monaural (adj) [μονάουραλ] μονοφωνικός.

Monday (n) [Μάν-ντι] Δευτέρα.

monetary (adj) [μάνιτρι] χρηματικός, νομισματικός.

money (n) [μάνι] παράς, λεφτά.

money market (n) [μάνι μάακετ] χρηματαγορά.

money-box (n) [μάνι-μποξ] κορβανάς, κουμπαράς.

money-broker (n) [μάνι-μπρόουκα] χρηματομεσίτης.

money-changer (adj) [μάνι-τσσέιν-ντζζερ] αργυραμοιβός.

moneybags (n) [μάνι-μπαγκς] λεφτάς.

moneymaking (adj) [μάνιμέικινγκ] σύμφορος, ωφέλιμος.

monger (n) [μάνγκερ] έμπορος, εμπορευόμενος, κάπηλος [υποτ].

monk (n) [μανκ] καλόγερος, μοναχός.

monkey (n) [μάνκιι] πίθηκος.

monochrome (adj) [μόνοκρόουμ] μονόχρωμος.

monody (n) [μόνο-ντι] μονωδία.

monogamy (n) [μονόγκαμι] μονογαμία.

monogram (n) [μόνογκραμ] τζίφρα, μονόγραμμα.

monolithic (adj) [μονολίθικ] μονολιθικός.

monologue (n) [μόνολογκ] μονόλογος.

monomania (n) [μόνοουμέινια] μονομανία.

monophonic (adj) [μονοφόνικ] μονοφωνικός.

monopolistic (adj) [μονοπολίστικ] μονοπωλιακός.

monopolization (n) [μονοπολαϊζέισ-σον] μονοπώλησn.

monopolize (v) [μονόπολαϊζ] μονοπωλώ.

monopoly (n) [μονόπολι] μονοπώλιο.

monosyllabic (adj) [μονοσιλά-μπικ] μονοσύλλαβος, απότομος.

monotheism (n) [μόνοθιίζμ] μονοθεϊσμός.

monotonous (adj) [μονότονας] μονότονος.

monsoon (n) [μονσούουν] μουσώνας.

monster (n) [μάνστερ] έκτρωμα.

monstrosity (n) [μονστρόσιτι] τερατωδία.

monstrous (adj) [μόνστρας] τεράστιος, τερατόμορφος.

month (n) [μανθ] μήνας.

monthly (adj) [μάνθλι] μηνιαίος.

monument (n) [μόνιουμεν-τ] μνημείο.

monumental (adj) [μονιουμέν-ταλ] μνημειακός, μνημειώδης.

moo (v) [μούου] μουγκανίζω.

mooch (v) [μοούουτος] περιπλανώμαι.

mood (n) [μούου-ντ] έγκλιση, διάθεση [κέφι], αθυμία, κατάθλιψη.

moody (adj) [μούου-ντι] άκεφος, δύσθυμος, οξύθυμος, εύξαπτος.

moon (adj) [μούουν] σεληνιακός (n) σελήνη, φεγγάρι.

moonless (adj) [μούουνλες] αφέγγαρος.

moonlight (n) [μούουνλάιτ] σεληνόφως.

moonlit (adj) [μούουνλιτ] σεληνοφώτιστος.

moonstruck (adj) [μούουνστρακ] τρελός, παλαβός,αλαφροΐσκιωτος.

moony (adj) [μούουνι] ονειροπόλος.

moor (v) [μόο(ρ)] αράζω, δένω.

moorage (n) [μόριντζζ] αγκυροβόλιο.

moorhen (n) [μόοχεν] νερόκοτα.

mooring (n) [μόρινγκ] άραγμα.

mooring line (n) [μόρινγκ λάιν] παλαμάρι.

mooring place (n) [μόρινγκ πλέις] αγκυροβόλιο.

mop (v) [μοπ] σκουπίζω (n) φασίνα.

moped (n) [μόουπεντ] μηχανάκι.

moral (adj) [μόραλ] χρηστός, αγνός, n-θικός (n) ήθος, φρόνημα.

moralist (n) [μόραλιστ] ηθικολόγος.

moralistic (adj) [μοραλίστικ] ηθικολογικός.

moralizing (n) [μοραλάιζινγκ] ηθικολογία.

morals (n) [μόραλζ] ήθη, ήθος.

morass (n) [μοράς] έλος, βάλτος.

moratorium (n) [μορατόοριαμ] δικαιοστάσιο, χρεωστάσιο.

moray eel (n) [μόρεϊ ίιλ] σμέρνα.

morbid (adj) [μόο-μπι-ντ] νοσηρός.

morbidity (n) [μοο-μπί-ντι] νοσηρότητα.

morbidness (n) [μόο-μπι-ντνες] νοσηρότητα.

more (adj) [μόο] περισσότερος (adv) παραπάνω (n) άλλος, περισσότερο.

more than (adv) [μόο δαν] παραπάνω.

moreover (adv) [μόρόουβερ] περαιτέρω, πλέον, εξάλλου.

morgue (n) [μόογκ] νεκροτομείο.

moribund (adj) [μόρι-μπάν-ντ] ετοιμοθάνατος.

morning (adj) [μόονινγκ] πρωινός (n) πρωί, πρωινό.

morning star (n) [μόονινγκ στάα] Αυγερινός.

morning twilight (n) [μόονινγκ τουάιλάιτ] λυκαυγές.

Moroccan (n) [Μόροκαν] Μαροκινός.

moron (n) [μόορον] μωρός.

morose (adj) [μορόους] κατηφής.

morphine (n) [μόφιιν] μορφίνη.

morphological (adj) [μοοφολόντζζι-καλ] μορφολογικός.

morphology (n) [μοοφόλοντζζι] μορφολογία, τυπικό [γραμμ].

morse (n) [μόος] τριχοφόρος.

morsel (n) [μόοσελ] μπουκιά.

mortal (adj) [μόσταλ] θανάσιμος.

mortal remains (n) [μόσταλ ριμέινζ] λείψανο.

mortality (n) [μοοτάλιτι] θνησιμότητα.

mortar (n) [μόοτα(ρ)] αμμοκονία.

mortarboard (n) [μόοτα-μπόο-ντ] πηλοφόρι.

mortgage (n) [μόογκιντζζ] υποθήκη (v) υποθηκεύω.

mortgaged (adj) [μόογκίντζζ-ντ] ενυπόθηκος.

mortify (v) [μόοτιφάι] ταπεινώνω.

mortuary (n) [μόοτσσερι] νεκροτομείο.

mosaic (adj) [Μοοζέικ] μωσαϊκός (n) μωσαϊκό, ψηφιδωτό.

Moses (n) [Μόουζες] Μωυσής.

moslem (n) [μόζλεμ] μουσουλμάνος.

mosque (n) [μόοκ] τέμενος, τζαμί.

mosquito (n) [μοσκίτοου] κουνούπι.

moss (n) [μος] μούσκλο.

most (adj) [μόουστ] μέγιστος, πιο.

Most Reverend (adj) [Μόουστ Ρέβερεντ] πανιερότατος.

motel (n) [μοουτέλ] μοτέλ.

moth (n) [μοθ] σκώρος.

moth-eaten (adj) [μοθ-ίιτεν] σκοροφαγωμένος.

mothballs (n) [μόθ-μπόολζ] ναφθαλίνη.

mother (n) [μάδα(ρ)] μητέρα (v) γεννώ.

mother-in-law (n) [μάδερ-ιν-λόο] πεθερά.

mother-of-pearl (n) [μάδερ-οβπερλ] μάργαρος, φίλντισι.

motherhood (n) [μάδαχου-ντ] μητρότητα.

motherly (adj) [μάδαλι] μητρικός.

motif (n) [μοουτίιφ] μοτίβο.

motion (n) [μόουσσον] νόημα (v) γνεύω.

motionless (adj) [μόουσσονλες] ακίνητος.

motive (n) [μόουτιβ] αιτία, αφορμή, ελατήριο, κίνητρο, ορμητήριο.

motley (adj) [μότλι] πολύχρωμος.

motor (n) [μόουτα] κινητήρας.

motorbike (n) [μόουτα-μπάικ] μοτοσικλέτα.

motorboat (n) [μόουτα-μπόουτ] βενζινάκατος.

motorcycle (n) [μόουτασάικλ] μοτοσικλέτα.

motorcyclist (n) [μόουτασάικλιστ] μοτοσικλετιστής.

motoring (n) [μόουτορινγκ] οδήγηση, αυτοκινητάδα.

motorist (n) [μόουτοριστ] αυτοκινητιστής, οδηγός αυτοκινήτου.

motorized (adj) [μόουτοράιζ-ντ] μηχανοκίνητος.

motorman (n) [μόουταμαν] μηχανοδηγός.

motorway (n) [μόουταουεϊ] αυτοκινητόδρομος.

motto (n) [μότο] ρητό.

mould (n) [μόουλ-ντ] γόνιμο έδαφος, μούχλα (v) πλάθω.

moulding (n) [μόουλ-ντινγκ] πλάση, διαμόρφωση, διάπλαση.

mouldy (adj) [μόουλ-ντι] μουχλιασμένος, απηρχαιωμένος.

mound (n) [μάουν-ντ] λοφίσκος, ύψωμα.

mount (v) [μάουν-τ] ανέρχομαι, σκαρφαλώνω, βατεύω.

Mount Athos (n) [Μάουν-τ Άθος] Άγιον όρος.

mountain (n) [μάουν-τιν] όρος.

mountain range (n) [μάουν-τιν ρέιν-ντζζ] οροσειρά.

mountainous (adj) [μάουν-τινας] ορεινός.

mourn (v) [μόον] θρηνώ, πενθώ.

mournful (adj) [μόονφουλ] πένθιμος, καταθλιπτικός, ζοφερός.

mourning (n) [μόονινγκ] οδύνη.

mouse (n) [μάους] ποντικός.

mousetrap (n) [μάουστράπ] φάκα.

mousse (n) [μούους] μους.

moustache (n) [μουστάασς] μουστάκι.

mousy (adj) [μάουσι] ποντικίσιος.

mouth (n) [μάουθ] στόμα.

mouth organ (n) [μάουθ όογκαν] φυσαρμόνικα.

mouth-to-mouth (n) [μάουθ-του-μάουθ] τεχνητή αναπνοή.

mouthful (n) [μάουθφουλ] μπουκιά,

ρουφηξιά, χαψιά.

mouthpiece (n) [μάουθπίις] επιστόμιο, μικρόφωνο.

movable (adj) [μούβα-μπλ] κινητός.

move (v) [μουβ] κινώ, σείω (n) κίνηση, ενέργεια, διάβημα.

move away (v) [μουβ αουέι] ξεμακραίνω.

move on (v) [μουβ ον] προχωρώ.

move out (v) [μουβ άουτ] μετακομίζω.

movement (n) [μούβμεν-τ] κίνηση, ρεύμα.

mover (n) [μούβερ] εισηγητής.

movie (adj) [μούβι] κινηματογραφικός.

moving (adj) [μούβινγκ] κινητήριος, συγκινητικός (n) σάλεμα.

mow (v) [μόου] θερίζω, κουρεύω.

mower (n) [μόουερ] θεριστής.

mowing (n) [μόουινγκ] θερισμός.

Mr (n) [μίστα] κύριος.

Mrs (n) [Μίσιζ] κυρία.

much (adv) [ματος] πολύ (adj) πολύς.

muck (v) [μακ] φουσκίζω (n) φουσκί, βρομιά, βόρβορος.

muck about (v) [μακ αμπάουτ] κοπροσκυλιάζω.

muck up (v) [μακ απ] βρομίζω.

mucus (n) [μιούκας] μίξα.

mud (n) [μα-ντ] λάσπη, πηλός.

muddle (n) [μα-ντλ] μπερδεψιά (v) ζαλίζω.

muddled (adj) [μα-ντλ-ντ] ζαλισμένος, μπερδεμένος.

muddy (adj) [μά-ντι] λασπερός (v) θολώνω.

muesli (n) [μούουζλι] μούσλι.

muezzin (n) [μουέζιν] μουεζίνης.

muffled (adj) [μαφλ-ντ] κούφιος.

muffler (n) [μάφλερ] κασκόλ.

mug (n) [μαγκ] μούτρο, κούπα.

muggy (adj) [μάγκι] αποπνικτικός.

mulatto (n) [μιουλάτοου] μιγάδας.

mulberry (n) [μάλ-μπερι] μούρο.

mulberry tree (n) [μάλ-μπερι τρίι] μουριά.

mule (n) [μιούλ] ημίονος.

mule-driver (n) [μιούλ-ντράιβερ] αγωγιάτης, μουλαράς.

mulish (adj) [μιούλισς] μουλαρίσιος, πεισματάρης, ξεροκέφαλος.•

mullet (n) [μάλετ] κέφαλος [ιχθ].

multicoloured (adj) [μάλτικαλαντ] παρδαλός, πολύχρωμος.

multifarious (adj) [μάλτιφεαριας] πολυσχιδής, πολύπλευρος.

multiform (adj) [μάλτιφόμ] πολύμορφος.

multiformity (n) [μαλτιφόομτι] πολυμορφία.

multilingual (adj) [μαλτιλίνγκουαλ] πολύγλωσσος.

multinational (adj) [μαλτινάσσοναλ] πολυεθνικός.

multiple (adj) [μάλτιπλ] πολλαπλάσιος (n) πολλαπλάσιο.

multiplication (n) [μάλτιπλικέισσον] πολλαπλασιασμός.

multiplicity (n) [μαλτιπλίσιτι] πολλαπλότητα, πλήθος.

multiply (v) [μάλτιπλάι] πληθαίνω.

multitude (n) [μάλτιτιου-ντ] λαός.

mumble (v) [μά-μπλ] μουρμουρίζω.

mummer (n) [μάμερ] μίμος.

mummy (n) [μάμι] μούμια.

mumps (n) [μαμ-πς] παρωτίτιδα.

munch (v) [μαν-τος] τραγανίζω.

mundane (adj) [μάν-ντεϊν] εγκόσμιος.

municipal (adj) [μιουνίσιπαλ] δημοτικός.

municipality (n) [μιουνισιπάλιτι] δήμος.

munitions (n) [μιουνίσσονζ] πολεμοφόδια, πυρομαχικά.

murder (n) [μέρ-ντα] ανθρωποκτονία, φόνος (v) δολοφονώ.

murderer (n) [μέρ-νταρα] δολοφόνος.

murderous (adj) [μέρ-νταρας] δολοφονικός, εξοντωτικός.

murky (adj) [μέρκι] σκοτεινός, ζοφερός, καταθλιπτικός, μουντός.

murmur (n) [μέρμερ] μουρμούρα (v) μουρμουρίζω.

muscatel (n) [μάσκατελ] μοσχάτο.

muscle (n) [μασλ] μυς, ποντίκι.

muscular (adj) [μάσκιουλα] μυϊκός.

muse (n) [μιούζ] μούσα (v) ονειροπολώ.

museum (n) [μιουζίιαμ] μουσείο.

mushroom (n) [μάσρουμ] μανιτάρι.

music (n) [μιούζικ] μουσική.

music-hall (n) [μιούζικ-χόολ] βαριετέ.

musical (adj) [μιούζικαλ] μουσικός.

musician (n) [μιουζίσσαν] μουσικός.

musicologist (n) [μιουζικόλοντζζιστ] μουσικολόγος.

musing (n) [μιούζινγκ] ρεμβασμός.

musk (n) [μασκ] μόσχος.

musk-tree (n) [μάσκ-τρίι] γαζία.

musket (n) [μάσκετ] τουφέκι.

Muslim (n) [Μούσλιμ] μουσουλμάνος.

muslin (n) [μάσλιν] μουσελίνα.

mussel (n) [μασλ] μύδι.

must (n) [μαστ] μούστος, γλεύκος (v) πρέπει, οφείλω, επιβάλλεται.

mustard (n) [μάστα-ντ] μουστάρδα, σινάπι.

mustard seed (n) [μάστα-ντ σίι-ντ] σινάπι.

muster (v) [μάστερ] συγκεντρώνω (n) συνάθροιση.

muster roll (n) [μάστερ ρόουλ] προσκλητήριο [ναυτ].

musty (adj) [μάστι] μουχλιασμένος, χαλασμένος, μπαγιάτικος.

mutation (n) [μιουτέισσον] αλλοίωση, μεταλλαγή.

mute (adj) [μιούτ] σιωπηλός, (n) βωβός.

mutilate (v) [μιούτιλεϊτ] ακρωτηριάζω, κουτσουρεύω, σακατεύω.

mutilation (n) [μιουτιλέισσον] ακρωτη-

ριασμός, κουτσούρεμα.

mutineer (n) [μιούτινιρ] στασιαστής.

mutiny (n) [μιούτινι] ανταρσία (v) στασιάζω, εξεγείρομαι.

mutt (n) [ματ] χαζός, βλάκας.

mutter (v) [μάτερ] μουρμουρίζω, ψιθυρίζω (n) ψίθυρος.

muttering (n) [μάτερινγκ] ψιθύρισμα.

mutton (n) [μάταν] προβατίνα.

mutual (adj) [μιούτσιουαλ] αμοιβαίος.

mutuality (n) [μιουτσσουάλιτι] αμοιβαιότητα.

muzhik (n) [μούουζικ] μουζίκος.

muzzle (v) [μαζλ] φιμώνω, περιορίζω (n) επιστόμιο, μουσούδι.

my (pron) [μάι] μου.

Mycenae (n) [Μαϊσίινε] Μυκήνες.

Mycenean (adj) [Μαϊσίινιαν] μυκηναϊκός.

myocardium (n) [μαϊοκάα-ντιαμ] μυοκάρδιο.

myriad (n) [μίρια-ντ] μυριάδα.

myrrh (n) [μερ] σμύρνα, μύρο.

myrrh-bearing (adj) [μέρ-μπέαρινγκ] μυροφόρος.

myrtle (n) [μερτλ] μύρτος.

mystagogy (n) [μιστάγκογκι] μυσταγωγία.

mysterious (adj) [μιστίριας] μυστηριώδης.

mystery (n) [μίστερι] μυστήριο.

mystic (n) [μίστικ] μυστικιστής (adj) μυστικός, απόκρυφος.

mysticism (n) [μίστισιζμ] μυστικοπάθεια, μυστικισμός.

myth (n) [μιθ] μύθος, θρύλος.

mythical (adj) [μίθικαλ] μυθικός.

mythological (adj) [μιθολόντζζικαλ] μυθολογικός, μυθικός.

mythology (n) [μιθόλοντζζι] μυθολογία.

N, n [εν] το δέκατο τέταρτο γράμμα του αγγλικού αλφαβήτου.

nab (v) [να-μπ] συλλαμβάνω.

nacre (n) [νέικερ] μάργαρος.

nadir (n) [νέι-ντιρ] ναδίρ.

nag (n) [ναγκ] μουρμούρης (v) ταλαιπωρώ, γκρινιάζω.

nagging (n) [νάγκινγκ] μουρμούρα (adj) γκρινιάρικος.

nail (n) [νέιλ] καρφί, νύχι (v) καρφώνω.

nail-clippers (n) [νέιλ-κλίπαζ] νυχοκόπτης.

naive (adj) [ναΐβ] απλός (n) αγαθιάρης.

name (n) [νέιμ] επωνυμία (v) αποκαλώ.

name day (n) [νέιμ ντέι] ονομαστική γιορτή.

nameable (adj) [νέιμα-μπλ] κατονομάσιμος.

namely (adv) [νέιμλι] δηλαδή.

nameplate (n) [νέιμ-πλέιτ] ταμπέλα.

namesake (adj) [νέιμσέϊκ] συνώνυμος.

nancy (n) [νάνσι] θηλυπρεπής.

nanna (n) [νάνα] γιαγιά.

nanny (n) [νάνι] παραμάνα.

nap (n) [ναπ] υπνάκος, πέλος.

nape of the neck (n) [νέιπ οβ δε νεκ] σβέρκος, αυχένας.

nappy (n) [νάπι] πάνα.

narcissism (n) [νάσισιζμ] ναρκισσισμός.

narcissus (n) [νααsίσας] νάρκισσος.

narcotic (n) [ναακότικ] ναρκωτικό.

nark (n) [νάακ] χαφιές, σπιούνος,.

narrate (v) [νερέιτ] αφηγούμαι.

narration (n) [νερέισσον] αφήγηση.

narrative (adj) [νάρατιβ] αφηγηματικός (n) αφήγημα.

narrator (n) [νερέιτορ] αφηγητής.

narrow (adj) [νάροου] στενόχωρος.

narrow-minded (adj) [νάροου-μάιν-ντιντ] στενοκέφαλος.

narrowness (n) [νάροουνες] στενότητα.

narthex (n) [νάαθεξ] πρόναος.

nasal (adj) [νέιζαλ] ρινικός.

nasty (adj) [νάαστι] αντιπαθής.

nation (n) [νέισσον] έθνος.

nationwide (adj) [νέισσον-ουάιντ] πανεθνικός.

national (adj) [νάσσοναλ] εθνικός.

national assembly (n) [νάσσοναλ ασέμμπλι] εθνοσυνέλευση.

national guard (n) [νάσσοναλ γκάα-ντ] εθνοφρουρά.

nationalism (n) [νάσσοναλιζμ] εθνικισμός.

nationalist (n) [νάσσοναλιστ] εθνικιστής.

nationalistic (adj) [νασσοναλίστικ] εθνικιστικός (n) εθνικόφρονας.

nationality (n) [νασσονάλιτι] εθνικότητα, ιθαγένεια, υπηκοότητα.

nationalization (n) [νασσοναλαϊζεισ-σον] εθνικοποίηση.

nationalize (v) [νάσσοναλαϊζ] εθνικοποιώ, κρατικοποιώ.

native (adj) [νέιτιβ] εγχώριος, εντόπιος.

natty (adj) [νάτι] φροντισμένος.

natural (adj) [νάτσσεραλ] φυσικός, συνήθης, έμφυτος.

natural history (n) [νάτσσεραλ χίστορι] φυσιογνωσία.

naturalism (n) [νάτσσεραλιζμ] φυσιοκρατία [τέχν], νατουραλισμός.

naturalization (n) [νατσσεραλαϊζεισ-σον] πολιτογράφηση.

naturally (adv) [νάτσσερλι] φύσει.

nature (n) [νέιτσσερ] φύση, ήθος.

naturism (n) [νέιτσσεριζμ] γυμνισμός.

naughty (adj) [νόοτι] άσεμνος, τολμηρός.

nausea (n) [νόοζ̇ια] αηδία, ναυτία.

nauseate (v) [νόοζ̇ιέιτ] αναγουλιάζω.

nautical (adj) [νόοτικαλ] ναυτικός.

naval (adj) [νέιβαλ] ναυτιλιακός.

naval action (n) [νέιβαλ άκσσον] ναυμαχία.

nave (n) [νέιβ] σηκός [εκκλ].

navel (n) [νέιβελ] ομφαλός.

navel-gazing (n) [νέιβελ-γκέιζινγκ] ομφαλοσκοπία.

navigable (adj) [νάβιγκα-μπλ] πλεύσιμος.

navigate (v) [νάβιγκέιτ] πλοηγώ.

navigation (n) [ναβιγκέισσον] πλεύση, ναυσιπλοΐα, ναυτιλία.

navigator (n) [ναβιγκέιττορ] ναυτίλος, αεροναυτίλος, θαλασσοπόρος.

navvy (n) [νάβι] εργάτης.

navy (n) [νέιβι] στόλος, ναυτικό.

Nazi (n) [Νάατσι] ναζί.

Nazism (n) [Νάατσιζμ] ναζισμός.

near (adv) [νίιρ] δίπλα, εγγύς, κοντά, πλησίον, σιμά (pr) παρά, περί.

nearly (adv) [νίαλι] κοντά, σχεδόν.

neat (adj) [νίιτ] τακτικός, καθαρός.

nebula (n) [νέ-μπιουλα] νεφέλωμα.

nebulous (adj) [νέ-μπιουλας] νεφελώδης.

necessary (adj) [νέσεσερι] αναγκαίος.

necessities (n) [νεσέσιτιζ] αναγκαία.

necessity (n) [νεσέσιτι] ανάγκη, χρεία.

neck (n) [νεκ] λαιμός, ισθμός.

necklace (n) [νέκλας] κολιέ.

necktie (n) [νέκταϊ] λαιμοδέτης.

nectar (n) [νέκτα] νέκταρ.

need (n) [νίι-ντ] ανάγκη, χρεία (v) θέλω.

needed (adj) [νίι-ντι-ντ] αναγκαίος.

needle (n) [νίι-ντλ] βελόνα.

needless (adj) [νίι-ντλες] περιττός.

needy (adj) [νίι-ντι] φτωχός.

negate (v) [νεγκέιτ] ακυρώνω.

negation (n) [νεγκέισσον] άρνηση.

negative (adj) [νέγκατιβ] αρνητικός.

neglect (n) [νιγκλέκτ] αμέλεια (v) ξεχνώ.

neglected (adj) [νιγκλέκτι-ντ] απεριποίητος, αφρόντιστος.

negligence (n) [νέγκλιντζζενς] αμέλεια.

negligent (adj) [νέγκλιντζζεν-τ] αμελής.

negligible (adj) [νέγκλιντζζι-μπλ] ασήμαντος, αμελητέος.

negotiable (adj) [νεγκόουσσα-μπλ] διαπραγματεύσιμος, βατός.

negotiate (v) [νεγκόουσσιέιτ] διαπραγματεύομαι, ξεπερνώ.

negotiation (n) [νεγκοουσσιέισσον] διαπραγμάτευση, παζάρεμα.

negress (n) [νίιγκρες] μαύρη.

negro (adj) [νίιγκροου] νέγρος.

neigh (v) [νέι] χρεμετίζω (n) χρεμέτισμα.

neighbour (v) [νέι-μπερ] εφάπτομαι.

neighbour (n) [νέι-μπα(ρ)] γείτονας.

neighbourhood (n) [νέι-μπαχούντ] συνοικία, μαχαλάς, γειτονιά.

neighbouring (adj) [νέι-μπερινγκ] πλαϊνός, κοντινός, γειτονικός.

neighing (n) [νέιινγκ] χλιμίντρισμα.

neither (adj) [νίιδερ] κανείς από τους

δύο, ούτε ο ένας ούτε ο άλλος.

nemesis (n) [νέμεσις] θεία δίκη.

neolithic (adj) [νιολίθικ] νεολιθικός.

nephew (n) [νέφιου] ανεψιός.

Nereid (n) [Νίιρίί-ντ] νηρηίδα.

nerve (n) [νερβ] θρασύτητα, νεύρο.

nervous (adj) [νέρβας] νευρικός.

nervousness (n) [νέρβαονές] νευρικότητα.

nervy (adj) [νέρβι] νευριασμένος.

nest (n) [νεστ] φωλιά (v) φωλιάζω.

nestle (v) [νεσλ] κουρνιάζω.

nestling (n) [νέσλινγκ] νεοσσός.

net (adj) [νετ] καθαρός [κέρδος] (n) α-πόχη, δίκτυο, δίχτυ, βρόχι.

nettle (n) [νετλ] τσουκνίδα [βοτ] (v) προκαλώ.

network (n) [νέτουερκ] πλέγμα.

neuralgia (n) [νιουράλντζζια] νευραλγία.

neurasthenia (n) [νιουρασθίινια] νευρασθένεια.

neurologist (n) [νιουρόλοντζζιστ] νευρολόγος.

neurosis (n) [νιουρόουσις] νεύρωση.

neurotic (adj) [νιουρότικ] νευρικός.

neuter (n) [νιούτερ] ουδέτερο.

neutral (adj) [νιούτραλ] ουδέτερος.

neutralist (adj) [νιούτραλιστ] ουδετερόφιλος.

neutrality (n) [νιουτράλιτι] ουδετερότητα.

neutralization (n) [νιουτραλαϊζζέισσον] εξουδετέρωση.

neutralize (v) [νιούτραλαϊζ] εξουδετερώνω, αναιρώ.

neutron (n) [νιούτρον] νετρόνιο.

never (adv) [νέβερ] ουδέποτε, ποτέ.

nevertheless (conj) [νέβερδελές] και όμως.

new (adj) [νιού] καινούριος, νέος.

New Year's Day (n) [Νιού Γίαρ'ς Ντέι] Πρωτοχρονιά.

New Zealand (n) [Νιού Ζίιλαν-ντ] Νέα Ζηλανδία.

newborn (adj) [νιού-μποον] νεογέννη-τος (n) νεογέννητο.

newfangled (adj) [νιουφάνγκλ-ντ] μοντέρνος, νεωτεριστικός.

news (adj) [νιούζ] ειδησεογραφικός (n) ειδήσεις, νέα, μαντάτο.

newscaster (n) [νιούσκααστερ] εκφωνητής.

newsfilm (n) [νιούζφιλμ] επίκαιρα.

newspaper (n) [νιούσπεϊπερ] εφημερίδα.

newspaper article (n) [νιούσπεϊπερ άατικλ] δημοσίευμα εφημερίδας.

newsreader (n) [νιούσρι-ντερ] εκφωνητής.

newsreel (adv) [νιούσριιλ] επίκαιρα.

newt (n) [νιούτ] σαλαμάντρα.

next (adv) [νεξτ] έπειτα (adj) επόμενος.

next door (adv) [νεξτ ντόο] δίπλα, πλαγίως (adj) πλάι, διπλανός.

next to (adv) [νεξτ του] παραπλεύρως (adj) παραπλήσιος.

nibble (v) [νι-μπλ] τσιμπολογώ.

nibbling (n) [νί-μπλινγκ] τσιμπολόγημα.

nice (adj) [νάις] όμορφος, ευγενικός.

nicety (n) [νάισιτι] ακρίβεια.

niche (n) [νίιος] γωνιά, θεσούλα.

nick (n) [νικ] γρατσουνιά, κοψιά.

nickel (n) [νίκελ] πεντάρα, νίκελ.

nickname (n) [νίκνεϊμ] παρατσούκλι, ε-πωνυμία (v) παρονομάζω.

nicknamed (adj) [νίκνεϊμ-ντ] επιλεγόμενος.

Nicosia (n) [Νικόοσια] Λευκωσία.

niece (n) [νίις] ανεψιά.

niggard (n) [νίγκα-ντ] τσιφούτης.

niggardly (adj) [νίγκα-ντλι] φειδωλός, φιλάργυρος.

night (n) [νάιτ] νύχτα, βραδιά.

night club (n) [νάιτ κλα-μπ] κέντρο [διασκέδασης].

night(ly) (adj) [νάιτ[λι] νυχτερινός.

night owl (n) [νάιτ όουλ] ξενύχτης.

night watchman (adj) [νάιτ ουότσσμάν] νυχτοφύλακας.

night-and-day (adj) [νάιτ-αν-ντ-ντέι] νυχτοήμερος.

nightbird (n) [νάιτ-μπερ-ντ] ξενύχτης, νυχτοπούλι.

nightfall (n) [νάιτφοολ] σούρουπο.

nightgown (n) [νάιτγκαουν] νυχτικό.

nightingale (n) [νάιτινγκεϊλ] αηδόνι.

nightlight (n) [νάιτλαϊτ] καντήλι.

nightmare (n) [νάιτμεα(ρ)] εφιάλτης.

nightmarish (adj) [νάιτμέαιος] εφιαλτικός.

nightshirt (n) [νάιτσσερτ] πουκαμίσα.

nigritude (n) [νίγκριτιου-ντ] μελαμψότητα, μελανότητα.

nihilism (n) [νάιλιζμ] νιχιλισμός, μηδενισμός.

nimble (adj) [νιμ-μπλ] ευκίνητος.

nimbleness (n) [νίμ-μπλνες] ευκινησία, ευστροφία, σβελτοσύνη.

nine (num) [νάιν] εννέα [αριθ].

nine hundred (num) [νάιν χάν-ντρε-ντ] εννιακόσια.

ninefold (adj) [νάινφοολ-ντ] εννεαπλάσιος.

nineteen (n) [νάιν-τίιν] δεκαεννέα.

ninetieth (adj) [νάιν-τιεθ] ενενηκοστός.

ninety (num) [νάιν-τι] ενενήντα.

ninny (n) [νίνι] χαζούλης.

ninth (adj) [νάινθ] ένατος.

nip (n) [νιπ] τσίμημα, δαγκωνιά, ψύχρα.

nipper (n) [νίπερ] παιδόπουλο.

nippers (n) [νίπαζ] δαγκάνα.

nipple (n) [νιπλ] θηλή, ρώγα.

nit (n) [νιτ] κόνιδα.

nitric acid (n) [νάιτρικ άσι-ντ] νιτρικό οξύ, άκουα φόρτε.

no (part) [νόου] δεν, μη, όχι .

no doubt (adv) [νόου ντάουτ] αναμφιβόλως.

no way (adv) [νόου ουέι] καθόλου.

Noah (n) [Νόοα] Νώε.

Nobel (n) [Νοου-μπέλ] Νόμπελ.

nobility (n) [νοου-μπήλιτι] ευγένεια.

noble (adj) [νόου-μπλ] ευγενής, εκλεκτός.

nobleman (adj) [νόου-μπλμαν] αριστοκράτης, ευγενής.

nobody (n) [νόου-μπο-ντι] ουδείς, κανένας (pron) κανείς.

nocturnal (adj) [νοκτέρναλ] νυχτερινός, νύκτιος, νυχτιάτικος.

nod (v) [νο-ντ] κατανεύω, νεύω (n) νεύμα, κούνημα κεφαλιού.

noddle (n) [νο-ντλ] κεφάλι, κούτρα.

node (n) [νόου-ντ] κόμβος.

Noël (n) [Νοουέλ] Χριστούγεννα.

noise (n) [νόιζ] θόρυβος.

noiseless (adj) [νόιζλες] αθόρυβος.

noisy (adj) [νόιζι] θορυβώδης (n) διάβολος [φασαρίας].

nomadic (adj) [νοουμά-ντικ] νομαδικός.

nomads (n) [νόουμα-ντς] νομάδες.

nomenclature (n) [νομένκλατσσερ] ονοματολογία.

nominal (adj) [νόμιναλ] ονομαστικός, εικονικός, πλασματικός.

nominate (v) [νόμινεϊτ] διορίζω, προτείνω, ονομάζω, αναγορεύω.

nomination (n) [νόμινεϊσσον] διορισμός, χρίσμα, ονομασία.

nominative (case) (n) [νόμινατιβ [κέις]] ονομαστική [γραμμ].

non-flammable (adj) [νον-φλάμαμπλ] άφλεκτος.

non-skid (adj) [νον-σκί-ντ] αντιολισθητικός.

non-stop (adv) [νον-στόπ] ασταμάτητα.

non-transferable (adj) [νον-τρανσφέραμπλ] αμεταβίβαστος.

nonaligned (adj) [νόναλάιν-ντ] αδέσμευτος [χώρα].

nonchalance (n) [νόνσσαλανς] αδιαφορία.

nonchalant (adj) [νόνσσαλαν-τ] ανέμελος.

none (pron) [ναν] ουδείς, ουδεμία, ουδέν, κανείς, καμμία, κανένα.

nonentity (n) [νονέν-τιτι] μηδαμινότητα.

nonsense (n) [νόνσενς] ανοησία.

nook (n) [νουκ] κόχη, γωνιά.

noon (n) [νούουν] μεσημβρία.

noose (n) [νούους] θηλειά, θηλιά.

nor (conj) [νοο(ρ)] ούτε.

norm (n) [νόομ] κανόνας, μέτρο.

normal (adj) [νόομαλ] κανονικός, συνήθης (n) φυσιολογικό.

normalization (n) [νοομαλαϊζέισσον] ο-μαλοποίηση.

north (adv) [νόοθ] βορείως (n) βορράς.

north(ern) (adj) [νόοδ[εν]] βόρειος.

north wind (n) [νόοθ ουίν-ντ] βοριάς.

north-east(ern) (adj) [νόοθίιστ [ερν]] βορειοανατολικός.

north-west wind (n) [νόοθ-ουέστ ουίν-ντ] μαΐστρος.

northwards (adv) [νόοθουάντζ] βορείως.

northwest(ern) (adj) [νόοθουέστ [ερν]] βορειοδυτικός.

Norway (n) [Νοό-ουέι] Νορβηγία.

Norwegian (adj) [Νοο-ουίιντζζιαν] νορβηγικός (n) Νορβηγός.

nose (n) [νόουζ] μύτη, ρύγχος.

nosebleed (n) [νόουζμπλιντ] ρινορραγία.

nosey (adj) [νόουζι] περίεργος.

nostalgia (n) [νοστάλντζζια] νοσταλγία.

nostalgic (adj) [νοστάλντζζικ] νοσταλγικός.

nostril (n) [νόστριλ] ρουθούνι.

nosy parker (n) [νόουζι πάακερ] πολυπράγμονας.

not (part) [νοτ] δεν, μη, όχι.

not at all (adv) [νοτ ατ όολ] διόλου, ποσώς, καθόλου [διόλου].

notable (adj) [νόουτα-μπλ] αξιοσημείωτος, έξοχος (n) πρόκριτος.

notary public (n) [νόουταρι πάμπλικ] συμβολαιογράφος.

notation (n) [νοουτέισσον] γραφή.

notch (n) [νοτσς] εγκοπή, χαράκι.

note (n) [νόουτ] σημείωμα, νότα (v) σημειώνω, παρατηρώ.

notebook (n) [νόουτ-μπούκ] καρνέ, μπλοκ, σημειωματάριο, τεφτέρι.

notepad (n) [νόουτπα-ντ] μπλοκ.

noteworthy (adj) [νόουτουέρδι] αξιο-παρατήρητος, αξιοσημείωτος.

nothing (pron) [νάθινγκ] τίποτε.

notice (n) [νόουτις] είδηση (v) προσέχω.

notice-board (n) [νόουτις μπόορντ] πίνακας σημειωμάτων.

noticeable (adj) [νόουτισα-μπλ] αισθητός, αξιοπρόσεχτος, περίοπτος.

notification (n) [νοουτιφικέισσον] αναγγελία, δήλωση, ειδοποίηση.

notify (v) [νόουτιφαϊ] κοινοποιώ.

notion (n) [νόουσσον] ιδέα, γνώμη.

notorious (adj) [νοουτόοριας] διαβόητος.

nougat (n) [νούουγκαα] μαντολάτο.

noun (n) [νάουν] όνομα.

nourish (v) [νάρισς] σιτίζω.

nourishing (adj) [νάρισσινγκ] θρεπτικός (n) θρέψη.

nouveau riche (adj) [νουβόο ριισς] νεόπλουτος [γαλλ].

novel (adj) [νόβελ] καινός, ασυνήθης (n) μυθιστόρημα.

novelist (n) [νόβελιστ] μυθιστοριογράφος, πεζογράφος.

novelty (n) [νόβελτι] νεωτερισμός.

November (n) [Νοουβέμ-μπερ] Νοέμβριος.

novice (adj) [νόβις] αρχάριος (n) δόκιμος.

now (adv) [νάου] πια, πλέον, τώρα.

now and again (adv) [νάου αν-ντ αγκέιν] που και που, κάθε τόσο.

nowadays (adv) [νάουα-ντέις] τώρα, σήμερα.

nowhere (adv) [νόουουεάρ] πουθενά.

noxious (adj) [νόξιας] βλαβερός.

nozzle (n) [νοζλ] ακροστόμιο.

nuance (n) [νιούονς] απόχρωση.

nuclear (adj) [νιούκλια] πυρηνικός.

nucleus (n) [νιούκλιας] πυρήνας.

nude (adj) [νιού-ντ] γυμνός (n) γυμνό.

nudge (n) [ναντζζ] σκούντημα.

nudism (n) [νιου-ντιζμ] γυμνισμός.

nudist (n) [νιού-ντιστ] γυμνιστής.

nudity (n) [νιού-ντιτι] γύμνια.

nuisance (n) [νιούσανς] ενόχληση.

nullification (n) [ναλιφικέισσον] ακύρωση.

nullify (v) [νάλιφαϊ] αχρηστεύω.

nullity (n) [νάλιτι] ακυρότητα.

numb (adj) [ναμ] ναρκωμένος (v) ξυλιάζω, ναρκώνω.

number (n) [νάμ-μπα] νούμερο, αριθμός (v) αριθμώ, μετρώ.

number plate (n) [νάμ-μπα πλέιτ] πινακίδα [αυτοκινήτου].

numbering (n) [νάμ-μπερινγκ] αρίθμηση.

numbness (n) [νάμνες] νάρκωση.

numerator (n) [νιουμερέιτορ] αριθμητής.

numerical (adj) [νιουμέρικαλ] αριθμητικός.

numerous (adv) [νιούμερας] πολύ (adj) αθρόος, πολυάριθμος.

numskull (n) [νάμσκάλ] πλίθιος.

nun (n) [ναν] μοναχή, καλόγρια.

nuptial (adj) [νάπσαλ] υφικός.

nuptial chamber (n) [νάπσσαλ τσσέιμμπερ] νυμφώνας.

nurse (n) [νερς] τροφός, παραμάνα, νοσοκόμος (v) θηλάζω, νοσηλεύω.

nursery (n) [νέρσερι] παιδικός σταθμός, φυτώριο.

nursing (n) [νέρσινγκ] νοσηλεία, περίθαλψη, γαλούχηση.

nursling (adj) [νέρσλινγκ] γαλούχημα, ανάθρεμμα, θρέμμα.

nurture (v) [νέρτσσα] θρέφω.

nut (n) [νατ] καρύδι, κούτρα.

nutcase (n) [νάτκεϊς] τρελός.

nutcracker (n) [νάτκράκερ] καρυοθραύστης.

nutmeg (n) [νάτμεγκ] μοσχοκάρυδο.

nutrician (n) [νιουτρίσσαν] διαιτολόγος.

nutritious (adj) [νιουτρίσσιας] θρεπτικός.

nuts (adj) [νατς] ζουρλός, τρίχες.

nuzzle (v) [ναζλ] τρίβομαι.

nylon (n) [νάιλον] νάιλον.

nymph (n) [νιμφ] νύμφη [μυθολογία].

nymphet (n) [νίμφετ] νυμφίδιο.

nymphomaniac (adj) [νιμφοουμέινιακ] νυμφομανής.

O, o (n) [όου] το δέκατο πέμπτο γράμμα του αγγλικού αλφαβήτου, μηδέν [ως σύμβολο], μηδενικό.

oaf (n) [όουφ] αδέξιος, βλάκας.

oak (adj) [όουκ] δρύινος (n) βελανιδιά.

oak tree (n) [όουκ τρίι] βαλανιδιά.

oaken (adj) [όουκεν] δρύινος.

oakum (n) [όουκαμ] στουπί.

oar (n) [όο] κουπί, κωπηλάτης.

oasis (n) [οουέισις] όαση.

oast (n) [όουστ] ξηραντήρα.

oath (n) [όουθ] ύβρη, όρκος.

oatcake (n) [όουτκεϊκ] παξιμάδι.

oatmeal (n) [όουτμιλ] μπλιγούρι.

oats (n) [όουτς] βρώμη.

obduracy (n) [όμπτιουρασι] ακαμψία, επιμονή, πείσμα, αμετανοησία.

obdurate (adj) [όμπτιουρετ] άκαμπτος, αμετάπειστος, σκληρός.

obedience (n) [οου-μπίι-ντιενς] υπακοή, υποταγή, ευπείθεια.

obedient (adj) [οου-μπίι-ντιεν-τ] πειθαρχικός, υπάκουος (n) υπήκοος.

obeisance (n) [οου-μπέισανς] προσκύνημα, βαθειά γονυκλισία.

obelisk (n) [όου-μπελισκ] οβελίσκος, σταυρός [τυπ].

obese (adj) [οου-μπίις] χονδρός.

obesity (n) [οου-μπίισιτι] παχυσαρκία.

obey (v) [οου-μπέι] υπακούω.

obfuscate (v) [όμπφασκεϊτ] συσκοτίζω,

obituary (n) [ο-μπίτσσιουαρι] νεκρολογία,

object (n) [ό-μπντζζεκτ] πράγμα.

object (v) [ο-μπντζζέκτ] αντιτάσσω.

objection (n) [ο-μπντζζέκσσον] αντίρρηση, εναντίωση, ένσταση.

objective (adj) [ο-μπντζζέκτιβ] αντικειμενικός (n) αντικείμενο.

objectivity (n) [ο-μπντζζεκτίβιτι] αντικειμενικότητα.

objector (n) [ο-μπντζζέκτο] ενιστάμενος, αντιρρησίας.

objurgation (n) [ο-μπντζζεργκέισσον] επίπληξη, επιτίμηση.

oblate (n) [ό-μπλεϊτ] αφιερωμένος.

obligate (v) [ό-μπλιγκεϊτ] υποχρεώνω, αναγκάζω, δεσμεύω.

obligation (n) [ο-μπλιγκέισσον] καθήκον, οφειλή, σκλαβιά [μεταφ].

obligatory (adj) [ο-μπλιγκάτορι] υποχρεωτικός, δεσμευτικός.

oblige (v) [ο-μπλάιντζζ] υποχρεώνω, αναγκάζω, επιβάλλω.

obliged (adj) [ο-μπλάιντζζ-ντ] υπόχρεος.

obliging (adj) [ο-μπλάιντζζινγκ] εξυπηρετικός, υποχρεωτικός.

oblique (adj) [ο-μπλίικ] έμμεσος, δόλιος, ανειλικρινής, εγκάρσιος.

obliquity (n) [ομπλίκουιτι] λοξότητα, ανειλικρίνεια, δολιότητα.

obliterate (v) [ο-μπλίτερέιτ] εξαλείφω, απαλείφω, σβήνω, εξαφανίζω.

obliteration (n) [ο-μπλιτερέισσον] εξάλειψη.

oblivion (n) [ο-μπλίβιον] λησμονιά.

oblivious (adj) [ο-μπλίβιας] επιλήσμων.

oblong (adj) [ό-μπλονγκ] μακρόστενος.

obloquy (n) [ό-μπλοκουι] μομφή, ύβρις, ατιμία, ντροπή.

obnoxious (adj) [ο-μπνόκσσες] απεχθής, δυσάρεστος, βλαβερός.

oboe (n) [όου-μποου] οξύαυλος.

obscene (adj) [ο-μπσίίν] άσεμνος.

obscenity (n) [ο-μπσένιτι] αισχρολογία,

obscurantism (n) [ο-μπσκιουράν-τιζμ] σκοταδισμός.

obscurantist (n) [ο-μπσκιουράν-τιστ] σκοταδιστής, σκοταδιστικός.

obscure (adj) [ο-μπσκιούα] μουντός, ταπεινός, αφανής (v) σκοτίζω.

obscurity (n) [ο-μπσκιούριτι] ασάφεια, αφάνεια, σκοτάδι, σκότος.

obsequious (adv) [ο-μπσίίκουιας] πειθήνιος, ταπεινός, δουλοπρεπής.

obsequiousness (n) [ο-μπσίίκουιασνες] δουλοφροσύνη.

observance (n) [ο-μπσέρβανς] τύπος, καθιερωμένη συνήθεια.

observation (n) [ο-μπσερβέισσον] παρακολούθηση, παρατήρηση.

observation post (n) [ο-μπσαβέισσον πόουστ] παρατηρητήριο.

observatory (n) [ο-μπσάβατρι] αστεροσκοπείο, παρατηρητήριο.

observe (v) [ο-μπσέρβ] κρατώ, υπακούω, προσέχω.

observer (n) [ο-μπσέρβερ] παρατηρητής.

observing (adj) [ο-μπσέρβινγκ] παρατηρητικός.

obsess (v) [ο-μπσές] διακατέχω.

obsession (n) [ο-μπσέσσον] ιδεοληψία, μονομανία, ψύχωση.

obsolete (adj) [ό-μπσολιτ] πεπαλαιωμένος, ξεπερασμένος.

obsoleteness (n) [ο-μπσολίίτνες] αχρηστία.

obstacle (n) [ό-μπστακλ] εμπόδιο.

obstetrician (n) [ο-μπστετρίσσαν] μαιευτήρας.

obstetrics (n) [ο-μπστέτρικς] μαιευτική.

obstinacy (n) [ό-μπστινασι] επιμονή, ξεροκεφαλιά, πείσμα, γινάτι.

obstinate (adj) [ό-μπστινετ] επίμονος, αγύριστος, ξεροκέφαλος (n) ισχυρογνώμονας.

obstruct (v) [ο-μπστράκτ] εμποδίζω,

obstruction (n) [ο-μπστράκσσον] έμφραξη, παρακώλυση, εμπόδιο.

obstruction(ism) (n) [ο-μπστράκσσον[ιζμ]] κωλυσιεργία.

obstructionist (n) [ο-μπστράκσσονιστ] κωλυσιεργός.

obtain (v) [ο-μπτέιν] προμηθεύομαι, παίρνω, τυχαίνω.

obtaining (n) [ο-μπτέινινγκ] επίτευξη.

obtention (n) [ο-μπτένσσον] απόκτηση.

obtrude (v) [ο-μπτρούουντ] προβάλλω, επιβάλλω.

obtrusion (n) [ο-μπτρουούζζον] προβολή, παρείσφρηση.

obtuse (adj) [ο-μπτιούς] αμβλύς, στομωμένος, εξασθενημένος.

obviate (v) [ό-μπβιεϊτ] εκκαθαρίζω, εξαφανίζω, αποτρέπω.

obvious (adj) [ό-μπβιας] καθαρός, εμφανής, σαφής.

occasion (n) [οκέιζζον] τελετή, ευκαιρία, αφορμή (v) προξενώ.

occasionally (adv) [οκέιζοναλι] κάπου-κάπου, ενίοτε.

occipital (adj) [οκσίπιταλ] ινιακός.

occiput (n) [όκσιπουτ] ινίο.

occlusion (n) [οκλούουζον] έμφραξη, απόφραξη, φράξιμο, κλείσιμο.

occult (adj) [όκαλτ] απόκρυφος, μυστικός,

occupancy (n) [όκιουπανσι] κτήση, νομή, εγκατάσταση, κατοίκηση.

occupation (n) [οκιουπέισσον] ασχολία, κατάληψη, κατοχή.

occupational (adj) [οκιουπέισσοναλ] επαγγελματικός.

occupational therapy (n) [οκιουπέισσοναλ θέραπι] εργασιοθεραπεία.

occupied (adj) [όκιουπαϊ-ντ] κατειλημμένος, πιασμένος.

occupier (n) [οκιουπάιερ] ένοικος.

occupy (v) [όκιουπαϊ] καταλαμβάνω, ενοικώ, απασχολώ.

occur (v) [οκέρ] τυχαίνω, εμφανίζομαι, υπάρχω.

occurrence (n) [οκέρενς] γεγονός.

ocean (adj) [όοσσαν] ωκεάνιος (n) ωκεανός, θάλασσα.

oceanic (adj) [οοσσιάνικ] ωκεάνιος.

oceanographer (n) [οοσσανόγκραφερ] ωκεανογράφος.

oceanography (n) [οοσσανόγκραφι] ωκεανογραφία.

ochre (n) [όουκα] ώχρα.

octagonal (adj) [οκτάγκοναλ] οκτάγωνος,

octave (n) [όκτεϊβ] ογδόη [μουσ], οκτάβα, διαπασών [μουσ].

October (n) [Οκτόου-μπα] Οκτώβριος.

octogenarian (adj) [οκτοντζζενάριαν] ογδοντάρης.

octopus (n) [όκτοπας] οκτάπους.

oculist (n) [όκιουλιστ] οφθαλμολόγος.

odd (adj) [ο-ντ] περίεργος, εκκεντρικός, τυχαίος, μυστήριος.

odd jobs (n) [ό-ντ ντζζό-μπς] μερεμέτια.

oddity (n) [ό-ντιτι] ιδιομορφία.

oddly (adv) [ό-ντλι] παράξενα.

odds (n) [ο-νντζζ] ανισότητα.

ode (n) [όου-ντ] ωδή.

odious (adj) [όου-ντιας] απεχθής.

odium (n) [όουντιαμ] απέχθεια, μίσος.

odontoid (adj) [οουντόντοϊντ] οδοντοειδής.

odorous (adj) [όουντερας] εύοσμος, ευώδης, αρωματικός.

odour (n) [όου-ντα] οσμή, άρωμα.

odourless (adj) [όου-νταλες] άοσμος.

Odyssey (n) [Ό-ντισι] Οδύσσεια.

Oedipus (n) [Ίι-ντίπας] Οιδίποδας.

oesophagus (n) [ιισόφαγκας] οισοφάγος,

of (pr) [οβ] εκ, από, εξ, λόγω.

of age (adj) [οβ έιντζζ] ενήλικος.

of course (adv) [οφ κόος] αμέ.

off one's guard (adj) [οφ ουάν΄ζ γκάα-ντ] απροφύλακτος.

off-beat (adj) [όφ-μπίιτ] ανορθόδοξος.

offal (n) [οφλ] εντόσθια, ψοφίμι.

offence (n) [οφένς] παράβαση, εξύβριση,

offend (v) [οφέν-ντ] πληγώνω, προσβάλλω.

offended (adj) [οφέν-ντι-ντ] πειραγμένος,

offensive (adj) [οφένσιβ] ενοχλητικός,

offer (n) [όφερ] προσφορά (v) δίνω.

offering (n) [όφερινγκ] προσφορά.

offhand (adv) [όφχάν-ντ] πρόχειρα.

office (n) [όφις] γραφείο, αξίωμα.

officer (n) [όφισερ] αστυνομικός,

official (adj) [οφίσσαλ] αξιωματούχος, επίσημος (n) λειτουργός.

officially (adv) [οφίσσαλι] επισήμα,

officiate (v) [οφίσσιεϊτ] προεδρεύω,

officious (adj) [οφίσσας] εξυπηρετικός, ενοχλητικός.

officiousness (n) [οφίσσασνες] πολυπραγμοσύνη.

offish (adj) [όφισς] υπεροπτικός,

offprint (n) [όφπριν-τ] ανάτυπο.

offset (n) [όφσετ] έναρξη, αρχή.

offshoot (n) [όφσσουουτ] παρακλάδι, απόγονος.

offspring (n) [όφφσπρίνγκ] απόγονος,

often (adv) [όφεν] συχνά.

ogle (v) [όγκλ] γλυκοκοιτάζω.

ogre (n) [όουγκρ] δράκοντας, δράκος.

ogress (n) [όουγκρες] δράκαινα.

oh! (ex) [όου] αχ!, ω! [επιφ].

oh dear (adv) [όου ντία] αλίμονο.

oil (n) [όιλ] έλαιο, ορυκτέλαιο.

oil-painting (n) [όιλ-πέιν-τινγκ] ελαιογραφία.

oil-tanker (n) [όιλ-τάνκα] πετρελαιοφόρο,

oil well (n) [όιλ ουέλ] πετρελαιοπηγή.

oil-bearing (adj) [όιλ-μπέαρινγκ] πετρελαιοφόρος.

oil-cruet (n) [όιλ-κρουιτ] λαδιέρα.

oil-industry (n) [όιλ-ίνταστρι] ελαιουργία.

oil-lamp (n) [όιλ-λαμ-π] λυχνάρι.

oil-press (n) [όιλ-πρες] λιοτρίβι.

oil-stain (n) [όιλ-στέιν] λαδιά.

oilcan (n) [όιλκαν] λαδερό, λαδικό.

oiling (n) [όιλινγκ] λάδωμα.

oily (adj) [όιλι] ελαιώδης, λιπαρός.

ointment (n) [όιν-τμεν-τ] αλοιφή.

okra (n) [όκρα] μπάμια.

old (adj) [όολ-ντ] γέρος, παλιός.

old age (n) [όολ-ντ έιντζζ] γήρας.

old man (n) [όολ-ντ μαν] γέροντας,

old people's home (n) [όολ-ντ πίπλ'ς χόουμ] γηροκομείο.

old-fashioned (adj) [όουλ-ντ-φάσσον-ντ] πεπαλαιωμένος, ξεπερασμένος.

old-time (adj) [όολ-ντ-τάιμ] παλαιός,

oldcow (n) [όολ-ντκάου] γκιόσα.

olden (adj) [όουλ-ντεν] ηλικιωμένος,

older (adj) [όολ-ντερ] μεγαλύτερος,

oldest (adj) [όολ-ντεστ] πρωτότοκος.

oldish (adj) [όολ-ντιος] μεγαλούτσικος.

oleaginous (adj) [οουλιάντζζινας] ελαιώδης, λιπαρός.

oleander (n) [όουλιά-ντερ] πικροδάφνη,

oleic (adj) [οουλίικ] ελαϊκός [χημ].

oligarchy (n) [όλιγκαακι] ολιγαρχία.

oliphant (n) [όλιφαντ] ελεφαντόδοντο.

olive (n) [όλιβ] ελιά.

olive branch (n) [όλιβ μπράαντσς] λιόκλαδο.

olive grove (n) [όλιβ γκρόουβ] ελαιώνας.

olive harvest (n) [όλιβ χάαβεστ] λιομάζωμα.

olive oil (n) [όλιβ όιλ] έλαιο.

olive press (n) [όλιβ πρες] ελαιοτριβείο.

olive tree (n) [όλιβ τρίι] λιόδεντρο, ελιά.

Olympiad (n) [Ολίμ-πια-ντ] ολυμπιάδα.

Olympian (adj) [Ολίμ-πιαν] ολύμπιος.

Olympic (adj) [Ολίμ-πικ] ολυμπιακός.

Olympic medallist (n) [Ολίμ-πικ μένταλιστ] ολυμπιονίκης.

omelette (n) [όμλετ] ομελέτα.

omen (n) [όουμεν] σημάδι.

ominous (adj) [όουμινας] δυσοίωνος, απειλητικός, ανησυχητικός.

omission (n) [ομίσσον] παράλειψη.

omit (v) [ομίτ] αμελώ, λησμονώ.

omnibus (n) [όμνι-μπας] λεωφορείο.

omniparity (n) [ομνιπάριτι] γενική ισότητα.

omnipotence (n) [ομνίποτενς] παντοδυναμία.

omnipotent (adj) [ομνίποτεν-τ] παντοδύναμος, πανίσχυρος.

omniscience (n) [ομνίσιενς] παντογνωσία.

omniscient (adj) [όμνισιεν-τ] παντογνώστης, πάνσοφος.

omnium (n) [όμνιαμ] παν, σύνολο .

omnivorous (adj) [ομνίβερας] παμφάγος.

omoplate (n) [όουμοουπλέϊτ] ωμοπλάτη.

on (adv) [ον] επάνω (pr) εις, επί.

on account of (adv) [ον ακάουν-τ οβ] εξαιτίας (pr) ένεκα.

on behalf of (adv) [ον μπιχάαφ οβ] υπέρ, εκ μέρους (pr) για.

on the contrary (adv) [ον δε κόν-τρερι] αντίθετα, απεναντίας.

on the one hand (adv) [ον δε ουάν χάν-ντ] αφενός.

on the other hand (adv) [ον δε άδα χάν-ντ] άλλωστε, αφετέρου (part) δε.

once (adv) [ουάνς] κάποτε, άπαξ, διαμιάς, πρώτα, μια φορά, άλλοτε.

once more (adv) [ουάνς μόο] πάλι.

once only (adj) [ουάνς όουνλι] εφάπαξ.

oncoming (adj) [όνκάμινγκ] επερχόμενος.

one (pron) [ουάν] ένας, μια, ένα.

oneiromancy (n) [ουνάιρομανσι] ονειρομαντεία, ονειροκριτική.

onerous (adj) [όνερας] βαρύς, επαχθής, φορτικός, επίπονος.

one-sided (adj) [ουάν-σάι-ντι-ντ] ετεροβαρής, μονομερής.

oneself (pron) [ουάνσέλφ] εαυτός, ίδιος.

oneway street (n) [ουάνουέι στρίιτ] μονόδρομος.

onfall (n) [όνφολ] επίθεση, έναρξη.

onion (n) [άνιαν] κρεμμύδι.

onlooker (n) [όνλούκερ] θεατής.

only (adv) [όουνλι] μονάχα, ακόμη (adj) μοναδικός, μοναχός, μόνος.

onrush (n) [όνρασς] εισβολή.

onset (n) [όνσετ] επίθεση, εισβολή.

ontological (adj) [ον-τολόντζικαλ] οντολογικός.

ontology (n) [ον-τόλοντζζι] οντολογία.

onus (n) [όουνας] βάρος, ευθύνη.

oogenesis (n) [οουοντζζένεσις] ωογονία.

oomph (n) [ούουμφ] ζωντάνεια.

ooze (n) [ούουζ] λάσπη, υγρό (v) στάζω.

opacity (n) [οουπάσιτι] αδιαφάνεια.

opal (n) [όουπαλ] οπάλι [ορυκτ].

open (adj) [όουπεν] ανοιχτός, ευρύς, σχιστός (v) ανοίγω, σκάω, τέμνω.

open air (n) [όουπεν έα] ύπαιθρο.

open out (v) [όουπεν άουτ] ξεδιπλώνω.

open sea (n) [όουπεν σίι] πέλαγος.

open-handed (n) [όουπεν-χάαν-ντι-ντ] απλοχέρης, ανοιχτοχέρης.

open-hearted (adj) [όουπεν-χάατι-ντ] ανοιχτόκαρδος.

opener (n) [όουπενα] ανοιχτήρι.

opening (n) [όουπενινγκ] έξοδος, οπή.

opening night (n) [όουπενινγκ νάιτ] πρεμιέρα.

openly (adv) [όουπενλι] ανοικτά, ειλικρινά, αναφανδόν, φανερά.

opera (n) [όπερα] όπερα.

opera-glasses (n) [όπερα-γκλάασιζ] κιάλια θεάτρου.

operable (adj) [όπεραμπλ] εγχειρήσιμος,

operate (v) [όπερέιτ] ενεργώ, λειτουργώ,

operation (n) [οπερέισσον] δράση, λειτουργία, έργο.

operational (adj) [οπερέισσοναλ] λειτουργικός.

operative (adj) [οπερατιβ] αποτελεσματικός, δραστήριος, ενεργός.

operator (n) [όπερέιτο(ρ)] χειριστής.

operetta (n) [οπερέτα] οπερέτα.

opine (v) [οουπίεν] φρονώ, νομίζω.

opinion (n) [οπίνιον] αντίληψη.

opinion poll (n) [οπίνιον πόουλ] δημοσκόπηση, γκάλοπ.

opinionated (adj) [οπίνιονεΐτι-ντ] ισχυρογνώμων, πείσμων.

opium (n) [όουπιαμ] αφιόνι, όπιο.

opium den (n) [όουπιαμ ντεν] τεκές.

opponent (adj) [οπόουνεν-τ] αντίδικος, αντίπαλος (n) ανταγωνιστής.

opportune (adj) [οποοτσσούν] κατάλληλος, έγκαιρος, εύκαιρος.

opportunism (n) [οποοτσσούνιζμ] καιροσκοπισμός, καιροσκοπία.

opportunist (n) [οποοτσσούνιστ] καιροσκόπος, τυχοδιώκτης.

opportunistic (adj) [οποοτσσουνίστικ] καιροσκοπικός.

opportunity (n) [οποοτσσούνιτι] ευκαιρία,

oppose (v) [οπόουζ] ανθίσταμαι, αντιδρώ,

opposed (adj) [οπόουζ-ντ] ενάντιος.

opposing (adj) [οπόουζινγκ] αντίξοος,

opposite (adv) [όποζιτ] απέναντι (adj) αντίθετος, ενάντιος (n) αντίθετο.

opposite number (adj) [όποζιτ νάμμπερ] ομόλογος.

opposition (n) [οποζίσσον] αντίδραση,

oppress (v) [οπρές] δυναστεύω.

oppression (n) [οπρέσσον] βάρος, στενοχώρια, πίεση, καταπίεση.

oppressive (adj) [οπρέσιβ] βαρύς [ζυγός], επαχθής, πιεστικός.

oppressor (n) [οπρέσορ] δυνάστης [μεταφ], καταπιεστής, τύραννος.

opprobrium (n) [οπρόου-μπριαμ] ύβρις, όνειδος, επιτίμηση.

optical (adj) [όπτικαλ] οπτικός.

optical illusion (n) [όπτικαλ ιλιούζζον] οφθαλμαπάτη.

optician (adj) [οπτίσσαν] οπτικός.

optics (n) [όπτικς] οπτική.

optimism (n) [όπτιμιζμ] αισιοδοξία.

optimist (n) [όπτιμιστ] αισιόδοξος.

optimistic (adj) [οπτιμίστικ] αισιόδοξος,

optimum (adj) [όπτιμαμ] βέλτιστος.

option (n) [όπσσον] προνόμιο.

optional (adj) [όπσσοναλ] προαιρετικός.

opulence (n) [όπιουλενς] πλούτος.

opulent (adj) [όπιουλεν-τ] άφθονος, ζάπλουτος, βαθύπλουτος.

or else (adv) [όορ ελς] αλλιώς.

oracle (n) [όρακλ] χρησμός, προφήτης, αφορισμός.

oracular (n) [οράκιουλερ] μαντικός, ασαφής, αυθεντικός.

oral (adj) [όοραλ] στοματικός.

orang-outang (n) [οράνγκουτανγκ] ουρακοτάγκος.

orange (n) [όριν-ντζζ] πορτοκάλι.

orange tree (n) [όριν-ντζζ τρίι] πορτοκαλιά.

orangeade (n) [όριν-ντζζέι-ντ] πορτοκαλάδα.

oration (n) [ορέισσον] αγόρευση, λόγος,

orator (n) [όρατορ] ρήτορας [ρητ], ομιλητής, αγορητής, ευφραδής.

oratorical (adj) [ορατόρικαλ] ρητορικός,

oratory (n) [όρατρι] ρητορεία.

orbit (n) [όο-μπιτ] περιφορά.

orchard (n) [όοτσσα-ντ] δεντρόκηπος,

orchestra (n) [όοκεστρα] ορχήστρα.

orchestrate (v) [όοκεστρεϊτ] ενορχηστρώνω.

ordain (v) [οο-ντέιν] χειροτονώ.

ordeal (n) [οο-ντίιλ] δεινοπάθημα.

order (n) [όο-ντα(ρ)] σχέδιο, πρόγραμμα, εντολή, τάξη, ρυθμός (v) διατάζω,

ordering (n) [όο-ντερινγκ] ρύθμιση.

orderly (n) [όο-νταλι] ορντινάντσα [στρατ] (adj) τακτικός, μεθοδικός.

ordinal (adj) [όο-ντιναλ] τακτικός.

ordinance (n) [όο-ντινανς] διαταγή.

ordinand (n) [οο-ντινάντ] υποψήφιος κληρικός, χειροτονούμενος.

ordinary (adj) [όο-ντινρι] τακτικός, ανιαρός, βαρετός, μέτριος.

ordination (n) [οο-ντινέισσον] χειροτονία.

ordnance (n) [όοντνανς] πυροβολικό, επιμελητεία.

ordure (n) [όοντιουα(ρ)] ακαθαρσίες, βρώμα, βρωμιές, περιττώματα.

ore (n) [όο] μετάλλευμα, ορυκτό.

ore mine (n) [όο μάιν] μεταλλωρυχείο.

ore miner (n) [όο μάινερ] μεταλλωρύχος.

organ (n) [όογκαν] αρμόνιο.

organ-grinder (n) [όογκαν-γκράιντερ] λατερνατζής.

organic (adj) [οογκάνικ] οργανωμένος, συστηματικός, οργανικός.

organism (n) [όογκανιζμ] οργανισμός.

organist (n) [όογκανιστ] οργανοπαίχτης.

organization (n) [οογκαναϊζέισσον] διοργάνωση, οργάνωση, σύνταξη.

organizational (adj) [οογκαναϊζέισσοναλ] οργανωτικός.

organize (v) [όογκαναϊζ] διοργανώνω,

organized (adj) [όογκανάιζ-ντ] οργανωμένος.

organizer (n) [όογκανάιζερ] διοργανωτής,

orgasm (n) [όογκαζμ] οργασμός.

orgiastic (adj) [οοντζιάστικ] οργιαστικός.

orgy (n) [όοτζι] κραιπάλη, όργιο.

orient (n) [όριεντ] Ανατολή, Ασία (adj) λαμπρός (v) [οουριέντ] προσανατολίζω.

oriental (adj) [οριέντλ] ανατολικός.

orientate (v) [όριεν-τέϊτ] προσανατολίζω,

orientation (n) [όριεν-τέισσον] προσανατολισμός, τάση, ροπή.

orifice (n) [όριφις] στόμιο, οπή.

origanum (n) [ορίγκαναμ] ρίγανη.

origin (n) [όριντζιν] αρχή, προέλευση,

original (adj) [ορίντζιναλ] πρώτος, νέος, ασυνήθης (n) αρχέτυπο.

originality (n) [οριντζινάλιτι] πρωτοτυπία, εφευρετικότητα.

originate (v) [ορίντζινεϊτ] δημιουργώ, γεννώ, προκαλώ, επινοώ.

ornament (v) [όοναμεν-τ] διακοσμώ, ποικίλλω (n) κόσμημα.

ornamental (adj) [οοναμέν-ταλ] καλλωπιστικός, διακοσμητικός.

ornamentation (n) [οοναμεν-τέισσον] διάκοσμος.

ornamenting (n) [οοναμέν-τινγκ] στολισμός, διακόσμηση.

ornate (adj) [οονέιτ] καταστόλιστος.

orphan (adj) [όοφαν] ορφανός.

orphanage (n) [όοφανιντζζ] ορφανοτροφείο.

orphic (adj) [όοφικ] μυστηριακός.

orthodox (adj) [όοθο-ντοξ] ορθόδοξος,

orthography (n) [οοθόγκραφι] ορθογραφία.

orthopaedics (n) [οοθοπίι-ντικς] ορθοπεδική.

orthopaedist (n) [οοθοπίι-ντιστ] ορθοπεδικός.

oscillate (v) [όοιλεϊτ] ταλαντώνω.

oscillation (n) [οσιλέισσον] ταλάντωση,

osculate (v) [όσκιουλεϊτ] ασπάζομαι, εφάπτομαι.

ossification (n) [οσιφικέισσον] οστέωση,

ossify (v) [όσιφαϊ] σκληραίνω.

ossuary (n) [όσιουαρι] οστεοθήκη.

ostensible (adj) [οστένσι-μπλ] θεωρούμενος, φαινόμενος.

ostentation (n) [οστεν-τέισσον] επίδειξη, προβολή, φιγούρα.

osteopathy (n) [οστεόπαθι] χειροπρακτική, χειροθεραπεία.

ostler (n) [όσλερ] ιπποκόμος.

ostracism (n) [όστρασιζμ] εξοστρακισμός,

ostracize (v) [όστρασαϊζ] εξοστρακίζω,

ostrich (n) [όστριτος] στρουθοκάμηλος.

otherness (n) [άδανες] ετερότητα, διαφορά.

otherwise (adv) [άδαγουάιζ] αλλιώς, άλλως (conj) ειδεμή.

otitis (n) [οουτάιτις] ωτίτιδα.

otologist (n) [οουτόλοντζιστ] ωτολόγος.

Otto (n) [Ότοου] Οθωνας.

Ottoman (n) [Ότομαν] Οθωμανός.

ounce (n) [άουνς] ουγκιά.

oust (v) [άουστ] εκδιώκω, εκβάλλω.

ousting (n) [άουστινγκ] αποπομπή.

out (adv) [άουτ] απέξω, έξω, όξω.

out! (ex) [άουτ] γιούχα! [επιφ].

out of breath (adj) [άουτ οβ μπρεθ] λαχανιασμένος.

out of tune (adj) [άουτ οβ τιούν] παράφωνος, φάλτσος.

out-of-date (adj) [άουτ-οβ-ντέιτ] παμπάλαιος, ξεπερασμένος.

outboard (adj) [άουτ-μπόο-ντ] εξωλέμβιος,

outbreak (n) [άουτ-μπρέϊκ] εκδήλωση, ξέσπασμα.

outbuilding (n) [άουτ-μπιλ-ντινγκ] παράρτημα.

outburst (n) [άουτ-μπέρστ] ξέσπασμα,

outcast (adj) [άουτκαστ] απόβλητος, απόκληρος (n) παρίας,

outcome (n) [άουτκαμ] έκβαση.

outcry (n) [άουτκραϊ] ξεφωνητό.

outdo (v) [αουτ-ντού] υπερβάλλω.

outdoor (adj) [άουτ-ντοο] υπαίθριος.

outfit (v) [άουτφιτ] εφοδιάζω, εξοπλίζω (n) εξάρτηση, σύνεργα.

outfiter (n) [άουτφιτερ] προμηθευτής.

outflank (v) [άουτφλανκ] υπερφαλαγγίζω.

outflanking (n) [άουτφλανκινγκ] υπερφαλάγγιση.

outflow (n) [άουτφλοου] ρεύση.

outing (n) [άουτινγκ] εκδρομή.

outlandish (adj) [αουτλάν-ντισς] ξενικός,

outlaw (adj) [άουτλοο] επικηρυγμένος (v) αποκηρύσσω, προγράφω.

outlet (n) [άουτλετ] διέξοδος, αγορά.

outline (v) [άουτλαϊν] σκιαγραφώ, διαγράφω (n) περίγραμμα.

outlive (v) [αουτλίβ] επιζώ.

outlook (n) [άουτλουκ] προοπτική.

outlying (adj) [άουτλάινγκ] απόμερος, απομακρυσμένος.

outnumber (v) [αουτνάμ-μπα(ρ)] υπερτερώ.

outpost (n) [άουτποουστ] φυλάκιο.

output (n) [άουτπουτ] παραγωγή.

outrage (n) [άουτρεϊντζζ] βρισιά (v) βρίζω.

outrageous (adj) [αουτρέιντζζας] υπέρογκος.

outrages (n) [αουτρέιντζζις] ωμότητες,

outrun (v) [άουτράν] ξεπερνώ.

outset (n) [άουτσετ] ξεκίνημα.

outshine (v) [άουτσσάιν] επισκιάζω.

outside (adv) [άουτσαϊ-ντ] απέξω, έξω,

outskirts (n) [άουτσκερτς] παρυφές,

outspoken (adj) [αουτοπόουκεν] τσεκουράτος, ντόμπρος, ειλικρινής.

outspread (adj) [αουτσπρέ-ντ] απλωτός.

outstanding (adj) [αουτστάν-ντινγκ] διαπρεπής, σημαντικός.

outstretched (adj) [άουτστρετσσ-ντ] απλωτός.

outvote (v) [αουτβόουτ] πλειοψηφώ.

outwardly (adv) [άουτουά-ντλι] φαινομενικά.

ouzo (n) [ούζοου] ούζο.

oval (adj) [όουβαλ] ωοειδής.

ovarian (adj) [οουβέαριαν] ωοθηκικός.

ovary (n) [όουβαρι] ωοθήκη.

ovate (adj) [όουβεϊτ] ωοειδής.

ovation (n) [όουβέισσον] επευφημία, χειροκρότηση.

oven (n) [άβεν] κλίβανος, φούρνος.

ovenful (n) [άβενφουλ] φουρνιά.

over (adv) [όουβερ] πάνω, υπέρ, (pr) επί.

overabundance (n) [όουβερα-μπάνταντς] υπερεπάρκεια.

overact (v) [οουβεράκτ] υπερβάλλω.

overall (adj) [όουβεροολ] γενικός, ολικός, συνολικός, καθολικός.

overall (n) [όουβεροολ] ποδιά.

overbalance (v) [όουβα-μπάλαντς] υπερκαλύπτω.

overbearing (adj) [όουβα-μπέαρινγκ] ψηλομύτης.

overburden (v) [όουβα-μπέρ-ντεν] παραβαραίνω, παραφορτώνω.

overcast (adj) [όουβακααστ] νεφοσκεπής, συννεφιασμένος, κατηφής.

overcoat (n) [όουβακοουτ] παλτό.

overcome (v) [οουβακάμ] κατανικώ, καταστέλλω, υπερισχύω, νικώ.

overcrowded (adj) [οουβακράουντι-ντ] υπερπλήρης.

overdo (v) [οουβα-ντούου] μεγαλοποιώ, υπερβαίνω, υπερβάλλω.

overdone (adj) [οουβα-ντάν] πολυψημένος.

overdue (adj) [οουβα-ντιού] καθυστερημένος, εκπρόθεσμος.

overflow (v) [οουβαφλόου] ξεχειλίζω, πλημμυρίζω, χύνομαι.

overflowing (adj) [οουβαφλόουινγκ] υπερπλήρης.

overgrown (adj) [οουβαγκρόουν] υπερτροφικός.

overhand (adv) [όουβαχαν-ντ] πάνω από τον ώμο.

overhanging (adj) [όουβαχάνγκινγκ] επικρεμάμενος.

overhaul (v) [οουβαχόολ] προφταίνω.

overhauling (n) [οουβαχόολινγκ] έλεγχος [μηχανής].

overhead (adv) [όουβαχέ-ντ] αποπάνω (adj) εναέριος (n) μεσούρανα.

overhear (v) [οουβαχίηρ] κρυφακούω.

overheat (v) [οουβαχίιτ] υπερθερμαίνω.

overlook (v) [οουβαλούκ] παραβλέπω, παραμελώ, αγνοώ.

overpower (v) [οουβαπάουερ] ακινητοποιώ, εξουθενώνω.

overpowering (adj) [οουβαπάουερινγκ] υπέρτερος (n) εξουδετέρωση.

overrate (v) [οουβερρέιτ] υπερεκτιμώ.

overrun (v) [οουβερράν] κατακλύζω [μεταφ].

overseas (adj) [οουβασίιζ] υπερπόντιος.

oversee (v) [οουβασίι] επιστατώ,

overseer (n) [οουβερσίιερ] επιστάτης.

overshadow (v) [οουβασσά-ντοου] επισκιάζω, σκιάζω [μεταφ].

oversight (n) [όουβασαϊτ] αβλεψία.

oversized (adj) [όουβασαϊζ-ντ] υπερμεγέθης.

overstress (n) [όουβααστρές] υπερένταση.

overtake (v) [οουβατέικ] φθάνω, ξεπερνώ.

overtaking (n) [οουβατέικινγκ] προσπέρασμα.

overthrow (v) [οουβαθρόου] πτώση, ανατροπή (v) ρίχνω.

overtime (n) [όουβερταϊμ] υπερωρία.

overtone (n) [όουβατουουν] απόηχος.

overture (n) [όουβατσσουα] βολιδοσκόπηση.

overturn (v) [οουβατέρν] ανατρέπω.

overturning (n) [οουβατέρνινγκ] τουμπάρισμα.

overweening (adj) [οουβαουίινινγκ] υπερφίαλος.

overweight (n) [οουβαουέιτ] πλεόνασμα [βάρους].

overwhelm (v) [οουβαουέλμ] κατακλύζω, κατανικώ.

overwhelming (adj) [οουβαουέλμινγκ] συντριπτικός [μεταφ], καταθλιπτικός.

overwork (n) [όουβαουέρκ] υπερκόπωση.

oviparous (adj) [οουβίπάρας] ωοτόκος.

ovum (n) [όουβαμ] ωάριο.

owe (v) [όου] οφείλω, χρεωστώ.

owl (n) [άουλ] κουκουβάγια.

own (pron) [όουν] δικός (adj) ίδιος (v) ομολογώ, κατέχω.

own to (v) [όουν του] ομολογώ.

own up (v) [άουν απ] ομολογώ.

owner (n) [όουνερ] ιδιοκτήτης.

ownership (n) [όουνασσιπ] ιδιοκτησία,

ox (adj) [οξ] βοδινός (n) βόδι.

oxidation (n) [οξι-ντέισσον] οξείδωση.

oxide (n) [όξαϊ-ντ] οξείδιο.

oxygen (n) [όξιντζζεν] οξυγόνο.

oxygenate (v) [όξιντζζενέιτ] οξυγονώνω.

oyster (n) [όιστερ] στρείδι.

ozone (n) [όουζοουν] όζον.

P, p [πι] το δέκατο έκτο γράμμα του αγγλικού αλφαβήτου.

pace (v) [πέις] βηματίζω (n) ταχύτητα, ρυθμός κινήσεως, βάδισμα, βήμα.

pacemaker (n) [πέισμεϊκα] βηματοδότης.

pacification (n) [πασιφικέισσον] ειρήνευση.

pacifism (n) [πάσιφιζμ] ειρηνισμός, πασιφισμός.

pacifist (n) [πάσιφιστ] ειρηνιστής, πασιφιστής.

pacify (v) [πάσιφαϊ] ειρηνεύω, εξιλεώνω, ημερώνω, καταπραΰνω, κατευνάζω.

pack (n) [πακ] δέμα, σακκίδιο, πακέτο (v) πακετάρω, συνωθώ, συσκευάζω.

pack of cards (n) [πακ οβ κάαρ-ντς] τράπουλα.

pack up (v) [πακ απ] αμπαλάρω.

package (n) [πάκιντζζ] δέμα, πακέτο.

packed (adv) [πακ-τ] τίγκα (adj) πλήρης, γεμάτος [δωμάτιο κτλ].

packet (adv) [πάκετ] κομπλέ (n) κουτί, δέμα, δεσμίδα, μπάζα [μεταφ], πακέτο.

packing (n) [πάκινγκ] συσκευασία, πακετάρισμα, περίβλη, περιτύλιγμα.

packing case (n) [πάκινγκ κέις] κασόνι.

packsaddle (n) [πάκσα-ντλ] σαμάρι.

pact (n) [πακτ] σύμβαση, συνθήκη.

pad (v) [πα-ντ] παραγεμίζω, στουμπώνω.

padding (n) [πά-ντινγκ] παραγέμισμα, τζίβα, βάτα.

paddle (n) [πάντλ] κουπί, σκαλιστήρι (v) κωπηλατώ.

paddock (n) [πάντοκ] μάνδρα, περίφρακτος αγρός.

paddy field (n) [πά-ντιφιλ-ντ] ορυζώνας.

paddy wagon (n) [πά-ντιγουαγκον] κλούβα.

padlock (n) [πά-ντλοκ] λουκέτο.

paean (n) [πίιαν] παιάνας.

paederasty (n) [πίντεραστι] παιδεραστία.

paediatrician (n) [πίι-ντιατρίσσαν] παιδίατρος.

paediatrics (n) [πιι-ντιάτρικς] παιδιατρική.

pagan (adj) [πέιγκαν] ειδωλολατρικός (n) ειδωλολάτρης.

page (n) [πέιντζζ] φύλλο, επεισόδιο.

pagination (n) [πέϊντζζινέισσον] αρίθμηση σελίδων, σελιδοποίηση.

pagoda (n) [παγκόου-ντα] παγόδα.

paid (adj) [πέι-ντ] μισθωτός.

pail (n) [πέιλ] κουβάς.

pain (n) [πέιν] ποινή, πόνος (v) θλίβω.

pain in the neck (n) [πέιν ιν δε νεκ] ψυχογιάλτης.

pain-killer (n) [πέιν-κιλα(ρ)] παυσίπονο.

painful (adj) [πέινφουλ] αλγεινός, επώδυνος, λυπηρός, οδυνηρός.

painless (adj) [πέινλες] ανώδυνος.

painstaking (adj) [πέινστεϊκινγκ] φίλεργος, εργατικός, επιμελής.

paint (n) [πέιν-τ] βαφή (v) βάφω.

paint factory (n) [πέιν-τ φάκτορι] χρωματουργείο.

paint-brush (n) [πέιν-τ-μπράσς] χρωστήρας.

painted (adj) [πέιν-τι-ντ] βαμμένος.

painter (n) [πέιν-τερ] ζωγράφος.

painting (n) [πέιν-τινγκ] βάψιμο, ζωγραφιά, βαφή, πίνακας.

pair (n) [πέαρ] ζεύγος, δυάδα (v) συνδυάζω, ταιριάζω.

pair off (v) [πέαρ οφ] ζευγαρώνω.

pairing off (n) [πέαρινγκ οφ] ζευγάρωμα.

pal (n) [παλ] φίλος, φιλαράκος.

palace (n) [πάλας] πύργος, παλάτι (adj) ανακτορικός.

palaeolithic (adj) [πάλιολίθικ] παλαιολιθικός.

palaeontology (n) [παλεον-τόλοντζζι] παλαιοντολογία.

palatable (adj) [πάλατα-μπλ] εύγευστος, ευχάριστος.

palate (n) [πάλατ] υπερώα, γεύση.

palaver (n) [παλάαβερ] συζήτηση, παλάβρα, φλυαρία.

pale (n) [πέιλ] πάσσαλος, παλούκι.

pale (adj) [πέιλ] κίτρινος, χλομός (n) άχνα (v) ξασπρίζω.

paleness (n) [πέιλνες] χλομάδα.

palette (n) [πάλετ] παλέτα.

palingenesis (n) [παλιννττζζένισις] αναβίωση, ανάσταση, μετενσάρκωση.

pall (v) [πόολ] χορταίνω.

palliate (v) [πάλιεϊτ] καταπραΰνω, απαλύνω, αλαφρώνω, μετριάζω.

palliative (adj) [πάλιατιβ] καταπραϋντικός, κατευναστικός.

pallid (adj) [πάλι-ντ] κάτωχρος.

pallor (n) [πάλορ] χλομάδα.

palm (n) [πάαμ] παλάμη.

palm reading (n) [πάαμ ρίι-ντινγκ] χειρομαντεία.

palm tree (n) [πάαμ τρίι] φοίνικας.

palm-reader (n) [πάαμ-ρίι-ντερ] χειρομάντης.

palmist (n) [πάαμιστ] χειρομάντης.

palmistry (n) [πάαμιστρι] χειρομαντεία.

palmy (adj) [πάαμι] ακμάζων, ευτυχισμένος, ευτυχής, φοινικοειδής.

palpable (adj) [πάλπα-μπλ] απτός, προφανής, χειροπιαστός.

palpitate (v) [πάλπιτεϊτ] πάλλω, σπαράζω, σπαρταρώ, τρέμω.

palpitation (n) [παλπιτέισσον] ταχυπαλμία, παλμός.

palsy (n) [πόολζι] παράλυση.

paltry (adj) [πόολτρι] ασήμαντος, ποταπός, τιποτένιος, πενιχρός.

pamper (v) [πάμ-περ] νταντεύω, κανακεύω, καλομαθαίνω.

pampered (adj) [πάμ-πα-ντ] καλομαθημένος.

pamphlet (n) [πάμφλιτ] μπροσούρα, φυλλάδιο, φυλλάδα.

pan (n) [παν] τηγάνι, ταψί, λεκάνη.

pan-pipe (n) [πάν-πάιπ] αυλός.

panacea (n) [πανασσία] πανάκεια.

pancake (n) [πάνκεϊκ] κρέπα.

pancreas (n) [πάνκριας] πάγκρεας.

pandemonium (n) [πάν-ντεμόουνιαμ] πανδαιμόνιο.

pander (n) [πάν-ντερ] προαγωγός.

pandora (n) [πάν-ντόορα] λιθρίνι.

pane of glass (n) [πέιν οβ γκλάσς] τζάμι.

panelling (n) [πάνελινγκ] σανίδωμα, ξύλινη επένδυση.

panic (n) [πάνικ] πανικός (v) αλαφιάζω, πανικοβάλλομαι.

panicky (adj) [πάνικι] ανήσυχος.

pannier (n) [πάνια(ρ)] κόφα.

panoply (n) [πάνοπλι] πανοπλία.

panorama (n) [πανοράαμα] πανόραμα.

panoramic (n) [παναράμικ] πανοραμικός.

pansy (n) [πάνσι] κίναιδος.

pant (v) [παν-τ] αγκομαχώ.

pantheism (n) [πάνθιιζμ] πανθεϊσμός.

pantheist (n) [πάνθιιστ] πανθεϊστής.

pantheon (n) [πάνθιον] πάνθεον.

panther (n) [πάνθα(ρ)] πάνθηρας.

panties (n) [πάν-τιις] κιλότα.

panting (adj) [πάν-τινγκ] λαχανιασμένος.

pantomime (n) [πάν-τομάιμ] παντομί-μα, μιμόδραμα, θεατρική εορταστική ε-πιθεώρηση.

pants (n) [παν-τς] παντελόνι, σώβρακο.

panzer (n) [πάνζερ] άρμα μάχης.

pap (n) [παπ] λαπάς, πολτός.

papa (n) [πάπα] μπαμπάς.

paper (n) [πέιπερ] χαρτί, εφημερίδα, θέ-μα, εργασία (v) ταπετσάρω.

paper bag (n) [πέιπερ μπαγκ] σακούλα, χαρτοσακούλα.

paper clip (n) [πέιπερ κλιπ] συνδετήρας.

paper knife (n) [πέιπερ νάιφ] χαρτοκόπτης.

paper money (n) [πέιπερ μάνεϊ] χαρτο-νόμισμα.

papyrus (n) [παπάιρας] πάπυρος.

par (n) [πάα] ισότητα ιστοτιμία.

parable (n) [πάρα-μπλ] παραβολή.

parabola (n) [παρά-μπουλα] παραβολή.

parachute (n) [πάρασσουτ] αλεξίπτωτο.

parachutist (n) [πάρασσούτιστ] αλεξι-πτωτιστής.

parade (n) [παρέι-ντ] παράτα, παρέλα-ση, πομπή (v) παρελαύνω.

paradigm (n) [πάρανταϊμ] παράδειγμα.

paradise (n) [πάρα-νταϊς] παράδεισος.

paradox (n) [πάρα-ντοξ] παραδοξολογία.

paradoxical (adj) [παραντόκσικλ] παρά-δοξος, παραδοξολόγος.

paraffin (n) [πάραφιν] παραφίνη.

paragon (n) [πάραγκον] πρότυπο.

paragraph (n) [πάραγκρααφ] παράγραφος.

parallactic (adj) [παραλάκτικ] παραλλα-κτικός.

parallax (n) [πάραλαξ] παράλλαξη.

parallel (adj) [πάραλελ] παράλληλος, ό-μοιος (n) σύγκριση (v) παραλληλίζω.

parallelism (n) [πάραλελιζμ] παραλληλία.

paralysis (n) [παράλισις] ημιπληγία, πα-ράλυση, καθήλωση, αδυναμία.

paralytic (adj) [παραλίτικ] παράλυτος.

paralyze (v) [πάραλαϊζ] παραλύω.

paralyzed (adj) [πάραλαϊζ-ντ] παράλυτος.

parameter (n) [παράμιτερ]· παράμετρος.

paranoia (n) [παρανόια] παράνοια.

paranoiac (adj) [παρανόιακ] παρανοϊκός.

parapet (n) [πάραπετ] πεζούλια.

paraphrase (n) [πάραφρέιζ] παράφρα-ση (v) παραφράζω.

paraplegia (n) [παραπλίιντζζια] παρα-πληγία.

parapsychology (n) [παρασαϊκόλο-ντζζι] παραψυχολογία.

parasite (n) [πάρασαϊτ] παράσιτος.

paratyphoid (n) [παρατάιφοϊ-ντ] παρά-τυφος.

parboil (v) [πάαβοϊλ] μισοβράζω.

parcel (v) [πάασελ] συσκευάζω (n) πα-κέτο, τεμάχιο.

parch (v) [πάατος] ξεραίνω.

parched (adj) [πάτοσ-τ] άνυδρος, κα-τάξερος, ξεροψημένος.

pardon (n) [πάα-ντον] συγγνώμη, χάρη (v) συγχωρώ.

pardonable (adj) [πάα-ντονα-μπλ] συγ-χωρητέος, συγχωρητός.

pare (v) [πέα(ρ)] ψαλιδίζω, κόβω, ξα-κρίζω, ξεφλουδίζω, καθαρίζω.

parental (adj) [παρέν-ταλ] γονικός.

parenthesis (n) [παρένθεσις] παρένθεση.

pariah (adj) [πάρια] απόβλητος, από-κληρος (n) παρίας.

paring (n) [πέαρινγκ] φλούδα.

parings (n) [πέαρινγκς] ξακρίδια.

parish (n) [πάριος] ενορία.

parish priest (n) [πάριος πρίιστ] εφημέριος.

parishioner (n) [παρίσσονερ] ενορίτης.

Parisian (adj) [Παρίζιαν] παριζιάνικος.

parity (n) [πάριτι] ισότητα, αναλογία, αρτιότητα, ισοτιμία.

park (n) [πάακ] πάρκο (v) παρκάρω.

parking (n) [πάακινγκ] στάθμευση.

parking lot (n) [πάακινγκ λοτ] σταθμός [ΗΠΑ].

parky (adj) [πάακι] ψυχρός.

parliament (n) [πάαλαμεν-τ] κοινοβούλιο.

parliamentarian (adj) [πααλαμεν-τέαριαν] κοινοβουλευτικός.

parliamentary (adj) [πάαρλιαμέν-ταρι] κοινοβουλευτικός.

parlour (n) [πάαλα] εντευκτήριο.

parlourmaid (n) [πάαλαμέι-ντ] καμαριέρα, τραπεζοκόμος.

parmesan cheese (n) [πάαμεζαν τσσίιζ] παρμεζάνα.

parochial (adj) [παρόουσκιαλ] τοπικιστικός.

parody (n) [πάρο-ντι] παρωδία, γελοιογραφία (v) παρωδώ.

parrot (n) [πάροτ] παπαγάλος, ψιττακός (v) ψιττακίζω.

parry (v) [πάρι] αποκρούω, αποφεύγω.

parse (v) [πάας] τεχνολογώ.

parsimonious (adj) [πααοιμόουνιας] φειδωλός, τσιγκούνικος.

parsimony (n) [πάασιμονι] φειδωλία, φιλαργυρία, τσιγγουνιά.

parsley (n) [πάασλι] μαϊντανός.

parson (n) [πάασον] κληρικός.

part (adj) [πάατ] τμηματικός (n) τεμάχιο, συστατικό, μέρος, παρτίδα, ρόλος (v) διαιρώ, διασχίζω, αφήνω.

part of speech (n) [πάατ οβ σπίιτς] μέρος του λόγου [γραμμ].

part-time (adv) [πάατταιμ] μερικώς.

part-time job (n) [πάατταιμ ντζζομπ] η-μιαπασχόληση, πάρεργο.

partake (v) [παατέικ] συμμερίζομαι, μετέχω.

partial (adj) [πάασσιαλ] μερικός, επι μέρους, μονομερής.

partiality (n) [παασσιάλτι] μεροληψία, εύνοια, συμπάθεια.

partially (adv) [πάασσαλι] μερικώς.

participant (n) [παατίσιπαν-τ] κοινωνός.

participate in (v) [παατίσιπεϊτ ιν] συμμετέχω, μετέχω.

participation (n) [πάατισιπέισσον] μέθεξη, συμμετοχή, μερίδιο.

participial (adj) [πάατισίπιαλ] μετοχικός.

participle (n) [πάατισιπλ] μετοχή.

particle (n) [πάατικλ] μόριο, τρίμμα, σταγόνα.

particular (adj) [πατίκιουλα] προσωπικός, ειδικός (n) λεπτομέρεια, στοιχείο.

particularity (n) [πατικιουλάριτι] ιδιομορφία, λεπτολογία.

particularize (v) [πατίκιουλαραϊζ] ειδικεύω.

particularly (adv) [πατίκιουλαλι] ειδικά.

particulars (n) [πατίκιουλαζ] αιτιολογία [οικον], καθέκαστα.

parting (adj) [πάατινγκ] αποχαιρετιστήριος (n) χωρισμός.

partisan (adj) [πάατιζαν] αντάρτικος, κομματικός (n) παρτιζάνος.

partisanship (n) [πάατιζανσσίπ] κομματισμός, φατριασμός.

partition (n) [παατίσσον] διανομή, κατανομή, χώρισμα.

partition wall (n) [παατίσσον ουόλ] τοίχωμα.

partitive (adj) [πάατιτιβ] μεριστικός.

partner (n) [πάατνα] συνέταιρος.

partnership (in business) (adj) [πάατνασσίπ [ιν μπίζνες]] ομόρρυθμος [εταιρία].

partridge (n) [πάατριντζζ] πέρδικα.

parturition (n) [παατιουρίσσον] τοκετός.

party (n) [πάατι] γλέντι, παρέα, άγημα, κόμμα, μέρος, πάρτι (adj) κομματικός.

party leader (n) [πάατι λίι-ντερ] κομματάρχης.

parvenu (adj) [πάαβενίου] νεόπλουτος.

pasha (n) [πάασσα] πασάς.

pass (n) [πάας] στενό, δίοδος (v) διέρχομαι.

pass by (v) [πάας μπάι] διέρχομαι.

pass mark (n) [πάας μάακ] βάση.

passable (adj) [πάασα-μπλ] μέτριος, διαβατός, υποφερτός.

passage (n) [πάσιντζζ] μετάβαση, διάδρομος, πέρασμα, χωρίο, στοά.

passage of time (n) [πάσιντζζ οβ τάιμ] παρέλευση.

passenger (n) [πάσιν-ντζζερ] επιβάτης.

passenger (ship) (n) [πάσιν-ντζζερ [σσιπ] επιβατηγό.

passenger (train) (n) [πάσιν-ντζζερ [τρέιν]] τρένο [επιβατικό].

passer-by (n) [πάασα-μπάι] διαβάτης.

passible (adj) [πάσαμπλ] ευπαθής.

passing (adj) [πάασινγκ] προσωρινός (n) πέρασμα, παρέλευση, ψήφιση.

passing by (adj) [πάασινγκ μπάι] περαστικός.

passion (n) [πάσσον] πάθος.

passionate (adj) [πάσσονιτ] θερμός, μανιώδης, παθιασμένος, βίαιος.

passive (adj) [πάσιβ] παθητικός.

passivity (n) [πασίβιτι] απάθεια.

passport (n) [πάασπόοτ] διαβατήριο.

password (n) [πάασουερ-ντ] παρασύνθημα, σύνθημα.

past (adj) [πάαστ] περασμένος.

past perfect tense (n) [πάαστ πέρφεκτ τενς] υπερσυντέλικος [γραμ].

paste (n) [πέιστ] αλοιφή, πάστα, κόλλα (v) κολλώ, δέρνω.

paste on (v) [πέιστ ον] προσκολλώ.

pasteboard (n) [πέιστ-μπόο-ντ] χαρτόνι.

pasteurism (n) [πάαστεριζμ] εμβολιασμός, παστερισμός.

pasteurize (v) [πάαστεράιζ] παστεριώνω.

pastille (n) [πάστιλ] παστίλια.

pastime (n) [πάασταϊμ] πάρεργο, διασκέδαση, χόμπυ.

pastor (n) [πάαστο] πάστορας.

pastoral (adj) [πάαστοραλ] ποιμαντικός.

pastoral staff (n) [πάαστοραλ στάαφ] ράβδος [εκκλ].

pastry (n) [πέιστρι] ζύμη, πάστα.

pastry-making (n) [πέιστρι-μέικινγκ] ζαχαροπλαστική.

pastrycook (n) [πέιστρικουκ] ζαχαροπλάστης.

pasture (n) [πάαστοσα] τροφή [ζώων].

pasture land (n) [πάαστοσα λα-ντ] λιβάδι.

pat (v) [πατ] χαϊδεύω (n) χάιδεμα.

patch (v) [πατος] μπαλώνω (n) μπάλωμα.

patching (n) [πάτσσινγκ] μπάλωμα.

patchwork (adj) [πάτσσγουερκ] εμβαλωματικός (n) κουρελού.

patent (n) [πέιπεν-τ] ευρεσιτεχνία, πατέντα.

patent leather shoes (n) [πέιπεν-τ λέδα σσους] λουστρίνια.

paternal (adj) [πατέρναλ] γονικός.

paternalism (n) [πατέρναλιζμ] πατερναλισμός.

paternity (n) [πατέρνιτι] καταγωγή.

path (n) [πάαθ] μονοπάτι.

pathetic (adj) [παθέτικ] δύστυχος.

pathogenic (adj) [παθοντζζένικ] παθογόνος, νοσογόνος.

pathological (adj) [παθολόντζζικαλ] παθολογικός.

pathology (n) [παθόλοντζζι] παθολογία.

pathway (n) [πάαθουεϊ] μονοπάτι.

patience (n) [πέισσενς] πασιέντσα.

patient (adj) [πέισσεν-τ] καρτερικός, ασθενής, υπομονετικός.

patient (n) [πέισσεν-τ] ασθενής.

patriarch (n) [πέτριαακ] πατριάρχης.

patriarchate (n) [πέτριαρκέιτ] πατριαρχία.

patrician (n) [πατρίσσαν] άρχοντας, πατρίκιος, ευπατρίδης.

patricide (n) [πάτρισαϊ-ντ] πατροκτονία, πατροκτόνος.

patrimony (n) [πάτριμονι] κληρονομία.

patriot (n) [πέιτριοτ] πατριώτης.

patriotic (adj) [πεϊτριότικ] πατριωτικός (n) εθνικόφρονας.

patriotism (n) [πέτριοτιζμ] φιλοπατρία.

patrol (n) [πατρόολ] περιπολία, περίπολος (v) περιπολώ.

patrol car (n) [πατρόολ κάα] περιπολικό.

patron (n) [πέιτρον] ευεργέτης, πάτρωνας, προστάτης.

patron saint (adj) [πέιτρον σεϊν-τ] πολιούχος.

patronage (n) [πέιτρονιντζζ] προστασία (v) πατρονάρω.

patronizing (adj) [πάτροναϊζινγκ] προστατευτικός.

patten (n) [πάτεν] τσόκαρο.

patter (n) [πάτερ] φλυαρία (v) φλυαρώ, πολυλογώ.

pattern (n) [πάτερν] υπόδειγμα, μοντέλο.

pattern (in dressmaking) (n) [πάτερν [ιν ντρέσμέικινγκ]] πατρόν.

patterning (n) [πάτανινγκ] μοτίβο.

patting (n) [πάτινγκ] θωπεία.

patty (n) [πάτι] μπουρέκι.

pauper (n) [πόουπερ] φτωχός.

pause (v) [πόοζ] κοντοστέκω (n) παύση.

pave (v) [πέιβ] λιθοστρώνω.

paved (adj) [πέιβ-ντ] στρωτός.

pavement (n) [πέιβμεν-τ] λιθόστρωτο, πεζοδρόμιο, οδόστρωμα.

pavilion (n) [παβίλιον] περίπτερο.

paving (n) [πέιβινγκ] στρώσιμο.

paw (n) [πόο] χέρι [κοιν], χερούκλα.

pawing (v) [πόοινγκ] πασπάτεμα.

pawn (adj) [πόον] υποχείριος (n) αμανάτι, ενέχυρο (v) ενεχυριάζω.

pawnbroker (n) [πόον-μπρόουκερ] ενε-

χυροδανειστής.

pawnshop (n) [πόονσόπ] ενεχυροδανειστήριο.

pay (adj) [πέι] μισθολογικός (n) αμοιβή (v) πληρώνω, εξοφλώ, αποζημιώ.

payable (adj) [πέια-μπλ] πληρωτέος.

payee (n) [πέιίι] παραλήπτης.

payer (n) [πέιερ] πληρωτής.

paying (adj) [πέινγκ] ωφέλιμος.

payment (n) [πέιμεν-τ] εξόφληση.

payroll (n) [πεϊρόουλ] μισθολόγιο.

pea (n) [πίι] αρακάς, μπιζέλι.

pea jacket (n) [πίι ντζζάκετ] πατατούκα.

peace (n) [πίις] ειρήνη, ησυχία.

peace-keeping (adj) [πίις-κίιπινγκ] ειρηνευτικός.

peace-loving (adj) [πίις-λάβινγκ] ειρηνοφόρος, φιλειρηνικός.

peace-maker (n) [πίις-μέικερ] ειρηνοποιός.

peaceful (adj) [πίισφουλ] ήσυχος.

peach (n) [πίιτος] ροδάκινο [βοτ].

peacock (n) [πίικοκ] παγώνι.

peak (n) [πίικ] ακμή, ζενίθ.

peaky (adj) [πίικι] αιχμηρός.

peal (n) [πίιλ] κωδώνισμα.

peal (v) [πίιλ] κωδωνίζω, αντηχώ.

pealing (n) [πίιλινγκ] κωδωνοκρουσία.

peanut (n) [πίινατ] φιστίκι.

pear (n) [πέα] απίδι, αχλάδι.

pearl (n) [περλ] μαργαριτάρι.

pearl(y) (adj) [περλ[ι]] μαργαριταρένιος.

peasant (adj) [πέζαν-τ] χωριάτικος (n) χωριάτης, χωρικός, αγρότης.

peasantry (n) [πέζαντρι] αγροτιά.

peat (n) [πίιτ] τύρφη.

pebble (n) [πε-μπλ] χαλίκι.

pebbledash (n) [πέ-μπλ-ντάσς] μωσαϊκό.

peccadillo (n) [πεκα-ντίλοου] μικροελάττωμα, ασήμαντο.

peccant (adj) [πέκαντ] αμαρτωλός, διεφθαρμένος, ένοχος, κακός.

peck (v) [πεκ] ραμφίζω, τσιμπώ (n)

ράμφισμα πτηνού, τσίμπημα.

peculiar (adj) [πεκιούλια] ιδιόμορφος.

peculiarity (n) [πεκιουλιάριτι] ιδιομορφία.

pecuniary (adj) [πικιούνιερι] χρηματικός.

pedagogical (adj) [πε-νταγκόντζζικαλ] παιδαγωγικός.

pedagogics (n) [πε-νταγκόντζζικς] παιδαγωγική.

pedagogue (n) [πέ-νταγκογκ] παιδαγωγός.

pedagogy (n) [πέ-νταγκοντζζι] παιδαγωγική.

pedal (v) [πέ-νταλ] ποδηλατώ (n) πεντάλι, πετάλι.

pedant (n) [πένταν-τ] σχολαστικός.

pedantic (adj) [πε-ντάν-τικ] δασκαλίστικος.

pederast (n) [πέ-ντεραστ] αρσενοκοίτης, παιδεραστής.

pedestal (n) [πέ-ντεστλ] στυλοβάτης.

pedestrian (adj) [πε-ντέστριαν] πεζός.

pedigree (n) [πέ-ντιγκρίι] γενεαλογία.

pediment (n) [πέ-ντιμεν-τ] αέτωμα.

pedlar (n) [πέ-ντλα] γυρολόγος.

pee (n) [πίι] κατούρημα.

peel (n) [πίλ] φλοιός, φλούδα (v) ξεφλουδίζω, καθαρίζω.

peeling (n) [πίιλινγκ] καθάρισμα.

peep (v) [πίιπ] κρυφοκοιτάζω.

peeping Tom (n) [πίιπινγκ Τομ] ηδονοβλεψίας, μπανιστιρτζής.

peer (n) [πίιρ] ισάξιος, ομότιμος.

peerless (adj) [πίιρλες] ασύγκριτος.

peeve (v) [πίιβ] ενοχλώ, τσαντίζω.

peevish (adj) [πίιβισς] ευέξαπτος.

peg (n) [πέγκ] κρεμαστάρι, μανταλάκι, παλούκι (v) πιάνω με μανταλάκι.

pejorative (adj) [πέντζζερατιβ] μειωτικός.

pelican (n) [πέλικαν] πελεκάνος.

pell-mell (adv) [πελ-μελ] ανάκατα, φύρδην μίγδην (n) χύμα.

pellet (n) [πέλετ] σκάγι.

pelt (n) [πελτ] προβιά, πετσί.

pelt (n) [πελτ] πετροβόλημα (v) σφυρο-

κοπώ, εκτοξεύω.

pen (n) [πεν] μάντρα, πένα, στάνη.

pen in (v) [πεν ιν] μαντρώνω.

penal (adj) [πίιναλ] ποινικός.

penalization (n) [πιιναλαϊζέισσον] ποινικοποίηση, ποινή, τιμωρία.

penalize (v) [πίιναλάιζ] ποινικοποιώ.

penally (adv) [πίιναλι] ποινικώς.

penalty (n) [πέναλτι] τιμωρία.

penance (n) [πένανς] κακουχία.

pencil (n) [πένσιλ] μολύβι.

pencil sharpener (n) [πένσιλ σσάπενερ] ξύστρα.

pendant (n) [πέν-νταν-τ] κρεμαστό.

pending (adj) [πέν-ντινγκ] εκκρεμής, αναποφάσιστος (v) εκκρεμώ.

pendulum (n) [πέν-ντιουλαμ] εκκρεμές.

penetrable (adj) [πένετραμπλ] διαπερατός.

penetrate (v) [πένετρεϊτ] διατρυπώ, διαβλέπω, διαπερνώ.

penetrating (adj) [πενετρέιτινγκ] διαπεραστικός, οξυδερκής.

penetration (n) [πενετρέισσον] διείσδυση, εισχώρηση, οξύνοια.

penguin (n) [πένγκουιν] πιγκουίνος.

peninsula (n) [πενίνσιουλα] χερσόνησος.

penis (n) [πίινας] πέος.

penitence (n) [πένιτενς] μετάνοια.

penitent (adj) [πένιτεν-τ] μετανοημένος.

penitential (adj) [πενιτένσολ] μετανοητικός, μεταμελητικός.

penitentiary (n) [πενιτένσσιαρι] σωφρωνιστήριο, φυλακή.

penknife (n) [πένναΐφ] σουγιάς.

penmanship (n) [πένμανσσιπ] καλλιγραφία, τρόπος γραφής.

penniless (adj) [πένιλες] άφραγκος.

pennon (n) [πένον] φλάμπουρο.

penny (n) [πένι] πένα [νόμισμα].

penology (n) [πιινόλοντζζι] εγκληματολογία.

penpusher (n) [πένπούσσερ] γραφιάς.

pension (n) [πένσιον] σύνταξη.

pension fund (n) [πένσιον φαν-ντ] ταμείο συντάξεων.

pensioner (adj) [πένσιονερ] απόμαχος, συνταξιούχος.

pensive (adj) [πένσιβ] σκεπτικός.

penthouse (n) [πέν-τχαους] ρετιρέ.

penumbra (n) [πενάμ-μπρα] σκιόφως.

people (n) [πίιπλ] λαός, έθνος.

pep (n) [πεπ] σφρίγος, ζωντάνια, νεύρο, κουράγιο, κέφι, όρεξη.

pep up (v) [πεπ απ] ενθαρρύνω.

pepper (n) [πέπερ] πιπέρι, πιπεριά.

pepper-pot (n) [πέπερ-πότ] πιπεριέρα.

peppermint (n) [πέπερμιν-τ] μέντα.

peppery (adj) [πέπερι] πιπεράτος.

peptic (adj) [πέπτικ] πεπτικός.

perceive (v) [περσίιβ] διακρίνω.

percentage (n) [περσέν-τιντζ] ποσοστό.

perceptible (adj) [περσέπτι-μπλ] αντιληπτός, ορατός, θεατός.

perceptiveness (n) [περσέπτιβνες] παρατηρητικότητα, οξυδέρκεια.

perch (n) [περτος] πέρκα [ιχθ], κούρνια (v) κουρνιάζω.

percolate (v) [πέρκολεϊτ] φιλτράρω.

percolation (n) [περκολέισσον] διήθηση.

perfect (adj) [πέρφεκτ] τσίφτικος, τέλειος (v) τελειοποιώ.

perfect tense (n) [πέρφεκτ τενς] παρακείμενος [γραμμ].

perfecting (n) [περφέκτινγκ] τελειοποίηση.

perfection (n) [περφέκσσον] αρτιότητα, εντέλεια, τελειοποίηση.

perfectionist (n) [περφέκοσονιστ] τελειομανής, ψείρας.

perfectly (adv) [πέρφεκτλι] τελείως, ωραία.

perfidious (adj) [περφί-ντιας] άπιστος, ύπουλος, δόλιος, επίβουλος.

perfidy (n) [πέρφι-ντι] απιστία, προδοσία.

perforate (v) [πέρφερεϊτ] τρυπώ.

perforated (adj) [πέρφερέιτι-ντ] διάτρητος.

perforating (n) [περφερέτυνγκ] τρύπημα.

perforation (n) [περφερέισσον] τρύπα.

perform (v) [περφόομ] κάνω, εκτελώ.

perform an operation (v) [περφόορμ αν οπερέισσον] εγχειρίζω.

performance (n) [περφόομανς] τέλεση, εκπλήρωση, εκτέλεση.

performer (n) [περφόομα(ρ)] εκτελεστής, ηθοποιός, μουσικός.

perfume (v) [πέρφιουμ] αρωματίζω (n) μυρωδιά, άρωμα, μύρο.

perfumed (adj) [πέρφιουμ-ντ] αρωματικός.

perfumed soap (n) [πέρφιουμ-ντ σόουπ] μοσχοσάπουνο.

perfunctory (adj) [περφάνγκτερι] πρόχειρος, επιπόλαιος, βιαστικός.

pergola (n) [πέργκολα] κρεβατίνα.

perhaps (adv) [περχάπς] ίσως, ενδεχομένως, πιθανώς.

perigee (n) [πέριντζίι] περίγειο.

perihelion (n) [περιχίλιον] περιήλιο.

peril (n) [πέριλ] κίνδυνος.

perilous (adj) [πέριλας] επικίνδυνος.

perimeter (n) [περίμιτερ] περίμετρος, πεδιόμετρο.

perimetric (adj) [περιμέτρικ] περιμετρικός.

period (n) [πίιριο-ντ] καιρός, περίοδος, φράση, κύκλος, διάστημα.

periodical (n) [πιιριό-ντικαλ] περιοδικό (adj) περιοδικός.

periodicity (n) [πιιριοντίσιτι] περιοδικότητα.

peripheral (adj) [περίφερλ] περικφερειακός.

periphery (n) [περίφερι] περιφέρεια, περίμετρος, περίχωρα.

periphrasis (n) [περίφρασις] περίφραση.

periphrastic(al) (adj) [περιφράστικ [αλ]] περιφραστικός.

periscope (n) [πέρισκοουπ] περισκόπιο.

perish (v) [πέρισ] αποθνήσκω, χάνομαι, παρακμάζω, χαλώ.

perishable (adj) [πέρισσα-μπλ] φθαρτός.

perishing (adj) [πέρισσινγ] δριμύς, φοβερός, τρομερός

peritonitis (n) [περιτονάιτις] περιτονίτιδα.

perjure (v) [πέρντζζα] ψευδορκώ.

perjurer (adj) [πέρντζζερα] επίορκος (n) ψευδομάρτυρας.

perjury (n) [πέρντζζερι] ψευδορκία.

perk (v) [περκ] σηκώνω, υψώνω, ζωηρεύω, ανακτώ.

perks (n) [περκς] τυχερά.

perky (adj) [πέρκι] ζωηρός, εύθυμος, κεφάτος, θρασύς.

perm (n) [περμ] περμανάντ.

permanence (n) [πέρμανενς] ισοβιότητα, μονιμότητα, σταθερότητα.

permanency (n) [πέρμανενσι] μονιμότητα, μονιμοποίηση.

permanent (adj) [πέρμανεν-τ] μόνιμος.

permeability (n) [περμιαμπίλιτι] περατότητα, διαπερατότητα.

permissible (adj) [περμίσι-μπλ] επιτρεπτός, θεμιτός.

permission (n) [περμίσσον] άδεια.

permissiveness (n) [περμίσιβνες] ανεκτικότητα.

permit (n) [πέρμιτ] άδεια, συγκατάθεση. (v) επιτρέπω.

permutation (n) [περμιουτέισσον] συνδυασμός, παραλλαγή.

permute (v) [περμιούτ] μεταθέτω.

peroration (n) [περορέισσον] μακρηγορία.

peroxide (n) [πέροξαϊ-ντ] υπεροξείδιο, οξυζενέ.

perpendicular (adj) [περπε-ντίκιουλα] κάθετος, όρθιος.

perpetrate (v) [πέρπιτρέιτ] διαπράττω.

perpetration (n) [περπετρέισσον] διάπραξη, τέλεση.

perpetrator (n) [περπετρέιτορ] αυτουργός, δράστης, πρωτεργάτης.

perpetual (adj) [περπέτσσουαλ] αέναος.

perpetually (adv) [περπέτσσουαλι] παντοτινά.

perpetuate (v) [περπέτσσουεϊτ] διαιωνίζω.

perpetuation (n) [περπετσσουέισον] διαιώνιση.

perplex (v) [περπλέξ] μπλέκω.

perplexed (adj) [περπλέξ-ντ] αμήχανος.

perplexity (n) [περπλέξιτι] απορία.

persecute (v) [περσεκιούτ] διώκω, διώχνω, κατατρέχω, καταδιώκω.

persecution (n) [περσεκιούσσον] δίωξη.

persecutor (n) [περσεκιούτορ] διώκτης.

perseverance (n) [περσεβίρανς] επιμονή.

persevere (v) [περσεβίρ] καρτερώ.

persevering (adj) [περσεβίρινγκ] επίμονος.

persistent (adj) [περσίστεν-τ] έμμονος.

persist (v) [περσίστ] εμμένω.

persistence (adj) [περσίστενς] επιμνημόσυνος (n) επιμονή, διάρκεια.

persistent (adj) [περσίστεν-τ] εξακολουθητικός, επίμονος.

person (n) [πέρσον] άτομο.

personal (adj) [πέρσοναλ] ατομικός.

personality (n) [περσονάλιτι] προσωπικότητα, διασημότητα.

personally (adv) [πέρσοναλι] προσωπικά.

personification (n) [περσονιφικέισσον] προσωποποίηση.

personify (v) [περσόνιφαϊ] ενσαρκώνω, προσωποποιώ.

personnel (n) [περσονέλ] προσωπικό.

personnel officer (n) [περσονέλ όφισερ] προσωπάρχης.

perspective (n) [περσπέκτιβ] προοπτική, θέα, όψη, άποψη.

perspicacious (adj) [περσπικέισσες] οξύνους, οξυδερκής.

perspicacity (n) [περσπικάσιτι] διορατικότητα, οξυδέρκεια.

perspicuity (n) [περσπικιούιτι] διόραση.

perspicuous (adj) [περσπίκιουας] σαφής, διαυγής, εναργής.

perspiration (n) [περσπιρέισσον] διαπνοή, ίδρωμα, ιδρώτας.

perspire (v) [περσπάιρ] ιδρώνω.

persuadable (adj) [περσσουέι-νταμπλ] ευπειθής.

persuade (v) [περσσουέι-ντ] καταφέρνω, πείθω, τουμπάρω [μεταφ].

persuasion (n) [περσσουέιζζον] πειθώ, πίστη, βεβαιότητα, δόγμα.

persuasive (adj) [περσσουέισιβ] πειστικός.

persuasiveness (n) [περσσουέισιβνες] πειστικότητα.

pert (adj) [πέρτ] αυθάδης.

pertinacious (adj) [περτινέισσες] ισχυρογνώμων, πείσμων, επίμονος.

pertinacity (n) [περτινάσιτι] πείσμα.

pertinence (n) [πέρτινενς] ορθότητα, καταλληλότητα, ενδεδειγμένο .

pertinent (adj) [πέρτινεν-τ] σχετικός.

pertness (n) [πέρτνις] αυθάδεια.

perturbation (n) [περτα-μπέισσον] αταξία, σύγχυση, ταραχή.

peruse (v) [περούζ] διαβάζω.

perverse (adj) [περβέρς] φαύλος, στριμμένος, ζαβός.

perversion (n) [περβέρζζον] διαστροφή, διαστρέβλωση.

pervert (v) [περβέρτ] φθείρω, χαλώ, διαφθείρω (n) διεστραμμένος.

pervious (adj) [πέρβιας] διαπερατός.

pessimism (n) [πέσιμιζμ] απαισιοδοξία.

pessimist (n) [πέσιμιστ] απαισιόδοξος.

pest (n) [πεστ] ψώρα, λοιμός, ψυχοβγάλτης, τσιμπούρι.

pester (v) [πέστερ] παιδεύω, ταλαιπωρώ.

pestilence (n) [πέστιλενς] λοιμός.

pestle (n) [πεστλ] κόπανος.

pet (v) [πετ] χαϊδεύω, καλοσυνθίζω (n) ζώο συντροφιάς.

petal (n) [πέταλ] πέταλο, φύλλο.

petard (n) [πιτάα-ντ] κροτίδα.

petit bourgeois (adj) [πετί μπούρζζουά] μικροαστικός (n) μικροαστός.

petition (n) [πετίσσον] παράκληση, ικεσία, προσευχή, αναφορά.

petitioner (n) [πετίσσονερ] αιτών.

petrified (adj) [πέτριφαϊ-ντ] απολιθωμένος.

petrify (v) [πέτριφαϊ] απολιθώνω.

petrol (n) [πέτρολ] μπενζίνα.

petrol station (n) [πέτρολ στέισσον] βενζινάδικο.

petroleum (n) [πετρόουλιαμ] ορυκτέλαιο, πετρέλαιο.

petticoat (n) [πέτικοουτ] κομπινεζόν, μεσοφόρι.

pettifogging (adj) [πετιφόγκινγκ] δικολαβίστικος.

pettiness (n) [πέτινες] μικρότητα.

petting (n) [πέτινγκ] χάδια.

petty (adj) [πέτι] μικρός, ασήμαντος.

petty cash (adv) [πέτι κασς] μικροέξοδα.

petty officer (n) [πέτι όφισερ] κελευστής, υποκελευστής [ναυτ].

petty thief (n) [πέτι θίιφ] μικροκλέφτης.

petulance (n) [πέτιουλανς] νευρικότητα.

pew (n) [πιού] στασίδι, μπάγκος.

pewter (n) [πιούτερ] καλάι.

pewterer (n) [πιούτερερ] γανωτής.

phalanx (n) [φάλανξ] φάλαγγα.

phallus (n) [φάλας] φαλλός.

phantasm (n) [φάν-νταζμ] φάντασμα.

phantasmagoria (n) [φαν-τασμαγκόορια] φαντασμαγορία.

phantasmagoric (adj) [φαν-τασμαγκόορικ] φαντασμαγορικός.

phantom (n) [φάν-τομ] σκιά, φάντασμα, στοιχειό, παραίσθηση.

pharmaceutical (adj) [φααμασιούτικαλ] φαρμακευτικός.

pharmacist (n) [φάαμασιστ] φαρμακοποιός.

pharmacology (n) [φάαμακόλοντζζι] φαρμακολογία.

pharmacy (n) [φάαμασι] φαρμακευτική.

pharyngitis (n) [φάριν-ντζζάιτις] φα-ρυγγίτιδα.

pharynx (n) [φάρινξ] φάρυγγας.

phase (n) [φέιζ] φάση, μορφή.

phased (adj) [φέιζ-ντ] σταδιακός.

phasic (adj) [φέιζικ] φασικός.

pheasant (n) [φέζαν-τ] φασιανός.

phenol (n) [φιινάλ] φαινόλη.

phenomenal (adj) [φενόμινλ] φαινομε-νικός, σχετικός, εκπληκτικός.

phenomenon (n) [φενόμενον] φαινόμενο.

phial (n) [φάιαλ] φιαλίδιο.

philanthrope (n) [φίλανθροουπ] φι-λάνθρωπος.

philanthropic (adj) [φιλανθρόπικ] φι-λανθρωπικός.

philanthropist (n) [φιλάνθροπιστ] φι-λάνθρωπος.

philatelist (n) [φιλάτελιστ] φιλοτελιστής.

philately (n) [φιλάτελι] φιλοτελισμός.

philhellene (n) [φιλχέλεν] φιλέλληνας.

philhellenic (adj) [φιλχελένικ] φιλελλη-νικός.

philhellenism (n) [φιλχέλενιζμ] φιλελ-ληνισμός.

philistine (adj) [φίλισταϊν] άμουσος, α-μόρφωτος, βάρβαρος.

philological (adj) [φιλολόντζζικαλ] φι-λολογικός.

philologist (n) [φιλόλοντζζιστ] φιλόλογος.

philology (n) [φιλόλοντζζι] φιλολογία.

philosopher (n) [φιλόσοφα(ρ)] φιλόσοφος.

philosophical (adj) [φιλοσόφικαλ] φι-λοσοφικός, σοφός, λογικός.

philosophize (v) [φιλόσοφαϊζ] φιλοσοφώ.

philosophy (n) [φιλόσοφι] φιλοσοφία, ηρεμία, εγκαρτέρηση.

philtre (n) [φίλτα] φίλτρο.

phlebitis (n) [φλε-μπάιτις] φλεβίτιδα.

phlebotomy (n) [φλεμπότομι] φλεβο-τομία [χειρ].

phlegm (n) [φλεμ] φλέγμα.

phlegmatic (adj) [φλεγκμάτικ] φλεγματικός.

phobia (n) [φόου-μπια] φοβία.

phoenix (n) [φίνιξ] φοίνικας.

phone (n) [φόουν] τηλέφωνο.

phonemics (n) [φονίμικς] φθογγολογία.

phonetic (adj) [φονέτικ] φωνητικός, φθογγικός.

phonetics (n) [φονέτικς] φωνητική.

phonic (adj) [φόνικ] φωνητικός, φθογ-γικός, ακουστικός, ηχητικός.

phonograph (n) [φόουννογκρααφ] φωνογράφος.

phonology (n) [φονόλοντζζι] φωνολο-γία, φωνητική, φθογγολογία.

phosphoresce (v) [φοσφερές] φωσφορίζω.

phosphoric (adj) [φοσφόρικ] φωσφο-ρικός.

phosphorus (n) [φόσφερας] φώσφο-ρος [χημ].

phosphorite (n) [φόσφερατ] φωσφορί-της [ορυκτ], απατίτης.

phosphorous (adj) [φόσφερας] φω-σφορώδη, φωσφορούχος.

photochromy (n) [φωουτόουκροουμι] έγχρωμη φωτογραφία.

photocopy (n) [φόουτοκοπι] φωτοτυπία.

photogenic (adj) [φόουταντζζένικ] φω-τογενής, φωτεινός.

photograph (n) [φόουταγκρααφ] φω-τογραφία (v) φωτογραφίζω.

photographer (n) [φοουτόγκρααφερ] φωτογράφος.

photographic (adj) [φοουτογκράαφικ] φωτογραφικός.

photography (n) [φοουτόγκραφι] φω-τογραφία, φωτογράφιση.

photostat (n) [φόουτοουστατ] φωτοτυ-πία, φωτοαντίγραφο.

phrasal (adj) [φρέιζαλ] φραστικός.

phrase (n) [φρέιζ] φράση.

phraseology (n) [φρέιζιόλοντζζι] φρασεολογία, λεκτικό.

phrasing (n) [φρέιζινγκ] διατύπωση.

phrenology (n) [φρενόλοντζζι] φρενολογία, κρανιολογία.

phylloxera (n) [φιλοξίιρα] φυλλοξήρα.

physical (adj) [φίζικαλ] σωματικός, υλικός, φυσικός.

physician (n) [φιζίσσαν] γιατρός.

physicist (n) [φίζιοιστ] φυσικός.

physics (n) [φίζικς] φυσική.

physiognomy (n) [φιζιόνομι] φυσιογνωμία, όψη, πρόσωπο.

physiological (adj) [φιζιολόντζζικαλ] φυσιολογικός.

physiology (n) [φιζιόλοντζζι] φυσιολογία.

pianist (n) [πίιανιστ] πιανίστας.

piano (n) [πιιάνοου] πιάνο.

pick (n) [πικ] εκλεκτό, άνθος, πένα (v) δρέπω, κόβω, μαζεύω.

pick out (v) [πικ άουτ] εκλέγω.

pick up (v) [πικ απ] ραμφίζω, σηκώνω (n) ημιφορτηγό.

pickaxe (n) [πίκάξ] αξίνα, σκαπάνη, τσάπα, κασμάς, ξινάρι, τσαπί.

pickle (n) [πικλ] άλμη, τουρσί.

pickled (adj) [πικλ-ντ] μεθυσμένος.

pickpocket (n) [πίκποκετ] πορτοφολάς.

picky (adj) [πίκι] μίζερος.

pictorial (adj) [πικτόοριαλ] εικονογραφικός, εικονογραφημένος.

picture (n) [πίκτοσα] εικόνα.

picturesque (adj) [πικτοσερέσκ] γραφικός.

piece (n) [πίις] κομμάτι, τμήμα.

piecemeal (adj) [πίισμίιλ] λίγο-λίγο, σκόρπιος.

piecrust (n) [πάικραστ] κρούστα.

pied (adj) [πάιντ] παρδαλός.

pier (n) [πίια] προβλήτα, αποβάθρα, εξέδρα, μόλος.

pierce (v) [πίρς] διαπερνώ, τρυπώ.

piercing (adj) [πίρσινγκ] διατρητικός, διεισδυτικός, οξύς (n) τρύπημα.

pies (n) [πάιζ] ζυμαρικά.

piety (n) [πάιετι] ευλάβεια.

pig (n) [πιγκ] χοίρος, γουρούνι.

pig sty (n) [πιγκ στάι] στάβλος.

pig-breeder (n) [πιγκ-μπρίι-ντερ] χοιροτρόφος.

pig-headed (adj) [πιγκχέ-ντι-ντ] σκληροκέφαλος, αγύριστος.

pigeon (n) [πίντζζον] περιστέρι.

pigeonhouse (n) [πίντζζονχάους] περιστερώνας.

pigeon-hole (n) [πίντζζον-χοουλ] αρχειοθήκη, θυρίδα (v) αρχειοθετώ.

piggery (n) [πίγκερι] χοιροστάσιο.

piggish (adj) [πίγκισσ] λαίμαργος, πεισματάρης, βρώμικος.

piggy (n) [πίγκι] γουρουνάκι.

piggy bank (n) [πίγκι μπανκ] κουμπαράς.

piglet (n) [πίγκλετ] χοιρίδιο.

pigtail (n) [πίγκτεϊλ] κοτσίδα.

pike (n) [πάικ] ακόντιο.

pilaf (n) [πίλαφ] πιλάφι.

pile (n) [πάιλ] θημωνιά, μπάζα.

pile up (n) [πάιλ απ] καραμπόλα (v) επισωρεύω, τουρλώνω.

piles (n) [πάιλζ] αιμορροΐδες.

pilfer (v) [πίλφα] κλέβω.

pilferage (n) [πίλφεριντζζ] μικροκλοπή, σούφρωμα.

pilfering (n) [πίλφερινγκ] υπεξαίρεση.

pilgrim (n) [πίλγκριμ] προσκυνητής.

pilgrimage (n) [πίλγκριμιντζζ] προσκύνημα, ταξίδι προσκυνητού.

piliform (adj) [πάιλιφοομ] τριχοειδής.

pill (n) [πιλ] χάπι [φαρμ].

pillage (n) [πίλιντζζ] λεηλασία (v) λεηλατώ, διαρπάζω.

pillar (n) [πίλα] κολόνα, στήλη.

pillion (adv) [πίλιον] πισωκάπουλα.

pillory (v) [πίλορι] διαπομπεύω.

pillow (n) [πίλοου] μαξιλάρι.

pilosity (n) [πάϊλόσιτι] τρίχωση.

pilot (n) [πάιλοτ] πιλότος (v) οδηγώ, διευθύνω (adj) πειραματικός, βοηθητικός.

piloting (n) [πάιλοτινγκ] πλοήγηση.

pimento (n) [πιμέν-τοου] μπαχάρι.

pimp (n) [πιμ-π] μαστροπός.

pimping (n) [πίμ-πινγκ] μαστροπεία.

pimple (n) [πιμ-πλ] σπιθούρι.

pimples (n) [πιμ-πλζ] εξανθήματα.

pimply (adj) [πίμ-πλι] σπυριάρης.

pin (n) [πιν] καρφίτσα, βελόνα (v) καρφιτσώνω.

pin down (v) [πιν ντάουν] καθηλώνω.

pincers (n) [πίνσαζ] πένσα, λαβή.

pinch (n) [πιν-τος] πρέζα, τσιμπιά (v) μαγκώνω, αρπάζω.

pine (v) [πάιν] φθίνω, ποθώ, μαραζώνω (n) πεύκο.

pine cone (n) [πάιν κόουν] κουκουνάρι.

pine-clad (adj) [πάινκλα-ντ] πευκόφυτος.

pinewood (n) [πάινουου-ντ] δαδί.

pining (n) [πάινινγκ] μαράζι.

pinion (n) [πίνιον] γρανάζι.

pink (adj) [πινκ] τριανταφυλλένιος.

pinnacle (n) [πίνακλ] πυργίσκος.

pins and needles (n) [πινζ εν νίιντλζ] μυρμηκίαση.

piny (adj) [πάινι] πευκόφυτος.

pioneer (adj) [πάιονίιρ] πρωτοπόρος (n) πρωτεργάτης (v) καινοτομώ.

pious (adj) [πάιας] θεάρεστος.

pip (n) [πιπ] κουκίδα, πυρήνας.

pipe (n) [πάιπ] πίπα, οχετός, σωλήνας.

piquancy (n) [πίκουανσι] νοστιμάδα.

piquant (adj) [πίκαν-τ] πικάντικος.

pique (n) [πιικ] πίκα (v) πικάρω.

piquet (n) [πίκετ] πικέτο [χαρτοπ].

piracy (n) [πάιρασι] πειρατεία.

pirate (adj) [πάιρατ] πειρατικός (n) πειρατής.

pirated (adj) [πάιρατι-ντ] κλεψίτυπος.

pirated edition (n) [πάιρατι-ντ εντίσον] κλεψίτυπο.

piratical (adj) [παϊράτικαλ] πειρατικός.

pirating (n) [πάιρατινγκ] κλεψιτυπία.

pirogue (n) [πρόουγκ] πιρόγα.

piscatory (adj) [πίσκατερι] ψαράδικος.

piscina (n) [πισίινα] ιχθυόλιμνη.

piss (v) [πις] κατουρώ (n) ούρα.

pistachio nut (n) [πιστάσσιο νατ] φιστίκι.

pistil (n) [πίστιλ] ύπερος.

pistol (n) [πίστολ] πιστόλι.

piston (n) [πίστον] πιστόνι.

pit (n) [πιτ] οπή, κοίλωμα, τάφος, ουλή, λάκκος, χάσμα.

pitch (n) [πιτος] πίσσα, ύψος, πισσάσφαλτος (v) πισσώνω.

pitcher (n) [πίτσσα] κανάτα.

pitchfork (n) [πίτσσφοοκ] διχάλα.

pitfall (n) [πίτφοολ] κακοτοπιά, παγίδα.

pithy (adj) [πίθι] ζουμερός.

pitiable (adj) [πίτια-μπλ] αξιοδάκρυτος.

pitiful (adj) [πίτιφουλ] αξιολύπητος.

pitiless (adj) [πίτιλες] αλύπητος.

pittance (n) [πίτανς] ξεροκόμματο.

pitting (n) [πίτινγκ] διάβρωση.

pituitary (adj) [πιτιούιτερι] βλεννογόνος [ανατ], υποφυσιακός.

pity (n) [πίτι] κρίμα, λύπη, πόνος (v) ψυχοπονώ, συμπονώ.

pivot (n) [πίβοτ] άξονας (v) εξαρτώμαι.

placard (n) [πλάκαα-ντ] αφίσσα.

placate (v) [πλακέιτ] κατευνάζω.

placatory (adj) [πλακέτερι] κατευναστικός.

place (n) [πλέις] χώρος, σπίτι, σημείο, (v) αναθέτω, καθορίζω, βάζω.

placid (adj) [πλάσιντ] γαλήνιος, ήρεμος.

placidity (n) [πλασίντιτι] γαλήνη.

plagiarism (n) [πλέιντζζιαριζμ] λογοκλοπή.

plagiarist (n) [πλέιντζζιαριστ] λογοκλόπος.

plagiarize (v) [πλέιντζζιεραϊζ] ιδιοποιούμαι, κλέβω, λογοκλοπώ.

plague (n) [πλέιγκ] πανούκλα, πληγή (v) μαστίζω, βασανίζω.

plain (adj) [πλέιν] άσκημος, λιτός, α-
πλός, σκέτος (n) πεδιάδα.
plainness (n) [πλέινες] απλότητα.
plaint (n) [πλέιν-τ] μήνυση.
plaintiff (n) [πλέιν-τιφ] μηνυτής.
plaintive (adj) [πλέιν-τιβ] γοερός.
plait (n) [πλατ] πλοκάμι (v) πλέκω.
plaited (adj) [πλάτι-ντ] πλεχτός.
plan (n) [πλαν] σχέδιο (v) σχεδιάζω.
plane (adj) [πλέιν] επίπεδος (n) ροκάνι
(v) λειαίνω, πλανίζω.
plane tree (n) [πλέιν τρίι] πλάτανος.
planet (n) [πλάνετ] πλανήτης.
planetary (adj) [πλάνετερι] πλανητικός.
planetoid (n) [πλάνιτοιντ] πλανητοειδής.
plangency (n) [πλάν-ντζζενσι] ηχηρό-
τητα, γοερότητα.
plank (n) [πλανκ] σανίδα, τάβλα (v) σα-
νιδώνω, ξυλοστρώνω.
plankton (n) [πλάνκτον] πλαγκτόν.
plant (v) [πλάαν-τ] φυτεύω (n) φυτό,
βοτάνι, βότανο.
plantar (adj) [πλάντα] πελματικός.
plantation (n) [πλααν-τέισσον] δεντρο-
φυτεία, φυτεία, φυτώριο.
planting (n) [πλάαν-τινγκ] φύτεμα.
plaque (n) [πλακ] πλάκα.
plaster (adj) [πλάαστερ] γυψώνω, σοβα-
τίζω (n) έμπλαστρο, αμμοκονία.
plasterer (n) [πλάαστερερ] γυψάς.
plastic (adj) [πλάστικ] εύπλαστος.
plasticine (n) [πλάστιισιν] πλαστελίνη.
plasticity (n) [πλαστίσιτι] πλαστικότητα.
plate (n) [πλέιτ] πλάκα, πιάτο (v) επιμε-
ταλλώνω, θωρακίζω.
plate rack (n) [πλέιτ ρακ] πιατοθήκη.
plateau (n) [πλατόου] οροπέδιο.
platform (n) [πλάτφοομ] εξέδρα.
plating (n) [πλέιτινγκ] θωράκιση.
platinum (n) [πλάτιναμ] πλατίνα.
Platonic (adj) [Πλατόνικ] πλατωνικός.
platoon (n) [πλατούουν] διμοιρία.

platter (n) [πλάτερ] καραβάνα.
plausibility (n) [πλόοζι-μπίλιτι] αληθο-
φάνεια.
plausible (adj) [πλόοζι-μπλ] αληθοφανής.
play (v) [πλέι] παίζω, κάνω (n) παιχνίδι,
αναψυχή.
playactor (n) [πλέιακτα(ρ)] ηθοποιός.
playboy (n) [πλέι-μποϊ] πλάιμπόι.
player (n) [πλέιερ] παίχτης.
playful (adj) [πλέιφουλ] εύθυμος.
playing card (n) [πλέινγκ κάαντ] τρα-
πουλόχαρτο.
playing truant (adj) [πλέινγκ τρούαν-τ]
σκαστός [μαθητής] (n) σκασιαρχείο.
playwright (n) [πλέιράιτ] δραματουργός.
plea (n) [πλίι] ικεσία, απολογία.
plead (v) [πλίι-ντ] εκλιπαρώ, συνηγορώ,
δικηγορώ, προφασίζομαι.
pleading (n) [πλίι-ντινγκ] έκκληση, συ-
νηγορία, αγόρευση.
pleasant (adj) [πλέζαν-τ] ευχάριστος,
γελαστός, γλυκός.
pleasantry (n) [πλέζαν-τρι] αστείο.
please! (v) [πλίιζ] παρακαλώ!, αρέσω, ι-
κανοποιώ, καλοκαρδίζω.
pleased (adj) [πλίιζ-ντ] ευχαριστημένος.
pleasing (adj) [πλίιζινγκ] αρεστός.
pleasure (n) [πλέζζα(ρ)] χαρά, τέρψη.
pleat (n) [πλίιτ] δίπλα, πιέτα, πτυχή,
σούρα, τσάκιση (v) πτυχώνω.
pleated (adj) [πλίιτι-ντ] πτυχωτός.
pleating (n) [πλίιτινγκ] πτύχωση.
pleats (n) [πλίιτς] πλισές.
plebeian (n) [πλί-μπιαν] χυδαίος.
plebiscite (n) [πλέ-μπισάιτ] δημοψήφισμα.
plectrum (n) [πλέκτραμ] πλήκτρο.
pledge (n) [πλεντζζ] ενέχυρο (v) ενεχυ-
ριάζω, υπόσχομαι.
plenary (adj) [πλίινερι] πλήρης.
plentiful (adj) [πλέν-τιφούλ] μπόλικος.
plentitude (n) [πλέν-τιτιου-ντ] πληθώρα.
plenty (adj) [πλέν-τι] μπόλικος.

plenum (n) [πλίιναμ] πλήρες.

pleonasm (n) [πλίιοναζμ] πλεονασμός.

pleurisy (n) [πλιούρισι] πούντα.

pliability (n) [πλαϊαμπίλιτι] ευκαμψία, προσαρμοστικότητα.

pliant (adj) [πλάιαν-τ] εύκαμπτος.

pliers (n) [πλάιαζ] τανάλια, πένσα.

plight (n) [πλάιτ] χάλι.

plop (v) [πλοπ] παφλάζω.

plot (n) [πλοτ] οικόπεδο, πλοκή, μύθος, σκευωρία (v) μαγειρεύω, μηχανεύομαι.

plot against (v) [πλοτ αγκέινστ] επιβουλεύομαι.

plotting (adj) [πλότινγκ] ραδιούργος.

plough (v) [πλάου] οργώνω (n) αλέτρι.

ploughing (n) [πλάουινγκ] όργωμα.

ploughman (n) [πλάουμαν] ζευγάς.

ploughshare (n) [πλάουσσεϊρ] υνίο.

ploy (n) [πλόι] ελιγμός, μανούβρα.

pluck (v) [πλακ] μαδώ (n) σθένος.

pluck off (v) [πλακ οφ] μαδώ.

pluck up again (v) [πλακ απ αγκέιν] ξαναπαίρνω [θάρρος].

plucking (n) [πλάκινγκ] μάδημα.

plug (n) [πλαγκ] πρίζα, πώμα (v) κλείνω.

plum (n) [πλαμ] δαμάσκηνο.

plumber (n) [πλάμα] υδραυλικός.

plume (n) [πλούμ] λοφίο.

plump (adj) [πλαμ-π] ωμός, παχύς.

plunder (n) [πλάν-ντερ] αρπαγή (v) λεηλατώ.

plunge (v) [πλαν-ντζζ] βουτώ.

plural (n) [πλούραλ] πληθυντικός.

pluralism (n) [πλούραλιζμ] πλουραλισμός, πολυμερία, πολυαρχία.

pluralistic (adj) [πλουραλίστικ] πλουραλιστικός.

plus (prep) [πλας] συν [μαθ], και (n) θετική ποσότητα (adj) πρόσθετος.

plush(y) (adj) [πλάσσ[ι]] βελουδένιος.

plutocrat (n) [πλούτοκρατ] πλουτοκράτης.

plutonic (adj) [πλουουτόνικ] πλουτώνιος [γεωλ], πυριγενής.

plutonium (n) [πλουουτόουνιαμ] πλουτώνιο [χημ].

pluvial (adj) [πλουούβιαλ] βρόχινος.

ply (v) [πλάι] μπουκώνω, ταλαιπωρώ, πιέζω, οργώνω (n) δίπλα, λινό.

plywood (n) [πλάιου-ντ] κοντραπλακέ.

pneumatic (adj) [νιουμάτικ] ανάλαφρος, ευάερος, εναέριος.

pneumatic drill (n) [νιουμάτικ ντρίλ] κομπρεσέρ.

pneumonia (n) [νιουμόουνια] πνευμονία.

pneumonic (adj) [νιουμόνικ] πνευμονικός.

poacher (n) [πόατσσερ] λαθροκυνηγός, εκμεταλλευτής.

pocket (n) [πόκετ] τσέπη, σακκούλι (v) τσεπώνω, κλέβω.

pocket money (n) [πόκετ μάνεϊ] χαρτζιλίκι.

pocky (adj) [πόκι] σημαδεμένος.

podgy (adj) [πό-ντζζι] κοντόχοντρος (n) κοντοστούμπης.

poem (n) [πόεμ] ποίημα.

poet (n) [πόετ] ποιητής, βάρδος.

poetic (adj) [ποουέτικ] ποιητικός.

poetry (n) [πόουετρι] ποίηση.

poignancy (n) [πόινανσι] δριμύτητα, οξύτητα, δηκτικότητα.

poignant (adj) [πόιναντ] οξύς, δριμύς, έντονος, οδυνηρός.

point (n) [πόιν-τ] άκρη, στιγμή, έννοια, πόντος, θέμα, σημείο.

point-blank (adv) [πόιν-τ-μπλάνκ] απερίφραστα, ευθέως.

pointed (adj) [πόιν-τι-ντ] αιχμηρός, μυτερός, οξύς, σουβλερός.

pointless (adj) [πόιν-τλες] αμβλύς, ανόητος, άσκοπος.

poise (n) [πόιζ] ψυχραιμία, ισορροπία.

poison (v) [πόιζον] δηλητηριάζω (n) δηλητήριο, φαρμάκι [φαρ].

poisonous (adj) [πόιζονας] δηλητηριώδης, τοξικός, φαρμακερός.

poke (n) [πόουκ] μικρός σάκκος.

poke (v) [πόουκ] χώνω, σκαλίζω.

polar (adj) [πόουλα] πολικός.

polarity (n) [πολάριτι] πόλωσn.

polarization (n) [ποουλαραϊζέισσον] πόλωσn.

Pole (n) [Πόουλ] Πολωνός.

pole (n) [πόουλ] κοντός, ιστός.

polemics (n) [πολέμικς] πολεμική.

police (n) [πολίις] αστυνομία (v) αστυνομεύω.

police constable (n) [πολίις κόνσταμπλ] αστυφύλακας.

police lieutenant (n) [πολίις λιουτέναντ] υπαστυνόμος.

police officer (n) [πολίις όφφισερ] αστυνόμος.

police sergeant (n) [πολίις σάαρντζζεντ] ενωματάρχης.

police station (n) [πολίις στέισσον] τμήμα [αστυνομίας].

policeman (n) [πολίισμαν] αστυνομικός.

policy (n) [πόλισι] πολιτική, τακτική, πονηριά.

polio (n) [πόουλιο] πολιομυελίτιδα.

polish (v) [πόλισς] γυαλίζω, (n) λειότητα.

Polish (adj) [Πόουλισς] πολωνικός.

polished (adj) [πόλισσ-τ] στιλπνός.

polishing (n) [πόλισσινγκ] καθάρισμα, γυάλισμα.

polite (adj) [πολάιτ] ευγενής, ευγενικός.

politeness (n) [πολάιτνες] ευγένεια.

political (adj) [πολίτικαλ] πολιτικός, δημόσιος, πολιτειακός.

political party (n) [πολίτικαλ πάατι] παράταξn.

politician (adj) [πολιτίσσαν] πολιτευόμενος, πολιτευτής, πολιτικός.

politics (n) [πόλιτικς] πολιτικά.

pollen (n) [πόλεν] γύρn.

pollute (v) [πολιούτ] μολύνω.

polluting (adj) [πολιούτινγκ] ρυπαντικός.

pollution (n) [πολιούσσον] μίανσn.

polo (n) [πόουλοου] πόλο.

polygamist (n) [πολίγκαμιστ] πολύγαμος.

polygamous (adj) [πολίγκαμας] πολύγαμος, πολυγαμικός.

polyglot (n) [πόλιγκλοτ] πολύγλωσσος (adj) γλωσσομαθής.

polygon (n) [πόλιγκον] πολύγωνο.

polyp (n) [πόλιπ] πολύπους.

polyphony (n) [πολίφονι] πολυφωνία.

polysyllabic (adj) [πολισιλά-μπικ] πολυσύλλαβος.

Polytechnic (n) [Πολιτέκνικ] πολυτεχνείο.

polytheism (n) [πολιθέιζμ] πολυθεΐα, πολυθεϊσμός.

pomegranate (n) [πόμγκρανιτ] ρόδι.

pomp (n) [πομ-π] επιδεικτικότητα.

pompom (n) [πομ-πομ] λοφίο.

pomposity (n) [πομπόστι] μεγαλοπρέπεια.

pompous (adj) [πόμ-πας] στομφώδης, αγέρωχος, μεγαλοπρεπής.

ponderous (n) [πό-ντερας] περισπούδαστος.

pontiff (n) [πόν-τιφ] ποντίφηκας.

pontificate (v) [πον-τίφηκέϊτ] αρχιερατεύω, χοροστατώ, δογματίζω.

pontoon bridge (adj) [πον-τούν μπριντζζ] πλωτός (n) ζεύγμα.

pony (n) [πόουνι] πόνυ, αλογάκι.

ponytail (n) [πόουνιτεϊλ] αλογοουρά [χτένισμα].

pool (n) [πούουλ] πισίνα.

poop (n) [πούουπ] πρύμνn.

poor (adj) [πούουρ] πτωχός.

pop up (v) [ποπ απ] ξεπροβάλλω.

Pope (n) [Πόουπ] πάπας.

popgun (n) [πόπγκαν] αεροβόλο.

popinjay (adj) [πόπι-ντζζέι] λιμοκοντόρος.

poplar (n) [πόπλερ] λεύκα.

poplin (n) [πόπλιν] ποπλίνα.

poppet (n) [πόπετ] κουκλίτσα.

poppy (n) [πόπι] παπαρούνα.

populace (n) [πόπιουλις] λαουτζίκος.

popular (adj) [πόπιουλα] δημοφιλής.

popularity (n) [ποπιουλάριτι] λαϊκότητα, δημοτικότητα.

popularization (n) [πόπιουλαραϊζέισον] εκλαΐκευση.

popularize (v) [πόπιουλαραϊζ] εκλαΐκεύω.

population (n) [ποπιουλέισσον] κάτοικοι, πληθυσμός.

populistic (adj) [ποπιουλίστικ] λαϊκιστικός.

populous (n) [πόπιουλας] πολυάνθρωπος.

porcelain (adj) [πόοσελιν] πορσελάνινος (n) πορσελάνη.

porch (n) [πόοτσς] βεράντα.

pore (n) [πόο] πόρος.

pork (n) [πόοκ] χοιρίδιο, χοιρινό.

pornographer (n) [ποονόγκραφερ] πορνογράφος.

pornographic (adj) [ποονογκράφικ] πορνογραφικός.

pornography (n) [ποονόγκραφι] πορνογραφία, αισχρότητα.

porosity (n) [ποορόσιτι] πορώδης.

porous (adj) [πόορας] πορώδης.

port (n) [πόοτ] σκάλα, λιμάνι.

portable (adj) [πόοτα-μπλ] φορητός.

portend (v) [ποοτέν-ντ] προμηνύω.

portent (n) [πόοτεν-τ] θαύμα.

portentous (adj) [ποοτέντας] εντυπωσιακός, σοβαρός.

porter (n) [πόοτερ] θυρωρός, πορτιέρης, αχθοφόρος, φορέας.

porter's lodge (n) [πόοταζ λοντζζ] θυρωρείο.

portfolio (n) [ποοτφόουλιο] χαρτοφυλάκιο [μεταφ].

porthole (n) [πόοτχοουλ] φινιστρίνι.

portico (n) [πόοτικοου] στοά.

portion (n) [πόοσσον] αναλογία, δόση, παρτίδα, μερίδα, μερίδιο.

portionless (adj) [πόοσσονλες] άκληρος, άπροικος, άμοιρος.

portly (adj) [πόοτλι] ευτραφής.

portrait (n) [πόοτρετ] πορτραίτο.

portray (v) [ποοτρέι] απεικονίζω.

portrayal (n) [ποοτρέιαλ] προσωπογραφία, περιγραφή, απεικόνιση.

pose (n) [πόουζ] πόζα, στάση (v) ποζάρω, υποκρίνομαι, παριστάνω.

poseur (n) [πόουζα] φιγουρατζής.

posh (adj) [ποσς] κομψός (n) λουξ.

position (n) [ποζίσσον] τόπος.

positive (adj) [πόζιτιβ] κατηγορηματικός, συγκεκριμένος, θετικός.

positiveness (n) [πόζιτιβνες] θετικότητα.

possess (v) [ποζές] κυριαρχώ.

possessed (adj) [ποζέσο-ντ] δαιμονισμένος [μεταφ].

possession (n) [ποζέσσον] κτήση.

possessive (adj) [ποζέσιβ] κτητικός, ζηλότυπος, ατομιστής.

possessor (n) [ποζέσορ] κάτοχος.

possibility (n) [ποσι-μπίλιτι] δυνατότητα, ενδεχόμενο, πιθανότητα.

possible (adj) [πόσι-μπλ] εφικτός.

post (n) [πόουστ] ταχυδρομείο, κοντός (v) ενημερώνω, τάσσω.

post office (n) [πόουστ όφφις] ταχυδρομείο.

postal (adj) [πόουσταλ] ταχυδρομικός.

postbox (n) [πόουστ-μπόξ] γραμματοκιβώτιο.

postcard (n) [πόουστκάα-ντ] κάρτα.

postdate (v) [πόουστ-ντέιτ] μεταχρονολογώ.

poster (n) [πόουστερ] αφίσα.

posterior (adj) [ποστίριορ] μεταγενέστερος, οπίσθιος, πισινός.

posterity (n) [ποστέριτι] απόγονος.

postgraduate (adj) [πόουστγκράντζουετ] μεταπτυχιακός.

posting (n) [πόουστινγκ] ταχυδρόμηση.

postman (n) [πόουστμαν] ταχυδρόμος.

postmortem (n) [ποουστμόοτεμ] νεκροψία, αυτοψία.

postpone (v) [ποουσπόουν] αναβάλλω.

postscript (n) [πόουστοκρίπτ] υστερό-γραφο.

postulate (n) [πόστιουλετ] αξίωμα.

posture (n) [πόστσσα(ρ)] στάση.

postwar (adj) [πόουστουόρ] μεταπολεμικός.

pot (n) [ποτ] βάζο, δοχείο, αγγείο.

potash (n) [πότασς] ποτάσα, κάλι.

potassium (n) [ποτάσιαμ] κάλιο.

potato (n) [ποτέιτοου] πατάτα.

potency (n) [πόουτενσι] ισχύς.

potentate (n) [πόουτεν-τέιτ] άρχοντας, ηγεμόνας, δυνάστης.

potential (adj) [ποτένσσαλ] ενδεχόμενος (n) δυναμικό, πιθανότητα.

potentiality (n) [ποτενσσιάλιτι] δυναμικότητα, δυνατότητα.

pothead (n) [πότχε-ντ] χασικλής.

pothole (n) [πότχοουλ] λακκούβα.

potion (n) [πόουσσον] μαντζούνι.

potsherd (n) [πότσχερ-ντ] όστρακο.

potter (n) [πότερ] αγγειοπλάστης.

pottery (n) [πότερι] κεραμική.

potty (adj) [πότι] ανισόρροπος.

pouch (n) [πάουτσς] πουγγί.

poultice (n) [πόουλτις] κατάπλασμα.

poultry (n) [πόουλτρι] πουλερικά.

poultry farm (n) [πόουλτρι φάαμ] ορνιθοτροφείο (n) πτηνοτρόφος.

pounce upon (v) [πάουνς απόν] εφορμώ.

pound (n) [πάουν-ντ] λίρα Αγγλίας, λίτρο, λίμπρα (v) γροθοκοπώ.

pound sterling (n) [πάουν-ντ στέρλιν-γκ] στερλίνα.

pour (v) [πόο] χύνω, τρέχω.

poverty (n) [πόβερτι] φτώχεια.

powder (n) [πάου-ντερ] σκονάκι, σκόνη (v) πουδράρω.

powder (with) (v) [πάου-ντερ [ουίδ]] πασπαλίζω.

powder-magazine (n) [πάου-ντερ-μά-γκαζίιν] πυριτιδαποθήκη.

power (n) [πάουερ] δύναμη.

powerful (adj) [πάουερφούλ] δυνατός.

powerless (adj) [πάουερλες] ανίσχυρος.

practicable (adj) [πράκτικα-μπλ] εφαρμόσιμος, κατορθωτός.

practical (adj) [πράκτικαλ] πρακτικός.

practical joke (n) [πράκτικαλ ντζζόουκ] φάρσα, κασκαρίκα.

practice (n) [πράκτις] πρακτική, τριβή (v) ασκούμαι, ασκώ.

praetorian (n) [πρετόοριαν] πραιτωριανός.

pragmatism (n) [πράγκματισμ] πραγματισμός.

pragmatist (n) [πράγκματιστ] πραγματιστής.

praise (v) [πρέιζ] υμνώ (n) έπαινος.

praiseworthy (adj) [πρέιζγουέρδι] αξιέπαινος.

praising (n) [πρέιζινγκ] υμνολογία.

pram (n) [πραμ] καροτσάκι.

prang (n) [πρανγκ] κατόρθωμα.

prank (n) [πρανκ] διαβολιά (v) στολίζω.

prate (v) [πρέιτ] φλυαρώ.

prattle (n) [πρατλ] φλυαρία (v) σαλιαρίζω.

prawn (n) [πρόον] γαρίδα.

pray (v) [πρέι] προσεύχομαι.

prayer (n) [πρέα(ρ)] δέηση, ευχή.

prayer book (n) [πρέιερ μπουκ] σύνοψη [εκκλ], προσευχητάρι.

preach (v) [πρίτος] κηρύσσω.

preacher (n) [πρίτοσα(ρ)] ιεροκήρυκας.

preaching (n) [πρίτοσινγκ] κήρυγμα [εκκλ].

preamble (n) [πριιάμ-μπλ] πρόλογος.

precarious (adj) [πρικέαριας] αβέβαιος, αμφίβολος, ασταθής.

precaution (n) [πρικόοσσον] πρόνοια, προσοχή, προφύλαξη.

precautionary (adj) [πρικόοσσοναρι] προληπτικός.

precede (v) [πρισίι-ντ] προηγούμαι.

precedence (n) [πρέσι-ντενς] πρωτεία, προβάδισμα, προτεραιότητα.

precedent (n) [πρέσι-ντεν-τ] προηγούμενο.

preceding (adj) [πρισίι-ντινγκ] προηγούμενος, προγενέστερος.

precept (n) [πρισέπτ] αρχή, δίδαγμα, έvταλμα, εντολή, παραίνεση.

preceptor (n) [πρισέπτο] δάσκαλος.

precious (adj) [πρέσσας] πολύτιμος.

precipice (n) [πρέσιπις] απότομος, κατακόρυφος, γκρεμός.

precipitate (adj) [πρισίπιτεϊτ] απόκρημνος (v) γκρεμίζω (n) ίζημα.

precipitation (n) [πρισιπιτέισσον] επίσπευση, βία, σπουδή.

precipitous (adj) [πρεσίπιτας] απότομος.

precis (n) [πρέισι] περίληψη, σύνοψη.

precise (adj) [πρισάις] πιστός.

preciseness (n) [πρισάισνες] ευστοχία.

precisian (n) [πρισίζζαν] τυπολάτρης.

precision (n) [πρισίζζαν] ακρίβεια.

precocious (adj) [πρικόυσσες] πρώιμος.

precocity (n) [πρικόσιτι] πρωιμότητα.

precursor (n) [πρικέρσορ] προγενέστερος.

predate (v) [πρι-ντέιτ] προχρονολογώ.

predatory (adj) [πρι-ντάτρι] αρπακτικός [ζώο], ληστρικός.

predecessor (n) [πριι-ντισέσορ] προκάτοχος.

predestine (v) [πρί-ντεστιν] προκαθορίζω.

predetermine (v) [πρι-ντιτέρμιν] προκαθορίζω, προκρίνω.

predict (v) [πρι-ντίκτ] προαγγέλλω, προλέγω, προφητεύω.

predilection (n) [πριι-ντιλέκσσον] προτίμηση.

predispose (v) [πρι-ντισπόουζ] προδιαθέτω.

predisposition (n) [πρι-ντισποζζίσσον] προδιάθεση.

predominance (n) [πρι-ντόμινανς] επικράτηση, υπεροχή.

predominant (adj) [πρι-ντόμιναν-τ] επικρατέστερος.

predominate (v) [πρι-ντόμινεϊτ] κυριαρχώ, επικρατώ, προέχω.

prefabricate (v) [πριφά-μπρικεϊτ] προκατασκευάζω.

preface (n) [πρέφις] εισαγωγή, πρόλογος (v) προλογίζω.

prefect (n) [πρίιφεκτ] νομάρχης.

prefectorial (adj) [πριφεκτόριαλ] νομαρχιακός.

prefecture (n) [πριφέκτοσερ] νομός, νομαρχία, διοικητήριο.

prefer (v) [πριφέρ] προτιμώ.

preference (n) [πρέφρενς] προτίμηση, προτεραιότητα.

preferential (adj) [πρεφερένσσαλ] προνομιακός, προνομιούχος.

prefigurate (v) [πριφίγκιουρεϊτ] προεικονίζω.

prefigure (v) [πριφίγκερ] προεικονίζω.

prefix (n) [πρίιφιξ] πρόθεμα, πρόθεση [γραμμ] (v) προτάσσω.

pregnancy (n) [πρέγκνανσι] κυοφορία, εγκυμοσύνη, κύηση.

pregnant (n) [πρέγκναν-τ] έγκυος (adj) κυοφορούσα, παραγωγικός.

prehistorical (adj) [πριχιστόρικαλ] προϊστορικός.

prejudice (n) [πρέντζζου-ντις] προκατάληψη (v) προδιαθέτω.

prelacy (n) [πρέλασι] ιεραρχία.

prelate (n) [πρέλιτ] αρχιερέας.

preliminary (adj) [πρελίμιναρι] προκαταρκτικός, προκριματικός.

prelude (n) [πέλιου-ντ] προοίμιο.

premarital (adj) [πριμάριταλ] προγαμιαίος.

premature (adj) [πριματσούουρ] πρόωρος.

premeditated (adj) [πριμέ-ντιτέιτεντ] εσκεμμένος, προμελετημένος.

premeditation (n) [πριμέ-ντιτέισσον] προμελέτη.

premier (n) [πρέμιερ] πρωθυπουργός.

premium (adj) [πρίμιαμ] λαχειοφόρος (v) πριμοδοτώ.

premonition (n) [πριμονίσσον] προμήνυμα, προειδοποίηση.

preoccupied (adj) [πριόκιουπαϊντ] συλλογισμένος, σκεπτικός.

prep school (n) [πρεπ σκουλ] φροντιστήριο.

preparation (n) [πρεπαρέισσον] ετοιμασία.

preparatory (adj) [πρεπάρατερι] προκαταρκτικός.

prepare (v) [πριπέα] ετοιμάζομαι.

prepared (adj) [πριπέα-ντ] έτοιμος.

prepayment (n) [πριπέιμεν-τ] προπληρωμή, προκαταβολή.

preposition (n) [πρεποζίσσον] πρόθεση.

presage (n) [πρέσιντζζ] προμήνυμα (v) προμηνύω.

presbyopia (n) [πρεζ-μπιόουπια] πρεσβυωπία.

prescription (n) [πρισκρίποσον] εντολή.

presence (n) [πρέζενς] παρουσία.

presence of mind (n) [πρέζενς οβ μαϊν-ντ] ετοιμότητα.

present (v) [πριζέν-τ] δίδω, απονέμω, συστήνω, εμφανίζω, δωρίζω.

present (adj) [πρέζεν-τ] παρών (n) πεσκέσι, δώρο, δωρεά.

present tense (n) [πρέζεν-τ τενς] ενεστώτας.

present-day (adj) [πρέζεν-τ-ντέι] τωρινός.

presentable (adj) [πριζέν-τα-μπλ] εμφανίσιμος, ευπαρουσίαστος.

presentation (n) [πρεζεν-τέισσον] εμφάνιση, επίδοση, παρουσίαση.

presentiment (n) [πριζέν-τιμεν-τ] προαίσθηση, προαίσθημα [κακό].

preservable (adj) [πριζέρβα-μπλ] διατηρήτέος.

preservation (n) [πρεζαβέισσον] διαφύλαξη, διάσωση, συντήρηση.

preserve (v) [πριζέρβ] διασώζω (n) κονσέρβα.

preserving (adj) [πριζέρβινγκ] συντηρητικός.

preside (v) [πριζάι-ντ] προεδρεύω.

presidency (n) [πρέζι-ντενσι] προεδρία.

president (n) [πρέζι-ντεν-τ] πρόεδρος.

presidential (adj) [πρεζι-ντένσιαλ] προεδρικός.

press (adj) [πρες] δημοσιογραφικός (n) πίεση, εκτύπωση (v) ζουλώ.

press down (v) [πρες ντάουν] πατικώνω.

press photographer (n) [πρες φοτόγκραφερ] φωτορεπόρτερ.

press release (n) [πρες ριλίις] ανακοίνωση.

presscutting (n) [πρέσκάτινγκ] απόκομμα.

pressing (adj) [πρέσινγκ] επείγων (n) σιδέρωμα, στύψιμο.

pressure (n) [πρέσσερ] πίεση, σφίξιμο (v) πρεσάρω.

pressure gauge (n) [πρέσσερ γκέιντζζ] μανόμετρο, πιεσόμετρο.

pressurize (v) [πρέσσεραϊζ] πρεσάρω.

prestige (n) [πρεστίιζζ] κύρος, αίγλη.

presume (v) [πριζιούμ] υποθέτω.

presume upon (v) [πριζιούμ απόν] καταχρώμαι, αποτολμώ, εικάζω.

presumption (n) [πριζάμ-οσσον] υπόθεση, αυθάδεια, τόλμη, θράσος.

presumptive (adj) [πριζάμ-τιβ] υποθετικός, τεκμαρτός.

presumptuous (adj) [πριζάμ-σσας] υπεροπτικός, φαντασμένος.

presuppose (v) [πρισαπόουζ] προϋποθέτω.

pretence (n) [πριτένς] υπόκριση, πρόσχημα, αξίωση, φιλοδοξία.

pretend (v) [πριτέν-ντ] υποκρίνομαι, ισχυρίζομαι, αξιώ.

pretended (adj) [πριτέν-ντι-ντ] προσποιητός, ψεύτικος, πλαστός.

pretending (n) [πριτέν-ντινγκ] υπόκριση.

pretension (n) [πριτένσσον] διεκδίκηση.

pretentious (adj) [πριτένσσας] φαντασμένος, φιλόδοξος.

pretext (n) [πρίιτεξτ] δικαιολογία.

prettiness (n) [πρίτινες] ωραιότητα.

pretty (adj) [πρίτι] χαριτωμένος.
prevail (v) [πριβέιλ] επικρατώ.
prevalence (n) [πρέβαλενς] επικράτηση.
prevalent (adj) [πρέβαλεν-τ] διαδεδομένος.
prevent (v) [πριβέν-τ] εμποδίζω.
prevention (n) [πριβένσον] παρεμπόδιση.
preventive (adj) [πριβέν-τιβ] προληπτικός.
previous (adj) [πρίιβιας] πρότερος, προγενέστερος, προηγούμενος.
prewar (adj) [πριωυό(ρ)] προπολεμικός.
prey (n) [πρέι] θύμα, λεία, έρμαιο.
price (n) [πράις] αξία, τιμή, κόστος (v) τιμολογώ, τιμώμαι.
price list (n) [πράις λιστ] τιμολόγιο, διατίμηση, ταρίφα.
price tag (n) [πράις ταγκ] ετικέτα.
priceless (adj) [πράισλες] ανεκτίμητος.
prick (v) [πρικ] τρυπώ, τσιγκλώ (n) νύξη, κέντημα, πέος [αργκό].
pride (n) [πράι-ντ] υπερηφάνεια, φιλοτιμία.
pride ourselves (v) [πράι-ντ άουασέλβς] υπερηφανεύομαι.
priest (n) [πρίιστ] ιερέας.
priestess (n) [πρίιστες] ιέρεια.
priesthood (n) [πρίιστχου-ντ] ιεροσύνη.
priestly (adj) [πρίιστλι] ιερατικός.
prig (n) [πριγκ] ηθικολόγος.
priggish (adj) [πρίγκισς] ηθικολόγος, πουριτανικός, σχολαστικός.
priggishness (n) [πρίγκισονες] σεμνοτυφία.
prim (adj) [πριμ] κόσμιος, σεμνός.
primacy (n) [πράιμασι] προτεραιότητα, πρωτοκαθεδρία, πρωτεία.
primary (adj) [πράιμαρι] δημοδιδάσκαλος, πρωτογενής, βασικός.
prime (adj) [πράιμ] αρχικός, πρωταρχικός.
Prime Minister (n) [πράιμ μίνιστερ] πρωθυπουργός.
prime-ministerial (adj) [πράιμ-μινιστίριαλ] πρωθυπουργικός.
primer (n) [πράιμερ] αναγνωστικό, εισαγωγή, αλφαβητάρι.

primeval (adj) [πράιμίιβαλ] αρχέγονος, πρωτόγονος, προϊστορικός.
primitive (adj) [πρίμιτιβ] πρωτόγονος.
primordial (adj) [πραϊμόο-ντιαλ] πρωτόγονος, άγριος, άξεστος.
primrose (n) [πρίμρόουζ] κιτρινολούλουδο.
prince (n) [πρινς] ηγεμόνας, πρίγκιπας.
princedom (n) [πρίνο-ντόμ] πριγκηπάτο.
princely (adj) [πρίνσλι] ηγεμονικός.
princess (n) [πρίνσες] πριγκίπισσα.
prince's son (n) [πρίνσιζ σον] πριγκιπόπουλο.
principal (adj) [πρίνσιπαλ] προϊστάμενος (n) διευθυντής, εντολέας.
principality (n) [πρινσιπάλιτι] ηγεμονία.
principally (adv) [πρίνσιπλι] κυρίως.
principle (n) [πρίνσιπλ] νόμος, πηγή.
principles (n) [πρίνσιπλζ] έρμα.
print (n) [πριν-τ] τύπος (v) τυπώνω.
printed (adj) [πρίν-τι-ντ] έντυπος.
printed matter (n) [πρίν-τι-ντ μάτερ] έντυπο.
printer (n) [πρίν-τα] τυπογράφος.
printer's (n) [πρίν-ταζ] τυπογραφείο.
printing (adj) [πρίν-τινγκ] τυπογραφικός (n) εκτύπωση.
prior (adj) [πράια] προηγούμενος.
prior to (pr) [πράια του] πριν.
priority (n) [πραϊόριτι] προτίμηση.
prism (n) [πριζμ] πρίσμα.
prismatic (adj) [πριζμάτικ] πρισματικός, διαθλαστικός.
prison (n) [πρίζον] φυλακή.
prison warden (n) [πρίζον ουόοντεν] δεσμοφύλακας.
prisoner (adj) [πρίζονα] κατάδικος, αιχμάλωτος (n) δεσμώτης.
privacy (n) [πράιβασι] μόνωση, μοναξιά, ησυχία, απόρρητο.
private (adj) [πράιβετ] ιδιαίτερος, ιδιωτικός (n) στρατιώτης.

privately (adv) [πράιβετλι] ιδιαιτέρως.

privation (n) [πριβέισσον] στέρηση, ένδεια.

privet (n) [πρίβετ] λιγούστρο.

privilege (n) [πρίβιλιντζζ] προνόμιο.

privileged (adj) [πρίβιλιντζζ-ντ] προνομιούχος.

privy (n) [πρίβι] αποχωρητήριο, απόπατος, ο έχων νόμιμο δικαίωμα.

prize (n) [πράιζ] λαχνός, αριστείο.

prize-giving (n) [πράιζ-γκίβινγκ] βράβευση.

probability (n) [προ-μπα-μπίλιτι] πιθανότητα.

probable (adj) [πρό-μπα-μπλ] πιθανός, αληθοφανής.

probably (adv) [πρό-μπα-μπλι] ίσως.

probe (n) [πρόου-μπ] καθετήρας (v) εξετάζω.

probe into (v) [πρόου-μπ ίν-του] ξεψαχνίζω.

probing (n) [πρόου-μπινγκ] καθετηρίαση.

problem (n) [πρό-μπλεμ] πρόβλημα, ερώτημα [μεταφ].

problem(atic) (adj) [προ-μπλεμ[άτικ]] προβληματικός, δύσκολος.

proboscis (n) [πρα-μπόουσις] προβοσκίδα [εντόμου].

procedural (adj) [προουσίι-νντζζεραλ] τυπικός.

procedure (n) [προσίι-νντζζερ] διαδικασία, δικονομία.

proceed (v) [προσίι-ντ] προχωρώ, ενεργώ, μεταβαίνω.

proceeding (n) [προσίι-ντινγκ] ενέργεια, δίκη, αγωγή.

proceedings (n) [προσίι-ντινγκς] μέτρα, πεπραγμένα, πρακτικά.

proceeds (n) [προουσίι-ντς] προϊόντα.

process (n) [πρόουσες] μέθοδος, κατεργασία (v) επεξεργάζομαι.

processing (adj) [πρόουσέσινγκ] μεταποιητικός (n) επεξεργασία.

procession (n) [προσέσσον] παρέλαση, πομπή, συνοδεία.

proclaim (v) [προκλέιμ] ανακηρύσσω, διαλαλώ, διατρανώνω.

proclamation (n) [προκλαμέισσον] δημοσίευση, προκήρυξη.

proclivity (n) [προκλίβιτι] κλίση.

procrastination (n) [προουκραστινέισσον] αναβολή, καθυστέρηση.

procure (v) [προκιούα] προμηθεύω, εξασφαλίζω, ευρίσκω.

procurer (n) [προκιούρα(ρ)] μαστροπός.

procuress (n) [προκιούρες] μαστροπός [n].

prodigal (adj) [πρό-ντιγκαλ] άσωτος.

prodigious (adj) [προ-ντίντζζας] καταπληκτικός, περίφημος.

prodigy (n) [πρό-ντιντζζι] θαύμα, τέρας, σημείο, μεγαλοφυΐα.

produce (v) [πρό-ντιους] απόδοση, προϊόν, εσοδεία (v) [προ-ντιούς] παρουσιάζω, δίδω, παράγω, βγάζω.

producer (n) [προ-ντιούσα(ρ)] παραγωγός.

product (n) [πρό-ντακτ] εξαγόμενο.

production (n) [προ-ντάκοσσον] παραγωγή, επίδειξη, δημιουργία.

productive (adj) [προ-ντάκτιβ] παραγωγικός, προσοδοφόρος.

productivity (n) [προ-ντακτίβιτι] παραγωγικότητα.

profane (adj) [προφέιν] μιαρός (v) βεβηλώνω, μιαίνω.

profess (v) [προφές] επαγγέλλομαι, πρεσβεύω, διακηρύσσω.

professed (adj) [πρόφεστ] δεδηλωμένος, κηρυγμένος, φαινομενικός.

profession (n) [προφέσσον] τέχνη, επάγγελμα, ομολογία πίστεως.

professional (adj) [προφέσσοναλ] επαγγελματικός (n) τεχνίτης.

professionalism (n) [προφέσσοναλιζμ] επαγγελματισμός.

professor (n) [προφέσσο(ρ)] καθηγητής, καθηγήτρια.

proficiency (n) [προφίσσιενσι] ικανότητα, δοκιμότητα.

proficient (adj) [προφίσσεντ-τ] προοδευτικός.

profile (n) [πρόουφαϊλ] προφίλ.

profit (n) [πρόφιτ] κέρδος, απολαβή, ωφέλεια (v) κερδίζω.

profitability (n) [προφιτα-μπίλιτι] αποδοτικότητα, κερδοφορία.

profitable (adj) [πρόφιτα-μπλ] επικερδής.

profiteer (n) [πρόφιτίιρ] κερδοσκόπος.

profiteering (n) [προφιτίιρινγκ] αισχροκέρδεια.

profligate (adj) [πρόφλιγκεϊτ] ανήθικος.

profound (adj) [προφάουν-ντ] εμβριθής, περισπούδαστος, βαθύς.

profoundly (adv) [προφάουν-ντλι] κατάκαρδα, βαθιά.

profundity (n) [προφάν-ντιτι] εμβρίθεια, βαθύτητα, άβυσσος.

profusely (adv) [προφιούσλι] κατάφωτα.

profusion (n) [προφιούζζιον] αφθονία.

progenitor (n) [προουντζζένιτα] γεννήτορας, πρόγονος.

progeny (n) [πρόντζζενι] φάρα.

prognosis (n) [προγκνόουσις] πρόγνωση.

prognosticate (v) [προγκνόστικεϊτ] προβλέπω, προμηνύω.

prognostication (n) [προγκνοστικέισσον] πρόγνωση, σημείο.

programmer (n) [προγκράμερ] προγραμματιστής.

programme (adj) [πρόουγκραμ] προγραμματικός (v) προγραμματίζω (n) πρόγραμμα.

programming (n) [πρόουγκραμινγκ] προγραμματισμός.

progress (v) [προγκρές] διεισδύω, προχωρώ (n) [πρόουγκρες] πρόοδος, εξέλιξη.

progression (n) [προγκρέσσον] πρόοδος [μαθημ], εξέλιξη.

progressive (adj) [προγκρέσιβ] προοδευτικός, βαθμιαίος.

prohibit (v) [προουχί-μπιτ] απαγορεύω, εμποδίζω.

prohibition (n) [προουχι-μπίσσον] απαγόρευση.

project (v) [προντζζέκτ] εξέχω.

projectile (n) [πρόντζζεκταϊλ] βλήμα.

projection (n) [προντζζέκσσον] προεξοχή, βολή, ρίψη.

projector (n) [προντζζέκτορ] προβολέας.

proletarian (adj) [προουλιτέαριαν] προλεταριακός (n) προλετάριος.

proletariat (n) [προουλιτέαριατ] προλεταριάτο.

prolific (adj) [προλίφικ] γόνιμος.

prologue (n) [πρόουλογκ] πρόλογος.

prolong (v) [προλόνγκ] εκτείνω.

prolongation (n) [προουλονγκέισσον] παράταση, εξακολούθηση.

promenade (n) [προμενάα-ντ] περίπατος, τσάρκα (v) περιπατώ.

prominence (n) [πρόμινενς] εξοχότητα, υπεροχή, σπουδαιότητα.

prominent (adj) [πρόμινεν-τ] προεξέχων, έντονος, πεταχτός.

promiscuity (n) [προμισκιούιτι] ασυδοσία, συνονθύλευμα.

promiscuous (adj) [προμίσκιουας] ασύδοτος, πολυγαμικός.

promise (n) [πρόμις] υπόσχεση, τάμα (v) τάζω, υπόσχομαι.

promising (adj) [πρόμισινγκ] ελπιδοφόρος, ενθαρρυντικός.

promissory (adj) [προμίσορι] υποσχετικός.

promontory (n) [πρόμον-τρι] ακρωτήριο.

promote (v) [προμόουτ] προβιβάζω, προάγω, αναδεικνύω.

promoter (n) [προμόουτερ] μοχλός.

promotion (n) [προμόουσσον] προαγωγή, προβολή.

prompt (adj) [προμ-πτ] ταχύς, γρήγορος, πρόθυμος.

prompter (n) [πρόμ-πτερ] υποβολέας,

υποκινητής, παρακινητής.

prompting (n) [πρόμ-πτινγκ] παρακίνηση, παρόρμηση, προτροπή.

promptitude (n) [πρόμ-πτιτιου-ντ] προθυμία, ταχύτητα.

promptly (adv) [πρόμ-πτλι] αμελητί, παρευθύς, γρήγορα, αμέσως.

promptness (n) [πρόμ-πτ-νες] αμεσότητα, ταχύτητα, ζωηρότητα.

promulgation (n) [προμαλγκέισσον] δημοσίευση [νόμου].

prone (adj) [πρόουν] μπρούμυτα.

proneness (n) [πρόουνες] τάση.

pronoun (n) [πρόναουν] αντωνυμία.

pronounce (v) [προνάουνς] αποφαίνομαι.

pronunciation (n) [προνανσιέισσον] προφορά.

proof (n) [προύουφ] απόδειξη.

proofreader (n) [προύουφρρί-ντερ] διορθωτής.

prop (n) [προπ] στήριγμα, υποστήριγμα (v) στηρίζω.

prop up (v) [προπ απ] στυλώνω.

propaganda (adj) [προπαγκάν-ντα] προπαγανδιστικός (n) προπαγάνδα.

propagandist (n) [προπαγκάν-ντιστ] προπαγανδιστής, διαφωτιστής.

propagandize (v) [προπαγκάν-νταϊζ] προπαγανδίζω.

propagate (v) [πρόπαγκεϊτ] αναπαράγω, πολλαπλασιάζω.

propagation (n) [προπαγκέισσον] πολλαπλασιασμός, αναπαραγωγή.

propeller (n) [προπέλερ] προπέλα.

propensity (n) [προπένοιτι] ροπή.

proper (adj) [πρόπερ] αρμόζων, ικανός.

propertied (adj) [πρόπερτι-ντ] εύπορος.

property (adj) [πρόπερτι] ακίνητος [περιουσία] (n) κτήμα, ποιόν, βίος.

prophecy (n) [πρόφεσι] προφητεία (v) προμαντεύω, χρησμοδοτώ.

prophet (n) [πρόφιτ] προφήτης.

prophetic (adj) [προφέτικ] προφητικός.

prophylactic (n) [προφιλάκτικ] προφυλακτικό.

propitious (adj) [προπίσσας] ευμενής, ευνοϊκός, αρμόδιος.

proportion (n) [προπόοσσον] αναλογία, συμμετρία, λόγος, σχέση.

proportional (adj) [προπόοσσοναλ] αναλογικός.

proportionate (adj) [προπόοσσονετ] ανάλογος.

proposal (n) [προπόουζαλ] προσφορά.

propose (v) [προπόουζ] εισηγούμαι.

proprietor (n) [προπράιετορ] ιδιοκτήτης, κτηματίας, κύριος.

propriety (n) [προπράιετι] ευπρέπεια, ορθότητα, σκοπιμότητα.

propulsion (n) [προπάλσσιον] προώθηση.

propulsive (adj) [προπάλσιβ] προωθητικός.

propylaea (n) [προπίλια] προπύλαια.

proscenium (n) [προσίνιαμ] προσκήνιο.

proscribe (v) [προσκράι-μπ] απαγορεύω, διώκω, εξορίζω.

proscription (n) [προσκρίπσσον] αποκήρυξη, προγραφή.

prose (n) [πρόουζ] πεζογραφία.

prosiness (n) [πρόουζινές] πεζότητα.

prospect (n) [πρόσπεκτ] προσδοκία, ελπίδα, πιθανότητα, άποψη.

prospective (adj) [προσπέκτιβ] μελλοντικός, πιθανός.

prospector (n) [προσπέκτορ] χρυσοθήρας.

prospectus (n) [πρασπέκτας] προσπέκτους.

prosper (v) [πρόσπερ] ευδοκιμώ.

prosperity (n) [προσπέριτι] ευδαιμονία.

prosperous (adj) [πρόσπερας] καλότυχος.

prostate (n) [πρόστεϊτ] προστάτης.

prostitute (n) [πρόστιτιουτ] πόρνη (v) εκπορνεύω.

prostitution (n) [προστιτιούσσον] πορνεία, εκπόρνευση.

prostration (n) [προστρέισσον] προσκύνηση, εξάντληση, συντριβή.

protagonist (n) [προτάγκονιστ] πρωταγωνιστής.

protect (v) [προτέκτ] διαφυλάσσω.

protecting (adj) [προτέκτινγκ] προστατευτικός.

protection (n) [προτέκσσον] προάσπιση, προστασία, σκέπη.

protective (adj) [προτέκτιβ] προστατευτικός, προφυλακτικός.

protector (n) [προτέκτορ] πρόμαχος, προστάτης, υπερασπιστής.

protectorate (n) [προτέκτορετ] προτεκτοράτο, αντιβασιλεία.

protégé (n) [πρότεζζεϊ] προστατευόμενος.

protein (n) [πρόουτίν] πρωτεΐνη.

protest (n) [προύτεστ] διαμαρτυρία, εξέγερση (v) [προτέστ] διακηρύσσω.

Protestant (n) [Πρότεσταν-τ] Προτεστάντης (adj) προτεσταντικός.

protestation (n) [προτεστέισσον] κατακραυγή, διακήρυξη.

protocol (n) [πρόουτοκολ] πρωτόκολλο, εθιμοτυπία, ετικέττα.

protogenic (adj) [προουτοντζζένικ] πρωτογενής.

proton (n) [πρόουτον] πρωτόνιο.

protract (v) [προτράκτ] παρατείνω.

protraction (n) [προτράκσσον] παράταση.

protractor (n) [προτράκτα(ρ)] γνώμονας.

protrude (v) [προτρούου-ντ] προεξέχω, εξέχω, προεκβάλλω, εξωθώ.

protrusion (n) [προτρούουζζον] εξώθηση, προεξοχή.

protuberance (n) [προτιού-μπερανς] προεξοχή, όγκωμα.

proud (adj) [πράου-ντ] αλαζών, υπερόπτης, φαντασμένος.

prove (v) [προυβ] αποδεικνύω.

provenance (n) [πρόβενανς] προέλευση.

proverb (n) [πρόβερ-μπ] παροιμία.

proverbial (adj) [προβέρ-μπιαλ] παροι-

μιακός, παροιμιώδης.

provide (v) [προβάι-ντ] εφοδιάζω, προμηθεύω, προσπορίζω.

provided (conj) [προβάι-ντι-ντ] εφόσον.

providence (n) [πρόβι-ντενς] πρόνοια.

provident (adj) [πρόβι-ντεν-τ] προνοητικός.

providential (adj) [προβι-ντένσσαλ] θεόπεμπτος.

provider (n) [προβάι-ντα(ρ)] κουβαλητής, προμηθευτής.

province (n) [πρόβινς] αρμοδιότητα, δικαιοδοσία, επαρχία, νομός.

provincial (adj) [προβίνσσαλ] επαρχιακός.

provision (n) [προβίζζον] προμήθεια, ρήτρα (v) τροφοδοτώ.

provisional (adj) [προβίζζοναλ] προσωρινός.

provisions (n) [προβίζζονζ] παρακαταθήκη, τρόφιμα, εφόδιο.

proviso (n) [προβάιζοου] ρήτρα.

provisory (adj) [προβάιζορι] μεταβατικός.

provocation (n) [πρόβοκέισσον] προβοκάτσια, πρόκληση.

provocative (adj) [προβόκατιβ] προκλητικός.

provoke (v) [προβόουκ] προκαλώ.

provoking (adj) [προβόουκινγκ] προκλητικός.

prow (n) [πράου] πλώρη, πρώρα.

prowess (n) [πράουες] θάρρος.

proximity (n) [προξίμιτι] εγγύτητα.

proxy (adj) [πρόξι] πληρεξούσιος.

prude (n) [προύου-ντ] χαμηλοβλεπούσα.

prudence (n) [προύου-ντενς] περίσκεψη, σύνεση, φρόνηση.

prudent (adj) [προύου-ντεν-τ] συνετός, σώφρονας, γνωστικός.

prudery (n) [προύου-ντερι] σεμνοτυφία.

prudish (adj) [προύου-ντισς] σεμνότυφος.

prune (v) [προύουν] κλαδεύω (n) δαμάσκηνο [ξηρό].

pruning (n) [προύουνινγκ] κλάδεμα.

pruning scissors (n) [προύνινγκ σίζαζ] κλαδευτήρι, ψαλίδι.

pry (about) (v) [πράι [α-μπάουτ]] πασπατεύω.

psalm (n) [σάαμ] ψαλμός.

psalter (n) [σόολτερ] ψαλτήριο.

pseudonym (n) [σού-ντονιμ] ψευδώνυμο.

psoriasis (n) [σοράιασις] ψωρίαση.

psychiatric (adj) [σαϊκιάτρικ] ψυχιατρικός.

psychiatrist (n) [σαϊκάιατριστ] ψυχίατρος.

psychiatry (n) [σαϊκάιατρι] ψυχιατρική.

psychoanalyse (v) [σαϊκοουάναλαϊζ] ψυχαναλύω.

psychoanalyst (n) [σαϊκοουάναλιστ] ψυχαναλυτής.

psychological (adj) [σαϊκολόντζζικαλ] ψυχολογικός.

psychotherapeutic (adj) [σαϊκοουθεραπιούτικ] ψυχοθεραπευτικός.

psychotherapist (n) [σαϊκοουθέραπιστ] ψυχοθεραπευτής.

pub (n) [πα-μπ] μπυραρία.

puberty (n) [πιού-μπατι] εφηβεία.

pubic (adj) [πιού-μπικ] ηβικός.

public (adj) [πά-μπλικ] δημόσιος (n) κοινό.

public finance (n) [πά-μπλικ φάινανς] δημοσιονομία.

publican (n) [πά-μπλικαν] ταβερνιάρης.

publication (n) [πα-μπλικέισσον] δημοσίευση, έκδοση.

publicity (n) [πα-μπλίσιτι] δημοσιότητα.

publicize (v) [πά-μπλισαϊζ] κοινολογώ.

publicly (adv) [πά-μπλικλι] δημόσια.

publish (v) [πά-μπλισς] δημοσιεύω, εκδίδω, τυπώνω.

publisher (n) [πά-μπλισσερ] εκδότης.

publishing (adj) [πά-μπλισοινγκ] εκδοτικός.

publishing house (n) [πά-μπλισσινγκ χάους] εκδοτικός οίκος.

pudding (n) [πού-ντινγκ] πουτίγκα.

puddle (n) [πα-ντλ] λακκούβα.

pudenda (n) [πιου-ντέν-ντα] αιδοίο.

puerile (adj) [πιουέραϊλ] παιδαριώδης.

puff (n) [παφ] ρουφηξιά [καπνού] (v) ασθμαίνω, ξεφυσώ, φυσώ.

puffed up (adj) [παφ-τ απ] φουσκωμένος.

puffy (adj) [πάφι] λαχανιασμένος.

pugilism (n) [πιούντζζιλιζμ] πυγμαχία.

puke (n) [πιούκ] ξέρασμα, ξερατό.

pull (n) [πουλ] ολκή, τραβηξιά (v) ελκύω, έλκω, ρυμουλκώ, σέρνω.

pulley (n) [πούλι] τροχαλία.

pulling (n) [πούλινγκ] έλξη.

pulp (v) [παλπ] λιώνω (n) λιώμα.

pulping (n) [πάλπινγκ] λιώσιμο.

pulpit (n) [πάλπιτ] άμβωνας.

pulpy (adj) [πάλπι] σαρκώδης.

pulsate (v) [παλσέιτ] πάλλομαι.

pulsation (n) [παλσέισσον] σφύξη.

pulse (n) [παλς] σφυγμός, όσπριο.

pulverisation (n) [παλβεραϊζέισσον] κονιορτοποίηση.

pumice (n) [πάμις] αλαφρόπετρα.

pump (n) [παμ-π] αντλία, τρόμπα (v) αντλώ, ξεψαχνίζω.

pumpkin (n) [πάμ-πκιν] κολοκύθα.

pun (n) [παν] καλαμπούρι (v) καλαμπουρίζω.

punch (n) [παν-τος] τρυπητήρι, μπουνιά (v) γρονθοκοπώ.

punctual (adj) [πάνκτοσσουαλ] ακριβής [σε ραντεβού], συνεπής.

punctuation (n) [πανκτοουέισσον] στίξη.

puncture (n) [πάνκτοσσα(ρ)] παρακέντηση (v) ξεφουσκώνω.

pundit (n) [πάν-ντιτ] αυθεντία.

pungency (n) [πάν-ντζζενσι] σπιρτάδα.

punish (v) [πάνισς] τιμωρώ.

punishable (adj) [πάνισσα-μπλ] αξιόποινος, κολάσιμος.

punishment (n) [πάνισσμεν-τ] ποινή.

punk (n) [πάνκ] πανκ, άχρηστος.

punster (n) [πάνστερ] καλαμπουρτζής.

punt (v) [παν-τ] στοιχηματίζω (n) βάρκα.

puny (adj) [πιούνι] σπιθαμαίος.
pupil (n) [πιούπιλ] κόρη [οφθαλμού], μαθήτρια, μαθητής.
puppet (n) [πάπετ] μαριονέτα.
puppet show (n) [πάπετ σόου] κουκλοθέατρο.
puppy (n) [πάπι] κουτάβι.
purchase (n) [πέρτσοες] αγορά (v) αγοράζω.
purchaser (n) [πέρτσοεσερ] αγοραστής.
pure (adj) [πιούα(ρ)] ανόθευτος.
puree (n) [πιούρεϊ] πολτός.
purgative (n) [πέργκατιβ] καθάρσιο.
purge (n) [περντζζ] καθαρτικό (v) εξαγνίζω, απαλλάσσω.
purification (n) [πιουριφικέισσον] εξαγνισμός.
purify (v) [πιούριφαϊ] εξαγνίζω.
purist (n) [πιούριστ] καθαρευουσιάνος.
puritan (n) [πιούριταν] πουριτανός.
puritanism (n) [πιούριτανιζμ] πουριτανισμός.
purity (n) [πιούριτι] καθαρότητα.
purl (v) [περλ] κελαρύζω.
purloin (v) [περλόιν] υπεξαιρώ.
purple (adj) [περπλ] κατακόκκινος (n) πορφύρα, μωβ χρώμα.
purported (adj) [περπόοτι-ντ] θεωρούμενος.
purpose (n) [πέρπας] πρόθεση.
purposely (adv) [πέρποολι] επίτηδες, οικειοθελώς [κάνω κάτι].
purr (v) [περ] γουργουρίζω.
purse (n) [περς] μπεζαχτάς.
purser (n) [πέρσερ] λογιστής.
purslane (n) [πέρσλιν] αντράκλα.
pursuance (n) [περσούανς] εκτέλεση [σχεδίου], συνέχιση, εφαρμογή.

pursue (v) [περσιού] διώκω, καταζητώ (n) αναζήτηση.
pursuit (n) [περσιούτ] επιδίωξη.
purveyor (n) [περβέιορ] προμηθευτής.
purview (n) [περβιού] διατακτικό.
pus (n) [πας] έμπυο, πύον.
push (n) [πουσς] ενεργητικότητα, ώθηση (v) σκουντώ, ωθώ.
push aside (v) [πουσς ασάιν-ντ] μεριάζω.
pushcart (n) [πούσσκάατ] χειράμαξα.
pushful (adj) [πούσσφουλ] πιεστικός, επιθετικός.
pushing (n) [πούσσινγκ] ώθηση (adj) επιθετικός, πιεστικός.
pushpin (n) [πούσσπιν] πινέζα [ΗΠΑ].
puss (n) [πους] γάτα, κορίτσι.
pussy (n) [πούσι] ψιψίνα, αιδοίο.
put (v) [πουτ] θέτω, τάσσω, βάζω.
put aside (v) [πουτ ασάι-ντ] αποταμιεύω.
put off (v) [πουτ οφ] αναβάλλω.
put up (v) [πουτ απ] ανεγείρω, στήνω, ανοίγω.
putrefaction (n) [πιουτριφάκσσον] σήψη.
putridity (n) [πιουτρί-ντιτι] σαπίλα.
putting (n) [πούτινγκ] τοποθέτηση.
putting right (n) [πούτινγκ ράπ] διόρθωση.
putty (n) [πάτι] στόκος.
puzzle (n) [παζλ] σπαζοκεφαλιά.
puzzled (adj) [παζλ-ντ] απορημένος.
Pygmy (n) [Πίγκμι] Πυγμαίος (adj) σπιθαμαίος.
pyramid (n) [πίραμι-ντ] πυραμίδα.
pyrites (n) [πιράιτιζ] πυρίτης.
pyromaniac (adj) [παϊροουμείνιακ] πυρομανής.

Q, q [κιού] το δέκατο έβδομο γράμμα του αγγλικού αλφαβήτου.

quack (n) [κουάκ] αγύρτης, αλμπάνης.

quackery (n) [κουάκερι] αγυρτεία.

quadrangle (n) [κουό-ντρανγκλ] τετράγωνο.

quadrangular (adj) [κουο-ντράνγκιουλάρ] τετραγωνικός.

quadrate (v) [κουό-ντρεϊτ] τετραγωνίζω, ανταποκρίνομαι.

quadratic (adj) [κουο-ντράτικ] τετραγωνικός.

quadrillion (n) [κουοντρίλιον] τετρακισεκατομμύριο.

quadruped (n) [κουο-ντρούουπ-τ] τετράποδο [ζωολ].

quadruple (v) [κουό-ντρουπλ] τετραπλασιάζω.

quadruplets (n) [κουο-ντρούουπλιτς] τετράδυμα.

quag (n) [κουάγκ] βάλτος, τέλμα.

quaggy (adj) [κουάγκι] βαλτώδης, μαλακός.

quail (v) [κουέιλ] τρεμώ, δειλιάζω.

quail (n) [κουέιλ] ορτύκι.

quaint (adj) [κουέιν-τ] παράξενος.

quake (v) [κουέικ] τρέμω, ριγώ.

qualification (n) [κουαλιφικέισσον] προσόν, τίτλος, περιγραφή.

qualified (adj) [κουόλιφαϊ-ντ] κατάλληλος.

qualify (v) [κουόλιφαϊ] χαρακτηρίζω, εξουσιοδοτώ, περιορίζω.

qualify for (v) [κουόλιφαϊ φοο] δικαιούμαι.

qualitative (adj) [κούολιτατιβ] ποιοτικός.

quality (adj) [κουόλιτι] εξαίρετος (n) προσόν.

qualm (n) [κουάμ] ενδοιασμός.

quandary (n) [κουόνταρι] αμηχανία.

quantity (n) [κουόντιτι] ποσότητα.

quantitative (adj) [κουόν-τιτατιβ] ποσοτικός (n) ποσότητα, χρόνος.

quantum (n) [κουάν-ταμ] κβάντο [φυσ].

quarantine (n) [κουόραν-τιν] απομόνωση.

quarrel (n) [κουόρελ] διαμάχη, επεισόδιο [καβγάς], έριδα (v) διαπληκτίζομαι.

quarrelling (n) [κουόρελινγκ] μάλωμα.

quarrelsome (adj) [κουόρελσαμ] εριστικός.

quarry (n) [κουόρι] θήραμα, λατομείο.

quarter (n) [κουόστα(ρ)] τέταρτο, συνοικία.

quarter of an hour (n) [κουόορτερ οβ εν άουα] τέταρτο.

quarterdeck (n) [κουόοτερ-ντεκ] καρέ [πολ ναυτ].

quarterly (adj) [κουόοταλι] τριμηνιαίος.

quartermaster (n) [κουόορταμάαστερ] σιτιστής.

quarter's rent (n) [κουόοτα ρεν-τ] τριμηνία, τρίμηνο.

quartet (n) [κουοοτέτ] κουαρτέτο.

quarto (n) [κουοοτοου] τέταρτο.

quartz (n) [κουόοτς] χαλαζίας.

quash (v) [κουόσς] καταργώ.

quaternary (adj) [κουοτάρνερι] τετραδικός.

quaver (n) [κουέιβερ] τρεμουλα (v) τρέμω.

quay (n) [κιι] αποβάθρα.

queen (n) [κουίιν] ντάμα, βασίλισσα.

queen mother (n) [κουίιν μάδερ] βασιλομήτωρ.

queer (adj) [κουίρ] αλλόκοτος, παράξενος, εκκεντρικός (n) αδελφή [αργκό].

quell (v) [κουέλ] καταστέλλω, καταπνίγω.

quench (v) [κουέν-τος] σβήνω, ικανοποιώ.

quench one's thirst (v) [κουέν-τος ουάν'ς θερστ] ξεδιψώ.

quenching (n) [κουέν-τσοιινγκ] κατάσβεση.

querist (n) [κουίιριστ] εξεταστής.

querulous (adj) [κουέριουουλας] μεμψίμοιρος, γκρινιάρης.

query (n) [κουέρι] ερώτηση, επερώτηση.

quest (n) [κουέστ] αναζήτηση.

question (n) [κουέστσσον] ζήτημα, ερώτηση (v) ερωτώ, διαμφισβητώ.

question mark (n) [κουέστον μάακ] ερωτηματικό.

questionable (adj) [κουέστσσοναμπλ] αμφίβολος, συζητήσιμος.

questioning (adj) [κουέστσσονινγκ] ερωτηματικός, ερευνητικός.

questionnaire (n) [κουεστσσονέα] ερωτηματολόγιο.

queue (n) [κιού] ουρά (v) περιμένω.

quibble (n) [κουί-μπλ] υπεκφυγή, σοφιστεία, λογοπαίγνιο.

quibbler (n) [κουί-μπλα(ρ)] σοφιστής.

quibbling (n) [κουί-μπλινγκ] στρεψοδικία.

quick (adj) [κουίκ] αστραπαίος, γρήγορος.

quick-witted (adj) [κουίκ-ουίτιντ] εύστροφος.

quicken (v) [κουίκεν] επιταχύνω.

quickly (adv) [κουίκλι] γρήγορα.

quickness (n) [κουίκνες] ταχύτητα.

quickness of mind (n) [κουίκνες οβ μάιν-ντ] αντίληψη.

quicksilver (n) [κουίκσιλβερ] υδράργυρος.

quiescence (n) [κουι-έσενς] ηρεμία.

quiescency (n) [κουιέσενσι] ηρεμία.

quiet (adj) [κουάιετ] ήρεμος, γαλήνιος (n) γαλήνη, ησυχία (v) ησυχάζω, ηρεμώ.

quietness (n) [κουάιετνες] ηρεμία, ησυχία.

quietude (n) [κουάιετιουντ] γαλήνη, ηρεμία.

quiff (n) [κουίφ] αφέλεια [μαλλιών].

quilt (v) [κουίλτ] καπιτονάρω.

quince (n) [κουίνς] κυδώνι.

quinine (n) [κούινιιν] κινίνο.

quintessence (n) [κουιν-τέσενς] πεμπτουσία, απόσταγμα [μεταφ].

quintet (n) [κουιν-τέτ] κουιντέτο.

quip (v) [κουίπ] ευφυολογώ (n) ευφυολόγημα.

quisling (adj) [κουίσλινγκ] δοσίλογος.

quit (v) [κουίτ] αφήνω, εγκαταλείπω.

quite (adv) [κουάιτ] ολωσδιόλου.

quits (n) [κουίτς] πάτσι.

quittance (n) [κουίτανς] εξόφληση.

quiver (n) [κουίβα(ρ)] τρεμούλα, ανατριχίλα (v) σπαράζω, τρεμουλιάζω.

quoit (n) [κουόιτ] αμάδα.

quota (n) [κουόουτα] μερίδα, ποσοστό.

quotability (n) [κουοουτα-μπίλιτι] αξιομνημόνευτο.

quotable (adj) [κουόουτα-μπλ] αξιομνημόνευτος, μνημονεύσιμος.

quotation (n) [κουοουτέισσον] χωρίο.

quote (v) [κουόουτ] αναφέρω, μνημονεύω.

quotidian (adj) [κουοουτί-ντιαν] καθημερινός (n) πυρετός.

quotient (n) [κουόουσσεν-τ] πηλίκο [μαθημ].

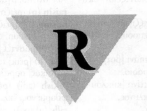

R, r (n) [αρ] το δέκατο όγδοο γράμμα του αγγλικού αλφαβήτου.

rabbet (n) [ράμπιτ] αυλάκι, αρμός, αγαθός.

rabbi (n) [ρά-μπαϊ] ραβίνος.

rabbit (n) [ρά-μπιτ] κουνέλι, φοβιτσιάρης, ατζαμής.

rabbity (adj) [ράμπιτι] ασήμαντος.

rabble (n) [ρα-μπλ] λαουτζίκος.

rabid (adj) [ρέι-μπι-ντ] λυσσαλέος.

rabies (n) [ρέι-μπιζ] λύσσα.

race (n) [ρέις] κούρσα, αγωγός, κοίλωμα, γενιά, ράτσα (v) μαρσάρω, τρέχω.

racecourse (n) [ρέισκοος] ιπποδρόμιο.

races (n) [ρέισις] ιπποδρομίες.

racetrack (n) [ρέιστράκ] στίβος.

racial (adj) [ρέισσαλ] φυλετικός.

racism (n) [ρέισιζμ] ρατσισμός.

racist (n) [ρέιοιστ] ρατσιστής.

rack (n) [ρακ] σχάρα, καλαμωτή (v) βασανίζω [το μυαλό].

rack up (v) [ρακ απ] διεξάγω.

racket (n) [ράκετ] ρακέτα [αθλητ].

racketeer (n) [ρακετία(ρ)] κομπιναδόρος.

racking (adj) [ράκινγκ] βασανιστικός.

racquet (n) [ράκετ] ρακέτα.

radar (n) [ρέι-νταα(ρ)] ραντάρ.

radial (adj) [ρέι-ντιαλ] ακτινωτός.

radiance (n) [ρέι-ντιανς] λάμψη.

radiant (adj) [ρέι-ντιαν-τ] ακτινοβόλος (n) φεγγοβόλος.

radiate (v) [ρέι-ντιεϊτ] ακτινοβολώ.

radiating (adj) [ρεϊ-ντιέιτινγκ] ακτινοβόλος.

radiation (n) [ρεϊ-ντιέισσον] ακτινοβολία.

radiator (n) [ρεϊ-ντιέιτο(ρ)] ακτινοπομπός, καλοριφέρ.

radical (adj) [ρά-ντικαλ] ριζικός (n) ριζοσπάστης.

radically (adv) [ρά-ντικλι] άρδην.

radicalism (n) [ράντικαλιζμ] ριζοσπαστισμός, ραντικαλισμός.

radio (adj) [ρέι-ντιοου] ραδιοφωνικός (n) ράδιο [ραδ], ραδιόφωνο.

radio station (n) [ρέι-ντιοου στέισσον] ραδιοσταθμός.

radio technician (n) [ρέι-ντιοου τεκνίσσαν] ραδιοτεχνίτης.

radio transmitter (n) [ρέι-ντιοου τραανσμίτερ] ραδιοπομπός.

radioactive (adj) [ρεϊ-ντιοουάκτιβ] ραδιενεργός, ακτινεργός.

radioactivity (n) [ρεϊ-ντιοουακτίβιτι] ραδιενέργεια.

radiograph (n) [ρέι-ντιοουγκρααφ] ακτινογραφία, ραδιογράφημα.

radiographer (n) [ρεϊ-ντιόγκραφερ] ακτινολόγος.

radiologist (n) [ρεϊ-ντιόλοντζζιστ] ακτινολόγος.

radiology (n) [ρεϊ-ντιόλοντζζι] ραδιολογία.

radiotherapy (n) [ρεϊ-ντιοουθέραπι] ακτινοθεραπεία.

radish (n) [ρά-ντιος] ραπάνι [βοτ].

radium (n) [ρέι-ντιαμ] ράδιο.

radius (n) [ρέι-ντιας] ακτίνα [κύκλου].

raffish (adj) [ράφισσ] έκλυτος.

raffle (n) [ραφλ] λαχείο.

raft (n) [ράαφτ] σχεδία.

rafter (n) [ράαφτερ] δοκάρι.

rag (n) [ραγκ] υπόλειμμα, ράκος.

rag (newspaper) (n) [ραγκ [νιούσπεϊπερ]] φυλλάδα [μεταφ].

rag-and-bone man (n) [ραγκ-αν-μπόουν μαν] ρακοσυλλέκτης.

ragamuffin (adj) [ράγκαμάφιν] ρακένδυτος, κουρελής, ψωριάρης.

rage (n) [ρέιντζζ] μανία, θυμός (v) λυσσάω.

ragged (adj) [ράγκι-ντ] ατημέλητος, τραχύς, ανώμαλος.

ragging (n) [ράγκινγκ] καζούρα.

raging (adj) [ρέιντζζινγκ] παροργισμένος.

ragman (n) [ράγκμάν] ρακοσυλλέκτης.

ragout (n) [ραγκού] ραγού, γιαχνί.

raid (v) [ρέι-ντ] κουρσεύω (n) επιδρομή.

rail (n) [ρέιλ] κιγκλίδωμα, ράβδος.

railings (n) [ρέιλινγκζ] κάγκελο.

raillery (n) [ρέιλερι] πείραγμα.

railroad (n) [ρέιλρόου-ντ] σιδηρόδρομος.

railway (n) [ρέιλουεϊ] σιδηρόδρομος, τροχιόδρομος.

railway track (n) [ρέιλγουέι τρακ] σιδηροτροχιά [σιδηρ].

rain (n) [ρέιν] βροχή (v) βρέχω.

rainbow (n) [ρέιν-μπποου] ίριδα.

raincoat (n) [ρέινκοουτ] αδιάβροχο.

rainfall (n) [ρέινφοολ] βροχόπτωση.

rainwater (n) [ρέινουοτα(ρ)] βροχή.

rainy (adj) [ρέινι] βροχερός.

raise (v) [ρέιζ] αίρω, ανεβάζω, ανυψώνω, στήνω, βγάζω.

raisin (n) [ρέιζαν] σταφίδα.

raising (n) [ρέιζινγκ] άρση [μεταφ], έγερση, ύψωση, σήκωμα.

raj (n) [ράαντζζ] εξουσία.

rake (n) [ρέικ] τσουγκράνα, χαροκόπος, γυναικάς, παραλυμένος (v) σαρώνω.

rakish (adj) [ρέικιος] ακόλαστος, διεφθαρμένος, έκλυτος, μάγκικος.

rally (n) [ράλι] αυτοκινητοδρομία, κινητοποίηση, συναγερμός (v) ανασυγκροτώ.

ram (v) [ραμ] κριός, έμβολο.

Ramadan (n) [Ράμα-νταν] ραμαζάνι.

ramble (n) [ραμ-μπλ] περιπλάνηση (v) πλανώμαι.

ramify (v) [ράμιφαϊ] υποδιαιρούμαι, εκβλαστάνω, περιπλέκομαι.

ramp (n) [ράμ-π] ράμπα, απάτη.

rampage (n) [ραμ-πέιντζζ] θορυβώδης, νεύρα (v) λυσσάω.

rampant (adj) [ράμ-παν-τ] άγριος, ασυγκράτητος, βίαιος, επιθετικός.

rampart (n) [ράμ-παατ] έπαλξη.

ramshackle (adj) [ράμσσάκλ] σαραβαλιασμένος.

ranch (n) [ράαν-τος] τσιφλίκι.

rancid (adj) [ράνσι-ντ] μπαγιάτικος, ταγγός.

rancour (n) [ράνκόο] χολή.

range (n) [ρέιν-ντζζ] απόσταση, αχτίνα, εμβέλεια, πλαίσιο, τζάκι.

ranger (n) [ρέιν-ντζζα(ρ)] καταδρομέας.

rank (adj) [ρανκ] κατάφωρος (n) αράδα, τάξη, στίχος (v) υπάγω, βαθμολογώ.

ransom (v) [ράνσομ] εξαγοράζω.

ransom money (n) [ράνσοομ μάνεϊ] λύτρα.

rapacious (adj) [ραπέισσες] αρπακτικός.

rape (n) [ρέιπ] αρπάγη, βιασμός (v) ατιμάζω, κακοποιώ, βιάζω.

rapid (adj) [ράπι-ντ] ραγδαίος.

rapidity (n) [ραπί-ντιτι] ταχύτητα.

rapine (n) [ραπαϊν] αρπάγη.

rapist (n) [ρέιπιστ] βιαστής.

rapprochement (n) [ραπρόσσμον-τ] προσέγγιση.

rapture (n) [ράπτσσερ] έκσταση.

rare (adj) [ρέα(ρ)] αραιός, σπάνιος.

rarely (adv) [ρέαλι] σπανίως.

rareness (n) [ρέαρνες] σπανιότητα.

rarity (n) [ρέαρτι] σπανιότητα.

rascal (adj) [ράσκαλ] παλιάνθρωπος (n) μάγκας, μούτρο, λέρα.

rash (adj) [ρασς] ασυλλόγιστος (n) λειχήνα [ιατρ], εξάνθημα.

rashness (n) [ράσσνες] απερισκεψία, κουτουράδα.

rasp (n) [ράασπ] ξύστρα, τρίφτης.

rat (n) [ρατ] ποντικός, αρουραίος.

rat poison (n) [ρατ πόιζον] ποντικοφάρμακο.

rate (n) [ρέιτ] ταχύτητα, τιμή, ρυθμός, τόκος, φόρος (v) δασμολογώ.

rateable (adj) [ρέιτα-μπλ] φορολογήσιμος.

ratepayer (adj) [ρέιπέιερ] φορολογούμενος.

rates (n) [ρέιτς] ταρίφα.

rather (adv) [ράαδερ] κάλλιο, μάλλον.

ratification (n) [ρατιφικέισσον] επικύρωση.

ratify (v) [ράτιφαϊ] εγκρίνω.

rating(s) (n) [ρέιτινγκ[ς]] θεαματικότητα.

ratio (n) [ρέισσιο] αναλογία, λόγος.

ration (n) [ράσσον] μερίδα.

rational (adj) [ράσσοναλ] λογικός.

rationalism (n) [ράσσοναλιζμ] ορθολογισμός, ρασιοναλισμός.

rationalist (n) [ράσσοναλιστ] ορθολογιστής.

rationalistic (adj) [ρασσοναλίστικ] ορθολογιστικός.

rattle (n) [ρατλ] ροκάνα, κουδουνίστρα, ρόγχος, κροτάλισμα (v) κροταλίζω.

rattlesnake (n) [ράτλ-σνέικ] κροταλίας.

ravage (v) [ράβιντζζ] λυμαίνομαι.

rave (v) [ρέιβ] λυσσομανώ.

raven (n) [ρέιβεν] κόρακας, κοράκι.

ravenous (adj) [ράβενας] πειναλέος.

ravine (n) [ραβίιν] ρεματιά.

raving (adj) [ρέιβινγκ] μανιακός (n) παραμιλήμα.

ravish (v) [ράβισς] ατιμάζω.

ravisher (n) [ράβισσερ] βιαστής.

raw (adj) [ρόο] ακατέργαστος, σπανός, ωμός, ξεγδαρμένος.

ray (n) [ρέι] ακτίνα, σελάχι.

rayon (n) [ρέιον] τεχνητό μετάξι.

raze (v) [ρέιζ] σβήνω, κατεδαφίζω.

razor (n) [ρέιζα(ρ)] ξυραφι.

razor blade (n) [ρέιζα μπλέι-ντ] ξυραφάκι.

re-assess (v) [ριι-ασές] επανεκτιμώ.

re-examine (v) [ρι-εξάμιν] επανεξετάζω.

reach (v) [ρίτος] επιτυγχάνω, φτάνω, εκπληρώνω.

react (v) [ριάκτ] αντιδρώ.

reaction (n) [ριάκσσον] αντίδραση, αντενέργεια, συντηρητισμός.

reactionary (adj) [ριάκσσοναρι] αντιδραστικός.

reactive (adj) [ριάκτιβ] αντιδραστικός, αντενεργός, αντιδραστήριος.

reactivity (n) [ριακτίβιτι] αντιδραστικότητα, δραστικότητα.

reactor (n) [ριάκτορ] αντιδραστήρας.

read (v) [ρίι-ντ] διαβάζω, βγάζω.

readable (adj) [ρίινταμπλ] ευχάριστος, ευανάγνωστος.

reader (n) [ρίι-ντα(ρ)] αναγνώστης, ανάγνωσμα.

readership (n) [ρίι-ντασσιπ] υφηγεσία.

readiness (n) [ρέ-ντινες] ετοιμολογία, ευστροφία, ευκολία, ικανότητα.

reading (n) [ρίι-ντινγκ] διάβασμα.

readjust (n) [ριαντζζάστ] διευθετώ.

readjustment (n) [ριαντζζάσμεν-τ] αναπροσαρμογή.

ready (adj) [ρέ-ντι] έτοιμος, διαθέσιμος, γρήγορος, ετοιμόλογος.

reaffirm (v) [ριιαφέρμ] επαναβεβαιώνω.

real (adj) [ρίαλ] αληθινός, θετικός.

real estate (n) [ρίαλ εστέιτ] ακίνητο.

real estate registry (n) [ρίαλ εστέιτ ρέντζζιστρι] κτηματολόγιο.

realignment (n) [ριαλάινμεν-τ] ανακατάταξη [πολ].

realism (n) [ρίαλίζμ] ρεαλισμός.

realist (n) [ρίαλιστ] ρεαλιστής.

realistic (adj) [ριαλίστικ] αληθινός.

reality (n) [ριάλιτι] αλήθεια.

realizable (adj) [ριαλάιζαμπλ] εφικτός, αντιληπτός.

realization (n) [ρίαλαϊζέισσον] πραγμάτωση, αντίληψη.

realize (v) [ρίαλάιζ] εκπληρώνω.

really (adv) [ρίαλι] αλήθεια.

realtor (n) [ρίαλτερ] κτηματομεσίτης.

realty (n) [ρίαλτι] ακίνητο.

ream (n) [ρίμ] δεσμίδα, πάκο.

reanimate (v) [ριάνιμεϊτ] αναζωογονώ, ενθαρρύνω, εμψυχώνω.

reanimation (n) [ρίανιμέισσον] αναζωογόνηση.

reap (v) [ρίιπ] δρέπω, θερίζω.

reaper (n) [ρίιπερ] θεριστής.

reaping (n) [ρίιπινγκ] θερισμός.

reappear (v) [ριαπία(ρ)] επανεμφανίζομαι, ξαναφαίνομαι.

reappearance (n) [ριαπίαρενς] επανεμφάνιση.

reappraisal (n) [ρίαπρέιζαλ] επανεκτίμηση.

reappraise (v) [ριαπρέιζ] επανεκτιμώ.

rear (n) [ρία] νώτα [στρατ], ουρά [φάλαγγας] (v) εγείρω, υψώνω.

rearguard (n) [ρίαγκαα-ντ] οπισθοφυλακή.

rearing (n) [ρίιερινγκ] ανόρθωση.

rearm (v) [ριάαμ] επανεξοπλίζω.

rearmament (n) [ριάαμαμεν-τ] επανεξοπλισμός.

rearmost (adj) [ρίιαμοουστ] έσχατος,.

rearrange (v) [ριαρέιν-ντζζ] μεταρρυθμίζω, διευθετώ.

reason (n) [ρίιζον] αιτία, λαβή, φρένα,

λογικό, νους (v) σκέπτομαι, αναλύω.

reason (out) (v) [ρίιζον [άουτ]] συλλογίζομαι.

reasonable (adj) [ρίιζονα-μπλ] λογικός, ανεκτός, δίκαιος.

reasonably (adv) [ρίιζονα-μπλι] οικονομικά, λογικά, ανεκτά.

reasoning (n) [ρίιζονινγκ] σκέψη, λογική.

reasons (n) [ρίιζονζ] αιτιολογικό.

reassemble (v) [ριιασέμπλ] συναθροίζω, συγκαλώ, ξαναμοντάρω.

reassign (v) [ριιασάιν] επανεκχωρώ, επανατοποθετώ.

reassurance (n) [ριιασσούρανς] καθησύχαση, διαβεβαίωση.

reassure (v) [ριιασσούα(ρ)] καθησυχάζω [ένα φόβο], διαβεβαιώ.

reassuring (adj) [ριιασσούρινγκ] καθησυχαστικός.

rebarbative (adj) [ριμπάαμπατιβ] απωθητικός, σκληρός, τραχύς.

rebate (n) [ρίι-μπεϊτ] έκπτωση.

rebel (n) [ρέ-μπελ] ατίθασος, αντάρτης (v) επαναστατώ.

rebellion (n) [ρε-μπέλιον] αντασία.

rebellious (adj) [ρε-μπέλιας] αντάρτικος.

rebuild (v) [ρι-μπιλ-ντ] ανακατασκευάζω.

rebuke (n) [ρι-μπιούκ] επίπληξη (v) επιπλήττω, μέμφομαι, επιτιμώ.

recall (v) [ρικόολ] ανανεώνω, ανακαλώ, θυμίζω (n) ανάκληση, μνήμη.

recalling (n) [ρικόολινγκ] ανάκληση.

recapitulate (v) [ριικαπίτσσιουλέιτ] ανακεφαλαιώνω.

recapitulation (n) [ριικαπίτσσιουλέισσον] ανακεφαλαίωση.

recapture (v) [ρικάπτσσε(ρ)] ανακαταλαμβάνω, ανακτώ [στρατ].

recede (v) [ρισίι-ντ] υποχωρώ, σβήνω, ξεμακραίνω.

receipt (n) [ρισίιτ] είσπραξη, λήψη, παραλαβή, έσοδο, απόδειξη.

receivable (adj) [ρισίιβα-μπλ] εισπρακτέος [εμπορ].

receive (v) [ρισίιβ] δεξιώνομαι, δέχομαι, λαμβάνω, παίρνω, φιλοξενώ.

receiver (n) [ρισίιβερ] αποδέκτης, θήκη, υποδοχή.

receiving (n) [ρισίιβινγκ] λήψη.

recent (adj) [ρίισεν-τ] πρόσφατος.

recently (adv) [ρίισεν-τλι] προάλλες, προσφάτως.

receptacle (n) [ρισέπτακλ] δοχείο.

receptible (adj) [ρισέπτιμπλ] δεκτός, αποδεκτός, παραδεκτός.

reception (n) [ρισέπσσον] παραλαβή, λήψη, δεξίωση, συναναστροφή, υποδοχή.

receptive to (adj) [ρισέπτιβ του] δεκτικός, επιδεκτικός, ανοικτόμυαλος.

receptivity (n) [ρισεπτίβιτι] δεκτικότητα.

recess (n) [ρίισες] διακοπή, εσοχή.

recession (n) [ρισέσσον] υποχώρηση, αποχώρηση, κάμψη.

recessive (adj) [ρισέσιβ] υποχωρητικός, οπισθοδρομικός.

recherché (adj) [ρίισσερσέι] ασυνήθης, εκλεκτός, σπάνιος.

recipe (n) [ρέσιπι] συνταγή.

recipient (n) [ρισίπιεν-τ] δέκτης, λήπτης.

reciprocal (adj) [ρισίπροκαλ] εναλλακτικός, αμοιβαίος.

reciprocality (n) [ρισιπροκάλιτι] αμοιβαιότητα, ανταποδοτικότητα.

reciprocally (adv) [ρισίπροκαλι] αμοιβαίως, αντιστρόφως.

reciprocate (v) [ρισίπροκεϊτ] ανταποδίδω, ανταποκρίνομαι.

reciprocating (adj) [ρισίπροκέιτινγκ] παλινδρομικός.

reciprocation (n) [ρισιπροκέισσον] ανταπόδοση, παλινδρόμηση.

recital (n) [ρισάιταλ] ρεσιτάλ.

recitation (n) [ρεσιτέισσον] απαρίθμηση, αφήγηση, απαγγελία.

recite (v) [ρισάιτ] απαγγέλλω.

reckless (adj) [ρέκλες] απρόσεκτος, αμελής.

reckon (v) [ρέκον] μετρώ, αθροίζω.

reckoner (n) [ρέκονερ] μετρητής.

reckoning (n) [ρέκονινγκ] λογισμός, υπολογισμός, εκκαθάριση.

reclamation (n) [ρεκλαμέισσον] ανάκτηση, αποκατάσταση.

reclassify (v) [ρικλάσιφαϊ] μετατάσσω.

reclining (adj) [ρικλάινινγκ] πλαγιαστός.

recluse (n) [ρικλούους] ερημίτης.

recognition (n) [ρεκογκνίσσον] αναγνώριση, παραδοχή, ομολογία.

recognize (v) [ρέκογκναϊζ] αναγνωρίζω, παραδέχομαι, εκτιμώ.

recognized (adj) [ρέκογκνάιζ-ντ] καταξιωμένος.

recoil (v) [ρικόιλ] αναπηδώ, κλωτσώ, υποχωρώ (n) αναπήδηση, τρόμος, φρίκη.

recoiling (adj) [ρικόιλινγκ] παλινδρομικός.

recollect (v) [ρικολέκτ] αναπολώ, ενθυμούμαι, συγκεντρώνομαι.

recollection (n) [ρικολέκσσον] ανάμνηση, στοχασμός, περισυλλογή.

recommend (v) [ρεκομέν-ντ] επαινώ, εισηγούμαι, αναθέτω, συνιστώ.

recommendation (n) [ρεκομεν-ντέισσον] έπαινος, συμβουλή.

recommendatory (adj) [ρεκομέντατρι] συστατικός, εισηγητικός.

recommending (n) [ρεκομέν-ντινγκ] σύσταση [πρόταση].

recompense (n) [ρικομ-πένς] αμοιβή, αντάλλαγμα, επιβράβευση (v) ανταμείβω, επιβραβεύω.

reconcile (v) [ρικονσάιλ] μονοιάζω, συμβιβάζω, συμφιλιώνω.

reconciliation (n) [ρικονσιλιέισσον] συμφιλίωση, συμβιβασμός.

recondition (v) [ρικον-ντίσσον] αναγομώνω, επισκευάζω.

reconnect (v) [ρικονέκτ] επανασυνδέω.

reconsider (v) [ρικονσί-ντερ] αναθεωρώ, επανεξετάζω.

reconstitute (v) [ρμκονστιτιούτ] ανασυνιστώ, ανασυνθέτω.

reconstruct (v) [ρικονστράκτ] ανακατασκευάζω, ανασυγκροτώ.

reconstruction (n) [ρικονστράκσσον] αναδημιουργία.

reconvert (v) [ρικονβέρτ] μετατρέπω, αποκαθιστώ.

record (v) [ρικόο-ντ] μαγνητοφωνώ, καταχωρώ, ηχογραφώ (n) [ρέκοοντ] εγγραφή, πρακτικό, μητρώο, διαγωγή, φάκελλος, ιστορικό.

record-player (n) [ρέκοο-ντ-πλέιερ] ηλεκτρόφωνο, πικάπ.

recording (n) [ρικόο-ντινγκ] ηχογράφηση.

recount (v) [ρικάουν-τ] εξιστορώ.

recoup (v) [ρικούουπ] ισοφαρίζω, επανακτώ, ξανακερδίζω, εξοφλώ.

recourse (n) [ρικόος] προσφυγή.

recover (v) [ρικάβερ] αναλαμβάνω, αναρρώνω, επανακτώ.

recovery (n) [ρικάβερι] ανάκαμψη, εύρεση, θεραπεία, ίαση.

recreant (adj) [ρέκριαν-τ] δειλός.

recreate (v) [ρικριέιτ] ψυχαγωγώ.

recreation (n) [ρεκριέισσον] αναψυχή, αναδημιουργία, ψυχαγωγία.

recreational (adj) [ρεκριέισσοναλ] ψυχαγωγικός.

recriminate (v) [ρικρίμινεῖτ] αντικατηγορώ, διαπληκτίζομαι.

recrimination (n) [ρικριμινέισσον] αντέγκληση, αλληλοκατηγορία.

recrudescence (n) [ρικρού-ντεσενς] αναζωπύρωση, υποτροπή.

recruit (n) [ρικρούτ] κληρωτός.

rectangle (n) [ρέκτανγκλ] ορθογώνιο.

rectangular (adj) [ρεκτάνγκιουλαρ] ορθογώνιος.

rectification (n) [ρεκτιφικέισσον] επανόρθωση, αποκατάσταση.

rectifier (n) [ρεκτιφάιερ] επανορθωτής, διορθωτής.

rectify (v) [ρέκτιφαϊ] επανορθώνω, αποκαθιστώ, διορθώνω, ρυθμίζω.

rectilinear (adj) [ρέκτιλίνεα(ρ)] ευθύγραμμος.

rectitude (n) [ρέκτιτιουντ] χρηστοήθεια, ακεραιότητα, ορθότητα.

recumbent (adj) [ρικάμπεν-τ] ξαπλωμένος, πλαγιασμένος.

recuperable (adj) [ρικιούπεραμπλ] θεραπεύσιμος, ανακτήσιμος.

recuperate (v) [ρικιούπερεῖτ] αναρρώνω, ανακτώ, θεραπεύω.

recurrence (n) [ρικάρενς] επανάληψη, επανεμφάνιση, επάνοδος.

recurrent (adj) [ρικάρεν-τ] περιοδικός, παλίνδρομμος [ανατ].

recycling (n) [ρισάικλινγκ] ανακύκλωση.

red (adj) [ρε-ντ] ερυθρός, κόκκινος.

Red Indian (n) [Ρε-ντ Ίν-ντιαν] Ερυθρόδερμος.

red mullet (n) [ρε-ντ μάλετ] μπαρμπούνι.

red-haired (adj) [ρε-ντ-χέα-ντ] κοκκινομάλλης.

red-handed (adj) [ρε-ντ-χάν-ντι-ντ] αυτόφωρος.

red-hot (adj) [ρε-ντ-χοτ] διάπυρος.

redcurrant (n) [ρε-ντκάραν-τ] φραγκοφράπφαλο.

redden (v) [ρέ-ντεν] κοκκινίζω.

reddish (adj) [ρέ-ντισς] υπέρυθρος.

redeem (v) [ρι-ντίμ] απολυτρώνω.

redeemer (n) [ρι-ντίμερ] ελευθερωτής.

redemption (n) [ρι-ντέμ-σσον] απολύτρωση, εξάλειψη [υποθήκης].

rediffusion (n) [ρι-ντιφιούζζον] αναμετάδοση.

redistribute (v) [ρι-ντίστρι-μπιούτ] ανακατανέμω.

redness (n) [ρέ-ντνες] κοκκινάδα.

redolence (n) [ρέντολενς] ευωδία.

redolent (adj) [ρέντολεν-τ] ευώδης, μυρωδάτος.

redress (v) [ρι-ντρές] επανορθώνω.

redskin (adj) [ρέ-ντσκίν] ερυθρόδερμος.

reduce (v) [ρι-ντιούς] ελαττώνω, αναγκάζω, ελαφρώνω, μειώνω, κατεβάζω.

reduced (adj) [ρι-ντιούσ-τ] κατεβασμένος, μειωμένος.

reduction (n) [ρι-ντάκσσον] μείωση, έκπτωση, ψαλίδισμα.

reduction in price (n) [ρι-ντάκσσον ιν πράις] υποτίμηση.

redundant (adj) [ρι-ντάν-ταν-τ] περιττός, υπερβολικός, υπεράριθμος.

reduplication (n) [ρι-ντιουπλικέισσον] διπλασιασμός, αντιγραφή.

reed (adj) [ρί-ντ] καλαμένιος (n) φλογέρα, καλάμι, αυλός.

reedy (adj) [ρί-ντι] καλαμόφυτος.

reef (n) [ρίιφ] ξέρα [θάλασσας].

reefer (n) [ρίιφερ] πατατούκα.

reek (n) [ρίικ] δυσωδία, μπόχα (v) όζω, βρωμώ, αχνίζω, καπνίζω.

reek of (v) [ρίικ οβ] βρομώ.

reeky (adj) [ρίικι] καπνισμένος.

reel (n) [ρίλ] καρούλι (v) τρικλίζω.

refer (v) [ριφέρ] παραπέμπω, διαβιβάζω, επιστρέφω, αφορώ.

refer to (v) [ριφέρ του] παραπέμπω, συμβουλεύομαι.

referee (n) [ρεφερίι] διαιτητής.

reference (n) [ρέφερενς] αναγωγή, σχέση, μνεία, αναφορά.

references (n) [ρέφερενσις] συστάσεις, συστατικά.

referred (adj) [ριφέρ-ντ] μετεξεταστέος.

refill (n) [ρίιφιλ] αναπλήρωμα (v) [ριιφίλ] αναπληρώνω.

refine (v) [ριφάιν] καθαρίζω, ανυψώ, λεπταίνω, ραφινάρω.

refined (adj) [ριφάιν-ντ] καθαρισμένος, καθαρός, εξευγενισμένος.

refinement (n) [ριφάινμεν-τ] ραφινάρισμα, καθαρισμός, ευφυΐα.

refinery (n) [ριφάινερι] διυλιστήριο.

refining (n) [ριφάινινγκ] κάθαρση.

reflect (v) [ριφλέκτ] απεικονίζω, αντανακλώ, σκέπτομαι, φιλοσοφώ.

reflect on (v) [ριφλέκτ ον] αναλογίζομαι.

reflection (n) [ριφλέκσσον] καθρέφτισμα, διαλογισμός, νόημα.

reflective (adj) [ριφλέκτιβ] αντανακλαστικός, στοχαστικός, αυτοπαθής [γραμμ].

reflex (n) [ρίφλεξ] αντανάκλαση.

reflexive (adj) [ριφλέξιβ] αλληλοπαθής, αυτοπαθής [γραμμ].

refloat (v) [ριφλόουτ] ανελκύω.

reforest (v) [ριφόρεστ] αναδασώνω.

reforestation (n) [ριφορεστέισσον] αναδάσωση.

reform (n) [ριφόομ] μεταρρύθμιση (v) βελτιώνω, διορθώνομαι, μεταρρυθμίζω.

reformation (n) [ριφοομέισσον] μεταμόρφωση, ανάπλαση.

reformatory (n) [ριφόοματορι] αναμορφωτήριο [για ανηλίκους].

reformer (n) [ριφόομερ] αναμορφωτής.

reforming (n) [ριφόομινγκ] ανάπλαση.

reformist (n) [ριφόομιστ] ρεφορμιστής.

refraction (n) [ριφράκσσον] διάθλαση.

refrain (n) [ριφρέιν] ρεφραίν.

refresh (v) [ριφρέσς] δροσίζω.

refreshed (adj) [ριφρέσσ-τ] ξεκούραστος.

refreshing (adj) [ριφρέσσινγκ] δροσιστικός, ζωογόνος.

refreshments (n) [ριφρέσσμεν-τς] αναψυκτικά.

refrigeration (n) [ριφριντζζερέισσον] ψύξη.

refrigerator (n) [ριφρίντζζερέτορ] ψυγείο.

refuge (n) [ρέφιουντζζ] άσυλο, καταφύγιο.

refugee (adj) [ρέφιουντζζίι] προσφυγικός.

refulgence (n) [ριφάλντζζενς] λάμψη αστραποβόλημα.

refulgent (adj) [ριφάλντζζεν-τ] λαμπερός.

refurbish (v) [ριφέρμπισσ] ανανεώνω, ανακαινίζω, αποκαθιστώ.

refusal (n) [ριφιούζαλ] απόρριψη.

refuse (v) [ριφιούζ] αρνούμαι (n) [ρέφιουζ] απορρίμματα.

refutable (adj) [ρεφιούτα-μπλ] αναιρέσιμος.

refutation (n) [ρεφιουτέισσον] διάψευση, ανασκευή, αντίκρουση.

refute (v) [ρεφιούτ] διαψεύδω.

regain (v) [ριγκέιν] ανακτώ.

regal (adj) [ρίιγκαλ] ηγεμονικός.

regale (v) [ριγκέιλ] περιποιούμαι.

regalement (n) [ριγκέιλμεν-τ] τσιμπούσι.

regard (n) [ριγκάα-ντ] σεβασμός (v) κρίνω, εκτιμώ, θεωρώ.

regards (n) [ριγκάα-ντζ] χαιρετίσματα.

regatta (n) [ριγκάτα] λεμβοδρομία.

regency (n) [ρίιντζζενσι] αντιβασιλεία.

regenerate (v) [ριντζζένερέϊτ] αναζωογονώ, προκαλώ, αναγεννώ.

regeneration (n) [ριντζζενερέισσον] αναδημιουργία, παλιγγενεσία.

regent (n) [ρίιντζζεν-τ] αντιβασιλιάς.

regicide (n) [ρίιντζζισάι-ντ] βασιλοκτονία, βασιλοκτόνος.

regime (n) [ρεζζίιμ] καθεστώς.

regiment (n) [ρέντζζιμεν-τ] σύνταγμα [στρατ], μεγάλη ποσότητα.

region (n) [ρίιντζζον] περιοχή.

regional (adj) [ρίιντζζοναλ] περιφερειακός, τοπικός.

register (n) [ρέντζζιστερ] μητρώο, κατάλογος (v) εγγράφω, μεταγράφω [νομ].

registered (adj) [ρέντζζιστα-ντ] εγγεγραμμένος.

registrar (n) [ρέντζζιστράα] ληξίαρχος, γραμματέας.

registration (n) [ρεντζζιστρέισσον] καταχώρηση, μεταγραφή.

registry (n) [ρέντζζιστρι] καταχώρηση, ληξιαρχείο, γραμματεία.

registry office (n) [ρέντζζιστρι όφις] ληξιαρχείο.

regression (n) [ριγκρέσσον] οπισθοδρόμηση, παρακμή.

regressive (adj) [ριγκρέσιβ] ανάδρομος, οπισθοδρομικός.

regret (n) [ριγκρέτ] θλίψη, τύψη (v) θρηνώ, μετανοώ.

regretful (adj) [ριγκρέτφουλ] περίλυπος.

regrettable (adj) [ριγκρέτα-μπλ] ατυχής, θλιβερός, λυπηρός.

regroup (v) [ριγκρούπ] ανασυντάσσω, ανασυγκροτώ.

regular (adj) [ρέγκιουλα] κανονικός, τακτικός, σταθερός, μόνιμος.

regularity (n) [ρεγκιουλάριτι] ομαλότητα, τακτική, τάξη, ακρίβεια.

regularization (n) [ρεγκιουλαραϊζέισσον] εξομάλυνση.

regularize (v) [ρέγκιουλαραϊζ] κανονίζω.

regularly (adv) [ρέγκιουλαλι] τακτικά, κανονικά, συνήθως.

regulate (v) [ρέγκιουλέϊτ] διακανονίζω.

regulating (n) [ρέγκιουλρέϊτνγκ] ρύθμιση.

regulation (n) [ρεγκιουλέισσον] ρύθμιση, διευθέτηση, διάταξη.

regulator (n) [ρεγκιουλέτορ] ρυθμιστής.

regulatory (adj) [ρεγκιουλέιτορι] ρυθμιστικός.

rehabilitate (v) [ριχα-μπίλιτεϊτ] αναμορφώνω, αποκαθιστώ.

rehabilitation camp-centre (n) [ριχα-μπίλιτέισσον καμ-π-σέν-τερ] αναμορφωτήριο [για ανηλίκους].

rehash (v) [ριχάασς] διασκευάζω.

rehearsal (n) [ριχέρσαλ] δοκιμή.

rehire (v) [ριχάια] ξαναπαίρνω.

reign (v) [ρέιν] βασιλεύω, ηγεμονεύω (n) βασιλεία.

rein (n) [ρέιν] ηνίο, χαλινάρι.

reincarnation (n) [ρι-ινκαανέισσον] μετεμψύχωση.

reindeer (n) [ρέιν-ντία] τάρανδος.

reinforce (v) [ρι-ινφόος] δυναμώνω, ε-νισχύω, ισχυροποιώ, οπλίζω.

reinforcement (n) [ρι-ινφόοσμεν-τ] ενί-σχυση, υποστήριξη.

reinforcing (adj) [ρι-ινφόοσινγκ] ενι-σχυτικός.

reins (n) [ρέινς] ηνία, γκέμια.

reinstate (v) [ρι-ινστέιτ] αποκατασταί-νω, επαναφέρω, παλινορθώ.

reinsurance (n) [ρι-ινσσιούρανς] αντα-σφάλεια.

reiterate (v) [ρι-ίτερεϊτ] ξαναλέω.

reject (v) [ριντζζέκτ] αποδοκιμάζω, αρ-νούμαι, αποβάλλω.

rejection (n) [ριντζζέκσσον] απόρριψη, αποδοκιμασία, αποποίηση.

rejoice (v) [ριντζζόις] χαροποιώ, χαίρομαι.

rejoinder (n) [ρίιντζζόιν-ντερ] ανα-σκευή, ανταπάντηση.

rejuvenate (v) [ριντζζιούβενεϊτ] ξανα-νιώνω, αναζωογονώ.

rekindle (v) [ρικίν-ντλ] ξανανάβω.

rekindling (n) [ρικίν-ντλινγκ] αναζωο-γόνηση, αναζωπύρωση.

relapse (n) [ρίλαπς] μετάπτωση (v) [ρι-λάπς] ξανακυλώ, πέφτω.

relate (v) [ριλέιτ] αναφέρω.

related (adj) [ριλέιτι-ντ] συγγενής.

relation (adj) [ριλέισσον] συγγενής (n) αφήγηση, εξάρτηση.

relationship (n) [ριλέισσονσσιπ] σχέση, επαφή, συγγένεια.

relative (adj) [ρέλατιβ] αναφορικός, σχετικός (n) συγγενής.

relative to (adv) (pr) [ρέλατιβ του] σχετικά.

relatively (pr) [ρέλατιβλι] σχετικά.

relativity (n) [ρελατίβιτι] σχετικότητα, σχετικισμός, ρελατιβισμός.

relax (v) [ριλάξ] αναπαύομαι, ξεσκάζω, παραλύω.

relaxation (n) [ριλαξέισσον] εκτόνωση, αναψυχή.

relaxed (adj) [ριλάξ-τ] χαλαρός.

relay (n) [ρίιλεϊ] εφεδρεία, βάρδια (v) [ριλέι] αναμεταδίνω.

relay race (n) [ρίιλεϊ ρέις] σκυταλοδρομία.

release (n) [ριλίις] απόλυση, ανακούφι-ση, έκλυση (v) απολύω, αποφυλακίζω.

release papers (n) [ριλίις πέιπαζ] απο-φυλακιστήριο.

relentless (adj) [ριλέν-τλες] αδυσώπητος.

reliable (adj) [ριλάια-μπλ] έμπιστος.

relics (n) [ρέλικς] λείψανο [αγίου].

relief (adj) [ριλίιφ] ανάγλυφος (n) ανα-κούφιση, δικαίωση, αποκατάσταση.

relieve (v) [ριλίιβ] αλαφρώνω.

relight (v) [ριλάιτ] αναζωπυρώνω.

religion (n) [ριλίντζζιον] θρησκεία.

religious (adj) [ριλίντζζιας] θρησκευτικός.

relish (n) [ρέλισς] όρεξη, νοστιμιά (v) μυρίζω.

relive (v) [ριλίιβ] ξαναζώ.

reload (v) [ριλόου-ντ] ξαναφορτώνω.

relocate (v) [ριλοουκέιτ] μετακομίζω.

reluctance (n) [ριλάκτανς] απροθυμία, διασταγμός.

reluctant (adj) [ριλάκταν-τ] απρόθυμος, διστακτικός.

rely (v) [ριλάι] εμπιστεύομαι.

rely on (v) [ριλάι ον] εφησυχάζω, λογα-ριάζω, προεξοφλώ.

remain (v) [ριμέιν] απομένω, μένω, παρα-μένω, υπολείπομαι, εμμένω, συνεχίζω.

remainder (n) [ριμέιν-ντερ] υπόλοιπο.

remaining (adj) [ριμένινγκ] λοιπός, ρέ-στος, υπόλοιπος.

remains (n) [ριμέινς] απομεινάρια, πτώμα.

remake (v) [ριμέικ] ξανακάνω.

remark (n) [ριμάακ] παρατήρηση, ση-μείωση, σχόλιο (v) παρατηρώ.

remarkable (adj) [ριμάακα-μπλ] αξιό-λογος, εξαιρετικός, ασυνήθης.

remarry (v) [ριμμάρι] ξαναπαντρεύομαι.

remedial (adj) [ριμίι-ντιαλ] θεραπευτικός, διορθωτικός.

remedy (n) [ρέμε-ντι] θεραπεία, λύση (v) θεραπεύω, αποκαθιστώ.

remember (v) [ριμέμ-μπερ] θυμάμαι.

remembrance (n) [ριμέμ-μπρανς] ενθύμιση, μνήμη, ενθύμιο.

remind (of) (v) [ριμάιν-ντ [οβ]] υπενθυμίζω, θυμίζω, οχλώ.

reminder (n) [ριμάιν-ντερ] ενθύμιση, όχληση, υπενθύμιση.

reminiscence (n) [ρέμινίσενς] ανάμνηση.

remiss (adj) [ριμίς] απρόσεκτος.

remission (n) [ριμίσσον] άφεση,.

remit (v) [ριμίτ] συγχωρώ, μετριάζω, μειώνω, εμβάζω.

remittance (n) [ριμίτανς] χάρη.

remnant (n) [ρέμναν-τ] υπόλειμμα.

remodel (v) [ριμό-ντελ] μεταπλάθω.

remodelling (n) [ριμό-ντελινγκ] ανάπλαση.

remonstrance (n) [ριμόνστρανς] διαμαρτυρία, επίπληξη.

remonstrant (adj) [ριμόνστραντ] διαμαρτυρόμενος.

remonstrate (v) [ρέμονστρεϊτ] διαμαρτύρομαι, παραπονούμαι.

remonstrator (n) [ρεμονστρέιτορ] διαμαρτυρόμενος.

remorse (n) [ριμόος] τύψη, σαράκι.

remote (adj) [ριμόουτ] μακρυνός.

remotest (adj) [ριμόουτεστ] απώτατος.

removal (n) [ριμούουβαλ] αφαίρεση.

remove (v) [ριμούουβ] απομακρύνω.

remunerate (v) [ριμούνερεϊτ] ανταμείβω.

remuneration (n) [ριμιουνερέισον] ανταμοιβή, μισθός.

remunerative (adj) [ριμιούνερατιβ] επιβραβευτικός, επικερδής.

renaissance (n) [ρινέισανς] αναγέννηση.

rename (v) [ρινέιμ] μετονομάζω.

rend (v) [ρεν-ντ] αποσπώ.

render (v) [ρέν-ντερ] αναπαριστώ.

rendering (n) [ρέν-ντερινγκ] απόδοση [έργου], εκδοχή, μετάφραση.

rendezvous (n) [ρόν-ντεϊβουου] ραντεβού.

renegade (n) [ρένεγκέι-ντ] αποστάτης, φυγάς, λιποτάκτης.

renew (v) [ρινιού] ανακαινίζω.

renewal (n) [ρινιούαλ] ανανέωση.

rennet (n) [ρένιτ] πυτιά.

renounce (v) [ρινάουνς] απαρνιέμαι, αφήνω, εγκαταλείπω.

renovate (v) [ρένοβεϊτ] ανανεώνω.

renovation (n) [ρενοβέισσον] ανακαίνιση.

renown (n) [ρινάουν] φήμη, δόξα.

renowned (adj) [ρινάουν-ντ] διάσημος, ξακουστός, περίφημος.

rent (v) [ρεν-τ] ενοικιάζω (n) νοίκι.

renunciation (n) [ρινανσιέισσον] αποποίηση, αποκήρυξη, παραίτηση.

reorganization (n) [ριοογκαναϊζέισσον] αναδιοργάνωση.

reorganize (v) [ριόογκανάιζ] αναδιοργανώνω, ανασυγκροτώ.

reorientation (n) [ριοριεν-τέισσον] αναπροσαρμογή.

repair (n) [ριπέαρ] επιδιόρθωση, μερεμέτι (v) σιάζω, μπαλώνω.

repair shop (n) [ριπέαρ σοοπ] συνεργείο.

repairing (n) [ριπέαρινγκ] επισκευή, μπάλωμα.

reparation (n) [ρεπαρέισσον] επανόρθωση, αποζημίωση.

repartee (n) [ρεπαατίι] ετοιμολογία.

repast (n) [ριπάαστ] γεύμα, φαγητό, συμπόσιο, ευωχία, τσιμπούσι.

repatriate (v) [ριπάτριεϊτ] επαναπατρίζω.

repatriation (n) [ριπατριέισσον] παλινόστηση, επαναπατρισμός.

repay (v) [ριπέι] αποδίδω.

repayment (n) [ριπέιμεν-τ] απόδοση, αποπληρωμή, ανταμοιβή.

repeal (v) [ριπίιλ] ανακαλώ.

repeat (v) [ριπίιτ] επαναλαμβάνω.

repeated (adj) [ριπίτι-ντ] συχνός.

repeatedly (adv) [ριπίιτε-ντλι] επανειλημμένως, συχνά.

repel (v) [ριπέλ] αποκρούω.

repellent (adj) [ριπέλεν-τ] αποκρουστικός.

repent (v) [ριπέν-τ] μετανοώ.

repentance (n) [ριπέν-τανς] μεταμέλεια, μετάνοια.

repentant (adj) [ριπέν-ταν-τ] μετανιωμένος, μεταμελούμενος.

repercussion (n) [ριπακάοσον] απήχηση, επίπτωση (v) ηχώ [μεταφ].

repertoire (n) [ρέπατουάα] ρεπερτόριο.

repetition (n) [ρεπετίσσον] επανάληψη, αποστήθιση, απαγγελία.

replace (v) [ριπλέις] αναπληρώνω.

replacement (n) [ριπλέιμεν-τ] αποκατάσταση, επιστροφή.

replete (adj) [ριπλίτ] πλήρης.

reply (n) [ριπλάι] απάντηση, απόκριση (v) απαντώ, αποκρίνομαι.

report (n) [ριπόοτ] έκθεση, πόρισμα, κρότος, φήμη, απολογισμός (v) αναφέρω, δηλώ.

reporter (n) [ριπόοτερ] ειδησεογράφος, ανταποκριτής.

reporting (n) [ριπόοτινγκ] δημοσιογραφική ανταπόκριση.

repose (n) [ριπόουζ] ανάπαυση, ύπνος, ηρεμία (v) ξεκουράζω.

reprehensible (adj) [ρεπριχένσι-μπλ] κατακριτέος, μεμπτός.

represent (v) [ρέπριζέν-τ] αντιπροσωπεύω, εικονίζω, εκπροσωπώ.

representation (n) [ρεπρεζεν-τέισσον] αναπαράσταση, διαμαρτυρία.

representative (adj) [ρεπρεζέν-τατιβ] χαρακτηριστικός (n) αντιπρόσωπος, εκπρόσωπος.

repress (v) [ριπρές] καταστέλλω.

repressive (adj) [ριπρέσιβ] κατασπιεστικός.

reprieve (n) [ριπρίβ] αναστολή.

reprimand (n) [ρέπριμάαν-ντ] επίπληξη (v) επιπλήττω, μαλώνω.

reprimanding (n) [ρέπριμάαν-ντινγκ] λούσιμο [μεταφ].

reprint (n) [ριπρίν-τ] ανατύπωση (v) ανατυπώνω, ξανατυπώνω.

reprisal (n) [ριπράιζαλ] αντίμετρο.

reprisals (n) [ριπράιζαλς] αντίποινα.

reproach (n) [ριπρόουτσ] κατηγορία, επίπληξη (v) κατηγορώ, παρατηρώ.

reproachable (adj) [ριπρόουτσσα-μπλ] επίμεμπτος.

reproachful (adj) [ριπρόουτσσφουλ] αξιοκαταφρόντητος.

reproduce (v) [ριπρο-ντιούς] αναπαριστώ, μιμούμαι, αναπαράγω.

reproduction (n) [ριπρο-ντάκοσον] αναπαραγωγή, απόδοση.

reproductive (adj) [ριπρο-ντάκτιβ] αναπαραγωγικός, γόνιμος.

reprove (v) [ριπρούουβ] επιτιμώ.

reptile (n) [ρέπταϊλ] ερπετό.

republic (n) [ριπά-μπλικ] δημοκρατία.

republican (adj) [ριπά-μπλικαν] δημοκρατικός, ρεπουμπλικάνος.

republication (n) [ριπα-μπλικέισσον] αναδημοσίευση, επανέκδοση.

republish (v) [ριπά-μπλισς] αναδημοσιεύω, επανεκδίδω.

repudiate (v) [ρεπιού-ντιεϊτ] αποκηρύσσω, απαρνούμαι.

repugnance (n) [ριπάγκνανς] αποστροφή.

repugnant (adj) [ριπάγκναν-τ] απεχθής, αηδής, ενάντιος.

repulse (v) [ριπάλς] αποκρούω, απωθώ.

repulsion (n) [ριπάλσσον] απέχθεια.

repulsive (adj) [ριπάλσιβ] αντιπαθητικός.

reputable (adj) [ρεπιούτα-μπλ] έγκριτος, ευυπόληπτος.

reputation (n) [ρεπιουτέισσον] υπόληψη, φήμη, όνομα, γόητρο.

repute (n) [ριπιούτ] υπόληψη.

request (n) [ρικουέστ] έκκληση (v) αιτώ, παρακαλώ, επιθυμώ.

requiem (n) [ρέκουιεμ] μνημόσυνο.

require (v) [ρικουάιρ] αξιώνω, ζητώ, απαιτώ, θέλω, χρειάζομαι.

requisite (adj) [ρέκουιζιτ] αναγκαίος, απαραίτητος.

requisition (n) [ρέκουιζίσσον] αίτηση, επίταξη (v) επιτάσσω.

rescue (n) [ρέσκιου] διάσωση (v) διασώζω.

rescuer (n) [ρέσκιουερ] λυτρωτής.

research (n) [ρισέρτσς] έρευνα.

researcher (n) [ρισέρτσσερ] ερευνητής.

resemblance (n) [ριζέμ-μπλανς] ομοιότητα.

resemble (v) [ριζέμ-μπλ] ομοιάζω.

resembling (adj) [ριζέμ-μπλινγκ] παρεμφερής.

resentment (n) [ριζέν-τμεν-τ] πικρία, δυσαρέσκεια, θυμός.

reservation (n) [ρεζαβέισσον] εξασφάλιση, όρος, επιφύλαξη.

reserve (adj) [ριζέρβ] εφεδρικός (n) περίσσευμα, αποθεματικό (v) αγκαζάρω, επιφυλάσσομαι.

reserved (adj) [ριζέρβ-ντ] επιφυλακτικός, μυστικός, μετρημένος, κλειστός.

reservist (n) [ριζέρβιστ] έφεδρος.

reservoir (n) [ρέζερβουαα] δεξαμενή.

resettle (v) [ρισέτλ] αποκατασταίνω.

resettlement (n) [ρισέτλμεν-τ] αποκατάσταση.

reshape (v) [ρισσέιπ] αναπλάθω.

reside (v) [ριζάι-ντ] διαμένω.

residence (n) [ρέζι-ντενς] κατοικία.

residue (n) [ρέζι-ντιου] υπόλοιπο.

resign (v) [ριζάιν] παραιτούμαι.

resignation (n) [ρεζιγκνέισσον] εγκαρτέρηση, παραίτηση, καρτερία.

resigned (adj) [ριζάιν-ντ] καρτερικός, αδιαμαρτύρητος.

resin (n) [ρέζιν] ρητίνη, ρετσίνι.

resist (v) [ριζίστ] ανθίσταμαι, αντέχω, αποκρούω.

resistance (n) [ρεζίστανς] αντοχή.

resistant (adj) [ρεζίσταν-τ] ανθεκτικός.

resolute (adj) [ρεζολιούτ] αδίστακτος.

resolution (n) [ρεζολιούσσον] απόφαση [νομ], αποφασιστικότητα.

resolve (v) [ριζόλβ] επιλύω.

resolved (adj) [ριζόλβ-ντ] αποφασισμένος.

resonance (n) [ρέζονανς] ηχηρότητα.

resonant (adj) [ρέζοναν-τ] ηχηρός.

resonator (n) [ρέζονέιτορ] ηχείο.

resort (n) [ριζόοτ] προσφυγή, θέρετρο (v) συχνάζω.

resort to (v) [ριζόοτ του] καταφεύγω, μετέρχομαι, προστρέχω.

resound (v) [ρισάουν-ντ] αντηχώ.

resources (n) [ρισόοσις] πόροι.

respect (n) [ρισπέκτ] σεβασμός, τιμή (v) σέβομαι, υπολήπτομαι.

respectable (adj) [ρισπέκτα-μπλ] αξιοπρεπής, έντιμος, επαρκής.

respected (adj) [ρισπέκτι-ντ] σεβαστός.

respectfully (adv) [ρισπέκτφουλι] ευσεβάστως.

respects (n) [ρισπέκτς] σέβη.

respiration (n) [ρεσπιράσσον] αναπνοή, διαπνοή, ανάσα.

respiratory (adj) [ρέσπιρεϊτορι] αναπνευστικός.

respite (n) [ρεσπάιτ] διακοπή.

resplendent (adj) [ρισπλέν-ντεν-τ] υπέρλαμπρος, υπέροχος.

respond (v) [ρισπόν-ντ] αντιδρώ.

response (n) [ρισπόνς] απάντηση.

responsibility (n) [ρισπονσι-μπίλιτι] ευθύνη, υπαιτιότητα, καθήκον.

responsible (adj) [ρισπόνσι-μπλ] σοβαρός, αίτιος (n) υπόλογος.

responsible for (adj) [ρισπόνσι-μπλ φοο] εντεταλμένος.

rest (v) [ρεστ] αναπαύω, ησυχάζω (n) ανάσα, ρεπό, υπόλειμμα.

restaurant (n) [ρέστοοραν-τ] εστιατόριο.

rested (adj) [ρέστι-ντ] αναπαυτικός, η-
ρεμιστικός, ξεκουραστικός.

restful (adj) [ρέστφουλ] αναπαυτικός,
ξεκουραστικός.

resting place (n) [ρέστινγκ πλέις] ανα-
παυτήριο.

restless (adj) [ρέστλες] αεικίνητος, άυ-
πνος (v) αδημονώ.

restock (v) [ριστόκ] ανεφοδιάζω.

restoration (n) [ρεστορέισσον] αναστή-
λωση, αποκατάσταση.

restorative (n) [ριστόρατιβ] δυναμωτικό.

restore (v) [ριστόο] αναστηλώνω, απο-
καθιστώ, επαναφέρω.

restorer (n) [ριστόορερ] ανακαινιστής.

restrain (v) [ριστρέιν] αναχαιτίζω.

restraining (adj) [ριστρέινινγκ] ανα-
σταλτικός (n) συγκράτηση.

restraint (n) [ριστρέιν-τ] συγκράτηση,
περιορισμός, αναστολή.

restrict (v) [ριστρίκτ] εντοπίζω.

restriction (n) [ριστρίκσσον] περιστολή,
περιορισμός.

restrictive (adj) [ριστρίκτιβ] περιοριστι-
κός, περισταλτικός.

restructure (n) [ριστράκτσσα] ανασύν-
θεση (v) αναδιαρθρώνω.

restructuring (n) [ριστράκτσσερινγκ] α-
ναδιάρθρωση.

result (n) [ριζάλτ] απόρροια, έκβαση,
συνέπεια (v) προκύπτω.

resume (n) [ριζιούμ] περίληψη (v) επα-
ναλαμβάνω, ανασυνδέω.

resumption (n) [ριζάμ-πσσον] ανάκτη-
ση, επανάληψη.

resurgence (n) [ρισέρντζζενς] αναβίω-
ση, ανανέωση, εξέγερση.

resurrect (v) [ρεζαρέκτ] ανασταίνω, α-
ναβιώνω.

resurrection (n) [ρεζαρέκσσον] ανάστα-
ση, νεκρανάσταση.

resuscitate (v) [ρισάσπεϊτ] αναζωογονώ.

retail (adj) [ρίτεϊλ] λιανικός.

retailer (n) [ριτέιλερ] μεταπράτης.

retain (v) [ριτέιν] διατηρώ, κρατώ.

retaliate (v) [ριτάλιεϊτ] ανταποδίδω, α-
ντεκδικούμαι.

retaliation (n) [ριταλιέισσον] ανταπόδο-
ση, αντεκδίκηση, αντίμετρο.

retard (v) [ριτά-ντ] επιβραδύνω (n)
[ρίταα-ντ] καθυστέρηση.

retardatioι (n) [ριτααρ-ντέισσον] επι-
βράδυνση, αργοπορία.

reticent (adj) [ρέτισεν-τ] κρυφός.

retina (n) [ρέτινα] αμφιβληστροειδής.

retinue (n) [ρέτινιου] ακολουθία.

retire (v) [ριτάιρ] αναχωρώ.

retired (adj) [ριτάια-ντ] πρώην.

retirement (n) [ριτάιαμεν-τ] αποτρά-
βηγμα, αποχώρηση.

retiring (adj) [ριτάιαρινγκ] σεμνός.

retiring (n) [ριτάιρινγκ] μετριόφρονας.

retort (n) [ριτόοτ] ανταπάντηση (v) α-
νταπαντώ.

retouch, (v) [ριτάτσς] ρετουσάρω.

retract (v) [ριτράκτ] ανακαλώ.

retraction (n) [ριτράκσσον] συστολή,
σύσπαση, επανάταξη.

retread (v) [ριτρέ-ντ] αναγομώνω.

retreading (n) [ριτρέ-ντυνγκ] αναγόμωση.

retreat (n) [ριτρίτ] γωνιά, οπισθοχώρηση,
αναπαυτήριο, λημέρι (v) οπισθοχωρώ.

retribution (n) [ρετρι-μπιούσσον] τιμω-
ρία, κρίση, ανταπόδοση.

retrieve (v) [ριτρίβ] ανακτώ.

retrospective (adj) [ρετροουσπέκτιβ] α-
ναδρομικός.

retsina (n) [ρετσίνα] ρετσίνα.

return (n) [ριτέρν] ανταμοιβή, γυρισμός
(v) αποδίνω, επιστρέφω, γυρνώ.

rev up (v) [ρεβ απ] μαρσάρω.

revaluation (n) [ριβαλιουέισσον] ανατί-
μηση, επανεκτίμηση.

revalue (v) [ριβάλιου] ανατιμώ.

reveal (v) [ριβίιλ] εκδηλώνω.

revealing (adj) [ριβίιλινγκ] αποκαλυπτικός.

reveille (n) [ριβάιι] εγερτήριο.

revel (v) [ρέβελ] διασκεδάζω, ηδονίζομαι, ξεφαντώνω (n) ξεφάντωμα, γλέντι.

revelation (n) [ρεβελέισσον] αποκάλυψη.

reveler (n) [ρέβελερ] γλεντζές.

revelry (n) [ρέβελρι] γλέντι, ξεφάντωμα.

revenge (n) [ριβέν-ντζζ] εκδίκηση (v) αντεκδικούμαι.

revenue (n) [ρέβενιου] εισόδημα.

reverberate (v) [ριβέρ-μπερέϊτ] ηχώ, αντηχώ, αντανακλώ.

reverberation (n) [ριβερ-μπερέισσον] αντήχηση, αντανάκλαση.

reverence (n) [ρέβερενς] σεβασμός, σέβας, ευλάβεια, φόβος.

Reverend (n) [Ρέβερεν-ντ] αιδεσιμότατος, πανοσιότατος.

reverend (adj) [ρέβερεν-τ] σεβάσμιος.

reverie (n) [ρέβερι] ονειροπόληση.

reversal (n) [ριβέρσαλ] ανατροπή, ανάποδη (adj) αντίστροφος .

reverse (v) [ριβέρς] αναιρώ [νομ], αντιστρέφω, τουμπάρω [μεταφ].

reversed (adj) [ριβέρσ-τ] αντίστροφος.

reversible (adj) [ριβέρσι-μπλ] ανατρεπόμενος, ανατρεπτός.

review (n) [ριβιού] αναθεώρηση, κριτική (v) ανασκοπώ, επιθεωρώ.

revile (v) [ριβάιλ] βρίζω, διασύρω.

reviler (n) [ριβάιλερ] υβριστής.

revise (v) [ριβάιζ] επαναλαμβάνω.

reviser (n) [ριβάιζερ] αναθεωρητής [πολιτ].

revision (n) [ριβίζζιον] επανάληψη, επανεξέταση, επανέκδοση.

revisionism (n) [ριβίζζιονιζμ] αναθεωρητισμός, ρεβιζιονισμός.

revisionist (adj) [ριβίζζιονιστ] ρεβιζιονιστικός (n) ρεβιζιονιστής.

revival (n) [ριβάιβαλ] αναβίωση.

revive (v) [ριβάιβ] αναβιώνω.

revocable (adj) [ρέβοκα-μπλ] ανακλητός, μετακλητός, προσωρινός.

revocation (n) [ρεβοκέισσον] ανάκληση, καταγγελία, κατάργηση.

revolt (n) [ριβόλτ] ανταρσία, αποστασία (v) επαναστατώ.

revolution (n) [ρεβολιούσσον] επανάσταση, περιστροφή, στροφή.

revolutionary (adj) [ρέβολιούσσοναρι] επαναστατικός, επαναστάτης.

revolutionize (v) [ρεβολιούσσονάιζ] επαναστατώ, ξεσηκώνω.

revolve (v) [ριβόλβ] γυρνώ, στρέφω.

revolver (n) [ριβόλβερ] περίστροφο.

revue (n) [ριβιού] επιθεώρηση.

revulsion (n) [ριβάλσσιον] αποτροπιασμός, μεταστροφή.

reward (n) [ριουόο-ντ] αμοιβή, πληρωμή (v) αμείβω, βραβεύω.

rewrite (v) [ρι-ράιτ] ξαναγράφω.

rhapsody (n) [ράπσο-ντι] ραψωδία.

rhetoric (n) [ρέτορικ] ρητορεία.

rhetorical (adj) [ριτόρικαλ] ρητορικός, δημοκοπικός, επιδεικτικός.

rheumatism (n) [ρούματιζμ] ρευματισμός.

rhinoceros (n) [ραϊνόσερας] ρινόκερος.

rhombus (n) [ρόμ-μπας] ρόμβος.

rhyme (n) [ράιμ] ποίημα.

rhymester (n) [ράιμστερ] στιχουργός.

rhythm (n) [ριδμ] ρυθμός, μέτρο.

rhythmics (n) [ρίθμικς] ρυθμική.

rib (n) [ρι-μπ] πλευρά, παΐδι.

ribald (adj) [ρί-μπαλ-ντ] πρόστυχος, αχρείος, αλιτήριος, αισχρός.

ribbed (adj) [ρι-μπ-ντ] ραβδωτός.

ribbon (n) [ρί-μπον] κορδέλα.

rice (n) [ράις] όρυζα, ρύζι [βοτ].

rich (adj) [ριτος] πλούσιος.

richness (n) [ρίτσονες] πλούτη.

rick (n) [ρικ] ξάφνισμα.

rickets (n) [ρίκετς] ραχιτισμός.

rickety (adj) [ρίκετι] ετοιμόρροπος.

ricochet (v) [ρίκοουσσετ] αποστρακίζομαι.

rid (v) [ρι-ντ] ελευθερώνω.

riddle (n) [ρι-ντλ] σπαζοκεφαλιά.

riddled (adj) [ρι-ντλ-ντ] τρυπητός.

ride (n) [ράι-ντ] κούρσα, περίπατος (v) ιππεύω, καβαλλώ.

rider (n) [ράι-ντερ] καβαλάρης, αναβάτης.

ridge (n) [ριν-ντζζ] ράχη [βουνού].

ridicule (v) [ρί-ντικιούλ] σατιρίζω (n) γελοιοποίηση (adj) γελοίος.

riding (adj) [ράι-ντινγκ] ιππευτικός (n) ιππασία, καβάλα.

rife (adj) [ράιφ] διαδεδομένος.

riff-raff (n) [ριφ-ραφ] γυφταριό.

rifle (n) [ράιφλ] όπλο, τουφέκι.

rig (v) [ριγκ] εφοδιάζω, εξοπλίζω.

rigging (n) [ρίγκινγκ] αρματωσιά.

right (adv) [ράιτ] ορθά (adj) σωστός, λογικός (n) δίκιο, τίτλος (v) επανορθώνω.

right away (adv) [ράιτ αουέι] παραχρήμα, αμέσως.

right-handed (adj) [ράιτ-χάν-ντι-ντ] δεξιός, δεξιόχειρας.

right-wing (adj) [ράιτ-ουίνγκ] δεξιός.

rightangled (adj) [ράιτάνγκλ-ντ] ορθογώνιος.

righteous (adj) [ράιτσους] δίκαιος.

rightful (adj) [ράιτφούλ] δικαιωματικός, δικαιολογημένος.

rightly (adv) [ράιτλι] καλώς, ορθά.

rigid (adj) [ρίντζζ,ι-ντ] δύσκαμπτος.

rigidity (n) [ριντζζί-ντιτι] ακαμψία, δυσκαμψία.

rigorous (adj) [ρίγκορους] άτεγκτος, αυστηρός.

rile (v) [ράιλ] τσαντίζω.

rim (n) [ριμ] χείλος [ποτηριού].

rime (n) [ράιμ] ομοιοκαταληξία.

rind (n) [ράιν-ντ] κρούστα.

ring (adj) [ρινγκ] περιμετρικός (n) πίστα, στεφάνη, κρίκος (v) κουδουνίζω.

ringing (adj) [ρίνγκινγκ] καμπανιστός

(n) κωδωνοκρουσία.

ringleader (adj) [ρίνγκλίι-ντερ] αρχηγός σπείρας κλπ.

ringlet (n) [ρίνγκλετ] μπούκλα.

rinse (v) [ρινς] ξεπλένω (n) ξέπλυμα [σούπα].

riot (n) [ράιοτ] αντρασία.

rioting (n) [ράιοτινγκ] έκτροπα.

riotous (adj) [ράιοτας] άτσαλος.

rip (v) [ριπ] σκίζω.

rip off (v) [ριπ οφ] εξαπατώ.

rip up (v) [ριπ απ] ξεσκίζω.

ripe (adj) [ράιπ] μεστός, ώριμος.

ripen (v) [ράιπεν] μεστώνω.

ripeness (n) [ράιπνες] ωριμότητα.

ripening (n) [ράιπενινγκ] ωρίμανση.

ripple (n) [ριπλ] κυματάκι, ρυτίδα (v) κυμαίνομαι, κυματίζω.

rise (n) [ράιζ] πρόσθεση, τσόντα, συμπλήρωμα (v) ανακύπτω, σηκώνομαι.

rise above (v) [ράιζ α-μπάβ] δεσπόζω.

rising (adj) [ράιζινγκ] ανηφορικός, περίοπτος (n) εξέγερση.

rising early (adj) [ράιζινγκ έρλι] πρωινός.

risk (v) [ρισκ] ριψοκινδυνεύω.

risky (adj) [ρίσκι] ριψοκίνδυνος.

rissole (n) [ρίσσουλ] κροκέττα.

rite (n) [ράιτ] ιεροτελεστία, τελετή.

ritornello (n) [ριτοονέλοου] στροφή [μουσική].

ritual (adj) [ρίτσσουαλ] τελετουργικός (n) τελετουργία.

rival (adj) [ράιβαλ] αντίζηλος (n) συναγωνιστής (v) συναγωνίζομαι.

rivalry (n) [ράιβαλρι] αντιζηλία.

river (n) [ρίβερ] ποταμός, ποτάμι.

river-bed (n) [ρίβερ-μπέ-ντ] ρέμα.

river-boat (n) [ρίβερ-μπόουτ] ποταμόπλοιο.

rivet (n) [ρίβιτ] πιρτσίνι.

rivulet (n) [ρίβιουλιτ] ποταμάκι.

road (n) [ρόου-ντ] οδικός, στράτα.

road surface (n) [ρόου-ντ σέρφες] οδ΄

στρώμα.
roadblock (n) [ρόου-ντ-μπλοκ] μπλόκο, οδόφραγμα.
roam (v) [ρόουμ] τριγυρίζω.
roaming (n) [ρόουμινγκ] περιπλάνηση.
roar (n) [ρόο] σαματάς, βρόντος (v) μουγκρίζω, ουρλιάζω, βογκώ.
roaring (n) [ρόορινγκ] βοή, βουή.
roast (adj) [ρόουστ] ψητός (n) ψητό (v) καβουρδίζω, ψήνω, υπερθερμαίνω.
roasted (adj) [ρόουστι-ντ] ψητός, ψημένος.
roasting (n) [ρόουστινγκ] ψήσιμο.
rob (v) [ρο-μπ] αφαιρώ, ληστεύω.
robber (n) [ρό-μπερ] ληστής.
robber chief (n) [ρό-μπερ τσσιφ] λήσταρχος.
robbery (n) [ρό-μπερι] κλεψιά.
robe (n) [ρόου-μπ] χιτώνας.
robin (n) [ρό-μπιν] κοκκινολαίμης.
robot (n) [ρόου-μποτ] ρομπότ.
robust (adj) [ρόου-μπαστ] ακμαίος.
robustness (n) [ρόου-μπαστνες] ρώμη.
rock (n) [ροκ] ξέρα, βράχος (v) κουνώ.
rocket (n) [ρόκετ] ρουκέτα.
rocking (adj) [ρόκινγκ] κουνιστός.
rocky (adj) [ρόκι] βραχώδης.
rod (n) [ρο-ντ] στέλεχος, βέργα.
rodent (n) [ρόου-ντεν-τ] τρωκτικό.
roe (buck) (n) [ρόου [μπακ] ζαρκάδι.
rogue (adj) [ρόουγκ] αλιτήριος (n) λέρα, κάθαρμα, καθήκι.
roguery (n) [ρόουγκερι] παλιανθρωπιά, τσαχπινιά.
roguish (adj) [ρόουγκισς] μόρτικος.
role (n) [ρόουλ] ρόλος, πρόσωπο.
roll (n) [ρόουλ] κουλούρι, κατάλογος, ρόλος (v) κυλάω.
roll of drums (n) [ρόουλ οβ ντράμς] τυ-
...μπανοκρουσία.
...der (n) [ρόουλ οβ θάν-ντερ] ...ντό.
...) [ρόουλ όουβερ] κυλιέμαι.

roll up (v) [ρόουλ απ] ανασηκώνω.
roller (n) [ρόουλερ] κύλινδρος.
roller-skate (n) [ρόουλερ-σκέιτ] πατίνι.
rolling (adj) [ρόουλινγκ] κυματιστός (n) κύλισμα, τύλιγμα.
rolling-pin (n) [ρόουλινγκπιν] πλάστης, πλαστήρι.
roly-poly (n) [ρόουλι-πόλι] μπουλούκος.
Roman (adj) [Ρόουμαν] ρωμαϊκός.
romance (n) [ροουμάνς] ρομάντσο.
romantic (adj) [ροουμάν-τικ] απροσγείωτος, ρομαντικός.
romanticism (n) [ροουμάν-τισιζμ] ρομαντικότητα, ρομαντισμός.
Rome (n) [Ρόουμ] Ρώμη.
roof (n) [ρούουφ] οροφή (v) στεγάζω.
roofed (adj) [ρούουφ-τ] σκεπαστός.
roofing (n) [ρούουφινγκ] σκέπασμα.
roofless (adj) [ρούουφλες] άστεγος.
rook (n) [ρούκ] κοράκι.
room (n) [ρούουμ] θέση, κάμαρα.
roomy (adj) [ρούουμι] απλόχωρος.
roost (v) [ρούουστ] κουρνιάζω.
rooster (n) [ρούουστερ] κόκορας.
root (n) [ρούουτ] ρίζα (v) ριζοβολώ.
rooted (adj) [ρούουτι-ντ] ριζωμένος.
rope (adj) [ρόουπ] σκοινένιος (n) τριχιά, καλώδιο, σκοινί, σχοινί.
ropewalker (n) [ρόουπουόοκερ] ισορροπιστής.
rose (n) [ρόουζ] ρόδο.
rose bush (n) [ρόουζ μπουσς] τριαντάφυλλιά [βοτ].
rose-bed (n) [ρόουζ-μπέ-ντ] ροδώνας.
rose-coloured (adj) [ρόουζ-κόλα-ντ] ρόδινος [μεταφ].
rosemary (n) [ρόουζμαρι] δεντρολίβανο.
rosette (n) [ροουζέτ] κονκάρδα.
rosewater (n) [ρόουζουόοτα(ρ)] ροδόνερο, ροδόσταμα.
rostrum (n) [ρόστραμ] βήμα.
rosy (adj) [ρόουζι] κόκκινος.

rosy-cheeked (adj) [ρόουζιτσσίικ-ντ] ροδομάγουλος.

rot (v) [ροτ] αποσυνθέτω, σαπίζω.

Rotary (adj) [Ρόταρι] ροταριανός.

rotate (v) [ρόουτέϊτ] περιφέρομαι.

rotation (n) [ροουτέισσον] περιστροφή.

rotogravure (n) [ροουτοουγκραβιούρ] βαθυτυπία.

rotted (adj) [ρότι-ντ] σαθρός.

rotten (adj) [ρότεν] κλούβιος, σαθρός.

rotter (n) [ρότερ] τραμπούκος.

rouble (n) [ρου-μπλ] ρούβλι.

rouge (n) [ρουζζ] κοκκινάδι.

rough (adj) [ραφ] ακατέργαστος.

rough draft (n) [ραφ ντράαφτ] προσχέδιο.

rough drawing (n) [ραφ ντρόοινγκ] σκαρίφημα.

rough sea (n) [ραφ σίι] φουρτούνα.

roughly (adv) [ράφλι] πρόχειρα.

roughness (n) [ράφνες] τραχύτητα.

roulette (n) [ρουλέτ] ρουλέτα.

round (adv) [ράουν-ντ] γύρω (adj) στρογγυλός, κυρτός (n) γύρος, κυκλοφορία, διανομή, έκδοση (pr) ως, περί, διά.

round about (adv) [ράουν-ντ α-μπάουτ] πέριξ, περίπου (pr) περί.

round upon (v) [ράουν-ντ απόν] μεταστρέφομαι.

round-up (n) [ράουν-νταπ] μπλόκο.

roundabout (n) [ράουν-ντα-μπάουτ] παρακαμπτήριος, κυκλικός.

rounded (adj) [ράουν-ντι-ντ] καμπύλος.

rounds (n) [ράουν-ντς] περιπολία.

rouse (v) [ράουζ] διεγείρω, εξάπτω.

rousing (adj) [ράουζινγκ] ενθουσιώδης.

rout (v) [ράουτ] κατατροπώνω.

rout out (v) [ράουτ άουτ] ξεπετώ.

route (n) [ρουτ] πορεία.

routine (n) [ρουτίν] ρουτίνα.

rove (v) [ρόουβ] περιπλανιέμαι.

roving (adj) [ρόουβινγκ] νομαδικός.

row (n) [ρόου] αράδα, σειρά, γραμμή,

στοίχος (v) κωπηλατώ.

row (n) [ράου] καβγάς, πατιρντί.

rowboat (n) [ρόου-μπόουτ] λέμβος.

rower (n) [ρόουερ] κωπηλάτης.

rowing (n) [ρόουινγκ] κωπηλασία.

royal (adj) [ρόιαλ] ανακτορικός, βασιλικός.

royalist (adj) [ρόιαλιστ] φιλοβασιλικός (n) βασιλόφρονας.

rub (v) [ρα-μπ] αλείβω, τρίβω.

rub off (v) [ρα-μπ οφ] ξεγδέρνω.

rub out (v) [ρα-μπ άουτ] σβήνω.

rub-down (n) [ρά-μπ-ντάουν] μασάζ.

rubber (adj) [ρά-μπερ] λαστιχένιος (n) καουτσούκ, λάστιχο, σβηστήρι.

rubber band (n) [ρά-μπερ μπαν-ντ] λάστιχο.

rubbing (n) [ρά-μπινγκ] επάλειψη, προστριβή, τριβή, ξύσιμο, τρίψιμο.

rubbish (n) [ρά-μπις] μπαγκατέλα, σαβούρα, σαχλαμάρα, τρίχες.

rubbish dump (n) [ρά-μπις νταμ-π] σκουπιδότοπος, σκουπιδαριό.

rubble (n) [ρα-μπλ] μπάζα.

ruby (n) [ρού-μπι] ρουμπίνι.

rucksack (n) [ράκσακ] γυλιός.

rudder (n) [ρά-ντερ] τιμόνι.

ruddy (adj) [ρά-ντι] κόκκινος.

rude (adj) [ρούου-ντ] αγενής, πρόστυχος.

rudimentary (adj) [ρούου-ντιμέν-ταρι] στοιχειώδης, ατελής.

rudiments (n) [ρούου-ντιμέν-τς] στοιχεία.

rue (v) [ρούου] θρηνώ, μετανοώ.

ruffian (n) [ράφιαν] νταής.

ruffle (n) [ραφλ] τσαντίλα (v) στραπατσάρω.

rug (n) [ραγκ] ταπέτο, χαλί, χράμι.

ruin (n) [ρούουιν] θραύση, χάλασμα, χαμός (v) αποχαλώ, ρημάζω.

ruinous (adj) [ρούουινας] καταστρεπτικός.

rule (n) [ρούουλ] δυναστεία, κανόνας (v) αποφαίνομαι, διοικώ, κρατώ, χαρακώνω, βασιλεύω.

ruled (adj) [ρούουλ-ντ] ραβδωτός.

ruler (n) [ρούουλερ] χάρακας, δυνά

στης, εξουσιαστής.
rulers (n) [ρούουλερς] ιθύνοντες.
ruling (adj) [ρούουλινγκ] κυρίαρχος (n) χαράκωμα [γραμμών].
rum (adj) [ραμ] ανεκδιήγητος, μυστήριος (n) ρούμι.
Rumanian (adj) [Ρουμέινιαν] ρουμανικός (n) Ρουμάνα, Ρουμάνος.
rumble (v) [ρα-μπλ] γουργουρίζω [στομάχι] (n) γουργουρητό.
rumbling (n) [ράμ-μπλινγκ] γουργουρητό.
ruminant (n) [ρούουμιναν-τ] μηρυκαστικό.
ruminate (v) [ρούουμινεϊτ] μηρυκάζω, αναλογίζομαι.
rumination (n) [ρούουμινέισσον] μηρυκασμός.
rummage (n) [ράμιντζζ] νποψία (v) αναδιφώ, σκαλίζω, ψάχνω.
rummy (n) [ράμι] ραμί [χαρτοπ].
rumour (n) [ρούουμερ] φήμη, θρύλος, λόγος, διάδοση.
rump (n) [ραμ-π] καπούλια.
rumpus (n) [ράμ-πας] πατιρντί.
run (n) [ραν] πορεία, φορά (v) τρέχω.
run amok (v) [ραν αμόκ] αφηνιάζω.
run down (adj) [ραν ντάουν] καταβεβλημένος (v) κακολογώ.
run out (v) [ραν άουτ] νετάρω.
run over (v) [ραν όουβερ] ξεχειλίζω, παρασύρω, πατώ.
run through (v) [ραν θρου] διατρέχω, ξεφυλλίζω, σουβλίζω.
runaway (adj) [ράναουέι] αχαλίνωτος, ξέφρενος (n) φυγάς.
rung (n) [ρανγκ] σκαλί, σκαλοπάτι.
runner (n) [ράνερ] δρομέας.
runner-up (n) [ράνερ-απ] επιλαχών.
running (adv) [ράνινγκ] απανωτά (adj) τρεχάτος, ενεργός (n) τρέξιμο, ροή.
running about (n) [ράνινγκ α-μπάουτ]

τρεχάματα.
runny (adj) [ράνι] υγρός, που τρέχει [για μύτη].
rupture (n) [ράπτσερ] διάρρηξη, ρήγμα [μεταφ], κήλη, ρήξη [ιατρ] (v) διασπώ.
rural (adj) [ρούραλ] αγροτικός, χωρικός.
rural constable (n) [ρούραλ κόνσταμπλ] αγροφύλακας.
ruse (n) [ρούουζ] κουτοπονηριά, πανουργία, πονηριά, στρατήγημα, τέχνασμα.
rush (n) [ρας] σπάρτο [βοτ], εξόρμηση (v) εξορμώ, ορμώ, πιλαλώ, χιμώ.
rush at (v) [ρας ατ] εφορμώ, χιμώ.
rush down (v) [ρας ντάουν] ροβολώ.
rush in (v) [ρας ιν] εισορμώ.
rush mat (n) [ρας ματ] ψάθα [χαλί].
rush of people (n) [ρας οβ πίιπλ] κοσμοσυρροή.
rush up (v) [ρας απ] προστρέχω.
rush upon (v) [ρας απόν] χιμώ, χύνομαι [μεταφ].
rusk (n) [ρασκ] παξιμάδι [για βίδα].
russet (adj) [ράσετ] κοκκινωπός, χρυσοκόκκινος.
Russia (n) [Ράσσα] Ρωσία.
Russian (n) [Ράσσαν] Ρώσος.
rust (n) [ραστ] σκουριά (v) οξειδώνω.
rustic (adj) [ράστικ] χωριάτικος, αγροτικός, εξοχικός.
rustiness (n) [ράστινες] οξείδωση.
rusting (n) [ράστινγκ] οξείδωση.
rustle (v) [ρασλ] θροΐζω (n) θρόισμα, σούσουρο.
rustproof (adj) [ράστπρουφ] ανοξείδωτος.
rusty (adj) [ράστι] σκουριασμένος.
rut (n) [ρατ] αυλακιά, ροδιά [αυτοκ], τροχιά (v) αυλακώνω, βαρβατεύω.
ruthless (adj) [ρούθλες] ανελέητος, ανηλεής.
rye (n) [ράι] σίκαλη [βοτ].

S, s (n) [ες] το δέκατο ένατο γράμμα του αγγλικού αλφαβήτου.

sabaism (n) [σέι-μπαϊσμ] αστρολατρία.

sabot (n) [σά-μπου] τσόκαρο.

sabotage (n) [σά-μποτάαζζ] σαμποτάζ (v) σαμποτάρω, υπονομεύω.

saboteur (n) [σα-μποτέρ] σαμποτέρ.

sabre (n) [σέι-μπερ] σπαθί.

sac (n) [σακ] κοιλότητα, σάκκος.

saccharin (n) [σάκαριν] ζαχαρίνη.

sachet (n) [σάσσεϊ] σακουλάκι.

sack (n) [σακ] σακούλα (v) λαφυραγωγώ.

sacking (n) [σάκινγκ] λινάτσα.

sacrament (n) [σάκραμεν-τ] μυστήριο [εκκλ], βάπτιση.

sacramental (adj) [σακραμέντλ] μυσταγωγικός, μυστηριακός.

sacred (adj) [σέικρε-ντ] ιερός, άγιος.

sacredness (n) [σέικρι-ντνες] ιερότητα,

sacrifice (n) [σάκριφαϊς] θυσία, αφιέρωμα, θύμα (v) θυσιάζω, απαρνούμαι.

sacrificer (n) [σακριφάισερ] θύτης.

sacrificial (adj) [σάκριφίσσιαλ] θυσιαστικός, θυσιαστήριος.

sacrilege (n) [σάκριλεντζζ] ιεροσυλία, ανοσιούργημα, βεβήλωση.

sacrilegious (adj) [σακριλίιντζζας] ανίερος, ανόσιος, ιερόσυλος.

sacristan (n) [σάκρισταν] νεωκόρος.

sad (adj) [σα-ντ] κατηφής, λυπηρός.

sadden (v) [σά-ντεν] λυπώ, θλίβω.

saddle (n) [σα-ντλ] σέλα, σαμάρι (v) σαμαρώνω, σελώνω.

saddlebag (n) [σά-ντλ-μπαγκ] δισάκι.

saddlecloth (n) [σά-ντλκλόθ] υπόστρωμα.

sadism (n) [σέι-ντιζμ] σαδισμός.

sadist (n) [σέι-ντιστ] σαδιστής.

sadistic (adj) [σα-ντίστικ] σαδιστικός.

sadly (adv) [σάντλι] θλιβερά, λυπητερά, μελαγχολικά, ελεεινά.

sadness (n) [σά-ντνες] δυσθυμία, θλίψη, μελαγχολία, λύπη.

safe (adj) [σέιφ] άθικτος, σίγουρος, σώος (n) χρηματοκιβώτιο, κάσα.

safe-keeping (n) [σέιφ-κίιπινγκ] φύλαγμα, προστασία, επιτήρηση.

safeguard (v) [σέιφγκάα-ντ] κατοχυρώνω, προστατεύω.

safely (adv) [σέιφλι] ασφαλώς.

safety (adj) [σέιφτι] ασφαλιστικός (n) ασφάλεια, σιγουριά, σωτηρία.

safety catch (n) [σέιφτι κατος] ασφάλεια [όπλου].

safety pin (n) [σέιφτι πιν] παραμάνα.

saffron (n) [σάφρον] ζαφορά.

sag (v) [σαγκ] βαθουλώνω, κρεμάω.

sagacious (adj) [σαγκέισσας] οξύνους, οξυδερκής, συνετός.

sage (n) [σέιντζζ] σοφός.

sail (v) [σέιλ] ιστιοπλοώ, πλέω (n) άρμενο, ιστίο, πανί [ναυτ].

sailboat (n) [σέιλ-μπόουτ] κότερο.

sailing (adj) [σέιλινγκ] ιστιοπλοϊκός (n) αρμένισμα, ιστιοπλοΐα.

sailing boat (n) [σέιλινγκ μπόουτ] καΐκι.

sailing ship (n) [σέιλινγκ σσιπ] ιστιοφόρο.

sailor (n) [σέιλορ] ναύτης.

saint (adj) [σέιν-τ] άγιος, όσιος.

saintliness (n) [σέιν-τλινες] αγιοσύνη.

salad (n) [σάλα-ντ] σαλάτα.

salad bowl (n) [σάλα-ντ μπόουλ] σαλατιέρα.

salamander (n) [σαλαμάν-ντερ] σαλαμάντρα.

salami (n) [σαλάμι] σαλάμι.

salaried (adj) [σάλαρι-ντ] έμμισθος,

salary (n) [σάλαρι] πληρωμή.

sale (n) [σέιλ] εκποίηση, πώληση.

salesman (n) [σέιλσμαν] πλασιέ.

salience (n) [σέιλιενς] προεξοχή.

salient (adj) [σέιλιεν-τ] προεξέχων.

saliferous (adj) [σαλίφερας] αλατούχος,

salify (v) [σάλιφαϊ] αλατοποιώ.

saline (adj) [σέιλαϊν] αλμυρός.

salinity, (n) [σαλίνιτι] αλμυρότητα.

saliva (n) [σαλάιβα] σίαλος, σίελος.

salivary (adj) [σαλίβερι] σιαλικός.

sallow (adj) [σάλοου] ωχρός.

sally (n) [σάλι] εξόρμηση, έκρηξη.

salmon (n) [σάμον] σολομός [ιχθ].

saloon (n) [σαλούουν] σαλόνι.

saloon car (n) [σαλούουν κάα] λιμουζίνα.

salt (v) [σόλτ] αλατίζω (n) αλάτι.

salt-cellar (n) [σόλτ-σέλαρ] αλατιέρα.

saltation (n) [σαλτέισσον] άλμα, σάλτο.

salted (adj) [σόλτι-ντ] αλμυρός.

saltiness (n) [σόολτινες] αλμύρα.

salty (adj) [σόλτι] αλμυρός.

salutation (n) [σαλουτέισσον] χαιρέτισμα,

salute (v) [σαλούουτ] χαιρετίζω (n) χαιρέτισμα, χαιρετισμός.

salvage (v) [σάλβιντζζ] περισώζω.

salvation (n) [σαλβέισσον] διάσωση,

salvo (n) [σάλβοου] ομοβροντία.

same (adj) [σέιμ] ίδιος, όμοιος.

sameness (n) [σέιμνες] ομοιότητα,

sample (n) [σάαμ-πλ] δείγμα (adj) υποδειγματικός (v) δοκιμάζω.

sampling (adj) [σάαμ-πλινγκ] δειγματοληπτικός (n) δειγματοληψία.

sanatorium (n) [σανατόριαμ] σανατόριο,

sanctification (n) [σανκτιφικέισσον] αγιασμός, αφιέρωση.

sanctify (v) [σάνκτιφαϊ] αγιοποιώ, εξαγνίζω, επικυρώνω.

sanction (n) [σάνκσσον] έγκριση, καθιέρωση, ποινή.

sanctity (n) [σάνκτιτι] ιερότητα.

sanctuary (n) [σάνκτσσουαρι] άδυτο, ιερό, ναός, εκκλησία.

sand (n) [σαν-ντ] άμμος, αμμουδιά.

sand-pit (n) [σάν-ντ-πίτ] σκάμμα.

sandal (n) [σάν-νταλ] πέδιλο.

sandbath (n) [σάν-ντ-μπάαθ] αμμόλουτρο.

sandglass (n) [σάν-ντγκλάας] κλεψύδρα.

sandpaper (n) [σάν-ντπέιπερ] αμμόχαρτο, γυαλόχαρτο.

sandstorm (n) [σάν-ντστόομ] αμμοθύελλα.

sandwich (n) [σάν-ντουιτσς] σάντουιτς.

sandy (adj) [σάν-ντι] αμμώδης.

sanguinary (adj) [σάνγκουινερι] αιματηρός, αιμοβόρος, υβριστικός.

sanguine (adj) [σάνγκουιν] αισιόδοξος, εύελπις, σίγουρος.

sanguineous (adj) [σανγκουίνιους] αιματώδης, πληθωρικός.

sanitary (adj) [σάνιτερι] υγειονομικός, υγιεινός, καθαρός.

sanitation (n) [σανιτέισσον] υγιεινή, εξυγίανοη, αποχέτευοη.

sap (n) [σαπ] ικμάδα, χυμός (v) υπονομεύω, υποσκάπω, εξασθενώ.

sapid (adj) [σάπιντ] εύχυμος, εύγευστος, χυμώδης, ζουμερός.

sapience (n) [σέιπιενς] σοφία.

sapient (adj) [σέιπιεντ] σοφός.

sapling (n) [σάπλινγκ] δενδρύλλιο.

sapper (n) [σάπερ] σκαπανέας.

sapphire (n) [σάφάιρ] σάπφειρος.

sappy (adj) [σάπι] εύχυμος.

sarcasm (n) [σάακαζμ] σαρκασμός.

sarcastic (adj) [σαακάστικ] σαρδόνιος, σαρκαστικός, χλευαστικός.

sarcoma (n) [σαακόουμα] σάρκωμα,

sardine (n) [σαα-ντίιν] σαρδέλα.

sardonic (adj) [σαα-ντόνικ] σαρδόνιος.

sargus (n) [σάργκας] σαργός.

sash (n) [σασς] ζουνάρι, ζωνάρι.

Satan (n) [Σέιταν] σατανάς.

satanic (adj) [σατάνικ] σατανικός.

satchel (n) [σάτσσελ] σάκα, τσάντα.

satellite (n) [σάτελάιτ] δορυφόρος.

satiate (v) [σέισσιέιτ] ικανοποιώ, παραχορταίνω, μπουχτίζω.

satiated (adj) [σέισσιέιτι-ντ] χορτάτος.

satiety (n) [σατάιετι] κορεσμός.

satin (n) [σάτιν] σατέν, μεταξωτό.

satire (n) [σάτάιρ] σάτιρα.

satirical (adj) [σατίρικαλ] ειρωνικός,

satirist (n) [σάτιριστ] σατιρικός.

satirize (adj) [σάτιραΐζ] σατιρίζω.

satisfaction (n) [σατισφάκσσον] ευχαρίστηση, ικανοποίηση.

satisfactory (adj) [σατισφάκτορι] ικανοποιητικός, επαρκής.

satisfied (adj) [σάτισφαϊ-ντ] αυτάρκης, χορτάτος, ικανοποιημένος.

satisfy (v) [σάτισφαϊ] θεραπεύω, ικανοποιώ, χορταίνω, ευχαριστώ.

satisfying (adj) [σάτισφαϊινγκ] ικανοποιητικός, χορταστικός.

satrap (n) [σάτραπ] σατράπης.

satrapy (n) [σάτραπι] σατραπεία.

saturate (v) [σάτσσουρεϊτ] διαποτίζω, εμποτίζω, μουσκεύω.

saturated (adj) [σάτσσουρεϊτι-ντ] κορεσμένος, διαποτισμένος.

Saturday (n) [Σάτα-ντεϊ] Σάββατο.

satyr (n) [σάτερ] σάτυρος, λάγνος.

sauce (adj) [σόος] αυθάδης (n) σάλτσα, άρτυμα, καρίκευμα.

saucepan (n) [σόοσπαν] κατσαρόλα.

saucer (n) [σόοσερ] πιατάκι.

saucy (adj) [σόοσι] θρασύς.

sauna (n) [σόονα] ατμόλουτρο.

saunter (v) [σόον-τερ] βολτάρω.

sausage (n) [σόσιντζζ] λουκάνικο.

sausages (n) [σόσιντζζιζ] αλλαντικά.

savage (adj) [σάβιντζζ] απολίτιστος, τραχύς, βίαιος, σκληρός.

savageness (n) [σάβιντζζνες] αγριάδα.

savagery (n) [σάβιντζζρι] αγριότητα,

save (adv) [σέιβ] παρεκτός (v) διασώζω, διατηρώ, σώζω (conj) πλην, εκτός [από].

save (for) [adv] [σέιβ [φορ]] εκτός.

save up (v) [σέιβ απ] εξοικονομώ.

saving (n) [σέιβινγκ] οικονομία.

savings (n) [σέιβινγκς] κομπόδεμα.

savings bank (n) [σέιβινγκς μπανκ] ταμιευτήριο.

saviour (n) [σέιβι, ερ] σωτήρας.

savory (n) [σέιβερι] θρούμπη (adj) ορεκτικός, γευστικός.

savour (n) [σέιβερ] γεύση, ουσία.

savoury (adj) [σέιβερι] εύγευστος.

saw (v) [σόο] πριονίζω (n) πριόνι.

sawdust (n) [σόο-νταστ] πριονίδι.

sawedged (adj) [σόοέντζζ-ντ] πριονωτός.

saxophone (n) [σάξαφόουν] σαξόφωνο.

say (v) [σέι] λέγω.

saying (n) [σέιινγκ] απόφθεγμα, παροιμία, ρήση, λόγος.

scab (n) [σκα-μπ] κρούστα, απεργοσπάστης.

scabbard (n) [σκά-μπαα-ντ] θήκη.

scabby (adj) [σκά-μπι] ψωραλέος.

scabies (n) [σκέι-μπις] ψώρα.

scaffold (n) [σκάφοουλ-ντ] σκαλωσιά, θανατική ποινή.

scaffolding (n) [σκάφολ-ντυγκ] σκαλωσιά.

scald (v) [σκόολ-ντ] ζεματίζω (n) κάψιμο, ζεμάτισμα.

scalding (adj) [σκόολ-ντιυγκ] ζεματιστός, καυτερός [υγρό], καυτός.

scale (n) [σκέιλ] κλίμακα, σκάλα.

scales (n) [σκέιλς] παλάντζα.

scaliness (n) [σκέιλινες] λέπιασμα.

scaling (n) [σκέιλιυγκ] σκάλωμα.

scallywag (n) [σκάλιουάγκ] ρεμπεσκές.

scalpel (n) [σκάλπελ] νυστέρι.

scaly (adj) [σκέιλι] λεπιδοειδής.

scamp (n) [σκαμ-π] αλητήριος.

scan (v) [σκαν] ανιχνεύω, μελετώ.

scandal (n) [σκάν-νταλ] σκάνδαλο, αίσχος, ντροπή, κακολογία.

scandalize (v) [σκάν-νταλάιζ] σκανδαλίζω, σοκάρω.

scandalmonger (n) [σκάν-νταλμόνγκερ] κουτσομπόλης.

scandalous (adj) [σκάν-νταλας] σκανδαλώδης, αισχρός.

Scandinavian (adj) [Σκάν-ντινέιβιαν] σκανδιναβικός.

scanner (n) [σκάνερ] εξερευνητής.

scansion (n) [σκένσον] μέτρημα.

scant (adj) [σκαν-τ] πενιχρός.

scanty (adj) [σκάν-τι] ελλιπής.

scapegoat (adj) [σκέιπγκόουτ] αποδιοπομπαίος (n) κορόιδο.

scar (n) [σκάαρ] ουλή, σημάδι.

scarab (n) [σκάρα-μπ] κάνθαρος.

scarabee (n) [σκάρα-μπίι] σκαθάρι.

scarcely (adv) [σκέαρσλι] σχεδόν.

scarcity (n) [σκέρσιτι] ανεπάρκεια, σπανιότητα, έλλειψη, στενότητα.

scare (n) [σκέαρ] τρόμος, πανικός (v) τρομάζω, εκφοβίζω.

scarecrow (n) [σκέαρκρόου] σκιάχτρο.

scared (adj) [σκέα-ντ] έντρομος.

scarf (n) [σκάαφ] σάρπα, κασκόλ.

scarlet (adj) [σκάαλετ] κόκκινος.

scarlet fever (n) [σκάαλετ φίιβερ] οστρακιά [ιατρ].

scarred (adj) [σκάα-ντ] σημαδεμένος.

scatheless (adj) [σκέιδλες] σώος.

scathing (adj) [σκέιδιυγκ] δηκτικός.

scatological (adj) [σκατολόντζζικλ] βωμολοχικός, ρυπαρολογικός.

scatology (n) [σκατόλοντζζι] σκατολογία.

scatter (v) [σκάτερ] διασκορπίζω.

scatterbrain (n) [σκάτερ-μπρέιν] κουφιοκεφαλάκης, χαμένος.

scattered (adj) [σκάτα-ντ] σκόρπιος.

scattering (n) [σκάτεριυγκ] διασπορά, διάλυση, σκόρπισμα.

scavenge (v) [σκάβεν-ντζζ] σκουπίζω.

scenario (n) [σενάριοου] σενάριο.

scene (n) [σίιν] σκηνή, γεγονός.

scenery (n) [σίινερι] τοπίο, θέα, άποψη, σκηνογραφία, σκηνικά.

scenic (adj) [σίινικ] σκηνικός, θεατρικός, δραματικός, γραφικός.

scent (n) [σεν-τ] άρωμα, ευωδιά, μυρουδιά, οσμή (v) αρωματίζω.

scented (adj) [σέν-τι-ντ] αρωματικός.

scentless (adj) [σέν-τλες] άοσμος.

sceptic (n) [σκέπτικ] σκεπτικιστής.

sceptical (adj) [σκέπτικαλ] σκεπτικός, αμφισβητητικός.

scepticism (n) [σκέπτισιζμ] σκεπτικισμός, αμφιβολία, δυσπιστία.

sceptre (n) [σέπτερ] σκήπτρο.

schedule (v) [σοέ-ντιουλ] προγραμματίζω (n) πρόγραμμα.

schema (n) [σκίμα] σχέδιο, περίγραμμα.

schematic (adj) [σκιμάτικ] σχηματικός, διαγραμματικός.

scheme (n) [σκίμ] πρόγραμμα, πλεκτά-

vn, σύστημα, σχέδιο (v) μηχανορραφώ,
schemer (n) [σκίμερ] ραδιούργος.
scheming (adj) [σκίμινγκ] ραδιούργος
(n) δολοπλοκία.
schism (n) [σιζμ] σχίσμα.
schist (n) [σιστ] σχιστόλιθος.
schizophrenia (n) [σκιννττζοουφρίινια]
σχιζοφρενία [ψυχολ].
schizophrenic (adj) [σκιννττζοφρένικ]
σχιζοφρενής.
scholar (adj) [σκόλαρ] λόγιος, υπότρο-
φος (n) πολυμαθής.
scholarly (adj) [σκόλαρλι] πολυμαθής.
scholarship (n) [σκόλασσιπ] λογιότητα,
υποτροφία.
scholastic (adj) [σκολάστικ] σχολαστικός.
scholiast (n) [σκόλιαστ] σχολιαστής.
school (adj) [σκουλ] μαθητικός (n) σχο-
λείο (v) διαπαιδαγωγώ.
school building (n) [σκουλ μπίλ-ντινγκ]
διδακτήριο.
school leaver (adj) [σκουλ λίιβερ] από-
φοιτος.
school register (n) [σκουλ ρέντζιστερ]
μαθητολόγιο.
schoolgirl (n) [σκούλγκερλ] μαθήτρια.
schooling (n) [σκούουλινγκ] εκπαίδευση,
schoolmaster (n) [σκούλμάαστερ] διδά-
σκαλος, καθηγητής.
schoolmistress (n) [σκούλμίστρες] δα-
σκάλα, καθηγήτρια γυμνασίου.
schoolteacher (n) [σκούλτίιτσσερ] δη-
μοδιδάσκαλος, εκπαιδευτικός.
sciatica (n) [σαϊάτικα] ισχιαλγία.
science (n) [σάιενς] επιστήμη.
scientific (adj) [σάιεν-τίφικ] επιστημονι-
κός, μεθοδικός, ακριβής.
scientist (n) [σάιεν-τιστ] επιστήμων.
scion (n) [σάιον] βλαστός [μεταφ].
scissors (n) [σίζαζ] ψαλίδι.
sclerosis (n) [σκλιρόουσις] σκλήρωση
[ιατρ], σκλήρυνση.

scoff (v) [σκοφ] χλευάζω.
scold (v) [σκόουλ-ντ] επιτιμώ.
scolding (n) [σκόουλ-ντινγκ] κατσάδα.
scoliosis (n) [σκολιόουσις] σκολίωση.
scoop (n) [σκούουπ] κουτάλα.
scoop out (v) [σκούουπ άουτ] σκάβω,
scope (n) [σκόουπ] όριο, ευκαιρία.
scorch (v) [σκόρτος] τσικνίζω (n) κά-
ψιμο, καψάλισμα.
scorcher (n) [σκόορτσσερ] λιοπύρι.
scorching (adj) [σκόορτσοινγκ] καυτός,
καυτερός, ζεματιστός.
score (n) [σκόορ] βαθμολογία, πόντος
(v) χαρακώνω, επιτυγχάνω, κερδίζω.
scored (adj) [σκόο-ντ] αυλακωτός.
scorn (n) [σκόον] περιφρόνηση, οίκτος
(v) απαξιώνω, αψηφώ.
scorned (adj) [σκόον-ντ] παραπεταμένος.
scorpion (n) [σκόοπιον] σκορπιός.
Scot (n) [Σκοτ] Σκοτσέζος.
scotch (n) [σκοτος] ουίσκι.
Scotsman (n) [Σκότσμαν] Σκοτσέζος.
scoundrel (n) [σκάουν-ντρελ] χαμάλης, α-
χρείος (adj) αχαΐρευτος (n) τραμπούκος.
scourge (n) [σκερντζζ] μαστίγιο.
scout (n) [σκάουτ] προπομπός (v) ανιχνεύω.
scowl (v) [σκάουλ] κατσουφιάζω.
scraggy (adj) [σκράγκι] κάτισχνος.
scramble (n) [σκραμ-μπλ] συνωστι-
σμός, ανακάτεμα, σπρωξίδι.
scrap (n) [σκραπ] απόκομμα, ίχνος,
θραύσμα (n) παλιοπράγματα.
scrap dealer (n) [σκραπ ντίιλερ] παλιατζής.
scrap metal (n) [σκραπ μέταλ] παλιοσίδερα.
scrape (n) [σκρέιπ] ξύσιμο, τρίμμιμο (v)
ξύνω, καθαρίζω, ισιώνω, λειαίνω.
scrape along (v) [σκρέιπ αλόνγκ] ψευτοζώ.
scrape off (v) [σκρέιπ οφ] ξύνω.
scrape through (v) [σκρέιπ θρου] φυτο-
ζωώ.
scrape together (v) [σκρέιπ τουγκέδερ]
εξοικονομώ.

scraper (n) [σκρέιπερ] ξύστρα.

scraping (n) [σκρέιπινγκ] ξύσιμο.

scrappy (adj) [σκράπι] ετερόκλητος, α-
ποσπασματικός.

scraps (n) [σκραπς] αποφάγια.

scratch (n) [σκρατς] αμυχή, γδάρσιμο (v)
γρατζουνίζω, ξύνω (adj) ετερόκλητος.

scratched (adj) [σκρατσσ-τ] ξυστός.

scratching (n) [σκράτοσινγκ] ξύσιμο.

scrawl (n) [σκρόολ] καλικατζούρα (v)
κακογράφω.

scream (n) [σκρίιμ] κραυγή (v) κραυγάζω.

screaming (adj) [σκρίιμινγκ] κραυγαλέ-
ος, χτυπητός, εντυπωσιακός.

scree (n) [σκρίι] κυλίστρα, σάρα.

screech (v) [σκρίιτος] στριγγλίζω (n)
κραυγή, στριγγλιά, κρωγμός.

screen (n) [σκρίιν] οθόνη, διαχώρισμα (adj)
κινηματογραφικός (v) προφυλάσσω,

screenplay (n) [σκρίινπλέι] σενάριο.

screw (v) [σκριού] βιδώνω, αποσπώ, γα-
μώ (n) βίδα, έλικας.

screwball (n) [σκριού-μποολ] ζουρλο-
παντιέρα, βίδα, εκκεντρικός.

screwdriver (n) [σκριού-ντράιβερ] κα-
τσαβίδι.

scribble (n) [σκρι-μπλ] κακογραφία (v)
κακογράφω.

scribbler (n) [σκρί-μπλερ] κακογράφος,
γραφιάς.

script (n) [σκριπτ] γράψιμο.

script-writer (n) [σκρίιπτράιτερ] σενα-
ριογράφος.

scripted (adj) [σκρίπτι-ντ] χειρόγραφος.

scrotum (n) [σκρόουταμ] κύστη των όρ-
χεων.

scrounge (n) [σκράουν-ντζζ] σελέμης,
σελεμίζω.

scrub (n) [σκρα-μπ] θάμνος, φασίνα (v)
πλένω, πλύνω.

scruple (n) [σκρουπλ] ενδοιασμός.

scrupulous (adj) [σκρούπιουλας] ευσυ-

νείδητος, ακριβής, επιμελής.

scrutineer (n) [σκρούτινιρ] ψηφοσυλ-
λέκτης, διαλογέας.

scrutinize (v) [σκρούτιναϊζ] διερευνώ,

scullery (n) [σκάλερι] λάντζα.

scullery-maid (n) [σκάλερι-μέι-ντ] λα-
ντζιέρισσα.

sculpting (n) [σκάλπτινγκ] σκάλισμα.

sculptor (n) [σκάλπτερ] γλύπτης.

sculptress (n) [σκάλπτρες] γλύπτρια.

sculpture (n) [σκάλπτσσα] σκαλίζω,
σμιλεύω (n) γλυπτική.

sculptured (adj) [σκάλπτσσα-ντ] λαξευτός,

sculpturing (v) [σκάλπτσσερινγκ] λά-
ξευση.

scum (n) [σκαμ] απόβρασμα.

scurf (n) [σκερφ] πιτυρίδα.

scurrility (n) [σκερίλιτι] βωμολοχία.

scurvy (adj) [σκέρβι] ξεφτιλισμένος (n)
σκορβούτο [ιατρ].

sea (adj) [σίι] θαλάσσιος (n) θάλασσα,

sea battle (n) [σίι μπατλ] ναυμαχία.

sea bream (n) [σίι μπρίιμ] φαγγρί.

sea dog (n) [σίι ντογκ] θαλασσόλυκος.

sea shell (n) [σίι σσελ] αχοιβάδα.

sea urchin (n) [σίι έρτσσιν] αχινός.

sea-breeze (n) [σίι-μπρίιζ] μπάτης.

sea-horse (n) [σίι-χόος] ιππόκαμπος.

seafarer (adj) [σίιφέιρερ] ναυτικός [ά-
ντρας] (n) θαλασσοπόρος.

seagull (n) [σίιγκαλ] γλάρος.

seal (n) [σίιλ] στάμπα, τσιμούχα, φώκια
[ζωολ] (v) βουλώνω.

sealing (n) [σίιλινγκ] βούλωμα.

sealing wax (n) [σίιλινγκ ουάξ] βουλοκέρι.

seam (n) [σίιμ] ραφή, ρυτίδα.

seaman (n) [σίιμαν] ναύτης.

seamstress (n) [σίιμστρες] μοδίστρα, ρά-
φτρα.

sèance (n) [σέιονς] συνεδρίαση.

seaplane (n) [σίιπλέιν] υδροπλάνο.

seaport (n) [σίιπόοτ] επίνειο.

search (n) [σερτσ] αναζήτηση, επιδίωξη (v) ανιχνεύω.

searching (adj) [σέρτσοινγκ] εξεταστικός (n) σκάλισμα, ψάξιμο.

searchlight (n) [σέρτσαλάϊτ] προβολέας.

seascape (n) [σίισκέϊπ] θαλασσογραφία.

seashore (n) [σίισσοορ] παραλία.

season (n) [σίιζον] σαιζόν (v) σκληραγωγώ, καρυκεύω.

seasonal (adj) [σίιζοναλ] εποχιακός.

seasoned (adj) [σίιζον-ντ] σκληραγωγημένος, πεπειραμένος.

seasoning (n) [σίιζονινγκ] καρύκευμα, άρτυμα.

seat (n) [σίιτ] έδρα, κάθισμα (v) καθίζω.

seawater (n) [σίιουότερ] θαλασσόνερο.

seaweed (n) [σίιουίι-ντ] φύκια.

sebaceous (adj) [σεμπέισσες] λιπώδης, στεατώδης, σμηγματώδης.

secant (n) [σίικαν-τ] τέμνουσα.

secede (v) [σισίι-ντ] αποχωρώ.

secluded (adj) [σεκλού-ντι-ντ] απόμερος, ιδιωτικός, ερημικός.

seclusion (n) [σεκλούζζον] απομόνωση.

second (adj) [σέκον-ντ] δεύτερος (v) προσκολλώ (n) δεύτερος, βοηθός.

second lieutenant (n) [σέκον-ντ λιουτέναν-τ] ανθυπολοχαγός.

secondary (n) [σέκον-ντερι] δευτερεύων, κατώτερος, δεύτερος.

secondary school (n) [σέκον-ντερι σκουλ] γυμνάσιο, λύκειο.

secondhand (adj) [σέκον-ντχαν-ντ] μεταχειρισμένος [δεύτερο χέρι].

secondhand dealer (n) [σέκον-ντχαν-ντ ντίιλερ] παλαιοπώλης.

secondhand shop (n) [σέκον-ντχαν-ντ σσοπ] παλαιοπωλείο.

secrecy (n) [σίικρεσι] εχεμύθεια.

secret (adj) [σίικρετ] απόρρητος, λαθραίος, μυστικός (n) απόρρητο, αίνιγμα.

secretariat (n) [σεκρετέριατ] γραμματεία.

secretary (adj) [σέκρετρι] γραμματικός (n) γραμματέας, υπουργός.

secretary's office (n) [σέκρετρι'ς όφφις] γραμματεία.

secretion (n) [σικρίισσον] έκκριση.

secretive (adj) [σίικρετιβ] κρυφός.

secretly (adv) [σίικρετλι] κρυφά.

section (n) [σέκσσον] κοπή, μέρος.

sectional (adj) [σέκσσοναλ] τμηματικός, τοπικός, περιφερειακός.

sector (n) [σέκτοορ] κλάδος.

secular (adj) [σέκιουλαρ] κοσμικός, εφήμερος, επίγειος.

secure (adj) [σεκιούρ] ασφαλής (v) ασφαλίζω, σιγουράρω, στερεώνω.

security (n) [σεκιούριτι] ασφάλεια.

sedate (adj) [σιντέιτ] σοβαρός.

sedation (n) [σιντέισσον] νάρκωση.

sedative (n) [σέ-ντατιβ] πρεμιστικό (adj) καταπραϋντικός.

sedentary (adj) [σε-ντέν-τερι] στατικός, εδραίος, μόνιμος, άκοπος.

sediment (n) [σέ-ντιμεν-τ] ίζημα.

seditious (adj) [σε-ντίσσας] ανατρεπτικός.

seduce (v) [σι-ντιούς] αποπλανώ.

seducer (n) [σι-ντιούσερ] διαφθορέας, εκμαυλιστής, πλάνος, γόης, πλανητής.

seduction (n) [σι-ντάκσσον] αποπλάνηση.

seductive (adj) [σι-ντάκτιβ] θελκτικός.

sedulity (n) [σεντιούλιτι] επιμέλεια, ενδελέχεια, επιμονή.

sedulous (adj) [σέντιουλας] επιμελής, ενδελεχής, επίμονος.

seductress (n) [σε-ντάκτρες] ξελογιάστρα.

see (n) [σίι] έδρα [εκκλ] (v) αντικρίζω, κατανοώ, φροντίζω.

see off (v) [σίι οφ] αποχαιρετώ.

see somebody off (v) [σίι σάμ-μπο-ντι όφ] κατευοδώνω.

see to (v) [σίι του] επιλαμβάνομαι.

seed (n) [σίι-ντ] σπόρος, σπέρμα.

seedily (adv) [σίιντιλι] φτωχικά.

seediness (n) [σίιντινες] ατονία.

seedling (n) [σίι-ντλινγκ] φυτώριο.

seek (v) [σίικ] αναζητώ, ζητώ.

seem (v) [σίιμ] φαίνομαι, μοιάζω.

seeming (adj) [σίιμηνγκ] φαινομενικός.

seemly (adj) [σίιμλι] ευπρεπής.

seer (n) [σίιρ] οραματιστής.

seesaw (n) [σίισόο] τραμπάλα.

seethe (v) [σίιδ] κοχλάζω, βράζω.

segment (n) [σέγκμεν-τ] τμήμα, τεμάχιο, απόσπασμα, μοίρα, τομέας.

segmental (adj) [σεγκμέντλ] τμηματικός.

segmentation (n) [σεγκμεντέισσον] κατάτμηση, κατατεμαχισμός.

segregate (v) [σέγκριγκεϊτ] αποχωρίζω, απομονώνω, διαχωρίζω.

segregation (n) [σεγκρεγκέισσον] διαχωρισμός, διαχώριση.

seigneur (n) [σέινιερ] άρχοντας.

seine (n) [σέιν] κάθετο δίκτυ.

seismic (adj) [σάιζμικ] σεισμικός.

seismograph (n) [σάιζμογκράαφ] σεισμογράφος.

seize (v) [σίιζ] πιάνω, κατάσχω.

seizing (n) [σίιζινγκ] αρπαγή.

seizure (n) [σίιζζερ] κατάσχεση.

seldom (adv) [σέλ-ντομ] σπανίως.

select (adj) [σελέκτ] διαλεκτός, κλειστός, άριστος (v) εκλέγω.

selected (adj) [σελέκτι-ντ] διαλεγμένος.

selection (n) [σελέκοσον] εκλογή.

selective (adj) [σελέκτιβ] εκλεκτικός.

self (n) [σελφ] εαυτός, εγωισμός.

self-defence (n) [σέλφ-ντιφένς] αυτοάμυνα.

self-determination (n) [σέλφ-ντιτερμινέισσον] αυτοδιάθεση.

self-employed (adj) [σέλφ-εμ-πλόι-ντ] αυτοαπασχολούμενος .

self-evident (adj) [σέλφ-έβι-ντεν-τ] αυταπόδεικτος, εξόφθαλμος.

self-explanatory (adj) [σέλφ-εξπλάνα-

τορι] αυτονόητος.

self-made (adj) [σέλφ-μέι-ντ] αυτοδημιούργητος.

self-preservation (n) [σέλφ-πρεζερβέισσον] αυτοσυντήρηση.

self-reliance (n) [σέλφ-ριλάιανς] αυτοπεποίθηση.

self-respect (n) [σέλφ-ρισπέκτ] φιλοτιμία, αξιοπρέπεια.

self-satisfaction (n) [σέλφ-σατισφάκσσον] αυτοϊκανοποίηση.

self-service (n) [σέλφ-σέρβις] αυτοεξυπηρέτηση.

self-sufficient (adj) [σέλφ-σαφίσσιεν-τ] αυτάρκης, αυτοτελής.

self-taught (n) [σέλφ-τόοτ] αυτοδίδακτος.

selfish (adj) [σέλφισς] εγωιστικός.

selfishness (n) [σέλφισονες] ιδιοτέλεια, φιλαυτία, εγωισμός.

self-restraining (adj) [σέλφριστρέινινγκ] εγκρατής, λιτός, λιτόβιος.

sell (v) [σελ] εκποιώ, πλασάρω.

sell off (v) [σελ οφφ] ξεκάνω, ξεπουλώ.

sell out (v) [σελ άουτ] ξεπουλώ.

seller (n) [σέλερ] πωλήτρια.

selling (n) [σέλινγκ] πώληση.

selvedge (n) [σέλβιντζζ] ούγια.

semantic (adj) [σιμάν-τικ] σημαντικός, εννοιολογικός.

semblance (n) [σέμ-μπλανς] ομοιότητα, εμφάνιση, όψη.

semen (n) [σίιμεν] σπέρμα.

semester (n) [σεμέστερ] εξάμηνο.

semicircle (n) [σέμισέρκλ] ημικύκλιο.

semicircular (adj) [σέμισέρκιουλαρ] η-μικυκλικός, ημικύκλιος.

semifinal (adj) [σέμιφάιναλ] ημιτελικός.

seminal (adj) [σέμιναλ] εμβρυώδης,

seminarist (n) [σέμιναριστ] παπαδοπαίδι, ιεροσπουδαστής.

seminary (n) [σέμιναρι] σχολή, κολλέγιο, σεμινάριο.

semi-permanent (adj) [σέμι-πέρμανεν-τ] ημιμόνιμος.

semi-sweetened (adj) [σέμι-σουίτεν-ντ] μέτριος [καφές κτλ].

Semitic (adj) [Σεμίτικ] σημιτικός.

semolina (n) [σεμολίινα] σιμιγδάλι.

senate (n) [σενέιτ] σύγκλητος.

senator (n) [σενάτοορ] γερουσιαστής.

send (v) [σεν-ντ] αποστέλλω, κινώ.

send for (v) [σεν-ντ φοο] προσκαλώ.

sender (n) [σέν-ντερ] αποστολέας.

sending (n) [σέν-ντινγκ] αποστολή,

senile (adj) [σίινάιλ] ξεμωραμένος.

senility (n) [σενίλιτι] γήρας.

senior (adj) [σίινιορ] μεγαλύτερος.

seniority (n) [σίινιόριτι] αρχαιότητα,

sensation (n) [σενσέισσον] αίσθημα,

sensational (adj) [σενσέισσοναλ] εντυπωσιακός, εκπληκτικός.

sensationalism (n) [σενσέισσοναλιζμ] ε-πιδίωξη εντυπωσιασμού.

sense (n) [σενς] εντύπωση (v) νιώθω.

senseless (adj) [σένσλες] ανόητος.

senses (n) [σένσις] φρένα, λογικό.

sensibility (n) [σενσιμπίλιτι] ευαισθησία,

sensible (adj) [σένσι-μπλ] λογικός.

sensitive (adj) [σένσιτιβ] ευέξαπτος,

sensitivity (n) [σενσιτίβιτι] ευαισθησία,

sensitization (n) [σενσιταϊζέισσον] ευαισθητοποίηση.

sensitize (v) [σένσιτάιζ] ευαισθητοποιώ.

sensual (adj) [σένσσουαλ] αισθησιακός,

sensualism (n) [σένσιουαλιζμ] τρυφηλότητα, φιληδονία.

sensualist (n) [σένσιουαλιστ] τρυφηλός, φιλήδονος, ηδυπαθής.

sensuality (n) [σενσουάλιτι] τρυφηλότητα, φιληδονία, ηδυπάθεια.

sensuous (adj) [σένσουας] αισθησιακός,

sentence (n) [σέν-τενς] ποινή, περίοδος, φράση (v) καταδικάζω.

sentiment (n) [σέν-τιμεν-τ] συναίσθημα,

τρυφερότητα, άποψη, γνώμη.

sentimental (adj) [σεν-τιμέν-ταλ] αισθηματικός, τρυφερός.

sentimentalism (n) [σεν-τιμέν-ταλιζμ] αισθηματολογία.

sentimentalist (n) [σεν-τιμέν-ταλιστ] αισθηματίας.

sentinel (n) [σέν-τινελ] σκοπός.

sentry (n) [σέν-τρι] καραούλι.

sentry box (n) [σέν-τρι μποξ] σκοπιά.

separate (adj) [σέπαριτ] χωριστός ιδιαίτερος (v) [σέπαρεϊτ] διαιρώ, τεμαχίζω.

separated (adj) [σεπαρέτι-ντ] χωρισμένος.

separating (n) [σεπαρέιτινγκ] χωρισμός.

separation (n) [σεπαρέισσον] χώρισμα.

separatist (adj) [σέπαρετιστ] χωριστικός, αυτονομιστής.

separative (adj) [σέπαρατιβ] χωριστικός, διαχωριστικός.

separator (n) [σέπερεϊτορ] διαχωριστής,

sepsis (n) [σέπσις] σήψη.

September (n) [Σεπτέμ-μπερ] Σεπτέμβρης,

septic (adj) [σέπτικ] σηπτικός.

sepulchre (n) [σέπαλκερ] μνήμα.

sequel (n) [σίικουελ] συνέχεια.

sequence (n) [σίικουενς] ακολουθία,

sequestration (n) [σιικουεστρέισσον] μεσεγγύηση, απομάκρυνση.

sequin (n) [σίικουιν] πούλια.

seraglio (n) [σεράαλιοου] χαρέμι.

Serb (n) [Σερ-μπ] Σέρβος.

Serbian (adj) [Σέρ-μπιαν] Σέρβικος.

serenade (n) [σερενέι-ντ] σερενάτα.

serene (adj) [σιρίιν] μακάριος.

serenity (n) [σερένιτι] αταραξία.

serf (n) [σερφ] δουλοπάροικος.

serfdom (n) [σέρφ-ντόμ] δουλοπαροικία.

sergeant (n) [σάαντζζεν-τ] λοχίας.

sergeant-major (n) [σάαντζζεν-τμέι-ντζζοορ] επιλοχίας.

serial (n) [σίιριαλ] σήριαλ.

sericulture (n) [σίιρικάλτσσερ] σηροτροφία, μεταξοσκωληκοτροφία.

series (n) [σίιριζ] σειρά, αλυσίδα.

serious (adj) [σίίριας] σπουδαίος, επιμελής.

seriously (adv) [σίίριασλι] βαριά.

seriousness (n) [σίίριασνες] σοβαρότητα, βαρύτητα [μεταφ].

serise (adj) [σερίις] κερασένιος.

sermon (n) [σέρμον] κήρυγμα.

serpent (n) [σέρπεν-τ] φίδι.

serrated (adj) [σερέιτι-ντ] οδοντωτός,

serum (n) [σίίραμ] ορός.

servant (n) [σέρβαν-τ] υπηρέτρια (adj) δούλος.

servant-boy (n) [σέρβαν-τ-μπόι] παραγιός.

serve (v) [σερβ] δουλεύω, εργάζομαι, υπηρετώ, χρησιμεύω.

serve in the army (v) [σερβ ιν δι άαμι] στρατεύομαι.

service (n) [σέρβις] εκδούλευση, εκκλησία, εξυπηρέτηση, υπηρεσία.

service charge (n) [σέρβις τσσάαντζζ] κουβέρ.

servile (adj) [σέρβαϊλ] ταπεινός.

servility (n) [σερβίλιτι] δουλικότητα, δουλοπρέπεια.

serving (n) [σέρβινγκ] κοινοποίηση [νομ], σερβίρισμα.

servitude (n) [σέρβιτιου-ντ] σκλαβιά, δουλεία, υποτέλεια.

sesame (n) [σέσαμι] σουσάμι.

set (n) [σετ] παρέα, συλλογή (v) δίδω, θέτω, τάσσω, βάζω, στήνω, φέρω, στερεώνω, πήζω.

set an example (v) [σετ αν εξάαμ-πλ] παραδειγματίζω.

set aside (v) [σετ ασάι-ντ] παραμερίζω.

set free (v) [σετ φρίι] λυτρώνω.

set in motion (v) [σετ ιν μόουσσον] κινώ.

set off (v) [σετ οφφ] αναδείχνω.

set sail (v) [σετ σέιλ] αποπλέω.

set up (v) [σετ απ] εγκαθιδρύω.

settee (n) [σετίι] ανάκλιντρο.

setting (n) [σέτινγκ] θέση, δύση.

settle (v) [σετλ] ξεχρεώνω, ρυθμίζω.

settle accounts (v) [σετλ ακάουν-τς] ξεκαθαρίζω.

settle down (v) [σετλ ντάουν] θρονιάζομαι, μαζεύομαι.

settled (adj) [σετλ-ντ] τακτικός.

settlement (n) [σέτλμεν-τ] εγκατάσταση,

settler (adj) [σέτλερ] άποικος.

settling (n) [σέτλινγκ] οικισμός.

seven (num) [σέβεν] επτά [αριθ].

sevenfold (adj) [σέβενφόολ-ντ] επταπλάσιος.

seventeen (n) [σέβεν-τίιν] δεκαεφτά.

seventh (adj) [σέβενθ] έβδομος.

seventieth (adj) [σέβεν-τιεθ] εβδομηκοστός.

seventy (num) [σέβεν-τι] εβδομήντα [αριθ].

sever (v) [σέβερ] χωρίζω, διαιρώ, τέμνω, αποσπώ.

several (adv) [σέβεραλ] πολύ (pron) κάμποσος.

severance (n) [σέβερανς] διάζευξη.

severe (adj) [σιβίιρ] αυστηρός.

severity (n) [σεβέριτι] αυστηρότητα, λιτότητα, σκληρότητα.

sew (v) [σόου] γαζώνω, ράβω.

sewage (n) [σιούιντζζ] απόβλητα.

sewer (n) [σιούερ] υπόνομος.

sewing (n) [σόουινγκ] ράψιμο.

sewing machine (n) [σόουινγκ μασσίίν] ραπτομηχανή.

sewn (adj) [σόουν] ραμμένος.

sex (n) [σεξ] σεξ, φύλο.

sex specialist (n) [σεξ σπέσσιαλιστ] σεξολόγος.

sex-maniac (adj) [σέξμένιακ] ερωτομανής.

sexologist (n) [σεξόλοντζζιστ] σεξολόγος.

sexual (adj) [σέξουαλ] σεξουαλικός, γεννητικός, αφροδισιακός.

sexuality (n) [σεξουάλιτι] σεξουαλικότητα, ερωτισμός.

shabbiness (n) [σσά-μπινες] γυφτιά.

shabby (adj) [σσά-μπι] φθαρμένος, παλιός, φτωχικός, βρόμικος.

shack (n) [σσακ] παράγκα, τρώγλη.

shade (n) [σσέι-ντ] απόχρωση, σκιά, χροιά, ίσκιος (v) ισκιώνω.

shading (n) [σσέι-ντινγκ] φωτοσκίαση.

shadow (n) [σσά-ντοου] σκιά.

shadowy (adj) [σσά-ντοουι] σκιερός, θολός, μυστηριώδης.

shady (adj) [σσέι-ντι] σκιερός.

shaft (n) [σσάαφτ] άξονας, φρέαρ.

shaggy (adj) [σσάγκι] δασύτριχος.

shah (n) [σσάα] σάχης.

shake (v) [σσέικ] κουνώ, σείω (n) τίναγμα, τράνταγμα.

shake of the hand (n) [σσέικ οβ δε χαντ] χειραψία.

shake off (v) [σσέικ οφ] τινάζω.

shake-up (n) [σσέικ-απ] αναοχηματισμός.

shaker (n) [σσέικερ] χτυπητήρι.

shaking (n) [σσέικινγκ] κλονισμός.

shaky (adj) [σσέικι] ετοιμόρροπος.

shall (part) [σσαλ] θα.

shallow (adj) [σσάλοου] ρηχός.

shallows (adv) [σσάλοουζ] ρηχά.

sham (adj) [σσαμ] ψευδής (n) προσποίηση, απάτη (v) υποκρίνομαι, κάνω.

shame (n) [σσέιμ] τσίπα [μεταφ], αίσχος (v) ντροπιάζω.

shameful (adj) [σσέιμφουλ] αισχρός.

shameless (adj) [σσέιμλες] ξετσίπωτος.

shamelessness (n) [σσέιμλεσνες] αδιαντροπιά, ξετσιπωσιά.

shampoo (n) [σσαμπούου] σαμπουάν (v) λούζω, πλένω.

shank (n) [σσανκ] κνήμη, γάμπα.

shanty (n) [σσάν-τι] καλύβα.

shape (n) [σσέιπ] μορφή (v) διαμορφώνω.

shapeless (adj) [σσέιπλες] άμορφος, αόριστος, δύσμορφος.

shapely (adj) [σσέιπλι] καλλίγραμμος.

share (n) [σσέαρ] μετοχή, λαχνός, ρεφε-
νές, μερίδιο (v) κατανέμω.

shareholder (n) [σσέαρχόουλ-ντερ] μέτοχος, μέτοχος [οικον].

sharer (n) [σσέαρερ] μέτοχος.

sharing (n) [σσέαρινγκ] συμμετοχή.

shark (n) [σσάακ] καρχαρίας.

sharp (adj) [σσάαπ] καπάτσος, κοφτός, τσουχτερός, ξινός (n) δίεση, σφάχτης (adv) ακριβώς.

sharpen (v) [σσάαπεν] ακονίζω.

sharpener (n) [σσάαπενερ] ξυστήρι.

sharpening (n) [σσάαπενινγκ] ξύσιμο, τρόχισμα.

sharpness (n) [σσάαπνες] δριμύτητα, ξινίλα, σαφήνεια, ακρίβεια.

shatter (v) [σσάτερ] θρυμματίζω.

shattering (n) [σσάτερινγκ] τσάκισμα.

shave (v) [σσέιβ] ξυρίζω (n) ξύρισμα.

shaver (n) [σσέιβερ] κουρέας.

shaving (adj) [σσέιβινγκ] ξυριστικός, ξύρισμα, πελεκούδι, ροκανίδι.

shaving soap (n) [σσέιβινγκ σόουπ] σαπούνι [ξυρίσματος].

shavings (n) [σσέιβινγκς] ροκανίδια.

shawl (n) [σσόολ] σάλι, φασκιά.

she (pron) [σσίι] αυτή.

sheaf (n) [σσίιφ] δεμάτι σταχύων.

shear (v) [σσίιρ] τέμνω, κόβω.

shearing (n) [σσίιρινγκ] αποκοπή.

shears (n) [σσίιρς] ψαλίδια.

sheath (n) [σσίιδ] θηκάρι, θήκη.

sheathing (n) [σσίιδινγκ] οπλισμός.

shed (v) [σσε-ντ] σκορπίζω [φως], αποβάλλω, εκπέμπω (n) υπόστεγο.

shed light on (v) [σσε-ντ λάιτ ον] διαλευκαίνω.

shed tears (v) [σσε-ντ τίας] δακρύζω.

sheep (n) [σσίιπ] πρόβατο, προβιά.

sheepdog (n) [σσίιπ-ντόγκ] μαντρόσκυλο.

sheepfold (n) [σσίιπφόουλ-ντ] στάνη.

sheer (adj) [σσίιρ] απότομος, πλήρης, αμιγής, καθαρός, απόλυτος.

sheet (n) [σσίτ] οθόνη, κόλλα, λάμα, σεντόνι, φύλλο.

sheikh (n) [σσίκ] σεΐχης.

shelf (n) [σσελφ] γείσωμα, προεξοχή, σύρτις, μπάγκος, εταζέρα.

shell (n) [οσελ] καβούκι, τσόφλι (ν) αποφλοιώνω, σφυροκοπώ, πυροβολώ.

shellfish (n) [σσέλφίσς] αχιβάδα.

shelter (n) [σσέλτερ] σκέπη, άσυλο, υπόστεγο (ν) προστατεύω.

sheltering (n) [σσέλτερινγκ] στέγαση.

shepherd (n) [σσέπα-ντ] ποιμένας.

shepherd's crook (n) [σσέπα-ντ'ς κρουκ] γκλίτσα.

sherbet (n) [σσέρ-μπετ] σερμπέτι.

sheriff (n) [σσέριφ] σερίφης.

shield (v) [σσίιλ-ντ] προφυλάγω (n) ασπίδα, προφυλακτήρας.

shielded (adj) [σσίιλ-ντι-ντ] θωρακισμένος.

shielding (n) [σσίιλ-ντινγκ] θωράκιση.

shift (n) [σσιφτ] μέσο, βάρδια, μετατόπιση, μεταβολή (v) μετακινώ, μεταβάλλω.

shifting (n) [σσίφτινγκ] μετατόπιση.

shiftless (adj) [σσίφτιλες] ανεπιτήδειος, αδρανής, νωθρός, ανίκανος.

shifty (adj) [σσίφτι] ύπουλος, πανούργος,

shilling (n) [σσίλινγκ] σελίνι.

shimmer (n) [σσίμερ] αναλαμπή (v) λαμπυρίζω, τρεμολάμπω.

shinbone (n) [σσίν-μπόουν] καλάμι [ανατ].

shine (n) [σσάιν] λιακάδα, γυάλισμα (v) υπερέχω, διακρίνομαι, γυαλίζω.

shingles (n) [σσίνγκλς] έρπης.

shining (adj) [σσάινινγκ] ακτινοβόλος, λαμπερός.

shiny (adj) [σσάινι] λαμπρός.

ship (n) [σσιπ] καράβι, πλοίο (v) μπαρκάρω, ναυτολογώ.

shipbuilder (n) [σσίπ-μπιλ-ντερ] ναυπηγός.

shipbuilding (n) [σσίπ-μπιλ-ντινγκ] ναυπηγική.

shipowner (n) [σσίποουνερ] πλοιοκτή-

της, εφοπλιστής.

shipper (n) [σσίπερ] φορτωτής.

shipping (n) [σσίπινγκ] ναυσιπλοΐα, ναυτιλία, επιβίβαση.

shipping agent (n) [σσίπινγκ έιντζζεν-τ] ναυλομεσίτης.

shipwreck (n) [σσίπρεκ] ναυάγιο.

shipyard (n) [σσίπιαα-ντ] ναυπηγείο.

ship's boat (n) [σσίπ'ς μπόουτ] άκατος.

ship's mate (n) [σσίπ'ς μέπ] υποπλοίαρχος.

shire (n) [σσάιρ] κομπτεία.

shirk (v) [σέρκ] παραμελώ.

shirker (n) [σσέρκερ] φυγόπονος.

shirt (n) [σσερτ] πουκάμισο.

shirty (adj) [σσέρτι] ευέξαπτος.

shishkebab (n) [σσίσσκε-μπά-μπ] τασκεμπάπ.

shit (n) [σσιτ] σκατά.

shiver (n) [σσίβερ] ρίγος (v) τρέμω, φρικιάζω.

shivering (n) [σσίβερινγκ] σύγκρυο.

shivers (n) [σσίβερς] θρύψαλα.

shoal (n) [σσόουλ] σκόπελος.

shock (n) [σσοκ] κρούση, σύρραξη, σοκ, διάσειση (v) συγκλονίζω.

shock absorber (n) [σσοκ α-μπσόο-μπερ] αμορτισέρ.

shocking (n) [σσόκινγκ] σκανδαλιστικός, σόκιν, απαίσιος, φρικτός.

shoe (v) [σσου] ποδένω, πεταλώνω (n) παπούτσι, πέλμα.

shoe (a horse) (v) [σσου [α χόορς] πεταλώνω.

shoe-shop (n) [σσού-σσόπ] υποδηματοπωλείο.

shoehorn (n) [σσούχόορν] κόκαλο [παπουτσιού].

shoemaker (n) [σσούμέϊκερ] παπουτσής, τσαγκάρης.

shoot (n) [σσουτ] παρακλάδι, βλαστός, ριπή (v) εκτοξεύω, τουφεκίζω, βαρώ.

shoot at (v) [σσουτ ατ] πυροβολώ.

shoot down (v) [σσουτ ντάουν] καταρρίπτω [αεροπλάνο].

shoot up (v) [σσουτ απ] ξεπετιέμαι.

shooter (n) [σσούτερ] κυνηγός.

shooting (n) [σσούτινγκ] εξαπόλυση, τουφεκιά, ρίξιμο (adj) σκοπευτικός.

shop (n) [σσοπ] μαγαζί.

shop assistant (adj) [σσοπ ασίσταν-τ] εμποροϋπάλληλος (n) πωλητής.

shop-window (n) [σσοπ-γουίν-ντοου] προθήκη, βιτρίνα.

shopkeeper (n) [σσόπκίιπερ] καταστηματάρχης, μαγαζάτορας.

shopping (n) [σσόπινγκ] ψώνια.

shopping bag (n) [σσόπινγκ μπαγκ] τσάντα [ψωνίσματος].

shore (n) [σσόορ] ακτή, όχθη.

short (adj) [σσόορτ] ανεπαρκής, κοντός.

short circuit (n) [σσόορτ σέρκιτ] ένωση [πλεκτ], βραχυκύκλωμα.

short-sighted (adj) [σσόορτ-σάιτι-ντ] κοντόφθαλμος, μύωπας.

short-sleeved (adj) [σσόορτ-σλίιβ-ντ] κοντομάνικος.

short-term (adj) [σσόορτ-τέρμ] βραχυπρόθεσμος.

shortage (n) [σσόορταντζζ] κρίση, στέρηση, υστέρημα, έλλειμμα.

shortcoming (n) [σσόορτκαμινγκ] ψεγάδι, αδυναμία, ατέλεια.

shorten (v) [σσόοτεν] βραχύνω, κονταίνω.

shortened (adj) [σσόοτεν-ντ] επίτομος, περικομένος, ελαττωμένος.

shortening (n) [σσόοτενινγκ] κόντημα.

shorthand (n) [σσότχαν-ντ] στενογραφία.

shortly (adv) [σσόοτλι] σε λίγο.

shortness (n) [σσόοτνες] συντομία.

shot (n) [σσοτ] ριξιά, βολή.

shoulder (n) [σσόουλ-ντερ] ώμος.

shoulder (a burden) (v) [σσόουλ-ντερ [α μπερ-νττ]] επωμίζομαι.

shoulder blade (n) [σσόουλ-ντα μπλέι-

ντ] πλάτη, ωμοπλάτη.

shout (n) [σσάουτ] ιαχή, βοή, φωνή (v) κραυγάζω, ξεφωνίζω.

shove (v) [σσαβ] σκουντώ.

shove off (v) [σσαβ οφφ] απωθώ, παραιτούμαι.

shovel (v) [σσάβελ] φτυαρίζω (n) φτυάρι.

shoving (n) [σσάβινγκ] σπρωξιά.

show (n) [σσόου] επίφαση, ρεκλάμα (v) αποκαλύπτω, εκφράζω, οδηγώ, δείχνω.

show off (v) [σσόου οφ] επιδεικνύομαι, ξιπάζομαι, φιγουράρω.

show-off (n) [σσόου-όφφ] επιδειξίας.

showcase (n) [σσόουκέις] βιτρίνα.

shower (n) [σσάουερ] εκθέτης, μπόρα (v) περιλούζω.

shower of rain (n) [σσάουερ οβ ρέιν] νεροποντή.

showily (adv) [σσόουιλι] επιδεικτικά.

showiness (n) [σσόουινες] επιδεικτικότητα.

showing (n) [σσόουινγκ] επίδειξη.

showman (n) [σσόουμαν] παρουσιαστής δημοσίου θεάματος.

showy (adj) [σσόουι] θεατρικός.

shred (n) [σσρε-ντ] απόκομμα.

shrew (n) [σσριού] μέγαιρα.

shrewd (adj) [σσρουού-ντ] πονηρός, ευφυής, έξυπνος, δαιμόνιος.

shrewdness (n) [σσρούου-ντνες] εξυπνάδα, επιτηδειότητα.

shrewishness (n) [σσρούουισσονες] στριγκλιά.

shriek (n) [σσρίικ] στριγκλιά (v) ουρλιάζω,

shrill (adj) [σσρίλ] οξύς, ψιλός.

shrimp (n) [σσρίμ-π] γαρίδα.

shrine (n) [σσράιν] λειψανοθήκη.

shrink (v) [σσρινκ] ζαρώνω.

shrinkage (n) [σσρίνκιντζζ] μπάσιμο.

shrinking (n) [σσρίνκινγκ] συστολή (adj) δειλός, μαζεμένος.

shrivel (v) [σσριβλ] συστέλλω, μαραίνομαι,

shrivelled (adj) [σσριβλ-ντ] φυρός.

shroud (n) [σσράου-ντ] σάβανο.

shrub (n) [σσρα-μπ] χαμόδεντρο.

shrubby (adj) [σσρά-μπι] θαμνώδης.

shudder (n) [σσά-ντερ] ανατριχίλα (v) ριγώ, ανατριχιάζω.

shuffle (v) [σσαφλ] ανακατεύω.

shun (v) [σσαν] αποφεύγω.

shut (adj) [σσατ] κλειστός (v) κλείνω, σφαλώ, φράσσω, διπλώνω.

shut up (adj) [σσατ απ] κατάκλειστος (ex) σουτ [σιωπή!].

shutter (n) [σσάτερ] χώρισμα.

shy (adj) [σσάι] ντροπαλός, άγριος (v) κωλώνω, σκιάζομαι.

shyly (adv) [σσάιλι] συνεσταλμένα.

shyness (n) [σσάινες] ατολμία, συστολή, ντροπαλότητα.

shyster (n) [σσάιστερ] μπαγαπόντης.

sibilation (n) [σιμπιλέισον] σφύριγμα.

sibylline (adj) [σίμπιλαϊν] σιβυλλικός, προφητικός, απόκρυφος.

siccative (adj) [σίκετιβ] ξηραντικός, στεγνωτικός.

sick (adj) [σικ] ασθενής, άρρωστος.

sicken (v) [σίκεν] ασθενώ.

sickening (adj) [σίκενινγκ] αηδής.

sickle (n) [σικλ] δρεπάνι.

sickliness (n) [σίκλινες] καχεξία.

sickly (adj) [σίκλι] φιλάσθενος, ωχρός, ξελιγωμένος, απδιαστικός.

sickness (n) [σίκνες] αρρώστια.

side (n) [σάι-ντ] όψη, άποψη, άκρη, μεριά (adj) πλευρικός, έμμεσος.

side effect (n) [σάι-ντ εφέκτ] παρενέργεια.

side street (n) [σάι-ντ στρίιτ] πάροδος.

sideboard (n) [σάι-ντ-μπόορ-ντ] σκευοθήκη, κυλικείο.

sideburns (n) [σάι-ντ-μπερνς] φαβορίτα.

sideslip (v) [σάι-ντολίπ] ντελαπάρω.

sidewalk (n) [σάι-ντουόλκ] πεζοδρόμιο.

siege (n) [σίιντζζ] πολιορκία.

sieve (n) [σίβ] κρησάρα (v) κοσκινίζω.

sift (v) [σιφτ] κοσκινίζω.

sifter (n) [σίφτερ] ζαχαριέρα, αλατιέρα, κρησάρα, κόσκινο.

sigh (n) [σάι] στεναγμός (v) στενάζω.

sighing (n) [σάιινγκ] στεναγμός.

sight (n) [σάιτ] όραση, θέαμα, στόχαστρο, κρίση, θέα, φως.

sighting (n) [σάιτινγκ] σκόπευση.

sightless (adj) [σάιτλες] αόμματος.

sightly (adj) [σάιτλι] αξιοθέατος.

sights (n) [σάιτς] αξιοθέατα.

sign (n) [σάιν] εκδήλωση, σύμβολο, τεκμήριο, σήμα (v) γνεύω, υπογράφω.

sign of the zodiac (n) [σάιν οβ δε ζόουντιακ] ζώδιο.

signal (v) [σίγκναλ] σημαίνω (n) σήμα,

signal box (n) [σίγκναλ μποξ] σκοπιά, σηματοδότης.

signalling (n) [σίγκναλινγκ] σηματοδοσία.

signalman (n) [σίγκναλμαν] σημειωτής.

signature (n) [σίγκνατσσα] υπογραφή.

signed (adj) [σάιν-ντ] ενυπόγραφος.

signet (n) [σίγκνετ] σφραγίδα.

significance (n) [σιγκνίφικανς] σημασία,

significant (adj) [σιγκνίφικάν-τ] σημαντικός, ενδεικτικός, βαθύς.

signify (v) [σίγκνιφαϊ] γνωστοποιώ, κοινοποιώ, εννοώ.

silence (n) [σάιλενς] σιωπή, εχεμύθεια (v) αποστομώνω, φιμώνω.

silent (adj) [σάιλεν-τ] σιωπηλός, ακίνητος, ήρεμος (n) βωβός.

silhouette (n) [σιλουέτ] σιλουέτα.

silk (adj) [σιλκ] μεταξωτός (n) μετάξι.

silken (adj) [σίλκεν] μεταξένιος.

silkworm (n) [σίλκουερμ] μεταξοσκώληκας, βόμβυκας.

silky (adj) [σίλκι] μεταξένιος.

silliness (n) [σίλινες] βλακεία.

silly (adj) [σίλι] ανόητος (n) χαζός.

silver (n) [σίλβερ] άργυρος, ασήμι.

silver-plated (adj) [σίλβερπλέιτι-ντ] επάργυρος.

silvery (adj) [σίλβερι] αργυρόηχος.

similar (adj) [σίμιλαρ] πανόμοιος.

similarity (n) [σίμιλάριτι] ομοιότητα.

similarly (adv) [σίμιλαλι] παρομοίως.

simile (n) [σίμιλι] παρομοίωση.

similitude (n) [σίμιλιτιουντ] ομοιότητα, αντιστοιχία, παραβολή.

simmer (v) [σίμερ] κουφοβράζω.

simple (adj) [σιμ-πλ] σκέτος, εύκολος, λιτός, ανόητος.

simpleness (n) [σίμ-πλνες] απλότητα, αφέλεια, απλοϊκότητα.

simpleton (n) [σίμ-πλτον] γομάρι, αγαθιάρης, τούβλο [μεταφ], ηλίθιος (adj) ξεκούτης.

simplicity (n) [σιμ-πλίσιτι] απλοϊκότητα, **simplification** (n) [σιμ-πλιφικέισσον] απλοποίηση.

simplify (v) [σίμ-πλιφαϊ] απλοποιώ, απλουστεύω.

simply (adv) [σίμ-πλι] απλά.

simulate (v) [σίμιουλεϊτ] απομιμούμαι, μιμούμαι, προσποιούμαι.

simulated (adj) [σιμουλέιτι-ντ] τεχνητός.

simulation (n) [σιμιουλέισσον] απομίμηση, μίμηση, προσποίηση.

simultaneous (adj) [σιμουλτέινιας] ταυτόχρονος.

sin (n) [σιν] αμαρτία, κρίμα (v) αμαρτάνω.

since (adv) [σινς] έκτοτε, από τότε (conj) αφού, ενώ, εφ' όσον.

since then (adv) [σινς δεν] έκτοτε.

sincere (adj) [σινσίιρ] ειλικρινής.

sincerity (n) [σινσέριτι] ειλικρίνεια.

sinecure (n) [σίνικιουρ] αργομισθία.

sinewy (adj) [σίνιουιι] νευρώδης.

sinful (adj) [σίνφουλ] αμαρτωλός.

sing (v) [σινγκ] κελαηδώ, λαλώ.

singer (n) [σίνγκερ] ψάλτης.

singing (adj) [σίνγκινγκ] ωδικός (n) λαλιά [για πουλιά], κελάδημα.

singing lesson (n) [σίνγκινγκ λέσον] ωδική.

single (adj) [σινγκλ] μοναδικός, εργένης,

single out (v) [σινγκλ άουτ] ξεχωρίζω.

single room (n) [σινγκλ ρουμ] μονόκλινο.

singular (adj) [σίνγκιουλαρ] αξιοσημείωτος, ασυνήθης, ιδιότροπος.

singularity (n) [σινγκιουλάριτι] μοναδικότητα, ιδιορρυθμία.

sinister (adj) [σίνιστερ] δυσοίωνος, δόλιος, επικίνδυνος, αριστερός.

sinistral (adj) [σίνιστρλ] αριστερός, αριστερόχειρας.

sink (v) [σινκ] καταποντίζομαι (n) νεροχύτης, υπόνομος.

sinking (n) [σίνκινγκ] καταβύθιση.

sinner (adj) [σίνερ] αμαρτωλός.

sinuosity (n) [σινιουόσιτι] κυματοειδές, ευλυγισία, ευελιξία.

sinuous (adj) [σίνιας] κυματοειδής, ευλύγιστος, ευέλικτος.

sinus (n) [σάινας] κόλπος [ανατ].

sip (n) [σιπ] γουλιά, ρουφηξιά (v) κουτσοπίνω, πιπιλίζω, ρουφώ.

siphon (n) [σάιφον] σιφόνι.

sir (n) [σερ] κύριος.

siren (n) [σάιρεν] σειρήνα.

sister (n) [σίστερ] αδελφή.

sister-in-law (n) [σίστερ-ιν-λόο] γυναικάδελφη, κουνιάδα, νύφη.

sit (v) [σιτ] κουρνιάζω, κάθομαι.

site (n) [σάιτ] τόπος, τοπίο.

sitting (n) [σίτινγκ] σύνοδος, κάθισμα, φορά, δόση.

sitting-room (n) [σίτινγκ-ρουμ] καθιστικό.

situated (adj) [σιτσσιουέιτι-ντ] κείμενος, ευρισκόμενος.

situation (n) [σίτσσουέισσον] θέση, τοποθεσία, κατάσταση.

six (num) [σιξ] έξι [αριθ].

six hundred (num) [σιξ χάνν-τρε-ντ] εξακόσια [αριθ].

sixteen (n) [σίξτίν] δεκαέξι.

sixth (adj) [σιξθ] έκτος.

sixty (num) [σίξτι] εξήκοντα.

sizable (adj) [σάιζα-μπλ] ευμεγέθης.

size (n) [σάιζ] μέγεθος, μπόι, όγκος, έκταση, ανάστημα.

sizzle (v) [σιζλ] τσιτσιρίζω (n) τσιτσίρισμα.

skate (v) [σκέιτ] παγοδρομώ.

skater (n) [σκέιτερ] παγοδρόμος.

skating (n) [σκέιτινγκ] πατινάζ.

skein (n) [σκέιν] ματσάκι.

skeleton (n) [σκέλετον] σκελετός.

skeletal (adj) [σκέλιτλ] σκελετικός.

sketch (v) [σκετσς] σκιαγραφώ (n) προσχέδιο, σκετς.

sketch-book (n) [σκέτσσ-μπούκ] άλμπουμ,τετράδιο ιχνογραφίας.

sketching (n) [σκέτσσινγκ] ιχνογραφία.

sketchy (adj) [σκέτσσι] αδρομερής, ατελής, ελλιπής, ελλειπτικός.

skew (adj) [σκιού] λοξός (v) λοξοδρομώ, αλλοιθωρίζω.

skewer (n) [σκιούερ] σούβλα, σουβλάκι (v) σουβλίζω, τρυπώ.

ski (adj) [σκίι] χιονοδρομικός (n) χιονοπέδιλο, σκι (v) χιονοδρομώ.

ski-lift (n) [σκίι-λίφτ] τελεφερίκ.

skid (n) [σκί-ντ] ντεραπάρισμα (v) ντεραπάρω, ολισθαίνω.

skier (n) [σκίερ] χιονοδρόμος.

skiing (n) [σκίινγκ] χιονοδρομία.

skilful (adj) [σκίλφουλ] επιδέξιος.

skill (n) [σκίλ] εμπειρία, ικανότητα.

skilled (adj) [σκίλ-ντ] έμπειρος.

skillfulness (n) [σκίλφουλνες] δεξιότητα.

skim (v) [σκιμ] αποβουτυρώ, διαβάζω στα πεταχτά.

skim over (v) [σκιμ όουβερ] ξεφυλλίζω, φυλλομετρώ.

skimming (n) [σκίμινγκ] ξάφρισμα.

skimp (v) [σκιμ-π] τσιγκουνεύομαι.

skin (n) [σκιν] δέρμα, κέλυφος, μεμ-

βράνη (v) ξεφλουδίζω, γδέρνω.

skin (bag) (n) [σκιν μπαγκ] ασκί.

skin over (v) [σκιν όουβερ] κρουστιάζω.

skin-deep (adj) [σκίν-ντίιπ] επιφανειακός, επιπόλαιος, ξώπετσος.

skinflint (n) [σκίνφλιν-τ] τσιγγούνης,

skinning (n) [σκίνινγκ] εκδορά.

skinny (adj) [σκίνι] μεμβρανοειδής, ισχνός, λιγνός.

skint (n) [σκιν-τ] απένταρος.

skip (v) [σκιπ] χοροπηδώ (n) δοχείο απορριμμάτων.

skipper (n) [σκίπερ] καπετάνιος.

skipping-rope (n) [σκίπινγκ-ρόουπ] σκοινάκι.

skirl (n) [σκέρλ] οξύς ήχος.

skirmish (n) [σκέρμιος] αψιμαχία.

skirmisher (n) [σκέρμιοσερ] ακροβολιστής.

skirt (n) [σκερτ] φούστα, γυναίκα [αργκο] (v) περιτρέχω.

skit (n) [σκιτ] σάτιρα, σκετς.

skivvy (n) [σκίβι] δούλα, δουλικό.

skulduggery (n) [σκαλ-ντάγκερι] ατιμία, κατεργαριά, απάτη.

skull (n) [σκαλ] νεκροκεφαλή.

skunk (n) [σκανκ] κουμάσι, καθίκι (adj) βρομιάρης.

sky (n) [σκάι] ουρανός.

sky-blue (adj) [σκάι-μπλού] ουρανής,

skylark (n) [σκάιλαακ] γαλιάντρα.

skylight (n) [σκάιλάιτ] φεγγίτης.

skyline (n) [σκάιλάιν] ορίζοντας.

skyscraper (n) [σκάισκρέιπερ] ουρανοξύστης.

slab (n) [σλα-μπ] πλάκα, φέτα.

slack (adj) [σλακ] αμελής, τεμπέλης (n) μπόσικα [ναυτ].

slacken (v) [σλάκεν] αμολάω, πέφτω, υποχωρώ.

slacker (n) [σλάκα(ρ)] φυγόπονος.

slacky (adv) [σλάκι] άτονα, άψυχα.

slackness (n) [σλάκνες] χαλάρωση.

slaking (n) [σλάκινγκ] κατάσβεση.

slander (n) [σλάαν-ντερ] δυσφήμιση, ρετσινιά (v) διαβάλλω.

slanderer (n) [σλάαν-ντερερ] συκοφάντης.

slanding (adj) [σλάν-ντινγκ] εγκάρσιος.

slang (adj) [σλανγκ] μάγκικος (n) αργκό, χυδαία γλώσσα.

slant (n) [σλάαν-τ] κλίση [στέγης], λοξότητα, παραπόίηση (v) κύπτω.

slanting (adj) [σλάαν-τινγκ] στραβός [λοξός], λοξός.

slap (n) [σλαπ] φάπα, χαστούκι, μπάτσος (v) ραπίζω.

slapdash (adj) [σλάπ-ντασς] άτσαλος, τσαπατσούλικος.

slash (v) [σλασς] μαστιγώνω.

slashing (adj) [σλάσσινγκ] σκληρός.

slate (n) [σλέιτ] κεραμίδι, πλάκα (v) πλακοστρώνω.

slatternly (adj) [σλάτανλι] απεριπποίητος, βρώμικος, ατημέλητος.

slaughter (n) [σλόοτερ] μακελειό, σφαγή (v) σφάζω.

slaughterhouse (n) [σλόοταχαους] σφαγείο.

Slav (n) [Σλάαβ] Σλάβος.

slave (adj) [σλέιβ] δούλος (n) δούλη, είλωτας, ραγιάς.

slave away (v) [σλέιβ αουέι] κατασκοτώνομαι.

slave trade (n) [σλέιβ τρέι-ντ] δουλεμπόριο.

slaver (n) [σλέιβερ] δουλέμπορος.

slavery (n) [σλέιβερι] δουλεία, σκλαβιά, μόχθος.

slavish (adj) [σλέιβισς] δουλικός.

sled (n) [σλε-ντ] έλκηθρο.

sledge (n) [σλεντζζ] έλκηθρο.

sleep (n) [σλίπ] νάνι, ύπνος (v) κοιμάμαι,

sleep out (v) [σλίπ άουτ] ξενοκοιμάμαι.

sleep-walk (v) [σλίπ-ουόοκ] υπνοβατώ.

sleeper (n) [σλίπερ] τραβέρσα.

sleepiness (n) [σλίπινες] υπνηλία.

sleeping (adj) [σλίπινγκ] κοιμώμενος, αδρανής (n) κοίμηση.

sleeping car (n) [σλίπινγκ κάαρ] κλινάμαξα, βαγκονλί.

sleeping pill (n) [σλίπινγκ πιλ] υπνωτικό.

sleeplessness (n) [σλίιπλεσνες] αϋπνία.

sleepwalker (n) [σλίπουόοκερ] υπνοβάτης.

sleepy (adj) [σλίπι] κοιμισμένος.

sleet (n) [σλίτ] χιονόνερο, χιονοβροχή.

sleeve (n) [σλίβ] μανίκι.

sleeveless (adj) [σλίβλες] αμάνικος.

slender (adj) [σλέν-ντερ] λεπτός, φτωχός, λυγερόκορμος, σβέλτος.

slenderness (n) [σλέν-ντανες] ισχνότητα, λυγεράδα.

slice (n) [σλάις] κομμάτι [ψωμί], φέτα [τυρί], μερίδιο (v) κόβω.

sliced (adj) [σλάισ-ντ] κομμένος.

slicing (n) [σλάισινγκ] κόψη.

slicker (n) [σλίκερ] μαλαγάνα.

slide (n) [σλάι-ντ] διαφάνεια, τσουλήθρα (v) διολισθαίνω, γλιστρώ.

slide along (v) [σλάι-ντ αλόνγκ] τσουλώ.

sliding (adj) [σλάι-ντινγκ] συρτός.

slight (adj) [σλάιτ] μικρός, ήπιος.

slightest (adj) [σλάιτεστ] παραμικρός.

slighting (adj) [σλάιτινγκ] μειωτικός,

slim (adj) [σλιμ] λεπτός, σβέλτος, αμυδρός, ασθενής (v) αδυνατίζω.

slime (n) [σλάιμ] πηλός, γλίτσα.

slimming (adj) [σλίμινγκ] ισχναντικός (n) λέπτυνση, αδυνάτισμα.

slimness (n) [σλίμνες] λεπτότητα, πονηριά, υπουλότητα.

slimy (adj) [σλάιμι] λασπώδης.

sling (n) [σλινγκ] σφενδόνη (v) αναρτώ, κρεμώ.

slip (v) [σλιπ] γλιστρώ (n) μετατόπιση, παράπτωμα, απροσεξία, λάθος.

slipknot (n) [σλίπνοτ] θηλιά.

slipped disk (n) [σλιπ-ντ ντιοκ] δισκοπάθεια.

slipper (n) [σλίπερ] παντόφλα.

slippery (adj) [σλίπερι] ολισθηρός.

slipping (n) [σλίπινγκ] ολίσθημα.

slipway (n) [σλίπουεϊ] σκαρί.

slit (adj) [σλιτ] σχιστός (v) σχίζω.

slob (n) [σλο-μπ] λάσπη, βούρκος.

slobberer (adj) [σλό-μπερερ] σαλιάρης.

slobbering (n) [σλό-μπερινγκ] σαλιαρίσματα.

sloe (n) [σλόου] αγριοκορόμηλο.

slope (n) [σλόουπ] κατηφοριά (v) ρέπω.

sloping (adj) [σλόουπινγκ] επικλινής, κατηφορικός (n) γέρσιμο.

sloppiness (n) [σλόπινες] τσαπατσουλιά.

sloppy (adj) [σλόπι] μουσκευμένος, λασπωμένος, άτσαλος.

sloth (n) [σλόουθ] νωθρότητα.

slothful (adj) [σλόουθφουλ] νωθρός,

sloven (n) [σλάβεν] βρωμύλος.

slovenliness (n) [σλόβενλινες] ατσαλιά.

slovenly (adj) [σλόβενλι] άτσαλος.

slow (adj) [σλόου] αργός, βραδύς.

slowly (adv) [σλόουλι] αργά.

slowness (n) [σλόουνες] αργοπορία,

sludge (n) [σλαντζ] πηλός.

slug (n) [σλαγκ] γυμνοσάλιαγκας.

sluggard (n) [σλάγκα-ντ] σπάρος.

sluggish (adj) [σλάγκισς] αργοκίνητος,

sluggishness (n) [σλάγκισσνες] νωθρότητα, νάρκη, νάρκωση.

sluice (n) [σλούους] καταρράκτης.

slum (n) [σλαμ] φτωχογειτονιά.

slump (n) [σλαμ-π] κάμψη.

slur (n) [σλερ] θολούρα.

slush (n) [σλασς] λασπουριά.

slushy (adj) [σλάσσι] λασπώδης.

slut (n) [σλατ] αλανιάρα, βρόμα.

sly (adj) [σλάι] πονηρός.

slyness (n) [σλάινες] πονηριά.

smack (v) [σμακ] κροταλίζω (n) κατραπακιά, φάπα.

smacking (adj) [σμάκινγκ] σκαστός.

small (adj) [σμόολ] μικρός.

small talk (n) [σμόολ τόοκ] κουβεντολόι.

small-holder (n) [σμόολ-χόουλ-ντερ] μικροϊδιοκτήτης.

small-holding (n) [σμόολ-χόουλ-ντινγκ] μικροϊδιοκτησία.

smallpox (n) [σμόολποξ] βλογιά.

smart (adj) [σμάατ] οξύς, ζωηρός, καπάτσος (v) τσούζω (n) οξύς πόνος.

smart aleck (n) [σμάατ άλεκ] εξυπνάκιας.

smartness (n) [σμάατνες] οξύτητα.

smash (v) [σμασς] τσακίζω.

smashed (adj) [σμασσ-τ] σπασμένος,

smashing (n) [σμάσοινγκ] συντριβή,

smattering (n) [σμάτερινγκ] πασάλειμμα, επιπόλαια γνώση.

smear (n) [σμίρ] κηλίδα, λεκές, ρετσινιά (v) αλείβω, λεκιάζω, δυσφημώ.

smear (with) (v) [σμίρ [ουίδ]] επαλείφω, λεκιάζω, ρυπαίνω.

smearing (n) [σμίρινγκ] πασάλειμμα.

smell (n) [σμελ] οσμή (v) βρωμάω.

smelliness (n) [σμέλινες] δυσοσμία,

smelly (adj) [σμέλι] δύσοσμος.

smelt (v) [σμελτ] χωνεύω.

smile (v) [σμάιλ] μειδιώ, γελώ (n) χαμόγελο, χαρά, ευθυμία.

smiling (adj) [σμάιλινγκ] χαμογελαστός, γελαστός, χαρούμενος.

smithereens (n) [σμίδεριίντζ] θρύψαλα.

smithy (n) [σμίδι] σιδηρουργείο.

smoke (n) [σμόουκ] κάπνισμα (v) καπνίζω.

smoke-cured (adj) [σμόουκ-κιούα-ντ] καπνιστός.

smoked (adj) [σμόουκ-ντ] καπνιστός.

smoker (n) [σμόουκερ] καπνιστής.

smokestack (n) [σμόουκστακ] καμινάδα, φουγάρο.

smoking (n) [σμόουκινγκ] κάπνισμα.

smoking-room (n) [σμόουκινγκ-ρουμ] καπνιστήριο.

smoky (adj) [σμόουκι] καπνώδης.

smooth (adj) [σμούουδ] επίπεδος, τρωτός, μαλακός, απαλός, ήπιος, ήσυχος, ευγενής, λείος (v) ισιώνω, στρώνω.

smoothie (n) [σμούουδι] μαλαγάνα.

smoothly (adv) [σμούουδλι] απρόσκοπτα.

smoothness (n) [σμούουδνες] ομαλότητα, λειότητα, απαλότητα.

smothered (adj) [σμάδα-ντ] υπόκωφος.

smoulder (v) [σμόουλ-ντερ] κουφοκαίω, υποβόσκω [μεταφ].

smudge (n) [σμαντζζ] μουντζούρα (v) μουντζαλώνω, λερώνω.

smug (adj) [σμαγκ] αυτάρεσκος.

smuggler (n) [σμάγκλερ] λαθρέμπορος.

smuggling (n) [σμάγκλινγκ] λαθρεμπόριο.

smugness (n) [σμάγκνες] αυταρέσκεια, μακαριότητα, ικανοποίηση.

smut (v) [σματ] μουντζουρώνω (n) παλιόλογα, βρομιά, καπνιά.

smutty (adj) [σμάτι] μουντζουρωμένος, μαυρισμένος, άσεμνος.

snack (n) [σνακ] μεζές, κολατσιό.

snail (n) [σνέιλ] σαλιγκάρι.

snake (n) [σνέικ] φίδι.

snap (adj) [σναπ] αιφνιδιαστικός (v) αρπάζω, κτυπώ (n) κροταλισμός, στιγμιότυπο.

snappish (adj) [σνάπισς] απότομος, ευέξαπτος, οξύθυμος.

snappy (adj) [σνάπι] ευέξαπτος, ευερέθιστος, απότομος, ζωηρός.

snapshot (n) [σνάπσοοτ] στιγμιότυπο.

snare (n) [σνέαρ] δίχτυ, φάκα (v) παγιδεύω.

snatch (n) [σνατος] αρπαγή (v) αρπάζω,

snatching (n) [σνάτσινγκ] βουτιά.

sneak (n) [σνίικ] αχρείος, δειλός.

sneaky (adj) [σνίικι] κρυψίνους.

sneer (n) [σνίιρ] χλεύη, εμπαιγμός (v) χλευάζω, αναγελώ, σαρκάζω.

sneeze (n) [σνίιζ] φτέρνισμα.

snicker (v) [σνίκερ] χρεμετίζω.

sniff (n) [σνιφ] μυρουδιά (v) οσφραίνομαι,

snigger (v) [σνίγκερ] κρυφογελώ.

snip (n) [σνιπ] ψαλιδιά.

snipping (n) [σνίπινγκ] ψαλίδισμα.

snivel (v) [σνίβελ] κλαψουρίζω.

snivelling (n) [σνίβελινγκ] κλάψα.

snob (n) [σνο-μπ] σνομπ.

snobbery (n) [σνό-μπερι] σνομπισμός, κενοδοξία, ξιππασιά.

snobbish (adj) [σνό-μπισς] κενόδοξος,

snobbishness (n) [σνό-μπισσνες] σνομπαρία.

snore (v) [σνόορ] ροχαλίζω (n) ροχαλητό,

snoring (n) [σνόορινγκ] ροχαλητό.

snort (v) [σνόοτ] ξεφυσώ.

snorting (n) [σνόοτινγκ] γρυλισμός.

snot (n) [σνοτ] μύξα [χυδ].

snout (n) [σνάουτ] μουτσούνα.

snow (n) [σνόου] χιόνι.

snow-capped (adj) [σνόου-κάπ-τ] χιονοσκεπής.

snow-clad (adj) [σνόου-κλά-ντ] χιονοσκεπής.

snow-plough (n) [σνόου-πλάου] εκχιονιστήρας.

snow-white (adj) [σνόου-ουάιτ] κατάλευκος, χιονόλευκος.

snowball (n) [σνόου-μπόολ] χιονιά, χιονόσφαιρα.

snowdrift (n) [σνόου-ντρίφτ] χιονοστιβάδα.

snowflake (n) [σνόουφλέικ] νιφάδα.

snowman (n) [σνόουμαν] χιονάνθρωπος.

snowstorm (n) [σνόουστόομ] χιονοθύελλα.

snowy (adj) [σνόουι] χιονάτος.

snowy weather (n) [σνόουι ουέδερ] χιονιά.

snuff (n) [σναφ] καύτρα.

snuff box (n) [σναφ μποξ] ταμπακιέρα.

snuffle (v) [σναφλ] ρουθουνίζω.

snuggle (v) [σναγκλ] συσπειρώνομαι [μεταφ].

so (adv) [σόου] τόσο, έτσι, τοιουτοτρόπως, συνεπώς (conj) άρα, δα, ώστε.

so as (conj) [σόου αζ] έτσι ώστε.

so as to (conj) [σόου αζ του] ώστε να, κατά τρόπο ώστε.

so be it (adv) [σόου μπι ιτ] έστω.

so-called (adj) [σο-κόολ-ντ] θεωρούμενος, λεγόμενος.

so-called (adv) [σόου-κόολ-ντ] δήθεν.

soak (v) [σόουκ] μουσκεύω.

soaked (n) [σόουκ-τ] μουσκίδι.

soaker (n) [σόουκερ] νεροποντή.

soaking (n) [σόουκινγκ] μούσκεμα.

soaking (adj) [σόουκινγκ] μουσκεμένος, μουλιασμένος.

soap (v) [σόουπ] σαπουνίζω (n) σαπούνι.

soapsuds (n) [σόουπσά-ντς] σαπουνάδα.

soar (v) [σόορ] ίπταμαι, ανέρχομαι.

sob (n) [σο-μπ] λυγμός.

sobbing (n) [σό-μπινγκ] λυγμός.

sober (adj) [σόου-μπερ] ξεμέθυστος, νηφάλιος, εγκρατής.

sober up (v) [σόου-μπερ απ] ξεμεθώ.

sobriety (n) [σο-μπράιετι] πρεμία, νηφαλιότητα, σοβαρότητα.

sociability (n) [σόουσσια-μπίλιτι] κοινωνικότητα.

sociable (adj) [σόουσσια-μπλ] κοινωνικός, οικείος, ομιλητικός.

social (adj) [σόουσσιαλ] εγκόσμιος, κοινωνικός, φιλόφρων.

socialism (n) [σόουσσιαλιζμ] σοσιαλισμός.

socialist (n) [σόουσσιαλιστ] σοσιαλιστής.

socialistic (adj) [σοουσσιαλίστικ] σοσιαλιστικός.

society (n) [σοσάιετι] αδελφότητα.

sociological (adj) [σόουσσιολόντζζικαλ] κοινωνιολογικός.

sock (n) [σοκ] κάλτσα, τσουράπι.

socket (n) [σόκετ] πρίζα.

sod (n) [σο-ντ] κωλομπαράς [χυδ, αργκό], παιδεραστής, γρασίδι.

soda water (n) [σόου-ντα ουότερ] σόδα.

sodomite (n) [σό-ντομαϊτ] πόρνος.

sofa (n) [σόουφα] καναπές, σοφάς.

soft (adj) [σοφτ] εύπλαστος, μαλακός,

soft-boiled (adj) [σόφτ-μπόιλ-ντ] μελάτος.

soften (v) [σόφεν] απαλύνω, μαλάζω,

softening (n) [σόφενινγκ] μαλάκυνση, μαλάκωμα, απάλυνση.

softly (adv) [σόφλι] μαλακά, απαλά, ήσυχα, τρυφερά, σιγά.

softness (n) [σόφνες] απαλότητα, μαλακωσιά, μαλθακότητα.

soggy (adj) [σόγκι] κάθυγρος, μουσκευμένος, ελώδης, λασπερός.

soil (v) [σόιλ] λασπώνω, βρομίζω (n) έδαφος, χώμα, γη.

soiree (n) [σουαρέι] χοροεσπερίδα.

sojourn (n) [σοζζέν] διαμονή (v) παραμένω.

sol (n) [σολ] σολ [μουσ].

solace (n) [σόλας] παρηγοριά.

solar (adj) [σόουλαρ] ηλιακός.

solder (v) [σόουλ-ντερ] κολλώ.

soldered (adj) [σόουλ-ντα-ντ] κολλητός.

soldering (n) [σόουλ-ντερινγκ] κόλλημα.

soldier (n) [σόουλντζζα(ρ)] μαχητής, οπλίτης, στρατιώτης.

sole (n) [σόουλ] πέλμα [ανατ], σόλα, πάτος (adj) μοναχός, μόνος, άγαμος.

solemn (adj) [σόλεμ] σοβαρός.

solemnity (n) [σολέμνιτι] επισημότητα, τελετουργία, σοβαρότητα.

solicitation (n) [σολισιτέισσον] πρόσκληση, άγρα πελατών.

solicitude (n) [σολίσιτιου-ντ] μέριμνα, μέλημα.

solid (adj) [σόλι-ντ] σφικτός, πλήρης, ενιαίος, ατόφιος, στερεός.

solidarity (n) [σολι-ντάριτι] ενότητα, σύμπνοια, συμπαράσταση.

solidify (v) [σολί-ντιφαϊ] στερεοποιώ, ενοποιώ, στερεοποιούμαι.

soliloquy (n) [σολίλοκουι] μονόλογος.

solitaire (n) [σολιτέα(ρ)] πασιέντζα, μονόπετρο.

solitary (adj) [σόλιτρι] απόμακρος, ανύπανδρος, μοναχικός.

solitude (n) [σόλιτιου-ντ] ερημιά.

solo (n) [σόουλοου] σόλο.

solstice (n) [σόλστις] ηλιοστάσιο.

solubility (n) [σολιουμπίλιτι] διαλυτότητα, επιδεκτικότητα λύσης.

soluble (adj) [σόλιου-μπλ] διαλυτός, διαλύσιμος, ευδιάλυτος.

solution (n) [σολιούσσον] διάλυση, εξιχνίαση, επίλυση, λύση.

solve (v) [σόλβ] επιλύω, λύνω, διαλευκαίνω, εξιχνιάζω.

solvency (n) [σόλβενσι] αξιόχρεο.

solvent (adj) [σόλβεν-τ] φερέγγυος, θεραπευτικός (n) διαλυτικό, διαλύτης, ανακούφιση.

solving (n) [σόλβινγκ] λύσιμο.

somber (adj) [σόμ-μπερ] σκοτεινός,

some (pron) [σαμ] κάτι, καμιά, κάμποσος, κανένας (adj) μερικός, ολίγος, κατά προσέγγιση, μοναδικός, σπουδαίος,

somehow (adv) [σάμχάου] κάπως.

somehow or other (adv) [σάμχαου ορ άδερ] όπως-όπως.

someone (pron) [σάμουαν] κανείς, κάποιος.

somersault (n) [σάμασολτ] μεταστροφή, μεταβολή, τούμπα.

something (n) [σάμθινγκ] κάτι, σημαντικό γεγονός (adv) κάπως, κάτι.

sometime (adv) [σάμταιμ] κάποτε.

sometimes (adv) [σάμτάιμζ] ενίοτε, μερικές φορές, πότε-πότε, όχι συχνά, κάποτε.

somewhat (adv) [σάμουοτ] κάπως.

somewhere (adv) [σάμουεαρ] κάπου.

somnambulism (n) [σομνάμπιουλιζμ] υπνοβασία, νυκτοβασία.

somnolence (n) [σόμνολενς] νύστα,

somnolent (adj) [σόμνολεν-τ] υπναλέος, νυσταλέος, νυσταγμένος.

son (n) [σαν] γιός, υιός.

son-in-law (n) [σάν-ιν-λόο] γαμπρός.

son-of-a-bitch (n) [σαν-οβ-α-μπιτος] τσογλάνι [βρισιά].

song (n) [σονγκ] άσμα, κελάδημα.

sonnet (n) [σόνιτ] σονέτο.

sonority (n) [σονόριτι] ηχηρότητα.

sonorous (adj) [σόναρας] ηχηρός, ρητορικός, μελωδικός.

soon (adv) [σούουν] προσεχώς, σύντομα,

soot (n) [σούτ] κάπνα, καπνιά.

soothe (v) [σούυδ] γαληνεύω.

soothing (adj) [σούουδινγκ] κατευναστικός (n) μαλάκωμα.

sop (n) [σοπ] παπάρα, φιλοδώρημα, δειλός άνθρωπος.

sophist (n) [σόφιστ] σοφιστής.

sophistry (n) [σόφιστρι] σοφιστεία.

soporific (adj) [σοπορίφικ] υπνωτικός.

soppy (adj) [σόπι] διάβροχος.

soprano (n) [σοπράανου] υψίφωνος.

sorceress (n) [σόσσερες] μάγισσα.

sorcery (n) [σόοσερι] μαγγανεία.

sordid (adj) [σόο-ντιτ] ποταπός.

sore (adj) [σόο] πονεμένος, στενοχωρημένος (n) πληγή, έλκος, τραύμα.

soreness (n) [σόονες] φλεγμονή, οδύνη, άλγος, πόνος, χόλος, οργή.

sorrel (n) [σόρελ] λάπαθο [βοτ].

sorrow (n) [σόροου] λύπη, μεράκι.

sorrowful (adj) [σόροουφουλ] πένθιμος,

sorry (adj) [σόρι] μετανιωμένος.

sort (n) [σόοτ] σόι, πάστα, φύραμα, είδος, τάξη, κατηγορία (v) ξεδιαλέγω.

sortie (n) [σόοτι] έξοδος [στρατ].

sorting (n) [σόοτινγκ] διαλογή.

soul (n) [σόουλ] ψυχή.

soulful (adj) [σόουλφουλ] εκφραστικός, συναισθηματικός.

soul-saving (adj) [σόουλ-σέιβινγκ] ψυχοσωτήριος.

sound (adj) [σάουν-ντ] έγκυρος, φρόνιμος, σώος, ορθός, ικανός (n) φωνή (v) κρούω, χτυπώ [ρολογιού κτλ], βολιδοσκοπώ, ηχώ, καταδύομαι, εξετάζω.

sound-proof (adj) [σάουν-ντ-προύφ] η-χομονωτικός.

sounding (n) [σάουν-ντινγκ] κρούση, βυθομέτρηση, ακρόαση.

soundless (adj) [σάουν-ντλες] άηχος, α-θόρυβος, σιωπηλός.

soundness (n) [σάουν-ντνες] ορθότητα, υγεία, σθένος, πληρότητα.

soup (n) [σούουπ] σούπα, ζωμός.

sour (adj) [σάουα] άγουρος, ξινός, οξύς,

source (n) [σόος] πηγή, ρίζα [μεταφ], προέλευση, αρχή.

sourness (n) [σάουανες] οξύτητα.

south (adj) [σάουθ] νότιος, μεσημβρινός (n) νοτιά, νότος.

south wind (n) [σάουθ ουίν-ντ] όστρια, νοτιά.

south-east wind (n) [σάουθ-ίιστ ουίν-ντ] σιρόκος.

south-eastern (adj) [σάουθ-ίισταν] νοτιοανατολικός.

south-western (adj) [σάουθ-ουέσταν] νοτιοδυτικός.

southern (adj) [σάθεν] νότιος (n) μεσημβρινός [νότιος], νότισμα.

souvenir (n) [σούουβενιρ] ενθύμιο.

sou'wester (n) [σάου-ουέστα] γαρμπής, αδιάβροχη κουκούλα.

sovereign (adj) [σόβριν] κυρίαρχος, ι-σχυρός (n) λίρα, ηγεμόνας.

sovereignty (n) [σόβριντι] κυριαρχία.

soviet (adj) [σόουβιετ] σοβιετικός (n) σοβιέτ.

sow (n) [σάου] σκρόφα, γουρούνα (v) [σόου] σπείρω, ενφυτεύω.

sower (adj) [σόουερ] σπορέας.

sowing (n) [σόουινγκ] σπορά.

sown (adj) [σόουν] σπαρμένος.

soya (n) [σόια] σόγια.

spa (n) [σπάα] λουτρόπολη.

space (adj) [σπέις] διαστημικός (n) απόσταση, χώρος, διάστημα.

space out (v) [σπέις άουτ] αραιώνω, χωρίζω με διάστημα.

spacecraft (n) [σπέισκράαφτ] διαστημόπλοιο.

spacious (adj) [σπέισσας] απλόχωρος, ευρύχωρος, πλατύς.

spaciousness (n) [σπέισσασνες] άπλα, ευρυχωρία.

spade (n) [σπέι-ντ] φτυάρι (v) φτυαρίζω.

spaghetti (dish) (n) [σπαγκέτι ντισς] μακαρονάδα.

Spain (n) [Σπέιν] Ισπανία.

span (n) [σπαν] σπιθαμή.

span of hand (n) [σπαν οβ χαν-ντ] πιθαμή.

spangle (n) [σπανγκλ] πούλια.

Spaniard (n) [Σπάνια-ντ] Ισπανός.

Spanish (adj) [σπάνισς] ισπανικός.

spanner (n) [σπάνερ] κλειδί [τεχν].

spar (adj) [σπάα] ξερακιανός (v) λογομαχώ.

spare (adj) [σπέα] εφεδρικός, έκτακτος, λεπτός (v) φείδομαι, γλυτώνω.

sparing (adj) [σπέαρινγκ] φειδωλός, λιτοδίαιτος, πενιχρός.

spark (n) [σπάακ] σπίθα, σφρίγος, πνεύμα, ίχνος (v) αστράφτω, σπιθοβολώ.

spark(ing) plug (n) [σπάακ[ινγκ] πλαγκ]] μπουζί.

sparkle (v) [σπάακλ] σπιθοβολώ (n) α-κτινοβολία, λάμψη.

sparkling (adj) [σπάακλινγκ] πνευματώδης, έξυπνος.

sparrow (n) [σπάροου] στρουθός.

sparse (adj) [σπάας] διεσπαρμένος, σποραδικός, αραιός, ισχνός.

sparsely-built (adj) [σπάασλι-μπίιλτ] λιγνόκορμος.

spastic (adj) [σπάστικ] σπαστικός.

spatter (n) [σπάτερ] πιτσιλιά.

spatula (n) [σπάτιουλα] σπάτουλα.

spawn (v) [σπόον] γεννοβολώ.

spay (v) [σπέι] στειροποιώ, ευνουχίζω, μουνουχίζω [ζώο].

speach (n) [σπίιτος] ομιλουμένη.

speak (v) [σπίικ] αποτείνομαι, λέγω, μιλώ,

speaker (n) [σπίικερ] ομιλητής.

spear (n) [σπίιρ] λόγχη, δόρυ (v) λογχίζω,

spearmint (n) [σπίιρμίν-τ] δυόσμος.

special (adj) [σπέσσαλ] ασυνήθης, ειδικός,

special edition (n) [σπέσσαλ ε-ντίσσον] παράρτημα [εφημερίδας], ειδική έκδοση.

specialist (adj) [σπέσσαλιστ] ειδικός [άνθρωπος] (n) εμπειρογνώμονας, γνώστης.

specialization (n) [σπεσσαλαϊζέισσον] ειδίκευση, εξειδίκευση.

specialize (v) [σπέσσαλαϊζ] ειδικεύομαι, εξειδικεύω.

specialized (adj) [σπέσσαλαϊζ-ντ] ειδικευμένος.

specially (adv) [σπέσσαλι] ιδίως.

speciality (n) [σπεσσάλιτι] ειδικότητα, σπεσιαλιτέ.

species (n) [σπίισσις] είδος [βοτ], γένος.

specific (adj) [σπεοίφικ] ιδιαίτερος, ρητός, σαφής, συγκεκριμένος.

specification (n) [σπεσιφικέισσον] καθορισμός, προσδιορισμός.

specify (v) [σπεσιφαϊ] καθορίζω, αναγράφω, ειδικεύω.

specimen (n) [σπέσιμεν] δείγμα.

specious (adj) [σπίισσες] αληθοφανής, εύσχημος, ευλογοφανής.

speck (n) [σπεκ] στίγμα, σημάδι, λεκές, ελάττωμα, κόκκος [σκόνης].

speckle (n) [σπεκλ] στίξη.

spectacle (n) [σπέκτακλ] θέαμα.

spectacles (n) [σπέκτακλς] γυαλιά.

spectacular (adj) [σπεκτάκιουλαρ] θεαματικός, επιδεικτικός.

spectator (n) [σπεκτέιτορ] θεατής.

spectical (adj) [σπέκτικαλ] εφεκτικός.

spectral (adj) [σπέκτραλ] φασματικός.

spectre (n) [σπέκτερ] φάσμα.

spectroscope (n) [σπέκτροσκόουπ] φασματοσκόπιο.

spectroscopic (adj) [σπέκτροσκόπικ] φασματοσκοπικός.

spectrum (n) [σπέκτραμ] φάσμα.

speculate (v) [σπέκιουλεϊτ] διαλογίζομαι, σκέπτομαι, κερδοσκοπώ.

speculation (n) [σπεκιουλέισσον] θεώρηση, σκέψη, διαλογισμός.

speculative (adj) [σπέκιουλατιβ] υποθετικός, κερδοσκοπικός.

speculator (n) [σπεκιουλέιτορ] κερδοσκόπος.

speech (adj) [σπίιτος] λεκτικός (n) αγόρευση, λαλιά, μιλιά, ομιλία.

speechless (adj) [σπίιτσλες] άλαλος, σιωπηλός.

speechlessness (n) [σπίιτσλεσνες] βουβαμάρα.

speed (n) [σπίι-ντ] ταχύτητα (v) αυξάνω, επιταχύνω, ταχύνω.

speed up (v) [σπίι-ντ απ] προάγω.

speedboat (n) [σπίι-ντ-μπόουτ] κρισκράφτ, ταχύπλοο.

speedometer (n) [σπιι-ντόμπερ] ταχύμετρο.

speedy (adj) [σπίι-ντι] ραγδαίος.

speleologist (n) [σπίιλιιόλοντζζιστ] σπηλαιολόγος.

spell (n) [σπελ] μάγια, μάτιασμα.

spellbound (adj) [σπέλ-μπαουν-ντ] μαγεμένος, γοητευμένος.

spelling (adj) [σπέλινγκ] ορθογραφικός (n) ορθογραφία.

spend (v) [σπεν-ντ] αναλώνω.

spendthrift (n) [σπέν-ντθριφτ] σκορποχέρης, σπάταλος.

sperm (n) [σπερμ] σπέρμα, γόνος.

spermatic (adj) [σπερμάτικ] σπερματικός.

sphere (n) [σφίερ] σφαίρα.

sphinx (n) [σφινξ] σφίγγα.

spice (n) [σπάις] μπαχαρικό (v) καρυκεύω, νοστιμεύω, γαρνίρω.

spices (n) [σπάισις] μυριστικά.

spicy (adj) [σπάισι] καρυκευμένος.

spider (n) [σπάι-ντερ] αράχνη.

spike (n) [σπάικ] καρφί, στάχι.

spiky (adj) [σπάικι] ακιδωτός.

spill (v) [σπιλ] χύνω.

spilling (n) [σπίλινγκ] χύσιμο.

spin (n) [σπιν] περιστροφή (v) στροβιλίζω, spinach (n) [σπίνιτσ] σπανάκι.

spindle (n) [σπιν-ντλ] άτρακτος, αδράχτι.

spine (n) [σπάιν] ράχη.

spineless (adj) [σπάινλες] ασπόνδυλος, υποτακτικός, άβουλος.

spinney (n) [σπίνι] δασύλλιο.

spinning (n) [σπίνινγκ] κλώσιμο.

spinning top (n) [σπίνινγκ τοπ] σβούρα, spinster (n) [σπίνστερ] άγαμη.

spiny (adj) [σπάινι] αγκαθωτός.

spiral (adj) [σπάιραλ] ελικοειδής, σπει-ροειδής (n) σπείρα, έλικας.

spirit (n) [σπίριτ] ευψυχία, πνεύμα, φά-ντασμα, οινόπνευμα.

spirit-level (n) [σπίριτ-λέβελ] αλφάδι.

spirited (adj) [σπίριτι-ντ] εύψυχος.

spiritual (adj) [σπιρίτσσουαλ] πνευματι-κός, ψυχικός, άυλος.

spiritualism (n) [σπιρίτσσουαλιζμ] πνευ-ματισμός.

spit (v) [σπιτ] φτύνω, σουβλίζω (n) ρό-χαλο, φτύσιμο, πτύσμα.

spite (n) [σπάιτ] μοχθηρία, ιός, μίσος, έ-χθρα, μνησικακία.

spiteful (adj) [σπάιτφουλ] μνησίκακος, φαρμακερός, φθονερός.

spittle (n) [σπιτλ] σίελος, σάλιο.

spittoon (n) [σπιτούουν] πτυελοδοχείο.

splash (n) [σπλασς] μυρουδιά, λεκές (v) πιτσιλίζω, βρέχω.

splayfoot (n) [σπλέι-φούτ] πλατυποδία.

spleen (n) [σπλίν] σπλήνα [ανατ].

splendid (ex) [σπλέν-ντι-ντ] λαμπρά

(adj) εξαίσιος, πλούσιος (n) μεγαλείο.

splendour (n) [σπλέν-ντα] λαμπρότητα, αίγλη, μεγαλοπρέπεια.

splice (v) [σπλάις] αμματίζω.

splinter (n) [σπλίν-τερ] αγκίδα, σκλή-θρα, θραύσμα (v) σκάζω.

split (adj) [σπλιτ] σχιστός (n) ρωγμή, σχισμή (v) ραγίζω, σχίζω.

spoil (v) [σπόιλ] διαφθείρω, λιώνω, σα-πίζω, φθείρω, χαλώ.

spoilt (adj) [σπόιλτ] κανακάρης.

spoke (adj) [σπόουκ] ακτινωτός (n) α-κτίνα [τροχού].

spoliation (n) [σπόουλιέισσον] λεηλα-σία, ληστεία, καταστροφή.

sponge (n) [σπαν-ντζζ] σφουγγάρι.

sponger (n) [σπάν-ντζζερ] σπογγιστής, παράσιτος, σελέμης.

spongy (adj) [σπάν-ντζζι] σπογγώδης, ελαστικός, μαλακός.

sponsor (n) [σπόνσα] ανάδοχος.

spontaneity (n) [σπον-τενέι-ιτι] αυθορ-μητισμός, αμεριμνησία.

spontaneous (adj) [σπον-τέινιας] αυ-θόρμητος, πηγαίος, αυτογενής.

spook (n) [σπούουκ] εξωτικό.

spool (n) [σπούουλ] κουβαρίστρα.

spoon (n) [σπούουν] κουτάλι.

spoonful (n) [σπούουνφουλ] κουταλιά.

sport (n) [σπόοτ] άθλημα, παιχνίδι, α-στεϊσμός (v) επιδεικνύω, παίζω.

sportsground (n) [σπόοτσγκράουν-ντ] γήπεδο.

spot (n) [σποτ] κηλίδα, τσόντα, μέρος, μπιμπίκι, σημάδι, κουκκίδα, βούλα (v) λεκιάζω, μπανίζω, εντοπίζω.

spotless (adj) [σπότλες] πεντακάθαρος, spotlight (n) [σπότλάιτ] προβολέας, spotted (adj) [σπότι-ντ] πιστιλωτός.

spotter (n) [σπότερ] εντοπιστής.

spotty (adj) [σπότι] λεκιασμένος.

spout (v) [σπάουτ] εκτοξεύω.

sprain (v) [σπρέιν] εξαρθρώνω (n) διάστρεμμα.

sprawling (adj) [σπρόολινγκ] ξαπλωμένος.

spray (n) [σπρέι] μπουχός, ψεκαστήρας (v) ραντίζω, ψεκάζω.

spread (v) [σπρε-ντ] εξαπλώνω, στρώνω, φουντώνω (n) κάλυψη, έκταση, διάδοση, συμπόσιο, τσιμπούσι.

spreading (n) [σπρέ-ντινγκ] διάδοση, κλιμάκωση, μετάδοση.

sprig (n) [σπριγκ] βλαστός.

spring (adj) [σπρινγκ] ανοιξιάτικος (n) άνοιξη, πηγή, ελατήριο, πήδημα, βρύση (v) πηδώ, τινάζομαι.

spring onion (n) [σπρινγκ άνιον] φρέσκο κρεμμύδι.

spring (time) (n) [σπρίνγκ [ταϊμ]] άνοιξη.

springy (adj) [σπρίνγκι] πηδηχτός.

sprinkle (v) [σπρινκλ] ψεκάζω (n) ψιχάλισμα, πασπάλισμα.

sprinkler (n) [σπρίνκλερ] καταβρεχτήρι,

sprout (n) [σπράουτ] βλαστάρι (v) εκβλαστάνω, πετώ, βγάζω.

spruce (adj) [σπρούους] καλοβαλμένος,

spry (adj) [σπράι] ζωηρός, σβέλτος, οξύς.

spunk (n) [σπανκ] έναυσμα, θάρρος, εκσπερμάτωση [χυδ].

spur (v) [σπερ] πτερνίζω, τσιγκλώ (n) σπιρούνι, κίνητρο.

spurious (adj) [σπιούριους] νόθος.

spurn (v) [σπερν] αποκρούω, αποστρέφομαι, απωθώ, απορρίπτω.

spurt (n) [σπερτ] εκτόξευση (v) αναβλύζω, φουλάρω.

sputum (n) [σπιούταμ] σάλιο.

spy (n) [σπάι] κατάσκοπος, χαφιές (v) κατασκοπεύω, εντοπίζω.

spying (n) [σπάιινγκ] κατασκοπεία.

squab (n) [σκουό-μπ] πιτσούνι.

squabble (v) [σκουό-μπλ] καβγαδίζω, λογοφέρνω (n) καβγάς.

squadron (n) [σκουό-ντρον] επιλαρχία,

ίλη, μοίρα [αερο], σμήνος.

squall (n) [σκουόολ] στριγγλιά.

squander (v) [σκουόν-τερ] γλεντώ, σπαταλώ, χαλάω.

square (adj) [σκουέα] τετράγωνος (n) γωνία (v) τετραγωνίζω, πείθω, πληρώνω.

squash (v) [σκουόσς] ζουλώ, λιώνω,

squatter (n) [σκουότερ] τρωγλοδύτης.

squatting (adv) [σκουότινγκ] οκλαδόν.

squawk (v) [σκουόοκ] κράζω.

squeak (v) [σκουίικ] σκληρίζω (n) σκλήρισμα, τσίριγμα.

squeal (v) [σκουίιλ] γρυλίζω.

squeamish (adj) [σκουίιμιος] σιχασιάρης.

squeeze (v) [σκουίιζ] ζουλώ, πιέζω, στριμώχνω, συνθλίβω, στοιβάζω (n) σφίξιμο, έκθλιψη.

squelch (v) [σκουέλτσς] πλατσαρίζω, καταστέλλω, αποπαίρνω.

squib (n) [σκουί-μπ] βαρελότο.

squid (n) [σκουί-ντ] καλαμάρι.

squint (v) [σκουίν-τ] αλληθωρίζω.

squint-eyed (adj) [σκουίν-τ-άι-ντ] αλλήθωρος.

squire (n) [σκουάιερ] πυργοδεσπότης, καβαλλιέρος.

squirm (v) [σκουέρμ] συστρέφομαι, ελίσσομαι, σφαδάζω.

squirrel (n) [σκουίρελ] σκίουρος.

stab (n) [στα-μπ] πλήγμα (v) μαχαιρώνω.

stability (n) [στα-μπίλιτι] ευστάθεια,

stabilization (n) [στέϊ-μπιλαϊζέισσον] σταθεροποίηση.

stabilize (v) [στέι-μπιλαϊζ] σταθεροποιώ.

stable (adj) [στέι-μπλ] πάγιος, σταθερός (n) στάβλος, αχούρι (v) σταβλίζω.

stack (n) [στακ] θημωνιά, στοίβα (v) θημωνιάζω, στοιβάζω.

stadium (n) [στέι-ντιουμ] στάδιο.

staff (adj) [στάαφ] επιτελικός (n) κοντάρι, προσωπικό, σκυτάλη (v) επανδρώνω.

stage (n) [στέιντζζ] σκηνή, σημείο,

σταθμός (ν) σκηνοθετώ, σχεδιάζω.

stage production (n) [στέιντζζ προντάκσσον] σκηνοθεσία.

stagestruck (adj) [στέιντζζτρακ] θεατρόφιλος, θεατρόπληκτος.

stagger (v) [στάγκερ] παραπαίω.

stagnant (adj) [στάγκναν-τ] στάσιμος [νερό].

stagnate (v) [σταγκνέιτ] ακινητώ.

stagnation (n) [στάγκνέισσον] απραξία, νέκρα.

stagy (adj) [στέιντζζι] πομπώδης, τεχνητός, **stain** (n) [στέιν] λεκές, στίγμα (v) κηλιδώνω, σπιλώνω.

stainless (adj) [στέινλες] ακηλίδωτος, άσπιλος, άψογος.

stair (n) [στέα] βαθμίδα.

staircase (n) [στέακεϊς] κλίμακα.

stairwell (n) [στέαουέλ] κλιμακοστάσιο.

stake (n) [στέικ] μίζα, κοντάρι, πάσσαλος, στοίχημα, μερίδιο (v) στοιχηματίζω.

stalactite (n) [στάλακταϊτ] σταλακτίτης.

stalagmite (n) [στάλαγκμαϊτ] σταλαγμίτης.

stale (adj) [στέιλ] μπαγιάτικος, γερασμένος (v) χαλάω, ξεπέφτω.

stalemate (n) [στέιλμέιτ] αδιέξοδο.

staleness (n) [στέιλνες] παλαιότητα, μπαγιάτεμα, εξάντληση.

stalk (n) [στόοκ] στέλεχος.

stall (v) [στόολ] σταβλίζω (n) παράπηγμα, **stallion** (n) [στάλιον] επιβήτορας.

stammer (v) [στάμερ] μασώ, τραυλίζω (n) τραύλισμα, ψεύδισμα.

stamp (n) [σταμ-π] στάμπα, γραμματόσημο, ένσημο (v) γραμματοσημαίνω.

stamp-collector (n) [σταμ-πκολέκτορ] φιλοτελιστής.

stampede (n) [σταμ-πίι-ντ] πανικός, **stamping** (n) [στάμ-πινγκ] σήμανση, χαρτοσήμανση, βούλωμα.

stand (n) [σταν-ντ] υπόβαθρο, εξέδρα, σταθμός (v) στέκω, αντέχω, ανέχομαι.

stand for (v) [σταν-ντ φοο] αντιπροσωπεύω.

stand out (v) [σταν-ντ άουτ] εξέχω.

stand still (v) [σταν-ντ στιλ] στέκω.

stand up (v) [σταν-ντ απ] στέκομαι.

standard (adj) [στάν-ντα-ντ] καθιερωμένος, κοινός (n) μέτρο, σημαία, λάβαρο.

standardization (n) [σταν-νταρ-ντζαΐζέισσον] τυποποίηση.

standardize (v) [στάν-ντα-ντάιζ] τυποποιώ, σταθεροποιώ.

standby (adj) [στάν-ντ-μπαϊ] εφεδρικός.

standing (adj) [στάν-ντινγκ] κλασικός, ορθός, μόνιμος, στάσιμος (n) θέση,

stanza (n) [στάνζα] στροφή [ποίηση].

staple (v) [στέιπλ] καρφιτσώνω.

star (n) [στάα] αστέρι, αστέρας (v) παρουσιάζω, εκθέτω.

starch (n) [στάατσος] άμυλο, κόλλα [κολλαρίσματος] (v) κολλαρίζω.

starched (adj) [στάατσσο-τ] κολλαριστός.

starchy (adj) [στάατσσι] αμυλούχος, αμυλώδης, κολλαριστός.

stare (n) [στέα] ενατένιση.

starfish (n) [στάαφισς] αστερίας.

stark (adj) [στάακ] άκαμπτος.

stark naked (adj) [στάακ νέικι-ντ] ολόγυμνος, τσίτσιδος (adv) τσιτσίδι.

starlight (n) [στάαλάιτ] αστροφεγγιά.

starling (n) [στάαλινγκ] ψαρόνι.

starlit (adj) [στάαλιτ] ξάστερος.

starry (adj) [στάαρι] ξάστερος, αστεροειδής.

starry-eyed (adj) [στάαρι-άι-ντ] ονειροπαρμένος, ιδεαλιστής.

start (n) [στάατ] αρχή, αναπήδημα, έναρξη (v) αναπηδώ, αρχίζω, ξεκολλώ.

starter (n) [στάατερ] αφέτης.

startle (v) [στάατλ] αιφνιδιάζω.

starvation (n) [στααβέισσον] λιμοκτονία,

starve (v) [στάαβ] λιμοκτονώ.

starving (adj) [στάαβινγκ] θεονήστικος, πειναλέος, λιμασμένος.

state (v) [στέιτ] εκθέτω, δηλώνω (adj)

πολιτειακός (n) επικράτεια, κατάσταση, πολιτεία.

stately (adj) [στέιτλι] επιβλητικός, ευγενής, αρχοντικός.

statement (n) [στέιτμεν-τ] ανακοίνωση, δήλωση, απολογισμός.

statesman (n) [στέιτσμαν] πολιτευτής, δημόσιος.

statical (adj) [στάτικαλ] στατικός.

statics (n) [στάτικς] στατική.

station (n) [στέισσον] στάση.

stationary (adj) [στέισσοναρι] στάσιμος, ακίνητος, σταθερός.

stationer (n) [στέισσονερ] χαρτοπώλης.

stationery (n) [στέισσονερι] χαρτικά, γραφική ύλη.

stationer's (n) [στέισσονερ'ς] χαρτοπωλείο.

stationing (n) [στέισσονινγκ] στάθμευση.

statistics (n) [στατίστικς] στατιστική.

statue (n) [στάτσσιου] άγαλμα.

statuesque (adj) [στάτσιουεσκ] αγαλματένιος.

statuette (n) [στάτσιουέτ] αγαλματίδιο.

stature (n) [στάτσσερ] ανάστημα.

status quo (n) [στέιτας κούου] καθεστώς.

statute (n) [στάτσιουτ] θέσπισμα, καταστατικό, νομοθέτημα, νομός.

staunch (adj) [στόον-τσς] αφοσιωμένος, σταθερός, αξιόπιστος.

stave (n) [στέιβ] δόγα, πεντάγραμμο, βαθμίδα, σκαλοπάτι.

stay (n) [στέι] διαμονή, στήριγμα, σταθμός (v) παραμένω, μένω, κρατώ.

steadiness (n) [στέ-ντινες] σταθερότητα, επιμονή, σιγουριά.

steady (adj) [στέ-ντι] σταθερός, στερεός, συνεχής, μεθοδικός (v) σταθεροποιώ (n) φίλος, γκύμενα.

steak (n) [στέικ] μπριζόλα.

steal (v) [στίλ] σουφρώνω, αφαιρώ, κλέβω.

stealthy (adj) [στέλθι] κλεφτός.

steam (n) [στίμ] άχνα, ατμός, αχνός, υδρατμός (v) αχνίζω.

steam engine (n) [στίμ έν-ντζζιν] ατμομηχανή.

steamer (n) [στίμερ] ατμόπλοιο, βαπόρι.

steamroller (n) [στίμρόουλα] οδοστρωτήρας.

steamship (n) [στίμσσίπ] ατμόπλοιο,

steed (n) [στίι-ντ] άτι [ποιητ], άλογο.

steel (adj) [στίλ] χαλύβδινος, ατσάλινος (n) ατσάλι (v) χαλυβδώνω.

steelyard (n) [στίλιαα-ντ] καντάρι.

steep (adj) [στίπ] ανηφορικός (v) διαβρέχω, μουσκεύω.

steeple (n) [στίπλ] καμπαναριό.

steepness (n) [στίιπνες] ανηφοριά.

steer (v) [στίρ] κυβερνώ [πλοίο].

steering (n) [στίρινγκ] οδήγηση (adj) κατευθυντήριος.

steering wheel (n) [στίρινγκ ουίιλ] τιμόνι [αυτοκινήτου], βολάν.

steersman (n) [στίιρσμαν] πηδαλιούχος,

stellar (adj) [στέλαα] αστρικός.

stem (v) [στεμ] απορρέω (n) θέμα, κοτσάνι, στέλεχος, κορμός.

stench (n) [στεν-τος] αναθυμίαση, μπόχα,

stenography (n) [στενόγκραφι] στενογραφία.

step (n) [στεπ] διάβημα, σκαλί, βάδισμα, βαθμίδα (v) περιπατώ, πηγαίνω.

step aside (v) [στεπ ασάι-ντ] αποτραβιέμαι, μεριάζω.

step on (v) [στεπ ον] πατώ.

stepdaughter (n) [στέπ-ντοστα] προγονή.

stepfather (n) [στέπφααδα] πατριός.

stepmother (n) [στέπμαδα] μητριά.

stepson (n) [στέπσαν] προγονός.

stereotype (n) [στέριοουτάιπ] στερεοτυπία, ομοιότυπο.

sterile (adj) [στέράιλ] άγονος, στείρος, άκαρπος, αποστειρωμένος.

sterilization (n) [στεριλαϊζέισσον] αποστείρωση, στείρωσn.

sterilize (v) [στέριλάιζ] στειρώνω.

sterling (adj) [στέρλινγκ] αδαμάντινος [μεταφ].

stern (n) [στερν] πρύμνη (adj) βλοσυρός,

stevedore (n) [στίιβα-ντόο] φορτοεκφορτωτής, φορτωτής.

steward (n) [στιούα-ντ] οικονόμος, καμαρότος, θαλαμηπόλος.

stewardess (n) [στιούα-ντες] θαλαμηπόλος, αεροσυνοδός.

stewed (adj) [στιου-ντ] πολυβρασμένος, γιαχνιστός.

stick (n) [στικ] ξύλο, κλαδάκι, μπαστούνι (v) φυτεύω, κολλώ, φρακάρω.

sticker (n) [στίκερ] αυτοκόλλητο.

sticking (n) [στίκινγκ] κόλλημα.

sticking plaster (n) [στίκινγκ πλάαστερ] τσιρότο, λευκοπλάστης.

sticky (adj) [στίκι] κολλώδης, δύσκολος.

stiff (adj) [στιφ] δύσκαμπτος, ισχυρός, παράλυτος, ψυχρός.

stiffness (n) [στίφνες] δυσκαμψία.

stifle (v) [στάιφλ] στραγγαλίζω.

stigma (n) [στίγκμα] στίγμα.

stigmatize (v) [στίγκματαϊζ] στιγματίζω,

stiletto (n) [στιλέτοου] στιλέτο.

still (adv) [στιλ] ακόμη (adj) ακούνητος, σιγανός (n) γαλήνη (conj) μολαταύτα.

still-born (adj) [στίλ-μπόον] θνησιγενής.

stillness (n) [στίλνες] ηρεμία, γαλήνη, η-συχία, σιγαλιά, νηνεμία.

stilt (n) [στιλτ] ξυλοπόδαρο.

stilted (adj) [στίλτι-ντ] εξεζητημένος, ε-πιτηδευμένος, στομφώδης.

stimulant (n) [στίμιουλαν-τ] διεγερτικό (adj) διεγερτικός.

stimulate (v) [στίμιουλέϊτ] υποκινώ, παρορμώ, ερεθίζω, διεγείρω.

stimulation (n) [στιμιουλέισσον] παρόρμηση, ερεθισμός, τόνωση.

stimulus (n) [στίμιουλας] διεγερτικό, ε-

ρέθισμα [φυσιολ], έναυσμα.

sting (v) [στινγκ] αγκυλώνω, τσιμπώ, τσούζω (n) κέντημα, κεντρί, κέντρισμα,

stinginess (n) [στίν-ντζζινες] γυφτιά.

stingy (adj) [στίν-ντζζι] σφιχτός, τσιγκούνης, φειδωλός.

stink (n) [στινκ] δυσωδία (v) βρομώ.

stinker (n) [στίνκερ] βρωμερός.

stint (v) [στιν-τ] περιορίζω.

stipulation (n) [στιπιουλέισσον] συμβόλαιο, συμφωνία.

stir (n) [στερ] πάταγος (v) αναδεύω, κινώ, συγκινώ.

stirring (n) [στέρινγκ] ανακίνηση (adj) συγκινητικός, διεγερτικός.

stirrup (n) [στίραπ] αναβατήρας, αναβολέας.

stitch (n) [στιτς] θηλιά, γαζί (v) ράβω, στερεώνω, κεντώ.

stock (n) [στοκ] παρακαταθήκη.

stock exchange (n) [στοκ εξτσσέιν-ντζζ] χρηματιστήριο.

stockbreeding (n) [στόκ-μπρίι-ντινγκ] κτηνοτροφία.

stockbroker (n) [στόκ-μπρόουκερ] χρηματιστής.

stocking (n) [στόκινγκ] κάλτσα.

stocky (adj) [στόκι] κοντόχοντρος.

stockyard (n) [στόκιάα-ντ] μαντρί.

stodgy (adj) [στόντζζι] βαρύς, δύσπεπτος,

stoical (adj) [στόικαλ] στωικός.

stoicism (n) [στόουισιζμ] στωικότητα, μακροθυμία, καρτερικότητα.

stoke (v) [στόουκ] τροφοδοτώ, ταΐζω, παραφουσκώνω.

stoker (n) [στόουκερ] θερμαστής.

stole (n) [στόουλ] πετραχήλι.

stolen (adj) [στόουλεν] κλεφτός.

stolid (adj) [στόλι-ντ] φλεγματικός.

stomach (n) [στόμακ] στομάχι.

stomach-ache (n) [στόμακέικ] κοιλόπονος,

stone (n) [στόουν] λιθάρι, κουκούτσι,

πέτρα (v) λιθοβολώ, πετροβολώ.

stoned (adj) [στόουν-ντ] μαστουρωμένος, στουπί [αργκό], τύφλα.

stonework (n) [στόουνουερκ] τοιχοποιία,

stoning (n) [στόουνινγκ] λιθοβολισμός.

stony (adj) [στόουνι] πετρώδης.

stooge (adj) [στούουντζζ] υποχείριος (n) κομπάρσος [μεταφ].

stool (n) [στούουλ] σκαμνί.

stool pigeon (n) [στούουλ πίντζζον] σπιούνος.

stoop (n) [στούουπ] σκύψιμο (v) σκύβω.

stop (n) [στοπ] παύση, διακοπή στάση (v) βουλώνω, κλείνω, παύω, στερεύω.

stopcock (n) [στόπκοκ] διακόπτης.

stoppage (n) [στόπιντζζ] κοπή, παύση.

stopper (n) [στόπερ] πώμα, τάπα.

stopping (n) [στόπινγκ] στάση, κλείσιμο.

storage (n) [στόοριντζζ] αποθήκη, απομνημόνευση.

store up (v) [στόορ απ] αποθηκεύω (n) εμπορικό.

storehouse (n) [στόοχαους] αποθήκη, θησαυρός [μεταφ].

storeroom (n) [στόορουμ] αμπάρι.

storey (n) [στόορι] όροφος.

stork (n) [στόοκ] πελαργός.

storm (n) [στόομ] καταιγίδα.

stormy (adj) [στόομι] θυελλώδης.

story (n) [στόορι] ιστορία, μύθος.

storyteller (n) [στόορι τέλερ] αφηγητής, παραμυθάς, τερατολόγος.

stout (adj) [στάουτ] εύσωμος.

stove (n) [.τόουβ] κουζίνα.

strafe (v) [στρέιφ] πολυβολώ.

straggle (v) [στραγκλ] απομακρύνομαι, ξεκόβω, βραδυπορώ.

straight (n) [στρέιτ] πορθμός, γραμμή, ίσα-ίσα, ίσια, κατευθείαν (adj) ευθύς, ίσιος, ξεκάθαρος, ολόισιος.

straightaway (adv) [στρέιταουέι] αυτοστιγμεί.

straighten (v) [στρέιπεν] ισιώνω, ορθώνω.

straightforward (adj) [στρέιτφόοουαντ] καθαρός, ευθύς.

strain (n) [στρέιν] ένταση, τάση (v) διυλίζω, κουράζω, περνώ, τσιτώνω.

strained (adj) [στρέιν-ντ] τεντωμένος, εκνευρισμένος, αφύσικος, εχθρικός.

strainer (n) [στρέινερ] διυλιστήριο, σουρωτήρι, στραγγιστήρι.

strait (n) [στρέιτ] πορθμός, στενό.

strait jacket (n) [στρέιτ ντζζάκετ] ζουρλομανδύας.

strait-laced (adj) [στρέιτλέισ-τ] στενοκέφαλος.

stranded (adj) [στράν-ντι-ντ] προσηραγμένος, καθισμένος.

strange (adj) [στρέιν-ντζζ] ασυνήθης, αλλόκοτος, ξένος, περίεργος.

strangely (adv) [στρέιν-ντζζλι] παράξενα.

stranger (n) [στρέιν-ντζζερ] ξένος.

strangle (v) [στραγκλ] καταπνίγω.

strangler (n) [στράνγκλερ] στραγγαλιστής.

strangulation (n) [στρανγκιουλέισσον] πνίξιμο, στραγγαλισμός.

strap (n) [στραπ] αορτήρας.

stratagem (n) [στράταντζζεμ] τέχνη [πολεμική], στρατήγημα.

strategic (adj) [στρατίιντζζικ στρατηγικός.

strategic position (n) [στρατίιντζζικ ποζίσσον] πόστο.

strategy (n) [στράτεντζζι] στρατηγική, τακτική.

stratum (n) [στράταμ] κοίτασμα, κοινωνικό στρώμα.

straw (adj) [στρόο] καλαμένιος (n) καλαμάκι, άχυρο, ψάθα.

strawberry (n) [στρόο-μπρι] φράουλα,

stray (adj) [στρέι] αδέσποτος.

straying (n) [στρέιινγκ] παραστράτημα.

stream (v) [στρίιμ] κυλώ, χύνω (n) ρέμα.

streamer (n) [στρίιμερ] σερπαντίνα.

street (adj) [στρίιτ] οδικός (n) στράτα, οδός, ρυμοτομία.

street organ (n) [στρίιτ όογκαν] ρομβία.

street sweeper (n) [στρίιτ σουίιπερ] οδοκαθαριστής.

strength (n) [στρενγκθ] αντοχή.

strengthen (v) [στρένγκθεν] ενισχύω,

strenuous (adj) [στρένιουας] έντονος, ενεργητικός.

stress (n) [στρες] ένταση, πίεση (v) υπογραμμίζω, φορτώνω, κουράζω.

stretch (n) [στρετος] τάση, έκταση, ταινία (v) απλώνω, τσιτώνω.

stretch out (v) [στρετος άουτ] προτείνω, τείνω, φουντώνω.

stretched (adj) [στρετσσ-τ] τεταμένος.

stretcher (n) [στρέτσσερ] φορείο.

strew (v) [στρούου] διαδίδω.

strewn (adj) [στριούν] σπαρμένος.

strict (adj) [στρικτ] κυριολεκτικός.

strictness (n) [στρίκτνες] αυστηρότητα.

stride (n) [στράι-ντ] δρασκελιά, πάσσο (v) δρασκελίζω.

strife (n) [στράιφ] αγώνας, σύγκρουση, διαφωνία.

strike (v) [στράικ] πλήττω, απεργώ, ηχώ, κρούω (n) απεργία, κτύπημα.

striker (n) [στράικερ] απεργός.

striking (adj) [στράικινγκ] αξιοπαρατήρητος, εντυπωσιακός (n) κρούση.

string (n) [στρινγκ] κορδόνι, αρμάθα, κλωστή, σπάγκος (v) αρμαθιάζω.

string bean (n) [στρινγκ μπίιν] αμπελοφάσουλο.

stringed (adj) [στρί-νγκ-ντ] έγχορδος.

stringy (adj) [στρί-νγκι] ινώδης [κρέας], νευρώδης [επι ανθρώπου].

strip (n) [στριπ] λουρίδα (v) γδύνομαι, αποστερώ, ληστεύω.

stripe (n) [στράιπ] σειρίτι, ρίγα.

striped (adj) [στράιπ-τ] ραβδωτός (n) ριγέ.

strive (v) [στράιβ] αγωνίζομαι, πασχίζω,

stroke (n) [στρόουκ] αποπληξία, δια-

δρομή, συμφόρηση, χάιδεμα, βολή, χαρακιά (v) θωπεύω.

stroll (n) [στρόουλ] περίπατος (v) περιδιαβάζω, περιφέρομαι.

strong (adj) [στρονγκ] ρωμαλέος, δυνατός,

stronghold (n) [στρόνγκχοουλ-ντ] οχυρό,

strongly (adv) [στρόνγκλι] δυνατά.

structural (adj) [στράκτοσσεραλ] δομικός, κατασκευαστικός.

structure (n) [στράκτοσσερ] συγκρότηση, υφή, στοιχείωση.

struggle (n) [στραγκλ] μάχη, αγώνας (v) παιδεύομαι, σκίζομαι.

strut (v) [στρατ] κοκορεύομαι.

stub (n) [στα-μπ] απομεινάρι.

stubble (n) [στα-μπλ] καλαμιά.

stubborn (n) [στά-μπαν] ισχυρογνώμονας,

stubbornness (adj) [στά-μπανες] ξεροκεφαλιά (n) ισχυρογνωμοσύνη, πείσμα.

stubby (adj) [στά-μπι] κοντόχοντρος.

stucco (n) [στάκοου] στόκος.

stud (n) [στα-ντ] κουμπί, επιβήτορας.

stud poker (n) [στα-ντ πόουκερ] πόκα.

stud-farm (n) [στά-ντ-φάμμ] ιπποτροφείο.

studded (adj) [στά-ντι-ντ] διάστικτος, κατάσπαρτος.

student (n) [στιού-ντεν-τ] μαθητής, μελετητής, σπουδαστής.

studied (adj) [στά-ντιι-ντ] επιμελημένος.

studio (n) [στίου-ντιοου] ατελιέ.

studious (adj) [στιού-ντιας] φιλομαθής, επιμελής, ένθερμος.

study (n) [στά-ντι] μελέτη, σπουδή, γραφείο (v) μελετώ, διαβάζω.

stuff (n) [σταφ] ύλη, ρούχο, υλικό, ύφασμα, ουσία (v) μπουκώνω.

stuffing (n) [στάφινγκ] ταρίχευση.

stuffy (adj) [στάφι] πνιγηρός.

stumble (v) [σταμ-μπλ] παραπατώ (n) σκόνταμα, ολίσθημα, σφάλμα.

stump (n) [σταμ-π] τάκος, απομεινάρι, ρίζα (v) περιοδεύω, αφήνω άναυδο.

stun (v) [σταν] αποσβολώνω, ζαλίζω, ξεκουφαίνω, φλομώνω.

stunned (adj) [σταν-ντ] εκστατικός, κεραυνόπληκτος [μεταφ].

stunt (v) [σταν-τ] αποκόπτω.

stunted (adj) [στάν-τι-ντ] κατσιασμένος.

stupefaction (n) [στιουπιφάκσσον] νταμπλάς, αποβλάκωση.

stupefied (adj) [στιουπιφάι-ντ] εμβρόντητος, κατάπληκτος.

stupefy (v) [στιούπιφαϊ] αποβλακώνω, stupid (adj) [στιούπι-ντ] ανόητος, χαζός.

stupidity (n) [στιουπί-νιτι] βλακεία, stupor (n) [στιούπερ] καταπληξία, νάρκη, sturdy (adj) [στέρ-ντι] δυνατός, sturgeon (adj) [στέρντζζον] οξύρρυγχος.

stutter (v) [στάτερ] τραυλίζω (n) τραύλισμα.

stuttering (adj) [στάτεριγγκ] τραυλός, ψευδός.

sty (n) [στάι] σταύλος, αχούρι.

style (n) [στάιλ] κομψότητα, ύφος.

stylish (adj) [στάιλιος] κομψός, μοντέρνος, styptic (adj) [στίπτικ] στυπτικός.

subconscious (n) [σα-μπκόνσσιας] υποσυνείδητο.

subcontractor (n) [σά-μπκον-τράκτορ] υπεργολάβος.

subdivide (v) [σα-μπ-ντιβάι-ντ] υποδιαιρώ.

subdivision (n) [σα-μπ-ντιβίζον] υποδιαίρεση.

subdue (v) [σα-μπ-ντιού] δαμάζω.

subheading (n) [σα-μπχέ-ντινγκ] υπότιτλος.

subject (n) [σά-μπντζζεκτ] ζήτημα, ευκαιρία, περίπτωση (adj) υποτελής, εκτεθειμένος.

subject (v) [σα-μπντζζέκτ] υποβάλλω, εκθέτω.

subjection (n) [σα-μπντζζέκοσον] υποτέλεια, υποταγή.

subjective (adj) [σα-μπντζζάνκτιβ] υποκειμενικός (n) υποτακτική.

subjugate (v) [σά-μπντζζουκεϊτ] δουλώνω, κατακτώ, κυριεύω.

subjugation (n) [σα-μπντζζουγκέισσον] υποτέλεια, κατάκτηση.

subjunctive (n) [σαμπντζζάνκτιβ] υποτακτική εγκλίσιον [γραμμ].

sub-let (v) [σά-μπλετ] υπενοικιάζω, υπομισθώνω.

submarine (n) [σα-μπμαρίν] υποβρύχιο.

submersion (n) [σα-μπμέρζζον] βύθιση.

submission (n) [σα-μπμίσσον] υποβολή, προσκύνημα, υπακοή.

submissive (adj) [σα-μπμίσιβ] πειθαρχικός, πειθήνιος, υποτακτικός (n) υπήκοος.

submit (v) [σα-μπμίτ] παραδίδομαι, υποβάλλω, υποκύπτω.

subordinate (adj) [σα-μποο-ντινέιτ] υποτελής (n) δευτερεύων.

subordination (n) [σα-μποο-ντινέισσον] κατωτερότητα, υποτέλεια.

subpoena (v) [σα-πίινα] κλητεύω, προσκαλώ [νομ] (n) κλήτευση.

subscriber (n) [σα-μπσκράι-μπερ] συνδρομητής, υποστηρικτής.

subscription (n) [σα-μπσκρίπσσον] συνδρομή, υπογραφή.

subsequent (adj) [σά-μπσικουεν-τ] μεταγενέστερος.

subside (v) [σα-μπσάι-ντ] κατολισθαίνω, κοπάζω.

subsidence (n) [σά-μπσι-ντενς] υποχώρηση, καθίζηση.

subsidiary (adj) [σα-μπσί-ντιερι] υποβοηθητικός, επικουρικός.

subsidize (v) [σά-μπσι-νταϊζ] επιδοτώ, επιχορηγώ.

subsidy (n) [σά-μπσι-ντι] επιδότηση, subsoil (n) [σά-μπσοϊλ] υπέδαφος.

substance (n) [σά-μπστανς] ύλη.

substantial (adj) [σα-μπστάανσσαλ] δυνατός, άφθονος.

substantiate (v) [σα-μπστάαν-οσιέιτ] τεκμηριώνω, αποδεικνύω.

substantiation (n) [σα-μπστάαν-οσιέισσον] τεκμηρίωση, απόδειξη.

substantive (n) [σα-μπστάν-τιβ] ουσιαστικό [γραμμ], αντωνυμία.

substitute (v) [σά-μπστιτιουτ] αντικαθιστώ, αναπληρώνω (n) αντικαταστάτης.

substitution (n) [σα-μπστιτιούσσον] αντικατάσταση.

substructure (n) [σα-μπστράκτοσερ] υποδομή, βάση, θεμέλιο.

subtenant (n) [σα-μπτέναν-τ] υπομισθωτής, υπενοικιαστής.

subterranean (adj) [σα-μπτερέινιαν] υποχθόνιος, υπόγειος.

subtitle (n) [σά-μπταϊτλ] υπότιτλος.

subtle (adj) [σατλ] λεπτός, ραφινάτος, φευγαλέος, πονηρός.

subtlety (n) [σάτλετι] λεπτότητα.

subtract (v) [σα-μπτράκτ] αφαιρώ.

subtraction (n) [σα-μπτράξον] αφαίρεση.

suburb (n) [σά-μπερ-μπ] περίχωρα.

suburban (adj) [σα-μπέρ-μπαν] συνοικιακός, συμβατικός.

subversion (n) [σα-μπβέρζζον] υπονόμευση.

subversive (adj) [σα-μπβέρσιβ] ανατρεπτικός, υπονομευτικός.

subway (n) [σά-μπουεϊ] υπόγεια διάβαση, υπόγειος σιδηρόδρομος.

succeed (v) [σαξίι-ντ] διαδέχομαι.

success (n) [σαξές] ανάδειξη, επιτυχία, ευόδωση, προκοπή.

successful (adj) [σαξέσφουλ] επιτυχής.

succession (n) [σαξέσσον] σειρά.

successive (adj) [σαξέσιβ] απανωτός.

successor (adj) [σαξέσσο] διάδοχος (n) αντικαταστάτης, διάδοχος.

succinct (adj) [σαξίνκτ] περιληπτικός.

succour (v) [σάκερ] συντρέχω, βοηθώ.

succulent (adj) [σάκιουλεν-τ] ζουμερός,

succumb (v) [σεκάμ] υποκύπτω, ενδίδω,

such (adv) [σατος] ούτως (adj) τέτοιος, τοιούτος, τοιαύτη, τοιούτο.

suck (n) [σακ] θηλασμός (v) πιπιλίζω,

suck up (v) [σακ απ] ρουφώ.

sucker (n) [σάκερ] βεντούζα, εμβολίδιο, κορόιδο [κοιν], κουτορνίθι.

suckle (n) [σακλ] θηλασμός (v) θηλάζω,

suction (n) [σάκσσον] άντληση.

sudden (adj) [σά-ντεν] αιφνίδιος.

suddenly (adv) [σά-ντενλι] αίφνης.

sue (v) [σου] ενάγω, ζητώ.

suet (n) [σούιτ] λίπος, ξύγκι.

suffer (v) [σάφερ] δεινοπαθώ.

suffering (n) [σάφερινγκ] δυστυχία, βάσανα, δοκιμασία, οδύνη.

suffice (v) [σαφάις] αρκώ, πληρώ.

sufficiency (n) [σαφίσσενσι] επάρκεια.

sufficient (adj) [σαφίσσεν-τ] αρκετός,

suffix (n) [σάφιξ] επίθημα.

suffocate (v) [σάφοκεϊτ] πνίγω.

suffocating (adj) [σαφοκέιτινγκ] αποπνικτικός, ασφυκτικός.

suffocation (n) [σαφοκέισσον] ασφυξία,

suffrage (n) [σάφριντζζ] ψήφος.

sufragette (n) [σαφφραντζζέτ] σουφραζέτα.

sugar (n) [σσούγκα] ζάχαρη (v) ζαχαρώνω, γλυκαίνω [μεταφ].

sugarbeet (n) [σσούγκα-μπίιτ] ζαχαρότευτλο [βοτ].

sugarcane (n) [σσούγκα-κεϊν] ζαχαροκάλαμο.

sugared almond (n) [σσούγκαρ-ντ άαμον-ντ] κουφέτο.

sugaring (n) [σσούγκαρινγκ] ζαχάρωμα.

sugary (adj) [σσούγκαρι] σακχαρώδης,

suggest (v) [σαντζζέστ] προτείνω.

suggestion (n) [σαντζζέσστσσον] πρόταση, υπόμνηση, εισήγηση.

suicide (n) [σούισαϊ-ντ] αυτοκτονία, αυτόχειρας (v) αυτοκτονώ.

suit (n) [σιούτ] αγωγή, αίτηση, πανοπλία, δίκη (v) ανταποκρίνομαι, ταιριάζω.

suitability (n) [σιουτα-μπίλιτι] καταλληλότητα.

suitable (adj) [σιούτα-μπλ] εύθετος, κατάλληλος, πρόσφορος.

suitcase (n) [σιούτκεϊς] βαλίτσα.

suite (n) [σουίτ] ακολουθία, συνοδεία, σουΐτα ξενοδοχίου.

sulk (v) [σαλκ] μουτρώνω.

sulks (n) [σαλκς] κατσουφιά.

sulky (adj) [σάλκι] μουτρωμένος.

sullen (adj) [σάλεν] βαρύθυμος.

sully (v) [σάλι] αμαυρώνω, ρυπαίνω, λερώνω, καταισχύνω.

sulphate (adj) [σάλφεϊτ] θειϊκός.

sulphur (n) [σάλφερ] θειάφι.

sulphurous (adj) [σάλφερας] θειώδης, θειούχος, διαβολικός.

sultan (n) [σάλταν] σουλτάνος.

sultana (n) [σαλτάνα] σουλτάνα.

sultanic (adj) [σαλτάνικ] σουλτανικός.

sultry (adj) [σάλτρι] αποπνικτικός.

sum (n) [σαμ] άθροισμα, ποσό.

sum up (v) [σαμ απ] προσθέτω.

summary (n) [σάμαρι] ανακεφαλαίωση (adj) συνοπτικός.

summer (n) [σάμερ] καλοκαιρινός (n) θέρος (v) παραθερίζω.

summery (adj) [σάμερι] θερινός.

summon up (v) [σάμον απ] κινητοποιώ, προσκαλώ [νομ], καλώ.

summons (n) [σάμονς] κλήτευση.

sumptuous (adj) [σά-μπτσσουας] πολυτελής, δαπανηρός, πολύτιμος.

sun (n) [σαν] ήλιος [φυτό], ήλιος.

sunbaked (adj) [σάν-μπέικ-ντ] ηλιοψημένος.

sunbathe (v) [σάν-μπέιδ] λιάζομαι.

sunbeam (n) [σάν-μπιμ] ηλιαχτίδα.

sunburnt (adj) [σάν-μπερν-τ] ηλιοκαμένος,

Sunday (adj) [Σάν-ντεϊ] κυριακάτικος (n) Κυριακή.

sundown (n) [σάν-νταουν] λιόγερμα, δύση.

sundrenched (adj) [σάν-ντρε-ντσσ-ντ] ηλιόλουστος.

sunflower (n) [σάνφλαουερ] ήλιος.

sung (adj) [σανγκ] τραγουδιστός.

sunken (adj) [σάνκεν] κοίλος, βυθισμένος, χωμένος, βαθουλωτός.

sunlight (n) [σάνλαϊτ] ηλιόφως.

sunlit (adj) [σάνλιτ] ηλιοφώτιστος.

sunny (adj) [σάνι] ηλιόλουστος.

sunrise (n) [σάνραϊζ] ανατολή [ηλίου],

sunset (n) [σάνσετ] ηλιοβασίλεμα.

sunshade (n) [σάνσεϊ-ντ] σκιάδι.

sunshine (n) [σάνσσαϊν] λιακάδα.

sunstroke (n) [σάνστροουκ] ηλίαση.

suntanned (adj) [σάν-ταν-ντ] ηλιοψημένος.

sup (v) [σαπ] ρουφώ, δειπνώ.

superb (adj) [σουπέρ-μπ] θαυμάσιος, λαμπρός, μεγαλειώδης.

superficial (adj) [σουπερφίσσαλ] επιπόλαιος, επιφανειακός.

superficiality (n) [σουπερφισσιάλτι] επιπολαιότητα.

superfluous (adj) [σουπέρφλουας] περιττός, παραπανίσιος.

superhuman (adj) [σουπερχιούμαν] υπεράνθρωπος.

superintendent (n) [σούπεριν-τέν-νταν-ντ] επιμελητής, διευθυντής.

superior (adj) [σουπίριο] ανώτερος, υπέροχος, υπέρτερος.

superiority (n) [σουπιριόριτι] ανωτερότητα, υπεροχή, σκήπτρο.

superlative (adj) [σουπέρλατιβ] υπερθετικός [γραμ], εξαίσιος.

superman (n) [σούπερμαν] υπεράνθρωπος.

supernatural (adj) [σουπερνάτσσουραλ] υπερφυσικός.

supersonic (adj) [σουπερσόνικ] υπερηχητικός.

superstition (n) [σουπερστίσσον] δεισιδαιμονία, πρόληψη.

superstitious (adj) [σουπερστίσσας] προληπτικός (n) δεισιδαίμονας.

superstructure (n) [σουπερστράκτοσερ] υπερκατασκευή.

supervenient (adj) [σουπερβίνιεν-τ] τυχαίος, συμπτωματικός.

supervise (v) [σούπερβαϊζ] επιβλέπω,

supervision (n) [σουπερβίζζον] επίβλεψη,

supervisor (n) [σουπερβάιζορ] προϊστάμενος, επιστάτης.

supervisory (adj) [σουπερβάιζορι] εποπτικός, εφορευτικός.

supper (n) [σάπερ] δείπνο.

supplant (v) [σαπλάαν-τ] αντικαθιστώ, παραγκωνίζω, υποσκελίζω.

supple (adj) [σαπλ] ευλύγιστος.

supplement (n) [σάπλιμεν-τ] παράρτημα,

supplementary (adj) [σαπλιμέν-τρι] επικουρικός.

supplication (n) [σαπλικέισσον] δέηση,

supplier (n) [σάπλάιερ] προμηθευτής, χορηγητής, τροφοδότης.

supply (n) [σαπλάι] προμήθεια (v) εφοδιάζω, προμηθεύω.

support (n) [σαπόοτ] επιδότηση, στερέωμα (v) παραστέκω, υποθετώ, φέρνω.

supporter (n) [σαπόορτερ] ενισχυτής, οπαδός, υποστηριχτής.

suppose (v) [σαπόουζ] εικάζω, φαντάζομαι, πιστεύω, υποθέτω.

supposition (n) [σαποζίσσον] υπόθεση, εικασία, παραδοχή.

suppository (n) [σαπόζιτρι] υπόθετο.

suppress (v) [σαπρές] καταπνίγω.

suppression (n) [σαπρέσσον] κατάπνιξη, απαγόρευση, απόκρυψη.

supreme (adj) [σουπρίιμ] ανώτατος, ύπατος, υπέρτατος.

sure (adj) [σσούουρ] ασφαλής, σίγουρος, βέβαιος, αξιόπιστος, γνήσιος.

surface (n) [σέρφις] επιφάνεια (v) αναδύομαι.

surge (n) [σερντζζ] μεγάλο κύμα.

surgeon (n) [σέρντζζον] χειρουργός, στρατιωτικός.

surgery (n) [σέρντζζερι] εγχείρηση.

surgical (adj) [σέρντζζικαλ] χειρουργικός.

surliness (n) [σέρλινες] δυστροπία.

surly (adj) [σέρλι] σκυθρωπός.

surmise (n) [σαμάιζ] εικασία, υπόνοια (v) εικάζω, υποθέτω.

surmount (v) [σαμάουν-τ] υπερβαίνω,

surname (n) [σέρνεϊμ] επωνυμία, επίθετο (v) επονομάζω.

surpass (v) [σερπάας] επισκιάζω, προηγούμαι, υπερέχω, υπερτερώ.

surplus (n) [σέρπλες] περίσσευμα.

surprise (adj) [σερπράιζ] αιφνιδιαστικός (n) έκπληξη (v) ξαφνιάζω.

surrealism (n) [σαρίιαλιζμ] σουρρεαλισμός, υπερρεαλισμός.

surrealist (n) [σαρίιαλιστ] σουρρεαλιστής, υπερρεαλιστής.

surrealistic (adj) [σαριαλίστικ] εφιαλτικός,

surrender (n) [σαρέν-ντερ] παράδοση (v) παραδίνω, υποκύπτω.

surrogate (adj) [σάρογκεϊτ] αναπληρωματικός, υποκατάστατο.

surround (v) [σαράουν-ντ] κυκλώνω,

surrounded (adj) [σαράουν-ντι-ντ] αποκλεισμένος.

surrounding (n) [σαράουν-ντινγκ] περιβολή.

surveillance (n) [σερβέιλανς] επιτήρηση,

survey (n) [σέρβεϊ] αξιολόγηση, μελέτη (v) [σερβέι] επιθεωρώ, καταμετρώ.

surveyor (n) [σεβέιορ] τοπογράφος,

survival (n) [σαβάιβαλ] επιβίωση.

survive (v) [σαβάιβ] επιβιώνω.

susceptibility (n) [σασέπτι-μπίλιτι] ευπάθεια, ευθιξία, δεκτικότητα.

susceptible (adj) [σασέπτι-μπλ] ευαίσθητος, επιρρεπής, τρωτός.

suspect (v) [σασπέκτ] υποβλέπω.

suspect (n) [σάσπεκτ] ύποπτος.

suspend (v) [σασπέν-ντ] αναρτώ.

suspended (adj) [σασπέν-ντι-ντ] κρεμαστός.

suspenders (n) [σασπέν-ντας] τιράντα, καλτσοδέτες, ζαρτιέρες.

suspense (n) [σασπένς] αγωνία.

suspension (n) [σασπένσσον] αιώρηση, ανάρτηση, διαθεσιμότητα.

suspicion (n) [σασπίσσον] καχυποψία, πονηριά, υπόνοια, υποψία.

suspicious (adj) [σασπίσσας] καχύποπτος, πονηρός, ύποπτος.

sustain (v) [σαστέιν] υποστηρίζω.

sustenance (n) [σάστινανς] τροφή.

suzerainty (n) [σιούζερέιν-τι] επικυριαρχία, κυριαρχία.

swaddle (v) [σουά-ντλ] φασκιώνω.

swagger (v) [σουάγκερ] κοκορεύομαι,

swallow (v) [σουόλοου] καταπίνω (n) χελιδόνι [ζωολ].

swamp (n) [σουόμ-π] βάλτος.

swampy (adj) [σουόμ-πι] ελώδης.

swan (n) [σουόν] κύκνος.

swank (n) [σουάνκ] φιγουρατζής.

swanky (adj) [σουάνκι] επηρμένος.

swap (n) [σουόπ] αντάλλαγμα.

swarm (n) [σουόομ] μυρμηγκιά, μελίσσι, σμήνος (v) βρίθω, πλημμυρίζω.

swarthy (adj) [σουόοθι] μελαχρινός,

swastika (n) [σουόστικα] σβάστικα.

swath (n) [σουόθθ] δρεπανιά.

swathe (v) [σουέιδ] επιδένω.

sway (v) [σουέι] παίζω [μεταφ], ταλαντεύομαι.

swaying (adj) [σουέιινγκ] κουνιστός [μεταφ], κούνημα.

swear (v) [σουέα] ορκίζομαι.

swear at (v) [σουέαρ ατ] υβρίζω.

swear in (v) [σουέαρ ιν] ορκίζω.

sweat (n) [σουέτ] ιδρώτας, ξεθέωμα (v)

ιδρώνω, δακρύζω.

sweater (n) [σουέτερ] πουλόβερ.

sweating (n) [σουέτινγκ] ίδρωμα.

sweaty (adj) [σουέτι] ιδρωμένος.

Swede (n) [Σουίι-ντ] Σουηδός.

Swedish (adj) [σουίι-ντιος] σουηδικός.

sweep (v) [σουίιπ] σαρώνω, σκουπίζω, παρασύρω, παίρνω.

sweeping (adj) [σουίιπινγκ] εκτεταμένος, γενικός, αναμορφωτικός (n) σάρωμα.

sweepings (n) [σουίιπινγκς] σκουπίδια,

sweet (adj) [σουίιτ] γλυκός, απολαυστικός, ευγενής (n) γλυκό, ζαχαρωτό.

sweet and sour (adj) [σουίιτ-εν-σάουα] ξινόγλυκος.

sweet potato (n) [σουίιτ ποουτέιτοου] γλυκοπατάτα.

sweeten (v) [σουίιτεν] γλυκαίνω, μαλακώνω, δωροδοκώ [αργκό].

sweetening (adj) [σουίιτενινγκ] γλυκαντικός.

sweetheart (n) [σουίιτχαατ] αγαπητικός, αγαπημένος, αγαπημένη.

sweetish (adj) [σουίιτιος] γλυκούτσικος.

sweetmeat (n) [σουίιτμιατ] γλυκό.

sweetness (n) [σουίιτνες] γλύκα.

sweets (n) [σουίιτς] ζαχαρωτά.

swell (n) [σουέλ] εξόγκωση, προεξοχή (v) διογκώνω, φουσκώνω.

swelling (n) [σουέλινγκ] εξόγκωμα,

swerve (v) [σουέρβ] λοξεύω, στρίβω,

swerving (n) [σουέρβινγκ] λοξοδρόμηση,

swift (adj) [σουίφτ] γρήγορος.

swiftness (n) [σουίφνες] ταχύτητα.

swim (v) [σουίμ] επιπλέω, ζαλίζομαι, υπερχειλίζω.

swimmer (n) [σουίμερ] κολυμβητής.

swimming (n) [σουίμινγκ] κολύμβηση,

swimming costume (n) [σουίμινγκ κόστιουμ] μαγιό, μπανιερό.

swimming pool (n) [σουίμινγκ πούουλ] πισίνα, κολυμβητήριο.

swimming-trunks (n) [σουίμινγκτράνκς] μπανιερό [ανδρ].
swindle (v) [σουίν-ντλ] εξαπατώ, κλέβω (n) εξαπάτηση.
swindler (n) [σουίν-ντλερ] απατεώνας.
swine (n) [σουάιν] χοίρος, γουρούνι.
swing (n) [σουίνγκ] κούνια, μεταστροφή (v) αιωρούμαι, παίζω, ταλαντεύομαι.
swing(ing) (n) [σουίνγκ[ινγκ]] αιώρηση (adj) αιωρούμενος, σθεναρός.
swipe (n) [σουάιπ] κτυπώ γερά.
swirling (n) [σουέρλινγκ] στρόβιλος.
swish (v) [σουίσς] θροΐζω, κουνώ, κτυπώ.
Swiss (adj) (n) [σουίς] Ελβετός.
switch (n) [σουίτσς] διακόπτης, μαστίγιο, βέργα, μεταστροφή.
switch on (v) [σουίτσς ον] ανάβω.
switchboard (n) [σουίτσσ-μποο-ντ] ταμπλό.
Switzerland (n) [Σουίτσσαλαν-ντ] Ελβετία.
swollen (adj) [σουόουλεν] φουσκωμένος.
swoon (n) [σουούν] λιποθυμία (v) λιποθυμώ.
sword (n) [σόο-ντ] ξίφος, σπαθί.
swordfish (n) [σουό-ντφίσς] ξιφίας.
sworn (adj) [σουόον] ένορκος.
swot (n) [σουότ] σπασίκλας.
syllable (n) [σίλα-μπλ] συλλαβή [γραμ].
syllogism (n) [σίλοντζζιζμ] συλλογισμός.
symbol (n) [σίμ-μπολ] έμβλημα.
symbolic (adj) [σιμ-μπόλικ] συμβολικός,
symbolism (n) [σίμ-μπολιομ] συμβολισμός,
symbolization (n) [σιμ-μπολαϊζέιοσον] αλληγορία.
symbolize (v) [σίμ-μπολαϊζ] συμβολίζω.
symmetrical (adj) [σιμέτρικαλ] συμμετρικός, σύμμετρος.

symmetry (n) [σίμετρι] συμμετρία.
sympathetic (adj) [σίμ-παθέτικ] συμπάσχων,
sympathize with (v) [σίμ-παθάιζ γουίδ] ευσπλαχνίζομαι, πονώ.
sympathy (n) [σίμ-παθι] συμπόνια, πόνος, συλλυπητήρια.
symphony (n) [σίμφονι] συμφωνία.
symptom (n) [σίμ-πτομ] σύμπτωμα,
synagogue (n) [σίναγκογκ] συναγωγή.
syncopation (n) [σινκοουπέιοσον] συγκοπή [μουσ, γραμμ].
syndicate (n) [σίν-ντικετ] συνδικάτο.
syndicate (v) [σίν-ντικέιτ] συγκροτώ κοινοπραξία, συμπηγνύω.
syndrome (n) [σίν-ντροουμ] σύνδρομο, συνδρομή, σύμπτωση.
synod (n) [σάινο-ντ] σύνοδος [εκκλ].
synonym (n) [σίνονιμ] συνώνυμο.
synonymous (adj) [σινόνιμας] ταυτόσημος,
synopsis (n) [σινόπσις] σύνοψη.
synoptic (adj) [σινόπτικ] συνοπτικός.
syntactic(al) (adj) [σιν-τάκτικ[αλ]] συντακτικός [γραμμ].
syntax (n) [σίν-ταξ] σύνταξη.
synthesis (n) [σίνθεσις] σύνθεση.
synthetic (adj) [σινθέτικ] συνθετικός.
syphilis (n) [σίφιλις] σύφιλη.
Syrian (adj) [Σίριαν] συριακός (n) Σύριος.
syringe (n) [σιρίν-ντζζ] σύριγγα.
syrup (n) [σίραπ] σερμπέτι, σιρόπι.
system (n) [σίστεμ] σύστημα.
systematic (adj) [σιστεμάτικ] μεθοδικός, συστηματικός.

T, t (n) [τι] το εικοστό γράμμα του αγγλικού αλφαβήτου.

tab (n) [τα-μπ] θηλιά, ετικέτα.

tabefaction (n) [τα-μπιφάκοσν] μαρασμός.

table (adj) [τέι-μπλ] επιτραπέζιος (n) τάβλα, τράπεζα, πίνακας.

table napkin (n) [τέι-μπλ νάπκιν] πετσέτα.

table-mat (n) [τέι-μπλμάτ] ψαθάκι.

table-mate (adj) [τέι-μπλμέιτ] ομοτράπεζος.

tablecloth (n) [τέι-μπλκλόθ] τραπεζομάντηλο.

tableland (n) [τέι-μπλλάν-ντ] οροπέδιο.

tablet (n) [τά-μπλετ] ταμπλέτα.

taboo (n) [τα-μπούου] ταμπού.

tacit (adj) [τάσιτ] σιωπηρός.

taciturn (adj) [τάσιτέρν] λιγόλογος.

tack (n) [τακ] καρφάκι (v) λοξοδρομώ.

tack(ing) (n) [τάκ[ινγκ] κάρφωμα, τρύπωμα.

tackle (n) [τακλ] εξαρτήματα (v) πιάνω.

tackling (n) [τάκλινγκ] μαρκάρισμα.

tact (n) [τακτ] λεπτότητα, τακτ.

tactful (adj) [τάκτφουλ] αβρός, διακριτικός, λεπτός, διπλωματικός.

tactfulness (n) [τάκτφουλνες] λεπτότητα.

tactic (n) [τάκτικ] τακτική, μέθοδος.

tactics (n) [τάκτικς] τακτική.

tactical (adj) [τάκτικαλ] τακτικός.

tactile (adj) [τάκταϊλ] ψηλαφητός.

tactless (adj) [τάκτλες] αδιάκριτος, αδέξιος.

tactlessness (n) [τάκτλεσνες] αδιακρισία.

taffeta (n) [τάφιτα] ταφτάς.

tail (adj) [τέιλ] ούριος (n) ουρά.

tailor (n) [τέιλορ] ράφτης, εμπορορράπτης (v) προσαρμόζω.

tailoring (n) [τέιλορινγκ] κοπτική.

tailpiece (n) [τέιλπιις] βινιέττα [τυπ], υστερόγραφο [μεταφ].

taint (v) [τέιν-τ] μολύνω, διαφθείρω, σαπίζω.

tainted (adj) [τέιν-τι-ντ] διεφθαρμένος, μολυσμένος, σαπισμένος.

take (v) [τέικ] λαμβάνω, παίρνω, κερδίζω.

take care of (v) [τέικ κέαρ οβ] επιμελούμαι.

take effect (v) [τέικ εφέκτ] δρω.

take heart (v) [τέικ χάατ] αναθαρρεύω.

take in (v) [τέικ ιν] περιπαίζω, πίνω, στενεύω, χάφτω [μεταφ], γελώ.

take in hand (v) [τέικ ιν χαν-ντ] επιλαμβάνομαι.

take into account (v) [τέικ ίν-του ακάουν-τ] συνερίζομαι.

take off (n) [τέικ οφφ] απογείωση (v) αναπαριστώ, ξεκρεμώ, βγάζω, ξεκινώ.

take part (v) [τέικ πάατ] μετέχω.

take place (v) [τέικ πλέις] τελούμαι.

take sides (v) [τέικ σάι-ντς] μεροληπτώ.
take steps (v) [τέικ στεπς] ενεργώ.
take the oath (v) [τέικ δι όουθ] ορκίζομαι.
take up (v) [τέικ απ] σηκώνω, πιάνω, παίρνω, απορροφώ, εξετάζω.
talc (n) [ταλκ] ταλκ.
tale (n) [τέιλ] αφήγημα, ιστορία, διήγημα.
tale-teller (n) [τέιλ-τέλερ] καταδότης, μαρτυριάρης, αφηγητής.
talent (n) [τάλεν-τ] ικανότητα.
talented (adj) [τάλεν-τι-ντ] ιδιοφυής, πολυτάλαντος.
talisman (n) [τάλισμαν] φυλακτό.
talk (n) [τόοκ] ομιλία, συνομιλία (v) μιλώ.
talkative (adj) [τόοκατιβ] ομιλητικός, φλύαρος (n) γαλιάντρα.
tall (adj) [τόολ] υψηλός, ψηλός.
tallness (n) [τόλνες] ανάστημα, ύψος.
tallow (n) [τάλοου] λίπος, ξίγκι.
tally (v) [τάλι] συμπίπτω, καταμετρώ, α-ντιστοιχώ.
talon (n) [τάλον] νύχι [ζώου].
tambour (n) [τάμ-μπα] τύμπανο [αυτι-ού], πλαίσιο [κυκλικό].
tambourine (n) [τάμ-μπαρίν] ντέφι.
tame (adj) [τέιμ] ήμερος, μαλακός (v) δαμάζω, μερεύω, υποτάσσω.
tameless (adj) [τέιμλες] άγριος, αδάμαστος.
tameness (n) [τέιμνες] ημεράδα.
tamer (n) [τέιμερ] δαμαστής.
taming (n) [τέιμινγκ] ημέρωμα.
tamper with (v) [τάμ-περ ουίδ] παρεμβαίνω, μαστορεύω.
tamping (n) [τάμ-πινγκ] γέμισμα, στού-μπωμα, πάτημα, επιγόμωση.
tampion (n) [τάμ-πιον] πώμα.
tan (n) [ταν] σοκολατί, μαύρισμα.
tangency (n) [τάντζενσι] επαφή.
tangent (n) [τάντζεν-τ] εφαπτομένη.
tangerine (n) [τάντζερίιν] μανταρίνι.
tangible (adj) [τάντζι-μπλ] απτός, χειροπιαστός, ψηλαφητός, σαφής.

tangle (n) [τανγκλ] κόμπος, κουβάρι, σύγχυση, εμπλοκή (v) αναμειγνύω.
tangle up (v) [τανγκλ απ] μπουρδουκλώνω.
tangled (adj) [τανγκλ-ντ] ανάκατος.
tango (n) [τάνγκοου] ταγκό.
tank (n) [τανκ] δεξαμενή, τανκ.
tanker (n) [τάνκερ] δεξαμενόπλοιο.
tanned (adj) [ταν-ντ] ηλιοκαμένος.
tanner (n) [τάνερ] βυρσοδέψης.
tannery (n) [τάνερι] βυρσοδεψείο.
tantrums (n) [τάν-τραμς] νεύρα.
tap (n) [ταπ] στρόφιγγα, βρύση.
tap-dance (n) [τάπ-ντάανς] κλακέτες.
tape (n) [τέιπ] ταινία, κορδέλα.
tape measure (n) [τέιπ μέζζα] μεζούρα, ταινία [μέτρησης].
tape-recording (n) [τέιπ-ρικόο-ντινγκ] μαγνητοφώνηση.
taper (n) [τέιπερ] λαμπάδα, κερί, φωτάκι.
tapestry (n) [τάπεστρι] ταπετσαρία.
tapeworm (n) [τέιπουέρμ] ταινία.
tapping (n) [τάπινγκ] υποκλοπή.
tar (n) [τάα] πίσσα (v) πισσώνω.
tardiness (n) [τάα-ντινες] βραδύτητα.
tardy (adj) [τάα-ντι] βραδύς.
tare (n) [τέα] απόβαρο.
target (n) [τάαγκετ] σκοπός, στόχος.
tariff (adj) [τάριφ] τελωνειακός (n) δασμός, τιμοκατάλογος (v) τιμολογώ.
tarnish (v) [τάανις] κηλιδώνω, λερώνω, θαμπώνω (n) αμαύρωση.
tarry (v) [τάρι] χρονοτριβώ, αργώ.
tarry (adj) [τάαρι] πισσώδης.
tarsus n) [τάασας] ταρσός [ανατ].
tart (n) [τάατ] κοκότα, τούρτα (adj) δριμύς, σαρκαστικός, τραχύς.
tartar (n) [τάατερ] πουρί.
tartness (v) [τάατνες] ξινίλα.
task (n) [τασκ] έργο, καθήκον, θέμα.
tassel (n) [τασλ] φούντα, θύσανος.
taste (v) [τέιστ] δοκιμάζω, γεύομαι (n) γεύση, προτίμηση, δείγμα.

tasteful (adj) [τέιστφουλ] καλαίσθητος, καλόγουστος, φιλόκαλος.

tasteless (adj) [τέιστλες] άγευστος.

tastiness (n) [τέιστινες] νοστιμάδα.

tasty (adj) [τέιστι] νόστιμος.

tatter (n) [τάτερ] ράκος, κουρέλι.

tattered (adj) [τάτερ-ντ] κουρελιάρικος.

tattle (v) [τατλ] φλυαρώ.

tattoo (n) [τατούου] τατουάζ.

taunt (n) [τόον-τ] περιγέλασμα, μομφή (v) σαρκάζω, κοροϊδεύω, προσβάλλω.

taunting (adj) [τόον-τινγκ] περιπαικτικός.

taut (adj) [τόοτ] τεντωμένος.

tautology (n) [τόοτόλοντζ[ι] ταυτολογία.

tavern (n) [τάβερν] ταβέρνα, οινοπωλείο, καπηλειό, κέντρο.

tawdry (adj) [τόο-ντρι] ευτελής.

tax (adj) [ταξ] φορολογικός (n) φορολογία, τέλος (v) φορολογώ.

tax-collector (n) [ταξ-κολέκτορ] εφοριακός.

tax office (n) [ταξ όφις] εφορία.

tax-free (adj) [τάξ-φρίι] ατελής.

taxable (adj) [τάξα-μπλ] φορολογήσιμος.

taxation (n) [ταξέισσον] φορολογία.

taxi (n) [τάξι] ταξί, αγοραίο [αυτοκ].

taximeter (n) [ταξίμιτερ] ταξίμετρο.

taxpayer (adj) [τάξπέιερ] φορολογούμενος.

tea (n) [τίι] τσάι [βοτ], αφέψημα.

tea-pot (n) [τίι-ποτ] τσαγερό.

tea-urn (n) [τίι-έρν] σαμοβάρι.

teach (v) [τίιτος] μαθαίνω, διδάσκω.

teacher (n) [τίιτσσερ] δασκάλα, καθηγητής, δάσκαλος, διδάσκαλος.

teaching (n) [τίιτσσινγκ] διδασκαλία, παράδοση [μαθήματος], δίδαγμα.

team (n) [τίιμ] ομάδα.

team of workers (n) [τίιμ οβ ουέρκερς] συνεργείο.

teapot (n) [τίιποτ] τσαγιέρα.

tear (v) [τέα] διαρρηγνύω, σκίζω, χιμώ, αποσπώ (n) σκίσιμο, δάκρυ.

tear to pieces (v) [τέα του πίισις] κατα-

ξεσκίζω, ξεσχίζω.

tear up (v) [τέαρ απ] καταξεσκίζω, σπαράζω, κομματιάζω.

tear-gas (n) [τέα-γκάς] δακρυγόνα.

tearaway (n) [τέαραουεϊ] τεντιμπόης.

tearful (adj) [τίαφουλ] κλαψιάρης.

tearless (adj) [τίαλες] αδάκρυτος.

tease (v) [τίιζ] δουλεύω, ενοχλώ.

teaser (n) [τίιζερ] πειραχτήρι.

teasing (n) [τίιζινγκ] δούλεμα.

teaspoon (n) [τίισπούν] κουταλάκι.

teat (n) [τίιτ] θηλή, ρώγα [μαστού].

technical (adj) [τέκνικαλ] τεχνικός.

technicality (n) [τεκνικάλιτι] τεχνικότητα, τεχνικός όρος, τύπος.

technician (n) [τεκνίσσαν] τεχνικός, τεχνίτης.

technique (n) [τεκνίικ] τεχνική.

technocrat (n) [τέκνοκρατ] τεχνοκράτης.

technology (n) [τεκνόλοντζ[ι] τεχνολογία.

tectonic (adj) [τεκτόνικ] τεκτονικός, τεκτονικός [γεωλ].

tectorial (adj) [τεκτόοριαλ] καλυπτήριος, οροφιαίος.

teddy-boy (n) [τέ-ντι-μπόι] τεντιμπόης, νεαρός κακοποιός.

tedious (adj) [τίι-ντιας] ανιαρός.

tedium (n) [τίι-ντιαμ] ανία, πλήξη.

teem (v) [τίιμ] βρίθω, αφθονώ.

teeming (adj) [τίιμινγκ] πλήρης.

teenage (adj) [τίινεϊντζζ] εφηβικός.

teenager (n) [τίινεϊντζζερ] έφηβος, νεαρός.

teens (n) [τίινς] εφηβεία.

teething (n) [τίιθινγκ] οδοντοφυΐα.

tegument (n) [τέγκιουμεν-τ] υμένας, μεμβράνη, καλυπτήρια.

telary (adj) [τίιλερι] αραχναίος.

telecommunication (n) [τελεκομιουνικέισσον] τηλεπικοινωνία.

telegram (n) [τέλεγκραμ] τηλεγράφημα.

telegraph (n) [τέλεγκρααφ] τηλέγραφος (v) τηλεγραφώ.

telegraph(ic) (adj) [τελεγκράφ[ικ]] τηλεγραφικός.

telegraph operator (n) [τέλεγκρααφ ό-περέιτορ] τηλεγραφητής.

telegraph pole (n) [τέλεγκρααφ πόουλ] τηλεγραφόξυλο.

telegraphy (n) [τελέγκραφι] τηλεγραφία.

telepathic (adj) [τελεπάθικ] τηλεπαθητικός.

telepathy (n) [τελέπαθι] τηλεπάθεια.

telephone (adj) [τέλεφοουν] τηλεφωνικός (v) τηλεφωνώ (n) τηλέφωνο, τηλεφώνημα.

telephone operator (n) [τέλεφοουν ό-περέιτορ] τηλεφωνητής.

telephony (n) [τιλέφονι] τηλεφωνία.

telephotography (n) [τελεφοτόγκραφι] τηλεφωτογραφία.

teleprinter (n) [τελέπριν-τερ] τηλέτυπο.

telescope (n) [τέλεσκοουπ] τηλεσκόπιο.

television (adj) [τελεβίζζιον] τηλεοπτικός (n) τηλεόραση [τηλεορ].

telex (n) [τέλεξ] τέλεξ.

tell (v) [τελ] αφηγούμαι, λέγω.

tell off (v) [τελ οφ] αποπαίρνω.

tell-tale (adj) [τέλ-τέιλ] προδοτικός (n) μαρτυριάρης.

teller (n) [τέλερ] αφηγητής.

temerarious (adj) [τεμεράριας] τολμηρός.

temper (n) [τέμ-περ] χαρακτήρας, ψυχραιμία, κέφι (v) απαλύνω, στομώνω.

temperament (n) [τέμ-πραμεν-τ] ιδιοσυγκρασία, χαρακτήρας.

temperance (n) [τέμ-περανς] εγκράτεια.

temperate (adj) [τέμ-περέιτ] εγκρατής.

temperature (n) [τέμ-πρατσσα(ρ)] θερμοκρασία, πυρετός.

tempered (adj) [τέμ-παντ] μετρημένος, μετριασμένος, μέτριος.

tempest (n) [τέμ-πεστ] λαίλαπα, τρικυμία.

tempestuous (adj) [τεμ-πέστιουας] τρικυμιώδης, φουρτουνιασμένος.

temple (n) [τεμ-πλ] μελίγγι, ναός.

tempo (n) [τέμ-ποου] τέμπο.

temporal (adj) [τέμ-ποραλ] χρονικός, προσωρινός, εγκόσμιος.

temporarily (adv) [τεμ-πορέριλι] έκτακτα.

temporary (adj) [τέμ-ποραρι] έκτακτος, στιγμαίος.

tempt (v) [τεμ-πτ] δελεάζω.

temptation (n) [τεμ-τέισσον] πειρασμός, ξελόγιασμα, δοκιμασία.

tempting (adj) [τέμ-τινγκ] δελεαστικός, λαχταριστός, ορεκτικός.

temptress (n) [τέμ-τρες] ξελογιάστρα.

ten (num) [τεν] δέκα [αριθ] (n) δεκάρι [στα χαρτιά].

Ten Commandments (n) [Τεν Κομάαν-ντμεν-τς] δεκάλογος.

tenability (n) [τεναμπίλιτι] λογικότητα, ορθότητα, επιδεκτικότητα.

tenable (adj) [τέναμπλ] υποστηρίξιμος, λογικός, βάσιμος, υπερασπίσιμος.

tenacious (adj) [τενέισσας] συνεκτικός, σταθερός, σφιχτός.

tenacity (n) [τινάσιτι] αντοχή, ανθεκτικότητα, πείσμα, εμμονή.

tenancy (n) [τένανσι] μίθωση.

tenant (n) [τέναν-τ] μισθωτής (adj) ένοικος.

tend (v) [τεν-ντ] επιμελούμαι, φυλάγω, νοσηλεύω, τείνω.

tendency (n) [τέν-ντενσι] κλίση.

tendentious (adj) [τεν-ντένσσιας] υποβολιμαίος, μεροληπτικός.

tender (adj) [τέν-ντερ] στοργικός.

tenderness (n) [τέν-ντερνες] στοργή, τρυφερότητα, καλωσύνη.

tendon (n) [τέν-ντον] τένοντας [ανατ].

tendril (n) [τέν-ντριλ] έλικας.

tenet (n) [τένετ] δοξασία, δόγμα.

tennis (n) [τένις] αντισφαίριση, τένις.

tenor (adj) [τένορ] οξύφωνος.

tense (n) [τενς] χρόνος [γραμμ].

tense (adj) [τενς] τεντωμένος.

tension (n) [τένσσον] ένταση.

tent (n) [τεν-τ] σκηνή, τέντα, αντίσκηνο.

tentacle (n) [τέν-τακλ] πλοκάμι.

tentative (adj) [τέντατιβ] δοκιμαστικός, πειραματικός, προσωρινός.

tenth (adj) [τενθ] δέκατος.

tenuity (n) [τινιούπι] λεπτότητα.

tenuous (adj) [τένιας] λεπτός, ψιλός, αραιός, ισχνός, ασήμαντος.

tepid (adj) [τέπι-ντ] χλιαρός.

tepidity (n) [τεπί-ντιτι] χλιαρότητα.

term (n) [τερμ] διορία, προθεσμία, όρος, άρθρο, περίοδος.

terminal (adj) [τέρμιναλ] οριακός, τελειωτικός (n) τέρμα, σταθμός, πόλος.

terminate (v) [τέρμινέϊτ] τερματίζω, λήγω.

termination (n) [τερμινέισσον] κατάληξη, λήξη, τερματισμός, πέρας.

terminology (n) [τερμινόλοντζζι] ονοματολογία, ορολογία.

terminus (n) [τέρμινας] τέρμα.

terra firma (n) [τέρα φίρμα] στεριά.

terrace (n) [τέρας] πεζούλα, ταράτσα, δώμα, πεζούλι [σε λόφο].

terrestrial (adj) [τερέστριαλ] χερσαίος.

terrible (adj) [τέρι-μπλ] τρομερός.

terrific (adj) [τερίφικ] τρικούβερτος.

terrified (adj) [τέριφαϊ-ντ] περίτρομος.

terrify (v) [τέριφαϊ] κατατρομάζω.

terrifying (adj) [τέριφαϊινγκ] τρομαχτικός.

territorial (adj) [τεριτόοριαλ] εδαφικός, εδαφολογικός, χωρικός.

Territorial Army (n) [Τεριτόοριαλ Άαμι] εθνοφρουρά, εθνοφυλακή.

terror (n) [τέρο] τρομοκρατία.

terrorism (n) [τέρορίζμ] τρομοκρατία.

terrorist (adj) [τέροριστ] τρομοκρατικός (n) τρομοκράτης.

terrorize (v) [τέροράιζ] τρομοκρατώ.

terse (adj) [τερς] λακωνικός.

terseness (n) [τέρσνες] συντομία.

tessera (n) [τέσερα] ψηφίδα.

test (adj) [τεστ] δειγματοληπτικός (n) πείραμα, τεστ (v) δοκιμάζω, εξετάζω.

testament (n) [τέσταμεν-τ] διαθήκη.

testator (n) [τεστέϊτορ] διαθέτης.

tester (n) [τέστερ] δοκιμαστής.

testicles (n) [τέστικλς] όρχις [ανατ], αχαμνά.

testify (v) [τέστιφαϊ] μαρτυρώ.

testily (adv) [τέστιλι] θυμωμένα.

testimonial (n) [τεστιμόουνιαλ] πιστοποιητικό, βεβαίωση.

testimony (n) [τέστιμόουνι] κατάθεση [νομ], μαρτυριά, δήλωση.

testy (adj) [τέστι] οξύθυμος, νευρικός.

tetanus (n) [τέτανας] τέτανος [ιατρ].

tetralogy (n) [τετράλοντζζι] τετραλογία.

text (n) [τεξτ] κείμενο, θέμα, χωρίο.

text-book (n) [τέχτ-μπουκ] σχολικό βιβλίο, βιβλίο διδασκαλίας.

textile (adj) [τέξταϊλ] υφαντουργικός, υφαντός, υφασμάτινος (n) υφαντό.

textile industry (n) [τέξταϊλ ίν-νταστρι] υφαντουργία.

texture (n) [τέκτσσα] υφή, σύσταση, σύνθεση, ύφανση, δομή.

than (adv) [δαν] παρά (pr) από.

thank (v) [θανκ] ευχαριστώ.

thankful (adj) [θάνκφουλ] ευγνώμονας.

thanks (n) [θανκς] ευχαριστία.

that (pron) [δατ] που (conj) πως, δα, ότι, ώστε, να.

that is (part) [δατ ιζ] ήτοι.

thatch (n) [θατος] άχυρα, καλάμια.

thaw (v) [θόο] λιώνω, ξεπαγώνω.

the [δε] ο, η, το [γραμ] [άρθρο]. .

theatre (n) [θίιατερ] θέατρο, αίθουσα.

theatrical (adj) [θιιάτρικαλ] θεατρικός.

theatricality (n) [θιιατρικάλιτι] θεατρικότητα, μελοδραματικότητα.

theft (n) [θεφτ] κλεψιά, κλοπή.

their (pron) [δέαρ] [δικός] τους.

them (pron) [δεμ] αυτούς.

thematic (adj) [θιμάτικ] θεματικός.

theme (n) [θίιμ] υπόθεση [θεατρικού

έργου κτλ], θέμα [γραμμ].

then (adv) [δεν] αργότερα, έπειτα.

theologian (n) [θιιολόουντζζιαν] θεολόγος.

theological (adj) [θιιολόντζζικαλ] θεολογικός.

theology (n) [θιιόλοντζζι] θεολογία.

theorem (n) [θίιορεμ] θεώρημα.

theoretical (adj) [θιιορέτικαλ] θεωρητικός.

theory (n) [θίιορι] θεωρία, δόγμα.

therapeutics (n) [θεραπιούτικς] θεραπευτική.

therapist (n) [θέραπιστ] θεραπευτής.

therapy (n) [θέραπι] θεραπεία.

there (adv) [δέα] εκεί.

therefore (adv) [δεαφόο] επομένως, τότε (conj) άρα, συνεπώς.

thermal (adj) [θέρμαλ] θερμικός.

thermal insulation (n) [θέρμαλ ίνσουλέισσον] θερμομόνωση.

thermometer (n) [θερμόμιτερ] θερμόμετρο.

thermostat (n) [θέρμοουστατ] θερμοστάτης.

thesaurus (n) [θισόορας] θησαυρός [μεταφ].

thesis (n) [θίισις] διατριβή, θέση, θέμα.

thespian (n) [θέσπιαν] ηθοποιός, θεατρίνος, υποκριτής.

Thessaly (n) [Θέσαλι] Θεσσαλία.

thick (adj) [θικ] δασύς, πηχτός, χοντρός, συχνός (v) δένω, πήζω.

thick-skinned (adj) [θίκ-σκίν-ντ] χοντρόπετσος.

thicket (n) [θίκετ] λόχμη, θαμνώνας, λόγγος, ρουμάνι, άλσος.

thickly (adv) [θίκλι] βαρειά, χονδρά, πηχτά, πυκνά.

thickness (n) [θίκνες] πυκνότητα.

thief (n) [θίιφ] κλέφτης.

thieving (n) [θίιβινγκ] λωποδυσία.

thigh (n) [θάι] μηρός, μερί.

thimble (n) [θιμ-μπλ] δακτυλήθρα.

thimbleful (n) [θίμ-μπλφουλ] δαχτυλήθρα.

thin (adj) [θιν] αδύνατος, ισχνός, λεπτός

(v) λεπταίνω, αδυνατίζω, αραιώνω.

thing (n) [θινγκ] αντικείμενο, πράγμα, υπόθεση, ιδέα, σκέψη, γεγονός, θέμα.

think (v) [θινκ] θαρρώ, λέγω, πιστεύω, βρίσκω.

thinkable (adj) [θίνκαμπλ] νοητός.

thinker (n) [θίνκερ] διανοητής.

thinness (n) [θίννες] λεπτότητα, ελαφρότητα, αδυναμία.

third (adj) [θερ-ντ] τρίτος.

thirst (v) [θερστ] διψώ (n) δίψα.

thirsty (adj) [θέρστι] διψασμένος.

thirteen (num) [θερτίν] δεκατρία [αριθ].

thirty (num) [θέρτι] τριάντα [αριθ].

this (pron) [δις] αυτός, ούτος.

thistle (n) [θισλ] χαμαιλέων, γαϊδουράγκαθο [βοτ].

thorax (n) [θόοραξ] θώρακας.

thorn (n) [θόον] αγκίδα, κεντρί.

thorny (adj) [θόονι] αγκαθερός.

thorough (adj) [θάρα] εξονυχιστικός.

thoroughbred (adj) [θάρα-μπρέντ] καθαρόαιμος.

thoroughly (adv) [θάραλι] τελείως.

though (conj) [δόου] καίτοι.

thought (n) [θόοτ] διανόηση, σκέψη.

thoughtful (adj) [θόοτφουλ] στοχαστικός, ευγενικός.

thoughtless (adj) [θόοτλες] επιπόλαιος, άστοχος (n) άφρων.

thousand (num) [θάουζαν-ντ] χίλιοι [αριθμ] (n) χιλιάδα.

thrash (v) [θρασς] κτυπώ, χτυπώ.

thread (n) [θρε-ντ] κλωστή.

threadbare (adj) [θρέ-ντ-μπέα] ξεφτισμένος, τριμμένος, κουρελής.

threat (n) [θρετ] απειλή, φοβέρα.

threaten (v) [θρέτεν] απειλώ.

threatening (adj) [θρέτενινγκ] απειλητικός, δυσοίωνος.

three (num) [θρίι] τρεις [αριθ], τρία [αριθ].

thresh (v) [θρεσς] αλωνίζω.

threshold (n) [θρέσσχοολ-ντ] απαρχή, πρόθυρα, κατώφλι.

thrift (n) [θριφτ] λιτότητα.

thrifty (adj) [θρίφτι] οικονομικός.

thrill (v) [θριλ] ριγώ, τρέμω (n) τρεμούλα.

thrive (v) [θράιβ] ευδοκιμώ, ορθοποδώ, αναπτύσσομαι.

thriving (adj) [θράιβινγκ] επιτυχής, ακμαίος, ρωμαλέος.

throat (n) [θρόουτ] λαιμός.

throat specialist (n) [θρόουτ σπέσσιαλιστ] λαρυγγολόγος.

throaty (adj) [θρόουτι] βραχνός, βραχνόφωνος, λαρυγγικός.

throb (n) [θρο-μπ] σφύξη, παλμός (v) πάλλω, δονούμαι, τρέμω.

throbbing (adj) [θρό-μπινγκ] παλμικός (n) σφύξη, παλμός.

thrombosis (n) [θρομ-μπόουσις] θρόμβωση.

throne (n) [θρόουν] θρόνος, θρονί.

throng (n) [θρονγκ] τσούρμο, πλήθος (v) συρρέω, στριμώχνομαι.

throttle (v) [θροτλ] καταπνίγω.

through (adv) [θρου] μέσω (pr) με, από (v) διατρυπώ.

throw (n) [θρόου] ριξιά, τίναγμα, βολή (v) εκσφενδονίζω.

throw away (v) [θρόου αουέι] πετώ [στα σκουπίδια], χαραμίζω.

thrush (n) [θρασς] τσίχλα [ζωολ].

thrust (n) [θραστ] ώθηση (v) σπρώχνω.

thrusting (n) [θράστινγκ] ώθηση, σπρώξιμο (adj) θρασύς, επιθετικός.

thud (n) [θα-ντ] γδούπος.

thug (n) [θαγκ] κακοποιός, φονιάς, μαχαιροβγάλτης, μπράβος.

thumb (n) [θαμ] αντίχειρας.

thump (n) [θαμ-π] πλήγμα, γροθιά, βρόντος, γδούπος.

thunder (v) [θάν-ντερ] μπουμπουνίζω (n) βροντή, κεραυνός.

thunder out (v) [θάν-ντερ άουτ] βροντοφωνάζω.

thunderbolt (n) [θάν-ντερ-μπόλτ] κεραυνός, αστροπελέκι.

thundering (adj) [θάν-ντερινγκ] μπουμπούνισμα (adj) βροντερός.

thunderous (adj) [θάν-ντερας] βίαιος, καταστρεπτικός, θυελλώδης.

thunderstruck (adj) [θάν-νταστράκ] κεραυνοβολημένος, άναυδος, εμβρόντητος.

Thursday (n) [Θέρζ-ντεϊ] Πέμπτη.

thus (adv) [δας] έτσι, ούτως, άρα (conj) λοιπόν, ώστε.

thwarting (n) [θουόστινγκ] αντίπραξη.

thyme (n) [τάιμ] θυμάρι.

tiara (n) [τιάρα] τιάρα.

tic (n) [τικ] νευρική σύσπαση.

tick (n) [τικ] τσιμπούρι [έντομο].

ticket (n) [τίκετ] εισιτήριο, δελτίο.

ticket office (n) [τίκετ όφις] εκδοτήριο.

ticking (n) [τίκινγκ] χτύπος.

tickle (v) [τικλ] γαργαλίζω.

ticklish (adj) [τίκλισς] γαργαλιστικός, δύστροπος, ιδιότροπος.

tide (n) [τάι-ντ] παλίρροια.

tidiness (n) [τάιντινες] τάξη.

tidy (adj) [τάι-ντι] τακτικός, νοικοκυρεμένος (v) σιάζω, τακτοποιώ, σουλουπώνω.

tidy up (v) [τάι-ντι απ] συγυρίζω, συμμαζεύω, φτιάχνω.

tie (n) [τάι] γραβάτα (v) δένω, συνδέω, ισοβαθμώ.

tie up (v) [τάι απ] δεσμεύω.

tied (adj) [τάι-ντ] δετός, συναπτός.

tier of seats (n) [τίρ οβ σίτς] κερκίδα.

tiff (n) [τιφ] μικροκαβγαδάκι.

tiger (n) [τάιγκερ] τίγρης [ζωολ].

tight (adj) [τάιτ] στενόχωρος, σφιχτός.

tight-fisted (adj) [τάιτ-φίστι-ντ] σφιχτός.

tighten (v) [τάιτεν] στενεύω.

tightly (adv) [τάιτλι] σφικτά, γερά.

tightness (n) [τάιτνες] σφίξιμο.

tights (n) [τάιτς] καλτσόν.

tigress (n) [τάιγκρες] τίγρη.

tile (n) [τάιλ] κεραμίδι, πλακάκι.

till (adv) [τιλ] έως, μέχρι (conj) ως (v) οργώνω, καλλιεργώ, καματεύω.

tillage (n) [τίλιντζζ] όργωμα.

tilling (n) [τίλιντγκ] καλλιέργεια.

tilt (v) [τιλτ] γέρνω [για βάρκα κτλ], κονταρομαχώ.

tilting (n) [τίλτιντγκ] γέρσιμο.

timber (n) [τίμ-μπερ] ξυλεία, δοκός, μαδέρι, δένδρα, αρετές.

time (adj) [τάιμ] χρονικός (n) μαθητεία, ώρα, καιρός (v) χρονομετρώ.

time off (n) [τάιμ οφφ] ρεπό.

time-bomb (n) [τάιμ-μπόμ] ωρολογιακή βόμβα.

timeless (adj) [τάιμλες] άχρονος.

timely (adj) [τάιμλι] έγκαιρος.

timer (n) [τάιμερ] χρονομέτρης.

timetable (n) [τάιμτέι-μπλ] δρομολόγιο, ωράριο, χρονοδιάγραμμα.

timid (adj) [τίμι-ντ] άτολμος, άψυχος [δειλός], δειλός, φοβητσιάρης.

timidity (n) [τιμί-ντιτι] ατολμία.

timidly (adv) [τίμι-ντλι] δειλά.

timing (n) [τάιμιντγκ] χρονομέτρηση, συγχρονισμός.

timorous (adj) [τίμερες] φοβητσιάρης.

tin (n) [τιν] καλάι, κασσίτερος, λευκοσίδηρος, τενεκές (v) γανώνω.

tincture (n) [τίνκτσσα] χροιά, απόχρωση, βάμμα.

tinder (n) [τίν-ντερ] έναυσμα, φυτίλι, τσακμάκι, ίσκα.

tinderbox (n) [τίν-ντερ-μπόξ] τσακμάκι.

tingle (v) [τιντγκλ] τσούζω, καίω (n) τσούξιμο, φαγούρα.

tinker (n) [τίνκερ] γανωτής.

tinkle (v) [τιντγκλ] κουδουνίζω.

tinned food (n) [τιν-ντ φου-ντ] κονσερβοποιημένη τροφή.

tinsel (n) [τίνσελ] πούλια.

tinsmith (n) [τίνσμίθ] φαναρτζής.

tint (n) [τιν-τ] χρώμα (v) βάφω.

tiny (adj) [τάινι] μικροσκοπικός.

tip (n) [τιπ] άκρη, άγγιγμα, συμβουλή, μύτη (v) ανατρέπω, αδειάζω, φιλοδωρώ.

tipping (n) [τίπιντγκ] απόρριψη.

tipple (v) [τιπλ] κουτσοπίνω.

tippler (n) [τίπλερ] μπεκρής.

tips (n) [τιπς] τυχερά.

tipsy (adj) [τίποι] πιωμένος.

tirade (adj) [ταϊρέι-ντ] εξάψαλμος.

tire (v) [τάιρ] κουράζω, ξελιγώνω.

tire out (v) [τάιρ άουτ] καταπονώ.

tired (adj) [τάια-ντ] κουρασμένος.

tireless (adj) [τάιαλες] ακούραστος.

tiresome (adj) [τάιασαμ] ενοχλητικός, εκνευριστικός, κουραστικός.

tisane (n) [τιζάαν] αφέψημα.

tissue (n) [τίσσιου] λεπτό χαρτί.

tissued (adj) [τίσσιουντ] χρυσοκέντητος, ασημοκέντητος.

tissue paper (n) [τίσσιου πέιπερ] τσιγαρόχαρτο.

titan (n) [τάιταν] τιτάνας.

titanic (adj) [ταϊτάνικ] τιτάνιος.

titbit (n) [τίτ-μπίτ] λιχουδιά, μεζές.

titillate (v) [τίτιλέϊτ] σκανδαλίζω.

titillation (n) [τιτιλέισσν] διέγερση, ερεθισμός, σκανδάλισμα.

titivate (v) [τίτιβέϊτ] καλλωπίζω.

title (n) [τάιτλ] επιγραφή.

title deed (n) [τάιτλ ντίι-ντ] δικαιόγραφο.

titled (adj) [τάιτλ-ντ] τιτλούχος.

titter (v) [τίτερ] κρυφογελώ, γελώ.

tittle (n) [τίτλ] ίχνος, μόριο.

tittup (v) [τίταπ] χοροπηδώ.

titular (adj) [τίτιουλα] ονομαστικός, τιμητικός, επίτιμος.

tizzy (n) [τίζι] ανακατωσούρα.

to (adv) [του] προς, έως (pr) εις, σε, προς, μέχρι, έως.

toad (n) [τόου-ντ] φρύνος, βάτραχος.

toady (n) [τόου-ντι] αυλοκόλακας.

toast (n) [τόουστ] πρόποση, φρυγανιά (v) καψαλίζω, φρυγανίζω.

tobacconist (n) [το-μπάκονιστ] καπνέμπορος, καπνοπώλης.

tocsin (n) [τόκσιν] συναγερμός.

today (adv) [του-ντέι] σήμερα.

toddler (n) [τό-ντλερ] νήπιο.

toe (n) [τόου] δάχτυλο [ποδιού].

toenail (n) [τόουνέιλ] νύχι.

toga (n) [τόουγκα] τήβεννος.

together (adv) [τουγκέδερ] αντάμα, μαζί, συνάμα, συντροφιά.

togetherness (n) [τουγκέδερνες] συναδέλφωση, αλληλεγγύη.

toil (n) [τόιλ] μόχθος, κόπωση (v) κοπιάζω, μοχθώ.

toilet (n) [τόιλετ] τουαλέτα.

toilet paper (n) [τόιλετ πέιπερ] χαρτί [υγείας].

toils (n) [τόιλς] δίχτυ [μεταφ].

toilsome (adj) [τόιλσαμ] επίπονος.

token (n) [τόουκεν] σημείο, ενθύμιο, μαρτυρία, δείγμα.

tolerable (adj) [τόλερα-μπλ] ανεκτός, υποφερτός, καλούτσικος.

tolerance (n) [τόλερανς] ανεκτικότητα.

tolerant (adj) [τόλεραν-τ] ανεκτικός, μακρόθυμος, ανεξίθρησκος.

tolerate (v) [τόλερέιτ] ανέχομαι, επιδέχομαι, σηκώνω, υπομένω.

toleration (n) [τολερρέισον] ανοχή.

toll (v) [τολ] κτυπώ, βαράω (n) διόδια, φόρος, αλεστικά.

tomato (n) [τομάτοου] τομάτα.

tomb (adj) [τούουμ] επιτύμβιος (n) τάφος, τύμβος, μνήμα.

tombola (n) [τόμ-μπολα] τόμπολα.

tomboy (n) [τόμ-μποϊ] αγοροκόριτσο.

tombstone (n) [τούουμστόουν] ταφόπετρα.

tomcat (n) [τόμκάτ] γάτος.

tome (n) [τόουμ] τόμος.

tomorrow (adv) [τουμόροου] αύριο.

ton (n) [ταν] τόνος.

tonal (adj) [τόουναλ] τονικός.

tonality (n) [τονάλιτι] τονικότητα.

tone (n) [τόουν] απόχρωση [χρωματισμός], χροιά, τόνος, ύφος.

toneless (adj) [τόουνλες] άτονος.

tongs (n) [τονγκς] μασιά, τανάλια.

tongue (n) [τανγκ] γλώσσα.

tonic (adj) [τόνικ] τονικός, δυναμωτικός (n) δυναμωτικό, τονωτικό.

tonight (adv) [τουνάιτ] απόψε.

tonnage (n) [τάνιντζζ] χωρητικότητα [ναυτ], τονάζ.

tonsillitis (n) [τονσιλάτις] αμυγδαλίτιδα.

tonsils (n) [τόνσιλς] αμυγδαλές.

tonsorial (adj) [τονσόριαλ] κομμωτικός, ξυριστικός.

too (conj) [τούου] και (adv) επίσης, ωσαύτως, πάρα πολύ.

tool (n) [τουλ] μαγγάνι [εργαλείο], εργαλείο, όργανο, σύνεργο.

tool-bag (n) [τούλ-μπάγκ] εργαλειοθήκη.

toot (v) [τούουτ] κορνάρω, σφυρίζω, σημαίνω, ηχώ (n) κορνάρισμα.

tooth (n) [τουθ] δόντι.

tooth-mark (n) [τούθ-μααk] δοντιά.

toothache (n) [τούουθέϊκ] πονόδοντος.

toothbrush (n) [τούουθ-μπρας] οδοντόβουρτσα, βούρτσα [δοντιών].

toothpaste (n) [τούουθπέϊστ] οδοντόπαστα.

toothpick (n) [τούουθπικ] οδοντογλυφίδα.

top (adv) [τοπ] επάνω, πάνω (adj) πρώτος (n) κορυφή, στέγη, σκέπασμα, καπάκι (v) κορφολογώ, υπερβαίνω.

top-hat (n) [τόπ-χατ] ημίψηλο.

topaz (n) [τόουπαζ] τοπάζι.

topic (n) [τόπικ] αντικείμενο, θέμα.

topical (adj) [τόπικαλ] επίκαιρος.

topographer (n) [τοπόγκραφερ] τοπογράφος.

topographical (adj) [τόπογκράφικαλ] τοπογραφικός.

topography (n) [τοπόγκραφι] τοπογραφία.

topper (n) [τόπερ] έξοχος.

topping (n) [τόπινγκ] κορφολόγημα, κάλυμμα, επικάλυψη.

topple (v) [τόπλ] γκρεμίζομαι, καταρρέω, κλονίζω, ανατρέπω.

topsy-turvy (adv) [τόπσι-τέρβι] άνω-κάτω, κουλουβάχατα.

torch (n) [τόστος] δάδα, λαμπάδα.

torch-bearer (n) [τόστσσ-μπέαρερ] λαμπαδηφόρος.

torchlight procession (n) [τόστσσλάιτ προσέσσον] λαμπαδηφορία.

torment (n) [τόομεν-τ] ταλαιπωρία, οδύνη, αγωνία (v) [τοορμέντ] παιδεύω.

tormentor (n) [τοομέν-τορ] βασανιστής.

torn (adj) [τόον] σχιστός.

torpedo (n) [τοοπίι-ντοου] τορπίλα, τορπίλη (v) τορπιλίζω.

torpid (adj) [τόρπιντ] μουδιασμένος, ναρκωμένος, νωθρός.

torpor (n) [τόοπορ] αποχαύνωση, χαύνωση, μούδιασμα, νάρκη.

torrent (n) [τόρεν-τ] κρουνός, χείμαρρος.

torrential (adj) [τορένσαλ] κατακλυσμιαίος.

tortoise (n) [τόοτας] χελώνα.

torture (n) [τόοτσσα] χτικιό, παίδεμα, τυραννία (v) παιδεύω, τυραννώ.

torturer (n) [τόοτσσαρα] βασανιστής.

toss (v) [τος] ξετινάζω, πετώ, στριφογυρίζω.

total (adj) [τόουταλ] ολικός, συνολικός, πλήρης (n) σύνολο, άθροισμα.

total membership (n) [τόουταλ μέμμπερσοίπ] ολομέλεια.

totalitarian (adj) [τοουταλιτέαριαν] ολοκληρωτικός.

totally (adv) [τόουταλι] εντελώς.

totter (v) [τότερ] παραπαίω.

tottery (adj) [τότερι] κλονιζόμενος.

touch (n) [τατος] επαφή (v) αγγίζω, ψη-

λαφώ, πιάνω, ισοδυναμώ, επιτελώ.

touch up (n) [τατος απ] ρετουσάρω.

touch (upon) (v) [τατος [απόν]] θίγω.

touchiness (n) [τάτσσινες] ευθιξία.

touching (n) [τάτσσινγκ] ψαύση (adj) συγκινητικός.

touchstone (n) [τάτσστόουν] λυδία, λίθος.

touchy (adj) [τάτσσι] εύθικτος.

tough (adj) [ταφ] σκληρός, γερός, δύσκολος, πείσμων (n) μπράβος, κακοποιός.

toughen (v) [τάφεν] σκληραγωγώ.

toughness (n) [τάφνες] σκληρότητα, ανθεκτικότητα, δυσκολία.

tour (n) [τουρ] περιήγηση, γύρος, εκδρομή (v) περιοδεύω.

touring (adj) [τούρινγκ] περιηγητικός, τουριστικός (n) τουρισμός.

tourism (n) [τούριζμ] τουρισμός.

tourist (adj) [τούριστ] τουριστικός (n) περιηγητής, τουρίστας.

tourist guide (n) [τούριστ γκάι-ντ] ξεναγός.

tout (n) [τάουτ] κράχτης.

tow (v) [τόου] ρυμουλκώ (n) στουπί.

towards (adv) [τοο-ουόο-ντς] έναντι (pr) προς.

towel (n) [τάουελ] πετσέτα.

tower (n) [τάουερ] φρούριο, κάστρο, πύργος (v) υψώνομαι.

towering (adj) [τάουερινγκ] πανύψηλος, υψηλός, έξαλλος.

towing (n) [τόουινγκ] ρυμούλκηση.

town (n) [τάουν] κωμόπολη, πόλη.

town crier (n) [τάουν κράιερ] τελάλης.

town hall (n) [τάουν χόολ] δημαρχείο, δημαρχία.

townsman (n) [τάουνσμαν] αστός.

toxic (adj) [τόξικ] τοξικός.

toxicological (adj) [τοξικολόντζζικαλ] τοξικολογικός.

toxicology (n) [τοξικολοντζζι] τοξικολογία.

toxin (n) [τόξιν] τοξίνη.

toy (n) [τόι] παιχνίδι [για παιδιά].

trace (n) [τρέις] πατημασιά, ίχνος, δείγμα (v) ανιχνεύω, χαράζω, καθορίζω.

trachea (n) [τράκιια] τραχεία.

tracing (n) [τρέισινγκ] χάραξη, ξεσήκωμα.

track (n) [τρακ] ερπύστρια, πατημασιά, ράγα, τροχιά, χνάρι (v) ανιχνεύω.

track down (v) [τρακ ντάουν] εξιχνιάζω.

tracking (n) [τράκινγκ] ανίχνευση.

traction (n) [τράκσσον] έλξη.

tractor (n) [τράκτορ] ελκυστήρας.

trade (n) [τρέι-ντ] συναλλαγή, εμπόριο, απασχόληση (v) διακινώ.

tradesman (n) [τρέι-ντσμαν] εμπορευόμενος, βιοτέχνης.

tradition (n) [τρα-ντίσσον] παράδοση [της χώρας], έθιμο.

traditional (adj) [τρα-ντίσσοναλ] παραδοσιακός, πατροπαράδοτος.

traditions (n) [τρα-ντίσσονς] πάτρια, θέσμια.

traffic (adj) [τράφικ] κυκλοφοριακός (v) συναλλάσσομαι.

traffic flow (n) [τράφικ φλόου] κυκλοφορία [αυτοκινήτων].

traffic island (n) [τράφικ άιλαν-ντ] νησίδα.

traffic jam (n) [τράφικ ντζζαμ] συμφόρηση, μποτιλιάρισμα.

traffic light (n) [τράφικ λάιτ] σηματοδότης.

traffic police (n) [τράφικ πολίις] τροχαία.

trafficking (n) [τράφικινγκ] διακίνηση [ναρκωτικών], εμπορία.

tragedian (n) [τραντζζίι-ντιαν] τραγωδός.

tragedy (n) [τράντζζε-ντι] τραγωδία.

tragic (adj) [τράντζζικ] τραγικός.

trail (n) [τρέιλ] ίχνη, πέρασμα, οσμή (v) σύρω, ρυμουλκώ.

trailer (n) [τρέιλερ] ανιχνευτής, διώκτης, τροχόσπιτο, ρυμούλκα.

train (n) [τρέιν] αμαξοστοιχία (v) καταρτίζω, γυμνάζω, προπονώ.

trainee (adj) [τρέινίι] ασκούμενος.

trainer (n) [τρέινερ] προπονητής.

training (n) [τρέινινγκ] εκγύμναση.

trait (n) [τρέιτ] διακριτικό.

traitor (n) [τρέιτορ] προδότης.

traitorous (adj) [τρέιτορας] προδοτικός.

trajectory (n) [τραντζζέκτορι] τροχιά.

tram (n) [τραμ] τραμ, βαγονένο.

tramcar (n) [τράμκααρ] τραμ.

tramp (n) [τραμ-π] βηματισμός, ποδοβολητό (v) οδεύω, οδοιπορώ.

trance (n) [τράανς] έκσταση, καταληψία.

tranquil (adj) [τράνκουιλ] ήρεμος.

tranquility (n) [τρανκουίλιτι] ηρεμία.

tranquilizer (n) [τράνκουιλαϊζερ] ηρεμιστικό, παυσίπονο.

transaction (n) [τρααανσάκοσον] αγοραπωλησία, δοσοληψία.

transatlantic (adj) [τράανσατλάν-τικ] υπερατλαντικός.

transcendence (n) [τρααανσέν-ντενς] υπερβατικότητα, υπέρβαση.

transcendental (adj) [τρααανσεν-ντένταλ] υπερβατικός, υποθετικός [μεταφ], αβέβαιος [μεταφ].

transcribe (v) [τρανσκράι-μπ] μεταγράφω, αντιγράφω, ολογραφώ.

transcript (n) [τράνσκριπτ] κόπια.

transfer (n) [τράανσφερ] εκχώρηση, παραχώρηση (v) μετακινώ, μεταθέτω, ξεσπκώνω.

transfer design (n) [τράανσφερ ντιζάιν] χαλκομανία.

transferable (adj) [τρααανσφέρα-μπλ] μεταβιβάσιμος, μεταθέσιμος.

transference (n) [τράανσφερενς] μετάβαση, μετάταξη, μεταφορά.

transfiguration (n) [τρααανσφιγκιουρέισσον] μεταμόρφωση [εκκλ].

transform (v) [τρααανσφόομ] αναπλάθω, μεταβάλλω.

transformation (n) [τρααανσφοομέισσον] μεταμόρφωση, μετατροπή.

transformer (n) [τρααανσφόομερ] μετατροπέας, μεταμορφωτής.

transfuse (v) [τραανσφιούζ] μεταγγίζω.

transfusion (n) [τραανσφιούζζον] μετάγγιση.

transgress (v) [τραανσγκρές] παραβιάζω, υπερβαίνω, καταπατώ.

transgression (n) [τραανσγκρέσσον] παράβαση, παραβίαση.

transgressor (n) [τραανσγκρέσσορ] παραβάτης, αμαρτωλός.

transience (n) [τράνζιενς] μεταβατικότητα, προσωρινότητα.

transient (adj) [τράνσιεν-τ] περαστικός, πρόσκαιρος, προσωρινός.

transistor (n) [τρανζίστορ] τρανζίστορ.

transit (adj) [τράνζιτ] διαμετακομιστικός (n) διάβαση, διακίνηση.

transition (n) [τρανζίσσν] μετάβαση, αλλαγή, μεταβολή, πέρασμα.

transitional (adj) [τράνζίσσοναλ] μεταβατικός, ενδιάμεσος.

transitive (verb) (adj) [τράανζιτιβ [βερμπ]] μεταβατικός [ρήμα].

transitory (adj) [τράνζιτρι] περαστικός, πρόσκαιρος, παροδικός.

translate (v) [τρανσλέιτ] διερμηνεύω, μεταγλωττίζω, μεταφράζω.

translation (n) [τρανσλέισσον] μεταγλώττιση, μετάφραση, εξήγηση.

translator (n) [τρανσλέιτορ] διερμηνέας.

transmission (n) [τρανσμίσσον] διαβίβαση, μεταβίβαση, μετάδοση.

transmit (v) [τρανσμίτ] αποστέλλω, διαβιβάζω, διοχετεύω [μεταφ].

transmitter (n) [τρανσμίτερ] μεταδότης.

transmute (v) [τρανσμιούτ] μεταλλάζω, μετατρέπω.

transparency (n) [τρανσπάρενσι] διαύγεια.

transparent (adj) [τρανσπάρεν-τ] διαφανής, διαυγής, προφανής.

transpire (v) [τρανσπάιρ] διαπνέω, εξιδρώνω, επισυμβαίνω.

transplant (v) [τρανσπλάαν-τ] μεταμο-σχεύω (n) μόσχευμα.

transplantation (n) [τρανσπλαν-τέισσον] μεταμόσχευση.

transport (adj) [τρανσπόοτ] μεταγωγικός (n) [τράνσποορτ] διακίνηση (v) [τρανσπόορτ] κουβαλώ, μεταφέρω.

transportation (n) [τρανσποοτέισσον] μεταγωγή, μεταφορά.

transpose (v) [τρανσπόουζ] μεταθέτω, μετατάσσω, μετατοπίζω.

transship (v) [τρανσσσίπ] μεταφορτώνω.

transverse (adj) [τρανσβέρς] εγκάρσιος.

trap (n) [τραπ] φάκα, ενέδρα.

trapping (n) [τράπινγκ] παγίδευση.

trappings (n) [τράπινγκς] χάμουρα, διακοσμήσεις [πληθ], στολίδια.

trash (n) [τρασς] απορρίμματα, ψευτοπράματα, σαβούρα.

trashy (adj) [τράσσι] σκάρτος, άχρηστος, ευτελής, αναξιόλογος.

travel (n) [τράβελ] ταξίδι (v) περιηγούμαι.

travel agency (n) [τράβελ έιντζζενσι] πρακτορείο ταξιδίων.

traveller (n) [τράβελερ] οδοιπόρος, περιηγητής, ταξιδιώτης.

travelling (adj) [τράβελινγκ] οδοιπορικός, εκδρομικός (n) περιοδεία.

traversable (adj) [τραβέρσα-μπλ] διαπερατός, διαβατός.

traverse (v) [τραβέρς] διασχίζω, διαρρέω, διατρέχω [απόσταση].

travesty (n) [τράβεστι] διακωμώδηση, παρωδία, εμπαιγμός.

trawler (n) [τρόολερ] μηχανότρατα.

tray (n) [τρέι] δίσκος.

treacherous (adj) [τρέτσσερας] δολερός, δολοπλόκος, προδοτικός.

treachery (n) [τρέτσσερι] μπαμπεσιά, προδοσία, απιστία.

treacly (adj) [τρίικλι] σιροπιασμένος, λιγωτικός [μεταφ], γλυκερός.

tread (n) [τρε-ντ] βηματισμός, βήμα, περπάτημα, βάδισμα.

tread on (v) [τρε-ντ ον] ποδοπατώ.

treading (n) [τρέ-ντιγκ] πάτημα.

treadle (n) [τρε-ντλ] πεντάλι.

treadmill (n) [τρέ-ντμιλ] μαγκανοπήγαδο [μεταφ].

treasonous (adj) [τρίζονας] προδοτικός.

treasure (n) [τρέζζερ] κειμήλιο, θησαυρός (v) αποθησαυρίζω [μεταφ].

treasurer (n) [τρέζζερερ] ταμίας.

treasury (n) [τρέζζερι] ταμείο.

treat (v) [τρίτ] συμπεριφέρομαι, κερνώ, νοσηλεύω (n) κέρασμα, φίλεμα, γιορτή.

treatise (n) [τρίταϊζ] διατριβή.

treatment (n) [τρίτμεν-τ] νοσηλεία, θεραπεία, κατεργασία.

treaty (n) [τρίτι] σύμβαση, συνθήκη, συμφωνία, διαπραγμάτευση.

treble (v) [τρε-μπλ] τριπλασιάζω (n) πρίμο, τριπλάσιος.

tree (n) [τρίι] δέντρο, κοντάρι.

tree-clad (adj) [τρίι-κλα-ντ] δεντροφυτεμένος.

tree-snake (n) [τρίι-σνέικ] δεντρογαλιά.

treeless (adj) [τρίιλες] άδεντρος.

trefoil (n) [τρέφοϊλ] τριφύλλι.

trellis (n) [τρέλις] καφάσι.

tremble (v) [τρεμ-μπλ] τρέμω (n) τρόμος.

trembling (adj) [τρέμ-μπλινγκ] τρεμάμενος (n) τρεμούλα, τρόμος.

tremendous (adj) [τριμέν-ντας] τρομερός.

tremor (n) [τρέμορ] δόνηση [σεισμός], τρεμούλιασμα, τρόμος.

trench (n) [τρεν-τος] χαντάκι, τάφρος (v) ταμπουρώνομαι.

trespass (n) [τρέσπαας] καταπάτηση, υπέρβαση, παραβίαση.

trespasser (n) [τρέσπάασερ] καταπατητής.

tress (n) [τρες] κοτσίδα, πλοκάμι.

trestle (n) [τρεσλ] τρίποδας.

trial (adj) [τράιαλ] δοκιμαστικός (n) απόπειρα, δίκη, δοκιμή.

trials (n) [τράιαλς] δεινά.

triangle (n) [τράιανγκλ] τρίγωνο.

triangular (adj) [τραϊάνγκιουλαρ] τρίγωνος, τριγωνικός.

tribal (adj) [τράι-μπαλ] φυλετικός.

tribe (n) [τράι-μπ] φυλή.

tribunal (n) [τρι-μπιούναλ] δικαστήριο.

tributary (adj) [τρί-μπιουτερι] υποτελής, βοηθητικός (n) παραπόταμος.

trick [τρικ] (n) πανουργία, κόλπο, αστείο (v) εξαπατώ, παραπλανώ, περιπαίζω.

trickery (n) [τρίκερι] απάτη, ζαβολιά.

trickle (n) [τρικλ] στάλα (v) ρέω.

trickling (n) [τρίκλινγκ] στάξιμο.

tricks (n) [τρικς] μαγκιά, τσαλιμάκια.

trickster (n) [τρίκοτερ] κολπατζής.

tricky (adj) [τρίκι] κατεργάρικος.

tricycle (n) [τράισικλ] τρίκυκλο.

trident (n) [τράι-ντεν-τ] τρίαινα.

tried (adj) [τράι-ντ] δοκιμασμένος.

trifle (n) [τράιφλ] μηδαμινότητα.

trifles (n) [τράιφλς] μικροπράγματα.

trifling (adj) [τράιφλινγκ] τιποτένιος.

trigger (n) [τρίγκερ] σκανδάλη.

trigonometry (n) [τριγκονόμετρι] τριγωνομετρία.

trilby (n) [τρίλ-μπι] ρεπούμπλικα.

trill (n) [τριλ] τρίλια.

trilogy (n) [τρίλοντζζι] τριλογία.

trim (v) [τριμ] διακοσμώ, κοσμώ, κλαδεύω, γαρνίρω, σιάζω.

trimming (n) [τρίμινγκ] πάρσιμο [ελάττωση], γαρνιτούρα.

trimmings (n) [τρίμινγκς] ξακρίδια, πλουμίδια.

trinity (n) [τρίνιτι] τριάδα.

trinket (n) [τρίνκετ] στολίδι.

trinkets (n) [τρίνκετς] λιλιά.

trio (n) [τρίοου] τριάδα, τρίο.

trip (n) [τριπ] εκδρομή (v) αλαφροπατώ.

trip (out) (v) [τριπ [άουτ]] μαστουρώνω.

trip-up (n) [τριπαπ] τρικλοποδιά.

tripartite (adj) [τρίπααταϊτ] τριμερής.

triple (adj) [τριπλ] τριπλάσιος (v) τριπλασιάζω.

triplet (n) [τρίπλετ] τρίστιχο.

triplets (n) [τρίπλετς] τρίδυμα.

triplicate (adj) [τρίπλικιτ] τριπλότυπος (v) [τρίπλικεϊτ] τριπλασιάζω.

tripod (n) [τράιπο-ντ] τρίποδας.

triumph (n) [τράιαμφ] νίκη, τρόπαιο (v) θριαμβεύω.

triumphal (adj) [τραϊάμφαλ] θριαμβευτικός, νικητήριος.

triumphant (adj) [τραϊάμφαν-τ] αποθεωτικός, θριαμβευτικός.

trivet (n) [τρίβετ] πυροστιά.

trivial (adj) [τρίβιαλ] μηδαμινός, τιποτένιος, χυδαίος.

triviality (n) [τριβιάλιτι] μηδαμινότητα.

trivialization (n) [τρίβιαλαϊζέισσον] ευτελισμός.

trivialize (v) [τρίβιαλάιζ] ευτελίζω.

trochee (n) [τρόουκι] τροχαίος.

trolley (n) [τρόλι] καροτσάκι [αποσκευών].

trolley bus (n) [τρόλι μπας] τρόλεϊ [ΗΠΑ].

trollop (n) [τρόλοπ] παλιογυναίκα.

trombone (n) [τρομ-μπόουν] τρομπόνι.

troop (n) [τρούουπ] τσούρμο.

troops (n) [τρούουπς] στρατός.

troopship (n) [τρούουπσσιπ] οπλιταγωγό.

trophy (n) [τρόουφι] τρόπαιο.

tropical (adj) [τρόπικαλ] τροπικός.

trot (v) [τροτ] πηγαίνω τροχάδην.

troubadour (n) [τρούου-μπαντοο] τροβαδούρος.

trouble (n) [τρα-μπλ] αναστάτωση, μόχθος (v) ταλαιπωρώ, συνταράσσω.

trouble-maker (adj) [τρά-μπλ-μέικερ] ανακατωσούρης (n) ταραξίας.

troublesome (adj) [τρά-μπλσάμ] ενοχλητικός, κουραστικός, φορτικός.

trough (n) [τροφ] σκάφη, γούρνα.

troupe (n) [τρούουπ] κομπανία.

trousers (n) [τράουζερς] βρακί.

trousseau (n) [τρουσόου] προικιά.

trout (n) [τράουτ] πέστροφα.

trowel (n) [τράουελ] μυστρί.

truant (n) [τρούαν-τ] κοπανατζής.

truce (n) [τρους] εκεχειρία.

truck (n) [τρακ] καμιόνι.

truckload (n) [τράκλοου-ντ] φόρτωμα.

trudge (v) [τραντζζ] οδεύω (n) βηματισμός.

true (adj) [τρου] αληθινός.

true-blue (n) [τρού-μπλού] ακραιφνής.

truffle (n) [τραφλ] τρούφα.

truly (adv) [τρούλι] όντως.

trump (n) [τραμ-π] ατού.

trumpet (n) [τράμ-πετ] σάλπιγγα.

trumpeter (n) [τράμ-πετερ] σαλπιγκτής.

truncheon (n) [τράντσσον] κλομπ.

trundle (v) [τραν-ντλ] κυλώ.

trunk (n) [τρανκ] προβοσκίδα.

trunks (n) [τρανκς] σώβρακο.

truss (n) [τρας] δεμάτι.

trust (n) [τραστ] εμπιστοσύνη (v) ελπίζω.

trustee (n) [τραστίι] επίτροπος.

trustworthy (adj) [τράστουέρδι] καλόπιστος, αξιόπιστος, έμπιστος.

truth (n) [τρουθ] αλήθεια.

truthful (adj) [τρούθφούλ] φιλαλήθης.

try (v) [τράι] αποπειρώμαι, δικάζω, δοκιμάζω, γεύομαι.

trying (adj) [τράιινγκ] κρίσιμος.

Tsar (n) [Ζάαρ] Τσάρος.

Tsarina (n) [Ζααρίινα] Τσαρίνα.

tub (n) [τα-μπ] σκυλοπνίχτης, σκάφος [πλοίο], μπάνιο [λεκάνη].

tube (n) [τιού-μπ] μασούρι, λυχνία, σάλπιγγα [ανατ], σύριγγα.

tubercular (adj) [τιου-μπέρκιουλαρ] φυματιώδης, φυματικός.

tuberculosis (n) [τιου-μπερκιουλόουσις] φυμάτιωση, χτικιό.

tuberous (adj) [τίου-μπερους] κονδυλώδης, φυματικός.

tubing (n) [τιού-μπινγ] σωλήνας.

tuck (n) [τάκ] πτυχή, δίπλα, πιέτα (v) χώνω, πτύσσω, στρίβω.

Tuesday (n) [Τιούσ-ντεϊ] Τρίτη.

tuft (n) [ταφτ] τούφα, φούντα.

tug (v) [ταγκ] ρυμουλκώ (n) τράβηγμα [υγρού].

tugboat (n) [τάγκ-μπόουτ] ρυμουλκό.

tuition (n) [τιούισσν] διδασκαλία.

tulip (n) [τιούλιπ] τουλίπα [βοτ].

tulle (n) [τιούλ] τούλι.

tumble (n) [ταμ-μπλ] πτώση, αναστάτωσn, μπέρδεμα (v) πέφτω, κατρακυλώ.

tumour (n) [τιούμοορ] όγκος [ιατρ].

tumper (n) [τάμ-περ] κύπελλο.

tumult (n) [τιούμαλτ] οχλαγωγία.

tuna (n) [τιούνα] τόνος [ιχθ].

tundra (n) [τάν-ντρα] τούντρα.

tune (n) [τιούν] μελωδία, χαβάς (v) κουρδίζω [βιολί].

tuneful (adj) [τιούνφουλ] μελωδικός.

tunic (n) [τιούνικ] χιτώνιο [στρατ].

tuning (n) [τιούνινγκ] κούρδισμα.

tuning fork (n) [τιούνινγκ φόοκ] διαπασών.

tunnel (n) [τάνελ] τούνελ.

turban (n) [τέρ-μπαν] σαρίκι.

turbid (adj) [τέρ-μπι-ντ] θολός.

turbine (n) [τέρ-μπαϊν] τουρμπίνα.

turbulent (adj) [τέρ-μπιουλεν-τ] πολυτάραχος, ραγδαίος.

tureen (n) [τιουρίν] σουπιέρα.

turf (n) [τερφ] πόα, χλόη.

Turk (n) [Τερκ] Τούρκος.

turkey (n) [τέρκι] γαλοπούλα.

Turkish (adj) [Τέρκισς] τουρκικός.

Turkish bath (n) [Τέρκισς μπάαθ] χαμάμ.

turmoil (n) [τέρμόιλ] παραζάλη.

turn (n) [τερν] περιστροφή, σειρά, στροφή, σοκ, γύρισμα (v) ανακατεύω, αναμειγνύω, γυρίζω, στρέφω, κάμπω.

turn a blind eye (to) (v) [τερν α μπλάιν-ντ άι [του]] παραβλέπω.

turn a deaf ear to (v) [τερν α ντεφ ίαρ του] κωφεύω.

turn off (v) [τερν οφ] κόβω [νερό], σβήνω [φως, ραδιόφωνο κλπ].

turn on (v) [τερν ον] ανάβω [φως κτλ], ανοίγω [βρύση], διεγείρομαι.

turn out (v) [τερν άουτ] εφοδιάζω.

turn over (v) [τερν όουβερ] αναστρέφω.

turn round (v) [τερν ράουν-ντ] περιφέρομαι [n γη κτλ], στροβιλίζω.

turn to (v) [τερν του] προστρέχω.

turn up (v) [τερν απ] ανασηκώνω [γιακά].

turn upside down (v) [τερν απσάι-ντ ντάουν] αναποδογυρίζω.

turner (n) [τέρνερ] τορναδόρος.

turning (n) [τέρνινγκ] στρίψιμο.

turnip (n) [τέρνιπ] γογγύλι.

turnover (n) [τέρνοουβερ] τζίρος, κίνηση.

turpentine (n) [τέρπεν-ταϊν] νέφτι.

turps (n) [τερπς] νέφτι.

turquoise (n) [τέρκοϊζ] γαλαζόπετρα.

turret (n) [τέριτ] πυργίσκος.

turtle (n) [τερτλ] θαλασσοχελώνα.

turtledove (n) [τέρτλ-ντάβ] τριγόνι [ζωολ].

tusk (n) [τασκ] ελεφαντόδοντο.

tussle (v) [τασλ] μαλλιοτραβιέμαι (n) μαλλιοτράβηγμα.

tutelage (n) [τιούτιλιντζζ] επιτροπεία, κηδεμονία.

tutor (n) [τιούτα] διδάσκαλος (v) προγυμνάζω.

twaddle (n) [τουό-ντλ] μωρολογία.

tweet (v) [τουίτ] τιτιβίζω.

tweezers (n) [τουίζερς] πένσα.

twelfth (adj) [τουέλφθ] δωδέκατος.

twelve (num) [τουέλβ] δώδεκα.

twentieth (adj) [τουέν-τιεθ] εικοστός.

twenty (n) [τουέν-τι] είκοσι.

twice (num) [τουάις] δις [αριθ].

twig (n) [τουίγκ] κλαδάκι, κλαδί.

twilight (n) [τουάιλάιτ] λυκόφως.

twin (adj) [τουίν] δίδυμος.

twin-bedroom (n) [τουίν-μπέ-ντρουμ] δίκλινο.

twine (n) [τουάιν] σπάγκος.

twinge (n) [τουίν-ντζζ] απότομος πόνος.

twingle (v) [τουίνγκλ] λαμπυρίζω.

twirl (v) [τουέρλ] στροβιλίζω.

twist (n) [τουίστ] στροφή, γύρισμα (v) στρίβω, διαστρέφω, ελίσσομαι.

twisted (adj) [τουίστι-ντ] στραβός.

twisting (n) [τουίστινγκ] ελιγμός, στρίψιμο (adj) φιδωτός.

twitch (n) [τουίτος] σύσπαση.

two (n) [τούου] δύο, ζεύγος.

two-faced (adj) [τού-φέισ-ντ] διπρόσωπος.

two-time (v) [τού-τάιμ] κερατώνω [αργκό].

tying (n) [τάινγκ] δέσμευση.

tympanum (n) [τίμ-πανάμ] τύμπανο.

type (n) [τάιπ] τύπος, είδος, ποικιλία, τάξη, κατηγορία (v) δακτυλογραφώ.

typesetting (n) [τάιπσετυνγκ] στοιχειοθεσία.

typewriter (n) [τάιπραϊτερ] γραφομηχανή, μηχανή [μεταφ].

typhoid (adj) [τάιφοϊ-ντ] τυφοειδής.

typhoon (n) [ταϊφούουν] τυφώνας [μετεωρ].

typhus (n) [τάιφας] τύφος [ιατρ].

typical (adj) [τίπικαλ] τυπικός.

typing (n) [τάιπινγκ] δακτυλογράφηση.

typist (n) [τάιπιστ] δακτυλογράφος.

typographical (adj) [ταϊποουγκράφικαλ] τυπογραφικός.

tyrannical (adj) [τιράνικαλ] τυραννικός.

tyranny (n) [τίρανι] καταπίεση.

tyrant (n) [τάιραν-τ] καταπιεστής.

tyre (n) [τάιρ] στεφάνη [τροχού], ελαστικό, λάστιχο [αυτοκινήτου].

U, u (n) [γιού] το εικοστό πρώτο γράμμα του αγγλικού αλφαβήτου.

udder (n) [ά-ντερ] μαστός, μαστάρι [ζώου].

uglify (v) [άγκλιφαϊ] ασχημίζω.

ugliness (n) [άγκλινες] ασχήμια.

ugly (adj) [άγκλι] άσκημος.

ulcer (n) [άλσερ] έλκος, πληγή.

ulcerate (v) [άλσερεϊτ] εξελκούμαι.

ulceration (n) [αλσερέισον] εξέλκωση.

ulcerous (adj) [άλσερας] ελκώδης, ελκωματικός, φθοροποιός.

ulterior (adj) [αλτίιρριορ] απώτερος, μεταγενέστερος.

ultimate (adj) [άλτιμετ] έσχατος, ύστατος, απόλυτος, τελικός, βασικός.

ultimatum (n) [αλτιμέιταμ] τελεσίγραφο.

ultraviolet (adj) [άλτραβάιολετ] υπεριώδης.

Ulysses (n) [Ιουλίσιιζ] Οδυσσέας.

umbilical cord (n) [αμ-μπίλικαλ κόο-ντ] ομφαλικός λώρος.

umbrage (n) [άμ-μπριντζ] ενόχληση.

umbrageous (adj) [αμ-μπρέιντζζας] σκιερός, εύθικτος.

umbrella (n) [αμ-μπρέλα] ομπρέλα.

umpire (n) [αμ-πάιρ] διαιτητής.

umpteenth (adj) [άμ-πτίινθ] πολλοστός.

unable (adj) [ανέι-μπλ] ανίκανος.

unacceptable (adj) [αναξέπτα-μπλ] απαράδεκτος, απρόσδεκτος, ανεπιθύμητος, αποδοκιμαστέος.

unaccompanied (adj) [ανακόμ-πανι-ντ] ασυνόδευτος, μόνος.

unaccountable (adj) [ανακάουντα-μπλ] ανεξήγητος, ακατανόητος.

unaccustomed (adj) [ανακάστομ-ντ] ασυνήθιστος, περίεργος.

unadorned (adj) [ανα-ντόο-ντ] αστόλιστος.

unadulterated (adj) [ανα-ντάλτερέιτιντ] ανέρωτος, ανόθευτος, γνήσιος, αγνός, αναλλοίωτος.

unaffected (adj) [αναφέκτι-ντ] ανεπηρέαστος, ανεπιτήδευτος.

unafraid (adj) [αναφρέι-ντ] άσκιαχτος, άφοβος, ατρόμητος.

unalienable (adj) [αναλιένα-μπλ] αναπαλλοτρίωτος.

unalterable (adj) [ανόλτερα-μπλ] αναλλοίωτος.

unambiguous (adj) [αναμ-μπίγκιας] ξεκάθαρος, σαφής.

unanimity (n) [ιουνανίμιτι] ομοθυμία, ομοφωνία.

unanimous (adj) [ιουνάνιμας] καθολικός [γνώμη], ομόθυμος.

unannounced (adj) [ανανάουνσ-ντ] απροειδοποίητος.

unanswerable (adj) [ανάανσεραμπλ] α-ναπάντητος, αναντίρρητος.

unapplied (adj) [αναπλάι-ντ] ανεφάρμοστος.

unapproachable (adj) [αναπρόουτσσαμπλ] απλησίαστος.

unarmed (adj) [ανάαμ-ντ] άοπλος.

unassailable (adj) [ανασέιλα-μπλ] απρόσβλητος.

unassembled (adj) [ανασέμ-μπλ-ντ] α-συναρμολόγητος.

unassuming (adj) [ανασιούμινγκ] σεμνός (n) μετριόφρονας.

unattainable (adj) [ανατέινα-μπλ] ανεπίτευκτος, ανέφικτος.

unattained (adj) [ανατέιν-ντ] ανεπίτευκτος.

unauthenticated (adj) [ανοοθέν-τικέιτι-ντ] ανεπικύρωτος.

unattractive (adj) [ανατράκτιβ] ασυμπαθής, άχαρος, μη ελκυστικός.

unavailing (adj) [αναβέιλινγκ] μάταιος, περιττός, ανωφελής.

unavoidable (adj) [αναβόι-ντα-μπλ] αναπόδραστος, άφευκτος.

unawares (adv) [αν-αουεαζ] εξαπίνης.

unbalance (n) [αν-μπάλανς] ανισορροπία.

unbar (v) [αν-μπάαρ] σηκώνω τη αμπάρα, ανοίγω, ελευθερώνω.

unbearable (adj) [αν-μπέαρα-μπλ] αβάσταχτος, αβίωτος, ανοικονόμητος.

unbeatable (adj) [αν-μπίιτα-μπλ] αήττητος, ασυναγώνιστος.

unbeaten (adj) [αν-μπίιτεν] άδαρτος, ανίκητος, αήττητος.

unbecoming (adj) [αν-μπικάμινγκ] ανάρμοστος, απρεπής, άπρεπος.

unbelievable (adj) [αν-μπιλίιβαμπλ] απίστευτος.

unbelieving (adj) [αν-μπιλίιβινγκ] άπιστος, δύσπιστος, σκεπτικιστής.

unbend (v) [αν-μπέν-ντ] εκτονώνω, χαλαρώνω, ισιώνω, μαλακώνω.

unbending (adj) [αν-μπέν-ντινγκ] άκα-

μπτος, άτεγκτος, αλύγιστος.

unbiased (adj) [αν-μπάιασ-τ] αδέκαστος.

unbidden (adj) [αν-μπί-ντεν] αυτόβουλος, άκλητος, αυθόρμητος, απρόσκλητος.

unblemished (adj) [αν-μπλέμισστ] ακηλίδωτος, αψεγάδιαστος, άσπιλος [μεταφ].

unborn (adj) [αν-μπόον] αγέννητος, μελλοντικός.

unbound (adj) [αν-μπάουν-ντ] άδετος.

unbreakable (adj) [αν-μπρέικαμπλ] αδιάρρηκτος, άρρηκτος.

unbridgeable (adj) [αν-μπρίντζζαμπλ] αγεφύρωτος.

unbridle (v) [αν-μπρί-ντλ] ξεκαπιστρώνω.

unbroken (adj) [αν-μπρόουκεν] άσπαστος, αδάμαστος, συνεχής, ανέπαφος.

unbutton (v) [αν-μπάτον] ξεκουμπώνω, ξανοίγω, χαλαρώνω.

unbuttoned (adj) [αν-μπάτον-ντ] ξεκούμπωτος.

uncalculated (adj) [ανκάλκιουλέιτιντ] ανυπολόγιστος, αλογάριαστος, απροσδιόριστος.

uncalled (adj) [ανκόολ-ντ] άκλητος, απρόσκλητος.

uncanny (adj) [ανκάνι] αλλόκοτος, απόκοσμος, παράξενος.

uncared for (adj) [ανκέαρ-ντ φοο] αφρόντιστος.

unceasing (adj) [ανσίιζινγκ] ακατάπαυστος, συνεχής, αδιάκοπος, αδιάλειπτος.

unceremonious (adj) [ανσερεμόουνιας] απροσχημάτιστος, ανεπίσημος, αγενής.

uncertain (adj) [ανσέρτεν] άδηλος, αβέβαιος, αμφίβολος, ανασφαλής.

uncertainty (n) [ανσέρτεν-τι] αβεβαιότητα, αμφιβολία, απορία.

uncertified (adj) [ανσέρτιφαϊ-ντ] ανεπικύρωτος.

unchanged (adj) [αν-τσοέιν-ντζζ-ντ] αμετάβλητος, απαράλλακτος.

unchanging (adj) [αν-τσοέιν-ντζζινγκ] αναλλοίωτος.

uncharitable (adj) [αντσσάριτα-μπλ] αφιλάνθρωπος, σκληρός, τσιγκούνης.

uncharted (adj) [αντσσάατι-ντ] αχαρτογράφητος, ανεξερεύνητος.

unchastity (n) [αντσσάστιτι] ακολασία, λαγνεία, ασέλγεια.

unchecked (adj) [αν-τσσέκ-ντ] αχαλίνωτος, ακάθεκτος, ανέλεγκτος.

unciform (adj) [άνσιφοομ] αγκιστρωτός.

uncivilized (n) [ανσίβιλαϊζ-ντ] απολίτιστος.

unclaimed (adj) [ανκλέιμ-ντ] αγύρευτος.

unclarified (adj) [ανκλάριφαϊ-ντ] αδιευκρίνιστος.

uncle (n) [ανκλ] μπάρμπας, θείος.

unclog (v) [ανκλόγκ] ξεβουλώνω.

unclogged (adj) [ανκλόγκ-ντ] ξεβούλωτος.

unclouded (adj) [ανκλάου-ντι-ντ] ανέφελος, ασυννέφιαστος.

uncoil (v) [ανκόιλ] ξετυλίγω.

uncombed (adj) [ανκόουμ-ντ] αχτένιστος.

uncomfortable (adj) [ανκάμφταμπλ] άβολος, ανήσυχος, ενοχλητικός.

uncommitted (adj) [ανκομίτι-ντ] αδέσμευτος, ουδέτερος.

uncommon (adj) [ανκόμον] αξιοπερίεργος, ασυνήθιστος, σπάνιος.

uncommunicative (adj) [ανκομιούνικέιτιβ] κλειστός.

uncomplaining (adj) [ανκομ-πλέινινγκ] αγόγγυστος.

uncompromising (adj) [ανκομ-προμάιζινγκ] ανυποχώρητος, ασυμβίβαστος.

unconcern (n) [ανκονσέρν] αμεριμνησία, ξεγνοιασιά, φλέγμα.

unconcerned (adj) [ανκονσέρν-ντ] αδιάφορος, ασυγκίνητος.

unconditional (adj) [ανκοντίσσναλ] απεριόριστος, απόλυτος.

unconfessed (adj) [ανκονφέστ] ανομολόγητος, ανεξομολόγητος.

unconfined (adj) [ανκονφάιν-ντ] ελεύθερος, ανοικτός, απεριόριστος.

unconfirmed (adj) [ανκονφέρμ-ντ] αβε-

βαίωτος [πληροφορία], ανεξακρίβωτος.

unconnected (adj) [ανκονέκτι-ντ] άσχετος, ξεκάρφωτος, ασύνδετος.

unconquerable (adj) [ανκόνκερα-μπλ] αδούλωτος, ανίκητος.

unconquered (adj) [ανκόνκερντ] αδάμαστος [λαός].

unconscious (adj) [ανκόνσσιας] αναίσθητος, ασυνείδητος.

unconsciousness (n) [ανκόνσσιασνες] αναισθησία, λιποθυμία, κώμα.

unconsidered (adj) [ανκονσίντερντ] απερίσκεπτος, επιπόλαιος, αμελητέος.

unconstitutional (adj) [ανκονστιτιούσσοναλ] αντισυνταγματικός.

uncontrollable (adj) [ανκον-τρόουλαμπλ] ασυγκράτητος.

unconvinced (adj) [ανκονβίνο-τ] αμετάπειστος.

uncooked (adj) [ανκούκ-τ] άβραστος.

uncoordinated (adj) [ανκόου-οο-ντινέιτι-ντ] ασυντόνιστος.

uncork (v) [ανκόοκ] εκπωμίζω.

uncounted (adj) [ανκάουν-τι-ντ] ακαταμέτρητος.

uncover (v) [ανκάβερ] αποκαλύπτω, εκθέτω.

uncritical (adj) [ανκρίτικαλ] αβασάνιστος, επιπόλαιος, πρόχειρος.

uncrowned (adj) [ανκράουν-ντ] αστεφάνωτος, άστεπτος.

unction (n) [άνκσσον] χρίσμα, μύρο, βάλσαμο, καταπραϋντικό.

uncultivated (adj) [ανκάλτιβέιτι-ντ] αυτοφυής, ακαλλιέργητος, χέρσος.

uncultured (adj) [ανκάλτσσερ-ντ] ακαλλιέργητος, αμόρφωτος.

uncut (adj) [ανκάτ] άκοπος, ατεμάχιστος.

undated (adj) [αν-ντέιτι-ντ] αχρονολόγητος.

undaunted (adj) [αν-ντόον-τι-ντ] απτόητος, άτρομος, άφοβος.

undecided (adj) [αν-ντισάι-ντι-ντ] αμφίρροπος, αναποφάσιστος.

undeclared (adj) [αν-ντικλέα-ντ] αδήλωτος, ακήρυχτος.

undefeated (adj) [αν-ντιφίπε-ντ] αήττητος.

undefended (adj) [αν-ντιφέν-ντεντ] ανυπεράσπιστος.

undefined (adj) [αν-ντιφάιν-ντ] ακαθόριστος.

undelivered (adj) [αν-ντελίβερ-ντ] ανεπίδοτος.

undeniable (adj) [αν-ντινάια-μπλ] αδιάψευστος, αναντίρρητος.

under (adv) [άν-ντερ] αποκάτω, κάτω, υπό.

under age (adj) [άν-ντερ έιντζ] ανήλικος.

under oath (adj) [άν-ντερ όουθ] ένορκος (adv) ενόρκως.

underbelly (n) [άν-ντερ-μπέλι] υπογάστριο.

underbidding (n) [άν-ντερ-μπί-ντινγκ] μειοδοσία.

underclothes (n) [άν-ντερκλόουδς] ασπρόρουχα.

underconsumption (n) [άν-ντερ κονσάμ-πσσον] υποκατανάλωση.

undercooked (adj) [άν-ντερ κουκ-τ] άβραστος.

undercover (adj) [άν-ντερκάβερ] μυστικός.

underdone (adj) [άν-ντερ-ντάν] άψητος.

underestimate (v) [άν-ντερέστιμεϊτ] υποτιμώ.

underestimation (n) [άν-ντερεστιμέισσον] υποτίμηση.

undergo (v) [άν-ντεργκόου] δοκιμάζω παθαίνω, υφίσταμαι, περνώ.

underground (adj) [άν-ντεργκράουν-ντ] υπόγειος, μυστικός.

underhand (adj) [άν-ντερχάν-ντ] κρυψίνους, σκοτεινός, ύπουλος, πονηρός.

underline (v) [άν-ντερλάιν] υπογραμμίζω.

underlining (n) [άν-ντερλάινινγκ] υπογράμμιση.

undermine (v) [άν-ντερμάιν] υπονομεύω, υποσκάπτω.

undermining (n) [άν-ντερμάινινγκ] υπονόμευση.

underneath (adv) [άν-ντερνίιθ] κάτω.

undernourish (v) [άν-ντερναριος] υποσιτίζω.

undernourishment (n) [άν-ντερναρισσμεν-τ] ασιτία, υποσιτισμός.

underpants (n) [άν-ντερπάν-τς] σώβρακο.

underscore (v) [άν-ντερσκόο] επισημαίνω.

undersecretary (n) [άν-ντερσέκρετέρι] υφυπουργός.

undersigned (adj) [άν-ντερσάιν-ντ] υπογεγραμμένος.

undersized (adj) [άν-ντερσάιζ-ντ] μικρόσωμος, κατσιασμένος.

underskirt (n) [άν-ντερσκέρτ] μεσοφόρι.

understand (v) [άν-ντερστάν-ντ] αγρικώ, εννοώ, καταλαβαίνω, νοώ.

understandable (adj) [αν-ντερστάν-ντα-μπλ] κατανοητός, αντιληπτός, ευνόητος, εύλογος.

understanding (n) [αν-ντερστάν-ντινγκ] αντίληψη, επίγνωση, νόηση.

undertake (v) [αν-ντερτέικ] αναλαμβάνω, επιχειρώ, καταπιάνομαι.

undertaking (n) [αν-ντερτέικινγκ] ανάληψη [εργασίας], επιχείρηση.

undertow (n) [αν-ντερτόου] αντιμάμαλο, αντίρρευμα.

underwater (adj) [άν-ντερουόοτερ] υποβρύχιος.

underwear (n) [άν-ντερουέαρ] εσώρουχα.

underweight (adj) [άν-ντερουέιτ] φυρός.

underworld (n) [άν-ντερουέρλ-ντ] υπόκοσμος.

undesigned (adj) [αν-ντιζάιν-ντ] αποσχεδίαστος, ακούσιος.

undesirable (adj) [αν-ντιζάιρα-μπλ] ανεπιθύμητος, απευκταίος.

undeveloped (adj) [αν-ντιβέλοπ-ντ] αναξιοποίητος.

undeviating (adj) [αν-ντίιβιέιτινγκ] απαρέγκλιτος, σταθερός.

undigested (adj) [αν-νταϊντζζέστι-ντ] α-χώνευτος.

undignified (adj) [αν-ντίγκνιφάι-ντ] α-ναξιοπρεπής.

undiminished (adj) [αν-ντιμίνισσ-τ] α-διάπτωτος, αμείωτος.

undisciplined (adj) [αν-ντίσιπλιν-ντ] α-πειθάρχητος.

undisclosed (adj) [αν-ντισκλόουζντ] α-φανέρωτος.

undisguised (adj) [αν-ντισγκάιζντ] ανυ-πόκριτος.

undissolved (adj) [αν-ντιζόουλβ-ντ] α-διάλυτος.

undistributed (adj) [αν-ντιστρί-μπιουτι-ντ] αδιανέμητος.

undisturbed (adj) [αν-ντιστέρ-μπ-ντ] α-διατάρακτος, ανενόχλητος.

undivided (adj) [αν-ντιβάι-ντι-ντ] αδιαί-ρετος, αμέριστος, ακέραιος.

undo (v) [αν-ντού] ξεκουμπώνω, λύνω, ανοίγω, λασκάρω.

undoing (n) [αν-ντούινγκ] αφανισμός, καταστροφή, ανατροπή.

undone (adj) [αν-ντάν] ανεκτέλεστος, α-πραγματοποίητος, ασυμπλήρωτος.

undoubted (adj) [αν-ντάουτι-ντ] βέβαι-ος, αναμφισβήτητος.

undoubtedly (adv) [αν-ντάουτεντλι] α-ναμφιβόλως.

undoubtful (adj) [αν-ντάουτφουλ] α-ναμφίβολος.

undress (v) [αν-ντρές] ξεντύνω.

undressed (adj) [αν-ντρέσ-τ] ξέντυτος.

undue (adj) [αν-ντιού] αδικαιολόγητος.

undulate (v) [άν-ντιουλέιτ] κυμαίνομαι, κυματίζω.

undulation (n) [αν-ντιουλέισσον] δια-κύμανση, κυματισμός, κύμα.

undyed (adj) [αν-ντάι-ντ] άβαφος.

undying (adj) [αν-ντάιινγκ] αμάραντος, απέθαντος, άσβηστος.

unearth (v) [ανέρθ] ανασκάπτω.

unearthly (adj) [ανέρθλι] υπερκόσμιος, υπερφυσικός, μακάβριος.

uneasiness (n) [ανίιζινες] ανησυχία.

uneasy (adj) [ανίιζι] ανήσυχος, ταραγ-μένος, στενοχωρημένος.

uneconomical (adj) [ανικονόμικαλ] α-ντιοικονομικός, ασύμφορος.

uneducated (adj) [ανέ-ντζζιουκέιτιντ] αγράμματος, αμόρφωτος.

unelastic (adj) [ανελάστικ] ανελαστικός.

unemployed (adj) [ανεμ-πλόιι-ντ] άερ-γος, άνεργος, αχρησιμοίητος.

unemployment (n) [ανεμ-πλόιμεν-τ] α-ναδουλειά, ανεργία, καθισιό.

unenlightened (adj) [ανενλάιτεν-ντ] α-φώτιστος [άνθρωπος].

unequal (adj) [ανίικουαλ] άνισος, ανο-μοιόμορφος, ανόμιος.

unequalled (adj) [ανίικουαλ-ντ] ανυ-πέρβλητος, απαράμιλλος.

unequivocal (adj) [ανικουίβοκαλ] απε-ρίφραστος, ξεκάθαρος, σαφής.

uneven (adj) [ανίβεν] άνισος, ανώμαλος [επιφάνεια], ακανόνιστος, απότομος.

unevenness (n) [ανίβεννες] ανωμαλία.

uneventful (adj) [ανιβέν-τφουλ] ακύ-μαντος, ομαλός, αδιατάρακτος.

unexamined (adj) [ανεγκζάμιν-ντ] ανε-ξέλεγκτος [δαπάνη], ανεξέταστος.

unexceptionable (adj) [ανέξέπσσονα-μπλ] ανεπίληπτος [διαγωγή], άψογος, ι-κανοποιητικός.

unexecuted (adj) [ανέξεκιούτι-ντ] ανεκ-τέλεστος, ανεπικύρωτος [νομ].

unexercised (adj) [ανέξερσάιζ-ντ] αγύ-μναστος.

unexpected (adj) [ανεξπέκτι-ντ] αδόκητος, αιφνίδιος, ανέλπιστος, απρόβλεπτος.

unexploited (adj) [ανεξπλόιτι-ντ] ανεκ-μετάλλευτος.

unexplored (adj) [ανεξπλόο-ντ] αδιε-ρεύνητος, ανεξερεύνητος.

unfading (adj) [ανφέι-ντινγκ] αμάραντος, άφθαρτος, ακατάλυτος.

unfailing (adj) [ανφέιλινγκ] αδιάπτωτος.

unfair (adj) [ανφέαρ] άδικος, αθέμιτος, μεροληπτικός, κακόπιστος.

unfairness (n) [ανφέαρνες] μεροληπτικότητα, αδικία.

unfamiliar (with) (adj) [ανφαμίλιαρ [γουίδ]] αδαής, ξένος, ασυνήθιστος.

unfasten (v) [ανφάασεν] λύνω [δεσμό], ξεκουμπώνω, ξελύνω.

unfastened (adj) [ανφάασεν-ντ] λυτός.

unfathomable (adj) [ανφάδομαμπλ] ανεξερεύνητος, απέραντος, απύθμενος.

unfavourable (adj) [ανφέιβοραμπλ] αντίξοος, απρόσφορος.

unfeasible (adj) [ανφίιζι-μπλ] ακατόρθωτος.

unfeeling (adj) [ανφίιλινγκ] άκαρδος, άπονος, ασυγκίνητος.

unfeigned (adj) [ανφέιν-ντ] ανυπόκριτος, απροσποίητος, γνήσιος.

unfenced (adj) [ανφένσ-τ] άφρακτος.

unfilled (adj) [ανφίλ-τ] απλήρωτος.

unfinished (adj) [ανφίνισσ-τ] ατελείωτος, ασυμπλήρωτος, ατελής.

unfit (adj) [ανφίτ] ακατάλληλος, ανάξιος, ανίκανος, απρόσφορος.

unfledged (adj) [ανφλέντζζ-ντ] αμάλλιαγος, απο, υπούλιαστος.

unfold (v) [ανφόουλ-ντ] αναπτύσσω, ανοίγω [χάρτη], εξελίσσομαι.

unfolding (n) [ανφόουλ-ντινγκ] άπλωμα.

unforeseen (adj) [ανφοοσίιν] ανέλπιστος [γεγονός], απρόβλεπτος.

unforgettable (adj) [ανφοογκέταμπλ] αλησμόνητος, αξέχαστος.

unforgivable (adj) [ανφοογκίβαμπλ] ασυγχώρητος.

unforgotten (adj) [ανφοογκότεν] αξέχαστος.

unformed (adj) [ανφόομ-ντ] ασχημάτιστος, αδιάπλαστος.

unfortified (adj) [ανφόοτιφάι-ντ] ανοχύρωτος.

unfortunate (adj) [ανφόοτσσιουνετ] κακότυχος, άμοιρος, ατυχής.

unfounded (adj) [ανφάουν-ντι-ντ] ανυπόστατος, ασύστατος.

unfrequented (adj) [ανφρίικουέν-τι-ντ] ασύχναστος.

unfriendly (adj) [ανφρρέν-ντλι] πολέμιος.

unfulfilled (adj) [ανφουλφίλ-ντ] ανεκπλήρωτος.

unfurl (v) [ανφέρλ] ξεδιπλώνω.

ungainly (adj) [ανγκένλι] αδέξιος, άχαρος.

ungenerous (adj) [αν-ντζζένερας] μη γεναιόδωρος, φειδωλός.

ungifted (adj) [ανγκίφτι-ντ] απροίκιστος.

ungovernable (adj) [ανγκάβερναμπλ] ακυβέρνητος, ασυγκράτητος.

ungrateful (adj) [ανγκρέιτφουλ] άχαρος, αχάριστος (n) αγνώμονας.

ungrudging (adj) [ανγκράντζζινγκ] αγόγγυστος, απλόχερος.

unguarded (adj) [ανγκάα-ντι-ντ] απροφύλακτος, αφρούρητος.

unhampered (adj) [ανχάμππερντ] ανεμπόδιστος, ελεύθερος.

unhappiness (n) [ανχάπινες] δυστυχία.

unhappy (adj) [ανχάπι] δυστυχής, ατυχής.

unharmed (adj) [ααν χάαμ-ντ] άθικτος, σώος.

unharness (v) [ανχάανες] ξεζεύω.

unharvested (adj) [ανχάαβεστι-ντ] ατρύγητος.

unhealthy (adj) [ανχέλθι] ανθυγιεινός, νοσηρός, άρρωστος, ασθενικός, επιβλαβής.

unhesitating (adj) [ανχέζιτέιτινγκ] αδίσταχτος, ανενδοίαστος.

unholy (adj) [ανχόουλι] ανόσιος, ανίερος.

unhook (v) [ανχούκ] απαγκιστρώνω, ξαγκιστρώνω, ξεκρεμώ.

unhurt (adj) [ανχέρτ] άθικτος.

unification (n) [ιουνιφικέισσον] ενοποίηση, ένωση, συνένωση.

uniform (adj) [ιούνιφοομ] ομοιόμορφος (n) στολή.

uniformity (n) [ιουνιφόομιτι] ομοιομορφία.

unify (v) [ιούνιφαϊ] ενοποιώ.

unimaginable (adj) [ανιμάντζζιναμπλ] αφάνταστος, ακατανόητος.

unimportant (adj) [ανιμ-πόσταν-τ] ασήμαντος, άσημος, επουσιώδης.

uninfluenced (adj) [ανίνφλουενσο-ντ] ανεπηρέαστος.

uninformed (adj) [ανινφόομ-ντ] απληροφόρητος, ακατατόπιστος.

uninhabited (adj) [ανινχά-μπιτι-ντ] ακατοίκητος, έρημος.

uninhibited (adj) [ανινχί-μπιτι-ντ] αχαλίνωτος, απεριόριστος, απελευθερωμένος, αδιάντροπος.

uninitiated (adj) [ανινίσσιέιτι-ντ] αμύητος.

uninspired (adj) [ανινσπάια-ντ] πεζός, μη εμπνευσμένος.

unintelligible (adj) [ανιν-τέλιντζζιμπλ] ακατανόητος.

unintentional (adj) [ανιν-τένσσοναλ] αθέλητος, ακούσιος.

uninterrupted (adj) [ανιν-τεράπτιντ] αδιάκοπος, αδιάλειπτος.

uninvited (adj) [ανινβάιτι-ντ] ακάλεστος, απρόσκλητος.

union (n) [ιούνιον] ένωση, σύνδεσμος, συνένωση, γάμος, σύλλογος.

unique (adj) [ιουνίικ] ανεπανάληπτος, μοναδικός.

unit (n) [ιούνιτ] μονάδα, συγκρότημα, συσκευή.

unite (v) [ιουνάιτ] ενώνω, συμβάλλω [ποτάμι], συνδέω, συνδυάζω.

united (adj) [ιουνάιτι-ντ] σύσσωμος, ενωμένος, ενιαίος, κοινός.

uniting (adj) [ιουνάιτινγκ] ενωτικός.

unity (n) [ιούνιτι] ενότητα, σύμπνοια, συνεργασία, φιλία, ομόνοια.

universal (adj) [ιουνιβέρσαλ] καθολικός, παγκόσμιος, γενικός.

universe (n) [ιούνιβερς] οικουμένη, κόσμος, σύμπαν, πλάση.

university (n) [ιουνιβέρσιτι] πανεπιστήμιο.

unjust (adj) [αν-ντζζάστ] άδικος.

unjustifiable (adj) [αν-ντζζάστιφάιαμπλ] αδικαιολόγητος.

unjustified (adj) [αν-ντζζάστιφαϊ-ντ] αδικαιολόγητος.

unkempt (adj) [ανκέμ-πτ] ατημέλητος, άτσαλος, αχτένιστος.

unknowing (adj) [αννόουινγκ] ανήξερος.

unknown (adj) [αννόουν] αφανής, άγνωστος.

unlawful (adj) [ανλόοφουλ] παράνομος.

unlearn (v) [ανλέρν] ξεμαθαίνω, λησμονώ.

unleash (v) [ανλίισς] αμολάω, αποδεσμεύω, ξαμολώ.

unleavened (adj) [ανλέβεν-ντ] άζυμος, λειφός, ανεπηρέαστος.

unless (adv) [ανλές] πλην, εκτός.

unlet (adj) [ανλέτ] ανοίκιαστος.

unlike (adj) [ανλάικ] αλλιώτικος.

unlikeable (adj) [ανλάικα-μπλ] απωθητικός.

unlikely (adj) [ανλάικλι] απίθανος.

unlimited (adj) [ανλίμιτι-ντ] απεριόριστος.

unload (v) [ανλόου-ντ] ξεφορτώνω, αποβιβάζω.

unloader (n) [ανλόου-ντερ] εκφορτωτής.

unloading (n) [ανλόου-ντινγκ] εκφόρτωση.

unlock (v) [ανλόκ] ξεκλειδώνω.

unlocked (adj) [ανλόκ-τ] ακλείδωτος, ξεκλείδωτος.

unloose (v) [ανλούους] λύνω.

unlooted (adj) [ανλόυουτι-ντ] ασύλητος.

unloved (adj) [ανλάβ-ντ] ανέραστος.

unloving (adj) [ανλάβινγκ] άστοργος, αφιλόστροργος.

unluckily (adv) [ανλάκιλι] ατυχώς.

unlucky (adj) [ανλάκι] κακότυχος.

unmade (adj) [ανμέι-ντ] άστρωτος.

unmarked (adj) [ανμάακ-τ] ασημάδευτος, ασημείωτος.

unmarried (adj) [ανμάρι-ντ] άγαμος, α-νύπανδρος, ελεύθερος.

unmask (v) [ανμάασκ] ξεγυμνώνω, ξε-σκεπάζω, αποκαλύπτω.

unmasking (n) [ανμάασκινγκ] αποκα-λυπτήρια.

unmentionable (adj) [ανμένσσονα-μπλ] ακατονόμαστος.

unmerciful (adj) [ανμέρσιφουλ] άσπλαχνος.

unmixed (adj) [ανμίξ-ντ] αμιγής.

unmoved (adj) [ανμούβ-ντ] αναίσθητος.

unnatural (adj) [αννάτσσουραλ] αφύσικος.

unnecessary (adj) [αννέσεσερι] αχρείαστος.

unnoticed (adj) [αννόουτισ-τ] απαρατή-ρητος.

unobserved (adj) [ανο-μπζέρβ-ντ] απα-ρατήρητος, απρόσεκτος.

unobtrusive (adj) [ανομπτριούσιβ] δια-κριτικός, ήσυχος, σεμνός.

unoccupied (adj) [ανόκιουπάι-ντ] άδει-ος, αργόσχολος, κενός [οικία].

unofficial (adj) [ανοφφίσσαλ] ανεπίσι-μος, εξώδικος.

unorganized (adj) [ανόογκανάιζντ] α-νοργάνωτος, ασυνδικάλιστος, άτακτος.

unorthodox (adj) [ανόοθο-ντοξ] ανορ-θόδοξος, ασυνήθης.

unpaid (adj) [ανπέι-ντ] ανεξόφλητος, α-κατάβλητος [χρέη].

unpainted (adj) [ανπέιν-τι-ντ] αμπογιά-τιστος, αχρωμάτιστος.

unpaved (adj) [ανπέιβ-ντ] άστρωτος [δρόμος].

unplanted (adj) [ανπλάαν-τι-ντ] άβαλ-τος, αφύτευτος.

unplastered (adj) [ανπλάαστερ-ντ] ασο-βάτιστος.

unpleated (adj) [ανπλίτι-τ] ασούρωτος.

unploughed (adj) [ανπλάου-ντ] ανόρ-γωτος.

unpolished (adj) [ανπόλισσ-τ] αγυάλι-στος, άξεστος, πρωτόγονος.

unpolluted (adj) [ανπολιούτι-ντ] αμό-λυντος.

unpopular (adj) [ανπόπιουλάρ] αντιδη-μοτικός, αντιλαϊκός.

unprecedented (adj) [ανπρέσι-ντέν-τι-ντ] ανεπανάληπτος.

unpremeditated (adj) [ανπριμέ-ντιτέιτι-ντ] αμελέτητος.

unprepared (adj) [ανπριπέα-ντ] αδιάβα-στος, ακατάρτιστος, αμελέτητος, ανέτοιμος.

unprincipled (adj) [ανπρίνσιπλ-ντ] αχα-ρακτήριστος.

unproductive (adj) [ανπρο-ντάκτιβ] στείρος, μη παραγωγικός.

unprosecuted (adj) [ανπρόσεκιούτι-ντ] αδίωκτος, ακαταδίωκτος.

unprotected (adj) [ανπροτέκτιντ] ανυ-περάσπιστος, απροστάτευτος.

unprovoked (adj) [ανπροβόουκ-τ] α-ναίτιος, απρόκλητος.

unpublished (adj) [ανπά-μπλισσ-τ] α-νέκδοτος, αδημοσίευτος.

unpunished (adj) [ανπάνισσ-τ] ατιμώρητος.

unpursued (adj) [ανπερσιού-ντ] ακατα-δίωκτος [νομ].

unquenchable (n) [ανκουέντσσαμπλ] ά-σβηστος, ανικανοποίητος.

unquestionable (adj) [ανκουέστσσονα-μπλ] αδιαμφισβήτητος, αναμφίβολος.

unravel (v) [ανράβελ] ξεδιαλύνω, ξε-μπερδεύω, ξεμπλέκω, ξετυλίγω.

unread (adj) [ανρέ-ντ] αδιάβαστος [βι-βλίο], αγράμματος, αμόρφωτος.

unready (adj) [ανρέ-ντι] ανέτοιμος, α-προετοίμαστος.

unrealistic (adj) [ανριαλίστικ] απρο-σγείωτος, ανεδαφικός.

unrealizable (adj) [ανριαλάιζα-μπλ] α-πραγματοποίητος.

unrealized (adj) [ανριαλάιζ-ντ] ανεκ-πλήρωτος, ανεκτέλεστος.

unreasonable (adj) [ανρίιζονα-μπλ] ε-ξωφρενικός, παράλογος.

unreceipted (adj) [ανρισίιτι-ντ] ανεξόφλητος.

unrecognizable (adj) [ανρέκογκνάιζαμπλ] αγνώριστος.

unrefined (adj) [ανριφάιν-ντ] αμόρφωτος, ακατέργαστος.

unregistered (adj) [ανρέντζζιστερ-ντ] ακαταχώρητος.

unrelated (adj) [ανριλέιτι-ντ] άσχετος.

unrelenting (adj) [ανριλέν-τινγκ] ωμός, απηνής.

unreliable (adj) [ανριλάια-μπλ] αναξιόπιστος.

unremitting (adj) [ανριμίτινγκ] ασταμάτητος, αδιάκοπος.

unrented (adj) [ανρέν-τι-ντ] ανοίκιαστος.

unrepentant (adj) [ανριπέν-ταν-τ] αμετανόητος.

unreserved (adj) [ανριζέρβ-ντ] αμέριστος, ανεπιφύλακτος.

unrestrained (adj) [ανριστρέιν-ντ] ακάθεκτος, ακράτητος.

unrevealed (adj) [ανριβίιλ-ντ] ανεκδήλωτος, αφανέρωτος.

unrig (v) [ανρίγκ] ξαρματώνω.

unripe (adj) [ανράιπ] αγίνωτος, άγουρος, ανώριμος, ξινός.

unrivalled (adj) [ανράιβαλ-ντ] αξεπέραστος.

unroll (v) [ανρόλ] εκτυλίσσω.

unruly (adj) [ανρούλι] απειθάρχητος, άτακτος.

unsalaried (adj) [ανσάλαρι-ντ] άμισθος.

unsatisfied (adj) [ανσάτισφάι-ντ] ανικανοποίητος, ακόρεστος.

unsavoury (adj) [ανσείβορι] άνοστος, δυσάρεστος, δύσοσμος.

unsay (v) [ανσέι] ανακαλώ, αναιρώ, ξελέω.

unscientific (adj) [ανσαϊεν-τίφικ] αντεπιστημονικός.

unscrew (v) [ανσκριού] ξεβιδώνω.

unscrupulous (adj) [ανσκρούπιουλας] ασυνείδητος, αδίστακτος.

unseal (v) [ανσίιλ] αποσφραγίζω, ανοίγω.

unsealed (adj) [ανσίιλ-ντ] αβούλωτος, ασφράγιστος.

unseasonable (adj) [ανσίιζονα-μπλ] παράκαιρος, άκαιρος.

unseasoned (adj) [ανσίιζον-ντ] ανάλατος, άγευστος, χλωρός [επί ξύλου].

unseen (adj) [ανσίιν] αθέατος, αόρατος.

unseizable (adj) [ανσίιζα-μπλ] ακατάσχετος.

unselfish (adj) [ανσέλφισς] ανιδιοτελής.

unselfishness (n) [ανσέλφισσνες] ανιδιοτέλεια.

unserviceable (adj) [ανσέρβισαμπλ] σκάρτος.

unsettle (v) [ανσέτλ] ανησυχώ, αναστατώνω, κλονίζω.

unsettled (adj) [ανσέτλ-ντ] ανεξόφλητος, ατακτοποίητος, έκρυθμος.

unshaded (adj) [ανσέι-ντι-ντ] ασκίαστος, ακάλυπτος, γυμνός.

unshakeable (adj) [ανσσέικα-μπλ] ακλόνητος, ακράδαντος.

unshaven (adj) [ανσσέιβεν] αξύριστος.

unsheathe (v) [ανσσίιδ] ξεσπαθώνω [μεταφ].

unsightly (adj) [ανσάιτλι] άσκημος, άσχημος, άχαρος, δυσειδής.

unsinkable (adj) [ανσίινκα-μπλ] αβύθιστος.

unskilled (adj) [ανσκίιλ-ντ] ανειδίκευτος (n) ατζαμής.

unsociable (adj) [ανσόουσσια-μπλ] ακοινώνητος, μονόχνοτος.

unsocial (adj) [ανσόουσσιαλ] αντικοινωνικός, ακοινώνητος.

unsolicited (adj) [ανσολίσιτι-ντ] απρόσκλητος, αυτόβουλος.

unsolvable (adj) [ανσόλβα-μπλ] άλυτος.

unsolved (adj) [ανσόλβ-ντ] άλυτος, ανεξήγητος, ανεξιχνίαστος.

unsought (adj) [ανσόοτ] αζήτητος, αγύρευτος.

unspeakable (adj) [ανσπίικα-μπλ] ανείπωτος, απερίγραπτος.

unspecified (adj) [ανσπέσιφάι-ντ] α-προσδιόριστος, ακαθόριστος.

unspent (adj) [ανσπέν-τ] αδιάθετος [κεφάλαιο], αξόδευτος.

unstable (adj) [ανστέι-μπλ] άστατος, επισφαλής, νόθος [μεταφ].

unsteady (adj) [ανστέ-ντι] ασταθής, άστατος, άσωτος.

unstick (v) [ανστίκ] αποκολλώ.

unstitch (v) [ανστίτσ] ξηλώνω.

unstop (v) [ανστόπ] ξεβουλώνω.

unstopped (adj) [ανστόπ-τ] αβούλωτος, ελεύθερος, ανεμπόδιστος.

unstrained (adj) [ανστρέιν-ντ] ασούρωτος.

unsubstantial (adj) [ανσα-μποτάαν-σσαλ] ανυπόστατος, άυλος.

unsuccessful (adj) [άνσαξέσφουλ] ανεπιτυχής, άπρακτος, άστοχος.

unsuitable (adj) [ανσούτα-μπλ] ακατάλληλος, απρόσφορος.

unsupervised (adj) [ανσούπερβάιζ(ν)τ] ανεπιτήρητος.

unsupported (adj) [ανσαπόοτι-ντ] αστήριχτος.

unsuppressible (adj) [ανσαπρέσιμπλ] ασυγκράτητος.

unsurpassed (adj) [ανσερπάασ-τ] άφθαστος.

unsuspecting (adj) [ανσασπέκτινγκ] ανυποψίαστος, ανίδεος, ανύποπτος.

unswerving (adj) [ανσουέρβινγκ] ακλόνητος, απαρέγκλιτος.

untamed (adj) [αν-τέιμ-ντ] αδάμαστος.

untaught (adj) [αν-τόοτ] αμόρφωτος, αμαθής, αγράμματος, έμφυτος, αδίδαχτος.

untaxed (adj) [αν-τάξ-ντ] αφορολόγητος.

untenable (adj) [αν-τένα-μπλ] ανυποστήριχτος.

untested (adj) [αν-τέστι-ντ] αδοκίμαστος.

untidiness (n) [αν-τάι-ντινες] ακαταστασία.

untidy (adj) [αν-τάι-ντι] κακοβαλμένος, ανοικοκύρευτος, ασυγύριστος, άτσαλος.

untie (v) [αν-τάι] λύνω [δεσμό].

untied (adj) [αν-τάι-ντ] άδετος.

until (adv) [αν-τίλ] ίσαμε, μέχρι, ώσπου, έως (conj) ως που.

untimely (adj) [αν-τάιμλι] άκαιρος, ανεπίκαιρος, άστοχος.

untiring (adj) [αν-τάιρινγκ] άκοπος [ξεκούραστος], ακούραστος.

untold (adj) [αν-τόολντ] ανείπωτος, αναποκάλυπτος, απερίγραπτος.

untouched (adj) [αν-τάτοσ-τ] άθικτος.

untrained (adj) [αν-τρέιν-ντ] ανεκπαίδευτος, αγύμναστος.

untried (adj) [αν-τράι-ντ] αδοκίμαστος.

untrodden (adj) [αν-τρό-ντεν] άβατος.

untrue (adj) [αν-τρού] αναληθής, ψευδής.

untrustworthy (adj) [αν-τράστουέρδι] κακόπιστος.

untruth (n) [αν-τρούθ] αναλήθεια, ψευτιά.

untruthful (adj) [αν-τρούθφουλ] ψευδολόγος, αναληθής, ψευδής.

unused (adj) [ανιούζ-ντ] αμάθητος, αχρησιμοποίητος.

unusual (adj) [ανιούζζουαλ] ασυνήθιστος, εξαιρετικός, παράδοξος.

unvaried (adj) [ανβεάρι-ντ] μονότονος.

unvarnished (adj) [ανβάανισσ-τ] αφκιασίδωτος [μεταφ], αγυάλιστος.

unvarying (adj) [ανβέρινγκ] ομοιόμορφος.

unveil (v) [ανβέιλ] ξεσκεπάζω.

unveiling (n) [ανβέιλινγκ] αποκαλυπτήρια.

unwashed (adj) [ανουόσσ-τ] άνιφτος, άπλυτος.

unwearied (adj) [ανουίρι-ντ] ακούραστος.

unweave (v) [ανουίβ] ξεφτίζω.

unwedded (adj) [ανουέ-ντι-ντ] αστεφάνωτος.

unwell (adj) [ανουέλ] αδιάθετος.

unwholesome (adj) [ανχόουλσαμ] ανθυγιεινός.

unwieldy (adj) [ανουίλ-ντι] ανοικονόμητος, δύσχρηστος.

unwilling (adj) [ανουίλινγκ] απρόθυμος.
unwind (v) [ανουάιν-ντ] ξεκουρδίζω, ξεδίνω.
unwise (adj) [ανουάιζ] άκριτος.
unworn (adj) [ανουόον] άβαλτος.
unworthy (adj) [ανουέρδι] ανάξιος.
unwound (adj) [ανουάουν-ντ] ξεκούρδιστος.
unwrap (v) [ανράπ] ξετυλίγω.
unwrapped (adj) [ανράπ-τ] ατύλιχτος.
unwrinkled (adj) [ανρίνκλ-ντ] ατσαλάκωτος.
unwritten (adj) [ανρίτεν] άγραφος.
unyielding (adj) [ανγίιλ-ντινγκ] ανένδοτος.
up (adv) [απ] άνω, απάνω, επάνω.
up to date (adj) [απ του ντέιτ] μοντέρνος, ενημερωμένος.
upbringing (n) [άπ-μπρίνγκινγκ] ανατροφή.
update (v) [απ-ντέιτ] ενημερώνω.
updating (n) [απ-ντέιτινγκ] ενημέρωση.
upgrade (v) [απγκρέι-ντ] διεισδύω, προβαίνω, αναβαθμίζω (n) ανηφοριά.
upheaval (n) [απχίβαλ] αναταραχή.
uphill (n) [άπχιλ] ανηφοριά (adj) ανηφορικός.
upholder (n) [απχόουλ-ντερ] τηρητής.
upholster (v) [απχόουλστερ] ντύνω [έπιπλα], ταπετσάρω.
upholsterer (n) [απχόουλστερερ] ταπετσιέρης [επίπλων].
upholstery (n) [απχόουλστερι] ταπετσαρία.
uplift (n) [άπλίφτ] ανάταση, εξύψωση (v) εξευγενίζω, ανυψώνω.
uplifting (adj) [άπλίφτινγκ] ηθοπλαστικός, ψυχωφελής.
upon (adv) [απόν] επάνω, πάνω (pr) κατά, επί.
upper (adj) [άπερ] ανώτερος, υψηλότερος, ενδότερος.
uppermost (adj) [άπερμόουστ] ανώτατος.
upright (adj) [άπράιτ] κατακόρυφος,

κάθετος, ακέραιος, τίμιος (adv) ορθά.
uprising (n) [άπράιζινγκ] εξέγερση.
uproar (n) [άπρόορ] αντάρα, οχλοβοή.
uproot (v) [άπρούτ] ξεριζώνω (n) ξερίζωμα.
upset (n) [άπσετ] ανατροπή, ταραχή (adj) [απσέτ] στενοχωρημένος (v) ανα-στατώνω, ανατρέπω, τουμπάρω, χαλάω.
upstairs (adv) [αποτέας] επάνω, πάνω (n) το επάνω πάτωμα οικίας.
upstart (adj) [άπστάατ] τυχάρπαστος.
upward (adj) [άπουερ-ντ] ανοδικός [ηλεκτρ].
uranium (n) [ιουρένιαμ] ουράνιο.
urban (adj) [έρ-μπαν] αστικός.
urchin (n) [έρτσσιν] μάγκας.
urea (n) [ιουρίια] ουρία.
urge (v) [ερντζζ] παρακινώ.
urge on (v) [ερντζζ ον] προωθώ.
urgency (n) [έρντζζενσι] σφίξη.
urgent (adj) [έρντζζεν-τ] επιτακτικός ε-πείγων, πιεστικός.
uric (adj) [ιούρικ] ουρικός.
urinal (n) [ιούριναλ] ουρητήριο.
urinary (n) [ιούρινερι] ουρικός.
urinate (v) [ιούρινέιτ] κατουρώ.
urination (n) [ιούρινέισσον] ούρηση, κατούρημα.
urine (n) [ιούριν] ούρα.
urn (n) [ερν] υδρία.
usable (adj) [ιούζα-μπλ] χρησιμοποιήσιμος.
usage (n) [ιούσιντζζ] χρήση, μεταχείρηση.
use (n) [ιούς] έξη, μεταχείριση, συνή-θεια, τριβή [μεταφ] (v) [ιούζ] διαθέτω, καταναλώνω.
use force (v) [ιούζ φόος] χειροδικώ.
use up (v) [ιούζ απ] καταναλίσκω, ανα-λώνω, καταναλώνω, σώνω.
used (adj) [ιούς-ντ] μεταχειρισμένος, φθαρμένος.
used to (adj) [ιούζ-ντ του] μαθημένος.
used up (adj) [ιούς-ντ απ] εξαντλημένος.

useful (adj) [ιούσφουλ] εξυπηρετικός, επωφελής, εύχρηστος.

usefulness (n) [ιούσφουλνες] χρησιμότητα, ωφέλεια, ωφελιμότητα.

useless (adj) [ιούσλες] ανώφελος.

usher (n) [άσσερ] ταξιθέτρια.

usher in (v) [άσσερ ιν] μπάζω.

usual (adj) [ιούζιουαλ ή ιούζζαλ] κανονικός, πατροπαράδοτος, τυπικός, κοινός.

usufruct (n) [ιούζουφρακτ] επικαρπία.

usurer (n) [ιούουζουρερ] τοκογλύφος.

usurious (adj) [ιουουζουόριας] τοκογλυφικός.

usurp (v) [ιούουζερπ] οικειοποιούμαι, σφετερίζομαι.

usurpation (n) [ιούουζερπέισσον] σφετερισμός, αντιποίηση.

usury (n) [ιούουζουρι] τόκος.

utensil (n) [ιουτένσιλ] σκεύος.

uterus (n) [ιούτερας] μήτρα.

utilitarian (adj) [ιουτιλιτέριαν] ωφελιμι-

στικός (n) ωφελιμιστής.

utilitarianism (n) [ιουτιλιτέριανιζμ] ωφελιμισμός.

utility (n) [ιουτίλιτι] χρησιμότητα.

utilization (n) [ιουτιλαϊζέισσον] χρησιμοποίηση.

utilize (v) [ιούτιλάιζ] αξιοποιώ.

utmost (adj) [άτμόουστ] απώτατος, ακραίος, άκρος, έσχατος.

utopia (n) [ιουτόουπια] ουτοπία.

utopian (adj) [ιουτόουπιαν] ουτοπικός, χιμαιρικός (n) ουτοπιστής.

utter (adj) [άτερ] ολοσχερής (v) αρθρώνω, εκστομίζω, ξεστομίζω.

utterance (n) [άτερανς] ρήση.

utterly (adv) [άτερλι] ολωσδιόλου, παντελώς, τελείως.

uvula (n) [ιούουβιουλα] σταφυλή.

V, v (n) [βι] το εικοστό δεύτερο γράμμα του αγγλικού αλφαβήτου.

vacancy (n) [βέικανσι] κενή θέση.

vacant (adj) [βέικαν-τ] ανέκφραστος, α-δειανός, απλανής, διάκενος.

vacate (v) [βακέιτ] εγκαταλείπω, εκκενώνω.

vacation (n) [βακέισον] εκκένωση, διακοπές.

vaccinate (v) [βάξινεῖτ] δαμαλίζω.

vaccination (n) [βαξινέισσον] δαμαλισμός.

vaccine (n) [βαξίιν] εμβόλιο.

vacillate (v) [βάσιλεῖτ] ταλαντεύομαι.

vacillation (n) [βασιλέισσον] ταλάντευση.

vacuity (n) [βακιούιτι] κενότητα.

vacuous (adj) [βακιούας] κενός, ανόητος.

vacuum (n) [βάκιουμ] κενό.

vagabond (n) [βάγκα-μπον-ντ] αλανιά-ρης (adj) πλανόδιος.

vagrancy (n) [βέιγκρανσι] επαιτεία, αλητεία.

vagrant (n) [βέιγκραν-τ] επαίτης.

vague (adj) [βέιγκ] ασαφής.

vagueness (n) [βέιγκνες] αοριστία.

vain (adj) [βέιν] ανώφελος, εγωιστικός.

vainglory (n) [βεϊνγκλόορι] ματαιοδοξία.

vainly (adv) [βέινλι] μάταια.

vale (n) [βέιλ] κοιλάδα, λαγκάδι.

valence (n) [βέιλενς] σθένος [χημ].

valet (n) [βάλετ ή βάλεϊ] θαλαμηπόλος.

valid (adj) [βάλι-ντ] βάσιμος, ισχυρός.

validate (v) [βάλι-ντεῖτ] νομιμοποιώ.

validity (n) [βαλί-ντιτι] ισχύς.

valley (n) [βάλι] κοιλάδα.

valour (n) [βέιλερ] ανδραγαθία.

valuable (adj) [βάλιουα-μπλ] πολύτιμος.

value (n) [βάλιου] αξία, τιμή, (v) εκτιμώ.

valued (adj) [βάλιουντ] εκτιμώμενος.

valuer (n) [βάλιουερ] εκτιμήτης.

valve (n) [βάλβ] δικλείδα, λυχνία.

vamp (n) [βαμ-π] βάμπ, μοιραία.

vampire (n) [βάμ-πάιρ] βρικόλακας.

van (n) [βαν] ημιφορτηγό.

vandal (n) [βάν-νταλ] βάνδαλος.

vandalism (n) [βάν-νταλιζμ] βανδαλισμός.

vane (n) [βέιν] ανεμοδείχτης.

vanguard (n) [βάνγκάα-ντ] εμπροσθο-φυλακή, προφυλακή.

vanilla (n) [βανίλα] βανίλια.

vanish (v) [βάνισς] εξατμίζω.

vanity (n) [βάνιτι] κενοδοξία, ματαιοδοξία.

vanquish (v) [βάνκουισς] κατανικώ.

vantage (n) [βάν-τιντζζ] υπεροχή, κέρδος.

vanward (adj) [βάνουερντ] εμπρόσθιος.

vapid (adj) [βάπιντ] ανιαρός.

vapidity (n) [βαπίντιτι] ανιαρότητα, πλαδαρότητα, βλακεία.

vaporization (n) [βέιποραϊζέισσον] α-τμοποίηση, αεριοποίηση.

vaporize (v) [βέιποραϊζ] εξαερώνω, α-τμοποιώ, εξατμίζω.

vaporous (adj) [βέιπορας] ατμώδης.

vapour (n) [βέιπα] αχνός, υδρατμός, ατμός.

vapourizer (n) [βέιποραϊζερ] ψεκαστήρας.

variability (n) [βάρια-μπίλιτι] μεταβλητότητα, αστάθεια.

variable (adj) [βέαρια-μπλ] μεταβλητός.

variance (n) [βέαριανς] διχογνωμία.

variation (n) [βεαριέισσον] παραλλαγή.

varicose veins (n) [βάρικόουζ βέινς] κιρσός.

varied (adj) [βέαρι-ντ] ποικίλος, διάφορος.

variegated (adj) [βάριγκέιτι-ντ] ποικιλόχρωμος, πολύχρωμος.

variety (n) [βαράιετι] διαφορά, βαριετέ.

various (adj) [βέαριας] διάφορος.

varix (n) [βάριξ] κιρσός.

varnish (v) [βάανιος] στιλβώνω (n) λούστρο.

vary (v) [βέαρι] αλλάζω, μεταβάλλω.

vase (n) [βάαζ] αγγείο, βάζο.

vaseline (n) [βάσελίιν] βαζελίνη.

vassal (adj) [βάσαλ] υποτελής.

vast (adj) [βάαστ] αχανής, τεράστιος.

vastness (n) [βάαστνες] απεραντοσύνη.

vat (n) [βατ] κάδος, λεκάνη.

vault (v) [βόλτ] πηδώ, εκτινάσσομαι, υ-περπηδώ (n) άλμα, πήδημα.

vaulted (adj) [βόλτι-ντ] καμαρωτός [αρχιτεκ], θολωτός, αψιδωτός.

veal (adj) [βίιλ] μοσχαρίσιος (n) μοσχάρι.

veer (n) [βίιρ] μεταστροφή (v) μεταστρέφομαι, μεταστρέφω.

vegetable (adj) [βέντζζιτα-μπλ] φυτικός (n) λαχανικό, φυτό.

vegetarian (adj) [βέντζζιπέαριαν] φυτοφάγος.

vegetarianism (n) [βέντζζιτέαριανιζμ] χορτοφαγία, φυτοφαγία.

vegetation (n) [βέντζζιτέισσον] φυτεία.

vehemence (n) [βίιεμενς] σφοδρότητα.

vehement (adj) [βίιεμεν-τ] βίαιος, ορμητικός.

vehicle (n) [βίιεκλ] όχημα, τροχοφόρο.

veil (n) [βέιλ] τσεμπέρι, βέλο (v) σκιάζω, καλύπτω.

vein (n) [βέιν] φλέβα.

velocity (n) [βελόσιτι] ταχύτητα.

velvet (n) [βέλβετ] βελούδο.

velvety (adj) [βέλβετι] απαλός.

venal (adj) [βίιναλ] πουλημένος.

venality (n) [βινάλιτι] δωρολημψία.

vender (n) [βέν-ντερ] πωλητής.

vendetta (n) [βεν-ντέτα] βεντέτα.

veneer (n) [βινίιρ] επίφαση.

venerable (adj) [βένερα-μπλ] αξιοσέβαστος.

venerate (v) [βένερεϊτ] σέβομαι.

venereal (adj) [βινίιριαλ] αφροδίσιος.

Venetian (adj) [Βενίισσαν] ενετικός, βενετσιάνικος.

vengeance (n) [βέν-ντζζανς] εκδίκηση.

venom (n) [βένομ] ιός, δηλητήριο.

venomous (adj) [βένομας] δηλητηριώδης.

vent (v) [βεν-τ] ξεσπώ, ανακουφίζω (n) οπή.

ventilate (v) [βέν-τιλεϊτ] αερίζω.

ventilation (n) [βεν-τιλέισσον] αερισμός, εξαερισμός, κλιματισμός.

ventilator (n) [βεν-τιλέιτορ] αεριστήρας, εξαεριστήρας, αεραγωγός.

ventriloquist (adj) [βεν-τρίλοκουιστ] εγγαστρίμυθος.

venture (v) [βέν-τσερ] αποτολμώ, επιχειρώ (n) τόλμημα, εγχείρημα.

venturesome (adj) [βέν-τσερσαμ] τολμηρός.

venturous (adj) [βέν-τσοερας] τολμηρός.

veracity (n) [βεράσιτι] φιλαλήθεια.

veranda (n) [βεράν-ντα] βεράντα.

verb (n) [βερ-μπ] ρήμα [γραμμ].

verbal (adj) [βέρ-μπαλ] ρηματικός, λεκτικός, προφορικός, φραστικός.

verbatim (adv) [βέρ-μπατιμ] αυτολεξεί.

verdant (adj) [βέρ-νταν-τ] πράσινος, χλοερός, κατάφυτος.

verdict (n) [βέρ-ντικτ] απόφαση.

verdigris (v) [βέρ-ντιγκρις] γανιάζω.

verge (n) [βερντζζ] πρόθυρα [μεταφ], μεταίχμιο, χείλος [μεταφ].

verger (n) [βέρντζζερ] νεωκόρος.

verification (n) [βεριφικέισσον] εξακρίβωση, επαλήθευση, έλεγχος.

verify (v) [βέριφάι] εξακριβώνω.

vermin (n) [βέρμιν] ζωύφια.

vermouth (n) [βερμούουθ] βερμούτ.

vernacular (n) [βερνάκιουλαρ] ομιλουμένη.

versatile (adj) [βέρσατάιλ] εύστροφος.

versatility (n) [βερσατίλιτι] ευστροφία, προσαρμοστικότητα.

verse (n) [βερς] στίχος, στροφή.

versed in (adj) [βέρσ-ντ ιν] κατατοπισμένος, πεπειραμένος.

versifier (n) [βέρσιφάιερ] στιχουργός.

version (n) [βέρσσον] έκδοση [παραλλαγή], εκδοχή, απόδοση.

vertebra (n) [βέρτε-μπρα] σπόνδυλος, σπονδυλική στήλη.

vertebral (adj) [βέρτε-μπραλ] σπονδυλικός.

vertebrate (adj) [βέρτε-μπρεϊτ] σπονδυλωτός.

vertex (n) [βέρτεξ] κορυφή [γωνίας].

vertical (adj) [βέρτικαλ] κάθετος.

vertical section (n) [βέρτικαλ σέκσσον] κατατομή.

vertigo (n) [βέρτιγκοου] ίλιγγος.

very well (adv) [βέρι γουέλ] άριστα, ωραία.

vespers (n) [βέσπερς] εσπερινός.

vessel (n) [βέσελ] καράβι, σκάφος.

vest (n) [βεστ] φανέλα, γιλέκο.

vested (adj) [βέστι-ντ] κεκτημένος.

vestibule (n) [βέστι-μπιουλ] πρόναος, προθάλαμος.

vestige (n) [βέστιντζζ] ίχνος.

vestments (n) [βέστμεν-τς] άμφια.

vetch (n) [βετς] βίκος [βοτ].

veteran (adj) [βέτεραν] απόμαχος.

veterinary (n) [βέτρινερι] κτηνίατρος.

veto (n) [βίιτο] αρνησικυρία, βέτο.

vex (v) [βεξ] εξερεθίζω, σκοτίζω.

vexation (n) [βεξέισσον] ενόχληση, δυσαρέσκεια, στενοχώρια.

via (adv) [βάια] μέσω, δια μέσου.

viability (n) [βαϊα-μπίλιτι] βιωσιμότητα.

viable (adj) [βάια-μπλ] βιώσιμος.

vial (n) [βάιαλ] φιαλίδιο.

vibrate (v) [βαϊ-μπρέιτ] δονώ, κραδαίνω.

vibration (n) [βαϊ-μπρέισσον] δόνηση, κραδασμός, παλμός.

vicar (n) [βίκαρ] εφημέριος.

vice (n) [βάις] κακία, φαυλότητα.

vice-president (n) [βάις-πρέζι-ντεν-τ] αντιπρόεδρος.

vice-principal (n) [βάις-πρίνσιπαλ] υποδιευθυντής.

vice-rector (n) [βάις-ρέκτορ] αντιπρύτανης.

vice-versa (adv) [βάις-βέρσα] τανάπαλιν.

vicequeen (n) [βάισκουίν] αντιβασίλισσα.

viceroy (n) [βάισρόι] αντιβασιλιάς.

vicinity (n) [βισίνιτι] γειτονιά.

vicious (adj) [βίσσιας] εμπαθής, παθιασμένος, φαύλος.

vicious circle (n) [βίσσιας σερκλ] φαύλος κύκλος.

victim (n) [βίκτιμ] έρμαιο, θύμα.

victor (n) [βίκτορ] θριαμβευτής.

victorious (adj) [βικτόοριας] επινίκιος, νικητήριος, νικηφόρος.

victory (n) [βίκτορι] επικράτηση.

victualling (n) [βίκτσουαλινγκ] τροφοδοσία, προμήθεια.

victuals (n) [βίκτσουαλς] τρόφιμα.

video-recording (n) [βί-ντεο-ρεκόορντινγκ] μαγνητοσκόπηση.

vie with (v) [βάι ουίδ] αμιλλώμαι.

Vienna (n) [Βιένα] Βιέννη.

Viennese (n) [Βιενίιζ] Βιεννέζος.

view (n) [βιού] θέαση, βλέμμα, τοπίο, ορατότητα, σκοπιά, βλέψη, προοπτική.

vigil (n) [βίντζζιλ] αγρυπνία.

vigilance (n) [βίντζζιλανς] εγρήγορση,

επαγρύπνηση, ετοιμότητα.

vigilant (adj) [βίντζζιλαν-τ] άγρυπνος.

vignette (n) [βίνιέτ] βινιέτα.

vigorous (adj) [βίγκορας] σφριγηλός, ακμαίος, δραστήριος, θαλερός.

vigour (n) [βίγκερ] ευρωστία, ικμάδα, πυγμή, ρώμη, σθένος.

vile (adj) [βάιλ] κακοήθης, αχρείος.

vileness (n) [βάιλνες] κακοήθεια.

vilify (v) [βίλιφαϊ] κατασυκοφαντώ.

villa (n) [βίλα] έπαυλη, βίλα.

village (n) [βίλιντζζ] χωριό.

village crier (n) [βίλιντζζ κράιερ] τελάλης.

villager (n) [βίλιντζζερ] χωρικός.

villain (n) [βίλεν] κακούργος [μεταφ], αχρείος, φαύλος.

villainous (adj) [βιλένους] κατάπτυστος.

villainy (n) [βίλενι] αχρειότητα.

vindicate (v) [βίν-ντικεϊτ] δικαιολογώ, δικαιώνω.

vindication (n) [βιν-ντικέισσον] διεκδίκηση, δικαίωση.

vindictive (adj) [βιν-ντίκτιβ] εκδικητικός.

vine (n) [βάιν] αμπέλι, κλήμα.

vine arbour (n) [βάιν άρ-μπουρ] κληματαριά.

vine leaf (n) [βάιν λίιφ] αμπελόφυλλο, κληματόφυλλο.

vinegar (adj) [βίνεγκαρ] ξύδι, ξίδι.

vineyard (n) [βίνιάα-ντ] αμπέλι.

vintage (n) [βίν-τιντζζ] τρυγητός, τρύγος.

vintager (n) [βίν-τιντζζα] τρυγητής.

viola (n) [βαϊόλα] βιόλα.

violable (adj) [βάιολαμπλ] αθετήσιμος, καταστρατηγήσιμος.

violate (v) [βάιολεϊτ] καταπατώ.

violation (n) [βαϊολέισσον] αθέτηση, παράβαση, παραβίαση.

violator (n) [βάιολέιτορ] βιαστής.

violence (n) [βάιολενς] σφοδρότητα, ζόρι, βιαιότητα, βία, δριμύτητα.

violent (adj) [βάιολεν-τ] ραγδαίος, σφο-

δρός, βίαιος, δριμύς.

violently (adv) [βάιολεν-τλι] βίαια.

violet (n) [βάιολετ] μενεξές, γιούλι.

violin (n) [βάιολιν] βιολί.

violinist (n) [βάιολίνιστ] βιολιστής.

viper (n) [βάιπερ] έχιδνα, όχεντρα.

virago (n) [βιρέιγκοου] μέγαιρα.

virgin (n) [βέρντζζιν] παρθένα (adj) παρθενικός.

virginity (n) [βερντζζίνιτι] παρθενιά, παρθενικότητα, αγνότητα.

virile (adj) [βίράιλ] ανδρικός.

virility (n) [βιρίλιτι] ανδρισμός.

virtue (n) [βίρτσσου] αρετή.

virtuoso (n) [βερτσσουόουζοου] δεξιοτέχνης, βιρτουόζος.

virtuous (adj) [βέρτσσουας] καλοήθης, ενάρετος, ηθικός.

virtuousness (n) [βέρτσσουανες] ηθικότητα.

virulent (adj) [βίριουλεν-τ] εξοντωτικός, θανατηφόρος.

virus (n) [βάιρας] ιός [ιατρ].

visa (n) [βίιζα] θεώρηση, βίζα.

visage (n) [βίζιντζζ] πρόσωπο.

viscount (n) [βάικάουν-τ] υποκόμης.

visibility (n) [βιζι-μπίλιτι] ορατότητα.

visible (adj) [βίζι-μπλ] θεατός.

vision (n) [βίζζιον] ενόραση.

visionary (n) [βίζζιονάρι] οραματιστής, ουτοπιστής.

visit (n) [βίζιτ] επίσκεψη, βίζιτα (v) επισκέπτομαι.

visiting card (n) [βίζιτινγκ κάα-ντ] κάρτα, επισκεπτήριο, μπιλιέτο.

visitor (adj) [βίζιτορ] ξένος (n) μουσαφίρης, φιλοξενούμενος.

visualize (v) [βίζζιουαλαϊζ] οραματίζομαι.

vital (adj) [βάιταλ] καίριος, δημογραφικός, ζωικός.

vitality (n) [βαϊτάλιτι] ζωτικότητα, ικμάδα, σφρίγος, ζωντάνια.

vitamin (n) [βίταμιν] βιταμίνη.

vitriol (n) [βίτριολ] βιτριόλι.

vivacity (n) [βιβάσιτι] ζωηρότητα.

vivid (adj) [βίβι-ντ] ζωηρός, ζωντανός, παραστατικός.

vividness (n) [βίβι-ντνες] γραφικότητα, ενάργεια.

vivisect (v) [βιβισέκτ] ζωοτομώ.

vivisection (n) [βιβισέκσσον] ζωοτομία.

viz (conj) [βιζ] ήτοι, τουτέστιν.

vizier (n) [βίζιερ] βεζίρης.

vocabulary (n) [βουκά-μπιουλαρι] λεξιλόγιο, γλωσσάριο.

vocal (adj) [βόουκαλ] φωνητικός, προφορικός, αδόμενος.

vocalist (n) [βόουκαλιστ] τραγουδιστής.

vocation (n) [βουκέισσον] κλίση, τέχνη, απασχόληση, επάγγελμα.

vocational (adj) [βοουκέισσοναλ] πρακτικός, επαγγελματικός.

vocative (case) (n) [βόκατιβ [κέις]] κλητική [γραμμ].

vociferate (v) [βοσίφιρέιτ] φωνασκώ, φωνάζω, κραυγάζω.

vodka (n) [βόντκα] βότκα.

voice (n) [βόις] λαλιά, φωνή.

void (adj) [βόι-ντ] άκυρος (n) κενό.

voidable (adj) [βόι-ντα-μπλ] ακυρώσιμος.

volcanic (adj) [βολκάνικ] ηφαιστειογενής.

volcano (n) [βολκέινου] ηφαίστειο.

volition (n) [βολλίσσον] θέληση.

volley (n) [βόλεϊ] μπαταριά.

volleyball (n) [βόλεϊ-μπόολ] βόλεϊ.

voltage (n) [βόλτιντζζ] τάση [ηλεκτ].

volume (n) [βόλιουμ] ηχηρότητα, χωρητικότητα, όγκος, τόμος.

voluminous (adj) [βολιούμινους] ογκώδης, πολύτομος, φαρδύς.

voluntarily (adv) [βόλαν-τεριλι] εθελουσίως, οικειοθελώς.

voluntary (adj) [βόλουν-τέρι] εθελοντικός, εκούσιος, θεληματικός.

volunteer (n) [βολουν-τίρ] εθελοντής.

voluptuous (adj) [βολούπτσσουας] ηδυπαθής, φιλήδονος.

voluptuousness (n) [βολούπτσσουασνές] ηδυπάθεια, χλιδή.

vomit (v) [βόμιτ] εκβάλλω, ξερνώ (n) εμετός, ξέρασμα.

vomiting (n) [βόμπινγκ] εμετός, ξερατό.

voracious (adj) [βορέισσας] αχόρταγος [ζώο], αδηφάγος.

voracity (n) [βοράσιτι] πολυφαγία.

vote (n) [βόουτ] ψήφος (v) αναγορεύω, ψηφίζω, εκλέγω.

vote-hunter (n) [βόουτ-χάν-τερ] ψηφοθήρας.

voter (n) [βόουτερ] ψηφοφόρος.

voting (n) [βόουτινγκ] ψήφιση.

votive (adj) [βόουτιβ] αναθηματικός.

vouch (v) [βάουτσς] εγγυούμαι.

vouch for (v) [βάουτσς φοο] πιστοποιώ, εγγυώμαι.

voucher (n) [βάουτσσερ] κουπόνι.

vow (n) [βάου] υπόσχεση, όρκος, τάμα (v) ορκίζομαι, τάζω.

vowel (n) [βάουελ] φωνήεν.

voyage (n) [βόι-ιντζζ] ταξίδι.

voyager (n) [βόι-ιαντζζα] ταξιδευτής, οδοιπόρος.

voyeur (n) [βούαϊ-ερ] ηδονοβλεψίας.

vulcanizer (n) [βάλκανάιζερ] βουλκανιζατέρ.

vulgar (adj) [βάλγκα] κακόγουστος, χυδαίος, αγοραίος, λαϊκός, πρόστυχος.

vulgarity (n) [βαλγκάριτι] λαϊκότητα, προστυχιά, χυδαιότητα.

vulgarize (v) [βάλγκαράιζ] εκχυδαΐζω.

vulnerable (adj) [βάλνερα-μπλ] ευπρόσβλητος, τρωτός, ευπαθής.

vulture (n) [βέλτσσερ] γύπας.

W, w (n) [ντάμπλγιού] το εικοστό τρίτο γράμμα του αγγλικού αλφαβήτου.

wad (n) [ουό-ντ] βύσμα, τάπα, στουπί, βάτα (v) εμφράσσω, στουμπώνω.

wadding (n) [ουό-ντινγκ] παραγέμισμα, βάτα, καπιτονάρισμα, τζίβα.

wade (v) [ουέι-ντ] πλατσαρίζω, πλέω [μεταφ].

waffle (v) [ουόφλ] τσαμπουνώ.

wag (n) [ουάγκ] καλαμπουρτζής, κίνηση (v) κουνώ [ουρά], κινώ.

wage (adj) [ουέιντζζ] μισθολογικός.

wager (v) [ουέιντζζερ] στοιχηματίζω (n) στοίχημα.

wages (n) [ουέιντζζις] πληρωμή.

waggish (adj) [ουάγκισσ] κωμικός.

wagging (n) [ουάγκινγκ] κούνημα.

waggon (n) [ουάγκον] άμαξα, κάρο.

waggle (v) [ουάγκλ] κουνιέμαι.

wagtail (n) [ουάγκ τέιλ] σουσουράδα.

wail (v) [ουέιλ] θρηνολογώ, σκούζω.

wailing (n) [ουέιλινγκ] θρήνος, κλάμα.

waist (n) [ουέιστ] μέση [σώματος], οσφύς.

waistband (n) [ουέιστ μπαν-ντ] ζώνη.

waistcoat (n) [ουέιστ κόουτ] γελέκο.

wait (n) [ουέιτ] αναμονή (v) αναμένω.

waiter (n) [ουέιτερ] σερβιτόρος.

waiting (n) [ουέιτινγκ] αναμονή.

waiting room (n) [ουέιτινγκ ρουμ] αίθουσα αναμονής, προθάλαμος.

waitress (n) [ουέιτρες] σερβιτόρα.

waive (v) [ουέιβ] παραιτούμαι, παραμερίζω (n) παραίτηση [νομ].

wake (n) [ουέικ] απόνερα [πλοίου] (v) ξυπνώ, αφυπνίζω, εγείρω.

wakeful (adj) [ουέικφουλ] άγρυπνος.

waking up (n) [ουέικινγκ απ] ξύπνημα.

walk (n) [ουόοκ] βόλτα (v) περπατώ.

walk-on (n) [ουόοκ-ον] κομπάρσος.

walkie-talkie (n) [ουόοκι τόοκι] ραδιοτηλέφωνο [φορητό].

walking (adj) [ουόοκινγκ] οδοιπορικός (n) πεζοπορία, περπάτημα.

walking stick (n) [ουόοκινγκ στικ] μπαστούνι.

wall (n) [ουόολ] μάντρα, χώρισμα [δωματίου], παρειά [μεταφ] (v) περιφράζω.

wall covering (n) [ουόολ κάβερινγκ] ταπετσαρία.

wall painting (n) [ουόολ πέιν-τινγκ] τοιχογραφία.

wall plaster (n) [ουόολ πλάαστερ] σοβάς.

wall tile (n) [ουόολ τάιλ] πλακάκι.

wallet (n) [ουόλετ] πορτοφόλι.

wallop (n) [ουόλοπ] κατραπακιά.

wallow (v) [ουόλοου] κυλιέμαι, τσαλα-

βουτώ (n) κύλισμα, βούρκος.
walnut (n) [ουόλνατ] καρυδιά.
waltz (n) [ουόλτς] βαλς.
wan (adj) [ουάν] χλομός, ωχρός.
wand (n) [ουόν-ντ] ράβδος.
wander (v) [ουόν-ντερ] πλανώμαι, περιφέρομαι.
wandering (n) [ουόν-ντερινγκ] περιπλάνηση (adj) περιπλανώμενος.
wane (n) [ουείν] χάση (v) σβύνω.
wangle (n) [ουάνγκλ] κόλπο, κομπίνα, ρουσφέτι, λοβιτούρα.
want (n) [ουόν-τ] ανέχεια, ανάγκη, έλλειψη, πενία, στερήσεις (v) θέλω, λείπω, χρειάζομαι, στερούμαι.
wanting (adj) [ουόν-τινγκ] ελλιπής, αναγκαίος, απαραίτητος.
wanton (adj) [ουόν-τον] αναίτιος, απειθάρχητος, αχαλίνωτος.
wantonly (adv) [ουόν-τονλι] απειθάρχητα, κακόβουλα, ανεύθυνα.
war (n) [ουόο] πόλεμος.
war-memorial (n) [ουόο-μεμόριαλ] ηρώο.
war-song (n) [ουόο-σόνγκ] θούριος.
warble (v) [ουόο-μπλ] κελαηδώ.
warbling (n) [ουόο-μπλινγκ] τρέμολο, κελάδημα, φιοριτούρα.
ward (n) [ουόο-ντ] επιτήρηση (v) φυλάσσω, προστατεύω, φρουρώ.
ward off (v) [ουό-ντ οφφ] αποτρέπω.
warden (n) [ουόο-ντεν] διευθυντής, φύλακας, καντηλανάφτης.
wardrobe (n) [ουόο-ντρόου-μπ] ιματιοθήκη, ντουλάπα, αρμάρι.
warehouse (n) [ουέαρχάους] αποθήκη (v) αποθηκεύω.
warfare (n) [ουόοφεαρ] πόλεμος.
wariness (n) [ουέρινες] προσοχή.
warlike (adj) [ουόολάικ] μαχητικός.
warlord (n) [ουόολόο-ντ] πολέμαρχος.
warm (adj) [ουόομ] ένθερμος (n) θέρμανση, ζέσταμα, πύρα (v) ζεσταίνω.

warming (n) [ουόομινγκ] θέρμανση.
warming up (n) [ουόομινγκ απ] προθέρμανση.
warmonger (adj) [ουομόνγκερ] πολεμοκάπηλος.
warmth (n) [ουόομθ] εγκαρδιότητα, ζέστη, έξαψη, θυμός.
warn (v) [ουόον] προειδοποιώ.
warning (adj) [ουόονινγκ] προειδοποιητικός (n) προαγγελία.
warp (n) [ουόοπ] στημόνι (v) διαψεύδω, αδικώ, σκεβρώνω.
warped (adj) [ουόοπ-ντ] σκεβρός.
warrant (n) [ουοραν-τ] επικύρωση, διατακτική (v) δικαιολογώ, βεβαιώ.
warrant officer (n) [ουόραν-τ όφφισερ] ανθυπασπιστής.
warrantor (n) [ουόραν-τορ] εγγυητής.
warring (adj) [ουόορινγκ] αντιμαχόμενος.
warrior (n) [ουόριορ] πολέμαρχος.
warship (n) [ουόσσιπ] θωρηκτό.
wart (n) [ουόοτ] κρεατοελιά, σπίλος.
wary (adj) [ουέρι] προσεχτικός.
wash (v) [ουόσς] πλύνω (n) πλύση.
wash(ing) (n) [ουόσσ[ινγκ]] μπουγάδα, πλύση, πλύσιμο.
wash-basin (n) [ουόσσ-μπέισιν] λουτήρας, νιπτήρας, λαβομάνο.
wash-board (n) [ουόσσ-μπόο-ντ] πλύστρα.
washbowl (n) [ουόσσ-μπόουλ] λεκάνη.
washer (n) [ουόσσερ] ροδέλα.
washerwoman (n) [ουόσσερ ούμαν] πλύστρα.
washing machine (n) [ουάσσινγκ μασσίιν] πλυντήριο.
washout (n) [ουόσσάουτ] κάζο.
washstand (n) [ουόσσσταν-ντ] νιπτήρας.
wasp (n) [ουόσπ] σφήκα [ζωολ].
waste (adj) [ουείστ] χέρσος, έρημος, απόβλητος (n) ερημότοπος, βρωμόνερα, φύρα (v) διασκορπίζω, σπαταλώ.
waste away (v) [ουέιστ αουέι] κατατρί-

βω, λιώνω, μαραζώνω.

waste land (n) [ουέιστ λαν-ντ] χερσότοπος.

waste time (v) [ουέιστ τάιμ] χάνω.

wasted (adj) [ουέιστι-ντ] πεταμένος.

wasteful (adj) [ουέιστφουλ] άσωτος, σπάταλος, πολυέξοδος, περιττός.

watch (adj) [ουότσς] ωρολογιακός (n) ε-πιτήρηση, παρακολούθηση, προσοχή (v) κοιτάζω, προσέχω, αγρυπνώ.

watch for (v) [ουότσς φοο] παραμο-νεύω, καραδοκώ.

watch-tower (n) [ουότσσ-τάουερ] βίγλα.

watchdog (n) [ουότσσ-ντόγκ] μαντρό-σκυλο, κέρβερος [μεταφ].

watcher (n) [ουότσσερ] παρατηρητής.

watchful (adj) [ουότσσφουλ] ακοίμητος [μεταφ], άγρυπνος.

watchmaker (n) [ουότσσμέικερ] ρολο-γάς, ωρολογοποιός.

watchman (n) [ουότσσμάν] φύλακας.

watchword (n) [ουότσσουέρ-ντ] σύνθημα.

water (v) [ουόοτερ] βρέχω (n) νερό.

water heater (n) [ουόοτερ χίιτερ] θερ-μοσίφωνας.

water level (n) [ουόοτερ λέβελ] στάθμη [νερού], υδροστάθμη.

water lily (n) [γουότερ λίλι] νούφαρο.

water mill (n) [ουόοτερ μιλ] υδρόμυλος.

water pipe (n) [ουόοτερ πάιπ] υδατα-γωγός, υδροσωλήνας.

water pump (n) [ουόοτερ παμ-π] υδρα-ντλία.

water supply (n) [ουόοτερ σαπλάι] ύ-δρευση.

water turbine (n) [ουόοτερ τερ-μπαϊν] υδροστρόβιλος.

water-closet (n) [ουόοτερ-κλόζετ] απο-χωρητήριο [WC], καμπινές.

water-cooled (adj) [ουόοτερ κούουλ-ντ] υδρόψυκτος.

water-pipe (n) [ουόοτερ-πάιπ] κιούγκι, υδροσωλήνας.

water-polo (n) [ουόοτερ-πόουλοου] υ-δατόσφαιρα.

water-seller (n) [ουόοτερ-σέλερ] νερουλάς.

water-softening (n) [ουόοτερ-σόφνιν-γκ] αποσκλήρυνση.

water-surveying (n) [ουόοτερ-σερβέιν-γκ] υδρογραφία.

water-tank (n) [ουόοτερ-τάνκ] υδατα-ποθήκη.

water-wagon (n) [ουόοτερ-ουάγκον] βυτιοφόρο.

watercolour (n) [ουόοτερ κάλα] νερο-μπογιά, υδατογραφία.

watercourse (n) [ουόοτερκόος] ρείθρο, αυλάκι, ποτάμιο ρεύμα.

waterfall (n) [ουόοτερφόολ] υδατόπτω-ση, καταρράκτης.

watering (n) [ουόοτερινγκ] πότισμα, ράντισμα, βρέξιμο, ύδρευση.

watering can (n) [ουόοτερινγκ καν] πο-τιστήρι, ραντιστήρι.

watermelon (n) [ουόοτερ μέλον] καρ-πούζι.

watermill (n) [ουόοτερμιλ] νερόμυλος, υδρόμυλος.

waterpowered (adj) [ουόοτερπάουερ-ντ] υδροκίνητος.

waterproof (adj) [ουόοτερπρουφ] στε-γανός, υδατοστεγής, αδιάβροχος.

watershed (n) [ουόοτερσσε-ντ] κορυ-φογραμμή, μεταίχμιο.

watertight (adj) [ουόοτερταϊτ] υδατο-στεγής, στεγανός.

watery (adj) [ουόοτερι] υδαρής.

watt (n) [ουότ] βατ.

wave (n) [ουέιβ] κύμα, κυμάτισμα (v) κατσαρώνω, κουνώ, κυμαίνομαι.

waver (v) [ουέιβερ] αμφιρρέπω, ενδοιά-ζω, επαμφοτερίζω, κλονίζομαι.

wavering (adj) [ουέιβερινγκ] αμφίρρο-πος (n) αμφιταλάντευση.

wavy (adj) [ουέιβι] κυματιστός.

wax (adj) [ουάξ] κέρινος (v) κερώνω.

waxen (adj) [ουάξεν] κέρινος.

waxing (n) [ουάξινγκ] γέμισμα.

waxpaper (n) [ουάξ πέιπερ] κερόχαρτο.

waxy (adj) [ουάξι] κέρινος, θυμωμένος.

way (n) [ουέι] οδός, απόσταση, δρομολόγιο, μέθοδος, πλευρά, τρόπος, μέσο.

way out (n) [ουέι άουτ] διέξοδος.

wayfarer (n) [ουέι φέαρερ] πεζοπόρος, οδοιπόρος.

waylay (v) [ουέιλεϊ] ενεδρεύω.

wayside (n) [ουέισαϊ-ντ] κράσπεδο.

wayward (adj) [ουέιουαντ] δύστροπος, πείσμων, ιδιότροπος.

we (pron) [ουίι] εμείς.

weak (adj) [ουίικ] αδύναμος, ελαφρός, ασθενής, αδύνατος, δειλός.

weak hearing (n) [ουίικ χίρινγκ] βαρηκοΐα.

weak points (n) [ουίικ πόιν-τς] τρωτά.

weak-willed (adj) [ουίικ-γουίλ-ντ] άβουλος.

weaken (v) [ουίικεν] αποδυναμώνω, εξασθενώ, τσακίζω.

weakening (n) [ουίικενίνγκ] εξασθένιση.

weakling (n) [ουίικλινγκ] ανθρωπάκι, μαμόθρεφτο.

weakly (adj) [ουίικλι] φιλάσθενος, αδιάθετος (adv) ασθενώς, άτολμα.

weakness (for) (n) [ουίικνες [φοο]] συμπάθεια, ατονία, λεπτότητα.

wealth (n) [ουέλθ] αφθονία, ευημερία, περιουσία [πλούτη].

wealthy (adj) [ουέλθι] πλούσιος.

wean (v) [ουίιν] απογαλακτίζω, αποκόβω.

weaning (n) [ουίινινγκ] αποθηλασμός.

weapon (n) [ουέπον] όπλο.

wear (v) [ουέαρ] φέρνω, φορώ, λυώνω, εξαντλώ (n) ιματισμός, ένδυση.

wear and tear (n) [ουέαρ εν-ντ τέαρ] τριβή, κούραση [μηχανής].

wear away (v) [ουέαρ αουέι] φαγώνομαι.

wear out (v) [ουέαρ άουτ] καταπονώ, λιώνω, ξεπατώνω, χαλώ.

wear out/off (v) [ουέαρ άουτ/οφ] χαλάω [φθείρομαι].

weariness (n) [ουίιρινες] κόπωση.

wearisome (adj) [ουίιρισαμ] κοπιαστικός, μονότονος [μεταφ], κουραστικός.

weary (adj) [ουίιρι] κουρασμένος, πληκτικός, ανιαρός (v) κουράζω, βαραίνω.

weasel (n) [ουίιζλ] νυφίτσα.

weather (adj) [ουέδερ] καιρικός (n) καιρός (v) καβατζάρω.

weather-beaten (adj) [ουέδερ-μπίιτεν] ανεμοδαρμένος.

weather-cock (n) [ουέδερκόκ] ανεμοδείχτης.

weave (n) [ουίιβ] ύφανση, υφή (v) πλέκω, υφαίνω, συνθέτω, επινοώ.

weaver (n) [ουίιβερ] υφαντουργός.

weaver's shuttle (n) [ουίιβερ'ς σσατλ] σαΐτα.

weaving (n) [γουίιβινγκ] ύφανση.

web (n) [ουέ-μπ] υφή, δίχτυ.

webbing (n) [ουέ-μπινγκ] ούγια.

wed (v) [ουέ-ντ] παίρνω [για γυναίκα], νυμφεύω, παντρεύομαι.

wedding (n) [ουέ-ντινγκ] γαμήλια τελετή (adj) γαμήλιος

wedding ceremony (n) [ουέ-ντινγκ σέρεμόουνι] στέψη.

wedding dress (n) [ουέ-ντινγκ ντρες] νυφικό.

wedding ring (n) [ουέ-ντινγκ ρινγκ] βέρα.

wedge (n) [ουέ-ντζζ] σφήνα, γωνία (v) σφηνώνω, ακινητοποιώ, στερεώνω.

Wednesday (n) [ουένσ-ντεϊ] Τετάρτη.

weed (v) [ουίι-ντ] σκαλίζω (n) ζιζάνιο [βοτ], χόρτο [άγριο].

weeding (n) [ουίι-ντινγκ] σκάλισμα.

weeding fork (n) [γουίι-ντινγκ φόορκ] σκαλιστήρι.

weedkiller (n) [ουίι-ντκίλερ] ζιζανιοκτόνο.

weeds (n) [ουίι-ντς] αγριόχορτα.

weedy (adj) [ουίι-ντι] ξερακιανός.

week (n) [ουίικ] εβδομάδα.

week-day (n) [ουίικ-ντέι] καθημερινή, εργάσιμη μέρα.

weekend (n) [ουίικέ-ντ] Σαββατοκύριακο.

weekly (adj) [ουίικλι] εβδομαδιαίος.

weep (v) [ουίιπ] δακρύζω, κλαίω.

weeping (n) [ουίιπινγκ] κλάμα.

weeping willow (n) [ουίιπινγκ ουίλοου] κλαίουσα ιτιά.

weevil (n) [ουίιβιλ] μαμούδι.

weft (n) [ουέφτ] υφάδι.

weigh (v) [ουέι] ζυγιάζω, ζυγίζω.

weigh anchor (v) [ουέι άνκα] σαλπάρω.

weigh down (v) [ουέι ντάουν] βαραίνω.

weigh up (v) [ουέι άπ] αναμετρώ.

weigh-bridge (n) [ουέι-μπρί-ντζζ] ζυγογέφυρα, γεφυροπλάστιγγα.

weighing (n) [ουέιινγκ] ζύγιση, ζύγι.

weight (n) [ουέιτ] ολκή, βαρίδι, βάρος, φορτίο, ζύγι, κύρος (v) βαραίνω.

weights (n) [γουέιτς] σταθμά.

weighty (adj) [γουέιτι] βαρύς.

weir (n) [γουίιρ] υδατοφράκτης.

weird (adj) [ουίιρ-ντ] αλλόκοσμος.

welcome (adj) [ουέλκαμ] καλοδεχούμενος, ευπρόσδεκτος (v) δεξιώνομαι.

weld (v) [ουέλ-ντ] συγκολλώ [μέταλλα], οξυγονοκολλώ.

welder (n) [ουέλ-ντερ] οξυγονοκολλητής.

welfare (n) [ουέλφεαρ] ευεξία, ευφορία, ευτυχία, ευημερία, ευζωία.

well (adv) [ουέλ] καλά, αρκετά (conj) λοιπόν (n) πηγάδι, πηγή [μεταφ] (ex) ε!.

well done! (ex) [ουέλ νταν] μπράβο!.

well turned out (adj) [ουέλ τερν-ντ άουτ] καλοβαλμένος.

well-balanced (adj) [ουέλ-μπάλανσ-ντ] ισορροπημένος.

well-behaved (adj) [ουέλ-μπίχχέιβντ] φρόνιμος.

well-being (n) [ουέλ-μπίινγκ] ευεξία, καλοζωία.

well-built (adj) [ουέλ-μπίλτ] εύσωμος.

well-disposed (adj) [ουέλ-ντισπόουζ-ντ] καλοπροαίρετος, ευμενής.

well-done (adj) [ουέλ-νταν] επιμελημένος, ξεροψημένος.

well-dressed (adj) [ουέλ-ντρέσ-τ] καλοντυμένος.

well-fed (adj) [ουέλ-φέ-ντ] καλοθρεμμένος.

well-informed (adj) [ουέλ-ινφόομ-ντ] κατατοπισμένος.

well-known (adj) [ουέλ-νόουν] πασίγνωστος.

well-nourished (adj) [ουέλ-νάρισσ-τ] καλοθρεμμένος.

well-off (adj) [ουέλ-οφ] πλούσιος

well-proportioned (adj) [ουέλ-προπόοσσον-ντ] συμμετρικός.

well-to-do (adj) [ουέλ-του-ντου] ευκατάστατος.

well-trained (adj) [ουέλ-τρέιν-ντ] αξιόμαχος.

well-wisher (n) [ουέλ-ουίσσερ] καλοθελητής.

well-built (adj) [ουέλ μπίλ-τ] στερεός.

welt (n) [ουέλτ] βάρδουλο (v) ξυλοφορτώνω.

welter (n) [ουέλτερ] ανακάτωμα.

wench (n) [ουέν-τσς] σουσουράδα, τσούπρα.

west (n) [ουέστ] δύση.

western (adj) [ουέστερν] δυτικός.

westernize (v) [ουέστερνάιζ] εξευρωπαΐζω.

wet (v) [ουέτ] βρέχω, σαλιώνω, υγραίνω (adj) βρεγμένος, αδύνατος, πλαδαρός.

wet dream (n) [ουέτ ντρίιμ] ονείρωξη.

wet-nurse (n) [ουέτ-νέρς] τροφός.

wetting (n) [ουέτινγκ] μούσκεμα.

whacker (n) [ουάκερ] μπαρούφα.

whacking (n) [ουάκινγκ] ξύλο.

whacky (adj) [ουάκι] τρελλός.

whale (n) [ουέιλ] φάλαινα [ζωολ].

whalebone (n) [ουέιλ μπόουν] μπαλαίνα, μπανέλα.

whaler (n) [ουέιλερ] φαλαινοθηρικό.

wharf (n) [ουόοφ] σκάλα.

what (pron) [ουάτ] ποιός, τι (adv) πώς.

what(ever) [pron] [ουότ [έβερ]] ό,τι.

whatsoever (pron) [ουότ σόου έβερ] οποιοσδήποτε, οτιδήποτε.

wheat (n) [γουίτ] σίτος [βοτ], σιτάρι.

wheaten (adj) [ουίπεν] σιταρένιος.

wheedle (v) [ουίι-ντλ] κολακεύω.

wheedler (n) [ουίι-ντλερ] κόλακας.

wheel (n) [ουίιλ] ρόδα, τροχός, πηδάλιο, τιμόνι, στροφή.

wheel brake (n) [ουίιλ μπρέικ] τροχοπέδη.

wheel-chair (n) [γουίιλ-τσοέαρ] καροτσάκι [αναπήρου].

wheel-rim (n) [ουίιλ-ρίμ] ζάντα.

wheelbarrow (n) [ουίιλ μπάροου] χειράμαξα.

wheeled (adj) [ουίιλ-ντ] τροχαίος.

wheeze (v) [ουίιζ] ξεφυσώ.

wheezy (adj) [ουίιζι] ασθματικός.

when (adv) [ουέν] πότε, σαν, οπόταν (conj) οπότε, όταν.

whenever (adv) [ουέν έβερ] οποτεδήποτε (conj) οπόταν, όποτε, όταν.

where (adv) [ουέαρ] όπου, που.

whereas (conj) [ουέαρας] ενώ.

wheresoever (adv) [ουέαρ σόου έβερ] οπουδήποτε.

wherever (adv) [ουέαρ έβερ] οπουδήποτε.

whet (v) [ουέτ] ακονίζω, τροχίζω (n) ακόνισμα, τόνωση.

whether (conj) [ουέδερ] αν, εάν, είτε, κατα πόσον.

whetstone (n) [ουέτ στόουν] τροχός, ακόνι.

whetting (n) [ουέτινγκ] τρόχισμα.

whey (n) [ουέι] τυρόγαλο.

which (adj) [ουίτσσ] ποιός, ποιά, ποιό.

which (pron) [ουίτσσ] ο οποίος, η ο-

ποία, το οποίο, οι οποίοι, των οποίων κλπ, που.

whichever (pron) [ουίτσσέβερ] οιοσδήποτε, όποιος.

whiff (n) [ουίφ] πνοή, αναπνοή, τζούρα, μυρουδιά (v) μυρίζω.

while (conj) [ουάιλ] ενώ, όσο, εφ' όσον.

whim (n) [ουίμ] ιδιοτροπία, λόξα, μανία.

whimper (v) [ουίμ-περ] κλαψουρίζω, σιγοκλαίω.

whimsical (adj) [ουίμσικαλ] αλλοπρόσαλλος, καπριτσιόζικος.

whining (adj) [ουάινινγκ] κλαψιάρικος, παραπονετικός (n) κλάψα.

whinny (v) [ουίνι] χλιμιντρίζω (n) χλιμίντρισμα.

whip (n) [ουίπ] μάστιγα, καμουτσίκι, βίτσα (v) μαστιγώνω, δέρνω.

whipping (n) [ουίπινγκ] μαστίγωμα, ξύλο, ξυλοδαρμός, ήττα.

whippy (adj) [ουίπι] λυγερός, λεπτός, εύκαμπτος, ευλύγιστος.

whirl (n) [ουέρλ] τύρβη (v) στριφογυρίζω, στροβιλίζω.

whirlpool (n) [ουέρλπουουλ] δίνη, υδροστρόβιλος.

whirlwind (n) [ουέρλουιν-ντ] δίνη, ανεμοστρόβιλος, σίφουνας.

whirr (v) [ουέρ] περιστρέφομαι, στροβιλίζομαι, δονούμαι, βομβώ.

whisk (v) [ουίσκ] αρπάζω, πετιέμαι, τρέχω, χτυπώ [αβγά κτλ] (n) χτυπητήρι, κούνημα, τίναγμα.

whisky (n) [γουίσκι] ουίσκι.

whisper (n) [ουίσπερ] ψίθυρος, μουρμούρα (v) ψιθυρίζω, μουρμουρίζω.

whisper(ing) (n) [ουίσπερ[ινγκ]] ψιθύρισμα.

whistle (n) [ουίσλ] σφυρίχτρα.

whistling (n) [ουίσλινγκ] σφύριγμα.

white (adj) [ουάιτ] άσπρος, λευκός.

whitebait (n) [ουάιτ μπέιτ] μαρίδα.

whitehaired (n) [ουάιτχέαρ-ντ] ασπρομάλλης.

whiten (v) [ουάιτεν] ασπρίζω, λευκαίνω.

whitener (n) [ουάιτενερ] λευκαντικό.

whiteness (n) [ουάιτνες] ασπράδα.

whitewash (v) [ουάιτγουόσς] ασβεστώνω (n) υδρόχρωμα.

whitish (adj) [ουάιτισς] ασπριδερός.

who (pron) [χου] ποιοςα,ο, που.

whoever (pron) [χουέβερ] οιοσδήποτε, οποιοσδήποτε, όποιος.

whole (adj) [χόουλ] ακέραιος, ολικός, όλος, πλήρης, σωστός (n) όλο.

wholehearted (adj) [χόουλχάατιντ] ολόψυχος, ειλικρινής.

wholesale (adj) [χόουλσέιλ] χονδρικός.

wholesaler (n) [χόουλσέιλερ] μεγαλέμπορος.

wholesome (adj) [χόουλσομ] υγιεινός, καλός [τροφή], θρεπτικός.

wholly (adv) [χόουλι] όλως.

whom (pron) [χούουμ] ποιόν, ποιά, ποιές, τον οποίο, την οποία.

whooping cough (n) [χούπινγκ κοφ] κοκίτης.

whore (n) [χόο] πόρνη, πουτάνα.

whorehouse (n) [χόο χάους] πορνείο.

why! (ex) [ουάι] μπα! (adv) γιατί, προς τι.

wick (n) [ουίκ] θρυαλλίδα, φιτίλι.

wicked (adj) [ουίκι-ντ] αμαρτωλός, αχρείος, μοχθηρός, σάπιος, φαύλος.

wickedness (n) [ουίκι-ντνες] μοχθηρία, στριγκλιά, κακία, κακοήθεια.

wicker (adj) [ουίκερ] πλεχτός (n) λυγαριά.

wickerwork (n) [ουίκεγουέρκ] καλαθοπλεχτική, λύγινος, ψάθινος.

wicket (n) [ουίκετ] θυρίδα, γκισές.

wide (adj) [ουάι-ντ] ευρύς, πλατύς, φαρδύς, γενικός (adv) ευρέως, πλήρως, μακρυά.

wide open (adj) [ουάι-ντ όουπεν] ολάνοιχτος (adv) διάπλατα.

wide-spread (adj) [ουάι-ντσπρέντ] δια-

δεδομένος.

widely (adv) [ουάι-ντλι] ευρέως.

widen (v) [ουάι-ντεν] διευρύνω.

widening (n) [ουάι-ντενινγκ] διαπλάτυνση, διεύρυνση.

widow (n) [ουί-ντοου] χήρα.

widowed (adj) [ουί-ντοου-ντ] χήρος, χηρευάμενος, χήρα.

widower (n) [ουί-ντοουέρ] χήρος.

widowhood (n) [ουί-ντοουχουντ] χηρεία.

width (n) [ουί-ντθ] εύρος, πλάτος.

wife (n) [ουάιφ] γυναίκα, συμβία.

wig (n) [ουίγκ] περούκα, φενάκη.

wiggle (v) [ουίγκλ] κινώ, κινούμαι.

wild (adj) [ουάιλ-ντ] άγριος, ανήμερος.

wilderness (n) [ουίλ-ντερνες] ερημιά, ερημότοπος, αγριότοπος.

wildly (adv) [ουάιλ-ντλι] μανιωδώς.

wildness (n) [ουάιλ-ντνες] αγριότητα, σφοδρότητα, έκλυση, μανία.

wile (n) [ουάιλ] κουτοπονηριά.

wiles (n) [ουάιλς] τσαλιμάκια.

wilful (adj) [ουίλφουλ] εσκεμμένος.

wilfully (adv) [ουίλφουλι] οικειοθελώς [κάνω κάτι].

will (n) [ουίλ] βούληση, δύναμη, διάθεση, απόφαση, διαθήκη, θέληση (part) θα.

will power (n) [ουίλ πάουερ] θέληση.

willing (adj) [ουίλινγκ] θεληματικός, πρόθυμος, εξυπηρετικός.

willow tree (n) [ουίλοου τρίι] ιτιά.

willowy (adj) [ουίλοουι] λυγερόκορμος.

willy-nilly (adv) [ουίλι-νίλι] άρον άρον.

wily (adj) [ουάιλι] κουτοπόνηρος, πανούργος, πονηρός, σαγηνευτικός.

win (n) [ουίν] επικράτηση, νίκη, επιτυχία (v) δρέπω, κερδίζω, νικώ.

wince (n) [ουίνς] μορφασμός (v) μορφάζω [από πόνο], συσπώμαι.

winch (n) [ουίν-τος] γερανός [μηχάνημα], μαγκάνι, βαρούλκο, βίντσι.

wind (v) [ουάιν-ντ] ελίσσομαι, μαζεύω

[μαλλί], τυλίγω, περιστρέφω (n) στροφή, καμπύλη.

wind (adj) [ουίν-ντ] πνευστός (n) αέρας, άνεμος, πνοή (v) λαχανιάζω.

wind up (v) [ουάιν-ντ απ] κλείνω, κουρδίζω.

wind-sleeve (n) [ουίν-ντολίβ] ανεμοδείχτης.

wind-sock (n) [ουίν-ντσόκ] ανεμοδείχτης [αεροπ].

wind-swept (adj) [ουίν-ντσουέπτ] ανεμόδαρτος.

windbag (n) [ουίν-ντμπάγκ] τρίχας, αερολόγος, πολυλογάς, φλύαρρος.

windfall (n) [ουίν-ντ φόολ] καρπός, λαχείο, κληρονομία, ανεμομάζωμα.

windiness (n) [ουίν-ντινις] αερολογία, πολυλογία, φόβος, τυμπανισμός [ιατρ].

winding (adj) [ουάιν-ντινγκ] ελικοειδής, φιδωτός (n) γύρισμα, ελιγμός.

windmill (n) [ουίν-ντμιλ] ανεμόμυλος.

window (n) [ουίν-ντοου] παράθυρο, προθήκη, βιτρίνα, θυρίδα.

window pane (n) [ουίν-ντοου πέιν] τζάμι.

window-box (n) [ουίν-ντοου-μπόξ] ζαρτινιέρα.

windowsill (n) [ουίν-ντοουσίλ] ποδιά [παραθύρου].

windpipe (n) [ουίν-ντπάιπ] λαρύγγι, τραχεία, φάρυγγας.

windscreen (n) [ουίν-ντσκρίιν] παρμπρίζ [αυτοκινήτου].

windstorm (n) [ουίν-ντστόομ] ανεμοθύελλα.

windy (adj) [ουίν-ντι] ανεμόδαρτος.

wine (n) [ουάιν] οίνος, κρασί.

wine and dine (v) [ουάιν εν ντάιν] τραπεζώνω.

wine cask (n) [ουάιν κάασκ] κρασοβάρελο.

wine cellar (n) [ουάιν σέλαρ] κάβα.

wine factory (n) [ουάιν φάκτορι] οινοποιείο.

wine merchant (n) [ουάιν μέρτσσααν-τ] κάπελας.

wine-press (n) [ουάιν-πρές] σταφυλοπιεστήριο, ληνός.

wineshop (n) [ουάινσσοπ] οινοπωλείο, καπηλειό.

wing (n) ουίνγκ] πτέρυγα, φτερούγα.

wing flap (n) [ουίνγκ φλαπ] πτερύγιο.

winged (adj) [ουίνγκ-ντ] πτερωτός, ταχύς, τραυματισμένος, υπέροχος.

wings (n) [ουίνγκς] παρασκήνια.

wink (v) [ουίνκ] βλεφαρίζω, αναβοσβήνω, νεύω, γνεύω (n) βλεφαρισμός, νόημα.

winner (n) [ουίνερ] κερδισμένος.

winnings (n) [ουίνινγκς] κέρδος.

winnow (v) [ουίνοου] ανεμίζω.

winnowing (n) [ουίνοουινγκ] λίχνισμα.

winsome (adj) [ουίνσαμ] ελκυστικός.

winter (adj) [ουίν-τερ] χειμωνιάτικος (v) ξεχειμωνιάζω (n) χειμώνας.

wintry (adj) [ουίν-τρι] χειμερινός.

wipe (v) [ουάιπ] σκουπίζω.

wipe out (v) [ουάιπ άουτ] καθαρίζω, ξεκληρίζω.

wiping (n) [ουάιπινγκ] σκούπισμα.

wire (v) [ουάιρ] τηλεγραφώ (n) σύρμα, καλώδιο.

wire netting (n) [ουάιρ νέτινγκ] δικτυωτό, συρματόπλεγμα.

wireless (n) [ουάιρλες] ασύρματος, ραδιοφωνία.

wireless operator (n) [ουάιρλες όπερέιτορ] ασυρματιστής.

wisdom (n) [ουίζ-ντομ] σοφία, σωφροσύνη, φρονιμάδα, φρόνηση.

wisdom tooth (n) [ουίζ-ντομ τουθ] φρονιμίτης.

wise (adj) [ουάιζ] σοφός, γνωστικός, διαβασμένος, στοχαστικός (n) τρόπος.

wish (n) [ουίσς] επιθυμία (v) εύχομαι, θέλω, ποθώ (ex) είθε.

wish goodbye (v) [ουίσς γκού-ντ-μπάι] αποχαιρετίζω.

wishes (n) [ουίσσις] χαιρετίσματα.

wishy-washy (adj) [ουίσσιουόσσι] ξεπλυμένος [χρώμα], ανούσιος.

wisp (n) [ουίσπ] δεματάκι, τουλούπα [καπνού], τούφα, τσουλούφι.

wit (n) [ουίτ] πνεύμα, ετοιμότητα, οξύνοια, νόηση, νους.

witch (n) [ουίτος] μαγεύτρα.

witchcraft (n) [ουίτος κράαφτ] μαγεία, μάγια, μαγική ικανότητα.

witchery (n) [ουίτοσερι] μαγγανεία.

witching (adj) [ουίτσινγκ] μαγικός.

with (adv) [ουίθ] μαζί (pr) με, μετά, υπό, διά, εναντίον, κατά, συγχρόνως με.

withdraw (v) [ουίθ-ντρόο] ανακαλώ, αποσύρω, αποχωρώ.

withdrawal (n) [ουιθ-ντρόοαλ] αποχώρηση, οπισθοχώρηση.

withdrawn (adj) [ουίθ-ντρόον] αποτραβηγμένος, μαζεμένος.

wither (v) [ουίδερ] κεραυνοβολώ [μεταφ], μαραίνω, ξεραίνομαι, ξεραίνω [φυτά], τήκομαι, κατακεραυνώνω.

withered (adj) [ουίδερ-ντ] μαραμένος, σταφιδιασμένος, ξεραμένος.

withering (n) [ουιδερινγκ] μαρασμός.

withhold (v) [ουίδχόολ-ντ] κρύβω [μεταφ], κατακρατώ, παρακρατώ.

within (adv) [ουιδίν] μέσα, εσωτερικά (pr) εις, όχι εκτός, όχι πέραν, εντός.

within one's means (adj) [ουιδίν ουάν'ς μίνζ] προσιτός [τιμή].

without (adv) [ουιδάουτ] εκτός, εξωτερικά, δίχως άλλο, έξω, χωρίς (pr) δίχως.

witless (adj) [ουίτλες] άμυαλος.

witness (n) [ουίτνες] μάρτυς (v) μαρτυρώ, καταθέτω.

wits (n) [ουίτς] φρένες, μυαλό.

witticism (n) [ουίτισιζμ] χωρατό.

witty (adj) [ουίτι] έξυπνος, ευφυής (n) ευφυολόγος.

wizard (n) [ουίζα-ντ] μάγος, μάντης, άσσος, ατσίδας, ειδικός, σαΐνι.

wizen (adj) [ουίζεν] μαραμένος.

wizen (v) [ουίζεν] μαραγκιάζω.

wobble (v) [ουό-μπλ] τρεκλίζω, τρεμουλιάζω, σαλεύω (n) κούνημα, παίξιμο.

woe (n) [ουόου] θλίψη, πόνος, δυστυχία, συμφορά, βάσανο, κατάρα [μεταφ].

woeful (adj) [ουόουφουλ] δυστυχής, αξιοθρήνητος, γοερός.

wolf (n) [ουόύλφ] λύκος.

wolf down (v) [ουούλφ ντάουν] χάβω.

wolf-cub (n) [ουούλ-κά-μπ] λυκόπουλο.

woman (n) [ουούμαν] γυναίκα.

woman-hater (n) [ουούμαν-χέιτερ] μισογύνης.

womanchaser (n) [ουούμαν-τσσέισερ] γυναικάς.

womanish (adj) [ουούμανισς] γυναικοπρεπής, θηλυπρεπής, γυναικωτός.

womanize (v) [ουούμανάιζ] εκθηλύνω, απογυναικώνω, μουρνταρεύω, μπερμπαντεύω.

womanizer (n) [ουούμανάιζερ] γυναικάκιας.

womanly (adj) [ουούμανλι] γυναικείος, γυναικοπρεπής.

womb (n) [ουούμ] μήτρα.

womenfolk (n) [ουίμενφοουλκ] γυναικολόι.

wonder (n) [ουάν-ντερ] κατάπληξη, απορία, θαυμασμός, θαύμα, φαινόμενο (v) αναρωτιέμαι (conj) (adj) (adv) τάχα.

wonderful (adj) [ουάν-ντερφουλ] αξιοθαύμαστος, θεαματικός, καταπληκτικός, τρικούβερτος, θαυμάσιος, θαυμαστός.

wondering (adj) [ουάν-ντερινγκ] απορημένος, κατάπληκτος.

wondrous (adj) [ουάν-ντρας] θαυματουργός, θαυμάσιος, καταπληκτικός.

wood (adj) [ουόου-ντ] ξύλινος (n) δρυμός, δασύλλιο, ξύλο.

wood factory (n) [ουόου-ντ φάκτορι] ξυλουργείο.

wood-carver (n) [ουόου-ντ-κάαρβερ] ξυλογλύπτης.

wood-cut (n) [ούου-ντ-κάτ] ξυλογραφία.

wood-engraving (n) [ούου-ντ-ένγκρέιβινγκ] ξυλογραφία.

wood-pigeon (n) [ούου-ντ-πίντζζιον] φάσσα.

woodbine (n) [ούου-ντ-μπάιν] αγράμπελη.

woodcarving (n) [ούου-ντκάαβινγκ] ξυλογλυπτική.

woodcock (n) [ούου-ντκοκ] μπεκάτσα, ξυλόκοτα.

woodcutter (n) [ούου-ντκατερ] ξυλοκόπος.

woodcutting (n) [ούου-ντκάτινγκ] υλοτομία.

wooded (adj) [ούου-ντι-ντ] δασώδης.

wooden (adj) [ούου-ντεν] ξύλινος, σανιδένιος, αναίσθητος, άψυχος.

woodland (n) [ούου-ντλαν-ντ] δάσος.

woodpecker (n) [ούου-ντπεκερ] δρυοκολάπτης.

woodshed (n) [ούου-ντσσε-ντ] ξυλαποθήκη.

woodworm (n) [ούου-ντγουερμ] σαράκι.

woody (adj) [ούου-ντι] δασώδης, δασικός, ξύλινος.

woof (n) [ούουφ] υφάδι.

wool (n) [ούουλ] έριο, μαλλί.

woollen (adj) [ούουλεν] μάλλινος.

woolly (adj) [ούουλι] μάλλινος, εριώδης, δασύμαλλος, μαλλιαρός.

word (n) [ουουέρ-ντ] λέξη, μιλιά, κουβέντα, μήνυμα, είδηση.

word for word (adv) [ουουέρ-ντ φορ ουουέρ-ντ] αυτολεξεί.

wording (n) [ουουέρ-ντινγκ] διατύπωση, σύνταξη, φρασεολογία.

wordy (adj) [ουουέρ-ντι] πολύλογος, φλύαρος, πλαδαρός.

work (n) [ουουέρκ] εργάσιμος (n) έργο, δουλειά, εργασία, μόχθος, καθήκον (v) δουλεύω, ενεργώ, λειτουργώ.

worker (n) [ουουέρκερ] εργάτης [ναυτ], εργαζόμενος, δουλευτής.

working (adj) [ουουέρκινγκ] δραστήριος, ενεργητικός, ενεργός.

working class (n) [ουουέρκινγκ κλάας] εργατιά.

workman (n) [ουουέρκμαν] μάστορας.

workmanship (n) [ουουέρκμαν σσιπ] εργασία, μαστοριά.

workroom (n) [ουουέρκρουμ] συνεργείο.

workshop (n) [ουουέρκσσοπ] εργαστήριο, συνεργείο.

world (n) [ουουέρλ-ντ] κτίση, οικουμένη, υφήλιος, κόσμος, γη.

world-wide (adj) [ουουέρλ-ντ-ουάιντ] παγκόσμιος.

worldly (adj) [ουουέρλ-ντλι] εγκόσμιος, επίγειος, κοσμικός, υλιστικός.

worm (n) [ουουέρμ] σκουλήκι, κάμπια (v) έρπω, στριφογυρίζω.

wormy (adj) [ουουέρμι] σκουληκιασμένος, σκωληκοειδής.

worn (adj) [ουόον] πολυκαιρινός, μεταχειρισμένος, φαγωμένος.

worn out (adj) [ουόον άουτ] ξεθεωμένος, παλιωμένος, ψόφιος [μεταφ].

worried (adj) [ουάριντ] στενοχωρημένος, ανήσυχος.

worry (n) [ουάρι] ανησυχία, φροντίδα (v) θορυβούμαι, ξεθεώνω, σκοτίζω, ανησυχώ, ενοχλώ.

worry beads (n) [ουάρι μπίι-ντς] κομπολόγι, κομπολόι.

worse (adj) [ουέρς] χειρότερος.

worsen (v) [ουέρσεν] επιδεινώνω.

worsened (adj) [ουέρσεν-ντ] πεσμένος.

worsening (n) [ουέρσενινγκ] εκτράχυνση, χειροτέρευση, επιδείνωση.

worship (n) [ουέρσσιπ] λατρεία, προσκύνημα (v) λατρεύω.

worshipper (n) [ουέρσσιπερ] λάτρης.

worst (adj) [ουέρστ] χείριστος.

worth (n) ουέρθ] αξία, τιμή, άξιος.

worthless (adj) [ουέρθλες] κάλπικος [μεταφ], ευτελής, μηδαμινός, τιποτέ νιος, άχρηστος (n) νούλα.

worthy (adj) [ουέρδι] αντάξιος, άξιος, αξιόλογος, αξιέπαινος.

wound (n) [ούουν-ντ] χτύπημα, τραύμα, πλήγμα (v) λαβώνω (ex) είθε! (par) θα.

wounding (n) [ούουν-ντινγκ] τραυματισμός.

woven (adj) [ούουβεν] υφαντός.

wraith (n) [ρέιθ] ξωτικό, φάντασμα.

wrangle (n) [ρανγκλ] λογομαχία (v) διαπληκτίζομαι, φιλονικώ, καβγαδίζω.

wrangler (n) [ράνγκλερ] καβγατζής.

wrangling (n) [ράνγκλινγκ] φάγωμα [τσακωμός].

wrap (v) [ραπ] συσκευάζω, περιτυλίγω.

wrap up (v) [ραπ απ] περιτυλίγω, περιτυλίσσω, τυλίγω.

wrapper (n) [ράπερ]συσκευασία, κάλυμμα, περίβλημα, περικάλυμμα.

wrapping (n) [ράπινγκ] περιτύλιγμα, δίπλωση, δίπλωμα, τύλιγμα.

wrath (n) [ροθ] λύσσα [μεταφ], μένος, οργή, αγανάκτηση.

wreath (n) [ριθ] στεφάνι, γιρλάντα.

wreck (v) [ρεκ] γκρεμίζω, ναυαγώ [μεταφ] (n) ερείπιο, σαράβαλο, ναυάγιο.

wreckage (n) [ρέκιντζζ] ναυάγιο, καταστροφή, ερείπια.

wrecked (adj) [ρεκ-τ] σαραβαλιασμένος.

wrecker (n) [ρέκερ] χαλαστής.

wrench (n) [ρεν-τος] εξάρθρωση.

wrest (v) [ρεστ] αποσπώ, ξεκολλώ.

wrestle (v) [ρεσλ] αντιπαλεύω.

wrestler (n) [ρέσλερ] παλαιστής.

wrestling (n) [ρέσλινγκ] πάλη.

wretch (adj) [ρετος] ουτιδανός.

wretched (adj) [ρέτσσι-ντ] καημένος, άθλιος, ατυχής, οικτρός, ελεεινός.

wretchedness (n) [ρέτσσι-ντνες] αθλιότητα, μιζέρια.

wriggle (v) [ριγκλ] ελίσσομαι, κινούμαι, στριφογυρίζω, σπαρταρώ.

wring (v) [ριν-γκ] ξεκολλώ [μεταφ], στύβω, σφίγγω, ζουλώ.

wringing (n) [ρίν-γκινγκ] στύψιμο.

wrinkle (n) [ρινκλ] δίπλα, ζαρωματιά, πτυχή, ρυτίδα (v) ζαρώνω, ρυτιδώνω.

wrinkling (n) [ρίνκλινγκ] ζάρα.

wrist (n) [ριστ] καρπός [ανατ].

wristband (n) [ριστ μπαν-ντ] λουράκι, μανικέτι.

writ (n) [ριτ] ένταλμα, δικαστική πράξη, απόφαση, απαγόρευση.

write (v) [ράιτ] γράφω, συντάσσω.

write down (v) [ράιτ νταουν] σημειώνω.

write off (v) [ράιτ οφ] ξεγράφω.

writer (n) [ράιτερ] συγγραφέας.

writhe (v) [ράιδ] σφαδάζω.

writhing (n) [ράιδινγκ] σύσπαση.

writing (n) [ράιτινγκ] αναγραφή, γραφή, πένα [μεταφ], σύνταξη.

written (adj) [ρίτεν] γραπτός, γραφτός, έγγραφος, γραμμένος.

wrong (adj) [ρονγκ] λανθασμένος, αταίριαστος (n) αδικία, σφάλμα (v) αδικώ, λαθεύω.

wrongly (adv) [ρόνγκλι] κακώς, στραβά, λανθασμένα.

X, x (n) [εξ] το εικοστό τέταρτο γράμμα του αγγλικού αλφαβήτου.

X-ray (n) [έξ-ρέι] ακτινογραφία, ακτινοσκόπηση, ακτινοσκοπώ.

X-ray examination (n) [έξ-ρέι εξαμινέισσον] ραδιοσκόπηση [ιατρ].

X-ray photography (n) [έξ-ρέι φοουτόγκ-ραφι] ραδιογραφία.

X-ray treatment (n) [έξ-ρέι τρίιτμεν-τ] ραδιοθεραπεία.

xanthene (n) [ζάνθιιν] ξανθένιο [χημ].

xathopsia (n) [ζανθόψια] ξανθοψία [παθολ].

xanthous (adj) [ζένθας] ωχροκίτρινος, μογγολοειδής.

Y, y (n) [γουάι] το εικοστό πέμπτο γράμμα του αγγλικού αλφαβήτου.

yabber (n) (v) [ιάμπερ] φλυαρία, φλυαρώ.

yacht (n) [ιοτ] θαλαμηγός, κότερο, γιοτ.

yachting (n) [ιότιγνκ] ιστιοπλοΐα.

yahoo (n) [ιαχούου] κτηνώδης άνθρωπος, κτήνος.

yam (n) [ιάμ] διασκορέα [βοτ], γλυκοπατάτα [ΗΠΑ].

yap (v) [ιάπ] γαβγίζω, φλυαρώ [κοιν], φωνάζω [κοιν].

yard (n) [ιάα-ντ] αυλή, γυάρδα, μάντρα, υάρδα, περίβολος, κεραία [ναυτ].

yarn (n) [ιάαν] νήμα [μάλλινο], ιστορία [κοιν], αφήγημα [κοιν], ανέκδοτο.

yataghan (n) [ιάταγκαν] γιαταγάνι.

yawn (v) [ιόον] χαίνω [μεταφ], χάσκω, χασμουριέμαι (n) χασμουρητό.

xenoglossia (n) [ζενοουγκλόσια] ξενογλωσσία.

xenomania (n) [ζένοουμένια] ξενομανία.

xenophobia (n) [ζένοουφόου-μπια] ξενοφοβία.

xerasia (n) [ζιρέιζια] ξηρασία [παθολ].

xerography (n) [ζιρόγκραφι] ξηρογραφία, ζέροξ.

xerophilous (adj) [ζιρόφιλας] ξηρόφιλος [βοτ, ζωολ].

xylographic (adj) [ζαϊλογράφικ] ξυλογραφικός.

xylography (n) [ζαϊλόγραφι] ξυλογραφία.

xylophone (n) [ζάιλοφοουν] ξυλόφωνο [μουσ].

yawning (adj) [ιόονιγνκ] φαρδύς, ανοικτός, χασμώμενος.

year (n) [ιαρ] χρονιά, έτος, χρόνος, ηλικία.

yearly (adj) [ίαρλι] ετήσιος.

yearn (v) [ιέρν] ποθώ, νοσταλγώ, συμπονώ, λαχταρώ [επιθυμώ].

yearning (n) [ιέρνινγκ] λαχτάρα, πόθος, μεράκι, νοσταλγία, συμπόνια,

yeast (n) [γίιστ] ζύμη, μαγιά, προζύμι.

yell (v) [ιέλ] φωνάζω, αλαλάζω, ξεφωνίζω, ουρλιάζω [από πόνο], σκούζω, ορύομαι (n) φωνή, ξεφωνητό.

yelling (n) [ιέλινγκ] αλαλαγμός, σκούξιμο.

yellow (adj) [ιέλοου] κίτρινος, ξανθός [στάχυ].

yellowish (adj) [ιέλοουις] κιτρινωπός, υποκίτρινος.

yelp (v) [ιέλπ] γαβγίζω.

yes (adv) [ιές] πως, μάλιστα, ναι.

yesterday (adv) [ιέστερντεϊ] εχθές, χθες.

yet (adv) [ιέτ] ακόμα, αλλά, όμως.

yield (n) [γίιλντ] απόδοση, πρόσοδος (v) αποφέρω, δίνω [παράγω], παραδίδομαι, παραχωρώ, προσκυνώ, υποκύπτω, φέρνω, γονατίζω [μεταφ], λυγίζω.

yielding (n) [γίιλ-ντινγκ] υποχώρηση (adj) υποχωρητικός, συγκαταβατικός, μαλακός, εύκαμπτος, ελαστικός.

yoghurt (n) [ιόγκατ] γιαούρτι.

yoke (n) [ιόουκ] ζεύγλα, λαιμαριά, ζυγός (v) ζευγνύω (n) ζευγάρι [βοδιών].

yoking (n) [ιόουκινγκ] ζεύξη, ζέψιμο.

yolk (n) [ιόουκ] κρόκος [αβγού].

you (pron) [γιούl εσύ, σας, σε (ex) βρε!.

young (adj) [ιάνγκ] μικρός, νέος, νεαρός, νεανικός, ανώριμος, άπειρος.

younger (adj) [ιάνγκερ] νεότερος.

youngster (n) [ιάνγκστερ] νεανίας, νεαρός, αγόρι, παιδί.

your (pron) [ιόο] σας, σου.

youth (n) [ιούθ] έφηβος, νεολαία, νεότητα, νιότη, νεανίας, νιάτα.

youthful (adj) [ιούθφουλ] νεανικός, νέος.

youthful composition (n) [ιούθφουλ κομ-ποζίσσον] νεανική όψη.

Yugoslav (n) [ιούγκοουσλαβ] Γιουγκοσλάβος.

Yugoslavia (n) [ιουγκοουσλάαβια] Γιουγκοσλαβία.

Yugoslavian (adj) [ιουγκοουσλάαβιαν] γιουγκοσλαβικός.

Z, z (n) [ζετ] το εικοστό έκτο γράμμα του αγγλικού αλφαβήτου.

zany (n) [ζέινι] γελωτοποιός, κλόουν, παλιάτσος, πλίθιος, βλάκας, τρελλάκιας.

zeal (n) [ζίιλ] θέρμη, θερμότητα [μεταφ], ζήλος, μένος, φλόγα.

zealot (n) [ζέλοτ] ζηλωτής, φανατικός.

zealous (adj) [ζέλας] δραστήριος, ενθουσιώδης.

zebra (n) [ζέ-μπρα] ζέβρα [ζωολ].

zenith (n) [ζένιθ] κορωνίδα, κατακόρυφο [μεταφ], κολοφώνας, απόγειο [μεταφ], αποκορύφωμα, ζενίθ, μεσουράνημα.

zero (n) [ζίροου] νούλα, μηδενικό, μηδέν, τίποτα.

zest (n) [ζεστ] μπρίο, απόλαυση, όρεξη, κέφι, νοστιμάδα, ζωντάνια, σπιρτάδα.

zestful (adj) [ζέστφουλ] ενθουσιώδης.

zeugma (n) [ζιούγκμα] ζεύγμα [γραμμ].

zigzag (n) [ζίγκζαγκ] κορδέλα [μεταφ], ζικ ζακ, ελιγμογραμμία.

zinc (n) [ζινκ] ψευδάργυρος, τσίγκος.

Zionism (n) [Ζάιονιζμ] σιωνισμός.

zip fastener (n) [ζιπ φάασενερ] φερμουάρ.

zippy (adj) [ζίπι] ευκίνητος, εύστροφος, ζωηρός, δραστήριος.

zone (n) [ζόουν] ζώνη.

zoological (adj) [ζουολόντζζικαλ] ζωολογικός.

zoology (n) [ζουόλοντζζι] ζωολογία.

zucchini (n) [ζουκίινι] κολοκυθάκι [ΗΠΑ].

ΠΙΝΑΚΑΣ ΑΝΩΜΑΛΩΝ ΡΗΜΑΤΩΝ
[IRREGULAR VERBS]

infinitive	Past Tense		Past Participle	
abide	abided	αμπάιντεντ	abided	αμπάιντεντ
	abode	αμπόουντ	abode	αμπόουντ
arise	arose	αρόουζ	arisen	αρίζεν
awake	awoke	α-ουόοκ	awoke	αγουόκ
			awaked	αγουέικντ
be	was	ουόζ	been	μπίιν
bear	bore	μπόο	borne	μπόον
beat	beat	μπίιτ	beaten	μπίιτεν
become	became	μπικέιμ	become	μπικάμ
befall	befell	μπιφέλ	befallen	μπιφρόολεν
beget	begot	μπιγκότ	begotten	μπιγκότεν
begin	began	μπιγκάν	begun	μπιγκάν
bereave	bereaved	μπιρίιβντ	bereaved	μπιρίιβντ
	bereft	μπιρέφτ	bereft	μπιρέφτ
bet	bet	μπετ	bet	μπετ
bid	bid	μπιντ	bid	μπιντ
bid	bade	μπέιντ	bidden	μπίντεν
bind	bound	μπάουν-ντ	bound	μπάουν-ντ
bite	bit	μπιτ	bitten	μπίτεν
bleed	bled	μπλεντ	bled	μπλεντ
bless	blessed	μπλεστ	blessed	μπλεστ
blow	blew	μπλιού	blown	μπλόουν
break	broke	μπρόουκ	broken	μπρόουκεν
breed	bred	μπρεντ	bred	μπρεντ
bring	brought	μπροοτ	brought	μπροοτ
broadcast	broadcast	μπρόοντκάαστ	broadcast	μπρόοντκάαστ
build	built	μπιλτ	built	μπιλτ
burn	burnt	μπερν-τ	burnt	μπερν-τ
	burned	μπερντ	burned	μπερντ
burst	burst	μπερστ	burst	μπερστ
buy	bought	μποοτ	bought	μποοτ
cast	cast	κάαστ	cast	κάαστ
catch	caught	κόοτ	caught	κόοτ
choose	chose	τσόσουζ	chosen	τσόσουζεν
cling	clung	κλανγκ	clung	κλανγκ
come	came	κέιμ	come	καμ
cost	cost	κοστ	cost	κοστ
creep	crept	κρεπτ	crept	κρεπτ
cut	cut	κατ	cut	κατ
deal	dealt	ντέλτ	dealt	ντέλτ
dig	dug	νταγκ	dug	νταγκ
do	did	ντι-ντ	done	νταν

infinitive	Past Tense		Past Participle	
draw	drew	ντριού	drawn	ντρόον
dream	dreamt	ντρεμτ	dreamt	ντρεμτ
	dreamed	ντρίιμντ	dreamed	ντρίιμντ
drink	drank	ντρανκ	drunk	ντρανκ
drive	drove	ντρόουβ	driven	ντρίβεν
dwell	dwelt	ντουέλτ	dwelt	ντουέλτ
eat	ate	έπ/ετ	eaten	ίιτεν
fall	fell	φελ	fallen	φόολεν
feed	fed	φε-ντ	fed	φε-ντ
feel	felt	φελτ	felt	φελτ
fight	fought	φόοτ	fought	φόοτ
find	found	φάουν-ντ	found	φάουν-ντ
flee	fled	φλεντ	fled	φλεντ
fling	flung	φλανγκ	flung	φλανγκ
fly	flew	φλιού	flown	φλόουν
forbid	forbade	φόρμπέιντ	forbidden	φόρμπίντεν
forecast	forecast	φόοκάαστ	forecast	φόοκάαστ
	forecasted	φοοκάαστιντ	forecasted	φοοκάαστιντ
foresee	foresaw	φοοσόο	foreseen	φοοσίιν
foretell	foretold	φόοτοουλντ	foretold	φόοτοουλντ
forget	forgot	φογκότ	forgotten	φογκότεν
forgive	forgave	φοργκέιβ	forgiven	φοργκίβεν
freeze	froze	φρόουζ	frozen	φρόουζεν
get	got	γκοτ	got	γκοτ
give	gave	γκέιβ	given	γκίβεν
go	went	ουέν-τ	gone	γκόν
grind	ground	γκράουν-ντ	ground	γκράουν-ντ
grow	grew	γκριού	grown	γκρόουν
hang	hung	χανγκ	hung	χανγκ
	hanged	χανγκ-ντ	hanged	χανγκ-ντ
have	had	χαντ	had	χαντ
hear	heard	χερντ	heard	χερντ
hide	hid	χίντ	hidden	χίντεν
hit	hit	χιτ	hit	χιτ
hold	held	χελ-ντ	held	χελ-ντ
hurt	hurt	χερτ	hurt	χερτ
keep	kept	κεπτ	kept	κεπτ
kneel	knelt	νελτ	knelt	νελτ
knit	knitted	νίτι-ντ	knitted	νίτι-ντ
know	knew	νιού	known	νόουν
lay	laid	λέι-ντ	laid	λέι-ντ
lead	led	λε-ντ	led	λε-ντ
lean	leant	λίιν-τ	leant	λίιν-τ
	leaned	λίιν-ντ	leaned	λίιν-ντ

infinitive	Past Tense		Past Participle	
leap	leapt	λεπτ	leapt	λεπτ
	leaped	λίιπντ	leaped	λίιπντ
learn	learnt	λερν-τ	learnt	λερν-τ
	learned	λέαρντ	learned	λέαρντ
leave	left	λεφτ	left	λεφτ
lend	lent	λεν-τ	lent	λεν-τ
let	let	λετ	let	λετ
lie	lay	λέι	lain	λέιν
light	lit	λιτ	lit	λιτ
lose	lost	λοστ	lost	λοστ
make	made	μέι-ντ	made	μέι-ντ
may	might	μάιτ	-	-
mean	meant	μεν-τ	meant	μεν-τ
meet	met	μετ	met	μετ
mistake	mistook	μιστούκ	mistaken	μιστέικεν
misunderstand	misunderstood	μισαν-ντερστούντ	misunderstood	μισαν-ντερστούντ
mow	mowed	μόουντ	mown	μόουν
overcome	overcame	όουβερκέιμ	overcome	όουβερκάμ
overdo	overdid	όουβερντί-ντ	overdone	όουβερντάν
overdraw	overdrew	όουβερντριού	overdrawn	όουβερντρόον
overeat	overate	όουβερέπ	overeaten	όουβερίπεν
override	overrode	όουβερόουντ	overridden	όουβερίντεν
overrun	overran	όουβερέν	overrun	όουβερράν
oversee	oversaw	όουβερσόο	overseen	όουβερσοίιν
oversleep	overslept	όουβερσλέπτ	overslept	όουβερσλέπτ
overtake	overtook	όουβερτούκ	overtaken	όουβερτέικεν
overthrow	overthrew	όουβερθριού	overthrown	όουβερθρόουν
partake	partook	πάατούκ	partaken	πάατέικεν
pay	paid	πέι-ντ	paid	πέι-ντ
prepay	prepaid	πρίπέιντ	prepaid	πρίπέι-ντ
prove	proved	προυβ-ντ	proved	προυβ-ντ
put	put	πουτ	put	πουτ
quit	quit	κουίτ	quit	κουίτ
	quitted	κουίτι-ντ	quitted	κουίτι-ντ
read	read	ρε-ντ	read	ρε-ντ
recast	recast	ρίικάαστ	recast	ρίικάαστ
rend	rent	ρεν-τ	rent	ρεν-τ
rid	rid	ριντ	rid	ριντ
	ridded	ρίντιντ	ridded	ρίντιντ
ride	rode	ρόου-ντ	ridden	ρίντεν
ring	rang	ρανγκ	rung	ρανγκ
rise	rose	ρόουζ	risen	ρίζεν
run	ran	ραν	run	ραν

infinitive	Past Tense		Past Participle	
saw	sawed	σόοντ	sawn	σόον
say	said	σε-ντ	said	σε-ντ
see	saw	σόο	seen	σίιν
seek	sought	σόοτ	sought	σόοτ
sell	sold	σοουλ-ντ	sold	σοουλ-ντ
send	sent	σεν-τ	sent	σεν-τ
set	set	σετ	set	σετ
sew	sewed	σόου-ντ	sewn	σόουεν
shake	shook	σσοουκ	shaken	σσέικεν
shear	sheared	σσέα-ντ	shorn	σσόον
shed	shed	σσεντ	shed	σσεντ
shine	shone	σσόν	shone	σσόν
shoe	shod	σσο-ντ	shod	σσοοντ
shoot	shot	σσοτ	shot	σσοτ
show	showed	σσόουντ	shown	σσόουν
shrink	shrank	σσράνκ	shrunk	σσρανκ
shut	shut	σσατ	shut	σσατ
sing	sang	σανγκ	sung	σανγκ
sink	sank	σανκ	sunk	σανκ
sit	sat	σατ	sat	σατ
slay	slew	σλιου	slain	σλέιν
sleep	slept	σλεπτ	slept	σλεπτ
slide	slid	σλι-ντ	slid	σλι-ντ
sling	slung	σλανγκ	slung	σλανγκ
slink	slunk	σλανκ	slunk	σλανκ
slit	slit	σλιτ	slit	σλιτ
smell	smelt	σμελτ	smelt	σμελτ
	smelled	σμελντ	smelled	σμελντ
sow	sowed	σόου-ντ	sown	σόουν
speak	spoke	σπόουκ	spoken	σπόουκεν
speed	sped	σπε-ντ	speeded	σπίιντεν
spell	spelt	σπελτ	spelt	σπελτ
	spelled	σπελ-ντ	spelled	σπελ-ντ
spend	spent	σπεν-τ	spent	σπεν-τ
spill	spilt	σπιλτ	spilt	σπιλτ
	spilled	σπιλ-ντ	spilled	σπιλ-ντ
spin	spun	σπαν	spun	σπαν
spit	spat	σπατ	spat	σπατ
split	split	σπλιτ	split	σπλιτ
spoil	spoilt	σπόιλτ	spoilt	σπόιλτ
	spoiled	σπόιλντ	spoiled	σπόιλντ
spread	spread	σπρε-ντ	spread	σπρε-ντ
spring	sprang	σπρανγκ	sprung	σπρανγκ
stand	stood	στου-ντ	stood	στου-ντ

infinitive	Past Tense		Past Participle	
stave	staved	στέιβντ	staved	στέιβντ
steal	stole	στόουλ	stolen	στόουλεν
stick	stuck	στακ	stuck	στακ
sting	stung	στανγκ	stung	στανγκ
stink	stank	στανκ	stunk	στανκ
stride	strode	στρόουντ	stridden	στρίντεν
strike	struck	στρακ	struck	στρακ
string	strung	στρανγκ	strung	στρανγκ
strive	strove	στρόουβ	striven	στρίβεν
swear	swore	σουόο	sworn	σουόορν
sweep	swept	σουέπτ	swept	σουέπτ
swell	swelled	σουέλντ	swelled	σουέλντ
swim	swam	σουάμ	swum	σουάμ
swing	swung	σουάνγκ	swung	σουάνγκ
take	took	τουκ	taken	τέικεν
teach	taught	τόοτ	taught	τόοτ
tear	tore	τόο	torn	τόον
tell	told	τόουλ-ντ	told	τόουλ-ντ
think	thought	θόοτ	thought	θόοτ
throw	threw	θριου	thrown	θρόουν
thrust	thrust	θραστ	thrust	θραστ
tread	trod	τροντ	trodden	τρόντεν
understand	understood	αν-ντερστού-ντ	understood	αν-ντερστού-ντ
undertake	undertook	αν-ντερτούκ	undertaken	αν-ντερτέικεν
unwind	unwound	ανγουάουν-ντ	unwound	ανγουάουν-ντ
uphold	upheld	απχέλντ	upheld	απχέλντ
upset	upset	αποέτ	upset	αποέτ
wake	woke	ουόουκ	woken	ουόκεν
wear	wore	ουόρ	worn	ουόρν
weave	wove	ουόουβ	woven	ουόουβεν
weep	wept	ουέπτ	wept	ουέπτ
wet	wet	ουέτ	wet	ουέτ
win	won	ουάν	won	ουάν
wind	wound	ουάουν-ντ	wound	ουάουν-ντ
withdraw	withdrew	ουίδντριού	withdrawn	ουίδντρόον
withhold	withheld	ουίδχέλντ	withheld	ουίδχέλντ
withstand	withstood	ουίδστούντ	withstood	ουίδστούντ
wring	wrung	ρανγκ	wrung	ρανγκ
write	wrote	ρόουτ	written	ρίτεν

ΕΛΛΗΝΟΑΓΓΛΙΚΟ
ΛΕΞΙΚΟ

A, α (το) [A, a] The first letter of the greek alphabet, the letter A, α.

α! (επιφ) ah!, oh!.

αβάδιστος-η-ο (ε) [avadhistos] pathless, impassable.

αβαθής-ής-ές (ε) [avathis] not deep, shallow.

αβαθμολόγητος-η-ο (ε) [avathmoloyitos] ungraded [επι οργάνων].

άβαθος-η-ο (ε) [avathos] shallow.

άβακας (ο) [avakas] abacus.

άβαλτος-η-ο (ε) [avaltos] unworn, unplanted, not placed.

αβάντα (η) [avanda] advantage, head start.

αβανταδόρος-όρα-όρικο (ε) [avandadhoros] helper.

αβαντάζ (το) [avandaz] advantage.

αβάπτιστος-η-ο (ε) [avaptistos] unbaptized, unchristened.

αβαράρω (ρ) [avararo] shove off.

αβάρετος-η-ο (ε) [avaretos] not beaten, tireless.

αβαρία (η) [avaria] damage, average,.

αβαρυγκόμιστος-η-ο (ε) [avarigomistos] uncomplaining.

αβάς (ο) [avas] abbot.

αβασάνιστα (επ) [avasanista] lightly, unthinkingly.

αβασάνιστος-η-ο (ε) [avasanistos] uncritical, untortured, rash.

αβάσιμος (ο) [avasimos] groundless.

αβάσταχτος-η-ο (ε) [avastahtos] unbearable, untolerable.

άβαφος-η-ο (ε) [avafos] undyed.

άβγαλτος-η-ο (ε) [avgaltos] inexperienced.

αβγατίζω (ρ) [avgatizo] expand, increase.

αβέβαιος-η-ο (ε) [aveveos] doubtful, uncertain, dubious.

αβεβαίωτος-η-ο (ε) [aveveotos] unconfirmed.

αβελτίωτος-η-ο (ε) [aveltiotos] unimproved.

αβέρτος-η-ο (ε) [avertos] open, frank.

αβίαστα (επ) [aviasta] easily, fluently.

αβίαστος-η-ο (ε) [aviastos] unforced, natural, fluent, intact, unhurried.

αβίδωτος-η-ο (ε) [avidhotos] unscrewed.

αβίωτος-η-ο (ε) [aviotos] unbearable, intolerable.

αβλαβής-ής-ές (ε) [avlavis] harmless.

αβλεψία (η) [avlepsia] oversight, inadvertence, misapprehension, carelessness.

αβοήθητος-η-ο (ε) [avoithitos] helpless.

άβολος-η-ο (ε) [avolos] inconvenient, awkward.

αβουλία (η) [avulia] irresolution, indecision.

αβούλητος-ος-ο (ε) [avulitos] unintentional, unwilling.

αβούρτσιστος-η,ο (ε) [avurtsistos] unbrushed, unkempt.

αβράβευτος-η-ο (ε) [avraveftos] unrewarded.

άβραστος-η-ο (ε) [avrastos] uncooked.

άβρεχτος-η-ο (ε) [avrehtos] dry.

αβρόμιστος-η-ο (ε) [avromistos] clean, not dirtied.

αβρός-ή-ό (ε) [avros] courteous, polite, considerate.

αβρότητα (n) [avrotita] courtesy, consideration, politeness.

αβροφροσύνη (n) [avrofrosini] civility, politeness.

αβύθιστος-η-ο (ε) [avithistos] unsinkable, afloat.

αβυσσαλέος-α-ο (ε) [avissaleos] infernal, bottomless, unfathomable.

άβυσσος (n) [avissos] abyss, chasm.

αγαθά (τα) [agatha] possessions, property.

αγαθιάρης-α (o) [agathiaris] fool.

αγαθό (το) [agathon] possession.

αγαθοεργία (n) [agathoeryia] good work, charity, benevolence, beneficence.

αγαθοεργός-ή-ό (ε) [agathoergos] charitable, generous.

αγαθός-ή-ό (ε) [agathos] good, naive.

αγαθοσύνη (n) [agathosini] credulity, gullibility.

αγάλια (επ) [agalia] slowly, gradually.

αγαλλίαση (n) [agalliasi] exultation, elation.

αγάλλομαι (ρ) [agallome] rejoice, jubilate.

άγαλμα (το) [agalma] statue.

αγαλματένιος-α-ο (ε) [agalmatenios] statuesque.

αγαμία (n) [agamia] bachelorhood, celibacy.

άγαμος-η-ο (ε) [agamos] unmarried, single.

αγανάκτηση (n) [aganaktisi] indignation, anger, rage.

αγανακτισμένος-η-ο (μ) [aganaktismenos] indignant, angry.

αγανακτώ (ρ) [aganakto] be irritated, be indignant.

αγάπη (n) [agapi] love, affection, agape [εκκλ], charity [εκκλ].

αγαπημένος-η-ο,(μ) [agapimenos] beloved, favourite [πράγμα].

αγαπητικιά (n) [agapitikia] mistress, lover.

αγαπητικός (o) [agapitikos] lover, sweetheart, pimp [νταβατζής].

αγαπητός-ή-ό (ε) [agapitos] dear.

αγαπώ (ρ) [agapo] love, like, be fond of.

άγαρμπος-η-ο (ε) [agarmbos] clumsy, angular, ungraceful, coarse, rough.

αγγαζάρισμα (το) [angazarisma] booking.

αγγαρεύω (ρ) [angarevo] to force.

αγγειακός-ή,ό (ε) [angiakos] vascular.

αγγειεκτομή (n) [angiektomi] vasectomy.

αγγείο (το) [angio] vase, blood vessel [ανατ].

αγγειοπλαστική (n) [angeoplastiki] pottery.

αγγελία (n) [angelia] announcement, advertisement [εμπορ].

αγγελιαφόρος (o) [angeliaforos] messenger, orderly [στρατ].

αγγελικός-ή-ό (ε) [anggelikos] angelical.

αγγελιοφόρος (o) [angelioforos] messenger, orderly [στρατ], courier.

αγγέλλω (ρ) [angello] announce.

άγγελμα (το) [angelma] notice.

άγγελος (o) [angelos] angel, annunciator.

άγγιγμα (το) [angigma] touch, feel.

αγγίζω (ρ) [angizo] touch, dab, feel, appeal.

άγγιχτος-η-ο (ε) [angihtos] intact, untouched.

Αγγλία (n) [Anglia] England.

αγγλικά (επ) (τα) [anglika] English.

αγγλικανικός-ή-ό (ε) [anglikanos] Anglican.

αγγλικός-ή-ό (ε) [anglikos] English.

Άγγλος (o) [Anglos] Englishman.

αγγλόφωνας (o) [anglofonas] English-speaking.

αγγούρι (το) [anguri] cucumber.

άγδυτος-η-ο (ε) [agdhitos] dressed.

αγελάδα (n) [ayeladha] cow.

αγελαδοτρόφος (ο) [ayeladhotrofos] cowman.

αγέλαστος-η-ο (ε) [ayelastos] morose, sullen, cheerless.

αγέλη (n) [ayeli] flock, pack, bevy, herd.

αγέμιστος-η-ο (ε) [ayemistos] empty, not filled.

αγένεια (n) [ayenia] discourtesy, impoliteness, rudeness.

αγενής-ής-ές (ε) [ayenis] rude, impolite, discourteous.

αγέννητος-η-ο (ε) [ayennitos] unborn.

αγέραστος-η-ο (ε) [ayerastos] ageless, robust, unaging.

αγέρωχος-η-ο (ε) [ayerohos] arrogant, haughty, overbearing.

αγεφύρωτος-η-ο (ε) [ayefirotos] unbridgeable, unbridged.

άγημα (το) [ayima] landing-party.

άγια (επ) [ayia] saintly, godly.

αγιάζι (το) [ayiazi] hoarfrost, morning cold.

αγιάζω (ρ) [ayiazo] become a saint, bless, hallow.

αγιασμός (ο) [ayiasmos] blessing with holy water.

αγιαστούρα (n) [ayiastura] aspergillum, sprinkler.

αγιάτρευτος-η-ο (ε) [ayiatreftos] incurable, uncured.

αγίνωτος-η-ο (ε) [ayinotos] unripe, raw, undone, unmade.

αγιογραφία (n) [ayiografia] religious painting.

αγιόκλημα (το) [ayioklima] honeysuckle.

Αγιονόρος (το) [Ayionoros] Mount Athos.

αγιοποιώ (ρ) [ayiopio] canonize, sanctify.

άγιος-α-ο (ε) [ayios] saint, ghostly, holy.

αγιοσύνη (n) [ayiosini] holiness, saintliness.

αγιότητα (n) [ayiotita] holiness, saintliness.

αγκαζάρω (ρ) [angazaro] reserve, book.

αγκαζέ (επ) [angazé] engaged, reserved.

αγκαθωτός-ή-ό (ε) [angathotos] thorny, prickly.

αγκαλιά (n) [angalia] armful, arms.

αγκαλιάζομαι (ρ) [agaliazome] clinch.

αγκαλιάζω (ρ) [angaliazo] embrace, hug.

αγκάλιασμα (το) [angaliasma] hug.

αγκίδα (n) [angidha] splinter, thorn.

αγκινάρα (n) [anginara] artichoke.

αγκίστρι (το) [angistri] hook.

άγκιστρο (το) [angistro] cleat, crampon, hook, crook.

αγκιστρώνω (ρ) [angistrono] hook, hitch.

αγκίστρωση (n) [angistrosi] hooking.

αγκιστρωτής (ο) [angistrotis] hooker.

αγκομαχώ (ρ) [angomaho] gasp, pant, breathe deeply.

αγκράφα (n) [angrafa] clasp, buckle.

αγκύλες (οι) [angiles] brackets.

αγκύλη (n) [angili] bracket, anchylosis [ιατρ], bent, curve, joint.

αγκύλωμα (το) [angiloma] pricking, stinging, pang [μεταφ].

αγκυλώνω (ρ) [angilono] prick, sting, hurt.

αγκύλωση (n) [angilosi] anchylosis [ιατρ], cramp.

αγκυλωτός-ή-ό (ε) [angilotos] hooked, bent, anchylotic, crooked.

άγκυρα (n) [angira] anchor.

αγκυροβολημένος-η-ο (μ) [angirovolimenos] anchored.

αγκυροβολία (n) [angirovolia] mooring.

αγκυροβόλιο (το) [angirovolio] anchorage, moorage.

αγκυροβολώ (ρ) [angirovolo] anchor, drop anchor.

αγκωνάρι (το) [angonari] corner-stone, pillar, protector [μεταφ].

αγκώνας (ο) [angonas] elbow.

αγναντεύω (ρ) [agnandevo] see from a distance, survey, look far away.

άγνοια (n) [agnia] ignorance.

αγνός-ή-ό (ε) [agnos] modest, pure, innocent.

αγνότητα (n) [agnotita] continence, honesty.

αγνοώ (ρ) [agnoo] be ignorant of, balk, not know.

αγνώμονας (ο) [agnomonas] ungrateful.

αγνωμοσύνη (n) [agnomosini] ingratitude.

αγνώριστος-n-ο (ε) [agnoristos] unrecognizable, unrecognized.

άγνωστος-n-ο (ε) [agnostos] unknown, unidentified, strange, unfamiliar, obscure (ο) stranger, unindentified.

αγόγγυστος-n-ο (ε) [agongistos] uncomplaining, patient.

αγονία (n) [agonia] sterility.

άγονος-n-ο (ε) [agonos] infertile, sterile.

αγορά (n) [agora] market, purchase, buying.

αγοραζόμενος-n-ο (ε) [agorazomenos] buyable.

αγοράζω (ρ) [agorazo] buy, bribe [μεταφ].

αγοραίος-α-ο (ε) [agoreos] for hire, vulgar, common [μεταφ].

αγορανομία (n) [agoranomia] market inspection police.

αγοραστής (ο) [agorastis] buyer.

αγοραστικός-ή-ό (ε) [agorastikos] buying.

αγόρευση (n) [agorefsi] speech, address.

αγορεύω (ρ) [agorevo] make a speech.

αγόρι (το) [agori] boy-friend, boy.

αγορίστικα (επ) [agoristika] boyishly.

αγορίστικος-n-ο (ε) [agoristikos] boyish.

αγοροκόριτσο (το) [agorokoritso] tomboy.

αγουροξυπνώ (ρ) [aguroksipno] get out of the wrong side of bed.

άγουρος-n-ο (ε) [aguros] unripe, sour.

αγράμματος-n-ο (ε) [agrammatos] illiterate, uneducated.

αγραμματοσύνη (n) [agrammatosini] illiteracy, ignorance.

αγράμπελη (n) [agrambeli] clematis, wild woodbine.

άγραφος-n-ο (ε) [agrafos] unwritten, blank.

άγρια (επ) [agria] brutally, agressively.

αγριάδα (n) [agriadha] fierceness, nastiness, agressiveness.

αγριάνθρωπος (ο) [agrianthropos] savage, bully.

αγριεύω (ρ) [agrievo] be infuriated, frighten, scare.

αγρίμι (το) [agrimi] wild animal, rude fellow, unsociable person.

αγριογούρουνο (το) [agriogourouno] wild boar.

αγριοκάτσικο (το) [agriokatsiko] chamois.

αγριόκλημα (το) [agrioklima] bryony.

αγριοκοιτάζω (ρ) [agriokitazo] scowl, glare, glower at.

άγριος-α-ο (ε) [agrios] aggressive, wild, savage, bleak, harsh.

αγριότητα (n) [agriotita] wildness, savagery, fierceness, ferocity.

αγριοφωνάρα (n) [agriofonara] bawl, shout.

αγριόχορτα (τα) [agriohorta] weeds, wild herbs.

αγριωπός-ή-ό (ε) [agriopos] scowling, glowering.

αγροικία (n) [agrikia] farmhouse, countryhouse.

αγρόκτημα (το) [agroktima] farmland.

αγρονόμος (ο) [agronomos] agronomist.

αγρός (ο) [agros] field, country.

αγρότης (ο) [agrotis] farmer, peasant.

αγροτικός-ή-ό (ε) [agrotikos] agricultural, rural, rustic.

αγροφυλακή (n) [agrofilaki] agrarian police, rural police.

αγρυπνία (n) [agripnia] sleeplessness.

άγρυπνος-n-ο (ε) [agripnos] sleepless, alert, on one's guard.

αγρυπνώ (ρ) [agripno] be sleepless, be vigilant, lie awake.

αγύρευτος-n-ο (ε) [ayireftos] unclaimed, unsought.

αγύριστος-n-ο (ε) [ayiristos] not returned, not reversed, stubborn [μεταφ].

αγύρτης (ο) [ayirtis] charlatan, imposter.

αγχιστεία (n) [aghistia] relationship by marriage, affinity.

αγχόνη (n) [aghoni] gallows.

άγχος (το) [aghos] anxiety, anguish, strain, pressure, racket.

αγχώδης-ης-ες (ε) [aghodhis] nervous, easily worried.

άγω (ρ) [ago] lead, conduct, guide.

αγωγή (n) [agoyi] breeding, conduct, action, lawsuit [νομ],education, upbringing, treatment [ιατρ].

αγώγι (το) [agoyi] fare, carriage.

αγωγιάτης (ο) [agoyiatis] muledriver.

αγώγιμος-η-ο (ε) [agoyimos] actionable, conductible, conductive.

αγωγιμότητα (n) [agoyimotita] conductivity, conductance.

αγωγός (ο) [agogos] conductor, pipe, conduit [σωλήνας], drain, lead.

αγώνας (ο) [agonas] struggle, fight, contest [αθλητ], bout, match [αθλητ], event.

αγώνες (οι) [agones] games, sporting events.

αγωνία (n) [agonia] agony, anxiety.

αγωνίζομαι (ρ) [agonizome] struggle, combat.

αγωνιστής (ο) [agonistis] contestant.

αγωνιώ (ρ) [agonio] be in agony, be anxious, endeavour, struggle, try hard.

αγωνιώδης-ης-ες (ε) [agoniodhis] anxious, troubled, agonized, desperate, agonizing.

αδαής-ής-ές (ε) [adhais] inexperienced, ignorant [of].

αδαμάντινος-η-ο (ε) [adhamandinos] diamond, sterling [μεταφ].

αδαμαντοπώλης (ο) [adhamantopolis] jeweller.

αδαμαντωρυχείο (το) [adhamandorihio] diamond mine.

αδάμαστος-η-ο (ε) [adhamastos] untamed, unconquerable [λαός].

αδαμιαίος-α-ο (ε) [adhamieos] nude, naked.

αδάπανος-η-ο (ε) [adhapanos] inexpensive.

αδασμολόγητος-η-ο (ε) [adhasmoloyitos] duty-free.

άδεια (n) [adhia] leave, permission, licence [γάμου κτλ].

αδειάζω (ρ) [adhiazo] empty, evacuate.

αδειανός-ή-ό (ε) [adhianos] empty, vacant.

άδειασμα (το) [adhiasma] emptying, evacuation, unloading.

άδειος-α-ο (ε) [adhios] empty, unoccupied, vacant.

αδέκαρος-η-ο (ε) [adhekaros] penniless, broke.

αδέκαστος-η-ο (ε) [adhekastos] incorruptible, unbiased, impartial [αμερόληπτος].

αδελφή (n) [adhelfi] sister, nurse, homosexual [αργκό].

αδελφικός-ή-ό (ε) [adhelfikos] brotherly, sisterly, fraternal, friendly.

αδελφικότητα (n) [adhelfikotita] brotherliness, friendliness.

αδελφός (ο) [adhelfos] brother.

αδελφοσύνη (n) [adhelfosini] brotherhood, brotherliness, fraternity.

αδελφότητα (n) [adhelfotita] guild, society.

αδένας (ο) [adhenas] gland.

αδενικός-ή-ό (ε) [adhenikos] glandular.

αδενοπάθεια (n) [adhenopathia] adenopathy, glandular fever.

αδένωμα (το) [adhenoma] adenoma.

αδέξια (επ) [adheksia] clownishly, awkwardly.

αδέξιος-α-ο (ε) [adheksios] awkward, clumsy, impolite, unskillful.

αδεξιότητα (n) [adheksiotita] awkwardness, clumsiness.

αδέσμευτος-η-ο (ε) [adhesmeftos] under no obligation, uncommited, free.

αδέσποτος-η-ο (ε) [adhespotos] stray, vacant.

άδετος-η-ο (ε) [adhetos] loose, free.

άδηλος-n-o (ε) [adhilos] uncertain, invisible income [άδηλοι πόροι], dubious.

αδήλωτος-n-o (ε) [adhilotos] unregistered, undeclared.

αδημονία (n) [adhimonia] anxiety, impatience, expectancy, concern.

αδημονώ (ρ) [adhimono] be anxious, be impatient, look forward to.

αδημοσίευτος-n-o (ε) [adhimosieftos] unpublished, unpublishable.

αδηφάγος (ο) [adhifagos] greedy [μεταφ], ravenous.

αδιάβαστος-n-o (ε) [adhiavastos] unread [βιβλίο], unprepared [μαθητής].

αδιάβατος-n-o (ε) [adhiavatos] impassable.

αδιάβλητος-n-o (ε) [adhiavlitos] irreproachable, faultless, blameless.

αδιάβροχο (το) [adhiavroho] raincoat, waterproof coat.

αδιάβροχος-n-o (ε) [adhiavrohos] waterproof, rainproof.

αδιαθεσία (n) [adhiathesia] indisposition, ailment, discomfort.

αδιάθετος-n-o (ε) [adhiathetos] unwell [υγεία], indisposed.

αδιαθετώ (ρ) [adhiatheto] be unwell, feel faint.

αδιαίρετος-n-o (ε) [adhieretos] indivisible, undivided.

αδιάκοπος-n-o (ε) [adhiakopos] uninterrupted, continuous, constant.

αδιακόσμητος-n-o (ε) [adhiakosmitos] undecorated, unadorned.

αδιακρισία (n) [adhiakrisia] indiscretion, tactlessness.

αδιάκριτος-n-o (ε) [adhiakritos] imperceptible, inconsiderate, tactless.

αδιάλειπτος-n-o (ε) [adhialiptos] uninterrupted, continuous.

αδιάλλακτος-n-o (ε) [adhiallaktos] uncompromising, intolerant.

αδιαλλαξία (n) [adhiallaksia] intransigence, intolerance, bigotry.

αδιάλυτος-n-o (ε) [adhialitos] indissoluble, undissolved.

αδιαμαρτύρητος-n-o (ε) [adhiamartiritos] uncomplaining, resigned.

αδιαμόρφωτος-n-o (ε) [adhiamorfotos] formless, shapeless.

αδιαμφισβήτητος-n-o (ε) [adhiamfisvititos] indisputable, conclusive.

αδιανέμητος-n-o (ε) [adhianemitos] undistributed, undivided.

αδιανοησία (n) [adhianoisia] narrow mindedness.

αδιανόητος-n-o (ε) [adhianoitos] unthinkable, irrational, inconsiderate.

αδιαντροπιά (n) [adhiandropia] shamelessness, boldness.

αδιάντροπος-n-o (ε) [adhiandropos] insolent, brash, shameless.

αδιαπέραστος-n-o (ε) [adhiaperastos] impermeable, impervious.

αδιάπτωτος-n-o (ε) [adhiaptotos] unfailing, lasting, steady, stable.

αδιάρρηκτος-n-o (ε) [adhiarriktos] unbreakable, indissoluble [μεταφ].

αδιάσειστος-n-o (ε) [adhiasistos] irrefutable, unshakeable.

αδιάσπαστος-n-o (ε) [adhiaspastos] inseparable, unbreakable, continuous.

αδιατάρακτος-n-o (ε) [adhiataraktos] undisturbed, unbroken.

αδιάφθορος-n-o (ε) [adhiafthoros] incorruptible.

αδιαφιλονίκητος-n-o (ε) [adhiafilonikitos] unquestionable, conclusive, uncontested.

αδιάφορα (επ) [adhiafora] carelessly.

αδιαφορία (n) [adhiaforia] indifference, apathy, disregard, inconcern, insensibility.

αδιάφορος-n-o (ε) [adhiaforos] indifferent, uninterested.

αδιαφορώ (ρ) [adhiaforo] be indifferent to.

αδιάψευστος-n-o (ε) [adhiapsefstos] undeniable.

αδίδαχτος-n-o (ε) [adhidhahtos] untrained, uneducated.

αδιεκπεραίωτος-η-ο (ε) [adhiekpereotos] not finished, undone.

αδιέξοδος-η-ο (ε) [adhieksodhos] impasse, dead-end [δρόμος].

αδιερεύνητος-η-ο (ε) [adhierevnitos] unexplored, uninvestigated.

αδιευκρίνιστος-η-ο (ε) [adhiefkrinistos] unclarified, obscure.

αδικαιολόγητος-η-ο (ε) [adhikeoloyitos] unjustifiable, inexcusable.

αδίκαστος-η-ο (ε) [adhikastos] untried.

αδίκημα (το) [adhikima] injustice, wrong.

αδικία (η) [adhikia] injustice.

άδικο (το) [adhiko] wrong.

άδικος-η-ο (ε) [adhikos] unfair, wrong.

αδικώ (ρ) [adhiko] do wrong, misrepresent.

αδιοίκητος-η-ο (ε) [adhiikitos] without administration, ungovernable [χώρα, λαός].

αδιόρατος-η-ο (ε) [adhioratos] imperceptible, intangible.

αδιοργάνωτος-η-ο (ε) [adhiorganotos] unorganized.

αδιόρθωτος-η-ο (ε) [adhiorthotos] irreparable, hopeless, uncorrected.

αδίσταχτος-η-ο (ε) [adhistahtos] unhesitating, ruthless.

αδίωκτος-η-ο (ε) [adhioktos] unprosecuted.

αδόκητος-η-ο (ε) [adhokitos] sudden, unexpected.

αδοκίμαστος-η-ο (ε) [adhokimastos] untried, inexperienced.

αδοκίμως (επ) [adhokimos] loosely.

άδολος-η-ο (ε) [adholos] guileless, innocent, honest, true.

άδοξος-η-ο (ε) [adhoksos] inglorious, fameless, undistinguished.

αδούλευτος-η-ο (ε) [adhuleftos] raw, uncultivated [αγρός], rough.

αδούλωτος-η-ο (ε) [adhulotos] unconquerable, free.

αδράνεια (η) [adhrania] inertia, inactiv-

ity, inertness, laziness.

αδρανής-ής-ές (ε) [adhranis] inert, inactive, sluggish.

αδράχνω (ρ) [adhrahno] grip, grasp, seize, clutch.

αδράχτι (το) [adhrahti] spindle.

αδρός-ή-ό (ε) [adhros] handsome [αμοιβή], big, rough, rugged.

αδυναμία (η) [adhinamia] deficiency, weakness.

αδύναμος-η-ο (ε) [adhinamos] weak.

αδυνατίζω (ρ) [adhinatizo] slim, become weaker.

αδυνάτισμα (το) [adhinatisma] slimming, weakening.

αδύνατον (το) [adhinaton] impossible, impossibility.

αδύνατος-η-ο (ε) [adhinatos] thin, impossible [δεν γίνεται].

αδυνατώ (ρ) [adhinato] be unable to, cannot, be in no position to.

αδυσώπητος-η-ο (ε) [adhisopitos] relentless, deadly.

άδυτο (το) [adhito] sanctuary.

αεί (επ) [ai] always, for ever.

αειθαλής-ής-ές (ε) [aithalis] evergreen.

αεικίνητος-η-ο (ε) [aikinitos] in perpetual motion, restless.

αείμνηστος (ο) [aimnistos] late, fondly remembered.

αειφανής-ής-ές (ε) [aifanis] circumpolar.

αεράκι (το) [aeraki] breeze.

αεράμυνα (η) [aeramina] air defence, civil defence.

αέρας (ο) [aeras] air, wind, clearance.

αερασκός (ο) [aeraskos] airbag.

αεράτος-η-ο (ε) [aeratos] cheery, suave.

αεργία (η) [aeryia] idleness, inactivity.

άεργος-η-ο (ε) [aergos] unemployed, idle, inactive.

αερίζω (ρ) [aerizo] ventilate, air.

αερικό (το) [aeriko] elf, fairy.

αέριο (το) [aerio] flatus, gas.

αεριούχος-α-ο (ε) [aeriuhos] aerated, brisk, carbonated.

αερίόφως (το) [aeriofos] gas, gaslight.

αερισμός (ο) [aerismos] ventilation.

αεριστήρας (ο) [aeristiras] ventilator.

αεροβατώ (ρ) [aerovato] daydream.

αεροβόλο (το) [aerovolo] airgun.

αερογέφυρα (n) [aeroyefira] airlift.

αεροδρόμιο (το) [aerodhromio] airport, airfield.

αεροδυναμική (n) [aerodhinamiki] aerodynamics.

αεροθάλαμος (ο) [aerothalamos] air chamber.

αερόθερμο (το) [aerothermo] fan heater.

αερόλιθος (ο) [aerolithos] meteorite, aerolite.

αερολιμένας (ο) [aerolimenas] airport, air terminal.

αερολογίες (οι) [aeroloyies] foolish talk.

αεροναυπηγός (ο) [aeronafpigos] aircraft-builder.

αεροπειρατεία (n) [aeropiratia] high jacking.

αεροπειρατής (ο) [aeropiratis] hijacker.

αεροπλάνο (το) [aeroplano] aeroplane.

αεροπλανοφόρο (το) [aeroplanoforo] aircraft carrier.

αεροπορία (n) [aeroporia] air force.

αεροπορικός-ή-ό (ε) [aeroporikos] aviation.

αεροπορικώς (επ) [aeroporikos] by air.

αεροπόρος (ο) [aeroporos] airman, aviator, flier, pilot.

αεροσκάφος (το) [aeroskafos] aircraft.

αερόστατο (το) [aerostato] balloon.

αεροσυνοδός (n) [aerosinodhos] air hostess.

αερόψυκτος-η-ο (ε) [aeropsiktos] air-cooled.

αετόπουλο (το) [aetopulo] eaglet.

αετός (ο) [aetos] eagle, clever person [μεταφ], kite [χαρταετός].

αζήτητος-η-ο (ε) [azititos] unclaimed.

άζυμος-η-ο (ε) [azimos] unleavened.

απδής-ής-ές (ε) [aidhis] loathsome.

απδία (n) [aidhia] disgust, loathing.

απδιάζω (ρ) [aidhiazo] feel disgust for.

απδιαστικός-ή-ό (ε) [aidhiastikos] loathsome, revolting, repulsive, repulsive, sickly.

απδόνι (το) [aidhoni] nightingale.

απτητος-η-ο (ε) [aittitos] undefeated, unbeatable.

αθανασία (n) [athanasia] immortality.

αθάνατος-η-ο (ε) [athanatos] immortal, deathless, everlasting.

αθεΐα (n) [atheia] atheism.

αθεϊστικός-ή-ό (ε) [atheistikos] atheistic.

άθελα (επ) [athela] unintentionally.

αθέλητος-η-ο (ε) [athelitos] involuntary, unintentional, unwitting, unconscious.

αθέμιτος-η-ο (ε) [athemitos] illegal, unethical.

άθεος-η-ο (ε) [atheos] atheistic.

αθεόφοβος-η-ο (ε) [atheofovos] rascal, rogue, ungodly, accursed.

αθεράπευτος-η-ο (ε) [atherapeftos] uncured, hopeless.

αθέρας (ο) [atheras] cutting edge.

αθέριστος-η-ο (ε) [atheristos] unreaped, unmowed, standing.

άθερμος-η-ο (ε) [athermos] cold-blooded.

αθέτηση (n) [athetisi] breach, violation.

αθετώ (ρ) [atheto] break one's word, violate.

Αθηναίος (ο) [Athineos] Athenian.

αθίγγανος (ο) [athinganos] gypsy, bohemian.

άθικτος-η-ο (ε) [athiktos] intact, untouched, unharmed.

άθλημα (το) [athlima] sport, game.

άθληση (n) [athlisi] exercises, gymnastics, athletics.

αθλητής (ο) [athlitis] athlete.

αθλητικός-ή-ό (ε) [athlitikos] athletic.

άθλιος-α-ο (ε) [athlios] miserable, mean, poor, bad.

αθλιότητα (n) [athliotita] misery, wretchedness, squalor, shabbiness.

άθλος (o) [athlos] feat, deed, exploit.

αθόρυβα (επ) [athoriva] quietly.

αθόρυβος-η-ο (ε) [athorivos] quiet.

άθραυστος-η-ο (ε) [athrafstos] unbroken, unbreakable.

αθρήνητος-η-ο (ε) [athrinitos] unlamented, unmourned.

αθροίζω (ρ) [athrizo] add up, gather.

άθροιση (n) [athrisi] addition, augmentation, increment.

άθροισμα (το) [athrisma] sum, total.

αθροιστικά (επ) [athristika] cumulatively.

αθροιστικός-ή-ό (ε) [athristikos] cumulative, adding.

αθρόος-α-ο (ε) [athroos] numerous.

αθυμία (n) [athimia] depression.

αθυροστομία (n) [athirostomia] indiscretion.

αθυσίαστος-η-ο (ε) [athisiastos] unsacrificed.

αθώος-α-ο (ε) [athoos] innocent naive, harmless.

αθωότητα (n) [athootita] innocence.

αθωώνω (ρ) [athoono] acquit, absolve, clear.

αθώωση (n) [athoosi] acquittal.

αθωωτικός-ή-ό (ε) [athootikos] absolvatory.

αιγιαλός (o) [eyialos] seashore.

αίγλη (n) [egli] splendour, glory.

Αιγόκερως (o) [egokeros] Capricorn.

αιγόκλημα (το) [egoklima] honeysuckle, woodbine [βοταν].

Αιγύπτιος (o) [Aiyiptios] Egyptian.

Αίγυπτος (n) [Aiyiptos] Egypt.

αιδεσιμότατος (o) [edhesimotatos] Very Reverend, Right Reverend.

αιδοίο (το) [edhio] pudenda, vulva [γυν].

αιδώς (n) [edhos] decency, modesty.

αιθέρας (o) [etheras] ether [χημ], air, awn.

αιθέριος-α-ο (ε) [etherios] ethereal.

αίθουσα (n) [ethusa] large room, hall, classroom.

αιθρία (n) [ethria] clear skies, calm.

αιθριάζω (ρ) [ethriazo] clear up.

αίθριος-α-ο (ε) [ethrios] bright, fair.

αιλουροειδής-ής-ές (ε) [eluroidhis] feline, cat-like.

αίμα (το) [ema] blood.

αιματηρός-ή-ό (ε) [ematiros] bloodstained, bloody.

αιματοκηλίδα (n) [ematokilidha] bloodstain.

αιματοχυσία (n) [ematohisia] bloodshed, blood-bath.

αιμοβορία (n) [emovoria] bloodlust.

αιμοδιψής-ής-ές (ε) [emodhipsis] bloodthirsty, murderous.

αιμοδοσία (n) [emodhosia] blood donation.

αιμοδότης (o) [emodhotis] blood donor.

αιμομειξία (n) [emomiksia] incest.

αιμορραγία (n) [emorrayia] haemorrhage [ιατρ], bleeding.

αιμορραγώ (ρ) [emorago] bleed.

αιμόρροια (n) [emorria] bleeding.

αιμορροΐδες (οι) [emorroidhes] haemorrhoids.

αιμορροώ (ρ) [emorroo] bleed.

αιμοσταγής (ε) [emostayis] bloodstained [μεταφ], murderous.

αιμοσφαίριο (το) [emosferio] blood corpuscle, blood cell [ιατρ, ανατ].

αίνιγμα (το) [enigma] enigma, puzzle, mystery.

αινιγματικός-ή-ό (ε) [enigmatikos] enigmatic, cryptic, puzzling.

άιντε! (επιφ) [ainde]! come on, move on, let's go.

αίρεση (n) [eresi] approval, condition, proviso.

αιρετός-ή-ό (ε) [eretos] elected, elective.

αισθάνομαι (ρ) [esthanome] feel, sense, experience.

αίσθημα (το) [esthima] feeling.

αισθήματα (τα) [esthimata] feelings.

αισθηματίας (ο) [esthimatias] sentimentalist.

αισθηματικός-ή-ό (ε) [esthimatikos] sentimental.

αίσθηση (n) [esthisi] sense, sensation, feeling.

αισθησιακός-ή-ό (ε) [esthisiakos] sensual, sensuous, voluptuous.

αισθητά (επ) [esthita] appreciably.

αισθητικός (n) [esthitikos] aesthetician, beautician.

αισθητός-ή-ό (ε) [esthitos] perceptible, noticeable.

αισιοδοξία (n) [esiodhoksia] optimism, hopefulness.

αισιόδοξος-n-o (ε) [esiodhoksos] optimistic, hopeful.

αισιοδοξώ (ρ) [esiodhokso] be optimistic, be hopeful.

αίσιος-α-ο (ε) [esios] happy, favourable.

αισίως (επ) [esios] auspiciously.

αίσχος (το) [es-hos] shame, disgrace.

αισχροκέρδεια (n) [es-hrokerdhia] overcharging.

αισχοκερδώ (ρ) [es-hrokerdho] overprice, overcharge .

αισχρολογία (n) [es-hroloyia] obscenity.

αισχρολόγος-α-ο (ε) [es-hrologos] foul-mouthed.

αισχρός-ή-ό (ε) [es-hros] shameful, obscene, indecent, filthy, foul.

αισχρότητα (n) [es-hrotita] obscenity.

αίτημα (το) [etima] demand, request.

αίτηση (n) [etisi] application, request.

αιτία (n) [etia] cause, reason.

αιτιατική (n) [etiatiki] accusative.

αίτιο (το) [etio] cause, motive.

αιτιολογία (n) [etioloyia] explanation, reasoning, rationale.

αιτιολογικό (το) [etioloyiko] reasons, grounds.

αιτιολογώ (ρ) [etiologo] justify.

αίτιος-α-ο (ε) [etios] responsible.

αιτιότητα (n) [etiotita] causality, causation.

αιτιώδης-ης-ες (ε) [etiodhis] causal.

απούμαι (ρ) [etume] beg, solicit, request.

αιτώ (ρ) [eto] request, apply.

αιτών (ο) [eton] applicant.

αίφνης (επ) [efnis] suddenly.

αιφνίδια (επ) [efnidhia] unexpectedly.

αιφνιδιάζω (ρ) [efnidhiazo] surprise.

αιφνιδιασμός (ο) [efnidhiasmos] surprise.

αιφνιδιαστικός-ή-ό (ε) [efnidhiastikos] surprising, unexpected.

αιφνίδιος-α-ο (ε) [efnidhios] sudden (ο) suddenness.

αιχμαλωσία (n) [ehmalosia] captivity.

αιχμαλωτίζω (ρ) [ehmalotizo] take captive.

αιχμαλωτιστής (ο) [ehmalotistis] captor.

αιχμάλωτος-n-o (ε) [ehmalotos] prisoner, captive, slave [μεταφ].

αιχμή (n) [ehmi] point [βελόνας], head.

αιχμηρός-ή-ό (ε) [ehmiros] pointed, sharp.

αιώνας (ο) [eonas] age, century, eternity [μεταφ].

αιώνιος-α-ο (ε) [eonios] eternal.

αιωνιότητα (n) [eoniotita] eternity.

αιωνόβιος-α-ο (ε) [eonovios] age-old.

αιωνίως (επιρ) [eonios] forever, constantly.

αιώρηση (n) [eorisi] suspension.

αιωρούμαι (ρ) [eorume] be suspended.

ακαδημαϊκός (ο) [akadhimaikos] academic.

ακαδημία (n) [akadhimia] academy, college.

ακαθάριστος-n-o (ε) [akatharistos] not cleaned, gross [εμπορικά].

ακαθαρσία (n) [akatharsia] filth, mess.

ακάθαρτος-n-o (ε) [akathartos] filthy, impure.

ακάθεκτος-n-o (ε) [akathektos] unrestrained, compulsive, furious.

ακαθόριστος-n-o (ε) [akathoristos] undefined, vague, indistinct, blear, dusky, indefinable.

άκαιρα (επ) [akera] out of time, out of

season.

άκαιρος-ν-ο (ε) [akeros] untimely.

ακαίρως (επ) [akeros] at the wrong time.

άκακος-ν-ο (ε) [akakos] harmless.

ακαλαισθησία (n) [akalesthisia] lack of taste.

ακαλαίσθητος-ν-ο (ε) [akalesthitos] tasteless.

ακάλεστος-ν-ο (ε) [akalestos] uninvited, unasked.

ακάματος-ν-ο (ε) [akamatos] tireless.

άκαμπτος-ν-ο (ε) [akambtos] unbending, inflexible.

ακαμψία (n) [akambsia] rigidity, inflexibility.

ακάνθινος (ε) [akanthinos] prickly.

ακανθώδης-ης-ες (ε) [akanthodhis] thorny.

ακανόνιστος-ν-ο (ε) [akanonistos] irregular [σχήμα], uneven, unsettled.

άκαρδος-ν-ο (ε) [akardhos] heartless.

ακαριαίος-α-ο (ε) [akarieos] instantaneous.

άκαρπος-ν-ο (ε) [akarpos] unproductive, sterile, fruitless.

ακαρύκευτος (ε) [akarikeftos] unseasoned.

ακατάβλητος-ν-ο (ε) [akatavlitos] indomitable, unpaid [χρέη].

ακατάδεχτος-ν-ο (ε) [akatadhehtos] haughty, aloof, stuck-up.

ακαταδίωκτος-ν-ο (ε) [akatadhioktos] unprosecuted [νομ], immune.

ακατάκτιτος (ε) [akataktitos] unconquered, unconquerable.

ακαταλαβίστικος-ν-ο (ε) [akatalavistikos] incomprehensible.

ακατάληπτος-ν-ο (ε) [akataliptos] incomprehensible, unintelligible.

ακατάλληλα (επ) [akatallila] irappropriately.

ακατάλληλος-ν-ο (ε) [akatallilos] unsuitable, unfit, inappropriate.

ακαταλληλότητα (n) [akatalilotita] unsuitability, inconvenience.

ακαταλόγιστος-ν-ο (ε) [akataloyistos] irrational, irresponsible, insane.

ακατάλυτος-ν-ο (ε) [akatalitos] indestructible, durable, lasting.

ακαταμάχητα (επ) [akatamahita] cogently.

ακαταμάχητος-ν-ο (ε) [akatamahitos] irresistible, overpowering.

ακαταμέτρητος-ν-ο (ε) [akatametritos] uncounted, immesurable.

ακατανόητα (επ) [akatanoita] cryptically [μεταφ], inconceivably, inexplicably.

ακατανόητος-ν-ο (ε) [akatanoitos] inexplicable.

ακατάπαυστος-ν-ο (ε) [akatapafstos] endless, eternal.

ακαταπόνητος-ν-ο (ε) [akataponitos] tireless, untiring.

ακατάρτιστος-ν-ο (ε) [akatartistos] unprepared, ignorant.

ακαταστασία (n) [akatastasia] disorder, confusion, untidiness.

ακατάστατος-ν-ο (ε) [akatastatos] untidy, changeable [καιρός].

ακατάσχετος-ν-ο (ε) [akatas-hetos] violent, uncontrollable.

ακαταχώρητος-ν-ο (ε) [akatahoritos] unregistered, not recorded.

ακατέργαστος-ν-ο (ε) [akatergastos] raw, crude.

ακατοίκητος-ν-ο (ε) [akatikitos] uninhabited, vacant, untenanted.

ακατονόμαστος-ν-ο (ε) [akatonomastos] unmentionable.

ακατόρθωτος-ν-ο (ε) [akatorthotos] unfeasible.

άκατος (n) [akatos] long-boat.

άκαυτος-ν-ο (ε) [akaftos] unburnt, fireproof.

ακένωτος-ν-ο (ε) [akenotos] inexhaustible.

ακέραιος-α-ο (ε) [akereos] integral, whole, upright [τίμιος].

ακεραιότητα (n) [akereotita] integrity, honesty, uprightness.

ακέφαλος-ν-ο (ε) [akefalos] headless.

ακεφιά (n) [akefia] gloom, low spirits.

άκεφος-ν-ο (ε) [akefos] low-spirited, gloomy.

ακηλίδωτος-n-o (ε) [akilidhotos] spotless, unblemished.

ακήρυχτος-n-o (ε) [akirihtos] undeclared.

ακίδα (n) [akidha] spike, point, barb.

ακιδωτός-ή-ό (ε) [akidhotos] barbed, spiky.

ακίνδυνος-n-o (ε) [akindhinos] harmless.

ακινησία (n) [akinisia] immobility, stagnation.

ακίνητο (το) [akinito] real estate, property.

ακινητοποιώ (ρ) [akinitopio] immobilize, overpower [χρήματα], lock up [χρήματα], tie up [όχημα], bring to a standstill [όχημα].

ακίνητος-n-o (ε) [akinitos] immovable, immobile.

ακλάδευτος-n-o (ε) [akladheftos] unpruned.

άκλαυτος-n-o (ε) [aklaftos] unmourned.

ακλείδωτος-n-o (ε) [aklidhotos] unlocked.

άκλειστος-n-o (ε) [aklistos] not closed.

άκληρος-n-o (ε) [akliros] heirless.

ακλιμάκωτος-n-o (ε) [aklimakotos] unmarked.

άκλιτος-n-o (ε) [aklitos] indeclinable.

ακλόνητος-n-o (ε) [aklonitos] unshakeable, unswerving, irrefutable.

ακμάζω (ρ) [akmazo] bloom, flourish.

ακμαίος-a-o (ε) [akmeos] vigorous, thriving, flourishing.

ακμή (n) [akmi] height, peak, acme [ιατρ], prime.

ακοή (n) [akoi] hearing.

ακοίμητος-n-o (ε) [akimitos] wakeful, vigilant [μεταφ], watchful [μεταφ].

ακοινώνητος-n-o (ε) [akinonitos] unsociable, not having taken first communion [εκκλ].

ακόκκαλος-n-o (ε) [akokkalos] boneless.

ακολάκευτος-n-o (ε) [akolakeftos] unflattered.

ακολασία (n) [akolasia] excess, promiscuity, orgy.

ακόλαστα (επ) [akolasta] dissolutely.

ακόλαστος-n-o (ε) [akolastos] dissolute, lecherous, loose.

ακόλλητος (ε) [akolitos] not stuck, not glued.

ακολουθία (n) [akoluthia] retinue, suite, church service [εκκλ].

ακόλουθος-n-o (ε) [akoluthos] following.

ακολουθώ (ρ) [akolutho] follow, go after.

ακολούθως (επ) [akoluthos] consequently, afterwards.

ακόμα (επ) [akoma] yet, more, still.

ακόμη (επ) [akomi] still, yet, only, even.

ακομμάτιαστος-n-o (ε) [akomatiastos] whole.

ακομμάτιστος-n-o (ε) [akomatistos] impartial.

ακομπανιαμέντο (το) [akombaniamendo] accompaniment.

ακομπανιάρω (ρ) [akombaniaro] accompany, second [μεταφ].

άκομψος-n-o' (ε) [akompsos] inelegant, in poor taste.

ακόνι (το) [akoni] grindstone.

ακονίζω (ρ) [akonizo] sharpen, whet, hone, grind.

ακοντίζω (ρ) [akondizo] dart, throw the javelin.

ακόντιο (το) [akondio] javelin, dart.

άκοπος-n-o (ε) [akopos] not cut.

ακόρεστος-n-o (ε) [akorestos] insatiable, unquenchable, gredy.

ακορντεόν (το) [akorndeon] accordion.

άκοσμος-n-o (ε) [akosmos] improper.

ακουαρέλα (n) [akuarella] water-colour.

ακουμπιστήρι (το) [akummbistiri] rest.

ακουμπώ (ρ) [akumbo] touch, lay, rest on, lean on.

ακούμπωτος-n-o (ε) [akumbotos] unbuttoned.

ακούνητος-n-o (ε) [akunitos] still, immovable.

ακούραστος-n-o (ε) [akurastos] indefatigable, tireless.

ακούρδιστος-n-o (ε) [akurdhistos] not tuned, not wound up [ρολόι].

ακούσιος-α-o (ε) [akusios] unintentional, involuntary.

ακουστική (n) [akustiki] acoustics.

ακουστικό (το) [akustiko] receiver [τηλεφ], earphone.

ακουστικός-ή-ό (ε) [akustikos] acoustic, auditive.

ακουστικότητα (n) [akustikotita] audibility.

ακουστός-ή-ό (ε) [akustos] audible, famous.

ακούω (ρ) [akuo] hear, listen to, obey, obey [υπακούω].

άκρα (n) [akra] end, tip, extremity.

ακράδαντος-n-o (ε) [akradhandos] unshakeable, firm, unswerving.

ακραίος-α-o (ε) [akreos] extreme, utmost.

ακράτεια (n) [akratia] incontinence, lack of self-control.

ακρατής-ής-ές (ε) [akratis] intemperate, incontinent [ιατρ].

ακράτητος-n-o (ε) [akratitos] impetuous, rash, unrestrained, violent.

ακρέμαστος-n-o (ε) [akremastos] unhooked, without hope.

άκρη (n) [akri] point, end, edge, side.

ακριβαίνω (ρ) [akriveno] increase the price, mark up, go up.

ακρίβεια (n) [akrivia] accuracy [ωρολογίου], precision [ωρολογίου].

ακριβής-ής-ές (ε) [akrivis] accurate [ωρολόγιο], correct [υπολογισμός].

ακριβοπληρώνω (ρ) [akrivoplirono] pay dearly.

ακριβός-ή-ό (ε) [akrivos] dear, expensive, costly.

ακριβώς (επ) [akrivos] precisely, accurately.

ακρίδα (n) [akridha] locust, grasshopper.

ακρίτας (o) [akritas] borderer.

άκριτος-n-o (ε) [akritos] thoughtless, unwise.

άκρο (το) [akro] end, extreme, extremity.

ακροάζομαι (ρ) [akroazome] give audience to.

ακροαματικότητα (n) [akroamatikotita] rating[s].

ακρόαση (n) [akroasi] hearing, audition, sounding [ιατρ].

ακροατήριο (το) [akroatirio] audience, auditorium.

ακροατής (o) [akroatis] listener, auditor.

ακροβασία (n) [akrovasia] acrobatics, rope-walking.

ακροβάτης (o) [akrovatis] acrobat.

ακροβολισμός (o) [akrovolismos] skirmish.

ακρογιάλι (το) [akroyiali] seashore, coast, beach.

ακρόπολη (n) [akropoli] acropolis, citadel.

ακρογωνιαίος-α-o (ε) [akrogonieos] corner-stone [λίθος].

άκρος-α-o (ε) [akros] utmost, extreme.

ακροστιχίδα (n) [akrostihidha] acrostic.

ακρότητα (n) [akrotita] extremity, excess.

άκρως (επ) [akros] extremely.

ακρωτηριάζω (ρ) [akrotiriazo] maim, mutilate, amputate, mangle, castrate [μεταφ].

ακρωτηριασμός (o) [akrotiriasmos] mutilation [ιατρ], amputation.

ακτή (n) [akti] shore, beach, coast.

ακτήμονας (o) [aktimonas] landless, peasant.

ακτημοσύνη (n) [aktimosini] landlessness.

ακτίνα (n) [aktina] ray, beam, radius.

ακτινοβολία (n) [aktinovolia] radiation, radiance, beaming.

ακτινοβόλος-α-o (ε) [aktinovolos] radiant, beaming, shining, radiating.

ακτινοβολώ (ρ) [aktinovolo] radiate, beam, shine.

ακτινογραφία (n) [aktinografia] X-ray, radiography.

ακτινολόγος (o) [aktinologos] radiographer, radiologist.

ακτινοσκόπηση (n) [aktinoskopisi] X-ray examination.

ακτινοσκοπώ (ρ) [aktinoskopo] X-ray.

ακτινωτός-ή-ό (ε) [aktinotos] radia.

ακτοπλοΐα (n) [aktoploia] coastal shipping, navigation.

ακτοπλοϊκός-ή-ό (ε) [aktoploikos] coasting, coastal.

ακτοπλοώ (ρ) [aktoploo] coast, sail along the coast.

ακτοφυλακή (n) [aktofilaki] coast guard.

ακυβερνησία (n) [akivernisia] anarchy, lack of government.

ακυβέρνητος-n-o (ε) [akivernitos] without government [λαός], ungovernable, adrift.

ακυρίευτος-n-o (ε) [akirieftos] impregnable, unconquered.

άκυρος-n-o (ε) [akiros] invalid, void, null.

ακυρότητα (n) [akirotita] nullity, invalidity.

ακυρώνω (ρ) [akirono] nullify, invalidate.

ακύρωση (n) [akirosi] annulment, nullification.

ακυρώσιμος-n-o (ε) [akirosimos] voidable.

αλαζονεία (n) [alazonia] arrogance, .

αλαζονικός-ή-ό (ε) [alazonikos] arrogant.

αλάθητο (το) [alathito] infallibility.

αλάθητος-n-o (ε) [alathitos] infallible, unerring, certain, correct.

αλαλαγμός (ο) [alalagmos] yelling, screaming.

αλαλάζω (ρ) [alalazo] yell, scream.

άλαλος-n-o (ε) [alalos] dumb, mute, silent.

αλάνι (το) [alani] street urchin.

αλανιάρης (ο) [alaniaris] bum, vagabond.

αλάργα (επ) [alarga] far-off.

αλαργινός-ή-ό (ε) [alaryinos] distant.

αλάτι (το) [alati] salt.

αλατιέρα (n) [alatiera] salt-cellar.

αλατίζω (ρ) [alatizo] salt.

αλατόνερο (το) [alatonero] brine.

αλαφιάζω (ρ) [alafiazo] panic, startle.

αλαφιασμένος-n-o (μ) [alafiasmenos] panicky, startled.

αλαφραίνω (ρ) [alafreno] lighten, relieve.

αλαφρόμυαλος-n-o (ε) [alafromialos] hare-brained.

αλαφροπατώ (ρ) [alafropato] walk lightly, trip.

αλαφρόπετρα (n) [alafropetra] pumice.

αλάφρωμα (το) [alafroma] relief, lightening.

αλαφρώνω (ρ) [alafrono] lighten, relieve, ease.

Αλβανία (n) [Alvania] Albania.

Αλβανός (ο) [Alvanos] Albanian.

άλγεβρα (n) [alyevra] algebra.

αλγεβρικός-ή-ό (ε) [alyevrikos] algebraic.

αλγεινός-ή-ό (ε) [alyinos] painful.

αλέγρος-α-ο (ε) [alegros] cheerful, breezy, chirpy.

αλέθω (ρ) [aletho] grind, mill.

αλείβω (ρ) [alivo] coat, smear, rub, spread.

αλέκιαστος-n-o (ε) [alekiastos] spotless.

αλεξικέραυνο (το) [aleksikeravno] lightning rod.

αλεξιπτωτιστής (ο) [aleksiptotistis] parachutist.

αλεξίπτωτο (το) [aleksiptoto] parachute.

αλεξίσφαιρος-n-o (ε) [aleksisferos] bullet-proof.

αλεπού (n) [alepu] fox.

άλεσμα (το) [alesma] grinding.

αλεσμένος-n-o (ε) [alesmenos] ground.

αλέτρι (το) [aletri] plough.

αλεύρι (το) [alevri] flour, meal.

αλευρόκολλα (n) [alevrokolla] starch-paste.

αλευρόμυλος (ο) [alevromilos] flour-mill, corn-mill.

αλευροποιία (n) [alevropiia] flour industry.

αλήθεια (επ) [alithia] really.

αληθεύω (ρ) [alithevo] be true, come true.

αληθινός-ή-ό (ε) [alithinos] real.

αληθοφάνεια (n) [alithofania] plausibility.

αληθοφανής-ής-ές (ε) [alithofanis] plausible, specious.

αλησμόνητος-η-ο (ε) [alismonitos] unforgettable, memorable, alive.

αλητεία (n) [alitia] hooliganism.

αλητεύω (ρ) [alitevo] wander aimlessly, bum around.

αλήτης (ο) [alitis] bum, hooligan.

αλιεία (n) [aliia] fishing, fishery.

αλιεύς (ο) [aliefs] fisherman, angler.

αλιεύω (ρ) [alievo] fish [for].

άλικος-η-ο (ε) [alikos] scarlet, carmine.

αλίμονο! (επιφ) [alimono!] alas, it goes without saying.

αλίπαστος-η-ο (ε) [alipastos] salted.

αλιτήριος-α-ο (ε) [alitirios] rogu.

αλκαλικός-ή-ό (ε) [alkalikos] alkaline.

άλκιμος-η-ο (ε) [alkimos] lusty, sturdy.

αλκοόλ (το) [alkool] alcohol, spirits.

αλκοολικός-ή-ό (ε) [alkoolikos] alcoholic.

αλκοολισμός (ο) [alkoolismos] alcoholism.

αλκυόνα (n) [alkiona] kingfisher.

αλλά (ο) [alla] but, however, yet.

αλλαγή (n) [allayi] change, variation.

αλλάζω (ρ) [allazo] change, reverse, disguise.

αλλαντικά (τα) [allandika] sausages.

αλλαξιά (n) [allaksia] barter, exchange.

αλλαχού (επ) [allahu] elsewhere.

αλλεπάλληλος-η-ο (ε) [allepallilos] repeated, successive.

αλλεργία (n) [alleryia] allergy.

αλλεργικός-ή-ό (ε) [alleryikos] allergic.

αλληγορητής (ο) [alligoritis] allegorist.

αλληγορία (n) [alligoria] allegory.

αλληγορικός-ή-ό (ε) [alligorikos] allegorical, allegoric.

αλληθωρίζω (ρ) [allithorizo] be cross-eyed, squint.

αλλήθωρος-η-ο (ε) [allithoros] cross-eyed, squint-eyed.

αλληλεγγύη (n) [allilengii] solidarity.

αλληλέγγυος-α-ο (ε) [allilengios] joint.

αλληλένδετος-η-ο (ε) [allilendhetos] interdependent, interlinked.

αλληλεξάρτηση (n) [allileksartisi] interdependence.

αλληλεπίδραση (n) [allilepidhrasi] interaction, interplay.

αλληλοαπάγομαι (ρ) [alliloapagome] elope.

αλληλοβοήθεια (n) [allilovoithia] mutual help.

αλληλογραφία (n) [allilografia] correspondence.

αλληλογράφος (ο) [allilografos] letter-writer, correspondent.

αλληλογραφώ (ρ) [allilografo] correspond, exchange letters.

αλληλοδιάδοχος-ος-ο (ε) [allilodhiadhohos] successive, alternate.

αλληλοδιαδόχως (επ) [allilodhiadhohos] consecutively.

αλληλοπαθής-ής-ές (ε) [allilopathis] reciprocal, reflexive [γραμμ].

αλληλοσπαραγμός (ο) [allilosparagmos] fighting one another.

αλληλοσυγκρουούμενος-η-ο (ε) [allilosigkruomenos] conflicting.

αλληλούια (τα) [alliluia] hallelujah.

αλληλουχία (n) [alliluhia] sequence, coherence.

αλλιγάτορας (ο) [alligatoras] alligator.

αλλιώς (επ) [allios] or else, otherwise.

αλλιώτικος-η-ο (ε) [alliotikos] different.

αλλοδαπή (n) [allodhapi] abroad.

αλλοδαπός-ή-ό (ε) [allodhapos] foreigner, alien.

αλλόδοξος-η-ο (ε) [allodhoksos] heterodox, non-Orthodox.

άλλοθι (το) [allothi] alibi [νομ].

αλλοιώνω (ρ) [alliono] alter, change.

αλλοιώς (επ) [allios] otherwise, apart from, differently.

αλλόκοτος-η-ο (ε) [allokotos] queer, strange, odd.

άλλος (ο) [allos] another, else, next, different, more.

άλλοτε (επ) [allote] some other time, another time, once.

αλλοτινός-ή-ό (ε) [allotinos] former, bygone.

αλλοτριώνω (ρ) [allotriono] alienate.

αλλοτρίωση (n) [allotriosi] alienation.

αλλού (επ) [allu] elsewhere, somewhere else.

αλλούθε (επ) [alluthe] another way.

αλλόφρονας (ο) [allofronas] frantic, mad.

αλλοφροσύνη (n) [allofrosini] frenzy, madness.

άλλως (επ) [allos] else, otherwise.

άλλωστε (επ) [alloste] besides, on the other hand.

άλμα (το) [alma] jump, leap, spring.

αλματώδης-ης-ες (ε) [almatodhis] rapid, swift.

άλμη (n) [almi] brine, pickle.

αλμπάνης (ο) [almbanis] farrier, quack.

άλμπουμ (το) [album] album, sketch-book.

αλμύρα (n) [almira] saltiness.

αλμυρός-ή-ό (ε) [almiros] salty.

αλογάκι (το) [alogaki] pony.

αλογάριαστος-n-ο (ε) [alogariastos] free, generous, lavish.

αλογατάκι (το) [alogataki] daddy-long-legs.

αλόγιστος-n-ο (ε) [aloyistos] mindless, thoughtless.

άλογο (το) [alogo] horse, pony.

αλογόκριτος-n-ο (ε) [alogokritos] uncensored.

αλογόμυγα (n) [alogomiga] horsefly, gadfly.

αλογοουρά (n) [alogo-ura] ponytail.

άλογος-n-ο (ε) [alogos] irrational.

αλογότριχα (n) [alogotriha] horsehair.

αλοιφή (n) [alifi] ointment, salve.

αλουμίνιο (το) [aluminio] aluminium.

άλσος (το) [alsos] grove.

αλσύλλιο (το) [alsillio] coppice, copse.

αλτήρας (ο) [altiras] dumb-bell.

άλτης (ο) [altis] jumper.

αλτρουιστής (ο) [altruistis] altruist.

αλτρουιστικός,ή-ό (ε) [altruistikos] altruistic, unselfish.

αλυγαριά (n) [aligaria] osier, wicker.

αλυγισία (n) [aliyisia] stiffness, inflexibility.

αλύγιστος-n-ο (ε) [aliyistos] inflexible, stiff.

αλυκή (n) [aliki] salt-pan, salt-pit.

αλύπητος-n-ο (ε) [alipitos] pitiless, cruel, merciless.

αλυσίδα (n) [alisidha] chain, series [μεταφ].

αλυσιδωτός-ή-ό (ε) [alisidhotos] chain.

αλυσοδένω (ρ) [alisodheno] chain up.

άλυσος (n) [alisos] chain.

αλυχτώ (ρ) [alihto] bark.

άλφα (το) [alfa] the letter A, alpha, beginning [μεταφ].

αλφαβήτα (n) [alfavita] alphabet.

αλφαβητάρι (το) [alfavitari] abc-book, spelling-book.

αλφάδι (το) [alfadhi] spirit-level, plumb-line.

αλφαδιάζω (ρ) [alfadhiazo] check level of, make even.

αλφαμίτης (ο) [alfamitis] military policeman.

αλχημεία (n) [alhimia] alchemy.

αλώβητος-n-ο (ε) [alovitos] undamaged.

αλώνι (το) [aloni] threshing floor.

αλωνίζω (ρ) [alonizo] thresh, scatter.

άλωση (n) [alosi] fall, capture.

άμα (σ) [ama] as soon as, when.

αμαγάριστος-n-ο (ε) [amagaristos] unsoiled, clean.

αμαζόνα (n) [amazona] amazon.

αμάθεια (n) [amathia] ignorance, illiteracy.

αμαθής-ής-ές (ε) [amathis] ignorant, illiterate.

αμάθητος-n-ο (ε) [amathitos] unused, inexperienced, green.

αμακιγιάριστος-n-ο (ε) [amakiyiaristos] without make-up.

αμάλλιαγος-n-ο (ε) [amalliagos] unfledged.

αμάν! (επιφ) [aman!] for heaven's sake, blimey.

αμανάτι (το) [amanati] pawn.

αμάνικος-n-o (ε) [amanikos] sleeveless.

άμαξα (n) [amaksa] coach, waggon.

αμαξάκι (το) [amaksaki] buggy [μόνιππο], horse-cab [παιδικό], pram, invalid's chair [αναπηρικό].

αμάξι (το) [amaksi] carriage, lorry, car [αυτοκίνητο].

αμαξιά (n) [amaksia] truckload, cartload.

αμάξωμα (το) [amaksoma] car body, coachwork.

αμάραντος-n-o (ε) [amarandos] undying, unfading, unwithering.

αμάρτημα (το) [amartima] sin, error.

αμαρτία (n) [amartia] sin.

αμαρτωλός-ή-ό (ε) [amartolos] sinner.

αμάχη (n) [amahi] strife.

αμαχητί (επ) [amahiti] without a fight.

άμαχος-n-o (ε) [amahos] noncombatant, camp-follower.

άμβλωση (n) [amvlosi] abortion.

άμβωνας (o) [amvonas] pulpit.

αμέ! (επιφ) [ame!] why not, of course.

αμείβω (ρ) [amivo] reward, recompense.

αμείλικτος-n-o (ε) [amiliktos] merciless.

αμείωτος-n-o (ε) [amiotos] undiminished, unimpaired.

αμέλεια (n) [amelia] negligence, carelessness.

αμελέτητος-n-o (ε) [ameletitos] unprepared.

αμελής-ής-ές (ε) [amelis] neglectful.

αμελητέος-a-o (ε) [ameliteos] negligible.

αμελητί (επ) [ameliti] promptly, without fail.

αμελώ (ρ) [amelo] neglect.

άμεμπτος-n-o (ε) [amembtos] irreproachable, blameless.

αμερικανικός-ή-ό (ε) [amerikanikos] American.

Αμερική (n) [Ameriki] America.

αμεριμνησία (n) [amerimnisia] abandon, unconcern, noncholance, light-heartedness, impulsiveness.

αμέριμνος-n-o (ε) [amerimnos] carefree, heedless, unconcerned.

αμέριστος-n-o (ε) [ameristos] complete, unreserved.

αμερόληπτος-n-o (ε) [ameroliptos] impartial, unbiased.

αμεροληψία (n) [amerolipsia] fairness.

άμεσος-n-o (ε) [amesos] direct, immediate.

αμεσότητα (n) [amesotita] directness, immediacy, urgency.

αμέσως (επ) [amesos!] at once, immediately, directly.

αμετάβατος-n-o (ε) [ametavatos] intransitive.

αμεταβίβαστος-n-o (ε) [ametavivastos] non-transferable.

αμετάβλητος-n-o (ε) [ametavlitos] invariable, unchangeable, constant.

αμετακίνητος-n-o (ε) [ametakinitos] unshakeable, firm, irremovable.

αμετάκλιτο (το) [ametaklito] irrevocability.

αμετάκλητος-n-o (ε) [ametaklitos] irrevocable, irreversible.

αμετανοησία (n) [ametanoisia] unrepentance.

αμετανόητος-n-o (ε) [ametanoitos] unrepentant.

αμετάπειστος-n-o (ε) [ametapistos] unconvinced, stubborn.

αμεταχείριστος-n-o (ε) [ametahiristos] unused.

αμέτοχος-n-o (ε) [ametohos] not participating, uninvolved.

αμέτρητος-n-o (ε) [ametritos] countless.

αμετροέπεια (n) [ametroepia] insolence.

άμετρος-n-o (ε) [ametros] boundless, inordinate, immeasurable, incalculable.

αμήν! (επιφ) [amin!] amen.

αμηχανία (n) [amihania] confusion, embarrassment, bewilderness.

αμήχανος-n-o (ε) [amihanos] perplexed, embarrassed.

αμιγής-ής-ές (ε) [amiyis] unmixed, pure.
αμίλητος-η-ο (ε) [amilitos] silent, quiet.
άμιλλα (η) [amilla] rivalry.
αμίμητος-η-ο (ε) [amimitos] inimitable.
άμισθος-η-ο (ε) [amisthos] unpaid.
αμμοκονία (η) [ammokonia] mortar, plaster.
αμμόλουτρο (το) [ammolutro] sandbath.
αμμόλοφος (ο) [ammolofos] dune, cay.
άμμος (η) [ammos] sand.
αμμουδιά (η) [ammudhia] sandy beach.
αμμοχάλικο (το) [ammohaliko] grit, .
αμμώδης-ης-ες (ε) [ammodhis] sandy.
αμμωνία (η) [ammonia] ammonia.
αμνημόνευτος-η-ο (ε) [amnimoneftos] immemorial.
αμνησία (η) [amnisia] amnesia, forgetfulness.
αμνηστεύω (ρ) [amnistevo] amnesty, pardon.
αμνηστία (η) [amnistia] amnesty.
αμνός (ο) [amnos] lamb.
αμοιβαίος-α-ο (ε) [amiveos] mutual.
αμοιβαιότητα (η) [amiveotita] mutuality.
αμοιβή (η) [amivi] reward, recompense.
άμοιρος-η-ο (ε) [amiros] unfortunate, poor, hapless.
αμολάω (ρ) [amolao] slacken, loosen, unleash, let slip.
αμόλυντος-η-ο (ε) [amolindos] pure, unpolluted.
αμοραλιστής (ο) [amoralistis] amoralist.
αμορτισέρ (το) [amortiser] shock absorber.
άμορφος-η-ο (ε) [amorfos] shapeless.
αμόρφωτος-η-ο (ε) [amorfotos] uneducated.
άμουσος-η-ο (ε) [amusos] unmusical, uncultured.
αμπαζούρ (το) [ambazur] lampshade.
αμπαλάρω (ρ) [ambalaro] pack up.
αμπάλωτος-η-ο (ε) [ambalotos] not mended.

αμπάρα (η) [ambara] bar, bolt.
αμπάρι (το) [ambari] storeroom, hold [ναυτ].
αμπάριζα (η) [ambariza] prisoner's bars.
αμπαρώνω (ρ) [ambarono] bar, bolt.
αμπέλι (το) [ambeli] vineyard.
αμπελοκαλλιεργητής (ο) [ambelokallieryitis] vine-grower.
αμπελόκλημα (το) [ambeloklima] vine.
αμπελοφάσουλο (το) [ambelofasulo] string bean.
αμπελόφυλλο (το) [ambelofillo] vine leaf.
αμπελόφυτος-η-ο (ε) [ambelofitos] overgrown with vines.
αμπελώνας (ο) [ambelonas] vineyard.
αμπέχονο (το) [ambehono] army tunic.
αμπογιάτιστος-η-ο (ε) [amboyiatistos] unpainted.
άμποτες! (επιφ) [ambotes!] may, if only.
αμπούλα (η) [ambula] ampule.
αμπραγιάζ (το) [ambrayiaz] clutch.
αμπρί (το) [ambri] shelter [στρατ].
άμπωτη (η) [amboti] ebb tide.
αμυαλιά (η) [amialia] thoughtlessness, foolishness.
άμυαλος-η-ο (ε) [amialos] foolish, mindless.
αμυγδαλές (οι) [amigdhales] tonsils.
αμυγδαλιά (η) [amigdhalia] almond-tree.
αμυγδαλίτιδα (η) [amigdhalitidha] tonsilitis.
αμύγδαλο (το) [amigdhalo] almond.
αμυγδαλωτός-ή-ό (ε) [amigdhalotos] almond-shaped.
αμυδρός-ή-ό (ε) [amidhros] dim, faint.
αμύητος-η-ο (ε) [amiitos] uninitiated, ignorant.
αμύθητος-η-ο (ε) [amithitos] fabulous.
άμυλο (το) [amilo] starch, amyl.
άμυνα (η) [amina] defence, protection.
αμύνομαι (ρ) [aminome] defend oneself, hold one's ground.
αμυντικός-ή-ό (ε) [amindikos] defensive.
αμυχή (η) [amihi] scratch.
άμφια (τα) [amfia] vestments.

αμφιβάλλω (ρ) [amfivallo] doubt.

αμφιβληστροειδής (o) [amfivlistroidhis] retina.

αμφιβολία (n) [amfivolia] doubt, uncertainty.

αμφίβολος-n-ο (ε) [amfivolos] doubtful, uncertain.

αμφίγνωμος-n-ο (ε) [amfignomos] two-minded, hesitating.

αμφίεση (n) [amfiesi] dress, attire.

αμφιθέατρο (το) [amfitheatro] amphitheatre.

αμφίκοιλος-n-ο (ε) [amfikilos] biconcave.

αμφίκυρτος-n-ο (ε) [amfikirtos] biconvex.

αμφιλεγόμενος-n-ο (ε) [amfilegomenos] controversial.

αμφιρρέπω (ρ) [amfirrepo] waver, vacillate.

αμφίρροπος-n-ο (ε) [amfiropos] undecided, hesitating.

αμφισβήτηση (n) [amfisvitisi] dispute, contest, doubt.

αμφισβητήσιμος-n-ο (ε) [amfisvitisimos] questionable, controversial, debatable, disputable, controvertible.

αμφισβητίας (o) [amfisvitias] dissenter.

αμφισβητώ (ρ) [amfisvito] dispute, doubt, question, challenge.

αμφίστομος-n-ο (ε) [amfistomos] two-edged.

αμφιταλαντεύομαι (ρ) [amfitalandevome] waver, hesitate.

αμφιταλάντευση (n) [amfitalandefsi] wavering, vacillation.

αμφότεροι (οι) [amfoteri] both.

άμωμος-n-ο (ε) [amomos] immaculate, faultless.

αν και (σ) [an ke] eventhough.

αν (σ) [an] if, whether.

αναβαθμίζω (ρ) [anavathmizo] upgrade.

ανάβαθος-n-ο (ε) [anavathos] shallow.

αναβάλλω (ρ) [anavallo] put off, postpone, delay, hold over.

ανάβαση (n) [anavasi] ascent, climb.

αναβατήρας (o) [anavatiras] stirrup, lift.

αναβάτης (o) [anavatis] rider, jockey.

αναβιβάζω (ρ) [anavivazo] carry up, raise, lift.

αναβιώνω (ρ) [anaviono] revive, resurrect.

αναβίωση (n) [anaviosi] revival, resurgence.

αναβλητικός-ή-ό (ε) [anavlitikos] procrastinating, dilatory, temporizing, deferring.

αναβλητικότητα (n) [anavlitikotita] procrastination.

αναβλύζω (ρ) [anavlizo] gush, spout, spurt.

αναβολέας (o) [anavoleas] stirrup.

αναβολή (n) [anavoli] postponement, delay.

αναβοώ (ρ) [anavoo] bawl.

αναβρασμός (o) [anavrasmos] agitation, excitement, turmoil.

αναβροχιά (n) [anavrohia] drought.

ανάβω (ρ) [anavo] light, [φως κτλ] turn on.

αναγαλλιάζω (ρ) [anagalliazo] rejoice, be thrilled.

αναγγελία (n) [anangelia] announcement, notice.

αναγγέλλω (ρ) [anangelo] announce, notify.

αναγελώ (ρ) [anayelo] laugh at, sneer, scoff.

αναγέννηση (n) [anayennisi] revival, rebirth.

αναγεννώ (ρ) [anayenno] revive, regenerate.

αναγκάζω (ρ) [anangazo] oblige, impel, make.

αναγκαία (τα) [anangea] necessities, necessaries.

αναγκαίος-α-ο (ε) [anangeos] necessary, essential.

αναγκαιότητα (n) [anangeotita] necessity.

αναγκαστικά (επ) [anagastika] inevitably.

αναγκαστικός-ή-ό (ε) [anangastikos] compulsory, forced.

ανάγκη (n) [anangi] need, necessity, want.

ανάγλυφος-n-ο (ε) [anaglifos] embossed, relief.

αναγνωρίζω (ρ) [anagnorizo] recognize, admit, know, tell.

αναγνώριση (n) [anagnorisi] recognition.

ανάγνωση (n) [anagnosi] reading.

ανάγνωσμα (το) [anagnosma] passage, reading-text.

αναγνωσματάριο (το) [anagnosmatario] reading-book, reader.

αναγνωστήριο (το) [anagnostirio] reading-room.

αναγνώστης (ο) [anagnostis] reader.

αναγνωστικό (το) [anagnostiko] primer, reader.

αναγομώνω (ρ) [anagomono] retread, recondition.

αναγόμωση (n) [anagomosi] recapping.

αναγόρευση (n) [anagorefsi] election, nomination.

αναγορεύω (ρ) [anagorevo] nominate, acclaim.

αναγούλα (n) [anagula] nausea.

αναγουλιάζω (ρ) [anaguliazo] make somebody feel sick, nauseate.

αναγραφή (n) [anagrafi] entry, record, inscription.

αναγράφω (ρ) [anagrafo] enter, inscribe.

ανάγω (ρ) [anago] reduce.

αναγωγή (n) [anagoyi] reduction, reference.

ανάγωγος-n-o (ε) [anagogos] ill-mannered.

αναδασμός (ο) [anadhasmos] land re-distribution.

αναδάσωση (n) [anadhasosi] reforestation.

ανάδειξη (n) [anadhiksi] success, election.

αναδείχνω (ρ) [anadhihno] elect, appoint, elevate, make known, set off.

αναδεξιμιά (n) [anadheksimia] god-daughter.

αναδεξιμιός (ο) [anadheksimios] godson.

αναδεύω (ρ) [anadhevo] stir, agitate.

αναδημιουργία (n) [anadhimiuryia] recreation, regeneration.

αναδημιουργικός-ή-ό (ε) [anadhimiur-gikos] recreative.

αναδημιουργώ (ρ) [anadhimiurgo] recreate.

αναδημοσίευση (n) [anadhimosiefsi] re-issue.

αναδημοσιεύω (ρ) [anadhimosievo] reprint.

αναδιαρθρώνω (ρ) [anadhiarthrono] restructure.

αναδιάρθρωση (n) [anadhiarthrosi] re-structuring.

αναδίνω (ρ) [anadhino] emit, give off, send out.

αναδιοργανώνω (ρ) [anadhiorganono] reorganize.

αναδιορίζω (ρ) [anadhiorizo] reappoint.

αναδιπλώνομαι (ρ) [anadhiplonome] withdraw into oneself.

αναδιπλούμενος-n-o (μ) [anadhiplu-menos] collapsible.

αναδιφώ (ρ) [anadhifo] rummage, scrutinize, search for.

αναδουλειά (n) [anadhulia] unemployment, slack business [εμπορ].

ανάδοχος (ο) [anadhohos] god-parent, sponsor, concessionaire.

ανάδραση (n) [anadhrasi] feedback, ret-roaction.

αναδρομή (n) [anadhromi] going back, flashback.

αναδρομικότητα (n) [anadhromikotita] retroactivity.

αναδύομαι (ρ) [anadhiome] emerge, rise.

αναδυόμενος-n-o (μ) [anadhiomenos] emergent.

ανάδυση (n) [anadhisi] emergence, rising.

αναεμβολιασμός (ο) [anaemvolismos] booster.

αναέρος-n-o (ε) [anaeros] light, airless.

αναζήτηση (n) [anazitisi] pursuit, quest.

αναζητώ (ρ) [anazito] search for, seek, long for, miss.

αναζωογόνηση (n) [anazoogonisi] revival, reanimation, enlivening.

αναζωογονώ (ρ) [anazoogono] revive, invigorate, revitalize, enliven.

αναζωπυρώνω (ρ) [anazopirono] re-light, rekindle.

αναζωπύρωση (n) [anazopirosi] resurgence, rekindling.

αναθαρρεύω (ρ) [anatharrevo] take heart, take courage.

αναθάρρηση (n) [anatharisi] encouragement.

ανάθεμα (το) [anathema] curse, excommunication [εκκλ], anathema [εκκλ].

αναθεματίζω (ρ) [anathematizo] excommunicate, curse, damn.

αναθεματισμένος-n-o (μ) [anathematismenos] damned, confounded, bloody.

αναθέτω (ρ) [anatheto] commission, entrust, dedicate [αφιερώνω].

αναθεώρηση (n) [anatheorisi] revision, review.

αναθεωρητής (o) [anatheoritis] reviser, revisionist [πολιτ].

αναθεωρητισμός (o) [anatheoritismos] revisionism.

αναθεωρώ (ρ) [anatheoro] revise, reconsider.

ανάθημα (το) [anathima] votive offering.

αναθρέφω (ρ) [anathrefo] bring up, raise, breed.

αναθύμηση (n) [anathimisi] recollection.

αναθυμίαση (n) [anathimiasi] stink, exhalation, fumes.

αναθυμίζω (ρ) [anathimizo] remind.

αναίδεια (n) [anedhia] impudence, insolence.

αναιδής-ής-ές (ε) [anedhis] impudent, insolent, cheeky,.

αναίμακτος-n-o (ε) [anemaktos] bloodless.

αναιμία (n) [anemia] anaemia.

αναιρέσιμος-n-o (ε) [aneresimos] reversible, refutable.

αναιρώ (ρ) [anero] refute, retract, take back, reverse [νομ], quash [νομ].

αναισθησία (n) [anesthisia] insensibility, insensitivity.

αναισθησιολόγος (o) [anesthisiologos] anaesthetist.

αναισθητικό (το) [anesthitiko] anaesthetic.

αναισθητοποιώ (ρ) [anesthitopio] anaesthetize.

αναίσθητος-n-o (ε) [anesthitos] insensitive, unconscious [στις αισθήσεις], insensible [ασυγκίνητος].

αναισχυντία (n) [anes-hindia] impudence.

αναίσχυντος-n-o (ε) [anes-hindos] shameless, impudent.

αναιτιολόγητος-n-o (ε) [anetioloyitos] unjustified.

αναίτιος-a-o (ε) [anetios] unprovoked, innocent.

ανακαινίζω (ρ) [anakenizo] renovate, redecorate.

ανακαίνιση (n) [anakenisi] renovation, redecoration.

ανακαλύπτω (ρ) [anakalipto] discover.

ανακάλυψη (n) [anakalipsi] discovery, invention.

ανακαλώ (ρ) [anakalo] recall, call back, bring back, repeal [άδεια, διάταγμα], cancel [διαταγή κτλ].

ανάκαμψη (n) [anakampsi] recovery.

ανάκατα (επ) [anakata] in confusion.

ανακαταλαμβάνω (ρ) [anakatalamvano] recapture.

ανακατανέμω (ρ) [anakatanemo] redistribute, reallocate.

ανακατασκευή (n) [anakataskevi] rebuilding, restoration.

ανακατάταξη (n) [anakatataksi] reclassification, realignment.

ανακατατάσσω (ρ) [anakatataso] reclassify, realign, re-enlist.

ανακάτεμα (το) [anakatema] mixing, mingling, blending, confusion, mess.

ανακατεύόμαι (ρ) [anakatevome] dable in, meddle, interfere.

ανακατεύω (ρ) [anakatevo] stir, shuffle,

mix, mingle, meddle, intervene.

ανάκατος-n-ο (ε) [anakatos] confused, mixed, blended.

ανακάτωμα (το) [anakatoma] mixing, confusion [φασαρία], mix.

ανακατώνω (ρ) [anakatono] stir, confuse [συγχέω].

ανακατωσούρα (n) [anakatosura] confusion, tangle.

ανακατωσούρης-α-ικο (ε) [anakatosuris] busybody, trouble-maker.

ανακεκλιμένος-n-ο (μ) [anakeklimenos] backhanded.

ανακεφαλαιώνω (ρ) [anakefaleono] recapitulate, sum up.

ανακεφαλαίωση (n) [anakefaleosi] recapitulation.

ανακήρυξη (n) [anakiriksi] declaration, proclamation.

ανακηρύσσω (ρ) [anakirisso] proclaim, declare, elect.

ανακίνηση (n) [anakinisi] stirring, revival, moving.

ανακινώ (ρ) [anakino] stir up, bring up [μεταφ], agitate, shake, churn.

ανάκλαση (n) [anaklasi] reflection.

ανακλαστικά (τα) [anaklastika] reflexes.

ανάκληση (n) [anaklisi] revocation, recalling, retraction, withdrawal.

ανακλητός-ή-ό (ε) [anaklitos] revocable, reversible.

ανακοινωθέν (το) [anakinothen] communique, bulletin, report.

ανακοινώνω (ρ) [anakinono] announce, inform, notify, report.

ανακοίνωση (n) [anakinosi] announcement, statement, notice.

ανακολουθία (n) [anakoluthia] incoherency.

ανακόλουθος-n-ο (ε) [anakoluthos] inconsistent, incoherent.

ανακοπή (n) [anakopi] heart failure, caveat.

ανακουφίζω (ρ) [anakufizo] relieve, alleviate, lighten, ease, allay.

ανακούφιση (n) [anakufisi] relief.

ανακράζω (ρ) [anakrazo] bawl.

ανακρίβεια (n) [anakrivia] inaccuracy.

ανακριβής-ής-ές (ε) [anakrivis] inaccurate, incorrect.

ανακρίνω (ρ) [anakrino] examine, question, interrogate [εξαντλητικά], grill.

ανακριτής (ο) [anakritis] examining.

ανακρούω (ρ) [anakruo] play [μουσ], strike up, recoil [όπλο].

ανάκτηση (n) [anaktisi] recovery,.

ανάκτορο (το) [anaktoro] palace.

ανακτώ (ρ) [anakto] regain, recover, retrieve [στρατ], recapture, take back.

ανακύκλωση (n) [anakiklosi] looping.

ανακύπτω (ρ) [anakipto] emerge, rise.

ανακωχή (n) [anakohi] armistice.

αναλαμβάνω (ρ) [analamvano] undertake, recover, take over, engage.

αναλαμπή (n) [analambi] flash, glimmer, glint, blink, flashing.

ανάλατος-n-ο (ε) [analatos] dull [μεταφ], saltless, unsalted.

ανάλαφρος-n-ο (ε) [analafros] light, breezy.

αναλγητικό (το) [analyitiko] anodyne.

αναλήθεια (n) [analithia] untruth.

αναληθής-ής-ές (ε) [analithis] untrue, false, mendacious.

ανάληψη (n) [analipsi] resumption [εργασίας], ascension [του Χριστού], taking over.

αναλλοίωτος-n-ο (ε) [analliotos] unchanging, invariable.

αναλογία (n) [analoyia] relation, proportion, ratio, analogy.

αναλογίζομαι (ρ) [analoyizome] reflect on, think of, weigh up, consider.

αναλογική (n) [analoyiki] proportional representation [εκλογ].

ανάλογος (ο) [analogos] coincident.

αναλογώ (ρ) [analogo] correspond to.

αναλόγως (επ) [analogos] proportionately, according to, considering.

ανάλυση (n) [analisi] analysis, assay.

αναλυτής (ο) [analitis] analyst.

αναλυτική (n) [analitiki] analytics.

αναλυτός-ή-ό (ε) [analitos] melted, runny.

αναλύω (ρ) [analio] analyze, itemize.

αναλφαβητισμός (ο) [analfavitismos] illiteracy.

αναλφάβητος-η-ο (ε) [analfavitos] illiterate.

αναλώνω (ρ) [analono] spend, use up, dedicate.

αναμαλλιάζω (ρ) [anamalliazo] disarrange, dishevel.

αναμάρτητος-η-ο (ε) [anamartitos] impeccant.

αναμασώ (ρ) [anamaso] chew over.

αναμειγνύω (ρ) [anamignio] stir.

ανάμειξη (n) [anamiksi] mixing, blending, mingling, intervention.

ανάμειχτος-η-ο (ε) [anamihtos] mixed, blended, assorted.

αναμένω (ρ) [anameno] wait for, expect.

ανάμεσα (επ) [anamesa] in between, among, through.

αναμεταδίνω (ρ) [anametadhino] relay, broadcast.

αναμετάδοση (n) [anametadhosi] rediffusion, relay.

αναμεταδότης (ο) [anametadhotis] transmitter mast.

αναμεταξύ (επ) [anametaksi] between, among.

αναμέτρηση (n) [anametrisi] confrontation, recount.

αναμετρώ (ρ) [anametro] weigh up.

αναμηρυκάζω (ρ) [anamirikazo] ruminate, chew over.

αναμισθώνω (ρ) [anamisthono] rent, let, hire again, renew a lease.

αναμιγνύω (ρ) [anamignio] commingle, intermingle, compound.

άναμμα (το) [anamma] lighting, inflammation [προσώπου], excitement [έξα-ψη], ignition [μοτέρ].

αναμμένος-η-ο (μ) [anammenos] alight, burning, live.

ανάμνηση (n) [anamnisi] recollection, memory, remembrance.

αναμνηστικός-ή-ό (ε) [anamnistikos] commemorative, memorial.

αναμονή (n) [anamoni] expectation.

αναμορφώνω (ρ) [anamorfono] reform, rehabilitate, change radically.

αναμόρφωση (n) [anamorfosi] rehabilitation, reformation.

αναμορφωτήριο (το) [anamorfotirio] rehabilitation camp, rehabilitation centre [για νέους], reformatory.

αναμορφωτής (ο) [anamorfotis] reformer, innovator.

αναμοχλεύω (ρ) [anamohlevo] stir up.

αναμπουμπούλα (n) [anambumbula] hullabaloo, scrimmage.

αναμφίβολος-η-ο (ε) [anamfivolos] undoubtful, unquestionable.

αναμφισβήτητα (επ) [anamfisvitita] unquestionably, undeniably, by far.

ανανάς (ο) [ananas] pineapple.

ανανδρία (n) [anandhria] cowardice.

άνανδρος-η-ο (ε) [anandhros] unmanly, cowardly, craven, dastard,.

ανανεώνω (ρ) [ananeono] renew, renovate, restore, refresh, prolong, continue.

ανανέωση (n) [ananeosi] renewal, renovation, restoration, revival.

ανανήφω (ρ) [ananifo] come round, sober up [από μεθύσι], reform [διορθώνομαι], mend one's ways.

αναντικατάστατος-η-ο (ε) [anandikatastatos] irreplaceable, unreplaced.

αναντίρρητος-η-ο (ε) [anandirritos] undeniable, unquestionable, unobjectionable.

αναντιστοιχία (n) [anantistihia] discrepancy.

ανάξια (επ) [anaksia] undeservedly, shamefully, unskilfully, incompetently.

αναξιοπαθής-ής-ές (ε) [anaksiopathis]

unfortunate, undeservedly suffering.

αναξιοπιστία (n) [anaksiopistia] unreliability.

αναξιόπιστος-η-ο (ε) [anaksiopistos] unreliable, dicey.

αναξιοποίητος-η-ο (ε) [anaksiopiitos] undeveloped.

αναξιοπρέπεια (n) [anaksioprepia] indignity.

ανάξιος-α-ο (ε) [anaksios] unfit, unworthy, inefficient, undeserving, incompetent.

αναξιόχρεος-η-ο (ε) [anaksiohreos] insolvent.

αναπαλλοτρίωτος-η-ο (ε) [anapallotriotos] imprescriptible, inalienable.

αναπαμός (o) [anapamos] respite, rest.

αναπάντεχος-η-ο (ε) [anapandehos] unexpected, sudden, unforseen.

αναπάντητος-η-ο (ε) [anapanditos] unanswered, unacknowledged, unanswerable.

αναπαράγω (ρ) [anaparago] reproduce.

αναπαραγωγή (n) [anaparagoyi] reproduction, propagation.

αναπαραγωγικός-ή-ό (ε) [anaparagoyikos] reproductive.

αναπαράσταση (n) [anaparastasi] reconstruction, enactment.

αναπαριστώ (ρ) [anaparisto] reenact, represent, depict, take off, imitate.

ανάπαυλα (n) [anapavla] rest, break.

ανάπαυση (n) [anapafsi] rest, repose, stand easy [στρατ], peace, relaxation.

αναπαυτήριο (το) [anapaftirio] retreat, resting place.

αναπαυτικός-ή-ό (ε) [anapaftikos] comfortable, restful.

αναπαύω (ρ) [anapavo] rest, relax, comfort.

αναπέμπω (ρ) [anapembo] refer back, offer.

αναπήδημα (το) [anapidhima] start, bound, bounce, jerk, jolt, caper.

αναπηδώ (ρ) [anapidho] jump up, start, recoil, shoot up [για υγρά].

αναπηρία (n) [anapiria] infirmity.

ανάπηρος-η-ο (ε) [anapiros] disabled, invalid.

αναπλάθω (ρ) [anaplatho] reshape, transform.

αναπληρωματικός-ή-ό (ε) [anapliromatikos] alternate, surrogate [δικαστής], nonvoting [μέλος], stand-in [ηθοποιός].

αναπληρώνω (ρ) [anaplirono] replace, substitute, act for.

αναπλήρωση (n) [anaplirosi] replacement, substitution.

αναπληρωτής (o) [anaplirotis] substitute, assistant, deputy, surrogate.

αναπνευστήρας (o) [anapnefstiras] respirator.

αναπνευστικός-ή-ό (ε) [anapnefstikos] respiratory, breathing.

αναπνέω (ρ) [anapneo] breathe, inhale.

αναπνοή (n) [anapnoi] breath.

ανάποδα (επ) [anapodha] backwards, inside out [μέσα έξω].

ανάποδη (n) [anapodhi] reverse, wrong side.

αναποδιά (n) [anapodhia] reverse, bad luck, peevishness [χαρακτήρας].

αναποδογυρίζω (ρ) [anapodhoyirizo] turn upside down, spoil, ruin.

ανάποδος-η-ο (ε) [anapodhos] reversed.

αναπόδραστος-η-ο (ε) [anapodhrastos] inescapable, unavoidable, inevitable.

αναπόληση (n) [anapolisi] reminiscence, contemplation, recollection.

αναπολώ (ρ) [anapolo] recollect, muse over, recall, contemplate, bring to mind.

αναπόσπαστος-η-ο (ε) [anapospastos] integral, inseparable.

αναποτελεσματικός-ή-ό (ε) [anapotelesmatikos] ineffectual.

αναπότρεπτος-η-ο (ε) [anapotreptos] inevitable.

αναποφασιστικότητα (n) [anapofasistikotita] irresolution.

αναποφάσιστος-η-ο (ε) [anapofasistos] irresolute, undecided.

αναπόφευκτος-η-ο (ε) [anapofefktos] inevitable, inescapeable.

αναπροσανατολισμός (ο) [anaprosanatolismos] reorientation.

αναπροσαρμογή (n) [anaprosarmoyi] readjustment.

αναπροσαρμόζω (ρ) [anaprosarmozo] readjust.

αναπτερώνω (ρ) [anapterono] boost.

αναπτήρας (ο) [anaptiras] lighter.

ανάπτυξη (n) [anaptiksi] development, expansion, deployment [στρατ].

αναπτύσσω (ρ) [anaptisso] develop, expound [λόγο], explain [λόγο], grow, expand.

αναπωλώ (ρ) [anapolo] bethink.

άναρθρος-η-ο (ε) [anarthros] inarticulate.

αναρίθμητος-η-ο (ε) [anarithmitos] innumerable.

ανάριος-α-ο (ε) [anarios] sparse, scanty, scattered, few and far between, thin.

αναρμόδιος-α-ο (ε) [anarmodhios] incompetent.

αναρμοδιότητα (n) [anarmodhiotita] incompetence.

ανάρμοστος-η-ο (ε) [anarmostos] improper, unbecoming.

ανάρπαστος-η-ο (ε) [anarpastos] eagerly bought up [για εμπόρευμα].

αναρρίχηση (n) [anarrihisi] scaling.

αναρριχητικός-ή-ό (ε) [anarrihitikos] climbing, creeping.

αναρριχιέμαι (ρ) [anarrihieme] , trail, creep [φυτό].

αναρριχώμαι (ρ) [anarrihome] clamber, climb [φυτό], trail [φυτό], creep.

αναρρόφηση (n) [anarrofisi] intake.

αναρρώνω (ρ) [anarrono] recover.

ανάρρωση (n) [anarrosi] recovery.

αναρρωτήριο (το) [anarrotirio] convalescent ward, home, infirmary.

αναρρωτικός-ή-ό (ε) [anarrotikos] convalescent.

ανάρτηση (n) [anartisi] suspension, hanging up.

αναρτώ (ρ) [anarto] suspend, hang up.

αναρχία (n) [anarhia] anarchy.

αναρχικός-ή-ό (ε) [anarhikos] anarchic.

αναρωτιέμαι (ρ) [anarotieme] ask ourselves, wonder.

ανάσα (n) [anasa] breath, breathing.

ανασαίνω (ρ) [anaseno] breathe.

ανασηκώνω (ρ) [anasikono] lift up, raise, turn up [γιακά], tuck up [ποδιά], roll up [μανίκι], tip up.

ανασκάβω (ρ) [anaskavo] dig up.

ανασκαλεύω (ρ) [anaskalevo] poke.

ανασκαφή (n) [anaskafi] excavation.

ανάσκελα (επ) [anaskela] on one's back.

ανασκευάζω (ρ) [anaskevazo] refute.

ανασκευή (n) [anaskevi] refutation.

ανασκιρτώ (ρ) [anaskirto] start, leap.

ανασκόπηση (n) [anaskopisi] review.

ανασκοπώ (ρ) [anaskopo] review, survey.

ανασκουμπώνομαι (ρ) [anaskumbonome] roll up one's sleeves, set to.

ανασκουμπώνω (ρ) [anaskumbono] roll up.

ανασταίνω (ρ) [anasteno] restore to life, ressurect, raise.

ανασταλτικό (το) [anastaltiko] inhibition.

ανασταλτικός-ή-ό (ε) [anastaltikos] suspensive, inhibitive.

ανάσταση (n) [anastasi] resurrection, revival [μεταφ].

ανάστατος-η-ο (ε) [anastatos] agitated, excited, upset, flustered.

αναστατώνω (ρ) [anastatono] upset, put off.

αναστάτωση (n) [anastatosi] commotion, flurry, agitation, chaos, trouble, bother, upheaval.

αναστέλλω (ρ) [anastello] stop, stay, suspend, discontinue.

αναστεναγμός (ο) [anastenagmos] sigh, groan.

αναστενάζω (ρ) [anastenazo] sigh.

ανασπιλώνω (ρ) [anastilono] restore, repair.

αναστήλωση (n) [anastilosi] restoration.

ανάστημα (το) [anastima] height, stature.

αναστολή (n) [anastoli] suspension, respite [νομ], reprieve, inhibition [ψυχολ].

αναστρέφω (ρ) [anastrefo] invert, turn back, tack about.

ανασυγκρότηση (n) [anasingrotisi] reconstruction.

ανασυνδέω (ρ) [anasindheo] reconnect, renew, resume.

ανασύνθεση (n) [anasinthesi] restructure.

ανασύνταξη (n) [anasindaksi] reorganization.

ανασυντάσσω (ρ) [anasindasso] reorganize, restructure, rally, regroup.

ανασυσταίνω (ρ) [anasisteno] re-establish, set up again.

ανασφάλεια (n) [anasfalia] insecurity.

ανασφαλής-ής-ές (ε) [anasfalis] insecure.

ανασφάλιστος-n-o (ε) [anasfalistos] not insured.

ανάσχεση (n) [anas-hesi] interception [αεροπ], containment [πολ].

ανασχηματίζω (ρ) [anas-himatizo] reform, reshuffle.

ανασχηματισμός (o) [anashimatismos] reshuffle, shake-up.

αναταράζω (ρ) [anatarazo] shake, disturb.

αναταραχή (n) [anatarahi] disturbance, agitation, commotion, upheaval.

ανάταση (n) [anatasi] uplift, raising.

ανατέλλω (ρ) [anatello] rise, appear.

ανατέμνω (ρ) [anatemno] dissect.

ανατίμηση (n) [anatimisi] price rise.

ανατιμώ (ρ) [anatimo] put up the price, mark up [εμπ], go up [τιμή], revalue [νόμισμα].

ανατινάζω (ρ) [anatinazo] blow up, blast.

ανατίναξη (n) [anatinaksi] blasting, blowing-up.

ανατοκισμός (o) [anatokismos] compound interest.

ανατολή (n) [anatoli] east, sunrise.

ανατολικός-ή-ό (ε) [anatolikos] eastern.

ανατομία (n) [anatomia] anatomy.

ανατομικός (o) [anatomikos] anatomical.

ανατόμος (o) [anatomos] anatomist, explorer.

ανατρεπόμενο (το) [anatrepomeno] tip-lorry, tip-truck.

ανατρεπτικός-ή-ό (ε) [anatreptikos] subversive, seditious.

ανατρέπω (ρ) [anatrepo] upset, overturn [βάρκα κτλ], capsize, knock down.

ανατρέχω (ρ) [anatreho] go back to, trace back.

ανατριχιάζω (ρ) [anatrihiazo] shiver, shudder.

ανατριχιαστικός-ή-ό (ε) [anatrihiastikos] hair-raising, lurid.

ανατριχίλα (n) [anatrihila] shiver, shudder.

ανατροπή (n) [anatropi] overthrow, refutation [νομ], reversal overturning.

ανατροφή (n) [anatrofi] upbringing, breeding.

ανατροφοδότηση (n) [anatrofodhotisi] feedback.

ανάτυπο (το) [anatipo] offprint.

ανατυπώνω (ρ) [anatipono] reprint.

ανατύπωση (n) [anatiposi] reprint.

άναυδος-n-o (ε) [anavdhos] speechless, dumbfounded, dazed, stunned.

αναύλωτος-n-o (ε) [anavlotos] not chartered, not freighted.

αναφαίνομαι (ρ) [anafenome] appear.

αναφαίρετος-n-o (ε) [anaferetos] inalienable, imprescriptible.

αναφανδόν (επ) [anafandhon] openly.

αναφερόμενος στα πτηνά (ε) [anaferomenos sta ptina] avian.

αναφέρω (ρ) [anafero] mention, cite, report, relate, describe.

αναφιλητό (το) [anafilito] sobbing.

αναφλέγω (ρ) [anaflego] ignite, kindle.

ανάφλεξη (n) [anafleksi] ignition.

αναφορά (n) [anafora] report, petition, dispatch.

αναφορικός-ή-ό (ε) [anaforikos] relative.

αναφροδισία (n) [anafrodhisia] frigidity.

αναφώνηση (n) [anafonisi] exclamation, cry.

αναφωνώ (ρ) [anafono] exclaim, cry out.

αναχαιτίζω (ρ) [anahetizo] check, curb, contain.

αναχαίτιση (n) [anahetisi] interception.

αναχρονισμός (ο) [anahronismos] anachronism.

αναχρονιστικός-ή-ό (ε) [anahronistikos] anachronistic.

ανάχωμα (το) [anahoma] mound, bank.

αναχώρηση (n) [anahorisi] departure, setting-out.

αναχωρώ (ρ) [anahoro] depart, set out.

αναψηλάφηση (n) [anapsilafisi] re-trial.

αναψοκοκκινίζω (ρ) [anapsokokkinizo] blush, flush.

αναψυκτήριο (το) [anapsiktirio] refreshment room, soda fountain.

αναψυκτικά (τα) [anapsiktika] refreshments, soft drinks.

αναψυχή (n) [anapsihi] recreation, distraction.

ανδραγάθημα (το) [andhragathima] feat.

ανδραγαθία (n) [andhragathia] valour, gallantry.

ανδράποδο (το) [andhrapodho] slave.

ανδρεία (n) [andhria] bravery.

ανδρείκελο (το) [andhrikelo] dummy, puppet [μεταφ], stooge [μεταφ].

ανδρείος-εία-είο (ε) [andhrios] brave, gallant.

ανδριάντας (ο) [andhriandas] statue.

ανδρικός-ή-ό (ε) [andhrikos] virile, male.

ανδρισμός (ο) [andhrismos] manhood, virility.

ανδρόγυνο (το) [andhroyino] man and wife, married couple.

ανδροπρεπής-ής-ές (ε) [andhroprepis] manly, manful.

ανδρώνομαι (ρ) [andhronome] reach manhood, stand on one's feet.

ανεβάζω (ρ) [anevazo] raise, put on.

ανεβαίνω (ρ) [aneveno] ascend, climb, go up, mount up, board.

ανέβασμα (το) [anevasma] going up.

ανεβοκατεβαίνω (ρ) [anevokateveno] go up and down.

ανεβοκατέβασμα (το) [anevokatevasma] going up and down, fluctuation.

ανέγγιχτος-n-ο (ε) [anengihtos] untouched, new, inact.

ανεγείρω (ρ) [aneyiro] erect [άγαλμα, κλπ], put up, build.

ανέγερση (n) [aneyersi] erection, construction.

ανεδαφικός-ή-ό (ε) [anedhafikos] unrealistic.

ανειδίκευτος-n-ο (ε) [anidhikeftos] unskilled.

ανειλικρίνεια (n) [anilikrinia] insincerity.

ανειλικρινής-ής-ές (ε) [anilikrinis] insincere.

ανείπωτος-n-ο (ε) [anipotos] untold, unspeakable.

ανειρήνευτος-n-ο (ε) [anirineftos] ceaseless.

ανέκαθεν (επ) [anekathen] always, all along.

ανεκδήλωτος-n-ο (ε) [anekdhilotos] unrevealed.

ανεκδιήγητος-n-ο (ε) [anekdhiiyitos] indescribable.

ανέκδοτο (το) [anekdhoto] anecdote, funny story.

ανέκδοτος-n-ο (ε) [anekdhotos] unpublished.

ανέκκλητο (το) [anekklito] finality.

ανέκκλητος-n-ο (ε) [anekklitos] irrevocable, irreversible.

ανεκμετάλλευτος-n-ο (ε) [anekmetalleftos] unexploited.

ανεκπλήρωτος-n-ο (ε) [anekplirotos] unfulfilled, unachieved.

ανεκτέλεστος-n-ο (ε) [anektelestos] unexecuted [μουσ], unperformed [σκοπός], unrealized.

ανεκτικός-ή-ό (ε) [anektikos] tolerant, indulgent, permissive.

ανεκτικότητα (n) [anektikotita] permissiveness.

ανεκτίμητος-n-ο (ε) [anektimitos] priceless, inestimable.

ανεκτός-ή-ό (ε) [anektos] bearable, tolerable.

ανέκφραστα (επ) [anekfrasta] blankly, vacantly, inexpressibly, indescribably.

ανελαστικός-ή-ό (ε) [anelastikos] unelastic.

ανελέητος-n-ο (ε) [aneleitos] pitiless, cruel, ruthless.

ανελεύθερος-n-ο (ε) [aneleftheros] illiberal, despotic.

ανελκυστύρας (ο) [anelkistiras] lift, elevator.

ανελκύω (ρ) [anelkio] refloat, salvage.

ανελλιπής-ής-ές (ε) [anellipis] regular, unfailing.

ανέλπιστος-n-ο (ε) [anelpistos] unexpected, unforeseen [γεγονός], unhoped-for.

ανέμελος-n-ο (ε) [anemelos] carefree, easy-going, casual, debonair.

ανέμη (n) [anemi] spinning-wheel.

ανεμίζω (ρ) [anemizo] air, wave, flutter.

ανέμισμα (το) [anemisma] flap.

ανεμιστύρας (ο) [anemistiras] fan, ventilator.

ανεμοβλογιά (n) [anemovloyia] chickenpox.

ανεμογράφος (ο) [anemografos] anemograph.

ανεμόδαρτος-n-ο (ε) [anemodhartos] bleak, wind-swept.

ανεμοδείκτης (ο) [anemodhihtis] vane, weather-cock, wind-sock [αεροπ], wind-sleeve [αεροπ].

ανεμοθύελλα (n) [anemothiela] windstorm.

ανεμόμετρο (το) [anemometro] anemometer.

ανεμόμυλος (ο) [anemomilos] windmill.

ανεμοπορία (n) [anemoporia] gliding.

ανεμόπτερο (το) [anemoptero] glider, sailplane.

ανεμόσκαλα (n) [anemoskala] rope-ladder.

ανεμοστρόβιλος (ο) [anemostrovilos] whirlwind.

ανεμότρατα (n) [anemotrata] dragnet, drifter.

ανεμπόδιστος-n-ο (ε) [anembodhistos] unhindered.

ανεμώνα (n) [anemona] anemone.

ανενδοίαστος-n-ο (ε) [anendhiastos] unhesitating.

ανένδοτος-n-ο (ε) [anendhotos] unrelenting.

ανενόχλητος-n-ο (ε) [anenohlitos] undisturbed.

ανέντιμος-n-ο (ε) [anendimos] dishonest.

ανεξαιρέτως (επ) [anekseretos] without exception.

ανεξακρίβωτος-n-ο (ε) [aneksakrivotos] unconfirmed.

ανεξάντλητος-n-ο (ε) [aneksandlitos] inexhaustible, unfailing.

ανεξαρτησία (n) [aneksartisia] independence.

ανεξάρτητος-n-ο (ε) [aneksartitos] independent.

ανεξέλεγκτος-n-ο (ε) [anekselengtos] unconfirmed, unexamined [δαπάνη], uncontrolled, uninhibited.

ανεξερεύνητος-n-ο (ε) [anekserevnitos] unexplored, unfathomable.

ανεξεταστέος-a-ο (ε) [aneksetasteos] referred [μαθητής].

ανεξέταστος-n-ο (ε) [aneksetastos] unexamined.

ανεξήγητος-n-ο (ε) [aneksiyitos] incomprehensible, unaccountable.

ανεξιθρησκία (n) [aneksithriskia] freedom religious.

ανεξίκακος-n-ο (ε) [aneksikakos] forbearing, forgiving.

ανεξίτηλος-η-ο (ε) [aneksitilos] indelible.

ανεξιχνίαστος-η-ο (ε) [aneksihniastos] inscrutable, impenetrable, insoluble.

ανέξοδος-η-ο (ε) [aneksodhos] inexpensive.

ανεξοικείωτος-η-ο (ε) [aneksikiotos] unused, unaccustomed.

ανεξόφλητος-η-ο (ε) [aneksoflitos] outstanding, unsettled, unpaid.

ανεπαίσθητος-η-ο (ε) [anepesthitos] imperceptible.

ανεπανάληπτος-η-ο (ε) [anepanaliptos] unique, unprecedented.

ανεπανόρθωτος-η-ο (ε) [anepanorthotos] irreparable.

ανεπάρκεια (n) [aneparkia] insufficiency.

ανεπαρκής-ής-ές (ε) [aneparkis] insufficient, inadequate.

ανέπαφος-η-ο (ε) [anepafos] untouched, intact, whole, unimpaired.

ανεπηρέαστος-η-ο (ε) [anepireastos] unaffected, uninfluenced, unswayed.

ανεπιβεβαίωτος-η-ο (ε) [anepiveveotos] unconfirmed, unverified.

ανεπίδεκτος-η-ο (ε) [anepidhektos] unreceptive, not susceptible.

ανεπιθύμητος-η-ο (ε) [anepithimitos] undesirable.

ανεπίκαιρος-η-ο (ε) [anepikeros] untimely, inopportune.

ανεπικύρωτος-η-ο (ε) [anepikirotos] unratified, uncertified.

ανεπίληπτος-η-ο (ε) [anepiliptos] impeccable, unexceptionable.

ανεπίσημος-η-ο (ε) [anepisimos] unofficial, informal, incognito.

ανεπισημότητα (n) [anepisimotita] informality.

ανεπιστρεπτί (επ) [anepistrepti] irrevocably, for good, irretrievably.

ανεπίτευκτος-η-ο (ε) [anepitefktos] unattained, unobtainable.

ανεπιτήδειος-α-ο (ε) [anepitidhios] inept, clumsy, unskilled.

ανεπιτήδευτος-η-ο (ε) [anepitidheftos] unaffected, artless, ingenuous.

ανεπιτήρητος-η-ο (ε) [anepitiritos] unsupervised.

ανεπίτρεπτος-η-ο (ε) [anepitreptos] inadmissible.

ανεπιτυχής-ής-ές (ε) [anepitihis] unsuccessful, abortive, feckless.

ανεπιφύλακτος-η-ο (ε) [anepifilaktos] unreserved, unqualified.

ανεπρόκοπος-η-ο (ε) [aneprokopos] good-for-nothing, loafer, lazybones.

ανεπτυγμένος-η-ο (ε) [aneptigmenos] cultured, developed.

ανέραστος-η-ο (ε) [anerastos] unloved.

ανεργία (n) [aneryia] unemployment, joblessness.

άνεργος-η-ο (ε) [anergos] unemployed, idle, jobless.

ανέρχομαι (ρ) [anerhome] ascend, climb, amount to [λογαριασμός], accede.

ανέρωτος-η-ο (ε) [anerotos] neat.

άνεση (n) [anesi] ease, comfort, convenience, cosiness.

ανεστραμμένος-η-ο (μ) [anestramenos] reversed, turned upside down.

άνετα (επ) [aneta] comfortably.

άνετος-η-ο (ε) [anetos] comfortable, easy, convenient, leisurely.

ανεύθυνος-η-ο (ε) [anefthinos] irresponsible, casual [μεταφ], unreliable.

ανευθυνότητα (n) [anefthinotita] irresponsibility.

ανευλαβής-ής-ές (ε) [anevlavis] irreverent.

ανεύρεση (n) [anevresi] discovery.

ανεφάρμοστος-η-ο (ε) [anefarmostos] inapplicable, unworkable.

ανέφελος-η-ο (ε) [anefelos] unclouded, cloudless, clear.

ανέφικτος-η-ο (ε) [anefiktos] unattainable, impossible, unfeasable.

ανεφοδιάζω (ρ) [anefodhiazo] provide,

restock, supply.

ανεφοδιασμός (ο) [anefodhiasmos] supply, stocking, replenishing.

ανέχεια (n) [anehia] poverty.

ανέχομαι (ρ) [anehome] tolerate.

ανεψιά (n) [anepsia] niece.

ανεψιός (ο) [anepsios] nephew.

ανήθικος-n-ο (ε) [anithikos] immoral, corrupt, obscene.

ανηθικότητα (n) [anithikotita] immorality, depravity, obscenity.

άνηθο (το) [anitho] dill, anise.

ανήκουστος-n-ο (ε) [anikustos] unheard of, incredible, sublime [ειρων].

ανήκω (ρ) [aniko] appertain, belong.

ανηλεής-ής-ές (ε) [anileis] pitiless.

ανήλιαγος-n-ο (ε) [aniliagos] sunless, unsunned.

ανηλικιότητα (n) [anilikiotita] minority, being under age.

ανήλικος-n-ο (ε) [anilikos] under age, minor.

ανήμερα (επ) [animera] on the same day.

ανήμερος-n-ο (ε) [animeros] wild.

ανήμπορος-n-ο (ε) [animboros] indisposed, ailing, poorly, helpless.

ανήξερος-n-ο (ε) [anikseros] unknowing, ignorant.

ανησυχητικός-ή-ό (ε) [anisihitikos] alarming, disturbing, pertrubing.

ανησυχία (n) [anisihia] uneasiness, concern, alarm, apprehension.

ανήσυχος-n-ο (ε) [anisihos] uneasy, anxious, alarmed, concerned.

ανησυχώ (ρ) [anisiho] be anxious.

ανηφοριά (n) [aniforia] ascent, uphill, steepness, acclivity.

ανηφορίζω (ρ) [aniforizo] go uphill.

ανηφορικός-ή-ό (ε) [aniforikos] steep, rising, uphill, ascending.

ανθεκτικός-ή-ό (ε) [anthektikos] endurable, resistant, hard, tough.

ανθηρός-ή-ό (ε) [anthiros] flowery.

άνθηση (n) [anthisi] flowering.

ανθίζω (ρ) [anthizo] bloom, flower.

ανθόγαλα (το) [anthogala] cream.

ανθοδέσμη (n) [anthodhesmi] bouquet, nosegay, bunch of flowers.

ανθοδοχείο (το) [anthodhohio] vase.

ανθοκομία (n) [anthokomia] floriculture.

ανθοκόμος (ο) [anthokomos] florist.

ανθολογία (n) [antholoyia] anthology.

ανθοπωλείο (το) [anthopolio] florist's, flower shop.

ανθοπώλης (ο) [anthopolis] florist.

άνθος (το) [anthos] flower, bloom.

ανθότυρο (το) [anthotiro] cream cheese.

ανθρακαποθήκη (n) [anthrakapothiki] coal cellar, coal yard, anthrax.

ανθρακούχος-α-ο (ε) [anthrakuhos] carbonic.

ανθρακωρυχείο (το) [anthrakorihio] coalmine, coal-pit, colliery.

ανθρακωρύχος (ο) [anthrakorihos] coalminer, collier, pitman.

ανθρωπιά (n) [anthropia] civility, compassion, consideration.

ανθρώπινος-n-ο (ε) [anthropinos] human, anthropic.

ανθρωπισμός (ο) [anthropismos] humanism.

ανθρωπιστής (ο) [anthropistis] humanist, humanitarian.

ανθρωπιστικός-ή-ό (ε) [anthropistikos] humanistic.

ανθρωποθάλασσα (n) [anthropothalassa] huge crowd, masses.

ανθρωποθυσία (n) [anthropothisia] human sacrifice.

ανθρωποκτονία (n) [anthropoktonia] murder, homicide.

ανθρωπολογία (n) [anthropoloyia] anthropology.

ανθρωπολόγος (ο) [anthropologos]

anthropologist.

άνθρωπος (ο) [anthropos] man, person, human, human being.

ανθρωπότητα (n) [anthropotita] mankind, humanity.

ανθρωποφάγος (ο) [anthropofagos] cannibal, anthropophagous.

ανθυγιεινός-ή-ό (ε) [anthiyiinos] unhealthy, unwholesome, insanitery.

ανθυπασπιστής (ο) [anthipaspistis] warrant officer.

ανθυπολοχαγός (ο) [anthipolohagos] second lieutenant.

ανθυποπλοίαρχος (ο) [anthipopliarhos] sublieutenant.

ανθυποσμηναγός (ο) [anthiposminagos] pilot officer.

ανία (n) [ania] boredom, tedium.

ανιαρός-ή-ό (ε) [aniaros] boring, .

ανίατος-n-ο (ε) [aniatos] incurable.

ανίδεος-n-ο (ε) [anidheos] unsuspecting, ignorant, clueless, inept.

ανιδιοτέλεια (n) [anidhiotelia] unselfishness, altruism.

ανιδιοτελής-ής-ές (ε) [anidhiotelis] unselfish, disinterested.

ανίερος-n-ο (ε) [anieros] ungodly.

ανικανοποίητος-n-ο (ε) [anikanopiitos] unsatisfied, choosy.

ανίκανος-n-ο (ε) [anikanos] incapable, unable, unfit, impotent.

ανικανότητα (n) [anikanotita] inability, impotence, incapability.

ανίκητος-n-ο (ε) [anikitos] unbeaten, unbeatable, invincible [εμπόδια].

ανισόπεδος-n-ο (ε) [anisopedhos] of unequal level, overpass [ΗΠΑ].

ανισόπλευρος-n-ο (ε) [anisoplevros] unequal sides [γεωμ].

ανισορροπία (n) [anisorropia] imbalance, unbalance.

ανισόρροπος-n-ο (ε) [anisorropos] not balanced, insane, absent-minded.

άνισος-n-ο (ε) [anisos] unequal.

ανισότητα (n) [anisotita] unfairness.

ανιστορώ (ρ) [anistoro] relate.

ανίσχυρος-n-ο (ε) [anishiros] powerless, weak, feeble, impotent.

άνιφτος-n-ο (ε) [aniftos] unwashed.

ανίχνευση (n) [anihnefsi] detection.

ανιχνευτής (ο) [anihneftis] detecto.

ανιχνεύω (ρ) [anihnevo] detect, trace, track, scan, search.

ανοδικός-ή-ό (ε) [anodhikos] upward, anodic [ηλεκτρ], rising.

άνοδος (n) [anodhos] accession.

ανονσία (n) [anoisia] foolishness.

ανόητος-n-ο (ε) [anoitos] foolish.

ανόθευτος-n-ο (ε) [anotheftos] pure.

άνοιγμα (το) [anigma] opening.

ανοίγω (ρ) [anigo] open, turn on.

ανοικοδόμηση (n) [anikodhomisi] reconstruction, rebuilding.

ανοικοδομώ (ρ) [anikodhomo] rebuild.

ανοικοκύρευτος-n-ο (ε) [anikokireftos] untidy, disorganized.

ανοικονόμητος-n-ο (ε) [anikonomitos] unwieldy [άβολος], ungainly.

ανοικτά (επ) [anikta] barely.

άνοιξη (n) [aniksi] spring.

ανοιξιάτικος-n-ο (ε) [aniksiatikos] spring.

ανοιχτά (επ) [anihta] aboveboard.

ανοιχτήρι (το) [anihtiri] opener.

ανοιχτόκαρδα (επ) [anihtokardha] cheerfully, cheerily, openheartedly.

ανοιχτόμυαλος-n-ο (ε) [anihtomialos] broad-minded, open-minded.

ανοιχτός-ή-ό (ε) [anihtos] open, light.

ανοιχτοχέρης-a-ικο (ε) [anihtoheris] generous, free-handed.

ανοιχτόχρωμος-n-ο (ε) [anihtohromos] light-coloured.

ανομβρία (n) [anomvria] drought.

ανόμημα (το) [anomima] sin.

ανομία (n) [anomia] offense.

ανομοιόμορφος-n-o (ε) [anomiomorfos] dissimilar, unequal.

ανόμοιος-a-o (ε) [anomios] different.

ανομοιότητα (n) [anomiotita] difference, dissimilarity, disparity.

άνομος-n-o (ε) [anomos] illegal, lawless, unlawful, illicit, bent.

ανοξείδωτος-n-o (ε) [anoksidhotos] stainless, rustproof.

ανόργανος-n-o (ε) [anorganos] inorganic.

ανοργάνωτος-n-o (ε) [anorganotos] unorganized, disorganized.

ανόργωτος-n-o (ε) [anorgotos] unploughed, untilled, uncultivated.

ανορεξία (n) [anoreksia] loss of appetite.

ανόρεχτος-n-o (ε) [anorehtos] with no appetite, low-spirited.

ανορθογραφία (n) [anorthografia] misspelling, incorrect spelling.

ανορθόδοξος-n-o (ε) [anorthodhoxos] unorthodox, off-beat.

ανορθώνω (ρ) [anorthono] lift up, restore, rear, set up, raise.

ανόρθωση (n) [anorthosi] rearing.

ανοσία (n) [anosia] immunity.

ανοσοποίηση (n) [anosopiisi] immunization.

ανόσιος-a-o (ε) [anosios] sacrilegious, unholy, ungodly godless.

ανοσιούργημα (το) [anosiuryima] sacrilege, odius crime.

άνοστος-n-o (ε) [anostos] insipid, tasteless.

ανούσιος-a-o (ε) [anusios] insipid.

ανοχή (n) [anohi] tolerance.

ανοχύρωτος-n-o (ε) [anohirotos] unfortified.

ανταγωνίζομαι (ρ) [andagonizome] compete, vie [with], rival.

ανταγωνισμός (ο) [andagonismos] rivalry.

ανταγωνιστής (ο) [andagonistis] competitor, opponent, rival.

ανταγωνιστικά (επ) [andagonistika] competitively.

ανταγωνιστικός-ή-ό (ε) [andagonistikos] competitive, antagonistic.

ανταγωνιστικότητα (n) [andagonistikotita] competitiveness.

ανταλλαγή (n) [andallayi] exchange, interchange, barter.

αντάλλαγμα (το) [andallagma] thing exchanged, recompense, barter.

ανταλλάσσω (ρ) [andallasso] exchange, interchange, swap, barter.

αντάμα (επ) [andama] together.

ανταμείβω (ρ) [andamivo] reward.

ανταμοιβή (n) [andamivi] reward, return.

ανταμώνω (ρ) [andamono] meet.

αντάμωση (n) [andamosi] meeting.

αντανάκλαση (n) [andanaklasi] reflection, reverberation.

αντανακλαστικό (το) [andanaklastiko] reflex.

αντανακλαστικός-ή-ό (ε) [andanaklastikos] reflective, reflecting.

αντανακλώ (ρ) [andanaklo] reflect.

αντάξιος-a-o (ε) [andaksios] worthy.

ανταπαίτηση (n) [andapetisi] counterclaim.

ανταπάντηση (n) [andapandisi] retort, repartee.

ανταπαντώ (ρ) [andapando] retort.

ανταπεργία (n) [andaperyia] lockout.

ανταπόδειξη (n) [andapodhiksi] counter-evidence.

ανταποδίνω (ρ) [andapodhino] return, repay, reciprocate.

ανταπόδοση (n) [andapodhosi] return, retaliation, reciprocation.

ανταποκρίνομαι (ρ) [andapokrinome] correspond to, tally.

ανταπόκριση (n) [andapokrisi] correspondence, dispatch, response.

ανταποκριτής (ο) [andapokritis] correspondent, reporter.

αντάρα (n) [andara] mist, fog, storm.

ανταρκτικός-ή-ό (ε) [andarktikos] antarctic.

ανταρσία (n) [andarsia] rebellion, revolt, mutiny, insurrection.

αντάρτης (ο) [andartis] rebel.

ανταρτικος-n-ο (ε) [andartikos] partisan, rebellious, guerilla.

αντασφάλεια (n) [andasfalia] reinsurance.

ανταύγεια (n) [andavyia] brilliance.

άντε! (επιφ) [ande!] come on.

αντέγκληση (n) [andenglisi] recrimination, counterblast.

αντεθνικός-ή-ό (ε) [andethnikos] unpatriotic, antinational.

αντεισήγηση (n) [andisiyisi] counterproposal.

αντεκδίκηση (n) [andekdhikisi] reprisal, retaliation, revenge.

αντεκδικούμαι (ρ) [andekdhikume] take revenge, retaliate.

αντένα (n) [andena] antenna, aerial.

αντένδειξη (n) [antendhiksi] contraindication [ιατρ], counter-indication.

αντενεργώ (ρ) [andenergo] counteract, react.

αντεπανάσταση (n) [andepanastasi] counterrevolution.

αντεπαναστάτης (ο) [andepanastatis] counterrevolutionary.

αντεπεξέρχομαι (ρ) [andepekserhome] cope, manage, be up to.

αντεπίθεση (n) [andepithesi] counterattack, counter-offensive.

αντεπιστημονικός-ή-ό (ε) [andepistimonikos] unscientific.

αντεπιτίθεμαι (ρ) [andepititheme] counterattack, parry.

αντεραστής (ο) [anderastis] rival [in love].

αντεργατικός-ή-ό (ε) [andergatikos] anti-labour, anti-union.

αντέρεισμα (το) [anderisma] buttress.

άντερο (το) [andero] intestine.

αντέφεση (n) [andefesi] counter-appeal.

αντέχω (ρ) [andeho] endure, hold firm, last, stand, stick, bear, bear up.

αντζούγια (n) [andzuyia] anchovy.

αντηλιά (n) [andilia] glare.

αντήχηση (n) [andihisi] echo, reverberation, resonance, clang, clanging.

αντηχώ (ρ) [andiho] resound, echo.

αντί (π) [andi] in exchange for, for [τιμή].

αντιαεροπορικός-ή-ό (ε) [andiaeroporikos] anti-aircraft.

αντιαρματικός-ή-ό (ε) [andiarmatikos] antitank.

αντιβαίνω (ρ) [andiveno] be contrary, be opposed to, go against.

αντίβαρο (το) [andivaro] counterweight, counterbalance.

αντιβασιλεία (n) [andivasilia] regency.

αντιβασιλιάς (ο) [andivasilias] regent.

αντιβασιλικός-ή-ό (ε) [andivasilikos] antiroyalist.

αντιβασίλισσα (n) [andivasilissa] vicereine, vicequeen.

αντιβιοτικό (το) [andiviotiko] antibiotic.

αντιγνωμία (n) [andignomia] dissent, conflict of.

αντιγραφέας (ο) [andigrafeas] copyist, copier, cribber.

αντιγραφή (n) [andigrafi] copy, copying, transcription, cribbing.

αντίγραφο (το) [andigrafo] copy.

αντιγράφω (ρ) [andigrafo] copy, imitate, crib, duplicate, engraft.

αντιδημοκρατικός-ή-ό (ε) [andidhimokratikos] antidemocratic.

αντιδημοτικός-ή-ό (ε) [andidhimotikos] unpopular.

αντίδι (το) [andidhi] endive.

αντίδικος-n-ο (ε) [andidhikos] opponent, adverse party, contestant.

αντίδοτο (το) [andidhoto] antidote,.

αντίδραση (n) [andidhrasi] reaction.

αντιδραστήρας (ο) [andidhrastiras] reactor.

αντιδραστικός-ή-ό (ε) [andidhrastikos] reactionary, reactive [χημ].

αντιδρώ (ρ) [andidhro] react, respond.

αντίδωρο (το) [andidhoro] holy bread.

αναζηλία (n) [andizilia] rivalry.

αντίθεος (ο) [antitheos] godless.

αντίθεση (n) [andithesi] contrast, opposition, antagonism, antithesis.

αντίθετα (επ) [anditheta] on the contrary.

αντίθετο (το) [anditheto] opposite.

αντίθετος-n-ο (ε) [andithetos] contrary, opposite, adverse, opposed.

αντίκα (n) [andika] antique.

αντικαγκελάριος (ο) [andikagelarios] vice-chancellor.

αντικαθεστωτικός-ή-ό (ε) [andikathestotikos] dissenter, antiregime.

αντικαθιστώ (ρ) [andikathisto] replace, substitute, relieve, deputize for.

αντικαθρεφτίζω (ρ) [andikathreftizo] reflect, mirror.

αντικανονικός-ή-ό (ε) [andikanonikos] irregular, against the rules.

αντικατασκοπεία (n) [andikataskopia] counter-espionage.

αντικατάσταση (n) [andikatastasi] replacement, substitution.

αντικαταστάτης (ο) [andikatastatis] substitute, successor, replacer.

αντικατοπτρισμός (ο) [andikatoptrismos] mirage, reflection.

αντίκειμαι (ρ) [andikime] be opposed to.

αντικειμενικός-ή-ό (ε) [andikimenikos] objective, detached, unbiassed.

αντικειμενικότητα (n) [andikimenikotita] objectivity, impartiality.

αντικείμενο (το) [andikimeno] object, thing, topic, article, chose [voμ].

αντικίνητρο (το) [andikinitro] disincentive, counterincentive.

αντικλείδι (το) [andiklidhi] passkey.

αντίκλητος (ο) [andiklitos] attorney.

αντικομμουνισμός (ο) [andikommunismos] anticommunism.

αντικομμουνιστής (ο) [antikomunistis] anticommunist.

αντικομμουνιστικός-ή-ό (ε) [antikomunistikos] anticommunist.

αντικονφορμιστής (ο) [andikonformistis] non-conformist.

αντικρίζω (ρ) [andikrizo] see, face.

αντικρινός-ή-ό (ε) [andikrinos] opposite, facing, across.

αντικριστά (επ) [andikrista] opposite, facing each other.

αντικρούω (ρ) [andikruo] refute.

αντίκρυ (επ) [andikri] opposite.

αντικρυσής (ο) [andikristis] stock-jobber.

αντίκτυπος (ο) [andiktipos] repercussion, effect, result, impact.

αντικυκλώνας (ο) [andikiklonas] high, anticyclone.

αντιλαϊκός-ή-ό (ε) [andilaikos] unpopular, anti-popular.

αντίλαλος (ο) [andilalos] echo.

αντιλαμβάνομαι (ρ) [andilamvanome] understand, grasp, cognize.

αντιλέγω (ρ) [andilego] contradict.

αντιληπτός-ή-ό (ε) [andiliptos] perceptible, understandable, perceivable.

αντίληψη (n) [andilipsi] understanding, perception, conception.

αντιλογία (n) [andiloyia] objection.

αντιλόπη (n) [andilopi] antelope.

αντιμάχομαι (ρ) [andimahome] fight against, struggle against.

αντιμαχόμενος-n-ο (ε) [andimahomenos] ambivalent, warring.

αντίμετρο (το) [andimetro] reprisal.

αντιμετωπίζω (ρ) [andimetopizo] confront, face, cope with, encounter.

αντιμετώπιση (n) [andimetopisi] coping with, confrontation.

αντιμέτωπος-n-ο (ε) [andimetopos] face to face, confronting.

αντιμιλώ (ρ) [andimilo] contradict.

αντιμισθία (n) [andimisthia] pay.

αντιναύαρχος (ο) [andinavarhos] vice-adrmiral.

αντινομία (n) [andinomia] paradox.

αντίξοος-n-ο (ε) [andiksoos] adverse, unfavourable, antagonistic.

αντίο! (επιφ) [andio!] goodbye, bye.

αντιοικονομικός-ή-ό (ε) [andiikonomikos] uneconomical.

αντιολισθητικός-ή-ό (ε) [andiolisthitikos] antiskid, non-skid.

αντιπάθεια (n) [andipathia] antipathy, aversion, dislike, antagonism.

αντιπαθητικός-ή-ό (ε) [andipathitikos] unlikeable, detestable.

αντιπαθώ (ρ) [andipatho] dislike.

αντιπαλεύω (ρ) [andipalevo] wrestle.

αντίπαλος-n-ο (ε) [andipalos] adversary, opponent, enemy [στρατ], rival.

αντιπαραβάλλω (ρ) [andiparavallo] check up on, compare, juxtapose.

αντιπαρασιτικός-ή-ό (ε) [andiparasitikos] antistatic, antiparasitic.

αντιπαράσταση (n) [andiparastasi] cross-examination, confrontation.

αντιπαρατάσσω (ρ) [andiparatasso] line up, marshal, array.

αντιπαρέρχομαι (ρ) [andiparerhome] escape, ignore, pass over.

αντιπαροχή (n) [antiparohi] repaying, rendering, in exchange for.

αντίπερα (επ) [andipera] across.

αντιπερισπασμός (ο) [andiperispasmos] distraction, diversion.

αντιπληθωρισμός (ο) [andiplithorismos] disinflation.

αντιπληθωρισтικός-ή-ό (ε) [andiplithoristikos] deflationary.

αντιπλοίαρχος (ο) [andipliarhos] lieutenant commander, first mate.

αντιποίηση (n) [andipiisi] usurpation, encroachment.

αντίποινα (τα) [andipina] reprisals.

αντιπολίτευση (n) [andipolitefsi] opposition.

αντίπραξη (n) [andipraksi] opposition, thwarting, competition.

αντιπρόεδρος (ο) [andiproedhros] vice-president, deputy chairman.

αντιπροσωπεία (n) [andiprosopia] delegation, deputation.

αντιπροσώπευση (n) [andiprosopefsi] representation.

αντιπροσωπεύω (ρ) [andiprosopevo] represent, stand for, deputize.

αντιπρόσωπος (ο) [andiprosopos] representative, agent, proxy.

αντιπρόταση (n) [andiprotasi] counter-proposal, counter-offer.

αντιπροτείνω (ρ) [andiprotino] propose, offer/in return, repropose.

αντιπρύτανης (ο) [andipritanis] vice-rector, deputy dean.

αντίρρηση (n) [andirrisi] objection.

αντιρρησίας (ο) [andirrisias] objector, dissenter, disputant.

αντίρροπο (το) [andirropo] counterweight.

αντίρροπος-n-ο (ε) [andirropos] opposite, counterbalancing.

αντισεισμικός-ή-ό (ε) [andisismikos] antiseismic.

αντισημίτης (ο) [andisimitis] anti-semite.

αντισηπτικός-ή-ό (ε) [andisiptikos] antiseptic.

αντισμήναρχος (ο) [andisminarhos] wing commander.

αντισταθμίζω (ρ) [andistathmizo] balance, counterbalance.

αντιστάθμισμα (το) [andistathmisma] compensation, offset.

αντίσταση (n) [andistasi] resistance.

αντιστέκομαι (ρ) [andistekome] resist, oppose, withstand.

αντιστήριγμα (το) [andistirigma] support, buttress, mainstay.

αναστοιχία (n) [andistihia] correspondence, equivalence, analogy.

αντίστοιχο (το) [andistiho] correlate.

αντίστοιχος-n-o (ε) [andistihos] corresponding, equivalent.

αντιστοιχώ (ρ) [andistiho] tally.

αντιστρατεύομαι (ρ) [andistratevome] conflict, clash with, go against.

αντιστράτηγος (ο) [andistratigos] lieutenant-general.

αντιστρέφω (ρ) [andistrefo] invert.

αντιστροφή (n) [andistrofi] reversal.

αντίστροφος-n-o (ε) [andistrofos] reverse, inverse, reciprocal, converse.

αντιστύλι (το) [andistili] mainstay.

αντισυλληπτικό (το) [andisiliptiko] contraceptive.

αντισυνταγματάρχης (ο) [andisindagmatarhis] lieutenant-colonel.

αντισυνταγματικός-ή-ό (ε) [andisindagmatikos] unconstitutional.

αντισφαίριση (n) [andisferisi] lawn tennis.

αντίσωμα (το) [andisoma] antibody.

ανατάσσω (ρ) [anditasso] oppose.

ανατείνω (ρ) [anditino] object.

αντιτίθεμαι (ρ) [andititheme] be opposed, demur.

αντίτιμο (το) [anditimo] value, price.

αντιτορπιλικό (το) [anditorpiliko] destroyer, torpedo boat.

αντίτυπο (το) [anditipo] copy.

αντίφαση (n) [andifasi] contradiction.

αντιφάσκω (ρ) [andifasko] contradict oneself.

αντιφατικός-ή-ό (ε) [andifatikos] contradictory, inconsistent.

αντιφεγγιά (n) [andifengia] glow.

αντίφωνο (το) [andifono] antiphon.

αντίχειρας (ο) [andihiras] thumb.

αντίχριστος-n-o (ε) [andihristos] Antichrist.

αντιψυκτικό (το) [andipsiktiko] antifreeze.

αντλία (n) [andlia] pump.

αντλώ (ρ) [andlo] pump, draw on.

αντοχή (n) [andohi] resistance.

αντράκλα (n) [andrakla] purslane.

άντρας (ο) [andras] man, husband.

αντρειοσύνη (n) [andriosini] bravery, gallantry, courage.

αντρειωμένος-n-o (ε) [andriomenos] brave, fearless, gallant.

αντρίκειος-a-o (ε) [andrikios] manly, manlike, virile, masculine.

άντρο (το) [andro] den, lair, retreat.

αντρογυναίκα (n) [androyineka] virago, masculine woman.

αντωνυμία (n) [andonimia] pronoun.

ανυδρία (n) [anidhria] drought.

άνυδρος-n-o (ε) [anidhros] dry, arid.

ανυπακοή (n) [anipakoi] disobedience.

ανυπάκουος-n-o (ε) [anipakuos] disobedient, insubordinate.

ανύπανδρος-n-o (ε) [anipandhros] unmarried, bachelor, spinster.

ανύπαρκτος-n-o (ε) [aniparktos] nonexistent, unreal, imaginary.

ανυπαρξία (n) [aniparksia] nonexistence, void.

ανυπεράσπιστος-n-o (ε) [aniperaspistos] defenceless, unprotected.

ανυπέρβλητος-n-o (ε) [anipervlitos] insurmountable unrivalled.

ανυπερθέτως (επ) [aniperthetos] unfailingly, without fail.

ανυπόγραφος-n-o (ε) [anipografos] unsigned.

ανυπόκριτος-n-o (ε) [anipokritos] unfeigned, undisguised, genuine.

ανυπόληπτος-n-o (ε) [anipoliptos] disreputable, discredited.

ανυπολόγιστος-n-o (ε) [anipoloyistos] incalculable, immesurable.

ανυπομονησία (n) [anipomonisia] impatience, eagerness.

ανυπόμονος-n-o (ε) [anipomonos] impatient, anxious, rash, impetuous.

ανυπομονώ (ρ) [anipomono] be impatient, be eager, be anxious.

ανύποπτος-n-o (ε) [anipoptos] unsuspecting, not suspected.

ανυπόστατος-n-o (ε) [anipostatos] unfounded, unreal.

ανυποστήριχτος-n-o (ε) [anipostirihtos] untenable, unsupported.

ανυπότακτος-n-o (ε) [anipotaktos] insubordinate [λαός], unsubdued.

ανυποταξία (n) [anipotaksia] draft evasion [στρατ], rebelliousness.

ανυπόφορος-n-o (ε) [anipoforos] intolerable, unbearable, excruciating.

ανυποχώρητος-n-o (ε) [anipohoritos] uncompromising, tenacious.

ανυποψίαστος-n-o (ε) [anipopsiastos] unsuspecting, guileless.

ανυστερόβουλος-n-o (ε) [anisterovulos] disinterested, selfless.

ανυψώνω (ρ) [anipsono] raise, praise.

ανύψωση (n) [anipsosi] rise, ascent.

άνω (επ) [ano] up, above.

ανώδυνος-n-o (ε) [anodhinos] painless, slight [μεταφ], insignificant.

άνωθεν (επ) [anothen] from above.

άνω-κάτω (επ) [ano-kato] upset.

ανωμαλία (n) [anomalia] anomaly.

ανώμαλος-n-o (ε) [anomalos] irregular, abnormal, anomalous.

ανωνυμία (n) [anonimia] anonymity.

ανώνυμος-n-o (ε) [anonimos] anonymous, nameless, unnamed.

ανώριμος-n-o (ε) [anorimos] unripe.

ανώτατος-n-o (ε) [anotatos] highest.

ανώτερος-n-o (ε) [anoteros] superior, higher, upper, noble, elevated.

ανωτερότητα (n) [anoterotita] superiority, nobility, supremacy.

ανωτέρω (επ) [anotero] above.

ανώφελα (επ) [anofela] uselessly.

ανωφέλεια (n) [anofelia] inutility.

ανώφελος-n-o (ε) [anofelos] useless.

άξαφνα (επ) [aksafna] suddenly.

αξεδιάλυτος-n-o (ε) [aksedhialitos] insoluble, inextricable, unsolved.

άξενος-n-o (ε) [aksenos] inhospitable, forbidding.

αξεπέραστος-n-o (ε) [akseperastos] insuperable, unrivalled, unsurpassed.

αξεσουάρ (το) [axesuar] accessory.

άξεστος-n-o (ε) [aksestos] uncouth.

αξετίμητος-n-o (ε) [aksetimitos] invaluable, priceless.

αξέχαστος-n-o (ε) [aksehastos] unforgotten, unforgettable, memorable.

αξία (n) [aksia] worth, value, price.

αξιαγάπητος (o) [aksiagapitos] lovable, amiable, dear, lovely.

αξιέπαινος-n-o (ε) [aksiepenos] praiseworthy, laudable, creditable.

αξίζω (ρ) [aksizo] be worth, cost.

αξίνα (n) [aksina] pickaxe.

αξιοδάκρυτος-n-o (ε) [aksiodhakritos] pitiable, deplorable, lamentable.

αξιοζήλευτος-n-o (ε) [aksiozileftos] enviable.

αξιοθαύμαστος-n-o (ε) [aksiothavmastos] wonderful, admirable.

αξιοθέατα (τα) [aksiotheata] sights .

αξιοθρήνητος-n-o (ε) [aksiothrinitos] deplorable, sad.

αξιοκατάκριτος-n-o (ε) [aksiokatakritos] blameworthy.

αξιοκαταφρόνητος-n-o (ε) [aksiokatafronitos] despicable, disgraceful.

αξιοκρατία (n) [aksiokratia] meritocracy.

αξιολάτρευτος-n-o (ε) [aksiolatreftos] adorable, charming, well-loved.

αξιόλογα (ε) [aksiologa] appreciably.

αξιόλογος-n-o (ε) [aksiologos] remarkable, distinguished, eminent.

αξιολύπητα (επ) [aksiolipita] pitiful.

αξιόμαχος-n-o (ε) [aksiomahos] well-trained, effective.

αξιομνημόνευτος-n-o (ε) [aksiomnimoneftos] memorable.

αξιοπαρατήρητος-η-ο (ε) [aksioparatiritos] striking, noteworthy.

αξιοπερίεργος-η-ο (ε) [aksioperiergos] uncommon, curious, unusual.

αξιόπιστα (επ) [aksiopista] credibly.

αξιόπιστος-η-ο (ε) [aksiopistos] reliable, creditable.

αξιοποίηση (n) [aksiopiisi] development, exploitation.

αξιόποινος-η-ο (ε) [aksiopinos] punishable.

αξιοποιώ (ρ) [aksiopio] develop.

αξιοπρέπεια (n) [aksioprepia] dignity.

αξιοπρεπής-ής-ές (ε) [aksioprepis] dignified, decent, self-respecting.

αξιοπρόσεχτος-η-ο (ε) [aksioprosehtos] remarkable, noticeable.

άξιος (ο) [aksios] capable, deserving.

αξιοσέβαστος-η-ο (ε) [aksiosevastos] venerable, respectable.

αξιοσημείωτος-η-ο (ε) [aksiosimiotos] noteworthy, notable.

αξιότιμος-η-ο (ε) [aksiotimos] estimable.

αξιόχρεος-η-ο (ε) [aksiohreos] solvent, reliable, safe, sound.

αξιώ (ρ) [aksio] exact, demand.

αξίωμα (το) [aksioma] office,.

αξιωματικός (ο) [aksiomatikos] officer, authoritative, commissioned.

αξιωματούχος-ος-ο (ε) [aksiomatuhos] dignitary, official, functionary.

αξιώνω (ρ) [aksiono] demand, claim.

αξίωση (n) [aksiosi] demand, claim.

αξόδευτος-η-ο (ε) [aksodheftos] unsold, unspent, unconsumed.

άξονας (ο) [aksonas] axle, axis.

αξονικά (επ) [aksonika] axially.

αξύριστος-η-ο (ε) [aksiristos] unshaven.

αόμματος (ο) [aommatos] blind.

άοπλος-η-ο (ε) [aoplos] unarmed.

αόρατος-η-ο (ε) [aoratos] invisible.

αόριστα (επ) [aorista] loosely.

αοριστία (n) [aoristia] vagueness.

αόριστος (ο) [aoristos] past tense [γραμ], invisible, indefinite, vague.

αορτή (n) [aorti] aorta.

αορτήρας (ο) [aortiras] strap.

άοσμος-η-ο (ε) [aosmos] odourless.

απαγγελία (n) [apangelia] recitation.

απαγγέλλω (ρ) [apangello] recite.

απαγγιάζω (ρ) [apangiazo] becalm.

απαγκιστρώνω (ρ) [apangistrono] unhook, disengage, unhitch.

απαγκίστρωση (n) [apangistrosi] disengagement, extrication.

απαγόρευση (n) [apagorefsi] ban.

απαγορευτικός-ή-ό (ε) [apagoreftikos] prohibitive, banning, inhibitory.

απαγορεύω (ρ) [apagorevo] prohibit, forbid, ban, inhibit, incapacitate.

απαγχονίζω (ρ) [apaghonizo] hang.

απάγω (ρ) [apago] kidnap, abduct.

απαγωγέας (ο) [apagoyeas] abductor.

απαγωγή (n) [apagoyi] abduction, kidnapping [παιδιού], eloping.

απαθανατίζω (ρ) [apathanatizo] immortalize.

απάθεια (n) [apathia] apathy.

απαθής-ής-ές (ε) [apathis] apathetic.

απαίδευτος-η-ο (ε) [apedheftos] uneducated, uncultured, untrained.

απαίσια (επ) [apesia] appallingly, awfully.

απαισιοδοξία (n) [apesiodhoksia] pessimism.

απαίσιος-α-ο (ε) [apesios] frightful, horrible.

απαίτηση (n) [apetisi] claim.

απαιτητικός-ή-ό (ε) [apetitikos] demanding, exacting, importunate.

απαιτητός-ή-ό (ε) [apetitos] due.

απαιτούμενος-η-ο (ε) [apetumenos] requisite, necessary, required.

απαιτώ (ρ) [apeto] claim, demand.

άπαιχτος-η-ο (ε) [apehtos] unperformed, unproduced.

απαλείφω (ρ) [apalifo] delete.

απάλειψη (n) [apalipsi] taking out.

απαλλαγή (n) [apallayi] deliverance, release, immunity, exemption.

απαλλαγμένος-η-ο (μ) [apallagmenos] free from, clear of.

απαλλάσσω (ρ) [apallasso] deliver, relieve, exempt, dispense, absolve.

απαλλοτριώνω (ρ) [apallotriono] expropriate, alienate, barter.

απαλός-ή-ό (ε) [apalos] soft, smooth.

απαλότητα (n) [apalotita] softness.

απάλυνση (n) [apalinsi] easing.

απαλύνω (ρ) [apalino] soften, ease.

απαμβλύνω (ρ) [apamvlino] dull.

απανθρακώνω (ρ) [apanthrakono] char, burn up, burn down, carbonize.

απανθρωπιά (n) [apandhropia] inhumanity, cruelty, savagery, atrocity.

απάνθρωπος-η-ο (ε) [apanthropos] inhuman, cruel, savage, ruthless.

άπαντα (τα) [apanda] complete works.

απαντέχω (ρ) [apandeho] hope for.

απάντηση (n) [apandisi] answer.

απαντοχή (n) [apandohi] hope.

απαντώ (ρ) [apando] answer, reply.

απανωτά (επ) [apanota] running.

άπαξ (επ) [apaks] once.

απαξάπαντες (οι) [apaxapandes] one and all.

απαξία (n) [apaksia] demerit, scorn.

απαξιώνω (ρ) [apaksiono] not deign.

απαραβίαστος-η-ο (ε) [aparaviastos] intact, inviolate.

απαράγραπτος-η-ο (ε) [aparagraptos] inalienable, unprejudiced.

απαράδεκτος-η-ο (ε) [aparadhektos] unacceptable, inadmissible.

απαραίτητος-η-ο (ε) [aparetitos] indispensable, necessary.

απαράλλακτος-η-ο (ε) [aparallaktos] identical, unchanged.

απαράμιλλος-η-ο (ε) [aparamillos] unrivalled, incomparable, peerless.

απαρατήρητος-η-ο (ε) [aparatiritos] unnoticed, unobserved.

απαρέγκλιτος-η-ο (ε) [aparenglitos] unswerving, undeviating.

απαρέμφατο (το) [aparemfato] infinitive.

απαρηγόρητος-η-ο (ε) [aparigoritos] inconsolable, disconsolate.

απαρίθμηση (n) [aparithmisi] enumeration.

απαριθμώ (ρ) [aparithmo] count.

απάρνηση (n) [aparnisi] renunciation.

απαρνιέμαι (ρ) [aparnieme] renounce, deny, disavow, disown.

απαρτία (n) [apartia] quorum.

απαρτίζω (ρ) [apartizo] form, constitute, make up, compose.

απαρχαιωμένος-η-ο (μ) [aparheomenos] antiquated, obsolete.

απαρχή (n) [aparhi] outset.

απασχολημένος-η-ο (μ) [apasholimenos] busy, engaged, at work.

απασχόληση (n) [apasholisi] job.

απασχολώ (ρ) [apasholo] employ.

απατεώνας (ο) [apateonas] cheat.

απάτη (n) [apati] deceit, fraud, hoax.

απατηλά (επ) [apatila] artfully.

απατηλός-ή-ό (ε) [apatilos] deceptive, false, fraudulent, delusive.

απάτητος-η-ο (ε) [apatitos] untrodden, pathless, inaccessible.

άπατος-η-ο (ε) [apatos] bottomless.

απατώ (ρ) [apato] deceive, cheat.

απαυδισμένος-η-ο (μ) [apavdhismenos] fed up, weary.

απαυτώνω (ρ) [apaftono] screw.

άπαχος-η-ο (ε) [apahos] lean, fatless.

απεγνωσμένος-η-ο (μ) [apegnosmenos] desperate, frantic.

απεθνικοποιώ (ρ) [apethnikopio] denationalize.

απειθάρχητος-η-ο (ε) [apitharhitos] undisciplined, insubordinate, wild.

απειθαρχία (n) [apitharhia] insubordination, lack of discipline.

απειθαρχώ (ρ) [apitharho] disobey.

απείθεια (n) [apithia] disobedience.

απειθής-ής-ές (ε) [apithis] disobedient.

απεικονίζω (ρ) [apikonizo] represent.

απεικόνιση (n) [apikonisi] representation.

απειλή (n) [apili] threat, menace.

απειλητικός-ή-ό (ε) [apilitikos] threatening, menacing, intimidating.

απειλώ (ρ) [apilo] threaten.

απειράριθμος-n-ο (ε) [apirarithmos] countless, innumerable.

απείραχτος-n-ο (ε) [apirahtos] intact.

απειρία (n) [apiria] inexperience [μέτρο], infinity [μέτρο], immensity.

άπειρο (το) [apiro] infinity.

απειροελάχιστος-n-ο (ε) [apiroelahistos] infinitesimal.

άπειρος-n-ο (ε) [apiros] infinite.

απέκκριση (n) [apekrisi] excretion.

απέλαση (n) [apelasi] deportation.

απελαύνω (ρ) [apelavno] deport.

απελευθερώνω (ρ) [apeleftherono] set free, emancipate, liberate.

απελευθέρωση (n) [apeleftherosi] liberation, emancipation.

απελευθερωτής (ο) [apeleftherotis] liberator, deliverer.

απελευθερωτικός-ή-ό (ε) [apeleftherotikos] liberating, liberation.

απελπίζομαι (ρ) [apelpizome] despair of.

απελπίζω (ρ) [apelpizo] drive to despair, deny hope, grieve, distress.

απελπισία (n) [apelpisia] despair.

απελπισμένα (επ) [apelpismena] despairingly, desperately.

απελπισμένος-n-ο (μ) [apelpismenos] desperate, in despair, hopeless, despairing.

απελπιστικός-ή-ό (ε) [apelpistikos] hopeless, desperate.

απέναντι (επ) [apenandi] opposite.

απεναντίας (επ) [apenandias] on the contrary.

απένταρος-n-ο (ε) [apendaros] penniless, broke, bust.

απέξω (επ) [apekso] exterior, out.

απέραντος-n-ο (ε) [aperandos] boundless, endless, vast, immense.

απεραντοσύνη (n) [aperandosini] vastness, infinity, immensity.

απέραστος-n-ο (ε) [aperastos] impassable.

απεργία (n) [aperyia] strike, walkout.

απεργός (ο) [apergos] striker.

απεργοσπάστης (ο) [apergospastis] blackleg, scab, fink.

απεργώ (ρ) [apergo] strike.

απερίγραπτος-n-ο (ε) [aperigraptos] indescribable, nameless.

απεριόριστος-n-ο (ε) [aperioristos] unlimited, limitless, boundless.

απεριποίητος-n-ο (ε) [aperipiitos] neglected, uncared, unattended.

απερίσκεπτος-n-ο (ε) [aperiskeptos] foolish, headless, rash, impetuous.

απερισκεψία (n) [aperiskepsia] imprudence, rashness, recklessness.

απερίσπαστος-n-ο (ε) [aperispastos] undistracted, concentrated.

απέριττος-n-ο (ε) [aperittos] plain.

απερίφραστος-n-ο (ε) [aperifrastos] unequivocal, explicit, flat, outright.

απέρχομαι (ρ) [aperhome] leave.

απεσταλμένος-n-ο (μ) [apestalmenos] envoy, minister, delegate.

απευθείας (επ) [apefthias] straight.

απευθύνομαι (ρ) [apefthinome] apply, appeal, address, direct to.

απευθύνω (ρ) [apefthino] address.

απευκταίος-α-ο (ε) [apefkteos] undesirable, unfortunate.

απεχθάνομαι (ρ) [apehthanome] detest, abhor, loathe, hate.

απέχθεια (n) [apehthia] aversion, abhorrence, revulsion, repugnance.

απεχθής-ής-ές (ε) [apehthis] odious, repulsive, detestable, loathsome.

απέχω (ρ) [apeho] abstain, be distant.

απηνής-ής-ές (ε) [apinis] relentless.

απηρχαιωμένος-η-ο (μ) [apirheomenos] antiquated.

απήχηση (n) [apihisi] effect, echo.

απηχώ (ρ) [apiho] echo.

άπιαστος-η-ο (ε) [apiastos] intact.

απίδι (το) [apidhi] pear.

απίθανος-η-ο (ε) [apithanos] unlikely, improbable, implausible.

απιθώνω (ρ) [apithono] put down.

απίστευτα (επ) [apistefta] colossally.

απιστία (n) [apistia] unfaithfulness.

άπιστος-η-ο (ε) [apistos] unbelieving, faithless, infidel, unfaithful.

απιστώ (ρ) [apisto] be unfaithful.

απλά (επ) [apla] simply.

άπλα (n) [apla] spaciousness.

απλανής-ής-ές (ε) [aplanis] blank.

άπλετος-η-ο (ε) [apletos] abundant, ample.

απληροφόρητος-η-ο (ε) [apliroforitos] uninformed, in ignorance.

απλήρωτος-η-ο (ε) [aplirotos] unfilled.

απλησίαστος-η-ο (ε) [aplisiastos] unapproachable, inaccessible.

άπληστα (επ) [aplista] covetously.

απληστία (n) [aplistia] greed, avidity.

άπληστος-η-ο (ε) [aplistos] avid.

απλοϊκός-ή-ό (ε) [aploikos] naive.

απλοποιώ (ρ) [aplopio] simplify.

απλός-ή-ό (ε) [aplos] simple, plain.

απλότητα (n) [aplotita] simplicity.

απλούστατα (επ) [aplustata] simply.

απλοχέρης-α-ικο (ε) [aploheris] generous, open-handed, bountiful.

απλοχεριά (n) [aploheria] generosity, largesse, openhandedness.

απλόχερος-η-ο (ε) [aploheros] flush.

απλόχωρος-η-ο (ε) [aplohoros] roomy, spacious.

άπλυτα (τα) [aplita] dirty linen.

άπλυτος-η-ο (ε) [aplitos] unwashed.

άπλωμα (το) [aploma] spreading.

απλώνω (ρ) [aplono] spread, stretch.

απλώς (επ) [aplos] simply, merely.

απλωτός-ή-ό (ε) [aplotos] outstretched, flat.

άπνοια (n) [apnia] lack of wind.

από (π) [apo] from, of, by, through.

αποβάθρα (n) [apovathra] pier.

αποβαίνω (ρ) [apoveno] end in.

αποβάλλω (ρ) [apovallo] reject.

απόβαρο (το) [apovaro] tare.

απόβαση (n) [apovasi] landing.

αποβιβάζω (ρ) [apovivazo] unload.

αποβίβαση (n) [apovivasi] landing.

αποβλακώνω (ρ) [apovlakono] stupefy, make stupid, make dull.

αποβλέπω (ρ) [apovlepo] consider.

απόβλητα (τα) [apovlita] waste, sewage.

απόβλητος-η-ο (ε) [apovlitos] outcast.

αποβολή (n) [apovoli] dismissal, miscarriage.

αποβραδίς (επ) [apovradhis] yesterday evening.

απόβρασμα (το) [apovrasma] scum.

απογαλακτισμός (ο) [apogalaktismos] weaning.

απόγειο (το) [apoyio] apogee, zenith.

απόγειος-α-ο (ε) [apoyios] land breeze.

απογειώνομαι (ρ) [apoyionome] take off.

απογείωση (n) [apoyiosi] blast-off, take off.

απόγεμα (το) [apoyema] afternoon.

απογεμίζω (ρ) [apoyemizo] fill up.

απόγευμα (το) [apoyevma] afternoon.

απογευματινός-ή-ό (ε) [apoyevmatinos] afternoon.

απογίνομαι (ρ) [apoyinome] become of.

απόγνωση (n) [apognosi] despair.

απογοητευμένος-η-ο (μ) [apogoitevmenos] disappointed, discouraged.

απογοήτευση (n) [apogoitefsi] disappointment, disillusionment.

απογοητεύω (ρ) [apogoitevo] disappoint, disillusion.

απόγονος (o)-(n) [apogonos] descendant.

απογραφή (n) [apografi] census.

απογυμνώνω (ρ) [apoyimnono] strip.

αποδεικτικός-ή-ό (ε) [apodhiktikos] illustrative.

απόδειξη (n) [apodhiksi] proof, receipt.

αποδείχνω (ρ) [apodhihno] prove.

αποδεκατίζω (ρ) [apodhekatizo] decimate.

αποδέκτης (o) [apodhektis] acceptor.

αποδεκτός-ή-ό (ε) [apodhektos] acceptable.

αποδελτιώνω (ρ) [apodheltiono] index.

αποδεσμεύω (ρ) [apodhesmevo] release.

αποδέχομαι (ρ) [apodhehome] accept.

αποδημητικός-ή-ό (ε) [apodhimitikos] migratory.

απόδημος-n-o (ε) [apodhimos] emigrant.

αποδημώ (ρ) [apodhimo] emigrate.

αποδίδω (ρ) [apodhidho] credit, render.

αποδίνω (ρ) [apodhino] return, grant.

αποδιοπομπαίος-α-o (ε) [apodhiopombeos] scapegoat.

αποδιοργανώνω (ρ) [apodhiorganono] disorganize, disrupt, dislocate.

αποδιοργάνωση (n) [apodhiorganosi] disorganization, disruption, dislocation.

αποδιώχνω (ρ) [apodhiohno] dismiss, turn away, turn out.

αποδοκιμάζω (ρ) [apodhokimazo] disapprove of, deplore.

αποδοκιμασία (n) [apodhokimasia] disapproval, rejection, disapprobation.

απόδοση (n) [apodhosi] return, repayment.

αποδοτέος-α-o (ε) [apodhoteos] chargeable.

αποδοτικός-ή-ό (ε) [apodhotikos] efficient, profitable.

αποδοτικότητα (n) [apodhotikotita] efficiency, profitability, capacity.

αποδοχή (n) [apodhohi] acceptance.

απόδραση (n) [apodhrasi] escape.

αποδυναμώνω (ρ) [apodhinamono] weaken, sap.

αποδυνάμωση (n) [apodhinamosi] weakening.

αποδύομαι (ρ) [apodhiome] throw oneself into.

αποδυτήριο (το) [apodhitirio] changing room, locker room.

αποζημιώνω (ρ) [apozimiono] compensate, indemnify, make amends.

αποζημίωση (n) [apozimiosi] compensation, indemnity, reimbursement.

αποζητώ (ρ) [apozito] long for, miss.

απόηχος (o) [apoihos] echo, overtone.

αποθαρρυμένος-n-o (μ) [apotharrimenos] discouraged.

αποθάρρυνση (n) [apotharrinsi] discouragement, dejection.

αποθαρρύνω (ρ) [apotharrino] discourage.

αποθαυμάζω (ρ) [apothavmazo] admire.

απόθεμα (το) [apothema] deposit, stock.

αποθεματικό (το) [apothematiko] reserve[fund].

αποθέτω (ρ) [apotheto] deposit.

αποθεώνω (ρ) [apotheono] cheer frantically, glorify.

αποθέωση (n) [apotheosi] rousing reception [μεταφ].

αποθεωτικός-ή-ό (ε) [apotheotikos] ecstatic, triumphant.

αποθήκευση (n) [apothikefsi] storing.

αποθηκεύω (ρ) [apothikevo] store up.

αποθήκη (n) [apothiki] storage, room, storehouse, warehouse.

αποθηριώνω (ρ) [apothiriono] infuriate.

αποθησαυρίζω (ρ) [apothisavrizo] hoard up, treasure [μεταφ].

αποθρασύνομαι (ρ) [apothrasinome] become arrogant/insolent.

αποθρασύνση (n) [apothrasinsi] insolence, cheek.

αποθρασύνω (ρ) [apothrasino] make bold, make insolent.

αποθυμώ (ρ) [apothimo] miss, wish for.

αποίκηση (n) [apikisi] emigration.

αποικία (n) [apikia] colony, settlement.

αποικίζω (ρ) [apikizo] colonize, settle.

αποικιοκράτης (ο) [apikiokratis] colonialist.

αποικιοκρατία (n) [apikiokratia] colonialism.

αποικισμός (ο) [apikismos] colonization.

άποικος-n-ο (ε) [apikos] settler, emigrant.

αποκαθήλωση (n) [apokathilosi] un-nailing, deposition form the cross [εκκλ].

αποκαλυπτήρια (τα) [apokaliptiria] un-veiling, unmasking.

αποκαλυπτικός-ή-ό (ε) [apokaliptikos] revealing, unmasking.

αποκαλύπτω (ρ) [apokalipto] disclose.

αποκάλυψη (n) [apokalipsi] revelation, unveiling, disclosure, uncovering.

αποκαλώ (ρ) [apokalo] call, name.

αποκαμωμένος-n-ο (μ) [apokamome-nos] exhausted, tired out.

αποκάνω (ρ) [apokano] get tired of, finish.

αποκαρδιωμένος-n-ο (μ) [apokardhio-menos] disappointed.

αποκαρδιώνω (ρ) [apokardhiono] dis-hearten, discourage.

αποκαρδίωση (n) [apokardhiosi] dis-couragement.

αποκαρδιωτικός-ή-ό (ε) [apokardhioti-kos] disheartening, discouraging.

αποκατασταίνω (ρ) [apokatasteno] re-store, re-establish, rehabilitate.

αποκατάσταση (n) [apokatastasi] resto-ration, resettlement.

αποκάτω (επ) [apokato] below, under.

αποκεί (επ) [apoki] from there, that way.

απόκεντρος-n-ο (ε) [apokendros] outlying.

αποκεντρώνω (ρ) [apokendrono] de-centralize.

αποκέντρωση (n) [apokendrosi] decen-tralization.

αποκεφαλίζω (ρ) [apokefalizo] decapi-tate, behead.

αποκήρυξη (n) [apokiriksi] renuncia-tion, proscription, recantation.

αποκηρύσσω (ρ) [apokirisso] renounce, disavow.

αποκλεισμένος-n-ο (μ) [apoklismenos] blocked, surrounded.

αποκλεισμός (ο) [apoklismos] exclu-sion, blockade.

αποκλειστικός-ή-ό (ε) [apoklistikos] ex-clusive, sole.

αποκλείω (ρ) [apoklio] exclude, boy-cott, disqualify, shut out.

απόκληρος-n-ο (ε) [apokliros] outcast.

αποκληρώνω (ρ) [apoklirono] disinherit.

αποκλήρωση (ρ) [apoklirosi] disinheritance.

αποκλιμάκωση (n) [apoklimakosi] de-escalation.

αποκλίνω (ρ) [apoklino] lean, diverge, incline.

απόκλιση (n) [apoklisi] divergence, dec-lination.

αποκόβω (ρ) [apokovo] finish cutting, cut off, cut away.

αποκοιμέμαι (ρ) [apokimieme] fall asleep.

αποκοιμίζω (ρ) [apokimizo] lull to sleep, send to sleep.

αποκοιμισμένος-n-ο (μ) [apokimisme-nos] asleep, sleeping.

αποκολλώ (ρ) [apokollo] unstick, detach.

αποκομίζω (ρ) [apokomizo] carry away.

απόκομμα (το) [apokomma] press-cutting, clipping, bit, clip.

αποκοπή (n) [apokopi] cutting off.

αποκόπτω (ρ) [apokopto] abscind, lop, cut off, cut out, bar, snip off [με ψαλίδι].

αποκορύφωμα (το) [apokorifoma] cli-max, height, heyday, apex.

αποκορυφώνω (ρ) [apokorifono] bring to a head, bring to a peak.

απόκοσμος-n-ο (ε) [apokosmos] un-canny, weird.

αποκοτιά (n) [apokotia] foolhardiness, recklessness, audacity.

αποκούμπι (το) [apokumbi] prop, stay.

απόκρημνος-η-ο (ε) [apokrimnos] steep, abrupt, rugged.

αποκριά (n) [apokria] carnival.

αποκρίνομαι (ρ) [apokrinome] answer, respond.

απόκριση (n) [apokrisi] answer, response.

απόκρουση (n) [apokrusi] repulsion, refutation.

αποκρούω (ρ) [apokruo] repulse, reject.

αποκρύβω (ρ) [apokrivo] conceal, withhold.

αποκρυπτογράφηση (n) [apokriptografisi] decoding, deciphering.

αποκρυπτογραφώ (ρ) [apokriptografo] decode, decipher.

αποκρυσταλλώνω (ρ) [apokristallono] crystallize.

απόκρυφος-η-ο (ε) [apokrifos] secret/mysterious, occult, arcane.

απόκρυψη (n) [apokripsi] hiding.

απόκτημα (το) [apoktima] acquisition.

αποκτηνωμένος-η-ο (μ) [apoktinomenos] brutish.

αποκτηνώνω (ρ) [apoktinono] brutalize.

αποκτήνωση (n) [apoktinosi] brutalization.

απόκτηση (n) [apoktisi] acquisition.

αποκτώ (ρ) [apokto] obtain, get.

απολαβή (n) [apolavi] gain, profit.

απολαμβάνω (ρ) [apolamvano] gain, earn, enjoy.

απόλαυση (n) [apolafsi] enjoyment, pleasure.

απολαυστικός-ή-ό (ε) [apolafstikos] enjoyable, delightful.

απολαύω (ρ) [apolavo] enjoy, take pleasure in.

απολείπω (ρ) [apolipo] lack, be in need of.

απολίθωμα (το) [apolithoma] fossil.

απολιθωμένος-η-ο (μ) [apolithomenos] fossilized, petrified.

απολίτιστος-η-ο (ε) [apolitistos] barbarous.

απολογητής (ο) [apoloyitis] advocate.

απολογητικός-ή-ό (ε) [apoloyitikos] apologetic.

απολογία (n) [apoloyia] defence, plea, excuse, apologia, apology.

απολογισμός (ο) [apoloyismos] financial statement, review.

απολογούμαι (ρ) [apologume] justify ourselves, apologize.

απολυμαίνω (ρ) [apolimeno] disinfect.

απολύμανση (n) [apolimansi] disinfection.

απόλυση (n) [apolisi] dismissal, discharge.

απολυταρχία (n) [apolitarhia] despotism, autocracy.

απολυταρχικός-ή-ό (ε) [apolitarhikos] authoritarian.

απολυτήριο (το) [apolitirio] discharge certificate, school certificate.

απόλυτος-η-ο (ε) [apolitos] absolute.

απολυτρώνω (ρ) [apolitrono] deliver.

απολύτρωση (n) [apolitrosi] deliverance, redemption.

απολύτως (επ) [apolitos] absolutely, fully.

απολύω (ρ) [apolio] release, dismiss.

απόμακρος-η-ο (ε) [apomakros] distant.

απομάκρυνση (n) [apomakrinsi] removal, departure, lapse, retirement.

απομακρύνω (ρ) [apomakrino] remove, send away, keep off.

απομακρυσμένος-η-ο (μ) [apomakrismenos] faraway, remote.

απόμαχος-η-ο (ε) [apomahos] veteran, pensioner.

απομεινάρι (το) [apominari] remnant.

απομεινάρια (τα) [apominaria] remains.

απομένω (ρ) [apomeno] remain.

απόμερος-η-ο (ε) [apomeros] remote.

απομέσα (επ) [apomesa] inside.

απομίμηση (n) [apomimisi] copy, imitation.

απομιμούμαι (ρ) [apomimume] imitate, copy, forge.

απομνημονεύματα (τα) [apomnimonevmata] memoirs.

απομνημόνευση (n) [apomnimonefsi]

memorizing, storage [σε κομπιούτερ].

απομνημονεύω (ρ) [apomnimonevo] memorize.

απομονωμένος-η-ο (μ) [apomonomenos] isolated, lonely.

απομονώνω (ρ) [apomonono] isolate, insulate [ηλεκτ, μηχαν], withdraw into oneself.

απομόνωση (n) [apomonosi] isolation, seclusion.

απομονωτήριο (το) [apomonotirio] isolation ward, solitary confinement.

απομονωτικός-ή-ό (ε) [apomonotikos] isolationist.

απομυζώ (ρ) [apomizo] suck [dry].

απομυθοποιώ (ρ) [apomithopio] demystify.

απονεκρώνω (ρ) [aponekrono] kill off, deaden.

απονέμω (ρ) [aponemo] bestow, award, grant.

απονέμω πτυχίο (ρ) [aponemo ptihio] certificate, graduate.

απόνερα (τα) [aponera] wake [πλοίου].

απονήρευτος-η-ο (ε) [aponireftos] naive, artless.

απονιά (n) [aponia] mercilessness, cruelty.

απονομή (n) [aponomi] award, bestowal.

άπονος-η-ο (ε) [aponos] unfeeling, merciless.

αποξενώνω (ρ) [apoksenono] alienate.

αποξένωση (n) [apoksenosi] alienation.

αποξηραντικός-ή-ό (ε) [apoksirantikos] drying, draining.

αποξήρανση (n) [apoksiransi] drying, draining.

αποπαίρνω (ρ) [apoperno] tell off.

αποπάνω (επ) [apopano] on top of, over, above, overhead.

απόπατος (ο) [apopatos] lavatory, WC.

απόπειρα (n) [apopira] attempt, trial.

αποπειρώμαι (ρ) [apopirome] try.

αποπεμπτικός-ή-ό (ε) [apopemptikos] dismissive.

αποπέμπω (ρ) [apopembo] send away, turn away, dismiss, expel.

αποπερατώνω (ρ) [apoperatono] complete, finish, conclude.

αποπεράτωση (n) [apoperatosi] completion, finishing.

αποπίσω (επ) [apopiso] behind.

αποπλάνηση (n) [apoplanisi] seduction.

αποπλανώ (ρ) [apoplano] seduce.

αποπλέω (ρ) [apopleo] sail away.

αποπληξία (n) [apopliksia] apoplexy.

αποπληρώνω (ρ) [apoplirono] pay up.

απόπλυμα (το) [apoplima] wash.

αποπνέω (ρ) [apopneo] exhale, give off.

αποπνικτικός-ή-ό (ε) [apopniktikos] suffocating, chocking, stuffy.

απόπνοια (n) [apopnia] exhalation.

αποποίηση (n) [apopiisi] refusal.

αποποιούμαι (ρ) [apopiume] decline, refuse, disclaim, repulse.

αποπομπή (n) [apopombi] expulsion, ousting, dismissal, turning out.

αποπροσανατολίζω (ρ) [apoprosanatolizo] disorientate.

αποπροσανατολισμός (ο) [apoprosanatolismos] disorientation.

απορημένος-η-ο (ε) [aporimenos] puzzled, wondering, surprized.

απόρθητος-η-ο (ε) [aporthitos] impregnable, unassailable, obdurate.

απορία (n) [aporia] question, query.

άπορος-η-ο (ε) [aporos] needy.

απορρέω (ρ) [aporreo] flow, stem.

απόρρητος-η-ο (ε) [aporritos] secret.

απορρίμματα (τα) [aporrimmata] rubbish, refuse, offal.

απορρίπτω (ρ) [aporripto] cast off, reject, refuse, exuviate, abjure.

απορρίχνω (ρ) [aporrihno] miscarry.

απόρριψη (n) [aporripsi] rejection.

απόρροια (n) [aporria] result, outcome.

απορροφημένος-η-ο (μ) [aporrofimenos] engrossed, absorbed.

απορροφητήρας (ο) [aporrofitiras] kitchen-hood, absorber.

απορροφώ (ρ) [aporrofo] absorb.

απορρυπαντικό (το) [aporripandiko] detergent.

απορώ (ρ) [aporo] be at a loss, wonder, marvel, be surprized/bewildered

αποσαφηνίζω (ρ) [aposafinizo] clarify, make clear, elucidate, explain.

απόσβεση (n) [aposvesi] extinguishing [χρέους], liquidation, payment.

αποσβολώνω (ρ) [aposvolono] stun, daze, stagger, stupefy, disconcert.

αποσείω (ρ) [aposio] shake of.

αποσιωπητικά (τα) [aposiopitika] points of omission, dots.

αποσιωπώ (ρ) [aposiopo] hush up.

αποσκευές (οι) [aposkeves] luggage.

αποσκίρτηση (n) [aposkirtisi] defection.

αποσκιρτώ (ρ) [aposkirto] defect.

αποσκλήρυνση (n) [aposklirinsi] water-softening.

αποσκοπώ (ρ) [aposkopo] aim, get at.

αποσμητικό (το) [aposmitiko] deodorant.

απόσπαση (n) [apospasi] detachment, detail, avulsion, breakaway.

απόσπασμα (το) [apospasma] extract, excerpt, detachment [στρατ].

αποσπασματικός-ή-ό (ε) [apospasmatikos] fragmentary, piecemeal.

αποσπώ (ρ) [apospo] detach [στρατ], tear, divert, disjoin, exact.

απόσταγμα (το) [apostagma] oil, extract, essence, quintessence [μεταφ].

αποσταίνω (ρ) [aposteno] be tired, get.

απόσταξη (n) [apostaksi] distillation.

απόσταση (n) [apostasi] distance.

αποστασία (n) [apostasia] revolt, defection.

αποστάτης (ο) [apostatis] defector.

αποστατώ (ρ) [apostato] defect.

αποστειρώνω (ρ) [apostirono] sterilize.

αποστείρωση (n) [apostirosi] sterilization.

αποστέλλω (ρ) [apostello] dispatch, send, transmit, consign.

αποστερώ (ρ) [apostero] deprive.

αποστηθίζω (ρ) [apostithizo] learn by heart, memorize, con.

απόστημα (το) [apostima] abscess.

αποστολέας (ο) [apostoleas] sender.

αποστολή (n) [apostoli] sending, consignment, mission, forwarding.

αποστολικός-ή-ό (ε) [apostolikos] apostolic.

απόστολος (ο) [apostolos] apostle.

αποστομώνω (ρ) [apostomono] silence, overawe, shut up, confound.

αποστραγγίζω (ρ) [apostrangizo] drain.

αποστρατεία (n) [apostratia] retirement.

αποστράτευση (n) [apostratefsi] demobilization, discharge, demob.

αποστρατεύω (ρ) [apostratevo] demob, demobilize, pension off.

απόστρατος (ο) [apostratos] retired.

αποστρέφομαι (ρ) [apostrefome] detest, abhor, loathe, hate, avert.

αποστρέφω (ρ) [apostrefo] avert.

αποστροφή (n) [apostrofi] repugnance, aversion, abhorrence, dislike.

απόστροφος (n) [apostrofos] apostrophe.

αποσυμφόρηση (n) [aposimforisi] decongestion.

αποσυναρμολόγηση (n) [aposinarmologisi] dismantling, stripping.

αποσύνδεση (n) [aposindhesi] disconnection, disossiation.

αποσυνδέω (ρ) [aposindheo] disconnect, disengage, disossiate, unplug.

αποσύνθεση (n) [aposinthesi] decay, decomposition, disorganisation.

αποσυνθέτω (ρ) [aposintheto] decompose, rot, disintegrate, disorganize, break down, disossiate, catalyze.

απόσυρση (n) [aposirsi] withdrawal.

αποσύρω (ρ) [aposiro] withdraw, retract.

αποσφραγίζω (ρ) [aposfrayizo] unseal, open, break the seal.

αποσχίζομαι (ρ) [apos-hizome] secede, break away, splinter off.

αποσώνω (ρ) [aposono] finish.

απότακτος-n-o (ε) [apotaktos] cashiered.

αποταμίευση (n) [apotamiefsi] saving up, storing up.

αποταμιεύω (ρ) [apotamievo] save, put side [τρόφιμα], lay up, store up.

αποτάσσω (ρ) [apotasso] cashier.

αποτείνομαι (ρ) [apotinome] ask, apply, speak, address.

αποτείνω (ρ) [apotino] address.

αποτελειώνω (ρ) [apoteliono] complete, finish off, dispatch, kill.

αποτέλεσμα (το) [apotelesma] result, effect.

αποτελεσματικός-ή-ό (ε) [apotelesmatikos] effective, efficient.

αποτελματώνομαι (ρ) [apotelmatonome] stagnate, get bogged down.

αποτελμάτωση (n) [apotelmatosi] stagnation, vegetation, backwater.

αποτελούμαι (ρ) [apotelume] consist of.

αποτελώ (ρ) [apotelo] compose, constitute, make up, form, be, comprise.

αποτέμνω (ρ) [apotemno] abscind.

αποτεφρώνω (ρ) [apotefrono] burn down/to a cinder, cremate.

αποτίμηση (n) [apotimisi] appraisal.

αποτιμώ (ρ) [apotimo] appraise.

αποτινάζω (ρ) [apotinazo] shake off, throw off, get rid of, flip.

αποτολμώ (ρ) [apotolmo] dare, presume, venture, hazard, risk.

απότομα (επ) [apotoma] abruptly.

απότομος-n-o (ε) [apotomos] sudden, abrupt, steep, sheer [στροφή], curt [τρόπος].

αποτοξίνωση (n) [apotoxinosi] detoxification, detoxication.

αποτραβηγμένος-n-o (μ) [apotravigmenos] withdrawn, unsociable.

αποτραβιέμαι (ρ) [apotravieme] withdraw, step aside, retire.

αποτρέπω (ρ) [apotrepo] avert, turn aside, ward off, dissuade, deter.

αποτρίχωση (n) [apotrihosi] depilation.

αποτριχωτικό (το) [apotrihotiko] hairremover, depilatory.

αποτρόπαιος-α-ο (ε) [apotropeos] abominable, hideous, monstrous [έγκλημα].

αποτροπή (n) [apotropi] averting.

αποτροπιασμός (ο) [apotropiasmos] repugnance, revulsion, abhorrence.

αποτροπιαστικός-ή-ό (ε) [apotropiastikos] repulsive, revolting, abhorrent.

αποτρώγω (ρ) [apotrogo] finish eating.

αποτσίγαρο (το) [apotsigaro] cigarette, stub, fag end.

αποτύπωμα (το) [apotipoma] print.

αποτυπώνω (ρ) [apotipono] impress, imprint, print, stamp.

αποτυχαίνω (ρ) [apotiheno] fail, fall through, miss, backfire, miscarry.

αποτυχημένος-n-o (μ) [apotihimenos] failed, unsuccessful, spoilt.

αποτυχία (n) [apotihia] failure.

απουσία (n) [apusia] absence, nonattendance, non-appearance.

απουσιάζω (ρ) [apusiazo] be absent.

απουσιολόγιο (το) [apusioloyio] attendance register.

αποφάγια (τα) [apofayia] scraps.

αποφαίνομαι (ρ) [apofenome] rule, declare oneself, decide, pronounce.

απόφαση (n) [apofasi] decision.

αποφασίζω (ρ) [apofasizo] decide.

αποφασισμένος-n-o (μ) [apofasismenos] decided, determined.

αποφασιστικός-ή-ό (ε) [apofasistikos] decisive, determined, crucial.

αποφασιστικότητα (n) [apofasistikotita] resolution, decisiveness, resoluteness, determination, stoutness.

αποφατικός-ή-ό (ε) [apofatikos] negative.

αποφέρω (ρ) [apofero] yield, pay.

αποφεύγω (ρ) [apofevgo] avoid, balk.

απόφθεγμα (το) [apofthegma] motto, maxim, saying, aphorism, dictum.

αποφθεγματικός-ή-ό (ε) [apofthegmatikos] aphoristic, gnome.

αποφλοιώνω (ρ) [apofliono] bark.

αποφοίτηση (n) [apofitisi] graduation, school-leaving.

απόφοιτος-n-ο (ε) [apofitos] graduate.

αποφοιτώ (ρ) [apofito] leave school.

απόφραξη (n) [apofraksi] stoppage.

αποφυγή (n) [apofiyi] avoidance.

αποφυλακίζω (ρ) [apofilakizo] release/discharge from prison.

αποφυλακιστήριο (το) [apofilakistirio] release papers.

απόφυση (n) [apofisi] excrescence.

αποχαιρετισμός (ο) [apoheretismos] farewell, goodbye.

αποχαιρετιστήριος-α-ο (ε) [apoheretistirios] farewell, parting.

αποχαιρετώ (ρ) [apohereto] take one's leave, say goodbye, send off.

αποχαλινώνομαι (ρ) [apohalinonome] run riot, run wild, break loose.

αποχαλώ (ρ) [apohalo] ruin, spoil completely.

αποχαρακτηρίζω (ρ) [apoharaktirizo] declassify.

αποχαυνώνω (ρ) [apohavnono] enervate.

αποχαύνωση (n) [apohavnosi] torpor, languor, enervation, torpidity.

αποχέτευση (n) [apohetefsi] draining, drainage, sewerage.

απόχη (n) [apohi] net, clap-net.

αποχή (n) [apohi] abstention.

απόχρεμψη (n) [apohrempsi] expectoration.

αποχρωματίζω (ρ) [apohromatizo] discolour, bleach, declassify.

απόχρωση (n) [apohrosi] shade, tone [χρωματισμός], fading, tint.

αποχώρηση (n) [apohorisi] withdrawal, retirement, departure, exit.

αποχωρητήριο (το) [apohoritirio] water-closet [wc], lavatory, latrine.

αποχωρίζομαι (ρ) [apohorizome] part with, be separated from.

αποχωρίζω (ρ) [apohorizo] separate.

αποχωρισμός (ο) [apohorismos] separation, parting, disconnection.

αποχωρώ (ρ) [apohoro] withdraw.

απόψε (επ) [apopse] tonight.

άποψη (n) [apopsi] view, sight, view.

αποψιλώ (ρ) [apopsilo] deforest.

αποψινός-ή-ό (ε) [apopsinos] tonight's.

απόψυξη (n) [apopsiksi] defrosting.

απραγματοποίητος-n-ο (ε) [apragmatopiitos] unfulfilled, unrealized.

άπρακτος-n-ο,(ε) [apraktos] unachieved.

απραξία (n) [apraksia] inactivity, stagnation [οικ], standstill [οικ].

απρέπεια (n) [aprepia] indecency, bad manners, immodesty, impropriety.

άπρεπος-n-ο (ε) [aprepos] improper, unbecoming, immodest, indecent.

Απρίλης (ο) [Aprilis] April.

απρόβλεπτος-n-ο (ε) [aprovleptos] unforeseen, unexpected.

απροειδοποίητος-n-ο (ε) [aproidhopiitos] unwarned, unannounced.

απροετοίμαστος-n-ο (ε) [aproetimastos] unprepared, unready.

απροθυμία (n) [aprothimia] reluctance.

απρόθυμος-n-ο (ε) [aprothimos] unwilling, hesitant.

απροίκιστος-n-ο (ε) [aprikistos] portionless, ungifted, untalented.

απροκάλυπτος-n-ο (ε) [aprokaliptos] open, outspoken, frank, undisguised.

απροκατάληπτος-n-ο (ε) [aprokataliptos] unbiased, unprejudiced.

απρόκλητος-η-ο (ε) [aproklitos] unprovoked, unwarranted.

απρομελέτητος-η-ο (ε) [apromeletitos] unpremeditated, unintentional.

απρονοησία (η) [apronoisia] imprudence, improvidence.

απρόοπτος-η-ο (ε) [aprooptos] unforseen.

απροπαράσκευος-η-ο (ε) [aproparaskevos] unprepared.

απροπόνητος-η-ο (ε) [aproponitos] untrained, out of practice.

απροσάρμοστος-η-ο (ε) [aprosarmostos] maladjusted, unadapted.

απρόσβλητος-η-ο (ε) [aprosvlitos] unassailable, invulnerable.

απρογείωτος-η-ο (ε) [aprosyiotos] unrealistic, romantic, unlanded [επί αεροπλάνων], ungrounded.

απροσδιόριστος-η-ο (ε) [aprosdhioristos] indefinite, unspecified.

απροσδόκητος-η-ο (ε) [aprosdhokitos] unexpected, unforeseen.

απροσεξία (η) [aproseksia] inattention, inadvertence, carelessness.

απρόσεχτος-η-ο (ε) [aprosehtos] careless.

απρόσιτο (το) [aprosito] inaccessibility.

απρόσιτος-η-ο (ε) [aprositos] inaccessible, unapproachable, distant.

απρόσκλητος-η-ο (ε) [aprosklitos] uninvited, unsolicited, unasked.

απρόσκοπτος-η-ο (ε) [aproskoptos] unhindered, free, unimpeded.

απροσπέλαστος-η-ο (ε) [aprospelastos] impenetrable, impervious.

απροσποίητος-η-ο (ε) [aprospiitos] unaffected, unfeigned, unpretending.

απροστάτευτος-η-ο (ε) [aprostateftos] unprotected, forlorn, defenseless.

απρόσφορος-η-ο (ε) [aprosforos] unfavourable, unsuitable, unfit.

απροσχεδίαστος-η-ο (ε) [aproshedhiastos] not planned in advance.

απροσχημάτιστος-η-ο (ε) [aproshima-

tistos] blunt, flat, outright.

απρόσωπος-η-ο (ε) [aprosopos] impersonal, faceless.

απροφύλακτος-η-ο (ε) [aprofilaktos] off one's guard, undefended.

άπταιστος-η-ο (ε) [aptestos] fluent, perfect.

απτόητος-η-ο (ε) [aptoitos] undaunted, intrepid, undeterred.

απτός-ή-ό (μ) [aptos] tangible.

απύθμενος-η-ο (ε) [apithmenos] bottomless, fathomless, abyssmal.

απύραυλος-η-ο (ε) [apiravlos] missile-free.

άπω (επ) [apo] far.

απωθημένα (τα) [apothimena] repressed emotions/impulses.

απωθητικός-ή-ό (ε) [apothitikos] unlikeable, off-putting, repellent.

απωθώ (ρ) [apotho] repel, repulse.

απώλεια (η) [apolia] loss, waste.

απώλητος-η-ο (ε) [apolitos] unsold.

απών-ούσα-όν (μ) [apon] absent.

απώτατος-η-ο (ε) [apotatos] furthest.

απώτερος-η-ο (ε) [apoteros] ulterior.

άρα (σ) [ara] so, thus, therefore, consequently, i wonder if, can it be that?.

Άραβας (ο) [Aravas] Arab.

Αραβία (η) [Aravia] Arabia.

αραβίδα (η) [aravidha] rifle, carbine.

αραβικός-ή-ό (ε) [aravikos] Arabian, Arabic.

αραβοσιτάλευρο (το) [aravositalevro] cornflour.

αραβόσιτος (ο) [aravositos] maize.

άραγε (μο) [araye] is it?, can it be?, I wonder if.

άραγμα (το) [aragma] mooring.

αραγμένος-η-ο (μ) [aragmenos] at anchor.

αράδα (επ) [aradha] continuously.

αράδα (η) [aradha] line, rank, row, turn.

αραδιάζω (ρ) [aradhiazo] put in a row, line up [ονόματα κτλ], draw up.

αράζω (ρ) [arazo] moor, anchor.

αράθυμος-η-ο (ε) [arathimos] testy,

tetchy, biliary, irretable, impatient.

αραιός-ή-ό (ε) [areos] sparse, scattered [επισκέψεις], infrequent.

αραιώνω (ρ) [areono] thin down [σάλτσα], spread out [γραμμμές κτλ].

αρακάς (ο) [arakas] pea.

αραμπάς (ο) [arambas] ox-cart.

αράπης (ο) [arapis] dark person.

αραποσίτι (το) [arapositi] corn.

αράχνη (n) [arahni] spider.

αραχνοΰφαντος-n-o (ε) [arahnoifandos] gossamer, flimsy, fine-woven.

αρβανίτης (ο) [arvanitis] Albanian.

αρβύλα (n) [arvila] army boot.

αργά (επ) [arga] slowly, creepily.

αργαλειός (ο) [argalios] loom.

αργαστήρι (το) [argastiri] workshop.

άργητα (n) [aryita] delay.

αργία (n) [aryia] holiday.

αργίλιο (το) [aryilio] aluminium.

άργιλος (n) [aryilos] clay.

αργκό (n) [arngo] slang, jargon.

αργοκίνητος-n-o (ε) [argokinitos] slowmoving, sluggish, crawling.

αργομισθία (n) [argomisthia] sinecure.

αργόν (το) [argon] argon [χημ].

αργοπορώ (ρ) [argoporo] be long, be slow, be late, linger, delay, fall behind, lag behind.

αργός-ή-ό (ε) [argos] slow, idle.

αργόστροφος-n-o (ε) [argostrofos] slow on the uptake, dull-witted, slow.

αργόσχολος-n-o (ε) [argos-holos] idle.

αργότερα (επ) [argotera] later, then.

αργυραμοιβός (ο) [aryiramivos] cambist.

αργύρια (τα) [aryiria] silver pieces.

αργυρικός (ο) [argirikos] argentic.

αργυρόηχος-n-o (ε) [aryiroihos] silvery.

άργυρος (ο) [aryiros] silver.

αργυρούς (ε) [argirus] argentine.

αργυρώνητος-n-o (ε) [aryironitos] venal, corrupted, bribable, corrupt.

αργώ (ρ) [argo] be late, be closed.

άρδευση (n) [ardhefsi] irrigation.

άρδην (επ) [ardhin] utterly.

αρειμάνιος-a-o (ε) [arimanios] bellicose.

Άρειος Πάγος (ο) [Arios Pagos] Areopagus.

Αρεοπαγίτης (ο) [Areopayitis] Supreme Court Justice.

αρεστός-ή-ό (ε) [arestos] agreeable, pleasing.

αρέσω (ρ) [areso] please, delight, like.

αρετή (n) [areti] virtue, merit, quality.

αρετσίνωτος-n-o (ε) [aretsinotos] unresinated.

αρθρίτιδα (n) [arthritidha] arthritis.

άρθρο (το) [arthro] article [γραμμ].

αρθρογράφος (ο) [arthrografos] editor, columnist.

αρθρώνω (ρ) [arthrono] articulate.

άρθρωση (n) [arthrosi] articulation.

αρθρωτός-ή-ό (ε) [arthrotos] articulated.

αρίθμηση (n) [arithmisi] numbering, counting, pagination.

αριθμητής (ο) [arithmitis] numerator.

αριθμητική (n) [arithmitiki] arithmetic.

αριθμητικός-ή-ό (ε) [arithmitikos] arithmetical, numerical.

αριθμομηχανή (n) [arithmomihani] calculator.

αριθμός (ο) [arithmos] number, figure.

αριθμώ (ρ) [arithmo] count, enumerate.

άριος-a-o (ε) [arios] Aryan.

άριστα (επ) [arista] very well, excellent.

αριστείο (το) [aristio] medal, prize.

αριστερά (επ) [aristera] left, on the left.

αριστεριστής (ο) [aristeristis] leftist.

αριστερός-ή-ό (ε) [aristeros] left, lefthanded, left-wing.

αριστερόχερος-n-o (ε) [aristeroheros] left-handed.

αριστεύω (ρ) [aristevo] excel, distinguish oneself.

αριστοκράτης (ο) [aristokratis] aristocrat.

αριστοκρατία (n) [aristokratia] aristocracy.

αριστοκρατικός-ή-ό (ε) [aristokratikos] aristocratic, distinguished, posh, noble.

αριστοκρατικότητα (n) [aristokratikotita] classiness, gentility, nobleness.

άριστος-n-o (ε) [aristos] best, excellent.

αριστοτέχνημα (το) [aristotehnima] masterpiece, masterwork.

αριστοτέχνης (ο) [aristotehnis] master craftsman, past master.

αριστοτεχνικός-ή-ό (ε) [aristotehnikos] masterly.

αριστούργημα (το) [aristuryima] masterpiece.

αριστουργηματικός-ή-ό (ε) [aristuryimatikos] masterly.

αριστούχος-a-o (ε) [aristuhos] brilliant.

αρκετά (επ) [arketa] enough, sufficiently.

αρκετός-ή-ό (ε) [arketos] enough, sufficient, adequate.

αρκούδα (n) [arkudha] bear.

αρκουδάκι (το) [arkudhaki] bear- cub.

αρκούμαι (ρ) [arkume] be content with.

αρκτικός-ή-ό (ε) [arktikos] arctic.

άρκτος (n) [arktos] bear.

αρκώ (ρ) [arko] be enough, be sufficient.

αρλεκίνος (ο) [arlekinos] harlequin.

αρλούμπα (n) [arlumba] foolish talk.

άρμα (το) [arma] chariot, tank.

αρμάδα (n) [armadha] armada.

αρμάθα (n) [armatha] string [σύκα].

αρμαθιάζω (ρ) [armathiazo] string.

αρμάρι (το) [armari] drawer, cupboard.

αρματοδρομία (n) [armatodhromia] chariot race.

αρματώνω (ρ) [armatono] arm, equip.

αρματωσιά (n) [armatosia] arms, suit of armour, rigging, armature.

αρμέγω (ρ) [armego] milk.

Αρμένης (ο) [Armenis] Armenian.

αρμενίζω (ρ) [armenizo] sail.

άρμη (n) [armi] brine.

αρμόδιος-a-o (ε) [armodhios] qualified, competent.

αρμοδιότητα (n) [armodhiotita] attribution, competence.

αρμόζω (ρ) [armozo] fit, befit, be becoming, be proper.

αρμονία (n) [armonia] harmony, concord, consonance.

αρμόνικα (n) [armonika] harmonica.

αρμονικός-ή-ό (ε) [armonikos] harmonious.

αρμόνιο (το) [armonio] harmonium.

αρμός (ο) [armos] joint.

αρμοστής (ο) [armostis] high commissioner, governor.

αρμύρα (n) [armira] saltiness.

αρμυρός-ή-ό (ε) [armiros] salty.

αρνάκι (το) [arnaki] lamb.

άρνηση (n) [arnisi] refusal, denial.

αρνησικυρία (n) [arnisikiria] veto.

αρνητικός-ή-ό (ε) [arnitikos] negative.

αρνί (το) [arni] lamb.

αρνούμαι (ρ) [arnume] refuse, deny, decline.

άρον άρον (επ) [aron aron] in a hurry.

άροτρο (το) [arotro] plough.

αρουραίος (ο) [arureos] field mouse, rat.

άρπα (n) [arpa] harp.

αρπάγη (n) [arpayi] catch, grab.

αρπαγή (n) [arpayi] snatch, seizing, plunder, stealing.

αρπάζομαι (ρ) [arpazome] take hold of.

αρπάζω (ρ) [arpazo] grasp, snatch, steal, catch, apprehend, claw.

αρπακτικός-ή-ό (ε) [arpaktikos] predatory.

αρραβωνιάζω (ρ) [arravoniazo] betroth, engage.

αρραβωνιάσματα (τα) [arravoniasmata] engagement.

αρραβωνιασμένος-n-o (μ) [arravoniasmenos] engaged.

αρραβωνιαστικιά (n) [arravoniastikia] fiancée.

αρραβωνιαστικός (ο) [arravoniastikos] fiancé.

αρρενωπός-ή-ό (ε) [arrenopos] masculine, virile.

άρρηκτος-η-ο (ε) [arriktos] unbreakable, indissoluble.

αρριβίστας (ο) [arrivistas] arriviste.

αρρωσταίνω (ρ) [arrosteno] make sick, fall ill, get sick.

αρρωστημένος-η-ο (μ) [arrostimenos] diseased, sick.

αρρώστια (n) [arrostia] illness, sickness.

άρρωστος-η-ο (ε) [arrostos] ill, sick, patient.

αρσενικό (το) [arseniko] arsenic.

αρσενικός (ο) [arsenikos] male, masculine.

αρσενοκοίτης (ο) [arsenokitis] pederast.

άρση (n) [arsi] removal, lifting, raising.

αρτεσιανός-ή-ό (ε) [artesianos] artesian.

αρτηρία (n) [artiria] artery.

αρτίδιο (το) [artidhio] bap, bread.

αρτιμελής-ής-ές (ε) [artimelis] sound of limb.

άρτιο (το) [artio] par, face value.

άρτιος-α-ο (ε) [artios] whole, even.

αρτιότητα (n) [artiotita] perfection.

αρτίστα (n) [artista] showgirl.

αρτίστας (ο) [artistas] artist.

αρτισύστατος-η-ο (ε) [artisistatos] new, newly founded.

αρτοποιείο (το) [artopiio] bakery.

αρτοποιός (ο) [artopios] baker.

άρτος (ο) [artos] bread.

αρχάγγελος (ο) [arhangelos] archangel.

αρχαϊκός-ή-ό (ε) [arhaikos] archaic, antiquated.

αρχαιολογία (n) [arheoloyia] archeology.

αρχαιολογικός-ή-ό (ε) [arheoloyikos] archeological.

αρχαιολόγος (ο) [arheologos] archaeologist.

αρχαίος-α-ο (ε) [arheos] ancient.

αρχαιοσυλλέκτης (ο) [arheosillektis] antiquarian.

αρχαιότητα (n) [arheotita] antiquity.

αρχαιρεσίες (οι) [arheresies] election[s].

αρχάρια (επ) [arharia] coltishly.

αρχάριος-α-ο (ε) [arharios] beginner, novice, apprentice, catechumen.

αρχέγονος-n-o (ε) [arhegonos] primeval, primordial, primitive.

αρχείο (το) [arhio] archives, records.

αρχειοθήκη (n) [arhiothiki] filing cabinet, pigeon-hole, rack, box.

αρχειοφύλακας (ο) [arhiofilakas] filing clerk, registrar.

αρχέτυπο (το) [arhetipo] archetype.

αρχή (n) [arhi] beginning, start.

αρχηγείο (το) [arhiyio] headquarters.

αρχηγία (n) [arhiyia] command.

αρχηγός (ο) [arhigos] commander, leader, chief [φυλής, κλπ].

αρχίατρος (ο) [arhiatros] chief medical officer.

αρχίδια (τα) [arhidhia] bollocks.

αρχιεπίσκοπος (ο) [arhiepiskopos] archbishop.

αρχιεργάτης (ο) [arhiergatis] foreman.

αρχιερέας (ο) [arhiereas] prelate.

αρχίζω (ρ) [arhizo] begin, start.

αρχιθαλαμηπόλος (ο) [arhithalamipolos] chief steward.

αρχικαμαριέρης (ο) [arhikamarieris] bedel.

αρχικός-ή-ό (ε) [arhikos] initial, fist.

αρχιλογιστής (ο) [arhiloyistis] chief accountant.

αρχιμάγειρος (ο) [arhimayiros] chef.

αρχιμουσικός (ο) [arhimusikos] conductor, bandmaster.

αρχιναύαρχος (ο) [arhinavarhos] Fleet Admiral.

αρχινώ (ρ) [arhino] begin, start.

αρχιπλοίαρχος (ο) [arhipliarhos] commodore.

αρχιστράτηγος (ο) [arhistratigos] commander-in-chief, generalissimo.

αρχισυντάκτης (ο) [arhisindaktis]

editor-in-chief.

αρχιτέκτονας (ο) [arhitektonas] architect.

αρχιτεκτονική (n) [arhitektoniki] architecture.

αρχιτεκτονικός-ή-ό (ε) [arhitektonikos] architectural.

αρχιφύλακας (ο) [arhifilakas] sergeant, chief warden.

αρχιχρονιά (n) [arhihronia] New Year's Day.

αρχομανία (n) [arhomania] lust for power, power-craze.

αρχόμενος-n-o (μ) [arhomenos] incipient.

άρχοντας (ο) [arhondas] lord, elder.

αρχοντιά (n) [arhondia] distinction.

αρχοντικό (το) [arhondiko] mansion.

αρχοντικός-ή-ό (ε) [arhondikos] fine, lordly, distinguished.

αρχόντισσα (n) [arhondissa] lady.

αρχοντολόι (το) [arhondoloi] gentry.

άρχων (ο) [arhon] commander.

αρωγή (n) [aroyi] help, assistance.

άρωμα (το) [aroma] aroma, perfume.

αρωματίζω (ρ) [aromatizo] scent, perfume, flavour, spice [φαγητό].

αρωματικός-ή-ό (ε) [aromatikos] scented, perfumed, aromatic.

αρωματοπωλείο (το) [aromatopolio] perfume shop.

ας (μο) [as] let, may.

ασάλευτος-n-o (ε) [asaleftos] stock-still, immobile, immovable, calm.

ασανσέρ (το) [asanser] lift, elevator.

ασάφεια (n) [asafia] vagueness.

ασαφής-ής-ές (ε) [asafis] obscure, vague.

ασβέστης (ο) [asvestis] lime.

ασβέστιο (το) [asvestio] calcium.

ασβέστωμα (το) [asvestoma] whitewashing.

άσβηστος (n) [asvistos] undying, unquenchable, unextinguishable.

ασβός (ο) [asvos] badger, brock.

ασέβεια (n) [asevia] disrespect.

ασεβής-ής-ές (ε) [asevis] impious, disrespectful.

ασέλγεια (n) [aselyia] lewdness.

ασελγής-ής-ές (ε) [aselyis] lewd, lecherous.

ασελγώ (ρ) [aselgo] assault sexually.

άσεμνα (επ) [asemna] bawdily.

άσεμνος-n-o (ε) [asemnos] indecent, obscene, immodest, immoral, bestial.

ασετυλίνη (n) [asetilini] acetylene.

ασήκωτος-n-o (ε) [asikotos] unraised, impossible to lift [βαρύς].

ασημάδευτος-n-o (ε) [asimadheftos] unmarked, not ticked off.

ασήμαντος-n-o (ε) [asimandos] insignificant, unimportant, unmarked.

ασημένιος-α-ο (ε) [asimenios] silver[y].

ασήμι (το) [asimi] silver.

ασημικά (τα) [asimika] silverware.

άσημος-n-o (ε) [asimos] obscure, insignificant, unimportant.

άσηπτος-n-o (ε) [asiptos] aseptic.

ασηψία (n) [asipsia] asepsis.

ασθένεια (n) [asthenia] illness.

ασθενής-ής-ές (ε) [asthenis] ill, weak.

ασθενικός-ή-ό (ε) [asthenikos] sickly.

ασθενοφόρο (το) [asthenoforo] ambulance.

ασθενώ (ρ) [astheno] be ill, fall sick.

άσθμα (το) [asthma] asthma.

ασθμαίνω (ρ) [asthmeno] pant, puff.

Ασία (n) [Asia] Asia.

ασιάτης (ο) [asiatis] Asian.

ασιατικός-ή-ό (ε) [asiatikos] Asian.

ασίτευτος-n-o (ε) [asiteftos] not gamy, fresh [κρέας].

ασκεπής-ής-ές (ε) [askepis] bareheaded.

ασκέρι (το) [askeri] crowd, troops.

άσκημος-n-o (ε) [askimos] ugly.

άσκηση (n) [askisi] exercise, practice.

ασκητεία (n) [askitia] asceticism.

ασκητής (ο) [askitis] hermit, ascetic.

ασκητικός-ή-ό (ε) [askitikos] ascetic.

ασκί (το) [aski] skin [bag], goatskin.

ασκίαστος-n-o (ε) [askiastos] unshaded,

unmarred [επί ευτυχίας].

άσκιαχτος-n-o (ε) [askiahtos] unafraid.

άσκοπος-n-o (ε) [askopos] pointless, aimless, purposeless, useless.

ασκός (ο) [askos] bag, wineskin.

ασκούμαι (ρ) [askume] exercise.

ασκώ (ρ) [asko] exercise, practise.

άσμα (το) [asma] canticle, canto.

άοντικ (το) [asndik] asdic.

ασοβάτιστος-n-o (ε) [asovatistos] un-plastered.

ασορτί (επ) [asorti] to match.

άσος (ο) [asos] ace, crack.

ασουλούπωτος-n-o (ε) [asulupotos] hulking, ungainly, blowzy.

ασούρωτος-n-o (ε) [asurotos] un-strained, unpleated, sober.

άσοφος-n-o (ε) [asofos] unwise.

ασπάζομαι (ρ) [aspazome] kiss, em-brace, adopt [μεταφ].

ασπάλαθος (ο) [aspalathos] prickly broom.

ασπάλακας (ο) [aspalakas] mole.

ασπασμός (ο) [aspasmos] embrace.

άσπαστος-n-o (ε) [aspastos] unbroken, unbreakable.

άσπιλος-n-o (ε) [aspilos] immaculate, spotless, unblemished.

ασπιρίνη (n) [aspirini] aspirin.

ασπλαχνία (n) [asplahnia] heartlessness, callousness, unfeelingness.

άσπλαχνος-n-o (ε) [asplahnos] hard-hearted, pitiless, unmerciful, ruthless.

άσπονδος-n-o (ε) [aspondhos] relent-less, bitter, irreconcilable.

ασπούδαστος-n-o (ε) [aspudhastos] un-educated, ignorant, unstudied.

ασπράδα (n) [aspradha] whiteness.

ασπράδι (το) [aspradhi] albumen.

ασπριδερός-ή-ό (ε) [aspridheros] whitish.

ασπρίζω (ρ) [asprizo] whiten, bleach.

ασπρίλα (n) [asprila] whiteness.

άσπρισμα (το) [asprisma] whitewashing,

bleaching, turning white.

ασπρολούλουδο (το) [asproluludho] daisy.

ασπρομάλλης (ο) [aspromallis] white-haired.

ασπρονυμένος-n-o (μ)- (ε) [asprondi-menos] dressed in white.

ασπροπρόσωπος-n-o (ε) [asproproso-pos] uncorrupted, white-faced.

ασπρόρουχα (τα) [asproruha] under-clothes, linen.

άσπρος-n-o (ε) [aspros] white.

ασπρουλιάρικος-n-o (ε) [aspruliarikos] whitish.

άσσος (ο) [asos] ace.

αστάθεια (n) [astathia] instability.

ασταθής-ής-ές (ε) [astathis] unsteady.

αστάθμητος-n-o (ε) [astathmitos] im-ponderable, unweighed.

ασταθώς (επ) [astathos] crankily.

αστακός (ο) [astakos] lobster.

ασταμάτητα (επ) [astamatita] unceasing-ly, non-stop, continuously.

ασταμάτητος-n-o (ε) [astamatitos] con-tinuous, uninterrupted.

αστάρι (το) [astari] first coat, primer.

άστατα (επ) [astata] changefully.

αστατικός-ή-ό (ε) [astatikos] astatic.

άστατος-n-o (ε) [astatos] fickle, un-stable, unsteady, changeful.

αστέγαστος-n-o (ε) [astegastos] roofless.

άστεγος-n-o (ε) [astegos] homeless.

αστεία (επ) [astia] amusingly.

αστειεύομαι (ρ) [astievome] joke.

αστείο (το) [astio] joke, pleasantry.

αστειολόγημα (το) [astioloyima] jesting, joke, joking, bantering.

αστειολογία (n) [astioloyia] banter.

αστείος-a-o (ε) [astios] amusing.

αστείος (ο) [astios] funny, antic.

αστείρευτος-n-o (ε) [astireftos] inex-haustible, limitless, indefatigable.

αστεϊσμός (ο) [asteismos] jesting, joking, bantering, badinage, chaff, lark.

αστέρας (ο) [asteras] star.

αστέρι (το) [asteri] star.

αστερίας (ο) [asterias] starfish.

αστερίσκος (ο) [asteriskos] asterisk.

αστερισμός (ο) [asterismos] constellation, galaxy.

αστέριωτος-n-ο (ε) [asteriotos] unfixed.

αστερόεσσα (n) [asteroessa] the Stars and Stripes.

αστεροσκοπείο (το) [asteroskopio] observatory.

αστεφάνωτος-n-ο (ε) [astefanotos] unwedded, unmarried.

αστήριχτος-n-ο (ε) [astirihtos] unsupported, unfounded, groundless.

αστιγματισμός (ο) [astigmatismos] astigmatism.

αστικοποιούμαι (ρ) [astikopiume] become a bourgeois.

αστικός-ή-ό (ε) [astikos] urban, civic, civil.

αστοιχείωτος-n-ο (ε) [astihiotos] unlearned, ignorant, ignoramus, uneducated, illiterate.

αστόλιστος-n-ο (ε) [astolistos] plain.

άστοργος-n-ο (ε) [astorgos] unloving, unfeeling.

αστός (ο) [astos] townsman.

αστοχασιά (n) [astohasia] thoughtlessness.

αστόχαστος-n-ο (ε) [astohastos] thoughtless, unwise.

αστοχία (n) [astohia] failure, carelessness.

άστοχος-n-ο (ε) [astohos] unsuccessful, unwise.

αστοχώ (ρ) [astoho] miss the mark, fail.

αστράγαλος (ο) [astragalos] anklebone, ankle.

αστραπή (n) [astrapi] lighting.

αστραπιαίος-a-ο (ε) [astrapieos] lightning, flash.

αστραποβόλημα (το) [astrapovolima] flashing, sparkling, glittering.

αστραπόβροντα (τα) [astrapovronda] lightning and thunder.

αστράπτω (ρ) [astrapto] lighten, flash.

αστραφτερός-ή-ό (ε) [astrafteros] bright.

αστράφτω (ρ) [astrafto] lighten, flash, glitter.

αστρικός-ή-ό (ε) [astrikos] stellar, astral.

αστρίτης (ο) [astritis] asp.

άστρο (το) [astro] star.

αστρολογία (n) [astroloyia] astrology.

αστρολόγος (ο) [astrologos] astrologer.

αστροναύτης (ο) [astronaftis] astronaut.

αστροναυτική (n) [astronaftiki] astronautics.

αστρονομία (n) [astronomia] astronomy.

αστρονομικός-ή-ό (ε) [astronomikos] astronomical.

αστρονόμος (ο) [astronomos] astronomer.

αστροπελέκι (το) [astropeleki] thunderbolt.

αστροφεγγιά (n) [astrofengia] starlight.

αστυνομεύω (ρ) [astinomevo] police.

αστυνομία (n) [astinomia] police.

αστυνομικός (ο) [astinomikos] policeman.

αστυνομικός που δίνει εντάλματα (n) [astinomikos pu dhini endalmata] bumbailliff.

αστυνόμος (ο) [astinomos] police officer.

αστυφύλακας (ο) [astifilakas] police constable.

ασυγκινησία (n) [asiginisia] inaccessibility, apathy.

ασυγκίνητος-n-ο (ε) [asinginitos] unmoved, untouched.

ασυγκράτητος-n-ο (ε) [asingratitos] unrestrained, uncontrollable.

ασύγκριτος-n-ο (ε) [asingritos] incomparable, unrivalled.

ασυγυρισιά (n) [asiyirisia] untidiness.

ασυγύριστος-n-ο (ε) [asiyiristos] untidy.

ασυγχώρητος-n-ο (ε) [asighoritos] unforgivable.

ασυδοσία (n) [asidhosia] immunity.

ασύδοτος-n-o (ε) [asidhotos] immune.

ασυζήτητος-n-o (ε) [asizititos] unquestionable.

ασυλία (n) [asilia] immunity.

ασύλληπτος-n-o (ε) [asilliptos] elusive, inconceivable.

άσυλο (το) [asilo] shelter, refuge, asylum.

ασυμβίβαστος-n-o (ε) [asimvivastos] irreconcilable, incompatible.

ασυμμετρία (n) [asimmetria] asymmetry.

ασυμπλήρωτος-n-o (ε) [asimblirotos] incomplete.

ασυμφιλίωτος-n-o (ε) [asimfiliotos] irreconciled.

ασύμφορος-n-o (ε) [asimforos] disadvantageous, not profitable.

ασυμφωνία (n) [asimfonia] disagreement.

ασυναγώνιστος-n-o (ε) [asinagonistos] unbeatable.

ασυναίσθητος-n-o (ε) [asinesthitos] unconscious.

ασυναρμολόγητος-n-o (ε) [asinarmoloyitos] unassembled.

ασυναρτησία (n) [asinartisia] incoherence.

ασυνάρτητος-n-o (ε) [asinartitos] incoherent, inconsistent.

ασυνείδητο (το) [asinidhito] unconscious.

ασυνείδητος-n-o (ε) [asinidhitos] unscrupulous, dishonest.

ασυνέπεια (n) [asinepia] inconsistency.

ασυνεπής-ής-ές (ε) [asinepis] inconsistent, unreliable.

ασύνετος-n-o (ε) [asinetos] unwise, imprudent.

ασυνήθιστος-n-o (ε) [asinithistos] unusual.

ασυνόδευτος-n-o (ε) [asinodheftos] unaccompanied.

ασυντόνιστος-n-o (ε) [asindonistos] uncoordinated.

ασυρματιστής (o) [asirmatistis] radio operator.

ασύρματος (o) [asirmatos] wireless.

ασύστατος-n-o (ε) [asistatos] unfounded.

ασυστηματοποίητος-n-o (ε) [asistimatopiitos] unsystematic.

ασύστολος-n-o (ε) [asistolos] impudent.

ασύχναστος-n-o (ε) [asihnastos] unfrequented.

άσφαιρος-n-o (ε) [asferos] blank.

ασφάλεια (n) [asfalia] security, safety.

ασφαλής-ής-ές (ε) [asfalis] safe, secure, sure, certain, reliable.

ασφαλίζω (ρ) [asfalizo] secure, assure, insure [ζωής κτλ], ensure, lock, clinch.

ασφάλιση (n) [asfalisi] insurance, security.

ασφαλιστήριο (το) [asfalistirio] insurance policy.

ασφαλιστής (o) [asfalistis] insurer.

ασφαλιστικός-ή-ό (ε) [asfalistikos] insurance.

άσφαλτος (n) [asfaltos] asphalt, tarred road.

ασφαλτόστρωση (n) [asfaltostrosi] asphalting.

ασφαλτόστρωτος-n-o (ε) [asfaltostrotos] asphalted.

ασφαλώς (επ) [asfalos] surely, certainly.

ασφόδελος (o) [asfodhelos] daffodil.

ασφυκτικός-ή-ό (ε) [asfiktikos] stifling, suffocating.

ασφυκτιώ (ρ) [asfiktio] choke, stifle.

ασφυξία (n) [asfiksia] suffocation, asphyxia.

άσχετος-n-o (ε) [ashetos] irrelevant.

ασχημαίνω (ρ) [ashimeno] become ugly.

ασχημάτιστος-n-o (ε) [ashimatistos] unformed, shapeless.

ασχήμια (n) [ashimia] ugliness.

ασχημονώ (ρ) [ashimono] misbehave.

άσχημος-n-o (ε) [ashimos] ugly.

ασχολία (n) [asholia] occupation, job.

ασχολίαστος-n-o (ε) [asholiastos] not annotated, not commented on.

ασχολούμαι (ρ) [asholume] be occupied with.

ασώματος-η-ο (ε) [asomatos] bodiless.

ασωτεύω (ρ) [asotevo] be dissolute.

ασωτία (n) [asotia] debauch.

άσωτος-η-ο (ε) [asotos] dissolute.

αταίριαστος-η-ο (ε) [ateriastos] incompatible, dissimilar.

ατακτοποίητος-η-ο (ε) [ataktopiitos] untidy, unsettled.

άτακτος-η-ο (ε) [ataktos] irregular, disorderly, naughty.

ατακτώ (ρ) [atakto] misbehave, disobey.

αταξία (n) [ataksia] confusion, disorder.

αταξικός-ή-ό (ε) [ataksikos] classless.

αταραξία (n) [ataraksia] composure, serenity, aloofness.

ατάραχος-η-ο (ε) [atarahos] composed.

ατασθαλία (n) [atasthalia] irregularity, foul play.

άταφος-η-ο (ε) [atafos] unburied.

άτεγκτος-η-ο (ε) [atengtos] unbending, rigorous.

άτεκνος-η-ο (ε) [ateknos] childless, sterile.

ατέλεια (n) [atelia] defect, exemption, imperfection.

ατελείωτος-η-ο (ε) [ateliotos] unfinished, incomplete.

ατέλειωτος-η-ο (ε) [ateliotos] endless.

ατελεύτητος-η-ο (ε) [ateleftitos] interminable, endless.

ατελής-ής-ές (ε) [atelis] incomplete, defective, tax-free, faulty, imperfect.

ατελιέ (το) [atelie] studio.

ατενής-ής-ές (ε) [atenis] fixed, vacant.

ατενίζω (ρ) [atenizo] gaze, stare at.

άτεχνος-η-ο (ε) [atehnos] crude, artless.

ατζαμής (ο) [atzamis] unskilled, awkward.

ατζαμίστικος-η-ο (ε) [atzamistikos] clumsy, amateurish.

ατζαμοσύνη (n) [atzamosini] clumsiness.

ατημέλητος-η-ο (ε) [atimelitos] unkempt, untidy.

άτι (το) [ati] steed, charger.

ατίθασος-η-ο (ε) [atithasos] untamed, wild, unruly.

ατιμάζω (ρ) [atimazo] dishonour, disgrace.

ατίμητος-η-ο (ε) [atimitos] priceless, invaluable.

ατιμία (n) [atimia] dishonour, disgrace.

άτιμος-η-ο (ε) [atimos] dishonest, infamous, disgraceful.

ατιμωρησία (n) [atimorisia] impunity.

ατιμώρητος-η-ο (ε) [atimoritos] unpunished.

ατίμωση (n) [atimosi] dishonour.

ατιμωτικός-ή-ό (ε) [atimotikos] disgraceful, dishonourable.

ατλάζι (το) [atlazi] satin.

Ατλαντικός (ο) [Atlandikos] the Atlantic.

ατμάμαξα (n) [atmamaksa] locomotive.

ατμίζω (ρ) [atmizo] steam.

ατμοκίνητος-η-ο (ε) [atmokinitos] steam-driven.

ατμολέβητας (ο) [atmolevitas] steam-boiler.

ατμόλουτρο (το) [atmolutro] steam-bath.

ατμομηχανή (n) [atmomihani] steam engine.

ατμόπλοιο (το) [atmoplio] steamship.

ατμός (ο) [atmos] steam, vapour.

ατμόσφαιρα (n) [atmosfera] atmosfere.

ατμοσφαιρικός-ή-ό (ε) [atmosferikos] atmospheric.

άτοκος-η-ο (ε) [atokos] interest free.

ατολμία (n) [atolmia] timidity, shyness.

άτολμος-η-ο (ε) [atolmos] timid, faint-hearted.

ατομικισμός (ο) [atomikismos] individualism.

ατομικιστής-ρια (ε) [atomikistis] individualist.

ατομικός-ή-ό (ε) [atomikos] personal, individual, private.

ατομικότητα (n) [atomikotita] individuality, atomicity.

άτομο (το) [atomo] atom, individual,

person.

ατονία (n) [atonia] langour, dejection, feebleness.

άτονος-n-o (ε) [atonos] languid, dull, weak.

ατονώ (ρ) [atono] flag.

ατόπημα (το) [atopima] slip, impropriety.

άτοπος-n-o (ε) [atopos] improper, inappropriate, inept.

ατού (το) [atu] trump.

ατόφιος-a-o [atofios] solid, massive.

ατράνταχτος-n-o (ε) [atrandahtos] solid, unshakeable.

ατροφία (n) [atrofia] atrophy.

ατροφικός-ή-ό (ε) [atrofikos] atrophied, emaciated.

ατροφώ (ρ) [atrofo] atrophy.

ατρύγητος-n-o (ε) [atriyitos] ungathered, unharvested.

άτρωτος-n-o (ε) [atrotos] unwounded, unhurt.

ατσαλάκωτος-n-o (ε) [atsalakotos] unwrinkled, prim.

ατσαλένιος-a-o [atsalenios] of steel, steely.

ατσάλι (το) [atsali] steel.

ατσαλιά (n) [atsalia] untidiness, slovenliness.

άτσαλος-n-o (ε) [atsalos] untidy, slovenly.

ατσίγγανος (ο) [atsinganos] gypsy.

ατσίδα (n) [atsidha] alert person, wide awake person.

Αττική (n) [Attiki] Attica.

αττικισμός (ο) [attikismos] aticism.

άτυπος-n-o (ε) [atipos] informal, without a fixed agenda, improptu.

ατύχημα (το) [atihima] accident, misfortune, injury, crash.

ατυχής-ής-ές (ε) [atihis] unfortunate, unlucky.

ατυχία (n) [atihia] misfortune, bad luck.

άτυχος-n-o (ε) [atihos] unlucky.

ατυχώ (ρ) [atiho] fail, have bad luck.

ατυχώς (επ) [atihos] unluckily, unfortunately.

αυγατίζω (ρ) [avgatizo] increase, expand.

Αυγερινός (ο) [Avyerinos] morning star.

αυγή (n) [avyi] dawn, daybreak.

αυγό (το) [avgo] egg.

αυγολέμονο (το) [avgolemono] lemon and egg sauce or soup.

αυγοτάραχο (το) [avgotaraho] fish-roe.

αυγουλιέρα (n) [avguliera] egg-cup.

Αύγουστος (ο) [Avgustos] August.

αυθάδεια (n) [afthadhia] audacity, insolence, cheek.

αυθάδης-ης-ες (ε) [afthadhis] impertinent, cheeky.

αυθαδιάζω (ρ) [avthadhiazo] be cheeky, be insolent/saucy.

αυθαιρεσία (n) [aftheresia] highhanded act.

αυθαίρετος-n-o (ε) [aftheretos] arbitrary, highhanded acting, cavalier.

αυθεντία (n) [afthendia] authority.

αυθεντικός-ή-ό (ε) [afthendikos] authentic, authoritative.

αυθεντικότητα (n) [afthendikotita] authenticity.

αυθημερόν (επ) [afthimeron] on the very same day.

αυθορμητισμός (ο) [afthormitismos] spontaneity, impulsiveness.

αυθόρμητος-n-o (ε) [afthormitos] spontaneous, impulsive.

αυθύπαρκτος-n-o (ε) [afthiparktos] self-existent, substantive.

αυθωρεί (επ) [afthori] instantly.

αυλαία (n) [avlea] curtain.

αυλάκι (το) [avlaki] channel, ditch.

αυλακιά (n) [avlakia] furrow, rut.

αυλακώνω (ρ) [avlakono] furrow, rut.

αυλάκωση (n) [avlakosi] cleavage.

αυλακωτός-ή-ό (ε) [avlakotos] furrowed, grooved.

αυλή (n) [avli] yard, courtyard.

αυλητής (ο) [avlitis] flute-player, flutist.

αυλικός-ή-ό (ε) [avlikos] courtier.

αυλόπορτα (n) [avloporta] gate.

άυλος-η-ο (ε) [ailos] immaterial, incorporeal, insubstantial.

αυλός (ο) [avlos] flute, reed.

αυνανίζομαι (ρ) [avnanizome] masturbate.

αυνανισμός (ο) [avnanismos] masturbation.

αυξάνω (ρ) [afksano] increase, augment.

αύξηση (n) [afksisi] increase, enhancement.

αυξομείωση (n) [afksomiosi] variation.

αϋπνία (n) [aipnia] sleeplessness, insomnia.

άυπνος-η-ο (ε) [aipnos] sleepless.

αύρα (n) [avra] breeze.

αυριανός-ή-ό (ε) [avrianos] of tomorrow, future.

αύριο (επ) [avrio] tomorrow.

αυστηρά (επ) [afstira] austerely, strictly.

αυστηρός-ή-ό (ε) [afstiros] rigorous, austere, strict.

αυστηρότητα (n) [afstirotita] strictness, austerity, rigidity.

Αυστραλία (n) [Afstralia] Australia.

Αυστραλιακός-ή-ό (ε) [Afstraliakos] Australian.

Αυστραλός (ο) [Afstralos] Australian.

Αυστρία (n) [Afstria] Austria.

Αυστριακός-ή-ό,(ε) [Afstriakos] Austrian.

αυταπάρνηση (n) [aftaparnisi] unselfishness, altrouism.

αυταπάτη (n) [aftapati] self-delusion, self-deception.

αυταπατώμαι (ρ) [aftapatome] delude oneself, deceive oneself.

αυταπόδεικτος-η-ο (ε) [aftapodhiktos] self-evident.

αυταρέσκεια (n) [aftareskia] complacency, smugness.

αυτάρεσκος-η-ο (ε) [aftareskos] self-complacent, smug.

αυτάρκεια (n) [aftarkia] self-sufficiency.

αυτάρκης-ης-ες (ε) [aftarkis] self-sufficient.

αυταρχικός-ή-ό (ε) [aftarhikos] author-itative, dictatorial, autocratic.

αυταρχικότητα (n) [aftarhikotita] despotism, autocracy, authoritarianism.

αυτεξούσιος-α-ο (ε) [afteksusios] free, independent.

αυτεπάγγελτος-η-ο (ε) [aftepangeltos] ex officio.

αυτή (αν) [afti] she, it, this.

αυτί (το) [afti] ear.

αυτισμός (ο) [aftismos] autism.

αυτοάμυνα (n) [aftoamina] self-defence.

αυτοαπασχολούμενος-η-ο (ε) [aftoapasholumenos] self-employed.

αυτοβιογραφία (n) [aftoviografia] autobiography.

αυτόβουλος-η-ο (ε) [aftovulos] unsolicited.

αυτογραφία (n) [aftografia] autography.

αυτόγραφο (το) [aftografo] autograph.

αυτοδημιούργητος-η-ο (ε) [aftodhimiuryitos] self-made.

αυτοδιάθεση (n) [aftodhiathesi] self-determination.

αυτοδιαχείριση (n) [aftodhiahirisi] self-management.

αυτοδίδακτος-η-ο (ε) [aftodhidhaktos] self-taught.

αυτοδικώ (ρ) [aftodhiko] take the law into one's own hand.

αυτοδιοίκηση (n) [aftodhiikisi] self government, self-rule.

αυτοέλεγχος (ο) [aftoeleghos] self-control.

αυτοεξόριστος-η-ο (ε) [aftoeksoristos] self-exiled.

αυτοεξυπηρέτηση (n) [aftoeksipiretisi] self-service.

αυτοϊκανοποίηση (n) [aftoikanopiisi] self-satisfaction.

αυτοκινητάδα (n) [aftokinitadha] joyride, drive.

αυτοκινητιστής (ο) [aftokinitistis] motorist, driver.

αυτοκίνητο (το) [aftokinito] car.

αυτοκινητοδρομία (n) [aftokinitodhromia] motor racing, rally.

αυτοκινητόδρομος (ο) [aftokinitodhromos] motorway, highway.

αυτόκλητος-n-o (ε) [aftoklitos] self-appointed, self-invited.

αυτοκόλλητο (το) [aftokollito] sticker.

αυτοκόλλητος-n-o (ε) [aftokollitos] self-adhesive.

αυτοκράτειρα (n) [aftokratira] empress.

αυτοκράτορας (ο) [aftokratoras] emperor.

αυτοκρατορία (n) [aftokratoria] empire.

αυτοκρατορικός-ή-ό (ε) [aftokratorikos] imperial.

αυτοκριτική (n) [aftokritiki] self-criticism.

αυτοκτονία (n) [aftoktonia] suicide.

αυτοκτονώ (ρ) [aftoktono] commit suicide.

αυτοκυβέρνηση (n) [aftokivernisi] self-government.

αυτοκυριαρχία (n) [aftokiriarhia] self-control, self-possession.

αυτόματο (το) [aftomato] automaton, automatic.

αυτόματος-n-o (ε) [aftomatos] automatic.

αυτόμολος-n-o (ε) [aftomolos] defector, deserter.

αυτομολώ (ρ) [aftomolo] defect.

αυτονόητος-n-o (ε) [aftonoitos] obvious.

αυτονομία (n) [aftonomia] autonomy, self-rule.

αυτονομιστής (ο) [aftonomistis] separatist, autonomist.

αυτόνομος-n-o (ε) [aftonomos] autonomous.

αυτοπαθής-ής-ές (ε) [aftopathis] reflexive.

αυτοπεποίθηση (n) [aftopepithisi] self-confidence.

αυτοπροβολή (n) [aftoprovoli] self-assertion.

αυτοπροσώπως (επ) [aftoprosopos] personally, in person.

αυτόπτης (ο) [aftoptis] eyewitness.

αυτός (αν) [aftos] he, it, this.

αυτοσεβασμός (ο) [aftosevasmos] self-respect.

αυτοστιγμεί (επ) [aftostigmi] instantly.

αυτοσυγκεντρώνομαι (ρ) [aftosigendronome] concentrate.

αυτοσυντήρηση (n) [aftosindirisi] self-preservation.

αυτοσυντήρητος-n-o (ε) [aftosindiritos] self-supporting.

αυτοσυστήνομαι (ρ) [aftosistinome] introduce oneself.

αυτοσχεδιασμός (ο) [aftoshedhiasmos] improvisation.

αυτοσχέδιος-a-o (ε) [aftoshedhios] improvised, impromptu.

αυτοτελής-ής-ές (ε) [aftotelis] self-sufficient, independent.

αυτουργός (ο) [afturgos] perpetrator.

αυτούσιος-a-o (ε) [aftusios] self-same.

αυτόφωρος-n-o (ε) [aftoforos] red-handed.

αυτόχειρας (ο) [aftohiras] suicide.

αυτόχθονας (ο) [aftohthonas] indigenous, aboriginal, native.

αυτοψία (n) [aftopsia] autopsy.

αυχένας (ο) [afhenas] nape.

αυχενικός-ή-ό (ε) [afhenikos] cervical.

αφάγωτος-n-o (ε) [afagotos] uneaten.

αφαίμαξη (n) [afemaksi] bleeding.

αφαίμαξη (n) [afemaksi] bleeding.

αφαιμάσσω (ρ) [afemasso] bleed.

αφαίρεση (n) [aferesi] deduction, subtraction.

αφαιρούμαι (ρ) [aferume] be absent-minded.

αφαιρούμενος-n-o (μ) [aferumenos] detachable.

αφαιρώ (ρ) [afero] deduct, subtract, rob disposses, detract, take off, pull off.

αφαλός (ο) [afalos] belly-button.

αφάνεια (n) [afania] obscurity, invisibility.

αφανέρωτος-η-ο (ε) [afanerotos] undisclosed, unrevealed.

αφανής-ής-ές (ε) [afanis] unknown, invisible.

αφανίζω (ρ) [afanizo] ruin, disappear.

αφανισμός (ο) [afanismos] annihilation, extermination.

αφανιστικός (ο) [afanistikos] catastrophic.

αφάνταστος-η-ο (ε) [afandastos] unimaginable, unthinkable.

άφαντος-η-ο (ε) [afandos] invisible.

αφασία (n) [afasia] muteness, .

άφεγγος-η-ο (ε) [afengos] dark.

αφειδής-ής (ε) [afidhis] generous, unsparing.

αφειδώς (επ) [afidhos] unsparingly, lavishly, generously.

αφέλεια (n) [afelia] naivety, fore-lock.

αφελής-ής-ές (ε) [afelis] simple, ingenuous, naive.

αφενός (επ) [afenos] on the one hand.

αφέντης (ο) [afendis] master, boss.

αφεντικό (το) [afendiko] governor, boss.

αφερέγγυος-α-ο (ε) [aferengios] insolvent.

άφεση (n) [afesi] remission, absolution.

αφετέρου (επ) [afeteru] on the other hand.

αφετηρία (n) [afetiria] starting point, beginning, terminal.

αφέτης (ο) [afetis] starter.

άφευκτος-η-ο (ε) [afefktos] unavoidable.

αφεύκτως (επ) [afefktos] inevitably.

αφέψημα (το) [afepsima] herb tea, tisane.

αφή (n) [afi] sense of touch, feeling.

αφήγημα (το) [afiyima] story, narration.

αφηγηματικός-ή-ό (ε) [afiyimatikos] narrative.

αφήγηση (n) [afiyisi] account, story.

αφηγητής (ο) [afiyitis] narrator.

αφηγούμαι (ρ) [afigume] narrate, relate.

αφηνιάζω (ρ) [afiniazo] bolt, run amok.

αφήνω (ρ) [afino] let, permit, let alone,

let go of, leave.

αφηρημάδα (n) [afirimadha] absentmindedness.

αφηρημένα (ε) [afirimena] abstractedly, absentmindedly.

αφηρημένος-η-ο (μ) [afirimenos] absentminded, abstract.

άφθα (n) [aftha] mouth-ulcer, aphtha.

άφθαρτος-η-ο (ε) [afthartos] indestructible, everlasting, undying, eternal.

άφθαστος-η-ο (ε) [afthastos] unsurpassed, unrivalled.

αφθονία (n) [afthonia] abundance, profusion.

άφθονος-η-ο (ε) [afthonos] plentiful, abundant, profuse.

αφθονώ (ρ) [afthono] abound in, be plentiful in.

αφιέρωμα (το) [afieroma] offering, donation.

αφιερώνω (ρ) [afierono] dedicate, offer.

αφιέρωση (n) [afierosi] dedication.

αφιλοκερδής-ής-ές (ε) [afilokerdhis] disinterested.

αφιλονίκητος-η-ο (ε) [afilonikitos] unquestionable.

αφιλόξενος-η-ο (ε) [afiloksenos] inhospitable.

αφιλόστοργος-η-ο (ε) [afilostorgos] unloving.

αφιλότιμος-η-ο (ε) [afilotimos] mean, undignified, shameless.

άφιξη (n) [afiksi] arrival.

αφιόνι (το) [afioni] opium.

αφιονίζω (ρ) [afionizo] drug, fanaticize.

αφιππεύω (ρ) [afippevo] alight, dismount.

αφίσσα (n) [afissa] poster.

αφισσοκολλητής (ο) [afissokolitis] billposter.

αφκιασίδωτος-η-ο (ε) [afkiasidhotos] without make up, plain.

άφλεκτος-η-ο (ε) [aflektos] nonflammable.

άφοβος-n-o (ε) [afovos] fearless.

αφομοιώνω (ρ) [afomiono] assimilate.

αφομοίωση (n) [afomiosi] assimilation, digestion.

αφοπλίζω (ρ) [afoplizo] disarm.

αφόρετος-n-o (ε) [aforetos] unworn, new.

αφόρητος-n-o (ε) [aforitos] intolerable.

αφορισμός (o) [aforismos] excommunication.

αφορμή (n) [aformi] motive.

αφορμίζω (ρ) [aformizo] fester.

αφορολόγητος-n-o (ε) [aforoloyitos] free from taxation.

αφορώ (ρ) [aforo] concern.

αφοσιωμένος-n-o (μ) [afosiomenos] devoted, dedicated.

αφοσιώνομαι (ρ) [afosionome] devote, dedicate.

αφοσίωση (n) [afosiosi] devotion.

αφότου (επ) [afotu] since, as long as.

αφού (σ) (επ) [afu] after, since, afterwhile.

αφουγκράζομαι (ρ) [afungrazome] eavesdrop.

άφραγκος-n-o (ε) [afragos] penniless, broke.

άφρακτος-n-o (ε) [afraktos] unfenced, unwalled, unhedged.

αφράτος-n-o (ε) [afratos] light, soft [δέρμα], plump.

άφραχτος-n-o (ε) [afrahtos] unfenced.

αφρίζω (ρ) [afrizo] foam, froth, lather.

Αφρικανικός-ή-ό (ε) [Afrikanikos] African.

Αφρικανός (o) [Afrikanos] African.

Αφρική (n) [Afriki] Africa.

άφρισμα (το) [afrisma] frothing, foaming.

αφροδίσια (τα) [afrodhisia] venereal diseases [VD].

αφροδισιακός-ή-ό (ε) [afrodhisiakos] aphrodisiac.

αφροδισιολόγος (o) [afrodhisiologos] VD specialist.

αφροδίσιος-a-o (ε) [afrodhisios] aphro-

disiac.

Αφροδίτη (n) [Afrodhiti] Aphrodite, Venus.

αφροκοπώ (ρ) [afrokopo] foam, froth.

αφρόκρεμα (n) [afrokrema] cream.

αφρόλουτρο (το) [afrolutro] bubble-bath.

αφρόντιστος-n-o (ε) [afrondistos] neglected, neglected.

αφρός (o) [afros] foam, lather, cream.

αφροσύνη (n) [afrosini] stupidity.

άφτιαστος-n-o (ε) [aftiastos] not made, not done, not built.

αφυδατώνω (ρ) [afidhatono] dehydrate.

αφυδάτωση (n) [afidhatosi] dehydration.

αφύλαχτος-n-o (ε) [afilahtos] unguarded.

αφυπηρετώ (ρ) [afipireto] get one's discharge.

αφυπνίζω (ρ) [afipnizo] wake up.

αφύπνιση (n) [afipnisi] awakening.

αφύσικος-n-o (ε) [afisikos] unnatural.

άφωνος-n-o (ε) [afonos] mute, speechless.

αχαΐρευτος-n-o (ε) [ahaireftos] wretched.

αχαλίνωτος-n-o (ε) [ahalinotos] unbridled, uninhibited, wild.

αχαμνά (τα) [ahamna] groin, testicles.

αχαμνός-ή-ό (ε) [ahamnos] skinny.

αχανής-ής-ές (ε) [ahanis] vast, immense.

αχαρακτήριστος-n-o (ε) [aharaktiristos] scandalous, shameful.

αχαριστία (n) [aharistia] ingratitude.

αχάριστος-n-o (ε) [aharistos] ungrateful.

άχαρος-n-o (ε) [aharos] ungraceful, awkward.

αχάτης (o) [ahatis] agate.

αχερώνας (o) [aheronas] hayloft, barn.

αχθοφόρος (o) [ahthoforos] porter.

αχιβάδα (n) [ahivadha] cockle.

αχινός (o) [ahinos] sea urchin.

αχλάδι (το) [ahladhi] pear.

αχλαδιά (n) [ahladhia] pear-tree.

αχλή (n) [ahli] haze, fog.

άχνα (n) [ahna] vapour, steam.

αχνάρι (το) [ahnari] footprint, pattern

[μεταφ].

άχνη (n) [ahni] mist, evaporation.

αχνίζω (ρ) [ahnizo] evaporate, steam.

αχνογελώ (ρ) [ahnoyelo] smile faintly.

αχνός (ο) [ahnos] vapour, pale, colourless, ghostly.

αχολογώ (ρ) [ahologo] echo, ring.

αχόρταγα (επ) [ahortaga] avidly.

αχόρταγος-n-ο (ε) [ahortagos] insatiable.

αχός (ο) [ahos] noise, hum.

αχούρι (το) [ahuri] stable, stall, pigsty.

αχρείαστος-n-ο (ε) [ahriastos] unnecessary.

αχρείος-α-ο (ε) [ahrios] infamous, foul, dishonourable, filthy.

αχρειότητα (n) [ahriotita] baseness, villainy.

αχρησία (n) [ahrisia] disuse.

αχρησιμοποίητος-n-ο (ε) [ahrisimopiitos] unused.

αχρηστεύω (ρ) [ahristevo] make useless.

αχρηστία (n) [ahristia] obsoleteness, uselessness, disuse, inutility.

άχρηστος-n-ο (ε) [ahristos] useless.

άχρονος-n-ο (ε) [ahronos] timeless.

αχρωματικός-ή-ό (ε) [ahromatikos] colourless.

αχρωμάτιστος-n-ο (ε) [ahromatistos] unpainted, uncoloured.

αχρωματοψία (n) [ahromatopsia] colour-blindness.

άχρωμος-n-ο (ε) [ahromos] colourless.

αχτένιστος-n-ο (ε) [ahtenistos] unkempt, dishevelled.

άχτι (το) [ahti] yearning, grudge.

αχτίδα (n) [ahtidha] ray, beam, gleam.

αχιβάδα (n) [ahivadha] clam.

άχυρο (το) [ahiro] straw, hay.

αχυρώνας (ο) [ahironas] barn, hayloft.

αχώνευτος-n-ο (ε) [ahoneftos] undigested, indigestible.

αχώριστος-n-ο (ε) [ahoristos] inseparable.

αψεγάδιαστος-n-ο (ε) [apsegadhiastos] faultless, perfect, irreproachable.

άψητος-n-ο (ε) [apsitos] underdone, raw.

αψηφώ (ρ) [apsifo] disdain, defy, ignore.

αψίδα (n) [apsidha] arch, coving.

αψιδωτός-ή-ό (ε) [apsidhotos] arched.

αψίθυμος-n-ο (ε) [apsithimos] techy, irritable.

αψιμαχία (n) [apsimahia] skirmish, brush.

άψογος-n-ο (ε) [apsogos] faultless, irreproachable, perfect.

αψύς-ιά-ύ (ε) [apsis] sharp, strong.

αψυχολόγητος-n-ο (ε) [apsiholoyitos] ill-considered.

αψυχοπόνετος-n-ο (ε) [apsihoponetos] unfeeling, hard-hearted.

άψυχος-n-ο (ε) [apsihos] lifeless, cowardly, timid.

αψύχωτος-n-ο (ε) [apsihotos] lifeless, cowardly.

άωτο (το) [aoto] the acme [άκρον άωτο], height.

άωτος-n-ο (ε) [aotos] earless.

B

Βαβέλ (n) [Vavel] Babel.

βαβουίνος (o) [vavuinos] baboon.

βαβούρα (n) [vavura] din.

Βαβυλωνία (n) [Vavilonia] chaos, babylonia.

βάβω (n) [vavo] grandma.

βαγένι (το) [vayeni] cask, barrel.

βάγια (n) [vayia] bay-leaves, nurse.

βαγκονλί (το) [vagonli] sleeping-car

βαγκονρεστοράν (το) [vagonrestoran] diner, dining-car.

βαγόνι (το) [vagoni] carriage, wagon.

βάδην (επ) [vadhin] at a walking pace.

βαδίζω (ρ) [vadhizo] walk, march.

βάδισμα (το) [vadhisma] step, walk.

βαζελίνη (n) [vazelini] vaseline.

βάζο (το) [vazo] vase.

βάζω (ρ) [vazo] put, set, place, put on.

βαθαίνω (ρ) [vatheno] deepen.

βαθιά (επ) [vathia] deeply, profoundly.

βαθμηδόν (επ) [vathmidhon] gradually.

βαθμιαίος-α-ο (ε) [vathmieos] gradual.

βαθμίδα (n) [vathmidha] step.

βαθμολογία (n) [vathmoloyia] grades.

βαθμολογώ (ρ) [vathmologo] mark, rate.

βαθμός (o) [vathmos] degree, grade.

βάθος (το) [vathos] depth, bottom.

βαθουλός-ή-ό (ε) [vathulos] concave.

βαθούλωμα (το) [vathuloma] hollow.

βαθουλώνω (ρ) [vathulono] hollow out.

βαθουλωτός-ή-ό (ε) [vathulotos] dished.

βάθρο (το) [vathro] basis, foundation, pillar, pedestal.

βαθύμετρο (το) [vathimetro] depth-gauge.

βαθυνόπτος-n-ο (ε) [vathinoitos] profound.

βαθύνοια (n) [vathinia] profundity.

βαθύς-ιά-ύ (ε) [vathis] deep, heavy, profound.

βαθυστόχαστος (o) [vathistohastos] profound.

βαθύτατος-n-ο (ε) [vathitatos] bottommost.

βαθύτητα (n) [vathitita] depth, profundity.

βαθύφωνος-n-ο (ε) [vathifonos] bass, deep-voiced.

βακαλάος (o) [vakalaos] cod.

βακτηρία (n) [vaktiria] cane, crutch.

βακτηρίδια (τα) [vaktiridhia] bacteria.

βακτηρίδιο (το) [vaktiridhio] bacterium, bacillus.

βακχείος-α-ο (ε) [vakhios] bacchanal, bacchic.

βακχικός-ή-ό (ε) [vakhikos] bacchanalian.

Βάκχος (o) [Vakhos] Bacchus.

βαλανίδι (το) [valanidhi] acorn.

βαλανιδιά (n) [valanidhia] oak tree.

βαλάντιο (το) [valandio] purse.

βαλαντώνω (ρ) [valandono] wear out,

exhaust.

βαλβίδα (n) [valvidha] valve.

βαλές (ο) [vales] knave, jack.

βαλίτσα (n) [valitsa] suitcase.

Βαλκάνια (τα) [Valkania] Balkans.

Βαλκανικός-ή-ό (ε) [Valkanikos] Balkan.

βαλλιστικός-ή-ό (ε) [vallistikos] ballistic.

βάλλω (ρ) [vallo] attack, fire, shoot.

βαλς (το) [vals] waltz.

βαλσαμίνη (n) [valsamini] balsamine.

βάλσαμο (το) [valsamo] balsam, balm.

βαλσαμώδης-ης-ες (ε) [valsamodhis] balmy, balsamic.

βαλσάμωμα (το) [valsamoma] embalming.

βαλσαμώνω (ρ) [valsamono] embalm.

βάλσιμο (το) [valsimo] putting, placing.

Βαλτική (n) [Valtiki] Baltic.

βαλτός-ή-ό (ε) [valtos] planted, set on.

βάλτος (ο) [valtos] marsh, fen, bog.

βαλτώδης-ης-ες (ε) [valtodhis] boggy, marshy, swampy.

βαλτώνω (ρ) [valtono] get bogged down.

βαμβακερός-ή-ό (ε) [vamvakeros] cotton.

βαμβάκι (το) [vamvaki] cotton.

βαμβακίαση (n) [vamvakiasi] mildew.

βαμβακοειδής-ής-ές (ε) [vamvakoid-his] cottony, cotton-like.

βαμβακόσπορος (ο) [vamvakosporos] cotton seed.

βαμβακουργείο (το) [vamvakuryio] cotton mill, cotton factory.

βαμβακοφυτεία (n) [vambakofitia] cotton plantation.

βάμμα (το) [vamma] tincture.

βαμμένος-n-o (ε) [vammenos] dyed, painted.

βαμπίρος (ο) [vampiros] vampire [ζωολ].

βάνα (n) [vana] sluice valve.

βαναυσουργία (n) [vanafsuryia] rough work.

βανδαλισμός (ο) [vandhalismos] vandalism.

βάνδαλος (ο) [vandhalos] vandal.

βανίλλια (n) [vanillia] vanilla.

βάνω (ρ) [vano] place, put on.

βαπόρι (το) [vapori] steamship.

βαπτίζω (ρ) [vaptizo] baptize, christen.

βάπτιση (n) [vaptisi] baptism.

βάπτισμα (το) [vaptisma] baptism, christening.

βαπτιστικός-ή-ό (ε) [vaptistikos] godchild.

βάραθρο (το) [varathro] abyss, gulf, precipice.

βαραίνω (ρ) [vareno] weigh down, make heavier, weary.

βαράω (ρ) [varao] beat, hit.

βάρβαρα (ε) [varvara] barbarously, agressively.

βαρβαρικός-ή-ό (ε) [varvarikos] barbaric.

βαρβαρισμός (ο) [varvarismos] barbarism.

βάρβαρος-n-o (ε) [varvaros] savage, barbaric.

βαρβαρότητα (n) [varvarotita] barbarity, savagery, brutality.

βαρβατεύω (ρ) [varvatevo] be in heat, rut.

βαρβάτος-n-o (ε) [varvatos] virile, on heat [για ζώα], big, first-rate.

βαρβιτουρικά (τα) [varviturika] barbiturates [χημ].

βαργεστώ (ρ) [varyesto] be tired, be weary.

βάρδια (n) [vardhia] duty, shift, guard.

βαρέλα (n) [varela] barrel, fat woman.

βαρελάκι (το) [varelaki] small barrel.

βαρέλι (το) [vareli] barrel, cask.

βαρελοποιείο (το) [varelopiio] cooperage.

βαρελοποιία (n) [varelopiia] cooperage.

βαρελοποιός (ο) [varelopios] cooper.

βαρελότο (το) [vareloto] cracker, firework.

βαρετός-ή-ό (ε) [varetos] annoying, boring, tiresome.

βαρηκοΐα (n) [varikoia] weak hearing.

βαρήκοος-n-o (ε) [variko-os] hard of hearing.

βαριά (n) [varia] sledge-hammer.

βαριακούω (ρ) [variakuo] be dull of

hearing.

βαριαναστενάζω (ρ) [varianastenazo] groan.

βαρίδι (το) [varidhi] weight, counterbalance.

βαριέμαι (ρ) [varieme] be bored, be tired of.

βαριετέ (το) [variete] variety, music-hall.

βάρκα (n) [varka] boat, dinghy.

βαρκάδα (n) [varkadha] boat trip.

βαρκάρης (ο) [varkaris] boatman.

βαρκαρίζομαι (ρ) [varkarizome] embark.

βαρκάρισμα (το) [varkarisma] embarkation.

βαρκούλα (n) [varkula] small boat.

βαρογραφία (n) [varografia] barogram.

βαρογράφος (ο) [varografos] barograph.

βαρομετρικός-ή-ό (ε) [varometrikos] barometric.

βαρόμετρο (το) [varometro] barometer.

βαρόνη (n) [varoni] baroness.

βαρόνος (ο) [varonos] baron.

βάρος (το) [varos] weight, load.

βαροσκόπιο (το) [varoskopio] baroscope.

βαρούλκο (το) [varulko] winch, windlass.

βαρύγδουπος-n-o (ε) [varigdhupos] sonorous.

βαρυεστημένος-n-o (ε) [variestimenos] gloom, melancholy.

βαρυθυμία (n) [varithimia] melancholy, sadness.

βαρύθυμος-n-o (ε) [varithimos] sad, depressed, gloomy.

βαρυθυμώ (ρ) [varithimo] be sad, be depressed.

βαρυκοιμάμαι (ρ) [varikimame] sleep deeply.

βαρυποινίτης (ο) [varipinitis] long-term convict.

βαρύς-ιά-ύ (ε) [varis] heavy, harsh, serious.

βαρυσήμαντος-n-o (ε) [varisimandos] significant, grave, important.

βαρύτητα (n) [varitita] gravity, gravitation, weight, seriousness.

βαρύτιμος-n-o (ε) [varitimos] precious.

βαρύτονος (ο) [varitonos] baritone.

βαρυφορτώνω (ρ) [varifortono] overload.

βαρώ (ρ) [varo] beat, hit.

βαρώνη (n) [varoni] baroness.

βαρώνος (ο) [varonos] baron.

βασανίζομαι (ρ) [vasanizome] suffer, worry.

βασανίζω (ρ) [vasanizo] torture, examine go into, harass.

βασάνισμα (το) [vasanisma] torture.

βασανιστήριο (το) [vasanistirio] rack, torture chamber, bale.

βασανιστικός-ή-ό (ε) [vasanistikos] excruciating, tormenting.

βασανίτης (ο) [vasanitis] basanite [ορυκτ].

βάσανο (το) [vasano] pain, ordeal, anguish, misery.

βάσανος (n) [vasanos] torture, torment.

βάση (n) [vasi] base, foundation, bedrock, bottom, rest.

βασίζομαι (ρ) [vasizome] rely on.

βασίζω (ρ) [vasizo] base, count on, ground.

βασικός-ή-ό (ε) [vasikos] primary, basic, bottom, essential.

βασιλεία (n) [vasilia] kingdom.

βασίλειο (το) [vasilio] kingdom.

βασίλεμα (το) [vasilema] setting, set.

βασίλευμα (το) [vasilevma] sunset.

βασιλεύω (ρ) [vasilevo] reign, rule.

βασιλιάς (ο) [vasilias] king.

βασιλική (n) [vasiliki] basilica.

βασιλικός-ή-ό (ε) [vasilikos] royal, regal.

βασίλισσα (n) [vasilissa] queen.

βασιλόπιτα (n) [vasilopita] New Year's cake.

βασιλοπούλα (n) [vasilopula] princess.

βασιλόπουλο (το) [vasilopulo] prince.

βασιλόφρονας (ο) [vasilofronas] royalist.

βάσιμος-n-o (ε) [vasimos] trustworthy, reliable.

βασκαίνω (ρ) [vaskeno] spell, cast an evil eye on, put a spell on.

βασκανία (n) [vaskania] evil eye.

Βάσκος (ο) [Baskos] Basque.

βάσταγμα (το) [vastagma] holding.

βαστάζω (ρ) [vastazo] hold, bear.

βαστώ (ρ) [vasto] hold, support, keep, wear, carry.

βατ (το) [vat] watt [φυσική].

βάτα (n) [vata] pad[ding], wad.

βάτεμα (το) [vatema] mating.

βάτευμα (το) [vatevma] copulation, covering.

βατεύω (ρ) [vatevo] mount, mate.

βατόμουρο (το) [vatomuro] blackberry.

βάτος (ο) [vatos] bramble, briar.

βατραχάνθρωπος (ο) [vatrahanthropos] frogman.

βατραχοπέδιλο (το) [vatrahopedhilo] flipper.

βάτραχος (ο) [vatrahos] frog, toad.

βατραχόψαρο (το) [vatrahopsaro] angler.

βατσίνα (n) [vatsina] vaccine.

βαυκάλημα (το) [vafkalima] lullaby.

βαυκαλίζω (ρ) [vafkalizo] lull.

βαφέας (ο) [vafeas] dyer, stainer.

βαφή (n) [vafi] paint, dye, varnish.

βαφική (n) [vafiki] art of dyeing.

βάφομαι (ρ) [vafome] make up.

βαφτίζω (ρ) [vaftizo] baptize.

βάφτιση (n) [vaftisi] baptism, christening.

βαφτίσια (τα) [vaftisia] christening.

βαφτισιμιός-ά (ε) [vaftisimios] godson.

βάφτισμα (το) [vaftisma] baptism, christening.

βαφτιστήρι (το) [vaftistiri] godchild.

βαφτιστικός-ή-ό (ε) [vaftistikos] baptismal, christening.

βάφω (ρ) [vafo] dye, make up, paint.

βγάζω (ρ) [vgazo] take off, get out, press, squeeze, give off, produce, make, earn, read, call, take from, publish.

βγαίνω (ρ) [vyeno] go out, come out, be out.

βγάλσιμο (το) [vgalsimo] removal, extraction.

βδέλλα (n) [vdhella] leech.

βδέλυγμα (το) [vdheligma] detestable thing.

βδελυγμία (n) [vdheligmia] detestation, abomination.

βδελυρός-ή-ό (ε) [vdheliros] repugnant, disgusting.

βδομάδα (n) [vdhomadha] week.

βδομαδιάτικος-n-o (ε) [vdhomadhiatikos] weekly.

βέβαια (επ) [vevea] certainly, surely.

βέβαιος-n-o (ε) [veveos] certain, sure, clear.

βεβαιότητα (n) [veveotita] certainty.

βεβαιωμένος-n-o (μ) [veveomenos] confirmed.

βεβαιώνομαι (ρ) [veveonome] make sure, assure

βεβαιώνω (ρ) [veveono] confirm, affirm, assure, certify, testify.

βεβαίως (επ) [veveos] certainly, of course.

βεβαίωση (n) [veveosi] confirmation, certificate.

βέβηλος-n-o (ε) [vevilos] profane, sacrilegious.

βεβηλώνω (ρ) [vevilono] desecrate, defile.

βεβήλωση (n) [vevilosi] desecration, sacrilege.

βεγγαλικά (τα) [vengalika] fireworks.

βεδουίνος (ο) [vedhuinos] bedouin.

βεζίρης (ο) [veziris] vizier.

βελάδα (n) [veladha] frock-coat.

βελάζω (ρ) [velazo] bleat.

βελανίδι (το) [velanidhi] acorn.

βέλασμα (το) [velasma] baa, bleat.

Βελγικός-ή-ό (ε) [Velyikos] Belgian.

Βέλγιο (το) [Velyio] Belgium.

Βέλγος (ο) [Velgos] Belgian.

βέλο (το) [velo] veil.

βελόνα (n) [velona] needle.

βελονιά (n) [velonia] stitch.

βελονιάζω (ρ) [veloniazo] thread a needle.

βελονισμός (ο) [velonismos] acupuncture.

βελονοειδής-ής-ές (ε) [velonoidhis] needle-shaped.

βέλος (το) [velos] arrow, dart.

βελούδινος-n-o (ε) [veludhinos] velvet, velvety.

βελουδένιος-a-o (ε) [veludhenios] velvety.

βελούδο (το) [veludho] velvet.

βέλτιστος-n-o (ε) [veltistos] best.

βελτιώνω (ρ) [veltiono] improve.

βελτίωση (n) [veltiosi] improvement.

Βενετία (n) [Venetia] Venice.

βενζίνα (n) [venzina] gasoline, petrol.

βενζινάδικο (το) [venzinadhiko] petrol station, gas station [ππα].

βενζίνη (n) [venzini] petrol, benzine.

βενζόλιο (το) [venzolio] benzene.

βεντάλια (n) [vendalia] fan.

βεντέτα (n) [vendeta] vendetta, star.

βέρα (n) [vera] wedding ring.

βεράντα (n) [veranda] veranda.

βέργα (n) [verga] stick, rod, switch.

βερεσέδια (τα) [veresedhia] debts.

βερεσές (ο) [vereses] credit, trust.

βερίκοκο (το) [verikoko] apricot.

βερνίκι (το) [verniki] varnish, polish.

βερνίκωμα (το) [vernikoma] varnishing, polishing.

βερνικώνω (ρ) [vernikono] varnish, polish.
βερνικωτής (ο) [vernikotis] varnisher, polisher.

βερνικωμένος-n-o (ε) [vernikomenos] varnished, polished.

Βερολίνο (το) [Verolino] Berlin.

βέρος-a-o (ε) [veros] genuine, true.

βεστιάριο (το) [vestiario] wardrobe, cloak-room.

βετεράνος (ο) [veteranos] veteran.

βέτο (το) [veto] veto.

βήμα (το) [vima] step, pace.

βηματίζω (ρ) [vimatizo] step, pace.

βηματισμός (ο) [vimatismos] tramp, trudge, tread.

βηματοδότης (ο) [vimatodhotis] pacemaker.

βήχας (ο) [vihas] cough.

βήχω (ρ) [viho] cough.

βία (n) [via] force, violence.

βιάζομαι (ρ) [viazome] be in a hurry, be rushed, be forced.

βιάζω (ρ) [viazo] force, rape, ravish.

βιαιοπραγία (n) [vieopragia] physical assault.

βίαιος-n-o (ε) [vieos] violent, forcible, fiery.

βιαιότητα (n) [vieotita] violence, vehemence.

βιάση (n) [viasi] force, violence, hurry.

βιασμός (ο) [viasmos] rape, violation.

βιαστής (ο) [viastis] rapist.

βιαστικός-ή-ό (ε) [viastikos] urgent, pressing, hurried.

βιασύνη (n) [viasini] haste, urgency.

βιβλιάριο (το) [vivliario] booklet, card.

βιβλικός-ή-ό (ε) [vivlikos] biblical.

βιβλίο (το) [vivlio] book.

βιβλιογραφία (n) [vivliografia] bibliography.

βιβλιογράφος (ο, n) [vivliografos] bibliographer.

βιβλιοδεσία (n) [vivliodhesia] bookbinding, binding.

βιβλιοεκδότης (ο) [vivlioekdhotis] publisher.

βιβλιοθηκάριος (ο) [vivliothikarios] librarian.

βιβλιοθήκη (n) [vivliothiki] bookcase, library.

βιβλιοπωλείο (το) [vivliopolio] bookshop.

βιβλιοπώλης (ο) [vivliopolis] bookseller.

βιβλιοφύλακας (ο) [vivliofilakas] librarian.

Βίβλος (n) [Vivlos] Bible.

βίγλα (n) [vigla] look-out post, watch-tower.

βίδα (n) [vidha] bug, screw.

βιδέλο (το) [vidhelo] calf, veal [κρέας].

βίδωμα (το) [vidhoma] bolting, screwing.

βιδώνω (ρ) [vidhono] screw, bolt.

βιδωτός-ή-ό (ε) [vidhotos] screwing.

Βιεννέζος (ο) [Viennezos] Viennese.

Βιέννη (n) [Vienni] Vienna.

βίζα (n) [viza] visa.

βίζιτα (n) [vizita] visit, call.

βιζόν (το) [vizon] mink [γούνα].

βίλα (n) [vila] villa.

βινιέτα (n) [vinieta] vignette.

βίντσι (το) [vindsi] winch, windlass, hoist.

βιογενετικός-ή-ό (ε) [vioyenetikos] biogenetic.

βιογραφία (n) [viografia] biography.

βιογραφικός-ή-ό (ε) [viografikos] biographical.

βιογράφος (ο) [viografos] biographer.

βιόλα (n) [viola] viola.

βιολέτα (n) [violeta] violet.

βιολί (το) [violi] violin, fiddle.

βιολιστής (ο) [violistis] violinist.

βιολιτζής (ο) [violitzis] fiddler.

βιολογία (n) [violoyia] biology.

βιολογικός-ή-ό (ε) [violoyikos] biological.

βιολόγος (ο) [viologos] biologist.

βιολοντσελίστας (ο) [violondselistas] cellist.

βιολοντσέλο (το) [violontselo] cello.

βιομηχανία (n) [viomihania] industry, manufacture.

βιομηχανικός-ή-ό (ε) [viomihanikos] industrial.

βιομήχανος (ο) [viomihanos] industrialist, manufacturer.

βιοπαλαιστής (ο) [viopalestis] breadwinner.

βιοπαλεύω (ρ) [viopalevo] toil for a living.

βιοπορισμός (ο) [vioporismos] livelihood.

βιοποριστικός-ή-ό (ε) [vioporistikos] bread-winning.

βίος (ο) [vios] life.

βιός (το) [vios] wealth, property.

βιοτέχνης (ο) [viotehnis] tradesman.

βιοτεχνία (n) [viotehnia] handicraft.

βιοτεχνικός-ή-ό (ε) [viotehnikos] handicraft.

βιοψία (n) [viopsia] biopsy.

βιράρω (ρ) [viraro] heave.

βιταλισμός (ο) [vitalismos] vitalism.

βιταμίνη (n) [vitamini] vitamin.

βιτούμιον (το) [vitumion] bitumen.

βιτρίνα (n) [vitrina] shop window, showcase, cabinet.

βιτριόλι (το) [vitrioli] vitriol.

βιτρώ (το) [vitro] stained-glass window.

βίτσα (n) [vitsa] whip, cane.

βιτσίζω (ρ) [vitsizo] whip, lash.

βίτσιο (το) [vitsio] bad habit, vice.

βιτσιόζος-α-ο (ε) [vitsiozos] vicious.

βίωμα (n) [vioma] experience.

βιώσιμος-n-o (ε) [viosimos] viable, feasible.

βιωσιμότητα (n) [viosimotita] viability.

βιωτικός-ή-ό (ε) [viotikos] biotic.

βιωτός-ή-ό (ε) [viotos] livable, liveable.

βλαβερός-ή-ό (ε) [vlaveros] harmful.

βλάβη (n) [vlavi] harm, damage, trouble.

βλάκας (ο) [vlakas] fool, idiot.

βλακεία (n) [vlakia] stupidity.

βλαμμένος-n-o (μ) [vlammenos] crazy.

βλάπτω (ρ) [vlapto] harm, injure.

βλαστάνω (ρ) [vlastano] sprout, shoot, grow, spring up.

βλαστάρι (το) [vlastari] sprout, bud, scion, offspring.

βλαστήμια (n) [vlastimia] oath, curse, swear.

βλάστημος-n-o (ε) [vlastimos] blasphemous.

βλαστημώ (ρ) [vlastimo] curse, blaspheme, swear.

βλάστηση (n) [vlastisi] sprouting.

βλαστολογώ (ρ) [vlastologo] prune.

βλαστός (ο) [vlastos] shoot, offspring.

βλάσφημος-n-o (ε) [vlasfimos] blasphemous.

βλασφημώ (ρ) [vlasfimo] curse, swear.

βλάφτω (ρ) [vlafto] harm, damage.

βλάχος (ο) [vlahos] bumpkin.

βλέμμα (το) [vlemma] look, glance.

βλέννα (n) [vlenna] mucus.

βλεννογόνος-α-ο (ε) [vlennogonos]

mucous.

βλεννόρροια (n) [vlennorria] gonorrhoea, clap [χυδ].

βλέπω (ρ) [vlepo] see, look at.

βλεφαρίδα (n) [vlefaridha] eyelash.

βλεφαρίζω (ρ) [vlefarizo] blink, bat.

βλέφαρο (το) [vlefaro] eyelid.

βλέψη (n) [vlepsi] aim, intention, ambition.

βλήμα (το) [vlima] projectile, shell.

βλητικός-ή-ό (ε) [vlitikos] ballistic, projectile.

βλήτρο (το) [vlitro] bolt.

βλογιά (n) [vloyia] smallpox.

βλογώ (ρ) [vlogo] bless, praise.

βλοσυρός-ή-ό (ε) [vlosiros] fierce, stern.

βόας (ο) [voas] boa.

βόγκημα (το) [vongima] groan, moan.

βογκώ (ρ) [vongo] moan, groan.

βόδι (το) [vodhi] ox.

βοδινό (το) [vodhino] beef.

βοδινός-ή-ό (ε) [vodhinos] ox, bovine.

βοή (n) [voi] humming, roaring, uproar, buzz, hum, drone.

βοήθεια (n) [voithia] help, aid.

βοήθημα (το) [voithima] help, assistance, aid.

βοηθός (ο) [voithos] assistant, aid.

βοηθώ (ρ) [voitho] help, relieve.

Βοημός (ο) [Boimos] Bohemian.

βόθρος (ο) [vothros] cesspool, cesspit.

βοϊδάμαξα (n) [voidhamaksa] ox-cart.

βοϊδομάτης-α-ο (ε) [voidhomatis] ox-eyed.

βολάν (το) [volan] steering wheel.

βολβός (ο) [volvos] bulb, onion, eyeball.

βόλεϊ (το) [volei] volleyball.

βόλεμα (το) [volema] arrangement.

βολεμένος-n-o (μ) [volemenos] at ease.

βολετός-ή-ό (ε) [voletos] possible, convenient.

βολεύομαι (ρ) [volevome] get comfortable, get fixed up.

βολεύω (ρ) [volevo] accommodate, ar-

range.

βολή (n) [voli] shot, blow, cast.

βόλι (το) [voli] bullet.

βολίδα (n) [volidha] bullet.

βολικά (επ) [volika] comfortably.

βολικός-ή-ό (ε) [volikos] convenient, easy.

βόλισμα (το) [volisma] sounding.

βολοδέρνω (ρ) [volodherno] knock about.

βόλος (ο) [volos] lump, marble.

βόλτα (n) [volta] walk, stroll, saunter, airing.

βολτάζ (το) [voltaz] voltage.

βόμβα (n) [vomva] bomb.

βομβαρδίζω (ρ) [vomvardhizo] bomb.

βομβαρδισμός (ο) [vomvardhismos] bombing.

βομβαρδιστικό (το) [vomvardhistiko] bomber.

βομβητής (ο) [vomvitis] buzzer.

βόμβος (ο) [vomvos] hum, buzz.

βόμβυκας (ο) [vomvikas] cocoon, silkworm.

βομβώ (ρ) [vomvo] buzz, drone, hum.

βορά (n) [vora] prey, victim.

βόρβορος (ο) [vorvoros] muck, sludge.

βόρειος-α-ο (ε) [vorios] north [ern].

βορείως (επ) [vorios] northwards, to the north, north.

βοριάς (ο) [vorias] north wind.

βορράς (ο) [vorras] north.

βοσκή (n) [voski] pasture, graze.

βόσκημα (το) [voskima] grazing.

βοσκοπούλα (n) [voskopula] shepherd girl.

βοσκόπουλο (το) [voskopulo] young shepherd.

βοσκοτόπι (το) [voskotopi] pasture land, grazing-land.

βόσκω (ρ) [vosko] graze.

βόστρυχος (ο) [vostrihos] tress, lock, curl.

βοτάνι (το) [votani] plant, herb.

βοτάνιασμα (το) [votaniasma] weeding.

βοτανίζω (ρ) [votanizo] weed [out].

βοτανική (n) [votaniki] botany.
βοτανικός-ή-ό (ε) [votanikos] botanical.
βότανο (το) [votano] herb, plant.
βοτανολόγος (o) [votanologos] botanist.
βουβαίνω (ρ) [vuveno] strike dumb, stun.
βουβάλι (το) [vuvali] buffalo.
βουβαμάρα (n) [vuvamara] speechlessness.
βουβός-ή-ό (ε) [vuvos] dumb, mute.
βουβώνα (n) [vuvona] groin.
βουβωνικός-ή-ό (ε) [vuvonikos] bubonic.
Βουδαπέστη (n) [Vudhapesti] Budapest.
Βούδας (o) [Vudhas] Buddha.
Βουδισμός (o) [vudhismos] Buddhism.
Βουδιστής (o) [vudhistis] Buddhist.
βουή (n) [vui] shout, cry, humming.
βουίζω (ρ) [vuizo] buzz, hum.
βούκινο (το) [vukino] horn.
βουκολικός-ή-ό (ε) [vukolikos] bucolic, pastoral.
βούλα (n) [vula] seal, stamp.
Βουλγαρία (n) [Vulgaria] Bulgaria.
Βουλγάρικος-n-ο,(ε) [Vulgarikos] Bulgarian.
Βούλγαρος (o) [Vulgaros] Bulgarian.
βούλεμα (το) [vulema] decision, decree.
βούλευμα (το) [vulevma] order, bill.
βουλευτής (o) [vuleftis] member of parliament.
βουλευτικός-ή-ό (ε) [vuleftikos] parliamentary.
βουλή (n) [vuli] parliament.
βούλnση (n) [vulisi] desire, will.
βουλητικός (o) [vulitikos] willing.
βούλιαγμα (το) [vuliagma] sinking, collapse.
βουλιάζω (ρ) [vuliazo] sink, ruin.
βουλιμία (n) [vulimia] insatiable, appetite, gluttony.
βουλοκέρι (το) [vulokeri] sealing wax.
βούλωμα (το) [vuloma] sealing, stamping, cork, bung.
βουλώνω (ρ) [vulono] seal, bung, clog, cork.

βουναλάκι (το) [vunalaki] hillock, knoll.
βουνίσιος-ια-ιο (ε) [vunisios] mountainous, of mountains, highlander.
βουνό (το) [vuno] mountain.
βούρδουλας (o) [vurdhulas] whip, lash.
βουρδουλιά (n) [vurdhulia] lash, whip-cut.
βούρκος (o) [vurkos] mud, mire.
βουρκώνω (ρ) [vurkono] fill with tears, mist.
βουρλίζω (ρ) [vurlizo] infuriate.
βούρλο (το) [vurlo] bulrush, rush.
βούρτσα (n) [vurtsa] brush.
βουρτσιά (n) [vurtsia] brush-stroke.
βουρτσίζω (ρ) [vurtsizo] brush.
βούρτσισμα (το) [vurtsisma] brushing.
βουστάσιο (το) [vustasio] ox stall, cowshed.
βουτάω (ρ) [vutao] bathe.
βούτη (n) [vuti] churn.
βούτηγμα (το) [vutigma] plunging, dipping, stealing, diving.
βουτηχτός-ή-ό (ε) [vutihtos] soaked.
βουτηχτής (o) [vutihtis] diver, thief [μεταφ].
βουτιά (n) [vutia] dive, stealing.
βούτυρο (το) [vutiro] butter.
βουτυρόγαλα (n) [vutirogala] buttermilk.
βουτυροκομείο (το) [vutirokomio] dairy.
βουτυροκομικός-ή-ό (ε) [vutirokomikos] dairy.
βουτυρόπαιδο (το) [vutiropedho] mummy's boy.
βουτυρώνω (ρ) [vutirono] butter.
βουτώ (ρ) [vuto] dunk.
βραβείο (το) [vravio] prize, award.
βραβευμένος-n-ο (μ) [vravevmenos] prize-winning.
βράβευση (n) [vravefsi] reward, prize-giving.
βραγιά (n) [vrayia] patch, bed.
βράγχια (τα) [vraghia] gills.
βραδάκι (το) [vradhaki] early evening.
βραδιά (n) [vradhia] evening.
βραδιάζω (ρ) [vradhiazo] getting dark.
βραδιάτικος-n-ο (ε) [vradhiatikos] evening.

βραδινός-ή-ό (ε) [vradhinos] evening.

βράδυ (επ) [vradhi] evening.

βραδυγλωσσία (n) [vradhiglosia] stammering, stutter.

βραδύγλωσσος-n-o (ε) [vradhiglossos] stammerer, stutterer.

βραδυκίνητος-n-o (ε) [vradhikinitos] sluggish.

βραδύνω (ρ) [vradhino] be late, be slow.

βραδυπορώ (ρ) [vradhiporo] go slowly, go behind, struggle.

βραδύς-εία-ύ (ε) [vradhis] slow, sluggish.

βραδύτητα (n) [vradhitita] slowness, tardiness, lateness.

βραδυφλεγής-ής-ές (ε) [vradhifleyis] delayed-action.

Βραζιλία (n) [Vrazilia] Brazil.

Βραζιλιανός (ο) [Vrazilianos] Brazilian.

βράζω (ρ) [vrazo] boil, brew.

βράκα (n) [vraka] breeches, underwear.

βρακί (το) [vraki] underpants, trousers.

βράσιμο (το) [vrasimo] boiling.

βραστός-ή-ό (ε) [vrastos] boiled.

βραχιόλι (το) [vrahioli] bracelet.

βραχίονας (ο) [vrahionas] arm.

Βραχμάνος (ο) [Vrahmanos] Brahman.

βραχνάδα (n) [vrahnadha] hoarseness.

βραχνάς (ο) [vrahnas] nightmare.

βραχνιάζω (ρ) [vrahniazo] become hoarse.

βραχνός-ή-ό (ε) [vrahnos] hoarse.

βραχόκηπος (ο) [vrahokipos] rock garden.

βράχος (ο) [vrahos] rock.

βραχύβιος-ια-ιο (ε) [vrahivios] short-lived.

βραχυγραφία (n) [vrahigrafia] abbreviation.

βραχυκυκλώνω (ρ) [vrahikiklono] short-circuit.

βραχυλογία (n) [vrahiloyia] conciseness, brevity.

βραχυπρόθεσμος-n-o (ε) [vrahiprothesmos] short-dated, short-term.

βραχύς-εία-ύ (ε) [vrahis] short.

βραχώδης-ης-ες (ε) [vrahodhis] rocky.

βρε! (επιφ) [vre!] you there, hey you.

βρεγμένος-n-o (μ) [vregmenos] wet, damp.

βρέξιμο (το) [vreksimo] wetting, dampening.

Βρετανία (n) [Vretania] Britain.

Βρετανικός-ή-ό (ε) [Vretanikos] British.

Βρετανός (ο) [Vretanos] British.

βρεφικός-ή-ό (ε) [vrefikos] infantile.

βρεφοκομείο (το) [vrefokomio] public nursery.

βρεφοκομώ (ρ) [vrefokomo] nurse.

βρεφοκτονία (n) [vrefoktonia] infanticide.

βρεφοκτονος (n) (ο) [vrefoktonos] infanticide.

βρέφος (το) [vrefos] baby, infant.

βρέχω (ρ) [vreho] wet, rain.

βρίζω (ρ) [vrizo] abuse, swear at, insult.

βρίθω (ρ) [vritho] teem, swarm, abound, be full of.

βρισιά (n) [vrisia] abuse, insult.

βρίσιμο (το) [vrisimo] abuse, insult.

βρίσκω (ρ) [vrisko] find, discover, guess.

βρογχίτιδα (n) [vrohitidha] bronchitis.

βρογχοπνευμονία (n) [vrohopnevmonia] broncho-pneumonia.

βρόγχος (ο) [vrohos] bronchus.

βρόμα (n) [vroma] dirt, filth, bitch [γυναίκα], skunk [άντρας].

βρομερός-ή-ό (ε) [vromeros] foul, dirty, filthy, stinking.

βρομιά (n) [vromia] dirt, filth, mess.

βρομιάρης-α-ικο (ε) [vromiaris] skunk, rascal.

βρομίζω (ρ) [vromizo] dirty, foul, soil, muck up.

βρόμικος-n-o (ε) [vromikos] dirty, obscene.

βροντοκόπημα (το) [vrontokopima] knocking, thudding.

βρόντος (ο) [vrondos] noise, roar.

βροντώ (ρ) [vrondo] knock, bump.

βροντώδης-ης-ες (ε) [vrondodhis] thunderous.

βρούβα (n) [vruva] black mustard.

βροχερός-ή-ό (ε) [vroheros] wet, rainy.

βροχή (n) [vrohi] rain.

βρόχι (το) [vrohi] net, snare.

βρόχινος-η-ο (ε) [vrohinos] rain.

βροχόπτωση (n) [vrohoptosi] rainfall.

βρόχος (ο) [vrohos] noose.

Βρυξέλλες (οι) [Vrikseles] Brussels.

βρύο (το) [vrio] moss.

βρύση (n) [vrisi] fountain, tap.

βρυσομάνα (n) [vrisomana] fountain-head.

βρυχιέμαι (ρ) [vrihieme] roar.

βρυχώμαι (ρ) [vrihome] bell.

βρώμα (n) [vroma] filth, stink, bitch slut.

βρωμερός-ή-ό (ε) [vromeros] stinking, nasty.

βρώμη (n) [vromi] oats.

βρωμιά (n) [vromia] filth, dirt, corruption.

βρωμίζω (ρ) [vromizo] stink, dirty.

βρώμικος-η-ο (ε) [vromikos] dirty, nasty.

βρωμώ (ρ) [vromo] stink.

βρώσιμος-η-ο (ε) [vrosimos] edible.

βυζαίνω (ρ) [vizeno] suckle, breast feed.

βυζανιάρικο (το) [vizaniariko] suckling.

Βυζαντινός-ή-ό (ε) [Vizandinos] Byzantine.

βυζί (το) [vizi] breast, tit.

βυθίζω (ρ) [vithizo] sink, submerge, countersink.

βύθιση (n) [vithisi] sinking.

βυθισμένος-η-ο (μ) [vithismenos] sunken, immersed, plunged.

βυθοκόρος (n) [vithokoros] dredge.

βυθομέτρηση (n) [vithometrisi] sounding.

βυθομετρώ (ρ) [vithometro] fathom.

βυθός (ο) [vithos] bottom of the sea.

βύνη (n) [vini] malt.

βυρσοδεψείο (το) [virsodhepsio] tannery.

βυρσοδέψης (ο) [virsodhepsis] tanner.

βύσμα (το) [visma] plug, stopper.

βυσσινί (το) [vissini] crimson.

βύσσινο (το) [vissino] sour cherry.

βυσσοδομώ (ρ) [vissodhomo] plot, scheme.

βυτίο (το) [vitio] cask, barrel.

βυτιοποιία (n) [vitiopiia] cooperage.

βυτιοποιός (ο) [vitiopios] cooper.

βυτιοφόρο (το) [vitioforo] tank-truck, water-wagon.

βωβός-ή-ό (ε) [vovos] dumb, mute, silent.

βώλος (ο) [volos] bole.

βωμολοχία (n) [vomolohia] scurrility, obscenity.

βωμός (ο) [vomos] altar.

γαβάθα (n) [gavatha] bowl.
γαβγίζω (ρ) [gavyizo] bark, yelp.
γάβγισμα (το) [gavyisma] bark[ing].
γάγγλιο (το) [ganglio] ganglion.
γάγγραινα (n) [gangrena] gangrene.
γαγραινώδης-ης-ες (ε) [gangrenodhis] gangrenous.
γάζα (n) [gaza] gauze, bandage.
γαζί (το) [gazi] stitch.
γαζία (n) [gazia] musk-tree, acacia.
γάζωμα (το) [gazoma] stitching.
γαζώνω (ρ) [gazono] sew.
γαιάνθρακας (ο) [yeanthrakas] coal.
γαιανθρακωρυχείο (το) [yeanthrakorihio] coal-mine.
γαϊδάρα (n) [gaidhara] she-ass.
γάιδαρος (ο) [gaidharos] ass, donkey.
γαϊδουράγκαθο (το) [gaidhurangatho] thistle.
γαϊδούρι (το) [gaidhuri] ass, donkey.
γαϊδουριά (n) [gaidhuria] rudeness.
γαιοκτήμονας (ο) [yeoktimonas] landowner.
γαϊτανάκι (το) [gaitanaki] maypoledance.
γαϊτάνι (το) [gaitani] braid.
γάλα (το) [gala] milk.
γαλάζιος-α-ο (ε) [galazios] azure, blue.

γαλαζόπετρα (n) [galazopetra] turquoise.
γαλαζωπός-ή-ό (ε) [galazopos] bluish.
γαλακτερός-ή-ό (ε) [galakteros] milky.
γαλακτοκομείο (το) [galaktokomio] dairy.
γαλακτοκομία (n) [galaktokomia] dairy farming.
γαλακτομπούρεκο (το) [galaktombureko] custard-filled pastry.
γαλακτοπωλείο (το) [galaktopolio] dairy.
γαλακτώδης-ης-ες (ε) [galaktodhis] milky, milk-white.
γαλάκτωμα (το) [galaktoma] emulsion.
γαλανόλευκος (n) [galanolefkos] the Greek flag.
γαλανομάτης (ο) [galanomatis] blue-eyed.
γαλανός-ή-ό (ε) [galanos] blue,.
γαλαξίας (ο) [galaksias] Milky Way.
γαλαρία (n) [galaria] gallery.
γαλατάδικο (το) [galatadhiko] dairy, milkbar.
γαλατάς (ο) [galatas] milkman.
γαλβανίζω (ρ) [galvanizo] galvanize.
γαλέος (ο) [galeos] small dogfish.
γαλέρα (n) [galera] galley.
γαλέτα (n) [galeta] hard tack, biscuit.
γαλήνεμα (το) [galinema] calmness.
γαληνεύω (ρ) [galinevo] calm.

γαλήνη (n) [galini] calm, peace.

γαλήνιος-α-ο (ε) [galinios] calm, composed.

γαλιάντρα (n) [galiandra] skylark, talkative [μεταφ].

Γαλιλαία (n) [Galilea] Galilee.

γαλίφης (ο) [galifis] flatterer.

γαλιφιά (n) [galifia] cajolery.

Γαλλία (n) [Gallia] France.

Γαλλικός-ή-ό,(ε) [Gallikos] French.

Γάλλος (ο) [Gallos] Frenchman.

γαλονάς (ο) [galonas] brass hat, top brass.

γαλόνι (το) [galoni] gallon, stripe.

γαλοπούλα (n) [galopula] turkey.

γάλος (ο) [galos] turkey[-cock].

γαλότσες (οι) [galotses] wellington boots.

γαλουχώ (ρ) [galuho] suckle, nurse.

γαμήλιος-α-ο (ε) [gamilios] nuptial, bridal.

γαμικός-ή-ό (ε) [gamikos] marital.

γάμος (ο) [gamos] wedding, marriage.

γάμπα (n) [gamba] calf, leg.

γαμπρός (ο) [gambros] son-in-law, bridegroom, brother-in-law.

γαμώ (ρ) [gamo] fuck, screw.

γανιάζω (ρ) [ganiazo] be covered with fur, go dry.

γάντζος (ο) [gandzos] hook, catch.

γαντζώνω (ρ) [gandzono] hook.

γάντι (το) [gandi] glove.

γανώνω (ρ) [ganono] tin, tin-plate.

γανωτής (ο) [ganotis] tinker, pewterer.

γαργάλημα (το) [gargalima] tickling.

γαργαλίζω (ρ) [gargalizo] tickle, tempt.

γαργαλιστικός-ή-ό (ε) [gargalistikos] ticklish, tempting.

γαργαλώ (ρ) [gargalo] tickle, titillate.

γαργάρα (n) [gargara] gargle.

γαργαρίζω (ρ) [gargarizo] gargle.

γαργάρισμα (το) [gargarisma] gargling.

γάργαρος-n-ο (ε) [gargaros] clear, limpid.

γαρδένια (n) [gardhenia] gardenia.

γαρίδα (n) [garidha] shrimp, prawn.

γαρμπής (ο) [garmbis] sou'wester.

γαρνίρισμα (το) [garnirisma] garnishing, decoration.

γαρνίρω (ρ) [garniro] garnish, trim.

γαρνιτούρα (n) [garnitura] trimming, garniture.

γαρυφαλιά (n) [garifalia] clove tree, carnation.

γαρύφαλλο (το) [garifallo] clove-pink, clove [μπαχαρικού].

γάστρα (n) [gastra] earthenware pot.

γαστραλγία (n) [gastralyia] stomack ache.

γαστρικός-ή-ό (ε) [gastrikos] gastric.

γαστρίτιδα (n) [gastritidha] gastritis.

γάτα (n) [gata] cat.

γατάκι (το) [gataki] kitten.

γάτος (ο) [gatos] tomcat, puss.

γαυγίζω (ρ) [gavyizo] bark.

γαύγισμα (το) [gavyizma] barking.

γαύρος (ο) [gavros] anchovy.

γδάρσιμο (το) [gdharsimo] flaying, scratch.

γδέρνω (ρ) [gdherno] flay, fleece, skin, claw.

γδικιώνομαι (ρ) [gdhikionome] revenge.

γδούπος (ο) [gdhupos] thud, flop.

γδύνομαι (ρ) [gdhinome] get undressed.

γδύνω (ρ) [gdhino] undress, rob.

γδύσιμο (το) [gdhisimo] undressing, stripping.

γεγονός (το) [yegonos] event, fact.

γειά (n) [yia] health, hello, goodbye.

γειά-χαρά! (επιφ) [gia-hara!] cheerio.

γείσο (το) [yiso] eaves, cornice, peak.

γειτνιάζω (ρ) [gitniazo] be close to.

γειτνίαση (n) [gitniasi] contiguity.

γείτονας (ο) [yitonas] neighbour.

γειτονεύω (ρ) [yitonevo] be close to, neighbour.

γειτονιά (n) [yitonia] neighbourhood.

γειτονικός-ή-ό (ε) [yitonikos] neighbouring, adjacent.

γειτόνισσα (n) [yitonissa] neighbour.

γειώνω (ρ) [yiono] ground.

γείωση (n) [yiosi] grounding.

γελάδα (n) [yeladha] cow.

γέλασμα (το) [yelasma] laugh, deceit.

γελαστά (επ) [yelasta] cheerfully.

γελαστός-ή-ό (ε) [yelastos] smiling, pleasant, cheerful.

γελάω (ρ) [gelao] laugh, smile, deceive.

γελέκο (το) [yeleko] waistcoat.

γελιέμαι (ρ) [yelieme] be deceived, be mistaken.

γέλιο (το) [yelio] laugh, laughter, chuckle.

γελοίο (το) [yelio] comicality.

γελοιογραφία (n) [yeliografia] caricature, cartoon.

γελοιογράφος (ο) [yeliografos] cartoonist, caricaturist.

γελοιοποίηση (n) [yeliopiisi] ridicule.

γελοιοποιούμαι (ρ) [yeliopiume] make myself ridiculous.

γελοιοποιώ (ρ) [yeliopio] ridicule.

γελοίος-α-ο (ε) [yelios] comical, clownish, rediculous.

γελώ (ρ) [yelo] laugh, cheat, deceive.

γελωτοποιός (ο) [yelotopios] fool, clown.

γεμάτος-η-ο (ε) [yematos] full, crowded, loaded, stout, plump.

γεμίζω (ρ) [yemizo] fill up, load, stuff.

γέμιση (n) [yemisi] filling, loading.

γέμισμα (το) [yemisma] filling, stuffing, loading.

γενάκι (το) [yenaki] goatee.

Γενάρης (ο) [Yenaris] January.

γενάτος-η-ο (ε) [yenatos] bearded.

γενεά (n) [yenea] race, generation.

γενεαλογία (n) [yenealoyia] genealogy.

γενέθλια (τα) [yenethlia] birthday.

γενέθλιος-α-ο (ε) [yenethlios] birthday.

γενειάδα (n) [yeniadha] beard.

γενειοφόρος (ο) [yenioforos] bearded.

γένεση (n) [yenesi] origin, birth, Genesis.

γενέτειρα (n) [yenetira] native country, birthplace.

γενετήσιος-α-ο (ε) [yenetisios] productive, sexual.

γενετική (n) [yenetiki] genetics.

γένι (το) [yeni] beard, awn [σταχυού].

γενιά (n) [yenia] family, stock, nation, generation.

γενικά (επ) [yenika] commonly, generallly.

γενίκευση (n) [yenikefsi] generalization.

γενικεύω (ρ) [yenikevo] generalize.

γενική (n) [yeniki] general, genetive [case] [γραμμ].

γενικός-ή-ό (ε) [yenikos] general.

γενικότητα (n) [yenikotita] generality.

γενίτσαρος (ο) [yenitsaros] janissary.

γέννα (n) [yenna] birth, childbirth, delivery.

γενναιοδωρία (n) [yenneodhoria] bounty, generosity.

γενναιόδωρος-η-ο (ε) [yenneodhoros] generous, bountiful, benevolent.

γενναίος-α-ο (ε) [yenneos] brave, fearless, courageous, liberal, handsome.

γενναιότητα (n) [yenneotita] bravery.

γενναιοφροσύνη (n) [yenneofrosini] generosity.

γενναιοψυχία (n) [yenneopsihia] bravery.

γενναιόψυχος-η-ο (ε) [yenneopsihos] generous.

γέννηση (n) [yennisi] birth.

γεννητικός-ή-ό (ε) [yennitikos] genital, sexual.

γεννήτορας (ο) [yennitoras] father, progenitor.

γεννήτρια (n) [yennitria] generator.

γεννοβολώ (ρ) [yennovolo] breed, generate.

γεννώ (ρ) [yenno] give birth to [για γυναίκα], lay [για πτηνά], create [μεταφ].

γενοκτονία (n) [yenoktonia] genocide.

γένος (το) [yenos] race, family, line, species [ζώων, φυτών].

γεράκι (το) [yeraki] hawk [ζωολ].

γεράματα (τα) [yeramata] old age.

γεράνι (το) [yerani] geranium.

γεράνιο (το) [yeranio] bascule.

γερανός (ο) [yeranos] crane [ζωολ, μηχάνημα], winch [μηχάνημα].

γερατειά (τα) [yeratia] old age.

γέρικος-n-ο (ε) [yerikos] old, aged.

Γερμανία (n) [Yermania] Germany.

Γερμανικός-ή-ό (ε) [Yermanikos] German.

Γερμανός (ο) [Yermanos] German.

γέρνω (ρ) [yerno] bend, lean, sink [για ήλιο κτλ].

γερνώ (ρ) [yerno] age, grow old.

γερό ξύλο (το) [yero ksilo] belting.

γεροδεμένος-n-ο (μ) [yerodhemenos] strongly-built, sturdy.

γεροντάκι (το) [yerondaki] dear old man.

γεροντάκος (ο) [yerondakos] buffer.

γέροντας (ο) [yerondas] old man.

γερόντισσα (n) [yerondissa] old woman.

γεροντοκομείο (το) [yerontokomio] home for the aged.

γεροντοκόρη (n) [yerondokori] old maid, spinster.

γεροντοκρατία (n) [yerondokratia] gerontocracy.

γεροντολογία (n) [yerondoloyia] gerontology.

γεροντοπαλίκαρο (το) [yerondopalikaro] old bachelor.

γεροντόπαχο (το) [yerondopaho] middle-age[d] spread.

γερός-ή-ό (ε) [yeros] vigorous, sturdy, healthy, solid [τροφή], hearty, strong, firm.

γέρος (ο) [yeros] old man.

γερούνδιο (το) [yerundhio] gerund.

γερουσία (n) [yerusia] senate.

γερουσιαστής (ο) [yerusiastis] senator.

γέρσιμο (το) [yersimo] droop, stoop, sloping, leaning.

γερτός-ή-ό (ε) [yertos] leaning, stooping, drooping.

γεύμα (το) [yevma] meal, dinner.

γευματίζω (ρ) [yevmatizo] dine, have lunch, have dinner, be at lunch.

γεύομαι (ρ) [yevome] taste, try.

γεύση (n) [yefsi] taste, flavour.

γευστικός-ή-ό (ε) [yefstikos] tasty.

γέφυρα (n) [yefira] bridge.

γεφυροπλάστιγγα (n) [yefiroplastinga] weigh-bridge.

γεφυροποιός (ο) [yefiropios] bridge builder.

γεφυρώνω (ρ) [yefirono] bridge.

γεωγραφία (n) [yeografia] geography.

γεωγραφικός-ή-ό (ε) [yeografikos] geographical.

γεωγράφος (ο) [yeografos] geographer.

γεωλογία (n) [yeoloyia] geology.

γεωλογικός,ή-ό (ε) [yeoloyikos] geological, geologic.

γεωλόγος (ο) [yeologos] geologist.

γεωμετρία (n) [yeometria] geometry.

γεωμετρικός-ή-ό (ε) [yeometrikos] geometrical.

γεωπόνος (ο) [yeoponos] agriculturalist.

γεωργία (n) [yeoryia] agriculture, farming.

γεωργικός-ή-ό (ε) [yeoryikos] agricultural.

γεωργός (ο) [yeorgos] farmer.

γεώτρηση (n) [yeotrisi] drilling, boring.

γεωτρύπανο (το) [yeotripano] drill.

γη (n) [yi] earth, land, ground.

γηγενής-ής-ές (ε) [yiyenis] native, indigenous.

γήινος-n-ο (ε) [yiinos] earthy, terrestrial.

γήλοφος (ο) [yilofos] hillock, knoll.

γήπεδο (το) [yipedho] ground, court.

γηραλέος-α-ο (ε) [yiraleos] aged, elderly.

γήρας (το) [yiras] old age.

γηρατειά (τα) [yiratia] old age.

γηριατρική (n) [yiriatriki] geriatrics.

γηροκομείο (το) [yirokomio] old people's home.

γητεία (n) [yitia] spell, sorcery.

γητευτής (ο) [yiteftis] charmer, wizard, enchantress, witch.

γητεύω (ρ) [yitevo] charm, bewitch.

για (πρ) [yia] for, because of, on behalf of.

για το θεό! (επιφ) [yia to theo!] for goodness sake.

γιαγιά (n) [yiayia] grandmother.

γιακάς (ο) [yiakas] collar.

γιαλός (ο) [yialos] seashore, beach.

γιαούρτι (το) [yiaurti] yogurt.

γιαπί (το) [yiapi] skeleton building.

γιάρδα (n) [yiardha] yard.

γιαρμάς (ο) [yiarmas] yellow peach.

γιασεμί (το) [yiasemi] jasmine.

γιαταγάνι (το) [yiatagani] yataghan.

γιατί (σ) [yiati] because.

γιατρειά (n) [yiatria] cure, healing, remedy.

γιατρεύω (ρ) [yiatrevo] cure, heal, treat.

γιατρικό (το) [yiatriko] remedy, medicine, cure.

γιατρίνα (n) [yiatrina] lady doctor, doctor's wife.

γιατροκομώ (ρ) [yiatrokomo] nurse.

γιατρός (ο) [yiatros] doctor.

γιαχνί (το) [yiahni] ragout, casserole.

γίγαντας (ο) [yigandas] giant.

γιγαντιαίος-α-ο (ε) [yigandieos] giant.

γίγας (ο) [yigas] giant.

γίδα (n) [yidha] goat.

γιδίσιος-α-ο (ε) [yidhisios] goat.

γιδοβοσκός (ο) [yidhovoskos] goatherd.

γιδόστρατα (n) [yidhostrata] goat-track.

γιλέκο (το) [yileko] waistcoat.

γινάτι (το) [yinati] spite, obstinacy.

γίνομαι (ρ) [yinome] become, grow, happen, ripen, come off, go down.

γινόμενο (το) [yinomeno] product.

γίνωμα (το) [yinoma] ripening.

γινωμένος-n-ο (ε) [yinomenos] done, ready, ripe.

γιόκας (ο) [yiokas] [darling] son.

γιομάτος-n-ο (ε) [yiomatos] full, swarming, loaded, packed, plump.

γιορτάζω (ρ) [yiortazo] celebrate, commemorate.

γιόρτασμα (το) [yiortasma] celebration, festivity.

γιορτή (n) [yiorti] celebration, festivity, holiday.

γιος (ο) [yios] son.

γιοτ (το) [yiot] yacht.

γιουβαρλάκια (τα) [yiuvarlakia] meatballs with rice.

γιουβέτσι (το) [yiuvetsi] roast lamb with pasta.

Γιουγκοσλαβία (n) [Yiugoslavia] Yugoslavia.

γιουγκοσλαβικός-ή-ό (ε) [yiugoslavikos] Yugoslavian.

Γιουγκοσλάβος (ο) [Yiugoslavos] Yugoslav.

γιούλι (το) [yiuli] violet.

γιουρούσι (το) [yiurusi] assault, onset.

γιουχαΐζω (ρ) [yiuhaizo] hoot, jeer, boo.

γιουχάρω (ρ) [yiuharo] haze.

γιρλάντα (n) [yirlanda] garland, wreath.

γκαβός-ή-ό (ε) [gavos] cross-eyed, blind.

γκαζάδικο (το) [gazadhiko] oil-tanker.

γκάζι (το) [gazi] accelerator.

γκάζι (το) [gazi] gas.

γκαζιέρα (n) [gaziera] cooking stove, gas stove.

γκαζόζα (n) [gazoza] lemonade.

γκαζόν (το) [gazon] lawn, grass.

γκάιντα (n) [gainda] bagpipe[s].

γκαμήλα (n) [gamila] camel.

γκαμπαρντίνα (n) [gambarndina] gabardine, overcoat.

γκαράζ (το) [garaz] garage.

γκαρδιακός-ή-ό (ε) [gardhiakos] hearty, true.

γκαρίζω (ρ) [garizo] bray, bawl.

γκαρνταρόμπα (n) [gardaroba] wardrobe, cloakroom.

γκαρσόνι (το) [garsoni] waiter.

γκαρσονιέρα (n) [garsoniera] bachelor's room.

γκάστρωμα (το) [gastroma] pregnancy.

γκαστρωμένος-η-ο (μ) [gastromenos] pregnant.

γκαστρώνομαι (ρ) [gastronome] become pregnant.

γκαστρώνω (ρ) [gastrono] make pregnant, impregnate.

γκάφα (n) [gafa] blunder.

γκαφατζής (ο) [gafatzis] blunderer.

γκέισα (n) [geisa] geisha.

γκέτα (n) [geta] gaiter, legging, puttee.

γκέτο (το) [geto] ghetto.

γκι (το) [gi] mistletoe.

γκιλοτίνα (n) [gilotina] guillotine.

γκινέα (n) [ginea] guinea.

γκίνια (n) [ginia] bad luck.

γκιόνης (ο) [gionis] howlet, owl.

γκιόσα (n) [giosa] oldgoat [υβριστικά].

γκισές (ο) [gises] wicket, counter.

γκλασάρω (ρ) [glasaro] ice.

γκλίτσα (n) [glitsa] shepherd's crook.

γκλοπ (το) [glop] truncheon, baton.

γκολφ (το) [golf] golf.

γκόμενα (n) [gomena] lay, girl-friend.

γκόμενος (ο) [gomenos] boy-friend.

γκουβερνάντα (n) [guvernanda] governess.

γκραβούρα (n) [gravura] engraving, print.

γκρεμίζω (ρ) [gremizo] demolish, overthrow.

γκρέμισμα (το) [gremisma] demolition, overthrow, collapse.

γκρεμνός (ο) [gremnos] sheer drop.

γκρεμός (ο) [gremos] precipice, cliff.

γκρι (το) [gri] grey.

γκριζομάλλης (ο) [grizomallis] grey-haired.

γκρίζος-α-ο (ε) [grizos] grey.

γκριμάτσα (n) [grimatsa] grimace.

γκρίνια (n) [grinia] grumbling, complaining.

γκρινιάζω (ρ) [griniazo] complain, grumble.

γκρινιάρης-α-ικο (ε) [griniaris] nagger, murmurer, killjoy, moaner.

γκρουμ (ε) [grum] bellman.

γκρουπ (το) [grup] group.

γλάρος (ο) [glaros] seagull, cob.

γλαρώνω (ρ) [glarono] doze off.

γλάστρα (n) [glastra] flowerpot.

γλαύκωμα (το) [glafkoma] glaucoma.

γλαφυρός-ή-ό (ε) [glafiros] elegant.

γλειφιτζούρι (το) [glifitsuri] lollipop.

γλείφω (ρ) [glifo] lick.

γλείψιμο (το) [glipsimo] licking.

γλεντζές (ο) [glendzes] party-lover.

γλέντι (το) [glendi] party, feast.

γλεντώ (ρ) [glendo] amuse, enjoy.

γλεύκος (το) [glefkos] must.

γλιστερός-ή-ό (ε) [glisteros] slippery.

γλίστρημα (το) [glistrima] slip, mistake.

γλιστρώ (ρ) [glistro] slip.

γλισχρότητα (n) [glishrotita] meagreness.

γλίτσα (n) [glitsa] slime, sludge.

γλιτσερός-ή-ό (ε) [glitseros] grimy, slippery.

γλίτωμα (το) [glitoma] escape.

γλιτώνω (ρ) [glitono] save, escape.

γλουτός (ο) [glutos] buttock, rump.

γλύκα (n) [glika] sweetness.

γλυκαίνω (ρ) [glikeno] sweeten, soften.

γλυκανάλατος-η-ο (ε) [glikanalatos] insipid, unpleasant.

γλυκάνισο (το) [glikaniso] anise.

γλύκανση (n) [glikansi] sweetening, relief.

γλυκαντικός-ή-ό (ε) [glikandikos] sweetening.

γλυκερίνη (n) [glikerini] glycerine.

γλυκερός-ή-ό (ε) [glikeros] sugary.

γλύκισμα (το) [glikisma] cake, confectionery.

γλυκό (το) [gliko] dessert, sweet.

γλυκόζη (n) [glikozi] glucose.

γλυκόηχος-η-ο (ε) [glikoihos] melodious.

γλυκοθωρώ (ρ) [glikothoro] regard lovingly.

γλυκοκοιτάζω (ρ) [glikokitazo] look tenderly.

γλυκομιλώ (ρ) [glikomilo] speak tenderly.

γλυκόξινος-η-ο (ε) [glikoksinos] sweet and sour.

γλυκοπατάτα (n) [glikopatata] sweet potato, yam.

γλυκόριζα (n) [glikoriza] liquorice.

γλυκός-ιά-ό (ε) [glikos] affable, sweet, delicate, soft, pleasant [όνειρα, λέξεις κλπ].

γλυκοχάραγμα (το) [glikoharagma] daybreak.

γλυκύς-ιά-ύ (ε) [glikis] affable, sweet, mild, delicate, pleasant.

γλυκύτητα (n) [glikitita] sweetness, mildness.

γλύπτης (ο) [gliptis] sculptor.

γλυπτική (n) [gliptiki] sculpture.

γλυπτό (το) [glipto] sculpture.

γλυφή (n) [glifi] chasing.

γλυφίζω (ρ) [glifizo] brackish.

γλυφός-ή-ό (ε) [glifos] brackish.

γλύφω (ρ) [glifo] engrave, sculpture, chase.

γλώσσα (n) [glossa] tongue, language, sole [ψάρι].

γλωσσαμύντορας (ο) [glossamindoras] purist.

γλωσσάριο (το) [glossario] glossary.

γλωσσάς (ο) [glossas] chatterbox.

γλωσσικός-ή-ό (ε) [glossikos] linguistic.

γλωσσοκοπάνα (n) [glossokopana] chatterbox.

γλωσσολογία (n) [glossoloyia] linguistics.

γλωσσολόγος (ο) [glossologos] linguist.

γλωσσομαθής-ής-ές (ε) [glossomathis] linguist.

γνάθος (n) [gnathos] jaw.

γνέθω (ρ) [gnetho] spin.

γνέμα (το) [gnema] spinning, thread.

γνέσιμο (το) [gnesimo] spinning.

γνεύω (ρ) [gnevo] beckon, motion, sign.

γνέψιμο (το) [gnepsimo] nodding, beckoning.

γνήσιος-ια-ιο (ε) [gnisios] genuine, legitimate [παιδί].

γνησιότητα (n) [gnisiotita] genuineness, authenticity, legitimacy.

γνοιάζομαι (ρ) [gniazome] care about.

γνωμάτευση (n) [gnomatefsi] opinion, decision.

γνώμη (n) [gnomi] opinion, mind.

γνωμοδότης (ο) [gnomodhotis] adviser, councillor.

γνωμοδότηση (n) [gnomodhotisi] opinion, decision.

γνωμοδοτικός-ή-ό (ε) [gnomodhotikos] consultative, advisory.

γνωμοδοτώ (ρ) [gnomodhoto] give one's opinion.

γνώμων (ο) [gnomon] set square, level.

γνωρίζω (ρ) [gnorizo] let it be known, inform, know, distinguish, introduce.

γνωριμία (n) [gnorimia] acquaintance.

γνώριμος-η-ο (ε) [gnorimos] intimate, known.

γνώρισμα (το) [gnorisma] sign, mark, indication, characteristic.

γνώση (n) [gnosi] knowledge, wisdom.

γνώστης (ο) [gnostis] expert, specialist, connoisseur.

γνωστικό (το) [gnostiko] cognizance.

γνωστοποίηση (n) [gnostopiisi] notification, announcement, warning.

γνωστοποιώ (ρ) [gnostopio] notify, inform, advise.

γνωστός-ή-ό (ε) [gnostos] known, acquaintance, familiar.

γνωστός (ο) [gnostos] intimacy.

γόβα (n) [gova] court shoe, pump.

γογγύζω (ρ) [gongizo] complain.

γογγύλι (το) [gongili] turnip.

γοερός-ή-ό (ε) [goeros] plaintive, mournful.

γόης (ο) [gois] charmer.

γόησσα (n) [goissa] enchantress.

γοητεία (n) [goitia] charm, attractiveness.

γοητευτικός-ή-ό (ε) [goiteftikos] charming, handsome.

γοητεύω (ρ) [goitevo] charm, attract.

γόητρο (το) [goitro] prestige, reputation, charm.

Γολγοθάς (ο) [Golgothas] calvary, Golgotha.

γόμα (n) [goma] gum, rubber, eraser.

γομάρι (το) [gomari] load, simpeton [μεταφ].

γομολάστιχα (n) [gomolastiha] rubber, eraser.

γόμωση (n) [gomosi] stuffing, charge.

γονατίζω (ρ) [gonatizo] kneel, give way [μεταφ].

γονάτισμα (το) [gonatisma] kneeling.

γονατιστός-ή-ό (ε) [gonatistos] on one's knees.

γόνατο (το) [gonato] knee.

γόνδολα (n) [gondhola] gondola.

γονδολιέρης (ο) [gondholieris] gondolier.

γονέας (ο) [goneas] father, parent.

γονικός-ή-ό (ε) [gonikos] paternal, parental.

γονιμοποίηση (n) [gonimopiisi] fertilization.

γονιμοποιώ (ρ) [gonimopio] fertilize.

γόνιμος-n-o (ε) [gonimos] fertile, prolific.

γονιμότητα (n) [gonimotita] fertility.

γονιός (ο) [gonios] father, parent.

γονόρροια (n) [genoria] gonorrhoea.

γόνος (ο) [gonos] child, offspring, sperm, seed.

γόος (ο) [goos] [be] wailing.

γόπα (n) [gopa] bogue [fish], cigarette butt [τσιγάρου].

γοργά (επ) [gorga] quickly, rapidly, briskly.

γοργοδιαβαίνω (ρ) [gorgodhiaveno] pass quickly.

γοργοκίνητος-n-o (ε) [gorgokinitos] fast-moving, swift.

Γοργόνα (n) [Gorgona] Gorgon, mermaid.

γοργός-ή-ό (ε) [gorgos] rapid, quick.

γοργότητα (n) [gorgotita] speed.

γορίλας (ο) [gorilas] gorilla.

Γοτθικός-ή-ό (ε) [Gotthikos] Gothic.

γούβα (n) [guva] cavity, hole.

γουδί (το) [gudhi] mortar.

γουδοχέρι (το) [gudhoheri] pestle.

γουλί (το) [guli] stalk, stump, bald.

γουλιά (n) [gulia] sip.

γούνα (n) [guna] fur.

γουναράς (ο) [gunaras] furrier.

γουναρικό (το) [gunariko] fur.

γουργουρητό (το) [gurgurito] rumbling.

γουργουρίζω (ρ) [gurgurizo] gurgle, rumble, purr.

γούρι (το) [guri] good luck.

γούρικος-n-o (ε) [gurikos] lucky, fortunate.

γουρλομάτης (ο) [gurlomatis] pop-eyed.

γουρλώνω (ρ) [gurlono] open eyes wide, goggle.

γούρνα (n) [gurna] basin, trough.

γουρούνα (n) [guruna] sow.

γουρουνάκι (το) [gurunaki] piglet.

γουρούνι (το) [guruni] pig, hog.

γουρουνίσιος-ια-ιο (ε) [gurunisios] piggish.

γουστάρω (ρ) [gustaro] desire, enjoy.

γουστέρα (n) [gustera] lizard.

γούστο (το) [gusto] taste.

γουστόζικος-n-o (ε) [gustozikos] funny, tasteful.

γοφός (ο) [gofos] haunch, hip.

γραβάτα (n) [gravata] tie.

Γραικός (ο) [Grekos] Greek.

γράμμα (το) [gramma] letter.

γραμμάριο (το) [grammario] gram.

γραμματέας (ο) [grammateas] secretary.

γραμματεία (n) [grammatia] secretary's office.

γραμματική (n) [grammatiki] grammar.

γραμμάτιο (το) [grammatio] bill of exchange, instalment.

γραμματοκιβώτιο (το) [grammatokivotio] postbox.

γραμματοσημαίνω (ρ) [grammatosimeno] stamp.

γραμματοσήμανση (n) [grammatosimansi] stamping.

γραμματόσημο (το) [grammatosimo] stamp.

γραμμένος-n-ο (μ) [grammenos] written, destined.

γραμμή (n) [grammi] line, row.

γραμμογράφος (ο) [grammografos] drawing-pen, ruler.

γραμμογραφώ (ρ) [grammografo] line, draw lines.

γραμμοσκιάζω (ρ) [grammoskiazo] shade.

γραμμόφωνο (το) [grammofono] gramophone.

γραμμωτός-n-ό (ε) [grammotos] lined, striped.

γρανίτα (n) [granita] water-ice.

γρανίτης (ο) [granitis] granite.

γραπτός-n-ό (ε) [graptos] written.

γραπώνω (ρ) [grapono] seize, grab.

γρασάρω (ρ) [grasaro] grease, lubricate.

γρασίδι (το) [grasidhi] grass, lawn.

γράσο (το) [graso] grease, lubricant.

γρατζουνίζω (ρ) [gratzunizo] scratch, graze.

γρατσουνιά (n) [gratsunia] scratch.

γραφέας (ο) [grafeas] clerk, copier.

γραφείο (το) [grafio] desk, study, office.

γραφειοκράτης (ο) [grafiokratis] bureaucrat.

γραφειοκρατία (n) [grafiokratia] bureaucracy.

γραφειοκρατικός-ή-ό (ε) [grafiokratikos] bureaucratic.

γραφή (n) [grafi] writing, hand, script.

γραφιάς (ο) [grafias] penpusher.

γραφικός-ή-ό (ε) [grafikos] of writing, picturesque [μεταφ].

γραφικότητα (n) [grafikotita] picturesqueness.

γραφίστας (ο) [grafistas] graphic artist.

γραφίτης (ο) [grafitis] grafite [ορυκτολ].

γραφολογία (n) [grafoloyia] graphology.

γραφομηχανή (n) [grafomihani] typewriter.

γραφτό (το) [grafto] destiny, fate.

γράφω (ρ) [grafo] write, record.

γράψιμο (το) [grapsimo] writing.

γρήγορα (επ) [grigora] quickly.

γρήγορος-n-ο (ε) [grigoros] fast.

γρηγορώ (ρ) [grigoro] watch, be awake.

γριά (n) [gria] old woman.

γρικώ (ρ) [griko] listen, hear, understand.

γρίλια (n) [grilia] grille.

γριούλα (n) [griula] dear old woman.

γρίπη (n) [gripi] influenza.

γριπιάζω (ρ) [gripiazo] have the flu.

γρίφος (ο) [grifos] riddle, puzzle.

γριφώδης-nς-ες (ε) [grifodhis] enigmatical.

γροθιά (n) [grothia] fist, punch, blow.

γρομπιάζω (ρ) [grombiazo] clot.

γρονθοκοπώ (ρ) [gronthokopo] box, punch.

γρόσσα (n) [grossa] gross.

γρουσουζεύω (ρ) [grusuzevo] jinx.

γρουσούζης (ο) [grusuzis] luckless person.

γρουσουζιά (n) [grusuzia] jinx.

γρυλίζω (ρ) [grilizo] grunt, squeal.

γυάλα (n) [yiala] glass, jar, bowl [ψαριών].

γυαλάδα (n) [yialadha] brilliance, shine.

γυαλάδικο (το) [yialadhiko] glassware, glassworks.

γυαλένιος-α-ο (ε) [yialenios] glassy.

γυαλί (το) [yiali] glass.

γυαλιά (τα) [yialia] glasses, spectacles.

γυαλίζω (ρ) [yializo] polish, shine, varnish.

γυαλικά (τα) [yialika] glassware, china.

γυάλινος-η-ο (ε) [yialinos] glass.

γυάλισμα (το) [yialisma] polishing, glazing, shining.

γυαλόχαρτο (το) [yialoharto] sandpaper.

γυάρδα (η) [yiardha] yard.

γυλιός (ο) [yilios] rucksack.

γυμνάζομαι (ρ) [yimnazome] exercise, practise.

γυμνάζω (ρ) [yimnazo] exercise, train.

γυμνάσια (τα) [yimnasia] manoeuvres [στρατ], exercises.

γυμνάσιο (το) [yimnasio] secondary school.

γύμνασμα (το) [yimnasma] drill, exercise.

γυμναστήριο (το) [yimnastirio] gymnasium.

γυμναστική (η) [yimnastiki] gymnastics, exercise.

γύμνια (η) [yimnia] nudity, poverty [μεταφ].

γυμνισμός (ο) [yimnismos] nudism.

γυμνιστής (ο) [yimnistis] nudist.

γυμνό (το) [yimno] nude.

γυμνός-ή-ό (ε) [yimnos] naked.

γύμνωμα (το) [yimnoma] stripping, undressing.

γυμνώνω (ρ) [yimnono] bare, expose.

γυναίκα (η) [yineka] woman, wife.

γυναικαδελφή (η) [yinekadhelfi] sister-in-law.

γυναικάδελφος (ο) [yinekadhelfos] brother-in-law.

γυναικάκι (το) [yinekaki] female, hussy.

γυναικάκιας (ο) [yinekakias] womanizer.

γυναικάρα (η) [yinekara] buxom woman.

γυναικάς (ο) [yinekas] womanchaser.

γυναικείος-α-ο (ε) [yinekios] femine.

γυναικίζω (ρ) [yinekizo] be effeminate.

γυναικοκατακτητής (ο) [yinekokataktitis] lady-killer.

γυναικολογία (η) [yinekoloyia] gynaecology.

γυναικολόγος (ο) [yinekologos] gynaecologist.

γυναικωνίτης (ο) [yinekonitis] harem.

γυναικωτός (ο) [yinekotos] effeminate.

γύναιο (το) [yineo] female, slut.

γύπας (ο) [yipas] vulture [μεταφ].

γυρεύω (ρ) [yirevo] ask for, call for, beg for, look for, apply for.

γύρη (η) [yiri] pollen.

γυρίζω (ρ) [yirizo] turn, rotate, revolve, spin [σβούρα].

γύρισμα (το) [yirisma] turn, revolution.

γυρισμός (ο) [yirismos] return.

γυρνώ (ρ) [yirno] turn, rotate, revolve.

γύρο (το) [giro] round.

γυρολόγος (ο) [yirologos] pedlar, cheap-jack.

γύρος (ο) [yiros] round, circle, lap, turn.

γυρτός-ή-ό (ε) [yirtos] bent, inclined.

γύρω (επ) [yiro] round, around, about.

γυφταριό (το) [yiftario] gipsy encampment.

γύφτικος-η-ο (ε) [yiftikos] gipsy.

Γύφτισσα (η) [Yiftissa] gipsy woman.

γυφτοπούλα (η) [yiftopula] gipsy-girl.

Γύφτος (ο) [Yiftos] gipsy, Bohemian.

γυψάς (ο) [yipsas] plasterer.

γύψινος-η-ο (ε) [yipsinos] plaster.

γύψος (ο) [yipsos] plaster of Paris, cast.

γυψοσανίδα (η) [yipsosanidha] plaster-board.

γυψώνω (ρ) [yipsono] plaster.

γωνία (η) [gonia] angle, corner, square.

γωνιά (η) [gonia] fireplace, fireside, corner, nook, alcove, niche, retreat.

γωνιάζω (ρ) [goniazo] square.

γωνιαίος-η-ο (ε) [gonieos] cornered.

γωνιακός-ή-ό (ε) [goniakos] angular, corner.

γωνιαστός-ή-ό (ε) [goniastos] cornered.

γωνιόμετρο (το) [goniometro] alidade.

γωνιώδης-ης-ες (ε) [goniodhis] angular,

δα (σ) [dha] just, certainly, that, so.
δαγκάνα (n) [dhangana] pincer, claw.
δάγκωμα (το) [dhangoma] bite, sting.
δαγκωνιά (n) [dhangonia] bite.
δαγκανιάρης (ο) [dhagkaniaris] fierce.
δαγκώνω (ρ) [dhangono] bite.
δάδα (n) [dhadha] torch.
δαδί (το) [dhadhi] pinewood, firewood.
δαίδαλος (ο) [dhedhalos] labyrinth, maze.
δαίμονας (ο) [dhemonas] demon, devil.
δαιμονίζω (ρ) [dhemonizo] annoy.
δαιμονικό (το) [dhemoniko] evil, spirit.
δαιμονικός-ή-ό (ε) [dhemonikos] devilish, evil.
δαιμόνιο (το) [dhemonio] genius, demon.
δαιμόνιος-α-ο (ε) [dhemonios] very clever, devilish, supernatural.
δαιμονισμένος-n-o (μ) [dhemonismenos] deafening, mischievous.
δαιμονολογία (n) [dhemonoloyia] demonology.
δάκος (ο) [dhakos] disease affecting olive trees.
δάκρυ (το) [dhakri] tear.
δακρύβρεκτος-n-o (ε) [dhakrivrektos] tear-stained.
δακρυγόνα (τα) [dhakrigona] tear-gas.
δακρύζω (ρ) [dhakrizo] shed tears, weep.

δακρυσμένος-n-o (μ) [dhakrismenos] tearful.
δακτυλήθρα (n) [dhaktilithra] thimble.
δακτυλιδάκι (το) [dhaktilidhaki] annulet.
δακτυλίδι (το) [dhaktilidhi] ring.
δακτύλιος (ο) [dhaktilios] bush, ring.
δακτυλιωτός-ή-ό (ε) [dhaktiliotos] annulose.
δάκτυλο (το) [dhaktilo] finger, toe, digit.
δακτυλογράφηση (n) [dhaktilografisi] typing.
δακτυλογράφος (ο) [dhaktilografos] typist.
δακτυλογραφώ (ρ) [dhaktilografo] type.
δακτυλικός-ή-ό (ε) [dhaktilikos] digital, finger.
δάκτυλος (ο) [dhaktilos] finger, toe.
δακτυλωτός-ή-ό (ε) [dhaktilotos] digital.
δαμάζω (ρ) [dhamazo] tame, master.
δαμαλισμός (ο) [dhamalismos] vaccination.
δαμάσκηνο (το) [dhamaskino] plum, prune [ξηρό].
δανείζομαι (ρ) [dhanizome] borrow.
δανειζόμενος (ο) [dhanizomenos] borrower.
δανείζω (ρ) [dhanizo] lend, loan.
δανεικός-ή-ό (ε) [dhanikos] borrowed, on loan.
δάνειο (το) [dhanio] loan.
δανεισμός (ο) [dhanismos] borrowing,

lending.

δανειστής (ο) [dhanistis] lender, creditor.

δανειστικός-ή-ό (ε) [dhanistikos] lending, borrowing.

Δανία (n) [Dhania] Denmark.

Δανικός-ή-ό (ε) [Dhanikos] Danish.

Δανός (ο) [Dhanos] Dane.

δαντέλα (n) [dhandela] lace.

δαντελένιος-ια-ιο (ε) [dhantelenios] lace, lace-like.

δαντελωτός-ή-ό (ε) [dhandelotos] laced.

δαπάνη (n) [dhapani] expense, cost, charge, consumption.

δαπανηρός-ή-ό (ε) [dhapaniros] costly, expensive.

δαπανώ (ρ) [dhapano] consume, spend.

δάπεδο (το) [dhapedho] floor, ground.

δαρμένος-n-ο (μ) [dharmenos] beaten.

δαρμός (ο) [dharmos] beating.

δάρσιμο (το) [dharsimo] beating, churning [γάλακτος].

δάρτης (ο) [dhartis] beater.

δασάρχης (ο) [dhasarhis] [chief] forester.

δασεία (n) [dhasia] rough breathing [γραμμ].

δασικός-ή-ό (ε) [dhasikos] forest.

δασκάλα (n) [dhaskala] teacher.

δασκάλεμα (το) [dhaskalema] teaching, coaching.

δασκαλεύω (ρ) [dhaskalevo] coach, teach, advise.

δάσκαλος (ο) [dhaskalos] teacher, schoolmaster.

δασμολόγηση (n) [dhasmoloyisi] taxation, assessment.

δασμολογικός-ή-ό (ε) [dhasmoloyikos] of customs, of taxation.

δασμολόγιο (το) [dhasmoloyio] tarrif.

δασμολογώ (ρ) [dhasmologo] rate, assess, tariff.

δασμός (ο) [dhasmos] tax, duty.

δασοκομία (n) [dhasokomia] forest police.

δασολογία (n) [dhasoloyia] forestry.

δάσος (το) [dhasos] forest, woodland.

δασοφύλακας (ο) [dhasofilakas] forest guard.

δασύλλιο (το) [dhasillio] wood, thicket.

δασύς-ιά-ύ (ε) [dhasis] thick, bushy, hairy, dense.

δασώδης-ης-ες (ε) [dhasodhis] wooded, woody.

δαυλί (το) [dhavli] torch.

δαυλός (ο) [dhavlos] torch.

δάφνη (n) [dhafni] bay tree, bay, daphne.

δαφνοστεφάνωτος-n-ο (ε) [dhafnostefanotos] laurel-crowned, laureate.

δαχτυλάκι (το) [dhahtilaki] little finger.

δαχτυλήθρα (n) [dhahtilithra] thimble.

δαχτυλιά (n) [dhahtilia] finger-mark, thimbleful.

δαχτυλιδένιος-α-ο (ε) [dhahtilidhenios] slim [μέση].

δαχτυλίδι (το) [dhahtilidhi] ring.

δαχτυλικός-ή-ό (ε) [dhahtilikos] digital.

δάχτυλο (το) [dhahtilo] digit, finger [χεριού], toe [ποδιού].

δεδηλωμένος-n-ο (μ) [dhedhilomenos] self-confessed, professed.

δεδικασμένο (το) [dhedhikasmeno] res judicata [νομ].

δεδομένα (τα) [dhedhomena] data, facts.

δεδομένο (το) [dhedhomeno] fact.

δείγμα (το) [dhigma] sample, token [ένδειξη].

δειγματοληπτικός-ή-ό (ε) [dhigmatoliptikos] sampling, test.

δειγματοληψία (n) [dhigmatolipsia] sampling, testing.

δειγματολόγιο (το) [dhigmatoloyio] a pattern card, a bunch of patterns.

δεικνύω (ρ) [dhiknio] show, mark [επί οργάνων].

δείκτης (ο) [dhiktis] indicator, forefinger, index [ζυγού].

δεικτικός-ή-ό (ε) [dhiktikos] indicative,

δειλά

demonstrative [γραμμ].

δειλά (επ) [dhila] timidly, faintheartedly.

δείλι (το) [dhili] afternoon.

δειλία (n) [dhilia] timidity, cowardice.

δειλιάζω (ρ) [dhiliazo] lose courage, be afraid.

δείλιασμα (το) [dhiliasma] wincing, hesitation.

δειλινό (το) [dhilino] afternoon.

δειλός-ή-ό (ε) [dhilos] timid, cowardly.

δειλός (ο) [dhilos] coward.

δεινά (τα) [dhina] suffering, trials.

δεινοπάθημα (το) [dhinopathima] ordeal.

δεινοπαθώ (ρ) [dhinopatho] suffer, go through.

δεινός-ή-ό (ε) [dhinos] horrid, able [ι-κανός], capable [ικανός].

δεινόσαυρος [dhinosavros] dinosaur.

δεινότητα (n) [dhinotita] skill, talent, competence.

δείξιμο (το) [dhiksimo] pointing, showing.

δείπνο (το) [dhipno] dinner, supper.

δειπνώ (ρ) [dhipno] have supper, dine.

δεισιδαίμονας (ο) [dhisidhemonas] superstitious.

δεισιδαιμονία (n) [dhisidhemonia] superstition.

δείχνω (ρ) [dhihno] show, point out, mark [επί οργάνων].

δείχτης (ο) [dhihtis] index, finger, indicator.

δέκα (το) [dheka] ten.

δεκαδικός-ή-ό (ε) [dhekadhikos] decimal.

δεκαεννέα (το) [dhekaennea] nineteen.

δεκαεξασέλιδο (το) [dhekaeksaselidho] signature [τυπ].

δεκαέξι (το) [dhekaeksi] sixteen.

δεκαετηρίδα (n) [dhekaetiridha] decade, tenth anniversary [εορτή].

δεκαετία (n) [dhekaetia] ten years, decade.

δεκαεφτά (το) [dhekaefta] seventeen.

δεκάλογος (ο) [dhekalogos] Ten Commandments.

δεκανέας (ο) [dhekaneas] corporal.

δεκανίκι (το) [dhekaniki] crutch.

δεκάξι (αριθ) [dhekaksi] sixteen.

δεκαοκτώ (αριθ) [dhekaokto] eighteen.

δεκαπενθήμερο (το) [dhekapenthimero] fortnight.

δεκαπέντε (αριθ) [dhekapende] fifteen.

δεκάρα (n) [dhekara] one tenth of a drachma.

δεκατέσσερα (αριθ) [dhekatessera] fourteen.

δεκατρία (αριθ) [dhekatria] thirteen.

Δεκέμβρης,(ο) [Dhekemvris] December.

δέκτης (ο) [dhektis] receiver.

δεκτικός-ή-ό (ε) [dhektikos] capable of, receptive to.

δεκτικότητα (n) [dhektikotita] susceptibility, permeability.

δεκτός-ή-ό (ε) [dhektos] accepted.

δελεάζω (ρ) [dheleazo] tempt, entice.

δέλεαρ (το) [dhelear] lure, bait.

δελέασμα (το) [dheleasma] temptation, enticement, bait.

δελεασμός (ο) [dheleasmos] blandishment, captiousness.

δελεαστικός-ή-ό (ε) [dheleastikos] tempting, attractive, enticing.

δελτάριο (το) [dheltario] card.

δελτίο (το) [dheltio] bulletin, report [υγείας], ballot [ψηφοδέλτιο].

δελφίνι (το) [dhelfini] dolphin.

δέμα (το) [dhema] bundle [πάκο], parcel [ταχυδρομικό].

δεμάτι (το) [dhemati] bundle, bunch [καρότων].

δεματιάζω (ρ) [dhematiazo] cord, bale, truss, bundle.

δεν (μο) [dhen] not, no.

δένδρο (το) [dhendhro] tree.

δενδροκομικός-ή-ό (ε) [dhendhrokomikos] arboricultural.

δενδρολίβανο (το) [dhendhrolivano]

rosemary [βοτ].

δεντρογαλιά (n) [dhendrogalia] tree-snake, adder.

δεντροφυτεία (n) [dhendrofitia] plantation.

δεντροφυτεμένος-η-ο (μ) [dhendrofite-menos] wooded, full of trees.

δένω (ρ) [dheno] tie, link [με αλυσίδα], fasten [προσδένω].

δεξαμενή (n) [dheksameni] tank, reservoir.

δεξαμενόπλοιο (το) [dheksamenoplio] tanker.

δεξιά (επ) [dheksia] to the right.

δεξιός-ά-ό (ε) [dheksios] right-handed, right-wing [πολιτ].

δεξιόστροφος-η-ο (ε) [dheksiostrofos] clockwise.

δεξιοτέχνης-ης (ε) [dheksiotehnis] gifted.

δεξιοτέχνης (ο) [dheksiotehnis] expert.

δεξιοτεχνία (n) [dheksiotehnia] skill, mastery, craft.

δεξιότητα (n) [dheksiotita] skilfulness.

δεξιόχειρας (ο) [dheksiohiras] right-handed [person].

δεξιώνομαι (ρ) [dheksionome] hold a reception.

δεξίωση (n) [dheksiosi] reception.

δεοντολογικός-ή-ό (ε) [dheondoloyi-kos] ethical.

δεόντως (επ) [dheondos] suitably.

δέος (το) [dheos] awe, fear, fright.

δερβίσης (ο) [dhervisis] dervish.

δέρμα (το) [dherma] skin, leather.

δερμάτινος-η-ο (ε) [dhermatinos] of leather.

δερματίτιδα (n) [dhermatitidha] dermatitis.

δερματολογία (n) [dhermatoloyia] dermatology.

δερματολόγος (ο) [dhermatologos] dermatologist.

δέρνω (ρ) [dherno] beat, flog.

δέσιμο (το) [dhesimo] tying, binding, engaging [μεταφ].

δεσμά (τα) [dhesma] chains, bonds.

δέσμευση (n) [dhesmefsi] binding, chaining, commitment, engagement.

δεσμεύω (ρ) [dhesmevo] bind by a promise, pledge.

δέσμιος-α-ο (ε) [dhesmios] prisoner, slave [μεταφ].

δεσμός (ο) [dhesmos] tie, bond.

δεσμοφύλακας (ο) [dhesmofilakas] prison warder.

δεσμώτης (ο) [dhesmotis] prisoner, slave [μεταφ].

δεσπόζω (ρ) [dhespozo] dominate, rule.

δέσποινα (n) [dhespina] matron, mistress, madam.

δεσποινίδα (n) [dhespinidha] Miss, young lady.

δεσποτεία (n) [dhespotia] autocracy.

δεσπότης (ο) [dhespotis] ruler, master, [arch]bishop [εκκλ].

δεσποτικός-ή-ό (ε) [dhespotikos] despotic, autocratic, authoritative.

δεσποτισμός (ο) [dhespotismos] tyranny.

δέστρα (n) [dhestra] binder, cleat.

δέτης (ο) [dhetis] binder.

δετός-ή-ό (ε) [dhetos] bound, tied.

Δευτέρα (n) [Dheftera] Monday.

δευτερεύων (ο) [dhefterevon] secondary, subordinate.

δευτερόλεπτο (το) [dhefterolepto] second.

δεύτερος-n-ο (ε) [dhefteros] second, inferior.

δευτερότοκος-n-ο (ε) [dhefterotokos] second-born.

δευτερώνω (ρ) [dhefterono] do again, repeat, renew, return.

δεφτέρι (το) [dhefteri] [account] book.

δέχομαι (ρ) [dhehome] accept, receive, approve [αποδέχομαι], welcome, tolerate [ανέχομαι].

δήθεν (επ) [dhithen] apparently, so-called.

δηκτικός-ή-ό (ε) [dhiktikos] biting.

δηλαδή (σ) [dhiladhi] that is to say.

δηλητηριάζω (ρ) [dhilitiriazo] poison.

δηλητηρίαση (n) [dhilitiriasi] poisoning, corruption.

δηλητήριο (το) [dhilitirio] poison, venom.

δηλητηριώδης-ης-ες (ε) [dhilitiriodhis] poisonous, venomous.

δηλώνω (ρ) [dhilono] declare, state, register.

δήλωση (n) [dhilosi] declaration, statement.

δηλωτικός-ή-ό (ε) [dhilotikos] declaratory, entry, manifest.

δημαγωγός (ο) [dhimagogos] demagogue.

δημαγωγώ (ρ) [dhimagogo] be a demagogue.

δημαρχείο (το) [dhimarhio] town hall.

δημαρχεύω (ρ) [dhimarhevo] be acting mayor.

δημαρχία (n) [dhimarhia] town hall.

δημαρχικός-ή-ό (ε) [dhimarhikos] mayoral.

δήμαρχος (ο) [dhimarhos] mayor.

δημεγέρτης (ο) [dhimeyertis] rioter, agitator.

δημευμένος-η-ο (μ) [dhimevmenos] confiscated.

δήμευση (n) [dhimefsi] confiscation.

δημεύω (ρ) [dhimevo] confiscate.

δημηγορώ (ρ) [dhimigoro] orate.

δημητριακά (τα) [dhimitriaka] cereals, crops.

δήμιος (ο) [dhimios] executioner, torturer.

δημιούργημα (το) [dhimiuryima] creation, creature, handiwork.

δημιουργία (n) [dhimiuryia] creation, coinage [μεταφ].

δημιουργικός-ή-ό (ε) [dhimiuryikos] creative.

δημιουργικότητα (n) [dhimiuryikotita] creativity.

δημιουργός (ο) [dhimiurgos] creator, maker, builder.

δημιουργώ (ρ) [dhimiurgo] create, establish.

δημοδιδάσκαλος (ο) [dhimodhidhaskalos] primary schoolteacher.

δημοκοπώ (ρ) [dhimokopo] be a demagogue.

δημοκράτης (ο) [dhimokratis] democrat, republican.

δημοκρατία (n) [dhimokratia] democracy, republic.

δημοπρασία (n) [dhimoprasia] auction.

δημοπράτης (ο) [dhimopratis] auctioneer.

δημοπρατώ (ρ) [dhimoprato] sell by auction.

δήμος (ο) [dhimos] municipality.

δημόσια (επ) [dhimosia] publicly.

δημοσιά (n) [dhimosia] highway.

δημοσίευμα (το) [dhimosievma] newspaper article, publication.

δημοσιεύω (ρ) [dhimosievo] publish.

δημόσιο (το) [dhimosio] state, public, people.

δημοσιογραφία (n) [dhimosiografia] journalism.

δημοσιογράφος (ο) [dhimosiografos] journalist, reporter.

δημοσιονομικός-ή-ό (ε) [dhimosionomikos] financial, fiscal.

δημόσιος-α-ο (ε) [dhimosios] public, national, prostitute [γυναίκα].

δημοσιότητα (n) [dhimosiotita] publicity.

δημοσκόπηση (n) [dhimoskopisi] opinion poll.

δημότης (ο) [dhimotis] citizen, commoner.

δημοτικός-ή-ό (ε) [dhimotikos] municipal, popular [δημοφιλής].

δημοτικότητα (n) [dhimotikotita] popularity.

δημοτολόγιο (το) [dhimotoloyio] municipal roll.

δημοφιλής-ής-ές (ε) [dhimofilis] popular, well-liked.

δημώδης-ης-ες (ε) [dhimodhis] popular, folk.

διά (π) [dhia] for, by, with, about.

διάβα (το) [dhiava] passage, passing.

διαβάζω (ρ) [dhiavazo] read, study.

διαβαθμίζω (ρ) [dhiavathmizo] graduate, grade.

διαβάθμιση (n) [dhiavathmisi] grading, graduation.

διαβαίνω (ρ) [dhiaveno] go by, go across.

διαβάλλω (ρ) [dhiavallo] slander, defame.

διάβαση (n) [dhiavasi] crossing, passage, pass [στενό], ford [στενό].

διάβασμα (το) [dhiavasma] reading, lecture, studying.

διαβασμένος-n-ο (μ) [dhiavasmenos] prepared.

διαβατήριο (το) [dhiavatirio] passport.

διαβατικός-ή-ό (ε) [dhiavatikos] transient, transitory.

διαβατός-ή-ό (ε) [dhiavatos] passable, fordable [ποταμός].

διαβεβαιώνω (ρ) [dhiaveveono] assure, assert, affirm.

διαβεβαίωση (n) [dhiaveveosi] assurance, affirmation.

διάβημα (το) [dhiavima] step, move, measure, proceeding.

διαβήτης (ο) [dhiavitis] pair of compasses, diabites [ιατρ], dividers.

διαβητικός-ή-ό (ε) [dhiavitikos] diabetic.

διαβιβάζω (ρ) [dhiavivazo] transmit, forward, convey, communicate.

διαβίβαση (n) [dhiavivasi] transmission, forwarding.

διαβιβαστής (ο) [dhiavivastis] signalman.

διαβιβαστικός-ή-ό (ε) [dhiavivastikos] covering, forwarding.

διαβίωση (n) [dhiaviosi] living.

διαβλέπω (ρ) [dhiavlepo] foresee.

διαβλητός-ή-ό (ε) [dhiavlitos] open to misinterpretation.

διαβόητος-n-ο (ε) [dhiavoitos] notorious, famous, ill famed [επί κακού].

διαβολάκι (το) [dhiavolaki] little devil, mischievous little boy.

διαβολέας (ο) [dhiavoleas] slanderer.

διαβολεμένος-n-ο (μ) [dhiavolemenos] cunning, devilish [μεταφ].

διαβολή (n) [dhiavoli] slander, insinuation, aspertion.

διαβολιά (n) [dhiavolia] prank, mischief.

διαβολικός-ή-ό (ε) [dhiavolikos] satanic, diabolical, fiendish.

διαβολοθήλυκο (το) [diavolothiliko] minx.

διάβολος (ο) [dhiavolos] devil, satan, noisy [φασαρίας].

διαβουλεύομαι (ρ) [dhiavulevome] deliberate, confer, plot.

διαβούλευση (n) [dhiavulefsi] consultation.

διαβούλιο (το) [dhiavulio] deliberation, conference, plot.

διαβρέχω (ρ) [dhiavreho] wet, soak.

διαβρώνω (ρ) [dhiavrono] erode, corrode, infiltrate.

διάβρωση (n) [dhiavrosi] corrosion, erosion.

διαγγέλλω (ρ) [dhiangello] announce, notify.

διάγγελμα (το) [dhiangelma] proclamation, message.

διαγιγνώσκω (ρ) [dhiayignosko] diagnose.

διάγνωση (n) [dhiagnosi] diagnosis.

διαγνωστική (n) [dhiagnostiki] diagnostics.

διαγνωστικός-ή-ό (ε) [dhiagnostikos] diagnostic.

διαγουμίζω (ρ) [dhiagumizo] sack, pillage, plunder.

διαγούμισμα (το) [dhiagumisma] plundering, sacking, pillage.

διάγραμμα (το) [dhiagramma] plan, diagram, drawing, chart.

διαγραφή (n) [dhiagrafi] cancellation, deletion.

διαγράφομαι (ρ) [dhiagrafome] loom.

διαγράφω (ρ) [dhiagrafo] trace out, cancel.

διάγω (ρ) [dhiago] live, pass one's time.

διαγωγή (n) [dhiagoyi] behaviour.

διαγώνια (επ) [dhiagonia] diagonally.

διαγωνίζομαι (ρ) [dhiagonizome] compete, contest.

διαγωνιζόμενος-η-ο (μ) [dhiagonizomenos] entrant, contestant.

διαγώνιος-α-ο (ε) [dhiagonios] diagonal.

διαγώνισμα (το) [dhiagonisma] competition, examination, contest.

διαγωνισμός (ο) [dhiagonismos] competition, examination [εξετάσεις].

διαδεδομένος-η-ο (μ) [dhiadhedhomenos] wide-spread, frequent.

διαδέχομαι (ρ) [dhiadhehome] succeed.

διάδηλος-η-ο (ε) [dhiadhilos] manifest, evident.

διαδηλώνω (ρ) [dhiadhilono] demonstrate, show, manifest.

διαδήλωση (n) [dhiadhilosi] demonstration, manifestation.

διάδημα (το) [dhiadhima] crown, coronal.

διαδιδόμενος-η-ο (μ) [dhiadhidhomenos] distributed.

διαδίδω (ρ) [dhiadhidho] spread, circulate, disperse, distribute.

διαδικασία (n) [dhiadhikasia] procedure, legal inquiry.

διαδικαστικός-ή-ό (ε) [dhiadhikastikos] procedural.

διάδικος-η-ο (ε) [dhiadhikos] litigand, contestant.

διάδοση (n) [dhiadhosi] spreading, rumour.

διαδοσίας (ο) [dhiadhosias] newsmonger.

διαδοχή (n) [dhiadhohi] succession, sequence.

διαδοχικός-ή-ό (ε) [dhiadhohikos] successive.

διάδοχος-η-ο (ε) [dhiadhohos] successor, crown prince.

διαδραματίζω (ρ) [dhiadhramatizo] play [a role], act.

διαδρομή (n) [dhiadhromi] course, distance, circuit.

διάδρομος (ο) [dhiadhromos] passage, hall.

διάζευγμα (το) [dhiazevgma] crossbar.

διαζευγμένος-η-ο (μ) [dhiazevgmenos] divorced.

διαζευκτικός-ή-ό (ε) [dhiazefktikos] disjunctive [γραμμ], correlative.

διάζευξη (n) [dhiazefksi] separation, severance.

διαζύγιο (το) [dhiaziyio] divorce.

διάζωμα (το) [dhiazoma] frieze, band, fillet.

διάθεση (n) [dhiathesi] arrangement, disposal, humour [κέφι].

διαθέσιμος-η-ο (ε) [dhiathesimos] available, free, disposable.

διαθεσιμότητα (n) [dhiathesimotita] suspension, availability.

διαθέτης (ο) [dhiathetis] testator.

διαθέτω (ρ) [dhiatheto] dispose of, arrange, employ, make available [χρησιμοποιώ], allocate.

διαθήκη (n) [dhiathiki] will, testament.

διαθλαστικός-ή-ό (ε) [dhiathlastikos] refracting, refractive.

διαθλώ (ρ) [dhiathlo] diffract.

διαίρεση (n) [dhieresi] division, separation, discord, difference.

διαιρετέος-α-ο (ε) [dhiereteos] dividend.

διαιρέτης (ο) [dhieretis] divisor, divider.

διαιρετός-ή-ό (ε) [dhieretos] divisible.

διαιρώ (ρ) [dhiero] share divide, separate.

διαισθάνομαι (ρ) [dhiesthanome] feel, foresee.

διαίσθηση (n) [dhiesthisi] presentiment, premonition.

διαισθητικός-η-ο (ε) [dhiesthitikos] intuitive.

δίαιτα (n) [dhieta] diet.

διαιτησία (n) [dhietisia] arbitration, refereeing [αθλητ].

διαιτητεύω (ρ) [dhietitevo] arbitrate.

διαιτητής (ο) [dhietitis] referee [ποδοσφαίρου], umpire [τέννις], arbitrator.

διαιτολόγιο (το) [dhietoloyio] diet.

διαιτολόγος (ο) [dhietologos] dietician.

διαιωνιζόμενος-n-o (μ) [dhieonizomenos] continuing.

διαιωνίζω (ρ) [dhieonizo] perpetuate, prolong.

διαιώνιση (n) [dhieonisi] perpetuation, prolongation, protraction, eternalizing.

διακαής-ής-ές (ε) [dhiakais] ardent, eager, devout [κρυφός].

διακανονίζω (ρ) [dhiakanonizo] regulate, settle.

διακανονισμός (ο) [dhiakanonismos] settlement.

διακατέχω (ρ) [dhiakateho] possess, enjoy.

διάκειμαι (ρ) [dhiakime] be inclined.

διακεκομμένος-n-o (μ) [dhiakekommenos] discontinuous.

διακεκριμένος-n-o (μ) [dhiakekrimenos] distinguished.

διάκενο (το) [dhiakeno] clearance, interval, void, gap.

διάκενος-n-o (ε) [dhiakenos] vacant, empty, hollow.

διακήρυξη (n) [dhiakiriksi] declaration, proclamation.

διακηρύσσω (ρ) [dhiakirisso] declare, announce.

διακηρύττω (ρ) [dhiakiritto] declare, proclaim, announce.

διακινδύνευση (n) [dhiakindhinefsi] risking, jeopardy, endangering.

διακινδυνεύω (ρ) [dhiakindhinevo] risk, endanger, hazard.

διακίνηση (n) [dhiakinisi] trading, trafficking [ναρκωτικών].

διακινώ (ρ) [dhiakino] trade, traffic.

διακλαδίζομαι (ρ) [dhiakladhizome] branch off.

διακλαδώνω (ρ) [dhiakladhono] bisect.

διακλάδωση (n) [dhiakladhosi] fork, branch [δρόμου κτλ].

διακοινοτικός-ή-ό (ε) [dhiakinotikos] intercommunal.

διακομίζω (ρ) [dhiakomizo] transport, carry.

διακονεύω (ρ) [dhiakonevo] beg.

διακονιά (n) [dhiakonia] beggary.

διακονιάρης (ο) [dhiakoniaris] beggar.

διάκονος (ο) [dhiakonos] deacon.

διακοπή (n) [dhiakopi] suspension, recess, cut [ρεύματος], break, pause.

διακόπτω (ρ) [dhiakopto] suspend, discontinue.

διακόρευση (n) [dhiakorefsi] defloration.

διακορεύω (ρ) [dhiakorevo] deflower, corrupt.

διάκος (ο) [dhiakos] deacon.

διακόσμηση (n) [dhiakosmisi] decoration, embellishment.

διακοσμητής (ο) [dhiakosmitis] decorator.

διακοσμητική (n) [dhiakosmitiki] decorative art.

διακοσμητικός-ή-ό (ε) [dhiakosmitikos] decorative, ornamenta.

διακοσμώ (ρ) [dhiakosmo] decorate embellish.

διακρίβωση (n) [dhiakrivosi] calibration, verification.

διακρίνω (ρ) [dhiakrino] discern, discriminate, distinguish.

διακριτικό (το) [dhiakritiko] sign.

διακριτικός-ή-ό (ε) [dhiakritikos] distinctive, characteristic, tactful, quiet.

διακριτικότητα (n) [dhiakritikotita] discretion, characterization.

διακυβέρνηση (n) [dhiakivernisi] conning [ναυτ], governing.

διακύβευση (n) [diakivefsi] risking.

διακυβεύω (ρ) [dhiakivevo] stake.

διακυμαίνομαι (ρ) [dhiakimenome] fluctuate.

διακύμανση (n) [dhiakimansi] fluctuation, range.

διακωμώδηση (n) [dhiakomodhisi] mockery, ridiculing.

διακωμωδώ (ρ) [dhiakomodho] ridicule, satirize, mock.

διαλάλημα (το) [dhialalima] puffing, crying.

διαλαλητής (ο) [dhialalitis] town-crier, bellman.

διαλαλώ (ρ) [dhialalo] proclaim, cry out.

διάλεγμα (το) [dhialegma] choice.

διαλεγμένος-η-ο (μ) [dhialegmenos] chosen.

διαλέγω (ρ) [dhialego] choose, select.

διάλειμμα (το) [dhialimma] interval.

διάλειψη (n) [dhialipsi] irregularity, intermittence.

διαλεκτικός-ή-ό (ε) [dhialektikos] dialectical.

διάλεκτος (n) [dhialektos] dialect.

διαλεκτός-ή-ό (ε) [dhialektos] chosen.

διάλεξη (n) [dhialeksi] lecture, conversation.

διαλευκαίνω (ρ) [dhialefkeno] solve.

διαλεύκανση (n) [dhialefkansi] elucidation, clearing.

διαλλαγή (n) [dhiallayi] reconciliation.

διαλλακτικός-ή-ό (ε) [dhiallaktikos] conciliatory.

διαλλακτικότητα (n) [dhiallaktikotita] conciliatoriness.

διαλογή (n) [dhialoyi] sorting.

διαλογίζομαι (ρ) [dhialoyizome] meditate, consider.

διαλογισμός (ο) [dhialoyismos] reflection, thought.

διαλογιστικός-ή-ό (ε) [dhialoyistikos] thoughtful.

διάλογος (ο) [dhialogos] dialogue.

διάλυμα (το) [dhialima] solution.

διαλυμένος-η-ο (μ) [dhialimenos] broken in pieces, exhausted.

διαλύομαι (ρ) [dhialiome] crumple.

διάλυση (n) [dhialisi] dissolution, decomposition, liquidation [εταιρίας κτλ].

διαλύσιμος-n-o (ε) [dhialisimos] dissolvable.

διαλύτης (ο) [dhialitis] disintegrator, dissolver.

διαλυτικό (το) [dhialitiko] solvent [χημ].

διαλυτικός-ή-ό (ε) [dhialitikos] dissolving, liquidating.

διαλυτός-ή-ό (ε) [dhialitos] soluble.

διαλύω (ρ) [dhialio] liquidate [εταιρία], dissolve, cancel [συμβόλαιο κτλ], defeat.

διαμαντένιος-α-ο (ε) [dhiamandenios] diamond.

διαμάντι (το) [dhiamandi] diamond.

διαμαντικά (το) [dhiamandika] jewellery.

διαμαρτύρηση (n) [dhiamartirisi] protest.

διαμαρτυρία (n) [dhiamartiria] protest.

διαμαρτύρομαι (ρ) [dhiamartirome] protest.

διαμαρτυρόμενος (ο) [dhiamartiromenos] protestant.

διαμαρτυρόμενος-n-o (μ) [dhiamartiromenos] protesting.

διαμαρτυρώ (ρ) [dhiamartiro] protest.

διαμάχη (n) [dhiamahi] dispute, fight.

διαμελίζω (ρ) [dhiamelizo] dismember, disrupt.

διαμελισμός (ο) [dhiamelismos] dismemberment, disembowelment.

διαμένω (ρ) [dhiameno] reside, stay.

διαμέρισμα (το) [dhiamerisma] region, district, flat [οικία].

διάμεσο (το) [dhiameso] interval.

διάμεσος (n) [dhiamesos] intermediary.

διαμέσου (πρ) [dhiamesu] via, by means of.

διαμετακομίζω (ρ) [dhiametakomizo] transport.

διαμετακομιστικός-ή-ό (ε) [dhiametakomistikos] transport.

διαμέτρηση (n) [dhiametrisi] calibration.

διαμετρικός-ή-ό (ε) [dhiametrikos] diametrical.

διάμετρος (n) [dhiametros] diameter.

διαμετρώ (ρ) [dhiametro] calibrate.

διαμήνυση (n) [dhiaminisi] warning, message.

διαμηνύω (ρ) [dhiaminio] warn, notify.

διαμιάς (επ) [dhiamias] all at once, at one go.

διαμοιράζω (ρ) [dhiamirazo] distribute, share.

διαμονή (n) [dhiamoni] stay, residence, dwelling.

διαμορφώνω (ρ) [dhiamorfono] model, shape, form, formalize.

διαμόρφωση (n) [dhiamorfosi] moulding, configuration, conformation.

διαμορφωτικός-ή-ό (ε) [dhiamorfotikos] formative.

διαμπερής-ής-ές (ε) [dhiamperis] from side to side, through.

διαμφισβήτηση (n) [dhiamfisvitisi] contestation, dispute.

διαμφισβητώ (ρ) [dhiamfisvito] contest, dispute, question.

διανεμητής (o) [dhianemitis] distributor.

διανεμητικός-ή-ό (ε) [dhinemitikos] distributive.

διανέμω (ρ) [dhianemo] distribute, divide.

διανθίζω (ρ) [dhianthizo] decorate, garnish [μεταφ].

διανόηση (n) [dhianoisi] thought, intelligence.

διανοητής (o) [dhianoitis] thinker, intellectual.

διανοητικός-ή-ό (ε) [dhianoitikos] mental, intellectual.

διανοητικότητα (n) [dhianoitikotita] intelligence.

διάνοια (n) [dhiania] intellect, mind.

διανοίγω (ρ) [dhianigo] open up.

διάνοιξη (n) [dhianiksi] cutting, opening up.

διανομέας (o) [dhianomeas] distributor, postman.

διανομή (n) [dhianomi] distribution, assignation, dispensation, round.

διανοούμαι (ρ) [dhianoume] conceive, think, conceptualize.

διανοουμενίστικος-n-o (ε) [dhianoumenistikos] highbrow.

διανοούμενος (o) [dhianoumenos] intellectual.

διάνος (o) [dhianos] turkey-cock.

διανυκτέρευση (n) [dhianikterefsi] staying overnight.

διανυκτερεύω (ρ) [dhianikterevo] spend the night, stay open all night.

διάνυσμα (το) [dhianisma] vector.

διανύω (ρ) [dhianio] go through, cover, travel.

διαξιφισμός (o) [dhiaksifismos] sword-thrust, fencing.

διαπαιδαγώγηση (n) [dhiapedhagoyisi] education, indoctrination.

διαπαιδαγωγώ (ρ) [dhiapedhagogo] educate, school.

διαπάλη (n) [dhiapali] fight, struggle.

διαπαντός (επ) [dhiapandos] for ever, for good.

διαπασών (το) [dhiapason] octave [μουσ], tuning-fork [όργανο], diapason, pitch.

διαπεραστικός-ή-ό (ε) [dhiaperastikos] piercing, sharp, drenching [βροχή].

διαπερατός-ή-ό (ε) [dhiaperatos] pervious, permeable.

διαπερνώ (ρ) [dhiaperno] pierce, penetrate.

διαπιστευμένος-n-o (μ) [dhiapistevmenos] accredited.

διαπιστεύομαι (ρ) [dhiapistevome] accredit.

διαπιστευτήρια (τα) [dhiapisteftiria] credentials.

διαπιστώνω (ρ) [dhiapistono] ascertain, find out, confirm.

διαπίστωση (n) [dhiapistosi] ascertainment, confirmation.

διαπλάθω (ρ) [dhiaplatho] fashion, mould, shape, educate [μεταφ].

διαπλανητικός-ή-ό (ε) [dhiaplanitikos] interplanetary, space.

διάπλαση (n) [dhiaplasi] formation, moulding.

διαπλάσσω (ρ) [dhiaplasso] form, shape, educate [μεταφ].

διάπλατα (επ) [dhiaplata] wide-open.

διαπλάτυνση (n) [dhiaplatinsi] widening.

διαπλατύνω (ρ) [dhiaplatino] become wider.

διαπλέω (ρ) [dhiapleo] cross over.

διαπληκτίζομαι (ρ) [dhiapliktizome] squabble, dispute.

διαπληκτισμός (ο) [dhiapliktismos] quarrel, squabbling, argument.

διάπλους (ο) [dhiaplus] crossing.

διαπνέομαι (ρ) [dhiapneome] animated by, be driven.

διαπνεόμενος-n-o (μ) [dhiapneomenos] instinct.

διαπνέω (ρ) [dhiapneo] perspire.

διαπνοή (n) [dhiapnoi] perspiration.

διαπόμπευση (n) [dhiapompefsi] pillorying.

διαπορώ (ρ) [dhiaporo] doubt.

διαποτίζω (ρ) [dhiapotizo] soak, wet.

διαπραγματεύομαι (ρ) [dhiapragmatevome] negotiate, discuss, bargain.

διαπραγμάτευση (n) [dhiapragmatefsi] negotiation, discussion.

διαπραγματεύσιμος-n-o (ε) [dhiapragmatefsimos] negotiable.

διαπραγματευτής (ο) [dhiapragmateftis] bargainer.

διαπράττω (ρ) [dhiapratto] perpetrate, commit.

διαπρεπής-ής-ές (ε) [dhiaprepis] eminent, distinguished.

διαπρέπω (ρ) [dhiaprepo] excel, become famous.

διάπυρος-n-o (ε) [dhiapiros] red-hot, fervent [μεταφ], eager.

διαρηγνύω (ρ) [dhiarignio] break in/into.

διαρθρώνω (ρ) [dhiarthrono] connect by joints, articulate.

διάρθρωση (n) [dhiarthrosi] articulation, joint.

διάρκεια (n) [dhiarkia] duration.

διαρκής-ής-ές (ε) [dhiarkis] continuous, lasting, endless.

διαρκώ (ρ) [dhiarko] last, endure.

διαρπάζω (ρ) [dhiarpazo] loot.

διαρρέω (ρ) [dhiarreo] traverse, leak.

διαρρηγνύω (ρ) [dhiarrignio] tear, burst open, break.

διαρρήκτης (ο) [dhiarriktis] burglar, thief.

διάρρηξη (n) [dhiarriksi] breaking, rupture, burglary.

διαρροή (n) [dhiarroi] flow, leakage.

διάρροια (n) [dhiarria] diarrhoea.

διαρρυθμίζω (ρ) [dhiarrithmizo] arrange, settle.

διαρρύθμιση (n) [dhiarrithmisi] arrangement, regulation, settlement.

διασάλευση (n) [dhiasalefsi] shaking, agitation, disturbance [μεταφ].

διασαλεύω (ρ) [dhiasalevo] agitate, convulse, shake [μεταφ].

διασαφηνίζω (ρ) [dhiasafinizo] clarify.

διασαφήνιση (n) [dhiasafinisi] clarification.

διασάφηση (n) [dhiasafisi] clarification.

διάσειση (n) [dhiasisi] concussion.

διάσημα (τα) [dhiasima] insignia.

διάσημος-n-o (ε) [dhiasimos] famous, celebrated.

διασημότητα (n) [dhiasimotita] fame, celebrity.

διασκεδάζω (ρ) [dhiaskedhazo] scatter, divert [ψυχαγωγώ], amuse [ψυχαγωγώ].

διασκέδαση (n) [dhiaskedhasi] dispelling, dispersion [διασκόρπιση], entertainment [ψυχαγωγία].

διασκεδαστικός-ή-ό (ε) [dhiaskedhastikos] entertaining.

διασκελίζω (ρ) [dhiaskelizo] stride.

διασκελισμός (ο) [dhiaskelismos] stride.

διασκέπτομαι (ρ) [dhiaskeptome] confer, deliberate.

διασκευάζω (ρ) [dhiaskevazo] arrange, alter.

διασκευή (n) [dhiaskevi] arrangement, adaptation.

διάσκεψη (n) [dhiaskepsi] deliberation, conference.

διασκορπίζω (ρ) [dhiaskorpizo] scatter, waste [χρήμα].

διασπαθίζω (ρ) [dhiaspathizo] waste.

διασπάθιση (n) [dhiaspathisi] waste.

διάσπαση (n) [dhiaspasi] distraction.

διασπαστικός-ή-ό (ε) [dhiaspastikos] disruptive.

διασπείρω (ρ) [dhiaspiro] disperse, scatter, circulate [μεταφ], disperse [μεταφ].

διασπορά (n) [dhiaspora] dispersion.

διασπώ (ρ) [dhiaspo] rupture, separate, disjoin, split.

διασταλτικός-ή-ό (ε) [dhiastaltikos] dilating.

διασταλτός-ή-ό (ε) [dhiastaltos] dilatable.

διάσταση (n) [dhiastasi] separation, disagreement.

διαστατικός-ή-ό (ε) [dhiastatikos] dimensional.

διασταυρώνω (ρ) [dhiastavrono] cross, meet.

διασταύρωση (n) [dhiastavrosi] crossing.

διαστέλλω (ρ) [dhiastello] distinguish, expand, dilate.

διάστημα (το) [dhiastima] space, interval.

διαστημικός-ή-ό (ε) [dhiastimikos] space, spatial.

διαστημόπλοιο (το) [dhiastimoplio] spacecraft.

διάστικτος-n-o (ε) [dhiastiktos] dotted, spotted.

διάστιχο (το) [dhiastiho] lead [τυπογρ], space [χώρος].

διαστολή (n) [dhiastoli] distinction, diastole [καρδιάς], comma [γραμμ].

διαστρεβλώνω (ρ) [dhiastrevlono] twist, bend, distort [μεταφ].

διαστρέβλωση (n) [dhiastrevlosi] twisting, distortion, warping, misrepresentation.

διάστρεμμα (το) [dhiastremma] sprain, twist, strain.

διαστρέφω (ρ) [dhiastrefo] twist, bend, pervert, corrupt, contort.

διαστροφή (n) [dhiastrofi] perversion, twist.

διασυρμός (ο) [dhiasirmos] scandal.

διασύρω (ρ) [dhiasiro] defame [μεταφ], backbite, libel.

διασχίζω (ρ) [dhiashizo] tear, cross.

διασώζω (ρ) [dhiasozo] preserve, rescue.

διασωλήνωση (n) [dhiasolinosi] canalization.

διάσωση (n) [dhiasosi] deliverance, rescue, preservation.

διαταγή (n) [dhiatayi] order, command.

διάταγμα (το) [dhiatagma] order, decree.

διατάζω (ρ) [dhiatazo] order, command.

διατακτική (n) [dhiataktiki] warrant, voucher.

διατακτικό (το) [dhiataktiko] purview.

διάταξη (n) [dhiataksi] arrangement, layout.

διατάραξη (n) [dhiataraksi] disturbance, disorder.

διαταράσσω (ρ) [dhiatarasso] disturb.

διάταση (n) [dhiatasi] straining.

διατάσσω (ρ) [dhiatasso] arrange, order, command.

διατεθειμένος-n-o (μ) [dhiatethimenos] disposed.

διατείνομαι (ρ) [dhiatinome] declare, maintain.

διατελώ (ρ) [dhiatelo] be, stand.

διατέμνω (ρ) [dhiatemno] intersect, split.

διατηρημένος-n-o (μ) [dhiatirimenos] bottled, chilled.

διατήρηση (n) [dhiatirisi] maintenance, conservation.

διατηρητέος-α-ο (ε) [dhiatiriteos] preservable.

διατηρώ (ρ) [dhiatiro] hold, maintain, preserve, keep.

διατί (μορ) [dhiati] why, what for.

διατίμηση (n) [dhiatimisi] tariff, rate, price list.

διατιμώ (ρ) [dhiatimo] fix the price of.

διατοίχισμα (το) [diatihisma] partition.

διατομή (n) [dhiatomi] cross-cut.

διατρανώνω (ρ) [dhiatranono] manifest.

διατρέξαντα (τα) [dhiatreksanda] happenings, events.

διατρέφω (ρ) [dhiatrefo] keep, feed.

διατρέχω (ρ) [dhiatreho] run through, cover, traverse.

διάτρηση (n) [dhiatrisi] drilling, perforation, cutting.

διατρητικός-ή-ό (ε) [dhiatritikos] boring, perforating, drilling.

διάτρητος-n-ο (ε) [dhiatritos] perforated, drilled.

διατριβή (n) [dhiatrivi] stay, study [μελέτη], thesis [διδακτορική], dissertation.

διατροφή (n) [dhiatrofi] board, food, alimony.

διατρυπώ (ρ) [dhiatripo] bore, pierce, perforate.

διάττων (ο) [dhiatton] shooting star.

διατυμπανίζω (ρ) [dhiatimbanizo] divulge, let out.

διατυπώνω (ρ) [dhiatipono] state, formulate, formalize.

διατύπωση (n) [dhiatiposi] wording, expression.

διαύγεια (n) [dhiavyia] clearness, transparency.

διαυγής-ής-ές (ε) [dhiavyiss] lucid, clear, limpid, transparent, rational.

δίαυλος (ο) [dhiavlos] channel, flute, furrow.

διαφαίνομαι (ρ) [dhiafenome] appear, show through, come in sight, loom.

διαφάνεια (n) [dhiafania] slide, transparency.

διαφανής-ής-ές (ε) [dhiafanis] clear, transparent.

διάφανος-n-ο (ε) [dhiafanos] diaphanous, transparent.

διαφέντεμα (το) [dhiafentema] advocacy.

διαφεντεύω (ρ) [dhiafendevo] manage, champion, advocate.

διαφέρω (ρ) [dhiafero] be different from, differ.

διαφεύγω (ρ) [dhiafevgo] escape, get away.

διαφημίζω (ρ) [dhiafimizo] advertise, extol, praise, disclose.

διαφήμιση (n) [dhiafimisi] advertisement, billing, publicity.

διαφημιστικός-ή-ό (ε) [dhiafimistikos] advertising, publicity.

διαφθείρω (ρ) [dhiafthiro] spoil.

διαφθορέας (ο) [dhiafthoreas] corruptor, seducer.

διαφιλονικώ (ρ) [dhiafiloniko] contest, dispute.

διαφορά (n) [dhiafora] difference, contention, contrast.

διαφορετικά (επ) [dhiaforetika] otherwise, else, differently.

διαφορετικός-ή-ό (ε) [dhiaforetikos] different, dissimilar.

διαφορικό (το) [dhiaforiko] differential.

διαφορικός-ή-ό (ε) [dhiaforikos] differential.

διαφορισμός (ο) [dhiaforismos] differentiation, discrimination.

διάφορο (το) [dhiaforo] interest.

διαφοροποίηση (n) [dhiaforopiisi] differentiation.

διαφοροποιώ (ρ) [dhiaforopio] chequer, differentiate, specialize.

διάφορος-n-ο (ε) [dhiaforos] different, various, mixed.

διάφραγμα (το) [dhiafragma] partition, diaphragm [ανατ].

διαφυγή (n) [dhiafiyi] escape, evasion, leakage [υγρού κτλ].

διαφύλαξη (n) [dhiafilaksi] preservation, protection.

διαφυλάσσω (ρ) [dhiafilasso] preserve, protect, keep.

διαφυλετικός-ή-ό (ε) [dhiafiletikos] interracial.

διαφωνία (n) [dhiafonia] discord, disagreement.

διαφωνώ (ρ) [dhiafono] disagree.

διαφωτίζω (ρ) [dhiafotizo] clear up, enlighten, illuminate.

διαφώτιση (n) [dhiafotisi] enlightenment, explanation [μεταφ].

διαφωτισμός (o) [dhiafotismos] enlightenment.

διαφωτιστής (o) [dhiafotistis] propagandist.

διαφωτιστικός-ή-ό (ε) [dhiafotistikos] enlightening, illuminating.

διαχειμάζω (ρ) [dhiahimazo] spend the winter, hibernate.

διαχείμαση (n) [dhiahimasi] wintering, hibernation.

διαχειρίζομαι (ρ) [dhiahirizome] manage, administer, handle.

διαχείριση (n) [dhiahirisi] management, handling, administration.

διαχειριστής (o) [dhiahiristis] administrator, pay corps officer [στρατ].

διαχειριστικός-ή-ό (ε) [dhiahiristikos] administrative.

διαχέω (ρ) [dhiaheo] diffuse, give out, effuse.

διαχυτικός-ή-ό (ε) [dhiahitikos] effusive, demonstrative, communicative.

διαχυτικότητα (n) [dhiahitikotita] effusiveness.

διάχυτος-n-o (ε) [dhiahitos] diffuse, diffusible, effuse [βοτ].

διαχωρίζω (ρ) [dhiahorizo] separate, divide, part.

διαχώριση (n) [dhiahorisi] separation, parting, severing.

διαχώρισμα (το) [dhiahorisma] partition, screen.

διαχωρισμός (o) [dhiahorismos] segregation, separation.

διαχωριστικός-ή-ό (ε) [dhiahoristikos] dividing, separating.

διαψεύδω (ρ) [dhiapsevdho] deny, disappoint, contravene, distort, misrepresent.

διάψευση (n) [dhiapsefsi] denial, contradiction, disappointment.

διγαμία (n) [dhigamia] bigamy, a second marriage.

δίγαμος-n-o (ε) [dhigamos] bigamist, bigamous.

δίγλωσσος-n-o (ε) [dhiglossos] bilingual.

δίδαγμα (το) [dhidhagma] teaching, moral lesson [εκκλ].

διδακτήριο (το) [dhidhaktirio] school building.

διδακτικός-ή-ό (ε) [dhidhaktikos] instructive, didactic.

διδακτορία (n) [dhidhaktoria] doctorate.

διδακτορική (n) [dhidhaktoriki] doctorate.

διδακτορικός-ή-ό (ε) [dhidhaktorikos] doctoral, doctorial.

δίδακτρα (τα) [dhidhaktra] tuition fees, fees.

διδάκτωρ (o) [dhidhaktor] doctor.

διδασκαλείο (το) [dhidhaskalio] Teacher's College.

διδασκαλία (n) [dhidhaskalia] instruction, teaching.

διδάσκαλος (o) [dhidhaskalos] teacher, tutor.

διδάσκω (ρ) [dhidhasko] teach.

διδαχή (n) [dhidhahi] teaching, preaching [εκκλ].

δίδυμος-n-o (ε) [dhidhimos] twin.

δίδω (ρ) [dhidho] give, pass, offer, pay, bring in, produce, deliver, set, contribute.

διεγείρω (ρ) [dhieyiro] excite, arouse.

διέγερση (n) [dhieyersi] excitation, simulation, excitement, arousal.

διεγερτικό (το) [dhieyertiko] stimulant, stimulus.

διεγερτικός-ή-ό (ε) [dhieyertikos] exciting, stirring, rousing.

διεδικώ (ρ) [dhiedhiko] contest.

διεθνής-ής-ές (ε) [dhiethnis] international.

διεθνοποιώ (ρ) [dhiethnopio] internationalize.

διείσδυση (n) [dhiisdhisi] penetration, piercing.

διεισδυτικός-ή-ό (ε) [dhiisdhitikos] penetrating, searching.

διεισδύω (ρ) [dhiisdhio] penetrate, enter, advance, forward, further, progress.

διεκδίκηση (n) [dhiekdhikisi] claim, contestation.

διεκδίκηση άδικη (n) [dhiekdhikisi adhiki] arrogation.

διεκδικητής (ο) [dhiekdhikitis] claimant, contestant.

διεκδικώ (ρ) [dhiekdhiko] claim, contest, arrogate.

διεκπεραιώνω (ρ) [dhiekpereono] bring to a conclusion, forward [στέλνω].

διεκφεύγω (ρ) [dhiekfevgo] escape, evade.

διέλευση (n) [dhielefsi] crossing, passing.

διένεξη (n) [dhieneksi] dispute.

διενεργώ (ρ) [dhienergo] operate, effect.

διεξάγω (ρ) [dhieksago] conduct, accomplish, hold, wage.

διεξαγωγή (n) [dhieksagoyi] conduction, conduct, management.

διεξέρχομαι (ρ) [dhiekserhome] traverse, travel through.

διεξοδικός-ή-ό (ε) [dhieksodhikos] lengthy, extensive, detailed.

διεξοδικότητα (n) [dhieksodhikotita] extensiveness, thoroughness.

διέξοδος (n) [dhieksodhos] issue, outlet, way out [μεταφ].

διέπω (ρ) [dhiepo] govern, rule.

διερευνημένος-n-o (μ) [dhierevnime-nos] beaten, scrutinized, inquired.

διερεύνηση (n) [dhierevnisi] investigation, research, inquire.

διερευνητικός-ή-ό (ε) [dhierevnitikos] searching, exploratory.

διερευνώ (ρ) [dhierevno] search, explore, examine.

διερμηνέας (ο) [dhiermineas] interpreter, translator.

διερμηνεύω (ρ) [dhierminevo] interpret, translate.

διέρχομαι (ρ) [dhierhome] pass by, cross.

διερωτώμαι (ρ) [dhierotome] ask myself, wonder.

δίεση (n) [dhiesi] sharp.

διεσπαρμένος-n-o (μ) [dhiesparmenos] dispersed, scattered.

διεστιακός-ή-ό (ε) [dhiestiakos] bifocal.

διεστραμμένος-n-o (μ) [dhiestramme-nos] perverse, wicked, crumpled.

διετής-ής-ές (ε) [dhietis] lasting two years, biennial [επί φυτών].

διετία (n) [dhietia] two years.

διευθέτηση (n) [dhiefthetisi] arrangement, settlement.

διευθετώ (ρ) [dhieftheto] arrange, settle.

διεύθυνση (n) [dhiefthinsi] address, direction, management [εταιρίας].

διευθυντής (ο) [dhiefthindis] head, director, station master, conductor [μουσ], warden [φυλακών], president [σωματείου], manager [εταιρίας].

διευθυντικός-ή-ό (ε) [dhiefthindikos] directive, managerial.

διευθύνω (ρ) [dhiefthino] direct, run, govern, conduct, manage [επιχείρηση], edit [εφημερίδα].

διευκόλυνση (n) [dhiefkolinsi] easing, help.

διευκολύνω (ρ) [dhiefkolino] facilitate, help forward.

διευκρινίζω (ρ) [dhiefkrinizo] clear up, explain.

διευκρίνιση (n) [dhiefkrinisi] explanation, clarification, making clear.

διευκρινιστής (ο) [dhiefkrinistis] discriminator.

διευκρινιστικός-ή-ό (ε) [dhiefkrinistikos] elucidatory.

διεύρυνση (n) [dhievrinsi] widening, enlargement, expanding.

διευρύνω (ρ) [dhievrino] expand, increase, broaden, widen, enlarge.

διεφθαρμένος-n-o (μ) [dhieftharmenos] corrupt, immoral, decadent.

δίζηση (n) [dhizisi] discussion [voμ].

δίζυγο (το) [dhizigo] parallel bars.

διήγημα (το) [dhiiyima] story, tale.

διηγηματικός-ή-ό (ε) [dhiiyimatikos] narrative.

διηγηματογράφος (ο) [dhiiyimatografos] short story writer, writer.

διήγηση (n) [dhiiyisi] narration.

διηγούμαι (ρ) [dhiigume] narrate, tell.

διήθημα (το) [dhiithima] filter.

διήθηση (n) [dhiithisi] filtration, percolation.

διηθητός-ή-ό (ε) [dhiithitos] filterable, finable.

διηθώ (ρ) [dhiitho] filtrate.

διήμερος-n-o (ε) [dhiimeros] two-day.

διηπειρωτικός-ή-ό (ε) [dhiipirotikos] intercontinental.

διηρημένος-n-o (μ) [dhiirimenos] divided, separated, cleft.

δίθυρο (το) [dhithiro] bivalve [ζωολ].

διίσταμαι (ρ) [dhiistame] stand apart [μεταφ], disagree.

διιστάμενος-n-o (ε) [dhiistamenos] dissenting.

διισχυρίζομαι (ρ) [dhiishirizome] maintain.

δικάζω (ρ) [dhikazo] try, judge.

δίκαιο (το) [dhikeo] law.

δικαιόγραφο (το) [dhikeografo] title deed.

δικαιοδοσία (n) [dhikeodhosia] jurisdiction.

δικαιολογημένος-n-o (μ) [dhikeoloyimenos] justified, excusable, rightful.

δικαιολόγηση (n) [dhikeoloyisi] justification, excuse.

δικαιολογητικά (τα) [dhikeoloyitika] documentary proof.

δικαιολογητικός-ή-ό (ε) [dhikeoloyitikos] supporting, justifying.

δικαιολογία (n) [dhikeoloyia] justification, excuse, apology.

δικαιολογώ (ρ) [dhikeologo] justify, excuse.

δικαιοπραξία (n) [dhikeopraksia] legal transaction.

δίκαιος-α-ο (ε) [dhikeos] fair, just, righteous, impartial.

δικαιοστάσιο (το) [dhikeostasio] moratorium.

δικαιοσύνη (n) [dhikeosini] justice, fairness, equity, judicature.

δικαιούμαι (ρ) [dhikeume] be entitled to, qualify for, have a right to.

δικαιούχος-α-ο (ε) [dhikeuhos] beneficiary, payee [επί επιταγών κλπ].

δικαίωμα (το) [dhikeoma] right, claim.

δικαιωματικός-ή-ό (ε) [dhikeomatikos] rightful.

δικαιώνω (ρ) [dhikeono] side with, justify.

δικανικός-ή-ό (ε) [dhikanikos] forensic.

δικαστήριο (το) [dhikastirio] law court, tribunal.

δικαστής (ο) [dhikastis] judge, magistrate.

δικαστικός-ή-ό (ε) [dhikastikos] judicial, judiciary, judicatory.

δίκη (n) [dhiki] trial, lawsuit, case, proceeding.

δικηγορία (n) [dhikigoria] law, the Bar, practice, law practice.

δικηγόρος (ο) [dhikigoros] lawyer, barrister, attorney.

δικηγορώ (ρ) [dhikigoro] practise as a lawyer.

δίκιο (το) [dhikio] right.

δικλίδα (n) [dhiklidha] valve.

δίκλινο (το) [dhiklino] double room, twin room.

δικογραφία (n) [dhikografia] file of proceedings, brief [δικηγόρου].

δικολαβίστικος-n-o (ε) [dhikolavistikos] pettifogging.

δικολάβος (ο) [dhikolavos] quibler, pettifogger [μεταφ].

δικομματικός-ή-ό (ε) [dhikommatikos] bipartisan.

δικονομία (n) [dhikonomia] procedure.

δικονομικός-ή-ό (ε) [dhikonomikos] procedural.

δίκοπος-n-o (ε) [dhikopos] two-edged, double-edged.

δικός-ή-ό (αν) [dhikos] own.

δικράνι (το) [dhikrani] pitchfork.

δικτάτορας (ο) [dhiktatoras] dictator, autocrat.

δικτατορία (n) [dhiktatoria] dictatorship.

δικτατορικός-ή-ό (ε) [dhiktatorikos] dictatorial, autocratic.

δίκτυο (το) [dhiktio] net, snare, trap.

δικτύωμα (το) [dhiktioma] reticulation, net-like pattern.

δικτυωτό (το) [dhiktioto] wire netting, lattice, grille.

δικτυωτός-ή-ό (ε) [dhiktiotos] net-like, latticed.

δίκυκλο (το) [dhikiklo] bike.

δίλημμα (το) [dhilimma] dilemma.

διλημματικός-ή-ό (ε) [dhilimatikos] puzzling.

διμερής-ής-ές (ε) [dhimeris] bipartite, bilateral.

διμηνιαίος-a-o (ε) [dhiminieos] bimonthly.

διμοιρία (n) [dhimiria] platoon, section.

δίνη (n) [dhini] whirlpool, whirlwind.

δίνω (ρ) [dhino] give, grant, pass, convey, turn over, produce [παράγω].

διογκωμένος-n-o (μ) [dhiogomenos] bulbous.

διογκώνω (ρ) [dhiongono] swell, inflate, bulge.

διόγκωση (n) [dhiongosi] swelling, inflation, creep, expansion.

διόδια (τα) [dhiodhia] port toll.

δίοδος (n) [dhiodhos] passage, pass.

διοίκηση (n) [dhiikisi] administration, command.

διοικητήριο (το) [dhiikitirio] commissioner's office, headquarters.

διοικητής (ο) [dhiikitis] governor, commissioner, commander.

διοικητικός-ή-ό (ε) [dhiikitikos] administrative, governmental.

διοικώ (ρ) [dhiiko] administer, govern, rule, command, administrate.

διοικών (ε) [dhiikon] commanding.

διολισθαίνω (ρ) [dhiolistheno] slip, slide.

διολίσθηση (n) [dhiolisthisi] creeping, slipping, escape.

διόλου (επ) [dhiolu] not at all.

διοπτεύω (ρ) [dhioptevo] observe with binoculars, take bearings of.

διόπτρα (n) [dhioptra] binoculars, diopter.

διοπτροφόρος-a-o (ε) [dhioptroforos] bespectacled.

διόραση (n) [dhiorasi] perspicuity.

διορατικός-ή-ό (ε) [dhioratikos] shrewd, far-seeing, discriminating.

διορατικότητα (n) [dhioratikotita] acuteness, clear-sightedness, sharpness.

διοργανώνω (ρ) [dhiorganono] organize, form, arrange.

διοργάνωση (n) [dhiorganosi] organization, arrangement.

διοργανωτής (ο) [dhiorganotis] organizer.

διοργανωτικός-ή-ό (ε) [dhiorganotikos] organizational, organizing.

διόρθωμα (το) [dhiorthoma] repair.

διορθώνω (ρ) [dhiorthono] correct, put straight, mend, make good.

διόρθωση (n) [dhiorthosi] correction,

putting right, mending, fixing.

διορθώσιμος-η-ο (ε) [dhiorthosimos] corrigible.

διορθωτής (ο) [dhiorthotis] proofreader, corrector.

διορθωτικός-ή-ό (ε) [dhiorthotikos] corrective, adjusting.

διορία (n) [dhioria] time limit, term, delay, deadline.

διορίζω (ρ) [dhiorizo] appoint, fix.

διορισμένος-η-ο (μ) [dhiorismenos] appointed, fixed, commissioned.

διορισμός (ο) [dhiorismos] appointment, fixation.

διόροφος-η-ο (ε) [dhiorofos] two-storeyed.

διόρυξη (n) [dhioriksi] digging, excavation.

διότι (σ) [dhioti] because.

διουρητικός-ή-ό (ε) [dhiuritikos] diuretic.

διοχέτευση (n) [dhiohetefsi] conduct [πλεκ], conveyance.

διοχετεύω (ρ) [dhiohetevo] conduct, convey, transmit, divert.

δίπατος-η-ο (ε) [dhipatos] two storeyed.

δίπλα (επ) [dhipla] near, next door, close.

διπλά (επ) [dhipla] twice [as much].

δίπλα (n) [dhipla] fold, pleat, wrinkle.

διπλανός-ή-ό (ε) [dhiplanos] next door, nearby.

διπλάρωμα (το) [dhiplaroma] solicitation, accosting.

διπλαρώνω (ρ) [dhiplarono] accost, come alongside [ναυτ].

διπλασιάζω (ρ) [dhiplasiazo] duplicate, double.

διπλασιασμός (ο) [dhiplasiasmos] reduplication, doubling.

διπλάσιος-α-ο (ε) [dhiplasios] twofold, double, twice as much.

διπλογραφία (n) [dhiplografia] double entry.

διπλός-ή-ό (ε) [dhiplos] double.

διπλότυπο (το) [dhiplotipo] duplicate receipt, stub, counterfoil.

διπλότυπος-η-ο (ε) [dhiplotipos] duplicate.

διπλούς (ε) [dhiplus] binate.

δίπλωμα (το) [dhiploma] diploma, degree, folding, wrapping up, certificate.

διπλωμάτης (ο) [dhiplomatis] diplomat.

διπλωματία (n) [dhiplomatia] diplomacy.

διπλωματικός-ή-ό (ε) [dhiplomatikos] diplomatic.

διπλωματούχος-α-ο (ε) [dhiplomatuhos] having a diploma/degree.

διπλώνω (ρ) [dhiplono] fold, wrap.

δίπλωση (n) [dhiplosi] folding, wrapping.

δίποδος-η-ο (ε) [dhipodhos] two-legged, two-footed.

διπολικός-ή-ό (ε) [dhipolikos] bipolar, dipolar.

δίπορτος-η-ο (ε) [dhiportos] two-door.

δίπους (ε) [dhipus] bicrural.

διπροσωπία (n) [dhiprosopia] duplicity.

διπρόσωπος-η-ο (ε) [dhiprosopos] two-faced, deceitful.

δις (αριθ) [dhis] twice.

δισάκι (το) [dhisaki] travel bag.

δισέγγονος (ο) [dhisengonos] great-grandchild.

δισεκατομμύριο (το) [dhisekatommirio] billion.

δισεκατομμυριούχος-α-ο (ε) [dhisekatommiriuhos] multimillionare.

δισεκατονταετηρίδα (n) [dhisekatondaetiridha] bicentenary.

δισεκατονταετής-ής-ές (ε) [dhisekatondaetis] bicentennial.

δίσεκτο έτος (το) [dhisekto etos] leap year.

δίσεκτος-η-ο (ε) [dhisektos] bissextile.

δισκίο (το) [dhiskio] tablet, pill.

δισκοβόλος (ο) [dhiskovolos] discus thrower.

δισκοπότηρο (το) [dhiskopotiro] chalice, ciborium [Θείας Ευχαριστίας].

δίσκος (ο) [dhiskos] tray, disc, pan [ζυγού], scale [ζυγού], discus, dial, record.

δισκόφρενο (το) [dhiskofreno] disk-brake.

δισταγμός (ο) [dhistagmos] doubt, hesitation, wavering, indecision.

διστάζω (ρ) [dhistazo] hesitate, doubt, waver, falter.

διστακτικός-ή-ό (ε) [dhistaktikos] hesitant, irresolute, doubtful.

δίστηλος-η-ο (ε) [dhistilos] two-columned.

δίστιγμο (το) [dhistigmo] colon [γραμμ].

δίστομος-η-ο (ε) [dhistomos] double-edged [μαχαίρι].

διστραμμένος-η-ο (μ) [dhistrammenos] bestial.

δισύλλαβος-η-ο (ε) [dhisillavos] of two syllables.

δισυπόστατος-η-ο (ε) [dhisipostatos] having two hypostases [θρηοκ].

δισχιδής-ής-ές (ε) [dhishidhis] cleft.

δίτομος-η-ο (ε) [dhitomos] two-volume.

δίτροχο (το) [dhitroho] hansom.

δίτροχος-η-ο (ε) [dhitrohos] two-wheeled.

διυλίζω (ρ) [dhiilizo] filter, distil, strain.

διύλιση (η) [dhiilisi] filtering, distilling, straining.

διυλίσιμος-η-ο (ε) [dhiilisimos] filterable.

διυλιστήριο (το) [dhiilistirio] filter, strainer, refinery, distillery.

διφασικός-ή-ό (ε) [dhifasikoss] two-phase.

διφθέρα (η) [dhifthera] leather.

διφθερίτιδα (η) [dhiftheritidha] diphtheria.

δίφθογγος (η) [dhifthongos] diphthong.

δίφορος-η-ο (ε) [dhiforos] biferous.

διφορούμενος-η-ο (μ) [dhiforumenos] ambiguous, two-meaning.

διχάζομαι (ρ) [dhihazome] become disunited [μεταφ], disagree [μεταφ].

διχάζω (ρ) [dhihazo] divide, split, estrange [μεταφ], disunite.

διχάλα (η) [dhihala] fork, crotch.

διχάλη (η) [dhihali] pitchfork.

διχαλωτός-ή-ό (ε) [dhihalotos] forked.

διχαλωτός λοστός (ο) [dhihalotos lostos] claw.

διχασμός (ο) [dhihasmos] division, disagreement.

διχαστικός-ή-ό (ε) [dhihastikos] divisive, disjunctive.

διχειλικός-ή-ό (ε) [dhihilikos] bilabial.

διχογνωμία (η) [dhihognomia] dissent, disagreement.

διχογνωμώ (ρ) [dhihognomo] dissent, disagree.

διχοτόμημα (το) [dhihotomima] bisegment.

διχοτόμηση (η) [dhihotomisi] partition, bisection.

διχοτομία (η) [dhihotomia] dichotomy.

διχοτομικός-ή-ό (ε) [dhihotomikos] bisecting, bisectional, partitionist.

διχοτόμος-ος-ο (ε) [dhihotomos] bisector.

δίχρονος-η-ο (ε) [dhihronos] two-stroke [μηχανή].

διχρωμία (η) [dhihromia] dichromism.

δίχτυ (το) [dhihti] net, rack, web [αράχνης], snare [μεταφ], meshes.

δίχως (π) [dhihos] without, with no.

δίψα (η) [dhipsa] thirst, craving.

διψασμένος-η-ο (μ) [dhipsasmenos] thirsty, eager for.

διψήφιος-α-ο (ε) [dhipsifios] two-digit, two-figure.

διψομανία (η) [dhipsomania] dipsomania.

διψώ (ρ) [dhipso] thirst for, be eager for.

διωγμός (ο) [dhiogmos] persecution, hunting.

διωδία (η) [dhiodhia] duet.

διώκτης (ο) [dhioktis] persecutor, hunter.

διώκω (ρ) [dhioko] pursue, chase, expel, persecute, dispel [μεταφ].

δίωξη (n) [dhioksi] persecution, hunting.

διώξιμο (το) [dhioksimo] dismissal, expulsion, persecution, ejection.

δίωρος-n-o (ε) [dhioros] two-hour.

διώροφος-n-o (ε) [dhiorofos] two-storeyed.

διώρυγα (n) [dhioriga] canal.

δίωτος (ε) [dhiotos] binaural.

διώχνω (ρ) [dhiohno] pursue, expel, chase, persecute.

δόγα (n) [dhoya] stave.

δόγμα (το) [dhogma] dogma, creed.

δογματίζω (ρ) [dhogmatizo] pontificate.

δογματικός-ή-ό (ε) [dhogmatikos] dogmatical, assertive, assumptive.

δογματισμός (ο) [dhogmatismos] dogmatism.

δοθιήνας (ο) [dhothiinas] boil [ιατρ].

δόκανο (το) [dhokano] trap, lure [μεταφ], snare [μεταφ].

δοκάρι (το) [dhokari] beam, rafter, girder, block, crossbar.

δοκιμάζω (ρ) [dhokimazo] taste, try out, test [αυτοκίνητο], experience.

δοκιμασία (n) [dhokimasia] suffering, trial.

δοκιμασμένος-n-o (μ) [dhokimasmenos] tried, hard-hit, approved.

δοκιμαστής (ο) [dhokimastis] tester.

δοκιμαστικός-ή-ό (ε) [dhokimastikos] trial, test, exploring.

δοκιμή (n) [dhokimi] trial, test, rehearsal [θέατρο], fitting [ρούχα].

δοκίμιο (το) [dhokimio] treatise, printer's proof [τυπογραφ].

δοκιμιογράφος (ο) [dhokimiografos] essayist.

δόκιμος-n-o (ε) [dhokimos] accomplished, skillful, esteemed, first rate.

δόκιμος (ο) [dhokimos] novice, apprentice, midshipman, cadet.

δοκός (n) [dhokos] girder, beam, block.

δόκτορας (ο) [dhoktoras] doctor.

δολάριο (το) [dholario] dollar.

δολερός-ή-ό (ε) [dholeros] deceitful, treacherous, fraudulent [νομ].

δόλιος-a-o (ε) [dholios] wretched, unlucky, poor, crafty, fraudulent, artful.

δολιότητα (n) [dholiotita] deceit, fraud, craftiness, artfulness, falseness.

δολιοφθορά (n) [dholiofthora] sabotage, manipulation.

δολοπλοκία (n) [dholoplokia] machination, intrigue.

δολοπλόκος-ος-ο (ε) [dholoplokos] treacherous, artful, manipulator.

δολοπλοκώ (ρ) [dholoploko] machinate, scheme, trick, plot, intrigue.

δόλος (ο) [dholos] fraud, deceit.

δολοφονία (n) [dholofonia] murder, assasination.

δολοφόνος (ο) [dholofonos] murderer, killer, assassin.

δολοφονώ (ρ) [dholofono] murder, assassinate, kill.

δόλωμα (το) [dholoma] bait, decoy.

δολώνω (ρ) [dholono] bait.

δομή (n) [dhomi] structure, fabric.

δομικός-ή-ό (ε) [dhomikos] structural.

δόνηση (n) [dhonisi] vibration, tremor [σεισμός], bump.

δονητής (ο) [dhonitis] vibrator.

δόντι (το) [dhondi] tooth, tusk [ελέφαντα], cog [μηχανής].

δοντιά (n) [dhondia] toothmark.

δονώ (ρ) [dhono] vibrate, shake.

δόξα (n) [dhoksa] glory, fame.

δοξάζω (ρ) [dhoksazo] glorify, celebrate.

δοξάρι (το) [dhoksari] bow.

δοξασία (n) [dhoksasia] belief, prejudice.

δόξασμα (το) [dhoksasma] glory, glorification.

δοξολογία (n) [dhoksoloyia] doxology.

δοξολογώ (ρ) [dhoksologo] glorify, praise.

δόρυ (το) [dhori] spear.

δορυφόρος (ο) [dhoriforos] satellite.

δόση (n) [dhosi] portion, dose, installment [πληρωμή].

δοσιλογισμός (ο) [dhosiloyismos] collaboration.

δοσοληψία (n) [dhosolipsia] transaction.

δότης (ο) [dhotis] giver, donor.

δοτική (n) [dhotiki] dative [case] [γραμμ].

δούκας (ο) [dhukas] duke.

δουκικός-ή-ό (ε) [dhukikos] duchy.

δούκισσα (n) [dhukissa] duchess.

δούλα (n) [dhula] maid, servant.

δουλεία (n) [dhulia] slavery.

δουλειά (n) [dhulia] work, affair, business, job, occupation, profession.

δούλεμα (το) [dhulema] teasing.

δουλεμπόριο (το) [dhulemborio] slave trade.

δουλέμπορος (ο) [dhulemboros] slave-trader.

δουλευτάρης-α-ικο (ε) [dhuleftaris] hardworker.

δουλευτής (ο) [dhuleftis] hard worker.

δουλεύω (ρ) [dhulevo] work, have a job.

δούλη (n) [dhuli] slave.

δουλικός-ή-ό (ε) [dhulikos] slavish, mean.

δουλικότητα (n) [dhulikotita] servility.

δουλοπαροικία (n) [dhuloparikia] bondage.

δουλοπρέπεια (n) [dhuloprepia] obsequiousness, subservience.

δουλοπρεπής-ής-ές (ε) [dhuloprepis] servile, mean.

δούλος (ο) [dhulos] enslaved, slave to.

δουλώνω (ρ) [dhulono] enslave.

δούπος (ο) [dhupos] thump, bump.

δουρβάνι (το) [dhurvani] churn.

δοχείο (το) [dhohio] pot, vessel, bin, container.

δραγάτης (ο) [dhragatis] field guard.

δραγουμάνος (ο) [dhragumanos] dragoman.

δράκα (n) [dhraka] handful.

δράκαινα (n) [dhrakena] ogress [μυθ], dragon [ζωολ].

δράκοντας (ο) [dhrakondas] ogre, dragon.

δρακόντειος-α-ο (ε) [dhrakondios] severe, harsh, draconian.

δράκος (ο) [dhrakos] ogre, dragon.

δράμα (το) [dhrama] drama, trouble, ordeal.

δραματικός-ή-ό (ε) [dhramatikos] dramatic, tragic.

δραματολόγιο (το) [dhramatoloyio] repertory, repertoire.

δραματοποίηση (n) [dhramatopiisi] dramatization, dramatizing.

δραματοποιώ (ρ) [dhramatopio] dramatize.

δραματουργός (ο) [dhramaturgos] playwright, dramatist.

δραματουργώ (ρ) [dhramaturgo] dramatize.

δράμι (το) [dhrami] tiny amount.

δράξιμο (το) [dhraksimo] clutch.

δραπέτευση (n) [dhrapetefsi] escape, getaway, bolting, breakaway.

δραπετεύω (ρ) [dhrapetevo] escape.

δραπέτης (ο) [dhrapetis] fugitive, escapee.

δράση (n) [dhrasi] activity, action.

δρασκελιά (n) [dhraskelia] stride.

δρασκελίζω (ρ) [dhraskelizo] stride over, step over.

δραστήρια (ε) [dhrastiria] actively, busily.

δραστηριοποίηση (n) [dhrastiriopiisi] activation, shake-up.

δραστηριοποιώ (ρ) [dhrastiriopio] call into action, activate, make active.

δραστήριος-α-ο (ε) [dhrastirios] active, energetic, operative, working.

δραστηριότητα (n) [dhrastiriotita] activity, energy, effectiveness.

δράστης (ο) [dhrastis] perpetrator.

δραστικός-ή-ό (ε) [dhrastikos] efficacious, drastic, effective, efficient.

δραστικότητα (n) [dhrastikotita] efficacy, potency, efficiency.

δραχμή (n) [dhrahmi] drachma.

δράχτης (ο) [dhrahtis] catcher.

δρεπάνι (το) [dhrepani] sickle.

δρέπω (ρ) [dhrepo] reap, win, crop, cull.

δριμύς-εία-ύ (ε) [dhrimis] sharp, bitter, keen.

δριμύτητα (n) [dhrimitita] sharpness, bitterness, keeness, acerbity.

δρομάκι (το) [dhromaki] lane, path, alley, track, alleyway.

δρομέας (ο) [dhromeas] runner.

δρομολόγιο (το) [dhromoloyio] itinery, timetable.

δρομολογώ (ρ) [dhromologo] run.

δρόμος (ο) [dhromos] road, street, race, distance, walk, trip, drive.

δροσερός-ή-ό (ε) [dhroseros] cool, fresh, dew.

δροσιά (n) [dhrosia] cool, coolness, freshness.

δροσίζομαι (ρ) [dhrosizome] cool down.

δροσίζω (ρ) [dhrosizo] refresh, get cool.

δρόσισμα (το) [dhrosisma] cooling, refreshing.

δρόσος (n) [dhrosos] dew.

δροσοσταλίδα (n) [dhrosostalidha] dewdrop.

δρύινος-n-ο (ε) [dhriinos] oak.

δρυμός (ο) [dhrimos] forest, wood.

δρυοκολάπτης (ο) [dhriokolaptis] woodpecker.

δρυς (n) [dhris] oak.

δρω (ρ) [dhro] act, do, take effect.

δρωπικιάζω (ρ) [dhropikiazo] suffer from dropsy.

δρωτσίλα (n) [dhrotsila] blotch.

δυάδα (n) [dhiadha] couple, pair.

δυαδικός-ή-ό (ε) [dhiadhikos] binary [μαθημ], dual.

δυάρι (το) [dhiari] deuce [τράπουλας], two-roomed flat.

δυϊκός-ή-ό (ε) [dhiikos] dual [number] [γραμμ].

δύναμη (n) [dhinami] strength, power, force, vigour, authority.

δυναμική (n) [dhinamiki] dynamics.

δυναμικό (το) [dhinamiko] potential.

δυναμικός-ή-ό (ε) [dhinamikos] energetic, dynamic.

δυναμικότητα (n) [dhinamikotita] capacity, potentiality.

δυναμισμός (ο) [dhinamismos] dynamism, drive.

δυναμίτης (ο) [dhinamitis] dynamite.

δυναμίτιδα (n) [dhinamitidha] dynamite.

δυναμό (το) [dhinamo] dynamo.

δυναμόμετρο (το) [dhinamometro] dynamometer.

δυνάμωμα (το) [dhinamoma] intensification, strengthening.

δυναμώνω (ρ) [dhinamono] strengthen, brace.

δυναμωτικό (το) [dhinamotiko] tonic, restorative.

δυναμωτικός-ή-ό (ε) [dhinamotikos] fortifying, strengthening, tonic.

δυναστεία (n) [dhinastia] dynasty, regime, rule.

δυναστεύω (ρ) [dhinastevo] oppress, dominate, rule, govern, be a sovereign.

δυνάστης (ο) [dhinastis] ruler, oppressor, potentate.

δυναστικός-ή-ό (ε) [dhinastikos] dynastic, oppressive.

δυνατός-ή-ό (ε) [dhinatos] strong, powerful, loud, possible, vigorous, influential.

δυνατότητα (n) [dhinatotita] possibility, contingency.

δυνητικός-ή-ό (ε) [dhinitikos] potential.

δύο (το) [dhio] two.

δυοσμαρίνι (το) [dhiosmarini] rosemary [φυτ].

δυόσμος (ο) [dhiosmos] [spear] mint.

δυσανάγνωστος-η-ο (ε) [dhisanagnostos] illegible, cramped.

δυσαναλογία (n) [dhisanaloyia] disproportion.

δυσανάλογος-η-ο (ε) [dhisanalogos] disproportionate, out of proportion.

δυσαναπλήρωτος-η-ο (ε) [dhisanaplirotos] irreplaceable.

δυσανασχέτηση (n) [dhisanashetisi] indignation, annoyance.

δυσανασχετώ (ρ) [dhisanasheto] be indignant, get angry, lose patience.

δυσαρέσκεια (n) [dhisareskia] displeasure, discontent, disaffection.

δυσαρεστημένος-η-ο (μ) [dhisarestimenos] dissatisfied, discontented.

δυσάρεστος-η-ο (ε) [dhisarestos] unpleasant, disagreeable, displeasing, grievous, nasty, offensive.

δυσαρεστώ (ρ) [dhisaresto] displease, dissatisfy.

δυσαρμονία (n) [dhisarmonia] discord, variance, clash [χρωμάτων], conflict.

δυσαρμονικός-ή-ό (ε) [dhisarmonikos] disagreeing, harsh, inharmonious contradictory, conflicting.

δυσβάστακτος-η-ο (ε) [dhisvastaktos] unbearable, overwhelming.

δύσβατος-η-ο (ε) [dhisvatos] inaccessible, rough, impenetrable, unapproachable.

δυσδιάκριτος-η-ο (ε) [dhisdhiakritos] hard to discern.

δυσειδής-ής-ές (ε) [dhisidhis] ugly.

δυσεντερία (n) [dhisenderia] dysentery.

δυσεξήγητος-η-ο (ε) [dhiseksiyitos] hard to explain, inexplicable.

δυσεπίλυτος-η-ο (ε) [dhisepilitos] difficult to solve.

δυσεύρετος-η-ο (ε) [dhisevretos] difficult to find, scarce.

δύση (n) [dhisi] west, setting [ηλίου].

δυσθυμία (n) [dhisthimia] sadness, depression, gloominess.

δύσθυμος-η-ο (ε) [dhisthimos] depressed, sad, gloomy.

δυσκαμψία (n) [dhiskampsia] stiffness, rigidity, inflexibility.

δυσκίνητος-η-ο (ε) [dhiskinitos] slow, sluggish, cumbersome.

δυσκοίλιος-α-ο (ε) [dhiskilios] constipated.

δυσκοιλιότητα (n) [dhiskiliotita] constipation.

δυσκολεύομαι (ρ) [dhiskolevome] find difficult.

δυσκολεύω (ρ) [dhiskolevo] make difficult.

δυσκολία (n) [dhiskolia] difficulty.

δύσκολος-η-ο (ε) [dhiskolos] difficult, hard to please.

δυσμένεια (n) [dhismenia] disfavour, disgrace.

δυσμενής-ής-ές (ε) [dhismenis] adverse, unfavourable, antipathetic.

δυσμετακίνητος-η-ο (ε) [dhismetakinitos] cumberous, cumbersome.

δύσμοιρος-η-ο (ε) [dhismiros] hapless, unfortunate, unlucky, ill-fated.

δυσμορφία (n) [dhismorfia] ugliness, deformity.

δύσμορφος-η-ο (ε) [dhismorfos] deformed, ugly.

δυσνόητος-η-ο (ε) [dhisnoitos] difficult to understand.

δυσοίωνος-η-ο (ε) [dhisionos] inauspicious, ill-omened.

δυσοσμία (n) [dhisosmia] stink.

δύσοσμος-η-ο (ε) [dhisosmos] stinking, smelly, stenching.

δύσπεπτος-η-ο (ε) [dhispeptos] indigestible, dyspeptic.

δυσπερίγραπτος-η-ο (ε) [dhisperigraptos] indescribable.

δυσπεψία (n) [dhispepsia] indigestion.

δυσπιστία (n) [dhispistia] mistrust.

δύσπιστος-η-ο (ε) [dhispistos] distrustful.

δυσπιστώ (ρ) [dhispisto] mistrust.

δύσπνοια (n) [dhispnia] difficulty of breathing, dyspnoea.

δυσπραγία (n) [dhisprayia] recession.

δυσπροσάρμοστος-η-ο (ε) [dhisprosarmostos] maladjusted.

δυσπρόσιτος-η-ο (ε) [dhisprositos] inaccessible.

δυστοκία (n) [dhistokia] difficult birth, indecision.

δυστροπία (n) [dhistropia] peevishness, captiousness.

δύστροπος-η-ο (ε) [dhistropos] perverse, cantankerous, captious.

δυστροπώ (ρ) [dhistropo] behave peevishly, boggle.

δυστύχημα (το) [dhistihima] accident, misfortune, disaster.

δυστυχής-ής-ές (ε) [dhistihiss] unhappy, unfortunate.

δυστυχία (n) [dhistihia] unhappiness.

δύστυχος-η-ο (ε) [dhistihos] miserable, poor, wretched, pathetic.

δυστυχώ (ρ) [dhistiho] be unhappy, be unfortunate, be poor.

δυστυχώς (επ) [dhistihos] unfortunately, I'm afraid.

δυσφημίζω (ρ) [dhisfimizo] slander.

δυσφήμιση (n) [dhisfimisi] slander, libel, disparagement.

δυσφημιστής (ο) [dhisfimistis] detractor.

δυσφημιστικός-ή-ό (ε) [dhisfimistikos] defamatory.

δυσφημώ (ρ) [dhisfimo] defame, libel, discredit.

δυσφορία (n) [dhisforia] discomfort, discontent, annoyance.

δυσφορώ (ρ) [dhisforo] be displeased, be discontented.

δυσχεραίνω (ρ) [dhishereno] impede, make difficult.

δυσχέρεια (n) [dhisheria] hardship.

δυσχερής-ής-ές (ε) [dhisheris] difficult.

δύσχρηστος-η-ο (ε) [dhishristos] unwieldy, inconvenient, awkward.

δυσχρωματοψία (n) [dhishromatopsia] colour-blindness.

δυσώδης-ης-ες (ε) [dhisodhis] stinking, foul.

δυσωδία (n) [dhisodhia] stench, stink.

δύτης (ο) [dhitis] diver.

δυτικός-ή-ό (ε) [dhitikos] western.

δύω (ρ) [dhio] set, decline, wane.

δώδεκα (άκλ) [dhodheka] twelve.

δωδεκάγωνο (το) [dhodhekagono] dodecagon.

δωδεκάδα (n) [dhodhekadha] dozen.

δωδεκαδάκτυλο (το) [dhodhekadhaktilo] duodenum.

δωδεκαετής-ής-ές (ε) [dhodhekaetis] twelve years old.

Δωδεκάνησα (τα) [Dhodhekanisa] Dodecanese.

δωδεκαπλάσιος-α-ο (ε) [dhodhekaplasios] twelve-fold.

δωδέκατος-η-ο (ε) [dhodhekatos] twelfth.

δώμα (το) [dhoma] chamber [λογ], terrace, apartment.

δωμάτιο (το) [dhomatio] [bed]room.

δωρεά (n) [dhorea] bequest, gift, present, donation, endowment.

δωρεάν (επ) [dhorean] gratis, free.

δωρητής (ο) [dhoritis] giver, donor.

δωρίζω (ρ) [dhorizo] donate, make a gift of, present, give away [free].

δώρο (το) [dhoro] gift, benevolence.

δωροδοκία (n) [dhorodhokia] corruption, bribery.

δωροδοκούμενος-η-ο (μ) [dhorodhokumenos] bribable.

δωροδοκώ (ρ) [dhorodhoko] corrupt.

δωροληψία (n) [dhorolipsia] bribery.

δωσιδικία (n) [dhosidhikia] jurisdiction.

δωσίλογος-ος-η (ε) [dhosilogoss] answerable, responsible, liable.

E

ε! (επιφ) [e!] hey!, hello!.

ε; (επιφ) [e?] what?.

εάν (σ) [ean] if, whether.

έαρ (το) [ear] spring.

εαρινός-ή-ό (ε) [earinos] spring.

εαυτός (αν) [eaftos] oneself.

εβαρβαρούμαι (ρ) [evarvarume] barbarize.

έβγα (ρ) [evga] come out! go out!.

εβδομάδα (n) [evdhomadha] week.

εβδομαδιαίος-α-ο (ε) [evdhomadhieos] weekly.

εβδομήντα (αριθ) [evdhominda] seventy.

έβδομος-n-ο (ε) [evdhomos] seventh.

εβένινος-n-ο (ε) [eveninos] ebony.

εβίβα! (επιφ) [eviva!] cheers!.

Εβραϊκός-ή-ό (ε) [Evraikos] Jewish, Hebraic.

Εβραίος (ο) [Evreos] Hebrew, Jew.

εβραϊσμός (ο) [evraismos] Hebraism.

έγγαμος-n-ο (ε) [engamos] married.

εγγεγραμμένος-n-ο (μ) [engegrammenos] registered, enrolled.

εγγειοβελτιωτικός-ή-ό (ε) [engioveltiotikos] [land]reclamation.

εγγίζω (ρ) [engizo] draw near, touch [μεταφ].

εγγλέζικα (τα) [englezika] English.

Εγγλέζικος-n-ο (ε) [Englezikos] English.

Εγγλέζος (ο) [Englezos] Englishman.

εγγονή (n) [engoni] granddaughter.

εγγονός (ο) [engonos] grandson.

εγγράμματος-n-ο (ε) [engrammatos] literate, educated.

εγγραφή (n) [engrafi] registration, record, entry, enrolment, booking.

έγγραφο (το) [engrafo] document.

έγγραφος-n-ο (ε) [engrafos] written, in writing, documentary [απόδειξη].

εγγράφω (ρ) [engrafo] register, inscribe.

εγγύηση (n) [engiisi] security, bail, guarantee.

εγγυητής (ο) [engiitis] guarantor, warrantor.

εγγυοδοσία (n) [engiodhosia] bond.

εγγυοδότης (ο) [engiodhotis] bailsman.

εγγυούμαι (ρ) [engiume] guarantee, stand security, stand bail for.

εγγύς (επ) [engis] near, close at hand, close to.

εγγύτερος-n-ο (ε) [engiteros] nearer, closer.

εγγύτητα (n) [engitita] proximity.

εγγυώμαι (ρ) [engiome] guarantee, vouch for, attest.

εγείρω (ρ) [eyiro] raise, build.

έγερση (n) [eyersi] raising, building.

εγερτήριο (το) [eyertirio] reveille.

εγκαθίδρυση (n) [engathidhrisi] establishment.

εγκαθιδρύω (ρ) [engathidhrio] set up, establish.

εγκαθίσταμαι (ρ) [engathistame] settle, put up, settle myself.

εγκαθιστώ (ρ) [engathisto] set up, settle, establish.

εγκαίνια (τα) [engenia] opening.

εγκαινιάζω (ρ) [engeniazo] inaugurate, consecrate.

έγκαιρος-η-ο (ε) [engeros] timely, opportune, prompt.

εγκαλώ (ρ) [egalo] cite, accuse, charge, denounce.

εγκάρδιος-α-ο (ε) [engardhios] affectionate.

εγκαρδιότητα (n) [engardhiotita] warmth.

εγκαρδιώνω (ρ) [engardhiono] cheer up, encourage.

εγκαρδιωτικός-ή-ό (ε) [engardhiotikos] heartening, encouraging.

εγκάρσιος-α-ο (ε) [engarsios] transverse, slanting, oblique.

εγκαρτέρηση (n) [engarterisi] resignation.

εγκαρτερώ (ρ) [engartero] resign oneself to.

έγκατα (τα) [engata] depths, bowels.

εγκαταλειμμένος-η-ο (μ) [engatalimmenos] deserted, abandoned, derelict.

εγκαταλείπω (ρ) [engatalipo] desert, abandon.

εγκατάλειψη (n) [engatalipsi] abandonment, desertion.

εγκατάσταση (n) [engatastasi] installation, establishing, establishment.

έγκαυμα (το) [engavma] burn.

εγκεκριμένος-η-ο (ε) [engekrimenos] approved, licensed.

εγκεφαλικός-ή-ό (ε) [engefalikos] brain.

εγκέφαλος (ο) [engefalos] brain, cerebrem.

εγκιβωτίζω (ρ) [engivotizo] case, encase.

έγκλειση (n) [englisi] interment.

έγκλειστος-η-ο (ε) [englistos] confined, cloistered.

εγκλείω (ρ) [englio] enclose, confine,

lock up, encage.

έγκλημα (το) [englima] crime, sin.

εγκληματίας (ο) [englimatias] criminal, felon.

εγκληματικός-ή-ό (ε) [englimatikos] criminal.

εγκληματικότητα (n) [englimatikotita] delinquency, wrong doing, crime.

εγκληματολογικός-ή-ό (ε) [englimatoloyikos] criminological.

εγκληματώ (ρ) [englimato] commit a crime, break the law.

έγκληση (n) [englisi] indictment.

εγκλιματίζω (ρ) [englimatizo] acclimatize, climatize.

εγκλιματισμός (ο) [englimatismos] acclimatization.

έγκλιση (n) [englisi] mood [γραμ], bent, inclination.

εγκλωβίζω (ρ) [englovizo] encircle.

εγκόλπιο (το) [engolpio] manual.

εγκοπή (n) [engopi] incision, groove.

εγκόσμιος-α-ο (ε) [engosmios] social, mundane, worldly.

εγκράτεια (n) [engratia] sobriety, moderation, temperance.

εγκρατής-ής-ές (ε) [engratis] temperate, abstinent, self-restraining.

εγκρίνω (ρ) [engrino] approve, ratify.

έγκριτος-η-ο (ε) [engritos] reputable, esteemed.

εγκύκλιος (n) [engiklios] circular.

εγκυκλοπαίδεια (n) [engiklopedhia] encyclopedia.

εγκυμονώ (ρ) [engimono] be pregnant with, wait for, include.

εγκυμοσύνη (n) [engimosini] pregnancy.

έγκυος (n) [engios] pregnant.

έγκυρος-η-ο (ε) [engiros] valid, sound.

εγκυρότητα (n) [engirotita] validity, authenticity.

εγκωμιάζω (ρ) [engomiazo] praise.

εγκωμιαστικός-ή-ό (ε) [engomiastikos] complimentary, appraising.

εγκώμιο (το) [engomio] praise.

έγνοια (n) [egnia] care, anxiety.

εγρήγορση (n) [egrigorsi] alertness.

εγχείρημα (το) [eghirima] venture, undertaking, attempt.

εγχείρηση (n) [eghirisi] operation.

εγχειρίδιο (το) [eghiridhio] manual.

εγχειρίζω (ρ) [eghirizo] perform an operation, hand, deliver.

έγχορδος-n-o (ε) [eghordhos] stringed.

έγχρωμος-n-o (ε) [eghromos] coloured.

εγχώριος-α-o (ε) [eghorios] native.

εγώ (το) [ego] self, ego.

εγωισμός (o) [egoismos] egotism.

εγωιστής (o) [egoistis] egoist, egotist.

εγωιστικός-ή-ό (ε) [egoistikoɔ] egoistical, selfish, vain.

εγωκεντρικός-ή-ό (ε) [egokendrikos] egocentric, self-centered.

εγωπαθής-ής-ές (ε) [egopathis] egomaniac.

εδαφικός-ή-ό (ε) [edhafikos] territorial.

εδάφιο (το) [edhafio] section.

εδαφολογικός-ή-ό (ε) [edhafoloyikos] territorial.

έδαφος (το) [edhafos] ground, earth.

έδεσμα (το) [edhesma] dish, food.

έδρα (n) [edhra] seat, chair, bottom.

εδραιώνω (ρ) [edhreono] strengthen.

έδρανο (το) [edhrano] bench, stool.

εδρεύω (ρ) [edhrevo] reside.

εδώ (επ) [edho] here.

εδωδά (επ) [edhodha] right here.

εδωδιμοπωλείο (το) [edhodhimopolio] grocery, delicatessen.

εδώλιο (το) [edholio] bench, seat.

εθελοντής (o) [ethelondis] volunteer.

εθελοντικός-ή-ό (ε) [ethelondikos] voluntary.

εθελοτυφλώ (ρ) [ethelotiflo] pretend not to see.

εθίζω (ρ) [ethizo] addict, habituate.

εθιμικός-ή-ό (ε) [ethimikos] customary.

έθιμο (το) [ethimo] custom, habit.

εθιμοτυπία (n) [ethimotipia] formality, etiquette, ceremonial.

εθιμοτυπικά (επ) [ethimotipika] ceremonially, ceremoniously.

εθισμός (o) [ethismos] addiction.

εθνάρχης (o) [ethnarhis] ethnarch.

εθναρχία (n) [ethnarhia] ethnarchy.

εθνικισμός (o) [ethnikismos] nationalism, chauvinism.

εθνικιστής (o) [ethnikistis] nationalist, chauvinist.

εθνικιστικός-ή-ό (ε) [ethnikistikos] nationalistic, chauvinistic.

εθνικοποίηση (n) [ethnikopiisi] nationalization.

εθνικοποιώ (ρ) [ethnikopio] nationalize, communize.

εθνικός-ή-ό (ε) [ethnikos] national.

εθνικοσοσιαλισμός (o) [ethnikososialismos] nazism.

εθνικότητα (n) [ethnikotita] nationality.

έθνος (το) [ethnos] nation.

εθνοσυνέλευση (n) [ethnosinelefsi] national assembly.

εθνότητα (n) [ethnotita] nationality.

εθνοφρουρά (n) [ethnofrura] national guard, home guard, militia.

εθνοφρουρός (o) [ethnofruros] militiaman, guardsman.

εθνοφύλακας (o) [ethnofilakas] militiaman.

ειδάλλως (επ) [idhallos] if not, otherwise, or else.

ειδεχθής-ής-ές (ε) [idhehthis] hideous.

ειδησεογραφία (n) [idhiseografia] [news] reporting.

ειδησεογραφικός-ή-ό (ε) [idhiseografikos] news.

είδηση (n) [idhisi] [an item of] news, message, knowledge, idea, notice.

ειδικευμένος-η-ο (μ) [idhikevmenos] specialized, skilled.

ειδίκευση (n) [idhikefsi] specialization.

ειδικεύω (ρ) [idhikevo] specify.

ειδικός-ή-ό (ε) [idhikos] special.

ειδικότητα (n) [idhikotita] speciality.

ειδοποίηση (n) [idhopiisi] notice.

ειδοποιητήριο (το) [idhopiitirio] note, notice.

ειδοποιός-ός (ε) [idhopios] specific.

ειδοποιώ (ρ) [idhopio] notify, inform, advise.

είδος (το) [idhos] sort, kind, type.

ειδυλλιακός-ή-ό (ε) [idhilliakos] idyllic, arcadian.

ειδύλλιο (το) [idhillio] romance.

είδωλο (το) [idholo] idol, image.

ειδωλολάτρης (ο) [idhololatris] pagan, heathen, idolater.

ειδωλολατρία (n) [idhololatria] paganism, idolatry.

είθε! (μορ) [ithe!] may, wish, would.

εικασία (n) [ikasia] conjecture, guess.

εικόνα (n) [ikona] image, picture.

εικονίζω (ρ) [ikonizo] portray.

εικονικός-ή-ό (ε) [ikonikos] figurative, sham [επίθεση], bogus [πράξη].

εικονικότητα (n) [ikonikotita] fictitiousness.

εικόνισμα (το) [ikonisma] icon.

εικονογραφημένος-η-ο (μ) [ikonografimenos] illustrated, pictorial.

εικονογραφία (n) [ikonografia] illustration [εκκλ], iconography.

εικονομαχία (n) [ikonomahia] iconoclasm.

εικονοστάσι (το) [ikonostasi] shrine, screen.

εικοσάδα (n) [ikosadha] score.

εικοσαετής-ής-ές (ε) [ikosaetis] twenty-year.

εικοσαετία (n) [ikosaetia] twenty-year period.

εικοσαήμερο (το) [ikosaimero] twenty-day period.

εικοσάμηνο (το) [ikosamino] twenty-month period.

εικοσαπλάσιος-α-ο (ε) [ikosaplasios] twentyfold.

είκοσι (το) [ikosi] twenty.

εικοστός-ή-ό (ε) [ikostos] twentieth.

ειλικρίνεια (n) [ilikrinia] sincerity, frankness, candour, honesty.

ειλικρινής-ής-ές (ε) [ilikrinis] sincere, candid, frank, earnest.

είλωτας (ο) [ilotas] helot, slave.

είμαι (ρ) [ime] be, I am.

ειμαρμένη (n) [imarmeni] fate.

είναι (ο) [ine] being, life.

ειρήνευση (n) [irinefsi] pacification.

ειρηνευτικός-ή-ό (ε) [irineftikos] peace-keeping, conciliatory.

ειρηνεύω (ρ) [irinevo] pacify, bring peace to, make one's peace.

ειρήνη (n) [irini] peace.

ειρηνικός-ή-ό (ε) [irinikos] peaceful, eirenic, irenic, pacific, calm, tranquil quiet.

ειρηνιστής (ο) [irinistis] pacifist.

ειρηνοδικείο (το) [irinodhikio] magistrate's court.

ειρηνοποιός-ός-ό (ε) [irinopios] eirenic, fetial, irenic, pacificator, conciliator.

ειρηνόφιλος (ο) [irinofilos] pacifist.

ειρηνοφόρος-α-ο (ε) [irinoforos] peacebringing.

ειρκτή (n) [irkti] imprisonment.

ειρμός (ο) [irmos] train of thought.

είρωνας (ο) [ironas] ironist.

ειρωνεία (n) [ironia] mockery, irony.

ειρωνεύομαι (ρ) [ironevome] speak derisively, speak ironically, banter.

ειρωνικός-ή-ό (ε) [ironikos] ironical.

εις (π) [is] in, among, at, within [χρόνος], to, into, on.

εισαγγελέας (ο) [isangeleas] public prosecutor, district attorney [ΗΠΑ].

εισαγγελία (n) [isangelia] Public

Prosecutor's Office.

εισάγω (ρ) [isago] import, introduce [νομοσχέδιο], introduce for the first time [φέρω πρώτα], present.

εισαγωγέας (ο) [isagoyeas] importer.

εισαγωγή (n) [isagoyi] importation.

εισαγωγικά (επ) [isagoyika] inverted commas.

εισαγωγικός-ή-ό (ε) [isagoyikos] introductory.

εισακούω (ρ) [isakuo] hear, grant.

εισβάλλω (ρ) [isvallo] invade, flow into [ποταμός], overrun, break into.

εισβολέας (ο) [isvoleas] invader.

εισβολή (n) [isvoli] invasion, incursion,

εισδοχή (n) [isdhohi] admission, entrance, entry, accession.

εισδύω (ρ) [isdhio] slip into, steal into, penetrate.

εισήγηση (n) [isiyisi] suggestion.

εισηγητής (ο) [isiyitis] sponsor.

εισηγητικός-ή-ό (ε) [isiyitikos] introductory, suggestive, introductive.

εισηγούμαι (ρ) [isigume] propose.

εισιτήριο (το) [isitirio] ticket, fare.

εισόδημα (το) [isodhima] income, revenue, annuity, competence.

εισοδηματίας (ο) [isodhimatias] annuitant, rentier.

είσοδος (n) [isodhos] entry, entrance, admission, adit, input.

εισπλέω (ρ) [ispleo] sail in, steam in.

εισπνέω (ρ) [ispneo] inhale, breathe.

εισπνοή (n) [ispnoi] inhalation.

εισπρακτέος-α-ο (ε) [isprakteos] due [φόρος], receivable [εμπορ], leviable.

εισπράκτορας (ο) [ispraktoras] conductor, collector.

είσπραξη (n) [ispraksi] collection.

εισπράττω (ρ) [ispratto] collect, levy.

εισρέω (ρ) [isreo] flow in, pour in.

εισροή (n) [isroi] inflow, influx.

εισφέρω (ρ) [isfero] contribute.

εισφορά (n) [isfora] contribution.

εισχωρώ (ρ) [ishoro] penetrate.

είτε (σ) [ite] either...or, whether...or.

εκ (π) [ek] from, out of, by, of.

έκαστο (επ) [ekasto] apiece.

έκαστος-n-o (αν) [ekastos] each, every one, everybody, every time.

εκάστοτε (επ) [ekastote] each time.

εκατό (αριθ) [ekato] hundred.

εκατόλιτρο (το) [ekatolitro] cental.

εκατόμβη (n) [ekatomvi] hecatomb.

εκατομμύριο (το) [ekatommirio] million.

εκατομμυριοστός-ή-ό (ε) [ekatommiriostos] millionth.

εκατομμυριούχος-α-ο (ε) [ekatommiriuhos] millionaire.

εκατονταετηρίδα (n) [ekatondaetiridha] century, centenary.

εκατονταετία (n) [ekatondaetia] century.

εκατονταπλασιάζω (ρ) [ekatondaplasiazo] centuple, multiply by a hundred.

εκατοστόμετρο (το) [ekatostometro] centimeter, centigram.

εκατοστός-ή-ό (ε) [ekatostos] hundredth, centecimal.

εκβαθύνω (ρ) [ekvathino] deepen, dredge, endeepen.

εκβάλλω (ρ) [ekvallo] take out, extract, flow into.

έκβαση (n) [ekvasi] issue, outcome.

εκβιάζω (ρ) [ekviazo] force, compel, black-mail, extort.

εκβιασμός (ο) [ekviasmos] blackmail, extortion, constraint, forcing.

εκβιαστής (ο) [ekviastis] blackmailer.

εκβιομηχανίζω (ρ) [ekviomihanizo] industrialize.

εκβιομηχάνιση (n) [ekviomihanisi] industrialization.

εκβολή (n) [ekvoli] ejection, mouth.

εκβράζω (ρ) [ekvrazo] wash up.

εκβραχισμός (ο) [ekvrahismos] rock-blasting.

εκγυμνάζω (ρ) [ekyimnazo] train.

εκγύμναση (n) [ekyimnasi] training.

εκδηλώνω (ρ) [ekdhilono] show, reveal, manifest, display.

εκδήλωση (n) [ekdhilosi] demonstration, manifestation, display.

εκδηλωτικός-ή-ό (ε) [ekdhilotikos] demonstrative, effusive, expressive.

εκδημοκρατίζω (ρ) [ekdhimokratizo] democratize.

εκδίδω (ρ) [ekdhidho] issue, publish, pronounce [απόφαση], draw.

εκδικάζω (ρ) [ekdhikazo] judge, try.

εκδίκαση (n) [ekdhikasi] hearing, trial.

εκδίκηση (n) [ekdhikisi] vengeance.

εκδικητής (ο) [ekdhikitis] avenger.

εκδικητικός-ή-ό (ε) [ekdhikitikos] revengeful, vindictive, avenging.

εκδικητικότητα (n) [ekdhikitikotita] vindictiveness.

εκδικούμαι (ρ) [ekdhikume] take revenge on, get even with.

εκδιώκω (ρ) [ekdhioko] expel, oust.

εκδορά (n) [ekdhora] scratch.

έκδοση (n) [ekdhosi] publication, edition, issue, version, story.

εκδοτήριο (το) [ekdhotirio] ticket office, box-office.

εκδότης (ο) [ekdhotis] publisher.

εκδοτικός-ή-ό (ε) [ekdhotikos] publishing, publishing house.

έκδοτος-n-ο (ε) [ekdhotos] addict.

εκδούλευση (n) [ekdhulefsi] service.

εκδοχή (n) [ekdhohi] interpretation.

εκδρομέας (ο) [ekdhromeas] day-tripper, excursionist.

εκδρομή (n) [ekdhromi] excursion.

εκδρομικός-ή-ό (ε) [ekdhromikos] excursion, travelling.

εκεί (επ) [eki] there.

εκείνος-n-ο (αν) [ekinos] he, that one there.

εκεχειρία (n) [ekehiria] truce, armistice, cease-fire.

έκζεμα (το) [ekzema] eczema.

εκζήτηση (n) [ekzitisi] affectation.

έκθαμβος-n-ο (ε) [ekthamvos] dazzled, astounded.

εκθαμβωτικός-ή-ό (ε) [ekthamvotikos] dazzling, splendid, glaring.

εκθειάζω (ρ) [ekthiazo] praise, extol.

έκθεμα (το) [ekthema] exhibit.

έκθεση (n) [ekthesi] exposure [στο ύπαιθρο], exhibition [ανθέων], composition.

εκθέτης (ο) [ekthetis] exhibitor.

έκθετος-n-ο (ε) [ekthetos] exposed.

εκθέτω (ρ) [ektheto] expose, display, exhibit, expound, abandon.

έκθλιψη (n) [ekthlipsi] elision.

εκθρονίζω (ρ) [ekthronizo] dethrone, depose.

εκθρόνιση (n) [ekthronisi] deposition, dethronement.

εκκαθαρίζω (ρ) [ekkatharizo] clear out, clean, liquidate, settle.

εκκαθαρίζω (ρ) [ekkatharizo] clean.

εκκαθάριση (n) [ekkatharisi] liquidation, winding up, settlement.

εκκαθαριστής (ο) [ekkatharistis] administrator, receiver [πτώχευσης].

εκκαθαριστικός-ή-ό (ε) [ekkatharistikos] mopping-up, screening-out.

εκκεντρικός-ή-ό (ε) [ekkendrikos] eccentric, odd, bizarre, batty.

εκκεντρικότητα (n) [ekkendrikotita] eccentricity, oddity.

εκκενώνω (ρ) [ekkenono] empty [out], vacate, drain [ποτήρι], clear.

εκκένωση (n) [ekkenosi] evacuation, emptying, discharge [ηλεκ], clearing.

εκκίνηση (n) [ekkinisi] departure.

έκκληση (n) [ekklisi] appeal.

εκκλησία (n) [ekklisia] church.

εκκλησιάζομαι (n) [ekklisiazome] go to church.

εκκλησίασμα (το) [ekklisiasma] congregation.

εκκοκκισμός (ο) [ekkokkismos] husking, ginning, shelling.

εκκοκκιστήριο (το) [ekkokkistirio] ginning house.

εκκολαπτήριο (το) [ekkolaptirio] hatchery, incubator, hatcher.

εκκολάπτω (ρ) [ekkolapto] incubate.

εκκρεμές (το) [ekkremes] pendulum.

εκκρεμής-ής-ές (ε) [ekkremis] unsettled, pending, hanging.

εκκρεμότητα (n) [ekkremotita] suspense, abeyance, doldrums, latency.

εκκρεμώ (ρ) [ekkremo] pending.

έκκριση (n) [ekkrisi] excretion.

εκκωφαντικός-ή-ό (ε) [ekkofandikos] deafening.

εκλαΐκευση (n) [eklaikefsi] popularization.

εκλαΐκεύω (ρ) [eklaikevo] popularize.

εκλαμβάνω (ρ) [eklamvano] take for, mistake for.

εκλαμπρότατος-n-o (ε) [eklambrotatos] Excellency.

εκλέγω (ρ) [eklego] choose, pick out, elect.

έκλειψη (n) [eklipsi] eclipse.

εκλεκτικά (επ) [eklektika] choicely.

εκλεκτικός-ή-ό (ε) [eklektikos] choosy, selective, eclectic.

εκλέκτορας (ο) [eklektoras] elector.

εκλεκτός-ή-ό (ε) [eklektos] select.

εκλέξιμος-n-o (ε) [ekleksimos] eligible.

εκλεπτύνω (ρ) [ekleptino] chasten.

εκλεπτυσμένος-n-o (μ) [ekleptismenos] refined, azurine [μεταφ].

εκλιπαρώ (ρ) [ekliparo] entreat.

εκλογέας (ο) [ekloyeas] elector.

εκλογείς (οι) [eklogis] constituency.

εκλογή (n) [ekloyi] choice, selection.

εκλογικός-ή-ό (ε) [ekloyikos] electoral, elective.

εκλόγιμος-n-o (ε) [ekloyimos] eligible.

εκλογιμότητα (n) [ekloyimotita] eligibility.

έκλυτος-n-o (ε) [eklitos] loose, dissolute, wanton, flaggy, slack, profligate.

εκμαγείο (το) [ekmayio] cast.

εκμάθηση (n) [ekmathisi] learning.

εκμεταλλεύομαι (ρ) [ekmetallevome] exploit, take advantage.

εκμετάλλευση (n) [ekmetallefsi] exploitation, operating.

εκμηδενίζω (ρ) [ekmidhenizo] annihilate.

εκμηδενιστικός-ή-ό (ε) [ekmidhenistikos] annihilating, crushing.

εκμισθώνω (ρ) [ekmisthono] let, hire.

εκμίσθωση (n) [ekmisthosi] leasing, lease.

εκμισθωτής (ο) [ekmisthotis] lessor.

εκμυστηρεύομαι (ρ) [ekmistirevome] confide a secret, confess.

εκμυστήρευση (n) [ekmistirefsi] confidence, confession.

εκναυλωτής (ο) [eknavlotis] charterer, freighterer.

εκνευρίζω (ρ) [eknevrizo] annoy, exasperate, enervate, irritate, fluster.

εκνευρισμένος-n-o (μ) [eknevrismenos] nervy, on edge, in a fluster.

εκνευρισμός (ο) [eknevrismos] vexation, exasperation, flustering.

εκνευριστικός-ή-ό (ε) [eknevristikos] exasperating, maddening.

εκούσιος-a-o (ε) [ekusios] voluntary.

εκπαιδευμένος-n-o (μ) [ekpedhevmenos] trained, educated.

εκπαίδευση (n) [ekpedhefsi] education, training.

εκπαιδευτήριο (το) [ekpedheftirio] school, institute.

εκπαιδευτής (ο) [ekpedheftis] instructor.

εκπαιδευτικός-ή-ό (ε) [ekpedheftikos]

educational.

εκπαιδευτικός (n) [ekpedheftikos] schoolteacher.

εκπαιδεύω (ρ) [ekpedhevo] train.

εκπατρισμένος-η-ο (μ) [ekpatrismenos] expatriated.

εκπέμπω (ρ) [ekpembo] send forth.

εκπίπτω (ρ) [ekpipto] decline, fall, deduct [μεταφ], reduce [μεταφ].

εκπλειστηριάζω (ρ) [ekplistiriazo] auction off.

εκπλειστηρίασμα (το) [ekplistiriasma] auction proceeds.

εκπλειστηριασμός (ο) [ekplistiriasmos] auction.

εκπληκτικός-ή-ό (ε) [ekpliktikos] astonishing, surprising.

έκπληκτος-η-ο (ε) [ekpliktos] surprised, astonished.

έκπληξη (n) [ekpliksi] surprise.

εκπληρώνω (ρ) [ekplirono] perform, fulfil, realize, carry out, accomplish.

εκπλήρωση (n) [ekplirosi] performance, discharge, achievement, fulfilment.

εκπλήσσω (ρ) [ekplisso] surprise.

εκπνέω (ρ) [ekpneo] exhale, die [πεθαίνω], expire, terminate [μεταφ].

εκπνοή (n) [ekpnoi] breathing out, dying, expiration, expiry.

εκποίηση (n) [ekpiisi] sale, clearance.

εκπολιτίζω (ρ) [ekpolitizo] civilize.

εκπολιτιστικός-ή-ό (ε) [ekpolitistikos] civilizing, cultural.

εκπομπή (n) [ekpombi] emission, broadcast [ραδιοφώνου].

εκπόνηση (n) [ekponisi] designing, elaboration, working out.

εκπονώ (ρ) [ekpono] labour over.

εκπορεύομαι (ρ) [ekporevome] originate, spring from, issue.

εκπόρευση (n) [ekporefsi] springing [from], issue, origination.

εκπόρθηση (n) [ekporthisi] conquest, storming, capture.

εκπορθώ (ρ) [ekportho] conquer, take by siege, capture, pillage.

εκπόρνευση (n) [ekpornefsi] prostitution.

εκπρόθεσμος-n-o (ε) [ekprothesmos] overdue.

εκπροσώπηση (n) [ekprosopisi] representation.

εκπρόσωπος (ο) [ekprosopos] representative.

έκπτωση (n) [ekptosi] decline, fall, reduction [τιμή κτλ], discount [τιμή κτλ].

εκπυρηνίζω (ρ) [ekpirinizo] core.

εκπυροσοκρότηση (n) [ekpirsokrotisi] report, detonation, bang of a gun.

εκπυρσοκροτώ (ρ) [ekpirsokroto] detonate, go off, explode.

εκπωματισμός (ο) [ekpomatismos] corkage.

εκρηκτικός-ή-ό (ε) [ekriktikos] explosive.

έκρηξη (n) [ekriksi] explosion, outburst, eruption, blast.

εκρίζωση (n) [ekrizosi] evulsion, uprooting, extraction, eradication.

εκριζωτής (ο) [ekrizotis] grubber.

εκροή (n) [ekroi] flush.

έκρυθμος-n-o (ε) [ekrithmos] not normal, unsettled, abnormal.

εκσκαφέας (ο) [ekskafeas] excavator.

εκσκαφή (n) [ekskafi] excavation, cutting.

εκσπερματίζω (ρ) [ekspermatizo] ejaculate.

εκσπερμάτωση (n) [ekspermatosi] ejaculation.

έκσταση (n) [ekstasi] ecstasy, rapture, admiration.

εκστατικός-ή-ό (ε) [ekstatikos] ecstatic, stunned.

εκστομίζω (ρ) [ekstomizo] utter.

εκστρατεία (n) [ekstratia] expedition.

εκστρατευτικός-ή-ό (ε) [ekstrateftikos] expeditionary.

εκστρατεύω (ρ) [ekstratevo] go to war, campaign.

εκσυγχρονίζω (ρ) [eksighronizo] modernize, update.

εκσυγχρονισμός (ο) [eksighronismos] modernization.

εκσφενδονίζομαι (ρ) [eksfendhonizome] catapult.

εκσφενδονίζω (ρ) [eksfendhonizo] throw, hurl, catapult.

εκσφενδόνηση (n) [eksfendhonisi] hurl, projection, launching, sling.

έκτακτος-n-ο (ε) [ektaktos] temporary, emergency, special, exceptional.

εκτάριο (το) [ektario] hectare.

έκταση (n) [ektasi] extent, stretch, spreading, extension, reach [μεταφ].

εκτατικός (ο) [ektatikos] extensor.

εκτατός-ή-ό (ε) [ektatos] extensible.

εκταφή (n) [ektafi] disinterment, unearthing.

εκτεθειμένος-n-ο (μ) [ektethimenos] exposed, compromised, displayed.

εκτείνω (ρ) [ektino] stretch, extend.

εκτέλεση (n) [ektelesi] execution, performance.

εκτελεστής (ο) [ektelestis] executioner, administrator, performer, achiever.

εκτελεστικός-ή-ό (ε) [ektelestikos] executive, executorial.

εκτελεστός-ή-ό (ε) [ektelestos] enforceable, executory.

εκτελώ (ρ) [ektelo] perform, carry out, accomplish, fulfil.

εκτελωνίζω (ρ) [ektelonizo] clear [through customs].

εκτελωνισμός (ο) [ektelonismos] clearance, clearing.

εκτελωνιστής (ο) [ektelonistis] customs broker.

εκτελωνιστικός-ή-ό (ε) [ektelonistikos] clearance.

εκτενής-ής-ές (ε) [ektenis] extensive,

lengthy, stretched, broad, spacious.

εκτεταμένος-n-ο (μ) [ektetamenos] extensive, long.

εκτίθεμαι (ρ) [ektitheme] be embarrassed, display.

εκτίμηση (n) [ektimisi] esteem, estimation, appreciation.

εκμητής (ο) [ektimitis] evaluator, assessor.

εκτιμώ (ρ) [ektimo] value, appreciate, estimate, respect, assess.

εκτίναξη (n) [ektinaksi] fling, spurt.

εκτινάσσω (ρ) [ektinasso] fling, throw, hurl.

εκτομή (n) [ektomi] ablation, abscission, castration.

εκτόμηση (n) [ektomisi] castration.

εκτονώνω (ρ) [ektonono] defuse [βόμβα], unbend, relax.

εκτόνωση (n) [ektonosi] relaxation.

εκτόξευση (n) [ektoksefsi] launching, hurling, blast-off.

εκτοξεύω (ρ) [ektoksevo] shoot, cast, hurl, catapult.

εκτοπίζω (ρ) [ektopizo] displace, dislodge, exile [εξορίζω].

εκτόπιση (n) [ektopisi] displacement, banishment, exile.

εκτόπισμα (το) [ektopisma] displacement.

εκτοπισμένος-n-ο (μ) [ektopismenos] deportee, exiled.

εκτορεύω (ρ) [ektorevo] chamber.

εκτός (επ) [ektos] outside, apart from, besides.

έκτος-n-ο (ε) [ektos] sixth.

εκτός (πρ) [ektos] barring, except, besides.

έκτοτε (επ) [ektote] ever since, since then, from that time.

εκτραχηλίζομαι (ρ) [ektrahilizome] run riot, run wild.

εκτραχηλισμός (ο) [ektrahilismos] shameless, debauchery.

εκτραχύνομαι (ρ) [ektrahinome] be aggravated, be embittered, grow worse.

εκτράχυνση (n) [ektrahinsi] aggravation, worsening.

εκτραχύνω (ρ) [ektrahino] coarsen, embitter, aggravate.

εκτρέπομαι (ρ) [ektrepome] deviate from, go astray [μεταφ].

εκτρέπω (ρ) [ektrepo] deflect, turn aside, divert.

εκτρέφω (ρ) [ektrefo] breed, raise.

εκτρίβω (ρ) [ektrivo] abrade.

έκτροπα (τα) [ektropa] outrages, rioting.

εκτροπή (n) [ektropi] diversion, deviation, drift [πλοίου κλπ].

εκτροχιάζομαι (ρ) [ektrohiazome] become derailed, go astray [μεταφ].

εκτροχιάζω (ρ) [ektrohiazo] derail.

έκτρωμα (το) [ektroma] monster, freak, abnormity.

εκτρωματικός-ή-ό (ε) [ektromatikos] freakish, monstrous.

έκτρωση (n) [ektrosi] abortion, miscarriage.

εκτυλίσσομαι (ρ) [ektilissome] develop, evolve.

εκτυπώνω (ρ) [ektipono] print.

εκτύπωση (n) [ektiposi] printing.

εκτυφλωτικός-ή-ό (ε) [ektiflotikos] blinding, candescent.

εκφαυλίζω (ρ) [ekfaflizo] corrupt.

εκφαυλισμός (ο) [ekfaflismos] corruption, depravity, demoralization.

εκφέρω (ρ) [ekfero] express.

εκφοβίζω (ρ) [ekfovizo] frighten, intimidate.

εκφοβισμός (ο) [ekfovismos] intimidation.

εκφορά (n) [ekfora] funeral, burial.

εκφόρτωση (n) [ekfortosi] unloading, docking.

εκφορτωτής (ο) [ekfortotis] docker, unloader.

εκφράζω (ρ) [ekfrazo] express.

έκφραση (n) [ekfrasi] expression.

εκφραστικός-ή-ό (ε) [ekfrastikos] expressive.

εκφυλίζω (ρ) [ekfilizo] degenerate, decay.

εκφυλισμός (ο) [ekfilismos] degeneration.

έκφυλος-n-o (ε) [ekfilos] degenerate.

εκφώνηση (n) [ekfonisi] roll-call, announcement.

εκφωνητής (ο) [ekfonitis] announcer, newsreader [ραδιοφ], newscaster [τηλεόρασης].

εκφωνώ (ρ) [ekfono] deliver a speech, read aloud.

εκχερσώνω (ρ) [ekhersono] grub.

εκχέρσωση (n) [ekhersosi] clearage, clearance.

εκχιονιστήρας (ο) [ekhionistiras] snowplough.

εκχριστιανισμός (ο) [ekhristianismos] christianization.

εκχυδαΐζω (ρ) [ekhidhaizo] vulgarize, trivialize.

εκχυδαϊσμός (ο) [ekhidhaismos] trivialization, vulgarization.

εκχύλισμα (το) [ekhilisma] extract.

εκχύμωση (n) [ekhimosi] bruise.

έκχυση (n) [ekhisi] bleeding, flush.

εκχωρηθείς (ε) [ekhorithis] concessionary.

εκχώρηση (n) [ekhorisi] transfer, concession.

εκχωρητής (ο) [ekhoritis] grantor, assignor, donator.

εκχωρώ (ρ) [ekhoro] transfer, assign, make way [θέση].

έλα! (επιφ) [ela!] come!, come now!.

έλαιο (το) [eleo] olive oil.

ελαιογραφία (n) [eleografia] oil-painting.

ελαιόλαδο (το) [eleoladho] olive oil.

ελαιοτριβείο (το) [eleotrivio] olive press.

ελαιόχρωμα (το) [eleohroma] oil paint.

ελαιώνας (ο) [eleonas] olive grove.

έλασμα (το) [elasma] metal plate.

ελασματοποίηση (n) [elasmatopiisi] flexible.

ελαστικό (το) [elastiko] tyre, rubber, elastic.

ελαστικός-ή-ό (ε) [elastikos] flexible.

ελαστικότητα (n) [elastikotita] elasticity, compliance [μεταφ].

ελατήριο (το) [elatirio] spring, incentive, motive [μεταφ].

ελάτι (το) [elati] fir, spruce.

ελάτινος-n-ο (ε) [elatinos] firry.

έλατο (το) [elato] fir, fir tree.

ελατότητα (n) [elatotita] ductibility.

ελάττωμα (το) [elattoma] defect, fault, flaw.

ελαττωματικός-ή-ό (ε) [elattomatikos] faulty, defective.

ελαττωματικότητα (n) [elattomatikotita] imperfection, defectiveness.

ελαττώνω (ρ) [elattono] diminish, decrease, alleviate, subside.

ελάττωση (n) [elattosi] decrease, curtailment.

ελάφειος-a-ο (ε) [elafios] cervine.

ελαφήσιος-a-ο (ε) [elafisios] cervine.

ελάφι (το) [elafi] deer, red deer, stag.

ελαφίνα (n) [elafina] doe, hind.

ελαφροκοιμούμαι (ρ) [elafrokimume] sleep lightly.

ελαφρόμυαλος-n-ο (ε) [elafromialos] frivolous, scatter-brained.

ελαφρόπετρα (n) [elafropetra] pumice stone.

ελαφρός-ή-ό (ε) [elafros] buoyant.

ελαφρός-ία-ό (ε) [elafros] chaffy [μεταφ].

ελαφρός-ιά-ύ (ε) [elafros] light, slight, mild, weak [καφές κτλ].

ελαφρότητα (n) [elafrotita] lightness, gentleness, frivolity, superficiality.

ελάφρυνση (n) [elafrinsi] lightening, relief.

ελαφρυνακό (το) [elafrindiko] extenuation.

ελαφρυντικός-ή-ό (ε) [elafrindikos] lightening, mitigating.

ελαφρώνω (ρ) [elafrono] reduce, lighten.

ελάχιστα (επ) [elahista] very little.

ελαχιστοποίηση (n) [elahistopiisi] minimization.

ελαχιστοποιώ (ρ) [elahistopio] minimize.

ελάχιστος-n-ο (ε) [elahistos] least, very little.

ελαχιστότητα (n) [elahistotita] insignificance.

Ελβετία (n) [Elvetia] Switzerland.

Ελβετίδα (n) [Elvetidha] Swiss woman.

ελβετικός-ή-ό (ε) [elvetikos] Swiss.

Ελβετός (ο) [Elvetos] Swiss man, Helvetian.

ελεγειακός-ή-ό (ε) [eleyiakos] sad.

ελεγκτής (ο) [elengtis] inspector, auditor, controller.

ελεγκτικός-ή-ό (ε) [elegtikos] auditorial.

έλεγχος (ο) [eleghos] inspection, examination, verification [λογαριασμού], auditing, testing [μηχανής], check [μεταφ].

ελέγχω (ρ) [elegho] check, control, test, inspect, examine.

ελέγχων (μ) [eleghon] commanding.

ελεεινολογώ (ρ) [eleinologo] deplore.

ελεεινός-ή-ό (ε) [eleinos] pitiful.

ελεημοσύνη (n) [eleimosini] alms, charity.

ελέηση (n) [eleisi] charity.

ελετήριο (το) [eletirio] animus.

ελευθερία (n) [eleftheria] liberty, freedom.

ελευθεριάζω (ρ) [eleftheriazo] take liberties[with somebody].

ελευθέριος-a-ο (ε) [eleftherios] liberal, loose.

ελευθεριότητα (n) [eleftheriotita] liberality, looseness.

ελεύθερος-n-ο (ε) [eleftheros] free, unmarried, clear.

ελευθεροστομία (n) [eleftherostomia] frankness.

ελευθερόστομος-n-ο (ε) [eleftherostomos] frank.

ελευθεροτυπία (n) [eleftherotipia] freedom of the press.

ελευθερόφρονας (ο) [eleftherofronas] freethinker.

ελευθερώνω (ρ) [eleftherono] release, rid, liberate, deliver, clear.

ελευθερωτής (ο) [eleftherotis] liberator, deliverer.

έλευση (n) [elefsi] arrival, coming.

ελέφαντας (ο) [elefandas] elephant.

ελεφαντόδοντο (το) [elefandodhondo] tusk, ivory.

ελεφαντοστούν (το) [elefandostun] ivory.

ελεώ (ρ) [eleo] take pity on, be merciful, help.

ελιά (η) [elia] olive, olive tree, mole [προσώπου κτλ].

έλιγμα (το) [eligma] circumvallation.

ελιγμός (ο) [eligmos] twisting, winding, manoeuvre [στρατ].

έλικας (ο) [elikas] coil, spiral, propeller [προπέλα].

ελικοειδής-ής-ές (ε) [elikoidhis] winding, spiral.

ελικόπτερο (το) [elikoptero] helicopter.

ελίσσομαι (ρ) [elissome] wind, coil, manoeuvre [στρατ].

ελίσσω (ρ) [elisso] coil.

έλκηθρο (το) [elkithro] sledge, sled.

έλκος (το) [elkos] ulcer [ιατρ], sore [ιατρ].

ελκυστήρας (ο) [elkistiras] tractor.

ελκυστικά (επ) [elkistika] appealingly, beseemly.

ελκυστικός-ή-ό (ε) [elkistikos] attractive, handsome, appealing, arresting, catchy.

ελκυστικότητα (η) [elkistikotita] attractiveness, allurement, enticement.

ελκύω (ρ) [elkio] charm, attract.

έλκω (ρ) [elko] draw, pull.

ελκώδης-ης-ες (ε) [elkodhis] ulcerous, ulcerated.

έλκωμα (το) [elkoma] sore, canker.

ελκωση (η) [elkosi] ulceration.

Ελλάδα (η) [Elladha] Greece.

ελλανοδικώ (ρ) [ellanodhiko] umpire, judge.

ελλανοδίκης (ο) [ellanodhikis] referee, judge, umpire.

έλλειμμα (το) [ellimma] shortage.

ελλειπτικότητα (η) [elliptikotita] defectiveness, ellipticity.

έλλειψη (η) [ellipsi] deficiency, ellipse.

Έλληνας (ο) [Ellinas] Greek man.

Ελληνίδα (n) [Ellinidha] Greek woman.

ελληνικός-ή-ό (ε) [ellinikos] Greek.

ελλιμενίζω (ρ) [ellimenizo] moor.

ελλιμενισμός (ο) [ellimenismos] anchoring, mooring.

ελλιπής-ής-ές (ε) [ellipis] defective, wanting.

έλξη (n) [elksi] pulling, traction, drawing, attraction, haulage, lug.

ελονοσία (n) [elonosia] malaria.

έλος (το) [elos] marsh, swamp.

ελπίδα (n) [elpidha] hope, expectation, anticipation, prospect.

ελπιδοφόρος-α-ο (ε) [elpidhoforos] promising, hopeful.

ελπίζω (ρ) [elpizo] hope[for], trust, anticipate.

ελώδης-ης-ες (ε) [elodhis] marshy, swampy.

εμαγιέ (το) [emayie] enamel.

εμβαδό (το) [emvadho] area.

εμβάζω (ρ) [emvazo] remit, send.

εμβάθυνση (n) [emvathinsi] going deeper.

εμβαθύνω (ρ) [emvathino] examine thoroughly.

εμβάλλω (ρ) [emvallo] infix, put in, throw into.

εμβαλωματικός-ή-ό (ε) [emvalomatikos] patchwork.

εμβαπτίζω (ρ) [emvaptizo] plunge into, steep, sink into.

έμβασμα (το) [emvasma] remittance [of money].

εμβατήριο (το) [emvatirio] march.

εμβέλεια (n) [emvelia] range.

έμβιος-α-ο (ε) [emvios] living.

έμβλημα (το) [emvlima] emblem, crest,

εμβολιάζω (ρ) [emvoliazo] graft [φυτό], vaccinate, inoculate [άνθρωπο].

εμβολιασμός (ο) [emvoliasmos] vaccination, grafting [βοτ].

έμβολο (το) [emvolo] piston, rod, ram [πλοίου].

εμβριθής-ής-ές (ε) [emvrithis] profound.

εμβρόντητος-η-ο (ε) [emvronditos] thunderstruck, stupefied.

έμβρυο (το) [emvrio] embryo, foetus.

εμβρυώδης-ης-ες (ε) [emvriodhis] embryonic.

εμείς (αν) [emis] we.

εμένα (αν) [emena] me, I [εμφατικό].

εμετός (ο) [emetos] vomiting.

εμιράτο (το) [emirato] emirate.

εμίρης (ο) [emiris] emir, Ameer.

εμμένω (ρ) [emmeno] persist, insist,

έμμεσος-η-ο (ε) [emmesos] indirect, collateral, circumstantial.

έμμετρος-η-ο (ε) [emmetros] metrical, in verse.

έμμηνα (τα) [emmina] menstruation, period.

εμμηνόπαυση (n) [emminopafsi] menopause.

εμμηνόρροια (n) [emminorria] menstruation.

έμμηνος-η-ο (ε) [emminos] regular, continuous.

έμμισθος-η-ο (ε) [emmisthos] salaried, paid.

εμμονή (n) [emmoni] persistence, perseverance, insistence.

έμμονος-η-ο (ε) [emmonos] persistent, obstinate, persevering.

έμπα (το) [emba] entrance, mouth, beginning.

εμπάθεια (n) [embathia] animosity, illfeeling.

εμπαθής-ής-ές (ε) [embathis] malicious, passionate, spiteful.

εμπαιγμός (ο) [embegmos] sneer, mockery.

εμπαίζω (ρ) [embezo] tease, mock, deceive, trick, con.

εμπεδώνω (ρ) [embedhono] consolidate, steady, strengthen.

εμπέδωση (n) [embedhosi] consolidation, strengthening, making firm.

εμπειρία (n) [embiria] experience, skill, competence.

εμπειρικά (επ) [embirika] practically.

εμπειρικός-ή-ό (ε) [embirikos] practical.

εμπειρογνώμονας (ο) [embirognomonas] expert, specialist, consultant.

έμπειρος-η-ο (ε) [embiros] experienced, skilled in, capable.

εμπεριστατωμένος-η-ο (μ) [emberistatomenos] thorough, detailed.

εμπηγνύω (ρ) [embignio] embed, infix, drive in, push in, stick in.

εμπιστεύομαι (ρ) [embistevome] entrust, confide, trust.

εμπιστευτικός-ή-ό (ε) [embisteftikos] confidential.

έμπιστος-η-ο (ε) [embistos] trustworthy, reliable, faithful.

εμπιστοσύνη (n) [embistosini] confidence, trust, faith.

έμπλαστρο (το) [emblastro] plaster.

εμπλοκή (n) [embloki] engagement, jamming [μηχανής], gearbox [κιβ ταχυτήτων].

εμπλοκή (n) [embloki] encounter.

εμπλουτίζω (ρ) [emblutizo] enrich.

εμπλουτισμός (ο) [emplutismos] enrichment.

εμπνέομαι (ρ) [embneome] feel inspired.

έμπνευση (n) [embnefsi] inspiration.

εμπνευσμένος-η-ο (μ) [embnevsmenos] inspired.

εμπνευστικός-ή-ό (ε) [embnevstikos] inspiring, stimulating.

εμπνέω (ρ) [embneo] inspire, fill.

εμποδίζω (ρ) [embodhizo] hinder, obstruct, prevent, hold back, block.

εμπόδιο (το) [embodhio] obstacle, impediment, obstruction.

εμπόλεμος-η-ο (ε) [embolemos] belligerent.

εμπόρευμα (το) [emborevma] merchandise, commodity.

εμπορευματοποίηση (n) [emborevmatopiisi] commercialization.

εμπορεύομαι (ρ) [emborevome] deal in, trade in, commerce.

εμπορευόμενος-n-o (ε) [emborevomenos] tradesman, dealer.

εμπορεύσιμος-n-o (ε) [emborefsimos] marketable, tranferable, negotiable.

εμπορία (n) [emboria] trading, trafficking [για ναρκωτικά].

εμπορικό (το) [emboriko] shop.

εμπορικός-ή-ό (ε) [emborikos] commercial.

εμπόριο (το) [emborio] trade, commerce.

εμποροπανήγυρη (n) [emboropaniyiri] trade fair.

έμπορος (ο) [emboros] dealer, trader, merchant, businessman.

εμποροϋπάλληλος (ο) [emboroipallilos] shop assistant.

εμποτίζω (ρ) [embotizo] soak, steep, saturate, impregnate.

εμπότιση (n) [embotisi] impregnation.

εμποτισμένος-n-o (μ) [embotismenos] brandied, soaked, saturated, impregnated.

εμπρεσιονισμός (ο) [embresionismos] impressionism.

εμπρεσιονιστής (ο) [embresionistis] impressionist.

εμπρεσιονιστικός-ή-ό (ε) [embresionistikos] impressionistic.

εμπρησμός (ο) [embrismos] arson.

εμπρηστής (ο) [embristis] arsonist.

εμπρηστικός-ή-ό (ε) [embristikos] incendiary, burning, inflammatory.

εμπριμέ (το) [embrime] print.

εμπρόθεσμος-n-o (ε) [embrothesmos] within the time limit.

εμπρός (επ) [embros] before, forwards, in front of, forward.

έμπυο (το) [embio] pus, matter.

εμπύρετος-n-o (ε) [embiretos] feverish.

εμφαίνω (ρ) [emfeno] betoken.

εμφανής-ής-ές (ε) [emfanis] apparent, obvious, clear, profound.

εμφανίζομαι (ρ) [emfanizome] appear, present myself, turn up, emerge.

εμφανιζόμενος-n-o (μ) [emfanizomenos] emergent.

εμφανίζω (ρ) [emfanizo] exhibit, reveal, develop [φωτογρ], appear.

εμφάνιση (n) [emfanisi] appearance, presentation, development [φωτογρ].

έμφαση (n) [emfasi] stress, emphasis.

εμφατικός-ή-ό (ε) [emfatikos] emphatic, expressive.

εμφιαλωμένος-n-o (μ) [emfialomenos] bottled.

εμφιαλώνω (ρ) [emfialono] bottle.

εμφιάλωση (n) [emfialosi] bottling.

έμφραγμα (το) [emfragma] heart attack [ιατρ], shutter.

έμφραξη (n) [emfraksi] filling [ιατρ], obstruction, stopping [ιατρ].

εμφύλιος-a-o (ε) [emfilios] civil.

εμφυσώ (ρ) [emfiso] infuse, instill.

εμφυτεύω (ρ) [emfitevo] engraft, infix.

έμφυτος-n-o (ε) [emfitos] innate, inherent, intuitive, connate.

έμψυχος-n-o (ε) [empsihos] living.

εμψυχώνω (ρ) [empsihono] encourage, stimulate.

ένα (αριθ) [ena] one, a, an.

εναγκαλισμός (ο) [enangalismos] hug, embrace.

εναγόμενος-n-o (μ) [enagomenos] defendant.

ενάγω (ρ) [enago] sue, bring action against.

ενάγων (ο) [enagon] plaintiff, claimant.

εναγώνιος-a-o (ε) [enagonios] anguished, anxious.

εναέριος-a-o (ε) [enaerios] aerial, overhead, airy, pneumatic.

ενακτέος-a-o (ε) [enakteos] actionable [νομ], accusable, chargeable.

εναλλαγή (n) [enallayi] exchange, interchange.

εναλλακτικός-ή-ό (ε) [enallaktikos] alternate.

εναλλάξ (επ) [enallaks] alternatively, in turn.

εναλλασσόμενος-η-ο (μ) [enallassomenos] alternating.

εναλλάσσω (ρ) [enallasso] alternate, exchange.

ενάμισι (το) [enamisi] one and a half.

ενανθρακώ (ρ) [enanthrako] carbonate.

έναντι (επ) [enandi] towards, against.

ενάντια (επ) [enandia] adversely, contrarily, against.

εναντίον (επ) [enandion] against, contrary to, contra.

ενάντιος-α-ο (ε) [enandios] adverse, contrary, opposite, opposed, opposing.

ενάντιος (ο) [enandios] con.

εναντιότητα (n) [enandiotita] adversity.

εναντιώνομαι (ρ) [enandionome] be opposed to, be against, object to.

εναντίωση (n) [enandiosi] opposition, objection.

εναπόθεμα (το) [enapothema] deposit, lodgement.

εναποθέτω (ρ) [enapotheto] deposit, entrust, bestow.

εναποθηκευμένος-η-ο (μ) [enapothikevmenos] bottled.

εναποθηκεύω (ρ) [enapothikevo] store up.

εναπόκειται (ρ) [enapokite] it is up to.

ενάργεια (n) [enaryia] vividness, lucidity.

ενάρετος-η-ο (ε) [enaretos] upright.

έναρθρος-η-ο (ε) [enarthros] articulate, jointed.

εναρκτήριος-α-ο (ε) [enarktirios] inaugural.

εναρμονίζομαι (ρ) [enarmonizome] assort, chime [μεταφ], concert.

εναρμονίζω (ρ) [enarmonizo] harmonize, coordinate.

εναρμόνιος-α-ο (ε) [enarmonios] harmonious, symmetrical.

εναρμόνιση (n) [enarmonisi] harmonization.

έναρξη (n) [enarksi] opening, beginning, inauguration, commencement.

ενάσκηση (n) [enaskisi] exercise.

έναστρος-η-ο (ε) [enastros] starry, starlit.

ενασχόληση (n) [enasholisi] occupation, employment, activity, hobby.

ενατένιση (n) [enatenisi] stare, looking at.

ένατος-η-ο (ε) [enatos] ninth.

έναυσμα (το) [enavsma] spark.

ενδεδειγμένος-η-ο (ε) [endhedhigmenos] advisable, fit.

ενδεδυμένος-η-ο (μ) [endhedhimenos] clad.

ενδεής-ής-ές (ε) [endheis] needy.

ένδεια (n) [endhia] poverty.

ενδείκνυμαι (ρ) [endhiknime] be called for, be necessary.

ενδεικνύω (ρ) [endhiknio] indicate.

ενδεικτικό (το) [endhiktiko] certificate.

ενδεικτικός-ή-ό (ε) [endhiktikos] indicative.

ένδειξη (n) [endhiksi] indication, sign, earnest.

ένδεκα (αριθ) [endheka] eleven.

ενδέκατος-η-ο (ε) [endhekatos] eleventh.

ενδέχεται (ρ) [endhehete] it is possible, it is likely.

ενδεχόμενο (το) [endhehomeno] eventuality, possibility.

ενδεχόμενος-η-ο (μ) [endhehomenos] eventual, potential, possible.

ενδημία (n) [edhimia] endemic [ιατρ], stay [διαμονή].

ενδημικότητα (n) [endhimikotita] endemicity.

ενδιαίτημα (το) [endhietima] lodgings, accommodation.

ενδιάμεσος-η-ο (ε) [endhiamesos] inbetween, intermediate.

ενδιατρίβω (ρ) [endhiatrivo] dwell on.

ενδιαφέρομαι (ρ) [endhiaferome] be interested in, care for, concern.

ενδιαφερόμενος-η-ο (μ) [endhiaferomenos] interested, concerned.

ενδιαφέρω (ρ) [endhiafero] concern, interest.

ενδιαφέρων-ουσα-ον (μ) [endhiaferon] interesting, fascinating.

ενδίδω (ρ) [endhidho] give way [to].

ένδικος-η-ο (ε) [endhikos] legal.

ενδοδερμικός-ή-ό (ε) [endhodhermikos] hypodermic.

ενδοιασμός (ο) [endhiasmos] scruple, hesitation.

ενδομήτριος-α-ο (ε) [endhomitrios] endometrial, intra-uterine.

ενδομυϊκός-ή-ό (ε) [endhomiikos] intramuscular.

ενδόμυχος-η-ο (ε) [endhomihos] innermost, inward, intimate, inner.

ένδοξος-η-ο (ε) [endhoksos] celebrated, glorious, famous.

ενδοσκόπηση (η) [endhoskopisi] endoscopy [ιατρ].

ενδοστρεφής-ής-ές (ε) [endhostrefis] introvert.

ενδότερος-η-ο (ε) [endhoteros] inner, interior.

ενδοτικός-ή-ό (ε) [endhotikos] compliant, concessive.

ενδοτικότητα (η) [endhotikotita] compliance.

ενδοφλέβιος-α-ο (ε) [endhoflevios] intravenous.

ένδυμα (το) [endhima] dress, garment.

ενδυμασία (η) [endhimasia] dress, costume.

ενδυματολόγος (ο) [endhimatologos] dress designer, costumier.

ενδυνάμωση (η) [endhinamosi] strengthening, invigoration.

ενδυναμωτής (ο) [endhinamotis] intensifier.

ενδύω (ρ) [endhio] clothe, dress.

ενέδρα (η) [enedhra] ambush.

ενεδρεύω (ρ) [enedhrevo] ambush, lurk.

ένεκα (π) [eneka] on account of, because of.

ενενήντα (αριθ) [eneninda] ninety.

ενέργεια (η) [eneryia] energy, action, efficacy, deed, doing, proceeding, effect.

ενεργητικό (το) [eneryitiko] assets, credit [μεταφ].

ενεργητικός-ή-ό (ε) [eneryitikos] energetic, active, effective [φάρμακο], dynamic, running.

ενεργητικότητα (η) [eneryitikotita] energy, push, drive.

ενεργοποιώ (ρ) [energopio] call into action, activate.

ενεργός-ή-ό (ε) [energos] active, effective, alive, dynamic, running, working.

ενεργούμαι (ρ) [energume] move the bowels.

ενεργώ (ρ) [energo] act, take steps, work [φάρμακο κτλ].

ένεση (η) [enesi] injection.

ενεστώτας (ο) [enestotas] present tense [γραμμ], actual, current.

ενετικός-ή-ό (ε) [enetikos] Venetian.

ενέχομαι (ρ) [enehome] be implicated, be involved.

ενεχυριάζω (ρ) [enehiriazo] pawn, pledge.

ενέχυρο (το) [enehiro] pawn, pledge.

ενεχυροδανειστήριο (το) [enehirodhanistirio] pawnshop.

ενεχυροδανειστής (ο) [enehirodhanistis] pawnbroker.

ένζυμο (το) [enzimo] enzyme.

ένζυμος-η-ο (ε) [enzimos] yeasty, leavened.

ενηλικιότητα (η) [enilikiotita] majority, coming of age.

ενηλικιώνομαι (ρ) [enilikionome] come of age, reach majority.

ενηλικίωση (η) [enilikiosi] coming of age.

ενήλικος-η-ο (ε) [enilikos] of age, adult, grown-up.

ενήμερος-η-ο (ε) [enimeros] informed, aware.

ενημερωμένος-η-ο (μ) [enimeromenos]

informed, up to date, posted.

ενημερώνω (ρ) [enimerono] inform, brief, acquaint.

ενημέρωση (n) [enimerosi] information, briefing.

ενθάρρυνση (n) [entharrinsi] encouragement, cheering up.

ενθαρρυντικός-ή-ό (ε) [entharrindikos] encouraging, stimulating, cheering.

ενθαρρύνω (ρ) [entharrino] encourage, cheer up.

ένθετο (το) [endheto] inset.

ένθετος-η-ο (ε) [enthetos] inlaid.

ενθέτω (ρ) [entheto] infix, embed.

ενθουσιάζομαι (ρ) [enthusiazome] be enthusiastic about.

ενθουσιάζω (ρ) [enthusiazo] fill with enthusiasm.

ενθουσιασμένος-n-o (μ) [enthusiasmenos] crazed.

ενθουσιασμός (ο) [enthusiasmos] enthusiasm, zest.

ενθουσιώδης-ης-ες (ε) [enthusiodhis] enthusiastic, rousing,.

ενθρονίζω (ρ) [enthronizo] enthrone.

ενθρόνιση (n) [enthronisi] enthronement.

ενθυμήματα (τα) [enthimimata] memorabilia.

ενθύμιο (το) [enthimio] souvenir, memento.

ενθύμιση (n) [enthimisi] reminder.

ενθυμούμαι (ρ) [enthimume] recall, remember.

ενιαίος-α-ο (ε) [enieos] single, uniform.

ενικός (ο) [enikos] singular [number].

ενίοτε (επ) [eniote] occasionally.

ενίσταμαι (ρ) [enistame] object.

ενίσχυση (n) [enishisi] reinforcement, strengthening, aid, assistance.

ενισχυτής (ο) [enishitis] supporter, amplifier [μηχ].

ενισχυτικό (το) [enishitiko] corroborant.

ενισχυτικός-ή-ό (ε) [enishitikos] rein-

forcing, strenghthening, confirmatory.

ενισχύω (ρ) [enishio] support, reinforce, assist, strenghthen.

εννέα (αριθ) [ennea] nine.

εννιακόσια (αριθ) [enniakosia] nine hundred.

εννοείται (ρ) [ennoite] it is understood, certainly [μεταφ].

έννοια (n) [ennia] sense, concept, meaning, interpretation.

εννοιολογικός-ή-ό (ε) [ennioloyikos] conceptual.

εννοιολογικός-ή-ό (ε) [ennioloyikos] semantic.

έννομος-n-o (ε) [ennomos] lawful, legal.

εννοώ (ρ) [ennoo] understand, intend.

ενοίκηση (n) [enikisi] lodgment.

ενοικιάζεται (ρ) [enikiazete] to let, for rent, for hire.

ενοικιάζω (ρ) [enikiazo] rent, let, hire.

ενοικίαση (n) [enikiasi] letting out, renting out, lease.

ενοικιαστής (ο) [enikiastis] tenant, lessee.

ενοίκιο (το) [enikio] rent.

ένοικος-ος (ε) [enikos] tenant, lodger.

ενοικώ (ρ) [eniko] dwell, inhabit.

ένοπλος-n-o (ε) [enoplos] armed.

ενοποίηση (n) [enopiisi] unification, integration.

ενόραση (n) [enorasi] vision, intuition.

ενόργανος-n-o (ε) [enorganos] organic, instrumental.

ενοργανώνω (ρ) [enorganono] orchestrate.

ενοργάνωση (n) [enorganosi] orchestration.

ενορία (n) [enoria] parish.

ενοριακός-ή-ό (ε) [enoriakos] parish.

ενορίτης (ο) [enoritis] parishioner.

ένορκοι (οι) [enorki] jury.

ένορκος-n-o (ε) [enorkos] sworn, under oath.

ένορκος (ο) [enorkos] juror.

ενόρκως (επ) [enorkos] under oath.

ενορχηστρωμένος-n-o (μ) [enorhistromenos] concerted.

ενορχηστρώνω (ρ) [enorhistrono] orchestrate.

ενόσω (σ) [enoso] as long as.

ενότητα (n) [enotita] unity, concord.

ενοφθαλμίζω (ρ) [enofthalmizo] engraft.

ενοχή (n) [enohi] guilt, culpability, guiltiness.

ενοχικός-ή-ό (ε) [enohikos] incriminating, guilty.

ενόχλημα (το) [enohlima] trouble, complaint.

ενόχληση (n) [enohlisi] trouble, annoyance, inconvenience.

ενοχλητικός-ή-ό (ε) [enohlitikos] troublesome, inconvenient, annoying.

ενοχλώ (ρ) [enohlo] trouble, annoy.

ενοχοποίηση (n) [enohopiisi] incrimination.

ενοχοποιητικός-ή-ό (ε) [enohopiitikos] incriminating, compromising.

ενοχοποιώ (ρ) [enohopio] incriminate, implicate.

ένοχος-n-o (ε) [enohos] guilty.

ένσαρκος (ο) [ensarkos] bodied.

ενσαρκώνω (ρ) [ensarkono] incarnate, personify.

ενσάρκωση (n) [ensarkosi] incarnation, embodiment.

ένσημο (το) [ensimo] stamp.

ενοκήπτω (ρ) [enskipto] happen suddenly, break out.

ενσπείρω (ρ) [enspiro] spread, raise.

ενσταλάζω (ρ) [enstalazo] instill, infuse.

ενστάλαξη (n) [enstalaksi] instillation.

ενσταντανέ (το) [enstandane] snapshot.

ένσταση (n) [enstasi] objection.

ενστερνίζομαι (ρ) [ensternizome] embrace, espouse, adopt.

ένστικτο (το) [enstikto] instinct.

ενστικτώδης-ης-ες (ε) [enstiktodhis] instinctive.

ενσυνείδητος-n-o (ε) [ensinidhitos] conscious.

ενσώματος-n-o (ε) [ensomatos] corporeal.

ενσωματώνω (ρ) [ensomatono] embody, incorporate.

ένταλμα (το) [endalma] warrant, writ, order.

εντάξει (επ) [endaksi] all right!, OK.

ένταξη (n) [endaksi] accession, incorporation.

ένταση (n) [endasi] strain, tension, intensity, stress.

εντατικός-ή-ό (ε) [endatikos] intensive.

ενταύθα (επ) [endaftha] here, in town, local.

ενταφιάζω (ρ) [endafiazo] bury, entomb.

ενταφιασμός (ο) [endafiasmos] interment, burial.

εντείνω (ρ) [endino] stretch, intensify.

εντειχίζω (ρ) [entihizo] wall around.

έντεκα (αριθ) [endeka] eleven.

εντέλεια (n) [endelia] perfection.

εντέλλομαι (ρ) [endellome] bid.

εντελώς (επ) [endelos] completely.

έντερα (n) [endera] inwards, intestines, bowels.

εντερικός-ή-ό (ε) [enderikos] intestinal.

εντερίτιδα (n) [enteritidha] enteritis.

έντερο (το) [endero] intestine, bowel.

εντερολογία (n) [enteroloyia] enterology.

εντεταλμένος-n-o (μ) [endetalmenos] responsible for, in charge of.

εντεύθεν (επ) [endefthen] hence.

εντευκτήριο (το) [endefktirio] lounge, meeting-place.

έντεχνος-n-o (ε) [endehnos] skilful, artistic, ingenious.

έντιμος-n-o (ε) [endimos] honest, respectable [οικογένεια κτλ], creditable.

εντιμότητα (n) [endimotita] honesty, truthfulness.

εντοιχίζω (ρ) [endihizo] wall in.

έντοκος-n-o (ε) [endokos] with interest.

εντολέας (ο) [endoleas] principal.

εντολές (οι) [endoles] orders, directions.

εντολή (n) [endoli] order, authorization, commission, commandment.

εντολοδότης (ο) [endolodhotis] principal, client.

εντολοδόχος-ος (ε) [endolodhohos] agent, assignee.

εντομή (n) [endomi] incision, groove, slot.

έντομο (το) [endomo] insect.

εντομοκτόνο (το) [endomoktono] insecticide.

εντομολογία (n) [endomoloyia] entomology.

εντομολόγος (ο) [endomologos] entomologist.

έντονος-n-ο (ε) [endonos] strenuous, intense, strong [φως], bright, deep.

εντοπίζομαι (ρ) [endopizome] focalize.

εντοπίζω (ρ) [endopizo] localize, restrict.

εντόπιος-a-ο (ε) [endopios] local, native.

εντόπιση (n) [entopisi] focus, pin-pointing.

εντοπισμός (ο) [endopismos] fixation.

εντός (επ) [endos] within, inside, in, into, soon [εντός ολίγου].

εντόσθια (τα) [endosthia] entrails, intestines, inwards, offal.

εντριβή (n) [endrivi] massage, friction.

εντριβής (ε) [endrivis] conversant.

έντρομος-n-ο (ε) [endromos] scared, frightened, horrified.

εντρύφηση (n) [endrifisi] delight, indulgence.

εντρυφώ (ρ) [endrifo] indulge.

έντυπο (το) [endipo] printed matter.

έντυπος-n-ο (ε) [endipos] printed.

εντυπώνω (ρ) [endipono] imprint, impress, stamp.

εντύπωση (n) [endiposi] impression, sensation, feeling.

εντυπωσιάζω (ρ) [endiposiazo] impress.

εντυπωσιακά (επ) [endiposiaka] impressively.

εντυπωσιακός-ή-ό (ε) [endiposiakos] impressive, striking.

ενυδρείο (το) [enidhrio] aquarium.

ένυδρος-n-ο (ε) [enidhros] aquatic.

ενυπόγραφος-n-ο (ε) [enipografos] signed.

ενυπόδυτος (ο) [enipodhitos] booted.

ενυπόθηκος-n-ο (ε) [enipothikos] mortgaged.

ενυπόστατος-n-ο (ε) [enipostatos] existential.

ενώ (σ) [eno] while, whereas, since.

ενωμένος-n-ο (μ) [enomenos] united, corporate.

ενωμοτάρχης (ο) [enomotarhis] [police-] sergeant.

ενώνω (ρ) [enono] unite, join, connect.

ενώπιον (επ) [enopion] in front of.

ενωρίς (επ) [enoris] early.

ένωση (n) [enosi] union, short circuit [πλεκτ], coupling.

ενωτικό (το) [enotiko] hyphen.

ενωτικός-ή-ό (ε) [enotikos] joining.

εξίσου ουσιώδης (ε) [eksisu usiodhis] coessential.

εξαγγελία (n) [eksangelia] announcement.

εξαγγέλλω (ρ) [eksangello] announce.

εξαγιάζω (ρ) [eksayiazo] sanctify.

εξαγιασμός (ο) [eksayiasmos] sanctification.

εξαγνίζω (ρ) [eksagnizo] purify, chasten, circumcise [μεταφ].

εξαγνισμός (ο) [eksagnismos] purification.

εξαγνιστικός-ή-ό (ε) [eksagnistikos] chastening, cleansing.

εξαγόμενο (το) [eksagomeno] product, result.

εξαγορά (n) [eksagora] bribery, buying off, buying out, surrender.

εξαγοραζόμενος (ο) [eksagorazomenos] buyable.

εξαγοράζω (ρ) [eksagorazo] buy off,

ransom, obtain by bribe.

εξαγριώνω (ρ) [eksagriono] infuriate, enrage.

εξαγρίωση (n) [eksagriosi] fury.

εξάγω (ρ) [eksago] take out, extract, export, deduce [φιλοο], extricate.

εξαγωγέας (ο) [eksagoyeas] exporter, extractor.

εξαγωγή (n) [eksagoyi] export, extraction [δοντιού].

εξάγωνο (το) [eksagono] hexagon.

εξαδέλφη (n) [eksadhelfi] cousin.

εξάδελφος (ο) [eksadhelfos] cousin.

εξαερίζω (ρ) [eksaerizo] ventilate, air.

εξαερισμός (ο) [eksaerismos] airing, ventilation.

εξαεριστήρας (ο) [eksaeristiras] ventilator.

εξαεριστικός-ή-ό (ε) [eksaeristikos] ventilating.

εξαερώνω (ρ) [eksaerono] take the air out, vaporize.

εξαέρωση (n) [eksaerosi] vaporization.

εξαετία (n) [eksaetia] six-year period.

εξαθλιωμένος-n-o (μ) [eksathliomenos] shabby, wretched.

εξαθλιώνω (ρ) [eksathliono] reduce to poverty, degrade.

εξαιρέσει (πρ) [ekseresi] apart from, excluding.

εξαίρεση (n) [ekseresi] exception, exemption [from], immunity [from].

εξαιρέσιμος-n-o (ε) [ekseresimos] exemptible, exceptionable.

εξαίρετα (επ) [eksereta] admirably, excellently.

εξαιρετέος-a-o (ε) [eksereteos] exemptible, exceptionable.

εξαιρετικός-ή-ό (ε) [ekseretikos] exceptional, unusual, excellent.

εξαιρετικότητα (n) [ekseretikotita] excellence, uniqueness.

εξαίρετος-n-o (ε) [ekseretos] excellent, remarkable.

εξαιρώ (ρ) [eksero] except, exempt.

εξαίρω (ρ) [eksero] praise, stress.

εξαίσιος-a-o (ε) [eksesios] excellent.

εξαιτίας (επ) [eksetias] because of, on account of.

εξακολούθηση (n) [eksakoluthisi] continuation, prolongation, persistence.

εξακολουθητικός-ή-ό (ε) [eksakoluthitikos] continuous, persistent.

εξακολουθώ (ρ) [eksakolutho] continue, carry on.

εξακοντίζω (ρ) [eksakondizo] fling, throw, launch, send up, shoot.

εξακόσια (αριθ) [eksakosia] six hundred.

εξακριβώνω (ρ) [eksakrivono] verify, ascertain, establish.

εξακρίβωση (n) [eksakrivosi] ascertainment.

εξακριβώσιμος-n-o (ε) [eksakrivosimos] ascertainable.

εξακύλινδρος-n-o (ε) [eksakilindhros] six-cylinder.

εξαλείφω (ρ) [eksalifo] rub out, remove, obliterate.

εξάλειψη (n) [eksalipsi] obliteration, wiping out.

εξάλλος-n-o (ε) [eksallos] frenzied, infuriated, berserk, wild, mad.

εξάλλου (επ) [eksallu] besides, in addition, moreover, on the other hand.

εξάμβλωμα (το) [eksamvloma] monstrosity, freak, abortion.

εξαμβλώνω (ρ) [eksamvlono] miscarry, have an abortion.

εξάμβλωση (n) [eksamvlosi] miscarriage, abortion.

εξάμηνο (το) [eksamino] semester, half a year.

εξαναγκάζω (ρ) [eksanangazo] force.

εξαναγκασμός (ο) [eksanangasmos] constraint, compulsion, coersion.

εξαναγκαστικός-ή-ό (ε) [eksanangastikos] compulsory.

εξανδραποδίζω (ρ) [eksandhrapodhizo] enslave.

εξανεμίζομαι (ρ) [eksanemizome] be wasted, go up in smoke.

εξανεμίζω (ρ) [eksanemizo] squander.

εξάνθημα (το) [eksanthima] rash, pimple.

εξανθηματικός-ή-ό (ε) [eksanthimatikos] eruptive.

εξανθρωπίζω (ρ) [eksanthropizo] civilize.

εξανίσταμαι (ρ) [eksanistame] rebel.

εξάντας (ο) [eksandas] sextant.

εξαντλημένος-η-ο (μ) [eksandlimenos] exhausted.

εξάντληση (n) [eksandlisi] exhaustion.

εξαντλητικός-ή-ό (ε) [eksandlitikos] exhausting.

εξαντλώ (ρ) [eksandlo] exhaust, consume.

εξάπαντος (επ) [eksapandos] without fail.

εξαπατητικός-ή-ό (ε) [eksapatitikos] fraudulent, deceptive, deceitful.

εξαπατώ (ρ) [eksapato] cheat, deceive, be unfaithful to.

εξαπίνης (επ) [exapinis] unawares.

εξαπλάσιος-α-ο (ε) [eksaplasios] sixfold.

εξάπλευρος-η-ο (ε) [eksaplevros] six-sided.

εξαπλώνω (ρ) [eksaplono] spread, extend.

εξάπλωση (n) [eksaplosi] spreading out, extension.

εξαποδώ (ο) [eksapodho] the Devil.

εξαπόλυση (n) [eksapolisi] launching.

εξαπολύω (ρ) [eksapolio] let loose, hurl, launch.

εξαποστέλλω (ρ) [eksapostello] dispatch, send pack off, get rid of.

εξάπτω (ρ) [eksapto] stir, excite, provoke.

εξαργυρώνω (ρ) [eksaryirono] cash.

εξαργύρωση (n) [eksaryirosi] change, cashing.

εξαργυρώσιμος-η-ο (ε) [eksargirosimos] cashable.

εξαρθρώνω (ρ) [eksarthrono] twist, sprain, dislocate, disrupt [μεταφ].

εξάρθρωση (n) [eksarthrosi] disloca-

tion, twist, sprain.

έξαρση (n) [eksarsi] elevation [μεταφ], excitement.

εξάρτημα (το) [eksartima] part, fixture, fitting.

εξαρτήματα (τα) [eksartimata] gear, tackle, rigging, accessories.

εξάρτηση (n) [eksartisi] dependence.

εξαρτούμαι (ρ) [eksartume] depend on, be based on.

εξάρτυση (n) [eksartisi] kit, equipping, gear.

εξαρχής (επ) [eksarhis] from the beginning, from the outset.

εξασθενίζω (ρ) [eksasthenizo] azurine.

εξασθένιση (n) [eksasthenisi] weakening.

εξασθενητικός-ή-ό (ε) [eksasthenitikos] weakening.

εξασθενώ (ρ) [eksastheno] weaken.

εξάσκηση (n) [eksaskisi] exercise, practice, training.

εξασκούμαι (ρ) [eksaskume] practise, exercise.

εξασκώ (ρ) [eksasko] exercise, practise, exert.

εξασφαλίζω (ρ) [eksasfalizo] assure, book [θέση], secure, obtain.

εξασφάλιση (n) [eksasfalisi] securing, safeguarding, ensuring, guarantee, providing.

εξατμίζω (ρ) [eksatmizo] evaporate, vanish [μεταφ].

εξάτμιση (n) [eksatmisi] evaporation, exhaust [αυτοκινήτου].

εξατομικεύω (ρ) [eksatomikevo] individualize.

εξαϋλώνω (ρ) [eksailono] dematerialize.

εξαφανίζομαι (ρ) [eksafanizome] disappear, vanish.

εξαφανίζω (ρ) [eksafanizo] wipe out, destroy.

εξαφάνιση (n) [eksafanisi] disappearance.

εξαχρειωμένος-η-ο (ε) [eksahriomenos] depraved.

εξαχρειώνω (ρ) [eksahriono] corrupt,

deprave.

εξαχρείωσn (n) [eksahriosi] corruption, depravity.

έξαψn (n) [eksapsi] fit of anger, excitement.

εξεγείρομαι (ρ) [ekseyirome] rise, rebel, revolt.

εξεγείρω (ρ) [ekseyiro] rouse, incite, excite.

εξέγερσn (n) [ekseyersi] rising, uprising, revolt.

εξέδρα (n) [eksedhra] platform, stand, pier [λιμανιού], dais.

εξεζnτnμένος-n-ο (μ) [eksezitimenos] affected, pretended, artificial, sophisticated.

εξελιγμένος-n-ο (μ) [ekseligmenos] developed, evolved.

εξελικτικός-ή-ό (ε) [ekseliktikos] evolutionary.

εξέλιξn (n) [ekseliksi] evolution, development, progress.

εξελίσσομαι (ρ) [ekselissome] unfold, develop.

εξελίσσω (ρ) [ekselisso] develop [μεταφ], uncoil, progress.

εξέλκωσn (n) [ekselkosi] bedsore.

εξεμώ (ρ) [eksemo] disgorge.

εξεπίτnδες (επ) [eksepitidhes] intentionally.

εξερεθίζω (ρ) [ekserethizo] irritate.

εξερεύνnσn (n) [ekserevnisi] exploration.

εξερευνnτής (ο) [ekserevnitis] explorer.

εξερευνώ (ρ) [ekserevno] explore, investigate.

εξέρχομαι (ρ) [ekserhome] go out, leave.

εξετάζω (ρ) [eksetazo] examine, interrogate, investigate.

εξέτασn (n) [eksetasi] examination, inspection, interrogation.

εξέταστρα (τα) [eksetastra] examination fees.

εξευγενίζω (ρ) [eksevgenizo] uplift, chasten, civilize, refine.

εξευγενιστικός-ή-ό (ε) [eksevyenistikos] civilizing, refining.

εξευμένισn (n) [eksevmenisi] appeasement.

εξεύρεσn (n) [eksevresi] discovery.

εξευρωπαΐζω (ρ) [eksevropaizo] westernize.

εξευτελίζω (ρ) [ekseftelizo] cheapen, humiliate, degrade.

εξευτελισμός (ο) [ekseftelismos] humiliation, dishonour, degradation.

εξευτελιστικός-ή-ό (ε) [ekseftelistikos] humiliating, knockdown [τιμή], minimal [μισθός].

εξέχω (ρ) [ekseho] stand out, project.

εξέχων-ουσα-ον (ε) [eksehon] prominent, eminent.

έξn (n) [eksi] habit, custom, use.

εξήγnσn (n) [eksigisi] explanation, interpretation.

εξnγήσιμος-n-ο (ε) [eksiyisimos] explainer, interpreter.

εξnγnτικός-ή-ό (ε) [eksiyitikos] explanatory, interpreting.

εξnγούμαι (ρ) [eksigume] explain.

εξnγώ (ρ) [eksigo] explain, interpret.

εξήκοντα (αριθ) [eksikonda] sixty.

εξnλεκτρίζω (ρ) [eksilektrizo] electrify.

εξnλεκτρισμός (ο) [eksilektrismos] electrification.

εξnμέρωμα (το) [eksimeroma] taming, domestication.

εξnμερώνω (ρ) [eksimerono] tame, domesticate.

εξήντα (αριθ) [eksinda] sixty.

εξής (τα) [eksis] the following.

εξής (ως) (επ) [eksis] as follows.

έξι (αριθ) [eksi] six.

εξιδανίκευσn (n) [eksidhanikefsi] idealization.

εξιδανικεύω (ρ) [eksidhanikevo] idealize.

εξιδρώνω (ρ) [eksidhrono] transpire.

εξίδρωσn (n) [eksidhrosi] perspiration, sweating.

εξιλεώνω (ρ) [eksileono] appease, pacify, calm.

εξιλέωση (n) [eksileosi] appeasement.

εξιλεωτικός-ή-ό (ε) [eksileotikos] expiatory.

εξισλαμισμός (ο) [eksislamismos] Islamization.

εξισορρόπηση (n) [eksisoropisi] balance.

εξισορροπητής (ο) [eksisoropitis] equalizer.

εξισορροπώ (ρ) [eksisoropo] counterbalance, equalize.

εξίσου (επ) [eksisu] equally.

εξίσταμαι (ρ) [eksistame] be astonished, be surprised.

εξιστόρηση (n) [eksistorisi] narration.

εξιστορώ (ρ) [eksistoro] narrate, recount.

εξισώνω (ρ) [eksisono] equate, level, bracket.

εξίσωση (n) [eksisosi] balancing, equalizing.

εξιχνιάζω (ρ) [eksihniazo] get to the bottom of.

εξιχνίαση (n) [eksihniasi] solution.

εξοβελίζω (ρ) [eksovelizo] eliminate, remove.

εξοβελισμός (ο) [eksovelismos] elimination.

εξογκούμαι (ρ) [eksogume] bulge.

εξόγκωμα (το) [eksogoma] tumor, swelling.

εξογκωμένος-n-o (μ) [eksogomenos] bellied.

εξογκώνω (ρ) [eksogono] swell, exaggerate [μεταφ].

εξόγκωση (n) [eksogosi] inflation, swelling.

έξοδο (το) [eksodho] expense, cost.

έξοδος (n) [eksodhos] opening, emergence, exit [πόρτα].

εξοικειώνω (ρ) [eksikiono] familiarize.

εξοικείωση (n) [eksikiosi] familiarity, familiarization.

εξοικονόμηση (n) [eksikonomisi] saving, accommodation, assistance [βοήθεια].

εξοικονομώ (ρ) [eksikonomo] save up, economize, help.

εξοκείλλω (ρ) [eksokillo] run ashore, get lost [μεταφ].

εξολόθρευση (n) [eksolothrefsi] extermination, elimination.

εξολοθρευτής (ο) [eksolothreftis] exterminator.

εξολοθρεύω (ρ) [eksolothrevo] exterminate, destroy.

εξομάλυνση (n) [eksomalinsi] smoothing out, regularization.

εξομαλύνω (ρ) [eksomalino] level, smooth down.

εξομοιώνω (ρ) [eksomiono] assimilate to, liken to.

εξομοίωση (n) [eksomiosi] equation, simulation.

εξομολόγηση (n) [eksomologisi] confession, acknowledgement.

εξομολογητής (ο) [eksomologitis] confessor [εκκλ].

εξομολογούμαι (ρ) [eksomologume] admit.

εξομολογώ (ρ) [eksomologo] confess.

εξόν (επ) [ekson] except [for], besides.

εξοντώνω (ρ) [eksondono] annihilate, exterminate, eliminate.

εξόντωση (n) [eksondosi] extermination, elimination, annihilation.

εξοντωτικός-ή-ό (ε) [eksondotikos] destructive, murderous.

εξονυχίζω (ρ) [eksonihizo] probe, scrutinize.

εξονύχιση (n) [eksonihisi] probe, scrutiny.

εξονυχιστικός-ή-ό (ε) [eksonihistikos] close, thorough.

εξοπλίζω (ρ) [eksoplizo] arm, equip.

εξοπλισμός (ο) [eksoplismos] arms, armament, equipment, gear.

εξοργίζω (ρ) [eksorgizo] enrage.

εξοργιστικός-ή-ό (ε) [eksorgistikos] infuriating.

εξορία (n) [eksoria] banishment, exile.

εξορίζω (ρ) [eksorizo] exile, banish.

εξορκισμός (ο) [eksorkismos] exorcism, exhortation, conjuration.

εξορκιστής (ο) [eksorkistis] exorcist.

εξόρμηση (η) [eksormisi] campaign, rush.

εξορμώ (ρ) [eksormo] launch a campaign, dash, rush.

εξόρυξη (η) [eksoriksi] mining.

εξορύσσω (ρ) [eksorisso] mine.

εξοστέωση (η) [eksosteosi] boning.

εξοστρακίζω (ρ) [eksostrakizo] ostracize.

εξοστρακισμός (ο) [eksostrakismos] ostracism.

εξουδετερώνω (ρ) [eksudheterono] neutralize, dispose, counteract.

εξουδετέρωση (η) [eksudheterosi] neutralization, elimination, overpowering.

εξουθενώνω (ρ) [eksuthenono] overwhelm, overpower.

εξουθενωτικός-ή-ό (ε) [eksuthenotikos] overwhelming, devastating.

εξουσία (η) [eksusia] power, authority, government.

εξουσιάζω (ρ) [eksusiazo] rule, dominate, govern.

εξουσιαστής (ο) [eksusiastis] ruler, master.

εξουσιοδοτημένος-η-ο (μ) [eksusiodhotimenos] commissioned, authorized.

εξουσιοδότηση (η) [eksusiodhotisi] authorization, power of attorney, permission.

εξουσιοδοτώ (ρ) [eksusiodhoto] authorize.

εξόφθαλμος-η-ο (ε) [eksofthalmos] obvious, self-evident, clear.

εξόφληση (η) [eksoflisi] payment, settlement, liquidation.

εξοφλητέος-α-ο (ε) [eksofliteos] due, payable.

εξοφλητήριο (το) [eksoflitirio] deed of settlement, receipt.

εξοφλώ (ρ) [eksoflo] pay off [λογαριασμό], liquidate, clear.

εξοχή (η) [eksohi] countryside, eminence [εδαφική].

εξοχικός-ή-ό (ε) [eksohikos] country, rural.

έξοχος-η-ο (ε) [eksohos] excellent, eminent, notable.

εξοχότατος-η-ο (ε) [eksohotatos] Excellency.

εξοχότητα (η) [eksohotita] excellence.

εξπρές (το) [ekspres] express.

εξπρεσιονιστής (ο) [ekspresionistis] expressionist.

εξπρεσιονιστικός-ή-ό (ε) [ekspresionistikos] expressionistic.

έξτρα (ο, η) [ekstra] extra, additional.

εξτρεμισμός (ο) [ekstremismos] extremism.

εξτρεμιστής (ο) [ekstremistis] extremist.

εξυβρίζω (ρ) [eksivrizo] insult.

εξύβριση (η) [eksivrisi] insult.

εξυβριστικός-ή-ό (ε) [eksivristikos] abusive, insulting.

εξυγιαίνω (ρ) [eksigieno] make healthy, cure, cleanse.

εξυγίανση (η) [eksiyiansi] clean-up.

εξυμνώ (ρ) [eksimno] praise, celebrate.

εξυπακούεται (ρ) [eksipakuete] it is understood, it follows.

εξυπηρέτηση (η) [eksipiretisi] assistance, service, attendance.

εξυπηρετικός-ή-ό (ε) [eksipiretikos] helpful, useful.

εξυπηρετώ (ρ) [eksipireto] serve, assist, help.

έξυπνα (επ) [eksipna] artfully, cleverly.

εξυπνάδα (η) [eksipnadha] cleverness, artfulness, astuteness.

έξυπνος-η-ο (ε) [eksipnos] clever, intelligent.

εξυφαίνω (ρ) [eksifeno] hatch, engineer [μεταφ].

εξύφανση (η) [eksifansi] engineering, hatching.

εξυψώνω (ρ) [eksipsono] elevate, raise, glorify.

εξύψωση (η) [eksipsosi] uplift.

έξω (επ) [ekso] out, outside, by heart, without, abroad.

εξώγαμος-η-ο (ε) [eksogamos] illegitimate, bastard, hybrid.

εξωγενής-ής-ές (ε) [eksoyenis] exogenous, external.

εξώδικος-η-ο (ε) [eksodhikos] extrajudicial, unofficial, informal.

εξωδίκως (επ) [eksodhikos] out of court, unofficially, informally.

εξώθηση (n) [eksothisi] instigation, prompting.

εξώθυρα (n) [eksothira] outside-door, gate-way, street-door, front-door.

εξωθώ (ρ) [eksotho] drive, push.

εξωκείλω (ρ) [eksokilo] run aground.

εξωκλήσι (το) [eksoklisi] chapel.

εξωκοινοβουλευτικός-ή-ό (ε) [eksokinovouleftikos] extraparliamentary.

εξωλέμβιος-α-ο (ε) [eksolemvios] outboard.

έξωμος-η-ο (ε) [eksomos] off-the-shoulder, low-cut.

εξωμότης (ο) [eksomotis] renegade, apostate, abjurer.

εξώνω (ρ) [eksono] evict.

εξώπορτα (n) [eksoporta] outside door, gateway.

εξωραΐζω (ρ) [eksoraizo] embellish.

εξωραϊσμός (ο) [eksoraismos] beautification.

έξωση (n) [eksosi] eviction, expulsion.

εξώστης (ο) [eksostis] balcony.

εξωστρέφεια (n) [eksostrefia] extroversion.

εξωστρεφής-ής-ές (ε) [eksostrefis] extrovert.

εξωσυζυγικός-ή-ό (ε) [eksosiziyikos] extramarital.

εξωτερίκευση (n) [eksoterikefsi] manifestation, expression.

εξωτερικό (το) [eksoteriko] exterior, abroad.

εξωτερικός-ή-ό (ε) [eksoterikos] external, foreign.

εξωτικό (το) [eksotiko] ghost.

εξωτικός-ή-ό (ε) [eksotikos] exotic, outlandish.

εξωφρενικός-ή-ό (ε) [eksofrenikos] crazy, absurd.

εξώφυλλο (το) [eksofillo] cover, flyleaf, shutter [παραθύρου].

εορτάζω (ρ) [eortazo] celebrate.

εορτάσιμος-η-ο (ε) [eortasimos] festive.

εορταστικός-ή-ό (ε) [eortastikos] convivial, ferial, festive.

εορτή (n) [eorti] holiday, name day, festival.

επαγγελία (n) [epangelia] promise.

επάγγελμα (το) [epangelma] profession, vocation, trade, occupation.

επαγγελματίας (ο) [epangelmatias] businessman, professional.

επαγγελματικός-ή-ό (ε) [epangelmatikos] professional, occupational.

επαγγελματισμός (ο) [epangelmatismos] professionalism.

επαγρύπνηση (n) [epagripnisi] vigilance, alertness.

επαγρυπνώ (ρ) [epagripno] be vigilant, watch over, be on the alert.

επάγω (ρ) [epago] bring against, administer [voμ].

επαγωγή (n) [epagogi] induction,.

επαγωγικός-ή-ό (ε) [epagogikos] inductive.

έπαθλο (το) [epathlo] prize, trophy.

επαινετικός-ή-ό (ε) [epenetikos] appreciative, complimentary.

επαινετός-ή-ό (ε) [epenetos] commendable.

επαινώ (ρ) [epeno] praise, commend.

επαίσχυντος-η-ο (ε) [epeshindos] disgraceful, shameful.

επαιτεία (n) [epetia] begging.

επαίτης (ο) [epetis] beggar.

επαιτώ (ρ) [epeto] beg.

επακόλουθο (το) [epakolutho] consequence.

επακόλουθος-η-ο (ε) [epakoluthos] consequent.

επακολουθώ (ρ) [epakolutho] follow.

επακριβώς (επ) [epakrivos] precisely.

έπακρο (το) [epakro] extremely.

επάκτιος-α-ο (ε) [epaktios] coastal.

επάλειμα (το) [epalima] coating.

επαλείφω (ρ) [epalifo] smear with.

επάλειψη (n) [epalipsi] coating, plastering, dressing.

επαληθεύομαι (ρ) [epalithevome] come true.

επαλήθευση (n) [epalithefsi] verification, confirmation.

επαληθευτικός-ή-ό (ε) [epaliheftikos] confirmative.

επαληθεύω (ρ) [epalithevo] establish, verify.

επάλληλος-η-ο (ε) [epallilos] successive.

επάλξεις (οι) [epalksis] castellation.

επαμφοτερίζω (ρ) [epamfoterizo] waver.

επαμφοτερισμός (ο) [epamfoterismos] wavering, hedging.

επαναβεβαιώνω (ρ) [epanaveveono] reaffirm.

επαναβλέπω (ρ) [epanavlepo] see again.

επανάγω (ρ) [epanago] bring back.

επαναδίπλωση (n) [epanadiplosi] refolding, withdrawal.

επανάκαμψη (n) [epanakampsi] return.

επανάκτηση (n) [epanaktisi] recovery, recapture.

επαναλαμβάνω (ρ) [epanalamvano] repeat, resume.

επαναλαμβανόμενος-n-ο (ε) [epanalamvanomenos] repeated, recurring, recurrent.

επανάληψη (n) [epanalipsi] repetition.

επαναπατρίζω (ρ) [epanapatrizo] repatriate.

επαναπατρισμός (ο) [epanapatrismos] repatriation.

επαναπαύομαι (ρ) [epanapavome] be content with.

επανάσταση (n) [epanastasi] revolution, rebellion.

επαναστάτης (ο) [epanastatis] revolutionary, rebel.

επαναστατικοποιώ (ρ) [epanastatikopio] revolutionize.

επαναστατώ (ρ) [epanastato] revolt, rebel.

επανασύνδεση (n) [epanasindhesi] re-connection, rejoining.

επανασυνδέω (ρ) [epanasindheo] resume, reconnect.

επαναφέρω (ρ) [epanafero] restore, bring back, return.

επαναφορά (n) [epanafora] restoration, recall, return.

επανδρωμένος-n-ο (μ) [epandhromenos] manned.

επανδρώνω (ρ) [epandhrono] man, staff.

επάνδρωση (n) [epandhrosi] manning, staffing.

επανειλημμένος-n-ο (μ) [epanilimmenos] repeated.

επανεκδίδω (ρ) [epanekdhidho] reissue, republish.

επανεκλέγω (ρ) [epaneklego] re-elect.

επανεκλογή (n) [epaneklogi] re-election.

επανεκτίμηση (n) [epanektimisi] reappraisal, reassessment.

επανεκτιμώ (ρ) [epanektimo] re-assess, reappraise.

επανεμφανίζομαι (ρ) [epanemfanizome] reappear.

επανεξάγω (ρ) [epaneksago] re-export.

επανεξετάζω (ρ) [epaneksetazo] re-examine, reconsider.

επανεξέταση (n) [epaneksetasi] re-examination, reconsideration.

επανεξοπλίζω (ρ) [epaneksoplizo] rearm.

επανεξοπλισμός (ο) [epaneksoplismos] rearmament, rearming.

επανέρχομαι (ρ) [epanerhome] return, come again.

επανίδρυση (n) [epanidhrisi] re-establishment.

επανιδρύω (ρ) [epanidhrio] re-establish.

επάνοδος (n) [epanodhos] return.

επανορθώνω (ρ) [epanorthono] redress, retrieve, right, make good [αποζημιώνω].

επανόρθωση (n) [epanorthosi] reparation, restoration.

επανορθωτικός-ή-ό (ε) [epanorthotikos] remedial, correctional.

επάνω (επ) [epano] up, upstairs, above, over, at, against, on, upon, top.

επανωφόρι (το) [epanofori] overcoat.

επάξιος-α-ο (ε) [epaksios] deserving, worthy.

επάρατος-η-ο (ε) [eparatos] hateful [μεταφ], abominable, cursed, damned, odious, hideous.

επάργυρος-η-ο (ε) [epargiros] silverplated.

επάρκεια (η) [eparkia] sufficiency, adequacy.

επαρκής-ής-ές (ε) [eparkis] sufficient, adequate, enough.

επαρκώ (ρ) [eparko] be enough.

επαρκώς (επ) [eparkos] adequately.

επαρμένος-η-ο (μ) [eparmenos] conceited.

έπαρση (η) [eparsi] conceit, ego.

επαρχία (η) [eparhia] province.

επαρχιακός-ή-ό (ε) [eparhiakos] provincial.

επαρχιώτικος-η-ο (ε) [eparhiotikos] provincial.

έπαυλη (η) [epavli] villa, country house.

επαυξάνω (ρ) [epafksano] increase.

επαύξηση (η) [epafksisi] increase.

επαυξητικός-ή-ό (ε) [epafksitikos] incremental.

επαφή (η) [epafi] contact, touch.

επαχθής-ής-ές (ε) [epahthis] oppressive.

επείγει (ρ) [epigi] it is urgent.

επείγομαι (ρ) [epigome] be in a hurry.

επείγων-ουσα-ον (μ) [epigon] urgent, pressing, clamant.

επειδή (σ) [epidhi] because, as, for.

επεισοδιακός-ή-ό (ε) [episodhiakos] eventful.

επεισόδιο (το) [episodhio] episode, incident, quarrel [καβγάς].

έπειτα (επ) [epita] next, then, afterwards, moreover.

επέκταση (η) [epektasi] extension.

επεκτατικός-ή-ό (ε) [epektatikos] expansionist.

επεκτείνομαι (ρ) [epektinome] expand, spread.

επεκτείνω (ρ) [epektino] extent, prolong, expand.

επέλαση (n) [epelasi] charge.

επελαύνω (ρ) [epelavno] charge, fall upon.

επεμβαίνω (ρ) [epemveno] interfere, intervene.

επέμβαση (n) [epemvasi] intervention, interference, operation [ιατρ].

επένδυση (n) [ependhisi] lining, covering, investment [οικον].

επενδυτής (ο) [ependhitis] investor.

επενδύτης (ο) [ependhitis] coat.

επενδύω (ρ) [ependhio] invest [οικον], coat [τεχν], line [τεχν], plate [τεχν].

επενέργεια (n) [epenergia] action, effect, doing.

επενεργώ (ρ) [epenergo] act upon.

επενθετικό (το) [epenthetiko] infix.

επένθημα (το) [epenthima] infix.

επεξεργάζομαι (ρ) [epeksergazome] elaborate, work out, process [τεχν].

επεξεργασία (n) [epeksergasia] processing, elaboration.

επεξηγηματικός-ή-ό (ε) [epeksiyimatikos] explanatory.

επεξήγηση (n) [epeksigisi] explanation.

επεξηγώ (ρ) [epeksigo] explain, clarify, illustrate.

επέπρωτο (ρ) [epeproto] was to.

επέρχομαι (ρ) [eperhome] occur, happen, develop.

επερχόμενος-η-ο (μ) [eperhomenos] oncoming.

επερώτηση (n) [eperotisi] question.

επέτειος (n) [epetios] anniversary.

επετηρίδα (n) [epetiridha] seniority, list [στρατ], annual, records, calendar.

επευφημία (n) [epeffimia] cheering, applause.

επευφημώ (ρ) [epeffimo] cheer, applaud.

επηρεάζω (ρ) [epireazo] influence, affect.

επήρεια (n) [epiria] influence, affect.

επί (π) [epi] on, upon, over, above, for.

επιβάλλεται (ρ) [epivallete] behove.

επιβάλλομαι (ρ) [epivallome] assert oneself, be indispensable.

επιβάλλω (ρ) [epivallo] impose, inflict.

επιβαρυνόμενος-η-ο (μ) [epivarinomenos] chargeable.

επιβάρυνση (n) [epivarinsi] charge.

επιβαρυντικός-ή-ό (ε) [epivarindikos] aggravating, incriminatory.

επιβαρύνω (ρ) [epivarino] burden.

επιβατηγό (το) [epivatigo] passenger ship.

επιβάτης (ο) [epivatis] passenger.

επιβατικό (το) [epivatiko] passenger vehicle.

επιβατικός-ή-ό (ε) [epivatikos] passenger.

επιβεβαιώ (ρ) [epiveveo] attest, certify, confirm.

επιβεβαιώνω (ρ) [epiveveono] confirm, verify.

επιβεβαίωση (n) [epiveveosi] confirmation.

επιβεβαιωτικός-ή-ό (ε) [epiveveotikos] confirmative.

επιβεβλημένος-η-ο (μ) [epivevlimenos] imperative.

επιβήτορας (ο) [epivitoras] stud, stallion.

επιβιβάζομαι (ρ) [epivivazome] go on board, embark.

επιβιβάζω (ρ) [epivivazo] put aboard, embark, take on board.

επιβιώνω (ρ) [epiviono] survive.

επιβίωση (n) [epiviosi] survival.

επιβλαβής-ής-ές (ε) [epivlavis] harmful, detrimental.

επιβλέπω (ρ) [epivlepo] supervise.

επίβλεψη (n) [epivlepsi] supervision, watch.

επιβλητέος-α-ο (ε) [epivliteos] leviable.

επιβλητικός-ή-ό (ε) [epivlitikos] imposing, commanding, forceful.

επιβλητικότητα (n) [epivlitikotita] stateliness, dignity.

επιβοήθηση (n) [epivoithisi] assistance.

επιβοηθητικός-ή-ό (ε) [epivoithitikos] assisting, subsidiary, auxiliary.

επιβοηθώ (ρ) [epivoitho] succor, aid, assist.

επιβολή (n) [epivoli] imposition, application.

επιβουλή (n) [epivuli] scheming, conspiracy, attempt.

επιβράβευση (n) [epivravefsi] reward.

επιβραβεύω (ρ) [epivravevo] reward, recompense.

επιβράδυνση (n) [epivradhinsi] goslow, delay, deceleration.

επιβραδυντικός-ή-ό (ε) [epivradhintikos] retarding, delaying.

επιγαμία (n) [epigamia] intermarriage.

επίγειος-α-ο (ε) [epigios] earthly, worldly.

επίγνωση (n) [epignosi] knowledge.

επιγονατίδα (n) [epigonatidha] knee-cap.

επίγονος (ο) [epigonos] descendant, posterior, later.

επίγραμμα (το) [epigramma] epigram.

επιγραμματικότητα (n) [epigrammatikotita] succinctness.

επιγραφή (n) [epigrafi] inscription, title.

επιγραφικός-ή-ό (ε) [epigrafikos] inscriptive.

επιδαψίλευση (n) [epidhapsilefsi] lavishness.

επιδαψιλεύω (ρ) [epidhapsilevo] lavish, shower, bestow.

επιδεικνύομαι (ρ) [epidhikniome] show off, flaunt.

επιδεικνύω (ρ) [epidhiknio] display, show off, flaunt.

επιδεικτικός-ή-ό (ε) [epidhiktikos] showy, brash.

επιδεικτικότητα (n) [epidhiktikotita] flashiness.

επιδεικτισμός (ο) [epidhiktismos] exhibitionism.

επιδεινώνω (ρ) [epidhinono] aggravate, worsen.

επιδείνωση (n) [epidhinosi] aggravation, deterioration.

επίδειξη (n) [epidhiksi] display, showing off, show, parade.

επιδειξίας (o) [epidhiksias] show-off, exhibitionist [ιατρ].

επιδεκτικός-ή-ό (ε) [epidhektikos] susceptible, capable of.

επιδεκτικότητα (n) [epidektikotita] capability.

επιδένω (ρ) [epidheno] dress, bandage.

επιδέξιος-α-ο (ε) [epidheksios] skilful, artful, canny.

επιδεξιότητα (n) [epidheksiotita] skill, aptitude, craft, dexterity.

επιδερμίδα (n) [epidhermidha] complexion, epidermis.

επίδεσμος (o) [epidhesmos] bandage.

επιδέχομαι (ρ) [epidhehome] allow, be susceptible to, tolerate.

επιδημία (n) [epidhimia] epidemic.

επιδίδομαι (ρ) [epidhidhome] take up, devote oneself to.

επιδίδω (ρ) [epidhidho] hand, give.

επιδικάζω (ρ) [epidhikazo] award.

επιδίκαση (n) [epidhikasi] award.

επίδικος-n-o (ε) [epidhikos] at issue, in question.

επιδιόρθωμα (το) [epidhiorthoma] mend, repair, fixing.

επιδιορθώνω (ρ) [epidhiorthono] repair, fix.

επιδιόρθωση (n) [epidhiorthosi] repair.

επιδιορθωτής (o) [epidhiorthotis] repairer, mender.

επιδιορθωτικός-ή-ό (ε) [epidhiorthotikos] repairing.

επιδιωκόμενος-n-o (μ) [epidhiokomenos] intended.

επιδιώκω (ρ) [epidhioko] aim at, pursue, seek.

επιδίωξη (n) [epidhioksi] aim, pursuit, objective.

επιδοκιμάζω (ρ) [epidhokimazo] approve, canonize.

επιδοκιμαστικός-ή-ό (ε) [epidhokimastikos] approving.

επίδομα (το) [epidhoma] extra pay, allowance, subsidy.

επίδοξος-n-o (ε) [epidhoksos] would-be, aspiring.

επιδόρπιο (το) [epidhorpio] dessert.

επίδοση (n) [epidhosi] presentation, delivery, deposit [νομ], development [μεταφ].

επιδοτήριο (το) [epidhotirio] writ of service.

επιδότηση (n) [epidhotisi] subsidy.

επιδοτώ (ρ) [epidhoto] subsidize.

επίδραση (n) [epidhrasi] effect, influence.

επιδρομέας (o) [epidhromeas] invader, raider.

επιδρομή (n) [epidhromi] raid, invasion, aggression.

επιδρώ (ρ) [epidhro] influence, act upon.

επιείκεια (n) [epiikia] leniency, indulgence, forbearance.

επιεικής-ής-ές (ε) [epiikis] lenient, indulgent, tolerant.

επίζηλος-n-o (ε) [epizilos] enviable, envied.

επιζήμιος-α-ο (ε) [epizimios] harmful, counter-productive, detrimental.

επιζήτηση (n) [epizitisi] pursuit.

επιζητώ (ρ) [epizito] seek, pursue.

επιζώ (ρ) [epizo] survive, outlive.

επιθανάτιος-α-ο (ε) [epithanatios] death,

επίθεμα (το) [epithema] compress, application.

επίθεση (n) [epithesi] attack, application, aggression.

επιθετικός-ή-ό (ε) [epithetikos] aggressive, self-assertive, quarrelsome.

επιθετικότητα (n) [epithetikotita] aggressiveness.

επίθετο (το) [epitheto] adjective [γραμ], surname, attributive [γραμ].

επιθέτω (ρ) [epitheto] apply, affix.

επιθεώρηση (n) [epitheorisi] inspection, review [περιοδικό].

επιθεωρητής (ο) [epitheoritis] inspector, surveyor.

επιθεωρώ (ρ) [epitheoro] inspect, review, survey.

επιθυμητό (το) [epithimito] desirability.

επιθυμητός-ή-ό (ε) [epithimitos] desirable, wanted.

επιθυμία (n) [epithimia] desire, wish, aspiration.

επιθυμών (μ) [epithimon] desirous.

επίκαιρος-n-ο (ε) [epikeros] opportune, timely.

επικαιρότητα (n) [epikerotita] actuality, suitableness, timeliness.

επικαλούμαι (ρ) [epikalume] invoke, cite.

επικάλυμμα (το) [epikalimma] covering.

επικαλύπτω (ρ) [epikalipto] coat.

επικάλυψη (n) [epikalipsi] covering, coating.

επικαρπία (n) [epikarpia] enjoyment.

επικαρπωτής (ο) [epikarpotis] life-tenant.

επίκειμαι (ρ) [epikime] be imminent, impend.

επικείμενος-n-ο (μ) [epikimenos] imminent, impending, approaching.

επίκεντρο (το) [epikendro] epicentre, focal point.

επικερδής-ής-ές (ε) [epikerdhis] profitable, gainful.

επικεφαλίδα (n) [epikefalidha] headline, title.

επικήδειος (ο) [epikidhios] funeral.

επικηρυγμένος-n-ο (μ) [epikirigmenos] outlaw.

επικίνδυνος-n-ο (ε) [epikindhinos] dangerous, hazardous, risky.

επίκληση (n) [epiklisi] invocation, appeal.

επικλινής-ής-ές (ε) [epiklinis] sloping, inclining, atilt.

επικλινώς (επ) [epiklinos] askew, aslope.

επικοινωνία (n) [epikinonia] contact, communication.

επικοινωνώ (ρ) [epikinono] communicate.

επικόλληση (n) [epikollisi] affixing, affix.

επικολλώ (ρ) [epikollo] affix.

επικονίαση (n) [epikoniasi] pollination [φυτολ].

επικός-ή-ό (ε) [epikos] epic.

επικουρία (n) [epikuria] assistance, reinforcement.

επικουρικός-ή-ό (ε) [epikurikos] auxiliary, subsidiary.

επικουρώ (ρ) [epikuro] give assistance, help.

επικράτεια (n) [epikratia] state, authority, nation, sovereignty.

επικρατέστερος-n-ο (ε) [epikratesteros] predominant.

επικράτηση (n) [epikratisi] predominance, victory.

επικρεμάμενος-n-ο (μ) [epikremamenos] overhanging, impending.

επικρίνω (ρ) [epikrino] criticize, castigate, blame.

επίκριση (n) [epikrisi] criticism, condemnation, blame, reproach, disapproval.

επικριτής (ο) [epikritis] critic, criticizer.

επικριτικός-ή-ό (ε) [epikritikos] critical, captious.

επικρότηση (n) [epikrotisi] approbation, approval.

επικροτώ (ρ) [epikroto] approve, accept, agree.

επίκρουση (n) [epikrusi] percussion.

επίκτητος-n-ο (ε) [epiktitos] acquired.

επικυρίαρχος-n-ο (ε) [epikiriarhos] overlord.

επικυρώ (ρ) [epikiro] validate, certify,

attest, agree.

επικυρωμένος-η-ο (μ) [epikiromenos] approved, authenticated, certified.

επικυρώνω (ρ) [epikirono] ratify, confirm, attest, authenticate.

επικύρωση (n) [epikirosi] sanction, confirmation.

επικυρωτικός-ή-ό (ε) [epikirotikos] confirmative, confirmatory.

επιλαμβάνομαι (ρ) [epilamvanome] take in hand, see to.

επιλαρχία (n) [epilarhia] squadron.

επίλαρχος (ο) [epilarhos] cavalry major.

επιλαχών-ούσα-όν (μ) [epilahon] runner-up.

επιλεγόμενος-η-ο (μ) [epilegomenos] nicknamed.

επιλέγω (ρ) [epilego] choose, select.

επίλεκτος-η-ο (ε) [epilektos] select, choice.

επιληπτικός-ή-ό (ε) [epiliptikos] epileptic.

επιλήσμονας (ο) [epilismonas] forgetful.

επιλήσμων (μ) [epilismon] oblivious.

επιληψία (n) [epilipsia] epilepsy.

επιλήψιμος-η-ο (ε) [epilipsimos] blamable, censurable.

επιλογή (n) [epilogi] choice, option, alternative.

επίλογος (ο) [epilogos] epilogue, conclusion.

επιλοχίας (ο) [epilohias] sergeant-major.

επίλυση (n) [epilisi] settlement, solution.

επιλύω (ρ) [epilio] resolve, settle.

επίμαχος-η-ο (ε) [epimahos] disputed, controversial.

επιμειξία (n) [epimiksia] intermarriage, cross-breeding.

επιμέλεια (n) [epimelia] custody, attention, application.

επιμελημένος-η-ο (μ) [epimelimenos] well-done, studied.

επιμελής-ής-ές (ε) [epimelis] diligent, industrious, careful, studious.

επιμελητεία (n) [epimelitia] logistics.

επιμελητήριο (το) [epimelitirio] chamber of commerce [εμπορικό].

επιμελητής (ο) [epimelitis] superintendent, tutor [university], commissary.

επιμελούμαι (ρ) [epimelume] take care of.

επίμεμπτος-η-ο (ε) [epimemptos] reproachable, censurable, blameworthy.

επιμένω (ρ) [epimeno] insist, persist.

επιμερίζω (ρ) [epimerizo] apportion, allocate, distribute, share out.

επιμερισμός (ο) [epimerismos] allocation.

επιμεριστικός-ή-ό (ε) [epimeristikos] distributive.

επιμεταλλώνω (ρ) [epimetallono] plate, metallize.

επιμετάλλωση (n) [epimetallosi] plating.

επιμέτρηση (n) [epimetrisi] measurement, quantity, survey.

επίμετρο (το) [epimetro] augmentation, addition.

επιμήκης-ης-ες (ε) [epimikis] oblong, elongated.

επιμήκυνση (n) [epimikinsi] elongation, prolonging, extension, lengthening.

επιμηκύνω (ρ) [epimikino] elongate, lengthen.

επιμίσθιο (το) [epimisthio] bonus.

επιμνημόσυνος-η-ο (ε) [epimnimosinos] memorial, commemorative.

επίμονα (επ) [epimona] obstinately, stubbornly, insistently.

επιμονή (n) [epimoni] insistence, perseverance.

επίμονος-η-ο (ε) [epimonos] persistent, stubborn, obstinate.

επιμόρφωση (n) [epimorfosi] further education.

επίμοχθος-η-ο (ε) [epimohthos] laborious, hard-working, difficult.

επιμύθιο (το) [epimithio] moral.

επίνειο (το) [epinio] seaport, haven.

επινεφρίδια (τα) [epinefridhia] suprarenal glands.

επινίκια (τα) [epinikia] victory, celebration.

επινίκιος-α-ο (ε) [epinikios] victorious.

επινόημα (το) [epinoima] invention, device, contrivance, concoction.

επινόηση (n) [epinoisi] device, contrivance, invention.

επινοητικός-ή-ό (ε) [epinoitikos] inventive, ingenious.

επινοώ (ρ) [epinoo] invent, contrive, devise.

επιορκία (n) [epiorkia] perjury.

επίορκος-n-ο (ε) [epiorkos] perjurer.

επιούσιος (ο) [epiusios] daily bread.

επίπεδο (το) [epipedho] level, standard of living.

επίπεδος-n-ο (ε) [epipedhos] flat, plane, level, even.

επιπέδωση (n) [epipedhosi] flattening, smoothing.

επιπεφυκίτις (n) [epipefikitis] conjunctivitis.

επιπίπτω (ρ) [epipipto] fall upon.

έπιπλα (τα) [epipla] furniture.

επίπλαστος-n-ο (ε) [epiplastos] feigned, false, artificial, fictitious.

επιπλέον (επ) [epipleon] in addition, besides, moreover.

επιπλέω (ρ) [epipleo] float, keep afloat.

επίπληξη (n) [epipliksi] reproach, rebuke.

επιπλήττω (ρ) [epiplitto] reproach, castigate, censure.

επιπλοκή (n) [epiploki] complication.

επιπλοποιός (ο) [epiplopios] cabinet-maker.

επιπλοπωλείο (το) [epiplopolio] furniture shop.

επιπλώνω (ρ) [epiplono] furnish.

επίπλωση (n) [epiplosi] furnishing.

επιπόλαια (επ) [epipolea] idly.

επιπόλαιος-n-ο (ε) [epipoleos] superficial, frivolous, careless.

επιπολαιότητα (n) [epipoleotita] frivolity, superficiality, carelessness.

επίπονος-n-ο (ε) [epiponos] laborious.

επιπρόσθετος-n-ο (ε) [epiprosthetos] additional, extra.

επίπτωση (n) [epiptosi] effect.

επιρρεπής-ής-ές (ε) [epirrepis] inclined, prone to, disposed [to].

επίρρημα (το) [epirrima] adverb.

επιρρηματικός-ή-ό (ε) [epirrimatikos] adverbial.

επιρριπτόμενος-n-ο (μ) [epirriptomenos] chargeable.

επίρριψη (n) [epirripsi] attributing, attribution.

επιρροή (n) [epirroi] influence.

επισείω (ρ) [episio] threaten.

επίσημα (επ) [episima] ceremoniously.

επισημαίνω (ρ) [episimeno] stress, point out, mark.

επισήμανση (n) [episimansi] stressing, pointing out, marking.

επισημοποίηση (n) [episimopiisi] validation, authentication, confirmation.

επισημοποιώ (ρ) [episimopio] make official, formalize, confirm, validate.

επίσημος-n-ο (ε) [episimos] official, formal, celebrity.

επισημότητα (n) [episimotita] formality, solemnity, ceremoniousness.

επίσης (επ) [episis] likewise, also, too.

επισιτίζω (ρ) [episitizo] provision.

επισιτισμός (ο) [episitismos] provisioning, provisions.

επισκεπτήριο (το) [episkeptirio] visiting card, visiting hour.

επισκέπτης (ο) [episkeptis] visitor, caller.

επισκέπτομαι (ρ) [episkeptome] visit.

επισκευάζω (ρ) [episkevazo] repair.

επισκευή (n) [episkevi] repairing, mending.

επίσκεψη (n) [episkepsi] visit.

επισκιάζω (ρ) [episkiazo] overshadow, cloud over, excel, outshine.

επισκίαση (n) [episkiasi] over shadowing, eclipsing, outshining.

επισκοπεία (n) [episkopia] bishopric.

επισκοπή (n) [episkopi] diocese, bishopric, episcopacy [αξίωμα].

επισκόπηση (n) [episkopisi] survey, review.

επίσκοπος (o) [episkopos] bishop.

επισκοπώ (ρ) [episkopo] review, survey.

επισμηναγός (o) [episminagos] squadron leader.

επισμηνίας (o) [episminias] flight sergeant.

επισπεύδω (ρ) [epispevdho] rush.

επίσπευση (n) [epispefsi] haste, hurrying, urging, acceleration.

επιστάμενος-n-o (ε) [epistamenos] close, careful, thorough.

επιστασία (n) [epistasia] supervision.

επιστάτης (o) [epistatis] supervisor, attendant, bailiff.

επιστατώ (ρ) [epistato] supervise, oversee.

επιστέγασμα (το) [epistegasma] crowning.

επιστήθιος-a-o (ε) [epistithios] bosom friend, close, intimate.

επιστήμη (n) [epistimi] science.

επιστήμονας (o) [epistimonas] scientist.

επιστημονικός-ή-ό (ε) [epistimonikos] scientific.

επιστήμων (o) [epistimon] scientist.

επιστολή (n) [epistoli] letter.

επιστόμιο (το) [epistomio] mouthpiece, muzzle, nozzle.

επιστρατευμένος (o) [epistratevmenos] draftee.

επιστράτευση (n) [epistratefsi] mobilization.

επιστρατεύω (ρ) [epistratevo] mobilize, conscript.

επιστρέφω (ρ) [epistrefo] return.

επιστροφή (n) [epistrofi] return.

επίστρωμα (το) [epistroma] covering.

επιστρωμένος-n-o (μ) [epistromenos] faced.

επιστρώνω (ρ) [epistrono] coat, cover, pave, line.

επίστρωση (n) [epistrosi] coating, coat, covering.

επιστύλιο (το) [epistilio] architrave.

επισυμβαίνω (ρ) [episimveno] befall, come.

επισυνάπτω (ρ) [episinapto] annex, attach.

επισύρω (ρ) [episiro] attract, draw, catch one's eye.

επισφαλής-ής-ές (ε) [episfalis] risky, unstable.

επισφραγίζω (ρ) [episfragizo] seal, crown.

επισφράγιση (n) [episfrayisi] crowning, sealing.

επίσχεση (n) [epishesi] retention, attachment.

επισώρευση (n) [episorefsi] accumulation, stacking, collecting.

επισωρευτικά (επ) [episoreftika] accumulatively.

επισωρεύω (ρ) [episorevo] accumulate, heap up, pile up.

επιταγή (n) [epitagi] order, cheque.

επιτακτικός-ή-ό (ε) [epitaktikos] imperative, compelling.

επίταξη (n) [epitaksi] requisition.

επίταση (n) [epitasi] intensification.

επιτάσσω (ρ) [epitasso] requisition, order, commandeer.

επιτατικός-ή-ό (ε) [epitatikos] intensive.

επιτάφιος (o) [epitafios] Good Friday procession.

επιτάχυνση (n) [epitahinsi] acceleration.

επιταχυντικός-ή-ό (ε) [epitahintikos] accelerative.

επιταχύνω (ρ) [epitahino] accelerate.

επιτείνω (ρ) [epitino] intensify, heighten, increase.

επιτελάρχης (o) [epitelarhis] chief of staff.

επιτελείο (το) [epitelio] [general] staff.

επιτέλεση (n) [epitelesi] performance.

επιτελής (o) [epitelis] staff officer.

επιτελικός-ή-ό (ε) [epitelikos] staff.

επιτέλους (επ) [epitelus] at last, at

length.

επιτελώ (ρ) [epitelo] do, accomplish, carry out, perform.

επιτετραμμένος-n-o (μ) [epitetrammenos] charge d'affaires, diplomatic agent.

επίτευγμα (το) [epitevgma] achievement, performance.

επίτευξη (n) [epitefksi] obtaining, achievement, accomplishment.

επιτήδειος-α-o (ε) [epitidhios] suitable for, clever, skilful.

επιτηδειότητα (n) [epitidhiotita] skill, shrewdness, competence, competency.

επίτηδες (επ) [epitidhes] on purpose.

επιτήδευμα (το) [epitidhevma] trade, occupation.

επιτηδευματίας (o) [epitidhevmatias] tradesman, professional, licensed dealer.

επιτηδευμένος-n-o (μ) [epitidhevmenos] affected, unnatural, artful.

επιτήδευση (n) [epitidhefsi] affectation, artfulness.

επιτηδεύομαι (ρ) [epitidhevome] be good, pretend, feign.

επιτήρηση (n) [epitirisi] surveillance, supervision, invigilation [σε εξετάσεις].

επιτηρητής (o) [epitiritis] supervisor, invigilator.

επιτηρώ (ρ) [epitiro] supervise, oversee, watch.

επιτίθεμαι (ρ) [epititheme] attack, assault, commit.

επιτιθέμενος-n-o (μ) [epitithemenos] assailant, attacker.

επιτίμηση (n) [epitimisi] rebuke, scolding.

επιτιμητής (o) [epitimitis] criticizer.

επιτιμητικός-ή-ó (ε) [epitimitikos] reproachful, blameful.

επίτιμος-n-o (ε) [epitimos] honorary.

επιτιμώ (ρ) [epitimo] rebuke, scold.

επιτόκιο (το) [epitokio] compound interest.

επιτομή (n) [epitomi] epitome, abridgement.

επίτομος-n-o (ε) [epitomos] condensed, abridged, shortened.

επιτόπου (επ) [epitopu] on the spot.

επιτραπέζιος-α-o (ε) [epitrapezios] table.

επιτρεπόμενος-n-o (μ) [epitrepomenos] allowable, allowed.

επιτρεπτός-ή-ó (ε) [epitreptos] permissible, admissible.

επιτρέπω (ρ) [epitrepo] allow, permit, may, let.

επιτροπάτο (το) [epitropato] commissariat.

επιτροπεία (n) [epitropia] trusteeship.

επιτροπεύω (ρ) [epitropevo] be manager, have the administration, be a guardian.

επιτροπή (n) [epitropi] committee, commission, board.

επίτροπος (o) [epitropos] guardian, trustee, commissioner.

επιτροχάδην (επ) [epitrohadhin] hastily, cursorily.

επιτυγχάνω (ρ) [epitighano] attain, get, get right, find [κατά τύχη], succeed.

επιτύμβιος-α-o (ε) [epitimvios] tomb.

επιτυχημένος-n-o (μ) [epitihimenos] successful.

επιτυχής-ής-ές (ε) [epitihis] successful.

επιτυχία (n) [epitihia] success.

επιφάνεια (n) [epifania] surface.

Επιφάνεια (τα) [Epifania] Epiphany.

επιφανειακός-ή-ó (ε) [epifaniakos] surface, superficial, shallow.

επιφανής-ής-ές (ε) [epifanis] eminent, prominent.

επίφαση (n) [epifasi] gloss, show.

επιφέρω (ρ) [epifero] cause.

επίφοβος-n-o (ε) [epifovos] formidable.

επιφοίτηση (n) [epifitisi] inspiration, brainwave.

επιφορτίζω (ρ) [epifortizo] charge, entrust, assign.

επιφυλακή (n) [epifilaki] on the alert, alert, stand by.

επιφυλακτικός-ή-ό (ε) [epifilaktikos] cautious, reserved.

επιφυλακτικότητα (n) [epifilaktikotita] reserve, caution.

επιφύλαξη (n) [epifilaksi] circumspection, reservation.

επιφυλάσσομαι (ρ) [epifilassome] reserve, intend.

επιφυλάσσω (ρ) [epifilasso] have in store, withhold, reserve.

επιφυλλίδα (n) [epifillidha] feuilleton, serial.

επιφυτία (n) [epifitia] blight.

επιφώνημα (το) [epifonima] interjection [γραμμ].

επιφωνηματικός-ή-ό (ε) [epifonimatikos] exclamatory.

επιφώνηση (n) [epifonisi] exclamation, interjection, ejaculation.

επιχαίρω (ρ) [epihero] gloat over.

επιχαλκώνω (ρ) [epihalkono] copper, copperize.

επιχάλκωση (n) [epihalkosi] coppering, copper-sheathing.

επίχειρα (τα) [epihira] deserts.

επιχείρημα (το) [epihirima] attempt, argument, proof.

επιχειρηματίας (ο) [epihirimatias] businessman.

επιχειρηματικός-ή-ό (ε) [epihirimatikos] business, enterprising.

επιχειρηματολογία (n) [epihirimatologia] reasoning, argumentation.

επιχείρηση (n) [epihirisi] undertaking, business, operation [στρατ].

επιχειρώ (ρ) [epihiro] attempt, undertake.

επιχορήγημα (το) [epihorigima] allowance, assignment, subsidization.

επιχορήγηση (n) [epihorigisi] allowance, subsidy.

επίχριση (n) [epihrisi] coating, plastering.

επιχρίω (ρ) [epihrio] coat.

επίχρυσος-n-ο (ε) [epihrisos] gilt, gold-plated.

επιχρυσώνω (ρ) [epihrisono] gild.

επιχρύσωση (n) [epihrisosi] gilding, gold-plating.

επίχωμα (το) [epihoma] embankment.

επιχωματώνω (ρ) [epihomatono] embank.

εποικίζω (ρ) [epikizo] settle, colonize.

εποίκιση (n) [epikisi] settlement.

εποικισμός (ο) [epikismos] settlement.

εποικοδόμημα (το) [epikodhomima] superstructure.

εποικοδομητικός-ή-ό (ε) [epikodhomitikos] constructive.

έποικος (ο) [epikos] settler.

εποικώ (ρ) [epiko] settle, colonize.

έπομαι (ρ) [epome] follow.

επόμενος-n-ο (μ) [epomenos] next, following.

επομένως (επ) [epomenos] consequently, therefore, subsequently.

επονείδιστος-n-ο (ε) [eponidhistos] disgraceful, blameworthy, dishonorable.

επονομάζω (ρ) [eponomazo] name.

επονομασία (n) [eponomasia] nickname.

εποποιία (n) [epopiia] epic, great deed [μεταφ].

εποπτεία (n) [epoptia] supervision, inspection, control.

εποπτεύω (ρ) [epoptevo] supervise, inspect, survey, keep an eye on.

επόπτης (ο) [epoptis] supervisor, invigilator [σε εξετάσεις].

έπος (το) [epos] epic.

εποστρακίζω (ρ) [epostrakizo] ricochet.

επουλώνω (ρ) [epulono] heal, cicatrize.

επούλωση (n) [epulosi] healing, cicatrization.

επουράνιος-a-ο (ε) [epuranios] celestial, heavenly.

επουσιώδης-nς-ες (ε) [epusiodhis] minor, dispensable.

εποφθαλμιώ (ρ) [epofthalmio] covet.

εποχή (n) [epohi] epoch, era, season.

εποχιακός-ή-ό (ε) [epohiakos] seasonal.

έποχο (το) [epoho] girth.

έποψη (n) [epopsi] view, aspect, sense, sight.

επτά (αριθ) [epta] seven.

επταπλασιάζω (ρ) [eptaplasiazo] multiply by seven.

επωάζω (ρ) [epoazo] incubate, brood, hatch.

επώαση (n) [epoasi] incubation, brooding, hatch.

επωδός (n) [epodhos] refrain.

επώδυνος-n-o (ε) [epodhinos] painful, sore.

επωμίζομαι (ρ) [epomizome] shoulder [a burden].

επωνυμία (n) [eponimia] [nick] name, surname, title [εταιρίας].

επώνυμο (το) [eponimo] surname, family name.

επωφελής-ής-ές (ε) [epofelis] profitable, beneficial, useful.

επωφελούμαι (ρ) [epofelume] take advantage.

έρανος (o) [eranos] fund, collection.

ερασιτεχνία (n) [erasitehnia] amateurishness, dabbling, amateurism.

ερασιτεχνικός-ή-ό (ε) [erasitehnikos] amateurish, amateur.

ερασιτεχνισμός (o) [erasitehnismos] amateurism.

εραστής (o) [erastis] lover.

εργάζομαι (ρ) [ergazome] work, labour.

εργαζόμενος-n-o (μ) [ergazomenos] working person.

εργαλείο (το) [ergalio] tool, implement, appliance.

εργασία (n) [ergasia] work, job, business.

εργασιακός-ή-ό (ε) [ergasiakos] labour.

εργάσιμος-n-o (ε) [ergasimos] workable, working.

εργασιοθεραπεία (n) [ergasiotherapia] occupational therapy.

εργαστηριακός-ή-ό (ε) [ergastiraikos] laboratory.

εργαστήριο (το) [ergastirio] studio, laboratory, workshop.

εργάτης (o) [ergatis] labourer.

εργατιά (n) [ergatia] working class.

εργατικός-ή-ό (ε) [ergatikos] industrious, of the working class.

εργένης (o) [eryenis] bachelor, single, unmarried.

εργένικος (ε) [eryenikos] bachelor.

έργο (το) [ergo] work, job, play [θεάτρου], film [κινηματ], act.

εργοδηγός (o) [ergodhigos] foreman.

εργοδότης (o) [ergodhotis] employer.

εργολαβία (n) [ergolavia] contract work.

εργολαβικός-ή-ό (ε) [ergolavikos] contracting.

εργολάβος (o) [ergolavos] contractor.

εργοστασιάρχης (o) [ergostasiarhis] factory owner.

εργοστάσιο (το) [ergostasio] factory.

εργόχειρο (το) [ergohiro] handiwork, embroidery [κέντημα].

ερεθίζω (ρ) [erethizo] irritate, incent, excite, provoke.

ερέθισμα (το) [erethisma] irritation, incentive.

ερεθισμένος-n-o (ε) [erethismenos] bloodshot [οφθαλμός].

ερεθισμός (o) [erethismos] irritation, excitement, excitation, inflammation.

ερεθιστικός-ή-ό (ε) [erethistikos] irritating, exciting.

ερείπιο (το) [eripio] ruin, wreck.

ερειπωμένος-n-o (μ) [eripomenos] derelict, dilapidated.

ερειπώνω (ρ) [eripono] ruin, destroy, wreck, demolish.

ερείπωση (n) [eriposi] dereliction, disrepair, dilapidation.

έρεισμα (το) [erisma] prop, support, foothold.

έρευνα (n) [erevna] search, investigation,

ερευνητής (ο) [erevnitis] researcher, explorer.

ερευνητικός-ή-ό (ε) [erevnitikos] searching, inquiring.

ερευνώ (ρ) [erevno] search, investigate, anatomize.

ερήμην (επ) [erimin] by default.

ερημητήριο (το) [erimitirio] retreat.

ερημιά (η) [erimia] solitude, desolation.

ερημικός-ή-ό (ε) [erimikos] solitary, secluded, deserted.

ερημίτης (ο) [erimitis] hermit.

ερημοδικώ (ρ) [erimodhiko] default.

έρημος (η) [erimos] desert, wasteland, wilderness.

έρημος-η-ο (ε) [erimos] desolate, deserted, lonely, empty.

ερημότοπος (ο) [erimotopos] wilderness, wasteland.

ερημώνω (ρ) [erimono] lay waste.

ερήμωση (η) [erimosi] devastation, depopulation.

έριδα (η) [eridha] dispute, quarrel.

έριο (το) [erio] wool.

εριστικός-ή-ό (ε) [eristikos] quarrelsome, combative.

ερίφιο (το) [erifio] kid.

έρμα (το) [erma] principles [μεταφ], bottoming.

έρμαιο (το) [ermeo] prey, victim.

ερμάρι (το) [ermari] cupboard, drawer.

ερμάριο (το) [ermario] cabinet.

ερμάτιση (η) [ermatisi] ballasting.

ερμαφροδισία (η) [ermafrodhisia] bisexuality.

ερμαφροδιτισμός (ο) [ermafrodhitismos] bisexuality, hermaphroditism.

ερμαφρόδιτος-η-ο (ε) [ermafrodhitos] bisexual, hermaphrodical.

ερμηνεία (η) [erminia] interpretation, explanation, translation.

ερμηνευτής (ο) [erminceftis] interpreter.

ερμηνευτικός-ή-ό (ε) [ermineftikos] interpretative.

ερμηνεύω (ρ) [erminevo] interpret, explain, translate.

ερμητικός-ή-ό (ε) [ermitikos] hermetic.

έρμος-η-ο (ε) [ermos] poor, miserable.

ερπετό (το) [erpeto] reptile.

έρπης (ο) [erpis] shingles, herpes [ιατρ].

ερπυσμός (ο) [erpismos] crawl, creep.

ερπύστρια (η) [erpistria] track, caterpillar.

ερπυστριοφόρος-α-ο (ε) [erpistrioforos] track-laying.

έρπω (ρ) [erpo] crawl, creep, grovel.

έρπων (μ) [erpon] creepy.

έρρινος-η-ο (ε) [errinos] nasal.

ερύθημα (το) [erithima] blotch.

ερυθηματικός-ή-ό (ε) [erithimatikos] blotchy.

ερυθρά (η) [erithra] rubella [ιατρ], German measles [ιατρ].

ερυθραίνω (ρ) [erithreno] blotch, crimson.

ερυθρίαση (η) [erithriasi] flush.

Ερυθρόδερμος (ο) [Erithrodhermos] Red Indian.

ερυθρός-ή-ό (ε) [erithros] red, claret.

ερυσίβη (η) [erisivi] blight.

έρχομαι (ρ) [erhome] come, arrive.

ερχόμενος-η-ο (μ) [erhomenos] coming, next, following.

ερχόμενος (ο) [erhomenos] comer.

ερχομός (ο) [erhomos] coming, arrival, approach.

ερωδιός (ο) [erodhios] heron.

ερωμένη (η) [eromeni] mistress.

ερωμένος (ο) [eromenos] lover, boyfriend.

έρωτας (ο) [erotas] love, passion, sex.

ερωτευμένος-η-ο (μ) [erotevmenos] in love, lover.

ερωτεύομαι (ρ) [erotevome] fall in love.

ερώτημα (το) [erotima] question, problem.

ερωτηματικό (το) [erotimatiko] question mark.

ερωτηματικός-ή-ό (ε) [erotimatikos] interrogative, questioning.

ερωτηματολόγιο (το) [erotimatoloyio] questionnaire.

ερώτηση (n) [erotisi] question, asking.

ερωτικός-ή-ό (ε) [erotikos] erotic, loving, amorous.

ερωτισμός (o) [erotismos] eroticism, erotism.

ερωτοτροπία (n) [erototropia] flirtation, courting.

ερωτοτροπώ (ρ) [erototropo] flirt, court.

ερωτοχτυπημένος-n-o (μ) [erotohtipimenos] lovesick.

ερωτύλος (o) [erotilos] amorous, womanizer.

ερωτώ (ρ) [eroto] ask, demand, question.

εσκεμμένος-n-o (μ) [eskemmenos] premeditated, calculated, intended.

Εσκιμώος (o) [Eskimoos] Eskimo.

εσοδεία (n) [esodhia] crop, harvest.

έσοδο (το) [esodho] income, revenue, yield.

εσοχή (n) [esohi] recess.

εσπέρα (n) [espera] evening.

εσπεράντο (n) [esperanto] Esperanto.

εσπεριδοειδή (τα) [esperidhoidhi] citrus fruits.

εσπεριδοειδής-ής-ές (ε) [esperidhoidhis] citrous.

εσπερινός (o) [esperinos] evening, vespers [εκκλ].

εσπευσμένος-n-o (ε) [espevsmenos] hasty, hurried.

Εσταυρωμένος (o) [Estavromenos] Crucifix.

εστεμμένος-n-o (μ) [estemmenos] crowned.

εστία (n) [estia] hearth, fireplace, home [σπίτι], cradle [λίκνο].

εστιάζω (ρ) [estiazo] focalize.

εστιακός-ή-ό (ε) [estiakos] focal.

εστίαση (n) [estiasi] focalization, focussing.

εστιατόριο (το) [estiatorio] restaurant.

έστω (επ) [esto] so be it.

εσύ (αν) [esi] you [singular].

εσφαλμένος-n-o (μ) [esfalmenos] mistaken, wrong.

εσχάρα (n) [eshara] grill, grid.

εσχατιά (n) [eshatia] end, confines, limits

έσχατος-n-o (ε) [eshatos] extreme, utmost, last.

έσω (επ) [eso] within, inside.

εσώβρακο (το) [esovrako] briefs, [under] pants.

εσώκλειστος-n-o (ε) [esoklistos] enclosed.

εσωκλείω (ρ) [esoklio] enclose.

εσώρουχα (τα) [esoruha] underwear.

εσωστρέφεια (n) [esostrefia] introversion.

εσωστρεφής-ής-ές (ε) [esostrefis] introvert.

εσώτατος-n-o (ε) [esotatos] innermost.

εσωτερικός-ή-ό (ε) [esoterikos] interior, inner, internal, domestic.

εσωτερικότητα (n) [esoterikotita] inwardness.

εσώτερος-n-o (ε) [esoteros] intrinsic.

εταζέρα (n) [etazera] shelf, dresser.

εταίρα (n) [etera] prostitute, whore.

εταιρία (n) [eteria] company, firm, society, partnership.

εταιρικός-ή-ό (ε) [eterikos] company.

εταίρος (o) [eteros] partner, associate, member.

ετεροβαρής-ής-ές (ε) [eterovaris] one-sided.

ετερογενής-ής-ές (ε) [eterogenis] heterogeneous.

ετεροθαλής-ής-ές (ε) [eterothalis] half, step.

ετερόκλητος-n-o (ε) [eteroklitos] scrappy, scratch, heterogenous.

έτερος (αν) [eteros] another.

ετερόφυλος-n-o (ε) [eterofilos] heterosexual.

ετερώνυμος-n-o (ε) [eteronimos] dissimilar, heteronymous.

ετήσιος-α-ο (ε) [etisios] annual.

ετικέτα (n) [etiketa] label, price tag.

ετοιμάζω (ρ) [etimazo] prepare, make ready.

ετοιμασία (n) [etimasia] preparation.

ετοιμοθάνατος-η-ο (ε) [etimothanatos] dying.

ετοιμολογία (n) [etimologia] repartee.

ετοιμόλογος-η-ο (ε) [etimologos] quick-witted.

ετοιμόρροπος-η-ο (ε) [etimorropos] dilapidated, derelict.

έτοιμος-η-ο (ε) [etimos] ready, prepared, ready-made.

ετοιμότητα (n) [etimotita] readiness, presence of mind.

έτος (το) [etos] year.

έτσι (επ) [etsi] thus, so, like this, like that, in this way.

ετυμηγορία (n) [etimigoria] verdict.

ετυμολογία (n) [etimologia] etymology.

ευ (επ) [ef] well, easily.

ευαγγελικός-ή-ό (ε) [evangelikos] evangelical.

ευαγγέλιο (το) [evangelio] gospel.

ευαγγελισμός (ο) [evangelismos] annunciation.

ευαγγελιστής (ο) [evangelistis] evangelist.

ευαγής-ής-ές (ε) [evagis] charitable, benevolent.

ευάγωγος-η-ο (ε) [evagogos] conformable.

ευάερος-η-ο (ε) [evaeros] well-ventilated, airy.

ευαισθησία (n) [evesthisia] sensitivity, sensibility.

ευαισθητοποιώ (ρ) [evesthitopio] sensitize.

ευαίσθητος-η-ο (ε) [evesthitos] sensitive, delicate, sensible.

ευάλωτος-η-ο (ε) [evalotos] vulnerable.

ευανάγνωστος-η-ο (ε) [evanagnostos] legible, readable.

ευαρέσκεια (n) [evareskia] satisfaction.

ευαρεστούμαι (ρ) [evarestume] be pleased.

ευαρεστώ (ρ) [evaresto] please, satisfy.

εύγε! (επιφ) [evge!] bravo! well done!.

ευγένεια (n) [evgenia] courtesy, politeness.

ευγενείς (οι) [evyenis] baronage.

ευγενής-ής-ές (ε) [evgenis] polite, courteous, civil.

ευγενικός-ή-ό (ε) [evgenikos] polite, courteous.

εύγευστος-η-ο (ε) [evgevstos] tasty.

ευγηρία (n) [evyiria] happy old age.

ευγλωττία (n) [evglottia] eloquence.

εύγλωττος-η-ο (ε) [evglottos] eloquent.

ευγνώμονας (ο) [evgnomonas] grateful, thankful.

ευγνωμονώ (ρ) [evgnomono] be grateful to.

ευγνωμοσύνη (n) [evgnomosini] gratitude, thankfulness.

ευδαιμονία (n) [evdhemonia] prosperity, happiness.

ευδαιμονώ (ρ) [evdhemono] be happy.

ευδαίμων (μ) [evdhemon] blissful, fortunate, well-off.

ευδιαθεσία (n) [evdhiathesia] good humour, good temper.

ευδιάθετος-η-ο (ε) [evdhiathetos] in good humour.

ευδιάκριτος-η-ο (ε) [evdhiakritos] distinct, clear.

ευδιάλυτος-η-ο (ε) [evdhialitos] dissolvable.

ευδοκίμηση (n) [evdhokimisi] success.

ευδόκιμος-η-ο (ε) [evdhokimos] successful.

ευδοκιμώ (ρ) [evdhokimo] succeed, thrive.

εύελπις (ο) [evelpis] army cadet.

ευελπιστώ (ρ) [evelpisto] hope.

ευέξαπτος-η-ο (ε) [eveksaptos] irritable, excitable.

ευεξήγητος-η-ο (ε) [eveksigitos] easy to explain.

ευεξία (n) [eveksia] well-being, prosperity.

ευεργεσία (n) [evergesia] kindness, beneficence, benefaction, benevolence.

ευεργέτημα (το) [evergetima] benefit, benevolence, act of kindness.

ευεργέτης (ο) [evergetis] benefactor, donator.

ευεργετικός-ή-ό (ε) [evergetikos] beneficial, generous.

ευεργέτρια (n) [evergetria] benefactress.

ευεργετώ (ρ) [evergeto] befriend, be generous to.

εύζωνας (ο) [evzonas] evzone.

ευήλιος-α-ο (ε) [evilios] sunny.

ευημερία (n) [evimeria] prosperity.

ευημερώ (ρ) [evimero] prosper.

ευθανασία (n) [efthanasia] euthanasia.

ευθαρσής-ής-ές (ε) [eftharsis] bold.

ευθεία (n) [efthia] straight.

εύθετος-n-o (ε) [efthetos] suitable, convenient.

εύθικτος-n-o (ε) [efthiktos] sensitive.

ευθιξία (n) [efthiksia] touchiness, sensitiveness.

εύθραυστος-n-o (ε) [efthrafstos] fragile, brittle, frail.

εύθρυπτος-n-o (ε) [efthriptos] crisp, crunchy.

ευθυγραμμίζομαι (ρ) [efthigrammizome] fall into line, toe the line.

ευθυγραμμίζω (ρ) [efthigrammizo] align, bring into line.

ευθύγραμμος-n-o (ε) [efthigrammos] straight.

ευθυκρισία (n) [efthikrisia] sound judgement.

ευθυμία (n) [efthimia] merriment, cheerfulness.

ευθυμογράφος (ο) [efthimografos] humorous writer, humorist.

εύθυμος-n-o (ε) [efthimos] merry, cheerful.

ευθυμώ (ρ) [efthimo] brighten.

ευθύνη (n) [efthini] responsibility.

ευθύνομαι (ρ) [efthinome] be responsible.

ευθύς-εία-ύ (ε) [efthis] straight, honest [τίμιος].

ευθύς (επ) [efthis] immediately, directly.

ευθυτενής-ής-ές (ε) [efthitenis] erect, upright, straight.

ευθύτητα (n) [efthitita] straightforwardness, candour.

ευκαιρία (n) [efkeria] opportunity, chance.

εύκαιρος-n-o (ε) [efkeros] available [ελεύθερος], free [ελεύθερος].

ευκαιρώ (ρ) [efkero] have time, be free.

ευκάλυπτος (ο) [efkaliptos] eucalyptus, blue-gum.

εύκαμπτος-n-o (ε) [efkamptos] flexible, pliable.

ευκαμψία (n) [efkampsia] flexibility, pliability.

ευκατάστατα (επ) [efkatastata] comfortably.

ευκατάστατος-n-o (ε) [efkatastatos] well-off, comfortable.

ευκαταφρόνητος-n-o (ε) [efkatafronitos] negligible.

ευκινησία (n) [efkinisia] agility, nimbleness, mobility.

ευκίνητος-n-o (ε) [efkinitos] agile, nimble, mobile.

ευκίνητος (ο) [efkinitos] limber.

ευκοίλιος-α-ο (ε) [efkilios] laxative [φαρμακ].

ευκοιλιότητα (n) [efkiliotita] diarrhoea.

εύκολα (επ) [efkola] conveniently, easily.

ευκολία (n) [efkolia] ease, convenience, easiness.

ευκολοεπηρέαστος-n-o (ε) [efkoloepireastos] impressionable.

ευκολοπλησίαστος-n-o (ε) [efkoloplisiastos] easy of access.

εύκολος-n-o (ε) [efkolos] easy, convenient.

ευκολύνω (ρ) [efkolino] facilitate.

εύκρατος-n-o (ε) [efkratos] mild.

ευκρινής-ής-ές (ε) [efkrinis] clear.

ευκρινώς (επ) [efkrinos] clear.

ευκταίος-α-ο (ε) [efkteos] desirable.

ευκτήριο (το) [efktirio] bethel.

ευλάβεια (n) [evlavia] piety.

ευλαβής-ής-ές (ε) [evlavis] devout.

εύληπτος-n-o (ε) [evliptos] easy to take.

ευλογημένος-n-o (μ) [evlogimenos] blessed.

ευλογία (n) [evlogia] blessing.

ευλογιά (n) [evlogia] smallpox.

εύλογος-n-o (ε) [evlogos] just, justifiable, good.

ευλογοφανής-ής-ές (ε) [evlogofanis] plausible, likely.

ευλογώ (ρ) [evlogo] bless, praise.

ευλογών (μ) [evlogon] benedictory.

ευλυγισία (n) [evligisia] flexibility.

ευλύγιστος-n-o (ε) [evligistos] supple, flexible, pliant.

ευλύγιστος (o) [evliyistos] limber.

ευμάρεια (n) [evmaria] prosperity.

ευμεγέθης-ης-ες (ε) [evmeyethis] sizeable.

ευμένεια (n) [evmenia] goodwill, benignity.

ευμενής-ής-ές (ε) [evmenis] benevolent, kind.

ευμετάβλητο (το) [evmetavlito] changeability.

ευμετάβλητος-n-o (ε) [evmetavlitos] changeable, inconstant.

ευνόητος-n-o (ε) [evnoitos] easily understood.

εύνοια (n) [evnia] goodwill.

ευνοϊκός-ή-ό (ε) [evnoikos] propitious, favorable.

ευνοούμενος (o) [evnoumenos] favorite.

ευνουχίζω (ρ) [evnuhizo] castrate.

ευνούχιση (ρ) [evnuhisi] castration.

ευνουχισμός (o) [evnuhismos] castration.

ευνούχος (o) [evnuhos] eunuch.

ευνοώ (ρ) [evnoo] favour, aid, promote.

ευοδώνομαι (ρ) [evodhonome] succeed, come off.

ευοδώνω (ρ) [evodhono] advance.

ευόδωση (n) [evodhosi] success.

ευοίωνος-n-o (ε) [evionos] auspicious, favouring, hopeful.

ευοσμία (n) [evosmia] fragrance.

εύοσμος-n-o (ε) [evosmos] fragrant.

ευπάθεια (n) [efpathia] liability to, sensitivity, delicacy.

ευπαθής-ής-ές (ε) [efpathis] sensitive, delicate.

ευπαρουσίαστος-n-o (ε) [efparusiastos] presentable.

ευπατρίδης (o) [efpatridhis] peer, gentleman.

ευπείθεια (n) [efpithia] obedience.

ευπειθής-ής-ές (ε) [efpithis] docile, persuadable.

εύπεπτος-n-o (ε) [efpeptos] digestible.

εύπιστος-n-o (ε) [efpistos] credulous, gullible.

εύπλαστος-n-o (ε) [efplastos] malleable, ductile, well-formed.

ευπορία (n) [efporia] prosperity, opulence, affluence.

εύπορος-n-o (ε) [efporos] well-off, prosperous.

ευπορώ (ρ) [efporo] prosper, be opulent.

ευπρέπεια (n) [efprepia] fine appearance, correctness, modesty.

ευπρεπής-ής-ές (ε) [efprepis] decent.

ευπρεπίζω (ρ) [efprepizo] embellish, deck, dress up.

ευπρεπισμός (o) [efprepismos] tidying up.

ευπροσάρμοστος-n-o (ε) [efprosarmostos] adaptable.

ευπρόσβλητος-n-o (ε) [efprosvlitos] vulnerable.

ευπρόσδεκτος-n-o (ε) [efprosdhektos] welcome, acceptable.

ευπροσήγορα (επ) [efprosigora] companionably.

ευπροσηγορία (n) [efprosigoria] affability.

ευπροσήγορος-η-ο (ε) [efprosigoros] affable, companionable, knowable.

ευπρόσιτος-η-ο (ε) [efprositos] accessible, approachable.

εύρεση (n) [evresi] finding, recovery.

ευρεσιτεχνία (n) [evresitehnia] patent.

ευρετήριο (το) [evretirio] list, catalogue.

ευρέτης (ο) [evretis] finder.

ευρέως (επ) [evreos] widely, largely.

εύρηκα (το) [evrika] eureka.

εύρημα (το) [evrima] find, discovery.

ευρίσκω (ρ) [evrisko] find, come across [τυχαία], discover [τυχαία].

εύρος (το) [evros] width, breadth.

εύρος (το) [evros] amplitude.

ευρυμάθεια (n) [evrimathia] erudition, learning.

ευρύνω (ρ) [evrino] broaden, widen.

ευρύς-εία-ύ (ε) [evris] wide, broad.

ευρύτπτα (n) [evritita] breadth, wideness.

ευρυχωρία (n) [evrihoria] spaciousness.

ευρύχωρος-η-ο (ε) [evrihoros] spacious, roomy, capacious.

ευρωπαϊκός-ή-ό,(ε) [evropaikos] European.

Ευρωπαίος (ο) [Evropeos] European.

Ευρώπη (n) [Evropi] Europe.

ευρωστία (n) [evrostia] vigour.

εύρωστος-η-ο (ε) [evrostos] robust, strong, powerful.

ευσαρκία (n) [efsarkia] plumpness, fatness.

εύσαρκος-η-ο (ε) [efsarkos] portly, stout.

ευσέβεια (n) [efsevia] devotion, respect.

ευσεβής-ής-ές (ε) [efsevis] devout, godly, respectful.

εύσημο (το) [efsimo] distinction of merit.

ευσπλαχνία (n) [efsplahnia] pity.

ευσπλαχνίζομαι (ρ) [efsplahnizome] take pity on, sympathize with, have mercy on.

ευσπλαχνικός-ή-ό (ε) [efsplahnikos] compassionate, merciful, sympathetic.

εύσπλαχνος-η-ο (ε) [efsplahnos] clement.

ευστάθεια (n) [efstathia] stability, firmness, steadiness.

ευσταθώ (ρ) [efstatho] be valid.

ευστοχία (n) [efstohia] accuracy, definiteness, preciseness.

ευστοχώ (ρ) [efstoho] hit the bull's eye.

εύστροφος-η-ο (ε) [efstrofos] agile, nimble, versatile.

ευσυμβίβαστα (επ) [efsimvivasta] compatibly.

ευσυμβίβαστο (το) [efsimvivasto] compatibility.

ευσυνειδησία (n) [efsinidhisia] conscientiousness, exactness.

ευσυνείδητος-η-ο (ε) [efsinidhitos] conscientious, scrupulous.

εύσχημος-η-ο (ε) [efshimos] specious.

εύσωμος-η-ο (ε) [efsomos] well-built, stout.

εύτακτος-η-ο (ε) [eftaktos] feat.

ευτέλεια (n) [eftelia] meanness, baseness, cheapness.

ευτελής-ής-ές (ε) [eftelis] cheap, mean, worthless.

ευτελίζω (ρ) [eftelizo] trivialize.

ευτελισμός (ο) [eftelismos] trivialization.

ευτελώς (επ) [eftelos] cheaply, inexpensively, lowly.

ευτράπελος-η-ο (ε) [eftrapelos] lively, witty.

ευτραφής-ής-ές (ε) [eftrafis] stout, fat.

ευτύχημα (το) [eftihima] good luck.

ευτυχής-ής-ές (ε) [eftihis] lucky, fortunate, happy.

ευτυχία (n) [eftihia] happiness, good fortune, bliss.

ευτυχισμένος-η-ο (μ) [eftihismenos] lucky, fortunate, happy.

ευτυχώ (ρ) [eftiho] be happy.

ευυπόληπτος-η-ο (ε) [evipoliptos] reputable, esteemed.

ευφάνταστος-η-ο (ε) [effandastos] imaginative.

ευφημισμός (ο) [effimismos] euphemism.

εύφημος-η-ο (ε) [effimos] complimentary, praising.

ευφλεκτικότητα (n) [efflektikotita] combustibility, inflammability.

εύφλεκτος-η-ο (ε) [efflektos] inflammable, combustible.

ευφορία (n) [efforia] fruitfulness, fertility.

ευφράδεια (n) [effradhia] eloquence.

ευφραδής-ής-ές (ε) [effradhis] fluent.

ευφραίνομαι (ρ) [effrenome] take delight.

ευφραίνω (ρ) [effreno] delight.

ευφροσύνη (n) [effrosini] delight.

ευφρόσυνος-η-ο (ε) [effrosinos] glad, joyous, happy.

ευφυής-ής-ές (ε) [effiis] intelligent, clever.

ευφυΐα (n) [effiia] intelligence, wit.

ευφυολόγημα (το) [effiologima] joke.

ευφυολόγος (ο,n) [effiologos] witty.

ευφυολογώ (ρ) [effiologo] crack a joke.

ευφυώς (επ) [effios] cleverly, intelligently, wittily.

ευφωνία (n) [effonia] euphony.

ευφωνικός-ή-ό (ε) [effonikos] euphonious.

ευχάριστα (επ) [efharista] comfortably, companionably.

ευχαριστημένος-η-ο (μ) [efharistimenos] pleased, contented.

ευχαριστήριος-α-ο (ε) [efharistirios] thankful, Eucharistic [εκκλ].

ευχαρίστηση (n) [efharistisi] satisfaction, pleasure.

ευχαριστία (n) [efharistia] thanks, thanks giving.

ευχάριστος-η-ο (ε) [efharistos] pleasant, agreeable, comfortable, congenial.

ευχαριστώ (ρ) [efharisto] thank, please.

ευχαρίστως (επ) [efharistos] gladly.

ευχέλαιο (το) [efheleo] Holy Unction.

ευχέρεια (n) [efheria] ease.

ευχερής-ής-ές (ε) [efheris] easy.

ευχετήριος-α-ο (ε) [efhetirios] of greetings, congratulatory.

ευχή (n) [efhi] prayer, wish, blessing.

εύχομαι (ρ) [efhome] wish, hope.

ευχόμενος-η-ο (μ) [efhomenos] benedictory.

εύχρηστος-η-ο (ε) [efhristos] useful, handy.

εύχυμος-η-ο (ε) [efhimos] juicy, succulent.

εύψυχα (επ) [efpsiha] courageously.

ευψυχία (n) [efpsihia] courage, spirit.

εύψυχος-η-ο (ε) [efpsihos] brave, courageous.

ευωδιά (n) [evodhia] fragrance, scent.

ευωδιάζω (ρ) [evodhiazo] smell sweetly, perfume.

ευωδιαστός-ή-ό (ε) [evodhiastos] fragrant, sweet-smelling.

ευωχία (n) [evohia] feast.

ευωχούμαι (ρ) [evohume] regale oneself on.

εφαλτήριο (το) [efaltirio] vaulting-horse.

εφάμιλλος-η-ο (ε) [efamillos] equal to, comparable to.

εφάπαξ (ε) [efapaks] in a lump sum, once only.

εφάπτομαι (ρ) [efaptome] adjoin, touch lightly, be adjacent.

εφαπτομένη (n) [efaptomeni] tangent.

εφαρμογή (n) [efarmogi] application, fitting.

εφαρμόζω (ρ) [efarmozo] fit, apply.

εφαρμόσιμος-η-ο (ε) [efarmosimos] practicable, applicable.

εφαρμοστά (επ) [efarmosta] clingingly.

εφαρμοστός-ή-ό (ε) [efarmostos] close-fitting, clinging, clingy.

εφεδρεία (n) [efedhria] reserve.

εφεδρικός-ή-ό (ε) [efedhrikos] reserve, spare, standby.

έφεδρος (ο) [efedhros] reservist.

εφεξής (επ) [efeksis] henceforth, hereafter.

έφεση (n) [efesi] appeal [νομ], disposition, wish.

εφεσιβάλλω (ρ) [efesivallo] lodge an appeal against.

εφετείο (το) [efetio] court of appeal.

εφέτης (ο) [efetis] judge.

εφετινός-ή-ό (ε) [efetinos] of this year.

εφέτος (επ) [efetos] this year.

εφεύρεση (n) [efevresi] invention.

εφευρέτης (ο) [efevretis] inventor.

εφευρετικός-ή-ό (ε) [efevretikos] inventive, ingenious.

εφευρετικότητα (n) [efevretikotita] inventiveness.

εφεύρημα (το) [efefrima] figment.

εφευρίσκω (ρ) [efevrisko] invent, make up.

εφηβεία (n) [efivia] puberty, adolescence.

εφηβικός-ή-ό (ε) [efivikos] of youth, of puberty.

έφηβος (ο) [efivos] adolescent, teenager.

εφημερεύω (ρ) [efimerevo] be on duty.

εφημερία (n) [efimeria] rectorate [εκκλ], vicarage [εκκλ].

εφημερίδα (n) [efimeridha] newspaper, journal.

εφημεριδοπώλης (ο) [efimeridhopolis] newsagent.

εφημέριος (ο) [efimerios] vicar, parish priest.

εφήμερος-n-o (ε) [efimeros] fleeting, passing.

εφήμερος (ο) [efimeros] caducous.

εφησυχάζω (ρ) [efisihazo] relax, rely on.

εφησύχαση (n) [efisihasi] quiescence.

εφιάλτης (ο) [efialtis] nightmare.

εφίδρωση (n) [efidhrosi] perspiration, sweating.

εφικτός-ή-ό (ε) [efiktos] possible, attainable.

έφιππος-n-o (ε) [efippos] on horseback, equestrian.

εφιστώ (ρ) [efisto] draw attention to.

εφοδιάζω (ρ) [efodhiazo] supply, furnish, provide, equip.

εφοδιασμός (ο) [efodhiasmos] supply.

εφόδιο (το) [efodhio] equipment, supplies.

εφοδιοπομπή (n) [efodhiopombi] convoy.

έφοδος (n) [efodhos] charge, assault, attack.

εφοπλιστής (ο) [efoplistis] shipowner.

εφορευτικός-ή-ό (ε) [eforeftikos] supervisory.

εφορία (n) [eforia] tax office, inland revenue.

εφοριακός-ή-ό (ε) [eforiakos] tax.

εφοριακός (ο) [eforiakos] tax collector, tax inspector.

εφόρμηση (n) [eformisi] charge.

εφορμώ (ρ) [eformo] assault, rush at.

έφορος (ο) [eforos] inspector, director, keeper.

εφόσον (σ) [efoson] as long as, provided.

εφτά (αριθ) [efta] seven.

εφταμηνίτικο (το) [eftaminitiko] premature baby.

εφφέ (το) [effe] effect, stir.

εχεμύθεια (n) [ehemithia] secrecy, secret.

εχέμυθος-n-o (ε) [ehemithos] discreet, reserved.

εχθές (επ) [ehthes] yesterday.

έχθρα (n) [ehthra] hostility, hatred.

εχθρεύομαι (ρ) [ehthrevome] hate, dislike.

έχθρητα (n) [ehtrita] hostility, hatred.

εχθρικός-ή-ό (ε) [ehthrikos] hostile.

εχθρικότητα (n) [ehthrikotita] hostility.

εχθρός (ο) [ehthros] enemy.

εχθρότητα (n) [ehthrotita] enmity.

έχιδνα (n) [ehidhna] viper, adder.

εχινοκοκκίαση (n) [ehinokokkiasi] hydatid disease.

έχω (ρ) [eho] have, keep.

εψές (επ) [epses] yesterday.

εωθινός-ή-ό (ε) [eothinos] morning.

έωλος-ο (ε) [eolos] commonplace.

έως (επ) [eos] till, until, to, as far as, as much as, as many as, up to.

Εωσφόρος (ο) [Eosforos] Lucifer, Satan.

ζα (τα) [za] animals, cattle.

ζαβλάκωμα (το) [zavlakoma] daze.

ζαβλακωμένος-η-ο (μ) [zavlakomenos] stupefied, dazed.

ζαβλακώνω (ρ) [zavlakono] daze.

ζαβολιά (n) [zavolia] cheating, trickery.

ζαβολιάρης-α-ικο (ε) [zavoliaris] trickster, cheat.

ζαβομάρα (n) [zavomara] stupidity.

ζαβός-ή-ό (ε) [zavos] crooked, perverse, clumsy.

ζακέτα (n) [zaketa] jacket, tail-coat, coat.

Ζάκυνθος (n) [Zakinthos] Zante, Zakynthos.

ζαλάδα (n) [zaladha] dizziness, headache.

ζάλη (n) [zali] dizziness.

ζαλίζω (ρ) [zalizo] make dizzy, confuse, daze.

ζάλισμα (το) [zalisma] dizziness.

ζαλισμένος-η-ο (μ) [zalismenos] dizzy, giddy, dazed.

ζαμπόν (το) [zambon] ham.

ζάντα (n) [zanda] wheel-rim.

ζάρα (n) [zara] crease, wrinkle, line, pucker.

ζαρζαβατικά (τα) [zarzavatika] vegetables.

ζάρι (το) [zari] dice.

ζάρια (τα) [zaria] dice.

ζαρκάδι (το) [zarkadhi] roe-buck, roe-deer.

ζαρτινιέρα (n) [zartiniera] window-box.

ζαρτιέρα (n) [zartiera] suspender-belt.

ζάρωμα (το) [zaroma] creasing, wrinkling, crease, wrinkle.

ζαρωματιά (n) [zaromatia] wrinkle, crease, crumple, line, crinkle.

ζαρωμένος-η-ο (μ) [zaromenos] crumpled, wrinkled.

ζαρώνω (ρ) [zarono] crease, wrinkle, crumple, line.

ζαφείρι (το) [zafiri] sapphire.

ζαχαράτο (το) [zaharato] sweet.

ζαχαρένιος-α-ο (ε) [zaharenios] sugary, honeyed [μεταφ].

ζάχαρη (n) [zahari] sugar.

ζαχαρίνη (n) [zaharini] saccharin.

ζάχαρο (το) [zaharo] diabetes.

ζαχαροκάλαμο (το) [zaharokalamo] sugar cane.

ζαχαροπλαστείο (το) [zaharoplastio] confectioner's.

ζαχαροπλάστης (ο) [zaharoplastis] confectioner.

ζαχαροπλαστική (n) [zaharoplastiki] pastry-making, confectionery.

ζαχαρότευτλο (το) [zaharoteftlo] sugar-beet.

ζαχάρωμα (το) [zaharoma] sugaring.

ζαχαρώνω (ρ) [zaharono] sugar, canoodle [μεταφ], granulate, candy.

ζέβρα (n) [zevra] zebra.

ζελατίνη (n) [zelatini] gelatin.

ζελατινώδης-ης-ες (ε) [zelatinodhis] gelatinous.

ζελέ (το) [zele] jelly.

ζεματίζω (ρ) [zematizo] be very hot, scald.

ζεμάτισμα (το) [zematisma] scalding, scorching.

ζεματιστός-ή-ό (ε) [zematistos] scalding, boiling, scorching.

ζεμπίλι (το) [zembili] basket.

ζενίθ (το) [zenith] zenith, peak.

ζερβός-ή-ό (ε) [zervos] left, left-handed.

ζερβοχέρης-α-ικο (ε) [zervoheris] left-handed.

ζέση (n) [zesi] boiling, warmth [μεταφ].

ζεστά (επ) [zesta] cosily, warmly, with zeal [μεταφ].

ζεσταίνομαι (ρ) [zestenome] get warm, feel hot.

ζεσταίνω (ρ) [zesteno] heat up.

ζέσταμα (το) [zestama] warming.

ζεστασιά (n) [zestasia] warmth, heat.

ζέστη (n) [zesti] heat, warmth.

ζεστός-ή-ό (ε) [zestos] hot, warm, cosy.

ζευγαράκι (το) [zevgaraki] pair [of lovers].

ζευγάρι (το) [zevgari] pair, couple.

ζευγάρωμα (το) [zevgaroma] pairing off, mating [ζώων].

ζευγαρώνω (ρ) [zevgarono] pair off, mate [ζώα].

ζευγάς (ο) [zevgas] ploughman.

ζεύγμα (το) [zevgma] zeugma, pontoon bridge.

ζευγνύω (ρ) [zevgnio] yoke, link.

ζεύγος (το) [zevgos] pair, couple.

ζεύξη (n) [zefksi] yoking, bridging.

ζεύω (ρ) [zevo] yoke, harness.

ζέφυρος (ο) [zefiros] zephyr, the west wind.

ζέψιμο (το) [zepsimo] yoking, harnessing.

Ζηλανδία (n) [Zilandhia] [New] Zealand.

Ζηλανδός (ο) [zilandhos] [new] Zealander.

ζήλεια (n) [zilia] jealousy, envy.

ζηλεμένος-η-ο (μ) [zilemenos] enviable.

ζηλευτός-ή-ό (ε) [zileftos] enviable, desirable.

ζηλεύω (ρ) [zilevo] envy, be jealous of.

ζήλια (n) [zilia] envy, jealousy.

ζηλιάρης-α-ικο (ε) [ziliaris] envious, jealous.

ζήλος (ο) [zilos] zeal, ardor.

ζηλοτυπία (n) [zilotipia] jealousy.

ζηλότυπος-η-ο (ε) [zilotipos] envious, jealous, possesive.

ζηλοτυπώ (ρ) [zilotipo] be jealous.

ζηλοφθονία (n) [zilofthonia] envy.

ζηλόφθονος-η-ο (ε) [zilofthonos] envious, jealous, possesive.

ζηλοφθονώ (ρ) [zilofthono] envy, be envious.

ζηλωτής (ο) [zilotis] zealot.

ζημία (n) [zimia] damage, loss, injury, harm.

ζημιάρης-α-ικο (ε) [zimiaris] mischievous, damaging.

ζημιώνω (ρ) [zimiono] damage.

ζήση (n) [zisi] life.

ζήτημα (το) [zitima] question, subject, matter.

ζήτηση (n) [zitisi] demand, search.

ζητιανεύω (ρ) [zitianevo] beg.

ζητιανιά (n) [zitiania] begging.

ζητιάνος (ο) [zitianos] beggar.

ζήτω! (επιφ) [zito!] hip, hurrah!.

ζητώ (ρ) [zito] seek, ask for, look for, demand, beg.

ζητωκραυγάζω (ρ) [zitokravgazo] cheer.

ζητωκραυγή (n) [zitokravyi] cheer.

ζιβάγκο (το) [zivango] polo-neck.

ζιγκολό (ο) [zingolo] gigolo.

ζιζάνιο (το) [zizanio] naughty person [μεταφ], weed [βοτ].

ζιζανιοκτόνο (το) [zizanioktono] weed killer.

ζιμπούλι (το) [zimbuli] hyacinth [ζουμπούλι].

ζίου-ζίτσου (το) [ziou-zitsou] judo, ju-jitsu.

ζίπ-κιλότ (n) [zip-kilot] culottes.

ζόρι (το) [zori] force, violence, difficulty.

ζορίζω (ρ) [zorizo] force, stress, push.

ζόρικα (επ) [zorika] violently, forcibly.

ζόρικος-n-ο (ε) [zorikos] hard, difficult.

ζόρισμα (το) [zorisma] pressure, pushing, pressing.

ζορμπάς (ο) [zormbas] trouble-maker, bully.

ζούγκλα (n) [zungla] jungle.

ζούδι (το) [zudhi] living thing, creature.

ζουζούνι (το) [zuzuni] insect.

ζουζουνίζω (ρ) [zuzunizo] hum.

ζουλάπι (το) [zulapi] wild animal.

ζούληγμα (το) [zuligma] squeezing, pressing.

ζούλισμα (το) [zulisma] squeezing, crushing, pressing.

ζουλώ (ρ) [zulo] squeeze, squash.

ζουμεράδα (n) [zumeradha] succulence.

ζουμερός-ή-ό (ε) [zumeros] juicy, succulent, significant.

ζουμί (το) [zumi] juice, broth, gravy [ψητού].

ζουμπούλι (το) [zumbuli] hyacinth.

ζουνάρι (το) [zunari] belt.

ζούρλα (n) [zurla] folly.

ζουρλαίνομαι (ρ) [zurlenome] go mad, be nuts.

ζουρλαίνω (ρ) [zurleno] drive mad.

ζουρλαμάρα (n) [zurlamara] madness.

ζούρλια (n) [zurlia] madness.

ζουρλομανδύας (ο) [zurlomandhias] strait jacket.

ζουρλός-ή-ό (ε) [zurlos] mad, crazy.

ζουρνάς (ο) [zurnas] [a kind of] clarinet.

ζοφερός-ή-ό (ε) [zoferos] dark, gloomy.

ζοχάδα (n) [zohadha] peevishness [μεταφ], moroseness [μεταφ].

ζοχάδες (οι) [zohadhes] piles, hemorrhoids.

ζοχαδιακός-ή-ό (ε) [zohadhiakos] choleric, peevish [μεταφ], moody [μεταφ].

ζυγαριά (n) [zigaria] pair of scales.

ζύγι (το) [ziyi] weighing, weight.

ζυγιάζομαι (ρ) [ziyiazome] hover, be poised.

ζυγιάζω (ρ) [ziyiazo] weigh, balance.

ζυγίζομαι (ρ) [ziyizome] hover over, weigh.

ζυγίζω (ρ) [ziyizo] weigh, turn the scales.

ζύγιση (n) [ziyisi] weighing, dress [στρατ].

ζύγισμα (το) [ziyisma] weighing up.

ζυγογέφυρα (n) [ziyoyefira] weighbridge, scales.

ζυγολόγιο (το) [zigoloyio] weight list.

ζυγός-ή-ό (ε) [zigos] even [number].

ζυγός (ο) [zigos] yoke, scale [παλάντζας], Libra [αστρολ].

ζυγοσταθμίζω (ρ) [zigostathmizo] balance, trim [πλοίο].

ζυγοστάθμιση (n) [zigostathmisi] balancing [μηχ], trimming [πλοίο].

ζυγωματικός-ή-ό (ε) [zigomatikos] malar, cheekbone.

ζυγώνω (ρ) [zigono] get near, approach.

ζυθοποιείο (το) [zithopiio] brewery.

ζυθοποιός (ο) [zithopios] brewer.

ζυθοπωλείο (το) [zithopolio] public house [pub].

ζύθος (ο) [zithos] beer, ale.

ζυμάρι (το) [zimari] dough.

ζυμαρικά (τα) [zimarika] pastry, pies.

ζύμη (n) [zimi] dough.

ζύμωμα (ο) [zimoma] kneading.

ζυμώνομαι (ρ) [zimonome] ferment.

ζυμώνω (ρ) [zimono] ferment.

ζύμωση (n) [zimosi] fermentation.

ζυμωτήριο (το) [zimotirio] kneadingtrough.

ζυμωτής (ο) [zimotis] kneader.

ζυμωτός-ή-ό (ε) [zimotos] hand-kneaded.

Ζυρίχη (n) [Zirihi] Zurich.

ζω (ρ) [zo] exist, be alive, live.

ζωαγορά (n) [zoagora] cattle fair.

ζωγραφιά (n) [zografia] painting, drawing.

ζωγραφίζω (ρ) [zografizo] paint, portray.

ζωγραφική (n) [zografiki] painting.

ζωγραφικός-ή-ό (ε) [zografikos] painting.

ζώδιο (το) [zodhio] sign of the zodiac, fate [μεταφ].

ζωέμπορας (ο) [zoemboras] cattle dealer.

ζωή (η) [zoi] life, living.

ζωηρά (ε) [zoira] actively, briskly, keenly.

ζωηράδα (η) [zoiradha] liveliness, briskness.

ζωηρεύω (ρ) [zoirevo] become lively, brighten up, cheer up, brighten.

ζωηρός-ή-ό (ε) [zoiros] lively, vivid, warm [θερμός], full of life [εύθυμος], alive, arresting.

ζωηρότητα (η) [zoirotita] heat, liveliness.

ζωηρόχρωμος-η-ο (ε) [zoirohromos] colourific.

ζωικός-ή-ό (ε) [zoikos] animal, vital.

ζωμός (ο) [zomos] soup.

ζωνάρι (το) [zonari] belt, sash, girdle.

ζώνη (η) [zoni] zone, belt, cincture.

ζωντανά (επ) [zondana] vividly, lively.

ζωντανά (τα) [zondana] cattle, livestock.

ζωντάνεμα (το) [zondanema] revival, reviving.

ζωντανεύω (ρ) [zondanevo] revive, invigorate, brighten.

ζωντάνια (η) [zondania] liveliness, alertness, vividness.

ζωντανός-ή-ό (ε) [zondanos] living, live, vivid, lively.

ζωντόβολο (το) [zondovolo] animal, beast.

ζωντοχήρα (η) [zondohira] divorced woman, divorcee.

ζωντόχηρος (ο) [zondohiros] divorced man, divorcee.

ζώνω (ρ) [zono] belt, buckle on, hem in [περιζώνω], encircle.

ζώο (το) [zoo] animal, beast, brute [άνθρ].

ζωογόνηση (η) [zoogonisi] animation, encouragement.

ζωογόνος-α-ο (ε) [zoogonos] life giving, refreshing.

ζωογονώ (ρ) [zoogono] animate, stimu-

late [μεταφ].

ζωοδότης (ο) [zoodhotis] giver of life.

ζωοδόχος-ος-ο (ε) [zoodhohos] source of life [πηγή].

ζωοθεϊσμός (ο) [zootheismos] zoolatry.

ζωοκλέφτης (ο) [zookleftis] cattle-thief.

ζωοκλοπή (η) [zooklopi] cattle rustling, sheep stealing.

ζωοκτονία (η) [zooktonia] animal killing.

ζωολατρία (η) [zoolatria] love of animals, zoolatry [θρησκ].

ζωολογία (η) [zooloyia] zoology.

ζωολόγος (ο) [zoologos] zoologist.

ζωοπανήγυρη (η) [zoopaniyiri] cattle show.

ζωοποιός (ο) [zoopios] animating, invigorating, bracing.

ζωοποιώ (ρ) [zoopio] animalize.

ζωοτομώ (ρ) [zootomo] vivisect.

ζωοτροφείο (το) [zootrofio] cattle farm.

ζωοτροφές (οι) [zootrofes] animal fodder, food stuffs.

ζωοτροφή (η) [zootrofi] cattle feed, fodder.

ζωοφάγος-α-ο (ε) [zoofagos] carnivorous.

ζωοφάγος (ο) [zoofagos] meat-eater.

ζωόφιλος-η-ο (ε) [zoofilos] fond of animals, animal-lover.

ζωοφόρος (η) [zooforos] frieze, zoophorous.

ζωπυρώ (ρ) [zopiro] rekindle, revive, relight.

ζώσιμο (το) [zosimo] girdling, encircling.

ζωστήρας (ο) [zostiras] belt, strap, cingle, girdle.

ζωτικός-ή-ό (ε) [zotikos] vital, energetic.

ζωτικότητα (η) [zotikotita] vitality, stamina.

ζωύφιο (το) [zoifio] insect, louse.

ζωώδης-ης-ες (ε) [zoodhis] animal, beastly, brutish, cruel [μεταφ].

H

ή (διαζ) [i] either, or.
n (άρθρο) [i] the.
ήβη (n) [ivi] puberty.
ηβικός-ή-ό (ε) [ivikos] pubic.
ηγεμόνας (ο) [iyemonas] prince, sovereign.
ηγεμονεύω (ρ) [iyemonevo] rule, reign.
ηγεμονία (n) [iyemonia] domination, principality [χώρα].
ηγεμονικός-ή-ό (ε) [iyemonikos] regal, princely, royal, sovereign.
ηγεμονίσκος (ο) [iyemoniskos] petty prince.
Ηγερία (n) [Iyeria] muse.
ηγεσία (n) [iyesia] leadership.
ηγέτης (ο) [iyetis] leader, chief.
ηγετικός-ή-ό (ε) [iyetikos] leading.
ηγήτορας (ο) [iyitoras] commander, head, leader, chief.
ηγούμαι (ρ) [igume] lead, captain, head.
ηγουμενείο (το) [igumenio] abbot's quarters, abbey.
ηγουμένη (n) [igumeni] abbess, Mother Superior.
ηγουμενία (n) [igumenia] abbacy.
ηγουμενικός-ή-ό (ε) [igumenikos] abbatial.
ηγούμενος (ο) [igumenos] prior, superior, abbot [καθ εκκλ].
ήδη (επ) [idhi] even now, already, by that time, by now, even then.

ηδονή (n) [idhoni] delight, sensual pleasure, lust.
ηδονίζομαι (ρ) [idhonizome] take delight in.
ηδονικός-ή-ό (ε) [idhonikos] delightful, sensual, voluptuous.
ηδονοβλεψίας (ο) [idhonovlepsias] peeping Tom, voyeur.
ηδυπάθεια (n) [idhipathia] voluptuousness, sensuality.
ηδυπαθής-ής-ές (ε) [idhipathis] voluptuous, sensous.
ηδύποτο (το) [idhipoto] liqueur.
ήθηση (n) [ithisi] filtering, straining.
ηθικά (επ) [ithika] morally.
ηθική (n) [ithiki] ethics, morality.
ηθικό (το) [ithiko] morale, morality, morals.
ηθικολογία (n) [ithikoloyia] moralizing.
ηθικολογικός-ή-ό (ε) [ithikoloyikos] moralistic.
ηθικολόγος (ο) [ithikologos] moralist.
ηθικοποιώ (ρ) [ithikopio] edify.
ηθικός-ή-ό (ε) [ithikos] ethical, moral, righteous, chaste.
ηθικότητα (n) [ithikotita] modesty, righteousness, morality, chastity.
ηθογραφία (n) [ithografia] folklore.
ηθολογία (n) [itholoyia] ethology.

ηθικολογικός-ή-ό (ε) [ithikoloyikos] ethological.

ηθοπλαστικός-ή-ό (ε) [ithoplastikos] uplifting, edifying.

ηθοποιία (n) [ithopiia] acting.

ηθοποιός (o) [ithopios] actor, playactor, performer, (n) actress.

ήθος (το) [ithos] character, nature, manner, morals.

ηλεκτρίζω (ρ) [ilektrizo] electrify.

ηλεκτρικό (το) [ilektriko] electricity.

ηλεκτρικός-ή-ό (ε) [ilektrikos] electric.

ηλέκτριση (n) [ilektrisi] electrification.

ηλεκτρισμένος-n-ο (μ) [ilektrismenos] electrified, live, exited.

ηλεκτρισμός (o) [ilektrismos] electricity.

ήλεκτρο (το) [ilektro] amber.

ηλεκτρόδιο (το) [ilektrodhio] electrode.

ηλεκτροδυναμική (n) [ilektrodhinamiki] electrodynamics.

ηλεκτροκίνηση (n) [ilektrokinisi] electrification.

ηλεκτροκίνητος-n-ο (ε) [ilektrokinitos] electrified, power driven.

ηλεκτροκόλληση (n) [ilektrokolisi] electric welding.

ηλεκτρολογία (n) [ilektroloyia] electrology.

ηλεκτρολογικός-ή-ό (ε) [ilektroloyikos] electrical.

ηλεκτρολόγος (o) [ilektrologos] electrician.

ηλεκτρονικός-ή-ό (ε) [ilektronikos] electronic.

ηλεκτρόνιο (το) [ilektronio] electron.

ηλεκτροπαραγωγή (n) [ilektroparagoyi] electricity output/production.

ηλεκτροπληξία (n) [ilektropliksia] electric shock.

ηλεκτροτεχνίτης (o) [ilektrotehnitis] electric fitter, electrician.

ηλεκτροφόρος-α-ο (ε) [ilektroforos] electric, live.

ηλεκτρόφωνο (το) [ilektrofono] record-player.

ηλεκτροφωτίζω (ρ) [ilektrofotizo] supply with electricity.

ηλιακό στέμα (το) [iliako stema] corona, aureola [αστρον].

ηλιακός-ή-ό (ε) [iliakos] solar.

ηλίαση (n) [iliasi] sunstroke.

ηλιαχτίδα (n) [iliahtidha] sunbeam, sunray.

ηλίθιος-α-ο (ε) [ilithios] idiotic, stupid, silly.

ηλιθιότητα (n) [ilithiotita] idiocy, stupidity.

ηλικία (n) [ilikia] age.

ηλικιωμένος-n-ο (ε) [ilikiomenos] aged, elderly.

ηλικιώνομαι (ρ) [ilikionome] grow old, age.

ηλιοβασίλεμα (το) [iliovasilema] sunset.

ηλιοθεραπεία (n) [iliotherapia] sunbathing.

ηλιοκαμένος-n-ο (ε) [iliokamenos] sunburnt, tanned.

ηλιόλουστος-n-ο (ε) [iliolustos] sunny, sundrenched.

ηλιόλουτρο (το) [iliolutro] sunbathing.

ήλιος (o) [ilios] sun, sunflower [φυτό].

ηλιοστάσιο (το) [iliostasio] solstice.

ηλιοτρόπιο (το) [iliotropio] bloodstone.

ηλιόφως (το) [iliofos] sunlight.

ηλιοφώτιστος-n-ο (ε) [iliofotistos] sunlit, sunny.

ηλιόχαρος-n-ο (ε) [ilioharos] sunny.

ηλιοψημένος-n-ο (μ) [iliopsimenos] sunburnt, suntanned.

ημεδαπός-ή-ό (ε) [imedhapos] domestic, native, national.

ημέρα (n) [imera] day, daytime.

ημεράδα (n) [imeradha] tameness [ζώου], placidity [ανθρώπου].

ημερεύω (ρ) [imerevo] tame, domesticate, calm down.

ημερήσιος-α-ο (ε) [imerisios] daily.

ημερίδα (n) [imeridha] meeting.

ημεροδείκτης (ο) [imerodhiktis] almanac, calendar.

ημερολογιακός-ή-ό (ε) [imeroloyiakos] calendar.

ημερολόγιο (το) [imeroloyio] calendar, logbook [πλοίου], diary [ατόμου].

ημερομηνία (n) [imerominia] date.

ημερομίσθιο (το) [imeromisthio] daily wage.

ημερονύκτιο (το) [imeroniktio] 24-hour period.

ήμερος-η-ο (ε) [imeros] tame, domesticated, gentle.

ημερότητα (n) [imerotita] tameness, placidity, gentleness.

ημέρωμα (το) [imeroma] taming.

ημερώνω (ρ) [imerono] tame, calm down, pacify.

ημέτερος-η-ο (αντ) [imeteros] follower.

ημιανάπαυση (n) [imianapafsi] at ease [στρατ παραγγ].

ημιαπασχόληση (n) [imiapasholisi] part-time job.

ημιαργία (n) [imiargia] half-day [holiday].

ημιαυτόματος-η-ο (ε) [imiaftomatos] semi-automatic.

ημιεπίσημος-η-ο (ε) [imiepisimos] semi-official.

ημιθανής-ής-ές (ε) [imithanis] half-dead.

ημίθεος (ο) [imitheos] demigod, immortal [επί ανθρώπων].

ημίκοσμος (ο) [imikosmos] demimonde.

ημικρανία (n) [imikrania] migraine.

ημικυκλικός-ή-ό (ε) [imikiklikos] semicircular.

ημικύκλιο (το) [imikiklio] semi-circle.

ημιμάθεια (n) [imimathia] little learning, superficial knowledge.

ημίμετρα (τα) [imimetra] half-measures.

ημιμόνιμος-η-ο (ε) [imimonimos] semi-permanent.

ημιονηγός (ο) [imionigos] muleteer.

ημίονος (ο) [imionos] hinny, mule.

ημιπληγία (n) [imipliyia] stroke, paralysis, hemiplegia.

ημιπληγικός-ή-ό (ε) [imipliyikos] hemiplegic.

ημιπολύτιμος-η-ο (ε) [imipolitimos] semi-precious.

ημισέληνος (n) [imiselinos] crescent, half moon, the Turkish flag [μεταφ].

ήμισυ (το) [imisi] half.

ημισφαιρικός-ή-ό (ε) [imisferikos] hemispherical.

ημισφαίριο (το) [imisferio] hemisphere.

ημιτελής-ής-ές (ε) [imitelis] incomplete, deficient, defective.

ημιτελικός-ή-ό (ε) [imitelikos] semifinal.

ημιφορτηγό (το) [imifortigo] van [κλειστό], truck [ανοικτό].

ημίφως (το) [imifos] twilight, dim light.

ημιχρόνιο (το) [imihronio] half-time.

ημίχρονο (το) [imihrono] half-time [αθλητ].

ημίψηλο (το) [imipsilo] silk-hat, top-hat.

ημίωρο (το) [imioro] half-hour.

ημίωρος-η-ο (ε) [imioros] half-hourly.

ηνίο (το) [inio] rein, bridle.

ηνίοχος (ο) [iniohos] charioteer, coachman, coachdriver.

ήπαρ (το) [ipar] liver.

ηπατικός-ή-ό (ε) [ipatikos] biliary.

ηπατίτιδα (n) [ipatitidha] hepatitis.

ηπατολογία (n) [ipatoloyia] hepatology.

ήπειρος (n) [ipiros] continent, mainland.

ηπειρωτικός-ή-ό (ε) [ipirotikos] continental, mainland.

ήπιος-α-ο (ε) [ipios] mild, indulgent, gentle.

ηπιότητα (n) [ipiotita] mildness.

ήρα (n) [ira] tare, cockle [βοτ], darnel [βοτ].

ηράκλειος-α-ο (ε) [iraklios] Herculean.

Ηρακλής (ο) [Iraklis] Hercules.

ήρεμα (επ) [irema] calmly, peacefully, placidly.

ηρέμηση (n) [iremisi] calming down, tranquilizing.

ηρεμία (n) [iremia] quietness, equanimity, quiescence, quiescency.

ηρεμιστικό (το) [iremistiko] tranquillizer, sedative.

ήρεμος-η-ο (ε) [iremos] calm, tranquil, peaceful.

ηρεμώ (ρ) [iremo] be calm, keep quiet, tranquilize.

ήρωας (ο) [iroas] hero.

Ηρώδης (ο) [Irodhis] Herod.

ηρωίδα (n) [iroidha] heroine.

ηρωικός-ή-ό (ε) [iroikos] heroic.

ηρωίνη (n) [iroini] heroin.

ηρωινομανής (ο) [iroinomanis] heroin addict.

ηρωισμός (ο) [iroismos] heroism.

ηρώο (το) [iroo] war-memorial.

ηρωολατρία (n) [iroolatria] hero-worship.

ίσκα (n) [iska] tinder.

ήσυχα (επ) [isiha] calmly, quietly.

ησυχάζω (ρ) [isihazo] grow quiet, rest, calm down, soothe.

ησυχασμός (ο) [isihasmos] rest, peace, quiet.

ησυχαστήριο (το) [isihastirio] retreat, resting place.

ησυχαστικός,ή-ό (ε) [isihastikos] quieting, reassuring.

ησυχία (n) [isihia] quietness, peace.

ήσυχος-η-ο (ε) [isihos] quiet, composed, peaceful, still.

ήτοι (μο) [iti] that is, namely.

ήττα (n) [itta] defeat, beating.

ηττημένος-η-ο (μ) [ittimenos] loser, defeated, beaten.

ήττον (το) [iton] less.

ηττοπάθεια (n) [ittopathia] defeatism.

ηττοπαθής-ής-ές (ε) [ittopathis] defeatist.

ηττώμαι (ρ) [ittome] be defeated, be overpowered, give way.

ηφαίστειο (το) [ifestio] volcano.

ηφαιστειογενής-ής-ές (ε) [ifestioyenis] volcanic.

ηφαιστειογενής-ής-ές (ε) [ifestioyenis] volcanic.

ηχείο (το) [ihio] resonator.

ηχηρός-ή-ό (ε) [ihiros] loud, ringing, resonant, clarion.

ηχηρότητα (n) [ihirotita] resonance, volume.

ήχηση (n) [ihisi] blast.

ηχητικός-ή-ό (ε) [ihitikos] producing sound, resounding.

ηχοβολίδα (n) [ihovolidha] echo sounder.

ηχογράφηση (n) [ihografisi] recording.

ηχογραφώ (ρ) [ihografo] record.

ηχολήπτης (ο) [iholiptis] sound engineer.

ηχομετρία (n) [ihometria] echometry.

ηχομόνωση (n) [ihomonosi] sound-proofing.

ηχομονωτικός-ή-ό (ε) [ihomonotikos] sound-proof.

ήχος (ο) [ihos] sound, boom [κανονιάς], strike [ωρολογιού], tone [φωνής].

ηχώ (ρ) [iho] ring, sound, strike, blare (n) echo, repercussion [μεταφ].

ηχώ εναρμονίως (ρ) [iho enarmonios] chime.

Ηώς (n) [Ios] dawn, Aurora [μυθ].

νωσίνη (n) [iosini] eosin[e] [χημ].

θα (μο) [tha] shall, will, should, would.
θάβω (ρ) [thavo] bury, hide.
θαλαμάρχης (ο) [thalamarhis] person in charge of a dormitory.
θαλάμη (n) [thalami] chamber [όπλου], nest, nostril [μύτης].
θαλαμηγός (n) [thalamigos] yacht.
θαλαμηπόλος (n) [thalamipolos] chamber-maid, stewardess.
θαλαμηπόλος (ο) [thalamipolos] valet, steward.
θαλαμίσκος (ο) [thalamiskos] cabin.
θάλαμος (ο) [thalamos] room, ward [νοσοκομείου], inner tube [ποδηλάτου].
θάλαμος χαρτών (ο) [thalamos harton] charthouse.
θαλαμοφύλακας (ο) [thalamofilakas] billet orderly [στρατ].
θάλασσα (n) [thalassa] sea.
θαλασσινά (τα) [thalassina] shellfish, sea-food.
θαλασσινός-ή-ό (ε) [thalassinos] sea, marine, seafaring.
θαλάσσιος-α-ο (ε) [thalassios] aquatic, marine, shipping.
θαλασσογραφία (n) [thalassografia] seascape.
θαλασσόδαρτος-n-ο (ε) [thalassodhartos] sea-beaten.

θαλασσοδέρνω (ρ) [thalassodherno] buffet, struggle against [adversity] [μεταφ].
θαλασσόλυκος (ο) [thalassolikos] sea dog, mariner.
θαλασσόνερο (το) [thalassonero] seawater.
θαλασσοπνίγομαι (ρ) [thalassopnigome] drown at sea, risk one's life at sea.
θαλασσοπορία (n) [thalassoporia] long voyage, navigation.
θαλασσοπόρος (ο) [thalassoporos] navigator, seafarer.
θαλασσοταραχή (n) [thalassotarahi] rough seas.
θαλασσοχελώνα (n) [thalassohelona] turtle.
θαλάσσωμα (το) [thalassoma] muddle.
θαλασσώνω (ρ) [thalassono] topsy-turvy, mess it up, a muddle of things [μεταφ], flood, submerge, overflow.
θαλερός-ή-ό (ε) [thaleros] green, in bloom, fresh [μεταφ].
θαλερότητα (n) [thalerotita] bloom.
θαλπωρή (n) [thalpori] warmth, comfort.
θάμβος (το) [thamvos] astonishment, wonder.
θαμνοειδής-ής-ές (ε) [thamnoidhis] shrubby, bushy.
θάμνος (ο) [thamnos] bush, shrub.
θαμνότοπος (ο) [thamnotopos] heath, brush.

θαμνώδης-ης-ες (ε) [thamnodhis] shrubby, brushy,.

θαμνώνας (ο) [thamnonas] thicket, coppice, arbour [κήπου].

θαμπάδα (η) [thambadha] blur, dimness, haziness.

θαμπός-ή-ό (ε) [thambos] lifeless, dim, cloudy, fuzzy, clouded.

θάμπος (το) [thambos] dazzle, daze.

θαμποφέγγω (ρ) [thambofengo] light dimly, light faintly, glimmer.

θαμποχάραμα (το) [thamboharama] dawn.

θάμπωμα (το) [thamboma] dazzle, astonishment, dimness [ματιού].

θαμπώνω (ρ) [thambono] dazzle.

θαμπωτικός-ή-ό (ε) [thambotikos] dazzling, stunning, dazing, amazing.

θαμώνας (ο) [thamonas] regular customer, frequent visitor.

θανάσιμα (επ) [thanasima] deadly.

θανάσιμος-η-ο (ε) [thanasimos] deadly, fatal, lethal.

θανατερός-ή-ό (ε) [thanateros] fell.

θανατηφόρος-α-ο (ε) [thanatiforos] deadly, murderous.

θανατικό (το) [thanatiko] deadly epidemic.

θάνατος (ο) [thanatos] death, destruction [μεταφ].

θανατοφοβία (η) [thanatofovia] fear of death.

θανατώνω (ρ) [thanatono] execute.

θανάτωση (η) [thanatosi] execution, killing.

θανή (η) [thani] death, funeral, burial.

θαρραλέα (επ) [tharralea] boldly, courageously.

θαρραλέος-α-ο (ε) [tharraleos] plucky, daring, bold, courageous.

θαρρετός-ή-ό (ε) [tharretos] bold.

θάρρος (το) [tharros] daring, courage, boldness.

θαρρώ (ρ) [tharro] believe, think.

θαύμα (το) [thavma] miracle, wonder.

θαυμάζω (ρ) [thavmazo] wonder at, ad-mire, be amazed at.

θαυμάσιος-α-ο (ε) [thavmasios] marvellous, wonderful.

θαυμασμός (ο) [thavmasmos] wonder.

θαυμαστής (ο) [thavmastis] fan, admirer.

θαυμαστικό (το) [thavmastiko] exclamation mark.

θαυμαστικός-ή-ό (ε) [thavmastikos] admiring, exclamatory.

θαυμαστός-ή-ό (ε) [thavmastos] admirable, astonishing, miraculous.

θαυματοποιΐα (η) [thavmatopiia] juggling, conjuring.

θαυματοποιός (ο) [thavmatopios] magician, conjurer.

θαυματουργικός-ή-ό (ε) [thavmaturyikos] miraculous.

θαυματουργός-ή-ό (ε) [thavmaturgos] miraculous.

θαυματουργώ (ρ) [thavmaturgo] do miracles, work wonders.

θάψιμο (το) [thapsimo] burial.

Θεά (η) [Thea] goddess.

θέα (η) [thea] view, sight, aspect.

θέαμα (το) [theama] view, scene, entertainment.

θεαματικός-ή-ό (ε) [theamatikos] spectacular, wonderful.

θεαματικότητα (η) [theamatikotita] rating[s] [τηλεόρ].

θεάρεστος-η-ο (ε) [thearestos] good.

θεατής (ο) [theatis] spectator, onlooker.

θεατός-ή-ό (ε) [theatos] visible.

θεατρίνα (η) [theatrina] actress.

θεατρινισμοί (οι) [theatrinismoi] play-acting.

θεατρινισμός (ο) [theatrinismos] play-acting, dramatics.

θεατρινίστικος-η-ο (ε) [theatrinistikos] theatrical, dramatic.

θεατρισμός (ο) [theatrismos] play-acting.

θέατρο (το) [theatro] theatre, stage, show, drama.

θεατρόφιλος-η-ο (ε) [theatrofilos] stage-struck.

θεία (η) [thia] aunt, auntie.

θειάφι (το) [thiafi] sulphur.

θειάφισμα (το) [thiafisma] sulphuration.

θειικός-ή-ό (ε) [thiikos] sulphate [χημ].

θεϊκός-ή-ό (ε) [theikos] divine.

θείος-α-ο (ε) [thios] holy, sacred.

θείος (ο) [thios] uncle.

θειότητα (η) [thiotita] divinity.

θειούχος υδράργυρος (ο) [thiuhos idhrargiros] cinnabar.

θεϊσμός (ο) [theismos] theism.

θειώδης-ης-ες (ε) [thiodhis] sulphurous.

θείωση (η) [thiosi] fumigation, sulphuration.

θέλγητρο (το) [thelyitro] attraction, fascination, spell.

θέλγω (ρ) [thelgo] charm, fascinate, attract, appeal, delight.

θέλημα (το) [thelima] wish, desire.

θεληματικός-ή-ό (ε) [thelimatikos] voluntary, willing.

θεληματικότητα (η) [thelimatikotita] determination.

θέληση (η) [thelisi] will, wish, desire, message.

θελκτικός-ή-ό (ε) [thelktikos] seductive, attractive, captivating.

θελκτικότητα (η) [thelktikotita] amenity.

θέλω (ρ) [thelo] wish, want, require, need, be willing, like, try, agree, consent, love, desire, demand.

θέμα (το) [thema] subject, point, stem [γραμμ], topic, theme [γραμμ].

θεματικός-ή-ό (ε) [thematikos] thematic.

θεματοφύλακας (ο) [thematofilakas] guardian, trustee.

θεμελιακός-ή-ό (ε) [themeliakos] fundamental, basic.

θεμέλιο (το) [themelio] foundation, basis [μεταφ].

θεμέλιος-α-ο (ε) [themelios] fundamental, basic.

θεμελιώδης-ης-ες (ε) [themeliodhis] fundamental, basic.

θεμελιώνω (ρ) [themeliono] found.

θεμελίωση (η) [themeliosi] founding, building.

θεμελιωτής (ο) [themeliotis] founder.

θεμιτός-ή-ό (ε) [themitos] lawful, legal.

θεογονία (η) [theogonia] theogony, God's Will.

θεοκατάρατος-η-ο (ε) [theokataratos] godforsaken, accursed.

θεόκουφος-η-ο (ε) [theokufos] stone-deaf.

θεοκρατία (η) [theokratia] theocracy.

θεοκρατικός-ή-ό (ε) [theokratikos] theocratic.

θεολογία (η) [theoloyia] theology.

θεολογικός-ή-ό (ε) [theoloyikos] theological.

θεολόγος (ο) [theologos] theologian.

θεομηνία (η) [theominia] disaster, destruction.

θεομπαίχτης (ο) [theombehtis] hypocrite.

θεοπάλαβος-η-ο (ε) [theopalavos] stark staring mad.

θεόπεμπτος-η-ο (ε) [theopemptos] god-sent, providential.

θεοποίηση (η) [theopiisi] glorification.

θεοποιώ (ρ) [theopio] idolize, praise, glorify, exalt.

θεόρατα (επ) [theorata] colossally.

θεόρατος-η-ο (ε) [theoratos] enormous, colossal, gigantic.

θεός (ο) [theos] God.

θεοσέβεια (η) [theosevia] piety.

θεοσεβής-ής-ές (ε) [theosevis] pious, devout.

θεοσκότεινος-η-ο (ε) [theoskotinos] pitch-dark.

θεοσοφία (η) [theosofia] theosophy.

θεόσταλτος-η-ο (ε) [theostaltos] god-sent.

θεόστραβος-η-ο (ε) [theostravos] blind.

θεότητα (n) [theotita] deity.

θεοτόκος (n) [theotokos] the Virgin Mary.

θεότρελος-η-ο (ε) [theotrelos] crazy.

Θεοφάνια (τα) [Theofania] the Epiphany.

θεοφιλέστατος (ο) [theofilestatos] [His] Grace.

θεοφοβούμενος-η-ο (μ) [theofovumenos] godly, pious.

θεόφτωχος-η-ο (ε) [theoftohos] very poor.

θεραπαινίδα (n) [therapenidha] maidservant.

θεραπεία (n) [therapia] cure, treatment, therapy.

θεραπεύσιμος-η-ο (ε) [therapefsimos] curable, remendable.

θεραπευτήριο (το) [therapeftirio] hospital, clinic.

θεραπευτής (ο) [therapeftis] therapist.

θεραπευτική (n) [therapeftiki] therapeutics.

θεραπευτικός-ή-ό (ε) [therapeftikos] therapeutic, healing.

θεραπεύω (ρ) [therapevo] cure, treat, satisfy [μεταφ], heal.

θεράποντας (ο) [therapondas] servant [υπηρέτης], attendant [ιατρός].

θέρετρο (το) [theretro] resort, country house.

θέριεμα (το) [theriema] giant growth, recovery.

θεριεύω (ρ) [therievo] grow fast, flare up.

θερίζω (ρ) [therizo] mow, cut, reap, crop.

θερινός-ή-ό (ε) [therinos] summer.

θεριό (το) [therio] beast.

θέρισμα (το) [therisma] reaping, cutting, mowing, harvest.

θερισμός (ο) [therismos] reaping, mowing.

θεριστικός-ή-ό (ε) [theristikos] reaping, mowing.

θερμαίνομαι (ρ) [thermenome] be feverish.

θερμαίνω (ρ) [thermeno] heat up, animate, encourage, excite.

θέρμανση (n) [thermansi] heating, warming.

θερμαντικός-ή-ό (ε) [thermandikos] heating, calorific.

θερμαντικότητα (n) [thermandikotita] caloricity.

θερμαστής (ο) [thermastis] stoker, fireman.

θερμάστρα (n) [thermastra] [heating] stove, furnace.

θέρμες (οι) [thermes] hot springs.

θέρμη (n) [thermi] fever, ardor.

θερμίδα (n) [thermidha] calorie.

θερμικός-ή-ό (ε) [thermikos] thermal, caloric, thermic.

θερμόαιμος-η-ο (ε) [thermoemos] hot-blooded, irritable, temperamental.

θερμογόνος-η-ο (ε) [thermogonos] calefactory.

θερμοηλεκτρικός-ή-ό (ε) [thermoilektrikos] thermo-electric.

θερμοκήπιο (το) [thermokipio] greenhouse.

θερμοκρασία (n) [thermokrasia] temperature.

θερμόμετρο (το) [thermometro] thermometer.

θερμομετρώ (ρ) [thermometro] take somebody's temperature.

θερμομόνωση (n) [thermomonosi] thermal insulation.

θερμοπαραγωγός (ο) [thermoparagogos] calefactory.

θερμοπαρακαλώ (ρ) [thermoparakalo] implore, beg.

θερμοπηγή (n) [thermopiyi] thermal spring.

θερμοπίδακας (ο) [thermopidhakas] geyser.

θερμοπληξία (n) [thermopliksia] heat-stroke.

Θερμοπύλες (οι) [thermopiles] Thermopylae.

θερμός-ή-ό (ε) [thermos] warm, passionate [μεταφ].

θερμοσίφωνας (ο) [thermosifonas] water heater, geyser.

θερμοστάτης (ο) [thermostatis] thermostat.

θερμότητα (n) [thermotita] heat, warmth, zeal [μεταφ].

θερμοφόρα (n) [thermofora] hot-water bottle.

θέρος (ο) [theros] harvest.

θέρος (το) [theros] summer.

θέση (n) [thesi] place, seat, position, employment, space, thesis, ground.

θεσιθήρας (ο) [thesithiras] job-chaser.

θέσμια (τα) [thesmia] customs, tradition[s].

θεσμικός-ή-ό (ε) [thesmikos] institutional.

θεσμοθεσία (n) [thesmothesia] legislation.

θεσμοθέτης (ο) [thesmothetis] legislator, law-giver.

θεσμοθέτηση (n) [thesmothetisi] enactment.

θεσμοθετώ (ρ) [thesmotheto] legislate, enact.

θεσμοποιώ (ρ) [thesmopio] institutionalize.

θεσμός (ο) [thesmos] institution, law.

θεσπέσιος-α-ο (ε) [thespesios] divine.

θεσπίζω (ρ) [thespizo] decree, legislate.

θέσπιση (n) [thespisi] enactment.

θέσπισμα (το) [thespisma] decree, law.

Θεσσαλονίκη (n) [Thessaloniki] Thessalonica, Salonica.

θετικισμός (ο) [thetikismos] positivism.

θετικιστής (ο) [thetikistis] positivist.

θετικός-ή-ό (ε) [thetikos] positive, real, actual, assertive.

θετικότητα (n) [thetikotita] positiveness.

θετός-ή-ό (ε) [thetos] adopted, foster.

θέτω (ρ) [theto] put, set, impose, station, post, place.

θεωρείο (το) [theorio] box [θεάτρου], gallery [τύπου κτλ].

θεώρημα (το) [theorima] formula.

θεώρηση (n) [theorisi] visa, certification.

θεωρητικά (επ) [theoritika] ideally.

θεωρητικός-ή-ό (ε) [theoritikos] theoretical.

θεωρία (n) [theoria] theory, view, aspect, sight.

θεωρούμενος-n-ο (μ) [theorumenos] alleged, supposed.

θεωρώ (ρ) [theoro] consider, regard.

θηκάρι (το) [thikari] scabbard, sheath.

θήκη (n) [thiki] box, case, toolbag.

θηλάζω (ρ) [thilazo] suckle, nurse.

θηλασμός (ο) [thilasmos] nursing, suckle.

θηλαστικό (το) [thilastiko] mammal.

θηλαστικός-ή-ό (ε) [thilastikos] suckling.

θήλαστρο (το) [thilastro] feeding-bottle.

θηλή (n) [thili] nipple, teat, mamilla [ανατ], papilla [ανατ].

θηλιά (n) [thilia] eyelet, mesh, stitch.

θηλυκό (το) [thiliko] female.

θηλυκός-ή-ό (ε) [thilikos] female, feminine [γραμμ].

θηλυκότητα (n) [thilikotita] femininity.

θηλύκωμα (το) [thilikoma] clasping.

θηλυκώνω (ρ) [thilikono] clasp.

θηλυπρέπεια (n) [thiliprepia] effeminacy.

θηλυπρεπής-ής-ές (ε) [thiliprepis] effeminate.

θηλυπρεπής νέος (ο) [thiliprepis neos] homosexual.

θημωνιά (n) [thimonia] stack, pile, haystack [σανού].

θημωνιάζω (ρ) [thimoniazo] stack, cock.

θήρα (n) [thira] chase, hunt, game [κυνήγι].

θήραμα (το) [thirama] game, prey.

θηρίο (το) [thirio] wild beast, brute, monster [μεταφ].

θηριοδαμαστής (ο) [thiriodhamastis] tamer.

θηριοτροφείο (το) [thiriotrofio] wild-beast show.

θηριώδης-ης-ες (ε) [thiriodhis] fierce, savage, brutal, bestial, brutish.

θηριωδία (n) [thiriodhia] ferocity, brutality, savagery, bestiality.

θηριωδώς (επ) [thiriodhos] brutally, ferociously, savagely.

θησαυρίζω (ρ) [thisavrizo] hoard up,

accumulate.

θησαυρός (ο) [thisavros] treasure, storehouse[μεταφ], thesaurus [μεταφ].

θησαυροφυλάκιο (το) [thisavrofilakio] Exchequer [το Υπουργείο Οικονομικών, Treasury [το Υπουργείο Οικονομικών].

θητεία (η) [thitia] military service, term of office.

θητεύω (ρ) [thitevo] be in office.

θιασάρχης (ο) [thiasarhis] manager.

θίασος (ο) [thiasos] cast.

θιασώτης (ο) [thiasotis] partisan, supporter, enthusiast, fan.

θίγω (ρ) [thigo] offend [μεταφ], insult [μεταφ].

θλάση (η) [thlasi] breaking, fracture [ιατρ], bruise [ιατρ].

θλιβερός-ή-ό (ε) [thliveros] sad, deplorable [γεγονότα], crush, afflict [μεταφ], distress [μεταφ], bleak.

θλίβω (ρ) [thlivo] squeeze, crush, afflict, distress.

θλιμμένος-η-ο (μ) [thlimmenos] distressed, afflicted, in mourning.

θλίψη (η) [thlipsi] crushing, grief [μεταφ], sorrow [μεταφ].

θνησιγενής-ής-ές (ε) [thnisiyenis] still-born, short-lived.

θνησιμότητα (η) [thnisimotita] death rate.

θνητός-ή-ό (ε) [thnitos] mortal.

θολός-ή-ό (ε) [tholos] dull, turbid [κρασί], confused [κατάσταση], hazy.

θόλος (ο) [tholos] vault [αρχιτεκ], dome [αρχιτεκ], roof [ουρανίσκου].

θολότητα (η) [tholotita] cloudiness, muddiness, dullness, confusion [μεταφ].

θολότυπος (ο) [tholotipos] centering.

θολούρα (η) [tholura] blur, dullness, haziness, confusion, cloudiness.

θολωμένος-η-ο (μ) [tholomenos] blear, clouded.

θολώνω (ρ) [tholono] make dull, confuse [το μυαλό], get overcast [ουρανός],

dim, fog.

θολωτός-ή-ό (ε) [tholotos] vaulted, arched.

θορύβηση (η) [thorivisi] alarm.

θορυβοποιός (ο) [thorivopios] noisy person.

θόρυβος (ο) [thorivos] noise, turmoil.

θορυβούμαι (ρ) [thorivume] worry, be uneasy, be anxious.

θορυβώ (ρ) [thorivo] disturb, worry.

θορυβώδης-ης-ες (ε) [thorivodhis] noisy, disturbing.

θορυβωδώς (επ) [thorivodhos] noisily, boisterously, rowdily.

θούριος (ο) [thurios] war-song.

θράκα (η) [thraka] glowing embers.

θρανίο (το) [thranio] desk, bench, seat.

θρασεμένος-η-ο (ε) [thrasemenos] rank.

θρασεύω (ρ) [thrasevo] run riot.

θρασέως (επ) [thraseos] cockily.

θρασίμι (το) [thrasimi] carcass, coward [μεταφ].

θρασομανώ (ρ) [thrasomano] run riot, spread fast [για φωτιά].

θράσος (το) [thrasos] impudence, insolence.

θρασύδειλος-η-ο (ε) [thrasidhilos] cowardly bully.

θρασύς-εία-ύ (ε) [thrasis] impudent, cheeky.

θρασύτητα (η) [thrasitita] impudence, cheekiness.

θραύση (η) [thrafsi] fracture, destruction, ruin, breakage.

θραύσμα (το) [thrafsma] fragment, splinter [λίθου].

θραυστήρας (ο) [thrafstiras] disintegrator.

θραύστης (ο) [thrafstis] breaker.

θραύω (ρ) [thravo] break, smash.

θρέμμα (το) [tremma] nursling.

θρεμμένος-η-ο (μ) [thremmenos] plump.

θρεπτικός-ή-ό (ε) [threptikos] nourishing, nutritious.

θρεπτικότητα (η) [threptikotita] nutritiousness.

θρεφτάρι (το) [threftari] plump.

θρέφω (ρ) [threfo] nourish, nurture, cherish [ελπίδα], grow, support.

θρέψη (n) [threpsi] feeding, nourishing.

θρηνητικός-ή-ό (ε) [thrinitikos] plaintive, mournful.

θρηνολόγημα (το) [thrinoloyima] wailing, lamentation.

θρηνολογώ (ρ) [thrinologo] lament.

θρήνος (ο) [thrinos] lamentation, moaning, complaint.

θρηνώ (ρ) [thrino] lament, mourn, complain.

θρηνωδία (n) [thrinodhia] lament.

θρησκεία (n) [thriskia] religion.

θρήσκευμα (το) [thriskevma] faith, religion.

θρησκευτικός-ή-ό (ε) [thriskeftikos] religious, scrupulous [ακρίβεια].

θρησκοληψία (n) [thriskolipsia] religious mania.

θρησκομανής-ής-ές (ε) [thriskomanis] bigoted, sanctimonious.

θρήσκος-α-ο (ε) [thriskos] religious.

θριαμβευτής (ο) [thriamveftis] victor.

θριαμβευτικά (επ) [thriamveftika] triumphantly, arrogantly.

θριαμβευτικός-ή-ό (ε) [thriamveftikos] triumphant, triumphal.

θριαμβεύω (ρ) [thriamvevo] excel [μεταφ], triumph.

θριαμβικός-ή-ό (ε) [thriamvikos] triumphant.

θριαμβολογία (n) [thriamvoloyia] boasting.

θριαμβολογώ (ρ) [thriamvologo] brag, gloat, crow, exult.

θρίαμβος (ο) [thriamvos] triumph, victory.

θροΐζω (ρ) [throizo] rustle, swish.

θρόισμα (το) [throisma] rustle.

θρόμβος (ο) [thromvos] clot, thrombus.

θρομβούμαι (ρ) [thromvume] clot, congeal.

θρόμβωση (n) [thromvosi] thrombosis, clotting.

θρονί (το) [throni] seat, throne.

θρονιάζομαι (ρ) [throniazome] install oneself, settle down.

θρονιάζω (ρ) [throniazo] install.

θρόνος (ο) [thronos] throne.

θρούμπα (n) [thrumba] ripe olive.

θρούμπη (n) [thrumbi] savory, board, fodder [για ζώα].

θρυαλλίδα (n) [thriallidha] wick, fuse, time-bomb.

θρυλικός-ή-ό (ε) [thrilikos] legendary.

θρύλος (ο) [thrilos] legend, rumor.

θρύμμα (το) [thrimma] fragment, scrap.

θρυμματίζω (ρ) [thrimmatizo] shatter, splinter.

θρυμμάτισμα (το) [thrimmatisma] smashing, shattering, crumbling.

θρύψαλα (τα) [thripsala] shivers, smithereens, splinters, pieces.

θρύψαλο (το) [thripsalo] crumb, fragment, piece, bit.

θυγατέρα (n) [thigatera] daughter.

θυγατρικός-ή-ό (ε) [thigatrikos] daughterly, subsidiary [εμπ].

θύελλα (n) [thiella] storm, gale, hurricane.

θυελλώδης-ης-ες (ε) [thiellodhis] stormy.

θύλακας (ο) [thilakas] satchel, pouch [ανατ].

θυλάκιο (το) [thilakio] pocket, small bag.

θυλακοειδής-ής-ές (ε) [thilakoidhis] follicular.

θύμα (το) [thima] victim, sacrifice.

θυμάμαι (ρ) [thimame] remember, recall.

θυμάρι (το) [thimari] thyme.

θύμηση (n) [thimisi] memory, remembrance.

θυμητικό (το) [thimitiko] memory.

θυμίαμα (το) [thimiama] incense.

θυμιατήρι (το) [thimiatiri] censer, incensory.

θυμιατίζω (ρ) [thimiatizo] incense, flatter [μεταφ].

θυμιατό (το) [thimiato] censer.

θυμίζω (ρ) [thimizo] remind, recall.

θυμός (ο) [thimos] anger, rage.

θυμοσοφία (n) [thimosofia] wisdom, coolness, placidity.

θυμόσοφος-ος-ο (ε) [thimosofos] wise, placid, prudent.

θυμούμαι (ρ) [thimume] recall, remember.

θυμώδης-ης-ες (ε) [thimodhis] irritable, violent.

θύμωμα (το) [thimoma] anger.

θυμωμένα (επ) [thimomena] angrily, furiously.

θυμωμένος-η-ο (μ) [thimomenos] angry, furious, cross.

θυμώνω (ρ) [thimono] infuriate, get angry.

θύρα (n) [thira] door, gate, doorway.

θυρεός (ο) [thireos] coat of arms.

θυρίδα (n) [thiridha] small box office [θεάτρου], counter [τράπεζας].

θυροειδής-ής-ές (ε) [thiroidhis] thyroid.

θυρωρείο (το) [thirorio] porter's lodge.

θυρωρός (ο) [thiroros] hall porter, caretaker.

θυσανοειδής-ής-ές (ε) [thisanoidhis] cirrose, cirrous.

θύσανος (ο) [thisanos] crest, tuft.

θυσανωτός-ή-ό (ε) [thisanotos] crested.

θυσία (n) [thisia] sacrifice, surrender [μεταφ].

θυσιάζω (ρ) [thisiazo] sacrifice, immolate.

θυσιαστήριο (το) [thisiastirio] altar, sactarium.

θυσιαστήριος-α-ο (ε) [thisiastirios] sacrificial.

θύτης (ο) [thitis] sacrificer, persecutor, sacrificial priest.

θώκος (ο) [thokos] chair, office.

θωπεία (n) [thopia] petting, caress[ing].

θωπευτικός-ή-ό (ε) [thopeftikos] caressing.

θωπεύω (ρ) [thopevo] caress, stroke.

θώρακας (ο) [thorakas] breastplate, thorax [ανατ].

θωρακίζω (ρ) [thorakizo] armour-plate.

θωρακικός-ή-ό (ε) [thorakikos] thoracic, pectoral.

θωράκιση (n) [thorakisi] armouring, plating.

θωρακισμένος-η-ο (μ) [thorakismenos] armored, shielded.

θωρηκτό (το) [thorikto] battleship.

θωριά (n) [thoria] air, appearance.

θωρώ (ρ) [thoro] see, look.

θως (ο) [thos] jackal.

ιαίνω (ρ) [ieno] cure, heal.

ιαματικός-ή-ό (ε) [iamatikos] curative, healing.

ιαματικότητα (n) [iamatikotita] effectiveness.

ίαμβος (o) [iamvos] iambus.

Ιανουάριος (o) [Ianuarios] January.

Ιάπωνας (o) [Iaponas] Japanese [man].

ιαπωνέζικος-n-o (ε) [iaponezikos] Japanese.

Ιαπωνία (n) [Iaponia] Japan.

ιαπωνικός-ή-ό (ε) [iaponikos] Japanese.

ίαση (n) [iasi] cure, healing, therapy.

ιάσιμος-n-o (ε) [iasimos] curable.

ιατρείο (το) [iatrio] doctor's surgery, clinic.

ιατρική (n) [iatriki] medicine.

ιατρικός-ή-ό (ε) [iatrikos] medical.

ιατροδικαστής (o) [iatrodhikastis] forensic surgeon, coroner.

ιατροδικαστική (n) [iatrodhikastiki] forensic medicine.

ιατρός (o) [iatros] doctor, physician.

ιαχή (n) [iahi] cheer, shout, salutation.

ιβίσκος (o) [iviskos] hibiscus [βοταν].

ίγγλα (n) [ingla] girth, cinch.

ιγμορίτιδα (n) [igmoritidha] sinusitis.

ιδαλγός (o) [idhalgos] hidalgo.

ιδανικά (επ) [idhanika] ideally.

ιδανικό (το) [idhaniko] ideal.

ιδανικός-ή-ό (ε) [idhanikos] ideal, unequalled.

ιδανικότητα (n) [idhanikotita] idealism.

ιδέα (n) [idhea] notion, thought, idea, concept.

ιδεαλισμός (o) [idhealismos] idealism.

ιδεαλιστής (o) [idhealistis] idealist.

ιδεαλιστικός-ή-ό (ε) [idhealistikos] idealistic, utopian.

ιδεατά (επ) [idheata] ideally.

ιδεατός-ή-ό (ε) [idheatos] ideal, imaginary.

ιδεόγραμμα (το) [idheogramma] ideogram, ideograph.

ιδεοληψία (n) [idheolipsia] obsession.

ιδεολογία (n) [idheoloyia] ideology, idealism.

ιδεολογικός-ή-ό (ε) [idheoloyikos] ideological.

ιδεολόγος (o) [idheologos] idealist.

ιδεώδες (το) [idheodhes] ideal.

ιδεώδης-ης-ες (ε) [idheodhis] ideal.

ιδιαίτερος-n-o (ε) [idhieteros] special, characteristic.

ιδιαιτέρως (επ) [idhieteros] privately, separately.

ιδιόγραφος-n-o (ε) [idhiografos] autographic, holographic.

ιδιοκτησία (n) [idhioktisia] ownership,

property.

ιδιοκτήτης (ο) [idhioktitis] owner, landlord.

ιδιόκτητος-η-ο (ε) [idhioktitos] privately owned.

ιδιομορφία (n) [idhiomorfia] peculiarity, oddity, singularity.

ιδιόμορφος-η-ο (ε) [idhiomorfos] peculiar, odd, singular.

ιδιοποίηση (n) [idhiopiisi] appropriation.

ιδιοποιούμαι (ρ) [idhiopiume] appropriate, embezzle.

ιδιορρυθμία (n) [idhiorithmia] eccentricity, oddness.

ιδιόρρυθμος-η-ο (ε) [idhiorrithmos] peculiar, original, eccentric.

ίδιος-α-ο (ε) [idhios] same, own, oneself.

ιδιοσκεύασμα (το) [idhioskevasma] patent medicine.

ιδιοσυγκρασία (n) [idhiosingrasia] temperament, idiosyncrasy.

ιδιοσυστασία (n) [idhiosistasia] constitution.

ιδιοτέλεια (n) [idhiotelia] selfishness.

ιδιοτελής-ής-ές (ε) [idhiotelis] selfish.

ιδιότητα (n) [idhiotita] property, quality, characteristic.

ιδιοτροπία (n) [idhiotropia] caprice, eccentricity.

ιδιότροπος-η-ο (ε) [idhiotropos] peculiar, eccentric, capricious.

ιδιότυπος-η-ο (ε) [idhiotipos] peculiar, odd.

ιδιοφυής-ής-ές (ε) [idhiofiis] gifted.

ιδιοφυΐα (n) [idhiofiia] talent.

ιδιόχειρος-η-ο (ε) [idhiohiros] with one's own hand.

ιδίωμα (το) [idhioma] idiom, property, dialect.

ιδιωματικός-ή-ό (ε) [idhiomatikos] idiomatic.

ιδιωματισμός (ο) [idhiomatismos] idiom.

ιδίως (επ) [idhios] specially, particularly, especially.

ιδιωτεύω (ρ) [idhiotevo] go into retirement.

ιδιώτης (ο) [idhiotis] individual, layman, civilian.

ιδιωτικός-ή-ό (ε) [idhiotikos] private, particular.

ιδιωτισμός,(ο) [idhiotismos] idiom, collocation.

ιδού (επ) [idhu] look! here it is!.

ιδού (επιφ) [idhu] look!.

ιδροκόπημα (το) [idhrokopima] profuse sweating.

ίδρυμα (το) [idhrima] institution, establishment.

ίδρυση (n) [idhrisi] establishment, affiliation.

ιδρυτής (ο) [idhritis] establisher.

ιδρυτικός-ή-ό (ε) [idhritikos] establishing.

ιδρύω (ρ) [idhrio] establish.

ίδρωμα (το) [idhroma] sweating, perspiration.

ιδρωμένος-η-ο (μ) [idhromenos] sweaty.

ιδρώνω (ρ) [idhrono] perspire, sweat, glow.

ιδρώτας (ο) [idhrotas] sweat, perspiration.

ιεραποστολή (n) [ierapostoli] mission.

ιεραπόστολος (ο) [ierapostolos] missionary.

ιεράρχης (ο) [ierarhis] prelate.

ιεράρχηση (n) [ierarhisi] hierarchy, scale.

ιεραρχία (n) [ierarhia] hierarchy.

ιεραρχώ (ρ) [ierarho] form, have one's own scale of values.

ιερατείο (το) [ieratio] clergy.

ιερατικά άμφια (ε) [ieratika amfia] canonicals.

ιερέας (ο) [iereas] priest, clergyman, pastor.

ιέρεια (n) [ieria] priestess.

ιερεμιάδα (n) [ieremiadha] Jeremiad.

ιερό (το) [iero] sanctuary, bethel, sanctum.

ιερογλυφικός-ή-ό (ε) [ieroglifikos] hieroglyphic.

ιεροδιάκονος (ο) [ierodhiakonos] deacon.

ιεροδιδασκαλείο (το) [ierodhidhaskalio] seminary.

ιερόδουλος (n) [ierodhulos] prostitute.

ιεροεξεταστής (ο) [ieroeksetastis] inquisitor.

ιεροκήρυκας (ο) [ierokirikas] missionary, preacher.

ιερομάρτυρας (ο) [ieromartiras] holy martyr.

ιερομόναχος (ο) [ieromonahos] priestmonk.

ιερός-ή-ό (ε) [ieros] holy, sacred, religious.

ιεροσπουδαστής (ο) [ierospudhastis] seminarian.

ιεροσυλία (n) [ierosilia] sacrilege.

ιερόσυλος-n-o (ε) [ierosilos] sacrilegious.

ιεροσυλώ (ρ) [ierosilo] commit a sacrilege.

Ιεροσύνη (n) [Ierosini] priesthood, holy orders.

ιεροτελεστία (n) [ierotelestia] rite, ritual.

ιερότητα (n) [ierotita] holiness.

ιερουργώ (ρ) [ierurgo] officiate.

ιεροψάλτης (ο) [ieropsaltis] cantor.

ιερωμένος (ο) [ieromenos] clergyman.

ιερωσύνη (n) [ierosini] priesthood.

Ιεχωβάς (ο) [Iehovas] Jehovah.

ίζημα (το) [izima] sediment, deposit.

ιησουίτης (ο) [iisuitis] Jesuit, hypocrite [μεταφ].

Ιησούς (ο) [Iisus] Jesus.

ιθαγένεια (n) [ithayenia] nationality, citizenship.

ιθαγενείς (οι) [ithayenis] aborigines.

ιθαγενής-ής-ές (ε) [ithayenis] native, indigenous.

ιθύνοντες (οι) [ithinondes] rulers.

ικανά (επ) [ikana] capably.

ικανοποιημένος-n-o (μ) [ikanopiimenos] satisfied.

ικανοποίηση (n) [ikanopiisi] satisfaction, contentment.

ικανοποιητικός-ή-ό (ε) [ikanopiitikos] satisfactory.

ικανοποιώ (ρ) [ikanopio] satisfy, please.

ικανός-ή-ό (ε) [ikanos] capable.

ικανότητα (n) [ikanotita] capacity, skill, competence.

Ίκαρος (ο) [Ikaros] air cadet.

ικεσία (n) [ikesia] entreaty.

ικετευτικός-ή-ό (ε) [iketeftikos] imploring, begging.

ικετεύω (ρ) [iketevo] implore, beg.

ικέτης (ο) [iketis] implorer.

ικμάδα (n) [ikmadha] vigour, vitality.

ικρίωμα (το) [ikrioma] scaffold.

ίκτερος (ο) [ikteros] jaundice.

ιλαρά (n) [ilara] measles.

ιλαρός-ή-ό (ε) [ilaros] hilarious.

ιλαρότητα (n) [ilarotita] hilarity.

ιλαροτραγωδία (n) [ilarotragodhia] tragicomedy.

ίλαρχος (ο) [ilarhos] cavalry captain.

ίλη (n) [ili] squadron.

ιλιγγιώδης-ης-ες (ε) [ilingiodhis] dizzy.

ίλιγγος (ο) [ilingos] dizziness.

ιμάντας (ο) [imandas] strap, belt [μηχανής].

ιμάτιο (το) [imatio] coat, cloak.

ιματιοθήκη (n) [imatiothiki] wardrobe, cloakroom.

ιματιοφυλάκιο (το) [imatiofilakio] cloakroom.

ιματισμός (ο) [imatismos] clothing, outfit.

ιμπεριαλισμός (ο) [imberialismos] imperialism.

ιμπεριαλιστής (ο) [imberialistis] imperialist.

ιμπρεσάριος (ο) [imbresarios] impresario.

ιμπρεσιονισμός (ο) [imbresionismos] impressionism.

ιμπρεσιονιστής (ο) [imbresionistis] impressionist.

ίνα (n) [ina] fibre, filament.

ινγκόγνιτο (το) [inkognito] incognito.

ίνδαλμα (το) [indhalma] ideal, illusion, fancy.

Ινδία (n) [Indhia] India.

ινδιάνος (ο) [indhianos] Indian.

ινδικός-ή-ό,(ε) [indhikos] Indian.

Ινδονησία (n) [Indhonisia] Indonesia.

ινδονησιακός-ή-ό (ε) [indhonisiakos] Indonesian.

Ινδονήσιος (ο) [Indhonisian] Indonesian.

Ινδός (ο) [Indhos] Indian.

ινσουλίνη (n) [insulini] insulin.

ινστιτούτο (το) [instituto] institute.

ιντερμέδιο (το) [indermedhio] interlude.

ίντριγκα (n) [indringa] intrigue.

ίντσα (n) [intsa] inch.

ινώδης-ης-ες (ε) [inodhis] fibrous, stringy [κρέας].

ιξώδης-ης-ες (ε) [iksodhis] sticky.

Ιόνιο (το) [Ionio] Ionian Sea.

ιός (ο) [ios] venom, virus [ιατρ], malice [μεταφ].

ιουδαϊκός-ή-ό (ε) [iudhaikos] Judaic, Jewish.

Ιουδαϊσμός (ο) [Iudhaismos] Judaism, Hebraism.

Ιούλιος (ο) [Iulios] July.

Ιούνιος (ο) [Iunios] June.

ιππασία (n) [ippasia] horsemanship, riding.

ιππέας (ο) [ippeas] rider, horseman.

ιππέας (ο) [ippeas] cavalier.

ίππευση (n) [ippefsi] riding, mounting.

ιππευτικός-ή-ό (ε) [ippeftikos] riding, equestrian.

ιππεύω (ρ) [ippevo] ride.

ιππικό (το) [ippiko] cavalry.

ιππικός-ή-ό (ε) [ippikos] horse, equestrian.

ιπποδρομία (n) [ippodhromia] [horse-]race.

ιπποδρόμιο (το) [ippodhromio] racecourse.

ιππόδρομος (ο) [ippodhromos] racecourse, hippodrome.

ιπποδύναμη (n) [ippodhinami] horsepower.

ιππόκαμπος (ο) [ippokambos] seahorse, hippocampus.

ιπποκομία (n) [ippokomia] horse-grooming.

ιπποκόμος (ο) [ippokomos] groom.

ιπποπόταμος (ο) [ippopotamos] hippopotamus.

ίππος (ο) [ippos] horse.

ιπποσκευή (n) [ipposkevi] harness.

ιππότης (ο) [ippotis] knight, chevalier.

ιπποτικός-ή-ό (ε) [ippotikos] knightly, chivalrous.

ιπποτικότητα (ε) [ippotikotita] chivalrousness.

ιπποτισμός (ο) [ippotismos] chivalry, chivalrousness, gallantry [μεταφ].

ιπποτροφείο (το) [ippotrofio] stud-farm.

ίπταμαι (ρ) [iptame] fly, soar.

ιπταμένη (n) [iptameni] air hostess.

ιπτάμενος (ο) [iptamenos] flyer, pilot.

ιράκ (το) [Irak] Iraq.

Ιρακινός (ο) [Irakinos] Iraqian, Iraqian.

ίριδα (n) [iridha] rainbow, iris [ματιού].

ιριδισμός (ο) [iridhismos] iridescence.

Ιρλανδία (n) [Irlandhia] Ireland.

Ιρλανδικός-ή-ό (ε) [Irlandhikos] Irish.

Ιρλανδός (ο) [Irlandhos] Irishman.

ίσα-ίσα (επ) [isa-isa] equally, as far as, straight, directly, only just.

ίσαλος (n) [isalos] water-line.

ίσαμε (επ) [isame] up to, until.

ισάξιος-α-ο (ε) [isaksios] equivalent, worthy of.

ισάριθμος-n-o (ε) [isarithmos] equal in number.

ίση διάρκεια (n) [isi dhiarkia] coextension.

ίση έκταση (n) [isi ektasi] coextension.

ισημερία (n) [isimeria] equinox.

ισημερινός (ο) [isimerinos] equinoctial, equator.

ίσια (επ) [isia] equally, as far as, straight, directly.

ίσιος-α-ο (ε) [isios] straight, erect, honest.

ίσιωμα (το) [isioma] straightening.

ισιώνω (ρ) [isiono] straighten, make even.

ισκιερός-ή-ό (ε) [iskieros] shady.

ίσκιος (ο) [iskios] shade, shadow.

ίσκιωμα (το) [iskioma] shady, shade.

ισκιώνω (ρ) [iskiono] shade.

Ισλαμικός-ή-ό (ε) [Islamikos] Islamic.

Ισλανδία (n) [Islandhia] Iceland.

ισόβαθμος-n-o (ε) [isovathmos] coordinate.

ισοβαρής (o) [isovaris] isobaric, isobar.

ισόβιος-a-o (ε) [isovios] for life.

ισοβιότητα (n) [isoviotita] permanence.

ισοβίτης (o) [isovitis] lifer.

ισόγειο (το) [isoyio] ground floor, basement.

ισοδύναμος-n-o (ε) [isodhinamos] equivalent, equal in force.

ισοδυναμώ (ρ) [isodhinamo] be equivalent to.

ισοζυγίζω (ρ) [isoziyizo] balance, hover.

ισοζύγιο (το) [isoziyio] balance.

ισολογισμός (o) [isoloyismos] balance sheet.

ισομεγέθης-ης-ες (ε) [isomeyethis] of equal size.

ισόμετρος-n-o (ε) [isometros] symmetrical.

ίσον (το) [ison] equals.

ισοπαλία (n) [isopalia] draw, tie, deuce.

ισόπαλος-n-o (ε) [isopalos] evenly matched.

ισόπεδος-n-o (ε) [isopedhos] flush.

ισοπεδώνω (ρ) [isopedhono] level up, smooth.

ισοπέδωμα (το) [isopedhoma] flattening, levelling.

ισοπέδωση (n) [isopedhosi] levelling.

ισόπλευρος-n-o (ε) [isoplevros] equilateral.

ισοπολιτεία (n) [isopolitia] equality before the law.

ισορροπημένος-n-o (μ) [isorropimenos] well-balanced.

ισορρόπηση (n) [isorropisi] balance, counterbalance [μεταφ].

ισορροπία (n) [isorropia] balance.

ισορροπιστής (o) [isorropistis] ropewalker.

ισόρροπος-n-o (ε) [isorropos] balanced, harmonious.

ισορροπώ (ρ) [isorropo] balance, counterbalance.

ίσος-n-o (ε) [isos] equal to, the same as, coordinate, even, smooth, alike.

ίσος (o) [isos] coequal, coordinate.

ισοσκελής-ής-ές (ε) [isoskelis] isosceles.

ισοσκελίζω (ρ) [isoskelizo] balance.

ισοσταθμίζω (ρ) [isostathmizo] counterpoise, counterbalance.

ισοστάθμιση (n) [isostathmisi] counterbalance, counterpoise.

ισότητα (n) [isotita] equality.

ισοτιμία (n) [isotimia] parity.

ισότιμο (το) [isotimo] counterpart.

ισότιμος-n-o (ε) [isotimos] equal in rank, equal in value, coequal, coordinate.

ισότιμος (o) [isotimos] compeer, coordinate.

ισοϋπόλοιπος-n-o (ε) [isoipolipos] congruent.

ισοϋψής καμπύλη (n) [isoipsis kambili] contour.

ισοφαρίζω (ρ) [isofarizo] equal, be equal to, counterbalance, equalize.

ισοφάριση (n) [isofarisi] counterbalance.

ισοψηφώ (ρ) [isopsifo] gain equal votes.

Ισπανία (n) [Ispania] Spain.

Ισπανικός-ή-ό (ε) [Ispanikos] Spanish.

Ισπανός (o) [Ispanos] Spaniard.

Ισραήλ (το) [Israil] Israel.

Ισραηλινός-ή-ό (ε) [Israilinos] Israeli.

Ισραηλίτης (o) [Israilitis] Israelite.

ιστίο (το) [istio] sail.

ιστιοδρομία (n) [istiodhromia] sailing.

ιστιοπλοΐα (n) [istioploia] sailing.

ιστιοπλοϊκός-ή-ό (ε) [istioploikos] sailing.

ιστιοφόρο (το) [istioforo] sailing boat.

ιστόρημα (το) [istorima] narrative.

ιστορία (n) [istoria] story, history.

ιστορίες (οι) [istories] stories, trouble, scene, quarrel.

ιστορικό (το) [istoriko] background, case-history [αρρώστου].

ιστορικός (o) [istorikos] historical, historian.

ιστοριοδίφης (o) [istoriodhifis] history

researcher.

ιστορώ (ρ) [istoro] narrate, tell, decorate [ανιστορώ].

ιστός (ο) [istos] mast, pole, tissue [βιολ].

ισχαιμία (n) [ishemia] ischemia.

ισχίο (το) [ishio] hip.

ισχναίνω (ρ) [ishneno] slim, lose weight.

ισχνανκός-ή-ό (ε) [ishnandikos] slimming.

ισχνός-ή-ό (ε) [ishnos] lean, thin, scanty [βλάστηση], emaciated.

ισχνότητα (n) [ishnotita] leanness, boniness.

ισχυρά (επ) [ishira] strongly, powerfully.

ισχυρίζομαι (ρ) [ishirizome] assert, maintain, declare.

ισχυρισμός (ο) [ishirismos] assertion, contention.

ισχυρογνώμονας (ο) [ishirognomonas] stubborn, obstinate.

ισχυρογνωμοσύνη (n) [ishirognomosini] stubbornness, obstinacy.

ισχυροποίηση (n) [ishiropiisi] strengthening.

ισχυροποιώ (ρ) [ishiropio] reinforce, strengthen.

ισχυρός-ή-ό (ε) [ishiros] strong, sturdy, loud [φωνή], stiff.

ισχύς (n) [ishis] strength, power, force,

validity [νόμου κτλ].

ίσως (επ) [isos] perhaps, probably, maybe.

Ιταλικός-ή-ό (ε) [Italikos] Italian.

Ιταλός (ο) [Italos] Italian.

ιταμός-ή-ό (ε) [itamos] insolent, cheeky, rude, impertinent.

ιταμότητα (n) [itamotita] insolence.

ιτιά (n) [itia] willow tree.

ιχθυαγορά (n) [ihthiagora] fish market.

ιχθυοπωλείο (το) [ihthiopolio] fish-shop, fish-market.

ιχθυοπώλης (ο) [ihthiopolis] fishmonger.

ιχθυοτροφείο (το) [ihthiotrofio] fishery, fish-farm, aquarium.

ιχθυοτροφία (n) [ihthiotrofia] pisciculture, fish culture.

ιχθύς (ο) [ihthis] fish.

ιχνογράφημα (το) [ihnografima] drawing, sketch.

ιχνογραφία (n) [ihnografia] drawing, sketching.

ίχνος (το) [ihnos] footprint, track, trace, sign.

ιώδιο (το) [iodhio] iodine.

ιωδιούχος (ε) [iodhiouhos] iodine [χημ].

ιωνικός-ή-ό (ε) [ionikos] Ionic, Ionian.

ιωτακισμός (ο) [iotakismos] iotacism.

κάβα (n) [kava] wine cellar, cellar.
καβάκι (το) [kavaki] poplar-tree.
καβάλα (επ) [kavala] on horseback, astride [σε τοίχο].
καβάλα (n) [kavala] riding, ride, horsemanship.
καβαλάρης (ο) [kavalaris] rider, horseman, bridge [εγχόρδου].
καβαλαρία (n) [kavalaria] cavalry.
καβαλέτο (το) [kavaleto] easel.
καβάλημα (το) [kavalima] riding, straddling.
καβαλιέρος (ο) [kavalieros] escort, partner.
καβαλίκευμα (το) [kavalikevma] riding, straddling.
καβαλικεύω (ρ) [kavalikevo] dominate [μεταφ], mount a horse.
καβαλίνα (n) [kavalina] horse manure.
καβάλος (ο) [kavalos] seat, fork.
καβαλώ (ρ) [kavalo] mount a horse, dominate [μεταφ].
καβατζάρω (ρ) [kavatzaro] weather, turn the corner [μεταφ].
καβγαδάκι (το) [kavgadhaki] disagreement.
καβγαδίζω (ρ) [kavgadhizo] quarrel.
καβγάς (ο) [kavgas] row, quarrel.
καβγατζής (ο) [kavgatzis] brawler.
καβγατζίδικος-n-o (ε) [kavgatzidhikos] quarrelsome.

κάβος (ο) [kavos] cape, headland.
καβούκι (το) [kavuki] shell.
κάβουρας (ο) [kavuras] crab, crawfish.
καβουρδίζω (ρ) [kavurdhizo] roast, brown.
καβούρδισμα (το) [kavurdhisma] browning, roasting.
καβούρι (το) [kavuri] crab.
καβουρνιάζω (ρ) [kavurniazo] char.
καγκελαρία (n) [kangelaria] chancellery.
καγκελάριος (ο) [kangelarios] chancellor.
κάγκελο (το) [kangelo] bar, railing, grille, banister.
καγκουρό (n) [kanguro] kangaroo.
καγχάζω (ρ) [kaghazo] chuckle.
καγχασμός (ο) [kaghasmos] chuckle.
καδένα (n) [kadhena] chain.
κάδμιο (το) [kadhmio] cadmium [χημ].
κάδος (ο) [kadhos] bucket, tub.
κάδρο (το) [kadhro] frame [πλαίσιο], border [χάρτου].
καδρόνι (το) [kadhroni] rafter, beam, balk.
καζαμίας (ο) [kazamias] almanac.
καζανάκι (το) [kazanaki] toilet cistern.
καζάνι (το) [kazani] cauldron, boiler.
καζάντι (το) [kazandi] gain, profit.
καζαντίζω (ρ) [kazantizo] prosper.
καζίνο (το) [kazino] casino.
κάζο (το) [kazo] reverse, mishap.

καζουισμός (ο) [kazuismos] casuistry.

καζούρα (n) [kazura] ragging.

καημένος-n-ο (μ) [kaimenos] poor, miserable [μεταφ], wretched [μεταφ], dear.

καημός (ο) [kaimos] yearning.

καθαγιάζω (ρ) [kathayiazo] hallow, sanctify.

καθαγίαση (n) [kathayiasi] consecration, hallowing.

καθαίρεση (n) [katheresi] degradation, cashiering, dethronement, demolition [κατεδάφιση].

καθαιρώ (ρ) [kathero] dethrone, break, cashier, unfrock [ιερέα].

καθαρά (επ) [kathara] in the open.

καθαρεύουσα (n) [katharevusa] formal Greek.

καθαρευουσιάνος (ο) [katharevusianos] purist.

καθαρίζω (ρ) [katharizo] clean, clear, peel, polish, clarify [επεξηγώ], settle [λογαριασμούς], wash.

καθάριος-a-ο (ε) [katharios] clean, bright, clear.

καθαριότητα (n) [kathariotita] cleanliness, neatness, tidiness.

καθάρισμα (το) [katharisma] cleaning, peeling, polishing.

καθαρισμός (ο) [katharismos] cleansing, clearance.

καθαριστήριο (το) [katharistirio] (dry) cleaner's.

καθαριστής (ο) [katharistis] cleaner.

καθαριστικό (το) [katharistiko] cleaner.

καθαρίστρια (n) [katharistria] cleaning lady.

κάθαρμα (το) [katharma] villain, scoundrel.

καθαρμός (ο) [katharmos] purification.

καθαρόαιμος-n-ο (ε) [katharoemos] thoroughbred.

καθαρόγραμμος-n-ο (ε) [katharogrammos] clean-cut, clear-cut.

καθαρογράφηση (n) [katharografisi] engrossing [νομ].

καθαρογράφω (ρ) [katharografo] write neatly.

καθαρός-ή-ό (ε) [katharos] neat, tidy, clear [φωνή], straightforward [απάντηση], clear [ιδέα], distinct [ιδέα], clear [κέρδος], obvious, evident [έννοια], aboveboard, cleanly.

καθαρότητα (n) [katharotita] purity, cleanness.

κάθαρση (n) [katharsi] cleansing, refining, purification, refining, menstruation [έμμηνη].

καθάρσιο (το) [katharsio] purgative, cathartic.

καθαρτήριο (το) [kathartirio] purgatory.

καθαρτήριος-a-ο (ε) [kathartirios] purgatory, purifying, cleansing.

καθαρτικό (το) [kathartiko] purge, purgative, cathartic, aperient.

καθαρτικός-ή-ό (ε) [kathartikos] anacathartic, cathartic, cleansing.

καθαυτό (επ) [kathafto] exactly, precisely, really, veritably, indisputably, genuinely.

κάθε (αν) [kathe] each, every.

καθέδρα (n) [kathedhra] chair.

καθεδρικός-ή-ό (ε) [kathedhrikos] cathedral.

καθεδρικός ναός (ο) [kathedhrikos naos] cathedral.

κάθειρξη (n) [kathirksi] imprisonment, confinement.

καθείς (αν) [kathis] everyone, each one, everybody.

καθέκαστα (τα) [kathekasta] details.

καθελκύω (ρ) [kathelkio] launch [ναυτ, διαστ].

καθένα (επ) [kathena] each.

καθένας (αν) [kathenas] everyone, each one, everybody.

καθεξής (επ) [katheksis] so forth.

καθεστώς (το) [kathestos] regime, status quo.

κάθετα (επ) [katheta] vertically.

καθετή (n) [katheti] fishing-line.

καθετήρας (ο) [kathetiras] probe, catheter.

καθετηριάζω (ρ) [kathetiriazo] probe, drill [γεωλ].

καθετηρίαση (n) [kathetiriasi] probing.

καθετί (αν) [katheti] everything.

κάθετος-n-o (ε) [kathetos] vertical, perpendicular.

καθηγητής (ο) [kathiyitis] professor, teacher.

καθηγητικός-ή-ό (ε) [kathiyitikos] professorial.

καθηγήτρια (n) [kathiyitria] mistress, professor.

καθήκον (το) [kathikon] duty, task.

καθηλώνω (ρ) [kathilono] pin down, immobilize.

καθήλωση (n) [kathilosi] fixing, freeze, nailing.

καθημερινή (n) [kathimerini] week-day.

καθημερινός-ή-ό (ε) [kathimerinos] daily.

καθημερινώς (επ) [kathimerinos] daily.

καθησυχάζω (ρ) [kathisihazo] calm, reassure, pacify.

καθησούχαση (n) [kathisihasi] calming, soothing.

καθησυχαστικός-ή-ό (ε) [kathisihastikos] reassuring, soothing.

καθιερώ (ρ) [kathiero] canonize.

καθιερωμένος-n-o (μ) [kathieromenos] established, standard.

καθιερώνω (ρ) [kathierono] consecrate [εκκλ], dedicate, establish.

καθιέρωση (n) [kathierosi] establishment, dedication, devotion.

καθίζημα (το) [kathizima] precipitate.

καθίζηση (n) [kathizisi] subsidence, landslide.

καθίζω (ρ) [kathizo] seat, place, run aground [πλοίο].

καθίκι (το) [kathiki] vile person [βρισιά], nasty piece of work.

καθισιά (n) [kathisia] sitting.

καθισιό (το) [kathisio] idleness, unemployment.

κάθισμα (το) [kathisma] chair, seat, standing [πλοίο].

καθισμένος-n-o (μ) [kathismenos] seated, aground [ναυτ].

καθίσταμαι (ρ) [kathistame] become, get, grow.

καθιστικό (το) [kathistiko] sitting-room, lounge.

καθιστικός-ή-ό (ε) [kathistikos] sedentary.

καθιστός-ή-ό (ε) [kathistos] sitting.

καθιστώ (ρ) [kathisto] establish [εγκαθιστώ], install.

καθό (επ) [katho] as.

καθοδήγηση (n) [kathodhiyisi] guidance.

καθοδηγητής (ο) [kathodhiyitis] instructor, adviser.

καθοδηγώ (ρ) [kathodhigo] instruct, lead.

καθοδικός-ή-ό (ε) [kathodhikos] downward.

κάθοδος (n) [kathodhos] descent, alighting, kathode [πλεκτρ].

καθολίκευση (n) [katholikefsi] generalization.

Καθολικισμός (ο) [Katholikismos] Catholicism.

καθολικό (το) [katholiko] ledger.

καθολικός-ή-ό (ε) [katholikos] catholic, unanimous [γνώμη].

καθολικότητα (n) [katholikotita] universality, catholicity.

καθόλου (επ) [katholu] generally, not at all [διόλου], no way [διόλου].

κάθομαι (ρ) [kathome] be seated, sit down, sit.

καθομιλουμένη (n) [kathomilumeni] the spoken language.

καθορίζω (ρ) [kathorizo] determine, define.

καθορισμένος-n-o (μ) [kathorismenos] definite, fixed.

καθορισμός (ο) [kathorismos] defining, fixing, determination.

καθοριστικός-ή-ό (ε) [kathoristikos] decisive, defining.

καθόσο (επ) [kathoso] as, being, according to what, in so far as, as far as.

καθότι (επ) [kathoti] because, for, as.

καθρέπτης (ο) [kathreptis] mirror.

καθρεπτίζω (ρ) [kathreptizo] reflect, mirror.

καθρέφτισμα (το) [kathreftisma] reflection.

καθυποβάλλω (ρ) [kathipovallo] present, submit.

καθυβρίζω (ρ) [kathivrizo] revile.

καθυποτάζω (ρ) [kathipotazo] subjugate, harness.

καθυστερημένος-η-ο (μ) [kathisterimenos] backward, late.

καθυστέρηση (n) [kathisterisi] delay, slowness.

καθυστερούμενα (τα) [kathisterumena] arrears.

καθυστερώ (ρ) [kathistero] delay, be overdue, hold up.

καθώς (σ) [kathos] like, as, just as, as soon as, such as.

καθωσπρέπει (επ) [kathosprepi] proper.

και (σ) [ke] and, also, too, as well.

καΐκι (το) [kaiki] sailing-boat.

καϊμάκι (το) [kaimaki] cream, froth [του καφέ].

καϊμακλίδικος-η-ο (ε) [kaïmaklidhikos] creamy.

καινός-ή-ό (ε) [kenos] new, novel.

καινοτομία (n) [kenotomia] innovation.

καινοτόμος (ο) [kenotomos] innovator.

καινοτομώ (ρ) [kenotomo] innovate.

καινούριος-α-ο (ε) [kenurios] new.

καινοφανής-ής-ές (ε) [kenofanis] new-fangled.

καίομαι (ρ) [keome] to be hot, to be desperate.

καιόμενος-η-ο (μ) [keomenos] aflame.

καίριος-α-ο (ε) [kerios] timely, deadly [πλήγμα], important [σημείο].

καιρός (ο) [keros] time, period, weather,

occasion, opportunity.

καιροσκοπία (n) [keroskopia] temporization, opportunism.

καιροσκοπισμός (ο) [keroskopismos] opportunism.

καιροσκόπος (ο) [keroskopos] opportunist.

καιροφυλακτώ (ρ) [kerofilakto] lurk, lie in wait.

Καίσαρας (ο) [Kesaras] Caesar.

Καισαρικός-ή-ό (ε) [Kesarikos] Caesarean.

καισαρική τομή (n) [kesariki tomi] Caesarean Section.

καισαρισμός (ο) [kesarismos] despotism.

καΐσι (το) [kaisi] apricot.

καίτοι (σ) [keti] though, although.

καίω (ρ) [keo] burn, blast.

κακάβι (το) [kakavi] cauldron.

κακαβιά (n) [kakavia] fish soup.

κακάο (το) [kakao] cocoa.

κακαρίζω (ρ) [kakarizo] cluck.

κακάρισμα (το) [kakarisma] cluck.

κακαρώνω (ρ) [kakarono] kick the bucket.

κακέκτυπο (το) [kakektipo] bad copy, misprint.

κακεντρέχεια (n) [kakendrehia] maliciousness, nastiness, evil intent.

κακεντρεχής-ής-ές (ε) [kakendrehis] malicious.

κακεύω (ρ) [kakevo] become vicious.

κακία (n) [kakia] malice, spitefulness, despite, mischievousness.

κακίζω (ρ) [kakizo] reproach, blame.

κάκιωμα (το) [kakioma] anger.

κακιώνω (ρ) [kakiono] turn nasty.

κακό (το) [kako] evil, ill, wrong, harm.

κακοαναθρεμμένος-η-ο (μ) [kakoanathremmenos] ill-bred, impolite.

κακοβάζω (ρ) [kakovazo] get wrong ideas about.

κακοβαλμένος-η-ο (μ) [kakovalmenos] untidy.

κακοβουλία (n) [kakovulia] malice, malevelence, evil doing.

κακόβουλος-n-o (ε) [kakovulos] malicious.

κακόβουλα (επ) [kakovoula] spitefully, maliciously.

κακογλωσσιά (n) [kakoglossia] slander, gossip.

κακόγλωσσος-n-o (ε) [kakoglossos] slanderous.

κακόγλωσσος (ο) [kakoglossos] slanderer, gossiper.

κακόγουστος-n-o (ε) [kakogustos] vulgar, inelegant.

κακογράφω (ρ) [kakografo] scribble.

κακοδαιμονία (n) [kakodhemonia] misfortune.

κακοδαίμων (ο) [kakodhemon] miserable, unfortunate, ill-fated.

κακοδιάθετος-n-o (ε) [kakodhiathetos] indisposed, unwell, bad-tempered.

κακοδικία (n) [kakodhikia] mistrial.

κακοδιοίκηση (n) [kakodhiikisi] mismanagement.

κακοδιοίκητος-n-o (ε) [kakodhiikitos] mismanaged.

κακοδιοικώ (ρ) [kakodhiiko] mismanage, misgovern, rule badly.

κακόζηλος-n-o (ε) [kakozilos] pompous.

κακοήθεια (n) [kakoithia] wickedness, vileness.

κακοήθης-ης-ες (ε) [kakoithis] dishonest, vile, malignant [ιατρ].

κακόηχος-n-o (ε) [kakoihos] dissonant, unpleasant to hear.

κακοκαρδίζω (ρ) [kakokardhizo] displease, bring sorrow.

κακοκάρδισμα (το) [kakokardhisma] displeasure, discontent.

κακόκαρδος-n-o (ε) [kakokardhos] embittered.

κακοκατασκευασμένος-n-o (μ) [kakokataskevasmenos] botchy.

κακοκέφαλος-n-o (ε) [kakokefalos] stubborn.

κακοκεφιά (n) [kakokefia] depression.

κακόκεφος-n-o (ε) [kakokefos] grumpy.

κακόλογος-n-o (ε) [kakologos] backbiting.

κακολογώ (ρ) [kakologo] slander.

κακομαθαίνω (ρ) [kakomatheno] spoil [μωρό κτλ], acquire bad habits.

κακομαθημένος-n-o (μ) [kakomathimenos] spoilt, rude.

κακομεταχειρίζομαι (ρ) [kakometahirizome] maltreat, abuse.

κακομεταχείριση (n) [kakometahirisi] ill-treatment, abusement.

κακομοίρης-α-ικο (ε) [kakomiris] wretched, unfortunate, unlucky, miserable.

κακομοιριά (n) [kakomiria] misery, poverty, misfortune.

κακομοιριασμένος-n-o (μ) [kakomiriasmenos] shabby.

κακομούτσουνος-n-o (ε) [kakomutsunos] ugly.

κακοντυμένος-n-o (μ) [kakondimenos] badly-dressed, ill-dressed.

κακοπαθαίνω (ρ) [kakopatheno] have a hard time.

κακοπάθεια (n) [kakopathia] hardship.

κακοπαίρνω (ρ) [kakoperno] misconstrue, misinterpret, treat roughly.

κακοπέρασn (n) [kakoperasi] hardship.

κακοπιστία (n) [kakopistia] faithlessness.

κακόπιστος-n-o (ε) [kakopistos] deceitful.

κακοπληρώνω (ρ) [kakoplirono] underpay.

κακοπληρωτής (ο) [kakoplirotis] bad payer.

κακοποίηση (n) [kakopiisi] manhandling.

κακοποιός-ός-ό (ε) [kakopios] criminal.

κακοποιώ (ρ) [kakopio] rape, abuse.

κακορίζικος-n-o (ε) [kakorizikos] wretched.

κακός-ή-ό (ε) [kakos] nasty, bad, ugly, vicious, naughty, harmful.

κακοσμία (n) [kakosmia] stench, stink.

κακοστρωμένος-n-o (μ) [kakostromenos] cobbly.

κακοσυνηθίζω (ρ) [kakosinithizo] spoil [μωρό κτλ], acquire bad habits.

κακότητα (n) [kakotita] malevolence.

κακοτοπιά (n) [kakotopia] pitfall.

κακοτράχαλος-η-ο (ε) [kakotrahalos] rough, stony, crabbed [άνθρωπος].

κακότροπος-η-ο (ε) [kakotropos] sour, ill-mannered.

κακοτυχία (n) [kakotihia] misfortune.

κακότυχος-η-ο (ε) [kakotihos] unlucky.

κακουλές (ο) [kakules] cardamon.

κακούργημα (το) [kakuryima] crime.

κακουργιοδικείο (το) [kakuryiodhikio] criminal court.

κακούργος (ο) [kakurgos] criminal, villain [μεταφ].

κακουχία (n) [kakuhia] hardship, privation.

κακοφαίνεται (μου) (ρ) [kakofenete] it offends me.

κακοφανισμός (ο) [kakofanismos] with all due respect.

κακοφέρνομαι (ρ) [kakofernome] behave rudely.

κακοφημία (n) [kakofimia] ill repute.

κακόφημος-η-ο (ε) [kakofimos] disreputable.

κακοφορμίζω (ρ) [kakoformizo] fester.

κακοφτιαγμένος-η-ο (μ) [kakoftiagmenos] botchy.

κακόφωνος-η-ο (ε) [kakofonos] discordant, dissonant.

κακοφωτισμένος-η-ο (ε) [kakofotismenos] poorly-lighted.

κακόψυχος-η-ο (ε) [kakopsihos] malicious.

κάκτος (ο) [kaktos] cactus.

κάκωση (n) [kakosi] ill treatment, suffering [αποτέλεσμα].

καλά (επ) [kala] well, all right, properly, thoroughly, capably, carefully, correctly.

καλάθι (το) [kalathi] basket.

καλαθιά (n) [kalathia] basketful.

καλαθοπλεχτική (n) [kalathoplehtiki] wickerwork, basket-work.

καλαθόσφαιρα (n) [kalathosfera] basketball.

καλάι (το) [kalai] tin.

καλαισθησία (n) [kalesthisia] good taste, elegance.

καλαίσθητος-η-ο (ε) [kalesthitos] tasteful.

καλαμάκι (το) [kalamaki] straw.

καλαμαράς (ο) [kalamaras] pen-pusher.

καλαμάρι (το) [kalamari] inkstand, cuttlefish [ψάρι], squid.

καλαμένιος-α-ο (ε) [kalamenios] reed, straw, cane.

καλαμιά (n) [kalamia] stubble, culm.

καλαμίθρα (n) [kalamithra] catmint [βοτ].

καλαμοζάχαρο (το) [kalamozaharo] sugar-cane.

καλαμοσκεπή (n) [kalamoskepi] thatch.

καλαμόφυτος-η-ο (ε) [kalamofitos] reedy.

καλαμπόκι (το) [kalamboki] corn, maize.

καλαμπούρι (το) [kalamburi] joke, laugh.

καλαμπουρίζω (ρ) [kalamburizo] crack a joke, have a laugh.

καλαμπουρτζής (ο) [kalamburitzis] joker.

καλαμωτή (n) [kalamoti] mat.

κάλαντα (τα) [kalanda] carols.

καλαντάρι (το) [kalandari] calendar.

καλαρέσω (ρ) [kalareso] like, take to, warm to.

καλάρω (ρ) [kalaro] drop the nets.

καλαφατίζω (ρ) [kalafatizo] caulk, careen.

καλαφάτισμα (το) [kalafatisma] caulking.

Καλβινισμός (ο) [Kalvinismos] Calvinism.

καλειδοσκόπιο (το) [kalidhoskopio] kaleidoscope.

καλέμι (το) [kalemi] chisel.

κάλεσμα (το) [kalesma] invitation.

καλεσμένος-η-ο (μ) [kalesmenos] invited, guest.

καλημαύκι (το) [kalimafki] priest's high hat.

καλημέρα (n) [kalimera] good morning.

καλινύχτα! (επιφ) [kalinihta!] good night.

καλησπέρα! (επιφ) [kalispera!] good afternoon, good evening.

κάλι (το) [kali] potash.

καλιακούδα (n) [kaliakudha] crow.

καλίγωμα (το) [kaligoma] shoeing.

καλιγώνω (ρ) [kaligono] shoe.

καλιγωτής (ο) [kaligotis] farrier.

καλικάντζαρος (ο) [kalikandzaros] gnome.

κάλιο (το) [kalio] potassium.

καλλίγραμμος-n-ο (ε) [kalligrammos] shapely.

καλλιγραφία (n) [kalligrafia] penmanship, calligraphy.

καλλιγράφος (ο) [kalligrafos] calligrapher.

καλλιέπεια (n) [kalliepia] elegance.

καλλιεπής-ής-ές (ε) [kalliepis] eloquent, elegant.

καλλιέργεια (n) [kallieryia] tilling, cultivation [μεταφ].

καλλιεργημένος-n-ο (μ) [kallieryimenos] couth.

καλλιεργήσιμος-n-ο (ε) [kallieryisimos] arable.

καλλιεργητής (ο) [kallieryitis] farmer.

καλλιεργητικός-ή-ό (ε) [kallieryitikos] farming.

καλλιεργώ (ρ) [kalliergo] cultivate, till, grow.

κάλλιο (επ) [kallio] better, rather, sooner.

καλλιστεία (τα) [kallistia] beauty /contest.

καλλιτέχνημα (το) [kallitehnima] work of art.

καλλιτεχνία (n) [kallitehnia] artistry.

καλλιτεχνικός-ή-ό (ε) [kallitehnikos] of art, of artists, artistic.

καλλονή (n) [kalloni] beauty.

κάλλος (το) [kallos] beauty, charm.

καλλυντικά (τα) [kallindika] cosmetics.

καλλωπίζω (ρ) [kallopizo] beautify, decorate.

καλλωπισμός (ο) [kallopismos] decoration, beautification.

κάλμα (n) [kalma] calm, lull, quiet.

καλμάρω (ρ) [kalmaro] relax.

καλντερίμι (το) [kalnderimi] paving stone, cobbled street.

καλό (το) [kalo] good, benefit, favour, blessing.

καλοαναθρεμμένος-n-ο (μ) [kaloanathremmenos] well brought-up.

καλοβαλμένος-n-ο (μ) [kalovalmenos] well turned-out, tidy.

καλοβλέπω (ρ) [kalovlepo] see well, like.

καλοβολεύω (ρ) [kalovolevo] make oneself comfortable, find a good job.

καλόβολος-n-ο (ε) [kalovolos] accommodating, easy-going.

καλογερεύω (ρ) [kaloyerevo] be a monk, be a nun.

καλόγερος (ο) [kaloyeros] monk, boil [σπυρί], hopscotch [παιχνίδι].

καλογεροσύνη (n) [kaloyerosini] monasticism.

καλόγουστος-n-ο (ε) [kalogustos] tasteful, elegant.

καλόγρια (n) [kalogria] nun.

καλοδεχούμενος-n-ο (μ) [kalodhehumenos] welcome.

καλοδιάθετος-n-ο (ε) [kalodhiathetos] good-tempered.

καλοδουλεμένος-n-ο (μ) [kalodhulemenos] well-made.

καλοζώ (ρ) [kalozo] live well.

καλοζωία (n) [kalozoia] well-being.

καλοήθης-ης-ες (ε) [kaloithis] moral, virtuous.

καλοθελητής (ο) [kalothelitis] wellwisher.

καλοθρεμμένος-n-ο (μ) [kalothremmenos] well-bred, plump.

καλοκαγαθία (n) [kalokagathia] benevolence.

καλοκάγαθος-n-ο (ε) [kalokagathos] kind-natured, good.

καλοκαίρι (το) [kalokeri] summer.

καλοκαιρία (n) [kalokeria] fine weather.

καλοκαιριάτικος-η-ο (ε) [kalokeriatikos] summer.

καλοκαιρινός-ή-ό (ε) [kalokerinos] summer, summery.

καλοκαμωμένος-η-ο (μ) [kalokamomenos] well-made, handsome.

καλόκαρδα (επι) [kalokardha] cheerfully.

καλοκαρδίζω (ρ) [kalokardhizo] cheer, please.

καλόκαρδος-η-ο (ε) [kalokardhos] cheerful.

καλοκοιτάζω (ρ) [kalokitazo] look closely at, look after well.

καλομαθαίνω (ρ) [kalomatheno] spoil, pamper.

καλομεταχειρίζομαι (ρ) [kalometahirizome] cocker.

καλομίλητος-η-ο (ε) kalomilitos] well-spoken.

καλομιλώ (ρ) [kalomilo] speak well.

καλονή (n) [kaloni] belle.

καλοντυμένος-η-ο (μ) [kalondimenos] well-dressed.

καλοπαντρεύω (ρ) [kalopandrevo] marry well.

καλοπέραση (n) [kaloperasi] comfort, happy life.

καλοπερνώ (ρ) [kaloperno] lead a pleasant life.

καλοπεριποιημένος-η-ο (ε) [kaloperipiimenos] well-cared-for.

καλοπιάνω (ρ) [kalopiano] treat gently.

καλόπιασμα (το) [kalopiasma] cajolery, blandishment.

καλόπιστος-η-ο (ε) [kalopistos] trustworthy, bona fide.

καλοπροαίρετος-η-ο (ε) [kaloproeretos] well-disposed, obliging.

καλορίζικος-η-ο (ε) [kalorizikos] lucky.

καλοριφέρ (το) [kalorifer] central heating, radiator.

καλός-ή-ό (ε) [kalos] kind, good, able [υπάλληλος], efficient [υπάλληλος].

κάλος (ο) [kalos] callus, corn.

καλοσκέφτομαι (ρ) [kaloskeftome] think carefully.

καλοστεκούμενος-η-ο (μ) [kalostekumenos] well-preserved.

καλοσυγυρισμένος-η-ο (ε) [kalosigirismenos] tidy, neat.

καλοσυνάτος-η-ο (ε) [kalosinatos] kindly, genial.

καλοσυνεύω (ρ) [kalosinevo] clear up, improve.

καλοσύνη (n) [kalosini] kindness, goodness, fair weather.

καλοσυνηθίζω (ρ) [kalosinithizo] spoil, pamper.

καλοτυχία (n) [kalotihia] good luck.

καλότυχος-η-ο (ε) [kalotihos] happy, lucky.

καλούπι (το) [kalupi] form, mould.

καλούπωμα (το) [kalupoma] casting.

καλούτσικος-η-ο (ε) [kalutsikos] not bad, adequate.

καλοφαγάς (ο) [kalofagas] gourmand.

καλοφαγία (n) [kalofayia] gourmandism, gastronomy.

καλοφτιάχνω (ρ) [kaloftiahno] make well.

καλόψυχος-η-ο (ε) [kalopsihos] kind-hearted.

καλπάζω (ρ) [kalpazo] gallop, walk fast, run.

καλπασμός (ο) [kalpasmos] gallop, canter.

κάλπη (n) [kalpi] ballot box.

κάλπικος-η-ο (ε) [kalpikos] false [μεταφ], counterfeit, worthless [οικοδ].

καλπονοθεία (n) [kalponothia] electoral fraud.

καλσόν (το) [kalson] tights.

κάλτσα (n) [kaltsa] sock, stocking.

καλτσοδέτα (n) [kaltsodheta] garter.

καλύβα (n) [kaliva] cabin, hut, cottage, shed.

καλύβι (το) [kalivi] hut, cabin.

κάλυκας (ο) [kalikas] calyx [βοτ], cartridge [στρατ], calyx [ανατ].

κάλυμμα (το) [kalimma] cover, blanket

[κρεβατιού], cap [κεφαλής], margin [τραπεζικό].

κάλυπτρα (n) [kaliptra] veil.

καλύπτω (ρ) [kalipto] cover, hide, mask [προθέσεις], case.

καλυστεγία (n) [kalisteyia] bindweed.

καλύτερα (επ) [kalitera] better.

καλυτέρευση (n) [kaliterefsi] improvement.

καλυτερεύω (ρ) [kaliterevo] improve.

κάλυψη (n) [kalipsi] covering, screening.

καλύψω (n) [kalipso] calypso.

κάλφας (ο) [kalfas] apprentice.

καλώ (ρ) [kalo] call, beckon, name, invite [σε δείπνο], summon [νομ].

καλώδιο (το) [kalodhio] rope, cable, wire.

καλώς (επ) [kalos] rightly, properly.

καλωσορίζω (ρ) [kalosorizo] welcome.

καλωσόρισμα (το) [kalosorisma] welcome.

κάμα (n) [kama] knife, dagger.

καμάκι (το) [kamaki] harpoon.

καμακίζω (ρ) [kamakizo] harpoon.

κάμαρα (n) [kamara] room.

καμάρα (n) [kamara] arch, archway.

καμαράκι (το) [kamaraki] closet.

καμάρι (το) [kamari] pride, boast.

καμαριέρα (n) [kamariera] chambermaid, parlourmaid.

καμαριέρης (ο) [kamarieris] valet.

καμαρίνι (το) [kamarini] dressing room.

καμαρότος (ο) [kamarotos] cabin boy, steward.

καμάρωμα (το) [kamaroma] pride.

καμαρώνω (ρ) [kamarono] take pride in.

καμαρωτός-ή-ό (ε) [kamarotos] arched [αρχιτεκ], haughty.

καματεύω (ρ) [kamatevo] plough.

κάματος (ο) [kamatos] weariness.

καμβάς (ο) [kamvas] canvass.

καμέλια (n) [kamelia] camellia.

κάμερα (n) [kamera] cine-camera.

καμήλα (n) [kamila] camel.

καμηλό (το) [kamilo] camel-hair, duffel

[ύφασμα].

καμηλοπάρδαλη (n) [kamilopardhali] giraffe.

καμιά (αν) [kamia] anyone, one, some, no, no one.

καμικάζι (ο) [kamikazi] kamikaze.

καμινάδα (n) [kaminadha] chimney.

καμινέτο (το) [kamineto] spirit lamp.

καμίνευμα (το) [kaminevma] smelting.

καμινευτής (ο) [kamineftis] smelter.

καμινεύω (ρ) [kaminevo] smelt, cast.

καμίνι (το) [kamini] furnace, kiln.

καμιόνι (το) [kamioni] lorry.

καμουτσί (το) [kamutsi] horse-whip, riding-crop.

καμουτσίκι (το) [kamutsiki] whip.

καμουφλάζ (το) [kamuflaz] camouflage, disguise.

καμπάνα (n) [kambana] bell, bell-bottomed [παντελόνια].

καμπαναριό (το) [kambanario] belfry, steeple.

καμπάνια (n) [kambania] drive, campaign.

καμπανιστός-ή-ό (ε) [kambanistos] ringing.

καμπανίτης (ο) [kambanitis] champagne.

καμπανούλα (n) [kambanula] bluebell, harebell, campanula [βοτ].

καμπαρέ (το) [kambare] cabaret.

καμπαρετζού (n) [kambaretzu] cabaret artiste.

καμπαρντίνα (n) [kambardina] gabardine.

καμπή (n) [kambi] bend, turn, elbow [σωλήνα κτλ].

κάμπια (n) [kambia] caterpillar.

καμπίνα (n) [kambina] cabin, booth.

καμπινές (ο) [kambines] toilet.

κάμπος (ο) [kambos] plain, flat country.

κάμποσος-n-o (αν) [kambosos] considerable.

καμποτίνος (ο) [kambotinos] charlatan.

κάμποτο (το) [kamboto] calico.

καμπούρα (n) [kambura] hump, hunch.

καμπούρης-α-ικο (ε) [kamburis] hunchback, bow-backed.

καμπουριάζω (ρ) [kamburiazo] hunch, stoop.

καμπούριασμα (το) [kamburiasma] humping, hunching, arching.

καμπουρωτός-ή-ό (ε) [kamburotos] stooping, crooked.

κάμπτομαι (ρ) [kamptome] bow, sag, go down [τιμές].

κάμπτω (ρ) [kampto] bend, turn, curve, flex.

καμπύλη (n) [kambili] curve, bend.

καμπύλος-n-ο (ε) [kambilos] curved, rounded.

καμπυλότητα (n) [kambilotita] camber, curvature.

καμπυλώνω (ρ) [kambilono] curve, bow, bend.

καμπυλωτός-ή-ό (ε) [kambilotos] curved.

καμτσίκι (το) [kamtsiki] cowhide.

καμφορά (n) [kamfora] camphor.

κάμψη (n) [kampsi] bending, flexion, fall [τιμών].

κάμωμα (το) [kamoma] doing, making.

καμώματα (τα) [kamomata] affected manners.

καμώνομαι (ρ) [kamonome] feign, pretend.

καν (σ) [kan] at least, even, not so much as.

κανάγιας (ο) [kanayias] scoundrel.

Καναδάς (ο) [Kanadhas] Canada.

Καναδικός-ή-ό (ε) [Kanadhikos] Canadian.

Καναδός (ο) [Kanadhos] Canadian.

κανακάρης (ο) [kanakaris] spoilt, only child.

κανακεύω (ρ) [kanakevo] pamper, canoodle.

κανάλι (το) [kanali] channel, canal.

καναπές (ο) [kanapes] sofa, couch, settee.

καναρίνι (το) [kanarini] canary.

κανάτα (n) [kanata] jug, pitcher.

κανάτι (το) [kanati] jug, pot.

κανείς (αν) [kanis] someone, anyone, no one, nobody, a, any.

κανέλα (n) [kanela] cinnamon.

κανένας (αν) [kanenas] anyone, one, some, no, no one.

κάνθαρος (ο) [kantharos] beetle.

κανιά (τα) [kania] legs, pins.

κανιβαλισμός (ο) [kanivalismos] cannibalism.

κανίβαλος (ο) [kanivalos] cannibal.

κάνιστρο (το) [kanistro] basket.

κανναβάτσο (το) [kannavatso] canvas, pack cloth.

καννάβι (το) [kannavi] hemp.

κανναβούρι (το) [kannavuri] birdseed, hempseed.

κάννη (n) [kanni] barrel of a gun.

κανό (το) [kano] canoe.

κανόνας (ο) [kanonas] rule, canon [εκκλ], scale.

κανόνι (το) [kanoni] cannon, gun.

κανονιά (n) [kanonia] gunshot.

κανονίδι (το) [kanonidhi] gunfire.

κανονίζω (ρ) [kanonizo] regulate, settle [υποθέσεις], settle [λογαριασμούς], close [λογαριασμούς], adjust, fix, determine.

κανονικός-ή-ό (ε) [kanonikos] regular, usual, ordinary, canonical [εκκλ], formal.

κανονικότητα (n) [kanonikotita] regularity, normality, symmetry.

κανονιοβολισμός (ο) [kanoniovolismos] gunfire, bombardment.

κανονιοβολώ (ρ) [kanoniovolo] bombard, shell.

κανονιοφόρος (n) [kanonioforos] gunboat.

κανόνισμα (το) [kanonisma] settlement, arrangement.

κανονισμός (ο) [kanonismos] regulation, rule, by-laws.

κανονιστική βολή (n) [kanonistiki voli] bracket.

κανονιστικός-ή-ό (ε) [kanonistikos] prescriptive, regulative, adjustive.

κάνουλα (n) [kanula] tap, faucet.

καντάδα (n) [kandadha] serenade.

κανταράκι (το) [kandaraki] spring balance.

καντάρι (το) [kandari] steelyard, hundredweight.

καντήλα (n) [kandila] lamp, blister.

καντηλανάφτης (ο) [kandilanaftis] verger.

καντηλέρι (το) [kandileri] candlestick.

καντήλι (το) [kandili] small oil light, nightlight.

καντηλίτσα (n) [kandilitsa] bowline [ναυτ].

καντίνα (n) [kandina] canteen.

κανιοζάκχαρο (το) [kandiozaharo] candy.

κάντιο (το) [kandio] barley-sugar.

καντόνιο (το) [kandonio] canton.

καντράν (το) [kandran] dial.

κάνω (ρ) [kano] do, make, create, build, play [υποκρίνομαι].

καολίνης (ο) [kaolinis] china-clay.

καουμπόης (ο) [kaumbois] cowboy.

καουμποϊστικος-n-o (ε) [kaumboistikos] western [φιλμ], cowboy.

καούρα (n) [kaura] heartburn.

καουτσούκ (το) [kautsuk] rubber.

κάπα (n) [kapa] peasant's cloak.

καπάκι (το) [kapaki] lid, cover, top.

καπάκωμα (το) [kapakoma] covering.

κάπαρη (n) [kapari] caper.

καπάρο (το) [kaparo] deposit.

καπαρώνω (ρ) [kaparono] give a deposit, book.

καπάτσος-a-o (ε) [kapatsos] shrewd, sharp.

καπατσοσύνη (n) [kapatsosini] shrewdness, sharpness.

κάπελας (ο) [kapelas] wine merchant, barman.

καπελάς (ο) [kapelas] hat-maker.

καπελιέρα (n) [kapeliera] hatbox.

καπέλο (το) [kapelo] hat.

καπελώνω (ρ) [kapelono] bonnet.

καπελού (n) [kapelu] milliner.

καπετάν (ο) [kapetan] captain.

καπετάνιος (ο) [kapetanios] skipper, captain.

καπηλεία (n) [kapilia] huckstering, exploiting.

καπηλειό (το) [kapilio] wine shop, taverna.

καπίκι (το) [kapiki] point [χαρτοπ].

καπίστρι (το) [kapistri] bridle, halter.

καπιστρώνω (ρ) [kapistrono] harness, bridle.

καπιταλισμός (ο) [kapitalismos] capitalism.

καπιταλιστής (ο) [kapitalistis] capitalist.

καπιτονάρω (ρ) [kapitonaro] wad, quilt.

Καπιτωλίνος (ο) [Kapitolinos] Capitolian.

Καπιτώλιο (το) [Kapitolio] Capitol.

καπλαμάς (ο) [kaplamas] veneer.

κάπνα (n) [kapna] soot.

καπνέμπορος (ο) [kapnemboros] tobacconist.

καπνιά (n) [kapnia] soot.

καπνίζω (ρ) [kapnizo] smoke, cure.

καπνίλα (n) [kapnila] smoky smell.

κάπνισμα (το) [kapnisma] smoking.

καπνιστής (ο) [kapnistis] smoker, curer [κρέατος].

καπνιστός-ή-ό (ε) [kapnistos] smoked.

καπνογόνος-a-o (ε) [kapnogonos] smoky.

καπνοδόχος (n) [kapnodhohos] chimney, funnel [πλοίου].

καπνοπαραγωγός-ός-ό (ε) [kapnoparagogos] tobacco-grower.

καπνοπώλης (ο) [kapnopolis] tobacconist.

καπνός (ο) [kapnos] smoke, tobacco.

καπό (το) [kapo] bonnet.

κάποιος (αν) [kapios] someone, somebody.

καπόνι (το) [kaponi] capon, davit.

καπότα (n) [kapota] shepherd's cloak, condom.

κάποτε (επ) [kapote] from time to time, now and again, sometimes.

κάπου (επ) [kapu] somewhere.

καπούλια (τα) [kapulia] rump, buttocks, behinds.

κάππαρη (n) [kappari] caper.

καπρίτσιο (το) [kapritsio] caprice, capriccio [μουσ].

καπριτσιόζος-α-ικο (ε) [kapritsiozos] capricious, whimsical.

κάπρος (ο) [kapros] boar.

κάπως (επ) [kapos] somehow, somewhat, someway, in some way.

καραβάνα (n) [karavana] mess tin.

καραβανάς (ο) [karavanas] brass hat, ranker.

καραβάνι (το) [karavani] caravan.

καραβάνι ζώων (το) [karavani zoon] coffle.

καράβι (το) [karavi] ship, vessel.

καραβίδα (n) [karavidha] crayfish.

καραβοκύρης (ο) [karavokiris] owner of a vessel, captain.

καραβόπανο (το) [karavopano] canvas.

καραβόσχοινα (n) [karavoshina] cordage.

καραγκιόζης (ο) [karangiozis] comedian [μεταφ], jester.

καραγκιοζιλίκια (τα) [karangiozilikia] clowning.

καραγωγέας (ο) [karagoyeas] carman.

καραδοκώ (ρ) [karadhoko] watch for, look out for.

καρακάξα (n) [karakaksa] magpie.

καραμέλα (n) [karamela] sweet, confection.

καραμούζα (n) [karamuza] toy flute, horn [αυτοκινήτου].

καραμπίνα (n) [karambina] carbine.

καραμπινιέρος (ο) [karambinieros] carabineer.

καραμπόλα (n) [karambola] cannon [μπιλιάρδου], pile up [αυτοκινήτου].

καραντίνα (n) [karandina] quarandine.

καραούλι (το) [karauli] look-out post, sentry.

καράτε (το) [karate] karate.

καράτι (το) [karati] carat.

καρατόμηση (n) [karatomisi] guillotining.

καράφα (n) [karafa] carafe.

καράφλα (n) [karafla] baldness.

καραφλαίνω (ρ) [karafleno] grow bald.

καραφλός-ή-ό (ε) [karaflos] bald.

καρβέλι (το) [karveli] loaf [round].

καρβουναποθήκη (n) [karvunapothiki] bunker.

καρβουνιάρης (ο) [karvuniaris] coalman.

καρβουνιάρικο (το) [karvuniariko] coal yard.

καρβουνιέρα (n) [karvuniera] bunker.

κάρβουνο (το) [karvuno] charcoal.

καρβουνόσκονη (n) [karvunoskoni] culm.

κάργα (επ) [karga] quite full, tightly, closely.

καργάρω (ρ) [kargaro] fill up, tighten.

κάργας (ο) [kargas] bully.

κάργια (n) [karyia] jackdaw.

κάρδαμο (το) [kardhamo] cress, cardamon.

καρδάμωμα (το) [kardhamoma] invigoration, strengthening.

καρδαμώνω (ρ) [kardhamono] fortify, invigorate.

καρδάρα (n) [kardhara] milk-tub.

καρδερίνα (n) [kardherina] goldfinch.

καρδιά (n) [kardhia] heart, core [φρούτου].

καρδιακός-ή-ό (ε) [kardhiakos] affected with heart disease.

καρδιαλγία (n) [kardhialyia] heartburn, cardialgia [ιατρ].

καρδινάλιος (ο) [kardhinalios] cardinal.

καρδιογράφημα (το) [kardhiografima] cardiogram.

καρδιογράφος (ο) [kardhiografos] cardiograph.

καρδιοειδής (ε) [kardhioidhis] cordate.

καρδιολογία (n) [kardhioloyia] cardiology.

καρδιολόγος (ο) [kardhiologos] heart specialist, cardiologist.

καρδιόμετρο (το) [kardhiometro] cardiometer.

καρδιοπάθεια (n) [kardhiopathia] heart condition.

καρδιοχτύπι (το) [kardhiohtipi] heartbeat, palpitation.

καρδιοχτυπώ (ρ) [kardhiohtipo] feel anxious, ache for, yearn for.

καρέ (το) [kare] square, centerpiece [τραπεζιού], still [φιλμ], party of four [άνθρ], low neckline [ντεκολτέ].

καρέκλα (η) [karekla] chair, seat.

καρενάρω (ρ) [karenaro] careen.

καριέρα (η) [kariera] career.

καρικατούρα (η) [karikatura] caricature, cartoon.

καρικατουρίστας (ο) [karikaturistas] caricaturist.

καρίκωμα (το) [karikoma] mending.

καρικώνω (ρ) [karikono] mend.

καρίνα (η) [karina] keel.

καριοφίλι (το) [kariofili] flintlock.

καρκινοβατώ (ρ) [karkinovato] go very slow, make no progress.

καρκινογόνος-α-ο (ε) [karkinogonos] carcinogenic.

καρκινοειδής-ής-ές (ε) [karkinoidhis] cancroid.

καρκινολόγος (ο) [karkinologos] cancer specialist.

καρκίνος (ο) [karkinos] cancer, crab, cancer [ζώδιο].

καρκινώδης-ης-ες (ε) [karkinodhis] cancerous.

καρκίνωμα (το) [karkinoma] carcinoma.

καρκινωματώδης-ης-ες (ε) [karkinomatodhis] cancerous, cancroid.

καρμανιόλα (η) [karmaniola] guillotine, dishonest card game.

καρμίρης (ο) [karmiris] mister, skinflint.

καρμπιρατέρ (το) [karmbirater] carburetor.

καρμπόν (το) [karmbon] carbon paper.

καρναβάλι (το) [karnavali] carnival, mardigra.

καρνάγιο (το) [karnayio] careenage.

καρνέ (το) [karne] cheque-book, notebook.

καρό (το) [karo] check, diamond [χαρτοπ].

κάρο (το) [karo] cart.

καροσερί (το) [karoseri] body.

καροτένιο (το) [karotenio] carotin.

καρότο (το) [karoto] carrot.

καρότσα (η) [karotsa] coach, body [αυτοκ].

καροτσάκι (το) [karotsaki] pram [μωρού], wheel-chair, barrow [κηπουρού].

καροτσιέρης (ο) [karotsieris] carter, coachman.

καρούλα (η) [karula] blister.

καρούλι (το) [karuli] reel, spool, pulley, caster.

καρούμπαλο (το) [karumbalo] bump.

καρπαζιά (η) [karpazia] clout, clip.

καρπερός-ή-ό (ε) [karperos] fertile, fruitful.

καρπίζω (ρ) [karpizo] fruit.

καρπικός (ο) [karpikos] carpal [ανατ].

καρπός (ο) [karpos] fruit, wrist [ανατ], carpus [ανατ].

καρπούζι (το) [karpuzi] watermelon.

καρποφορία (η) [karpoforia] crop.

καρποφόρος-α-ο (ε) [karpoforos] fruitful, lucrative.

καρποφορώ (ρ) [karpoforo] produce fruit.

καρπόφυλλο (το) [karpofillo] carpel [βοτ].

καρπώνομαι (ρ) [karponome] reap the fruits of, benefit by [μεταφ].

κάρπωση (η) [karposi] profit, enjoyment, exploitation.

κάρτα (η) [karta] visiting card, postcard, card.

καρτέλ (το) [kartel] cartel, combine.

καρτέλα (η) [kartela] file, index card.

καρτελοθήκη (η) [kartelothiki] card file.

κάρτερ (το) [karter] oil-sump [αυτοκ].

καρτερεύω (ρ) [karterevo] endure, have patience.

καρτέρι (το) [karteri] ambush.

καρτερία (η) [karteria] fortitude, resignation.

καρτερικός-ή-ό (ε) [karterikos] resigned.

καρτερικότητα (η) [karterikotita] endurance, fortitude.

καρτερώ (ρ) [kartero] persist, wait for, expect.

Καρυάτιδα (η) [Kariatidha] caryatid [αρχιτ].

καρύδα (n) [karidha] coconut.

καρύδι (το) [karidhi] walnut, Adam's apple.

καρυδιά (n) [karidhia] walnut tree.

καρυδότσουφλο (το) [karidhotsuflo] walnut shell, cockle.

καρύκευμα (το) [karikevma] seasoning, condiment, spice.

καρυκεύω (ρ) [karikevo] spice, season, flavour.

κάρυο (το) [kario] boll.

καρυοθραύστης (ο) [kariothrafstis] nutcracker.

καρφάκι (το) [karfaki] tack.

καρφί (το) [karfi] nail.

καρφίτσα (n) [karfitsa] pin, brooch.

καρφίτσωμα (το) [karfitsoma] pinning.

καρφιτσώνω (ρ) [karfitsono] pin.

καρφώνω (ρ) [karfono] nail, pin, fix [μεταφ], clench, clinch, embed, infix.

καρφωτός-ή-ό (ε) [karfotos] nailed.

καρχαρίας (ο) [karharias] shark.

καρωτίδα (n) [karotidha] carotid [ανατ].

καρωτίνη (n) [karotini] carotin.

κάσα (n) [kasa] case, box, safe [χρηματοκιβώτιο], coffin [μεταφ].

κασέλα (n) [kasela] wooden chest, trunk.

κασέρι (το) [kaseri] kind of hard cheese.

κασετίνα (n) [kasetina] pencil box, jewellery box.

κασίδα (n) [kasidha] favus.

κάσκα (n) [kaska] helmet, casque.

κασκαρίκα (n) [kaskarika] fiasco, practical joke.

κασκέτο (το) [kasketo] cap.

κασκόλ (το) [kaskol] scarf, muffler.

κασκορσές (ο) [kaskorses] camisole.

κασμάς (ο) [kasmas] pickaxe.

κασμίρι (το) [kasmiri] cashmere.

κασόνι (το) [kasoni] packing case.

κασσίτερος (ο) [kassiteros] tin.

κάστα (n) [kasta] caste.

καστανιά (n) [kastania] chestnut tree.

κασταniέτες (οι) [kastanietes] castanets.

κάστανο (το) [kastano] chestnut.

καστανός-ή-ό (ε) [kastanos] maroon.

καστανόχωμα (το) [kastanohoma] mould.

καστελάνος (ο) [kastelanos] castellan.

καστέλι (το) [kasteli] castle.

κάστορας (ο) [kastoras] castor, beaver.

καστορέλαιο (το) [kastoreleo] castor-oil.

καστόρι (το) [kastori] beaver, felt, deerskin.

κάστρο (το) [kastro] castle, fortress.

κατά (π) [kata] against, upon, by, during, according to, about.

κατά μέρος (επ) [kata meros] aside.

κατάβαθα (επ) [katavatha] deep.

καταβάλλω (ρ) [katavallo] overthrow, overcome, exhaust, strive, pay.

καταβαραθρώνω (ρ) [katavarathrono] ruin.

κατάβαση (n) [katavasi] getting off.

καταβεβλημένος-n-o (μ) [katavevlimenos] run down.

καταβιβάζω (ρ) [katavivazo] let down, take down, lower [ύψος].

καταβόθρα (n) [katavothra] glutton [μεταφ].

καταβολάδα (n) [katavoladha] layer.

καταβολή (n) [katavoli] paying in, deposit [χρημάτων].

καταβολιάζω (ρ) [katavoliazo] layer.

καταβόλιασμα (το) [katavoliasma] layering.

καταβολισμός (ο) [katavolismos] catabolism.

καταβρεχτήρι (το) [katavrehtiri] sprinkler.

καταβρέχω (ρ) [katavreho] soak, sprinkle, water.

καταβροχθίζω (ρ) [katavrohthizo] devour, gulp down, swallow.

καταβρόχθιση (n) [katavrohthisi] swallowing up, devouring.

καταβρόχθισμα (το) [katavrohthisma] bolting.

καταβυθίζω (ρ) [katavithizo] sink.

καταβύθιση (n) [katavithisi] sinking.

καταγάλανος-n-o (ε) [katagalanos] deep

blue.

καταγγελία (n) [katangelia] denunciation, annulment, revocation.

καταγγέλλω (ρ) [katangello] bring a charge, lodge a complaint.

καταγέλαστος-n-o (ε) [katayelastos] ridiculous.

καταγεμίζω (ρ) [katayemizo] accuse, arraign.

καταγίνομαι (ρ) [katayinome] see to.

κάταγμα (το) [katagma] fracture.

καταγοητεύω (ρ) [katagoitevo] enchant.

κατάγομαι (ρ) [katagome] be descended from, come from.

καταγραφή (n) [katagrafi] booking.

καταγράφω (ρ) [katagrafo] record, register.

καταγωγή (n) [katagoyi] descent, ancestry, blood.

καταγώγιο (το) [katagoyio] hovel, hideout.

καταδαπανώ (ρ) [katadhapano] squander.

καταδεικνύω (ρ) [katadhiknio] prove, demonstrate.

καταδεκτικότητα (n) [katadhektikotita] condescention.

καταδέχομαι (ρ) [katadhehome] condescend.

καταδεχτικός-ή-ό (ε) [katadhehtikos] condescending.

κατάδηλος-n-o (ε) [katadhilos] evident, clear.

καταδίδω (ρ) [katadhidho] denounce, betray.

καταδικάζω (ρ) [katadhikazo] condemn, sentence.

καταδικασμένος-n-o (μ) [katadhikasmenos] losing, fey.

καταδικαστέος-n-o (ε) [katadhikasteos] condemnable.

καταδικαστικός-ή-ό (ε) [katadhikastikos] damnatory.

καταδίκη (n) [katadhiki] sentence, conviction, ban.

κατάδικος (ο,n) [katadhikos] prisoner, convict.

καταδιωκτικό (το) [katadhioktiko] fighter [plane].

καταδιωκτικός-ή-ό (ε) [katadhioktikos] pursuit, prosecuting [νομ].

καταδιώκω (ρ) [katadhioko] chase, persecute [πολιτικώς].

καταδίωξη (n) [katadhioksi] pursuit, chase, hunting.

καταδολιεύομαι (ρ) [katadholievome] cheat, swindle.

καταδολευτικός-ή-ό (ε) [katadholieftikos] fraudulent.

καταδότης (ο) [katadhotis] informer, stool pigeon.

καταδρομέας (ο) [katadhromeas] ranger, commando.

καταδρομή (n) [katadhromi] pursuit.

καταδρομικό (το) [katadhromiko] cruiser.

καταδυναστευόμενος-n-o (μ) [katadhinastevomenos] downtrodden [μεταφ].

καταδυνάστευση (n) [katadhinastefsi] tyranny, oppressing.

καταδυναστεύω (ρ) [katadhinastevo] oppress, tyrannize.

καταδύομαι (ρ) [katadhiome] dive, submerge.

κατάδυση (n) [katadhisi] dive, submergence.

καταδυτικός-ή-ό (ε) [katadhitikos] diving.

καταζήτηση (n) [katazitisi] pursuit, searching.

καταζητώ (ρ) [katazito] pursue, chase.

κατάθεση (n) [katathesi] account, deposit, testimony [νομ].

καταθέτης (ο) [katatetis] depositor.

καταθέτω (ρ) [katateto] deposit, lay down, give evidence [ως μάρτυρας].

καταθλίβω (ρ) [katathlivo] distress, oppress.

καταθλιπτικός-ή-ό (ε) [katathliptikos] crushing, overwhelming.

κατάθλιψη (n) [katathlipsi] depression, oppression.

καταθορυβώ (ρ) [katathorivo] alarm, worry.

καταιγίδα (n) [kateyidha] storm, hurricane.

καταιγισμός (ο) [kateyismos] hail, shower.

καταισχύνη (n) [kateshini] disgrace, shame, humiliation.

καταισχύνω (ρ) [kateshino] abash.

κατακάθαρος-n-o (ε) [katakatharos] quite clear.

κατακάθι (το) [katakathi] residue, sediment.

κατακάθισμα (το) [katakathisma] settling, subsidence.

καταναίνουριος-n-o (ε) [katakenurios] brand new.

κατακαίω (ρ) [katakeo] burn completely.

κατακαλόκαιρο (το) [katakalokero] high summer.

κατάκαρδα (επ) [katakardha] seriously, deeply.

κατάκαυση (n) [katakafsi] deflagration.

κατάκειμαι (ρ) [katakime] lie flat, lie down.

κατακεκλιμένος-n-o (μ) [katakeklimenos] couchant.

κατακεραυνώνω (ρ) [katakeravnono] wither, crush.

κατακερματίζω (ρ) [katakermatizo] cut up, smash.

κατακερματισμός (ο) [katakermatismos] cutting up, breaking to pieces.

κατακέφαλα (επ) [katakefala] headlong.

κατακίτρινος-n-o (ε) [katakitrinos] very pale.

κατακλέβω (ρ) [kataklevo] steal one's last penny, rob everything.

κατακλείδα (n) [kataklidha] conclusion.

κατάκλειστος-n-o (ε) [kataklistos] shut up.

κατακλίνω (ρ) [kataklino] careen.

κατάκλιση (n) [kataklisi] going to bed, lying down.

κατακλύζω (ρ) [kataklizo] flood, inundate, invade [μεταφ].

κατακλυσμιαίος-α-ο (ε) [kataklismieos] torrential.

κατακλυσμός (ο) [kataklismos] flood, deluge.

κατακόβω (ρ) [katakovo] cut to pieces, lacerate, shred.

κατάκοπος-n-o (ε) [katakitos] bedridden.

κατακοκκινίζω (ρ) [katakokkinizo] flush, go red.

κατακόκκινος-n-o (ε) [katakokkinos] crimson, purple, deep red.

κατακόμβη (n) [katakomvi] catacomb.

κατακομματιάζω (ρ) [katakommatiazo] chine.

κατάκοπος-n-o (ε) [katakopos] exhausted.

κατακόρυφο (το) [katakorifo] zenith, acme [μεταφ], height, climax.

κατακόρυφος-n-o (ε) [katakorifos] vertical, perpendicular.

κατάκορφα (επ) [katakorfa] on the top.

κατακουρασμένος-n-o (μ) [katakurasmenos] dog-tired, worn out, exhausted.

κατακράτηση (n) [katakratisi] illegal detention, detainment [νομ].

κατακρατώ (ρ) [katakrato] withhold, keep illegally.

κατακραυγή (n) [katakravyi] outcry.

κατακρεούργηση (n) [katakreuryisi] massacre, butchering.

κατακρεουργώ (ρ) [katakreurgo] butcher, mangle, massacre.

κατακρημνίζω (ρ) [katakrimnizo] demolish, pull down.

κατακρήμνιση (n) [katakrimnisi] demolition.

κατακρίνω (ρ) [katakrino] blame, criticize, condemn.

κατάκριση (n) [katakrisi] criticism, condemnation.

κατακριτέα (επ) [katakritea] censurably.

κατακριτέος-α-ο (ε) [katakriteos] reprehensible, chargeable.

κατάκτηση (n) [kataktisi] conquest.

κατακτητής (ο) [kataktitis] conqueror.

κατακτώ (ρ) [katakto] conquer.

κατακυρώνω (ρ) [katakirono] knock down.

κατακύρωση (n) [katakirosi] knockdown, award.

καταλαβαίνω (ρ) [katalaveno] understand, see, realize.

καταλαγιάζω (ρ) [katalayiazo] settle [down].

καταλαλώ (ρ) [katalalo] backbite, gossip.

καταλαμβάνω (ρ) [katalamvano] take, lay hold of [χώρο], take up, occupy, seize.

καταλεπτώς (επ) [kataleptos] in great detail.

καταλήγω (ρ) [kataligo] end in, come to, result in, conclude.

κατάληξη (n) [kataliksi] ending, conclusion.

καταληπτικός-ή-ό (ε) [kataliptikos] final, outcome.

καταληπτός-ή-ό (ε) [kataliptos] comprehensible, clear.

καταλήστευση (n) [katalistefsi] pillaging, soaking.

καταληστεύω (ρ) [katalistevo] plunder, rob completely.

κατάληψη (n) [katalipsi] occupation, comprehension.

καταληψία (n) [katalipsia] trance.

κατάλληλα (επ) [katallila] acceptably, adaptably, appropriately.

κατάλληλος-n-o (ε) [katallilos] suitable, appropriate, fit, proper, apt, calculated, compatible.

καταλληλότητα (n) [katallilotita] suitability, fitness, appropriateness.

καταλιανίζω (ρ) [katalianizo] mince, chop up.

καταλογίζω (ρ) [kataloyizo] attribute, impute.

καταλογισμός, (o) [kataloyismos] charge, assessment.

καταλογιστέος-n-o (ε) [kataloyisteos] chargeable.

κατάλογος (o) [katalogos] catalogue, list, menu [φαγητών], register.

κατάλοιπα (τα) [katalipa] waste, leftovers, scraps.

κατάλοιπο (το) [katalipo] remnant.

κατάλυμα (το) [katalima] lodging, housing, barracks [στρατ].

καταλυπώ (ρ) [katalipo] distress, grieve, afflict.

κατάλυση (n) [katalisi] abolition [χημ].

καταλυτής (o) [katalitis] catalyst.

καταλυτικός-ή-ό (ε) [katalitikos] catalytic.

καταλύω (ρ) [katalio] abolish, do away with.

καταμαγεύω (ρ) [katamayevo] charm.

καταμαράν (το) [katamaran] catamaran.

καταμαρτυρία (n) [katamartiria] accusation.

καταμαρτυρώ (ρ) [katamartiro] accuse, charge.

καταματωμένος-n-o (μ) [katamatomenos] blood-stained.

κατάμαυρος-n-o (ε) [katamavros] jet-black.

καταμεριζόμενος-n-o (μ) [katamerizomenos] distributed.

καταμερίζω (ρ) [katamerizo] share out, distribute.

καταμερισμός (o) [katamerismos] division, allocation.

καταμεσήμερο (το) [katamesimero] high noon.

κατάμεστος-n-o (ε) [katamestos] quite full, crowded.

καταμέτρηση (n) [katametrisi] counting, survey.

καταμετρώ (ρ) [katametro] survey, measure, gauge, admeasure.

κατάμουτρα (επ) [katamutra] to somebody's face, in somebody's face.

καταναγκάζω (ρ) [katanangazo] force, constrain.

καταναγκασμός (o) [katanangasmos] coercion, force.

καταναγκαστικός-ή-ό (ε) [katanagastikos] coercive, compulsive.

καταναλίσκω (ρ) [katanalisko] consume, spend, drink [ποτά].

καταναλώνω (ρ) [katanalono] consume, use up.

κατανάλωση (n) [katanalosi] consumption.

καταναλωτής (ο) [katanalotis] consumer, customer.

καταναλωτικός-ή-ό (ε) [katanalotikos] consumer, consuming.

καταναλωτισμός (ο) [katanalotismos] consumerism.

κατανέμω (ρ) [katanemo] distribute, assign [ευθύνες], share [ευθύνες], apportion.

κατανεύω (ρ) [katanevo] nod, assent.

κατανίκηση (n) [katanikisi] overcoming, mastering, surmounting.

κατανικώ (ρ) [kataniko] overcome, defeat, overpower.

κατανόηση (n) [katanoisi] understanding, comprehension.

κατανοητός-ή-ό (ε) [katanoitos] understandable, comprehensible.

κατανομή (n) [katanomi] division, allocation, assignation.

κατανοώ (ρ) [katanoo] understand, comprehend.

κατάντημα (το) [katandima] wretched state.

κατάντια (n) [katandia] abjection.

καταντροπιάζω (ρ) [katandropiazo] shame.

καταντώ (ρ) [katando] bring to, end up as.

κατανυκτικός-ή-ό (ε) [kataniktikos] devout.

κατάνυξη (n) [kataniksi] devoutness, piety.

καταξεσκίζω (ρ) [katakseskizo] tear up, lacerate.

καταξιωμένος-n-ο (μ) [kataksiomenos] recognized, famous.

καταξοδεύω (ρ) [kataksodhevo] squander, waste.

καταπακτή (n) [katapakti] trap, pitfall, hatch.

καταπάνω (επ) [katapano] on, against.

καταπατηθείς (μ) [katapatithis] downtrodden.

καταπατημένος-n-ο (μ) [katapatimenos] downtrodden.

καταπατώ (ρ) [katapato] violate, encroach upon.

κατάπαυση (n) [katapafsi] cessation, stopping.

καταπαύω (ρ) [katapavo] cease, end, stop.

καταπέλτης (ο) [katapeltis] catapult.

καταπέτασμα (το) [katapetasma] bursting point.

καταπέφτω (ρ) [katapefto] fall, drop.

καταπιάνομαι (ρ) [katapianome] undertake, enter upon.

καταπιεζόμενος-n-ο (μ) [katapiezomenos] downtrodden [μεταφ].

καταπιέζω (ρ) [katapiezo] oppress, crush, clamp.

καταπίεση (n) [katapiesi] oppression, tyranny.

καταπιεστής (ο) [katapiestis] oppressor, tyrant.

καταπιεστικός-ή-ό (ε) [katapiestikos] oppressive, tyrannical, compulsive.

καταπικραίνω (ρ) [katapikreno] embitter, grieve, distress, pain.

κατάπικρος-n-ο (ε) [katapikros] very bitter.

καταπίνω (ρ) [katapino] swallow, gobble up [για κύματα], engulf.

καταπίπτω (ρ) [katapipto] fall, come down, collapse.

καταπίστευμα (το) [katapistevma] trust.

καταπλακώνω (ρ) [kataplakono] flatten, crush.

καταπλέω (ρ) [katapleo] sail in.

καταπληγώνω (ρ) [katapligono] cover with injuries.

καταπληκτικός-ή-ό (ε) [katapliktikos] amazing, wonderful, marvellous.

κατάπληκτος-n-ο (ε) [katapliktos] stupefied, amazed.

κατάπληξη (n) [katapliksi] surprise, astonishment, amazement.

καταπληξία (n) [katapliksia] cataplexy.

καταπλήσσω (ρ) [kataplisso] astonish, surprise, amaze.

καταπνίγω (ρ) [katapnigo] strangle, throttle, suffocate, suppress.

κατάπνιξη (n) [katapniksi] suppression, stifling.

καταπολέμηση (n) [katapolemisi] opposition, fighting.

καταπολεμώ (ρ) [katapolemo] oppose, fight against.

καταποντίζομαι (ρ) [katapondizome] go down, sink.

καταποντίζω (ρ) [katapondizo] sink.

καταπόντιση (n) [kataponisi] sinking.

καταπονώ (ρ) [katapono] tire out.

καταπράϋνση (n) [kataprainsi] alleviation, relief, soothing.

καταπραϋντικό (το) [katapraindiko] calmative.

καταπραϋντικός-ή-ό (ε) [katapraindikos] soothing, calmative.

καταπραΰνω (ρ) [katapraino] pacify, appease, calm.

καταπτόηση (n) [kataptoisi] dismay, intimidation.

καταπτοώ (ρ) [kataptoo] intimidate.

κατάπτυστος-n-o (ε) [kataptistos] despicable, low.

κατάπτωση (n) [kataptosi] downfall, landslide [μεταφ], exhaustion, depression.

καταπώς (επ) [katapos] according to what, as.

κατάρα (n) [katara] curse [μεταφ], hell [μεταφ], damnation, ban.

καταραμένος-ο-n (μ) [kataramenos] cursed, damned, accursed.

κατάργηση (n) [kataryisi] abolition.

καταργώ (ρ) [katargo] abolish, cancel.

καταριέμαι (ρ) [katarieme] curse, damn.

καταρράκτης (ο) [kataraktis] cascade, waterfall [τεχν].

καταρρακτώδης-ης-ες (ε) [katarraktodhis] torrential.

καταρρακώνω (ρ) [katarrakono] bring shame upon.

κατάρρευση (n) [katarrefsi] collapse, breakdown, exhaustion.

καταρρέω (ρ) [katarreo] collapse, fall down [μεταφ].

καταρρίπτω (ρ) [katarripto] knock down [τοίχο], demolish, beat [ρεκόρ], shoot down [αεροπλάνο].

κατάρριψη (n) [katarripsi] downing, breaking, demolition.

καταρροή (n) [katarroi] catarrh.

κατάρρους (ο) [katarrus] catarrh.

κατάρτι (το) [katarti] mast.

καταρτίζω (ρ) [katartizo] organize, establish, form, prepare, construct.

κατάρτιση (n) [katartisi] formation, setting up, preparation.

καταρώμαι (ρ) [katarome] curse, damn.

κατάσαρκα (επ) [katasarka] next to one's skin.

κατάσβεση (n) [katasvesi] extinction, blowing out.

κατασιγάζω (ρ) [katasigazo] silence, abate [μεταφ], subside [μεταφ].

κατασκευάζω (ρ) [kataskevazo] construct, make, erect, build, carpenter.

κατασκεύασμα (το) [kataskevasma] fabrication, construction, creation.

κατασκευασμένος-n-o (μ) [kataskevasmenos] confectionary.

κατασκευαστής (ο) [kataskevastis] maker, manufacturer, constructor.

κατασκευή (n) [kataskevi] construction, confection.

κατασκήνωση (n) [kataskinosi] camp, encampment.

κατασκονισμένος-n-o (μ) [kataskonismenos] covered in dust.

κατασκοπεία (n) [kataskopia] spying, espionage.

κατασκοπευτικός-ή-ό (ε) [kataskopeftikos] spying.

κατασκοπεύω (ρ) [kataskopevo] spy.

κατάσκοπος (ο) [kataskopos] spy.

κατασκορπίζω (ρ) [kataskorpizo] scatter, litter, disperse, throw away, throw around.

κατασκότεινος-η-ο (ε) [kataskotinos] pitch-dark.

κατασκοτώνομαι (ρ) [kataskotonome] slave away.

κατάσπαρτος-η-ο (ε) [kataspartos] studded.

κατασπατάληση (n) [kataspatalisi] waste.

κατασπιλώνω (ρ) [kataspilono] smear.

κάτασπρος-η-ο (ε) [kataspros] pure white.

καταστάλαγμα (το) [katastalagma] deposit.

κατασταλάζω (ρ) [katastalazo] end in [μεταφ], conclude [μεταφ].

κατασταλτικός-ή-ό (ε) [katastaltikos] repressive, suppressive.

κατάσταση (n) [katastasi] situation, condition, state, property [περιουσία], register [ονομαστική].

καταστατικό (το) [katastatiko] statute [εταιρίας].

καταστατικός-ή-ό (ε) [katastatikos] constitutive.

καταστέλλω (ρ) [katastello] suppress, overcome, control.

καταστενοχωρώ (ρ) [katastenohoro] distress, grieve.

κατάστημα (το) [katastima] shop, establishment, institution.

καταστηματάρχης (ο) [katastimatarhis] shopkeeper.

κατάστιχο (το) [katastiho] accounts book, register.

καταστολή (n) [katastoli] suppression, checking.

καταστόλιστος-η-ο (ε) [katastolistos] ornate, florid, decorated.

καταστρατήγηση (n) [katastratiyisi] infraction, violation.

καταστρατηγώ (ρ) [katastratigo] break, violate, transgress.

καταστρεπτικός-ή-ό (ε) [katastreptikos] destructive, devastating.

καταστρέφω (ρ) [katastrefo] destroy, ruin, devastate, spoil, damage.

καταστροφέας (ο) [katastrofeas] devastator, destroyer.

καταστροφή (n) [katastrofi] destruction, ruin, disaster, catastrophe, blasting.

καταστροφικός-ή-ό (ε) [katastrofikos] baneful, calamitous.

κατάστρωμα (το) [katastroma] deck.

καταστρώνω (ρ) [katastrono] draw up, make up, frame.

κατασυγκινώ (ρ) [katasingino] move deeply.

κατασυκοφάντηση (n) [katasikofantisi] slandering.

κατασυκοφαντώ (ρ) [katasikofando] slander.

κατασυντρίβω (ρ) [katasindrivo] smash, shatter.

κατασφάζω (ρ) [katasfazo] massacre, slaughter.

κατασχεθείς (μ) [katas-hethis] confiscate.

κατάσχεση (n) [katas-hesi] seizure, attachment [λόγω χρέους].

κατασχέσιμος-η-ο (ε) [katas-hesimos] confiscable.

κατασχετήριος-α-ο (ε) [katas-hetirios] seizure, distraint.

κατασχετός-ή-ό (ε) [katas-hetos] confiscable.

κατάσχω (ρ) [katas-ho] seize, attach.

κατατακτέος-η-ο (ε) [katatakteos] classifiable.

καταταλαιπωρώ (ρ) [katataleporo] harass.

κατάταξη (n) [katataksi] classification, sorting, grading, [στρατ].

καταταράζω (ρ) [katatarazo] shock, alarm.

κατατάσσομαι (ρ) [katatassome] enlist.

κατατάσσω (ρ) [katatasso] class, classify.

κατατείνω (ρ) [katatino] aim at, be designed to.

κατάτμηση (n) [katatmisi] cleavage.

κατατομή (n) [katatomi] profile, vertical section.

κατατόπια (τα) [katatopia] locality, every nook and cranny.

κατατοπίζομαι (ρ) [katatopizome] find one's bearings.

κατατοπίζω (ρ) [katatopizo] direct, explain.

κατατόπιση (n) [katatopisi] information, explanation.

κατατοπισμένος-η-ο (μ) [katatopismenos] knowledgeable, well-informed.

κατατοπιστικός-ή-ό (ε) [katatopistikos] enlightening, informative.

κατατρεγμός (ο) [katatregmos] persecution.

κατατρέχω (ρ) [katatreho] persecute.

κατατριβή (n) [katatrivi] frittering away, wearing down.

κατατρίβω (ρ) [katatrivo] waste away.

κατατρομαγμένος-n-ο (μ) [katatromagmenos] awestruck.

κατατρομάζω (ρ) [katatromazo] frighten, terrify, horrify.

κατατρομοκράτηση (n) [katatromokratisi] terrorization.

κατατρομοκρατώ (ρ) [katatromokrato] terrorize.

κατάτρομος-n-ο (ε) [katatromos] terrified, terrorized.

κατατρόπωση (n) [katatroposi] rout, crushing defeat.

κατατρώγω (ρ) [katatrogo] consume, devour, eat away, waste.

καταυγάζω (ρ) [katavgazo] light up.

καταυλίζομαι (ρ) [katavlizome] bivouac.

καταφανής-ής-ές (ε) [katafanis] obvious.

καταφανώς (επ) [katafanos] conspicuously.

κατάφαση (n) [katafasi] affirmation.

καταφατικός-ή-ό (ε) [katafatikos] affirmative, positive.

καταφέρνω (ρ) [kataferno] convince, persuade, manage, achieve.

καταφέρομαι (ρ) [kataferome] inveigh, attack.

καταφερτζής (ο) [katafertzis] cajoler.

καταφέρω (ρ) [katafero] deal, strike.

καταφεύγω (ρ) [katafevgo] take refuge in, resort to.

καταφθάνω (ρ) [katafthano] arrive, overtake.

κατάφορτος-n-ο (ε) [katafortos] overloaded.

καταφρόνεση (n) [katafronesi] contempt.

καταφρόνηση (n) [katafronisi] contempt, scorn.

καταφρονώ (ρ) [katafrono] scorn, despise, diesteem.

καταφυγή (n) [katafiyi] recourse.

καταφύγιο (το) [katafiyio] refuge, hiding place, shelter.

κατάφυτος-n-ο (ε) [katafitos] covered with vegetation.

κατάφωρος-n-ο (ε) [kataforos] flagrant, blatant.

κατάφωρος (ο) [kataforos] blatancy.

καταφώτιστος-n-ο (ε) [katafotistos] illuminated.

κατάφωτος-n-ο (ε) [katafotos] illuminated.

κατάχαμα (επ) [katahama] on the floor.

καταχαρούμενος-n-ο (μ) [kataharumenos] overjoyed.

καταχειροκροτώ (ρ) [katahirokroto] cheer wildly.

καταχθόνιος-α-ο (ε) [katahthonios] fiendish, devilish.

κατάχλομος-n-ο (ε) [katahlomos] ghastly, very pale.

καταχνιά (n) [katahnia] fog, mist, haze.

καταχραστής (ο) [katahrastis] defaulter.

καταχρεωμένος-n-ο (μ) [katahreomenos] deep in debt.

καταχρεώνομαι (ρ) [katahreonome] be deep in debt.

κατάχρηση (n) [katahrisi] abuse, misuse.

καταχρώμαι (ρ) [katahrome] abuse, take advantage of.

καταχωνιάζω (ρ) [katahoniazo] hide, bury.

καταχωρίζω (ρ) [katahorizo] insert, register, enter.

καταχώριση (n) [katahorisi] entry, booking, recording, registration.

καταχωρώ (ρ) [katahoro] insert, register, record.

καταψηφίζω (ρ) [katapsifizo] oppose.

καταψήφιση (n) [katapsifisi] voting against, negative note.

κατάψυξη (n) [katapsiksi] refrigeration, freezer.

κατεβάζω (ρ) [katevazo] let down, bring down, lower, reduce.

κατεβαίνω (ρ) [kateveno] come down, go down, descend.

κατέβασμα (το) [katevasma] descent.

κατεδαφίζω (ρ) [katedhafizo] demolish, pull down.

κατεδάφιση (n) [katedhafisi] demolition.

κατειλημμένος-n-ο (μ) [katilimenos] occupied, reserved.

κατεξοχή (επ) [kateksohi] par excellence, chief, main.

κατεπείγων-ουσα-ον (μ) [katepigon] urgent, pressing.

κατεργάζομαι (ρ) [katergazome] elaborate, work out, shape.

κατεργάρης-α-ικο (ο) [katergaris] rascal.

κατεργαριά (n) [katergaria] cunning, deception.

κατεργάρικα (επ) [katergarika] archly, craftily.

κατεργάρικος-n-ο (ε) [katergarikos] cunning.

κατεργασία (n) [katergasia] process, treatment.

κατέρχομαι (ρ) [katerhome] come down, go down, descend.

κατεστημένο (το) [katestimeno] establishment, status quo.

κατεστραμμένος-n-ο (μ) [katestrammenos] destroyed.

κατευθείαν (επ) [katefthian] directly, straight.

κατευθύνομαι (ρ) [katefthinome] turn, head [for].

κατεύθυνση (n) [katefthinsi] line, direction, course.

κατευθυντήριος-α-ο (ε) [katefthintirios] directional.

κατευθύνω (ρ) [katefthino] direct, guide, aim, turn.

κατευνάζω (ρ) [katevnazo] calm, pacify, allay, attemper.

κατευνασμός (ο) [katevnasmos] appeasement, conciliation.

κατευναστικός-n-ό (ε) [katevnastikos] anodyne.

κατευόδιο (το) [katevodhio] farewell.

κατευοδώνω (ρ) [katevodhono] see somebody off.

κατέχω (ρ) [kateho] possess, own, have, hold, occupy [θέση].

κατηγόρημα (το) [katigorima] complement, predicate.

κατηγορηματικός-n-ό (ε) [katigorimatikos] explicit, assertive.

κατηγορηματικότητα (n) [katigorimatikotita] explicitness.

κατηγορητήριο (το) [katigoritirio] accusation.

κατηγορητέος-α-ο (ε) [katigoriteos] chargeable.

κατηγορία (n) [katigoria] accusation, charge, category.

κατήγορος (ο) [katigoros] plaintiff, accuser.

κατηγορούμενο (το) [katigorumeno] complement [γραμμ], attribute.

κατηγορούμενος-n-ο (μ) [katigorumenos] the accused, defendant.

κατηγορώ (ρ) [katigoro] accuse, charge, blame, criticize.

κατήφεια (n) [katifia] gloom, dejection, morbidness.

κατηφής-ής-ές (ε) [katifis] gloomy, depressed, morbid.

κατηφοριά (n) [katiforia] descent, slope.

κατηφορίζω (ρ) [katiforizo] slope down, go downhill, coast [χωρίς μηχανή].

κατηφορικός-n-ό (ε) [katiforikos] sloping, downward.

κατήφορος (ο) [katiforos] descent, slope.

κατήχηση (n) [katihisi] indoctrination.

κατηχητικό (το) [katihitiko] Sunday School.

κατηχώ (ρ) [katiho] catechize [εκκλ], initiate [σε οργάνωση].

κάτι (αν) [kati] some, something.

κατιμάς (ο) [katimas] makeweight.

κάτισχνος-η-ο (ε) [katishnos] emaciated.

κατισχύω (ρ) [katishio] prevail.

κατιφές (ο) [katifes] marigold.

κατοικία (n) [katikia] dwelling, residence.

κατοικίδιος-α-ο (ε) [katikidhios] domesticated.

κάτοικοι (οι) [katiki] population.

κάτοικος (ο) [katikos] inhabitant.

κατοικώ (ρ) [katiko] live in, dwell, inhabit, reside.

κατολισθαίνω (ρ) [katolistheno] slide, subside.

κατολίσθηση (n) [katolisthisi] landslide.

κατονομάζω (ρ) [katonomazo] name, specify.

κατονομάσιμος-η-ο (ε) [katonomasimos] nameable.

κατόπιν (επ) [katopin] after, then, behind, afterwhile.

κατοπινός-ή-ό (ε) [katopinos] following.

κατόπτευση (n) [katoptefsi] survey, observation.

κατοπτεύω (ρ) [katoptevo] observe, survey.

κατοπτρίζω (ρ) [katoptrizo] reflect, represent [μεταφ].

κάτοπτρο (το) [katoptro] lens, mirror.

κατόρθωμα (το) [katorthoma] feat, achievement, deed.

κατορθώνω (ρ) [katorthono] succeed in, perform well.

κατορθώνων (ο) [katorthonon] achiever.

κατορθωτός-ή-ό (ε) [katorthotos] feasible, possible.

κατούρημα (το) [katurima] urination, piss.

κατουρλιό (το) [katurlio] urine, piss.

κάτουρο (το) [katuro] urine.

κατουρώ (ρ) [katuro] piss, urinate.

κατοχή (n) [katohi] possession, occupation [στρατ], detention [νομ].

κάτοχος (ο) [katohos] possessor, experienced person.

κατοχυρώνω (ρ) [katohirono] fortify, secure [μεταφ].

κατοχύρωση (n) [katohirosi] consolidation.

κάτοψη (n) [katopsi] plan, sectional view.

κατρακύλα (n) [katrakila] tumble.

κατρακυλάω (ρ) [katrakilao] back-slide.

κατρακυλώ (ρ) [katrakilo] bring down, come down.

κατράμι (το) [katrami] tar, asphalt.

κατράμωμα (το) [katramoma] tarring.

κατραπακιά (n) [katrapakia] hit, smack, clout, clump.

κατσαβίδι (το) [katsavidhi] screwdriver.

κατσάδα (n) [katsadha] scolding, dressing-down.

κατσαδιάζω (ρ) [katsadhiazo] scold.

κατσαρίδα (n) [katsaridha] cockroach.

κατσαρόλα (n) [katsarola] saucepan.

κατσαρός-ή-ό (ε) [katsaros] curly, curled, fuzzy, crimp, crimpy.

κατσάρωμα (το) [katsaroma] waving, curling.

κατσαρώνω (ρ) [katsarono] wave, curl.

κατσιάζω (ρ) [katsiazo] stunt.

κατσιασμένος-η-ο (μ) [katsiasmenos] stunted, undersized.

κατσίκα (n) [katsika] goat.

κατσικάκι (το) [katsikaki] kid.

κατσίκι (το) [katsiki] kid.

κατσικόδρομος (ο) [katsikodhromos] goat-track.

κατσικοπόδαρος-η-ο (ε) [katsikopodharos] devil, Jonah.

κατσούφης-α-ικο (ε) [katsufis] gloomy, moody.

κατσουφιά (n) [katsufia] moodiness.

κατσουφιάζω (ρ) [katsufiazo] frown.

κάτω (επ) [kato] down, under, underneath, below.

κατώγι (το) [katoyi] basement.

κάτωθεν (επ) [katothen] beneath.

κατώτατος-η-ο (ε) [katotatos] least, lowest, bottom.

κατώτερος-η-ο (ε) [katoteros] lower, poorer [quality], inferior.

κατωτερότητα (n) [katoterotita] inferiority.

κατωφέρεια (n) [katoferia] declivity.

κατωφερικά (επ) [katoferika] aslope.

κατώφλι (το) [katofli] threshold, doorstep.

κάτωχρος-η-ο (ε) [katohros] pale.

καυγαδίζω (ρ) [kavgadhizo] brawl.

καυγάς (ο) [kavgas] quarrel, argument.

καυγατζής-ής-ές (ε) [kavgatzis] cantankerous.

καύκαλο (το) [kafkalo] skull, shell.

καυκάσιος-α-ο (ε) [kafkasios] caucasian.

Καυκάσιος (ο) [Kafkasios] Caucasian.

καυσαέρια (τα) [kafsaeria] fumes.

καυσαέριο (το) [kafsaerio] exhaust gas.

καύση (n) [kafsi] burning, combustion.

καύσιμα (τα) [kafsima] fuel.

καύσιμο (το) [kafsimo] combustible.

κάτω από (επ) [kato apo] beneath.

καύσιμος-η-ο (ε) [kafsimos] combustible, inflammable.

καυσιμότητα (n) [kafsimotita] combustibility.

καυστήρας (ο) [kafstiras] burner.

καύσωνας (ο) [kafsonas] heatwave.

καυτερά (επ) [kaftera] very hot.

καυτερός-ή-ό (ε) [kafteros] hot, scalding [υγρό].

καυτήρας (ο) [kaftiras] cauter.

καυτήρι (το) [kaftiri] cautery, styptic pencil.

καυτηριάζω (ρ) [kaftiriazò] cauterize, brand [ζώα], stigmatize [μεταφ].

καυτηρίαση (n) [kaftiriasi] scathing criticism, castigation.

καυτήριο (το) [kaftirio] cauter.

καυτός-ή-ό (ε) [kaftos] scalding.

καύτρα (n) [kaftra] snuff.

καύχημα (το) [kafhima] boast, glory, pride.

καύχηση (n) [kafhisi] boasting.

καυχησιάρης-α-ικο (ε) [kafhisiaris] boaster, big-head.

καυχησιολογία (n) [kafhisioloyia] bragging.

καυχιέμαι (ρ) [kafhieme] boast of.

καφάσι (το) [kafasi] trellis, lattice.

καφασωτός-ή-ό (ε) [kafasotos] latticed.

καφεϊκός-ή-ό (ε) [kafeikos] caffeic.

καφεΐνη (n) [kafeini] caffeine.

καφενείο (το) [kafenio] coffee house.

καφές (ο) [kafes] coffee.

καφεστιατόριο (το) [kafestiatorio] café.

καφετερία (n) [kafeteria] cafeteria.

καφετζής (ο) [kafetzis] café owner.

καφετιέρα (n) [kafetiera] coffeepot.

κάφρος (ο) [kafros] savage, kaffir.

καχεκτικός-ή-ό (ε) [kahektikos] weak [person].

καχεξία (n) [kaheksia] sickliness.

καχύποπτος-η-ο (ε) [kahipoptos] distrustful.

καχυποψία (n) [kahipopsia] suspicion, distrust.

κάψα (n) [kapsa] excessive heat.

καψάλα (n) [kapsala] charred wood.

καψαλίζω (ρ) [kapsalizo] singe, char.

καψερός-ή-ό (ε) [kapseros] poor.

καψιαίος-η-ο (ε) [kapsieos] capsular.

κάψιμο (το) [kapsimo] burning, scalding.

κάψουλα (n) [kapsula] capsule.

κβάντα (τα) [kvanda] quantum.

κέδρινος-η-ο (ε) [kedhrinos] cedar.

κέδρος (ο) [kedhros] cedar tree, cedar.

κέικ (το) [keik] cake.

κείμαι (ρ) [kime] be situated, be located.

κείμενο (το) [kimeno] text.

κειμήλιο (το) [kimilio] treasure.

κεκαμμένος-η-ο (μ) [kekammenos]

bended.

κεκλιμένος-η-ο (μ) [keklimenos] canted.

κεκτημένος-η-ο (μ) [kektimenos] vested, won.

κελάηδημα (το) [kelaidhima] singing, chirping.

κελαηδώ (ρ) [kelaidho] sing, chirp.

κελάρι (το) [kelari] cellar, larder.

κελαρύζω (ρ) [kelarizo] burble.

κελάρυσμα (το) [kelarisma] bable, murmur.

κελεμπία (η) [kelembia] burnous.

κελεπούρι (το) [kelepuri] bargain.

κελευστής (ο) [kelefstis] petty officer.

κελί (το) [keli] cell, honeycomb.

κελλάρης (ο) [kellaris] cellarer.

Κέλτης (ο) [Keltis] Celt.

κελτικός-ή-ό (ε) [keltikos] celtic.

κέλυφος (το) [kelifos] shell, husk, bark.

κενό (το) [keno] void, empty space.

κενοδοξία (η) [kenodhoksia] vanity.

κενόδοξος-η-ο (ε) [kenodhoksos] vain, snobbish.

κενολόγος-α-ο (ε) [kenologos] prosy.

κενολογία (η) [kenoloyia] inanity.

κενός-ή-ό (μ) [kenos] empty, vacant [οικία].

κενοτάφιο (το) [kenotafio] cenotaph.

κενότητα (η) [kenotita] emptiness.

κέντα (η) [kenda] straight [χαρτοπ].

Κένταυρος (ο) [Kendavros] Centaur.

κέντημα (το) [kendima] sting, bite, embroidery.

κεντήματα (τα) [kendimata] apparel.

κεντητός-ή-ό (ε) [kenditos] embroidered.

κεντράρισμα (το) [kendrarisma] centering.

κεντράρω (ρ) [kendraro] centre.

κεντρί (το) [kendri] sting, thorn.

κεντρίζω (ρ) [kendrizo] prick, goad [βόδι], graft [δέντρο], stir up [μεταφ].

κεντρικά (επ) [kendrika] centrally.

κεντρικός-ή-ό (ε) [kendrikos] central, middle, principal.

κέντρο (το) [kendro] centre [πόλης], [night] club, taverna.

κεντρόφυγος-ος-ο (ε) [kendrofigos] centrifugal.

κέντρωμα (το) [kendroma] grafting, stinging, pricking.

κεντρώνω (ρ) [kendrono] graft.

κεντρώος-α-ο (ε) [kendroos] centrist.

κεντώ (ρ) [kendo] embroider, incite [μεταφ], rouse [μεταφ], awaken [μεταφ], stir.

κενώνω (ρ) [kenono] empty, drain, clean out [συρτάρι], evacuate.

κένωση (η) [kenosi] emptying, clearing out, bowel movement.

κεραία (η) [kerea] antenna, feeler, aerial [ασυρμάτου].

κεραμίδα (η) [keramidha] roof.

κεραμίδι (το) [keramidhi] tile, slate.

κεραμική (η) [keramiki] ceramics.

κέρας (το) [keras] horn, wing [στρατ].

κερασένιος-α-ο (ε) [kerasenios] cerise, cherry.

κεράσι (το) [kerasi] cherry.

κερασιά (η) [kerasia] cherry tree.

κέρασμα (το) [kerasma] treat, tip.

κερατάς (ο) [keratas] cuckold.

κεράτινος-α-ο (ε) [keratinos] corneous.

κέρατο (το) [kerato] horn, obstinate [για άνθρωπο], perverse.

κερατοειδής-ής-ές (ε) [keratoidhis] corneous.

κεράτωμα (το) [keratoma] cuckolding.

κερατώνω (ρ) [keratono] cuckold, two-time.

κεραυνοβολώ (ρ) [keravnovolo] strike with lightning.

κεραυνόπληκτος-η-ο (ε) [keravnopliktos] thunderstruck.

κεραυνός (ο) [keravnos] thunderbolt.

κερδίζω (ρ) [kerdhizo] win, earn, profit by.

κέρδος (το) [kerdhos] earnings, advantage, handicap, head start.

κερδοσκοπία (η) [kerdhoskopia] speculation, profiteering.

κερδοσκοπικός-ή-ό (ε) [kerdhoskopikos] profiteering, speculative.

κερδοσκόπος (ο) [kerdhoskopos] speculator, profiteer.

κερδοφόρος-α-ο (ε) [kerdhoforos] profitable.

κερένιος-α-ο (ε) [kerenios] wax.

κερήθρα (n) [kerithra] honeycomb.

κερί (το) [keri] wax candle.

κερκίδα (n) [kerkidha] tier of seats.

κέρμα (το) [kerma] fragment, coin.

κερματισμός (ο) [kermatismos] dissection.

κερνώ (ρ) [kerno] treat, buy a drink.

κερόχαρτο (το) [keroharto] waxpaper.

κέρωμα (το) [keroma] polishing, waxing.

κερώνω (ρ) [kerono] wax, polish.

κεσάτια (τα) [kesatia] business stagnation.

κετσές (ο) [ketses] felt.

κεφάλαια (τα) [kefalea] funds.

κεφάλαιο (το) [kefaleo] funds, chapter [βιβλίου].

κεφαλαιοκράτης (ο) [kefaleokratis] capitalist.

κεφαλαιοκρατία (n) [kefaleokratia] capitalism.

κεφαλαιοποιώ (ρ) [kefaleopio] capitalize.

κεφαλαίος-α-ο (ε) [kefaleos] capital.

κεφαλαιουχικός-ή-ό (ε) [kefaleuhikos] capital.

κεφαλαιούχος (ο) [kefaleuhos] financier, capitalist.

κεφαλαιώδης-ης-ες (ε) [kefaleodhis] essential.

κεφαλαλγία (n) [kefalalyia] headache.

κεφαλάρι (το) [kefalari] headwaters.

κεφαλή (n) [kefali] head, leader, chief.

κεφάλι (το) [kefali] head, brains.

κεφαλιά (n) [kefalia] header.

κεφαλίδα (n) [kefalidha] heading.

κεφαλικός-ή-ό (ε) [kefalikos] cephalic.

κεφαλόδεσμος (ο) [kefalodhesmos] headband.

κεφαλόπονος (ο) [kefaloponos] headache.

κέφαλος (ο) [kefalos] mullet.

κεφαλόσκαλο (το) [kefaloskalo] landing, stairs.

κεφαλοτύρι (τοπ) [kefalotiri] kind of hard cheese.

κεφαλοχώρι (το) [kefalohori] large village.

κεφάτα (επ) [kefata] cheerily.

κεφάτος-n-ο (ε) [kefatos] merry, cheerful, chirpy, elevated.

κέφι (το) [kefi] good humour.

κεφισμένος-n-ο (ε) [kefismenos] mellow, squiffy, merry, tipsy.

κεφτές (ο) [keftes] meatball.

κεχρί (το) [kehri] millet.

κεχριμπάρι (το) [kehrimbari] amber.

κεχωρισμένως (επ) [kehorismenos] aside.

κηδεία (n) [kidhia] funeral [procession].

κηδεμόνας (ο) [kidhemonas] guardian.

κηδεμονία (n) [kidhemonia] guardianship.

κηδεύω (ρ) [kidhevo] bury.

κηλεπίδεσμος (ο) [kilepidhesmos] truss.

κήλη (n) [kili] hernia, rupture.

κηλίδα (n) [kilidha] spot, stain, blemish [μεταφ], blot, blotch.

κηλιδωμένος-n-ο (μ) [kilidhomenos] blotchy.

κηλιδώνω (ρ) [kilidhono] stain, dirty, sully [μεταφ], blotch.

κηπευτικός-ή-ό (ε) [kipeftikos] horticultural.

κήπος (ο) [kipos] garden.

κηπουρική (n) [kipuriki] gardening, horticulture.

κηπουρικός-ή-ό (ε) [kipurikos] horticultural.

κηπουρός (ο) [kipuros] gardener.

κηραλοιφή (n) [kiralifi] cerate.

κηρήθρα (n) [kirithra] honeycomb.

κηροειδής-ής-ές (ε) [kiroidhis] ceraceous, cereous.

κηροζίνη (n) [kirozini] ceresin.

κηροπήγιο (το) [kiropiyio] candlestick.

κηροπλαστική (n) [kiroplastiki] ceroplastics.

κηροπλαστικός-ή-ό (ε) [kiroplastikos] ceroplastic.

κηροποιός (ο) [kiropios] chandler.

κηροπώλης (ο) [kiropolis] chandler.

κήρυγμα (το) [kirigma] proclamation, preaching [εκκλ].

κήρυκας (ο) [kirikas] herald, preacher [εκκλ].

κήρυξη (n) [kiriksi] declaration, proclamation.

κηρύσσω (ρ) [kirisso] proclaim, preach [εκκλ].

κηρώδης-ης-ες (ε) [kirodhis] ceraceous.

κήρωμα (το) [kiroma] cerate.

κηρωμένος-η-ο (μ) [kiromenos] cerated.

κηρωτός-ή-ό (ε) [kirotos] cerated.

κήτειος-α-ο (ε) [kitios] cetic.

κητοειδής-ής-ές (ε) [kitoidhis] cetaceous.

κήτος (το) [kitos] cetacean, whale.

κητόσαυρος (ο) [kitosavros] ceteosaurus.

κητώδης-ης-ες (ε) [kitodhis] cetaceous.

κηφήνας (ο) [kifinas] drone, idler [μεταφ], loafer [μεταφ].

κιάλια (τα) [kialia] binoculars, opera glasses.

κιβδηλοποιός (ο) [kivdhilopios] coiner.

κίβδηλος-η-ο (ε) [kivdhilos] adulterated, fraudulent, counterfeit [μεταφ].

κιβούρι (το) [kivuri] coffin.

κιβώτιο (το) [kivotio] chest, box.

κιβωτός (n) [kivotos] ark.

κιγκαλερία (n) [kingaleria] ironmongery.

κιγκλίδα (n) [kinglidha] rail, bar.

κιγκλίδωμα (το) [kinglidhoma] barrier, fence [φράκτης], grating [σιδερένιο], lattice work [ξύλινο].

κιθάρα (n) [kithara] guitar.

κιθαριστής (ο) [kitharistis] guitar-player.

κιλίκιο (το) [kilikio] cilice.

κιλίμι (το) [kilimi] handmade rug.

κιλλίβαντας (ο) [killivandas] gun-carriage.

κιλό (το) [kilo] kilogram.

κιλοβάτ (το) [kilovat] kilowatt.

κιλότα (n) [kilota] panties [γυν], riding-breeches [ιππασίας].

κιμάς (ο) [kimas] minced meat.

κιμμέριος-α-ο (ε) [kimmerios] cimmerian.

κιμονό (το) [kimono] kimono.

κιμωλία (n) [kimolia] chalk.

Κίνα (n) [Kina] China.

κίναιδος (ο) [kinedhos] homosexual.

κινδυνεύω (ρ) [kindhinevo] endanger, risk, venture.

κίνδυνος (ο) [kindhinos] danger, hazard.

Κινέζικος-η-ο,(ε) [Kinezikos] Chinese.

Κινέζος (ο) [Kinezos] Chinese, Chinaman.

κίνημα (το) [kinima] movement, revolt [μεταφ].

κινηματίας (ο) [kinimatias] mutineer.

κινηματογράφηση (n) [kinimatografisi] filming, shooting.

κινηματογραφία (n) [kinimatografia] cinematography.

κινηματογραφικός-ή-ό (ε) [kinimatografikos] film, cinefilm, cinema[tic].

κινηματογραφιστής (ο) [kinimatografistis] film-maker.

κινηματογραφώ (ρ) [kinimatografo] film, shoot.

κινηματοθέατρο (το) [kinimatotheatro] cinema.

κινηματομικρογραφία (n) [kinimatomikrografia] cinematography.

κίνηση (n) [kinisi] movement, motion, move, gesture, activity.

κίνηση (κυκλοφορίας) (n) [kinisi kikloforias] flow of traffic, transactions [αξιών].

κινητήρας (ο) [kinitiras] motor, engine.

κινητήριος-α-ο (ε) [kinitirios] driving.

κινητικότητα (n) [kinitikotita] mobility.

κινητοποίηση (n) [kinitopiisi] rally, mobilization.

κινητοποιώ (ρ) [kinitopio] mobilize.

κινητός-ή-ό (ε) [kinitos] mobile.

κίνητρο (το) [kinitro] motive.

κινίνο (το) [kinino] quinine.

κινούμαι (ρ) [kinume] move.

κινώ (ρ) [kino] set in motion, move, make go, set going.

κιόλας (επ) [kiolas] already, also, even.

κίονας (ο) [kionas] pillar, column.

κίονες (οι) [kiones] bitts.

κιονοειδής-ής-ές (ε) [kionoidhis] columnar.

κιονόκρανο (το) [kionokrano] chapiter.

κιονοστοιχία (n) [kionostihia] colonnade.

κιόσκι (το) [kioski] kiosk.

κιοτεύω (ρ) [kiotevo] balk.

κιοτής (ο) [kiotis] coward.

κιούγκι (το) [kiungi] water-pipe.

κιούπι (το) [kiupi] jar.

κιρσός (ο) [kirsos] varicose veins.

κίσσα (n) [kissa] magpie.

κισσός (ο) [kissos] ivy.

κιτάπι (το) [kitapi] book.

κιτρικό άλας (ο) [kitriko alas] citrate.

κιτρικός-ή-ό (ε) [kitrikos] citric.

κιτρίνη (n) [kitrini] citrin.

κιτρίνης (ο) [kitrinis] citrine [ορυκτ].

κιτρινίζω (ρ) [kitrinizo] go yellow, make yellow.

κιτρινολούλουδο (το) [kitrinoluludho] primrose.

κίτρινος-n-ο (ε) [kitrinos] yellow, pale.

κιτρινωπός-ή-ό (ε) [kitrinopos] pale.

κίτρο (το) [kitro] citron, citrus [βοτ].

κλαβιέ (το) [klavie] clavier.

κλαδάκι (το) [kladhaki] sprig, twig.

κλάδεμα (το) [kladhema] pruning.

κλαδευτήρα (n) [kladheftira] pruning-hook.

κλαδευτήρι (το) [kladheftiri] pruning scissors.

κλαδευτής (ο) [kladheftis] pruner.

κλαδευτική ψαλίδα (n) [kladheftiki psalidha] clippers.

κλαδεύω (ρ) [kladhevo] prune, trim.

κλαδί (το) [kladhi] branch, twig.

κλαδικός-ή-ό (ε) [kladhikos] departmental.

κλάδος (ο) [kladhos] branch, sector.

κλαδωτός-ή-ό (ε) [kladhotos] sprigged.

κλαίγομαι (ρ) [klegome] complain.

κλαίουσα ιτιά (n) [kleusa itia] weeping willow.

κλαίω (ρ) [kleo] cry, weep, feel sorry for.

κλακ (το) [klak] opera-hat.

κλακέρ (ο) [klaker] clapper.

κλακέτες (οι) [klaketes] tap-dance.

κλάμα (το) [klama] crying.

κλαμένος-n-ο (μ) [klamenos] in tears.

κλάνω (ρ) [klano] break wind, fart.

κλάξον (το) [klakson] horn, klaxon.

κλαπέτο (το) [klapeto] flap.

κλαρί (το) [klari] small branch.

κλαρινέτο (το) [klarineto] clarinet.

κλαρίνο (το) [klarino] clarinet.

κλαρωτός-ή-ό (ε) [klarotos] chinz.

κλασέρ (το) [klaser] file, filing cabinet.

κλάση (n) [klasi] class, age group, category.

κλασικά (επ) [klasika] classically.

κλασικιστής (ο) [klasikistis] classicist.

κλασικός-ή-ό (ε) [klasikos] classical, standard [μεταφ].

κλάσμα (το) [klasma] fraction, fragment.

κλασματικός-ή-ό (ε) [klasmatikos] fractional.

κλαστικός-ή-ό (ε) [klastikos] clastic.

κλαυθμός (ο) [klafthmos] lamentation, wailing.

κλάψα (n) [klapsa] whining.

κλαψιάρης-α-ικο (ε) [klapsiaris] given to complaining.

κλαψιάρικος-n-ο (ε) [klapsiarikos] whining.

κλάψιμο (το) [klapsimo] crying.

κλαψουρίζω (ρ) [klapsurizo] snivel, whimper.

κλαψούρισμα (το) [klapsurisma] blubber, whine.

κλέβω (ρ) [klevo] steal, rob, cheat [με απάτη], swindle.

κλειδαράς (ο) [klidharas] locksmith.

κλειδαριά (n) [klidharia] lock.

κλειδαρότρυπια (n) [klidharotripa] keyhole.

κλειδί (το) [klidhi] key, spanner [τεχν], clef [μουσ].

κλειδοκόκκαλο (το) [klidhokokkalo] clavicle, collar-bone.

κλειδοκύμβαλο (το) [klidhokimvalo] piano, clavier.

κλειδούχος (n) [klidhuhos] key-holder, switchman.

κλείδωμα (το) [klidhoma] locking, bolting.

κλειδωνιά (n) [klidhonia] lock.

κλειδώνω (ρ) [klidhono] lock.

κλείδωση (n) [klidhosi] joint, knuckle, collar-bone.

κλείνω (ρ) [klino] close, shut, lock, stop, plug, conclude.

κλεις (n) [klis] clavicle.

κλείσιμο (το) [klisimo] closing, locking, stopping.

κλειστός-ή-ό (ε) [klistos] closed, shut, exclusive.

κλειστοφοβία (n) [klistofovia] claustrophobia.

κλειτορίδα (n) [klitoridha] clitoris.

κλεπταποδόχος (ο) [kleptapodhohos] dealer in stolen goods, pawn-broker.

κλεπτομανής (ο,n) [kleptomanis] kleptomaniac.

κλεφτά (επ) [klefta] furtively.

κλέφτης (ο) [kleftis] thief.

κλεφτοπόλεμος (ο) [kleftopolemos] guerrilla warfare.

κλεφτός-ή-ό (ε) [kleftos] stolen, furtive, stealthy.

κλεφτοφάναρο (το) [kleftofanaro] electric torch.

κλεψιά (n) [klepsia] theft, robbery, burglary.

κλέψιμο (το) [klepsimo] theft, robbery, burglary.

κλεψιτυπία (n) [klepsitipia] pirating.

κλεψίτυπο (το) [klepsitipo] pirated copy.

κλεψύδρα (n) [klepsidhra] water clock, sandglass.

κλήδονας (ο) [klidhonas] ivy, fortune telling.

κλήμα (το) [klima] vine.

κληματαριά (n) [klimataria] vine arbor, climbing vine.

κληματόφυλλο (το) [klimatofillo] vine leaf.

κλήρινγκ (το) [kliring] clearing.

κληρικαλισμός (ο) [klirikalismos] clericalism.

κληρικισμός (ο) [klirikismos] clericalism.

κληρικοκρατία (n) [klirikokratia] clericalism.

κληρικός-ή-ό (ε) (ο) [klirikos] clerical.

κληροδοσία (n) [klirodhosia] bequest.

κληροδότημα (το) [klirodhotima] legacy, bequest.

κληροδότης (ο) [klirodhotis] devisor.

κληροδότηση (n) [klirodhotisi] bequeathal.

κληροδοτώ (ρ) [klirodhoto] bequeath, legate.

κληρονομιά (n) [klironomia] inheritance, heritage.

κληρονομικός-ή-ό (ε) [klironomikos] hereditary.

κληρονομικότητα (n) [klironomikotita] heredity.

κληρονόμος (ο) [klironomos] heiress, heir.

κληρονομώ (ρ) [klironomo] inherit.

κλήρος (ο) [kliros] lot, fate, clergy [εκκλ].

κληρώνομαι (ρ) [klironome] be drawn.

κληρώνω (ρ) [klirono] draw lots.

κλήρωση (n) [klirosi] drawing of lottery, prize drawing.

κληρωτίδα (n) [klirotidha] lottery-run.

κληρωτός (ο) [klirotos] recruit, conscript.

κλήση (n) [klisi] call, calling, writ of summons.

κλήτευση (n) [klitefsi] summons, subpoena.

κλητεύω (ρ) [klitevo] subpoena, arraign.

κλητεύων (μ) [klitevon] citer.

κλητήρας (ο) [klitiras] bailiff [δικαστικός], clerk, crier.

κλητική (n) [klitiki] vocative [case].

κλίβανος (ο) [klivanos] oven, kiln.

κλίκα (n) [klika] clique, faction, caucus.

κλίμα (το) [klima] climate, atmosphere [μεταφ].

κλίμακα (n) [klimaka] staircase, ladder, scale [μουσ].

κλιμάκιο (το) [klimakio] echelon [στρατ].

κλιμακοστάσιο (το) [klimakostasio] stairwell.

κλιμακούμενος-n-o (μ) [klimakumenos] climactic.

κλιμακτήριος (n) [klimaktirios] climacteric.

κλιμακώνω (ρ) [klimakono] escalate.

κλιμάκωση (n) [klimakosi] escalation, spreading.

κλιμακωτός-ή-ό (ε) [klimakotos] graduated, cascade, terraced.

κλιματικός-ή-ό (ε) [klimatikos] climatic.

κλιματισμός (ο) [klimatismos] air conditioning.

κλιματολογία (n) [klimatoloyia] climatology.

κλινάμαξα (n) [klinamaksa] sleeping-car.

κλίνη (n) [klini] bed.

κλινήρης-ης-ες (ε) [kliniris] bedridden, abed, infirm.

κλινική (n) [kliniki] clinic, hospital[private].

κλινικός-ή-ό (ε) [klinikos] clinical.

κλινοσκεπάσματα (τα) [klinoskepasmata] blankets, bed-clothes.

κλινοστρωμνή (n) [klinostromni] bedding, mattress.

κλίνω (ρ) [klino] lean, bend, decline [γραμμ], conjugate [γραμμ], incline, bow, slope.

κλισέ (το) [klise] plate.

κλίση (n) [klisi] inclination, slope, proneness, tendency, declension [γραμμ], conju-gation [γραμμ], aptitude, aptness.

κλισίμετρο (το) [klisimetro] clinometer.

κλιτικός-ή-ό (ε) [klitikos] inflected.

κλοιός (ο) [klios] pincer movement [στρατ], cordon, ring, collar.

κλομπ (το) [klomb] baton, club.

κλονίζομαι (ρ) [klonizome] stagger, hesitate [μεταφ], falter [μεταφ].

κλονίζω (ρ) [klonizo] shake, unsettle, damage [υγεία].

κλονισμός (ο) [klonismos] shaking, concussion, hesitation [μεταφ].

κλόουν (ο) [klooun] clown.

κλοπή (n) [klopi] theft, thieving, stealing.

κλοπιμαίος-α-ο (ε) [klopimeos] stolen, furtive.

κλοτσηδόν (επ) [klotsidhon] with kicks.

κλοτσιά (n) [klotsia] kick.

κλοτσοσκούφι (το) [klotsoskufi] sport, toy.

κλοτσώ (ρ) [klotso] kick.

κλούβα (n) [kluva] black Maria.

κλουβί (το) [kluvi] cage.

κλουβί πουλιών (το) [kluvi pulion] bird-cage.

κλουβιάζω (ρ) [kluviazo] addle.

κλούβιασμα (το) [kluviasma] addling.

κλούβιος-α-ο (ε) [kluvios] bad, rotten [μεταφ], stupid [μεταφ].

κλυδωνίζομαι (ρ) [klidhonizome] toss about.

κλυδωνισμός (ο) [klidhonismos] lurch, tossing, roll and pitch.

κλύσμα (το) [klisma] enema, clyster.

κλωθογυρίζω (ρ) [klothoyirizo] hang about, turn over [in one's mind].

κλωθογύρισμα (το) [klothoyirisma] brooding, hanging around.

κλώθω (ρ) [klotho] spin.

κλωναράκι (το) [klonaraki] sprig.

κλωνάρι (το) [klonari] branch [of tree], shoot.

κλώνος (ο) [klonos] clone [βιολ], limb.

κλώσα (n) [klosa] hen [brooding].

κλώσιμο (το) [klosimo] spinning.

κλωσόπουλο (το) [klosopulo] chick.

κλώσσημα (το) [klossima] clutch.

κλωσσόπουλα (τα) [klossopula] brood, hatch.

κλωστή (n) [klosti] thread, string.

κλωστήριο (το) [klostirio] spinning-mill.

κλωστοϋφαντουργός (ο) [klostoifandurgos] mill-hand.

κλωσώ (ρ) [kloso] brood, sit on.

κνήμη (n) [knimi] shank, leg.

κνησμός (ο) [knismos] itching.

κνίδωση (n) [knidhosi] nettle-rach.

κόα (n) [koa] coca [φαρμακ].

κόασμα (το) [koasma] croaking.

κοαλίτης (ο) [koalitis] coalite.

κοβάλτιο (το) [kovaltio] cobalt.

κόβομαι (ρ) [kovome] cut ourselves.

κόβω (ρ) [kovo] cut, slice, carve [κρέας], mint [νομίσματα], turn off [νερό], grind [καφέ, σιτάρι].

κογιότ (το) [koyiot] coyote.

κογκρέσο (το) [kongreso] congress.

κόγχη (n) [koghi] marine shell, eye socket [ματιού], niche [αρχιτεκ].

κογχυλιολόγος (ο) [koghiliologos] conchologist.

κοζάκος (ο) [kozakos] Cossack.

κοθώνι (το) [kothoni] bumpkin, raw recruit.

κοιλάδα (n) [kiladha] valley, vale.

κοιλαίνω (ρ) [kileno] hollow out.

κοιλαράς (ο) [kilaras] pot-bellied man.

κοιλιά (n) [kilia] belly, abdomen.

κοιλιακός-ή-ό (ε) [kiliakos] abdominal.

κοιλιόδουλος-n-o (ε) [kiliodhulos] gluttonous.

κοιλόπονος (ο) [kiloponos] stomach-ache.

κοιλοπονώ (ρ) [kilopono] be in labour.

κοίλος-n-o (ε) [kilos] hollow, sunken.

κοιλότητα (n) [kilotita] hollowness.

κοίλωμα (το) [kiloma] recess, hollow.

κοιμάμαι (ρ) [kimame] sleep, be asleep.

κοίμηση (n) [kimisi] sleeping, Assumption.

κοιμητήριο (το) [kimitirio] cemetery, graveyard.

κοιμίζω (ρ) [kimizo] put to sleep, quiet.

κοιμισμένος-ο-n (μ) [kimismenos] sluggish [μεταφ], stupid [μεταφ], sleepy.

κοιμούμαι (ρ) [kimume] sleep, be asleep.

κοινά (τα) [kina] public affairs.

κοινό (το) [kino] public, commons.

κοινόβιο (το) [kinovio] commune.

κοινοβουλευτικός-ή-ό (ε) [kinovuleftikos] parliamentary, parliamentarian.

κοινοβουλευτισμός (ο) [kinovuleftismos] parliamentary system.

κοινοβούλιο (το) [kinovulio] parliament.

κοινοκτημοσύνη (n) [kinoktimosini] common ownership.

κοινολεκτικός-ή-ό (ε) [kinolektikos] colloquial.

κοινολόγημα (το) [kinoloyima] rumour, disclosure.

κοινολόγηση (n) [kinoloyisi] divulgence, disclosure.

κοινολογώ (ρ) [kinologo] divulge.

κοινοποίηση (n) [kinopiisi] notification.

κοινοποιώ (ρ) [kinopio] notify, inform, serve [a notice].

κοινοπολιτεία (n) [kinopolitia] commonwealth.

κοινοπραξία (n) [kinopraksia] co-operative, combine.

κοινός-ή-ό (ε) [kinos] common, ordinary, vulgar, collective, colloquial.

κοινοτάρχης (ο) [kinotarhis] village head.

κοινότητα (n) [kinotita] community, parish.

κοινοτικός-ή-ό (ε) [kinotikos] communal.

κοινοτικώς (επ) [kinotikos] communally.

κοινοτισμός (ο) [kinotismos] communalism.

κοινοτοπία (n) [kinotopia] commonplace.

κοινοτοπικός-ή-ό (ε) [kinotopikos] commonplace.

κοινότυπος-η-ο (ε) [kinotipos] stereotyped.

κοινόχρηστα (τα) [kinohrista] shared upkeep expenses [in a block of flats].

κοινωνία (η) [kinonia] society, community, association, Holy Communion [εκκλ].

κοινωνικός-ή-ό (ε) [kinonikos] social, sociable, companionable.

κοινωνικότητα (η) [kinonikotita] sociability.

κοινωνιολογία (η) [kinonioloyia] sociology.

κοινωνιολόγος (ο) [kinoniologos] sociologist.

κοινωνός (ο) [kinonos] participant.

κοινωνώ (ρ) [kinono] receive Holy Communion, administer Holy Communion, communicate.

κοινώς (επ) [kinos] commonly.

κοινωφελής-ής-ές (ε) [kinofelis] of public benefit.

κοίταγμα (το) [kitagma] look, care.

κοιτάζω (ρ) [kitazo] look at, pay attention to, consider, see.

κοίτασμα (το) [kitasma] layer, deposit.

κοίτη (η) [kiti] bed.

κοιτίδα (η) [kitidha] cradle, origin [μεταφ].

κοιτώνας (ο) [kitonas] bedroom.

κόκα (η) [koka] coke, coca [βοτ].

κοκαΐνη (η) [kokaini] cocaine, coke.

κοκαϊνίζω (ρ) [kokaïnizo] cocainize.

κοκαϊνομανής (ο) [kokaïnomanis] cocainist, cokey, cocaine-addict.

κοκαΐνωση (η) [kokaïnosi] cocainization.

κοκαλένιος-ια-ιο (ε) [kokkalenios] horn, made of bone.

κοκαλιάρης-α-ικο (ε) [kokaliaris] bony, skinny.

κοκάλιασμα (το) [kokaliasma] numbness.

κοκάλινος-η-ο (ε) [kokalinos] of horn, of bone.

κόκαλο (το) [kokalo] bone, shoehorn [παπουτσιού].

κοκάλωμα (το) [kokaloma] numbness.

κοκαλώνω (ρ) [kokalono] be ossified, be stunned.

κοκάρι (το) [kokari] seed onions.

κόκερ (το) [koker] cocker [σκύλος ισπανικός].

κοκέτα (η) [koketa] coquette.

κοκεταρία (η) [koketaria] smartness, stylishness.

κοκέτης (ο) [koketis] coquet.

κοκίτης (ο) [kokitis] whooping cough.

κοκκινάδα (η) [kokkinadha] redness, blush.

κοκκινάδι (το) [kokkinadhi] lipstick.

κοκκινέλι (το) [kokkineli] red wine.

κοκκινίζω (ρ) [kokkinizo] redden, blush.

κοκκίνισμα (το) [kokkinisma] flush.

κοκκινισμένος-η-ο (μ) [kokkinismenos] blotchy.

κοκκινιστός-ή-ό (ε) [kokkinistos] braised [μαγειρ].

κοκκινογούλι (το) [kokkinoguli] beetroot, beet.

κοκκινολαίμης (ο) [kokkinolemis] robin red breast.

κοκκινομάλλης-α-ικο (ε) [kokkinomallis] red-haired.

κοκκινοπίπερο (το) [kokkinopipero] cayenne.

κόκκινος-η-ο (ε) [kokkinos] red, scarlet, rosy [μάγουλα].

κοκκινοσκουφίτσα (η) [kokkinoskufitsa] Little Red Riding Hood.

κοκκινόχωμα (το) [kokkinohoma] red chalk, clay earth.

κοκκινωπός-ή-ό (ε) [kokkinopos] reddish.

κοκκοποιώ (ρ) [kokkopio] granulate.

κόκκος (ο) [kokkos] grain, bean [καφέ], speck [σκόνης], coccus [μικρόβιο].

κόκκυξ (ο) [kokkiks] coccyx [ανατ].

κοκοράκι (το) [kokoraki] cockerel.

κόκορας (ο) [kokoras] cock, rooster.

κοκορέτσι (το) [kokoretsi] sheep's entrails.

κοκορεύομαι (ρ) [kokorevome] swagger, boast.

κοκορομαχία (n) [kokoromahia] cock-fighting.

κοκορόμυαλος-η-ο (ε) [kokoromialos] hare-brained.

κοκότα (n) [kokota] tart.

κοκοφοίνικας (ο) [kokofinikas] coco [βοτ].

κοκτέιλ (το) [kokteil] cocktail.

κοκωβιός (ο) [kokovios] gudgeon.

κόλα (n) [kola] cola [βοτ].

κολάζω (ρ) [kolazo] punish, chasten.

κόλακας (ο) [kolakas] flatterer.

κολακεία (n) [kolakia] flattery, butter [μεταφ].

κολακευτικός-ή-ό (ε) [kolakeftikos] complimentary.

κολακεύω (ρ) [kolakevo] flatter.

κολάρο (το) [kolaro] collar.

κόλαση (n) [kolasi] hell.

κολάσιμος-η-ο (ε) [kolasimos] punishable.

κολασμένος-η-ο (μ) [kolasmenos] damned.

κολασμός (ο) [kolasmos] punishment.

κολατσίζω (ρ) [kolatsizo] have a snack.

κολατσιό (το) [kolatsio] snack.

κόλαφος (ο) [kolafos] slap, buffet.

κολέγας (ο) [colegas] buddy, mate.

κολεγιακός-ή-ό (ε) [koleyiakos] collegial.

κολέγιο (το) [koleyio] college.

κολεκτιβισμός (ο) [kolektivismos] collectivism.

κολεόπτερα (τα) [koleoptera] coleoptera.

κολίγας (ο) [koligas] tenant farmer, share-cropper.

κολιέ (το) [kolie] necklace.

κολικός-ή-ό (ε) [kolikos] colic.

κολιός (ο) [kolios] kind of mackerel.

κολίτιδα (n) [kolitidha] colitis.

κόλλα (n) [kolla] glue, gum, paste, starch, paper.

κολλαγόνο (το) [kollagono] collagen.

κολλάζ (το) [kollaz] collage.

κολλαρίζω (ρ) [kollarizo] starch.

κολλάρισμα (το) [kollarisma] clearcole.

κολλαριστός-ή-ό (ε) [kollaristos] starched.

κόλλημα (το) [kollima] gluing, sticking.

κολλημένος-η-ο (μ) [kollimenos] clotted.

κόλληση (n) [kollisi] sticking, gluing, adhesion.

κολλητά (επ) [kollita] clingingly.

κολλητήρι (το) [kollitiri] soldering-iron.

κολλητικός-ή-ό (ε) [kollitikos] contagious, infectious, adhesive.

κολλητικότητα (n) [kollitikotita] stickiness, infectiousness.

κολλητός-ή-ό (ε) [kollitos] close-fitting, soldered, contiguous.

κόλλι (το) [kolli] collie [σκύλος].

κολλιτσίδα (n) [kollitsidha] leech [μεταφ], bind, caltrop [στρατ], cleavers [βοτ], cockle [βοτ].

κολλοειδές (το) [kolloidhes] colloid.

κολλοειδής-ής-ές (ε) [kolloidhis] colloidal.

κολλοτυπία (n) [kollotipia] collotype.

κολλύριο (το) [kollirio] eye-wash.

κολλώ (ρ) [kollo] glue, stick, paste, solder, fuse, get [αρρώστεια], catch [αρρώστεια], attach to [σε κάποιο], clap, affix, press.

κολλώδης-ης-ες (ε) [kollodhis] clammy, clingy.

κολοβός-ή-ό (ε) [kolovos] tailless, crop-tailed.

κολοβώνω (ρ) [kolovono] cut off the tail, maim.

κολόδιο (το) [kolodhio] collodion.

κολοκύθα (n) [kolokitha] gourd, pumpkin.

κολοκυθάκι (το) [kolokithaki] zucchini, courgette.

κολοκύθι (το) [kolokithi] vegetable marrow, pumpkin.

κόλον (το) [kolon] colon [ανατ].

κολόνα (n) [kolona] pillar, column.

κολονάκι (το) [kolonaki] baluster, banister.

κολόνια (n) [kolonia] eau de Cologne.

κολοσσιαίος-α-ο (ε) [kolossieos] colossal, enormous.

κολοσσός (o) [kolossos] giant.

κολοστομία (n) [kolostomia] colostomy.

κολοτομία (n) [kolotomia] colotomy.

κολούριασμα (το) [koluriasma] convolution.

κολοφών (o) [kolofon] apex.

κολοφώνας (o) [kolofonas] peak, height, maximum.

κολπατζής (o) [kolpatzis] trickster.

κολπίσκος (o) [kolpiskos] creek.

κολπίτιδα (n) [kolpitidha] plitis, thrush.

κόλπο (το) [kolpo] trick, artifice.

κόλπος (o) [kolpos] breast, bosom, gulf [γεωγραφικός].

κόλυβα (τα) [koliva] boiled wheat [given after funerals].

κολυμβήθρα (n) [kolimvithra] font, baptistery.

κολύμβηση (n) [kolimvisi] swimming.

κολυμβητήριο (το) [kolimvitirio] swimming-pool.

κολυμβητής (o) [kolimvitis] swimmer.

κολυμπήθρα (n) [kolimbithra] font, baptistery.

κολύμπι (το) [kolimbi] swimming.

κολυμπώ (ρ) [kolimbo] swim.

κολώνα (n) [kolona] bollard.

κολώνα κρεββατιού (n) [kolona krevvatiu] bedpost.

κολώνια (n) [kolonia] cologne.

κολώνω (ρ) [kolono] balk.

κόμα (το) [koma] coma [οπτικ].

κόμβος (o) [komvos] junction, knot.

κόμη (n) [komi] coma [αστρον].

κόμης (o) [komis] count, earl.

κόμησσα (n) [komisa] countess.

κομητεία (n) [komitia] county, shire.

κομήτης (o) [komitis] comet.

κομίζω (ρ) [komizo] bring, bear.

κόμικς (τα) [komiks] comic strip.

κομιστής (o) [komistis] carrier, bearer.

κόμιστρα (τα) [komistra] carriage fees.

κόμιστρο (το) [komistro] carriage, fare.

κόμμα (το) [komma] party [πολιτικό], comma, decimal point.

κομμάρα (n) [kommara] lassitude.

κομμάτα (n) [kommata] chunk.

κομματάρα (n) [kommatara] hunk.

κομματάρχης (o) [kommatarhis] party leader.

κομμάτι (το) [kommati] piece, slice [ψωμί], lump [ζάχαρη], fragment, chip.

κομμάτια (τα) [kommatia] chessmen.

κομματιάζω (ρ) [kommatiazo] cut up, tear, break.

κομμάτιασμα (το) [kommatiasma] dissection, burst.

κομματιαστός-ή-ό (ε) [kommatiastos] piecemeal, episodic.

κομματικός-ή-ό (ε) [kommatikos] party, partisan.

κομματισμός (o) [kommatismos] partisanship.

κομμένος-n-o (μ) [kommenos] sliced, cut, exhausted.

κομμισάριος (o) [kommisarios] commissar.

κομμός (o) [kommos] chiffonier.

κομμούνα (n) [kommuna] commune.

κομμουνισμός (o) [kommunismos] communism.

κομμουνιστής (o) [kommunistis] communist.

κομμουνιστικοποιώ (ρ) [kommunistikopio] communize.

κόμμωση (n) [komosi] hairdressing, hair style.

κομμωτήριο (το) [komotirio] hairdressing salon.

κομμωτής (o) [komotis] hairdresser, coiffeur.

κομό (το) [komo] chest of drawers.

κομοδίνο (το) [komodhino] bedside table.

κομός (ο) [komos] commode.

κομπάζω (ρ) [kombazo] boast, brag.

κομπανία (η) [kombania] company, troupe.

κομπάρσος (ο) [kombarsos] walk-on.

κομπασμός (ο) [kombasmos] brag, boast.

κομπαστής (ο) [kombastis] swaggerer, swank.

κομπαστικός-ή-ό (ε) [kombastikos] swaggering, bragging, boastful.

κομπιάζω (ρ) [kombiazo] hesitate.

κόμπιασμα (το) [kombiasma] stumbling.

κομπίνα (η) [kombina] racket, combine, scheme.

κομπιναδόρος (ο) [kombinadhoros] racketeer, schemer.

κομπινεζόν (το) [kombinezon] slip, petticoat.

κομπλάρισμα (το) [komblarisma] coupling.

κομπλάρω (ρ) [komblaro] couple.

κομπλέ (επ) [komble] full up, packet.

κόμπλεξ (το) [kombleks] complex.

κομπλιμεντάρω (ρ) [komblimendaro] compliment, flatter.

κομπλιμέντο (το) [komblimendo] compliment.

κομπογιαννίτης (ο) [komboyiannitis] quack.

κομπόδεμα (το) [kombodhema] hoard of money, savings.

κομπολόγι (το) [komboloyi] worry beads.

κομπολόι (το) [komboloi] worry beads.

κομπορρημονώ (ρ) [komborrimono] brag, boast.

κομπορρήμων (ο) [komborrimon] big-head.

κόμπος (ο) [kombos] knot, junction.

κομπόστα (η) [kombosta] compote.

κόμπρα (η) [kombra] cobra.

κομπρέσα (η) [kombresa] compress.

κομπρεσέρ (το) [kombreser] pneumatic drill.

κομφόρ (τα) [komfor] home comforts, necessities.

κομψά (επ) [kompsa] daintily.

κομψευόμενος-η-ο (μ) [kompsevomenos] smartly dressed.

κομψευόμενος (ο) [kompsevomenos] dandy.

κομψεύω (ρ) [kompsevo] slim, make elegant.

κομψός-ή-ό (ε) [kompsos] fashionable, stylish, smart, elegant.

κομψοτέχνημα (το) [kompsotehnima] work of art.

κομψότητα (η) [kompsotita] elegance, style, classiness, smartness.

κονδύλιο (το) [kondhilio] item, entry.

κονδυλώδης-ης-ες (ε) [kondhilodhis] nodular, tuberous.

κόνεμα (το) [konema] lodging.

κονεύω (ρ) [konevo] put up.

κονία (η) [konia] calx.

κονιάκ (το) [koniak] cognac, brandy.

κονίαμα (το) [koniama] mortar, plaster.

κονίαση (η) [koniasi] roughcasting, plastering.

κόνιδα (η) [konidha] nit.

κόνικλος (ο) [koniklos] cony.

κονιοποιώ (ρ) [koniopio] comminute.

κονιορτοποίηση (η) [koniortopiisi] pulverization.

κονίστρα (η) [konistra] arena, lists.

κονκάρδα (η) [konkardha] badge, favour.

κονσέρβα (η) [konserva] tinned food.

κονσερβαρισμένος-η-ο (μ) [konservarismenos] canned.

κονσερβατόριο (το) [konservatorio] music academy, conservatoire.

κονσερβοποιείο (το) [konservopiio] cannery.

κονσερβοποίηση (η) [konservopiisi] canning.

κονσερβοποιώ (ρ) [konservopio] can, tin.

κονσερτίνα (η) [konsertina] concertina.

κονσέρτο (το) [konserto] concert.

κονσόλα (n) [konsola] console.

κονσομέ (το) [konsome] clear soup, stock.

κοντά (επ) [konda] close to, near, almost, handy.

κονταίνω (ρ) [kondeno] shorten, curtail, get shorter.

κοντάκι (το) [kondaki] butt [όπλου], stock.

κοντάρι (το) [kondari] pole, staff [σημαίας], mast [ναυτ].

κονταρομαχία (n) [kondaromahia] joust.

κονταρομαχώ (ρ) [kontaromaho] tilt, joust.

κόντεμα (το) [kontema] shortening.

κόντες (ο) [kondes] count.

κοντέσσα (n) [kondesa] countess.

κοντεύω (ρ) [kondevo] be about to, be nearly finished, come near, draw near.

κόντημα (το) [kondima] shortening.

κοντινός-ή-ό (ε) [kondinos] neighboring, near by, short [δρόμος].

κοντοκόβω (ρ) [kondokovo] cut short.

κοντοκομμένος-n-o (μ) [kondokommenos] bobbed.

κοντολογίς (επ) [kondoloyis] in short.

κοντομάνικος-n-o (ε) [kondomanikos] short-sleeved.

κοντός-ή-ό (ε) [kondos] short, post, stake.

κοντοστέκω (ρ) [kondosteko] hesitate, pause.

κοντοστούμπης (ο) [kondostumbis] dumpy.

κοντόσωμος-n-o (ε) [kondosomos] short.

κοντόφθαλμος-n-o (ε) [kondofthalmos] short-sighted.

κοντόχοντρος-n-o (ε) [kondohondros] stocky, stubby, podgy.

κόντρα (επ) [kondra] against, opposite, counter.

κοντραμπάσσο (το) [kondrambasso] contrabass.

κοντραπλακέ (το) [kondraplake] plywood.

κοντράρω (ρ) [kondraro] oppose, counter.

κοντράστ (το) [kondrast] contrast.

κοντσέρτο (το) [kontserto] concert, concerto.

κοντύλι (το) [kondili] slate pencil.

κοντυλοφόρος (ο) [kondiloforos] fountain pen.

κοπάδι (το) [kopadhi] flock, herd, drove, crowd.

κοπάζω (ρ) [kopazo] calm down, grow quiet.

κοπανατζής (ο) [kopanatzis] truant.

κοπανίζω (ρ) [kopanizo] beat, grind, thresh, thump, bang, thrash, bash, wallop.

κοπάνισμα (το) [kopanisma] thrashing, hammering, pounding, thump, beating.

κόπανος (ο) [kopanos] pestle, crusher, fool [μεταφ], idiot.

κοπανώ (ρ) [kopano] cob.

κοπέλα (n) [kopela] girl, servant [υπηρεσίας].

κοπελιά (n) [kopelia] lassie, missy.

κοπή (n) [kopi] cutting, stoppage.

κόπια (n) [kopia] copy, transcript.

κοπιάζω (ρ) [kopiazo] labour, toil.

κοπιάρω (ρ) [kopiaro] copy, mimic.

κοπιαστικός-ή-ό (ε) [kopiastikos] hard, fatiguing, troublesome.

κοπίδι (το) [kopidhi] chisel.

κόπιτσα (n) [kopitsa] clasp, press-stud.

κόπος (ο) [kopos] fatigue, toil, labour.

κόπρανα (τα) [koprana] excrement.

κοπριά (n) [kopria] dung, manure.

κοπρίτης (ο) [kopritis] lazybones [μεταφ].

κοπρολαγνεία (n) [koprolagnia] coprophilia.

κοπρολαλιά (n) [koprolalia] coprology.

κοπρόλιθος (ο) [koprolithos] coprolite.

κοπροσκυλιάζω (ρ) [koproskiliazo] loaf, bum, lazy about.

κοπρόσκυλο (το) [koproskilo] worthless person [μεταφ].

κοπροφιλία (n) [koprofilia] coprophilia.

κοπρώδης-nς-ες (ε) [koprodhis] dungy.

κοπτήρας (ο) [koptiras] incisor, cutter [χαρτοκοπτήρας].

κοπτική (n) [koptiki] cutting, tailoring.

κοπτικός-ή-ό (ε) [koptikos] cutting.

κόπτω (ρ) [kopto] cut [ψωμί], slice [ψωμί], style, carve [κρέας], mint [νομίσματα], turn off [νερό], mill [καφέ].

κόπωση (n) [koposi] fatigue.

κόρα (n) [kora] crust [bread].

κόρακας (ο) [korakas] crow, raven.

κοράκι (το) [koraki] crow, rook, raven.

κορακίστικα (τα) [korakistika] jargon.

κορακοειδής-ής-ές (ε) [korakoidhis] corvine.

κοραλλένιος-α-ο (ε) [korallenios] coraline.

κοράλλι (το) [koralli] coral.

κοραλλίνη (n) [koralini] coraline.

κοράλλινος-η-ο (ε) [korallinos] coraline.

κοραλλιόλιθος-η-ο (ε) [koralliolithos] coralite.

Κοράνι (το) [Korani] Koran.

κόραξ (ο) [koraks] corbie.

κοράσι (το) [korasi] girl.

κορβανάς (ο) [korvanas] money-box.

κόρδα (n) [kordha] string, chord, rafter, beam.

κορδέλα (n) [kordhela] ribbon, band, tape.

κορδόνι (το) [kordhoni] cord, string, bootlace.

κόρδωμα (το) [kordhoma] cockiness.

κορδώνομαι (ρ) [kordhonome] swagger, put on airs.

κορδώνω (ρ) [kordhono] tighten, stretch.

κορδωτά (επ) [kordhota] cockily.

κορδωτός-ή-ό (ε) [kordhotos] strutting.

κορέννυμαι (ρ) [korennime] cloy.

κορεννύω (ρ) [korennio] cloy.

κορέος (ο) [koreos] bed-bug.

κορεσμένος-η-ο (μ) [koresmenos] saturated, full up.

κορεσμός (ο) [koresmos] satisfaction.

κόρη (n) [kori] daughter [παιδί], pupil, girl, virgin.

κοριός (ο) [korios] bedbug, bug [τηλεφώνου].

κορίτσι (το) [koritsi] girl, virgin, girlfriend.

κορτσίστικος-η-ο (ε) [koritsistikos] girlish.

κορκός (ο) [korkos] yolk.

κορμί (το) [kormi] body, trunk, figure.

κορμοράνος (ο) [kormoranos] cormorant.

κορμός (ο) [kormos] trunk, block, bole, torso.

κορμοστασιά (n) [kormostasia] figure, build, bearing.

κόρνα (n) [korna] horn.

κορνάρισμα (το) [kornarisma] hoot.

κορνάρω (ρ) [kornaro] hoot.

κορνέτα (n) [korneta] cornet.

κορνίζα (n) [korniza] frame, cornice, architrave.

κορνιζάρω (ρ) [kornizaro] frame.

κόρνο (το) [korno] horn.

κόρο (το) [koro] chorus, choir.

κοροϊδευτικός-ή-ό (ε) [koroidheftikos] mocking, taunting.

κοροϊδεύω (ρ) [koroidhevo] scoff at, laugh at, ridicule, deceive.

κοροϊδία (n) [koroidhia] mockery, fraud, cheat, bluff.

κοροϊδίστικα (επ) [koroidhistika] foolishly, stupidly.

κορόιδο (το) [koroidho] laughing stock, scapegoat, fool.

κορόμηλο (το) [koromilo] sloe, wild plum.

κορόνα (n) [korona] crown, coronet.

κόρος (ο) [koros] saturation, repletion.

κορούνδιο (το) [korundhio] corundum.

κορσές (ο) [korses] corset.

κορτάκιας (ο) [kortakias] skirt-chaser.

κορτάρισμα (το) [kortarisma] flirting, courting.

κορτάρω (ρ) [kortaro] flirt, court.

κόρτε (το) [korte] flirt, court[ing].

κορτιζόνη (n) [kortizoni] cortisone.

κορυδαλλός (ο) [koridhallos] [sky]lark.

κορυφαίος-α-ο (ε) [korifeos] leader, chief, crowning.

κορυφή (n) [korifi] top [όρους], vertex

[γωνίας], leading person [μεταφ].

κορυφογραμμή (n) [korifogrammi] ridge, watershed, crest.

κορυφούμενος-n-o (μ) [korifumenos] climactic.

κορυφώνομαι (ρ) [korifonome] culminate, reach a peak.

κορφή (n) [korfi] top [όρους], peak [όρους], vertex [γωνίας], leading person [μεταφ], outstanding person [μεταφ].

κορφολόγημα (το) [korfoloyima] topping.

κορφολόγος (ο) [korfologos] creamer.

κορφολογώ (ρ) [korfologo] top, crop.

κόρφος (ο) [korfos] bosom, breast.

κορώνα (n) [korona] corona.

κορωνίδα (n) [koronidha] coronet, zenith.

κοσκινίζω (ρ) [koskinizo] screen, sift, cradle.

κοσκίνισμα (το) [koskinisma] bolting.

κόσκινο (το) [koskino] sieve, sifter.

κοσμάκης (ο) [kosmakis] commons.

κόσμημα (το) [kosmima] decoration, jewel.

κοσμήματα (τα) [kosmimata] jewellery, bijouterie, accessories.

κοσμητεία (n) [kosmitia] deanery.

κοσμητικός-ή-ό (ε) [kosmitikos] ornamental, decorative.

κοσμήτορας (ο) [kosmitoras] dean [of university].

κόσμια (επ) [kosmia] decorously.

κοσμικά (επ) [kosmika] cosmically.

κοσμικός-ή-ό (ε) [kosmikos] lay, mundane, social [γεγονός].

κόσμιος-a-o (ε) [kosmios] decent, modest, proper, comely.

κοσμιότητα (n) [kosmiotita] decency, propriety.

κοσμογονία (n) [kosmogonia] cosmogony.

κοσμογραφία (n) [kosmografia] cosmography.

κοσμογυρισμένος-o-n (μ) [kosmoyirismenos] well-travelled.

κοσμοθεωρία (n) [kosmotheoria] ideology.

κοσμοϊστορικός-ή-ό (ε) [kosmoistorikos] historic.

κοσμοκρατορία (n) [kosmokratoria] world domination.

κοσμολογία (n) [kosmoloyia] cosmology.

κοσμολογικός-ή-ό (ε) [kosmoloyikos] cosmological.

κοσμοναύτης (ο) [kosmonaftis] cosmonaut.

κοσμοξάκουστος-n-o (ε) [kosmoksakustos] world-famous.

κοσμοπλημμύρα (n) [kosmoplimmira] deluge of people.

κοσμοπολίτης (ο) [kosmopolitis] cosmopolitan.

κοσμοπολιτικός-ή-ό (ε) [kosmopolitikos] cosmopolitan.

κόσμος (ο) [kosmos] universe, world, people [άνθρωπος], cosmos, earth, realm, society.

κοσμοσυρροή (n) [kosmosirroi] rush of people.

κόσμοτρον (το) [kosmotron] cosmotron [φυσ].

κοσμοχαλασμός (ο) [kosmohalasmos] chaos.

κοσμώ (ρ) [kosmo] adorn, embellish, decorate.

κοστίζω (ρ) [kostizo] cost, be expensive.

κοστολόγηση (n) [kostoloyisi] cost accounting, costing.

κοστολόγιο (το) [kostoloyio] cost estimate.

κοστολογώ (ρ) [kostologo] cost.

κόστος (το) [kostos] cost, price.

κοστούμι (το) [kostumi] suit.

κοστουμιέρης (ο) [kostumieris] costumer.

κότα (n) [kota] hen, fowl, chicken.

κοτάδικο (το) [kotadhiko] poultry farm.

κοτεράδα (n) [koteradha] boating.

κότερο (το) [kotero] yacht [ναυτ].

κοτέτσι (το) [kotetsi] hen coop.

κοτολέτα (n) [kotoleta] chop, cutlet.

κοτόπιτα (n) [kotopita] chicken pie.

κοτοπουλάδικο (το) [kotopuladhiko] poultry shop.

κοτόπουλο (το) [kotopulo] chicken.

κοτόσουπα (n) [kotosupa] chicken soup.

κοτρόνι (το) [kotroni] large stone, boulder.

κοτσάνα (n) [kotsana] stupid remark, tall story.

κοτσάνι (το) [kotsani] stem, stalk.

κοτσάρω (ρ) [kotsaro] put on, accuse.

κότσι (το) [kotsi] anklebone.

κότσια (τα) [kotsia] guts, strength.

κοτσίδα (n) [kotsidha] tress, braid, pigtail.

κοτσιλιά (n) [kotsilia] droppings.

κοτσονάτος-n-o (ε) [kotsonatos] hale and hearty, spry.

κότσος (ο) [kotsos] bun, chignon.

κότσυφας (ο) [kotsifas] blackbird.

κοτυληδών (n) [kotilidhon] cotyledon [βοτ].

κοτώ (ρ) [koto] dare, venture.

κουαρτέτο (το) [kuarteto] quartet.

κουβαδιά (n) [kuvadhia] bucketful.

κουβάλημα (το) [kuvalima] transport, moving house, carriage.

κουβαλητής (ο) [kuvalitis] provider, carrier.

κουβαλώ (ρ) [kuvalo] carry, bring, transport, bear.

κουβάρι (επ) [kuvari] ball.

κουβαριάζομαι (ρ) [kuvariazome] roll into a ball, crouch, double up.

κουβαριάζω (ρ) [kuvariazo] wind into a ball, crumple, cheat [μεταφ].

κουβαριασμένος-n-o (μ) [kuvariasmenos] convoluted.

κουβαρίστρα (n) [kuvaristra] bobbin, spool, reel.

κουβάς (ο) [kuvas] bucket, pail.

κουβέντα (n) [kuvenda] conversation, confab, converse, talk, chat.

κουβεντιάζω (ρ) [kuvendiazo] converse, discuss, chat, talk, speak.

κουβεντολόι (το) [kuvendoloi] small talk, chit-chat.

κουβέρ (το) [kuver] service charge, cover charge.

κουβέρτα (n) [kuverta] blanket, deck [ναυτ], coverlid.

κουβερτούρα (n) [kuvertura] dust-jacket.

κουβούκλιο (το) [kuvuklio] bakehouse.

κουδούνι (το) [kudhuni] bell.

κουδουνίζω (ρ) [kudhunizo] ring, tinkle, jingle, chink.

κουδούνισμα (το) [kudhunisma] chink.

κουδουνιστός-ή-ό (ε) [kudhunistos] ringing.

κουδουνίστρα (n) [kudhunistra] rattle.

κουζίνα (n) [kuzina] kitchen, cooker [συσκευή].

κουζινέτο (το) [kuzineto] bearing, bush.

κουζουλάδα (n) [kuzuladha] stupid thing.

κουζουλός-ή-ό (ε) [kuzulos] barmy, batty, daft, crazy.

κουιντέτο (το) [kuindeto] quintet.

κουκέτα (n) [kuketa] berth, bunk.

κουκί (το) [kuki] broad bean.

κουκκίδα (n) [kukkidha] pip, dot, spot.

κούκλα (n) [kukla] doll, dummy [ράφτη], corn cob [καλαμποκιού], lovely child [μεταφ], pretty woman.

κουκλίστικος-n-o (ε) [kuklistikos] darling, doll-like.

κουκλίτσα (n) [kuklitsa] dolly, puppet.

κουκλοθέατρο (το) [kuklotheatro] puppet show.

κούκος (ο) [kukos] cuckoo, bonnet.

κουκουβάγια (n) [kukuvayia] owl.

κουκούλα (n) [kukula] hood.

κουκούλι (το) [kukuli] cocoon.

κουκουλώνω (ρ) [kukulono] keep secret, bury, wrap warmly.

κουκουνάρα (n) [kukunara] pine-cone.

κουκουνάρι (το) [kukunari] pine cone, seed of pine cone.

κουκουναριά (n) [kukunaria] parasol pine.

κουκούτσι (το) [kukutsi] stone, kernel,

pip, morsel [μεταφ].

κουλαίνω (ρ) [kuleno] cut hands off.

κουλαμάρα (n) [kulamara] maiming.

κουλόμπ (το) [kulomb] coulomb.

κουλός-ή-ό (ε) [kulos] armless, handless.

κουλουβάχατα (επ) [kuluvahata] mess, topsy-turvy.

κουλούκι (το) [kuluki] bastard.

κουλούρα (n) [kulura] roll, French roll, lifebuoy [ναυτ].

κουλουράκι (το) [kuluraki] roll.

κουλούρι (το) [kuluri] ring-shaped biscuit.

κουλουριάζομαι (ρ) [kuluriazome] huddle up, double up.

κουλουριάζω (ρ) [kuluriazo] roll up, fold.

κουλούριασμα (το) [kuluriasma] coiling, curling up, huddling up.

κουλουριασμένος-n-o (μ) [kuluriasmenos] convoluted.

κουλτούρα (n) [kultura] culture.

κουλτουριάρης (ο) [kulturiaris] arty fellow.

κουλτουριάρικος (ο) [kulturiarikos] arty, highbrow.

κουμαντάρω (ρ) [kumandaro] manage, handle, command, run.

κουμάντο (το) [kumando] order, control, management.

κουμαριά (n) [kumaria] arbatus bush.

κουμάσι (το) [kumasi] skunk [βρισιά].

κουμπάρα (n) [kumbara] godmother, matron of honour.

κουμπαράς (ο) [kumbaras] piggy bank.

κουμπάρος (ο) [kumbaros] godfather, best man.

κουμπί (το) [kumbi] button, stud, switch [φώτων].

κουμπούρα (n) [kumbura] gun, pistol.

κουμπούρας (ο) [kumburas] gunman.

κουμπουριά (n) [kumburia] gunshot.

κούμπωμα (το) [kumboma] doing up, fastening, buttoning up.

κουμπώνω (ρ) [kumbono] button up,

fasten.

κουνάβι (το) [kunavi] marten, ferret.

κουνέλι (το) [kuneli] rabbit,.

κουνενές (ο) [kunenes] dimwit.

κούνημα (το) [kunima] shaking, swaying, movement.

κούνια (n) [kunia] cradle, cot, swing [κήπου].

κουνιάδα (n) [kuniadha] sister-in-law.

κουνιάδος (ο) [kuniadhos] brother-in-law.

κουνιέμαι (ρ) [kunieme] move, shake, get moving.

κουνιστός-ή-ό (ε) [kunistos] rocking, swaying [μεταφ].

κουνούπι (το) [kunupi] mosquito.

κουνουπίδι (το) [kunupidhi] cauliflower.

κουνουπιέρα (n) [kunupiera] mosquito-net.

κουνώ (ρ) [kuno] move, shake, wave, wag, rock [μωρό], shake [κεφάλι], stir, budge, joggle.

κούπα (n) [kupa] cup, bowl, glass, heart [σε χαρτιά], mug.

κουπαστή (n) [kupasti] handrail [σκάλας], gunnel [βάρκας].

κουπί (το) [kupi] oar, paddle.

κουπόνι (το) [kuponi] coupon, voucher.

κούρα (n) [kura] cure, treatment.

κουρά (n) [kura] tonsure [εκκλ], shearing, clip.

κουράγιο (το) [kurayio] bravery, fearlessness, courage, pluck.

κουράζομαι (ρ) [kurazome] get tired.

κουράζω (ρ) [kurazo] tire, weary, bore, strain [όραση].

κουραμάνα (n) [kuramana] army bread.

κουραμπιές (ο) [kurambies] desk soldier, sugared bun [μεταφ].

κουράντης (ο) [kurandis] attendant doctor.

κουράρισμα (το) [kurarisma] treatment.

κουράρω (ρ) [kuraro] treat, attend.

κούραση (n) [kurasi] weariness, fatigue, wear and tear [μηχανής].

κουρασμένος-o-n (μ) [kurasmenos] tired, weary, drawn [πρόσωπο].

κουραστικός-ή-ό (ε) [kurastikos] tiresome, trying, troublesome, wearying, fatiguing, arduous.

κουραφέξαλα (τα) [kurafeksala] bullshit, balls.

κούρβουλο (το) [kurvulo] vine-stock.

κουρδίζω (ρ) [kurdhizo] wind up, tune [βιολί], stir up [μεταφ].

κούρδισμα (το) [kurdhisma] winding, tuning.

κουρδιστήρι (το) [kurdhistiri] key.

κουρδιστός-ή-ό (ε) [kurdhistos] clockwork.

κουρέας (ο) [kureas] barber.

κουρείο (το) [kurio] barber's shop.

κουρελής (ο) [kurelis] person in rags.

κουρέλι (το) [kureli] rag, tatter.

κουρελιάζω (ρ) [kureliazo] tear to pieces.

κουρελιάρικος-n-o (ε) [kureliarikos] tattered, ragged.

κουρελού (n) [kurelu] patchwork.

κούρεμα (το) [kurema] haircut, shearing.

κουρευτής (ο) [kureftis] cropper.

κουρεύω (ρ) [kurevo] cut hair, trim, clip, shear [πρόβατο].

κουρκούτι (το) [kurkuti] batter.

κουρκουτιάζω (ρ) [kurkutiazo] get muddled.

κούρνια (n) [kurnia] roost [hen-], perch.

κουρνιάζω (ρ) [kurniazo] roost, perch, sit, settle.

κουρνιαχτός (ο) [kurniahtos] dust [cloud of].

κουρούνα (n) [kuruna] carrion crow, corbie.

κούρσα (n) [kursa] race, ride [διαδρομή].

κουρσάρικο (το) [kursariko] pirate [ship].

κουρσάρικος-n-o (ε) [kursarikos] piratical.

κουρσάρος (ο) [kursaros] pirate.

κούρσεμα (το) [kursema] raid.

κουρσεύω (ρ) [kursevo] plunder, raid.

κουρτίνα (n) [kurtina] curtain.

κουρτινάκι (το) [kurtinaki] valence.

κουσούρι (το) [kusuri] defect, fault.

κούστουρο (το) [kusturo] block.

κουστωδία (n) [kustodhia] guard, party.

κούτα (n) [kuta] carton.

κουτάβι (το) [kutavi] puppy.

κουτάλα (n) [kutala] ladle.

κουταλάκι (το) [kutalaki] teaspoon.

κουτάλι (το) [kutali] spoon.

κουταλιά (n) [kutalia] spoonful.

κουταμάρα (n) [kutamara] nonsense, stupidity.

κούτελο (το) [kutelo] forehead.

κουτεντές (ο) [kutendes] silly.

κουτί (το) [kuti] box, case, matchbox [σπίρτων], tin [κονσέρβας].

κουταίνω (ρ) [kutieno] make soft.

κουτοπονηριά (n) [kutoponiria] slyness, cunning.

κουτοπόνηρος-n-o (ε) [kutoponiros] sly, cunning.

κουτορνίθι (το) [kutornithi] ninny, sucker, dupe.

κουτός-ή-ό (ε) [kutos] silly, foolish, slow-witted.

κουτός (ο) [kutos] cabbage [μεταφ].

κουτούκι (το) [kutuki] dive.

κουτουλιά (n) [kutulia] butt, header.

κουτουλώ (ρ) [kutulo] nod drowsily.

κουτουράδα (n) [kuturadha] rashness.

κουτουρού (επ) [kuturu] haphazardly, by chance.

κούτρα (n) [kutra] nut, noddle.

κουτρουβάλα (n) [kutruvala] tumble.

κουτρουβαλώ (ρ) [kutruvalo] tumble down.

κουτσαίνω (ρ) [kutseno] limp, cripple.

κούτσαμα (το) [kutsama] limp, hobble.

κουτσοδόντης (ο) [kutsodhondis] gap-toothed.

κουτσοκαταφέρνω (ρ) [kutsokataferno] muddle through, manage somehow.

κουτσομπολεύω (ρ) [kutsombolevo] gossip.

κουτσομπόλης (ο) [kutsombolis] gossip.

κουτσομπόλικος-η-ο (ε) [kutsombolikos] gossiping.

κουτσομπολιό (το) [kutsombolio] gossip.

κουτσοπίνω (ρ) [kutsopino] sip, hobnob, tipple.

κουτσός-ή-ό (ε) [kutsos] crippled, lame.

κουτσουλιά (n) [kutsulia] dropping.

κουτσουρεύω (ρ) [kutsurevo] mutilate.

κουφαίνομαι (ρ) [kufenome] go deaf.

κουφαίνω (ρ) [kufeno] deafen, make deaf.

κουφάλα (n) [kufala] hollow, cavity, tart [μεταφ] [γυν], sod [μεταφ] [άντρας].

κουφαμάρα (n) [kufamara] deafness.

κουφάρι (το) [kufari] body, corpse.

κουφέτο (το) [kufeto] sugared almond, candy.

κουφιοκεφαλάκης (ο) [kufiokefalakis] empty-headed person, scatterbrain.

κούφιος-α-ο (ε) [kufios] cavernous.

κουφοβράζω (ρ) [kufovrazo] simmer.

κουφόβρασn (n) [kufovrasi] sweltering heat.

κουφοξυλιά (n) [kufoksilia] elder.

κούφος-η-ο (ε) [kufos] vain, frivolous.

κουφός-ή-ό (ε) [kufos] hard of hearing, deaf.

κουφότητα (n) [kufotita] vanity.

κούφωμα (το) [kufoma] hollow, opening.

κουφώνω (ρ) [kufono] hollow out.

κόφα (n) [kofa] pannier.

κοφίνι (το) [kofini] basket, hamper.

κοφτά (επ) [kofta] abruptly.

κοφτερός-ή-ό (ε) [kofteros] sharp, cutting.

κοφτήρας (ο) [koftiras] chisel, incisor [δόντι].

κοφτήρι (το) [koftiri] chisel, cutter.

κόφτης (ο) [koftis] cropper.

κοφτός-ή-ό (ε) [koftos] curt, abrupt, sharp, brisk, brisky, brusque.

κόφτω (ρ) [kofto] cut, slice, trim [μαλλιά], pare [νύχια], carve [κρέας], mint [νομίσματα], turn off [νερό], mill [καφέ, σπόρι].

κόχη (n) [kohi] corner, crease.

κοχλάζω (ρ) [kohlazo] boil, bubble.

κοχλασμός (ο) [kohlasmos] boiling, bubbling, seething [μεταφ].

κοχλίας (ο) [kohlias] snail, screw [ήλος], bolt, cochlea [ανατ].

κοχλιοτομέας (ρ) [kohliotomeas] chaser.

κοχλιοτομώ (ρ) [kohliotomo] chase.

κοχλίωσn (n) [kohliosi] bolting.

κοχύλι (το) [kohili] sea shell.

κόψn (n) [kopsi] cutting, slicing.

κοψιά (n) [kopsia] cut, nick, lie.

κόψιμο (το) [kopsimo] cut, gash, bellyache [ασθένεια].

κραγιόν (το) [krayion] crayon, lipstick.

κραδαίνω (ρ) [kradheno] flourish, wave.

κραδασμός (ο) [kradhasmos] shock, vibration.

κράζω (ρ) [krazo] croak, cry out, call.

κραιπάλn (n) [krepali] riot, drunkenness.

κράμα (το) [krama] mixture, blend.

κράμβn (n) [kramvi] cole.

κράμπα (n) [kramba] cramp.

κραμπολάχανο (το) [krambolahano] cabbage.

κρανιά (n) [krania] cornel [βοτ].

κρανιακός-ή-ό (ε) [kraniakos] cranial.

κρανίο (το) [kranio] cranium, skull.

κράνος (το) [kranos] helmet, casque.

κράξιμο (το) [kraksimo] crowing.

κράσn (n) [krasi] temperament, crasis [γραμμ], mixture, constitution, physique.

κρασί (το) [krasi] wine.

κρασοβάρελο (το) [krasovarelo] wine cask.

κράσπεδο (το) [kraspedho] foot [λόφου], kerb [πεζοδρομίου], curb.

κραταιός-ή-ό (ε) [krateos] mighty, powerful.

κραταιώνω (ρ) [krateono] fortify, strengthen.

κρατερός-ή-ό (ε) [krateros] fierce, stubborn.

κράτημα (το) [kratima] hold[ing], keeping.

κρατημός (ο) [kratimos] holding back.

κρατήρας (ο) [kratiras] crater.

κράτηση (η) [kratisi] deduction[s] [μισθού], booking, arrest, duress, keeping, reservation, custody, detention.

κρατητήριο (το) [kratitirio] jail, lock-up, gaol.

κρατητός-ή-ό (ε) [kratitos] holding.

κρατίδιο (το) [kratidhio] tiny state.

κρατιέμαι (ρ) [kratieme] be well preserved.

κρατικοποίηση (η) [kratikopiisi] nationalization.

κρατικοποιώ (ρ) [kratikopio] nationalize.

κρατικός-ή-ό (ε) [kratikos] national, state, government.

κράτος (το) [kratos] country, power, state, government.

κρατούμενο (το) [kratumeno] be carried over [μαθημ].

κρατούμενος-η-ο (μ) [kratumenos] detained, detainee.

κρατώ (ρ) [krato] last, keep, hold in check, rule, have [βαστώ], hold [βαστώ], carry, bear, sustain, look after, reserve.

κραυγάζω (ρ) [kravgazo] cry, howl, shout, scream.

κραυγαλέα (επ) [kravgalea] blatantly.

κραυγαλέος-α-ο (ε) [kravgaleos] crying, howling, blatant, clamant.

κραυγή (η) [kravyi] shout, cry, scream.

κραχ (το) [krah] crash.

κράχτης (ο) [krahtis] tout, draw, barker.

κρέας (το) [kreas] meat, flesh.

κρεατερός-ή-ό (ε) [kreateros] fleshy, meaty.

κρεατής-ής-ές (ε) [kreatis] flesh-coloured.

κρεατοελιά (η) [kreatoelia] wart, mole.

κρεατομηχανή (η) [kreatomihani] meat-mincer.

κρεατόμυγα (η) [kreatomiga] blowfly, bluebottle.

κρεατωμένος-η-ο (μ) [kreatomenos] fleshed.

κρεβάτι (το) [krevati] bed.

κρεβατοκάμαρα (η) [krevatokamara] bedroom.

κρεβάτωμα (το) [krevatoma] confinement to bed.

κρεβατώνομαι (ρ) [krevatonome] be laid up.

κρεβατώνω (ρ) [krevatono] confine to bed.

κρεμ (ε) [krem] creamy.

κρεμ (το) [krem] cream-colored.

κρέμα (η) [krema] cream.

κρεμάζω (ρ) [kremazo] hang, suspend.

κρεμάλα (η) [kremala] gallows.

κρεμανταλάς (ο) [kremandalas] gawky fellow.

κρέμασμα (το) [kremasma] suspension, hooking on, hanging.

κρεμαστάρι (το) [kremastari] hook.

κρεμαστός-ή-ό (ε) [kremastos] suspended.

κρεμάστρα (η) [kremastra] hanger, portmanteau.

κρεματόριο (το) [krematorio] crematorium, crematory.

κρεμάω (ρ) [kremao] hang, suspend.

κρεμιέμαι (ρ) [kremieme] hang, be suspended.

κρεμμύδι (το) [kremmidhi] onion.

κρεμνώ (ρ) [kremno] hang, suspend.

κρεμώ (ρ) [kremo] hang, suspend.

κρένω (ρ) [kreno] speak, talk.

κρεοπωλείο (το) [kreopolio] butcher's.

κρεοπώλης (ο) [kreopolis] butcher.

κρεουργώ (ρ) [kreurgo] butcher, slaughter.

κρεοφαγία (η) [kreofayia] meat-eating.

κρεοφάγος (ο) [kreofagos] meat-eater.

κρέπα (η) [krepa] flapjack, pancake.

κρεπάλη (η) [krepali] debauch, orgy.

κρεπάρω (ρ) [kreparo] have a fit.

κρέπ (το) [krepi] crepe.

κρετινισμός (ο) [kretinismos] cretinism.

κρετόν (το) [kreton] chintz.

κρημνίζομαι (ρ) [krimnizome] fall, crumble, collapse.

κρημνίζω (ρ) [krimnizo] hurl down, pull down, wreck.

κρημνός (ο) [krimnos] cliff.

κρημνώδης-ης-ες (ε) [krimnodhis] craggy.

κρήνη (n) [krini] fountain.

κρηπίδωμα (το) [kripidhoma] foundation, base, platform [σταθμού].

κρηπιδώνω (ρ) [kripidhono] bank.

κρησάρα (n) [krisara] sieve, sifter.

κρησαρίζω (ρ) [krisarizo] sieve, sift.

κρησφύγετο (το) [krisfiyeto] retreat.

Κρήτη (n) [Kriti] Crete.

Κρητικός (ο) [Kritikos] Cretan.

κριάρι (το) [kriari] ram.

κριθάρι (το) [krithari] barley.

κριθαρόνερο (το) [kritharonero] barley-water.

κρίκετ (το) [kriket] cricket.

κρίκος (ο) [krikos] link, ring, jack.

κρίμα (το) [krima] sin, pity, misfortune, trespass.

κρίνο (το) [krino] lily.

κρινολίνο (το) [krinolino] crinoline.

κρίνος (ο) [krinos] lily.

κρίνω (ρ) [krino] judge, consider, decide [αποφασίζω], hear [νομ], try [νομ], appreciate, criticize.

κριός (ο) [krios] ram, Aries [αστρολ].

κρίση (n) [krisi] judgment, crisis [οικονομική], depression [οικονομική], deficiency [έλλειψη], judgment [πνεύματος], arbitrament, decision, sentence, verdict, discrimination, opinion, mood [ψυχολ].

κρίσιμα (επ) [krisima] critically.

κρίσιμος-n-ο (ε) [krisimos] critical, grave, momentous, trying, crucial, decisive.

κρισιμότητα (n) [krisimotita] gravity, seriousness.

κρισκράφτ (το) [kriskraft] speedboat.

κριτήριο (το) [kritirio] criterion, test, measure.

κριτής (ο) [kritis] judge, critic.

κριτικάρω (ρ) [kritikaro] criticize.

κριτική (n) [kritiki] criticism, review.

κριτικός-ή-ό (ε) [kritikos] critical.

κριτικός (ο) [kritikos] critic.

κριτσανιστός-ή-ό (ε) [kritsanistos] crisp, crunchy.

κροκάλες (οι) [krokales] brash.

κροκάλη (n) [krokali] cobble, cobblestone.

κροκέτα (n) [kroketa] croquette.

κροκόδειλος (ο) [krokodhilos] crocodile.

κρόκος (ο) [krokos] crocus, yolk [αυγού].

κρόουλ (το) [kroul] crawl.

κρόσι (το) [krosi] fringe.

κροταλίας (ο) [krotalias] rattle-snake.

κροταλίζω (ρ) [krotalizo] rattle, clatter, patter.

κροτάλισμα (το) [krotalisma] rattle, jingle, clatter.

κρόταλο (το) [krotalo] clapper.

κροταφικός-ή-ό (ε) [krotafikos] temporal.

κρόταφος (ο) [krotafos] [ανατ] temple.

κροτίδα (n) [krotidha] squib, cracker.

κρότος (ο) [krotos] crash, bang, noise, sensation [μεταφ].

κροτώ (ρ) [kroto] clack, clang, clank.

κρουαζιέρα (n) [kruaziera] cruise.

κρουνός (ο) [krunos] torrent [μεταφ], flow [μεταφ].

κρούση (n) [krusi] striking, sounding, encounter [στρατ], percussion.

κρούσμα (το) [krusma] case [ιατρ, νομ].

κρούστα (n) [krusta] crust, rind.

κρουσταλλένιος-α-ο (ε) [krustallenios] crystal.

κρουσταλλιάζω (ρ) [krustalliazo] freeze.

κρούσταλλο (το) [krustallo] icicle.

κρουστιάζω (ρ) [krustiazo] crust over.

κρουστός-ή-ό (ε) [krustos] closely-woven.

κρούω (ρ) [kruo] strike, sound, ring [κουδούνι].

κρύα (επ) [kria] dryly.

κρυάδα (n) [kriadha] cold, chill.

κρυαίνω (ρ) [krieno] get cold.

κρύβομαι (ρ) [krivome] go into hiding, abscond.

κρύβω (ρ) [krivo] hide, conceal, cover, screen, hold back [μεταφ].

κρυερός-ή-ό (ε) [krieros] chilly.

κρύο (το) [krio] cold, chill.

κρυολόγημα (το) [krioloyima] cold.

κρυολογημένος (ο) [krioloyimenos] chilled.

κρυολογώ (ρ) [kriologo] catch a cold.

κρυοπάγημα (το) [kriopayima] frostbite.

κρυοπαγημένος-η-ο (ε) [kriopayimenos] frostbitten.

κρύος-α-ο (ε) [krios] cold, chilly.

κρύπτη (n) [kripti] hiding place, casemate.

κρυπτόγαμο (το) [kriptogamo] cryptogam.

κρυπτογράφημα (το) [kriptografima] coded message, cryptogram.

κρυπτογράφηση (n) [kriptografisi] coding.

κρυπτογραφώ (ρ) [kriptografo] code, cipher.

κρυπτολόγος (ο) [kriptologos] cryptographer.

κρύπτω (ρ) [kripto] cache.

κρυσταλλικός-ή-ό (ε) [kristallikos] crystalline.

κρυστάλλινος-η-ο (ε) [kristallinos] like crystal, very clear.

κρύσταλλο (το) [kristallo] crystal.

κρυσταλλοειδής-ής-ές (ε) [kristalloidhis] crystalloid.

κρυσταλλοποιούμαι (ρ) [kristallopiume] granulate.

κρύσταλλος (ο) [kristallos] crystal.

κρυσταλλώδης-ης-ες (ε) [kristallodhis] crystalloid.

κρυστάλλωση (n) [kristallosi] congelation.

κρυσφήγετο (το) [krisfiyeto] covert.

κρυφά (επ) [krifa] secretly, covertly.

κρυφάκουσμα (το) [krifakusma] eavesdropping.

κρυφακούω (ρ) [krifakuo] eavesdrop.

κρυφό (το) [krifo] covertness.

κρυφογελώ (ρ) [krifoyelo] snigger.

κρυφοκαίω (ρ) [krifokeo] smoulder.

κρυφοκοιτάζω (ρ) [krifokitazo] peep.

κρυφομίλημα (το) [krifomilima] whispering.

κρυφομιλώ (ρ) [krifomilo] whisper.

κρυφός-ή-ό (ε) [krifos] private, secluded, secret [χαρά], discreet [άνθρωπος], hidden, concealed.

κρυφτό (το) [krifto] hide-and-seek.

κρυφτούλι (το) [kriftuli] hide-and-seek.

κρύψιμο (το) [kripsimo] concealing, hiding, secretion.

κρυψίνους (ο) [kripsinus] cagey, secretive.

κρυψίνους-ους-ουν (ε) [kripsinus] deceitful, sneaky.

κρυψώνα (n) [kripsona] hiding place.

κρυψώνας (ο) [kripsonas] hideout.

κρύωμα (το) [krioma] cold, chill.

κρυώνω (ρ) [kriono] grow cold, feel cold, cool down, chill.

κρωγμός (ο) [krogmos] croak, screech.

κρώζω (ρ) [krozo] caw [κόρακας], croak [βάτραχος], hoot [κουκουβάγια].

κτένι (το) [kteni] comb, rake [τσουγκράνα].

κτενίζω (ρ) [ktenizo] comb, brush up [μεταφ].

κτένισμα (το) [ktenisma] coiffeure.

κτερίσματα (τα) [kterismata] funeral gifts.

κτήμα (το) [ktima] estate, land.

κτηματίας (ο) [ktimatias] landowner.

κτηματικός-ή-ό (ε) [ktimatikos] landed.

κτηματογράφηση (n) [ktimatografisi] survey.

κτηματογραφικός-ή-ό (ε) [ktimatografikos] cadastral.

κτηματολογικός-ή-ό (ε) [ktimatoloyikos] cadastral.

κτηματολόγιο (το) [ktimatoloyio] real estate registry.

κτηματομεσίτης (ο) [ktimatomesitis] estate agent.

κτηνιατρείο (το) [ktiniatrio] veterinary surgery.

κτηνίατρος (ο) [ktiniatros] veterinary surgeon.

κτήνος (το) [ktinos] beast, animal.

κτηνοτροφή (n) [ktinotrofi] fodder.

κτηνοτροφία (n) [ktinotrofia] stock-breeding.

κτηνοτρόφος (ο) [ktinotrofos] cattle-breeder.

κτηνώδης-ης-ες (ε) [ktinodhis] beastly, bestial.

κτηνωδία (n) [ktinodhia] bestiality, brutality.

κτήση (n) [ktisi] occupation, occupancy.

κτητικός-ή-ό (ε) [ktitikos] possessive [γραμμ], acquisitive.

κτήτορας (ο) [ktitoras] owner.

κτίζω (ρ) [ktizo] construct, build.

κτίριο (το) [ktirio] building, edifice.

κτίση (n) [ktisi] building, creation.

κτίσιμο (το) [ktisimo] building.

κτίστης (ο) [ktistis] builder.

κτυπημένος-n-o (μ) [ktipimenos] beaten.

κτυπητά (επ) [ktipita] arrestingly.

κτυπητός-ή-ό (ε) [ktipitos] arresting.

κτυπιέμαι (ρ) [ktipieme] flog.

κτύπος (ο) [ktipos] bump, chime.

κτυπώ (ρ) [ktipo] beat, strike, flog, bash, bump.

κυαμοειδής (ε) [kiamoidhis] fabaceous [βοτ].

κύαμος (n) [kiamos] bean.

κυάνιο (το) [kianio] cyanide.

κυανός-ή-ό (ε) [kianos] blue, azure.

κυανοτυπία (ι) [kianotipia] blueprint.

κυανούς (ε) [kianus] cyanic.

κυανωπός-ή-ό (ε) [kianopos] bluey.

κυάνωση (n) [kianosi] cyanosis.

κυβερνείο (το) [kivernio] Government House.

κυβέρνηση (n) [kivernisi] government, management.

κυβερνήτης (ο) [kivernitis] governor, commander.

κυβερνητική (n) [kivernitiki] cybernetics.

κυβερνητικός-ή-ό (ε) [kivernitikos] governmental.

κυβερνώ (ρ) [kiverno] govern, steer [πλοίο], manage [σπίτι].

κυβικός-ή-ό (ε) [kivikos] cubic.

κυβισμός (ο) [kivismos] cubing, airspace.

κυβόλιθος (ο) [kivolithos] block.

κύβος (ο) [kivos] cube, die.

κυδώνι (το) [kidhoni] quince, kind of shellfish [όστρακο].

κύηση (n) [kiisi] pregnancy, gestation.

κυκεώνας (ο) [kikeonas] chaos.

κυκλικός-ή-ό (ε) [kiklikos] circular, cycloid, round.

κυκλικότητα (n) [kiklikotita] circularity.

κυκλίσκος (ο) [kikliskos] circlet.

κυκλοειδής-ής-ές (ε) [kikloidhis] cycloid.

κύκλος (ο) [kiklos] cycle, period, set, circle.

κυκλοτερής-ής-ές (ε) [kikloteris] circuitous, cyclic, roundabout.

κυκλοφορία (n) [kikloforia] circulation, traffic flow [αυτοκινήτων], circuit.

κυκλοφοριακός-ή-ό (ε) [kikloforiakos] circulatory, traffic.

κυκλοφορώ (ρ) [kikloforo] put into circulation, spread, go about, diffuse.

κυκλοφορών (μ) [kikloforon] circulating.

κύκλωμα (το) [kikloma] electric circuit.

κυκλώνας (ο) [kiklonas] cyclone.

κυκλώνω (ρ) [kiklono] surround, encircle.

κύκλωση (n) [kiklosi] encirclement.

κύκνος (ο) [kiknos] swan.

κυλάω (ρ) [kilao] roll.

κυλιέμαι (ρ) [kilieme] roll over, wallow [χοίρος].

κυλικείο (το) [kilikio] buffet, refreshment room.

κυλινδρικός-ή-ό (ε) [kilindhrikos] cylindrical.

κύλινδρος (ο) [kilindhros] cylinder, barrel.

κύλισμα (το) [kilisma] rolling.

κυλίστρα (η) [kilistra] slide, chute.

κυλότες (οι) [kilottes] culottes, knickers.

κυλώ (ρ) [kilo] roll, flow, bowl, course.

κύμα (το) [kima] cyma.

κυμαίνομαι (ρ) [kimenome] wave, ripple, fluctuate [μεταφ], hesitate [μεταφ].

κυμαινόμενος-η-ο (μ) [kimenomenos] floating.

κυματάκι (το) [kimataki] ripple.

κυματίζω (ρ) [kimatizo] wave, ripple.

κυματισμός (ο) [kimatismos] undulation, ripple.

κυματιστός-ή-ό (ε) [kimatistos] wavy.

κυματοειδής-ής-ές (ε) [kimatoidhis] corrugated.

κυματοθραύστης (ο) [kimatothrafstis] breakwater.

κυματώδης-ης-ες (ε) [kimatodhis] choppy.

κυμάτωση (η) [kimatosi] corrugation.

κύμινο (το) [kimino] cumin.

κυνάγχη (η) [kinaghi] angina.

κυνηγετικός-ή-ό (ε) [kiniyetikos] hunting, shooting.

κυνήγι (το) [kiniyi] hunting, shooting.

κυνηγός (η) [kinigos] huntress.

κυνηγός (ο) [kinigos] hunter, shooter, huntsman, chaser.

κυνηγώ (ρ) [kinigo] hunt, chase, run after, go shooting, course.

κυνικός-ή-ό (ε) [kinikos] cynical, canine.

κυνισμός (ο) [kinismos] cynicism.

κυνοδρομία (η) [kinodhromia] dog-race.

κυνοτροφείο (το) [kinotrofio] kennels.

κυοφορία (η) [kioforia] gestation.

κυοφορώ (ρ) [kioforo] be pregnant.

κυπαρίσσι (το) [kiparissi] cypress tree.

κύπελλο (το) [kipello] cup, goblet, tumbler.

Κυπριακός-ή-ό (ε) [Kipriakos] Cypriot.

κυπρίνος (ο) [kiprinos] carp.

Κύπριος (ο) [Kiprios] Cypriot.

Κύπρος (η) [Kipros] Cyprus.

κύπτω (ρ) [kipto] bend, bow.

κυρία (η) [kiria] lady, mistress, Mrs.

Κυριακή (η) [Kiriaki] Sunday.

κυριαρχία (η) [kiriarhia] sovereignty, dominion.

κυριαρχικός-ή-ό (ε) [kiriarhikos] sovereign.

κυρίαρχος-η-ο (ε) (ο) [kiriarhos] sovereign, ruling.

κυριαρχώ (ρ) [kiriarho] dominate, exercise authority.

κυριευω (ρ) [kirievo] subjugate, dominate, capture, seize [πάθος].

κυριολεκτικά (επ) [kiriolektika] exactly.

κυριολεκτικός-ή-ό (ε) [kiriolektikos] literal, strict.

κυριολεξία (η) [kirioleksia] full sense, strict sense.

κύριος-α-ο (ε) [kirios] essential, vital, main, prime, major.

κύριος (ο) [kirios] master, sir, gentleman, Mr, owner, man.

κυριότητα (η) [kiriotita] ownership, property, possession.

κυρίως (επ) [kirios] principally, mainly.

κύρος (το) [kiros] authority, power, validity, weight.

κυρούλα (η) [kirula] granny.

κύρτη (η) [kirti] bow-net.

κυρτός-ή-ό (ε) [kirtos] bent, convex, crooked, bulging.

κύρτος (ο) [kirtos] bow-net.

κυρτότητα (η) [kirtotita] camber, convexity, crookedness.

κύρτωμα (το) [kirtoma] camber.

κυρτωμένος-η-ο (μ) [kirtomenos] bow-backed.

κυρώνω (ρ) [kirono] confirm, sanction [νόμο], validate [απόφαση].

κύρωση (η) [kirosi] confirmation, penalty.

κυστετομία (η) [kistetomia] cystotomy.

κύστη (η) [kisti] bladder, cyst.

κυστικός-ή-ό (ε) [kistikos] cystic.

κυστίτιδα (n) [kistitidha] cystitis.

κύτος (το) [kitos] hold [ναυτ].

κυτταρικός-ή-ό (ε) [kittarikos] cellular.

κυτταρίνη (n) [kittarini] cellophane, cellulose.

κύτταρο (το) [kittaro] cell.

κυτταροειδής (ο) [kittaroidhis] celliform.

κυτταρολυσία (n) [kittarolisia] cytolysis.

κυτταρώδης-ης-ες (ε) [kittarodhis] cellular, cellulate.

κυψέλη (n) [kipseli] swarm [of bees], beehive, earwax.

κυψελίδα (n) [kipselidha] earwax.

κυψελλοειδής-ής-ές (ε) [kipselloidhis] cellular.

κυψελοειδής (ο) [kipseloidhis] celliform.

κυψελώδης-ης-ες (ε) [kipselodhis] cellular.

κυψελωτός (ο) [kipselotos] alveolate.

κωδεΐνη (n) [kodheïni] codeine.

κώδικας (ο) [kodhikas] code, codex, corpus.

κωδικοποίηση (n) [kodhikopiisi] codification.

κωδικοποιώ (ρ) [kodhikopio] code.

κωδικός-ή-ό (ε) [kodhikos] code.

κωδωνοειδής-ής-ές (ε) [kodhonoidhis] campanulate.

κωδωνοκρουσία (n) [kodhonokrusia] chiming, ringing, pealing.

κωδωνοκρούστης (ο) [kodhonokrustis] bell-ringer.

κωδωνοσημαντήρας (ο) [kodhonosimandiras] bell-buoy.

κωδωνοστάσιο (το) [kodhonostasio] belfry, church steeple.

κωδωνοστοιχία (n) [kodhonostihia] carillon, chime.

κωκ (το) [kok] coke.

κωλικός-ή-ό (ε) [kolikos] colic.

κωλίτιδα (n) [kolitidha] colitis.

κώλος (ο) [kolos] arse, bottom.

κωλοφωτιά (n) [kolofotia] glow-worm.

κώλυμα (το) [kolima] obstacle, impediment.

κωλυσιεργία (n) [kolisieryia] obstruction[ism].

κωλυσιεργώ (ρ) [kolisiergo] obstruct, hinder.

κωλύω (ρ) [kolio] stop, prevent.

κώμα (το) [koma] coma.

κωματώδης-ης-ες (ε) [komatodhis] comatose, lethargic.

κωμειδύλλιο (το) [komidhillio] operetta.

κωμικός-ή-ό (ε) [komikos] funny, comical, comic.

κωμικός (ο) [komikos] comedian, comic.

κωμόπολη (n) [komopoli] market town.

κωμωδία (n) [komodhia] comedy.

κωνάριο (το) [konario] conoid [ανατ].

κώνειο (το) [konio] hemlock.

κωνικός-ή-ό (ε) [konikos] conical, conic, coniform.

κωνοειδής-ής-ές (ε) [konoidhis] coniform.

κώνος (ο) [konos] cone.

κωνοφόρο (το) [konoforo] conifer.

κωνοφόρος-α-ο (ε) [konoforos] coniferous.

κωπηλασία (n) [kopilasia] rowing.

κωπηλάτης (ο) [kopilatis] rower.

κωπηλατώ (ρ) [kopilato] row, canoe.

κωφάλαλος-η-ο (ε) [kofalalos] deaf-and-dumb.

κωφεύω (ρ) [kofevo] turn a deaf ear to.

Λ

λα (το) [la] la [μουσ].
λάβα (n) [lava] lava.
λαβαίνω (ρ) [laveno] receive.
λάβαρο (το) [lavaro] banner.
λάβδανο (το) [lavdhano] laudanum.
λαβείν (το) [lavin] credit [λογιστ].
λαβή (n) [lavi] handle, grip, pretext, excuse, reason, fork.
λαβίδα (n) [lavidha] nippers, forceps.
λαβομάνο (το) [lavomano] wash-basin.
λάβρα (n) [lavra] sweltering.
λαβράκι (το) [lavraki] bass fish.
λάβρος-α-ο (ε) [lavros] passionate.
λαβύρινθος (ο) [lavirinthos] labyrinth.
λάβωμα (το) [lavoma] wounding.
λαβωματιά (n) [lavomatia] wound.
λαβώνω (ρ) [lavono] wound, injure.
λαγάνα (n) [lagana] flat-cake.
λαγαρός-ή-ό (ε) [lagaros] clear, pure.
λαγήνα (n) [layina] pitcher.
λαγκάδα (n) [lagkadha] ravine, dale.
λαγκάδι (το) [lagkadhi] ravine, vale.
λαγνεία (n) [lagnia] lust, lechery.
λάγνος-α-ο (ε) [lagnos] lewd, lustful.
λαγοκοιμούμαι (ρ) [lagokimume] doze [off], sleep lightly.
λαγός (ο) [lagos] hare.
λαγουδάκι (το) [lagudhaki] leveret.

λαγουδέρα (n) [lagudhera] tiller.
λαγούμι (το) [lagumi] conduit, mine.
λαγουμτζής (ο) [lagumtzis] miner.
λαγωνικό (το) [lagoniko] hunting dog.
λαδερό (το) [ladhero] oil can.
λαδερός-ή-ό (ε) [ladheros] oily.
λαδής-ιά-ί (ε) [ladhis] olive-green.
λάδι (το) [ladhi] oil.
λαδιά (n) [ladhia] oil-stain.
λαδιέρα (n) [ladhiera] oil-cruet.
λαδικό (το) [ladhiko] oil can.
λαδίλα (n) [ladhila] smell of oil.
λαδολέμονο (το) [ladholemono] olive oil and lemon sauce.
λαδομπογιά (n) [ladhomboyia] oil paint.
λαδόξιδο (το) [ladhoksidho] vinaigrette.
λαδόχαρτο (το) [ladhoharto] grease-proof paper.
λάδωμα (το) [ladhoma] oiling, lubrication, bribery [μεταφ].
λαδώνω (ρ) [ladhono] apply oil, lubricate, bribe [μεταφ].
λαδωτήρι (το) [ladhotiri] oil-cruet.
λαζάνια (τα) [lazania] lasagne.
λαθεύω (ρ) [lathevo] mistaken.
λάθος (το) [lathos] error, mistake, slip, fault.
λάθρα (επ) [lathra] on the sly.
λαθραίος-α-ο (ε) [lathreos] secret, fur-

tive, underhand.

λαθραίως (επ) [lathreos] secretly.

λαθρεμπόριο (το) [lathremborio] smuggling.

λαθρέμπορος (ο) [lathremboros] smuggler.

λαθρεπιβάτης (ο) [lathrepivatis] stowaway.

λαθροθήρας (ο) [lathrothiras] poacher.

λαθρομετανάστης (ο) [lathrometanastis] illegal immigrant.

λαθροχειρία (n) [lathrohiria] trick, pinching, conjuring.

λαίδη (n) [ledhi] lady.

λαϊκισμός (ο) [laikismos] populism.

λαϊκίστικος-n-ο (ε) [laikistikos] populistic.

λαϊκοί (οι) [laiki] laity.

λαϊκός-ή-ό (ε) [laikos] popular, familiar, vulgar, common.

λαϊκότητα (n) [laikotita] popularity, commonness, vulgarity.

λαίλαπα (n) [lelapa] tempest, storm.

λαιμαργία (n) [lemargia] greed, gluttony, avariciousness.

λαίμαργος-n-ο (ε) [lemargos] gluttonous, greedy.

λαιμαριά (n) [lemaria] collar, yoke.

λαιμητόμος (n) [lemitomos] guillotine.

λαιμοδέτης (ο) [lemodhetis] necktie.

λαιμός (ο) [lemos] neck, throat.

λακέρδα (n) [lakerdha] tunny fish.

λακές (ο) [lakes] lackey, flunkey.

λάκημα (το) [lakima] fleeing.

λάκκα (n) [lakka] pit, clearing, hole

λακκάκι (το) [lakkaki] dimple.

λάκκος (ο) [lakkos] pit, grave.

λακκούβα (n) [lakkuva] pothole.

λακριντί (το) [lakrindi] chat.

λακτίζω (ρ) [laktizo] kick, boot.

λάκτισμα (το) [laktisma] kick

λακώ (ρ) [lako] turn tail, run off.

λακωνικός-ή-ό (ε) [lakonikos] laconic, terse, brief, compressed.

λακωνικότητα (n) [lakonikotita] brevity.

λάλημα (το) [lalima] cockcrow, singing,

chirping, twitter.

λαλιά (n) [lalia] voice, speech.

λαλώ (ρ) [lalo] speak, talk, crow.

λάμα (n) [lama] sheet, blade.

λαμαρίνα (n) [lamarina] sheet iron.

λαμβάνω (ρ) [lamvano] take, receive.

λάμνω (ρ) [lamno] row.

λάμπα (n) [lamba] lamp, bulb.

λαμπάδα (n) [lambadha] candle.

λαμπαδηφορία (n) [lambadhiforia] torchlight procession.

λαμπαδιάζω (ρ) [lambadhiazo] flame up, blaze.

λαμπατέρ (το) [lambater] standard-lamp.

λαμπεράδα (n) [lamberadha] brilliancy.

λαμπερός-ή-ό (ε) [lamberos] brilliant, shining, shimmering, blazing.

λαμπικάρω (ρ) [lambikaro] clear, refine, distill, clarify.

λαμπίκος (ο) [lambikos] clean as a new pin.

λαμπιόνι (το) [lambioni] lamp, fairy.

λαμπόγυαλο (το) [lambogialo] lamp glass.

λαμποκόπημα (το) [lambokopima] brilliancy, glow, glitter, blaze.

λαμποκοπώ (ρ) [lambokopo] shine, gleam, shimmer.

Λαμπρή (n) [Lambri] Easter.

λαμπροντυμένος-n-ο (μ) [lambrondimenos] splendidly dressed.

λαμπρός-ή-ό (ε) [lambros] brilliant, splendid, glorious.

λαμπρότητα (n) [lambrotita] brightness, brilliancy.

λαμπρύνω (ρ) [lambrino] grace.

λαμπρώς (επ) [lambros] splendid.

λαμπτήρας (ο) [lamptiras] lamp.

λαμπυρίζω (ρ) [lambirizo] shimmer, twinkle, shine, sparkle.

λάμπω (ρ) [lambo] shine, glitter.

λάμψη (n) [lampsi] brightness, brilliance, glaze, blaze.

λαναρίζω (ρ) [lanarizo] teasel, card.

λανθάνω (ρ) [lanthano] be latent.

λανθάνων (μ) [lanthanon] dormant.

λανθασμένος-η-ο (ε) [lanthasmenos] mistaken, wrong.

λανολίνη (n) [lanolini] lanoline.

λανσάρισμα (το) [lansarisma] launching.

λανσάρω (ρ) [lansaro] bring out.

λαντζιέρισσα (n) [landzierissa] scullery-maid.

λάξευση (n) [laksefsi] sculpturing.

λαξεύω (ρ) [laksevo] chisel.

λαογραφία (n) [laografia] folklore.

λαοπλάνος (ο) [laoplanos] demagogue.

λαοπρόβλητος-η-ο (ε) [laoprovlitos] elected by the people.

λαός (ο) [laos] people, multitude, .

λάου λάου (επ) [lau lau] on the sly.

λαουτζίκος (ο) [lautzikos] rabble.

λαούτο (το) [lauto] lute.

λαοφιλής-ής-ές (ε) [laofilis] popular.

λάπαθο (το) [lapatho] sorrel [βοτ].

λαπάς (ο) [lapas] pap, boiled rice.

Λάπωνας (ο) [Laponas] Lapp.

Λαπωνία (n) [Laponia] Lapland.

λαρδί (το) [lardhi] lard, fat.

λάρνακα (n) [larnaka] urn [αρχαιολ], shrine, reliquary [θρησκ].

λάρυγγας (ο) [lariggas] throat.

λαρυγγίτιδα (n) [lariggitidha] laryngitis.

λαρυγγολόγος (ο) [lariggologos] throat specialist.

λαρυγγόφωνος-η-ο (ε) [lariggofonos] guttural.

λασκάρω (ρ) [laskaro] loosen.

λάσο (το) [laso] lasso.

λασπερός-ή-ό (ε) [lasperos] soggy.

λάσπη (n) [laspi] mud, mortar.

λασπολόγος (ο) [laspologos] mud-slinger.

λασπουριά (n) [laspuria] slush.

λασπώδης-ης-ες (ε) [laspodhis] muddy, slimy, slushy.

λασπωμένος-ο-n (μ) [laspomenos] muddy.

λασπώνω (ρ) [laspono] cover with mud, dirty, soil.

λαστιχένιος-α-ο (ε) [lastihenios] rubber, elastic.

λάστιχο (το) [lastiho] rubber, elastic, rubber band, tyre.

λατέρνα (n) [laterna] barrel organ.

Λατινικά (τα) [Latinika] Latin.

Λατινικός-ή-ό (ε) [Latinikos] Latin.

λατομείο (το) [latomio] quarry.

λατόμηση (n) [latomisi] quarrying.

λατρεία (n) [latria] adoration, worship, fervent love [αγάπη], cult.

λατρευτός-ή-ό (ε) [latreftos] adorable, adored.

λατρεύω (ρ) [latrevo] adore, cherish.

λάτρης (ο) [latris] worshipper.

λαφυραγωγώ (ρ) [lafiragogo] loot, sack.

λάφυρο (το) [lafiro] booty, spoils.

λαχαίνω (ρ) [laheno] meet, come, happen, win.

λαχαναγορά (n) [lahanagora] vegetable market.

λαχανιάζω (ρ) [lahaniazo] pant, get out of breath.

λαχανιασμένος-η-ο (μ) [lahaniasmenos] panting, out of breath.

λαχανίδα (n) [lahanidha] cabbage leaves, colewort.

λαχανικό (το) [lahaniko] vegetable.

λάχανο (το) [lahano] cabbage, cole.

λαχανοπερίβολο (το) [lahanoperivolo] market garden.

λαχανοσαλάτα (n) [lahanosalata] coleslaw.

λαχείο (το) [lahio] lottery, raffle.

λαχειοφόρος-α-ο (ε) [lahioforos] lottery, premium.

λαχνός (ο) [lahnos] lot, prize, share, chance, ticket.

λαχτάρα (n) [lahtara] anxiety, yearning [επιθυμία], dread [φόβος], fright.

λαχταρίζω (ρ) [lahtarizo] give somebody a turn, have a turn.

λαχταριστός-ή-ό (ε) [lahtaristos] tempting, desirable.

λαχταρώ (ρ) [lahtaro] yearn, desire, crave, ache, wish for.

λέαινα (n) [leena] lioness.

λεβάντα (n) [levanda] lavender.

λεβάντες (ο) [levandes] east wind.

Λεβαντίνος (ο) [Levandinos] Levantine.

λεβέντης (ο) [levendis] fine man.

λεβεντιά (n) [levendia] manliness, gallantry

λεβέντικος-n-o (ε) [levendikos] dashing, gallant.

λεβέτι (το) [leveti] cauldron, copper.

λέβητας (ο) [levitas] cauldron, boiler.

λεβητοστάσιο (το) [levitostasio] boilerroom, stokehold [ναυτ].

λεβιές (ο) [levies] lever.

λεγάμενος-n-o (μ) [legamenos] you know who, the so-called.

λεγεώνα (n) [legeona] legion.

λεγεωνάριος (ο) [legeonarios] legionnaire.

λεγόμενος-o-n (μ) [legomenos] known as, so-called.

λέγω (ρ) [lego] say, tell, speak, think, mean.

λεζάντα (n) [lezanda] caption.

λεηλασία (n) [leilasia] plundering, looting, pillage.

λεηλάτηση (n) [leilatisi] pillage, looting, plundering.

λεηλατώ (ρ) [leilato] plunder, loot, pillage.

λεία (n) [lia] prey, loot.

λειαίνω (ρ) [lieno] smooth, level.

λείανση (n) [liansi] grinding, smoothing.

λειαντικό (το) [liandiko] abrasive.

λέιζερ (το) [leizer] laser.

λείος-a-o (ε) [lios] smooth, even, level.

λείπω (ρ) [lipo] be absent, be missing, want.

λειτούργημα (το) [lituryima] office, function.

λειτουργία (n) [lituryia] function, operation, mass [εκκλ].

λειτουργιά (n) [lituryia] bread for Communion.

λειτουργικός-ή-ό (ε) [lituryikos] functional, operational.

λειτουργός (ο) [liturgos] officer, official, civil servant.

λειτουργώ (ρ) [liturgo] function, work, celebrate mass [εκκλ], run.

λειχήνα (n) [lihina] lichen, rash [ιατρ].

λείψανα (τα) [lipsana] remnants, remains, relics [εκκλ].

λείψανο (το) [lipsano] corpse, body, relics [αγίου].

λειψός-ή-ό (ε) [lipsos] deficient, defective.

λειψυδρία (n) [lipsidhria] drought.

λεκάνη (n) [lekani] basin, washbowl.

λεκανοπέδιο (το) [lekanopedhio] basin.

λεκές (ο) [lekes] stain, splash.

λεκιάζω (ρ) [lekiazo] stain, soil.

λεκτικό (το) [lektiko] diction.

λεκτικός-ή-ό (ε) [lektikos] speech.

λέκτορας (ο) [lektoras] lecturer.

λέλεκας (ο) [lelekas] stork, crane.

λελέκι (το) [leleki] stork, tall person [μεταφ].

λεμβοδρομία (n) [lemvodhromia] regatta, boat race.

λέμβος (n) [lemvos] rowboat.

λεμβούχος (ο) [lemvuhos] boatman.

λεμονάδα (n) [lemonadha] lemonade.

λεμονής-ιά-ί (ε) [lemonis] citrine.

λεμόνι (το) [lemoni] lemon.

λεμονιά (n) [lemonia] lemon tree.

λεμονόφλουδα (n) [lemonofludha] lemon rind.

λεμφαδένας (ο) [lemfadhenas] lymph gland, lymphoglandula.

λεμφικός-ή-ό (ε) [lemfikos] lymphoid, lymphatic.

λέμφος (n) [lemfos] lymph.

λέμφωμα (το) [lemfoma] lymphoma.

λέξη (n) [leksi] word.

λεξικό (το) [leksiko] lexicon, dictionary.

λεξικογράφος (ο) [leksikografos] lexicographer.

λεξικολογικός-ή-ό (ε) [leksikoloyikos] lexical.

λεξιλόγιο (το) [leksiloyio] vocabulary.

λεοντάρι (το) [leondari] lion.

λεοντή (n) [leondi] lion's hide, mask [μεταφ].

λεοπάρδαλη (n) [leopardhali] leopard.

λέπι (το) [lepi] scale[of fish].

λεπίδα (n) [lepidha] blade.

λέπρα (n) [lepra] leprosy.

λεπτά (επ) [lepta] delicately.

λεπτά (τα) [lepta] money.

λεπταίνω (ρ) [lepteno] thin, refine.

λεπτεπίλεπτος-n-ο (ε) [leptepileptos] delicate.

λεπτό (το) [lepto] minute.

λεπτοδείχτης (ο) [leptodhihtis] minutehand.

λεπτοειδής-ής-ές (ε) [leptoidhis] flaky.

λεπτοκαμωμένος-ο-n (μ) [leptokamomenos] delicate, frail, thin.

λεπτολογία (n) [leptoloyia] hairsplitting, nicety.

λεπτολόγος (ο) [leptologos] fastidious, finicky.

λεπτολόγος-ος-ο (ε) [leptologos] ceremonious.

λεπτολογώ (ρ) [leptologo] scrutinize.

λεπτομέρεια (n) [leptomeria] detail.

λεπτομερειακός-ή-ό (ε) [leptomeriakos] detailed.

λεπτομερής-ής-ές (ε) [leptomeris] detailed.

λεπτομερώς (επ) [leptomeros] minutely, closely, in detail.

λεπτός-ή-ό (ε) [leptos] thin, slight, slim, subtle [στη σκέψη], light [ρουχισμός], delicate.

λεπτοσανίδα (n) [leptosanidha] batten.

λεπτόσωμος-n-ο (ε) [leptosomos] slim.

λεπτότητα (n) [leptotita] delicacy, weakness, tact.

λεπτούργημα (το) [lepturyima] cameo.

λεπτουργική (n) [lepturyiki] joinery.

λεπτουργός (ο) [lepturgos] joiner.

λεπτοΰφαντος-n-ο (ε) [leptoifandos] fine-woven.

λέπτυνση (n) [leptinsi] slimming.

λεπτύνω (ρ) [leptino] azurine.

λέρα (n) [lera] dirt, filth, rascal [άνθρωπος].

λερός-ή-ό (ε) [leros] dirty, filthy.

λερωμένος-n-ο (μ) [leromenos] dirty, filthy, grubby.

λερώνομαι (ρ) [leronome] get dirty.

λερώνω (ρ) [lerono] dirty, soil, stain, tarnish [μεταφ.]

λεσβία (n) [lesvia] lesbian.

λέσχη (n) [leshi] club, casino.

Λετονία (n) [Letonia] Latvia.

λέτσος (ο) [letsos] scruff, slob.

λεύγα (n) [levga] league.

λεύκα (n) [lefka] poplar, aspen [βοτ].

λευκαίνω (ρ) [lefkeno] whiten, bleach, whitewash [τοίχο].

λεύκανση (n) [lefkansi] bleaching.

λευκαντικό (το) [lefkandiko] whitener, bleach.

λευκοπλάστης (ο) [lefkoplastis] stickingplaster.

λευκός-ή-ό (ε) [lefkos] white, clean, blank.

λευκοσίδηρος (ο) [lefkosidhiros] tin.

λευκόχρυσος (ο) [lefkohrisos] platinum.

λεύκωμα (το) [lefkoma] album, albumin [ιατρ], leucoma [ιατρ].

λευτεριά (n) [lefteria] freedom, liberty.

λευχαιμία (n) [lefhemia] leukemia.

λεφτά (τα) [lefta] money.

λεχρίτης (ο) [lehritis] scum, skunk.

λεχώνα (n) [lehona] woman who has just given birth.

λεωφορείο (το) [leoforio] bus, coach.

λεωφορειούχος (ο) [leoforiuhos] bus owner.

λεωφόρος (n) [leoforos] avenue.

λήγω (ρ) [ligo] terminate, mature, fall

due [οικονομ].

λήθαργος (ο) [lithargos] lethargy, drowsiness.

λήθη (η) [lithi] forgetfulness, oversight.

λήκυθος (η) [likithos] lecythus [αρχαιολ], ampulla.

λημέρι (το) [limeri] retreat, hiding place.

λημεριάζω (ρ) [limeriazo] pitch camp.

λήμμα (το) [limma] entry, lemma.

ληνός (ο) [linos] wine-press.

λήξη (η) [liksi] termination, conclusion, expiration date, end.

Ληξιαρχείο (το) [Liksiarhio] registry office, parish register.

ληξίαρχος (ο) [liksiarhos] registrar.

ληξιπρόθεσμος-η-ο (ε) [liksiprothesmos] due, mature.

λήπτης (ο) [liptis] recipient.

λησμονιά (η) [lismonia] forgetfulness.

λησμονιάρης-α-ικο (ε) [lismoniaris] forgetful.

λησμονώ (ρ) [lismono] forget, neglect.

λησμοσύνη (η) [lismosini] forgetfulness.

λήσταρχος (ο) [listarhos] robber.

ληστεία (η) [listia] holdup, robbery.

ληστεύω (ρ) [listevo] rob, hold up, stick up.

ληστής (ο) [listis] robber, thief.

ληστοσυμμορίτης (ο) [listosimmoritis] bandit.

ληστοφυγόδικος (ο) [listofigodhikos] wanted bandit.

ληστρικός-ή-ό (ε) [listrikos] predatory.

λήψη (η) [lipsi] receipt, receiving, reception [ραδ, τηλεορ], taking [φωτογρ].

λιάζομαι (ρ) [liazome] sunbathe.

λιάζω (ρ) [liazo] expose to the sun.

λιακάδα (η) [liakadha] sunshine.

λιακωτό (το) [liakoto] sunny verandah.

λιανά (επ) [liana] change, petty cash.

λιανέμπορος (ο) [lianemboros] retailer.

λιανίζω (ρ) [lianizo] cut to pieces, mince.

λιανικός-ή-ό (ε) [lianikos] retail.

λιάνισμα (το) [lianisma] chopping up.

λιανός-ή-ό (ε) [lianos] thin, slender.

λιανοτούφεκο (το) [lianotufeko] rifle.

λιανοτράγουδο (το) [lianotragudho] couplet.

λιάσιμο (το) [liasimo] sunning.

λιαστός-ή-ό (ε) [liastos] sun-dried.

λιβάδι (το) [livadhi] meadow.

Λιβανέζος (ο) [Livanezos] Lebanese.

λιβάνι (το) [livani] incense, frankincense.

λιβανίζω (ρ) [livanizo] burn incense, flatter basely [μεταφ].

λιβάνισμα (το) [livanisma] censing, adulation [μεταφ].

λιβανιστήρι (το) [livanistiri] incense-burner.

Λίβανος (ο) [Livanos] Lebanon.

λίβας (ο) [livas] hot south-west wind.

λιβελογράφημα (το) [livelografima] libel, lampoon.

λίβελος (ο) [livelos] libel, lampoon.

λίβρα (η) [livra] pound.

λιβρέα (η) [livrea] livery.

Λιβύη (η) [Livii] Libya.

λιβυκός-ή-ό (ε) [livikos] Libyan.

Λίβυος (ο) [Livios] Libyan.

λιγάκι (επ) [ligaki] a little, a bit.

λίγδα (η) [ligdha] grease, dirt, stain.

λιγδερός-ή-ό (ε) [ligdheros] filthy, greasy.

λιγδιάζω (ρ) [ligdhiazo] stain.

λίγδωμα (το) [ligdhoma] soiling.

λιγκατούρα (η) [ligatura] ligature.

λίγνεμα (το) [lignema] slimming, thinning.

λιγνεύω (ρ) [lignevo] slim, trim.

λιγνίτης (ο) [lignitis] lignite.

λιγνιτωρυχείο (το) [lignitorihio] lignite mine.

λιγνόκορμος-η-ο (ε) [lignokormos] slender.

λιγνός-ή-ό (ε) [lignos] skinny, thin.

λίγο (επ) [ligo] a little, a bit.

λιγόζωος-η-ο (ε) [ligozoos] short-lived.

λιγοθυμία (η) [ligothimia] fainting fit, blackout.

λιγόλογος-η-ο (ε) [ligologos] reticent,

taciturn.

λιγομίλητος-η-ο (ε) [ligomilitos] reserved.

λίγος-η-ο (ε) [ligos] a little, a bit, small [για χώρο].

λιγόστεμα (το) [ligostema] reduction, decrease.

λιγοστεύω (ρ) [ligostevo] lessen, decrease.

λιγοστός-ή-ό (ε) [ligostos] very little, hardly enough.

λιγότερος-η-ο (ε) [ligoteros] fewer, less.

λιγουλάκι (το) [ligulaki] a little.

λιγούρα (η) [ligura] faintness from hunger.

λιγουρεύομαι (ρ) [ligurevome] covet, lust, long.

λιγούριασμα (το) [liguriasma] nausea, feeling sick.

λιγόφαγος-η-ο (ε) [ligofagos] poor eater.

λιγοψυχιά (η) [ligopsihia] faintness.

λιγόψυχος-η-ο (ε) [ligopsihos] coward.

λιγοψυχώ (ρ) [ligopsiho] lose one's nerve.

λίγωμα (το) [ligoma] faintness.

λιγώνομαι (ρ) [ligonome] long for, be impatient.

λιγώνω (ρ) [ligono] nauseate.

λιθανθρακοφόρος-α-ο (ε) [lithanthrakoforos] coal-bearing.

λιθάρι (το) [lithari] stone.

λίθινος-η-ο (ε) [lithinos] of stone.

λιθοβολισμός (ο) [lithovolismos] stoning.

λιθοβολώ (ρ) [lithovolo] pelt with stones, stone.

λιθογράφημα (το) [lithografima] lithograph.

λιθογράφηση (η) [lithografisi] lithographing.

λιθογραφία (η) [lithografia] lithography.

λίθος (ο) [lithos] stone, calculus [ιατρ], concretion [ιατρ].

λιθοστρώνω (ρ) [lithostrono] cobble.

λιθόστρωση (η) [lithostrosi] paving, pavement.

λιθόστρωτο (το) [lithostroto] pavement.

λιθόχτιστος-η-ο (ε) [lithohtistos] built

in stone.

λιθρίνι (το) [lithrini] pandora.

λικέρ (το) [liker] liqueur.

λικνίζω (ρ) [liknizo] rock, lull to sleep.

λικνιστικός-ή-ό (ε) [liknistikos] rocking, lulling.

λικνιστός-ή-ό (ε) [liknistos] hip-swaying, rolling.

λίκνο (το) [likno] cradle, cot.

λιλιά (τα) [lilia] trinkets, trappings.

λιλιπούτειος-α-ο (ε) [liliputios] lilliputian.

λίμα (η) [lima] file [εργαλείο].

λιμανάκι (το) [limanaki] marina.

λιμάνι (το) [limani] port, harbour.

λιμάρισμα (το) [limarisma] filing.

λιμάρω (ρ) [limaro] file, gossip.

λιμασμένος-η-ο (μ) [limasmenos] starving.

λιμεναρχείο (το) [limenarhio] port authority.

λιμενάρχης (ο) [limenarhis] port-master.

λιμένας (ο) [limenas] port, harbour.

λιμενεργάτης (ο) [limenergatis] docker.

λιμενοβραχίονας (ο) [limenovrahionas] breakwater, jetty.

λιμενοφύλακας (ο) [limenofilakas] port guard.

λιμήν (ο) [limin] port, harbour.

λιμνάζω (ρ) [limnazo] stagnate, lie stagnant.

λίμνασμα (το) [limnasma] stagnation.

λίμνη (η) [limni] lake.

λιμνοθάλασσα (η) [limnothalassa] lagoon.

λιμοκτονία (η) [limoktonia] famine.

λιμοκτονώ (ρ) [limoktono] famish.

λιμός (ο) [limos] starvation, famine.

λιμουζίνα (η) [limuzina] limousine.

λιμπίζομαι (ρ) [limbizome] fancy, desire.

λίμπρα (η) [limbra] pound.

λιμπρετίστας (ο) [limbretistas] librettist.

λιμπρέτο (το) [limbreto] libretto.

λινάρι (το) [linari] flax.

λιναρόσπορος (ο) [linarosporos] linseed.

λινάτσα (η) [linatsa] sacking, hessian.

λινέλαιο (το) [lineleo] linseed oil.

λινό (το) [lino] linen, ply [ελαστικού].

λινός-ή-ό (ε) [linos] linen.

λιντσάρισμα (το) [lintsarisma] lynching.

λιντσάρω (ρ) [lintsaro] lynch.

λιόγερμα (το) [liogerma] sunset.

λιόδεντρο (το) [liodhendro] olive-tree.

λιόκλαδο (το) [liokladho] olive branch, olive twig.

λιόλαδο (το) [lioladho] olive oil.

λιοντάρι (το) [liondari] lion.

λιονταρόψυχος-η-ο (ε) [liondaropsihos] lion-hearted.

λιοπύρι (το) [liopiri] sweltering heat.

λιοτρίβι (το) [liotrivi] oil-press.

λιόχαρος-η-ο (ε) [lioharos] sun-bathed.

λιπαίνω (ρ) [lipeno] lubricate, grease, fertilize [με λίπασμα].

λίπανση (η) [lipansi] lubrication, manuring.

λιπαντικό (το) [lipandiko] lubricant.

λιπαρός-ή-ό (ε) [liparos] greasy, fatty, rich [γόνιμος].

λιπαρότητα (η) [liparotita] greasiness, oiliness, fertility [επί εδάφους, γονιμότητα].

λίπασμα (το) [lipasma] fertilizer, manure.

λιπίδιο (το) [lipidhio] lipid.

λιπόβαρος-η-ο (ε) [lipovaros] underweight.

λιποθυμία (η) [lipothimia] fainting.

λιπόθυμος-η-ο (ε) [lipothimos] fainted.

λιποθυμώ (ρ) [lipothimo] faint, swoon.

λιπομάρτυρας (ο) [lipomartiras] defaulting witness.

λίπος (το) [lipos] fat, grease.

λιπόσαρκος-η-ο (ε) [liposarkos] lean, skinny, lank.

λιποτάκτης (ο) [lipotaktis] deserter.

λιποταξία (η) [lipotaksia] desertion.

λιποταχτώ (ρ) [lipotahto] desert.

λιποψυχία (η) [lipopsihia] discouragement.

λιπόψυχος-η-ο (ε) [lipopsihos] coward.

λιποψυχώ (ρ) [lipopsiho] lose heart.

λιπώδης-ης-ες (ε) [lipodhis] greasy, fatty, oily.

λίπωμα (το) [lipoma] fatty tumor, lipoma [ιατρ].

λίρα (η) [lira] pound, sovereign [χρυσή], pound sterling.

λιρέτα (η) [lireta] Italian lira.

Λισαβώνα (η) [Lisavona] Lisbon.

λίστα (η) [lista] list, catalogue.

λιτά (επ) [lita] charily, economically.

λιτανεία (η) [litania] religious procession.

λιτανεύω (ρ) [litanevo] carry in procession.

λιτή (η) [liti] narthex [αρχιτ], vigil [εκκλ].

λιτόβιος-α-ο (ε) [litovios] canny.

λιποδίαιτος-η-ο (ε) [litodhietos] frugal, sparing.

λιτός-ή-ό (ε) [litos] temperate, frugal, plain.

λιτότητα (η) [litotita] temperance, moderation, frugality.

λίτρα (η) [litra] pound, litre.

λίτρο (το) [litro] pound, litre.

λιχνίζω (ρ) [lihnizo] winnow.

λίχνισμα (το) [lihnisma] winnowing.

λιχούδης (ο) [lihudhis] greedy.

λιχουδιά (η) [lihudhia] appetizer.

λιώμα (το) [lioma] crushing, pulp.

λιώνω (ρ) [liono] melt, thaw, dissolve, crush [πολτοποιώ], mash [πολτοποιώ], decay [σαπίζω], be tired out [από κούραση], dissolve [διαλύω].

λιώσιμο (το) [liosimo] melting, thawing, crushing, pulping.

λοβιτούρα (η) [lovitura] wangle, trickery.

λοβιτουρατζής (ο) [lovituratzis] trickster.

λοβός (ο) [lovos] lobe, husk, foil [αρχιτεκ].

λογαριάζω (ρ) [logariazo] count, measure, compute, rely on, aim to [πρόθεση να], include.

λογαριασμός (ο) [logariasmos] calculation, bill, accounts, estimate.

λογάριθμος (ο) [logarithmos] logarithm.

λογάς (ο) [logas] gossiper.

λόγγος (ο) [loggos] thicket.

λογιάζω (ρ) [loyiazo] take into consideration.

λογίδριο (το) [loyidhrio] short speech.

λογιέμαι (ρ) [loyieme] be regarded.

λογίζομαι (ρ) [loyizome] be considered, be thought of.

λογικεύομαι (ρ) [loyikevome] listen to, see reason.

λογική (η) [loyiki] logic, reasoning, rationale.

λογικό (το) [loyiko] reason.

λογικός-ή-ό (ε) [loyikos] rational, logical, sensible, right, fair.

λόγιος-α-ο (ε) [loyios] scholar, learned.

λόγιος (ο) [loyios] scholar.

λογισμός (ο) [loyismos] reasoning, thought, reckoning.

λογιστήριο (το) [loyistirio] bursar's office, accounts office.

λογιστής (ο) [loyistis] accountant.

λογιστική (η) [loyistiki] accountancy.

λογιστικός-ή-ό (ε) [loyistikos] accounting.

λογιστικός έλεγχος (ο) [loyistikos eleghos] audit.

λογοδιάρροια (η) [logodhiarria] talkativeness, chattering, garrulity.

λογοδοσία (η) [logodhosia] report, accounting.

λογοδοσμένος-η-ο (μ) [logodhosmenos] informally engaged.

λογοδοτώ (ρ) [logodhoto] account for.

λογοκλοπή (η) [logoklopi] plagiarism.

λογοκλοπία (η) [logoklopia] cribbing.

λογοκλόπος (ο) [logoklopos] plagiarist, cribber.

λογοκρίνω (ρ) [logokrino] censor.

λογοκριτέα (επ) [logokritea] censurably.

λογοκριτέος-α-ο (ε) [logokriteos] censurable.

λογοκριτής (ο) [logokritis] censor.

λογομαχία (η) [logomahia] dispute, controversy.

λογομαχώ (ρ) [logomaho] argue.

λογοπαίγνιο (το) [logopegnio] pun, play on words.

λόγος (ο) [logos] speech, word, saying, rumor, purpose, discourse [αγόρευση], explanation [λογοδοσία], account, promise.

λογοτέχνης (ο) [logotehnis] author, writer.

λογοτεχνία (η) [logotehnia] literature.

λογοτεχνικός-ή-ό (ε) [logotehnikos] literary.

λογοφέρνω (ρ) [logoferno] argue.

λόγχη (η) [loghi] bayonet, spear.

λογχίζω (ρ) [loghizo] spear, bayonet.

λογχοειδής-ής-ές (ε) [loghoidhis] lanciform.

λογχοφόρος (ο) [loghoforos] lancer.

λοιδορία (η) [lidhoria] taunt, jeering.

λοιδορώ (ρ) [lidhoro] taunt, jeer.

λοιμοκαθαρτήριο (το) [limokathartirio] quarantine.

λοιμός (ο) [limos] pest, plague.

λοιμώδης-ης-ες (ε) [limodhis] contagious.

λοίμωξη (η) [limoksi] infection.

λοιπόν (σ) [lipon] then, thus, and so, well, what then.

λοιπός-ή-ό (ε) [lipos] left, remaining, rest.

λοίσθια (τα) [listhia] be at death's door.

Λονδίνο (το) [Londhino] London.

λοξά (επ) [loksa] on the slant, obliquely.

λόξα (η) [loksa] whim, mania, fancy.

λόξεμα (το) [loksema] obliqueness.

λοξεύω (ρ) [loksevo] swerve.

λόξιγκας (ο) [loksigkas] hiccup.

λοξοδρόμηση (η) [loksodhromisi] swerving, diversion.

λοξοδρομώ (ρ) [loksodhromo] shift course, deviate, tack [ναυτ].

λοξοδρομών (μ) [loksodhromon] aberrant.

λοξοκοιτάζω (ρ) [loksokitazo] leer.

λοξός-ή-ό (ε) [loksos] oblique, slanting.

λοξότμητος-η-ο (ε) [loksotmitos] canted.

λόρδα (η) [lordha] acute hunger.

λόρδος (ο) [lordhos] lord, peer.

λοσιόν (η) [losion] lotion.

λοστός (ο) [lostos] crow bar.

λοστρόμος (ο) [lostromos] boatswain.

λοταρία (n) [lotaria] lottery.

λούζομαι (ρ) [luzome] wash one's hair.

λούζω (ρ) [luzo] wash, bathe, reproach severely [μεταφ].

λουθουνάρι (το) [luthunari] boil.

λουκάνικο (το) [lukaniko] sausage.

λουκέτο (το) [luketo] padlock, lock.

λούκι (το) [luki] pipe, gutter.

λουκουμάς (ο) [lukumas] doughnut.

λουκούμι (το) [lukumi] Turkish delight.

λουλακής-ιά-ί (ε) [lulakis] indigo blue.

λουλάκι (το) [lulaki] indigo.

λουλάς (ο) [lulas] hoolah, bowl.

λουλουδάτος-n-ο (ε) [luludhatos] flowered, floral.

λουλουδένιος-α-ο (ε) [luludhenios] flowery, floral.

λουλούδι (το) [luludhi] flower, bloom.

λουλούδιασμα (το) [luludhiasma] flowering, blooming, blossoming.

λουλουδίζω (ρ) [luludhizo] flower, blossom, bloom.

λουλούδισμα (το) [luludhisma] blooming.

λούλουδο (το) [luludho] flower, bloom, blossom.

λουξ (το) [luks] luxurious.

λουόμενος-n-ο (μ) [luomenos] bather.

λουράκι (το) [luraki] wristband.

λουρί (το) [luri] strap, belt [μηχανής].

λουρίδα (n) [luridha] strip, belt.

λουριές (οι) [luries] belting.

λουσάρισμα (το) [lusarisma] dressing up.

λουσάτος-n-ο (ε) [lusatos] dressy, posh, polish [πράγμα].

λούσιμο (το) [lusimo] washing one's hair, reprimanding [μεταφ].

λούσο (το) [luso] smart clothes.

λουστράρισμα (το) [lustrarisma] polish[ing].

λουστράρω (ρ) [lustraro] gloss, glaze, polish.

λουστρίνια (τα) [lustrinia] patent leather shoes.

λούστρο (το) [lustro] gloss-paint, polish, varnish.

λούστρος (ο) [lustros] shoeblack.

λουτήρας (ο) [lutiras] wash-basin, bath-tub.

λουτρά (τα) [lutra] hot springs.

λουτρό (το) [lutro] bathroom.

λουτροθεραπεία (n) [lutrotherapia] balneotherapy.

λουτρόπολη (n) [lutropoli] spa.

λουτσιά (n) [lutsia] barberry.

λούτσος (ο) [lutsos] pike.

λουφάζω (ρ) [lufazo] remain silent.

λουφές (ο) [lufes] bribe, spoils [πολ].

λοφίο (το) [lofio] plume, tuft [πτηνού], crest [πτηνού], pompom [στρατ].

λοφίσκος (ο) [lofiskos] hillock, cop.

λοφοπλαγιά (n) [lofoplagia] hillside.

λόφος (ο) [lofos] hill, height.

λοφώδης-nς-ες (ε) [lofodhis] hilly.

λοχαγός (ο) [lohagos] captain.

λοχεία (n) [lohia] confinement.

λοχίας (ο) [lohias] sergeant.

λόχμη (n) [lohmi] thicket, coppice, bush.

λοχμώδης-nς-ες (ε) [lohmodhis] brushy.

λόχος (ο) [lohos] company.

λυγαριά (n) [ligaria] osier, wicker.

λυγεράδα (n) [liyeradha] slenderness, suppleness.

λυγερόκορμος-n-ο (ε) [liyerokormos] slender, supple.

λυγερός-ή-ό (ε) [liyeros] slim, graceful.

λυγίζω (ρ) [liyizo] bend, curve, bow.

λυγιστός-ή-ό (ε) [liyistos] bent, curved.

λυγμός (ο) [ligmos] sob, sobbing.

λύκαινα (n) [likena] she-wolf.

λυκαυγές (το) [likavges] morning twilight.

λυκειάρχης (ο) [likiarhis] principal of a lyceum.

λύκειο (το) [likio] secondary school.

λυκίσκος (ο) [likiskos] hop[s].

λυκόπουλο (το) [likopulo] wolf-cub.

λύκος (ο) [likos] wolf.

λυκόστομα (το) [likostoma] cleft-palate.

λυκοφιλία (n) [likofilia] sham friendship.

λυκόφως (το) [likofos] dusk.

λυμαίνομαι (ρ) [limenome] ravage, devastate, infest.

λυντσάρω (ρ) [lintsaro] lynch.

λύνω (ρ) [lino] loosen, untie [δεσμό], unfasten [δεσμό].

λυόμενος-n-o (ε) [liomenos] unbound.

λύπη (n) [lipi] grief, sorrow, pity.

λυπημένος-o-n (μ) [lipimenos] sad.

λυπηρός-ή-ό (ε) [lipiros] sad, distressing, painful.

λύπηση (n) [lipisi] pity, compassion.

λυπηπερός-ή-ό (ε) [lipiteros] plaintive, sad.

λυπούμαι (ρ) [lipume] be sorry, regret.

λυπώ (ρ) [lipo] sadden, distress.

λύρα (n) [lira] lyre, fiddle.

λυράρης (o) [liraris] fiddle-player.

λυρικός-ή-ό (ε) [lirikos] lyric, lyrical.

λυρισμός (o) [lirismos] lyricism.

λύση (n) [lisi] answer, solution.

λύσιμο (το) [lisimo] undoing, loosening, solution.

λύσσα (n) [lissa] rabies, rage [μεταφ].

λυσσάζω (ρ) [lissazo] go mad.

λυσσαλέος-a-o (ε) [lissaleos] rabid, furious.

λυσσασμένος-n-o (μ) [lissasmenos] rabid, mad.

λυσσάω (ρ) [lissao] be furious.

λυσσομανώ (ρ) [lissomano] rage.

λυσσώδης-ης-ες (ε) [lissodhis] fierce, rabid.

λυτός-ή-ό (ε) [litos] loose, untied.

λύτρα (τα) [litra] ransom money.

λυτρωμός (o) [litromos] freedom, redemption.

λυτρώνω (ρ) [litrono] deliver, set free.

λύτρωση (n) [litrosi] deliverance, mercy.

λυτρωτής (o) [litrotis] liberator, redeemer, rescuer.

λυτρωτικός-ή-ό (ε) [litrotikos] liberating.

λυχνάρι (το) [lihnari] oil-lamp.

λυχνία (n) [lihnia] lamp, valve, tube.

λυχνίδα (n) [lihnidha] campion.

λύω (ρ) [lio] unloose, untie [δεσμό], unfasten [δεσμό], resolve [βρίσκω λύση].

λωλάδα (n) [loladha] stupidity.

λωλαίνω (ρ) [loleno] drive mad.

λωλός (o) [lolos] mad.

λωποδυσία (n) [lopodhisia] thieving.

λωποδύτης (o) [lopodhitis] thief.

λωποδυτώ (ρ) [lopodhito] cheat, steal.

λωρίδα (n) [loridha] strip, band.

λώρος (o) [loros] umbilical cord [ομφάλιος].

λωτός (o) [lotos] lotus.

λωτοφάγος (o) [lotofagos] lotus-eater.

μα (σ) [ma] but, by, upon.
μαβής-ιά-ί (ε) [mavis] mauve.
μαγαζάτορας (ο) [magazatoras] shopkeeper.
μαγαζί (το) [magazi] shop, bar, disco.
μαγάρα (η) [magara] dirt, mess.
μαγαρίζω (ρ) [magarizo] mess up, pollute.
μαγάρισμα (το) [magarisma] dirtying.
μαγγανεία (η) [mangania] witchery, sorcery.
μαγγάνι (το) [mangani] tool [εργαλείο], vice [εργαλείο].
μαγγώνω (ρ) [mangono] grip.
μαγεία (η) [mayia] sorcery, witchcraft.
μάγειρας (ο) [mayiras] cook.
μαγειρείο (το) [mayirio] kitchen.
μαγείρεμα (το) [mayirema] cooked food, cooking.
μαγείρευμα (το) [mayirevma] cooking.
μαγειρεύω (ρ) [mayirevo] cook, plot [μεταφ].
μαγειρική (η) [mayiriki] cooking, cookery.
μαγειρικός-ή-ό (ε) [mayirikos] cooking, culinary.
μαγείρισσα (η) [mayirissa] cook.
μάγειρος (ο) [mayiros] cook, chef.
μάγεμα (το) [mayema] spell, magic, witchcraft.
μαγεμένος-η-ο (μ) [mayemenos] spellbound, bewitched.

μαγέρικο (το) [mayeriko] cookhouse.
μαγευτικός-ή-ό (ε) [mayeftikos] charming, enchanting.
μαγεύτρα (η) [mayeftra] witch, enchantress.
μαγεύω (ρ) [mayevo] bewitch, charm, fascinate.
μαγιά (η) [mayia] yeast.
μάγια (τα) [mayia] witchcraft, spell.
μαγιάτικο (το) [mayiatiko] tuna [ιχθ].
μαγικός-ή-ό (ε) [mayikos] magical, fascinating.
μαγιό (το) [mayio] swimsuit, swimming trunks.
μαγιονέζα (η) [mayioneza] mayonnaise.
μάγισσα (η) [mayissa] witch, enchantress, sorceress.
μαγκάλι (το) [mangali] firepan.
μαγκάνι (το) [mangani] winch.
μάγκανο (το) [mangano] vice, clamp.
μαγκανοπήγαδο (το) [manganopigadho] draw-well, treadmill [μεταφ].
μάγκας (ο) [mangas] rascal, crafty guy.
μαγκιά (η) [mangia] cunning, tricks.
μάγκικος-η-ο (ε) [mangikos] cunning, crafty.
μαγκούρα (η) [mangura] crook.
μαγκουροφόρος (ο) [manguroforos] henchman [μεταφ], person carrying a stick.

μαγκούφης (ο) [mangufis] lonely, solitary.
μαγκουφιά (n) [mangufia] wretched loneliness.

μάγκωμα (το) [mangoma] squeezing.

μαγκώνω (ρ) [mangono] grip, bite.

μαγνήσιο (το) [magnisio] magnesium.

μαγνήτης (ο) [magnitis] magnet.

μαγνητίζω (ρ) [magnitizo] magnetize, attract.

μαγνητικός-ή-ό (ε) [magnitikos] magnetic, attractive [μεταφ].

μαγνητισμός (ο) [magnitismos] magnetism.

μαγνητοσκόπηση (n) [magnitoskopisi] video-recording.

μαγνητοταινία (n) [magnitotenia] magnetic tape.

μαγνητοφώνηση (n) [magnitofonisi] tape-recording.

μαγνητόφωνο (το) [magnitofono] tape recorder.

μαγνητοφωνώ (ρ) [magnitofono] record.

μάγος (ο) [magos] magician, wizard, sorcerer.

μαγουλάδες (οι) [maguladhes] mumps.

μάγουλο (το) [magulo] cheek [of face].

Μάγχη (n) [Maghi] [English] Channel.

μαδέρι (το) [madheri] beam, joist, plank.

μάδημα (το) [madhima] plucking, depilation, skinning [μεταφ].

μαεστρία (n) [maestria] mastery.

μαέστρος (ο) [maestros] conductor, authority [μεταφ].

μάζα (n) [maza] paste, lump, mass.

μάζεμα (το) [mazema] collecting, gathering.

μαζεμένος-n-ο (μ) [mazemenos] withdrawn, shrunk.

μαζεύομαι (ρ) [mazevome] collect, settle down, shrink.

μαζεύω (ρ) [mazevo] gather, collect, wind [μαλλί], shrink [για ρούχα].

μαζί (επ) [mazi] together, with, jointly.

μαζούτ (το) [mazut] fuel oil.

μαζοχισμός (ο) [mazohismos] masochism.

μαζοχιστής (ο) [mazohistis] masochist.

μάζωξη (n) [mazoksi] meeting.

Μάης (ο) [Mais] May.

μαθαίνω (ρ) [matheno] learn, teach.

μαθεύομαι (ρ) [mathevome] become known.

μάθημα (το) [mathima] lesson, subject.

μαθηματικά (τα) [mathimatika] mathematics.

μαθηματικός-ή-ό (ε) [mathimatikos] mathematical, mathematic.

μαθηματικός (ο) [mathimatikos] mathematician.

μαθημένος-n-ο (μ) [mathimenos] used to.

μάθηση (n) [mathisi] learning, education.

μαθητεία (n) [mathitia] apprenticeship, time.

μαθητευόμενος-n-ο (μ) [mathitevomenos] apprentice.

μαθητεύω (ρ) [mathitevo] teach, instruct, study.

μαθητής (ο) [mathitis] student, schoolboy, schoolgirl, follower.

μαθητικός-ή-ό (ε) [mathitikos] school.

μαθητολόγιο (το) [mathitoloyio] class register.

μαθήτρια (n) [mathitria] pupil, schoolgirl.

μαία (n) [mea] midwife [λόγιο].

μαιευτήρας (ο) [meeftiras] obstetrician.

μαιευτήριο (το) [meeftirio] maternity hospital.

μαιευτική (n) [meeftiki] obstetrics.

μαιζονέτα (n) [mezoneta] maisonnette.

μαϊμού (n) [maimu] monkey, ape, a canning person.

μαϊμουδίζω (ρ) [maimudhizo] copy, imitate.

μαινάδα (n) [menadha] Maenad [μυθολ], old hag [μεταφ].

μαίνομαι (ρ) [menome] rage.

μαινόμενος-n-ο (μ) [menomenos] berserk.

μαϊντανός (ο) [maindanos] parsley.

Μάιος (ο) [Maios] May.

μαϊστράλι (το) [maistrali] breeze.

μαΐστρος (ο) [maistros] north-west wind.

μαιτρέσσα (η) [metressa] mistress.

μακάβριος-α-ο (ε) [makavrios] gruesome.

μακάρι (επ) [makari] if only, I wish.

μακαρίζω (ρ) [makarizo] envy.

μακάριος-α-ο (ε) [makarios] happy, fortunate, blessed.

μακαριότατος (ο) [makariotatos] His Grace.

μακαριότητα (η) [makariotita] blissfulness, happiness.

μακαρίτης (ο) [makaritis] late, deceased.

μακαρίτισσα (η) [makaritissa] late, deceased.

μακαρίως (επ) [makarios] blissfully.

μακαρονάδα (η) [makaronadha] spaghetti [dish].

μακαρόνια (τα) [makaronia] macaroni, spaghetti.

μακαρονικός-ή-ό (ε) [makaronikos] pedantic, scholastic.

Μακεδονία (η) [Makedhonia] Macedonia.

μακελάρης (ο) [makelaris] butcher.

μακελειό (το) [makelio] slaughter, massacre.

μακέτα (η) [maketa] model, drawing, plan.

μακετίστας (ο) [maketistas] graphics artist, artist.

μακιγιάζ (το) [makiyiaz] make-up.

μακιγιάρω (ρ) [makiyiaro] make up.

μακραίνω (ρ) [makreno] make longer, grow taller.

μάκρεμα (το) [makrema] lengthening, protraction, extension.

μακρηγορία (η) [makrigoria] peroration.

μακρηγορώ (ρ) [makrigoro] speak at length.

μακριά (επ) [makria] far off, at a distance.

μακρινός-ή-ό (ε) [makrinos] far off, long [χρόνος].

μακρόβιος-α-ο (ε) [makrovios] long-lived.

μακροβούτι (το) [makrovuti] dive.

μακροζωία (η) [makrozoia] longevity.

μακροημερεύω (ρ) [makroimerevo] live long.

μακρόθεν (επ) [makrothen] aloof.

μακροθυμία (η) [makrothimia] tolerance.

μακρόθυμος-η-ο (ε) [makrothimos] tolerant.

μακρομάλλης-α-ικο (ε) [makromallis] long-haired.

μακρόπνοος-η-ο (ε) [makropnoos] far-sighted.

μακροπρόθεσμος-η-ο (ε) [makroprothesmos] long-term.

μάκρος (το) [makros] length, duration.

μακροσκελής-ής-ές (ε) [makroskelis] long, lengthy.

μακρόστενος-η-ο (ε) [makrostenos] oblong.

μακροχρόνιος-α-ο (ε) [makrohronios] long-drawn-out, age-old.

μακρυά (επ) [makria] far off.

μακρύνω (ρ) [makrino] make longer, grow taller, extend.

μακρύς-ιά-ύ (ε) [makris] long, extensive.

μακρύτερα (επ) [makritera] further, farther.

μαλαβράσι (το) [malavrasi] free-for-all.

μαλαγάνας (ο) [malaganas] coax.

μαλαγανιά (η) [malagania] cajolery.

μαλάζω (ρ) [malazo] massage, knead, soften, pacify.

μαλάκας (ο) [malakas] arse-hole, masturbator, wanker [αργκό].

μαλακία (η) [malakia] self-abuse, masturbation, wanking [αργκό], stupid action [αργκό].

μαλάκιο (το) [malakio] mollusc.

μαλακός-ή-ό (ε) [malakos] soft, mild, gentle, tender.

μαλακότητα (η) [malakotita] softness, mildness, gentlennes, smoothness.

μαλακτικός-ή-ό (ε) [malaktikos] soothing.

μαλάκυνση (η) [malakinsi] softening.

μαλάκωμα (το) [malakoma] softening, soothing.

μαλακώνω (ρ) [malakono] soften, get milder.

μάλαμα (το) [malama] gold.

μαλαματένιος-α-ο (ε) [malamatenios]

gold, golden.

μάλαξη (n) [malaksi] kneading, massage.

μαλάσσω (ρ) [malasso] massage, knead, soften, pacify, alleviate [πόνο].

μαλάρια (n) [malaria] malaria.

μαλθακός-ή-ό (ε) [malthakos] soft.

μαλθακότητα (n) [malthakotita] softness, gentleness, weakness.

μάλιστα (επ) [malista] particularly, yes, indeed, of course, certainly.

μαλλάρας (ο) [mallaras] long-haired person.

μαλλί (το) [malli] wool, fleece, hair.

μαλλιά (τα) [mallia] hair.

μαλλιαρός-ή-ό (ε) [malliaros] hairy, woolly.

μάλλινος-η-ο (ε) [mallinos] woollen.

μαλλομέταξο (το) [mallometakso] bombasine.

μάλλον (επ) [mallon] more, better, rather.

μάλωμα (το) [maloma] scolding, quarrelling.

μαλώνω (ρ) [malono] argue, rebuke.

μαμά (n) [mama] mother, mummy.

μαμή (n) [mami] midwife.

μάμη (n) [mami] grandmother.

Μαμμωνάς (ο) [Mammonas] Mammon.

μαμόθρεφτο (το) [mamothrefto] weakling.

μαμούδι (το) [mamudhi] vermin, bug.

μαμούθ (το) [mamuth] mammoth.

μαμούνι (το) [mamuni] small insect, grub.

μάνα (n) [mana] mother.

μανάβης (ο) [manavis] greengrocer.

μανάβικο (το) [manaviko] greengrocer's.

μάνγκο (το) [mango] mango.

μάνδαλος (ο) [mandhalos] catch.

μανδαρίνος (ο) [mandharinos] mandarin.

μανδρόσκυλο (το) [mandhroskilo] bandog.

μανδύας (ο) [mandhias] mantle, cloak.

μανεκέν (το) [maneken] fashion model.

μάνι μάνι (επ) [mani mani] in no time, quickly.

μανία (n) [mania] fury, passion, whim, fancy, bug, madness.

μανιάζω (ρ) [maniazo] be infuriated, enrage.

μανιακός-ή-ό (ε) [maniakos] frenzied, berserk, maniac, enthusiast, lunatic.

μανιασμένος-n-o (μ) [maniasmenos] furious.

μανιβέλα (n) [manivela] starting handle.

μάνικα (n) [manika] hose.

μανικέτι (το) [maniketi] cuff.

μανίκι (το) [maniki] sleeve.

μανικιούρ (το) [manikiur] manicure.

μανιτάρι (το) [manitari] mushroom.

μανιφατούρα (n) [manifatura] manufacture.

μανιφέστο (το) [manifesto] manifesto.

μανιώδης-ης-ες (ε) [maniodhis] passionate, furious.

μανιωδώς (επ) [maniodhos] frantically, passionately, furiously.

μάνλιχερ (το) [manliher] rifle.

μάννα (το) [manna] godsend.

μανόλια (n) [manolia] magnolia.

μανόμετρο (το) [manometro] pressure gauge.

μανουβράρω (ρ) [manuvraro] manoeuvre, manipulate.

μανούλα (n) [manula] mummy.

μανούλι (το) [manuli] cute bird [slang].

μανούρι (το) [manuri] kind of white cheese.

μανουσάκι (το) [manusaki] daffodil.

μανσόν (το) [manson] muff.

μανταλάκι (το) [mandalaki] clothes peg.

μάνταλο (το) [mandalo] latch, bolt.

μαντάλωμα (το) [mantaloma] latching, bolting.

μανταλώνω (ρ) [mandalono] latch, lock up.

μαντάμ (n) [mandam] madam.

μαντάρα (n) [mandara] mess, tangle.

μανταρίνι (το) [mandarini] tangerine, mandarin.

μαντάρισμα (το) [mandarisma] darning.

μαντάρισμα υφάσματος (το) [mandarisma ifasmatos] mending.

μαντάρω (ρ) [mandaro] darn, mend.

μαντάω (το) [mandato] information, news.

μαντατοφόρος (ο) [mandatoforos] messenger, courier.

μαντεία (η) [mandia] divination.

μαντείο (το) [mandio] oracle.

μάντεμα (το) [mandema] prediction, guess.

μαντέμι (το) [mandemi] cast iron.

μαντευτικός-ή-ό (ε) [mandeftikos] oracular.

μαντεύω (ρ) [mandevo] foretell, guess, prophesy.

μαντζούνι (το) [mandzuni] lollipop, potion.

μαντζουράνα (η) [mandzurana] marjoram.

μάντης (ο) [mandis] wizard, prophet, fortune teller.

μαντική (η) [mandiki] prophesy.

μαντικός-ή-ό (ε) [mandikos] prophetic.

μαντίλα (η) [mandila] headscarf.

μαντίλι (το) [mandili] handkerchief.

μαντινάδα (η) [mandinadha] rhyming couplet.

μάντις (ο) [mandis] augur.

μαντολάτο (το) [mandolato] nougat, almond cake.

μαντολίνο (το) [mandolino] mandolin.

μάντρα (η) [mandra] pen, fold, sty, enclosure [περίφραγμα].

μαντράχαλος (ο) [mandrahalos] lanky fellow.

μαντρί (το) [mandri] pen, fold.

μαντρόσκυλο (το) [mandroskilo] sheepdog, watchdog.

μάντρωμα (το) [mandroma] enclosing in, walling in.

μαντρώνω (ρ) [mandrono] wall in.

μάξι (το) [maksi] maxi[-skirt].

μαξιλάρα (η) [maksilara] bolster.

μαξιλαράκι (το) [maksilaraki] cushion.

μαξιλάρι (το) [maksilari] pillow, cushion.

μάξιμουμ (το) [maksimum] maximum.

μαόνι (το) [maoni] mahogany.

μαούνα (η) [mauna] barge, lighter.

μαουνιέρης (ο) [maunieris] bargee, lighterman.

μάπα (η) [mapa] cabbage, face.

μάπας (ο) [mapas] idiot.

μαραγκός (ο) [marangos] carpenter.

μαράζι (το) [marazi] pining, depression.

μαράζωμα (το) [marazoma] pining.

μαραζώνω (ρ) [marazono] pine.

μάραθο (το) [maratho] fennel.

μάραθος (ο) [marathos] fennel.

μαραθώνιος-α-ο (ε) [marathonios] marathon race.

μαραίνομαι (ρ) [marenome] fade, waste away [μεταφ].

μαραίνω (ρ) [mareno] wither, dry up.

μαρασμός (ο) [marasmos] withering.

μαραφέτι (το) [marafeti] gadget, contraption.

μαργαρίνη (η) [margarini] margarine.

μαργαρίτα (η) [margarita] daisy.

μαργαριταρένιος-α-ο (ε) [margaritarenios] pearl[y].

μαργαριτάρι (το) [margaritari] pearl.

μάργαρος (ο) [margaros] mother-of-pearl.

μαργιόλα (η) [maryiola] saucy piece.

μαργιόλικος-η-ο (ε) [maryiolikos] roguish.

μαργώνω (ρ) [margono] feel cold, be cold.

μαρέγκα (η) [marenga] meringue.

μαρίδα (η) [maridha] whitebait.

μαρίνα (η) [marina] marina [ναυτ].

μαριονέτα (η) [marioneta] puppet.

μαριχουάνα (η) [marihuana] marijuana, cannabis.

μαρκαδόρος (ο) [markadhoros] marker [pen].

μαρκάλισμα (το) [markalisma] mounting, heat.

μαρκάρισμα (το) [markarisma] marking.

μαρκάρω (ρ) [markaro] mark, stamp.

μαρκήσιος (ο) [markisios] marquis.

μαρκίζα (η) [markiza] eaves, ledge.

μάρκο (το) [marko] mark, DM.

μαρμαράς (ο) [marmaras] marble mason.

μαρμάρινος-η-ο (ε) [marmarinos] marble.

μάρμαρο (το) [marmaro] marble.

μαρμαρυγή (η) [marmariyi] shimmer.

μαρμαρώνω (ρ) [marmarono] turn into stone, dumbfound.

μαρμελάδα (η) [marmeladha] marmelade.

Μαρξιστής,(ο) [Marksistis] Marxist.

Μαρξιστικός-ή-ό (ε) [Marksistikos] Marxist.

μαροκέν (το) [maroken] marocain.

Μαροκινός (ο) [Marokinos] Moroccan.

μαρούλι (το) [maruli] lettuce.

μαρσάρω (ρ) [marsaro] rev up, accelerate.

μαρσιποφόρος-α-ο (ε) [marsipoforos] marsupial.

Μάρτης (ο) [Martis] March.

Μαρτιάτικος-η-ο,(ε) [Martiatikos] March.

μάρτυρας (ο) [martiras] witness, martyr.

μαρτυράω (ρ) [martirao] let on.

μαρτυρία (η) [martiria] deposition, giving of evidence, account.

μαρτυριάρης (ο) [martiriaris] tell-tale.

μαρτυρικός-ή-ό (ε) [martirikos] unbearable.

μαρτύριο (το) [martirio] torment.

μαρτυρώ (ρ) [martiro] give evidence, testify, betray.

μασάζ (το) [masaz] massage.

μασέλα (η) [masela] false teeth.

μάσημα (το) [masima] chewing.

μασιά (η) [masia] tongs, pincers.

μάσκα (η) [maska] mask, disguise.

μάσκαρα (η) [maskara] mascara.

μασκαραλίκι (το) [maskaraliki] antics.

μασκαράς (ο) [maskaras] masquerader, impostor [μεταφ], rascal [μεταφ], humiliation.

μασκαράτα (η) [maskarata] masquerade.

μασκάρεμα (το) [maskarema] disguise.

μασκαρεύω (ρ) [maskarevo] masquerade, disguise.

μασκέ (το) [maske] in fancy dress.

μασκότ (το) [maskot] mascot.

μασκοφορεμένος-η-ο (μ) [maskofore-menos] masked, in disguise.

μασόνος (ο) [masonos] mason.

μασουλάω (ρ) [masulao] chew.

μασούλημα (το) [masulima] munching.

μασούρι (το) [masuri] spool, bobbin.

μαστάρι (το) [mastari] udder.

μαστεκτομή (η) [mastektomi] mastectomy.

μάστιγα (η) [mastiga] whip, curse [μεταφ].

μαστίγιο (το) [mastiyio] whip, switch.

μαστίγωμα (το) [mastigoma] whipping, lashing.

μαστιγώνω (ρ) [mastigono] whip, lash.

μαστίγωση (η) [mastigosi] flogging, whipping.

μαστίζω (ρ) [mastizo] infest, devastate, desolate.

μαστίχα (η) [mastiha] mastic, mastic brandy [ποτό].

μάστορας (ο) [mastoras] workman, expert [μεταφ], craftsman.

μαστόρεμα (το) [mastorema] repair.

μαστορεύω (ρ) [mastorevo] repair.

μαστοριά (η) [mastoria] craftsmanship, workmanship, artistry.

μαστορόπουλο (το) [mastoropulo] apprentice.

μαστός (ο) [mastos] breast, udder [ζώων], nipple.

μαστούρωμα (το) [masturoma] trip.

μαστουρωμένος-η-ο (μ) [masturomenos] stoned.

μαστουρώνω (ρ) [masturono] trip out.

μαστοφόρο (το) [mastoforo] mammal.

μαστροπεία (η) [mastropia] pandering.

μαστροπός (ο) [mastropos] procurer, procuress.

μασχάλη (η) [mashali] armpit, axilla.

μασχαλιαίος-α-ο (ε) [mashalieos] axillary.

μασώ (ρ) [maso] chew, masticate.

ματ (το) [mat] matt[e], dull, checkmate [στο σκάκι].

μάταια (επ) [matea] in vain.

ματαιοδοξία (n) [mateodhoksia] vanity.

ματαιόδοξος-n-o (ε) [mateodhoksos] vain, self-conceited.

ματαιοπονία (n) [mateoponia] futility.

ματαιοπονώ (ρ) [mateopono] try in vain.

μάταιος-n-o (ε) [mateos] futile, gratuitous, vain, useless.

ματαιότητα (n) [mateotita] vanity, futility.

ματαιώνω (ρ) [mateono] frustrate, foil, cancel.

ματαίωση (n) [mateosi] cancellation, foiling, calling off.

μάτην (επ) [matin] vainly [εις].

μάτι (το) [mati] eye, bud [φύλλου κτλ], peeper [αργκό].

ματιάζω (ρ) [matiazo] cast an evil on.

μάτιασμα (το) [matiasma] evil eye.

ματίζω (ρ) [matizo] add to.

μάτισμα (το) [matisma] coupling.

ματοβαμμένος-n-o (μ) [matovammenos] blood-stained.

ματογυάλια (τα) [matoyialia] spectacles.

ματόκλαδο (το) [matokladho] eyelash.

ματοτσίνουρο (το) [matotsinuro] eyelash.

ματόφρυδο (το) [matofridho] eyebrow.

ματόφυλλο (το) [matofillo] eyelid.

ματσαράγκα (n) [matsaranga] hoax, trick.

ματσαράγκας (o) [matsarangas] trickster.

μάτσο (το) [matso] bunch, bundle.

ματσόλα (n) [matsola] beetle.

ματσούκα (n) [matsuka] club.

ματσούκι (το) [matsuki] cudgel.

ματσώνομαι (ρ) [matsonome] make a packet.

μάτωμα (το) [matoma] bleeding.

ματωμένος-n-o (μ) [matomenos] bloody, blood-stained.

ματώνω (ρ) [matono] bleed.

μαυράδι (το) [mavradhi] black spot.

μαυριδερός-ή-ό (ε) [mavridheros] blackish.

μαυρίζω (ρ) [mavrizo] blacken, darken, get tanned [από ήλιο].

μαυρίλα (n) [mavrila] blackness, darkness.

μαύρισμα (το) [mavrisma] blackening, tan, bruise.

μαυρισμένος-n-o (ε) [mavrismenos] tanned, bruised, blackened.

μαυροδάφνη (n) [mavrodhafni] kind of sweet red wine.

μαυρομάτης-α-ικο (ε) [mavromatis] black-eyed.

μαυροπίνακας (o) [mavropinakas] blackboard, blacklist.

μαύρος-n-o (ε) [mavros] black, brown, miserable [μεταφ], luckless [μεταφ].

μαυροφόρος-α-ο (ε) [mavroforos] dressed in black.

μαυσωλείο (το) [mafsolio] mausoleum.

μαφία (n) [mafia] mafia.

μαφιόζος (o) [mafiozos] mobster.

μαχαίρι (το) [maheri] knife.

μαχαιριά (n) [maheria] stab.

μαχαιροβγάλτης (o) [maherovgaltis] cut-throat.

μαχαιροπίρουνα (τα) [maheropiruna] cutlery.

μαχαίρωμα (το) [maheroma] stabbing.

μαχαιρώνω (ρ) [maherono] stab.

μαχαλάς (o) [mahalas] neighbourhood.

μαχαραγιάς (o) [maharayias] Maharajah.

μαχαρανή (n) [maharani] Maharanee.

μάχη (n) [mahi] battle, struggle, fight.

μαχητής (o) [mahitis] fighter, soldier.

μαχητικός-ή-ό (ε) [mahitikos] warlike, martial, fight, argumentative.

μαχητικότητα (n) [mahitikotita] fight, militancy.

μαχητός-ή-ό (ε) [mahitos] rebuttable.

μάχιμος-n-o (ε) [mahimos] combatant.

μαχμουρλής (o) [mahmurlis] drowsy, sleepy.

μάχομαι (ρ) [mahome] fight, combat, struggle, hate, abhor.

με (π) [me] with, by, through.

με ζήλο (επ) [me zilo] busily.

μεγαθήριο (το) [megathirio] giant, monster.

μεγαθυμία (n) [megathimia] generosity.

μεγάθυμος-n-o (ε) [megathimos] generous.

μεγαλείο (το) [megalio] splendour, grandeur, splendid [μεταφ], magnificence.

μεγαλειοτάτη (n) [megaliotati] Her Majesty.

μεγαλειότατος (ο) [megaliotatos] His Majesty.

μεγαλειότητα (n) [megaliotita] majesty.

μεγαλειώδης-ης-ες (ε) [megaliodhis] magnificent, superb.

μεγαλέμπορος (ο) [megalemboros] wholesaler.

μεγαλεπήβολος-n-o (ε) [megalepivolos] imposing.

μεγαλοβδόμαδο (το) [megalovdhomadho] Holy Week.

Μεγαλοδύναμος (ο) [Megalodhinamos] the Almighty.

μεγαλόδωρος-n-o (ε) [megalodhoros] bounteous, bountiful.

μεγαλοκτηματίας (ο) [megaloktimatias] landowner.

μεγαλομανία (n) [megalomania] megalomania.

μεγαλοπιάσματα (το) [megalopiasma] airs and graces.

μεγαλόπνευστος-n-o (ε) [megalopnefstos] inspired.

μεγαλοποιώ (ρ) [megalopio] exaggerate.

μεγαλοπρέπεια (n) [megaloprepia] majesty, splendor, magnificence.

μεγαλοπρεπής-ής-ές (ε) [megaloprepis] majestic, stately, splendid, magnificent.

μεγαλορρημοσύνη (n) [megalorrimosini] grandiloquence.

μεγάλος-n-o (ε) [megalos] great, large, big, long, old, adult, grand, high, intense.

μεγαλόσταυρος (ο) [megalostavros] Grand Cross.

μεγαλόστομος-n-o (ε) [megalostomos] grandiloquent.

μεγαλόσχημος-n-o (ε) [megaloshimos] big shot, bigwig.

μεγαλούργημα (το) [megaluryima] great achievement.

μεγαλουργώ (ρ) [megalurgo] achieve great things.

μεγαλούτσικος-n-o (ε) [megalutsikos] biggish, oldish.

μεγαλόφρονας (ο) [megalofronas] generous, boastful.

μεγαλοφροσύνη (n) [megalofrosini] generosity.

μεγαλοφυής-ής-ές (ε) [megalofiis] gifted.

μεγαλοφώνως (επ) [megalofonos] aloud.

Μεγαλόχαρη (n) [Megalohari] the Blessed Virgin.

μεγαλόψυχος-n-o (ε) [megalopsihos] magnanimous, generous.

μεγαλυνάρι (το) [megalinari] Magnificat.

μεγαλύνω (ρ) [megalino] magnify.

μεγαλύτερος-n-o (ε) [megaliteros] older, elder, bigger, larger, greater.

μεγάλωμα (το) [megaloma] growing, enlargement, increase, expansion.

μεγαλώνω (ρ) [megalono] increase, enlarge, bring up [ανατρέφω], exaggerate.

μέγαρο (το) [megaro] mansion, palace.

μεγάφωνο (το) [megafono] loudspeaker.

μέγγενη (n) [mengeni] clamp.

μέγεθος (το) [meyethos] size, greatness, height, length.

μεγέθυνση (n) [meyethinsi] enlargement, increase, extension.

μεγεθύνω (ρ) [meyethino] enlarge, magnify, blow up.

μεγιστάνας (ο) [meyistanas] magnate.

μεγιστοποιώ (ρ) [meyistopio] maximize.

μέγιστος-n-o (ε) [meyistos] greatest, largest, enormous, biggest, highest.

μέγκενη (n) [mengeni] vice [εργαλείο].

μεδούλι (το) [medhuli] marrow.

μέδουσα (n) [medhusa] jellyfish.

μεζεδάκι (το) [mezedhaki] snack.

μεζεκλίδικος-η-ο (ε) [mezeklidhikos] toothsome.

μεζεκλίκι (το) [mezekliki] choice snack.

μεζές (ο) [mezes] snack.

μεζούρα (η) [mezura] tape measure.

μεθαύριο (επ) [methavrio] the day after tomorrow.

μέθεξη (η) [metheksi] communion, participation.

μέθη (η) [methi] intoxication, drunkenness.

μεθόδευση (η) [methodhefsi] approach, setting about.

μεθοδεύω (ρ) [methodhevo] set about, plan carefully.

μεθοδικός-ή-ό (ε) [methodhikos] systematic, methodical.

μεθοδιστής (ο) [methodhistis] Methodist.

μέθοδος (η) [methodhos] method, process.

μεθοκόπημα (το) [methokopima] drinking bout.

μεθοκοπώ (ρ) [methokopo] booze, get drunk.

μεθοριακός-ή-ό (ε) [methoriakos] frontier, border.

μεθόριος (η) [methorios] frontier, border.

μεθύσι (το) [methisi] intoxication, enthusiasm [μεταφ].

μεθυσμένος-η-ο (μ) [methismenos] drunk, intoxicated.

μέθυσος (ο) [methisos] drunkard.

μεθυστικός-ή-ό (ε) [methistikos] intoxicating.

μεθώ (ρ) [metho] make drunk, get drunk.

μείγμα (το) [migma] mixture, blend.

μειγνύω (ρ) [mignio] mix-up, tangle, meddle.

μείδι (το) [midhi] clam.

μειδίαμα (το) [midhiama] smile.

μειδιώ (ρ) [midhio] smile.

μεικτός-ή-ό (ε) [miktos] mixed, gross.

μειλίχιος-α-ο (ε) [milihios] gentle.

μειλιχιότητα (η) [milihiotita] sweetness, blandness.

μείξη (η) [miksi] admixture, commixture.

μειοδοσία (η) [miodhosia] underbidding.

μειοδότης (ο) [miodhotis] lowest bidder.

μειοδοτώ (ρ) [miodhoto] bid the lowest price.

μείον (επ) [mion] less, minus.

μειονέκτημα (το) [mionektima] disadvantage, inconvenience, drawback.

μειονεκτικός-ή-ό (ε) [mionektikos] disadvantageous, inconvenient.

μειονεκτικότητα (η) [mionektikota] inferiority.

μειονεκτώ (ρ) [mionekto] be inferior, be at a disadvantage.

μειονότητα (η) [mionotita] minority.

μειονοψηφία (η) [mionopsifia] minority of votes.

μειούμαι (ρ) [miume] bate.

μειοψηφία (η) [miopsifia] few.

μειοψηφώ (ρ) [miopsifo] be voted down, be outvoted.

μειονότητα (η) [mionotita] minority.

μειώνω (ρ) [miono] diminish, reduce, decrease.

μείωση (η) [miosi] decrease, reduction, humiliation [μεταφ].

μειωτικός-ή-ό (ε) [miotikos] decreasing, reducing, lessening.

μελαγχολία (η) [melagholia] melancholy.

μελαγχολικός-ή-ό (ε) [melagholikos] sad, depressed, gloomy.

μελαγχολώ (ρ) [melagholo] become sad, become depressed.

μελαμπσότητα (η) [melampsotita] nigritude.

μελάνη (η) [melani] ink.

μελάνι (το) [melani] ink.

μελανιά (η) [melania] inkstain, bruise.

μελανιάζω (ρ) [melaniazo] bruise, turn blue with cold.

μελάνιασμα (το) [melaniasma] ink-smudge, bruise.

μελανοδοχείο (το) [melanodhohio] inkpot.

μελανούρι (το) [melanuri] saddled, dark-haired girl[μεταφ].

μελάνωμα (το) [melanoma] inking, melanoma.

μελάτος-η-ο (ε) [melatos] soft-boiled [αυγό], thickish.

μελαχρινή (n) [melahrini] brunnete [γυναίκα], dark.

μελαχρινός-ή-ό (ε) [melahrinos] dark, brown.

μελαψός-ή-ό (ε) [melapsos] dark-skinned, swarthy.

μελέτη (n) [meleti] treatise [πραγματεία], study, plan [κτιρίου].

μελέτημα (το) [meletima] short essay.

μελετημένος-η-ο (μ) [meletimenos] calculated.

μελετηρός-ή-ό (ε) [meletiros] studious.

μελετητήριο (το) [meletitirio] study.

μελετητής (ο) [meletitis] student, researcher.

μελετώ (ρ) [meleto] study, search [ερευνώ], investigate [ερευνώ], intend [σκοπεύω], read, learn, examine.

μέλημα (το) [melima] concern, care.

μελής-ιά-ί (ε) [melis] honeycoloured.

μέλι (το) [meli] honey.

μελιά (n) [melia] ash-tree.

μελίγγι (το) [melingi] temple.

μελίγκρα (n) [melingra] greenfly, aphis.

μέλισσα (n) [melissa] bee.

μελίσσι (το) [melissi] bee-hive, swarm.

μελισσοκομείο (το) [melissokomio] apiary.

μελισσοκομία (n) [melissokomia] bee-keeping, apiculture.

μελισσοκόμος (ο) [melissokomos] bee-keeper, apiarist.

μελισσόλόι (το) [melissoloi] swarm.

μελιστάλαχτος-η-ο (ε) [melistalahtos] sugary, smooth-tongued, honeyed, silky.

μελιτζάνα (n) [melitzana] egg-plant, au-

bergine.

μελιτζανοσαλάτα (n) [melitzanosalata] aubergine salad.

μελιτζανής-ιά-ί (ε) [melitzanis] dark mauve.

μελιχρός-ή-ό (ε) [melihros] mild, honey-coloured.

μέλλει (ρ) [melli] care, mind.

μελλοθάνατος-η-ο (ε) [mellothanatos] condemned to death.

μέλλον (το) [mellon] future.

μέλλοντας (ο) [mellondas] future .

μελλονικός-ή-ό (ε) [mellondikos] future.

μελλόνυμφος (n) [mellonimfos] wife-to-be.

μελλόνυμφος (ο) [mellonimfos] husband-to-be.

μέλλω (ρ) [mello] intend, be about to.

μέλλων-ουσα-ον (ε) [mellon] future, to come, to be.

μελόδραμα (το) [melodhrama] melodrama.

μελοδραματισμός (ο) [melodhramatismos] dramatics, histrionics.

μελοποίηση (n) [melopiisi] setting to music.

μελοποιώ (ρ) [melopio] set to music.

μέλος (το) [melos] member, melody [μουσ], limb [του σώματος].

μελτέμι (το) [meltemi] north wind.

μελωδία (n) [melodhia] melody, tune.

μελωδικός-ή-ό (ε) [melodhikos] tuneful.

μελωδός (ο) [melodhos] melodist.

μελώνω (ρ) [melono] dip in honey.

μεμβράνη (n) [memvrani] membrane, parchment [χαρτί].

μεμβρανώδης-ης-ες (ε) [memvranodhis] filmy.

μεμιάς (επ) [memias] all at once, all of a sudden, at one go [μονοκοπανιά].

μεμονωμένος-η-ο (μ) [memonomenos] isolated, lonely, alone.

μέμφομαι (ρ) [memfome] blame, criticize.

μεμψιμοιρία (n) [mempsimiria] complaining.

μεμψίμοιρος-η-ο (ε) [mempsimiros] fault-finding.

μεμψιμοιρώ (ρ) [mempsimiro] complain, grumble.

μενεξεδής-ιά-ί (ε) [meneksedhis] violet-coloured.

μενεξές (ο) [menekses] violet.

μένος (το) [menos] wrath, anger, fury, passion, fierceness, fever.

μενού (το) [menu] menu, carte.

μέντα (η) [menda] [pepper]mint.

μενταγιόν (το) [mendayion] pendant, medallion.

μεντεσές (ο) [mendeses] hinge.

μέντιουμ (το) [mendium] medium.

μένω (ρ) [meno] remain, stop, stay, be left [απομένω], live [διαμένω], stand, last.

μεράκι (το) [meraki] desire, yearning, regret [λύπη].

μερακλής (ο) [meraklis] devotee, lover.

μερακλωμένος-η-ο (μ) [meraklomenos] mellow, merry.

μεραρχία (η) [merarhia] division.

μέραρχος (ο) [merarhos] division commander.

μερδικό (το) [merdhiko] share, lot.

μερεμέτι (το) [meremeti] mending, repair.

μερεμέτια (τα) [meremetia] odd jobs.

μερεμετίζω (ρ) [meremetizo] mend, repair, botch.

μερεύω (ρ) [merevo] break in, tame, domesticate, calm down.

μερί (το) [meri] thigh, haunch.

μεριά (η) [meria] place, side, spot, way.

μεριάζω (ρ) [meriazo] stand aside, step aside, push aside.

μερίδα (η) [meridha] ration, portion.

μερίδιο (το) [meridhio] share, portion.

μερίζω (ρ) [merizo] share out, divide.

μερικεύω (ρ) [merikevo] particularize.

μερικός-ή-ό (ε) [merikos] partial, some, a few.

μέριμνα (η) [merimna] care, anxiety.

μεριμνώ (ρ) [merimno] look after, care for.

μέρισμα (το) [merisma] dividend.

μερισματαπόδειξη (η) [merismatapodhiksi] coupon.

μερισμός (ο) [merismos] division, allocation.

μεριστικός-ή-ό (ε) [meristikos] partitive.

μέρμηγκας (ο) [mermingas] ant.

μερμήγκι (το) [mermingi] ant.

μερμηγκοφωλιά (η) [mermingofolia] ant-hill, ants nest.

μεροδούλι (το) [merodhuli] a day's work wages.

μεροκαματιάρης (ο) [merokamatiaris] casual labourer.

μεροκάματο (το) [merokamato] daily wage.

μεροληπτικός-ή-ό (ε) [meroliptikos] biased, prejudiced, unfair.

μεροληπτικός (ο) [meroliptikos] discriminatory.

μεροληπτώ (ρ) [merolipto] take sides.

μεροληψία (η) [merolipsia] bias.

μερόνυχτο (το) [meronihto] 24 hours.

μέρος (το) [meros] part, party, portion [μερίδα], place [τόπος], side [πλευρά], part of speech [γραμμ], WC.

μέσα (επ) [mesa] in, into, inside, within, among, during, between.

μεσάζοντας (ο) [mesazondas] go-between, middleman.

μεσάζω (ρ) [mesazo] mediate.

μεσάζων (ε) [mesazon] fixer.

μεσαίος-α-ο (ε) [meseos] middle.

μεσαίωνας (ο) [meseonas] Middle Ages.

μεσαιωνικός-ή-ό (ε) [meseonikos] medieval.

μεσάντρα (η) [mesandra] partition.

μεσάνυχτα (τα) [mesanihta] midnight.

μεσάτος-η-ο (ε) [mesatos] slim-waisted.

μεσεγγύημα (το) [mesengiima] deposit.

μεσεγγύηση (η) [mesengiisi] sequestration.

μεσεγγυούχος (ο) [mesengiuhos] bailee.

μέση (η) [mesi] middle, waist [σώματος], half.

μεσήλικας (ο) [mesilikas] middle–aged.

μεσήλικος-η-ο (ε) [mesilikos] middle-aged.

μεσημβρία (n) [mesimvria] midday.

μεσημβρινός (ο) [mesimvrinos] of noon, southern.

μεσημέρι (το) [mesimeri] noon.

μεσημεριανός-ή-ό (ε) [mesimerianos] mid-day.

μεσιανός-ή-ό (ε) [mesianos] middle.

μεσιτεία (n) [mesitia] broker's fee.

μεσίτευση (n) [mesitefsi] mediation.

μεσίτης (ο) [mesitis] mediator, agent.

μεσιτικό (το) [mesitiko] estate agent, house agency.

μεσιτικός-ή-ό (ε) [mesitikos] broker's.

μέσο (το) [meso] middle, midst, means [τρόπος], appliance, medium, vehicle, shift.

Μεσογειακός-ή-ό (ε) [Mesoyiakos] Mediterranean.

μεσόγειος-α-ο (ε) [mesoyios] inland.

μεσόκοπος-η-ο (ε) [mesokopos] middle-aged.

μεσολαβή (n) [mesolavi] clinch.

μεσολάβηση (n) [mesolavisi] mediation, lapse, intercession, intervention.

μεσολαβητής (ο) [mesolavitis] mediator, intermediary.

μεσολαβητικός-ή-ό (ε) [mesolavitikos] mediatory.

μεσολαβώ (ρ) [mesolavo] intercede, come between [σε χρόνο].

μεσοπέλαγα (επ) [mesopelaga] out at sea.

μέσος-η-ο (ε) [mesos] middle, mean [όρος], ordinary, moderate, reflexive [γραμμ].

μεσοτοιχία (n) [mesotihia] partition.

μεσούρανα (τα) [mesurana] overhead, in mid-air.

μεσουράνημα (το) [mesuranima] highest point.

μεσουρανώ (ρ) [mesurano] be at the height, be overhead [για τον ήλιο].

μεσοφόρι (το) [mesofori] petticoat.

μεσοχείμωνο (το) [mesohimono] mid-winter.

μεστά (επ) [mesta] compactly.

μεστός-ή-ό (ε) [mestos] full.

μεστότητα (n) [mestotita] compactness.

μεστώνω (ρ) [mestono] mature, ripen.

μέσω (επ) [meso] through, via.

μετά (επ) [meta] afterwards, after.

μετά (π) [meta] with, after, in.

μεταβαίνω (ρ) [metaveno] go, proceed.

μεταβάλλω (ρ) [metavallo] change.

μετάβαση (n) [metavasi] going, passage.

μεταβατικός-ή-ό (ε) [metavatikos] transitional, provisory, transitive [verb] [γραμμ].

μεταβιβάζω (ρ) [metavivazo] transmit, hand on [διαταγή], transport [μεταφέρω], transfer [ιδιοκτησία].

μεταβιβάσιμος-η-ο (ε) [metavivasimos] transferable, conveyable.

μεταβλητός-ή-ό (ε) [metavlitos] unsettled, changeable, alterable.

μεταβολή (n) [metavoli] alteration, change, about-turn [στρατ].

μεταβολισμός (ο) [metavolismos] metabolism.

μεταγγίζω (ρ) [metangizo] transfuse [αίμα], decant.

μετάγγιση (n) [metangisi] transfusion, decanting [κρασιού κτλ].

μεταγενέστερος-η-ο (ε) [metayenesteros] posterior, subsequent, later.

μεταγλωττίζω (ρ) [metaglottizo] translate, dub [φιλμ].

μεταγλώττιση (n) [metaglottisi] translation, dubbing.

μεταγράφω (ρ) [metagrafo] transcribe, register [νομ], transfer [ποδοσφ].

μεταγωγή (n) [metagoyi] transportation, conduction.

μεταγωγικό (το) [metagoyiko] transport ship.

μεταγωγικός-ή-ό (ε) [metagoyikos] transport.

μεταγωγός (ο) [metagogos] commutator, transporter, conveyer, feeder [ηλεκτρ].

μεταδίδω (ρ) [metadhidho] impart, broadcast [ραδιοφωνία], infect [αρρώστια].

μετάδοση (n) [metadhosi] transmission, spreading [αρρώστιας], broadcasting.

μεταδόσιμος-n-o (ε) [metadhosimos] communicable.

μεταδότης (ο) [metadhotis] transmitter, broadcaster, communicator.

μεταδοτικός-ή-ό (ε) [metadhotikos] contagious, infectious.

μεταθανάτιος-a-o (ε) [metathanatios] posthumous.

μετάθεση (n) [metathesi] transfer, removal.

μεταθέτω (ρ) [metatheto] transfer, remove, move.

μεταίχμιο (το) [metehmio] verge.

μετακαλώ (ρ) [metakalo] call in, invite, book.

μετακίνηση (n) [metakinisi] shifting, drift, removal.

μετακινώ (ρ) [metakino] move, shift.

μετάκληση (n) [metaklisi] booking, calling in.

μετακομίζω (ρ) [metakomizo] transport, transfer, move [σπίτι].

μετακόμιση (n) [metakomisi] moving, removal.

μεταλαβαίνω (ρ) [metalaveno] give communion, receive communion.

μεταλαμβάνω (ρ) [metalamvano] commune, communicate.

μετάληψη (n) [metalipsi] [Holy] Space Communion.

μεταλλαγή (n) [metallayi] mutation, transmutation.

μεταλλάζω (ρ) [metallazo] permute, transmute.

μεταλλακτήρας (ο) [metallaktiras] alternator.

μεταλλάκτης (ο) [metallaktis] converter.

μεταλλάσσω (ρ) [metallasso] transform, alter, change into.

μεταλλείο (το) [metallio] mine.

μεταλλειολογία (n) [metallioloyia] mineralogy.

μετάλλευμα (το) [metallevma] ore.

μεταλλευτικός-ή-ό (ε) [metalleftikos] mineral, mining.

μεταλλικός-ή-ό (ε) [metallikos] metallic, mineral.

μετάλλιο (το) [metallio] medal.

μέταλλο (το) [metallo] metal.

μεταλλουργείο (το) [metalluryio] metal works.

μεταλλουργός (ο) [metallurgos] metal worker.

μεταλλωρυχείο (το) [metallorihio] [ore] mine.

μεταμελημένος-n-o (μ) [metamelimenos] contrite.

μεταμελούμαι (ρ) [metamelume] be sorry for.

μεταμορφώνω (ρ) [metamorfono] reform, transform.

μεταμόρφωση (n) [metamorfosi] transformation, reformation, transfiguration [εκκλ].

μεταμόσχευση (n) [metamoshefsi] transplantation.

μεταμοσχεύω (ρ) [metamoshevo] transplant, graft.

μεταμφίεση (n) [metamfiesi] disguise, masquerade.

μετανάστευση (n) [metanastefsi] emigration, immigration.

μεταναστεύω (ρ) [metanastevo] emigrate, immigrate.

μετανάστης (ο) [metanastis] emigrant, immigrant.

μετάνιωμα (το) [metanioma] repentance, regrets.

μετανιώνω (ρ) [metaniono] repent of, be sorry for, regret.

μετάνοια (n) [metania] repentance, regret, penance [εκκλ].

μετανοώ (ρ) [metanoo] repent, regret, be sorry for.

μεταξένιος-α-ο (ε) [metaksenios] silk, silky [μεταφ].

μετάξι (το) [metaksi] silk.

μεταξοσκώληκας (ο) [metaksoskolikas] silkworm.

μεταξύ (επ) [metaksi] between, among, amongst, amidst.

μεταξωτό (το) [metaksoto] silk material.

μεταπείθω (ρ) [metapitho] dissuade.

μεταπήδηση (n) [metapidhisi] going over.

μεταπηδώ (ρ) [metapidho] go over, switch over.

μεταπίπτω (ρ) [metapipto] change into, veer [επί ανέμου], fall, degenerate.

μεταπλάθω (ρ) [metaplatho] remodel.

μεταποίηση (n) [metapiisi] alteration, processing.

μεταποιητικός-ή-ό (ε) [metapiitikos] processing, manufacturing.

μεταποιώ (ρ) [metapio] transform, alter, convert.

μεταπολίτευση (n) [metapolitefsi] political changeover.

μεταπούλημα (το) [metapulima] resale, retail.

μεταπουλητής (ο) [metapulitis] retailer.

μεταπράτης (ο) [metapratis] retailer, secondhand dealer.

μεταπτυχιακός-ή-ό (ε) [metaptihiakos] postgraduate.

μετάπτωση (n) [metaptosi] change, relapse, transition.

μεταπωλητής (ο) [metapolitis] retailer.

μεταρρυθμίζω (ρ) [metarrithmizo] reform, rearrange.

μεταρρύθμιση (n) [metarrithmisi] reform, reformation [θρησκ], alteration.

μεταρρυθμιστής (ο) [metarrithmistis] reformer, reformist.

μετάσταση (n) [metastasi] changeover.

μεταστρατοπεδεύω (ρ) [metastratopedhevo] change camp.

μεταστρέφομαι (ρ) [metastrefome] swing, veer, turn.

μεταστρέφω (ρ) [metastrefo] swing, veer, divert.

μεταστροφή (n) [metastrofi] swing, switch, veer.

μετασχηματισμός (ο) [metashimatismos] modification, restructure.

μετασχηματιστής (ο) [metashimatistis] transformer.

μετατάσσω (ρ) [metatasso] transfer.

μετατόνιση (n) [metatonisi] modulation.

μετατοπίζω (ρ) [metatopizo] shift, displace.

μετατόπιση (n) [metatopisi] shifting, displacement.

μετατρέπω (ρ) [metatrepo] transform, turn, change.

μετατρέψιμος-n-ο (ε) [metatrepsimos] convertible, alterable.

μετατρεψιμότητα (n) [metatrepsimotita] convertibility.

μετατροπή (n) [metatropi] conversion, switch.

μεταφέρω (ρ) [metafero] carry, convey, transfer [οικον].

μεταφορά (n) [metafora] transportation, conveyance, metaphor [γραμμ].

μεταφορέας (ο) [metaforeas] transporter, conveyor, carrier.

μεταφορικά (τα) [metaforika] carriage fees, cartage.

μεταφορικός-ή-ό (ε) [metaforikos] transport, metaphorical [γραμμ], figurative [γραμμ].

μεταφορτώνω (ρ) [metafortono] transfer.

μεταφόρτωση (n) [metafortosi] transferment.

μεταφράζω (ρ) [metafrazo] translate.

μετάφραση (n) [metafrasi] translation.

μεταφραστής (ο) [metafrastis] translator, interpreter.

μεταφύτευση (n) [metafitefsi] transplantation.

μεταφυτεύω (ρ) [metafitevo] transplant.

μεταχειρίζομαι (ρ) [metahirizome] use, employ, treat, deal, handle.

μεταχείριση (n) [metahirisi] use, employment, handling, treatment, deal.

μεταχειρισμένος, -π-ο (μ) [metahirismenos] worn, used, secondhand.

μετεκλογικός-ή-ό (ε) [metekloyikos] post-election.

μετεκπαίδευση (n) [metekpedhefsi] postgraduate study.

μετεμψύχωση (n) [metempsihosi] reincarnation.

μετενσάρκωση (n) [metensarkosi] reincarnation.

μετεξέταση (n) [meteksetasi] re-examination.

μετεξεταστέος-α-ο (ε) [meteksetasteos] referred.

μετέπειτα (επ) [metepita] after, afterwards, subsequently.

μετερίζι (το) [meterizi] bulwark, bastion, rampart.

μετέρχομαι (ρ) [meterhome] practise, employ, try, use.

μετέχω (ρ) [meteho] participate, partake.

μετεώρηση (n) [meteorisi] levitation.

μετεωρίζομαι (ρ) [meteorizome] hang in mid-air.

μετεωρισμός (ο) [meteorismos] hoisting, levitation, rising in the air, distension [ιατρ].

μετεωρίτης (ο) [meteoritis] meteorite.

μετέωρο (το) [meteoro] meteor, shooting star.

μετεωρολογικός-ή-ό (ε) [meteoroloyikos] weather.

μετεωρολόγος (ο) [meteorologos] meteorologist.

μετέωρος-π-ο (ε) [meteoros] dangling,

in the air, hesitant [μεταφ], undecided [μεταφ].

μετοικίζω (ρ) [metikizo] emigrate, move house [σπίτι].

μετοικώ (ρ) [metiko] move[house].

μετονομασία (n) [metonomasia] renaming.

μετόπισθεν (τα) [metopisthen] the rear.

μετουσιωμένος-π-ο (μ) [metusiomenos] denatured.

μετουσιώνω (ρ) [metusiono] transubstantiate, transform.

μετουσίωση (n) [metusiosi] transformation, transubstantiation [θεολ].

μετοχή (n) [metohi] stock [οικον], share, participle [γραμμ].

μετοχικός-ή-ό (ε) [metohikos] of a share [οικον], participial [γραμμ].

μέτοχος (ο) (n) [metohos] participant, sharer, shareholder [οικον].

μέτρα (τα) [metra] measurements, proceedings, steps.

μέτρημα (το) [metrima] measuring, counting, numbering, measurement.

μετρημένος-π-ο (μ) [metrimenos] measured, limited, discreet [άνθρωπος], sensible, reasonable.

μέτρηση (n) [metrisi] measuring, calculation, measurement.

μετρητά (τα) [metrita] cash, money.

μετρητής (ο) [metritis] meter, gauge.

μετρητοίς (τοις) [metritis] [tis] in cash, [for] ready money.

μετρητός-ή-ό (ε) [metritos] measurable.

μετριάζω (ρ) [metriazo] moderate, diminish, slacken, lessen, allay.

μετριασμός (ο) [metriasmos] attenuation, moderation, modification, easing.

μετριαστής-ής-ές (ε) [metriastis] extenuator.

μετρική (n) [metriki] metric.

μετριοπάθεια (n) [metriopathia] moderation, temperance, modesty.

μετριοπαθής-ής-ες (ε) [metriopathis] temperate, reasonable.

μέτριος-α-ο (ε) [metrios] ordinary, semi-sweetened [καφές], middle, medium.

μετριότητα (n) [metriotita] mediocrity.

μετριόφρονας (ο) [metriofronas] modest, unassuming, decent.

μετριοφροσύνη (n) [metriofrosini] modesty, decency.

μέτρο (το) [metro] measure, metre, bar.

μετρό (το) [metro] subway, underground.

μετροταινία (n) [metrotenia] [measuring] tape.

μετρώ (ρ) [metro] measure, count, number, estimate, calculate.

μετωπιαίος-α-ο (ε) [metopieos] frontal.

μετωπικός-ή-ό (ε) [metopikos] frontal, head-on.

μέτωπο (το) [metopo] forehead, brow, face, front [πρόσοψη], facade [πρόσοψη], front [μάχη].

μέχρι (επ) [mehri] till, until, down to, up to, as far as, about [περίπου].

μη (μο) [mi] don't, not, no, lest.

μηδαμινός-ή-ό (ε) [midhaminos] worthless, of no account, insignificant, minimal.

μηδαμινότητα (n) [midhaminotita] triviality, trifle, nobody [άνθρ].

μηδέν (το) [midhen] nothing, zero.

μηδενίζω (ρ) [midhenizo] mark with a zero.

μηδενικό (το) [midheniko] zero, nought.

μηδενισμός (ο) [midhenismos] annihilation, elimination, nullification.

μήκος (το) [mikos] length, longitude [γεωγραφικό].

μπλιά (n) [milia] apple-tree.

μπλίγγι (το) [milingi] temple.

μπλίτης (ο) [militis] cider.

μήλο (το) [milo] apple, cheekbone [πρόσωπο], Adam's apple.

μπλόκρασο (το) [milokraso] cider.

μπλόπιτα (n) [milopita] apple pie.

μήνας (ο) [minas] month.

μηνιαίος-α-ο (ε) [minieos] monthly, month's.

μηνιάτικο (το) [miniatiko] month's wages.

μηνίγγι (το) [miningi] [ανατ] temple.

μηνιγγίτιδα (n) [miningitidha] meningitis.

μηνόρροια (n) [minorria] menstruation.

μήνυμα (το) [minima] message, notice.

μήνυση (n) [minisi] summons, charge, complaint.

μηνυτής (ο) [minitis] plaintiff, accusant, accuser.

μηνύω (ρ) [minio] give notice, sue.

μήπως (σ) [mipos] in case, I wonder if.

μηριαίος-n-ο (ε) [mirieos] crural.

μηρός (ο) [miros] thigh, leg, femur.

μηρυκάζω (ρ) [mirikazo] chew the cud.

μηρυκασμός (ο) [mirikasmos] rumination.

μήτε (μο) [mite] not even, neither, nor, not either.

μητέρα (n) [mitera] mother.

μήτρα (n) [mitra] uterus, womb, mould [χυτηρίου], form [χυτηρίου], cast [καλούπι].

μητριά (n) [mitria] step-mother.

μητριαρχία (n) [mitriarhia] matriarchy.

μητριαρχικός-ή-ό (ε) [mitriarhikos] matriarchal.

μητρικός-ή-ό (ε) [mitrikos] mother['s], motherly, maternal.

μητρόπολη (n) [mitropoli] metropolis, capital, cathedral [εκκλ].

μητροπολίτης (ο) [mitropolitis] metropolitan bishop, metropolite.

μητρορραγία (n) [mitrorrayia] metrorrhagia, uterine haemorrhage.

μητρότητα (n) [mitrotita] motherhood, maternity.

μητρώο (το) [mitroo] register, roll.

μηχανεύομαι (ρ) [mihanevome] contrive, engineer, plot, bring about, scheme.

μηχανή (n) [mihani] machine, works, typewriter [μεταφ], camera, engine, motor.

μηχάνημα (το) [mihanima] machine, contraption, device, gadget.

μηχανική (n) [mihaniki] engineering, mechanics.

μηχανικός-ή-ό (ε) [mihanikos] mechanical, engine, automatic.

μηχανικός (ο) [mihanikos] engineer, mechanic, engine, mechanical, automatic.

μηχανογραφία (n) [mihanografia] computerization, processing.

μηχανογραφικός-ή-ό (ε) [mihanografikos] computer.

μηχανοδηγός (ο) [mihanodhigos] engine driver.

μηχανοκίνητος-n-o (ε) [mihanokinitos] motorized, machine-operated.

μηχανολογία (n) [mihanoloyia] mechanical engineering.

μηχανολόγος (ο) [mihanologos] mechanical engineer.

μηχανοποίηση (n) [mihanopiisi] mechanization.

μηχανοποιώ (ρ) [mihanopio] mechanize.

μηχανοργάνωση (n) [mihanorganosi] computerization.

μηχανορραφία (n) [mihanorrafia] machination.

μηχανορράφος (ο, n) [mihanorrafos] schemer, intriguer, machinator.

μηχανορραφώ (ρ) [mihanorrafo] scheme, intrigue, plot.

μηχανοστάσιο (το) [mihanostasio] engine-room.

μηχανοτεχνίτης (ο) [mihanotehnitis] machinist, mechanic.

μηχανουργός (ο) [mihanurgos] machinist, mechanic.

μια (αν) [mia] one, a, an.

μιαίνω (ρ) [mieno] taint, contaminate, dirty.

μιάμιση (n) [miamisi] one and a half.

μίανση (n) [miansi] contamination, pollution, staining.

μίασμα (το) [miasma] miasma, infection.

μιγάδας (ο) [migadhas] half-caste.

μίζα (n) [miza] self-starter [μηχανής], stake [στα χαρτιά].

μιζέρια (n) [mizeria] misery, meanness [τσιγκουνιά].

μίζερος-n-o (ε) [mizeros] fussy, miserable, wretched, mean.

μικραίνω (ρ) [mikreno] lessen, shorten, grow smaller.

μικρανεψιά (n) [mikranepsia] grand-niece.

μικρανεψιός (ο) [mikranepsios] grand-nephew.

Μικρασία (n) [Mikrasia] Asia Minor.

μίκρεμα (το) [mikrema] dwindling, shortening, looking younger.

μικρέμπορος (ο) [mikremboros] small shopkeeper, petty trader.

μικρό (το) [mikro] little one, young one, baby.

μικροαστικός-ή-ό (ε) [mikroastikos] lower middle-class.

μικροαστός (ο) [mikroastos] petit bourgeois.

μικροβιακός-ή-ό (ε) [mikroviakos] bacterial, microbial.

μικρόβιο (το) [mikrovio] microbe, germ.

μικρόβιος-α-ο (ε) [mikrovios] short-lived.

μικροβιοκτόνο (το) [mikrovioktono] germicide.

μικροβιολογία (n) [mikrovioloyia] bacteriology, microbiology.

μικροβιολογικός-ή-ό (ε) [mikrovioloyikos] bacteriological, germ.

μικροβιολόγος (ο, n) [mikroviologos] bacteriologist.

μικρογραφία (n) [mikrografia] miniature, micrography.

μικρογραφικός-ή-ό (ε) [mikrrografikos] miniature, micrographic.

μικροελάττωμα (το) [mikroelatoma] peccadillo.

μικροεπαγγελματίας (ο) [mikroepagelmatias] small tradesman.

μικροϊδιοκτησία (n) [mikroidhioktisia]

small-holding.

μικροϊδιοκτήτης (ο) [mikroidhioktitis] small-holder.

μικροκαμωμένος-η-ο (ε) [mikrokamomenos] little, small, frail, delicate.

μικροκλοπή (n) [mikroklopi] petty theft.

μικροκτηματίας (ο) [mikroktimatias] crofter.

μικροκύμα (το) [mikrokima] microwave.

μικρολεπτομέρεια (n) [mikroleptomeria] small detail.

μικρολογία (n) [mikroloyia] captiousness, trifle.

μικρολόγος (ο) [mikrologos] fuss-pot.

μικρόνοια (n) [mikronia] narrow-mindedness.

μικροοικονομική (n) [mikroikonomiki] microeconomics.

μικροοργανισμός (ο) [mikroorganismos] micro-organism,.

μικροπαράβαση (n) [mikroparavasi] petty offense.

μικροπονηριά (n) [mikroponiria] low trick.

μικροπρέπεια (n) [mikroprepia] meanness, pettiness.

μικροπρεπής-ής-ές (ε) [mikroprepis] mean.

μικρός-ή-ό (ε) [mikros] small, little, short, young, trivial [διαφορά].

μικροσκοπικός-ή-ό (ε) [mikroskopikos] minute, microscopical, baby.

μικροσκόπιο (το) [mikroskopio] microscope.

μικρόσωμος-η-ο (ε) [mikrosomos] small, little, undersized.

μικροτέχνημα (το) [mikrotehnima] miniature.

μικρότητα (n) [mikrotita] pettiness, meanness.

μικρούλα (n) [mikrula] little girl, young girl.

μικρούλης (ο) [mikrulis] little boy, young boy.

μικρούλης-α-ικο (ε) [mikrulis] tiny, very small, mignon, dainty.

μικροψυχία (n) [mikropsihia] meanness, pettiness.

μικρόψυχος-η-ο (ε) [mikropsihos] faint-hearted, timid, shy.

μικρύνω (ρ) [mikrino] curtail, lessen, shorten, grow smaller.

μικτός-ή-ό (ε) [miktos] mixed, coeducational [σχολείο].

μίλι (το) [mili] mile.

μιλιά (n) [milia] speech, word.

μιλιούνι (το) [miliuni] million.

μιλιταρισμός (ο) [militarismos] militarism.

μιλόρδος (ο) [milordhos] milord.

μιλώ (ρ) [milo] speak, talk, tell, mention.

μίμηση (n) [mimisi] imitation, impersonation.

μιμητής (ο) [mimitis] imitator, impersonator.

μιμητισμός (ο) [mimitismos] mimicry.

μιμητός-ή-ό (ε) [mimitos] imitable.

μιμική (n) [mimiki] mimicry.

μιμόζα (n) [mimoza] mimosa.

μίμος (ο) [mimos] mimic, jester, impersonator.

μιμούμαι (ρ) [mimume] imitate, mimic, impersonate.

μίνα (n) [mina] mine.

μιναρές (ο) [minares] minaret.

μινιατούρα (n) [miniatura] miniature.

μίνιμουμ (το) [minimum] minimum.

μίνιο (το) [minio] minium.

μινιόν (το) [minion] dainty, cute.

μινόρε (το) [minore] minor [μουσ].

Μινωικός-ή-ό (ε) [Minoikos] Minoan.

Μινώταυρος (ο) [Minotavros] Minotaur.

μίξερ (το) [mikser] liquidizer.

μίξη (n) [miksi] mixture, blend.

μισαλλοδοξία (n) [misallodhoksia] intolerance.

μισαλλόδοξος-η-ο (ε) [misallodhoksos] intolerant.

μισανθρωπία (n) [misanthropia] misanthropy.

μισάνθρωπος (ο) [misanthropos] misanthrope.

μισάνοιχτος-η-ο (ε) [misanihtos] half-open.

μισεμός (ο) [misemos] expatriation.

μισερός-ή-ό (ε) [miseros] cripple, invalid.

μισεύω (ρ) [misevo] emigrate.

μισητός-ή-ό (ε) [misitos] hated, hateful, abhorrent.

μίσθιο (το) [misthio] rented property, leasehold, lease.

μισθοδοσία (n) [misthodhosia] pay, wages.

μισθοδοτικός-ή-ό (ε) [misthodhotikos] pay.

μισθοδοτούμαι (ρ) [misthodhotume] be paid.

μισθολογικός-ή-ό (ε) [mistholoyikos] pay, wage.

μισθολόγιο (το) [mistholoyio] rate of pay.

μισθός (ο) [misthos] salary, wages, pay.

μισθοσυντήρητος-η-ο (ε) [misthosintiritos] wage-earner.

μισθοφορικός-ή-ό (ε) [misthoforikos] hired.

μίσθωμα (το) [misthoma] rent.

μισθώνω (ρ) [misthono] hire, rent, let out, hire out.

μίσθωση (n) [misthosi] hire, let, lease.

μισθωτήριο (το) [misthotirio] lease.

μισθωτής (ο) [misthotis] tenant, hirer.

μισθωτός (ο) [misthotos] salaried, paid.

μισό (το) [miso] half.

μισογύνης (ο) [misoyinis] misogynist.

μισομεθυσμένος-η-ο (μ) [misomethismenos] boozy.

μισόπορτα (n) [misoporta] hatch.

μισός-ή-ό (ε) [misos] half.

μίσος (το) [misos] hatred, aversion.

μισοτιμής (επ) [misotimis] at half price.

μισοφέγγαρο (το) [misofengaro] half-moon, crescent.

μισοφωτισμένος-η-ο (μ) [misofotismenos] dusky.

μισοψημένος-η-ο (μ) [misopsimenos] half-baked, half-cooked.

μίσχος (ο) [mishos] stalk[of leaf].

μισώ (ρ) [miso] hate, detest, loathe.

μίτρα (n) [mitra] mitre.

μνεία (n) [mnia] mention, citation.

μνήμα (το) [mnima] grave, tomb.

μνημειακός-ή-ό (ε) [mnimiakos] monumental.

μνημείο (το) [mnimio] monument.

μνημειώδης-ης-ες (ε) [mnimiodhis] monumental, colossal, memorable.

μνήμη (n) [mnimi] memory, mind.

μνημόνευση (n) [mnimonefsi] mention.

μνημονεύω (ρ) [mnimonevo] celebrate, quote, mention, learn by heart.

μνημονικό (το) [mnimoniko] memory, mind.

μνημονικός-ή-ό (ε) [mnimonikos] mnemonic.

μνημόνιο (το) [mnimonio] memorandum.

μνημόσυνο (το) [mnimosino] requiem, commemoration.

μνησικακία (n) [mnisikakia] malice, resentment, spitefulness.

μνησίκακος-η-ο (ε) [mnisikakos] spiteful, vindictive, malicious.

μνησικακώ (ρ) [mnisikako] bear somebody a grudge.

μνηστεία (n) [mnistia] engagement.

μνηστευμένος (ο) [mnistevmenos] engaged.

μνηστεύομαι (ρ) [mnistevome] get engaged.

μνηστεύω (ρ) [mnistevo] engage.

μνηστή (n) [mnisti] fiancee.

μνηστήρας (ο) [mnistiras] fiance, claimant [μεταφ].

μόδα (n) [modha] fashion, custom, habit, way.

μοδίστρα (n) [modhistra] dressmaker.

μοιάζω (ρ) [miazo] look like.

μοίρα (n) [mira] fate, fortune, squadron [αεροπ], degree [γεωμ].

μοιράζομαι (ρ) [mirazome] share with.

μοιράζω (ρ) [mirazo] share out, divide,

distribute, assign [ρόλους], deliver [διανέμω], deal [χαρτιά].

μοιραίο (το) [mireo] fate, death.

μοιραίος-α-ο (ε) [mireos] unavoidable, fatal, deadly.

μοίραρχος (ο) [mirarhos] captain of the gendarmerie [χωροφ], commodore.

μοιρασιά (n) [mirasia] share-out, distribution, division.

μοιρολάτρης (ο) [mirolatris] fatalist.

μοιρολατρικός-ή-ό (ε) [mirolatrikos] fatalistic.

μοιρολόγι (το) [miroloyi] lamentation.

μοιρολογίστρα (n) [miroloyistra] howler.

μοιρολογώ (ρ) [mirologo] lament, mourn.

μοιχαλίδα (n) [mihalidha] adulteress.

μοιχεία (n) [mihia] adultery.

μοιχεύω (ρ) [mihevo] commit adultery.

μοιχός (ο) [mihos] adulterer.

μολαταύτα (σ) [molatafta] nevertheless, yet, still.

μόλις (επ) [molis] just.

μολογώ (ρ) [mologo] own to, not be up to much, tell.

μολονότι (σ) [molonoti] although, though.

μόλος (ο) [molos] breakwater, pier.

μολοσσός (ο) [molossos] mastiff, bandog.

μολόχα (n) [moloha] marsh-mallow.

μολυβδίαση (n) [molivdhiasi] lead poisoning.

μολύβδινος-n-o (ε) [molivdhinos] lead.

μολυβδοειδής-ής-ές (ε) [molivdhoidhis] leady.

μολυβδοκόντυλο (το) [molivdhokondilo] lead pencil.

μόλυβδος (ο) [molivdhos] lead.

μολυβδόχρους (ε) [molivdhohrus] leady.

μολυβής-ιά-ί (ε) [molivis] leaden.

μολύβι (το) [molivi] lead, pencil.

μόλυνση (n) [molinsi] contamination, infection, pollution.

μολύνω (ρ) [molino] infect, contaminate, pollute.

μόλυσμα (το) [molisma] infection, pollution.

μολυσματικός-ή-ό (ε) [molismatikos] contagious, infectious.

μομφή (n) [momfi] blame, reproach.

μονάδα (n) [monadha] unit, squad.

μοναδικός-ή-ό (ε) [monadhikos] unique, singular, only, signal.

μοναδικότητα (n) [monadhikotita] singleness.

μονάζω (ρ) [monazo] cloister, live a solitary life, become a monk [μοναστ].

μονάζων (μ) [monazon] cloistered, cloistral.

μονάκριβος-n-o (ε) [monakrivos] [one and] only, single.

μοναξιά (n) [monaksia] isolation, loneliness.

μονάρχης (ο) [monarhis] monarch, sovereign.

μοναρχία (n) [monarhia] monarchy.

μοναρχικός (ο) [monarhikos] monarchist.

μοναστήρι (το) [monastiri] monastery, abbey, convent.

μοναστηριακός-ή-ό (ε) [monastiriakos] conventual, monastery.

μοναστικός-ή-ό (ε) [monastikos] monastic, ascetic, cloistral.

μονάχα (επ) [monaha] only.

μοναχή (n) [monahi] nun.

μοναχικός-ή-ό (ε) [monahikos] isolated, solitary, lonely.

μοναχικός (ο) [monahikos] monastic.

μοναχογιός (ο) [monahoyios] only son.

μοναχοκόρη (n) [monahokori] only daughter.

μοναχοπαίδι (το) [monahopedhi] only child.

μοναχός-ή-ό (ε) [monahos] alone, single, only, sole, real, authentic.

μοναχός (ο) [monahos] monk.

μονέδα (n) [monedha] money.

μονή (n) [moni] monastery, convent.

μονιμοποίηση (n) [monimopiisi] fixation, stabilization, consolidation.

μονιμοποιώ (ρ) [monimopio] make permanent.

μόνιμος-η-ο (ε) [monimos] permanent, lasting, fixed, resident, standing.

μονιμότητα (n) [monimotita] permanence, irremovability, steadiness.

μόνιππο (το) [monippo] hackney carriage.

μονογαμία (n) [monogamia] monogamy.

μονογενής-ής-ές (ε) [monoyenis] one and only, unisexual.

μονόγραμμα (το) [monogramma] monogram, initials.

μονογραφή (n) [monografi] initials.

μονογράφηση (n) [monografisi] initialling.

μονογραφία (n) [monografia] monograph.

μονογραφώ (ρ) [monografo] initial.

μονοδιάστατος-η-ο (ε) [monodhiastatos] one dimensional.

μονόδρομος (ο) [monodhromos] one-way street.

μονόζυγο (το) [monozigo] horizontal bar.

μονοθεϊστής (ο) [monotheistis] monotheist.

μονοθέσιο (το) [monothesio] single-seater.

μονοιάζω (ρ) [moniazo] agree with, reconcile.

μονοκατοικία (n) [monokatikia] maisonnette.

μονόκλ (το) [monokl] monocle.

μονόκλινο (το) [monoklino] single room.

μονοκομματικός-ή-ό (ε) [monokommatikos] one-party.

μονοκόμματος-η-ο (ε) [monokommatos] in one piece, stiff, massive, unbending, unyielding.

μονοκοντυλιά (n) [monokondilia] just like that [με μια-].

μονοκοπανιά (επ) [monokopania] at one go.

μονοκράτορας (ο) [monokratoras] autocrat.

μονολεκτικά (επ) [monolektika] in one word.

μονολεκτικός-ή-ό (ε) [monolektikos] one worded.

μονολιθικός-ή-ό (ε) [monolithikos] monolithic.

μονόλογος (ο) [monologos] monologue.

μονολογώ (ρ) [monologo] talk to oneself.

μονομανία (n) [monomania] monomania, obsession.

μονομαχία (n) [monomahia] duel.

μονομαχώ (ρ) [monomaho] fight a duel.

μονομέρεια (n) [monomeria] one-sidedness.

μονομερής-ής-ές (ε) [monomeris] one-sided.

μονομερίς (επ) [monomeris] in one day.

μονομιάς (επ) [monomias] all at once, at one go.

μονόξυλο (το) [monoksilo] dug-out canoe.

μονόπαντος-η-ο (ε) [monopandos] lopsided.

μονοπάτι (το) [monopati] footpath.

μονόπετος-η-ο (ε) [monopetos] single-breasted.

μονόπετρο (το) [monopetro] solitaire.

μονόπλευρος-η-ο (ε) [monoplevros] one-sided.

μονόπρακτο (το) [monoprakto] one-act play.

μονοπώληση (n) [monopolisi] monopolization.

μονοπώλιο (το) [monopolio] monopoly.

μονοπωλώ (ρ) [monopolo] corner, monopolize.

μονορούφι (επ) [monorufi] at one gulp, at a stretch.

μόνος-η-ο (ε) [monos] alone, single, apart, sole.

μονός-ή-ό (ε) [monos] single, simple, odd [αριθμός].

μονοσήμαντος-n-o (ε) [monosimantos] one-track, one-way.

μονοσύλλαβος-n-o (ε) [monosillavos] monosyllabic.

μονοτάξιος-a-o (ε) [monotaksios] one-class, one-year.

μονοτονία (n) [monotonia] monotony.

μονότονος-n-o (ε) [monotonos] monotonous, unvaried.

μονόφθαλμος-n-o (ε) [monofthalmos] one-eyed.

μονόχειρας (o) [monohiras] one-armed person.

μονόχνοτος-n-o (ε) [monohnotos] unsociable, withdrawn.

μονόχρωμος-n-o (ε) [monohromos] monochrome, plain.

μονοψήφιος-a-o (ε) [monopsifios] one-digit.

μονταδόρος (o) [mondadhoros] fitter.

μοντάρισμα (το) [mondarisma] assembly.

μοντάρω (ρ) [mondaro] assemble, mount.

μοντγκόμερι (το) [mondgomeri] anorak, duffle-coat.

μοντέλο (το) [mondelo] model, pattern, style.

μοντέρνα (επ) [monderna] modern.

μοντέρνος-a-o (ε) [mondernos] modern, up to date, fashionable.

μονωδία (n) [monodhia] solo.

μονώνω (ρ) [monono] set apart, cut off.

μονώροφος-n-o (ε) [monorofos] one-storeyed.

μόνωση (n) [monosi] insulation, solitude.

μόριο (το) [morio] particle, molecule.

μόρτης (o) [mortis] hooligan.

μόρτικος-n-o (ε) [mortikos] roguish, devilish.

μορφάζω (ρ) [morfazo] grimace, make faces.

μορφασμός (o) [morfasmos] grimace, wince.

μορφή (n) [morfi] shape, form, look, face, aspect, phase.

μόρφημα (το) [morfima] morpheme.

μορφίνη (n) [morfini] morphine.

μορφινομανής-ής-ές (ε) [morfinomanis] morphine addict.

μορφολογία (n) [morfoloyia] morphology.

μορφονιός (o) [morfonios] dandy.

μορφόπλασμα (το) [morfoplasma] endoplasm.

μορφοποίηση (n) [morfopiisi] figuration.

μορφωμένος-n-o (μ) [morfomenos] educated, cultivated.

μορφώνω (ρ) [morfono] shape, form, train [εκπαιδεύω], educate [εκπαιδεύω].

μόρφωση (n) [morfosi] education, learning, schooling, culture.

μορφωτικός-ή-ό (ε) [morfotikos] cultural, instructive.

μοσκοκάρυδο (το) [moskokaridho] nutmeg.

μοσκολίβανο (το) [moskolivano] frankincense.

μόστρα (n) [mostra] shop window, display, specimen, sample [δείγμα εμπορεύματος].

μοσχάρι (το) [mos-hari] calf, veal.

μοσχαρίσιος-a-o (ε) [mos-harisios] veal.

μοσχάτο (το) [mos-hato] muscatel.

μοσχάτος-n-o (ε) [mos-hatos] sweet-smelling.

μόσχευμα (το) [mos-hevma] graft.

μοσχοβόλημα (το) [mos-hovolima] fragrance, aroma.

μοσχοβολώ (ρ) [mos-hovolo] smell sweetly, be fragrant.

μοσχοκάρυδο (το) [mos-hokaridho] nutmeg.

μοσχολέμονο (το) [mos-holemono] lime.

μοσχολίβανο (το) [mos-holivano] frankincense.

μοσχομπίζελο (το) [mos-hombizelo] sweet pea.

μοσχομυρωδάτος-η-ο (ε) [mos-homirodhatos] aromatic, fragrant.

μοσχοπωλώ (ρ) [mos-hopolo] sell at a good price.

μόσχος (ο) [mos-hos] calf, musk.

μοσχοστάφυλο (το) [mos-hostafilo] muscatel.

μοτέλ (το) [motel] motel.

μοτέρ (το) [moter] motor.

μοτίβο (το) [motivo] motif, theme [song].

μοτοποδήλατο (το) [motopodhilato] moped.

μοτοσικλέτα (η) [motosikleta] motorbike.

μοτοσικλετιστής (ο) [motosikletistis] motorcyclist.

μου (αν) [mu] me, my.

μουγγρί (το) [mungri] conger.

μουγκαίνομαι (ρ) [mungenome] be struck dumb.

μουγκανίζω (ρ) [munganizo] moo.

μουγκάνισμα (το) [munganisma] moo.

μουγκός-ή-ό (ε) [mungos] dumb, mute.

μουγκρητό (το) [mungrito] groan, moan.

μουγκρίζω (ρ) [mungrizo] roar, bellow, wail [άνεμος], groan [από πόνο].

μούγκρισμα (το) [mungrisma] groaning, bellowing.

μουδιάζω (ρ) [mudhiazo] become numb.

μούδιασμα (το) [mudhiasma] numbness.

μουδιασμένος-η-ο (μ) [mudhiasmenos] numb, chilled.

μουεζίνης (ο) [muezinis] muezzin.

μουζίκος (ο) [muzikos] muzhik, a Russian peasant.

μουλαράς (ο) [mularas] mule-driver.

μουλάρι (το) [mulari] mule.

μουλαρίσιος-α-ο (ε) [mularisios] mulish.

μουλιάζω (ρ) [muliazo] soak, seep.

μούλος-α-ικο (ε) [mulos] bastard, illegitimate child.

μουλώχνω (ρ) [mulohno] crouch.

μουλωχτός-ή-ό (ε) [mulohtos] secretive.

μούμια (η) [mumia] mummy.

μουνί (το) [muni] cunt.

μουνουχίζω (ρ) [munuhizo] castrate, spay [θηλ ζώο].

μουνούχισμα (το) [munuhisma] spaying, castration.

μουντάρω (ρ) [mundaro] pitch into, pounce upon.

μουντζαλιά (η) [mundzalia] smudge.

μουντζαλώνω (ρ) [mundzalono] smudge, smear.

μουντζούρα (η) [mundzura] smudge, stain, smear, blemish [μεταφ].

μουντζούρης (ο) [mundzuris] grime-faced person.

μουντζουρωμένος-η-ο (μ) [mundzuromenos] blotchy.

μουντζουρώνω (ρ) [mundzurono] smudge, dirty, stain, spot, scrawl [κακογράφω].

μούντζωμα (το) [mundzoma] insulting gesture with an open palm.

μουντός-ή-ό (ε) [mundos] dull, dim.

μουράγιο (το) [murayio] breakwater.

μούργα (η) [murga] dregs.

μούργος (ο) [murgos] churl.

μούρη (η) [muri] face.

μουριά (η) [muria] mulberry tree.

μουρλαίνομαι (ρ) [murlenome] go nuts.

μουρλαίνω (ρ) [murleno] drive mad.

μούρλια (η) [murlia] madness, craziness.

μουρλός-ή-ό (ε) [murlos] mad, insane.

μουρμούρα (η) [murmura] murmur, whisper.

μουρμούρης (ο) [murmuris] grumbler.

μουρμουρίζω (ρ) [murmurizo] mutter, murmur, whisper [μεταφ].

μουρμούρισμα (το) [murmurisma] murmur[ing], whispering.

μουρνταρεύω (ρ) [murndarevo] womanize.

μουρντάρης (ο) [murndaris] womanizer.

μουρντάρικος-η-ο (ε) [murndarikos] naughty, lustful, lecherous.

μούρο (το) [muro] mulberry, berry.

μουρούνα (n) [muruna] codfish.

μουρουνέλαιο (το) [muruneleo] cod-liver oil.

μούσα (n) [musa] muse.

μουσαμάς (ο) [musamas] oilcloth, linoleum.

μουσάτος-n-ο (ε) [musatos] bearded (ο) bearded man.

μουσαφίρης (ο) [musafiris] guest.

μουσαφιρλίκια (τα) [musafirlikia] welcome party.

μουσείο (το) [musio] museum.

μουσελίνα (n) [muselina] muslin.

μούσι (το) [musi] beard, goatee.

μουσική (n) [musiki] music, band.

μουσικός-ή-ό (ε) [musikos] musical.

μουσικοσυνθέτης (ο) [musikosinthetis] composer.

μουσικότητα (n) [musikotita] musicality, melodiousness.

μουσίτσα (n) [musitsa] saucy baggage.

μούσκεμα (το) [muskema] wetting, soaking.

μουσκεύω (ρ) [muskevo] soak, wet, damp, bathe.

μουσκίδι (το) [muskidhi] soaked, drenched.

μούσκλια (τα) [musklia] moss.

μούσμουλο (το) [musmulo] loquat.

μουσούδι (το) [musudhi] snout.

Μουσουλμάνος,(ο) [Musulmanos] Muslim, moslem.

μουσουργός (ο) [musurgos] composer.

μουστάκι (το) [mustaki] moustache.

μουσταλευριά (n) [mustalevria] must-jelly.

μουστάρδα (n) [mustardha] mustard.

μουστερής (ο) [musteris] buyer, customer.

μουστοκούλουρο (το) [mustokuluro] must-roll.

μούστος (ο) [mustos] must.

μούτρο (το) [mutro] face, rascal.

μουτρώνω (ρ) [mutrono] pull a long face.

μούτσος (ο) [mutsos] deck hand.

μουτσούνα (n) [mutsuna] snout, muzzle.

μούχλα (n) [muhla] mould, mildew.

μουχλιάζω (ρ) [muhliazo] become mouldy.

μουχλιασμένος-n-ο (μ) [muhliasmenos] mouldy.

μουχρός-ή-ό (ε) [muhros] dusky, grey, dull.

μοχθηρά (επ) [mohthira] cattily, mischievously, naughtily, nastily.

μοχθηρία (n) [mohthiria] malice, spite, wickedness.

μοχθηρός-ή-ό (ε) [mohthiros] wicked, mischievous, malicious.

μόχθος (ο) [mohthos] pains, fatigue.

μοχθώ (ρ) [mohtho] toil, labour.

μόχλευση (n) [mohlefsi] leverage.

μοχλός (ο) [mohlos] lever, [crow] bar.

μπα! (επιφ) [ba] I say! well!, I doubt it.

μπαγαπόντης (ο) [bagapondis] trickster.

μπαγαπόντικος-n-ο (ε) [bagapondikos] tricky.

μπαγάσας (ε) [bagasas] bleeder.

μπαγάσικος-n-ο (ε) [bagasikos] roguish.

μπαγιατεύω (ρ) [bayiatevo] become stale.

μπαγιάτικος-n-ο (ε) [bayiatikos] stale [ψωμί], rancid.

μπάγκα (n) [banga] bank, cash.

μπαγκαδόρος (ο) [bagadhoros] banker [χαρτοπ].

μπαγκάζια (τα) [bangazia] baggage, luggage.

μπαγκατέλα (n) [bangatela] bagatelle, rubbish, trifle.

μπαγκέτα (n) [bageta] clock.

μπάγκος (ο) [bangos] bench, counter.

μπαγλαρώνω (ρ) [baglarono] collar.

μπάζα (n) [baza] hand [χαρτοπ], trick [χαρτοπ], pile [μεταφ], packet [μεταφ].

μπάζα (τα) [baza] debris, rubble.

μπάζω (ρ) [bazo] usher in, thrust, shrink [συμμαζεύομαι].

μπάζωμα (το) [bazoma] filling with rubble.

μπαίγνιο (το) [begnio] laughing matter.

μπαίνω (ρ) [beno] go into, get in, enter, shrink [ύφασμα], understand [μεταφ].

μπαϊράκι (το) [bairaki] standard, banner.

μπακάλης (ο) [bakalis] grocer.

μπακαλιάρος (ο) [bakaliaros] salted codfish.

μπακαλική (η) [bakaliki] grocery.

μπακάλικο (το) [bakaliko] grocer's.

μπακαράς (ο) [bakaras] baccarat.

μπακιρένιος-α-ο (ε) [bakirenios] copper.

μπακίρι (το) [bakiri] copper.

μπακιρτζής (ο) [bakirtzis] brazier.

μπακιρώνω (ρ) [bakirono] copper.

μπάλα (η) [bala] ball, bullet.

μπαλαίνιο (το) [balenio] baleen.

μπαλαμούτι (το) [balamuti] swindle.

μπαλάντα (η) [balanda] ballad.

μπαλαντέζα (η) [balandeza] inspection lamp.

μπαλαντέρ (το) [balander] joker.

μπαλαρίνα (η) [ballarina] ballerina.

μπαλάρω (ρ) [balaro] bale.

μπαλάσκα (η) [balaska] cartridge belt, pouch.

μπαλένα (η) [balena] whalebone.

μπαλέτο (το) [baleto] ballet.

μπαλκόνι (το) [balkoni] balcony.

μπαλόνι (το) [baloni] balloon.

μπάλος (ο) [balos] ball [ζωλ].

μπάλσαμο (το) [balsamo] balsam.

μπαλσαμώνω (ρ) [balsamono] balm, embalm.

μπαλτάς (ο) [baltas] axe, hatchet.

μπάλωμα (το) [baloma] mending, patching.

μπαλωματής (ο) [balomatis] cobbler.

μπαλώνω (ρ) [balono] patch, mend, repair, make up.

μπάμια (η) [bamia] okra.

μπαμπάκι (το) [bambaki] cotton.

μπαμπάς (ο) [babas] daddy, dad, father.

μπαμπέσης (ο) [babesis] treacherous man.

μπαμπεσιά (η) [babesia] treachery.

μπαμπέσικος-n-o (ε) [babesikos] treacherous, underhand.

μπαμπού (το) [bambu] bamboo.

μπαμπούλας (ο) [bambulas] bogey man.

μπανάνα (η) [banana] banana.

μπανέλα (η) [banela] whalebone.

μπανιερό (το) [baniero] swimsuit, swimming-trunks.

μπανίζω (ρ) [banizo] ogle, peep.

μπάνικος-n-o (ε) [banikos] snazzy.

μπάνιο (το) [banio] bath, bathing, swimming, tub [λεκάνη], bathroom [δωμάτιο].

μπάνισμα (το) [banisma] oggling.

μπανιστήρι (το) [banistiri] voyeurism.

μπανιστηριτζής (ο) [banistirintzis] peeping Tom, voyeur.

μπάντα (η) [banda] corner [ήσυχη γωνιά], side [πλευρά], band [μουσ], gang [συμμορία].

μπανιέρα (η) [bandiera] banner, standard.

μπαξές (ο) [bakses] garden.

μπαξίσι (το) [baksisi] bribe.

μπαούλο (το) [baulo] trunk, chest.

μπαρ (το) [bar] bar.

μπάρα (η) [bara] bar, crow bar [μουσ].

μπαράκι (το) [baraki] cellaret.

μπαρκάρω (ρ) [barkaro] go on board [επί επιβατών].

μπάρμπας (ο) [barbas] old man, uncle.

μπαρμπέρης (ο) [barberis] barber.

μπαρμπούνι (το) [barbuni] red mullet.

μπαρμπούνια (τα) [barbunia] butter beans.

μπαρμπούτι (το) [barbuti] craps.

μπαρόκ (το) [barok] baroque.

μπαρούτι (το) [baruti] gunpowder.

μπαρούφα (η) [barufa] whacker, cock-and-bull story.

μπάσιμο (το) [basimo] entrance.

μπασμένος, -n-o (μ) [basmenos] aware, knowledgeable, shrunk [ρούχα].

μπάσος (ο) [basos] bass.

μπασταρδεύω (ρ) [bastardhevo] bastardize.

μπαστάρδικος-n-o (ε) [bastardhikos]

bastard, illegitimate.

μπάσταρδος (ο) [bastardhos] bastard.

μπαταριά (n) [bataria] volley.

μπαταρία (n) [bataria] battery.

μπατάρω (ρ) [bataro] overturn.

μπατζάκι (το) [batzaki] trouser-leg.

μπατζανάκης (ο) [batzanakis] brother-in-law.

μπάτης (ο) [batis] sea-breeze.

μπατίρης (ο) [batiris] penniless.

μπατσίζω (ρ) [batsizo] slap, buffet.

μπάτσος (ο) [batsos] slap, policeman.

μπαφιάζω (ρ) [bafiazo] be tired of.

μπαχάρι (το) [bahari] pimento.

μπαχαρικό (το) [bahariko] spice.

μπέβατρον (το) [bevatron] bevatron.

μπεζ (το) [bez] beige.

μπεζαχτάς (ο) [bezahtas] cash-box, purse.

μπέης (ο) [beis] bey.

μπεκάτσα (n) [bekatsa] woodcock.

μπεκιάρης (ε) [bekiaris] celibate, bachelor, unmarried, spinster.

μπεκρής (ο) [bekris] drunkard.

μπεκρουλιάζω (ρ) [bekruliazo] soak, booze.

μπεκρούλιακας (ο) [bekruliakas] soaker, boozer.

μπελαλίδικος-n-ο (ε) [belalidhikos] bothersome, cumberous.

μπελάς (ο) [belas] trouble, embarrassment, annoyance, worry, inconvenience.

μπεμπεδίστικος-n-ο (ε) [bebedhistikos] baby, babyish.

μπεμπέκα (n) [bebeka] baby girl.

μπέμπης (ο) [bebis] baby.

μπενζίνα (n) [benzina] petrol, motorboat.

μπέρδεμα (το) [berdhema] tangle, confusion, disorder.

μπερδεμένος-n-ο (μ) [berdhemenos] complicated, muddled, cramped.

μπερδεύομαι (ρ) [berdhevome] get implicated, be confused.

μπερδεύω (ρ) [berdhevo] involve, con-

fuse, make a muddle of, entangle.

μπερδεψιά (n) [berdhepsia] complication, muddle.

μπερδουκλώνω (ρ) [berdhuklono] muddle, confuse.

μπερές (ο) [beres] beret.

μπερμπάντης (ο) [berbandis] rascal, womanizer.

μπερντές (ο) [berndes] curtain.

μπέρτα (n) [berta] cloak, cape.

μπετόν (το) [beton] concrete.

μπετονιέρα (n) [betoniera] cement mixer.

μπετούγια (n) [betuyia] catch.

μπήγω (ρ) [bigo] drive in, knock in.

μπήζω (ρ) [bizo] drive in, hammer in, stick in [βελόνα].

μπήξιμο (το) [biksimo] driving, knocking.

μπηχτή (n) [bihti] jab, dig [μεταφ].

μπιζάρισμα (το) [bizarisma] encore, curtain-call.

μπιζέλι (το) [bizeli] pea.

μπιζού (το) [bizu] jewellery.

μπίλια (n) [bilia] ball, marble.

μπιλιάρδο (το) [biliardho] billiards, snooker, pool.

μπιλιέτο (το) [bilieto] visiting-card.

μπιμπελό (το) [bibelo] bibelot.

μπιμπερό (το) [bibero] dummy, feeding bottle.

μπιμπίκι (το) [bibiki] spot, blackhead.

μπιντές (ο) [bindes] bidet.

μπίρα (n) [bira] beer.

μπισκότο (το) [biskoto] biscuit.

μπιτ (επ) [bit] entirely, not in the least, bit, completely, totally.

μπιτόνι (το) [bitoni] can.

μπιφτέκι (το) [bifteki] hamburger.

μπιχλιμπίδι (το) [bihlibidhi] trinket.

μπιχλιμπίδια (τα) [bihlibidhia] frills.

μπλάστρι (το) [blastri] plaster.

μπλαστρώνω (ρ) [blastrono] plaster.

μπλε (ε) [ble] blue.

μπλέκω (ρ) [bleko] complicate, get implicated, entangle, involve.

μπλέξιμο (το) [bleksimo] entanglement, involvement, complication.

μπλιγούρι (το) [bliguri] groats, grits.

μπλοκ (το) [blok] block, notebook.

μπλοκάρισμα (το) [blokarisma] jamming, locking, blocking.

μπλοκάρω (ρ) [blokaro] blockade, block.

μπλόκο (το) [bloko] roadblock.

μπλουγούρι (το) [bluguri] groats, grits.

μπλουζ (το) [bluz] blues.

μπλούζα (n) [bluza] blouse.

μπλόφα (n) [blofa] bluff, deception.

μπλοφάρω (ρ) [blofaro] bluff.

μπλοφατζής (ο) [blofatzis] bluffer.

μπογιά (n) [boyia] paint, dye, shoe polish [παπουτσιών].

μπόγιας (ο) [boyias] dog-catcher, hangman, headsman.

μπογιατζής (ο) [boyiatzis] painter, polisher, oil painter, white washer.

μπογιατίζω (ρ) [boyiatizo] paint, polish [παπούτσια].

μπόγος (ο) [bogos] bundle, lump.

μποέμ (ο) [boem] bohemian.

μποέμικος-n-o (ε) [boemikos] bohemian.

μπόι (το) [boi] height, size.

μποϊκοτάζ (το) [boikotaz] boycott.

μπολ (το) [bol] bowl.

μπολερό (το) [bolero] bolero.

μπόλι (το) [boli] graft, vaccine.

μπόλια (n) [bolia] headscarf, suet.

μπολιάζω (ρ) [boliazo] engraft.

μπόλιασμα (το) [boliasma] grafting, inoculation.

μπολιβάρ (το) [bolivar] bolivar.

μπόλικος-n-o (ε) [bolikos] plenty, lots, plentiful.

μπολσεβικικός-n-ό (ε) [bolsevikikos] boloney.

μπολσεβικισμός (ο) [bolsevikismos] Bolshevism.

Μπολσεβίκος (ο) [Bolsevikos] Bolshevik, Bolshevist.

μπόμπα (n) [bomba] bomb.

μπομπίνα (n) [bobina] spool.

μπόμπιρας (ο) [bobiras] brat, toddler [παιδί], wasp [έντομο].

μπομπότα (n) [bobota] corn-bread.

μποναμάς (ο) [bonamas] New Year gift, gratuity, present [δώρο], tip.

μπονάτσα (n) [bonatsa] dead calm.

μποξ (το) [boks] box[ing].

μπόουλινγκ (το) [bo-uling] bowling.

μπόρα (n) [bora] shower, cloudburst.

μπόρεση (n) [boresi] power.

μπορετός-n-ό (ε) [boretos] possible.

μπορντέλο (το) [borndelo] brothel.

μπορντούρα (n) [bordura] edge.

μπορντώ (ε) [bordo] claret.

μπορώ (ρ) [boro] can, be able, may.

μπόσικα (τα) [bosika] play, slack [ναυτ].

μπόσικος-n-ο (ε) [bosikos] slack, loose, gullible [άνθρ].

μποστάνι (το) [bostani] market garden, melon patch.

μπότα (n) [bota] boot.

μποτίλια (n) [botilia] bottle.

μποτιλιάρισμα (το) [botiliarisma] traffic jam.

μποτίνι (το) [botini] ankle boot.

μποτίνια (n) [botinia] bluchers.

μπουγάδα (n) [bugadha] wash[ing].

μπουγάτσα (n) [bugatsa] custard-filled pastry.

μπούγιο (το) [buyio] bulk.

μπουζί (το) [buzi] spark-plug.

μπούζι (το) [buzi] ice-cold.

μπουζουκοκέφαλος (ο) [buzukokefalos] blockhead.

μπουζουριάζω (ρ) [buzuriazo] lock up [slang], bust.

μπούκα (n) [buka] entrance, mouth, muzzle [όπλου].

μπουκαδούρα (n) [bukadhura] land-breeze.

μπουκάλι (το) [bukali] bottle.

μπουκαπόρτα (n) [bukaporta] hatch [way] [ναυτ].

μπουκάρω (ρ) [bukaro] burst in, rush into, invade.

μπουκέτο (το) [buketo] bouquet, bunch.

μπουκιά (n) [bukia] mouthful, bite.

μπούκλα (n) [bukla] curl, ringlet.

μπουκλίτσα (n) [buklitsa] frizz.

μποϊκοτάρω (ρ) [boikotaro] boycott, oppose, react [against].

μπούκωμα (το) [bukoma] stoppage, filling one's mouth.

μπουλντόζα (n) [bulndoza] bulldozer.

μπουλούκι (το) [buluki] flock, herd, group, disorderly troops [στρατ], travelling troupe [θεατρ].

μπουλούκος (ο) [bulukos] plump person.

μπουμπούκι (το) [bubuki] bud.

μπουμπουκιάζω (ρ) [bubukiazo] be in bud.

μπουμπούνας (ο) [bubunas] idiot.

μπουμπουνητό (το) [bubunito] roll of thunder.

μπουμπουνίζω (ρ) [bubunizo] boom, thunder.

μπούμπουρας (ο) [buburas] bumble-bee.

μπουνιά (n) [bunia] punch, blow.

μπούνια (τα) [bunia] up to the eyes.

μπουνιές (οι) [bunies] punches.

μπουνταλάς (ο) [bundalas] oaf.

μπουντρούμι (το) [bundrumi] jail.

μπούρδα (n) [burdha] drivel.

μπουρδέλο (το) [burdhelo] brothel.

μπουρδούκλωμα (το) [burdhukloma] mess-up.

μπουρδουκλώνω (ρ) [burdhuklono] tangle up, catch up, confuse.

μπουρέκι (το) [bureki] pastry.

μπουρζουαζία (n) [burzuazia] bourgeoisie.

μπουρί (το) [buri] stovepipe, flue.

μπουρίνι (το) [burini] sudden rage.

μπουρίνια (τα) [burinia] tantrums.

μπουρλότο (το) [burloto] fireship.

μπουρμπουλήθρα (n) [burbulithra] bubble.

μπουρνούζι (το) [burnuzi] bathrobe.

μπούσουλας (ο) [busulas] compass.

μπουσουλώ (ρ) [busulo] crawl.

μπούστο (το) [busto] bust.

μπούστος (ο) [bustos] bodice, bust.

μπούτι (το) [buti] thigh, leg.

μπουτίκ (n) [butik] boutique.

μπούφαλο (το) [bufalo] bison.

μπουφές (ο) [bufes] buffet.

μπούφος (ο) [bufos] horn-owl idiot [μεταφ].

μπουχός (ο) [buhos] cloud of dust.

μπόχα (n) [boha] stink.

μπράβο! (επιφ) [bravo!] bravo!, well done!, good for you!.

μπράβος (ο) [bravos] body guard, bully.

μπράτσο (το) [bratso] arm, brace.

μπριζόλα (n) [brizola] chop, cutlet, steak.

μπρίκι (το) [briki] pot for boiling coffee.

μπρίο (το) [brio] zest, relish, brio.

μπροσούρα (n) [brosura] brochure.

μπροστινός-ή-ό (ε) [brostinos] in front.

μπρούμυτα (επ) [brumita] prone, on one's stomach, on one's face.

μπρούντζινος-n-o (ε) [brundzinos] bronze, brass.

μπρούσκος-α-ο (ε) [bruskos] dry.

μπύρα (n) [bira] beer, ale, bitter.

μπυραρία (n) [biraria] pub [UK].

μυαλό (το) [mialo] brain, mind.

μυαλωμένος-n-o (ε) [mialomenos] sensible, wise.

μύγα (n) [miga] fly.

μυγδαλιά (n) [migdhalia] almond-tree.

μύγδαλο (το) [migdhalo] almond.

μυγιάγγιχτος-n-o (ε) [miyiangihtos] touchy.

μυγιάζομαι (ρ) [miyiazome] get into a huff.

μυγοχάφτης (ο) [migohaftis] fly-catcher

[ορνιθ], a credulous person [μεταφ], lazy, idle.

μύδι (το) [midhi] mussel.

μυδραλλιοβόλο (το) [midhralliovolo] machine-gun.

μυελός (ο) [mielos] marrow.

μυζήθρα (n) [mizithra] skim-milk cheese.

μυημένος-n-ο (ε) [miimenos] initiate, insider, knowledgeable.

μύηση (n) [miisi] initiation.

μύθευμα (το) [mithevma] invention.

μυθικός-ή-ό (ε) [mithikos] mythical, legendary, unreal [μεταφ].

μυθιστόρημα (το) [mithistorima] novel, fiction.

μυθιστορηματικός-ή-ό (ε) [mithistorimatikos] romantic, mythical.

μυθιστοριογράφος (ο) (n) [mithistoriografos] novelist.

μυθολόγημα (το) [mitholoyima] myth, fable, legend.

μυθολογία (n) [mitholoyia] mythology.

μυθολογικός-ή-ό (ε) [mitholoyikos] mythological.

μύθος (ο) [mithos] myth, fable.

μυθώδης-ης-ες (ε) [mithodhis] mythical.

μυϊκός-ή-ό (ε) [miikos] muscular.

Μυκήνες (οι) [Mikines] Mycenae.

μύκητας (ο) [mikitas] fungus, mushroom.

μυκητοκτόνο (το) [mikitoktono] fungicide.

μυκτηρίζω (ρ) [miktirizo] mock, jeer at.

μυκτηρισμός (ο) [miktirismos] sneer, jeering.

μυλόπετρα (n) [milopetra] millstone.

μύλος (ο) [milos] mill.

μυλωνάς (ο) [milonas] miller.

μύξα (n) [miksa] mucus [λαϊκή έκφραση], snot.

μυξιάρικο (το) [miksiariko] brat, kid, youngster.

μυριάδα (n) [miriadha] myriad.

μυριάκριβος-n-ο (ε) [miriakrivos] most precious.

μυρίζω (ρ) [mirizo] smell, sniff, smell of, give off a smell, stink of [άσχημα], reveal [φανερώνω], smack of [φανερώνω].

μύριοι-ες-α (ε) [mirii] ten thousand, incalculable, countless.

μυριστικά (τα) [miristika] spices.

μυρμήγκι (το) [mirmingi] ant.

μυρμηγκιά (n) [mirmingia] ant colony.

μυρμηδίζω (ρ) [mirmidhizo] have pins and needles.

μυρμηκίαση (n) [mirmikiasi] pins and needles.

μύρο (το) [miro] perfume, myrrh.

μυροβόλος-α-ο (ε) [mirovolos] fragrant, perfumed.

μυρουδιά (n) [mirudhia] smell, odour, fragrance [ευωδιά], scent [ευωδιά], stink [βρόμα], sprinkling [ελάχιστο].

μυρσίνη (n) [mirsini] myrtle.

μυρωδάτος-n-ο (ε) [mirodhatos] fragrant, scented, perfumed.

μυρωδιά (n) [mirodhia] smell, odour, fragrance [ευωδιά], scent [ευωδιά], stink [βρόμα], sprinkling [ελάχιστο].

μυρωδικά (τα) [mirodhika] spice, herbs.

μυρωδικό (το) [mirodhiko] perfume, flavouring, spice.

μύρωμα (το) [miroma] scenting, anointment [εκκλ].

μυρώνω (ρ) [mirono] scent, anoint [εκκλ].

μυς (ο) [mis] muscle.

μυσαρός-ή-ό (ε) [misaros] abominable.

μυσταγωγία (n) [mistagoyia] mystagogy, rite[s].

μυστηριακός-ή-ό (ε) [mistiriakos] occult, mystic.

μυστήριο (το) [mistirio] mystery, sacrament [εκκλ].

μυστήριος-α-ο (ε) [mistirios] strange, secretive.

μυστηριώδης-ης-ες (ε) [mistiriodhis] mysterious.

μυστηριωδώς (επ) [mistiriodhos] mysteriously, obscurely.

μύστης (ο) [mistis] initiator.

μυστικά (επ) [mistika] secretly, privately, discreetly.

μυστικισμός (ο) [mistikismos] mysticism.

μυστικιστής (ο) [mistikistis] mystic.

μυστικιστικός-ή-ό (ε) [mistikistikos] mystic.

μυστικό (το) [mistiko] secret, key.

μυστικοπάθεια (n) [mistikopathia] mysticism.

μυστικός-ή-ό (ε) [mistikos] secret, undercover, hidden.

μυστικοσυμβούλιο (το) [mistikosimvulio] Privy Council.

μυστικοσύμβουλος (ο) [mistikosimvulos] confidant.

μυστικότητα (n) [mistikotita] secrecy, privateness.

μυστρί (το) [mistri] trowel.

μυτερός-ή-ό (ε) [miteros] pointed, sharp.

μύτη (n) [miti] nose, point, tip, end, bill.

μύτος (ο) [mitos] beak.

μύχιος-α-ο (ε) [mihios] intimate, inmost, innermost.

μυχός (ο) [mihos] cove, inlet, recess.

μυώ (ρ) [mio] initiate, introduce, admit.

μυώδης-ης-ες (ε) [miodhis] muscular.

Μωάμεθ (ο) [Moameth] Mohammed.

μώλος (ο) [molos] breakwater, pier.

μωλώνω (ρ) [molono] bank.

μώλωπας (ο) [molopas] bruise.

μωλωπίζω (ρ) [molopizo] bruise.

μωλωπισμός (ο) [molopismos] contusion.

μωραίνω (ρ) [moreno] drive mad.

μωρία (n) [moria] stupidity.

μωρό (το) [moro] baby, babe [για κορίτσι ΗΠΑ].

μωρολογία (n) [moroloyia] drivel, idle talk, rambling.

μωροπιστία (n) [moropistia] gullibility, credulousness.

μωρόπιστος-η-ο (ε) [moropistos] credulous.

μωρός-ή-ό (ε) [moros] foolish, idiotic.

μωρουδιακά (τα) [morudhiaka] layette.

μωρουδικός-ή-ό (ε) [morudhikos] baby.

μωρουδίστικος-n-ο (ε) [morudhistikos] babyish.

μωσαϊκό (το) [mosaiko] mosaic, pebbledash [οικοδ].

Μωσαϊκός-ή-ό (ε) [Mosaikos] Mosaic.

Μωχάμετ (ο) [Mohamet] Mohammed.

να (μο) [na] here it is!.

να (σ) [na] that, in order to, so as to, for.

νάγια (n) [nayia] hamadryad [φίδι].

ναδίρ (το) [nadhir] nadir.

Ναζί (ο) [Nazi] Nazi.

νάζι (το) [nazi] mincing, airs and graces, manner, frills.

ναζιάρικος-n-o (ε) [naziarikos] affected, mincing, coy.

Ναζισμός (ο) [Nazismos] Nazism.

ναζιστικός-ή-ό (ε) [nazistikos] Nazi.

ναι (επ) [ne] yes, indeed, certainly.

νάιλον (το) [nailon] nylon.

νάμα (το) [nama] sping water.

νάνι (το) [nani] sleep.

νανισμός (ο) [nanismos] dwarfism.

νανοειδής,ής,ές (ε) [nanoidhis] stunted, dwarfish.

νάνος (ο) [nanos] dwarf, midget.

νανουρίζω (ρ) [nanurizo] lull to sleep, rock [στην κούνια].

νανουριστικός-ή-ό (ε) [nanuristikos] lulling, soothing.

ναός (ο) [naos] church, temple.

νάρθηκας (ο) [narthikas] nave, narthex [εκκλ], fennel [βοτ].

ναρκαλιευτικό (το) [narkalieftiko] mine-sweeper.

νάρκη (n) [narki] mine [ναυτ], sluggishness [πνεύματος].

ναρκισσισμός (ο) [narkissismos] narcissism, self-admiration.

νάρκισσος (ο) [narkissos] narcissus [βοτ], Narcissus [μυθολ].

ναρκοβίωση (n) [narkoviosi] dormancy.

ναρκοθέτηση (n) [narkothetisi] mining, mine-laying.

ναρκοθετώ (ρ) [narkotheto] lay mines.

ναρκομανής (ο) [narkomanis] drug addict.

ναρκοπέδιο (το) [narkopedhio] minefield.

ναρκώνω (ρ) [narkono] numb, anaesthetize.

νάρκωση (n) [narkosi] numbness, anaesthesia, drugging, drowse.

ναρκωτικά (τα) [narkotika] drugs, narcotics.

ναρκωτικό (το) [narkotiko] drug, narcotic, anaesthetic.

νατουραλισμός (ο) [naturalismos] naturalism.

νατουραλιστικός-ή-ό (ε) [naturalistikos] naturalistic.

νάτριο (το) [natrio] sodium.

ναυάγιο (το) [navayio] shipwreck.

ναυαγός (ο) [navagos] shipwrecked person, castaway.

ναυαγοσώστης (ο) [navagosostis] lifeguard.

ναυαγοσωστικό (το) [navagosostiko]

lifeboat.

ναυαγοσωστικός-ή-ό (ε) [navagososti-kos] salvage.

ναυαγώ (ρ) [navago] be wrecked, be shipwrecked, fail [μεταφ].

ναυαρχείο (το) [navarhio] admiralty.

ναυαρχίδα (n) [navarhidha] flagship.

ναύαρχος (ο) [navarhos] admiral.

ναύκληρος (ο) [nafkliros] boatswain.

ναύλα (τα) [navla] fare, passage money.

ναυλομεσίτης (ο) [navlomesitis] shipping agent.

ναύλος (ο) [navlos] freight, fare.

ναυλοσύμφωνο (το) [navlosimfono] charter-party.

ναυλώνω (ρ) [navlono] charter, freight.

ναυλωτής (ο) [navlotis] shipper, charterer.

ναυμαχία (n) [navmahia] sea battle, naval action.

ναυπηγείο (το) [nafpiyio] shipyard, dock-yard.

ναυπήγηση (n) [nafpiyisi] shipbuilding.

ναυπηγός (ο) [nafpigos] shipbuilder.

ναυσιπλοΐα (n) [nafsiploia] shipping, navigation.

ναύσταθμος (ο) [nafstathmos] dockyard.

ναυταπάτη (n) [naftapati] barratry.

ναύτης (ο) [naftis] sailor, seaman.

ναυτία (n) [naftia] nausea, seasickness.

ναυτικό (το) [naftiko] navy.

ναυτικός-ή-ό (ε) [naftikos] maritime, nautical.

ναυτιλία (n) [naftilia] navigation, shipping.

ναυτιλιακός-ή-ό (ε) [naftiliakos] marine, nautical.

ναυτιλλόμενος-n-o (ε) [naftillomenos] navigator.

ναυτοδικείο (το) [naftodhikio] naval court.

ναυτολογία (n) [naftoloyia] engaging of sailors, signing up.

ναφθαλίνη (n) [nafthalini] mothballs.

νανούρισμα (το) [nanurisma] lulling to sleep.

νέα (n) [nea] young girl.

νέα (τα) [nea] news.

νεανίας (ο) [neanias] youngster.

νεανικός-ή-ό (ε) [neanikos] juvenile, adolescent.

νεανικότητα (n) [neanikotita] juvenility, youthfulness.

νεαρός-ή-ό (ε) [nearos] juvenile.

νέγρος (ο) [negros] black person.

Νείλος (ο) [Nilos] the Nile.

νέκρα (n) [nekra] dead silence, stagnation.

νεκρανασταίνω (ρ) [nekranasteno] raise from the dead.

νεκράνθεμο (το) [nekranthemo] calendula.

νεκρικός-ή-ό (ε) [nekrikos] funeral, gloomy, ghastly [μεταφ].

νεκροθάλαμος (ο) [nekrothalamos] mortuary.

νεκροθάπτης (ο) [nekrothaptis] gravedigger.

νεκροκεφαλή (n) [nekrokefali] skull.

νεκροκρέβατο (το) [nekrokrevato] coffin.

νεκρολογία (n) [nekroloyia] obituary.

νεκρολούλουδο (το) [nekroluludho] calendula.

νεκρός-ή-ό (ε) [nekrós] dead, lifeless.

νεκροταφείο (το) [nekrotafio] cemetery.

νεκροτομείο (το) [nekrotomio] mortuary.

νεκροφόρα (n) [nekrofora] hearse.

νεκροψία (n) [nekropsia] autopsy, post-mortem.

νεκρώνω (ρ) [nekrono] deaden, dull, kill.

νέκρωση (n) [nekrosi] deadening, stagnation.

νεκρώσιμος-n-o (ε) [nekrosimos] burial, funeral.

νέκταρ (το) [nektar] nectar.

νέμω (ρ) [nemo] distribute, share.

νένα (n) [nena] nurse.

νέο (το) [neo] piece of news.

νεογέννητο (το) [neoyennito] newborn.

νεογέννητος-n-o (ε) [neoyennitos] newborn.

νεογνό (το) [neogno] newborn animal, newborn baby.

νεοελληνικά (τα) [neoellinika] Modern Greek[language].

νεόκοπος-n-o (ε) [neokopos] newfangled.

νεολαία (n) [neolea] youth.

νεολιθικός-ή-ό (ε) [neolithikos] neolithic.

νεολογισμός (o) [neoloyismos] back-formation.

νεόνυμφος (n) [neonimfos] recently married woman.

νεόνυμφος (o) [neonimfos] recently married man.

νεόπλουτος-n-o (ε) [neoplutos] nouveau riche.

νέος-a-o (ε) [neos] young, new [καινούριο], fresh [καινούριο].

νέος (o) [neos] a young man.

νεοσσός (o) [neossos] nestling, chick.

νεοσύλλεκτος (o) [neosillektos] recruit.

νεοσύστατος-n-o (ε) [neosistatos] newly-established.

νεότερος-n-o (ε) [neoteros] younger, recent.

νεότητα (n) [neotita] youth.

νεοφερμένος-n-o (μ) [neofermenos] newcomer, newly arrived.

νεοφώτιστος-n-o (ε) [neofotistos] newly baptized.

νερά (τα) [nera] backwater.

νεράιδα (n) [neraidha] Nereid, mermaid.

νεράτζι (το) [neratzi] bitter orange.

νερό (το) [nero] water.

νερόβραστος-n-o (ε) [nerovrastos] boiled, tasteless [μεταφ].

νεροκολόκυθο (το) [nerokolokitho] gourd.

νερόκοτα (n) [nerokota] moorhen.

νεροκουβαλητής (o) [nerokuvalitis] water-carrier, stalking horse [μεταφ].

νερομάνα (n) [neromana] well-head.

νερομπογιά (n) [neromboyia] water-colour.

νερόμυλος (o) [neromilos] watermill.

νερόπλυμα (το) [neroplima] dishwater.

νεροποντή (n) [neropondi] shower of rain, downpour.

νερουλάς (o) [nerulas] water-seller.

νερουλιάζω (ρ) [neruliazo] grow watery.

νερούλιασμα (το) [neruliasma] softness.

νερουλός-ή-ό (ε) [nerulos] watery, thin.

νερόφιδο (το) [nerofidho] water-snake, serpent.

νεροχύτης (o) [nerohitis] kitchen sink.

νερώνω (ρ) [nerono] mix with water, water, dilute.

νετάρω (ρ) [netaro] finished, be through, run out,.

νέτος-n-o (ε) [netos] done, finished.

νετρόνιο (το) [netronio] neutron.

νεύμα (το) [nevma] sign, nod, wink.

νευραλγία (n) [nevralyia] neuralgia.

νευραλγικός-ή-ό (ε) [nevralyikos] weak spot, neuralgic [ιατρ].

νευρασθένεια (n) [nevrasthenia] depression, nervous breakdown.

νευριάζω (ρ) [nevriazo] make angry, irritate.

νευρίασμα (το) [nevriasma] vexation, annoyance.

νευριασμένος-n-o (μ) [nevriasmenos] nervous, cross, irritated.

νευρικός-ή-ό (ε) [nevrikos] nervous, excitable, irritable.

νευρικότητα (n) [nevrikotita] nervousness, tension, agitation.

νευρίτιδα (n) [nevritidha] neuritis.

νεύρο (το) [nevro] nerve, muscle, vigour, energy, punch.

νευροκαβαλίκεμα (το) [nevrokavalikema] crick, cramp.

νευροκαβαλικεύω (ρ) [nevrokavalikevo] crier.

νευρολογία (n) [nevroloyia] neurology.

νευρολόγος (o) [nevrologos] neurologist.

νευρόσπαστο (το) [nevrospasto] puppet.

νευρόσπαστος (ο) [nevrospastos] nervous person.

νευροχειρούργος (ο) [nevrohirurgos] neurosurgeon.

νευρώδης-ης-ες (ε) [nevrodhis] nervous, strong [μεταφ].

νεύρωση (n) [nevrosi] neurosis.

νευρωτικός-ή-ό (ε) [nevrotikos] neurotic.

νεύω (ρ) [nevo] nod, beckon, wink.

νεφελώδης-ης-ες (ε) [nefelodhis] cloudy, nebulous, vague [μεταφ].

νεφέλωμα (το) [nefeloma] nebula.

νέφος (το) [nefos] cloud, gloom [μεταφ].

νεφοσκεπής-ής-ές (ε) [nefoskepis] cloudy

νεφρό (το) [nefro] kidney.

νέφτι (το) [nefti] turpentine, turps.

νέφωση (n) [nefosi] cloudiness.

νεωκόρος (ο) [neokoros] sacristan [εκκλ].

νεώριο (το) [neorio] dockyard.

νεωτερίζω (ρ) [neoterizo] innovate, break fresh ground, modernize.

νεωτερισμός (ο) [neoterismos] innovation, novelty, fashion.

νεωτεριστής (ο) [neoteristis] innovator, modernist.

νεωτεριστικός-ή-ό (ε) [neoteristikos] innovative, modernistic.

νήμα (το) [nima] cotton thread [βαμβακερό], yarn [μάλλινο].

νημάτιο (το) [nimatio] cirrus.

νηματοειδής-ής-ές (ε) [nimatoidhis] cirrous.

νηματοποίηση (n) [nimatopiisi] spinning, thread-making.

νηνεμία (n) [ninemia] calmness, lull.

νηολόγηση (n) [nioloyisi] registry, registration.

νηολογώ (ρ) [niologo] register [a ship].

νηοπομπή (n) [niopombi] escort of ships.

νηοψία (n) [niopsia] search of a ship.

νηπιαγωγείο (το) [nipiagoyio] kindergarten, nursery school.

νηπιαγωγός (ο,n) [nipiagogos] nursery-school teacher.

νήπιο (το) [nipio] infant, baby, toddler.

νησάκι (το) [nisaki] islet.

νησί (το) [nisi] island.

νησίδα (n) [nisidha] traffic island.

νησιώτης (ο) [nisiotis] islander.

νήσος (n) [nisos] island.

νηστεία (n) [nistia] fasting.

νηστευτής (ο) [nisteftis] faster.

νηστεύω (ρ) [nistevo] fast.

νηστικός-ή-ό (ε) [nistikos] hungry, fasting.

νηστίσιμος-n-o (ε) [nistisimos] meatless.

νηφάλιος-a-o (ε) [nifalios] sober, calm [μεταφ].

νηφαλιότητα (n) [nifaliotita] sobriety.

νιαουρίζω (ρ) [niaurizo] miaow.

νιάτα (τα) [niata] youth.

νίβω (ρ) [nivo] wash.

νίκελ (το) [nikel] nickel.

νικέλινος-n-o (ε) [nikelinos] nickel.

νικέλιο (το) [nikelio] nickel.

νικελώνω (ρ) [nikelono] nickel-plate.

νίκη (n) [niki] victory, triumph.

νικητήριος-a-o (ε) [nikitirios] victorious, triumphal.

νικητής (ο) [nikitis] victor, winner.

νικηφόρος-a-o (ε) [nikiforos] victorious, triumphant.

νικοτίνη (n) [nikotini] nicotine.

νικώ (ρ) [niko] defeat [τον εχθρό], beat [ανταγωνιστή], overcome [εμπόδια κτλ].

νίλα (n) [nila] practical joke.

νιογάμπρια (τα) [niogambria] newly-married couple.

νιόνυφη (n) [nionifi] newly-married woman.

νιόπαντρος-n-o (ε) [niopandros] newly-wed.

νιότη (n) [nioti] youth.

νιόφερτος-n-o (ε) [niofertos] newcomer.

νιπτήρας (ο) [niptiras] washbasin.

νίπτω (ρ) [nipto] wash, wash out [μεταφ].

νισάφι (το) [nisafi] mercy, pity.

νιτερέσο (το) [nitereso] interest.

νιφάδα (n) [nifadha] snowflake.

νιώθω (ρ) [niotho] feel, sense, appreciate, understand.

νοβοπάν (το) [novopan] chip-board.

νογάω (ρ) [nogao] understand, know.

Νοέμβρης (ο) [Noemvris] November.

νοερός-ή-ό (ε) [noeros] mental, intellectual.

νόημα (το) [noima] reflection, thought, sense [έννοια].

νοημοσύνη (n) [noimosini] intellect, brain.

νοήμων (ο,n) [noimon] intelligent, smart.

νόηση (n) [noisi] understanding, intellect, mind.

νοητικός-ή-ό (ε) [noitikos] conceptive.

νοητός-ή-ό (ε) [noitos] comprehensible, understandable, intelligible.

νοθεία (n) [nothia] falsification, adulteration, fraud.

νόθευση (n) [nothefsi] adulteration, forgery, falsification, alteration.

νοθευτικό (το) [notheftiko] adulterant.

νοθεύω (ρ) [nothevo] falsify, forge, adulterate.

νοθογένεια (n) [nothoyenia] bastardy.

νόθος-α-ο (ε) [nothos] bastard, hybrid [για ζώα κτλ], unstable [μεταφ].

νοιάζομαι (ρ) [niazome] care about, look after, be anxious about.

νοίκι (το) [niki] rent.

νοικιάζω (ρ) [nikiazo] rent, hire.

νοικιάρης (ο) [nikiaris] tenant.

νοικοκυρά (n) [nikokira] housewife, landlady.

νοικοκύρεμα (το) [nikokirema] tidying up.

νοικοκυρεμένος-n-ο (μ) [nikokiremenos] tidy, neat.

νοικοκυρεύω (ρ) [nikokirevo] tidy up, settle down.

νοικοκύρης (ο) [nikokiris] landlord, owner.

νοικοκυροσύνη (n) [nikokirosini] housekeeping.

νοκάουτ (το) [nokaut] knockout.

νομάδες (οι) [nomadhes] nomads.

νομαδικός-ή-ό (ε) [nomadhikos] nomadic.

νομάρχης (ο) [nomarhis] prefect.

νομαρχία (n) [nomarhia] prefecture.

νομαρχιακός-ή-ό (ε) [nomarhiakos] prefectorial.

νομάτοι (οι) [nomati] persons.

νομέας (ο) [nomeas] occupant.

νομίζω (ρ) [nomizo] believe, think, suppose, presume, seem.

νομικά (τα) [nomika] law studies.

νομική (n) [nomiki] law.

νομικός-ή-ό (ε) [nomikos] of the law, legal, lawful.

νομικός (ο) [nomikos] lawyer (ε) legal, law.

νομιμοποίηση (n) [nomimopiisi] legitimization, justification.

νομιμοποιώ (ρ) [nomimopio] legitimatize, legalize.

νόμιμος-n-ο (ε) [nomimos] legal, legitimate.

νομιμότnτα (n) [nomimotita] legitimacy.

νομιμόφρονας (ο) [nomimofronas] law-abiding, obedient.

νομιμοφροσύνη (n) [nomimofrosini] loyalty, conformity to.

νομιναλιστής (ο) [nominalistis] nominalist.

νόμισμα (το) [nomisma] money, coin, currency.

νομισματικό σύστημα (το) [nomismatiko sistima] monetary system.

νομισματοκοπείο (το) [nomismatokopio] mint.

νομισματοκοπία (n) [nomismatokopia] coinage, minting.

νομισματοκόπος (ο) [nomismatokopos] clipper, coiner.

νομοθεσία (n) [nomothesia] legislation, legal system.

νομοθέτημα (το) [nomothetima] statute, law.

νομοθέτης (ο) [nomothetis] legislator.

νομοθέτηση (n) [nomothetisi] legislation.

νομοθετικός-ή-ό (ε) [nomothetikos] legislative.

νομοθετώ (ρ) [nomotheto] legislate.

νομολογία (n) [nomoloyia] case-law.

νομομαθής-ής-ές (ε) [nomomathis] jurist, legist.

νόμος (ο) [nomos] law, act of Parliament.

νομός (ο) [nomos] prefecture.

νομοσχέδιο (το) [nomoshedhio] bill.

νομοταγής-ής-ές (ε) [nomotayis] law-abiding.

νομοτέλεια (n) [nomotelia] determinism.

Νόμπελ (το) [Nombel] Nobel.

νονά (n) [nona] Godmother.

νονός (ο) [nonos] godfather, sponsor.

νοομάντης (ο) [noomandis] mind-reader.

νοοτροπία (n) [nootropia] mentality, mental character.

Νορβηγία (n) [Norviyia] Norway.

Νορβηγικός-ή, ό (ε) [Norviyikos] Norwegian.

Νορβηγός (ο) [Norvigos] Norwegian.

νόρμα (n) [norma] norm.

νοσηλεία (n) [nosilia] nursing, treatment.

νοσήλεια (τα) [nosilia] medical charges.

νοσηλεύομαι (ρ) [nosilevome] undergo treatment.

νοσηλεύω (ρ) [nosilevo] treat, nurse.

νόσημα (το) [nosima] disease, illness.

νοσηρός-ή-ό (ε) [nosiros] unhealthy, sickly.

νοσηρότητα (n) [nosirotita] morbidness, sickliness.

νοσοκόμα (n) [nosokoma] nurse.

νοσοκομειακό (το) [nosokomiako] ambulance.

νοσοκομειακός-ή-ό (ε) [nosokomiakos] hospital.

νοσοκομείο (το) [nosokomio] hospital.

νόσος (n) [nosos] illness, disease.

νοσταλγία (n) [nostalyia] homesickness.

νοσταλγώ (ρ) [nostalgo] crave for, be homesick.

νοστιμάδα (n) [nostimadha] tastiness, savour, flavour.

νοστιμεύω (ρ) [nostimevo] flavour, make attractive.

νοστιμιά (n) [nostimia] relish.

νόστιμος-n-o (ε) [nostimos] tasty, attractive, charming.

νοστιμούλης-α-ικο (ε) [nostimulis] cute, cutie.

νότα (n) [nota] note [διπλωματική], note [μουσ].

νοτιά (n) [notia] south, south wind.

νοτίζω (ρ) [notizo] moisten, dampen.

νοτιοανατολικός-ή-ό (ε) [notioanatolikos] south-eastern.

νοτιοδυτικός-ή-ό (ε) [notiodhitikos] south-western.

νότιος-α-ο (ε) [notios] south, southern.

νότισμα (το) [notisma] moisture, wet, dampness.

νότος (ο) [notos] south.

νουθεσία (n) [nuthesia] advice, counsel, lecture, preach.

νουθετώ (ρ) [nutheto] advise.

νούλα (n) [nula] zero, nobody, worthless, naught.

νούμερο (το) [numero] number, act, odd character [θεάτρου].

νουνά (n) [nuna] godmother.

νουνέχεια (n) [nunehia] canniness.

νουνεχής-ής-ές (ε) [nunehis] judicious.

νουνός (ο) [nunos] godfather.

νους (ο) [nus] mind, intelligence, sense, intellect.

νούφαρο (το) [nufaro] water lily.

νοώ (ρ) [noo] understand, think, reflect.

νταβάς (ο) [davas] copper pan, clay pan.

νταβατζής (ο) [davatzis] pimp.

νταηλίκι (το) [dailiki] blustering, bullying, bluster.

νταής (ο) [dais] bully, bouncer.

ντάμα (n) [dama] lady, partner, queen [στα χαρτιά], game of draughts [παιχνίδι].

νταμάρι (το) [damari] quarry, pit.

νταμπλάς (ο) [damblas] apoplexy, amazement [μεταφ].

ντάνα (n) [dana] pile, heap.

νταντά (n) [danda] nanny.

νταντέλα (n) [dandela] lace.

νταντεύω (ρ) [dandevo] mother, nurse.

νταούλι (το) [dauli] drum.

νταραβέρι (το) [daraveri] relation, trouble [φασαρία].

νταραβερίζομαι (ρ) [daraverizome] have dealings, mix, have an affair.

ντεκολτέ (το) [dekolte] low neck, V-neck.

ντεκόρ (το) [dekor] decor.

ντελάλης (ο) [delalis] public crier.

ντελικάτος-n-ο (ε) [delikatos] delicate, tender.

ντεμπούτο (το) [dembuto] debut.

ντεμπραγιάζ (το) [dembrayiaz] clutch.

ντεμπραγιάρω (ρ) [dembrayiaro] declutch.

ντεπόζιτο (το) [depozito] cistern, tank.

ντεραπάρισμα (το) [deraparisma] sideslipping.

ντεραπάρω (ρ) [deraparo] sideslip.

ντερπεντέρης (ο) [derpenderis] Bohemian.

ντέρτι (το) [derti] regret, pain, yearning.

ντετέκτιβ (ο) [detektiv] detective.

ντέφι (το) [defi] tambourine.

ντίζελ (το) [dizel] diesel.

ντιβάνι (το) [divani] divan.

ντιπ (επ) [dip] quite, at all.

ντισκοτέκ (n) [diskotek] discotheque.

ντοκουμεντάρω (ρ) [dokumendaro] document.

ντοκουμέντο (το) [dokumendo] document.

ντολμάς (ο) [dolmas] stuffed vine leaves.

ντομάτα (n) [domata] tomato.

ντόμπρα (επ) [dombra] bluffly.

ντόμπρος-α-ο (ε) [dombros] sincere, honest.

ντομπροσύνη (n) [dombrosini] directness.

ντοπαρισμένος-n-ο (μ) [doparismenos] drugged.

ντοπάρισμα (το) [doparisma] drugging.

ντόπιος-α-ο (ε) [dopios] local.

ντορβάς (ο) [dorvas] nosebag, wallet.

ντόρος (ο) [doros] trouble.

ντορός (ο) [doros] track, trail.

ντοσιέ (το) [dosie] file, folder.

ντουβάρι (το) [duvari] wall, fool [μεταφ].

ντουγρού (επ) [dugru] directly, straight.

ντουέτο (το) [dueto] duet.

ντουζίνα (n) [duzina] dozen.

ντουλάπα (n) [dulapa] wardrobe.

ντουλάπι (το) [dulapi] cupboard.

ντουνιάς (ο) [dunias] people, mankind.

ντους (το) [dus] shower.

ντουφέκι (το) [dufeki] rifle, gun.

ντρέπομαι (ρ) [drepome] be shy.

ντροπαλός-ή-ό (ε) [dropalos] shy, modest, timid.

ντροπαλοσύνη (n) [dropalosini] shyness.

ντροπή (n) [dropi] shame, modesty, bashfulness.

ντροπιάζω (ρ) [dropiazo] shame, embarrass.

ντρόπιασμα (το) [dropiasma] disgrace.

ντροπιασμένος-n-ο (μ) [dropiasmenos] ashamed.

ντύμα (το) [dima] cover.

ντυμένος-n-ο (μ) [dimenos] dressed.

ντύνομαι (ρ) [dinome] get dressed.

ντύνω (ρ) [dino] dress, upholster.

ντύσιμο (το) [disimo] dressing, attire, outfit.

νυκτερίδες (οι) [nikteridhes] bats.

νυκτερινός-ή-ό (ε) [nikterinos] nocturnal.

νυκτόβιος-α-ο (ε) [niktovios] living by night.

νυκτοφύλακας (ο) [niktofilakas] night watchman.

νυμφεύω (ρ) [nimfevo] marry, wed.

νύμφη (n) [nimfi] bride, nymph [μυθο

λογία], larva [ζωολ].

νυμφίδιο (το) [nimfidhio] nymphet.

νυμφικός (ο) [nimfikos] hymeneal.

νυμφομανής,(n) [nimfomanis] nymphomaniac.

νυμφώνας (ο) [nimfonas] nuptial chamber.

νύξη (η) [niksi] hint, pricking, stinging, stab.

νύστα (η) [nista] sleepiness.

νυστάζω (ρ) [nistazo] be sleepy, feel sleepy.

νυσταλέος-α-ο (ε) [nistaleos] sleepy.

νυστέρι (το) [nisteri] lancet, scalpel.

νύφη (η) [nifi] bride, nymph [μυθολογία], larva [ζωολ].

νυφικό (το) [nifiko] wedding dress.

νυφικός-ή-ό (ε) [nifikos] bridal.

νυφίτσα (η) [nifitsa] weasel, beech-marten.

νυχάτος (ο) [nihatos] clawed.

νύχι (το) [nihi] nail, toenail [ποδιών], claw [ζώου].

νύχτα (επ) [nihta] at night, by night.

νύχτα (η) [nihta] night, darkness.

νυχτερίδα (η) [nihteridha] bat.

νυχτερινός-ή-ό (ε) [nihterinos] nightly, nocturnal.

νυχτικό (το) [nihtiko] nightgown.

νυχτοήμερος-n-o (ε) [nihtoimeros] night-and-day.

νυχτοκάντηλο (το) [nihtokandilo] night-light.

νυχτοκόπος (ο) [nihtokopos] night traveller.

νυχτολούλουδο (το) [nihtoluludho] night flower.

νυχτοφύλακας (ο) [nihtofilakas] night watchman.

νυχτωμένος-n-o (μ) [nihtomenos] belated.

νυχτώνει (ρ) [nihtoni] night falls.

νυχτώνομαι (ρ) [nihtonome] be overtaken by night.

Νώε (ο) [Noe] Noah.

νωθρά (επ) [nothra] limply, idly, lazily.

νωθρός-ή-ό (ε) [nothros] sluggish, lazy.

νωθρότητα (n) [nothrotita] sluggishness, dullness, laziness.

νωματάρχης (ο) [nomatarhis] [police]sergeant.

νωπός-ή-ό (ε) [nopos] fresh, new, recent, still damp [για ρούχα].

νωρίς (επ) [noris] early, soon.

νώτα (τα) [nota] back, rear [στρατ].

νωτιαίος-α-o (ε) [notieos] dorsal.

νωχέλεια (n) [nohelia] languor, languidness, listlessness, idleness.

νωχελής-ής-ές (ε) [nohelis] idle, slothful, languid.

νωχελικός-ή-ό (ε) [nohelikos] nonchalant, sluggish.

ξαγκίστρωμα (το) [ksangistroma] un-hooking, weighing out [άγκυρα].

ξαγκιστρώνω (ρ) [ksangistrono] unhook.

ξαγρυπνώ (ρ) [ksagripno] stay awake, watch over.

ξαδέλφη (n) [ksadhelfi] cousin.

ξάδελφος (ο) [ksadhelfos] cousin.

ξαδέρφι (το) [ksadherfi] cousin.

ξαίνω (ρ) [kseno] card, comb.

ξακουσμένος-η-ο (μ) [ksakusmenos] celebrated, famous, well-known.

ξακουστός-ή-ό (ε) [ksakustos] celebrated, famous.

ξακρίδι (το) [ksakridhi] clipping.

ξακρίδια (τα) [ksakridhia] trimmings.

ξακρίζω (ρ) [ksakrizo] trim thoroughly, do thoroughly, sort out.

ξάκρισμα (το) [ksakrisma] paring, trimming.

ξακριστήρι (το) [ksakristiri] bur.

ξαλάφρωμα (το) [ksalafroma] relief, soothing.

ξαλαφρώνω (ρ) [ksalafrono] help, relieve [μεταφ], relieve one's mind, sooth.

ξαμολώ (ρ) [ksamolo] let loose, unleash.

ξαμπαρώνω (ρ) [ksambarono] unbar, unlatch.

ξαμώνω (ρ) [ksamono] raise one's hand to somebody, go at.

ξανά (επ) [ksana] again, afresh, anew.

ξαναβάζω (ρ) [ksanavazo] put back again, replace.

ξαναβγάζω (ρ) [ksanavgazo] take out again, re-elect.

ξαναβγαίνω (ρ) [ksanavgeno] go out again.

ξανάβω (ρ) [ksanavo] irritate, become annoyed.

ξαναγεννιέμαι (ρ) [ksanayennieme] be reborn [μεταφ].

ξαναγίνομαι (ρ) [ksanayinome] happen again, be again.

ξαναγλιστράω (ρ) [ksanaglistrao] back-slide.

ξαναγυρίζω (ρ) [ksanayirizo] return, send back.

ξαναδένω (ρ) [ksanadheno] bind again, reset [κόσμημα].

ξαναδοκιμάζω (ρ) [ksanadhokimazo] try again, attempt again.

ξαναδουλεύω (ρ) [ksanadhulevo] rework.

ξαναζώ (ρ) [ksanazo] relive, live again.

ξαναζωντανεύω (ρ) [ksanazondanevo] revive.

ξανακάθομαι (ρ) [ksanakathome] sit again, stay again.

ξανακάνω (ρ) [ksanakano] redo, re-make, repeat.

ξανακοιμάμαι (ρ) [ksanakimame] sleep again.

ξανακοιτάζω (ρ) [ksanakitazo] look again, look back, look over.

ξανακούω (ρ) [ksanakuo] hear again, hear before.

ξανακύλημα (το) [ksanakilima] relapse.

ξανακυλώ (ρ) [ksanakilo] roll again.

ξαναλέω (ρ) [ksanaleo] repeat, reiterate.

ξάναμα (το) [ksanama] flush.

ξαναμμένος-η-ο (μ) [ksanammenos] excited, flushed, heated.

ξανανιώνω (ρ) [ksananiono] rejuvenate, become young again.

ξαναπαθαίνω (ρ) [ksanapatheno] be taken in again, suffer again.

ξαναπαίρνω (ρ) [ksanaperno] take again, pluck up again.

ξαναπιάνω (ρ) [ksanapiano] catch again, recapture, seize again.

ξαναπουλώ (ρ) [ksanapulo] resell, sell again.

ξαναπροβάλλω (ρ) [ksanaprovalo] re-run [φιλμ], show again.

ξαναρχίζω (ρ) [ksanarhizo] renew, resume, begin again, restart.

ξανασαίνω (ρ) [ksanaseno] recover, refresh ourselves, relax.

ξανασκέφτομαι (ρ) [ksanaskeftome] think again, think over.

ξανασμίγω (ρ) [ksanasmigo] reunite, bring together again, get together again.

ξανασμίξιμο (το) [ksanasmiksimo] reunion.

ξανάστροφος-η-ο (ε) [ksanastrofos] reverse, inverse.

ξανατύπωμα (το) [ksanatipoma] reprint, new impression.

ξανατυπώνω (ρ) [ksanatipono] reprint.

ξαναφαίνομαι (ρ) [ksanafenome] reappear, show up again.

ξαναφορμάρω (ρ) [ksanaformaro] recast.

ξαναφρεσκάρω (ρ) [ksanafreskaro] revamp, polish up, brush up.

ξαναχρησιμοποιώ (ρ) [ksanahrisimopio] recycle, use again.

ξαναχτίζω (ρ) [ksanahtizo] rebuild, reconstruct, erect again.

ξαναχύνω (ρ) [ksanahino] recast, pour again.

ξανθαίνω (ρ) [ksantheno] make blond, become blond.

ξάνθημα (το) [ksanthima] exantheme [ιατρ], eruption.

ξανθή (ε) [ksanthi] blonde.

ξανθιά (ε) [ksanthia] blonde.

ξανθίζω (ρ) [ksanthizo] become fairer.

ξανθομάλλα (ε) [ksanthomalla] blonde.

ξανθομάλλης-α-ικο (ε) [ksanthomallis] fair-haired.

ξανθός-ή-ό (ε) [ksanthos] blond, fair, light, yellow, golden [στάχυ].

ξανθωπός-ή-ό (ε) [ksanthopos] blondish.

ξάνοιγμα (το) [ksanigma] clearing up, brightening, launching out.

ξανοίγομαι (ρ) [ksanigome] confide one's secrets, spend freely.

ξανοίγω (ρ) [ksanigo] look [μεταφ], see.

ξανοστίζω (ρ) [ksanostizo] make tasteless.

ξάπλα (n) [ksapla] lying down.

ξάπλωμα (το) [ksaploma] lying down, stretching out, spreading.

ξαπλωμένος-η-ο (μ) [ksaplomenos] lying down.

ξαπλώνομαι (ρ) [ksaplonome] spread, lie down.

ξαπλώνω (ρ) [ksaplono] spread out, lie down.

ξαπλώστρα (n) [ksaplostra] deck-chair.

ξαποσταίνω (ρ) [ksaposteno] rest, relax.

ξαποστέλνω (ρ) [ksapostelno] send off, forward, dismiss.

ξαρμάτωμα (το) [ksamartoma] disarming, unrigging [ναυτ].

ξαρματώνω (ρ) [ksarmatono] disarm, unrigg [πλοίο].

ξασπρίζω (ρ) [ksasprizo] whiten, pale, fade, bleach.

ξάσπρισμα (το) [ksasprisma] fading,

whitening.

ξάστερα (επ) [ksastera] frankly, flatly, categorically.

ξαστεριά (n) [ksasteria] clear skies.

ξάστερος-η-ο (ε) [ksasteros] cloudless, bright.

ξαστερώνω (ρ) [ksasterono] clear up.

ξαφνιάζομαι (ρ) [ksafniazome] be taken by surprise, be frightened.

ξαφνιάζω (ρ) [ksafniazo] surprise, frighten.

ξάφνιασμα (το) [ksafniasma] surprise, start.

ξαφνικά (επ) [ksafnika] suddenly.

ξαφνικό (το) [ksafniko] surprise, accident.

ξαφνικός-ή-ό (ε) [ksafnikos] sudden, unexpected.

ξάφνου (επ) [ksafnu] all of a sudden.

ξαφρίζω (ρ) [ksafrizo] skim, steal.

ξάφρισμα (το) [ksafrisma] skimming.

ξέβαθος-η-ο (ε) [ksevathos] shallow.

ξεβάφω (ρ) [ksevafo] fade, discolour.

ξεβγάζω (ρ) [ksevgazo] wash out, get rid of [προπέμπω].

ξεβγαλμα (το) [ksevgalma] washing out, sending off, accompanying, seduction, prostitution.

ξεβίδωμα (το) [ksevidhoma] unscrewing, exhaustion [μεταφ].

ξεβιδώνομαι (ρ) [ksevidhonome] work loose, be tired out [μεταφ].

ξεβιδώνω (ρ) [ksevidhono] unscrew.

ξεβουλώνω (ρ) [ksevulono] uncork, unclog.

ξεβράκωτος-η-ο (ε) [ksevrakotos] trouserless, penniless [μεταφ].

ξεβρομίζω (ρ) [ksevromizo] clean up, clear up.

ξεβρόμισμα (το) [ksevromisma] cleaning.

ξεγάντζωμα (το) [ksegantzoma] unhooking.

ξέγδαρμα (το) [ksegdharma] scratch, scrape.

ξεγδαρμένος-η-ο (μ) [ksegdharmenos] raw, scratched, scraped.

ξεγδέρνω (ρ) [ksegdherno] scratch, graze, rub off.

ξεγέλασμα (το) [kseyelasma] fraud.

ξεγελαστής (ο) [kseyelastis] fraud, cheat.

ξεγελώ (ρ) [kseyelo] cheat, trick, fool.

ξεγέννημα (το) [kseyennima] delivery.

ξεγεννώ (ρ) [kseyenno] deliver a child.

ξεγλίστρημα (το) [kseglistrima] slip, wriggle.

ξεγλιστρώ (ρ) [kseglistro] slip, wriggle.

ξεγνοιάζω (ρ) [ksegniazo] be free from care.

ξεγνοιασιά (n) [ksegniasia] unconcern, jauntiness.

ξέγνοιαστος-η-ο (ε) [ksegniastos] care-free, off one's guard, easy-going.

ξεγράφω (ρ) [ksegrafo] strike out, wipe out [μεταφ], write off.

ξεγύμνωμα (το) [kseyimnoma] plundering, robbing, unmasking.

ξεγυμνώνω (ρ) [kseyimnono] strip naked, lay bare, unmask [μεταφ].

ξεγυρίζω (ρ) [kseyirizo] recover, pick-up.

ξεγύρισμα (το) [kseyirisma] recovery.

ξεγυριστάρι (το) [ksegiristari] bow-saw.

ξεδιάλεγμα (το) [ksedhialegma] picking, sorting out.

ξεδιαλεγμένος-η-ο (μ) [ksedhialegmenos] hand-picked, choice.

ξεδιαλέγω (ρ) [ksedhialego] choose, sort.

ξεδιαλύνω (ρ) [ksedhialino] unravel, solve, settle, clear up.

ξεδιαντροπιά (n) [ksedhiandropia] shamelessness.

ξεδιάντροπος-η-ο (ε) [ksedhiandropos] immodest, brazen, cheeky.

ξεδίνω (ρ) [ksedhino] relax, unwind.

ξεδίπλωμα (το) [ksedhiploma] unfolding, unwrapping.

ξεδιπλώνω (ρ) [ksedhiplono] open out, spread.

ξεδιψώ (ρ) [ksedhipso] quench one's thirst, refresh.

ξεδοντιάζω (ρ) [ksedhondiazo] make harmless.

ξεδοντιάρης-α-ικο (ε) [ksedhondiaris]

toothless.

ξέζεμα (το) [ksezema] unharnessing.

ξεζεύω (ρ) [ksezevo] unharness.

ξεζουμίζω (ρ) [ksezumizo] squeeze out, suck dry.

ξεζούμισμα (το) [ksezumisma] sucking dry.

ξεθάβω (ρ) [ksethavo] unearth [μεταφ], dig up [μεταφ].

ξέθαμμα (το) [ksethamma] unearthing, digging up.

ξεθάρρεμα (το) [ksetharema] trusting, taking liberties, cheering up.

ξεθαρρεύω (ρ) [ksetharrevo] become too bold.

ξεθεμελιώνω (ρ) [ksethemeliono] raze, wipe out.

ξεθερμίζω (ρ) [ksethermizo] scald.

ξεθέωμα (το) [ksetheoma] sweat, exhaustion.

ξεθεωμένος-η-ο (μ) [ksetheomenos] worn out.

ξεθεώνω (ρ) [ksetheono] wear out, exhaust, worry.

ξεθεωτικός-ή-ό (ε) [ksetheotikos] gruelling.

ξεθηλύκωμα (το) [ksethilikoma] unclasping.

ξεθηλυκώνω (ρ) [ksethilikono] unclasp, unfasten, undo.

ξεθόλωμα (το) [ksetholoma] clarification.

ξεθολώνω (ρ) [ksetholono] clear.

ξεθυμαίνω (ρ) [ksethimeno] escape, leak out, calm down [μεταφ].

ξεθύμασμα (το) [ksethimasma] venting, going flat.

ξεθυμασμένος-η-ο (μ) [ksethimasmenos] flat, stale.

ξεθυμώνω (ρ) [ksethimono] be no longer angry.

ξεθωριάζω (ρ) [ksethoriazo] fade.

ξεθωριασμένος-η-ο (μ) [ksethoriasmenos] discoloured.

ξέθωρος-η-ο (ε) [ksethoros] faded, discoloured.

ξεκαβαλικεύω (ρ) [ksekavalikevo] dismount.

ξεκαθαρίζω (ρ) [ksekatharizo] liquidate, settle accounts, clear.

ξεκαθάρισμα (το) [ksekatharisma] clearing.

ξεκάθαρος-η-ο (ε) [ksekatharos] clear, manifest, straight.

ξεκάλτσωτος-η-ο (ε) [ksekaltsotos] barelegged.

ξεκάνω (ρ) [ksekano] sell off, kill.

ξεκαπακώνω (ρ) [ksekapakono] remove the lid.

ξεκαπιστρώνω (ρ) [ksekapistrono] unbridle.

ξεκαρβουνιάζω (ρ) [ksekarvuniazo] decarbonize.

ξεκαρδίζομαι (ρ) [ksekardhizome] burst out laughing.

ξεκαρδιστικός-ή-ό (ε) [ksekardhistikos] hilarious.

ξεκαρφιτσώνω (ρ) [ksekarfitsono] unpin.

ξεκαρφώνω (ρ) [ksekarfono] unnail.

ξεκάρφωτος-η-ο (ε) [ksekarfotos] unconnected.

ξεκίνημα (το) [ksekinima] start, departure.

ξεκινώ (ρ) [ksekino] set off, start, depart, begin.

ξεκλειδώνω (ρ) [kseklidhono] unlock.

ξεκλείδωτος-η-ο (ε) [kseklidhotos] unlocked.

ξεκληρίζω (ρ) [kseklirizo] exterminate, die out.

ξεκόβω (ρ) [ksekovo] wean [away], break away, get out of, give up [σταματώ].

ξεκοιλιάζω (ρ) [ksekiliazo] disembowel, tear open.

ξεκοκαλίζω (ρ) [ksekokalizo] eat to the bone, spend foolishly [μεταφ].

ξεκοκαλιασμένος-η-ο (μ) [ksekokkaliasmenos] boned.

ξεκολλώ (ρ) [ksekollo] unstick, dislodge, come unstuck, take off [μεταφ].

ξεκομμένα (επ) [ksekommena] frankly.

ξεκομμένος-η-ο (μ) [ksekommenos]

cut-off, isolated, fixed [τιμή].

ξεκουμπίζομαι (ρ) [ksekumbizome] take oneself off.

ξεκουμπώνω (ρ) [ksekumbono] unbutton, unfasten.

ξεκουράζω (ρ) [ksekurazo] rest, relieve.

ξεκούραση (n) [ksekurasi] rest, relaxation.

ξεκούραστος-n-o (ε) [ksekurastos] rested, easy, relaxed.

ξεκουρδίζω (ρ) [ksekurdhizo] unwind.

ξεκούτης-α-ικο (ε) [ksekutis] simpleton.

ξεκουφαίνω (ρ) [ksekufeno] deafen, stun.

ξεκρέμαστος-n-o (ε) [ksekremastos] at a loose end [μεταφ].

ξεκρεμώ (ρ) [ksekremo] unhook, take down.

ξελαρυγγιάζομαι (ρ) [kselaringiazome] bawl.

ξελασπώνω (ρ) [kselaspono] scrape mud off, get somebody out of a scrape [μεταφ].

ξελεκιάζω (ρ) [kselekiazo] remove a stain.

ξελεπιάζω (ρ) [kselepiazo] scale [ψάρια].

ξελέω (ρ) [kseleo] take back, go back on.

ξελιγωμένος-n-o (μ) [kseligomenos] be hungry for, hunger for.

ξελιγώνω (ρ) [kseligono] wear ourselves out [μεταφ].

ξελογιάζω (ρ) [kseloyiazo] seduce, lead astray, fascinate.

ξελόγιασμα (το) [kseloyiasma] seduction, temptation.

ξελογιασμένος-n-o (μ) [kseloyiasmenos] infatuated, mad about.

ξελογιάστρα (n) [kseloyiastra] seductress, temptress.

ξεμαθαίνω (ρ) [ksematheno] forget, dishabituate.

ξεμακραίνω (ρ) [ksemakreno] recede, move away, drift apart [μεταφ].

ξεμαλλιάζω (ρ) [ksemalliazo] tear out somebody's hair.

ξεμαλλιασμένος-n-o (μ) [ksemalliasme-nos] dishevelled.

ξεμασκαρεύω (ρ) [ksemaskarevo] unmask.

ξεμέθυστος-n-o (ε) [ksemethistos] sober.

ξεμεθώ (ρ) [ksemetho] sober up.

ξεμένω (ρ) [ksemeno] run out of, be stranded.

ξεμοναχιάζω (ρ) [ksemonahiazo] take aside.

ξεμοντάρω (ρ) [ksemondaro] dismantle, dismount.

ξεμουδιάζω (ρ) [ksemudhiazo] stretch one's legs.

ξεμπαρκάρω (ρ) [ksembarkaro] unload, land.

ξεμπέρδεμα (το) [ksemberdhema] unravelling, disentanglement.

ξεμπερδεύω (ρ) [ksemberdhevo] unravel, get clear of, get rid of.

ξεμπλέκω (ρ) [ksembleko] get free of.

ξεμπροστιάζω (ρ) [ksembrostiazo] unmask, go for somebody.

ξεμυαλίζω (ρ) [ksemializo] infatuate, lead astray.

ξεμυαλισμένος-n-o (ε) [ksemialisme-nos] senile, doting.

ξεμυτίζω (ρ) [ksemitizo] venture out, show one's face.

ξεμωραίνομαι (ρ) [ksemorenome] go senile.

ξεμωράματα (τα) [ksemoramata] dotage, senility.

ξεμωραμένος-n-o (μ) [ksemoramenos] senile.

ξένα (τα) [ksena] foreign parts.

ξενάγηση (n) [ksenayisi] conducted tour.

ξεναγός (ο) [ksenagos] tourist guide.

ξεναγώ (ρ) [ksenago] show round.

ξενέρωτος-n-o (ε) [ksenerotos] sober.

ξενίζω (ρ) [ksenizo] surprise.

ξενικός-ή-ó (ε) [ksenikos] foreign, alien.

ξενιτεύομαι (ρ) [ksenitevome] live abroad.

ξενιτιά (n) [ksenitia] foreign country.

ξενοδοχείο (το) [ksenodhohio] hotel.

ξενοδόχος (ο, n) [ksenodhohos] hotelier.

ξενοιάζω (ρ) [kseniazo] be free from cares.

ξένοιαστος-n-o (ε) [kseniastos] jaunty.

ξενοικιάζω (ρ) [ksenikiazo] move out.

ξενοίκιαστος-n-o (ε) [ksenikiastos] vacant, free, empty.

ξενοκοιμάμαι (ρ) [ksenokimame] sleep out.

ξενομανία (n) [ksenomania] xenomania.

ξένος-n-o (ε) [ksenos] foreign, strange, unfamiliar, visitor.

ξένος (ο) [ksenos] foreigner, stranger, alien, visitor, guest.

ξενότροπος-n-o (ε) [ksenotropos] alien.

ξενόφερτος-n-o (ε) [ksenofertos] alien, outlandish.

ξενοφοβία (n) [ksenofovia] xenophobia.

ξενόφωνος-n-o (ε) [ksenofonos] foreign-speaking.

ξεντύνω (ρ) [ksendino] undress.

ξενυχιάζω (ρ) [ksenihiazo] pull out somebody's nails, tread on somebody's toes.

ξενύχτης (ο) [ksenihtis] nightbird, night owl.

ξενύχτι (το) [ksenihti] sleepless night, vigil.

ξενυχτώ (ρ) [ksenihto] stay up late, stay out / up all night.

ξενώνας (ο) [ksenonas] spare room.

ξεπαγιάζω (ρ) [ksepayiazo] freeze, get frozen.

ξεπαγιασμένος-n-o (μ) [ksepayiasmenos] ice-cold, frozen.

ξεπαγώνω (ρ) [ksepagono] defrost, thaw.

ξεπαρθένεμα (το) [kseparthenema] defloration.

ξεπαρθενεύω (ρ) [kseparthenevo] deflower.

ξεπαστρεύω (ρ) [ksepastrevo] exterminate.

ξεπατώνω (ρ) [ksepatono] wear out.

ξεπέζεμα (το) [kseepezema] dismounting, getting off.

ξεπεζεύω (ρ) [ksepezevo] dismount.

ξεπέρασμα (το) [kseperasma] getting over, overcoming.

ξεπερασμένος-n-o (μ) [kseperasmenos] out-of-date, old-fashioned.

ξεπερνώ (ρ) [kseperno] surmount, overcome, top, overstep, surpass, overtake.

ξεπεσμένος-n-o (μ) [ksepesmenos] impoverished, ruined.

ξεπεσμός (ο) [ksepesmos] decay, decline, fall [τιμών].

ξεπέταγμα (το) [ksepetagma] flush.

ξεπετιέμαι (ρ) [ksepetieme] jump up suddenly, shoot up.

ξεπετώ (ρ) [ksepeto] flush, smoke out, polish off, spring up, jump up.

ξεπέφτω (ρ) [ksepefto] reduce, fall [τιμών], fall into disrepute [μεταφ], demean.

ξεπλάνεμα (το) [kseplanema] seduction.

ξεπλανεύω (ρ) [kseplanevo] seduce.

ξεπλέκω (ρ) [ksepleko] undo, let down [μαλλιά].

ξεπλένω (ρ) [ksepleno] rinse.

ξεπληρώνω (ρ) [kseplirono] pay off.

ξέπλυμα (το) [kseplima] rinse.

ξεπλυμένος-n-o (μ) [kseplimenos] washed-out.

ξέπνοος-n-o (ε) [ksepnoos] breathless.

ξεποδαριάζω (ρ) [ksepodhariazo] walk somebody off his legs.

ξεπορτίζω (ρ) [kseportizo] slip out, steal out.

ξεπούλημα (το) [ksepulima] sale, liquidation.

ξεπουλώ (ρ) [ksepulo] sell off, liquidate.

ξεπουπουλιάζω (ρ) [ksepupuliazo] pluck, skin [χαρτοπ].

ξεπροβάλλω (ρ) [kseprovallo] come into view.

ξεπροβοδίζω (ρ) [kseprovodhizo] say goodbye to.

ξεπροβόδισμα (το) [kseprovodhisma] send-off.

ξέρα (n) [ksera] rock [θάλασσας], reef [θάλασσας], drought [καιρού], dryness [καιρού].

ξεράιλα (n) [kseraila] dryness, drought.

ξεραίνομαι (ρ) [kserenome] dry up,

wither, cake, crisp.

ξεραίνω (ρ) [ksereno] dry up, parch, bake, wither [φυτά].

ξερακιανός-ή-ό (ε) [kserakianos] lanky, weedy.

ξέρασμα (το) [kserasma] vomit, bilge [μεταφ].

ξερατό (το) [kserato] vomiting.

ξερίζωμα (το) [kserizoma] uprooting, upheaving.

ξεριζώνω (ρ) [kserizono] pull up, up-root, wipe out.

ξερνώ (ρ) [kserno] vomit.

ξερόβηχας (ο) [kserovihas] dry cough.

ξερόβόρι (το) [kserovori] icy wind.

ξεροβούνι (το) [kserovuni] bald mountain.

ξερογλείφομαι (ρ) [kseroglifome] lick one's lips.

ξεροκεφαλιά (n) [kserokefalia] stubbornness.

ξεροκέφαλος-n-o (ε) [kserokefalos] stubborn.

ξεροκοκκινίζω (ρ) [kserokokkinizo] blush.

ξερονήσι (το) [kseronisi] desert island.

ξεροπήγαδο (το) [kseropigadho] dried-up well.

ξεροπόταμος (ο) [kseropotamos] dried-up stream.

ξερός-ή-ό (ε) [kseros] arid, dry, barren, parched [γλώσσα], curt [ύφος].

ξεροσταλιάζω (ρ) [kserostaliazo] kick one's heels.

ξεροτηγανίζω (ρ) [kserotiganizo] fry something brown, fritter.

ξερότοπος (ο) [kserotopos] barren place.

ξερούτσικος-n-o (ε) [kserutsikos] dryish.

ξεροψημένος-n-o (μ) [kseropsimenos] well-done, crisp.

ξέρω (ρ) [ksero] know how to, understand, be aware of.

ξεσήκωμα (το) [ksesikoma] uprising, uplifting.

ξεσηκώνω (ρ) [ksesikono] rouse, excite, transfer [σχέδιο].

ξεσκάζω (ρ) [kseskazo] relax.

ξεσκαλίζω (ρ) [kseskalizo] dig up [μεταφ].

ξεσκεπάζω (ρ) [kseskepazo] unveil, un-cover, reveal.

ξεσκίζω (ρ) [kseskizo] lacerate, shred to pieces.

ξεσκλαβώνω (ρ) [ksesklavono] liberate, deliver, emancipate.

ξεσκονίζω (ρ) [kseskonizo] dust, brush, furbish.

ξεσκονιστήρι (το) [kseskonistiri] feather-duster.

ξεσκονόπανο (το) [kseskonopano] duster.

ξεσκοτίζομαι (ρ) [kseskotizome] clear one's head.

ξέσκουρα (επ) [kseskura] superficially.

ξεσκουριάζω (ρ) [kseskuriazo] remove the rust, brush up, furbish.

ξεσπάζω (ρ) [ksespazo] burst into [μεταφ], burst out [μεταφ].

ξεσπαθώνω (ρ) [ksespathono] un-sheathe one's sword, speak out [μεταφ].

ξέσπασμα (το) [ksespasma] outburst, fit, burst.

ξεσπιτώνω (ρ) [ksespitono] evict.

ξεσπώ (ρ) [ksespo] burst out, burst into, break out, break into, take it out [on somebody].

ξέστηθος-n-o (ε) [ksestithos] barechested.

ξεστομίζω (ρ) [ksestomizo] utter, launch.

ξεστρώνω (ρ) [ksestrono] take up, remove.

ξεσυννέφιασμα (το) [ksesinnefiasma] clearing.

ξεσχίζω (ρ) [kseshizo] tear to pieces.

ξετινάζω (ρ) [ksetinazo] toss, beat, re-duce to poverty [μεταφ].

ξετρελαίνομαι (ρ) [ksetrelenome] be mad about, be infatuated with.

ξετρελαίνω (ρ) [ksetreleno] drive mad, bewitch [από έρωτα].

ξετρελλαμένος-n-o (μ) [ksetrellamenos] besotted.

ξετρυπώνω (ρ) [ksetripono] crop up.

ξετσιπωσιά (n) [ksetsiposia] shamelessness.

ξετσίπωτος-n-o (ε) [ksetsipotos] shameless, brazen.

ξετυλίγω (ρ) [ksetiligo] uncoil, unroll.

ξεφάντωμα (το) [ksefandoma] merrymaking.

ξεφαντώνω (ρ) [ksefandono] live fast, feast.

ξεφεύγω (ρ) [ksefevgo] elude, slip out, balk, bilk.

ξεφλουδίζω (ρ) [ksefludhizo] peel, shell, lose the skin [το δέρμα].

ξεφορτώνω (ρ) [ksefortono] unload, get rid of.

ξεφουρνίζω (ρ) [ksefurnizo] remove something from oven, blurt out [μεταφ].

ξεφούσκωμα (το) [ksefuskoma] deflation.

ξεφουσκώνω (ρ) [ksefuskono] deflate, puncture.

ξεφούσκωτος-n-o (ε) [ksefuskotos] flat, deflated.

ξέφρενος-n-o (ε) [ksefrenos] wild, frenzied.

ξεφτέρι (το) [ksefteri] sharp person.

ξέφτι (το) [ksefti] loose thread.

ξεφτίζω (ρ) [kseftizo] fray out, pull out [νήμα].

ξεφτιλισμένος-n-o (μ) [kseftilismenos] scurvy, mean.

ξεφτισμένος-n-o (μ) [kseftismenos] frayed, threadbare.

ξεφυλλίζω (ρ) [ksefillizo] run through, pluck, defoliate.

ξεφυσώ (ρ) [ksefiso] puff, snort, wheeze, pant, gasp.

ξεφυτρώνω (ρ) [ksefitrono] sprout, appear suddenly.

ξεφωνητό (το) [ksefonito] yell, shout.

ξεφωνίζω (ρ) [ksefonizo] shout, yell.

ξέφωτο (το) [ksefoto] clearing, glade.

ξεχαρβαλωμένος-n-o (μ) [kseharvalomenos] shaky, loose, falling apart.

ξεχαρβαλώνω (ρ) [kseharvalono] disorganize, throw out of gear.

ξεχασιάρης-α-ικο (ε) [ksehasiaris] forgetful.

ξεχασμένος-n-o (μ) [ksehasmenos] forgotten.

ξεχειλίζω (ρ) [ksehilizo] overflow.

ξέχειλος-n-o (ε) [ksehilos] full to the brim, overflown.

ξεχειλώνω (ρ) [ksehilono] lose shape.

ξεχειμωνιάζω (ρ) [ksehimoniazo] pass the winter.

ξεχερσώνω (ρ) [ksehersono] clear.

ξεχνώ (ρ) [ksehno] forget, leave out, neglect.

ξεχρεώνω (ρ) [ksehreono] pay up, settle, fulfil.

ξεχύνομαι (ρ) [ksehinome] overflow.

ξεχύνω (ρ) [ksehino] pour out, overflow.

ξεχώνω (ρ) [ksehono] dig up.

ξεχωρίζω (ρ) [ksehorizo] separate, single out, distinguish.

ξεχωριστά (επ) [ksehorista] separately.

ξεχωριστός-ή-ó (ε) [ksehoristos] separate, distinguished, exceptional.

ξεψαχνίζω (ρ) [ksepsahnizo] sift, scrutinize, pump [μεταφ].

ξεψυχισμένος-n-o (μ) [ksepsihismenos] breathless.

ξεψυχώ (ρ) [ksepsiho] die, expire.

ξηλώνω (ρ) [ksilono] take apart.

ξημέρωμα (το) [ksimeroma] dawn.

ξημερώματα (τα) [ksimeromata] dawn.

ξημερώνομαι (ρ) [ksimeronome] stay awake till morning.

ξηρά (n) [ksira] dry land, mainland.

ξηραίνω (ρ) [ksireno] dry, drain.

ξηραντήριο (το) [ksirandirio] drier.

ξηρασία (n) [ksirasia] drought.

ξηρός-ή-ó (ε) [ksiros] crisp.

ξηρότητα (n) [ksirotita] aridity.

ξίγκι (το) [ksingi] fat, lard.

ξίδι (το) [ksidhi] vinegar.

ξίκικος-n-ο (ε) [ksikikos] deficient.

ξινάρι (το) [ksinari] pickaxe.

ξινίζω (ρ) [ksinizo] turn sour.

ξινίλα (n) [ksinila] bitterness, acidity, sharpness.

ξινό (το) [ksino] citric acid.

ξινόμηλο (το) [ksinomilo] Granny Smith (apple).

ξινός-ή-ό (ε) [ksinos] sour, acid, sharp, unripe [για φρούτα], green [για φρούτα].

ξιπάζομαι (ρ) [ksipazome] put on airs, show off.

ξιπάζω (ρ) [ksipazo] impress.

ξιπασιά (n) [ksipasia] ego.

ξιπασμένος-n-ο (μ) [ksipasmenos] vain, conceited, big-headed.

ξιπασμένος (ο) [ksipasmenos] big-head.

ξιφασκία (n) [ksifaskia] fencing.

ξιφίας (ο) [ksifias] swordfish.

ξιφολόγχη (n) [ksifologhi] bayonet.

ξιφομαχία (n) [ksifomahia] fencing.

ξιφομάχος (ο) [ksifomahos] fencer.

ξιφομαχώ (ρ) [ksifomaho] fence.

ξίφος (το) [ksifos] sword.

ξιφουλκώ (ρ) [ksifulko] draw one's sword.

ξόανο (το) [ksoano] wooden statue, blockhead [άνθρ].

ξόβεργα (n) [ksoverga] bird-lime.

ξοδεύομαι (ρ) [ksodhevome] spend.

ξοδεύω (ρ) [ksodhevo] spend, use up, consume, expend.

ξόδι (το) [ksodhi] funeral.

ξοπίσω (επ) [ksopiso] behind, after.

ξόρκι (το) [ksorki] entreaty, spell.

ξόρκισμα (το) [ksorkisma] conjuration.

ξοφλημένος-n-ο (μ) [ksoflimenos] a wiped-out.

ξυλάνθρακας (ο) [ksilandhrakas] charcoal.

ξυλαποθήκη (n) [ksilapothiki] woodshed.

ξυλεία (n) [ksilia] timber, lumber.

ξυλεμπόριο (το) [ksilemborio] timber trade.

ξυλέμπορος (ο) [ksilemboros] timber merchant.

ξυλιάζω (ρ) [ksiliazo] be stiff, be numb, make stiff.

ξύλινος-n-ο (ε) [ksilinos] wooden, wood.

ξύλο (το) [ksilo] wood.

ξυλογλυπτική (n) [ksilogliptiki] wood-carving.

ξυλογραφία (n) [ksilografia] wood-engraving.

ξυλοκάρβουνο (το) [ksilokarvuno] charcoal.

ξυλοκέρατο (το) [ksilokerato] carob.

ξυλοκόπημα (το) [ksilokopima] thrashing.

ξυλοκόπος (ο) [ksilokopos] lumberjack, feller.

ξυλοκοπώ (ρ) [ksilokopo] thrash, bludgeon, cudgel.

ξυλόκοτα (n) [ksilokota] woodcock.

ξυλοπάπουτσο (το) [ksilopaputso] clog.

ξυλοπόδαρο (το) [ksilopodharo] stilt.

ξυλοστρώνω (ρ) [ksilostrono] batten.

ξυλοτρύπανο (το) [ksilotripano] centre-bit.

ξυλουργείο (το) [ksiluryio] carpenter's workshop.

ξυλουργική (n) [ksiluryiki] joinery, carpentry.

ξυλουργός (ο) [ksilurgos] carpenter, joiner.

ξυλοφορτώνω (ρ) [ksilofortono] thrash, beat up.

ξυλόφωνο (το) [ksilofono] xylophone.

ξυνίζω (ρ) [ksinizo] acidify.

ξύνομαι (ρ) [ksinome] scratch.

ξύνω (ρ) [ksino] scratch, scrape, sharpen [μολύβι].

ξύπνημα (το) [ksipnima] awakening.

ξυπνητήρι (το) [ksipnitiri] alarm clock.

ξυπνητός-ή-ό (ε) [ksipnitos] awake.

ξύπνιος-a-ο (ε) [ksipnios] wakeful, awake, alert [μεταφ], intelligent [μεταφ].

ξυπνώ (ρ) [ksipno] wake up.

ξυπολιέμαι (ρ) [ksipolieme] take off one's shoes.

ξυπόλυτος-n-ο (ε) [ksipolitos] barefooted.

ξυράφι (το) [ksirafi] razor.
ξυρίζομαι (ρ) [ksirizome] shave, have a shave.
ξυρίζω (ρ) [ksirizo] shave.
ξύρισμα (το) [ksirisma] shave, shaving.
ξυριστικός-ή-ό (ε) [ksiristikos] shaving.
ξύσιμο (το) [ksisimo] scratching, scraping, sharpening.
ξύσματα (τα) [ksismata] shavings, scrapings.
ξυστήρι (το) [ksistiri] scraper, sharpener.
ξυστός-ή-ό (ε) [ksistos] grated, scratched.

ξύστρα (η) [ksistra] grater, scraper, pencil sharpener.
ξυστρίζω (ρ) [ksistrizo] curry [για ζώα].
ξωκλήσι (το) [ksoklisi] country chapel.
ξώλαμπρα (επ) [ksolambra] just after Easter.
ξωμάχος (ο) [ksomahos] labourer.
ξώπετσος-η-ο (ε) [ksopetsos] superficial.
ξωτικό (το) [ksotiko] ghost, spirit.
ξώφυλλο (το) [ksofillo] book cover, outside shutter.

o (άρθ) [o] the [art].

ό,τι (αν) [o,ti] what[ever].

ό,τιδήποτε (αν) [otidhipote] anything.

όαση (n) [oasi] oasis.

οβάλ (το) [oval] oval.

οβελίας (ο) [ovelias] lamb on the spit.

οβελίσκος (ο) [oveliskos] obelisk.

οβίδα (n) [ovidha] explosive shell.

όβολα (τα) [ovola] money.

οβολός (ο) [ovolos] contribution, farthing.

ογδονκοστός-ή-ό (ε) [ogdhoikostos] eightieth.

ογδόντα (αριθ) [ogdhonda] eighty.

ογδοντάρης-α-ικο (ε) [ogdhondaris] octogenarian.

όγδοος-n-ο (ε) [ogdhoos] eighth.

ογκόλιθος (ο) [ongolithos] block of stone.

ογκόπαγος (ο) [ongopagos] ice-pack.

όγκος (ο) [ongos] volume, mass, lump, tumour [ιατρ], clump, size, growth [ιατρ].

ογκούμαι (ρ) [ongume] swell, grow fatter, increase [μεταφ].

ογκώδης-ης-ες (ε) [ongodhis] voluminous, massive, stout [άτομο].

όγκωμα (το) [ongoma] bulge, swelling, tumour.

ογκώνομαι (ρ) [ongonome] swell, increase.

οδεύω (ρ) [odhevo] walk, tramp, trudge, accompany, advance [προς], carry, chaperon, companion, forward [προς], further [προς], progress [προς].

οδήγηση (n) [odhiyisi] driving, steering, piloting.

οδηγητής (ο) [odhiyitis] guide, leader.

οδηγία (n) [odhiyia] instruction, directions, orders, advice.

οδηγίες (οι) [odhiyies] briefing.

οδηγός (ο) [odhigos] guide, conductor, chauffeur [αυτοκινήτου].

οδηγώ (ρ) [odhigo] guide, lead, drive [αυτοκίνητο κτλ].

οδικός-ή-ό (ε) [odhikos] road, street.

οδοιπορία (n) [odhiporia] walk, journey.

οδοιπορικός-ή-ό (ε) [odhiporikos] walking, travelling.

οδοιπόρος (ο) [odhiporos] traveller.

οδοιπορώ (ρ) [odhiporo] walk, march, travel.

οδοκαθαριστής (ο) [odhokaharistis] street sweeper.

οδομαχία (n) [odhomahia] street fighting.

οδοντιατρείο (το) [odhondiatrio] dentist's surgery.

οδοντιατρικός-ή-ό (ε) [odhondiatrikos] dental.

οδοντίατρος (ο) [odhondiatros] dentist.

οδοντόβουρτσα (n) [odhondovurtsa]

toothbrush.

οδοντογλυφίδα (n) [odhondoglifidha] toothpick.

οδοντόπαστα (n) [odhondopasta] toothpaste.

οδοντοστοιχία (n) [odhondostihia] denture.

οδοντοσφράγιση (n) [odhontosfrayisi] tooth filling.

οδοντοτεχνίτης (ο) [odhondotehnitis] dental technician.

οδοντοφυΐα (n) [odhondofiïa] teething.

οδοντόφωνος-n-ο (ε) [odhondofonos] dental.

οδόντωμα (το) [odhontoma] gear [μηχ], tooth [μηχ].

οδοντωτός-ή-ό (ε) [odhondotos] toothed, jagged, castellated, crenate [βοτ].

οδοποιία (n) [odhopiïa] road construction.

οδός (n) [odhos] street, main street [ευρεία], thoroughfare [ευρεία].

οδόστρωμα (το) [odhostroma] road surface, paving.

οδοστρωτήρας (ο) [odhostrotiras] steamroller.

οδόφραγμα (το) [odhofragma] roadblock.

οδύνη (n) [odhini] pain, suffering, grief [ηθική].

οδυνηρός-ή-ό (ε) [odhiniros] painful [πληγή], sore [μέρος], distressing.

οδυρμός (ο) [odhirmos] lamentation, wailing.

οδύρομαι (ρ) [odhirome] complain, moan.

οζίδιο (το) [ozidhio] caruncle.

όζον (το) [ozon] ozone.

όζος (ο) [ozos] knot, knuckle [των δακτύλων].

όζω (ρ) [ozo] reek, stink, stench.

οζώδης (ο) [ozodhis] knotty, gnarled.

οθόνη (n) [othoni] screen.

Οθωμανός (ο) [Othomanos] Ottoman.

Όθωνας (ο) [Othonas] Otto.

οίδημα (το) [idhima] swelling, tumour.

οίηση (n) [iisi] presumption, arrogance.

οικειοθελώς (επ) [ikiothelos] voluntarily [υπακούω], purposely [κάνω κάτι].

οικειοποίηση (n) [ikiopiisi] appropriation.

οικειοποιούμαι (ρ) [ikiopiume] appropriate ourselves.

οικείος-α-ο (ε) [ikios] intimate, familiar, sociable.

οικειότητα (n) [ikiotita] familiarity, closeness.

οικείωση (n) [ikiosi] familiarity.

οίκημα (το) [ikima] dwelling, lodging.

οίκηση (n) [ikisi] habitation.

οικήσιμος-n-ο (ε) [ikisimos] habitable.

οικία (n) [ikia] house, home, residence.

οικιακός-ή-ό (ε) [ikiakos] domestic, home.

οικίζω (ρ) [ikizo] inhabit, settle.

οικισμός (ο) [ikismos] settling.

οικογένεια (n) [ikoyenia] family.

οικογενειακός-ή-ό (ε) [ikoyeniakos] of the family, home, domestic.

οικογενειάρχης (ο) [ikoyeniarhis] head of the family.

οικοδέσποινα (n) [ikodhespina] lady of the house.

οικοδεσπότης (ο) [ikodhespotis] master of the house.

οικοδομή (n) [ikodhomi] construction, act of building.

οικοδόμημα (το) [ikodhomima] building, structure.

οικοδόμηση (n) [ikodhomisi] construction, building.

οικοδομήσιμος-n-ο (ε) [ikodhomisimos] building.

οικοδομική (n) [ikodhomiki] building.

οικοδόμος (ο) [ikodhomos] construction worker, builder.

οικοδομώ (ρ) [ikodhomo] build, construct.

οικολογία (n) [ikoloyia] ecology.

οικολογικός-ή-ό (ε) [ikoloyikos] ecological.

οικολόγος (ο) [ikoloyos] ecologist.

οικονομημένος-n-ο (ε) [ikonomimenos] well-off.

οικονομία (n) [ikonomia] economy, saving.

οικονομικά (επ) [ikonomika] reasonably, cheaply.

οικονομικά (τα) [ikonomika] finances, economics.

οικονομικός-ή-ό (ε) [ikonomikos] economic, financial, cheap [φθηνά].

οικονομολόγος (ο) [ikonomologos] economist.

οικονόμος (ο, η) [ikonomos] steward, stewardess, thrifty person [μεταφ].

οικονομώ (ρ) [ikonomo] save, economize, make money.

οικόπεδο (το) [ikopedho] building site, plot.

οικοπεδοφάγος (ο) [ikopedhofagos] land-grabber.

οίκος (ο) [ikos] house.

οικόσημο (το) [ikosimo] coat of arms.

οικοτροφείο (το) [ikotrofio] boarding school.

οικότροφος (ο, η) [ikotrofos] boarder.

οικουμένη (n) [ikumeni] world, universe.

οικουμενικός-ή-ό (ε) [ikumenikos] universal.

οικτιρμός (ο) [iktirmos] pity, mercy.

οικτίρω (ρ) [iktiro] pity, despise, scorn.

οίκτος (ο) [iktos] pity, contempt.

οικτρός-ή-ό (ε) [iktros] deplorable, wretched, miserable, pitiful.

οιμωγή (n) [imoyi] moan[ing].

οινόπνευμα (το) [inopnevma] alcohol.

οινοπνευματώδης-ης-ες (ε) [inopnevmatodhis] alcoholic.

οινοποιείο (το) [inopiio] wine factory.

οινοποσία (n) [inoposia] drinking.

οινοπωλείο (το) [inopolio] wineshop, off-licence.

οίνος (ο) [inos] wine.

οιοσδήποτε, οιαδήποτε, οιοδήποτε (αν) [iosdhipote, iadhipote, iodhipote] any, anybody, any kind of, whoever, whichever.

οισοφάγος (ο) [isofagos] oesophagus.

οιστρηλασία (n) [istrilasia] enthusiasm, great excitement.

οίστρος (ο) [istros] gadfly, inspiration [μεταφ], goading [μεταφ].

οιωνός (ο) [ionos] omen, presage.

οκαζιόν (n) [okazion] bargain.

οκλαδόν (επ) [okladhon] cross-legged.

οκνηρά (επ) [oknira] idly.

οκνηρία (n) [okniria] laziness, sloth.

οκνηρός-ή-ό (ε) [okniros] lazy, idle.

οκνός-ή-ό (ε) [oknos] nonchalant, languid.

οκρίβαντας (ο) [okrivandas] easel.

οκτάγωνος-η-ο (ε) [oktagonos] octagonal.

οκτακόσια (αριθ) [oktakosia] eight hundred.

οκτακόσιοι-ες-α (αριθ) [oktakosii] eight hundred.

οκτάπους (ο) [oktapus] octopus.

οκτώ (αριθ) [okto] eight.

Οκτώβριος (ο) [Oktovrios] October.

ολάκερος-η-ο (ε) [olakeros] whole, entire.

ολάνοιχτος-η-ο (ε) [olanihtos] wide open.

ολάσπρος-η-ο (ε) [olaspros] snow-white.

ολέθριος-α-ο (ε) [olethrios] ominous, disastrous, destructive, catastrophic.

όλεθρος (ο) [olethros] destruction, ruin, disaster, devastation.

ολημέρα (επ) [olimera] all day long.

ολημερίς (επ) [olimeris] all day long.

ολιγάριθμος-η-ο (ε) [oligarithmos] few in number, a few.

ολιγαρκής-ής, ές (ε) [oligarkis] temperate.

ολιγοδάπανος-η-ο (ε) [oligodhapanos] economical.

ολιγόημερος-η-ο (ε) [oligoimeros] lasting few days, short.

ολίγοι (οι) [oligi] few.

ολιγόλογος-η-ο (ε) [oligologos] concise, succinct.

ολιγόλογος (ο) [oligologos] clam [μεταφ].

ολίγος-η-ο (ε) [oligos] short, a little, a few.

ολιγοψυχία (n) [oligopsihia] timidity.

ολιγωρία (n) [oligoria] neglect.

ολικός-ή-ό (ε) [olikos] total, whole.

ολικώς (επ) [olikos] totally.

ολισθαίνω (ρ) [olistheno] slip, slide, lapse into [μεταφ].

ολίσθημα (το) [olisthima] slide, slip[ping], mistake.

ολισθηρός-ή-ό (ε) [olisthiros] slippery.

ολίσθηση (n) [olisthisi] glissade.

ολισθητήρας (ο) [olisthitiras] coulise.

ολκή (n) [olki] attraction, pull, weight, calibre, bore.

Ολλανδία (n) [Ollandhia] Holland.

Ολλανδικός-ή-ό (ε) [Ollandhikos] Dutch.

Ολλανδός (ο) [Ollandhos] Dutchman.

όλμος (ο) [olmos] mortar.

όλο (επ) [olo] forever, always.

ολόγερος-n-o (ε) [oloyeros] intact.

ολόγιομος-n-o (ε) [oloyiomos] full up.

ολόγυρα (επ) [oloyira] all round.

ολοένα (επ) [oloena] constantly.

ολοζώντανος-n-o (ε) [olozondanos] full of life.

ολοήμερος-n-o (ε) [oloimeros] lasting a whole day.

ολοΐδιος-a-o (ε) [oloidhios] the spitting image.

ολοΐσια (επ) [oloisia] straight, directly.

ολοΐσιος-a-o (ε) [oloisios] direct, straight.

ολοκάθαρος-n-o (ε) [olokatharos] spotlessly clean, crystal clear.

ολοκαίνουριος-a-o (ε) [olokenurios] brand new.

ολοκαύτωμα (το) [olokaftoma] holocaust, sacrifice.

ολόκληρος-n-o (ε) [olokliros] entire, whole, full.

ολοκλήρωμα (το) [olokliroma] integral [μαθημ].

ολοκληρωμένος-n-o (μ) [olokliromenos] consummate.

ολοκληρώνω (ρ) [oloklirono] complete, finish, integrate [μαθημ], clench [επιχείρημα].

ολοκληρωτικός-ή-ό (ε) [oloklirotikos] full, entire, complete, integral [μαθημ].

ολοκληρωτισμός (ο) [oloklirotismos] totalitarianism.

ολόλαμπρος-n-o (ε) [ololambros] resplendent.

ολόλευκος-n-o (ε) [ololefkos] all white, snow-white.

ολόμαλλος-n-o (ε) [olomallos] all wool, pure wool.

ολόμαυρος-n-o (ε) [olomavros] jet-black.

ολομερής-ής-ές (ε) [olomeris] entire, whole.

ολομέταξος-n-o (ε) [olometaksos] all silk, pure silk.

ολομόναχος-n-o (ε) [olomonahos] quite alone.

ολονυχτία (n) [olonihtia] wake, vigil [εκκλ].

ολονύχτιος-a-o (ε) [olonihtios] nightlong, overnight.

ολονυχτίς (επ) [olonihtis] the whole night long.

ολοπρόθυμος-n-o (ε) [oloprothimos] enthusiastic.

ολόρθος-n-o (ε) [olorthos] straight, upright.

όλος-n-o (ε) [olos] all, whole, entire.

ολοσέλιδος-n-o (ε) [oloselidhos] full-page.

ολόστεγνος-n-o (ε) [olostegnos] bone-dry.

ολοσχερής-ής-ές (ε) [olosheris] utter, complete, full, entire.

ολοταχώς (επ) [olotahos] at top speed.

ολότελα (επ) [olotela] entirely, altogether, completely, fully.

ολότητα (n) [olotita] totality, community.

ολοτρόγυρα (επ) [olotroyira] all around.

ολούθε (επ) [oluthe] everywhere, on all sides.

ολοφάνερος-n-o (ε) [olofaneros] obvious, plain, clear, evident.

ολόφωτος-n-o (ε) [olofotos] lit up, illuminated.

ολόχαρος-η-ο (ε) [oloharos] joyful, happy.

ολοχρονίς (επ) [olohronis] all the year round.

ολόψυχος-η-ο (ε) [olopsihos] wholehearted.

Ολυμπιακός-ή-ό (ε) [Olimbiakos] Olympic.

ολυμπιονίκης (ο) [olimbionikis] Olympic medallist.

ολύμπιος-α-ο (ε) [olimbios] Olympian.

όλως (επ) [olos] altogether, totally.

ολωσδιόλου (επ) [olosdhiolou] quite, utterly.

ομάδα (n) [omadha] group, band, team [αθλητική].

ομαδικά (επ) [omadhika] collectively.

ομαδικός-ή-ό (ε) [omadhikos] collective.

ομαδοποίηση (n) [omadhopiisi] factionalism, grouping.

όμαιμος-η-ο (ε) [omemos] consanguineous.

ομαλοποίηση (n) [omalopiisi] normalization.

ομαλός-ή-ό (ε) [omalos] even, level, smooth, regular.

ομαλότητα (n) [omalotita] regularity, smoothness.

ομελέτα (n) [omeleta] omelette.

ομήγυρη (n) [omiyiri] party, meeting, assembly, circle.

ομηρικός-ή-ό (ε) [omirikos] Homeric.

Όμηρος (ο) [Omiros] Homer.

όμηρος (ο) [omiros] hostage.

ομιλητής (ο) [omilitis] speaker, lecturer.

ομιλητικός-ή-ό (ε) [omilitikos] sociable, talkative, chirrupy, communicative.

ομιλία (n) [omilia] talk, conversation, speech, lecture.

όμιλος (ο) [omilos] company, group, club, society.

ομιλουμένη (n) [omilumeni] speech, spoken language.

ομιλώ (ρ) [omilo] speak, talk.

ομίχλη (n) [omihli] fog, mist.

ομιχλώδης-ης-ες (ε) [omihlodhis] foggy, misty.

ομοβάθμιος-α-ο (ε) [omovathmios] co-equal.

ομοβροντία (n) [omovrondia] volley, broadside.

ομογάλαχτος-η-ο (ε) [omogalahtos] foster[-brother].

ομογένεια (n) [omoyenia] homogeny.

ομογενής-ής-ές (ε) [omoyenis] similar, of the same race.

ομοεθνής-ής-ές (ε) [omoethnis] fellow [countryman].

ομοειδής-ής-ές (ε) [omoidhis] of the same kind, similar.

ομόθρησκος-η-ο (ε) [omothriskos] of the same religion.

ομόθρησκος (ο) [omothriskos] co-religionist.

ομοθυμία (n) [omothimia] unanimity.

ομόθυμος-η-ο (ε) [omothimos] unanimous.

ομοιάζω (ρ) [omiazo] resemble, look like.

ομοϊδεάτης (ο) [omoidheatis] like-minded.

ομοιογένεια (n) [omioyenia] homogeneity.

ομοιογενής-ής, ές (ε) [omioyenis] homogeneous, uniform.

ομοιοκαταληξία (n) [omiokataliksia] rhyme.

ομοιομορφία (n) [omiomorfia] uniformity, sameness.

ομοιόμορφος-η-ο (ε) [omiomorfos] uniform, same.

ομοιπάθεια (n) [omiopathia] homeopathy.

ομοιοπαθής-ής-ές (ε) [omiopathis] fellow sufferer.

ομοιοπαθητική (n) [omiopathitiki] homeopathy.

ομοιοπολικός-ή-ό (ε) [omiopolikos] covalent.

όμοιος-α-ο (ε) [omios] similar [a]like, same, identical.

ομοιότητα (n) [omiotita] resemblance,

similarity, likeness, similitude.

ομοίωμα (το) [omioma] likeness, image.

ομοιώματα (τα) [omiomata] imagery.

ομόκεντρος-n-o (ε) [omokendros] concentric.

ομόκλινος (ο) [omoklinos] bedfellow.

ομολογία (n) [omoloyia] confession, acknowledgement, admission, share [οικον], profession.

ομολογιούχος-a-o (ε) [omoloyiuhos] bond-holder.

ομόλογο (το) [omologo] bond, promissory note, obligation.

ομόλογος-n-o (ε) [omologos] opposite number, counterpart, homologous.

ομολογουμένως (επ) [omologumenos] avowedly, admittedly.

ομολογώ (ρ) [omologo] acknowledge, confess, admit.

ομόνοια (n) [omonia] concord, agreement, accord, peace, amity.

ομοούσιος-a-o (ε) [omousios] consubstantial.

όμορος-n-o (ε) [omoros] neighbouring.

ομόρρυθμος-n-o (ε) [omorrithmos] partnership [in business].

ομορφαίνω (ρ) [omorfeno] become beautiful, embellish.

ομορφάντρας (ο) [omorfandras] handsome man.

ομορφιά (n) [omor:fia] beauty, glory.

ομορφοντυμένος-n-o (μ) [omorfontimenos] braw.

όμορφος-n-o (ε) [omorfos] handsome, beautiful, nice, goodlooking.

ομοσπονδία (n) [omospondhia] federation, confederacy, confederation, union.

ομοσπονδιακός-ή-ό (ε) [omospondhiakos] federal.

ομόσπονδος-n-o (ε) [omospondhos] confederate.

ομότιμος-n-o (ε) [omotimos] professor emeritus [καθηγητής].

ομοτράπεζος-n-o (ε) [omotrapezos] table-mate.

ομόφρονας (ο) [omofronas] having the same ideas.

ομόφυλος-n-o (ε) [omofilos] of the same race, of the same sex.

ομοφυλοφιλία (n) [omofilofilia] homosexuality.

ομοφυλόφιλος-n-o (ε) [omofilofilos] homosexual, gay, lesbian.

ομοφωνία (n) [omofonia] unanimity.

ομόφωνος-n-o (ε) [omofonos] unanimous.

ομοψυχία (n) [omopsihia] union of hearts.

ομπρέλα (n) [ombrela] umbrella, parasol [ήλιου],.

ομφάλιος λώρος (ο) [omfalios loros] umbilical cord.

ομφαλοκήλη (n) [omfalokili] umbilical hernia.

ομφαλός (ο) [omfalos] navel.

ομφαλοσκοπία (n) [omfaloskopia] navel-gazing.

όμως (ο) [omos] yet, nevertheless, but, however.

ον (το) [on] creature, being, critter.

ονειδισμός (ο) [onidhismos] blame, reproach, mocking.

όνειδος (το) [onidhos] disgrace, shame, blot.

ονειρεμένος-n-o (μ) [oniremenos] dreamlike.

ονειρικός-ή-ό (ε) [onirikos] dreamy.

όνειρο (το) [oniro] dream, vision, imagination.

ονειροκρίτης (ο) [onirokritis] dream interpreter.

ονειροπαρμένος-n-o (μ) [oniroparmenos] moony.

ονειροπόλημα (το) [oniropolima] daydreaming.

ονειροπόλος-a-o (ε) [oniropolos] dreamy, moony.

ονειροπόλος (ο) [oniropolos] dreamy.

ονειροπολώ (ρ) [oniropolo] daydream.

ονειρώδης-ης-ες (ε) [onirodhis] dream-like, fantastic, grand.

ονείρωξη (n) [oniroksi] wet dream.

όνομα (το) [onoma] name, noun [γραμμ], fame.

ονομάζω (ρ) [onomazo] name, call.

ονομασία (n) [onomasia] name, designation, appointment.

ονομαστική (n) [onomastiki] nominative [case] [γραμμ].

ονομαστικός-ή-ό (ε) [onomastikos] nominal.

ονομαστός-ή-ό (ε) [onomastos] famous, famed.

ονοματεπώνυμο (το) [onomateponimo] full name.

ονοματίζω (ρ) [onomatizo] name.

ονοματολογία (n) [onomatoloyia] terminology.

οντολογία (n) [ondoloyia] ontology.

οντότητα (n) [ondotita] being, personality.

οντουλάρισμα (το) [ondularisma] perm.

όντως (επ) [ondos] really, truly.

ονυχοφόρος (ο) [onihoforos] clawed.

οξεία (n) [oksia] acute accent.

οξειδώ (ρ) [oksidho] anodize.

οξιά (n) [oksia] beech.

οξίδιο (το) [oksidhio] oxide.

οξιδώνω (ρ) [oksidhono] rust, make rusty.

οξίδωση (n) [oksidhosi] rustiness.

οξικός-ή-ό (ε) [oksikos] acetic.

όξινος-n-o (ε) [oksinos] sour, bitter, acid.

οξοποιώ (ρ) [oksopio] acidify, acidulate.

οξύ (το) [oksi] acid.

οξυγόνο (το) [oksigono] oxygen.

οξυγονοκολλητής (ο) [oksigonokollitis] welder.

οξυγονώνω (ρ) [oksigonono] oxygenate.

οξυδέρκεια (n) [oksidherkia] perspicacity, clear-sightedness, vision, insight.

οξυδερκής-ής-ές (ε) [oksidherkis] sharp-eyed, clear-sighted [μεταφ].

οξυζενέ (το) [oksizene] peroxide.

οξύθυμος-n-o (ε) [oksithimos] irritable.

οξύνοια (n) [oksinia] canniness.

οξύνους (ε) [oksinus] acute, keen, clever.

οξύνω (ρ) [oksino] sharpen, sharpen [το νου], arouse [αισθήματα].

οξύς-εία-ύ (ε) [oksis] sharp, pointed, piercing, sour [γεύση], strong [γεύση].

οξύτητα (n) [oksitita] sharpness, keenness.

οξύφωνος-n-o (ε) [oksifonos] tenor [μουσ].

όξω (επ) [okso] out, outside, without, abroad.

οπαδός (ο) [opadhos] adherent, believer, follower.

οπάλι (το) [opali] opal [ορυκτ].

όπερα (n) [opera] opera.

οπερέτα (n) [opereta] operetta, light opera.

οπή (n) [opi] opening, hole, gap.

όπιο (το) [opio] opium.

οπιομανής (ο) [opiomanis] opium addict.

οπιομανία (n) [opiomania] opium-addiction.

όπισθεν (επ) [opisthen] behind, in the rear.

οπίσθια (τα) [opisthia] behinds, buttocks, backsides, crupper.

οπίσθιος-α-ο (ε) [opisthios] hind, posterior, back.

οπισθογράφηση (n) [opisthografisi] endorsement.

οπισθογράφος (ο) [opisthografos] endorser.

οπισθογραφώ (ρ) [opisthografo] endorse[a cheque].

οπισθοδρόμηση (n) [opisthodhromisi] regression.

οπισθοδρομικός-ή-ό (ε) [opisthodhromikos] retrogressive, back-number [μεταφ].

οπισθοδρομώ (ρ) [opisthodhromo] retrogress.

οπισθοφύλακας (ο) [opisthofilakas] back [ποδοσφ].

οπισθοχώρηση (n) [opisthohorisi] retreat, withdrawal.

οπισθοχωρητικός-ή-ό (ε) [opisthohoritikos] retreat, withdrawal.

οπισθοχωρώ (ρ) [opisthohoro] retreat, fall back, withdraw.

οπίσω (επ) [opiso] behind, back, again.

όπλα (τα) [opla] arms.

οπλαρχηγός (ο) [oplarhigos] chieftain.

οπλή (η) [opli] hoof.

οπλίζω (ρ) [oplizo] arm, reinforce [μεταφ], strengthen.

οπλισμός (ο) [oplismos] armament, equipment.

οπλισμένος-η-ο (μ) [oplismenos] cocked.

οπλιταγωγό (το) [oplitagogo] troopship.

οπλίτης (ο) [oplitis] soldier.

όπλο (το) [oplo] arm, weapon, rifle.

οπλομαχία (η) [oplomahia] arms drill.

οπλονόμος (ο) [oplonomos] master-at-arms.

οπλοποιός (ο) [oplopios] gunsmith.

οπλοστάσιο (το) [oplostasio] arsenal, armoury.

οπλοφορία (η) [oploforia] carrying of arms.

οπλοφόρος (ο) [oploforos] armed man.

οπλοφορώ (ρ) [oploforo] carry arms.

όποιος, όποια, όποιο (αν) [opios, opia, opio] whoever, whichever, anybody.

οποιοσδήποτε, οποιαδήποτε, οποιοδήποτε (αν) [opiosdhipote, opiadhipote, opiodhipote] whoever, whatsoever, anyone.

οπόταν (σ) [opotan] whenever, when.

οπότε (σ) [opote] at which time, when.

όποτε (σ) [opote] whenever, at any time.

οποτεδήποτε (επ) [opotedhipote] any time, whenever.

όπου (επ) [opu] where, wherever.

οπουδήποτε (επ) [opudhipote] wheresoever, wherever, anywhere.

οπτασία (η) [optasia] vision, apparition, aura.

οπτασιάζομαι (ρ) [optasiazome] see visions.

οπτασιακός-ή-ό (ε) [optasiakos] aural.

οπτασιασμός (ο) [optasiasmos] hallucination.

οπτική (η) [optiki] optics.

οπτικο-ακουστικός-ή-ό (ε) [optikoakustikos] audio-visual.

οπτικός (ο) [optikos] optician.

οπτικός-ή-ό (ε) [optikos] optical.

οπτιμιστής (ο) [optimistis] optimist.

οπωρικό (το) [oporiko] fruit.

οπωροπωλείο (το) [oporopolio] fruit market.

οπωροπώλης (ο) [oporopolis] fruit-seller.

οπωροφόρος-α-ο (ε) [oporoforos] bearing fruit, fruit-producing.

οπωρώνας (ο) [oporonas] orchard.

όπως (επ) [opos] as, like.

όπως-όπως (επ) [opos-opos] somehow or other, hap-hazardly.

οπωσδήποτε (επ) [oposdhipote] howsoever, anyway, without fail, definitely.

όραμα (το) [orama] vision.

οραματισμός (ο) [oramatismos] vision, envisaging.

οραματιστής (ο) [oramatistis] visionary.

όραση (η) [orasi] sense of sight, vision.

ορατός-ή-ό (ε) [oratos] visible, perceptible.

ορατότητα (η) [oratotita] visibility.

οργανάκι (το) [organaki] hand-organ.

οργανικός-ή-ό (ε) [organikos] organic.

οργανισμός (ο) [organismos] organism, organization.

όργανο (το) [organo] organ, instrument [μουσ], tool.

οργανοπαίχτης (ο) [organopehtis] organist, musician.

οργανωμένος-η-ο (μ) [organomenos] organized.

οργανώνω (ρ) [organono] organize, form, club, stage, lay on.

οργάνωση (η) [organosi] organization, arranging.

οργανωτής (ο) [organotis] organizer.

οργανωτικός-ή-ό (ε) [organotikos] organizational, organizing.

οργασμός (ο) [orgasmos] orgasm, feverish activity [μεταφ].

οργή (n) [oryi] anger, rage, fury.

όργια (τα) [oryia] orgies, corrupt practices [μεταφ].

οργιάζω (ρ) [oryiazo] revel, debauch.

οργιαστής (ο) [oryiastis] bacchant.

οργιαστικός-ή-ό (ε) [oryiastikos] orgiastic, wild, luxuriant [βλάστηση].

οργίζω (ρ) [oryizo] anger, enrage, irritate.

οργίλος-n-o (ε) [oryilos] biliary [μεταφ].

όργιο (το) [oryio] orgy, riot.

οργισμένος-n-o (μ) [oryismenos] angry, furious.

οργυιά (n) [oryiia] fathom [1,83m].

όργωμα (το) [orgoma] ploughing, tilling.

οργώνω (ρ) [orgono] plough, till.

ορδή (n) [ordhi] host, rabble.

ορέγομαι (ρ) [oregome] covet, lust for, hunger for, crave for.

ορεγόμενος-n-o (μ) [oregomenos] coveter.

ορειβασία (n) [orivasia] mountain, climbing.

ορειβάτης (ο) [orivatis] mountain, climber.

ορειβατικός-ή-ό (ε) [orivatikos] of climbing, of mountaineering.

ορεινός-ή-ό (ε) [orinos] mountainous, hilly, alpine [μεταφ].

ορειχάλκινος-n-o (ε) [orihalkinos] bronze, brass.

ορείχαλκος (ο) [orihalkos] brass, bronze.

ορεκτικό (το) [orektiko] appetizer, aperitif.

ορεκτικός-ή-ό (ε) [orektikos] appetizing, savoury, tempting.

όρεξη (n) [oreksi] appetite, desire, liking.

ορεσίβιος-a-o (ε) [oresivios] mountain-dweller.

ορθά (επ) [ortha] right, rightly, upright, appropriately.

ορθάνοιχτος-n-o (ε) [orthanihtos] wide open.

όρθιος-a-o (ε) [orthios] on end, upright, erect, standing.

ορθογραφία (n) [orthografia] spelling, orthography, dictation.

ορθογραφικός-ή-ό (ε) [orthografikos] spelling.

ορθογώνιο (το) [orthogonio] rectangle.

ορθογώνιος-a-o (ε) [orthogonios] right-t-angled, rectangular.

ορθοδοξία (n) [orthodhoksia] catholicity [κατά τους Δυτικούς], orthodoxy.

ορθόδοξος-n-o (ε) [orthodhoksos] orthodox.

ορθολογικός-ή-ό (ε) [ortholoyikos] rational, reasonable.

ορθολογισμός (ο) [ortholoyismos] rationalism.

ορθοπεδική (n) [orthopedhiki] orthopaedics.

ορθοπεδικός (ο) [orthopedhikos] orthopaedic surgeon.

ορθοποδώ (ρ) [orthopodho] walk straight.

ορθός-ή-ό (ε) [orthos] right, correct, proper, upright, erect.

ορθοστασία (n) [orthostasia] standing.

ορθοστάτης (ο) [orthostatis] brace.

ορθότητα (n) [orthotita] accuracy, soundness, appropriateness, aptitude, correctness.

ορθοφροσύνη (n) [orthofrosini] right-mindedness.

ορθοφωνία (n) [orthofonia] correct articulation, speech training.

όρθρος (ο) [orthros] matins [εκκλ], dawn.

ορθώνομαι (ρ) [orthonome] rise, get up, rear up [άλογο].

ορθώνω (ρ) [orthono] raise, pull up, lift up, lift, erect.

ορθώς (επ) [orthos] right, rightly.

οριακός-ή-ό (ε) [oriakos] marginal, limitary.

ορίζοντας (ο) [orizondas] horizon.

οριζόντιος-a-o (ε) [orizondios] horizontal, level.

οριζοντιώωση (n) [rizondiosi] lying down.

ορίζω (ρ) [orizo] mark, bound, delimit, fix, settle, govern, appoint, assign, specify, prescribe, term.

όριο (το) [orio] boundary, limit, border, scope [μεταφ], boundary [μεταφ].

ορισμένος-η-ο (μ) [orismenos] defined, fixed, certain, special.

ορισμός (ο) [orismos] fixing, definition, order, instruction, aphorism.

οριστική (n) [oristiki] indicative [mood] [γραμμ].

οριστικοποιώ (ρ) [oristikopio] finalize.

οριστικός-ή-ό (ε) [oristikos] definitive, final.

οριστικότητα (n) [oristikotita] finality, conclusiveness.

ορκίζομαι (ρ) [orkizome] swear.

ορκίζω (ρ) [orkizo] put on oath, swear in.

όρκιση (n) [orkisi] swearing.

όρκος (ο) [orkos] oath, vow, pledge.

ορκωμοσία (n) [orkomosia] swearing in.

ορκωτοί (οι) [orkoti] the jury.

ορκωτός-ή-ό (ε) [orkotos] sworn.

ορμέμφυτο (το) [ormemfito] impulse, instinct.

ορμέμφυτος-η-ο (ε) [ormemfitos] impulsive, instinctive.

ορμή (n) [ormi] impulse, vehemence, passion.

ορμηνεύω (ρ) [orminevo] advise, put somebody up to.

ορμήνια (n) [orminia] [a piece of] advice.

ορμητήριο (το) [ormitirio] starting place, motive.

ορμητικός-ή-ό (ε) [ormitikos] hot-tempered, fiery, heady.

ορμητικότητα (n) [ormitikotita] dash, impetuosity.

ορμίσκος (ο) [ormiskos] bight.

ορμόνη (n) [ormoni] hormone.

όρμος (ο) [ormos] bay, inlet.

ορμώ (ρ) [ormo] rush, come from.

όρνεο (το) [orneo] bird of prey.

όρνιθα (n) [ornitha] hen, chicken, fowl.

ορνιθοσκαλίσματα (τα) [ornithoskalismata] scrawl, scribble.

ορνιθοτροφείο (το) [ornithotrofio] poultry farm.

ορνιθοτρόφος (ο) [ornithotrofos] poultry-farmer.

ορνιθώνας (ο) [ornithonas] chicken coop, henhouse.

όρνιο (το) [ornio] bird of prey, dullard [μεταφ], dolt [μεταφ].

ορντινάντσα (n) [orndinandsa] orderly [στρατ], batman.

οροθεσία (n) [orothesia] fixing of boundaries.

οροθετικός-ή-ό (ε) [orothetikos] border, boundary.

οροθετώ (ρ) [orotheto] delimit.

ορολογία (n) [oroloyia] terminology.

ορολογικός-ή-ό (ε) [oroloyikos] terminological.

οροπέδιο (το) [oropedhio] plateau.

όρος (το) [oros] mountain, mount.

όρος (ο) [oros] term, condition, stipulation, limit, end, term [επιστημονικός].

ορός (ο) [oros] serum.

οροσειρά (n) [orosira] mountain range, mountain chain.

ορόσημο (το) [orosimo] boundary mark, boundary stone.

οροφή (n) [orofi] ceiling, roof.

όροφος (ο) [orofos] floor, storey.

ορτανσία (n) [ortansia] hydrangea.

ορτύκι (το) [ortiki] quail.

όρυζα (n) [oriza] rice.

ορυζώνας (ο) [orizonas] rice-field.

ορυκτέλαιο (το) [orikteleo] lubricant.

ορυκτό (το) [orikto] mineral, ore.

ορυκτολογία (n) [oriktoloyia] mineralogy.

ορυκτολόγος (ο) [oriktologos] mineralogist.

ορυκτός-ή-ό (ε) [oriktos] mineral, dug-up.

όρυξη (n) [oriksi] digging, excavation.

ορύσσω (ρ) [orisso] dig, excavate, sink [πηγάδι].

ορυχείο (το) [orihio] mine.

ορφάνεμα (το) [orfanema] orphanhood, becoming an orphan.

ορφανεύω (ρ) [orfanevo] become an orphan.

ορφανός-ή-ό (ε) [orfanos] orphan.

ορφανοτροφείο (το) [orfanotrofio] orphanage.

όρχεις (οι) [orhis] bollocks.

ορχεκτομία (n) [orhektomia] castration.

ορχεοειδές (το) [orheoidhes] orchid.

ορχεοειδής-ής-ές (ε) [orheoidhis] testicular.

όρχηση (n) [orhisi] dancing, dance.

ορχήστρα (n) [orhistra] orchestra.

ορχηστικός-ή-ό (ε) [orhistrikos] dancing.

όσιος-α-ο (ε) [osios] holy, blessed.

οσμή (n) [osmi] odour, smell, scent.

όσο (επ) [oso] as, as far as, as long as, till, until, by the time.

όσος-n-ο (αν) [osos] as much as, as many as, all.

όσπριο (το) [osprio] pulse.

οστεαρθρίτιδα (n) [ostearthritidha] osteoarthritis.

οστεοφυλάκιο (το) [osteofilakio] charnel-house, charnel.

οστεώδης-ης-ες (ε) [osteodhis] skinny.

οστρακιά (n) [ostrakia] scarlet fever.

οσφραίνομαι (ρ) [osfrenome] smell, scent.

όσφρηση (n) [osfrisi] sense of smell.

οσφυαλγία (n) [osfialyia] lumbago.

όταν (σ) [otan] when, at the time when, whenever.

ότι (σ) [oti] that.

οτιδήποτε (αν) [otidhipote] whatsoever, anything at all.

οτοστόπ (το) [otostop] hitch-hiking.

Ουγγαρία (n) [Ungaria] Hungary.

Ουγγρικός-ή-ό (ε) [Ungrikos] Hungarian.

Ούγγρος (ο) [Ungros] Hungarian.

ούγια (n) [uyia] webbing.

ουγκιά (n) [ungia] ounce.

ουδέ (σ) [udhe] not even.

ουδείς, ουδεμία, ουδέν (αν) [udhis, udhemia, udhen] no one, none.

ουδέποτε (επ) [udhepote] never.

ουδέτερο (το) [udhetero] neuter.

ουδετεροποιώ (ρ) [udheteropio] neutralize.

ουδέτερος-n-ο (ε) [udheteros] neither, neutral.

ουδετερότητα (n) [udheterotita] neutrality.

ουδετερόφιλος-n-ο (ε) [udheterofilos] neutralist.

ουδόλως (επ) [udholos] by no means, no wise, by no manner of means.

ουίσκι (το) [uiski] whisky.

ουλαμός (ο) [ulamos] platoon.

ουλή (n) [uli] scar, mark.

ούλο (το) [ulo] gum.

ουμανισμός (ο) [umanismos] humanism.

ουμανιστής (ο) [umanistis] humanist.

ουρά (n) [ura] tail, train of dress, queue.

ούρα (τα) [ura] urine.

ουραγός (ο) [uragos] the last one.

ουρακοτάγκος (ο) [urakotangos] orangoutang.

ουρανής-ιά-ί (ε) [uranis] sky-blue.

ουράνιο (το) [uranio] uranium.

ουράνιος-α-ο (ε) [uranios] heavenly, celestial.

ουρανίσκος (ο) [uraniskos] palate.

ουρανοκατέβατος-n-ο (ε) [uranokatevatos] unexpected [μεταφ].

ουρανομήκης-ης-ες (ε) [uranomikis] sky-high.

ουρανοξύστης (ο) [uranoksistis] skyscraper.

ουρανός (ο) [uranos] sky, heaven.

ουρανόσταλτος-n-ο (ε) [uranostaltos]

heaven-sent.

ούρηση (n) [urisi] urination.

ουρητήριο (το) [uritirio] urinal.

ουρία (n) [uria] urea.

ουρικός-ή-ό (ε) [urikos] urinary.

ούριος-α-ο (ε) [urios] favourable.

ουρλιάζω (ρ) [urliazo] howl, roar, scream [από πόνο].

ούρλιασμα (το) [urliasma] bellowing, howl[ing].

ουροδοχείο (το) [urodhohio] bedpan.

ουροδόχος-ος-ο (ε) [urodhohos] urinary.

ουρώ (ρ) [uro] urinate.

ουσία (n) [usia] matter, substance, essence, gist [μεταφ].

ουσιαστικό (το) [usiastiko] substantive [γραμμ], noun [γραμμ].

ουσιαστικός-ή-ό (ε) [usiastikos] substantial, essential.

ουσιώδης-ης-ες (ε) [usiodhis] essential, vital, indispensable, capital, basal.

ούτε (σ) [ute] not even, neither, nor.

ουτιδανός-ή-ό (ε) [utidhanos] wretch.

Ουτοπία (n) [Utopia] Utopia.

ουτοπικός-ή-ό (ε) [utopikos] utopian.

ουτοπιστής (ο) [utopistis] utopian, visionary.

ούτως (επ) [utos] so, such, thus.

οφειλέτης (ο) [ofiletis] debtor.

οφειλή (n) [ofili] debt, sum due, obligation [γραμμ].

οφείλομαι (ρ) [ofilome] be due.

οφείλω (ρ) [ofilo] owe, be obliged to.

όφελος (το) [ofelos] profit, advantage, benefit, handicap, interest.

οφθαλμαπάτη (n) [ofthalmapati] optical illusion.

οφθαλμίατρος (ο, n) [ofthalmiatros] eye specialist.

οφθαλμικός-ή-ό (ε) [ofthalmikos] ophthalmic.

οφθαλμολόγος (ο) [ofthalmologos] ophthalmologist.

οφθαλμός (ο) [ofthalmos] eye, bud [βιολ].

οφθαλμοφανής-ής-ές (ε) [ofthalmofanis] manifest, obvious.

οφιοειδής-ής-ές (ε) [ofioidhis] anguiform, anguine.

όφις (ο) [ofis] serpent, snake.

οχετός (ο) [ohetos] drain, sewer, pipe.

όχημα (το) [ohima] vehicle, coach, carriage, car.

οχηματαγωγό (το) [ohimatagogo] car ferry.

όχθη (n) [ohthi] bank, shore, edge, side.

όχι (μο) [ohi] no, not.

οχιά (n) [ohia] viper.

οχλαγωγία (n) [ohlagoyia] disturbance, riot, din, row.

οχλαγωγικός-ή-ό (ε) [ohlagoyikos] riotous, rowdy, tumultuous.

οχληρός-ή-ό (ε) [ohliros] tiresome, unpleasant, annoying.

όχληση (n) [ohlisi] reminder, annoyance.

οχλοβοή (n) [ohlovoi] uproar, din.

οχλοκρατία (n) [ohlokratia] mob rule.

οχλοκρατικός-ή-ό (ε) [ohlokratikos] riotous, mob.

όχλος (ο) [ohlos] populace, mob, crowd, rabble.

οχλώ (ρ) [ohlo] remind, bother, trouble.

οκτακόσια (αριθ) [ohtakosia] eight hundred.

οκταπόδι (το) [ohtapodhi] octopus.

οκτάρι (το) [ohtari] eight [χαρτοπ].

οκτώ (αριθ) [ohto] eight.

οχυρό (το) [ohiro] fort, stronghold, bunker.

οχυρός-ή-ό (ε) [ohiros] fortified.

οχύρωμα (το) [ohiroma] fortification.

οχυρώνομαι (ρ) [ohironome] justify.

οχυρώνω (ρ) [ohirono] fortify, entrench.

οχύρωση (n) [ohirosi] fortification.

όψη (n) [opsi] aspect, appearance, look, view, sight, countenance, face.

όψιμος-n-ο (ε) [opsimos] late, of a late season.

παγάκια (τα) [pagakia] ice cubes.
παγάνα (η) [pagana] battue.
παγανιά (η) [pagania] battue.
παγανισμός (ο) [paganismos] paganism.
παγερά (επ) [payera] chilly.
παγερός-ή-ό (ε) [payeros] icy cold, frigid [μεταφ].
παγερότητα (η) [pagerotita] chilliness, frigidity.
παγετός (ο) [pagetos] frost.
παγετώδης-ης-ες (ε) [pagetodhis] icy cold, freezing.
παγετώνας (ο) [pagetonas] glacier.
παγίδα (η) [payidha] trap, snare, pitfall.
παγίδευμα (το) [payidhevma] ensnaring, trapping.
παγίδευση (η) [payidhefsi] trapping, snaring.
παγιδεύω (ρ) [payidhevo] snare, catch, entice.
πάγιος-α-ο (ε) [payios] fixed, stable, settle, standing, invariable, consolidated loan [δάνειο], steady income [πρόσοδος].
παγιώνω (ρ) [payiono] consolidate, stabilize.
παγίωση (η) [payiosi] fixation, consolidation, stabilization.
πάγκος (ο) [pagkos] bench, seat, counter.
παγκόσμιος-α-ο (ε) [pagkosmios] universal, world-wide.
πάγκρεας (το) [pagreas] pancreas.
παγκρεατικός-ή-ό (ε) [pagreatikos] pancreatic.
παγόβουνο (το) [pagovuno] iceberg.
παγόδα (η) [pagodha] pagoda.
παγοδρομία (η) [pagodhromia] skating.
παγοδρομικός-ή-ό (ε) [pagodhromikos] skating.
παγοδρόμιο (το) [pagodhromio] ice rink.
παγοδρόμος (ο) [pagodhromos] ice skater.
παγοδρομώ (ρ) [pagodhromo] ice skate.
παγοθραύστης (ο) [pagothrafstis] icebreaker.
παγοκύστη (η) [pagokisti] ice pack.
παγόνησος (η) [pagonisos] icefloe.
παγόνι (το) [pagoni] peacock.
παγοπέδιλο (το) [pagopedhilo] iceskate.
παγοποιείο (το) [pagopiio] ice factory.
πάγος (ο) [pagos] ice, frost.
παγούρι (το) [paguri] can, tin, flask, canteen [στρατ].
πάγωμα (το) [pagoma] freezing.
παγωμένος-η-ο (μ) [pagomenos] frozen, frostbitten, chilled.
παγωνιά (η) [pagonia] frost.
παγώνω (ρ) [pagono] freeze.
παγωτιέρα (η) [pagotiera] freezer.

παγωτό (το) [pagoto] ice cream.

παζάρεμα (το) [pazarema] haggling.

παζαρευτής (ο) [pazareftis] bargainer.

παζαρεύω (ρ) [pazarevo] bargain for.

παζάρι (το) [pazari] market, bargaining.

παθαίνω (ρ) [patheno] undergo, suffer, be injured, meet with, have.

πάθημα (το) [pathima] accident, misfortune, setback.

πάθηση (n) [pathisi] complaint, sickness, trouble, disease.

παθητικό (το) [pathitiko] liability.

παθητικός-ή-ό (ε) [pathitikos,] passive, emotional, submissive, passive [voice] [γραμμ].

παθητικότητα (n) [pathitikotita] passivity, passiveness.

παθιάζομαι (ρ) [pathiazome] have a passion [for], get over-excited.

παθιασμένος-n-ο (μ) [pathiasmenos] passionate.

παθολογία (n) [patholoyia] pathology.

παθολογικός-ή-ό (ε) [patholoyikos] pathological, morbid.

παθολόγος (ο) [pathologos] general practitioner, pathologist.

πάθος (το) [pathos] passion, illness, mania, obsession, emotion, feeling.

παιανίζω (ρ) [peanizo] play, strike up.

παιγνιόχαρτα (τα) [pegnioharta] playing-cards.

παιδαγωγείο (το) [pedhagoyio] children's school.

παιδαγώγηση (n) [pedhagoyisi] training, education.

παιδαγωγία (n) [pedhagoyia] education.

παιδαγωγικός-ή-ό (ε) [pedhagoyikos] educational.

παιδαγωγός (ο, n) [pedhagogos] tutor, preceptor.

παιδαγωγώ (ρ) [pedhagogo] educate, instruct.

παιδάκι (το) [pedhaki] little child, bantling.

παϊδάκι (το) [paidhaki] cutlet.

παιδαριώδης-ης-ες (ε) [pedhariodhis] childish [εύκολο], trivial.

παιδαριωδία (n) [pedhariodhia] puerility, childish behaviour.

παιδαριώδικα (επ) [pedhariodhika] childishly.

παιδεία (n) [pedhia] education, instruction, culture.

παίδεμα (το) [pedhema] torture, trial.

παιδεραστής (ο) [pedherastis] pederast.

παιδεύομαι (ρ) [pedhevome] try hard, struggle.

παιδεύω (ρ) [pedhevo] pester, torture.

παΐδι (το) [paidhi] rib.

παιδί (το) [pedhi] child, little boy, little girl.

παιδιαρίζω (ρ) [pedhiarizo] be childish.

παιδιάστικος-n-ο (ε) [pedhiastikos] boyish, childlike.

παιδιατρική (n) [pedhiatriki] paediatrics.

παιδίατρος (ο) [pedhiatros] paediatrician.

παιδικά (επ) [pedhika] childishly.

παιδικός σταθμός (ο) [pedhikos stathmos] kindergarten.

παιδικότητα (n) [pedhikotita] childishness, youthfulness.

παιδοκτονία (n) [pedhoktonia] infanticide.

παιδοκτόνος (ο) [pedhoktonos] infanticide.

παιδούλα (n) [pedhula] little girl.

παίζω (ρ) [pezo] play, gamble [παιχνίδι], swing [μεταφ], perform, act [στο θέατρο], show [φιλμ].

παίκτης (ο) [pektis] player, gambler.

παίνεμα (το) [penema] appraisal.

παινεύω (ρ) [penevo] praise, brag.

παινώ (ρ) [peno] praise.

παίξιμο (το) [peksimo] playing, toying with [με κάτι], performance [θεάτρου].

παίρνω (ρ) [perno] receive, take hold of, get, capture [πόλη κτλ], wrench from [διά της βίας], hire [υπηρέτη], take on [υπηρέτη], have [καφέ κτλ], draw [σαν παράδειγμα], take [a note] [σημείωση], take for [κάτι για κάτι], understand [με κάποια έννοια], interpret [με κάποια έννοια], be paid, draw [χρήματα], receive [χρήματα], marry [για γυναίκα], catch [κρύο κτλ].

παιχνιδάκι (το) [pehnidhaki] plaything, sport.

παιχνίδι (το) [pehnidhi] play, game, sport, τοy [για παιδιά].

παιχνιδιάρης-α-ικο (ε) [pehnidhiaris] playful.

παιχνιδιάρισμα (το) [pehnidhiarisma] playfulness.

παιχνιδίζω (ρ) [pehnidhizo] play, blink [βλέφαρα].

παιχνίδισμα (το) [pehnidhisma] play, dancing [φωτός].

παίχτης (ο) [pehtis] player, gambler.

πακετάρισμα (το) [paketarisma] packing, package.

πακετάρω (ρ) [paketaro] pack, box.

πακέτο (το) [paketo] pack, packet, parcel.

πάκο (το) [pako] bundle, ream, pack, packet.

παλαβιάρης (ο) [palaviaris] looney.

παλαβομάρα (n) [palavomara] madness, lunacy, foolish act.

παλαβός-ή-ό (ε) [palavos] mad, stupid.

παλαβώνω (ρ) [palavono] drive somebody mad, go mad.

παλαιά (επ) [palea] in the old days.

παλαίμαχος-η-ο (ε) [palemahos] veteran, old-timer.

παλαιολιθικός-ή-ό (ε) [paleolithikos] palaeolithic.

παλαιοπώλης (ο) [paleopolis] second-hand dealer, antiquarian.

παλαιός-ή-ό (ε) [paleos] old, ancient [μνημείο], old [μνημείο].

παλαιότιτα (n) [paleotita] age, shabbiness.

παλαιστής (ο) [palestis] wrestler.

παλαίστρα (n) [palestra] arena, ring.

παλαιώνω (ρ) [paleono] wear out.

παλαμάκια,(τα) [palamakia] applause.

παλαμάρι (το) [palamari] cable [ναυτ], mooring line.

παλάμη (n) [palami] palm, span [μέτρο].

παλαμίδα (n) [palamidha] bonito.

παλαμίζω (ρ) [palamizo] careen.

παλάντζα (n) [palandza] scales, balance.

παλάσκα (n) [palaska] cartridge belt.

παλάτι (το) [palati] palace, mansion.

παλατιανός-ή-ό (ε) [palatianos] courtier.

παλέτα (n) [paleta] palette.

παλεύω (ρ) [palevo] struggle, fight, battle.

πάλη (n) [pali] struggle [μεταφ], contest [μεταφ].

πάλι (επ) [pali] again, once more, over again.

παλιανθρωπιά (n) [palianthropia] meanness.

παλιάνθρωπος (ο) [palianthropos] rogue, rascal.

παλιατζής (ο) [paliatzis] scrap dealer.

παλιατσαρία (n) [paliatsaria] back-number.

παλιάτσος (ο) [paliatsos] clown, buffoon, jester, antic, droll.

παλιγγενεσία (n) [paligenesia] regeneration.

παλικάρι (το) [palikari] brave-hearted man.

παλικαριά (n) [palikaria] bravery, spirit.

παλινδρομικός-ή-ό (ε) [palindhromikos] alternating, reciprocating.

παλιννόστηση (n) [palinnostisi] repatriation.

παλινορθώνω (ρ) [palinorthono] re-establish.

παλινόρθωση (n) [palinorthosi] re-establishment.

παλινόστηση (n) [palinostisi] homing.

παλινοστών (μ) [palinoston] homing.

παλινωδία (n) [palinodhia] tergiversation.

παλιοβρόμα (n) [paliovroma] slut, bitch.

παλιόγερος (ο) [palioyeros] nasty old man.

παλιόγρια (n) [paliogria] old hag.

παλιογυναίκα (n) [palioyineka] trollop.

παλιοθήλυκο (το) [paliothiliko] slut.

παλιόκαιρος (ο) [paliokeros] foul weather.

παλιοκόριτσο (το) [paliokoritso] hussy, tart.

παλιόλογα (τα) [paliologa] obscenities.

παλιόμουτρο (το) [paliomutro] rogue.

παλιοπράγματα (τα) [paliopragmata] scrap.

παλιός-ά-ό (ε) [palios] old, former.

παλιός (ο) [palios] dated.

παλιοσίδερα (τα) [paliosidhera] scrap metal.

παλιόσκυλο (το) [palioskilo] mongrel.

παλιοτόμαρο (το) [paliotomaro] scoundrel.

παλιόφιλος (ο) [paliofilos] buddy.

παλίρροια (η) [palirria] tide, floodtide.

παλιωμένος-η-ο (μ) [paliomenos] worn out.

παλιώνω (ρ) [paliono] date, wear [out], become old, become shabby, be the worse for wear, bin.

παλλαϊκός-ή-ό (ε) [pallaikos] general, universal.

παλλακίδα (η) [pallakidha] concubine.

πάλλευκος-η-ο (ε) [palefkos] snow-white.

παλληκαρίσια (επ) [pallikarisia] boldly.

παλληκαρισμός (ο) [pallikarismos] bravado.

παλλόμενος-η-ο (μ) [pallomenos] flickering.

πάλλω (ρ) [pallo] throb, beat, palpitate, vibrate [πλεκτ].

παλμικός-ή-ό (ε) [palmikos] throbbing, vibrating.

παλμογράφημα (το) [palmografima] oscillogram.

παλμός (ο) [palmos] oscillation, vibration, palpitation, feeling [ενθουσιασμού].

παλούκι (το) [paluki] stake, pole, difficulty [μεταφ].

παλούκωμα (το) [palukoma] impalement.

παλουκώνομαι (ρ) [palukonome] sit still.

παλουκώνω (ρ) [palukono] impale.

παλτό (το) [palto] overcoat.

παμπάλαιος-α-ο (ε) [pampaleos] ancient, out-of-date.

πάμπλουτος-η-ο (ε) [pamplutos] extremely wealthy.

παμπόνηρος-η-ο (ε) [pamponiros] very sly.

παμφάγος-ος-ο (ε) [pamfagos] omnivorous.

πάμφθηνος-η-ο (ε) [pamfthinos] very cheap.

πάμφτωχος-η-ο (ε) [pamftohos] very poor.

παμψηφεί (επ) [pampsifi] unanimously.

παν (το) [pan] the whole word, everything [το κεφαλαιώδες], all, anything.

πάνα (η) [pana] nappy.

πανάγαθος-η-ο (ε) [panagathos] merciful.

Παναγία (η) [Panagia] the Virgin Mary.

παναγιότατος (ο) [panayiotatos] His Holiness.

πανάδα (η) [panadha] brown patch, freckle.

πανάθεμά με! (επιφ) [panathema me!] blimey!, oh blast!.

πανάθλιος-α-ο (ε) [panathlios] wretched, miserable.

πανάμωμος-η-ο (ε) [panamomos] immaculate.

πανανθρώπινος-η-ο (ε) [pananthropinos] universal.

πανάρχαιος-α-ο (ε) [panarheos] very ancient, immemorial.

πανδαιμόνιο (το) [pandhemonio] din.

πανδαισία (η) [pandhesia] feast, banquet.

πάνδεινος-η-ο (ε) [pandhinos] disastrous.

πάνδημος-η-ο (ε) [pandhimos] general.

πανδοχέας (ο) [pandhoheas] innkeeper.

πανδοχείο (το) [pandhohio] inn.

πανδρειά (η) [pandhria] marriage.

πανδρεύω (ρ) [pandhrevo] marry.

πανεθνικός-ή-ό (ε) [panethnikos] nation wide.

πανέμορφος-η-ο (ε) [panemorfos] exquisite, divine.

πανένδοξος-η-ο (ε) [panendhoksos] illustrious.

πανέξυπνος-η-ο (ε) [paneksipnos] sharp as a needle.

πανεπιστήμιο (το) [panepistimio] university.

πανεπιστημιούπολη (n) [panepistimiu-poli] campus.

πανέρι (το) [paneri] wide basket.

πανέτοιμος-η-ο (ε) [panetimos] in readiness.

πανεύκολος-η-ο (ε) [panefkolos] piece of cake [μεταφ].

πανευτυχής-ής-ές (ε) [paneftihis] overjoyed.

πανήγυρη (n) [paniyiri] fair.

πανηγύρι (το) [paniyiri] festival, fair [ε-μπορικό].

πανηγυρίζω (ρ) [paniyirizo] celebrate.

πανηγυρικός (ο) [paniyirikos] festive.

πανηγυρισμός (ο) [paniyirismos] celebration, festivities.

πανθεϊστής (ο) [pantheistis] pantheist.

πάνθεον (το) [pantheon] pantheon.

πάνθηρας (ο) [panthiras] panther.

πανί (το) [pani] cloth, linen, sail [ναυτ], fabric.

πανιάζω (ρ) [paniazo] go pale.

πάνιασμα (το) [paniasma] freckles, paleness.

πανίδα (n) [panidha] fauna.

πανιερότατος (ο) [panierotatos] Most Reverend.

πανικοβάλλομαι (ρ) [panikovallome] panic.

πανικοβάλλω (ρ) [panikovallo] panic, throw into panic.

πανικόβλητος-η-ο (ε) [panikovlitos] panic-stricken.

πανικός (ο) [panikos] panic, flap, scare.

πάνινος-η-ο (ε) [paninos] of cloth, of linen, of cotton.

πανίσχυρος-η-ο (ε) [panishiros] all-powerful.

πανόμοιος-α-ο (ε) [panomios] similar, alike.

πανομοιότυπο (το) [panomiotipo] facsimile, counterpart.

πανοπλία (n) [panoplia] arms, armour.

πάνοπλος-η-ο (ε) [panoplos] fully armed, fully equipped.

πανόραμα (το) [panorama] panorama.

πανοραμικός-ή-ό (ε) [panoramikos] panoramic.

πανοσιότατος (ο) [panosiotatos] Reverend.

πανούκλα (n) [panukla] plague.

πανούργα (επ) [panurga] astutely.

πανουργία (n) [panuryia] trick, craftiness.

πανούργος-α-ο (ε) [panurgos] malicious, tricky, cunning.

πανσέληνος (n) [panselinos] full moon.

πανσές (ο) [panses] pansy.

πανσιόν (n) [pansion] boarding house.

πάνσοφος-η-ο (ε) [pansofos] omniscient.

πανσπερμία (n) [panspermia] racial mixture, medley.

πάντα (επ) [panda] forever, always, anyway, in any case.

πανταχού (επ) [pandahu] everywhere.

παντελής-ής-ές (ε) [pandelis] complete, absolute.

παντελόνι (το) [pandeloni] trousers, pants.

παντελώς (επ) [pandelos] utterly, absolutely, totally.

παντέρημος-η-ο (ε) [panderimos] godforsaken, all alone.

παντεσπάνι (το) [pandespani] sponge cake.

παντζάρι (το) [pandzari] beetroot.

παντζούρι (το) [pandzuri] shutter.

παντιέρα (n) [pandiera] banner, flag.

παντοδυναμία (n) [pandodhinamia] omnipotence.

παντοδύναμος-η-ο (ε) [pandodhina-mos] omnipotent.

παντοειδώς (επ) [pandoidhos] in every way.

παντοιοτρόπως (επ) [pandiotropos] in every way.

Παντοκράτορας (ο) [Pandokratoras] the Almighty.

παντομίμα (n) [pandomima] pantomime.

παντοπωλείο (το) [pandopolio] grocery.

παντοπώλης (ο) [pandopolis] grocer.

πάντοτε (επ) [pandote] always, at all times, forever.

παντοτινά (επ) [pandotina] perpetually.

παντοτινός-ή-ό (ε) [pandotinos] everlasting, eternal.

παντού (επ) [pandu] everywhere, all over.

παντούφλα (n) [pandufla] slipper.

παντόφλα (n) [pandofla] slipper.

παντρεμένος-n-o (μ) [pandremenos] married.

παντρεύομαι (ρ) [pandrevome] get married.

παντρεύω (ρ) [pandrevo] marry, wed.

παντριά (n) [pandria] marriage, wedding.

πάντως,(επ) [pandos] anyhow, in any case.

πανύψηλος-n-o (ε) [panipsilos] very tall.

πάνω (επ) [pano] up, upstairs, above, over, at, against, on, upon.

πανωλεθρία (n) [panolethria] heavy loss, total ruin.

πανώλης (n) [panolis] plague.

πανώριος-a-o (ε) [panorios] very beautiful.

πανωφόρι (το) [panofori] overcoat.

παξιμάδι (το) [paksimadhi] rusk, nut [of screw].

παπαγαλίζω (ρ) [papagalizo] parrot.

παπαγάλος (o) [papagalos] parrot.

παπαδιά (n) [papadhia] priest's wife.

παπαδίτσα (n) [papadhitsa] ladybird.

παπαδοκρατία (n) [papadhokratia] clericalism.

παπαδολόι (το) [papadholoi] clergy.

παπαδοπαίδι (το) [papadhopedhi] priest's son, altar-boy.

παπαδοπούλα (n) [papadhopula] priest's daughter.

παπάκι (το) [papaki] duckling.

παπάρα (n) [papara] soaked bread.

παπαρδέλα (n) [papardhela] drivel.

παπαριάζω (ρ) [papariazo] soak.

παπαρούνα (n) [paparuna] cockle, poppy.

πάπας (o) [papas] Pope, Holy Father.

παπάς (o) [papas] priest, reverend, king [χαρτοπ].

παπί (το) [papi] young duck.

πάπια (n) [papia] duck, bedpan.

παπιγιόν (το) [papiyion] bow-tie.

παπικός-ή-ό (ε) [papikos] papal, popish [υποτιμ].

πάπλωμα (το) [paploma] cotton quilt.

παπόρι (το) [papori] steamer.

παπουτσής (o) [paputsis] shoemaker.

παπούτσι (το) [paputsi] shoe.

παπουτσίδικο (το) [paputsidhiko] shoemaker's.

παππούς (o) [pappus] grandfather.

πάπυρος (o) [papiros] papyrus.

παρά (επ) [para] than, but, in spite of [προσθήκη], against my will [προσθήκη], against [αντίθεση], by [αφαίρεση], almost [αφαίρεση], near.

παρά (π) [para] despite.

παραβαίνω (ρ) [paraveno] break, violate.

παραβάλλω (ρ) [paravallo] compare.

παραβάλλων (μ) [paravallon] collator.

παραβάν (το) [paravan] folding screen.

παραβαραίνω (ρ) [paravareno] overload.

παράβαση (n) [paravasi] violation, transgression, breach.

παραβάτης (o) [paravatis] violator, transgressor, breaker.

παραβγαίνω (ρ) [paravgeno] go out too often, compete.

παραβιάζω (ρ) [paraviazo] force entry [πόρτα κτλ], violate [νόμο], burgle.

παραβίαση (n) [paraviasi] violation, infringement, forcing, breaking.

παραβλάπτω (ρ) [paravlapto] prejudice, harm.

παραβλάσταρο (το) [paravlastaro] runner.

παραβλέπω (ρ) [paravlepo] neglect, omit.

παραβλητός-ή-ό (ε) [paravlitos] comparable.

παραβολή (n) [paravoli] comparison, collation, parable [εκκλ], parabola.

παράβολο (το) [paravolo] fee, deposit.

παραβρίσκομαι (ρ) [paravriskome] attend.

παραγάδι (το) [paragadhi] large fishing net.

παραγγελία (n) [paraggelia] command, commission, order, word.

παραγγελιοδόχος (ο) [paraggeliodhohos] commission agent.

παραγγέλλω (ρ) [paraggello] order, command.

παράγγελμα (το) [paraggelma] order, command.

παραγεμίζω (ρ) [paragemizo] fill up, bulge, clutter.

παραγέμισμα (το) [parayemisma] stuffing, cramming.

παραγεμιστός-ή-ό (μ) [paragemistos] stuffed, crammed.

παραγερασμένος-η-ο (μ) [paragerasmenos] aged, elderly.

παραγίνομαι (ρ) [parayinome] grow too much, go too far.

παραγιός (ο) [parayios] servant-boy.

παράγκα (n) [paragka] wooden hut, shack.

παραγκωνίζω (ρ) [paragkonizo] elbow.

παραγκώνιση (n) [paragkonisi] supplanting, pushing aside.

παραγνωρίζω (ρ) [paragnorizo] ignore, misinterpret.

παραγνώριση (n) [paragnorisi] lack of recognition.

παραγνωρισμένος-η-ο (ε) [paragnorismenos] unknown.

παράγομαι (ρ) [paragome] be derived from.

παράγοντας (ο) [paragondas] agent, factor, element.

παραγραφή (n) [paragrafi] prescription.

παραγράφομαι (ρ) [paragrafome] dismiss, ignore.

παράγραφος (n) [paragrafos] paragraph.

παράγω (ρ) [parago] produce, bear.

παραγωγή (n) [paragoyi] production, output, derivation [γραμμ].

παραγωγικός-ή-ό (ε) [paragoyikos,] productive, generating.

παράγωγο (το) [paragogo] derivative.

παραγωγός (ο, n) [paragogos] producer, grower.

παράγων (ο) [paragon] agent, factor.

παραγώνι (το) [paragoni] fireside.

παραδάκι (το) [paradhaki] money.

παραδεδεγμένος-η-ο (μ) [paradhedhegmenos] allowed.

παράδειγμα (το) [paradhigma] example, model, pattern.

παραδειγματίζω (ρ) [paradhigmatizo] set an example.

παράδεισος (ο) [paradhisos] paradise.

παραδεκτά (επ) [paradhekta] acceptably.

παραδεκτός-ή-ό (ε) [paradhektos] admitted, accepted, acceptable.

παραδέρνω (ρ) [paradherno] beat excessively, toss about.

παραδέχομαι (ρ) [paradhehome] admit, acknowledge, confess, allow, avow.

παραδίδομαι (ρ) [paradhidhome] surrender, submit.

παραδίδω (ρ) [paradhidho] commit, consign, teach [μάθημα].

παραδίνομαι (ρ) [paradhinome] surrender, submit, yield.

παραδίνω (ρ) [paradhino] ommit, consign, hand over, teach [μάθημα].

παράδοξος-η-ο (ε) [paradhoksos] peculiar, odd, unusual.

παραδοξότητα (n) [paradhoksotita] oddity, peculiarity.

παραδόξως (επ) [paradhoksos] paradoxically.

παραδόπιστος-η-ο (ε) [paradhopistos] greedy.

παράδοση (n) [paradhosi] delivery, surrender, tradition, teaching.

παραδοσιακός-ή-ό (ε) [paradhosiakos] traditional.

παραδουλεύτρα (n) [paradhuleftra] charwoman.

παραδοχή (n) [paradhohi] acceptance, admission.

παραδρομή (n) [paradhromi] carelessness.

παραδώθε (επ) [paradhothe] closer.

παραείμαι (ρ) [paraime] be too much.

παραέξω (επ) [paraekso] farther out.

παραέχω (ρ) [paraeho] have too much, have too many.

παραζάλη (n) [parazali] confusion, bewilderment.

παραζάλισμα (το) [parazalisma] confusion, commotion.

παραθαλάσσιος-α-ο (ε) [parathalassios] by the sea, coastal.

παραθερίζω (ρ) [paratherizo] spend the summer.

παράθεση (n) [parathesi] apposition.

παραθέτω (ρ) [paratheto] contrast, compare, quote [αναφέρω], allege.

παράθλαση (n) [parathlasi] diffraction.

παράθυρο (το) [parathiro] window.

παραθυρόφυλλο (το) [parathirofillo] shutter.

παραίνεση (n) [parenesi] exhortation, advice, counsel.

παραίσθηση (n) [paresthisi] hallucination, illusion, delusion.

παραισθησιακός-ή-ό (ε) [paresthisiakos] hallucinatory.

παραισθησιογόνος-n-o (ε) [paresthisiogonos] hallucinatory, hallucinogenic.

παραίτηση (n) [paretisi] resignation, abdication.

παραιτούμαι (ρ) [paretume] resign, give up, avoid [αποφεύγω], abdicate.

παράκαιρος-n-o (ε) [parakeros] unseasonable, untimely.

παρακάλια (τα) [parakalia] beggings.

παρακαλώ (ρ) [parakalo] ask, beg, don't mention it!, bid, crave.

παρακαμπτήριος-α-ο (ε) [parakamptirios] by-pass, diversion.

παρακάμπτω (ρ) [parakampto] get round, surpass, evade.

παράκαμψη (n) [parakampsi] circuity.

παρακατάθεση (n) [parakatathesi] bailment, depositing.

παρακαταθέτης (ο) [parakatathetis] bailor.

παρακαταθέτω (ρ) [parakatatheto] deposit.

παρακαταθήκη (n) [parakatathiki] consignation, deposit, stock, provisions, heritage [παράδοση].

παρακατιανός-ή-ό (ε) [parakatianos] inferior, second-rate.

παρακάτω (επ) [parakato] lower down, at a lower price.

παρακείμενος-n-o (μ) [parakimenos] adjoining, perfect tense [γραμμ].

παρακέντηση (n) [parakendisi] puncture.

παρακινδυνευμένος-n-o (μ) [parakindhinevmenos] risky, chancy.

παρακίνηση (n) [parakinisi] prompting, incitation.

παρακινώ (ρ) [parakino] urge, instigate.

παρακλάδι (το) [parakladhi] shoot, bough, branch.

παράκληση (n) [paraklisi] request, prayer [εκκλ].

παρακλητικός-ή-ό (ε) [paraklitikos] imploring, coaxing.

παρακμάζω (ρ) [parakmazo] decline, decay.

παρακοή (n) [parakoi] disobedience.

παρακοιμάμαι (ρ) [parakimame] oversleep.

παρακολούθημα (το) [parakoluthima] sequel.

παρακολούθηση (n) [parakoluthisi] supervision, observation.

παρακολουθώ (ρ) [parakolutho] follow, watch, go after, understand.

παρακούω (ρ) [parakuo] hear wrongly, disobey.

παρακράτηση (n) [parakratisi] deduction.

παρακρατώ (ρ) [parakrato] retain, keep back, last too long.

παράκρουση (n) [parakrusi] delusion.

παράκτια (επ) [paraktia] alongshore.

παράκτιος-α-ο (ε) [paraktios] coastal.

παρακώλυση (n) [parakolisi] obstruction.

παρακωλυτικός-ή-ό (ε) [parakolitikos] obstructive.

παρακωλύω (ρ) [parakolio] obstruct, impede.

παραλαβαίνω (ρ) [paralaveno] receive, take delivery of.

παραλαβή (n) [paralavi] receipt, delivery.

παραλείπω (ρ) [paralipo] leave out, miss, neglect.

παράλειψη (n) [paralipsi] omission, neglect[ing].

παραλέω (ρ) [paraleo] exaggerate.

παραλήπτης (ο) [paraliptis] payee, addressee.

παραλήρημα (το) [paralirima] frenzy.

παραληρώ (ρ) [paraliro] rave.

παραληρών (μ) [paraliron] delirious.

παραλής (ο) [paralis] moneybags.

παράληψη (n) [paralipsi] chasm.

παραλία (n) [paralia] seashore, shore, coast, beach.

παράλια (τα) [paralia] coastal regions.

παραλιακά (επ) [paraliaka] alongshore.

παραλίγο (επ) [paraligo] nearly, almost.

παράλιος-α-ο (ε) [paralios] coastal.

παραλλαγή (n) [parallayi] change, variation, deviation.

παραλλάζω (ρ) [parallazo] vary, be different.

παραλληλία (n) [parallilia] analogy.

παραλληλίζω (ρ) [parallilizo] parallel, compare.

παραλληλισμός (ο) [parallilismos] parallel, comparison.

παράλληλος-n-ο (ε) [parallilos] parallel.

παράλογα (επ) [paraloga] absurdly, improperly.

παραλογίζομαι (ρ) [paraloyizome] talk irrationally.

παραλογισμός (ο) [paraloyismos] absurdity, folly.

παράλογος-n-ο (ε) [paralogos] absurd, foolish.

παραλυμένος-n-ο (μ) [paralimenos] dissolute, rake.

παράλυση (n) [paralisi] paralysis, helplessness.

παραλυσία (n) [paralisia] debauchery.

παράλυτος-n-ο (ε) [paralitos] paralytic, crippled, paralyzed.

παραλύω (ρ) [paralio] make loose, slacken, relax, paralyze.

παραμάγειρος (ο) [paramayiros] cook's assistant.

παραμακραίνω (ρ) [paramakreno] make too long, grow too long.

παραμάνα (n) [paramana] nurse, nanny, safety pin.

παραμάσκαλα (επ) [paramaskala] under one's arm.

παραμεθόριος-α-ο (ε) [paramethorios] border.

παραμέλnση (n) [paramelisi] neglect.

παραμελώ (ρ) [paramelo] neglect, leave undone.

παραμένω (ρ) [parameno] stay by, remain, continue to exist.

παράμερα (επ) [paramera] out of the way, apart.

παραμερίζω (ρ) [paramerizo] set aside, get out of the way.

παραμερισμός (ο) [paramerismos] sidestepping.

παράμερος-n-ο (ε) [parameros] out-of-the-way.

παραμέσα (επ) [paramesa] further in.

παράμετρος (n) [parametros] constant, parameter.

παραμικρός-ή-ό (ε) [paramikros] least, slightest.

παραμίλημα (το) [paramilima] raving, delirium.

παραμιλώ (ρ) [paramilo] speak too much.

παραμονεύω (ρ) [paramonevo] watch for.

παραμονή (n) [paramoni] stay, eve.

παραμορφώνω (ρ) [paramorfono] deform, disfigure, twist, contort.

παραμόρφωση (π) [paramorfosi] deformity, distortion, disfigurement, contortion, deformation.

παραμορφωτικός-ή-ó (ε) [paramorfotikos] distorting, deforming.

παραμπρός (επ) [parambros] further on.

παραμυθάς (o) [paramithas] storyteller, liar.

παραμυθένιος-a-o (ε) [paramithenios] fairylike.

παραμύθι (το) [paramithi] story, fairy tale.

παρανόηση (n) [paranoisi] misunderstanding.

παράνοια (n) [parania] paranoia.

παρανοϊκός-ή-ó (ε) [paranoikos] paranoiac.

παράνομη συνάντηση (n) [paranomi sinadisi] assignation.

παρανομία (n) [paranomia] illegality, breach of the law.

παράνομος-n-o (ε) [paranomos] illegal, unlawful.

παρανοώ (ρ) [paranoo] misunderstand, misread, misconceive.

παράνυμφος (n) [paranimfos] bridesmaid, groomsman.

παρανυχίδα (n) [paranihidha] hangnail.

παράξενα (επ) [paraksena] oddly, strangely, crankily.

παραξενεύομαι (ρ) [paraksenevome] be astonished, be amazed at.

παραξενεύω (ρ) [paraksenevo] startle, intrigue, surprise.

παραξενιά (n) [paraksenia] fancy, whim, capriciousness.

παράξενος-n-o (ε) [paraksenos] peculiar, singular, odd, eccentric, bizarre.

παραξηλώνω (ρ) [paraksilono] unstitch.

παραπαίρνω (ρ) [paraperno] take too much.

παραπαίω (ρ) [parapeo] flounder.

παραπανίσιος-a-o (ε) [parapanisios] superfluous, to spare, far too much.

παραπάνω (επ) [parapano] higher up, more than.

παραπάτημα (το) [parapatima] false step, misconduct [μεταφ].

παραπατώ (ρ) [parapato] slip, stumble.

παραπειστικός-ή-ó (ε) [parapistikos] misleading, catchy.

παραπέμπω (ρ) [parapembo] refer to, hand over.

παραπέρα (επ) [parapera] further on, over there.

παραπεταμένος-n-o (μ) [parapetamenos] thrown away, scorned.

παραπέτασμα (το) [parapetasma] curtain, Iron Curtain [πολιτ].

παραπετώ (ρ) [parapeto] mislay, cast off.

παράπηγμα (το) [parapigma] wooden hut, shack.

παραπήγματα (τα) [parapigmata] barracks.

παραπίσω (επ) [parapiso] further back.

παραπλάνηση (n) [paraplanisi] deception, misleading.

παραπλανητικά (επ) [paraplanitika] deceptively.

παραπλανητικός-ή-ó (ε) [paraplanitikos] misleading, deceptive.

παραπλανώ (ρ) [paraplano] seduce, mislead.

παράπλευρα (επ) [paraplevra] abreast.

παράπλευρος-n-o (ε) [paraplevros] collateral [δρόμος], adjoining.

παραπλεύρως (επ) [paraplevros] next door, next to, beside.

παραπλέω (ρ) [parapleo] coast, sail near.

παραπλήρωμα (το) [parapliroma] supplement.

παραπλήσιος-a-o (ε) [paraplisios] next to, nearby, similar.

παραποιημένος-n-o (μ) [parapiimenos] colourable.

παραποίηση (n) [parapoiisi] forgery, falsification, tampering.

παραποιώ (ρ) [parapio] counterfeit, forge.

παραπομπή (n) [parapombi] reference, footnote.

παραπονετικός-ή-ό (ε) [paraponetikos] doleful, whining.

παραπονιάρης-α-ικο (ε) [paraponiaris] grumbling.

παράπονο (το) [parapono] complaint, grievance.

παραπονούμαι (ρ) [paraponume] complain.

παραπόταμος (ο) [parapotamos] tributary, confluent, influent.

παράπτωμα (το) [paraptoma] fault, mistake, breach.

παράρτημα (το) [parartima] annex, supplement, outbuilding, branch [τράπεζας], special edition [εφημερίδας].

παράς (ο) [paras] money, cash.

παρασέρνω (ρ) [paraserno] carry off, carry away, drift.

παράσημο (το) [parasimo] decoration, medal, order.

παρασημοφορία (n) [parasimoforia] decoration.

παρασημοφορώ (ρ) [parasimoforo] decorate.

παράσιτα (τα) [parasita] parasites.

παράσιτο (το) [parasito] parasite.

παρασιτοκτόνο (το) [parasitoktono] pesticide.

παρασιώπηση (n) [parasiopisi] suppression.

παρασιωπώ (ρ) [parasiopo] pass over in silence.

παρασκευάζω (ρ) [paraskevazo] prepare, get ready, arrange, brew.

παρασκευαστήριο (το) [paraskevastirio] laboratory.

Παρασκευή (n) [Paraskevi] Friday.

παρασκευή (n) [paraskevi] preparation, confection.

παρασκήνια (τα) [paraskinia] wings [θέ-ατρο], backstage.

παρασκηνιακός-ή-ό (ε) [paraskiniakos] backdoor, backstage.

παρασκοτίζω (ρ) [paraskotizo] bother, pester.

παρασπονδώ (ρ) [paraspondho] break one's word.

παρασταίνω (ρ) [parasteno] represent, perform, pretend, sham, play.

παράσταση αλληγορική (n) [parastasi alligoriki] figuration.

παράσταση (n) [parastasi] representation, portrayal, presence [παρουσία], performance [θεάτρου], appearance [νομ].

παραστατικά (επ) [parastatika] arrestingly.

παραστατικός-ή-ό (ε) [parastatikos] expressive, descriptive.

παραστέκω (ρ) [parasteko] assist, help.

παράστημα (το) [parastima] carriage, bearing, figure.

παραστολίζω (ρ) [parastolizo] bedaub.

παραστολισμένος-n-o (ε) [parastolismenos] flowery.

παραστράτημα (το) [parastratima] straying, misconduct.

παραστρατώ (ρ) [parastrato] go astray.

παρασυναγωγή (n) [parasinagoyi] secret meeting.

παρασύνθημα (το) [parasinthima] password.

παρασύρω (ρ) [parasiro] drag along, run over, lead astray, carry away [σε σφάλμα].

παράτα (n) [parata] parade, march-past.

παράταιρος-n-o (ε) [parateros] odd, unmatching.

παράταξη (n) [parataksi] array, order, ceremony, political party, apposition.

παράταση (n) [paratasi] extension, renewal.

παρατάσσω (ρ) [paratasso] arrange, set in order, line up.

παρατατικός (ο) [paratatikos] imperfect tense [γραμμ].

παρατείνω (ρ) [paratino] prolong, extend, defer.

παρατεταμένος-η-ο (μ) [paratetamenos] continued.

παρατήρηση (η) [paratirisi] observation, remark, comment, reproach, reprimand.

παρατηρητήριο (το) [paratiritirio] observation post.

παρατηρητής (ο) [paratiritis] observer, watcher.

παρατηρητικός-ή-ό (ε) [paratiritikos] observing, reproachful, observant.

παρατηρητικότητα (η) [paratiritikotita] perceptiveness, observation.

παρατηρώ (ρ) [paratiro] observe, notice, blame [επιτιμώ].

παράτολμος-η-ο (ε) [paratolmos] reckless, audacious, bold, foolhardy.

παράτονος-η-ο (ε) [paratonos] dissonant.

παρατραβώ (ρ) [paratravo] prolong, last too long, go too far.

παρατρώγω (ρ) [paratrogo] overeat.

παρατσούκλι (το) [paratsukli] nickname.

παρατυπία (η) [paratipia] irregularity.

παράτυπος-η-ο (ε) [paratipos] atypical.

παράτυφος (ο) [paratifos] paratyphoid.

παρατώ (ρ) [parato] desert, jilt, abandon, give up, stop.

πάραυτα (επ) [parafta] immediately, at once.

παραφέρνω (ρ) [paraferno] carry more than necessary.

παραφέρομαι (ρ) [paraferome] lose one's temper.

παραφθαρμένος-η-ο (μ) [paraftharmenos] defective.

παραφθορά (η) [parafthora] corruption, change.

παραφίνη (η) [parafini] paraffin.

παράφορα (επ) [parafora] crazily.

παραφορά (η) [parafora] rage.

παράφορος-η-ο (ε) [paraforos] furious.

παραφορτώνω (ρ) [parafortono] over-load, overburden.

παραφράζω (ρ) [parafrazo] paraphrase.

παράφραση (η) [parafrasi] paraphrase.

παράφρονας (ο) [parafronas] insane, lunatic, mad.

παραφρονώ (ρ) [parafrono] go mad.

παραφροσύνη (η) [parafrosini] madness, insanity.

παράφρων (μ) [parafron] crazed.

παραφυάδα (η) [parafiadha] sprout.

παραφυλάγω (ρ) [parafilago] lie in wait for.

παραφωνία (η) [parafonia] disagreement [μεταφ].

παράφωνος-η-ο (ε) [parafonos] out of tune.

παραχαράκτης (ο) [paraharaktis] forger.

παραχάραξη (η) [paraharaksi] fake, forgery.

παραχαράσσω (ρ) [paraharasso] forge, fake, falsify.

παραχορταίνω (ρ) [parahorteno] have too much.

παραχρήμα (επ) [parahrima] at once.

παραχώρηση (η) [parahorisi] concession, transfer.

παραχωρητής (ο) [parahoritis] donator.

παραχωρούμενος-η-ο (μ) [parahorumenos] concessionary.

παραχωρώ (ρ) [parahoro] grant, surrender [παραδίδω], barter.

παρδαλός-ή-ό (ε) [pardhalos] spotted, multicoloured, mottled.

παρέα (η) [parea] company, set, party.

παρεγκεφαλιδικός-ή-ό (ε) [paregefalidhikos] cerebellar.

παρεγκεφαλίς (η) [paregefalis] cerebellum.

πάρεδρος (ο) [paredhros] associate judge.

παρειά (η) [paria] cheek, wall.

παρειακός-ή-ό (ε) [pariakos] buccal.

παρείσακτος-η-ο (ε) [parisaktos] intrusive.

παρεισφρύω (ρ) [parisfrio] slip [into], intrude oneself [into].

παρέκβαση (η) [parekvasi] digression.

παρέκει (επ) [pareki] further on.

παρεκκλήσι (το) [parekklisi] halidom, chapel.

παρεκκλήσιο (το) [parekklisio] chapel.

παρεκκλίνω (ρ) [parekklino] deviate from, turn aside from.

παρέκκλιση (n) [parekklisi] deviation, diversion.

παρεκτείνω (ρ) [parektino] prolong, extend.

παρεκτός (επ) [parektos] except.

παρεκτρέπομαι (ρ) [parektrepome] misbehave.

παρεκτροπή (n) [parekropi] deviation, misconduct [ηθική].

παρέλαση (n) [parelasi] parade, procession.

παρελαύνω (ρ) [parelavno] march past.

παρέλευση (n) [parelefsi] passage of time.

παρελθόν (το) [parelthon] the past.

παρέλκυση (n) [parelkisi] delay.

παρελκυστικός-ή-ό (ε) [parelkistikos] delaying.

παρεμβαίνω (ρ) [paremveno] interfere, intervene.

παρεμβάλλω (ρ) [paremvallo] insert.

παρέμβαση (n) [paremvasi] intervention, mediation.

παρεμβατισμός (ο) [paremvatismos] interventionism.

παρεμβολή (n) [paremvoli] insertion.

παρεμπιπτόντως (επ) [parem-piptondos] by the way.

παρεμποδίζω (ρ) [parebodhizo] obstruct.

παρεμπόδιση (n) [parebodhisi] obstruction.

παρεμφερής-ής-ές (ε) [paremferis] similar, resembling.

παρενέργεια (n) [pareneryia] side effect.

παρένθεση (n) [parenthesi] insertion, parenthesis [γραμμ].

παρενθέτω (ρ) [parentheto] bracket.

παρενόχληση (n) [parenohlisi] harassment.

παρενοχλώ (ρ) [parenohlo] trouble, harass, annoy.

παρεξήγηση (n) [pareksiyisi] misunderstanding.

παρεξηγώ (ρ) [pareksigo] misunderstand, misinterpret.

παρεπιδημώ (ρ) [parepidhimo] stay temporarily.

παρεπόμενα (τα) [parepomena] consequences, issues.

παρεπόμενο (το) [parepomeno] consequence.

παρεπόμενος-n-ο (μ) [parepomenos] incidental.

πάρεργο (το) [parergo] part-time job.

παρερμηνεία (n) [parerminia] misinterpretation.

παρερμηνεύω (ρ) [parerminevo] misinterpret.

παρέρχομαι (ρ) [parerhome] elapse, pass, come to an end.

παρευθύς (επ) [parefthis] at once.

παρευρίσκομαι (ρ) [parevriskome] be present at.

παρέχω (ρ) [pareho] give supply, bring about [ευκαιρία].

παρηγορητής (ο) [parigoritis] comforter.

παρηγορητικός-ιά-ό (ε) [parigoritikos] balmy [μεταφ], consolatory.

παρηγοριά (n) [parigoria] consolation, comfort.

παρήγορος-n-ο (ε) [parigoros] comforting.

παρηγορώ (ρ) [parigoro] comfort.

παρήλικας (ο) [parilikas] old man.

παρήχηση (n) [parihisi] alliteration.

παρηχητικός-ή-ό (ε) [parihitikos] alliterative.

παρηχώ (ρ) [pariho] alliterate.

παρθένα (n) [parthena] virgin.

παρθεναγωγείο (το) [parthenagoyio] girls' school.

παρθενιά (n) [parthenia] virginity, chastity.

παρθενικός-ή-ό (ε) [parthenikos] virginal, pure.

παρθένος (n) [parthenos] virgin.

παρίας (ο) [parias] pariah, outcast.

παρίσταμαι (ρ) [paristame] be present at.

παριστάνω (ρ) [paristano] represent, portray, depict, perform [ρόλο], pretend to be, come.

παρκάρισμα (το) [parkarisma] parking.

παρκάρω (ρ) [parkaro] park.

παρκέ (το) [parke] flooring.

παρκετέζα (η) [parketeza] floor polisher.

παρκετίνη (η) [parketini] floor polish.

πάρκο (το) [parko] park.

πάρλα (η) [parla] gab.

παρλάρω (ρ) [parlaro] prattle.

παρλάτα (η) [parlata] patter.

παρμετζάνα (η) [parmetzana] parmesan cheese.

παρμπρίζ (το) [parbriz] windscreen.

παροδικός-ή-ό (ε) [parodhikos] passing, fleeting, momentary.

παρόδιος-α-ο (ε) [parodhios] roadside.

πάροδος (η) [parodhos] side street.

παροικία (η) [parikia] colony, quarter.

παροιμία (η) [parimia] proverb, saying.

παροιμιακός-ή-ό (ε) [parimiakos] proverbial.

παροιμιώδης-ης-ες,(ε) [parimiodhis] proverbial, famous.

παρόμοια (επ) [paromia] similarly.

παρομοιάζω (ρ) [paromiazo] compare, resemble.

παρόμοιος-α-ο (ε) [paromios] similar, alike.

παρομοίως (επ) [paromios] similarly, likewise.

παρομοίωση (η) [paromiosi] comparison, simile.

παρόν (το) [paron] the present.

παρονομάζω (ρ) [paronomazo] nickname.

παρονομαστής (ο) [paronomastis] denominator.

παροξυσμός (ο) [paroksismos] fit, attack.

παροπλίζω (ρ) [paroplizo] demilitarize.

παροράματα (τα) [paroramata] errata.

παρόρμηση (η) [parormisi] prompting, stimulation.

παρορμητικός-ή-ό (ε) [parormitikos] impulsive.

παρορμώ (ρ) [parormo] actuate.

παρότρυνση (η) [parotrinsi] instigation.

παροτρύνω (ρ) [parotrino] exhort, urge.

παρουσία (η) [parusia] presence.

παρουσιάζομαι (ρ) [parusiazome] appear, introduce ourselves.

παρουσιάζω (ρ) [parusiazo] present, show, introduce.

παρουσίαση (η) [parusiasi] presentation, appearance.

παρουσιάσιμος-η-ο (ε) [parusiasimos] presentable.

παρουσιαστής (ο) [parusiastis] newscaster, speaker.

παρουσιαστικό (το) [parusiastiko] presence, bearing.

παροχετεύω (ρ) [parohetevo] channel, divert.

παροχή (η) [parohi] furnishing, contribution, donation, granting.

παρρησία (η) [parrisia] frankness.

πάρσιμο (το) [parsimo] taking, trimming [ελάττωση].

παρτέρι (το) [parteri] flowerbed.

πάρτι (το) [parti] party.

παρτίδα (η) [partidha] part, portion, game [of cards].

παρτιζάνος (ο) [partizanos] partisan.

παρτιτούρα (η) [partitura] score.

παρυφές (οι) [parifes] outskirts.

παρυφή (η) [parifi] border, edge.

παρωδία (η) [parodhia] parody, farce.

παρών, -ούσα, -όν (μ) [paron -usa -on] present, actual, existent.

παρωνυμία (η) [paronimia] nickname, surname.

παρωνύμιο (το) [paronimio] cognomen.

παρωπίδα (η) [paropidha] blinker, blind.

παρωχημένος-η-ο (μ) [parohimenos] past, gone by.

πάσα (n) [pasa] pass, hand.

πασαλείβω (ρ) [pasalivo] smear, smudge.

πασάλειμμα (το) [pasalimma] smearing, smattering.

πασαλείφω (ρ) [pasalifo] besmear, smatter.

πασαπόρτι (το) [pasaporti] passport.

πασάρω (ρ) [pasaro] pass on, pass round.

πασάς (ο) [pasas] pasha.

πασατέμπος (ο) [pasatembos] roasted pumpkin-seed.

πασίγνωστος-η-ο (ε) [pasignostos] well-known, notorious.

πασίδηλος-η-ο (ε) [pasidhilos] manifest.

πασιέντζα (n) [pasiendza] patience, solitaire.

πασιφανής-ής-ές (ε) [pasifanis] manifest, evident.

πασιφισμός (ο) [pasifismos] pacifism.

πασιφιστής (ο) [pasifistis] pacifist.

πασπαλίζω (ρ) [paspalizo] sprinkle.

πασπάτεμα (το) [paspatema] groping, pawing.

πασπατεύω (ρ) [paspatevo] feel, finger.

πάσσαλος (ο) [passalos] stake, post.

πάσσο (το) [paso] stride, step.

πάστα (n) [pasta] dough, paste, pastry, character.

παστάδα (n) [pastadha] bridal chamber.

παστεριώνω (ρ) [pasteriono] pasteurize.

παστίλια (n) [pastilia] pastille, drop.

πάστορας (ο) [pastoras] pastor, minister.

παστός-ή-ό (ε) [pastos] salted.

πάστρα (n) [pastra] cleanliness.

παστρεύω (ρ) [pastrevo] clean, destroy [μεταφ], eliminate.

παστρικά (επ) [pastrika] cleanly.

παστρικός-ή-ό (ε) [pastrikos] clean, neat, dishonest [μεταφ].

παστώνω (ρ) [pastono] salt, cure, corn.

Πάσχα (το) [Pas-ha] Easter.

πασχαλιά (n) [pas-halia] lilac, Easter.

πασχαλίτσα (n) [pas-halitsa] cowslip.

πασχίζω (ρ) [pas-hizo] strive, endeavour.

πάσχω (ρ) [pas-ho] be ill, suffer.

πάσχων (μ) [pas-hon] the patient.

πάταγος (ο) [patagos] noise, sensation [μεταφ], stir [μεταφ].

παταγώδης-ης-ες (ε) [patagodhis] noisy, loud.

πατάρι (το) [patari] loft, attic.

πατάσσω (ρ) [patasso] crack down on, stamp out.

πατάτα (n) [patata] potato.

πατατάκια (τα) [patatakia] crisp.

πατέντα (n) [patenda] patent.

πατέρας (ο) [pateras] father.

πατερίτσα (n) [pateritsa] crook, crutch, bishop's staff.

πάτερο (το) [patero] joist, rafter.

πατικώνω (ρ) [patikono] press down, crush.

πάτημα (το) [patima] step, footprint [ίχνος], pressing [σταφυλιών].

πατημασιά (n) [patimasia] footprint, trace, track.

πατινάζ (το) [patinaz] skating.

πατινάρω (ρ) [patinaro] skate.

πατίνι (το) [patini] roller-skate.

πατιρντί (το) [patirndi] row, rumpus.

πατόκορφα (επ) [patokorfa] from head to toe.

πάτος (ο) [patos] bottom.

πατουλιά (n) [patulia] clump.

πατούσα (n) [patusa] sole.

πάτρια (τα) [patria] traditions.

πατριαρχείο (το) [patriarhio] patriarchate.

πατριάρχης (ο) [patriarhis] patriarch.

πατρίδα (n) [patridha] native country, birthplace.

πατρίκιος (ο) [patrikios] patrician.

πατρικός (ο) [patrikos] paternal.

πάτριος-α-ο (ε) [patrios] paternal.

πατριός (ο) [patrios] step-father.

πατριώτης (ο) [patriotis] compatriot.

πατριωτικός-ή-ό (ε) [patriotikos] patriotic.

πατριωτισμός (ο) [patriotismos] patriotism.

πατρογονικός-ή-ό (ε) [patrogonikos] ancestral.

πατροκτόνος (ο) [patroktonos] patricide.

πατρόν (το) [patron] pattern.

πατρονάρισμα (το) [patronarisma] patronage.

πατρονάρω (ρ) [patronaro] patronize.

πατροπαράδοτος-η-ο (ε) [patroparadhotos] usual, traditional.

πατρότητα (n) [patrotita] fatherhood.

πάτρωνας (ο) [patronas] patron.

πατρώος-α-ο (ε) [patroos] paternal, traditional.

πατσαβούρα (n) [patsavura] dish cloth.

πατσάς (ο) [patsas] tripe.

πάτσι (το) [patsi] quits, even.

πατσίζω (ρ) [patsizo] get even.

πατώ (ρ) [pato] step on, press, violate [μεταφ].

πάτωμα (το) [patoma] floor, ground.

πατώνω (ρ) [patono] lay a floor, touch bottom.

παύλα (n) [pavla] dash.

παύση (n) [pafsi] stoppage, discharge, pause [μουσ].

παυσίπονο (το) [pafsipono] tranquilizer, pain-killer.

παύω (ρ) [pavo] cease, stop, dismiss [απολύω], stop [σταματώ].

παφλάζω (ρ) [paflazo] plop, splash.

παφλασμός (ο) [paflasmos] splashing, bubbling up, wash, flop, plop.

παχαίνω (ρ) [paheno] fatten.

πάχνη (n) [pahni] hoarfrost.

παχνί (το) [pahni] manger, crib.

πάχος (το) [pahos] plumpness, thickness, grease [λίπος], depth.

παχουλός-ή-ό (ε) [pahulos] plump.

παχυδερμία (n) [pahidhermia] insensitivity.

παχύδερμο (το) [pahidhermo] thick-skinned person.

παχύδερμος-η-ο (ε) [pahidhermos] insensitive [μεταφ].

παχυλός-ή-ό (ε) [pahilos] tidy [μεταφ].

πάχυνση (n) [pahinsi] fattening.

παχυντικός-ή-ό (ε) [pahindikos] fattening.

παχύνω (ρ) [pahino] grow fat.

παχύς-ιά-ύ (ε) [pahis] fleshy, fat, rich [λιβάδι], creamy.

παχυσαρκία (n) [pahisarkia] obesity.

παχύσαρκος-η-ο (ε) [pahisarkos] fat, obese.

πάω (ρ) [pao] go, take, carry.

πέδηση (n) [pedhisi] braking.

πεδιάδα (n) [pedhiadha] plain, flat country.

πεδικλώνομαι (ρ) [pedhiklonome] trip over.

πεδικλώνω (ρ) [pedhiklono] hobble, clog.

πέδιλο (το) [pedhilo] sandal.

πεδινός-ή-ό (ε) [pedhinos] flat, level, even [έδαφος].

πεδίο (το) [pedhio] plain, flat country, ground.

πεζεύω (ρ) [pezevo] dismount.

πεζή (επ) [pezi] on foot.

πεζικό (το) [peziko] infantry.

πεζογραφία (n) [pezografia] prose.

πεζογράφος (ο) [pezografos] prose writer.

πεζοδρόμιο (το) [pezodhromio] pavement.

πεζόδρομος (ο) [pezodhromos] pedestrianized street.

πεζοναύτης (ο) [pezonaftis] marine.

πεζοπορία (n) [pezoporia] walking, walk, march.

πεζοπόρος (ο) [pezoporos] hiker.

πεζοπορώ (ρ) [pezoporo] hike, walk.

πεζός-ή-ό (ε) [pezos] pedestrian, trivial [μεταφ], common [μεταφ].

πεζότητα (n) [pezotita] prosiness, banality.

πεζούλα (n) [pezula] wall, terrace.

πεζούλι (το) [pezuli] parapet, bench, terrace [σε λόφο].

πεζούρα (n) [pezura] foot, infantry.

πεθαίνω (ρ) [petheno] die, perish, be

mad about.

πεθαμένος-η-ο (μ) [pethamenos] dead.

πεθαμός (ο) [pethamos] death.

πεθερά (η) [pethera] mother-in-law.

πεθερικά (τα) [petherika] in-laws.

πεθερός (ο) [petheros] father-in-law.

πειθαναγκάζω (ρ) [pithanagazo] coerce, compel, force.

πειθαναγκασμός (ο) [pithanagasmos] coercion, compulsion.

πειθαρχείο (το) [pitharhio] guard-room.

πειθαρχημένος-η-ο (μ) [pitharhimenos] well-disciplined.

πειθαρχία (η) [pitharhia] discipline, obedience.

πειθαρχικός-ή-ό (ε) [pitharhikos] disciplinary, obedient [υπάκουος], submissive.

πειθαρχώ (ρ) [pitharho] be obedient, discipline.

πειθήνιος-α-ο (ε) [pithinios] obedient, submissive.

πειθώ (η) [pitho] persuasion.

πείθω (ρ) [pitho] convince, persuade, coax.

πείνα (η) [pina] hunger, famine.

πειναλέος-α-ο (ε) [pinaleos] starving, famished.

πεινα\sμένος, -η, -ο (μ) [pinasmenos] hungry, famished.

πεινώ (ρ) [pino] be hungry.

πείρα (η) [pira] experience.

πείραγμα (το) [piragma] teasing, annoyance.

πειραγμένος-η-ο (μ) [piragmenos] hurt, offended, spoilt [κρέας].

πείραμα (το) [pirama] experiment, test.

πειραματίζομαι (ρ) [piramatizome] experiment.

πειραματικός-ή-ό (ε) [piramatikos] experimental.

πειραματισμός (ο) [piramatismos] experimentation.

πειραματόζωο (το) [piramatozoo] guinea pig.

πειρασμός (ο) [pirasmos] temptation.

πειρατεία (η) [piratia] piracy.

πειρατής (ο) [piratis] pirate.

πειρατικός-ή-ό (ε) [piratikos] pirate.

πειραχτήρι (το) [pirahtiri] teaser.

πειραχτικά (επ) [pirahtika] archly.

πειραχτικός-ή-ό (ε) [pirahtikos] irritating, offensive.

πείρος (ο) [piros] bung.

πείσμα (το) [pisma] stubbornness.

πεισματάρης-α-ικο (ε) [pismataris] obstinate, stubborn.

πεισματώδης-ης-ες (ε) [pismatodhis] stubborn.

πεισματώνω (ρ) [pismatono] make obstinate.

πειστήριο (το) [pistirio] proof, evidence.

πειστικά (επ) [pistika] coaxingly.

πειστικός-ή-ό (ε) [pistikos] convincing, persuasive.

πειστικότητα (η) [pistikotita] persuasiveness.

πέλαγος (το) [pelagos] open sea.

πελάγωμα (το) [pelagoma] confusion.

πελαγώνω (ρ) [pelagono] lose one's way [μεταφ], be at a loss [μεταφ].

πελαργός (ο) [pelargos] stork.

πελατεία (η) [pelatia] customers.

πελάτης (ο) [pelatis] customer, client, guest.

πελεκάνος (ο) [pelekanos] pelican.

πελέκημα (το) [pelekima] chopping, chipping, knocking down.

πελεκητός-ή-ό (ε) [pelekitos] carved.

πελέκι (το) [peleki] axe.

πελεκίζω (ρ) [pelekizo] bill.

πελεκούδι (το) [pelekudhi] chip, shaving.

πελεκώ (ρ) [peleko] axe, hew, carve, chip.

πελερίνα (η) [pelerina] cape.

πελιδνός-ή-ό (ε) [pelidhnos] livid.

πέλμα (το) [pelma] sole [ανατ], shoe [τεχνική].

πέλος (το) [pelos] nap.

πελούζα (n) [peluza] lawn.

πελτές (ο) [peltes] tomato puree, jelly.

πελώριος-α-ο (ε) [pelorios] enormous.

Πέμπτη (n) [Pempti] Thursday.

πέμπτος-η-ο (ε) [pemptos] fifth.

πένα (n) [pena] pen, writing, penny.

πενήντα (αριθ) [peninda] fifty.

πενηνταριά (n) [penindaria] about fifty.

πενηντάρικο (το) [penindariko] 50-drachma note/coin.

πένθιμος-η-ο (ε) [penthimos] sorrowful, mournful, morbid.

πένθος (το) [penthos] bereavement, mourning.

πενθοφορώ (ρ) [penthoforo] wear mourning.

πενθώ (ρ) [pentho] be in mourning.

πενία (n) [penia] poverty.

πενιά (n) [penia] stroke of the pen.

πενιχρός-ή-ό (ε) [penihros] poor, mean.

πενιχρότητα (n) ihrotita] meagreness, scantiness.

πενιχρώς (επ) [penihros] barely.

πένομαι (ρ) [penome] be needy, be poor.

πένσα (n) [pensa] tweezers, forceps, dart.

πεντάγραμμο (το) [pendagrammo] stave, staff.

πενταετής-ής-ές,(ε) [pendaetis] five-year.

πεντακάθαρος-η-ο (ε) [pendakatharos] spotlessly clean.

πεντακόσιοι-ιες-ια (επ) [pendakosii, -ies, -ia] five hundred.

πεντάλι (το) [pendali] pedal.

πενταμελής-ής-ές (ε) [pendamelis] five-member.

πεντάμηνος-η-ο (ε) [pendaminos] five-month-long.

πεντάμορφος-η-ο (ε) [pendamorfos] extremely beautiful.

πενταπλάσιος-α-ο (ε) [pendaplasios] fivefold.

πεντάπλευρος-η-ο (ε) [pendaplevros] five-sided.

πεντάρα (n) [pendara] farthing, nickel.

πεντάρι (το) [pendari] figure 5, five [στα χαρτιά].

πενταροδεκάρες (οι) [pendarodhekares] chicken feed.

πεντάωρος-η-ο (ε) [pendaoros] five-hour.

πέντε (το) [pende] five.

πενηκονταετία (n) [pendikondaetia] fifty-year period.

πεντηκοστός-ή-ό (ε) [pendikostos] fiftieth.

πεντικιουρίστας (ο) [pendikiuristas] chiropodist.

πεντόβολα,(τα) [pendovola] fivestones, jacks.

πεντόλιρο (το) [pendoliro] fiver.

πεντοχίλιαρο (το) [pendohiliaro] 5000-drachma note.

πέος (το) [peos] penis.

πεπαλαιωμένος-η-ο (μ) [pepaleomenos] old-fashioned.

πεπατημένη (n) [pepatimeni] the beaten track.

πεπατημένος-η-ο (μ) [pepatimenos] beaten.

πεπειραμένος-η-ο (μ) [pepiramenos] experienced.

πεπεισμένος-η-ο (μ) [pepismenos] convinced, certain, sure.

πεπλανημένος-η-ο (μ) [peplanimenos] fallacious.

πέπλο (το) [peplo] veil.

πεποίθηση (n) [pepithisi] certainly, assurance.

πεπόνι (το) [peponi] melon.

πεπραγμένα (τα) [pepragmena] proceedings.

πεπρωμένο (το) [pepromeno] fate, destiny.

πεπτικός-ή-ό (ε) [peptikos] digestive, peptic.

πέρα (επ) [pera] beyond, over, on the other side.

περαπέρω (επ) [peretero] further, moreover.

πέραση (n) [perasi] be popular, be in vogue [έχω], carry weight [έχω].

πέρασμα (το) [perasma] passage, threading [βελόνας], passing [ασθένειας].

περασμένος-η-ο (μ) [perasmenos] past, gone, last, by.

περαστικά (επ) [perastika] get well soon.

περαστικός-ή-ό (ε) [perastikos] passing by, transient, transitory, busy.

περατώνω (ρ) [peratono] finish.

περβάζι (το) [pervazi] frame.

περγαμηνή (η) [pergamini] parchment.

περγαμότο (το) [pergamoto] bergamot.

περγουλιά (η) [pergulia] bower.

πέρδικα (η) [perdhika] partridge.

πέρδομαι (ρ) [perdhome] fart, break wind.

περηφάνια (η) [perifania] pride, dignity.

περήφανος-η-ο (ε) [perifanos] proud, dignified.

περί (επ) [peri] circa.

περί (π) [peri] about, concerning, regarding of, near, approximately.

περιαυτολογία (η) [periaftoloyia] boasting, bragging.

περιαυτολογώ (ρ) [periaftologo] boast, bluster.

περιβάλλον (το) [perivallon] environment, surroundings, ambience. atmosphere.

περιβαλλοντικός-ή-ό (ε) [perivallondikos] ambient.

περιβαλλοντολόγος (ο) [perivallondologos] environmentalist.

περιβάλλω (ρ) [perivallo] dress, clothe [ρούχα], bank, case, circle, encircle.

περιβάλλων (μ) [perivallon] circumambient.

περίβλεπτος-η-ο (ε) [perivleptos] prominent.

περίβλημα (το) [perivlima] wrapper, shell [καρπού], husk [καρπού].

περιβόητος-η-ο (ε) [perivoitos] famous, renowned.

περιβολάρης (ο) [perivolaris] gardener.

περιβολή (η) [perivoli] garment, dress.

περιβόλι (το) [perivoli] garden.

περίβολος (ο) [perivolos] enclosure, yard, park.

περιβραχιόνιο (το) [perivrahionio] armband, armlet.

περιβρέχω (ρ) [perivreho] bathe, wash.

περίγειο (το) [periyio] perigee.

περιγέλασμα (το) [perigelasma] sneer.

περίγελος (ο) [periyelos] laughing stock.

περιγελώ (ρ) [perigelo] mock, ridicule, derive.

περίγελως (ο) [periyelos] byword.

περιγιάλι (το) [periyiali] seashore.

περίγραμμα (το) [perigramma] outline, circumscription.

περιγραφή (η) [perigrafi] description, account, circumscription.

περιγραφικός-ή-ό (ε) [perigrafikos] descriptive.

περιγράφω (ρ) [perigrafo] describe, portray.

περίγυρος (ο) [periyiros] environment.

περιδεής-ής-ές (ε) [peridheis] scared.

περιδέραιο (το) [peridhereo] necklace.

περιδιαβάζω (ρ) [peridhiavazo] saunter, stroll, loiter.

περίδοξος-η-ο (ε) [peridhoxos] famous.

περιδρομιάζω (ρ) [peridhromiazo] stuff oneself.

περιεκτικός-ή-ό (ε) [periektikos] capacious, substantial [τροφή], comprehensive [λόγος].

περιεκτικότητα (η) [periektikotita] comprehensiveness.

περιέλιξη (η) [perieliksi] circumvolution, involution.

περιελίσσομαι (ρ) [perielissome] coil.

περιελίσσω (ρ) [perielisso] coil.

περιεργάζομαι (ρ) [periergazome] examine carefully.

περιέργεια (η) [perieryia] curiosity.

περίεργος-η-ο (ε) [periergos] curious, strange.

περιέρχομαι (ρ) [perierhome] go about,

come to.

περιεχόμενο (το) [periehomeno] contents, meaning.

περιέχω (ρ) [perieho] contain, hold.

περίζηλος-n-ο (ε) [perizilos] enviable.

περιζήτητος-n-ο (ε) [perizititos] in great demand.

περίζωμα (το) [perizoma] copestone.

περιζώνω (ρ) [perizono] encircle, surround.

περιήγηση (n) [periiyisi] tour, travel, sightseeing.

περιηγητής (ο) [periiyitis] tourist, traveller.

περιηγητικός-ή-ό (ε) [periiyitikos] touring.

περιηγούμαι (ρ) [periigume] tour, travel.

περιθάλπω (ρ) [perithalpo] attend, look after.

περίθαλψη (n) [perithalpsi] attendance, care.

περιθωριακός-ή-ό (ε) [perithoriakos] marginal.

περιθώριο (το) [perithorio] margin, room.

περικάλυμμα (το) [perikalimma] wrapper, shell.

περικεφαλαία (n) [perikefalea] helmet, casque.

περικλείνω (ρ) [periklino] enclose, include, case, compass.

περικλείω (ρ) [periklio] enclose, include, case, compass.

περικνημίδα (n) [periknimidha] legging, garter.

περικοκλάδα (n) [perikokladha] climbing plant, bindweed.

περίκομψος-n-ο (ε) [perikompsos] very elegant.

περικοπή (n) [perikopi] cutting off, deduction, passage [από βιβλίο], clip.

περικόπτω (ρ) [perikopto] cut down, cut back, trim, curtail, castrate.

περικυκλώνω (ρ) [perikiklono] surround, case, encompass, circumscribe.

περικύκλωση (n) [perikiklosi] surrounding.

περιλαβαίνω (ρ) [perilaveno] include, contain, comprise.

περιλαίμιο (το) [perilemio] animal's collar, necklace.

περιλάλητος-n-ο (ε) [perilalitos] celebrated, famous.

περιλαμβάνω (ρ) [perilamvano] contain, have, hold, include [περιέχω].

περίλαμπρος-n-ο (ε) [perilambros] brilliant.

περιληπτικός-ή-ό (ε) [periliptikos] comprehensive, concise.

περίληψη (n) [perilipsi] summary, precis, resume.

περιλούζω (ρ) [periluzo] shower.

περιλούω (ρ) [periluo] shower, pour on.

περίλυπος-n-ο (ε) [perilipos] sad, sorrowful.

περιμαζεύω (ρ) [perimazevo] gather up, rescue [από το δρόμο], check [περιορίζω].

περιμένω (ρ) [perimeno] wait, wait for, expect.

περιμετρικός-ή-ό (ε) [perimetrikos] ring.

περίμετρος (n) [perimetros] circumference, perimeter, circuit.

πέριξ (επ) [periks] about, around.

περιοδεία (n) [periodhia] tour, trip.

περιοδεύω (ρ) [periodhevo] tour.

περιοδικό (το) [periodhiko] magazine.

περιοδικός-ή-ό (ε) [periodhikos] periodical.

περίοδος (n) [periodhos] period, age, season, period [γυναικών].

περίοικος (ο) [periikos] neighbour.

περίοπτος-n-ο (ε) [perioptos] overlooking, rising, noticeable.

περιορίζομαι (ρ) [periorizome] limit oneself.

περιορίζω (ρ) [periorizo] limit, restrict, reduce [ελαττώνω], cut down, constrain.

περιορίσιμος-n-ο (ε) [periorisimos] confinable.

περιορισμένος-n-ο (μ) [periorismenos] confined, limited, narrow.

περιορισμός (ο) [periorismos] limitation, detention, restriction, reduction.

περιοριστικός-ή-ό (ε) [perioristikos] restrictive, confining, limitary.

περιουσία (n) [periusia] property, estate, wealth [πλούτη].

περιουσιακός-ή-ό (ε) [periusiakos] financial.

περιούσιος-α-ο (ε) [periusios] chosen.

περιοχή (n) [periohi] area, region, district, extent, expanse, compass, territory.

περιπαθής-ής-ές (ε) [peripathis] passionate.

περιπαίζω (ρ) [peripezo] ridicule, mock, trick.

περιπαικτικός-ή-ό (ε) [peripektikos] mocking, taunting.

περίπατος (ο) [peripatos] walk, ride.

περιπέτεια (n) [peripetia] adventure, misadventure.

περιπετειώδης-ης-ες (ε) [peripetiodhis] full of adventures.

περιπλάνηση (n) [periplanisi] ramble, wandering.

περιπλανιέμαι (ρ) [periplanieme] wander, lose one's way.

περιπλανώ (ρ) [periplano] send long way round.

περιπλανώμενος-η-ο (μ) [periplanomenos] excursive.

περιπλέκω (ρ) [peripleko] interlace, complicate, confuse, muddle.

περιπλέω (ρ) [peripleo] circumnavigate.

περιπλοκή (n) [periploki] complication, complexity.

περίπλοκος-η-ο (ε) [periplokos] complex, complicated.

περίπλους (ο) [periplus] circumnavigation.

περιποίηση (n) [peripiisi] care.

περιποιητικός-ή-ό (ε) [peripiitikos] considerate, ceremonious.

περιποιούμαι (ρ) [peripiume] take care of, nurse.

περιπολία (n) [peripolia] patrol, beat.

περιπολικό (ρ) [peripoliko] patrol car, patrol boat.

περίπολος (n) [peripolos] patrol.

περιπολώ (ρ) [peripolo] patrol, be on patrol, go the rounds [νυχτοφ].

περίπου (επ) [peripu] about, nearly.

περίπτερο (το) [periptero] pavilion, kiosk.

περίπτωση (n) [periptosi] case, condition.

περιπτωσιολόγος (ο) [periptosiologos] casuist.

περιρρέων (μ) [perirreon] circumfluent.

περισκάπτω (ρ) [periskapto] countersink.

περισκελίδα (n) [periskelidha] breeches.

περίσκεψη (n) [periskepsi] prudence, caution.

περισκόπιο (το) [periskopio] periscope.

περισπασμός (ο) [perispasmos] diversion.

περισπούδαστος-η-ο (ε) [perispudhastos] profound.

περισπώ (ρ) [perispo] distract, divert.

περισπωμένη (n) [perispomeni] circumflex.

περίσσεια (n) [perissia] excess.

περίσσεμα (το) [perissema] surplus, excess.

περίσσιος-α-ο (ε) [perissios] abundant [άφθονος], unnecessary [περιττός], excessive.

περισσότερο (το) [perissotero] more.

περισσότερος-η-ο (ε) [perissoteros] more.

περίσταση (n) [peristasi] circumstance, event, fact, occasion.

περιστατικό (το) [peristatiko] incident, event.

περιστέλλω (ρ) [peristelo] repress, check, restrain.

περιστέρι (το) [peristeri] pigeon, dove.

περιστερώνας (ο) [peristeronas] dovecote, pigeonhouse.

περιστοιχίζω (ρ) [peristihizo] surround, encompass, beset.

περιστολή (n) [peristoli] limitation, decrease, restriction.

περιστρέφομαι (ρ) [peristrefome] revolve, spin, turn.

περιστρεφόμενος-η-ο (μ) [peristrefomenos] circling.

περιστρέφω (ρ) [peristrefo] turn [ρόδα κτλ], turn [κλειδί].

περιστροφή (n) [peristrofi] revolution, turn, rotation, gyration, gyre.

περιστροφικός-ή-ό (ε) [peristrofikos] revolving, rotating.

περίστροφο (το) [peristrofo] revolver.

περίστυλος-n-o (ε) [peristilos] columned.

περισυλλέγω (ρ) [perisillego] collect.

περισυλλογή (n) [perisilloyi] concentration.

περισφίγγω (ρ) [perisfiggo] close in upon.

περισώζω (ρ) [perisozo] save, preserve.

περιτείχιση (n) [peritihisi] circumvallation.

περιτέμνω (ρ) [peritemno] circumcise.

περίτεχνος-n-o (ε) [peritehnos] elaborate, ornate.

περιτομή (n) [peritomi] circumcision.

περιτονίτιδα (n) [peritonitidha] peritonitis.

περίτρανος-n-o (ε) [peritranos] obvious, clear.

περιτρέχω (ρ) [peritreho] go round, circuit.

περιτριγυρίζω (ρ) [peritriyirizo] surround, encircle.

περίτρομος-n-o (ε) [peritromos] terrified.

περιτροπή (n) [peritropi] turn.

περιττός-ή-ό (ε) [perittos] useless, unnecessary, needless, gratuitous.

περιττώματα (τα) [perittomata] excrement.

περιτύλιγμα (το) [peritiligma] wrapper.

περιτυλίγω (ρ) [peritiligo] wrap up.

περιτύλιξη (n) [peritiliksi] circumvallation.

περιτυλίσσω (ρ) [peritilisso] wrap up.

περιφανής-ής-ές (ε) [perifanis] glorious, great.

περιφέρεια (n) [periferia] girth [δέντρου], circumference [γεωμ], district [χώρος], periphery, perimeter.

περιφερειακός-ή-ό (ε) [periferiakos] regional, branch, circular [δρόμος], roundabout [δρόμος], circumferential.

περιφέρομαι (ρ) [periferome] stroll, walk up and down, rotate [n γn κτλ].

περιφερόμενος-n-o (μ) [periferomenos] ambulant.

περιφέρω (ρ) [perifero] turn, revolve.

περίφημος-n-o (ε) [perifimos] famous, celebrated.

περίφοβος-n-o (ε) [perifovos] afraid.

περιφορά (n) [perifora] rotation, revolution, procession [εκκλ].

περίφραγμα (το) [perifragma] enclosure.

περιφράζω (ρ) [perifrazo] fence, hedge.

περίφραξη (n) [perifraksi] fencing, hedging.

περίφραση (n) [perifrasi] periphrasis.

περιφραστικός-ή-ό (ε) [perifrastikos] periphrastical.

περιφρόνηση (n) [perifronisi] contempt.

περιφρονητικός, -ή, -ό (ε) [perifronitikos] disdainful, contemptuous, scornful.

περιφρονώ (ρ) [perifrono] hold in contempt, despise, scorn.

περιφρουρώ (ρ) [perifruro] protect, safeguard.

περιχαρακώνομαι (ρ) [periharakonome] entrench oneself.

περιχαράκωση (n) [periharakosi] circumvallation.

περιχαρής-ής-ές (ε) [periharis] cheerful, happy.

περίχαρος-n-o (ε) [periharos] jubilant.

περιχύνω (ρ) [perihino] pour on, pour over.

περίχωρα (τα) [perihora] neighbourhood, environs, suburb [πόλn].

περιώνυμος-n-o (ε) [perionimos] renowned.

περιωπή (n) [periopi] eminence, importance [μεταφ].

πέρκα (n) [perka] perch.

περμανάντ (n) [permanand] perm.

περνοδιαβαίνω (ρ) [pernodhiaveno] pass by frequently.

περνώ (ρ) [perno] cross [ποτάμι, γέφυρα κτλ], hand over [κάτι σε κάποιον], pass through [κάτι μέσα σε κάτι], spend [τον καιρό], thread [βελόνα], filter [υγρό από φίλτρο], pass [νόμο], pass [στο δρόμο], leave behind [στο δρόμο].

περόνη (n) [peroni] bolt.

περονιάζω (ρ) [peroniazo] pierce.

περονόσπορος (ο) [peronosporos] mildew.

περούκα (n) [peruka] wig.

περπάτημα (το) [perpatima] walking.

περπατώ (ρ) [perpato] walk, go across.

Πέρσης (ο) [Persis] Iranian.

πέρσι (επ) [persi] last year.

Περσικός-ή-ό (ε) [Persikos] Iranian.

περσινός-ή-ό (ε) [persinos] of last year.

περτσίνι (το) [pertsini] clinch.

περτσινώνω (ρ) [pertsinono] clench.

πέσιμο (το) [pesimo] falling, fall.

πεσκέσι (το) [peskesi] gift, present.

πεσμένος-n-ο (μ) [pesmenos] fallen, impaired.

πέστροφα (n) [pestrofa] trout.

πέταγμα (το) [petagma] flying, flight, throwing away.

πετάγομαι (ρ) [petagome] fly up, rush, dash, spring.

πετάλι (το) [petali] pedal.

πεταλίδα (n) [petalidha] barnacle.

πέταλο (το) [petalo] petal, horseshoe [αλόγου].

πεταλούδα (n) [petaludha] butterfly, bow tie [λαιμοδέτη].

πεταλώνω (ρ) [petalono] shoe [άλογο], clout.

πεταλωτής (ο) [petalotis] blacksmith.

πέταμα (το) [petama] flying, flight, throwing away.

πεταμένος-n-ο (ε) [petamenos] wasted, thrown away.

πέταυρο (το) [petavro] batten.

πεταχτά (επ) [petahta] hurriedly, quickly.

πεταχτός-ή-ό (ε) [petahtos] nimble, sticking out.

πετάω (ρ) [petao] aviate.

πετεινός (ο) [petinos] cock, hammer.

πετιμέζι (το) [petimezi] must turned into syrup, very sweet [μεταφ].

πετονιά (n) [petonia] fishing line.

πέτρα (n) [petra] rock, precious stone.

πετραδάκι (το) [petradhaki] grit.

πετράδι (το) [petradhi] precious stone, pebble.

πετραχήλι (το) [petrahili] stole.

πετρέλαιο (το) [petreleo] petroleum, oil, crude oil.

πετρελαιοπηγή (n) [petreleopiyi] oil well.

πετρελαιοφόρο (το) [petreleoforo] oil tanker.

πετρελαιοφόρος-α -ο (ε) [petreleoforos] oil-bearing.

πέτρινος-n-ο (ε) [petrinos] made of stone.

πετροβολώ (ρ) [petrovolo] pelt with stones.

πετροχελίδονο (το) [petrohelidhono] martin.

πετρώδης-nς-ες (ε) [petrodhis] stony, rocky.

πέτρωμα (το) [petroma] rock.

πετρώνω (ρ) [petrono] petrify, turn into stone.

πέτσα (n) [petsa] skin, cream.

πετσέτα (n) [petseta] napkin, towel.

πετσί (το) [petsi] skin, hide, leather.

πέτσινος-n-ο (ε) [petsinos] leather.

πετσοκόβω (ρ) [petsokovo] cut up, cut badly, butcher.

πετυχαίνω (ρ) [petiheno] attain, get, get right, meet [κατά τύχη], succeed, achieve.

πετυχημένος-n-ο (μ) [petihimenos] successful.

πετώ (ρ) [peto] fly, jump for joy throw away, kick out.

πεύκο (το) [pefko] pine.

πευκόφυτος-n-ο (ε) [pefkofitos] pine-clad, piny.

πέφτω (ρ) [pefto] tumble, fall, drop, come down, subside, run aground [ναυτ].

πέψη (n) [pepsi] digestion.

πηγαδάς (o) [pigadhas] well-driller.

πηγάδι (το) [pigadhi] well.

πηγάζω (ρ) [pigazo] spring from, originate.

πηγαινοέρχομαι (ρ) [pigenoerhome] go to and fro.

πηγαίνω (ρ) [pigeno] go, escort, take.

πηγαίος-α-ο (ε) [pigeos] spontaneous.

πηγή (n) [piyi] spring, source, origin.

πηγμένος-η-ο (μ) [pigmenos] clotted.

πηγούνι (το) [piguni] chin.

πηδάλιο (το) [pidhalio] rudder, helm, wheel.

πηδαλιούχος (o) [pidhaliuhos] helmsman, cox.

πηδαλιουχώ (ρ) [pidhaliuho] steer.

πήδημα (το) [pidhima] jumping, spring, sudden rise.

πηδηχτός-ή-ό (ε) [pidhihtos] springy, bouncing, lively.

πηδώ (ρ) [pidho] leap, jump, jump over, leave out [παραλείπω].

πήζω (ρ) [pizo] coagulate, thicken, curdle, clot, gel, freeze.

πηκτή (n) [pikti] aspic.

πηκτικό (το) [piktiko] coagulant.

πηλήκιο (το) [pilikio] kepi, cap [μαθητ].

πηλίκο (το) [piliko] quotient.

πήλινος-η-ο (ε) [pilinos] earthen, of clay.

πηλός (o) [pilos] clay, mud, slime.

πηλοφόρι (το) [pilofori] hood.

πηλώδης-ης-ες (ε) [pilodhis] clayey.

πηνίο (το) [pinio] bobbin, spool.

πήξη (n) [pixi] coagulation, sticking in.

πήξιμο (το) [piksimo] setting.

πήχης (o) [pihis] measure of length [046m].

πηχτή (n) [pihti] pork jelly.

πήχυς (o) [pihis] batten.

πια (επ) [pia] not any longer, now, finally, at last, at long last.

πιανίστας (o) [pianistas] pianist.

πιάνο (το) [piano] piano, clavier.

πιάνομαι (ρ) [pianome] be caught at, be paralyzed, quarrel with.

πιάνω (ρ) [piano] take hold of, occupy, contain [περιέχω], land [λιμάνι], rent a house, apprehend, catch.

πιάσιμο (το) [piasimo] hold, feeling [αφή], touch, stiffness [σώματος], paralysis [σώματος], catch.

πιασμένος-η-ο (μ) [piasmenos] occupied, cramped [στο σώμα].

πιατάκι (το) [piataki] saucer, dessert plate.

πιατέλα (n) [piatela] large dish, platter.

πιατικά (τα) [piatika] crockery, earthenware.

πιάτο (το) [piato] dish, plate.

πιατοθήκη (n) [piatothiki] plate rack.

πιάτσα (n) [piatsa] market, public square, taxi rank.

πιγκουίνος (o) [piguinos] penguin.

πιέζω (ρ) [piezo] press, squeeze, compress, force.

πίεση (n) [piesi] pressure, oppression, blood pressure.

πιεσόμετρο (το) [piesometro] pressure-gauge.

πιεστήριο (το) [piestirio] press, oil press.

πιεστικός-ή-ό (ε) [piestikos] pressing, oppressive, urgent, compelling.

πιέτα (n) [pieta] pleat.

πιθαμή (n) [pithami] span of hand.

πιθανολογία (n) [pithanoloyia] speculation.

πιθανολογώ (ρ) [pithanologo] speculate, think likely.

πιθανός-ή-ό (ε) [pithanos] probable, likely.

πιθανότητα (n) [pithanotita] likelihood, probability.

πιθανώς (επ) [pithanos] probably, likely, credibly.

πιθάρι (το) [pithari] jar.

πιθηκίζω (ρ) [pithikizo] imitate.

πιθηκισμός (o) [pithikismos] aperu.

πίθηκος (o) [pithikos] ape, monkey.

πίθος (o) [pithos] large jar.

πίκα (n) [pika] umbrage, pique, spade

[στα χαρτιά].

πικάπ (το) [pikap] record-player.

πικάρω (ρ) [pikaro] nettle, pique.

πικέτο (το) [piketo] piquet.

πίκρα (η) [pikra] grief, bitterness.

πικραίνομαι (ρ) [pikrenome] be grieved.

πικραίνω (ρ) [pikreno] grieve, distress, acerbate.

πικρία (η) [pikria] bitterness.

πικρίζω (ρ) [pikrizo] be bitter, make bitter, taste bitter.

πικρίλα (η) [pikrila] bitter taste.

πικρός-ή-ό (ε) [pikros] biting, harsh, bitter.

πικρότητα (η) [pikrotita] acrimony.

πικροφέρνω (ρ) [pikroferno] be slightly bitter.

πικρόχολος-η-ο (ε) [pikroholos] irritable [μεταφ], acrimonious, biliary [μεταφ].

πιλαλώ (ρ) [pilalo] run, rush.

πιλατεύω (ρ) [pilatevo] harass, pester.

πιλάφι (το) [pilafi] pilaf, rice dish.

πιλοτάρω (ρ) [pilotaro] pilot, steer.

πιλότος (ο) [pilotos] pilot.

πίνακας (ο) [pinakas] list, table, notice-board, blackboard, table of contents.

πινακίδα (η) [pinakidha] number plate.

πινακοθήκη (η) [pinakothiki] art gallery.

πινέζα (η) [pineza] drawing pin.

πινέλο (το) [pinelo] artist's paintbrush, brush.

πίνω (ρ) [pino] drink, take in, smoke.

πιο (επ) [pio] more, greater.

πιόνι (το) [pioni] pawn, chess piece.

πιόσιμο (το) [piosimo] drinking.

πιότερο (επ) [piotero] more.

πιοτό (το) [pioto] drink, liquor.

πίπα (η) [pipa] pipe, cigarette holder.

πιπεράτος-η-ο (ε) [piperatos] peppery, caustic, piquant.

πιπέρι (το) [piperi] pepper.

πιπεριά (η) [piperia] pepper, pepper tree, capsicum.

πιπεριέρα (η) [piperiera] pepper-pot.

πιπερίζω (ρ) [piperizo] taste hot.

πίπιζα (η) [pipiza] flute.

πιπιλίζω (ρ) [pipilizo] suck.

πιρόγα (η) [piroga] dugout.

πιροσκί (το) [piroski] mincemeat roll.

πιρούνι (το) [piruni] fork.

πιρουνιά (η) [pirunia] forkful.

πισίνα (η) [pisina] swimming pool.

πισινά (τα) [pisina] backside, buttocks.

πισινός-ή-ό (ε) [pisinos] back, posterior.

πισινός (ο) [pisinos] backside, arse.

πισοβελονιά (η) [pisovelonia] backstitch.

πίσσα (η) [pissa] pitch, tar, asphalt.

πισσώνω (ρ) [pissono] tar, pitch.

πίστα (η) [pista] ring, racetrack, dance floor.

πιστευτά (επ) [pistefta] credibly.

πιστευτός-ή-ό (ε) [pisteftos] trustworthy, credible.

πιστεύω (ρ) [pistevo] believe, suppose, fancy, think.

πίστη (η) [pisti] faith, confidence, trust, credit, trustworthiness, credence, belief, loyalty.

πιστοδοτώ (ρ) [pistodhoto] finance.

πιστολάς (ο) [pistolas] gunman.

πιστόλι (το) [pistoli] pistol.

πιστολιά (η) [pistolia] gunshot.

πιστόνι (το) [pistoni] piston.

πιστοποίηση (η) [pistopiisi] certification.

πιστοποιήσιμος-η-ο (ε) [pistopiisimos] certifiable.

πιστοποιητικό (το) [pistopiitiko] certificate.

πιστοποιώ (ρ) [pistopio] certify, guarantee, vouch for.

πιστός-ή-ό (ε) [pistos] faithful, accurate, constant, precise.

πιστός (ο) [pistos] believer.

πιστότητα (η) [pistotita] fidelity, loyalty, accuracy, correctness, definitude, exactitude, preciseness.

πιστώνω (ρ) [pistono] credit with, accredit.

πίστωση (η) [pistosi] credit, trust.

πιστωτής (ο) [pistotis] creditor.

πιστωτικός-ή-ό (ε) [pistotikos] credit.

πίσω (επ) [piso] behind, back, over again.

πισωκάπουλα (επ) [pisokapula] pillion.

πισώκωλα (επ) [pisokola] backwards.

πισώπλατα (επ) [pisoplata] on the back, in the back.

πίτα (n) [pita] kind of cake, pie.

πίτουρο (το) [pituro] bran.

πιτσιλάδα (n) [pitsiladha] freckle.

πιτσιλιά (n) [pitsilia] splash, spatter.

πιτσιλίζω (ρ) [pitsilizo] splash, sprinkle.

πιτσιρίκος (ο) [pitsirikos] small boy.

πιτσουνάκια (τα) [pitsunakia] lovebirds.

πιτσούνι (το) [pitsuni] squab.

πιτυρίδα (n) [pitiridha] dandruff.

πιωμένος-n-ο (ε) [piomenos] legless, drunk, tipsy.

πλάγια (επ) [playia] askew, aslope, deviously.

πλαγιά (n) [playia] slope of hill, hillside.

πλαγιάζω (ρ) [playiazo] go to bed, lie down, put to bed.

πλάγιασμα (το) [playiasma] cant.

πλαγιαστός-ή-ό (ε) [playiastos] lying down, reclining, slanting.

πλάγιος-a-ο (ε) [playios] indirect, crooked, dishonest, backdoor, devious.

πλαγίως (επ) [playios] indirectly, next door.

πλαδαρός-ή-ό (ε) [pladharos] flabby, soft, feeble [προσπάθεια].

πλαδαρότητα (n) [pladharotita] flabbiness.

πλαζ (n) [plaz] beach.

πλάθω (ρ) [platho] mould, create.

πλάι (επ) [plai] aside.

πλάι (το) [plai] alongside, next door.

πλαίμπόι (το) [pleimboi] playboy.

πλαϊνός-ή-ό (ε) [plainos] adjoining, next door.

πλαίσιο (το) [plesio] frame, framework, chassis, range, architrave.

πλαισιώνω (ρ) [plesiono] border, surround, frame.

πλάκα (n) [plaka] slab, plate, paving stone, slate [σχολική], record, plate [φωτογραφική].

πλακάζ (το) [plakaz] blockboard.

πλακάκι (το) [plakaki] tile.

πλακάτ (το) [plakat] placard.

πλακοστρώνω (ρ) [plakostrono] pave, tile, slate.

πλακόστρωτος-n-ο (ε) [plakostrotos] paved, laid with tiles.

πλάκωμα (το) [plakoma] pressure, unexpected arrival.

πλακώνω (ρ) [plakono] press down, happen unexpectedly.

πλάνη (n) [plani] mistake, delusion, plane.

πλανήτης (ο) [planitis] planet.

πλανίζω (ρ) [planizo] plane.

πλάνο (το) [plano] plan.

πλανόδιος-a-ο (ε) [planodhios] travelling.

πλαντάζω (ρ) [plandazo] be furious.

πλανώ (ρ) [plano] deceive, seduce.

πλανώμαι (ρ) [planome] ramble, wander, be mistaken [κάνω λάθος].

πλανώμενος-n-ο (μ) [planomenos] aberrant.

πλασάρω (ρ) [plasaro] place, sell, fob off.

πλάση (n) [plasi] foundation, creation, moulding, formation.

πλασιέ (ο) [plasie] salesman.

πλάσιμο (το) [plasimo] shaping, modelling, fashioning.

πλάσμα (το) [plasma] creature, being, invention.

πλασματικός-ή-ό (ε) [plasmatikos] fictitious.

πλασμένος-n-ο (μ) [plasmenos] cut out for.

πλαστελίνη (n) [plastelini] plasticine.

πλαστήρι (το) [plastiri] rolling pin.

πλάστης (ο) [plastis] maker, Creator, rolling-pin.

πλάστιγγα (n) [plastigga] balance.

πλαστική (n) [plastiki] plastic surgery.

πλαστικός-ή-ό (ε) [plastikos] plastic,

comely.

πλαστογραφία (n) [plastografia] forgery.

πλαστογράφος (ο) [plastografos] forger.

πλαστογραφώ (ρ) [plastografo] counterfeit.

πλαστός-ή-ό (ε) [plastos] false, artificial, fictitious.

πλαστότητα (n) [plastotita] artificiality, falseness.

πλαστουργός (ο) [plasturgos] maker, creator.

πλαστρόν (το) [plastron] shirt front.

πλαστρώνω (ρ) [plastrono] splash.

πλατάγιασμα (το) [platayiasma] flap.

πλαταγίζω (ρ) [platayizo] smack, click.

πλαταίνω (ρ) [plateno] make wider, stretch, become wider.

πλάτανος (ο) [platanos] plane tree.

πλατεία (n) [platia] town square, pit [θεάτρου].

πλατειάζω (ρ) [platiazo] draw out.

πλατειασμός (ο) [platiasmos] long-windedness.

πλατειαστικός-ή-ό (ε) [platiastikos] longwinded.

πλάτεμα (το) [platema] expansion, widening, letting out.

πλατιά (επ) [platia] widely.

πλατίνα (n) [platina] platinum.

πλάτος (το) [platos] width, broadness, breadth, latitude [γεωγραφικό].

πλατσαρίζω (ρ) [platsarizo] squelch.

πλατσουρίζω (ρ) [platsurizo] dable.

πλατύνω (ρ) [platino] make wider, stretch, let out, broaden.

πλατυποδία (n) [platipodhia] splay-foot.

πλατύς-ιά-ύ (ε) [platis] wide, broad, large, ample.

πλατύσκαλο (το) [platiskalo] landing.

πλατύφυλλος-n-ο (ε) [platifillos] broad-leaved.

πλατφόρμα (n) [platforma] platform.

πλατωνικός-ή-ό (ε) [platonikos] platonic.

πλαφονιέρα (n) [plafoniera] ceiling-lamp.

πλέγμα (το) [plegma] network.

πλειοδότης (ο) [pliodhotis] highest bidder.

πλειοδοτώ (ρ) [pliodhoto] outbid.

πλειονότητα (n) [plionotita] majority.

πλειοψηφία (n) [pliopsifia] majority.

πλειοψηφώ (ρ) [pliopsifo] outvote.

πλειστηριασμός (ο) [plistiriasmos] auction.

πλείστος-n-ο (ε) [plistos] very many, most.

πλεκτάνη (n) [plektani] frame-up, machination, plot.

πλεκτήριο (το) [plektirio] knitting workshop.

πλεκτό (το) [plekto] knitting.

πλεκτός-ή-ό (ε) [plektos] knitted, plaited.

πλέκω (ρ) [pleko] plait, weave, knit.

πλεμόνι (το) [plemoni] lung.

πλένω (ρ) [pleno] wash, clean, brush, scrub.

πλεξίδα (n) [pleksidha] tress, braid, string.

πλέξιμο (το) [pleksimo] knitting, involvement [σε υπόθεση].

πλεξούδα (n) [pleksudha] plait, braid, tress.

πλέον (επ) [pleon] more, not any longer, moreover, now.

πλεονάζω (ρ) [pleonazo] abound, be plentiful, exceed.

πλεόνασμα (το) [pleonasma] surplus, overweight [βάρους].

πλεοναστικός-ή-ό (ε) [pleonastikos] superfluous.

πλεονέκτημα (το) [pleonektima] advantage, gift, quality, handicap, head start.

πλεονέκτης (ο) [pleonektis] greedy person.

πλεονεκτώ (ρ) [pleonekto] be greedy.

πλεονεξία (n) [pleoneksia] cupidity, greed.

πλεούμενο (το) [pleumeno] vessel, craft.

πλευρά (n) [plevra] side, rib, slope [όρους], point of view [μεταφ].

πλευρίζω (ρ) [plevrizo] come alongside [ναυτ], board.

πλευρικός-ή-ό (ε) [plerikos] side, flank, costal [ανατ].

πλεύρισμα (το) [plevrisma] berthing.

πλευρίτιδα (n) [plevritidha] pleurisy.

πλευρό (το) [plevro] side, rib, flank [στρατ], board.

πλευροκόπημα (το) [plevrokopima] flanking attack.

πλευροκοπώ (ρ) [plevrokopo] flank.

πλεύση (n) [plefsi] navigation, sailing, course.

πλεύσιμος-n-o (ε) [plefsimos] buoyant.

πλεχτό (το) [plehto] pullover, knitted article.

πλεχτός-ή-ό (ε) [plehtos] wicker, plaited.

πλέω (ρ) [pleo] navigate, sail, float, wade.

πληβείος (o) [plivios] plebeian.

πληγή (n) [pliyi] wound, injury, plague [μεταφ], evil, sore, blight [μεταφ].

πληγιάζω (ρ) [pliyiazo] hurt, injure, blister, chafe.

πλήγμα (το) [pligma] wound, injure.

πληγώνω (ρ) [pligono] wound, injure, offend, hurt, disoblige.

πληθαίνω (ρ) [plitheno] increase, multiply.

πλήθη (τα) [plithi] the masses.

πλήθος (το) [plithos] crowd, mass, great number, cloud [μεταφ].

πληθυντικός (o) [plithindikos] plural.

πληθύνω (ρ) [plithino] multiply, increase.

πληθυσμός (o) [plithismos] population.

πληθώρα (n) [plithora] abundance, excess.

πληθωρικός-ή-ό (ε) [plithorikos] excessive, prolific.

πληθωρικότητα (n) thorikotita] exuberance.

πληθωρισμός (o) [plithorismos] inflation.

πληκτικός-ή-ό (ε) [pliktikos] boring, tiresome, dull, trying.

πλήκτρο (το) [pliktro] key, plectrum, drumstick.

πληκτρολόγιο (το) [pliktroloyio] keyboard.

πληκτροφόρο (το) [pliktroforo] clavier.

πλημμελειοδικείο (το) [plimmeliodhikio] magistrates' court.

πλημμέλημα (το) [plimmelima] offence.

πλημμελής-ής-ές (ε) [plimmelis] faulty, inefficient.

πλημμύρα (n) [plimmira] flood, inundation, plenitude [μεταφ].

πλημμυρίδα (n) [plimmiridha] overflow, flood.

πλημμυρίζω (ρ) [plimmirizo] inundate, overflow, flood, bathe.

πλην (επ) [plin] unless, except that.

πλην (πρ) [plin] barring, bating.

πλην (σ) [plin] except, save, but, minus.

πλήξη (n) [pliksi] weariness, boredom.

πληρεξούσιο (το) [plireksusio] power of attorney.

πληρεξούσιος-α-ο (ε) [plireksusios] representative, proxy, deputy.

πληρεξουσιότητα (n) [plireksusiotita] power of attorney.

πληρέστατα (επ) [plirestata] fully, entirely.

πλήρης-ης-ες (ε) [pliris] full, complete, whole, packed, instinct.

πληρότητα (n) [plirotita] completeness.

πληροφόρηση (n) [pliroforisi] information.

πληροφορία (n) [pliroforia] information, report.

πληροφορική (n) [pliroforiki] informatics, computer science.

πληροφοριοδότης (o) [pliroforiodhotis] informant, informer, communicator.

πληροφορούμαι (ρ) [pliroforume] learn, discover.

πληροφορώ (ρ) [pliroforo] inform, notify, communicate.

πληρώ (ρ) [pliro] fill, fulfil, perform.

πλήρωμα (το) [pliroma] crew, fullness, filling.

πληρωμή (n) [pliromi] payment, reward, salary, wages, defrayment.

πληρώνω (ρ) [plirono] pay, settle.

πλήρως (επ) [pliros] all-fired, clean, clear.

πληρωτέος-α-ο (ε) [piroteos] payable.

πληρωτής (o) [plirotis] payer, approach,

go near, draw near.

πλησιάζω (ρ) [plisiazo] bring near, get near, approach.

πλησιέστερος-η-ο (ε) [plisiesteros] closer, closest.

πλησίον (επ) [plision] near, handy.

πλησίστιος-α-ο (ε) [plisistios] in full sail.

πλήττω (ρ) [plito] strike, hit, wound, be bored [παθαίνω πλήξη κτλ].

πλιάτσικα (τα) [pliatsika] spoils.

πλιάτσικο (το) [pliatsiko] loot, booty.

πλιατσικολογώ (ρ) [pliatsikologo] loot, plunder.

πλιγούρι (το) [pliguri] hulled oats, crushed grain.

πλίθα (n) [plitha] mud-brick.

πλιθιά (n) [plithia] cob.

πλίθινος-n-o (ε) [plithinos] brick.

πλιθοδομή (n) [plithodhomi] bricklaying.

πλίθος (o) [plithos] brick, firebrick.

πλιθόχτιστος-n-o (ε) [plithohtistos] built of bricks.

πλίθρα (n) [plithra] cob.

πλισές (o) [plises] frill, pleats.

πλισσάρισμα (το) [plissarisma] crimp.

πλισσάρω (ρ) [plissaro] crimp.

πλοήγηση (n) [ploiyisi] piloting.

πλοηγός (o) [ploigos] pilot.

πλοιάριο (το) [pliario] small boat, launch.

πλοίαρχος (o) [pliarhos] captain [ναυτ], master [εμπορικού].

πλοίο (το) [plio] ship, vessel, boat.

πλοιοκτήτης (o) [plioktitis] shipowner.

πλοκάμι (το) [plokami] tress, plait, tentacle [χταποδιού].

πλοκή (n) [ploki] plot.

πλουμίδια (τα) [plumidhia] frills, trimmings.

πλουμιστός-n-ό (ε) [plumistos] embroidered, adorned.

πλουραλισμός (o) [pluralismos] pluralism.

πλους (o) [plus] sailing, passage.

πλούσια (επ) [plusia] abundantly.

πλουσιοπάροχος-n-o (ε) [plusioparohos] generous, abundant.

πλούσιος-α-ο (ε) [plusios] rich, wealthy, splendid, magnificent.

πλούσιος (o) [plusios] playboy.

πλουταίνω (ρ) [pluteno] enrich [oneself], bring wealth to.

πλούτη (τα) [pluti] riches, wealth.

πλουτίζω (ρ) [plutizo] make rich, get rich.

πλουτισμός (o) [plutismos] enrichment.

πλουτοκρατία (n) [plutokratia] plutocracy.

πλουτοπαραγωγικός-n-ό (ε) [plutoparagoyikos] wealth-producing.

πλούτος (o) [plutos] wealth, richness, fertility [εδάφους].

πλυντήριο (το) [plindirio] laundry room, washing machine.

πλύνω (ρ) [plino] wash, clean.

πλύση (n) [plisi] wash[ing], laundry.

πλύσιμο (το) [plisimo] wash[ing].

πλυσταριό (το) [plistario] laundry room.

πλύστρα (n) [plistra] washerwoman, wash-board.

πλώρη (n) [plori] prow.

πλωτάρχης (o) [plotarhis] lieutenant-commander.

πλωτήρας (o) [plotiras] float.

πλωτός-n-ό (ε) [plotos] navigable, floating, pontoon bridge [γέφυρα].

πνεύμα (το) [pnevma] ghost, soul, breath of life, mind, genius, spirit.

πνευματικός-n-ό (ε) [pnevmatikos] spiritual, intellectual, mental.

πνευματικότητα (n) [pnevmatikotita] inwardness.

πνευματιστικός-n-ό (ε) [pnevmatistikos] spiritualistic.

πνευματώδης-ης-ες (ε) [pnevmatodhis] witty.

πνεύμονας (o) [pnevmonas] lung.

πνευμονία (n) [pnevmonia] pneumonia.

πνευμονοκονίαση (n) [pnevmonokoniasi] byssinosis.

πνευστός-ή-ό (ε) [pnefstos] blown, wind.

πνέω (ρ) [pneo] blow, bluster.

πνιγηρός-ή-ό (ε) [pniyiros] stifling, suffocating, choking.

πνιγμός (ο) [pnigmos] suffocation, choking, drowning.

πνίγομαι (ρ) [pnigome] asphyxiate.

πνίγω (ρ) [pnigo] drown, stifle, suffocate, choke.

πνίξιμο (το) [pniksimo] drowning, strangulation, choking.

πνοή (η) [pnoi] breathing, inspiration.

πόα (η) [poa] turf.

πογκρόμ (το) [pogkrom] pogrom.

ποδάγρα (η) [podhagra] gout.

ποδάρα (η) [podhara] beetle-crusher.

ποδαράτα (επ) [podharata] on foot.

ποδάρι (το) [podhari] foot, leg.

ποδένω (ρ) [podheno] shoe, put on shoes.

ποδηγετώ (ρ) [podhiyeto] lead, guide, train.

ποδηλασία (η) [podhilasia] cycling.

ποδηλάτης (ο) [podhilatis] cyclist.

ποδήλατο (το) [podhilato] bicycle.

ποδηλατοδρόμιο (το) [podhilatodhromio] cycling track.

ποδηλατώ (ρ) [podhilato] cycle, pedal, bike.

πόδι (το) [podhi] foot, leg.

ποδιά (η) [podhia] apron, overall, windowsill.

ποδοβολητό (το) [podhovolito] tramp, clop.

ποδόγυρος (ο) [podhoyiros] border, hem.

ποδοκίνητος-η-ο (ε) [podhokinitos] foot-operated.

ποδοκρότημα (το) [podhokrotima] stamping of feet.

ποδόλουτρο (το) [podholutro] foot-bath.

ποδοπατώ (ρ) [podhopato] tread on, trample on.

ποδοσφαιριστής (ο) [podhosferistis] football player.

ποδόσφαιρο (το) [podhosfero] game of football.

ποδόφρενο (το) [podhofreno] foot-brake.

πόζα (η) [poza] pose.

ποζάρω (ρ) [pozaro] pose, sit for, put on.

πόθεν (επ) [pothen] where from.

ποθητός-ή-ό (ε) [pothitos] desirable.

πόθος (ο) [pothos] desire, wish, yearning.

ποθώ (ρ) [potho] desire, long for, wish.

ποίημα (το) [piima] poem.

ποιηματάκι (το) [piimataki] ditty.

ποίηση (η) [piisi] poetry.

ποιητής (ο) [piitis] poet, creator.

ποιητικός-ή-ό (ε) [piitikos] poetic.

ποικιλία (η) [pikilia] variety, diversity.

ποικίλλω (ρ) [pikillo] embellish, vary, change, deck, ornament.

ποικιλομορφία (η) [pikilomorfia] diversity of form.

ποικίλος-η-ο (ε) [pikilos] varied, diverse, different.

ποικιλότροπος-η-ο (ε) [pikilotropos] various.

ποιμαντικός-ή-ό (ε) [pimandikos] pastoral.

ποιμενάρχης (ο) [pimenarhis] prelate.

ποιμένας (ο) [pimenas] shepherd.

ποιμενικό (το) [pimeniko] pastorale.

ποιμενικός-ή-ό (ε) [pimenikos] pastoral, bucolic.

ποίμνιο (το) [pimnio] flock, herb, drove.

ποινή (η) [pini] penalty, punishment.

ποινικολόγος (ο) [pinikologos] criminal lawyer.

ποινικοποίηση (η) [pinikopiisi] penalization.

ποινικοποιώ (ρ) [pinikopio] penalize.

ποινικός-ή-ό (ε) [pinikos] penal, criminal.

ποιόν (το) [pion] quality, property.

ποιός-ά-ό (αν) [pios-a-o] who, which, what.

ποιότητα (η) [piotita] quality, property.

ποιοτικός-ή-ό (ε) [piotikos] quality, qualitative.

πόκα (η) [poka] [stud] poker.

ποκάρι (το) [pokari] clip.

πόκος (ο) [pokos] clip.

πολέμαρχος (ο) [polemarhos] warrior.

πολεμική (η) [polemiki] art of war.

πολεμικό (το) [polemiko] warship.

πολεμικός (ο) [polemikos] controversialist.

πολεμικός-ή-ό (ε) [polemikos] warlike, martial.

πολέμιος (ο) [polemios] enemy.

πολέμιος-α-ο (ε) [polemios] unfriendly, hostile (ο) enemy, opponent.

πολεμιστής (ο) [polemistis] fighter, warrior.

πολεμοπαθής-ής-ές (ε) [polemopathis] war victim.

πόλεμος (ο) [polemos] war, warfare.

πολεμοφόδια (τα) [polemofodhia] ammunition.

πολεμοχαρής-ής-ές (ε) [polemoharis] warlike.

πολεμώ (ρ) [polemo] fight, make war against.

πολεοδομία (η) [poleodhomia] town planning.

πόλη (η) [poli] city, town.

πολικός-ή-ό (ε) [polikos] polar.

πολιομυελίτιδα (η) [poliomielitidha] polio.

πολιορκητής (ο) [poliorkitis] besieger.

πολιορκώ (ρ) [poliorko] besiege, surround.

πολιούχος-α-ο (ε) [poliuhos] patron saint.

πόλισμαν (ο) [polisman] policeman.

πολιτεία (η) [politia] state, government, country.

πολιτειακά (επ) [politiaka] constitutionally.

πολιτειακός-ή-ό (ε) [politiakos] state, constitutional.

πολίτευμα (το) [politevma] system of government, regime.

πολιτεύομαι (ρ) [politevome] go into politics.

πολιτευόμενος-η-ο (μ) [politevomenos] politician.

πολιτευτής (ο) [politeftis] politician.

πολίτης (ο) [politis] citizen, civilian.

πολιτικά (τα) [politika] politics, civvies.

πολιτική (η) [politiki] politics, policy.

πολιτικολογώ (ρ) [politikologo] talk politics.

πολιτικοοικονομικός-ή-ό (ε) [politikoikonomikos] politicoeconomic.

πολιτικός-ή-ό (ε) [politikos] civic, civilian, political.

πολιτικός (ο) [politikos] politician.

πολιτισμένος-η-ο (ε) [politismenos] civilized, cultured.

πολιτισμός (ο) [politismos] civilization, culture.

πολιτογράφηση (η) [politografisi] naturalization.

πολιτογραφώ (ρ) [politografo] naturalize.

πολιτοφύλακας (ο) [politofilakas] civil guard, militiaman.

πολιτοφυλακή (η) [politofilaki] militia, civil guard.

πολίχνη (η) [polihni] small town, township.

πολλαπλασιάζω (ρ) [pollaplasiazo] multiply, increase.

πολλαπλασιασμός (ο) [pollaplasiasmos] multiplication, increase.

πολλαπλασιαστής (ο) [pollaplasiastis] intensifier.

πολλαπλάσιο (το) [pollaplasio] multiple.

πολλαπλάσιος-α-ο (ε) [pollaplasios] multiple.

πολλαπλότητα (η) [pollaplotita] multiplicity.

πολλαπλούς (ε) [pollaplus] manifold.

πολλοστός-ή-ό (ε) [pollostos] umpteenth.

πόλο (το) [polo] polo.

πόλος (ο) [polos] pole.

πολτοποιώ (ρ) [poltopio] pulp, mash, liquidize.

πολτός (ο) [poltos] pap, puree.

πολύ (επ) [poli] much, numerous, several, great.

πολυαγαπημένος-η-ο (μ) [poliagapimenos] beloved, dearest.

πολυάνθρωπος-n-o (ε) [polianthropos] populous, crowded.

πολυάριθμος-n-o (ε) [poliarithmos] numerous.

πολυάσχολος-n-o (ε) [polias-holos] very busy, very occupied.

πολυβολείο (το) [polivolio] pill-box.

πολυβολισμός (ο) [polivolismos] machine-gun fire, burst.

πολυβόλο (το) [polivolo] machine gun.

πολύβουος-n-o (ε) [polivuos] bustling, noisy.

πολυγαμία (n) [poligamia] polygamy.

πολύγαμος-n-o (ε) [poligamos] polygamous.

πολύγαμος (ο) [poligamos] polygamist.

πολύγλωσσος-n-o (ε) [poliglossos] multilingual.

πολύγλωσσος (ο) [poliglossos] polyglot.

πολυγράφος (ο) [poligrafos] duplicator.

πολυγραφώ (ρ) [poligrafo] duplicate.

πολύγωνο (το) [poligono] polygon.

πολυδάπανος-n-o (ε) [polidhapanos] costly, extravagant.

πολυεθνικός-ή-ό (ε) [poliethnikos] multinational.

πολυειδής-ής-ές (ε) [poliidhis] manifold.

πολυεκατομμυριούχος (ο) [poliekatomiriuhos] multimillionaire.

πολυέξοδος-n-o (ε) [polieksodhos] costly.

πολυζήτητος-n-o (ε) [polizititos] much sought-after.

πολυήμερος-n-o (ε) [poliimeros] many days.

πολυθεϊσμός (ο) [politheismos] polytheism.

πολυθρήνητος-n-o (ε) [polithrinitos] much-lamented.

πολυθρόνα (n) [polithrona] armchair.

πολυθρύλητος-n-o (ε) [polithrilitos] legendary.

πολυκαιρία (n) [polikeria] age, long time.

πολυκαιρινός-ή-ό (ε) [polikerinos] stale, worn.

πολυκατάστημα (το) [polikatastima] department store, mall.

πολυκατοικία (n) [polikatikia] block of flats.

πολυκοσμία (n) [polikosmia] crowds of people.

πολυκύμαντος-n-o (ε) [polikimandos] eventful, adventurous.

πολυλογάς (ο) [polilogas] chatterbox.

πολυλογία (n) [poliloyia] babble.

πολυλογώ (ρ) [polilogo] clatter, gab.

πολυμάθεια (n) [polimathia] erudition.

πολυμαθής-ής-ές (ε) [polimathis] scholarly.

πολυμέρεια (n) [polimeria] versatility.

πολυμερής-ής-ές (ε) [polimeris] varied.

πολυμέτωπος-n-o (ε) [polimetopos] on several fronts.

πολυμήχανος-n-o (ε) [polimihanos] cunning, crafty.

πολυμορφία (n) [polimorfia] multiformity.

πολύμορφος-n-o (ε) [polimorfos] multiform.

πολύμοχθος-n-o (ε) [polimohthos] toilsome.

πολύπαθος-n-o (ε) [polipathos] sorely tried.

πολύπειρος-n-o (ε) [polipiros] very experienced.

πολύπλευρος-n-o (ε) [poliplevros] many-sided.

πολυπληθής-ής-ές (ε) [poliplithis] very numerous, crowded.

πολύπλοκος-n-o (ε) [poliplokos] intricate, complicated.

πολυπόθητος-n-o (ε) [polipothitos] much desired.

πολυποίκιλος-n-o (ε) [polipikilos] various.

πολύπους (ο) [polipus] polyp.

πολυπράγμονας (ο) [polipragmonas] busybody.

πολυπραγμοσύνη (n) [polipragmosini]

meddling.

πολύπτυχος-n-o (ε) [poliptihos] with many folds.

πολύς, πολλή, πολύ (ε) [polis, polli, poli] much, numerous, many, great, long.

πολυσέλιδος-n-o (ε) [poliselidhos] many pages.

πολυσήμαντος-n-o (ε) [polisimandos] comprehensive.

πολύστροφος-n-o (ε) [polistrofos] high-speed [μηχανή], quick-witted.

πολυσύλλαβος-n-o (ε) [polisillavos] polysyllabic.

πολυσύνθετος-n-o (ε) [polisinthetos] very complex.

πολυσύχναστος-n-o (ε) [polisihnastos] much frequented, busy.

πολυσχιδής-ής-ές (ε) [polishidhis] manifold.

πολυτάλαντος-n-o (ε) [politalandos] rich, gifted, talented.

πολυτάραχος-n-o (ε) [politarahos] stormy, turbulent, eventful.

πολυτέλεια (n) [politelia] luxury.

πολυτελής-ής-ές (ε) [politelis] splendid, rich.

πολυτεχνείο (το) [politehnio] Polytechnic, National Technical School.

πολυτεχνίτης (ο) [politehnitis] Jack of all trades.

πολύτιμος-n-o (ε) [politimos] valuable, precious.

πολύτομος-n-o (ε) [politomos] manifold.

πολυφαγία (n) [polifayia] gluttony, greediness.

πολυφωνία (n) [polifonia] polyphony, part-singing.

πολύφωτο (το) [polifoto] chandelier, candelabra.

πολύχρονος-n-o (ε) [polihronos] long, age-old.

πολυψήφιος-a-o (ε) [polipsifios] many-digit.

Πολωνικός-ή-ό (ε) [Polonikos] Polish.

Πολωνός (ο) [Polonos] Pole.

πόλωση (n) [polosi] polarization.

πόμολο (το) [pomolo] door knob, handle.

πομπή (n) [pombi] procession, parade, shame.

πομπός (ο) [pombos] transmitter.

πομπώδης-ης-ες (ε) [pombodhis] pompous, bombastic.

πονεμένος-n-o (μ) [ponemenos] in distress, sad, hurt, afflicted.

πονετικός-ή-ό (ε) [ponetikos] compassionate.

πονηρά (επ) [ponira] astutely, craftily.

πονηρεύομαι (ρ) [ponirevome] become suspicious.

πονηρεύω (ρ) [ponirevo] rouse suspicions of, make suspicious, become cunning.

πονηριά (n) [poniria] trick, guile, suspicion, slyness, astuteness.

πονηρός-ή-ό (ε) [poniros] cunning, crafty, suspicious, distrustful, astute.

πονόδοντος (ο) [ponodhondos] toothache.

πονοκέφαλος (ο) [ponokefalos] headache, embarrassment.

πόνος (ο) [ponos] suffering, pain, labour, sympathy, ache, compassion.

πονόψυχος-n-o (ε) [ponopsihos] softhearted, compassionate, sympathetic.

ποντάρω (ρ) [pondaro] punt, back.

ποντίζω (ρ) [pondizo] cast [άγκυρα], lay [νάρκη].

ποντίκι (το) [pondiki] mouse, rat.

ποντικοπαγίδα (n) [pondikopayidha] mousetrap.

ποντικός (ο) [pondikos] mouse, rat, muscle.

ποντικοφάρμακο (το) [pondikofarmako] rat poison.

ποντίφηκας (ο) [pondifikas] pontiff.

πόντος (ο) [pondos] sea, point [παιχνιδιού], centimetre [μέτρο], stitch.

πονώ (ρ) [pono] sympathize with, hurt, pain, suffer [αμετ], ache.

ποπλίνα (n) [poplina] poplin.

ποπός (ο) [popos] bum.

πορδή (n) [pordhi] fart.

πορεία (n) [poria] march, route, course, run.

πορεύομαι (ρ) [porevome] proceed, go, walk, march.

πορθητής (ο) [porthitis] conqueror.

πορθμέας (ο) [porthmeas] ferryman.

πορθμείο (το) [porthmio] ferry[boat].

πορθμός (ο) [porthmos] straight, sound.

πορίζομαι (ρ) [porizome] get, draw.

πόρισμα (το) [porisma] deduction, inference, conclusion, finding.

πορνεία (n) [pornia] prostitution.

πορνείο (το) [pornio] brothel.

πόρνη (n) [porni] prostitute, whore.

πορνογραφία (n) [pornografia] pornography.

πορνογραφικός-ή-ό (ε) [pornografikos] pornographic.

πόρνος (ο) [pornos] sodomite.

πόροι (οι) [pori] means, income.

πόρος (ο) [poros] passage, ford.

πόρπη (n) [porpi] brooch, buckle.

πορσελάνη (n) [porselani] china, porcelain.

πόρτα (n) [porta] door, gate.

πορτιέρης (ο) [portieris] doorman.

πορτοκαλάδα (n) [portokaladha] orangeade.

πορτοκάλι (το) [portokali] orange.

πορτοκαλιά (n) [portokalia] orange tree.

πορτοφολάς (ο) [portofolas] pickpocket.

πορτοφόλι (το) [portofoli] wallet.

πορτρέτο (το) [portreto] portrait.

πορφύρα (n) [porfira] purple.

πορφυρούν (ε) [porfirun] crimson.

πορώδης-ης-ες (ε) [porodhis] porous.

πορωμένος-η-ο (μ) [poromenos] fleshed.

πόσιμος-η-ο (ε) [posimos] drinkable.

ποσό (το) [poso] quantity, amount.

ποσολογία (n) [posoloyia] dosage.

πόσος-η-ο (ε) [posos] how much, how many, how large.

ποσοστό (το) [pososto] percentage, share.

ποσότητα (n) [posotita] quantity, amount.

πόστο (το) [posto] strategic position.

ποσώς (επ) [posos] not at all, in no way, by no means.

ποτάμι (το) [potami] river.

ποτάμιος-α-ο (ε) [potamios] fluvial.

ποταμολίμνη (n) [potamolimni] backwater.

ποταμόπλοιο (το) [potamoplio] river-boat.

ποταμός (ο) [potamos] river.

ποταπός-ή-ό (ε) [potapos] base, vile, sordid.

ποτάσα (n) [potasa] potash.

ποτέ (επ) [pote] once, formerly, ever, never [μετά από αρνητ].

πότε (επ) [pote] when.

ποτήρι (το) [potiri] drinking glass, burnet [βοτ].

ποτηριά (n) [potiria] glassful.

πότης (ο) [potis] heavy drinker.

ποτίζω (ρ) [potizo] water, irrigate, become damp.

πότισμα (το) [potisma] watering, irrigation.

ποτιστήρι (το) [potistiri] watering can.

ποτό (το) [poto] drink, beverage.

ποτοποιείο (το) [potopiio] distillery.

ποτοποιός (ο) [potopios] brewer, distiller.

που (αν) [pu] who, whom, which, that.

πού (επ) [pu] where, somewhere.

πουγκί (το) [pugi] purse, bag, money.

πούδρα (n) [pudhra] powder.

πουδράρω (ρ) [pudhraro] powder.

πουδριέρα (n) [pudhriera] compact.

πούθε (επ) [puthe] from where.

πουθενά (επ) [puthena] not anywhere, nowhere, anywhere.

πουκαμίσα (n) [pukamisa] shirt, nightshirt.

πουκαμισάκι (το) [pukamisaki] chemise.

πουκάμισο (το) [pukamiso] shirt.

πουλάκι (το) [pulaki] little bird.

πουλάρι (το) [pulari] foal, colt.

πουλερικά (τα) [pulerika] poultry.

πούλημα (το) [pulima] sale, selling.

πουλημένος-η-ο (μ) [pulimenos] venal, sold out.

πούλι (το) [puli] piece, checker, counter.

πουλί (το) [puli] bird.

πούλια (η) [pulia] tinsel, sequin.

πούλμαν (το) [pulman] coach.

πουλόβερ (το) [pulover] pullover, sweater, jumper.

πουλώ (ρ) [pulo] sell, betray [μεταφ].

πούμα (το) [puma] cougar.

πουνέντες (ο) [punendes] west wind.

πούντα (η) [punda] cold.

πουντιάζω (ρ) [pundiazo] cool, chill, feel very cold.

πουπουλένιος-α-ο (ε) [pupulenios] feather[y].

πούπουλο (το) [pupulo] plume, feather.

πουρές (ο) [pures] puree.

πουρί (το) [puri] fur, scale, tartar.

πουριτανισμός (ο) [puritanismos] puritanism.

πουριτανός (ο) [puritanos] puritan.

πουρμπουάρ (το) [purbuar] tip.

πουρνάρι (το) [purnari] evergreen oak.

πουρνό (το) [purno] morning.

πούρο (το) [puro] cigar.

πούσι (το) [pusi] mist, fog, brume.

πούστης (ο) [pustis] homosexual.

πουτάνα (η) [putana] whore, slut.

πουτίγκα (η) [putiga] pudding.

πράγμα (το) [pragma] thing, object, matter, business, goods, cloth.

πραγματεία (n) [pragmatia] treatise, dissertation.

πραγματεύομαι (ρ) [pragmatevome] deal with, treat, negotiate.

πράγματι (επ) [pragmati] actually.

πραγματικά (επ) [pragmatika] really, in fact, actually.

πραγματικός-ή-ό (ε) [pragmatikos] real, actual, substantial, authentic.

πραγματικότητα (n) [pragmatikotita] reality, fact, truth.

πραγματισμός (ο) [pragmatismos] pragmatism.

πραγματιστής (ο) [pragmatistis] pragmatist, realist.

πραγματογνώμονας (ο) [pragmatognomonas] assessor, valuer, expert.

πραγματογνωμοσύνη (n) [pragmatognomosini] expert evidence.

πραγματοποίηση (n) [pragmatopiisi] realization.

πραγματοποιήσιμος-η-ο (ε) [pragmatopiisimos] feasible.

πραγματοποιώ (ρ) [pragmatopio] carry out, realize, work out.

πρακτικά (τα) [praktika] records, minutes.

πρακτική (n) [praktiki] practice.

πρακτικό (το) [praktiko] record.

πρακτικός-ή-ό (ε) [praktikos] useful, practical.

πράκτορας (ο) [praktoras] agent.

πρακτορείο (το) [praktorio] agency, travel agency.

πραμάτεια (n) [pramatia] goods.

πραματευτής (ο) [pramateftis] pedlar, hawker, merchant, mercer.

πράξη (n) [praksi] action, act, practice, certificate, deal, operation, doing, experience.

πραξικόπημα (το) [praksikopima] coup d'etat.

πραξικοπηματικός-ή-ό (ε) [praksikopimatikos] arbitrary.

πράος-α-ο (ε) [praos] gentle, kind, mild.

πραότητα (n) [praotita] mildness, gentleness, kindness.

πρασιά (n) [prasia] flower bed, lawn.

πρασινάδα (n) [prasinadha] greenery, green colour.

πράσινο (το) [prasino] green, vegetation, greenery.

πράσινος-n-o (ε) [prasinos] green, unripe.

πράσο (το) [praso] leek.

πρατήριο (το) [pratirio] specialist shop.

πράττω (ρ) [pratto] perform, act, do.

πραΰνω (ρ) [praino] appease, calm, soothe, pacify.

πρέζα (η) [preza] pinch.

πρεζάκιας (ο) [prezakias] junky.

πρελούντιο (το) [prelundio] prelude.

πρεμιέρα (η) [premiera] opening night.

πρέπει (ρ) [prepi] it is necessary.

πρέπων-ουσα-ον (μ) [prepon-usa-on] suitable, fitting, decent, correct.

πρέσα (η) [presa] press.

πρεσάρω (ρ) [presaro] pressure, pressurize, press.

πρεσβεία (η) [presvia] embassy.

πρεσβευτής (ο) [presveftis] ambassador, minister, representative.

πρεσβεύω (ρ) [presvevo] profess, represent, avow.

πρεσβυτέρα (η) [presvitera] priest's wife.

πρεσβυτέριο (το) [presviterio] abbey.

πρεσβύτερος (ο) [presviteros] priest.

πρεσβύτερος-n-o (ε) [presviteros] elder, older, senior, eldest.

πρεσβύωπας (ο, η) [presviopas] longsighted.

πρεσβυωπία (η) [presviopia] longsightedness, presbyopia.

πρέφα (η) [prefa] card game.

πρήζομαι (ρ) [prizome] become swollen, swell.

πρήζω (ρ) [prizo] infuriate.

πρηνής-ής-ές (ε) [prinis] couchant.

πρήξιμο (το) [priximo] swelling, tumour.

πρήσκομαι (ρ) [priskome] bloat.

πρησμένος-n-o (μ) [prismenos] bellied, bloated, blubber.

πρίγκιπας (ο) [prigipas] prince.

πριγκιπάτο (το) [prigipato] principality.

πριγκιπικός-ή-ό (ε) [prigipikos] princely.

πριγκίπισσα (η) [prigipissa] princess.

πριγκιπόπουλο (το) [prigipopulo] young prince, prince's son.

πρίζα (η) [priza] plug, socket.

πρίμα (η) [prima] fine, fair.

πρίμο (το) [primo] treble.

πριμοδότηση (η) [primodhotisi] bounty.

πριμοδοτώ (ρ) [primodhoto] give bounty.

πρίμος-a-o (ε) [primos] fair.

πριν (π) [prin] before, previously, prior to.

πριόνι (το) [prioni] saw, handsaw.

πριονίδι (το) [prionidhi] sawdust, shavings.

πριονίζω (ρ) [prionizo] saw.

πριονιστήρι (το) [prionistiri] saw-mill.

πριονοκορδέλα (η) [prionokordhela] bandsaw.

πριονωτός-ή-ό (ε) [prionotos] jagged, serrated.

πρίσμα (το) [prisma] prism.

πρισματικός-ή-ό (ε) [prismatikos] prismatic.

πριτσινάρω (ρ) [pritsinaro] rivet.

πριτσίνι (το) [pritsini] rivet.

προ (π) [pro] before, in front of, ahead of.

προαγγελία (η) [proangelia] warning, notice.

προαγγέλλω (ρ) [proangello] predict, prophesy.

προάγγελος (ο) [proangelos] herald.

προαγορά (η) [proagora] booking.

προάγω (ρ) [proago] put forward, promote, advance, speed up, forward, further, get along.

προαγωγή (η) [proagoyi] advancement, promotion.

προαγωγός (ο) [proagogos] pimp, pander.

προαίρεση (η) [proeresi] intention, purpose, bent, bias.

προαιρετικός-ή-ό (ε) [proeretikos] optional, voluntary, elective.

προαισθάνομαι (ρ) [proesthanome] have a presentiment of.

προαίσθημα (το) [proesthima] foreboding, presentiment.

προαίσθηση (n) [proesthisi] presentiment, foreboding, premonition.

προάλλες (επ) [proalles] just the other day, recently.

προαναγγέλλω (ρ) [proanagelo] forewarn.

προανάκριση (n) [proanakrisi] preliminary investigation.

προανάκρουσμα (το) [proanakrusma] prelude.

προαναφερθείς-είσα-έν (μ) [proanaferthis-isa-en] above-mentioned, aforementioned.

προαναφέρω (ρ) [proanafero] mention before.

προαποφασίζω (ρ) [proapofasizo] decide in advance.

προάσπιση (n) [proaspisi] defence, protection.

προασπιστής (ο) [proaspistis] defender.

προάστιο (το) [proastio] suburb.

προαύλιο (το) [proavlio] forecourt.

πρόβα (n) [prova] fitting of clothes, trial.

προβάδισμα (το) [provadhisma] precedence, priority.

προβαίνω (ρ) [proveno] advance, move forward, get along, get on, progress, upgrade.

προβάλλω (ρ) [provallo] project, further, show, raise, put forward an excuse, appear suddenly in view, allege.

προβάρω (ρ) [provaro] try on.

προβατάκι (το) [provataki] lamb.

προβατίνα (n) [provatina] ewe, lamb.

προβατίσιος-α-ο (ε) [provatisios] sheep's.

πρόβατο (το) [provato] sheep.

πρόβειος-α-ο (ε) [provios] of a sheep.

προβιά (n) [provia] animal's skin.

προβιβάζω (ρ) [provivazo] promote.

προβιβασμός (ο) [provivasmos] promotion, advancement.

προβλεπόμενος-n-ο (μ) [provlepomenos] prospective.

προβλεπτικός-ή-ό (ε) [provleptikos] farsighted.

προβλεπτικότητα (n) [provleptikotita] far-sightedness.

προβλέπω (ρ) [provlepo] foresee, forecast, anticipate, expect.

πρόβλεψη (n) [provlepsi] forecast.

πρόβλημα (το) [provlima] problem, puzzle [μεταφ].

προβληματίζομαι (ρ) [provlimatizome] think hard.

προβληματίζω (ρ) [provlimatizo] make one think.

προβληματικός-ή-ό (ε) [provlimatikos] problem[atic].

προβληματισμός (ο) [provlimatismos] speculation.

προβλήτα (n) [provlita] jetty, mole.

προβοή (n) [provoi] ostentation.

προβοκάτορας (ο) [provokatoras] agent provocateur.

προβοκάτσια (n) [provokatsia] provocation.

προβολέας (ο) [provoleas] searchlight, headlight, projector.

προβολή (n) [provoli] projection, promotion.

πρόβολος (ο) [provolos] bow-sprit, corbel.

προβοσκίδα (n) [provoskidha] trunk, proboscis.

προγαμιαίος-α-ο (ε) [progamieos] premarital, antenuptial.

προγενέστερος-n-ο (ε) [progenesteros] anterior, previous, former.

πρόγευμα (το) [progevma] breakfast.

προγεφύρωμα (το) [progefiroma] bridgehead, beachhead.

πρόγκα (n) [proga] booing, hissing.

πρόγνωση (n) [prognosi] forecast, prognosis.

προγνωστικό (το) [prognostiko] prediction, forecast.

προγονή (n) [progoni] stepdaughter.

προγονικός-ή-ό (ε) [progonikos]

hereditary, ancestral, family.

πρόγονος (ο) [progonos] ancestor, forefather.

προγονός (ο) [progonos] stepson.

προγούλι (το) [proguli] double chin.

πρόγραμμα (το) [programma] programme, plan, schedule, blueprint [μεταφ].

προγραμματίζω (ρ) [programmatizo] schedule.

προγραμματικός-ή-ό (ε) [programmatikos] programme.

προγραμματισμένος-η-ο (μ) [programmatismenos] billed.

προγραμματιστής (ο) [programmatistis] programmer.

προγράφω (ρ) [prografo] proscribe, outlaw.

προγυμνάζω (ρ) [proyimnazo] exercise, train.

προγυμναστής (ο) [proyimnastis] coach, tutor.

πρόδηλος-η-ο (ε) [prodhilos] obvious, evident.

προδιαγραφές (οι) [prodhiagrafes] specifications.

προδιαγράφω (ρ) [prodhiagrafo] prearrange, foreshadow.

προδιάθεση (n) [prodhiathesi] predisposition, liability to.

προδιαθέτω (ρ) [prodhiatheto] forewarn, influence, prejudice, dispose.

προδίδω (ρ) [prodhidho] betray.

προδικάζω (ρ) [prodhikazo] know in advance, judge in advance.

προδικασία (n) [prodhikasia] preliminary proceedings.

προδίνω (ρ) [prodhino] reveal, betray, inform.

προδοσία (n) [prodhosia] betrayal, treachery.

προδότης (ο) [prodhotis] traitor, informer, betrayer.

πρόδρομος (ο) [prodhromos] forerunner, precursor.

προεγγραφή (n) [proegrafi] subscription.

προεδρεία (n) [proedhria] presidency, chairmanship.

προεδρείο (το) [proedhrio] chair.

προεδρεύω (ρ) [proedhrevo] preside, chair.

προεδρικός-ή-ό (ε) [proedhrikos] presidential.

πρόεδρος (ο) [proedhros] president, chairman.

προειδοποίηση (n) [proidhopiisi] previous warning, premonition.

προειδοποιώ (ρ) [proidhopio] let know, warn.

προεικονίζω (ρ) [proikonizo] prefigurate, prefigure.

προεισαγωγή (n) [proisagoyi] introduction.

προεισαγωγικός-ή-ό (ε) [proisagoyikos] introductory.

προεκλογικός-ή-ό (ε) [proekloyikos] pre-election.

προέκταση (n) [proektasi] extension, prolongation.

προεκτείνω (ρ) [proektino] extend.

προέλαση (n) [proelasi] advance, forward movement, headway.

προελαύνω (ρ) [proelavno] advance, move forward, further, get along, get on.

προέλευση (n) [proelefsi] place of origin.

προεξέχω (ρ) [proekseho] project, protrude, bulge.

προεξέχων (μ) [proeksehon] beetle.

προεξόφληση (n) [proeksoflisi] discount.

προεξοφλώ (ρ) [proeksoflo] pay off in advance [χρέος], receive in advance, take for granted.

προεξοφλών (μ) [proeksoflon] anticipant.

προεξοχή (n) [proeksohi] projection, protrusion.

προεργασία (n) [proergasia] preliminary work.

προέρχομαι (ρ) [proerhome] originate, come from, issue from.

προετοιμάζομαι (ρ) [proetimazome] prepare oneself.

προετοιμάζω (ρ) [proetimazo] prepare, train for, brief.

προετοιμασία (n) [proetimasia] preparation.

προέχω (ρ) [proeho] jut out, surpass, predominate.

πρόζα (n) [proza] prose.

προζύμι (το) [prozimi] yeast.

προηγμένος-n-o (μ) [proigmenos] developed.

προηγούμαι (ρ) [proigume] surpass, be ahead, precede.

προηγούμενο (το) [proigumeno] precedent.

προηγούμενος-n-o (μ) [proigumenos] preceding, previous, earlier.

προθάλαμος (ο) [prothalamos] antechamber, waiting room.

πρόθεμα (το) [prothema] prefix.

προθέρμανση (n) [prothermansi] warming up [αθλ].

πρόθεση (n) [prothesi] purpose, intension, preposition [γραμμ], prefix [γραμμ].

προθεσμία (n) [prothesmia] time limit, delay, term.

προθήκη (n) [prothiki] shop window.

πρόθυμα (επ) [prothima] fain.

προθυμία (n) [prothimia] eagerness, readiness, goodwill, willingness, promptness.

προθυμοποιούμαι (ρ) [prothimopiume] be willing.

πρόθυμος-n-o (ε) [prothimos] eager, willing, ready.

πρόθυρα (τα) [prothira] gates, approach, verge [μεταφ], threshold [μεταφ].

προίκα (n) [prika] dowry, endowment.

προικιά (τα) [prikia] trousseau.

προικίζω (ρ) [prikizo] endow [with], equip [with].

προικισμένος-n-o (μ) [prikismenos] endowed, gifted, talented.

προικοθήρας (ο) [prikothiras] fortune

hunter.

προικοσυμφωνώ (ρ) [prikosimfono] sign a marriage contract.

προϊόν (το) [proion] product, production, proceeds.

προϊόντα (τα) [proinda] produce, articles, products.

προΐσταμαι (ρ) [proistame] direct, manage.

προϊστάμενος-ένη-ενο (μ) [proistamenos] superior, chief, supervisor.

προϊστορία (n) [proistoria] prehistory.

προϊστορικός-ή-ό (ε) [proistorikos] prehistorical.

προκαθορίζω (ρ) [prokathorizo] predetermine.

προκαθορισμένος-n-o (μ) [prokathorismenos] foregone.

προκάλυμμα (το) [prokalimma] cover, screen.

προκαλώ (ρ) [prokalo] challenge, provoke, incite.

προκάνω (ρ) [prokano] catch up with, have time to.

προκαταβάλλω (ρ) [prokatavallo] advance.

προκαταβολή (n) [prokatavoli] advance payment, deposit, earnest, foregift.

προκαταβολικός-ή-ό (ε) [prokatavolikos] anticipatory.

προκαταβολικώς (επ) [prokatavolikos] in advance, beforehand.

προκαταλαμβάνω (ρ) [prokatalamvano] forestall, occupy beforehand.

προκατάληψη (n) [prokatalipsi] bias, prejudice.

προκαταρκτικός-ή-ό (ε) [prokatarktikos] preliminary, preparatory.

προκατασκευάζω (ρ) [prokataskevazo] prefabricate.

προκατειλημμένος-n-o (ε) [prokatilimmenos] biased, prejudiced.

προκάτοχος (ο) [prokatohos] predecessor, previous holder, previous occupant.

προκείμενο (το) [prokimeno] point.

προκείμενος-η-ο (μ) [prokimenos] in question, at issue.

προκήρυξη (n) [prokiriksi] proclamation, announcement, manifesto.

προκηρύσσω (ρ) [prokirisso] proclaim, announce.

πρόκληση (n) [proklisi] affront, challenge, provocation, instigation.

προκλητικά (επ) [proklitika] challengingly, defiantly.

προκλητικός-ή-ό (ε) [proklitikos] provocative, seductive, challenging.

προκλητικότητα (n) [proklitikotita] provocativeness, seductiveness.

προκόβω (ρ) [prokovo] progress, succeed, prosper, make good.

προκομμένος-n-ο (μ) [prokommenos] hard working.

προκοπή (n) [prokopi] progress, industry, success.

προκριματικός-ή-ό (ε) [prokrimatikos] preliminary.

προκρίνω (ρ) [prokrino] prefer, choose.

πρόκριτος (ο) [prokritos] notable.

προκυμαία (n) [prokimea] quay, pier.

προκύπτω (ρ) [prokipto] arise, result.

προκύπτων (μ) [prokipton] emergent [ανακύπτων].

προλαβαίνω (ρ) [prolaveno] get a start on, forestall, catch, overtake, be on time , have enough time for.

προλαμβάνω (ρ) [prolamvano] anticipate.

προλεγόμενα (τα) [prolegomena] preface, foreword.

προλέγω (ρ) [prolego] forecast, predict, say previously.

προλεταριακός-ή-ό (ε) [proletariakos] proletarian.

προλεταριάτο (το) [proletariato] proletariat.

προληπτικό (το) [proliptiko] deterrent.

προληπτικός-ή-ό (ε) [proliptikos] precautionary, preventive, superstitious.

πρόληψη (n) [prolipsi] prevention, superstition.

πρόλοβος (ο) [prolovos] craw.

προλογίζω (ρ) [proloyizo] preface.

πρόλογος (ο) [prologos] prologue, preface.

προμάμμη (n) [promammi] greatgrandmother.

προμαντεύω (ρ) [promandevo] foretell, predict.

πρόμαχος (ο) [promahos] champion, defender.

προμελέτη (n) [promeleti] preliminary study, premeditation.

προμελετημένος-n-ο (μ) [promeletimenos] premeditated, deliberate.

προμελετώ (ρ) [promeleto] study in advance.

προμέρισμα (το) [promerisma] divident.

προμεσημβρία (n) [promesimvria] morning.

προμεσημβρινός-ή-ό (ε) [promesimvrinos] antemeridian.

προμετωπίδα (n) [prometopidha] frontlet.

προμήθεια (n) [promithia] supply, provision, supplying, commission [ποσοστό].

προμηθεύομαι (ρ) [promithevome] get, supply ourselves with.

προμηθευτής (ο) [promitheftis] provider, supplier.

προμηθεύω (ρ) [promithevo] supply, provide, furnish, contribute.

προμήνυμα (το) [prominima] omen, foreboding, adumbration.

προμηνύω (ρ) [prominio] foretell, bode.

πρόναος (ο) [pronaos] vestibule.

προνοητικός-ή-ό (ε) [pronoitikos] having foresight, provident, careful.

πρόνοια (n) [pronia] care, concern, precaution.

προνομιακός-ή-ό (ε) [pronomiakos] preferential.

προνόμιο (το) [pronomio] privilege, advantage, gift, handicap, head start.

προνομιούχος-α-ο (ε) [pronomiuhos]

privileged, favoured.

προνοώ (ρ) [pronoo] foresee, forecast, provide for.

προξενείο (το) [proksenio] consulate.

προξενητής (ο) [proksenitis] matchmaker.

προξενιά (η) [proksenia] matchmaking.

προξενικός-ή-ό (ε) [proksenikos] consular.

πρόξενος (ο) [proksenos] consul.

προξενώ (ρ) [prokseno] cause, occasion, inflict, bring about.

προοδευτικός-ή-ό (ε) [proodheftikos] progressive, forward.

προοδεύω (ρ) [proodhevo] make headway, progress.

πρόοδος (η) [proodhos] progress, development, improvement, headway, march.

προοίμιο (το) [proimio] preface, prelude.

προοιωνίζομαι (ρ) [proionizome] bode.

προοπτική (η) [prooptiki] perspective, prospect in view.

προορίζω (ρ) [proorizo] destine, intend, design, earmark, mean for.

προορισμός (ο) [proorismos] end, intention, destination.

προπαγάνδα (η) [propagandha] propaganda.

προπαγανδιστής (ο) [propagandhistis] propagandist, agitator.

προπαίδεια (η) [propedhia] multiplication table.

προπαντός (επ) [propandos] above all, in particular.

προπάππος (ο) [propappos] great-grandfather.

προπαρασκευάζω (ρ) [proparaskevazo] prepare.

προπαρασκευαστικός-ή-ό (ε) [proparaskevastikos] preparatory.

προπαρασκευή (η) [proparaskevi] preparation.

προπάτορας (ο) [propatoras] forefather.

προπατορικός-ή-ό (ε) [propatorikos] ancestral.

προπέλα (η) [propela] propeller.

προπερασμένος-η-ο (ε) [properasmenos] the last but one.

πρόπερσι (επ) [propersi] two years ago.

προπέτασμα (το) [propetasma] screen.

προπέτεια (η) [propetia] insolence, cheek.

προπετής-ής-ές (ε) [propetis] insolent.

προπηλακίζω (ρ) [propilakizo] abuse, jeer.

προπίνω (ρ) [propino] toast [ποτό].

πρόπλασμα (το) [proplasma] model.

πρόποδες (οι) [propodhes] foot of mountain.

προπολεμικός-ή-ό (ε) [propolemikos] prewar.

προπομπός (ο) [propombos] scout.

προπόνηση (η) [proponisi] training.

προπονητής (ο) [proponitis] trainer, coach.

προπονώ (ρ) [propono] train, coach.

προπορεύομαι (ρ) [proporevome] go ahead, be in front.

πρόποση (η) [proposi] toast.

προπουλώ (ρ) [propulo] sell in advance.

προπροτελευταίος-α-ο (ε) [proprotelefteos] antepenultimate.

προς θεού (επιφ) [pros theu] for Heaven's sake!.

προς (προθ) [pros] towards, for, at.

προσαγόρευση (η) [prosagorefsi] address, skill.

προσαγορεύω (ρ) [prosagorevo] address.

προσάγω (ρ) [prosago] put forward, exhibit.

προσάναμμα (το) [prosanamma] firewood, fuel.

προσανατολίζομαι (ρ) [prosanatolizome] find one's bearings.

προσανατολίζω (ρ) [prosanatolizo] orientate, direct, guide.

προσανατολισμός (ο) [prosanatolismos] orientation.

προσάπτω (ρ) [prosapto] blame.

προσαράζω (ρ) [prosarazo] run aground,

be stranded.

προσάραξη (n) [prosaraksi] running aground.

προσαράσσω (ρ) [prosarasso] beach, moor.

προσαρμογή (n) [prosarmoyi] accommodation, adjustment, conformity, fit.

προσαρμόζω (ρ) [prosarmozo] fit to, adjust, apply, tailor-make.

προσαρμόσιμος-η-ο (ε) [prosarmosimos] conformable.

προσαρμοστικός-ή-ό (ε) [prosarmostikos] adaptable, adjustable.

προσαρμοστικότητα (n) [prosarmostikotita] adaptability.

προσάρτημα (το) [prosartima] accessory, addition, accretion, augmentation, increment.

προσαρτημένο (το) [prosiartimeno] annexure.

προσάρτηση (n) [prosartisi] annexation.

προσαυξάνω (ρ) [prosafksano] increase, augment.

προσαύξηση (n) [prosafksisi] increment, augment.

προσβάλλω (ρ) [prosvallo] assail, attack, harm [υγεία], hurt, offend [δυσαρεστώ], challenge.

πρόσβαση (n) [prosvasi] access, approach.

προσβεβλημένος-n-ο (μ) [prosvevlimenos] afflicted.

προσβλητικός-ή-ό (ε) [prosvlitikos] offensive, abusive.

προσβολή (n) [prosvoli] onset, attack, stroke [υγείας], offence, blow, fit [υγείας], onfall.

προσγειώνομαι (ρ) [prosyionome] land.

προσγειώνω (ρ) [prosyiono] land, touch down, put down.

προσγείωση (n) [prosyiosi] landing.

προσδεκτικότητα (n) [prosdhektikotita] aptitude, aptness.

προσδένω (ρ) [prosdheno] fasten, attach.

προσδίδω (ρ) [prosdhidho] lend, add

to, give.

προσδιορίζω (ρ) [prosdhiorizo] define, fix, allocate, assign.

προσδιορισμός (ο) [prosdhiorismos] determination, assessment.

προσδιοριστικός-ή-ό (ε) [prosdhioristikos] determinant.

προσδοκία (n) [prosdhokia] expectation, hope.

προσδοκώ (ρ) [prosdhoko] hope, expect, anticipate.

προσδοκώμενος-n-ο (μ) [prosdhokomenos] intended.

προσδοκών (μ) [prosdhokon] anticipant.

προσεγγίζω (ρ) [prosengizo] put near, approach, come near, land at [ναυτ].

προσέγγιση (n) [prosengisi] approach, approximation.

προσεκτικός-ή-ό (ε) [prosektikos] attentive, mindful, careful, calculating, considered.

προσεκτικότητα (n) [prosektikotita] canniness.

προσέλευση (n) [proselefsi] arrival, approach.

προσελκύω (ρ) [proselkio] attract, win, draw, catch, win over [υποστηρικτές].

προσέρχομαι (ρ) [proserhome] attend, present ourselves, apply for.

προσεταιρίζομαι (ρ) [proseterizome] win over.

προσέτι (επ) [proseti] in addition.

προσευχή (n) [prosefhi] prayer.

προσευχητάρι (το) [prosefhitari] prayerbook.

προσεύχομαι (ρ) [prosefhome] pray.

προσεχής-ής-ές (ε) [prosehis] next.

προσεχτικός-ή-ό (ε) [prosehtikos] careful, attentive, close.

προσέχω (ρ) [proseho] pay attention to, notice, take care of.

προσεχώς (επ) [prosehos] shortly, soon.

προσήκει (ρ) [prosiki] belong.

προσηλυτίζω (ρ) [prosilitizo] convert.

προσηλυτισμός (ο) [prosilitismos] conversion.

προσηλωμένος-η-ο (ε) [prosilomenos] attached to, devoted to.

προσηλώνω (ρ) [prosilono] nail, fix, look fixedly at [μεταφ].

προσήλωση (n) [prosilosi] concentration.

προσήνεια (n) [prosinia] affability.

προσηνής-ής-ές (ε) [prosinis] affable, bland, communicable.

προσηραγμένος-η-ο (μ) [prosiragmenos] aground, beached.

προσθαλάσσωση (n) [prosthalassosi] splash-down.

πρόσθεση (n) [prosthesi] addition, increase, increment.

πρόσθετος-η-ο (ε) [prosthetos] additional, extra, accessional.

προσθέτω (ρ) [prostheto] add, sum up, mix with.

προσθήκη (n) [prosthiki] addition, increase, accruement, augmentation.

πρόσθιος-α-ο (ε) [prosthios] front, fore.

προσιδιάζω (ρ) [prosidhiazo] be peculiar to, be proper to.

προσιτά (επ) [prosita] economically.

προσιτός-ή-ό (ε) [prositos] attainable, accessible, reasonable [τιμή], economical.

πρόσκαιρος-η-ο (ε) [proskeros] passing, momentary.

προσκαλώ (ρ) [proskalo] call, send for, summon [νομ], invite [σε γεύμα κτλ].

προσκεκλημένος-η-ο (μ) [proskeklimenos] invited.

προσκέφαλο (το) [proskefalo] pillow, cushion.

προσκήνιο (το) [proskinio] proscenium, limelight [μεταφ].

πρόσκληση (n) [prosklisi] call, summons, invitation, calling up [στρατ], complimentary ticket [εισιτήριο δωρεάν].

προσκλητήριο (το) [prosklitirio] invita-

tion [card], call [στρατ].

προσκολλημένος-η-ο (μ) [proskollimenos] clinging.

προσκόλληση (n) [proskollisi] adherence, attaching, fidelity.

προσκολλώ (ρ) [proskollo] stick, attach.

προσκομίζω (ρ) [proskomizo] bring forward, offer, bring.

προσκόμιση (n) [proskomisi] apport.

πρόσκομμα (το) [proskoma] obstacle, stumbling-block.

προσκοπίνα (n) [proskopina] girl guide.

πρόσκοπος (ο) [proskopos] scout.

πρόσκρουση (n) [proskrusi] bump.

προσκρούω (ρ) [proskruo] crash, strike [against], be opposed to.

πρόσκτηση (n) [prosktisi] affiliation.

προσκύνημα (το) [proskinima] adoration, submission, idolization, worship.

προσκυνητάρι (το) [proskinitari] shrine.

προσκυνητής (ο) [proskinitis] pilgrim.

προσκυνώ (ρ) [proskino] adore, worship, pay homage to.

προσλαμβάνω (ρ) [proslamvano] take on, engage, employ.

πρόσληψη (n) [proslipsi] engagement.

πρόσμειξη (n) [prosmiksi] blending, mixing.

προσμένω (ρ) [prosmeno] wait for, hope for.

προσμέτρηση (n) [prosmetrisi] addition.

προσμονή (n) [prosmoni] waiting.

πρόσοδος (n) [prosodhos] income, revenue, profit.

προσοδοφόρος-α-ο (ε) [prosodhoforos] productive, profitable.

προσόν (το) [proson] fitness, qualification, advantage, head start.

προσορμίζω (ρ) [prosormizo] moor.

προσορμίσιμος-η-ο (ε) [prosormisimos] accostable.

προσοχή (n) [prosohi] attention, notice, caution, precaution.

πρόσοψη (n) [prosopsi] frontage, front.

προσόψιο (το) [prosopsio] towel.

προσπάθεια (n) [prospathia] effort, attempt, labour.

προσπαθώ (ρ) [prospatho] try, attempt.

προσπέλαση (n) [prospelasi] access.

προσπέρασμα (το) [prosperasma] overtaking.

προσπερνώ (ρ) [prosperno] overtake.

προσπέφτω (ρ) [prospefto] humble oneself.

προσπιούμαι (ρ) [prospiume] assume.

προσποίηση (n) [prospoiisi] pretence, artificiality.

προσποιητά (επ) [prospiita] artfully.

προσποιητός-ή-ό (ε) [prospiitos] affected, pretentive, artful, assumed.

προσποιούμαι (ρ) [prospiume] affect, put on, pretend.

προσπορίζομαι (ρ) [prosporizome] procure.

προσπορίζω (ρ) [prosporizo] provide, give.

προσπορισμός (ο) [prosporismos] providing, giving.

προσταγή (n) [prostayi] order, command.

πρόσταγμα (το) [prostagma] command, order.

προστάζω (ρ) [prostazo] order, direct, command.

προστακτική (n) [prostaktiki] imperative[mood].

προστασία (n) [prostasia] protection, defence.

προστατευμένος-n-o (μ) [prostatevmenos] cloistered.

προστατευόμενος-n-o (μ) [prostatevomenos] protege, dependant.

προστατευτικός-ή-ό (ε) [prostateftikos] protecting, condescending, patronizing.

προστατεύω (ρ) [prostatevo] defend, protect.

προστάτης (ο) [prostatis] protector, patron, prostate [ανατ].

προστίθεμαι (ρ) [prostitheme] be added.

προστιμάρω (ρ) [prostimaro] fine.

πρόστιμο (το) [prostimo] fine, penalty.

προστριβή (n) [prostrivi] friction, rubbing, dispute [μεταφ].

πρόστυχα (επ) [prostiha] basely.

προστυχεύω (ρ) [prostihevo] coarsen.

προστυχιά (n) [prostihia] vulgarity, rudeness, coarseness, contemptibility.

πρόστυχος-n-o (ε) [prostihos] vile, rude, ill-mannered, of bad quality.

προσύμβαση (n) [prosimvasi] draft contract.

προσύμφωνο (το) [prosimfono] draft agreement.

προσυπογράφω (ρ) [prosipografo] countersign, subscribe to [επιδοκιμάζω].

προσυπογράφω (ρ) [prosipografo] countersign.

πρόσφατα (επ) [prosfata] currently, last.

πρόσφατος-n-o (ε) [prosfatos] recent, new, modern.

προσφέρομαι (ρ) [prosferome] offer, be appropriate.

προσφέρω (ρ) [prosfero] offer, present, give.

προσφεύγω (ρ) [prosfevgo] have recourse to, turn to.

προσφιλής-ής-ές (ε) [prosfilis] dear, precious.

προσφορά (n) [prosfora] offer, offering, proposal, thing offered.

προσφορά στο Θεό (n) [prosfora sto theo]gift to God.

πρόσφορο (το) [prosforo] altar-bread.

πρόσφορος-n-o (ε) [prosforos] convenient, opportune, suitable.

πρόσφυγας (ο) [prosfigas] refugee.

προσφυγή (n) [prosfiyi] recourse, resort, appeal [νομ].

προσφυγικός-ή-ό (ε) [prosfiyikos] refugee.

προσφυής-ής-ές (ε) [prosfiis] suitable, fitting, apt.

πρόσφυμα (το) [prosfima] suffix.

πρόσφυση (n) [prosfisi] accretion.

προσφώνηση (n) [prosfonisi] address,

adroitness [νομ].

προσφωνώ (ρ) [prosfono] address.

πρόσχαρα (επ) [pros-hara] cheerfully.

πρόσχαρος-η-ο (ε) [pros-haros] cheerful, lively, merry.

προσχεδιάζω (ρ) [pros-hedhiazo] plan in advance.

προσχεδιασμένος-η-ο (μ) [pros-hedhiasmenos] concerted.

προσχέδιο (το) [pros-hedhio] rough draft, sketch, blueprint [μεταφ].

πρόσχημα (το) [pros-hima] pretext, excuse.

προσχώνω (ρ) [pros-hono] deposit silt.

προσχώρηση (n) [pros-horisi] accession, adherence, joining.

προσχωρώ (ρ) [pros-horo] join, go over to, cleave to.

προσωδία (n) [prosodhia] prosody.

προσωνυμία (n) [prosonimia] nickname, name.

προσωνύμιο (το) [prosonimio] cognomen.

προσωπάρχης (ο) [prosoparhis] personnel officer.

προσωπείο (το) [prosopio] mask, coverture.

προσωπίδα (n) [prosopidha] mask.

προσωπικά (επ) [prosopika] personally, in person.

προσωπικά (τα) [prosopika] personals, disagreement, private affairs.

προσωπικό (το) [prosopiko] personnel, staff, servants.

προσωπικός-ή-ό (ε) [prosopikos] personal.

προσωπικότητα (n) [prosopikotita] personality, individuality, character.

προσωπικώς (επ) [prosopikos] personally.

πρόσωπο (το) [prosopo] face, visage, person, role [θεάτρου], part [θεάτρου].

προσωπογραφία (n) [prosopografia] portrait painting.

προσωποκράτηση (n) [prosopokratisi] custody.

προσωποκρατώ (ρ) [prosopokrato] take

into custody.

προσωπολατρία (n) [prosopolatria] personality cult.

προσωποπαγής-ής-ές (ε) [prosopopayis] personal.

προσωποποίηση (n) [prosopo-piisi] personification, impersonation.

προσωποποιώ (ρ) [prosopopio] personify.

προσωρινός-ή-ό (ε) [prosorinos] provisional, passing, fleeting.

προσωρινότητα (n) [prosorinotita] caducity, temporariness, impermanence.

πρόταση (n) [protasi] proposal, suggestion, offer, motion, sentence [γραμμ], clause.

προτάσσω (ρ) [protasso] put before, prefix.

προτείνω (ρ) [protino] extend, stretch out, propose, suggest.

προτείχισμα (το) [protihisma] bailey.

προτεκτοράτο (το) [protektorato] protectorate.

προτελευταίος-α-ο (ε) [protelefteos] last but one.

προτεραιότητα (n) [protereotita] priority, primacy.

προτέρημα (το) [proterima] gift, faculty, advantage, talent, head start.

πρότερος-η-ο (ε) [proteros] earlier, previous to, prior to.

Προτεστάντης (ο) [Protestandis] Protestant.

προτίθεμαι (ρ) [protitheme] intend, propose, mean, think.

προτίμηση (n) [protimisi] preference.

προτιμητέος-α-ο (ε) [protimiteos] preferable.

προτιμότερος-η-ο (ε) [protimoteros] preferable to.

προτιμώ (ρ) [protimo] prefer.

προτομή (n) [protomi] bust, chase.

προτού (επ) [protu] before, previously.

προτρεπτικός-ή-ό (ε) [protreptikos] hortative.

προτρέπω (ρ) [protrepo] exhort, instigate, incite.

προτρέχω (ρ) [protreho] be rash, outrun, anticipate.

προτροπή (n) [protropi] exhortation, prompting.

πρότυπο (το) [protipo] original, pattern, model, example.

πρότυπος-η-ο (ε) [protipos] model.

προϋπαντώ (ρ) [proipando] go to meet.

προϋπάρχω (ρ) [proiparho] come before [σε χρόνο].

προϋπηρεσία (n) [proipiresia] previous service.

προϋπόθεση (n) [proipothesi] assumption.

προϋποθέτω (ρ) [proipotheto] presuppose, presume.

προϋπολογίζω (ρ) [proipoloyizo] estimate.

προϋπολογισμός (ο) [proipoloyismos] estimate.

προϋπολογιστικός-ή-ό (ε) [proipoloyistikos] budgetary.

προύχοντας (ο) [pruhondas] wealthy.

προφανής-ής-ές (ε) [profanis] obvious, evident.

προφανώς (επ) [profanos] ob-viously, evidently.

πρόφαση (n) [profasi] pretext, excuse.

προφασίζομαι (ρ) [profasizome] pretend, sham.

προφέρω (ρ) [profero] pronounce, utter, articulate.

προφητεία (n) [profitia] prophecy.

προφητεύω (ρ) [profitevo] prophesy, predict.

προφήτης (ο) [profitis] prophet.

προφητικός-ή-ό (ε) [profitikos] prophetic.

προφθάνω (ρ) [profthano] anticipate, catch, overtake, overhaul, be in time for [σε χρόνο].

προφίλ (το) [profil] profile.

προφορά (n) [profora] pronunciation, accent.

προφορικός-ή-ό (ε) [proforikos] verbal.

προφταίνω (ρ) [profteno] anticipate, forestall, catch, overtake, be in time for [σε χρόνο], have the time to [σε χρόνο].

προφυλάγομαι (ρ) [profilagome] guard, beware, shelter, take cover.

προφυλάγω (ρ) [profilago] protect, shield, shelter.

προφυλακή (n) [profilaki] vanguard.

προφυλακίζω (ρ) [profilakizo] hold in custody, detain.

προφυλάκιση (n) [profilakisi] custody, detention.

προφυλακτήρας (ο) [profilaktiras] bumper.

προφυλακτικό (το) [profilaktiko] contraceptive, condom, prophylactic.

προφυλακτικός-ή-ό (ε) [profilaktikos] wary, careful, precautionary.

προφύλαξη (n) [profilaksi] precaution, cautiousness.

προφυλάσσομαι (ρ) [profilassome] take precautions.

προφυλάσσω (ρ) [profilasso] defend, protect.

πρόχειρα (επ) [prohira] offhand, roughly, anyhow.

προχειροδουλειά (n) [prohirodhulia] patchwork.

προχειρολογία (n) [prohiroloyia] improvisation.

πρόχειρος-η-ο (ε) [prohiros] ready, handy, impromptu.

προχθές (επ) [prohthes] the day before yesterday.

προχρονολογώ (ρ) [prohronologo] predate.

πρόχωμα (το) [prohoma] earthwork.

προχωρώ (ρ) [prohoro] go forward, advance, further, get along, march, progress.

προψές (επ) [propses] two days ago.

προώθηση (n) [proothisi] promotion, boost.

προωθητικός-ή-ό (ε) [proothitikos] propulsive.

προωθώ (ρ) [prootho] impel, push forward, urge on.

προωρισμένος-η-ο (μ) [proorismenos] calculated.

πρόωρος-η-ο (ε) [prooros] premature, hasty.

πρύμνη (n) [primni] stern, poop.

πρυτανεύω (ρ) [pritanevo] prevail.

πρύτανης (o) [pritanis] head of university, dean.

πρώην (o) [proin] former, ex.

πρωθιερέας (o) [prothiereas] dean, head priest.

πρωθυπουργία (n) [prothipuryia] premiership.

πρωθυπουργός (o) [prothipurgos] prime minister, premier.

πρωί (το) [proi] morning.

πρώιμος-η-ο (ε) [proimos] untimely, premature, early.

πρωιμότητα (n) [proimotita] precocity.

πρωινό (το) [proino] morning, breakfast.

πρωινός-ή-ό (ε) [proinos] morning.

πρωκτός (o) [proktos] anus.

πρώρα (n) [prora] prow.

πρώτα (επ) [prota] first, at first, before, once.

πρωταγωνιστής (o) [protagonistis] protagonist, hero.

πρωταγωνίστρια (n) [protagonistria] leading lady.

πρωταγωνιστώ (ρ) [protagonisto] play a leading part, star.

πρωτάθλημα (το) [protathlima] championship.

πρωταθλητής (o) [protathlitis] champion.

πρωταίτιος-α-ο (ε) [protetios] ringleader.

πρωτάκουστος-η-ο (ε) [protakustos] unheard-of, unprecedented.

πρωταπριλιά (n) [protaprilia] April Fools' Day.

πρωτάρης (o) [protaris] novice.

πρωταρχικός-ή-ό (ε) [protarhikos] most important.

πρωτεία (τα) [protia] first place, primacy.

πρωτεΐνη (n) [proteini] protein.

πρωτεργάτης (o) [protergatis] perpetrator, pioneer, cause.

πρωτεύουσα (n) [protevusa] capital.

πρωτευουσιάνικος-η-ο (ε) [protevusianikos] citified.

πρωτεύω (ρ) [protevo] be first, lead, surpass.

πρωτιά (n) [protia] lead, first.

πρώτιστος-η-ο (ε) [protistos] foremost, chief.

πρωτοβλέπω (ρ) [protovlepo] see first, first see.

πρωτοβουλία (n) [protovulia] initiative.

πρωτόγαλα (το) [protogala] colostrum.

πρωτογενής-ής-ές (ε) [protogenis] primary.

πρωτογέννητος-η-ο (ε) [protogennitos] first-born.

πρωτόγονος-η-ο (ε) [protogonos] primitive, rude [ήθη].

πρωτοδικείο (το) [protodhikio] court of first instance.

πρωτοετής-ής-ές (ε) [protoetis] first-year, freshman.

πρωτοκαθεδρία (n) [protokathedhria] primacy, place of honour.

πρωτόκολλο (το) [protokollo] register, record, protocol, etiquette.

πρωτόλειο (το) [protolio] juvenile.

Πρωτομαγιά (n) [Protomayia] May Day.

πρωτομάστορα(ν)ς (o) [protomastora[i]s] master builder.

πρωτόνιο (το) [protonio] proton.

πρωτοξάδελφος (o) [protoksadhelfos] first cousin.

πρωτοπαλίκαρο (το) [protopalikaro] henchman.

πρωτόπειρος-η-ο (ε) [protopiros] inexperienced, green.

πρωτόπλαστοι (οι) [protoplasti] Adam and Eve.

πρωτοπορία (n) [protoporia] vanguard.

πρωτοπόρος-α-ο (ε) [protoporos] pioneer, forerunner.

πρώτος-n-o (ε) [protos] first, foremost, best, top, initial, elementary.

πρωτοστατώ (ρ) [protostato] lead.

πρωτοσύγκελλος (o) [protosigellos] canon.

πρωτοσύστατος-n-o (ε) [protosistatos] newly-formed.

πρωτοτόκια (τα) [prototokia] birthright.

πρωτότοκος-n-o (ε) [prototokos] first-born, oldest, eldest.

πρωτοτυπία (n) [prototipia] originality, eccentricity.

πρωτότυπο (το) [prototipo] original, pattern, model.

πρωτότυπος-n-o (ε) [prototipos] original, novel.

πρωτοτυπώ (ρ) [prototipo] be original.

πρωτοφανής-ής-ές (ε) [protofanis] new, fresh.

Πρωτοχρονιά (n) [Protohronia] New Year's Day.

πρωτύτερα (επ) [protitera] earlier on, at first, before.

πταίσμα (το) [ptesma] petty offence, error, fault, mistake.

πταισματοδικείο (το) [ptesmatodhikio] police court.

πταισματοδίκης (o) [ptesmatodhikis] police magistrate.

πτερόσχημος-n-o (ε) [pteroshimos] feathered.

πτέρυγα (n) [pteriga] wing.

πτερύγιο (το) [pteriyio] fin, wing flap.

πτέρωμα (το) [pteroma] feathering.

πτέρωση (n) [pterosi] feathering.

πτερωτός-ή-ό (ε) [pterotos] winged, feathered.

πτηνό (το) [ptino] bird, fowl.

πτηνοτροφείο (το) [ptinotrofio] aviary, poultry farm.

πτηνοτροφία (n) [ptinotrofia] poultry farming.

πτηνοτρόφος (o) [ptinotrofos] poultry farmer.

πτήση (n) [ptisi] flight, flying.

πτοημένος-n-o (μ) [ptoimenos] abashed.

πτοώ (ρ) [ptoo] intimidate, frighten.

πτύελο (το) [ptielo] sputum [ιατρ].

πτυσσόμενος-n-o (μ) [ptissomenos] collapsible.

πτύσσω (ρ) [ptisso] flex.

πτυχή (n) [ptihi] fold, pleat, wrinkle, crease.

πτυχίο (το) [ptihio] diploma, certificate.

πτυχιούχος-α-ο (ε) [ptihiuhos] graduate, having a degree, having a diploma.

πτυχώνω (ρ) [ptihono] fold, pleat, wrinkle.

πτύχωση (n) [ptihosi] folding, pleating.

πτυχωτός-ή-ό (ε) [ptihotos] folded, pleated, wrinkled.

πτώμα (το) [ptoma] corpse, dead body, carcass [ζώου].

πτωματώδης-ης-ες (ε) [ptomatodhis] cadaverous.

πτώση (n) [ptosi] fall, tumble, collapse, case [γραμμ].

πτώχευση (n) [ptohefsi] bankruptcy, failure.

πτωχεύω (ρ) [ptohevo] go bankrupt.

πτωχοκομείο (το) [ptohokomio] home for the poor.

πτωχός-ή-ό (ε) [ptohos] poor.

πυγμαίος (o) [pigmeos] Pygmy.

πυγμαχία (n) [pigmahia] boxing, pugilism.

πυγμάχος (o) [pigmahos] boxer.

πυγμαχώ (ρ) [pigmaho] box, be a boxer.

πυγμή (n) [pigmi] fist, determination.

πυγολαμπίδα (n) [pigolambidha] glow-worm, firefly.

πυθμένας (o) [pithmenas] bottom.

πυκνά (επ) [pikna] closely, densely, thickly.

πυκνός-ή-ό (ε) [piknos] thick, dense, closely-packed, close, bushy.

πυκνότητα (n) [piknotita] density, compactness, thickness, frequency.

πυκνοφυτεύω (ρ) [piknofitevo] clump.

πυκνώνω (ρ) [piknono] thicken, condense, make more frequent.

πυκνωτής (ο) [piknotis] condenser.

πύλη (n) [pili] gate, gateway.

πυξίδα (n) [piksidha] compass, box.

πυξιδοθήκη (n) [piksidhothiki] binnacle.

πύον (το) [pion] pus, matter.

πυρ (το) [pir] fire, firing.

πύρα (n) [pira] heat, warm.

πυρά (n) [pira] fire, sensation of burning [μεταφ].

πυρακτώνω (ρ) [piraktono] make red-hot.

πυράκτωση (n) [piraktosi] candescence.

πυραμίδα (n) [piramidha] pyramid.

πυραυλοκίνητος-n-ο (ε) [piravlokinitos] rocket-propelled.

πύραυλος (ο) [piravlos] rocket.

πυργίσκος (ο) [piryiskos] turret, pinnacle, barbican.

πυργοδέσποινα (n) [pirgodhespina] chatelaine.

πυργοδεσπότης (ο) [pirgodhespotis] feudal lord.

πυργοειδής-ής-ές (ε) [pirgoidhis] castellated, castled.

πύργος (ο) [pirgos] tower, castle, palace.

πυργώνομαι (ρ) [pirgonome] rise high, tower.

πυργωτός-ή-ό (ε) [pirgotos] castellated, castled.

πυρετικός-ή-ό (ε) [piretikos] feverish.

πυρετός (ο) [piretos] fever, energy [μεταφ].

πυρετώδης-ης-ες (ε) [piretodhis] feverish, restless [μεταφ].

πυρήνας (ο) [pirinas] stone, pip, centre, core.

πυρηνέλαιο (το) [pirineleo] seed oil.

πυρηνικός-ή-ό (ε) [pirinikos] nuclear.

πυρίμαχος-n-ο (ε) [pirimahos] fireproof.

πύρινος-n-ο (ε) [pirinos] burning, fiery, red-hot, ardent [μεταφ].

πυρίτης (ο) [piritis] flint.

πυρίτιδα (n) [piritidha] gunpowder.

πυριτιδαποθήκη (n) [piritidhapothiki]

powder-magazine.

πυρκαγιά (n) [pirkayia] fire, burning, blaze.

πυροβολαρχία (n) [pirovolarhia] battery.

πυροβολείο (το) [pirovolio] gun emplacement, casemate [στρατ].

πυροβολητής (ο) [pirovolitis] gunner.

πυροβολικό (το) [pirovoliko] artillery.

πυροβολισμός (ο) [pirovolismos] firing, shot.

πυροβόλο (το) [pirovolo] gun, cannon.

πυροβολώ (ρ) [pirovolo] fire, shoot at.

πυροδότηση (n) [pirodhotisi] firing.

πυροδοτικός-ή-ό (ε) [pirodhotikos] firing.

πυροδοτώ (ρ) [pirodhoto] fire, set off.

πυροκροτητής (ο) [pirokrotitis] detonator.

πυρόλιθος (ο) [pirolithos] flint, quartz.

πυρομανής-ής-ές (ε) [piromanis] pyromaniac, arsonist.

πυρομαχικά (τα) [piromahika] ammunition.

πυρόξανθος-n-ο (ε) [piroksanthos] auburn, fallow.

πυροπαθής-ής-ές (ε) [piropathis] fire victim.

πυροσβεστήρας (ο) [pirosvestiras] fire-extinguisher.

πυροσβέστης (ο) [pirosvestis] fireman.

πυροσβεστική (n) [pirosvestiki] fire brigade.

πυροστιά (n) [pirostia] firedog, andiron, trivet.

πυροσωλήνας (ο) [pirosolinas] fuse.

πυροτέχνημα (το) [pirotehnima] firework.

πυρπολικό (το) [pirpoliko] fire ship.

πυρπολώ (ρ) [pirpolo] set on fire, burn down.

πυρσός (ο) [pirsos] torch, brand.

πύρωμα (το) [piroma] warming, glowing.

πυρώνω (ρ) [pirono] get red-hot.

πύρωση (n) [pirosi] brash.

πυτιά (n) [pitia] rennet.

πυώδης-ης-ες (ε) [piodhis] full of pus.

πωγωνάτος-n-ο (ε) [pogonatos] beard

ed.

πωγωνοφόρος-α-ο (ε) [pogonoforos] barbate.

πώληση (n) [polisi] sale, selling.

πωλητήριο (το) [politirio] deed of sale.

πωλητής (ο) [politis] salesman, shop assistant.

πωλήτρια (n) [politria] saleswoman.

πωλώ (ρ) [polo] sell, betray [μεταφ], barter.

πώμα (το) [poma] stopper, plug, cork [μποτίλιας], lid, cover, bung.

πωματίζω (ρ) [pomatizo] cap, cork up.

πωρόλιθος (ο) [porolithos] porous stone.

πωρωμένος-n-o (μ) [poromenos] callous, hardened.

πώρωση (n) [porosi] hardening, insensibility [μεταφ].

πώς (επ) [pos] how, what, yes, certainly.

πως (συνδ) [pos] that.

ραβανί (το) [ravani] cake.

ραβασάκι (το) [ravasaki] love-letter.

ραβδί (το) [ravdhi] cane, stick.

ραβδιά (η) [ravdhia] blow with a stick.

ραβδίζω (ρ) [ravdhizo] flog, thrashl.

ραβδισμός (ο) [ravdhismos] caning.

ράβδος (η) [ravdhos] stick, staff, wand [μαγική], pastoral staff [εκκλ], rail.

ραβδούχος (ο) [ravdhuhos] staff-bearer, verger, mace-bearer.

ράβδωση (η) [ravdhosi] stripe, fluting, groove, rib.

ραβδωτός-ή-ό (ε) [ravdhotos] striped, fluted, lined, ruled.

ραβίνος (ο) [ravinos] rabbi.

ράβω (ρ) [ravo] sew on, stitch, have a suit made.

ράγα (η) [raga] rail, track.

ραγάδα (η) [ragadha] crack, fissure, chink.

ραγδαίος-α-ο (ε) [ragdheos] violent, turbulent, rapid [πτώση], rapid [πρόοδος].

ραγδαίως (επ) [ragdheos] violently, swiftly, speedy.

ραγιαδισμός (ο) [rayiadhismos] slavish mentality.

ραγιάς (ο) [rayias] slave, subject [of Ottoman Empire].

ραγίζω (ρ) [rayizo] crack, split, chip.

ράγισμα (το) [rayisma] crack, breakage, split.

ράγκμπυ (το) [rangmbi] rugby.

ραγού (το) [ragu] ragout.

ραδιενέργεια (η) [radhieneryia] radio-activity.

ραδιενεργός-ή-ό (ε) [radhienergos] radioactive.

ραδίκι (το) [radhiki] chicory, dandelion.

ράδιο (το) [radhio] radium.

ραδιογράφημα (το) [radhiografima] radiograph.

ραδιογραφία (η) [radhiografia] X-ray.

ραδιοηλεκτρικός-ή-ό (ε) [radhioilektrikos] radio-electric.

ραδιοθεραπεία (η) [radhiotherapia] X-ray treatment.

ραδιολογία (η) [radhioloyia] radiology.

ραδιολογικός-ή-ό (ε) [radhioloyikos] radiologist.

ραδιοναυτιλία (η) [radhionaftilia] radio navigation.

ραδιοπειρατής (ο) [radhiopiratis] radio pirate.

ραδιοπομπός (ο) [radhiopombos] radio transmitter.

ραδιοπυξίδα (η) [radhiopiksidha] radio compass.

ραδιοσκηνοθέτης (ο) [radhioskinothetis]

radio director.

ραδιοσκόπηση (n) [radhioskopisi] X-ray examination [ιατρ].

ραδιοσταθμός (o) [radhiostathmos] radio station.

ραδιοτεχνίτης (o) [radhiotehnitis] radio technician.

ραδιοτηλεφωνητής (o) [radhiotilefonitis] radiotelephone operator.

ραδιοτηλέφωνο (το) [radhiotilefono] radiotelephone, walkie-talkie .

ραδιουργία (n) [radhiuryia] intrigue, scheme.

ραδιούργος-α-ο (ε) [radhiurgos] schemer, intriguer.

ραδιούργος (o) [radhiurgos] designing.

ραδιουργώ (ρ) [radhiurgo] intrigue, scheme, plot.

ραδιοφάρος (o) [radhiofaros] radio beacon.

ραδιοφωνία (n) [radhiofonia] broadcasting.

ραδιοφωνικός-ή-ό (ε) [radhiofonikos] radio, broadcasting.

ραδιόφωνο (το) [radhiofono] radio.

ραθυμία (n) [rathimia] indolence.

ράθυμος-n-o (ε) [rathimos] languid, listless, lazy.

ραιγιόν (το) [reyion] rayon.

ραΐζω (ρ) [raizo] crack.

ραίνω (ρ) [reno] sprinkle, scatter, spread, throw.

ρακένδυτος-n-o (ε) [rakendhitos] in rags, tattered.

ρακέτα (n) [raketa] racket.

ρακί (το) [raki] kind of spirit.

ρακοπότηρο (το) [rakopotiro] liqueur-glass.

ράκος (το) [rakos] rag, physical wreck [μεταφ].

ρακοσυλλέκτης (o) [rakosillektis] rag-and-bone man.

ρακούν (το) [rakun] coon.

Ραμαζάνι (το) [Ramazani] Ramadan.

ραμί (το) [rami] rummy.

ράμμα (το) [ramma] stitch, thread.

ραμμένος-n-o (μ) [rammenos] sewn, stitched.

ραμολής (o) [ramolis] imbecile, idiot.

ράμφισμα (το) [ramfisma] recking.

ραμφοειδής-ής-ές (ε) [ramfoidhis] beak-like.

ραμφίζω (ρ) [ramfizo] peck at, pick up.

ράμφος (το) [ramfos] bill [πουλιών], beak [πουλιών], burner [μεταφ],.

ρανίδα (n) [ranidha] drop, blob.

ραντάρ (το) [randar] radar.

ραντεβού (το) [randevu] meeting, engagement, rendezvous, date, appointment.

ράντζο (το) [randzo] camp-bed.

ραντίζω (ρ) [randizo] sprinkle.

ράντισμα (το) [randisma] sprinkling, watering.

ραντισμός (o) [randismos] asperges.

ραντιστήρι (το) [randistiri] watering can, sprinkler.

ράντσο (το) [randso] camp-bed.

ραπάνι (το) [rapani] radish.

ραπανοσέλινο (το) [rapanoselino] celeriac.

ραπίζω (ρ) [rapizo] slap in the face, biff.

ράπισμα (το) [rapisma] clout, slap, .

ραπόρτο (το) [raporto] report.

ραπτάδικο (το) [raptadhiko] tailor's shop.

ράπτης (o) [raptis] tailor.

ραπτική (n) [raptiki] dressmaking, tailoring.

ραπτομηχανή (n) [raptomihani] sewing machine.

ράπτρια (n) [raptria] dressmaker.

ράπτω (ρ) [rapto] sew on, stitch, have a suit made.

ρασιοναλιστής (o) [rasionalistis] rationalist.

ράσο (το) [raso] frock, cassock.

ρασοφόρος (o) [rasoforos] priest, monk.

ράτσα (n) [ratsa] race, generation, .

ρατσισμός (o) [ratsismos] racism.

ρατσιστής (ο) [ratsistis] racist.

ρατσιστικός-ή-ό (ε) [ratsistikos] racial.

ραφείο (το) [rafio] tailor's shop.

ραφή (η) [rafi] dressmaking seam.

ράφι (το) [rafi] shelf, bracket.

ραφινάρισμα (το) [rafinarisma] refinement, distillation subtlety.

ραφινάρω (ρ) [rafinaro] refine distill.

ραφινάτος-η-ο (ε) [rafinatos] refined, subtle, sophisticated, distinguished.

ράφτης (ο) [raftis] tailor.

ραφτική (η) [raftiki] dressmaking, sewing.

ράφτρα (η) [raftra] dressmaker.

ραχάτεμα (το) [rahatema] lounging.

ραχατεύω (ρ) [rahatevo] lounge about.

ραχάτι (το) [rahati] lazing about, idling, lounging.

ράχη (η) [rahi] back, backbone.

ραχιαία (επ) [rahiea] dorsally.

ραχιαίος-η-ο (ε) [rahieos] dorsal.

ραχίτιδα (η) [rahitidha] rickets.

ραχιτισμός (ο) [rahitismos] rickets.

ραχοκοκαλιά (η) [rahokokalia] backbone, spine.

ράψιμο (το) [rapsimo] sewing, stitching, tailoring, dressmaking.

ραψωδία (η) [rapsodhia] rhapsody, canto.

ραψωδός (ο) [rapsodhos] epic poet.

ρεαλισμός (ο) [realismos] realism.

ρεαλιστής (ο) [realistis] realist.

ρεαλιστικός-ή-ό (ε) [realistikos] realistic, pragmatic.

ρεβεγιόν (το) [reveyion] Christmas Eve supper.

ρεβερέντζα (η) [reverendza] low bow, curtsey.

ρεβιζιονισμός (ο) [revizionismos] revisionism.

ρεβιζιονιστικός-ή-ό (ε) [revizionistikos] revisionist.

ρεβίθι (το) [revithi] chickpea.

ρεγάλο (το) [regalo] kickback.

ρέγγα (η) [renga] herring.

ρέγουλα (η) [regula] order, regular arrangement.

ρεγουλάρισμα (το) [regularisma] regulation, adjustment.

ρεγουλάρω (ρ) [regularo] regulate, adjust.

ρεζέρβα (η) [rezerva] stock, spare wheel.

ρεζερβουάρ (το) [rezervuar] petrol tank.

ρεζίλεμα (το) [rezilema] ridicule.

ρεζιλεύω (ρ) [μετ] [rezilevo] ridicule, make a fool of, humiliate.

ρεζίλης (ο) [rezilis] laughing-stock.

ρεζίλι (το) [rezili] shame, object of ridicule.

ρεζιλίκι (το) [reziliki] shame, object of ridicule.

ρείθρο (το) [rithro] rivulet, ditch, gutter.

ρείκι (το) [riki] heath, heather.

ρεκάζω (ρ) [rekazo] bell.

ρεκλάμα (η) [reklama] advertisement, show.

ρεκλαμάρω (ρ) [reklamaro] advertise, show.

ρεκόρ (το) [αθλητ] [rekor] record.

ρέκτης (ο) [rektis] enterprising, tireless.

ρελιάζω (ρ) [reliazo] hem.

ρελιασμένος-η-ο (μ) [reliasmenos] faced.

ρέμα (το) [rema] river bed, stream.

ρεμάλι (το) [remali] worthless person.

ρεματιά (η) [rematia] ravine, torrent, river bed.

ρεμβάζω (ρ) [remvazo] muse, daydream.

ρεμβασμός (ο) [remvasmos] mediation.

ρεμβαστικός-ή-ό (ε) [remvastikos] dreamy.

ρέμβη (η) [remvi] mediation.

ρεμούλα (η) [remula] thieving, cheating.

ρεμούλκα (η) [remulka] trailer.

ρεμπέλεμα (το) [rembelema] loafing, lounging.

ρεμπελεύω (ρ) [rembelevo] loaf, lounge.

ρεμπελιό (το) [rembelio] loafing, idling.

ρέμπελος-η-ο (ε) [rembelos] lazy, sluggish.

ρεμπεσκές (ο) [rembeskes] rascal, scamp.

ρεπάνι (το) [repani] radish [βοτ].

ρεπερτόριο (το) [repertorio] repertoire.

ρεπό (το) [repo] break, rest.
ρεπορτάζ (το) [reportaz] reporting.
ρεπόρτερ (ο) [reporter] reporter, journalist.
ρεπούμπλικα (n) [repumblika] trilby.
ρεπουμπλικάνος-α (ε) [repumblikanos] republican.
ρέπω (ρ) [repo] lean, incline, slope.
ρεσάλτο (το) [resalto] assault.
ρεσεψιόν (n) [resepsion] reception.
ρεσιτάλ (το) [resital] recital.
ρέστα (τα) [resta] change.
ρέστος-n-o (ε) [restos] remaining, rest, remainder.
ρετάλι (το) [retali] remnant, clout .
ρετάρισμα (το) [retarisma] misfiring.
ρετιρέ (το) [retire] penthouse.
ρετουσάρισμα (το) [retusarisma] touching-up.
ρετουσάρω (το) [retusaro] touch up.
ρετσέτα (n) [retseta] prescription.
ρετσίνα (n) [retsina] resined wine, retsina.
ρετσίνι (το) [retsini] resin.
ρετσινιά (n) [retsinia] slander.
ρετσινόλαδο (το) [retsinoladho] castor oil.
ρεύμα (το) [revma] current, stream, flow, airstream, wave [μεταφ], power [nλεκτρ].
ρευματικός-n-ό (ε) [revmatikos] rheumatic.
ρευματισμός (ο) [revmatismos] rheumatism.
ρεύομαι (ρ) [revome] belch, burp.
ρεύση (n) [refsi] outflow, flowing.
ρευστό (το) [refsto] ready cash.
ρευστοποιώ (ρ) [refstopio] liquefy.
ρευστός-n-ό (ε) [refstos] fluid, liquid, inconstant [μεταφ].
ρευστότητα (n) [refstotita] fluidity, inconstancy [μεταφ], changeability.
ρεφενές (ο) [refenes] share, quota.
ρεφορμισμός (ο) [reformismos] reformism.
ρεφραίν (το) [refren] refrain.
ρέψιμο (το) [repsimo], burp.
ρέω (ρ) [reo] flow, stream, trickle [στα-

γόνες], fall, course, flux.
ρήγας (ο) [rigas] king [χαρτιά].
ρηγάτο (το) [rigato] kingdom.
ρήγμα (το) [rigma] crack, hole, rupture [μεταφ], burst.
ρήμα (το) [rima] word, saying, verb [γραμμ].
ρήμαγμα (το) [rimagma] devastation, disrepair, havoc, ruination.
ρημάδι (το) [rimadhi] ruin, wreck wreckage.
ρημάζω (ρ) [rimazo] ruin, destroy.
ρηματικός-n-ό (ε) [rimatikos] verbal.
ρήξη (n) [riksi] rupture, breach, conflict, quarrel, dispute, cleavage [μεταφ].
ρηξικέλευθος-n-ο (ε) [riksikelefthos] forward-looking.
ρήση (n) [risi] saying, utterance.
ρητίνη (n) [ritini] resin.
ρητό (το) [rito] maxim, saying, motto.
ρήτορας (ο) [ritoras] orator.
ρητορεία (n) [ritoria] rhetoric.
ρητορεύω (ρ) [ritorevo] make speeches.
ρητορική (n) [ritoriki] oratory.
ρητορικός-n-ό (ε) [ritorikos] oratorical, rhetorical.
ρητός-n-ό (ε) [ritos] formal, explicit.
ρήτρα (n) [ritra] clause, provision.
ρητώς (επ) [ritos] explicitly, expressly.
ρηχά (επ) [riha] shallows.
ρηχός-n-ό (ε) [rihos] shallow.
ρίγα (n) [riga] ruler, measuring rule.
ρίγανη (n) [rigani] origanum.
ριγέ (ο, n, το) [riye] striped.
ρίγος (το) [rigos] shiver, thrill.
ριγώ (ρ) [rigo] shiver, tremble.
ρίγωμα (το) [rigoma] ruling, lining.
ριγώνω (ρ) [rigono] rule, line.
ριγωτός-n-ό (ε) [rigotos] lined, ruled, striped [ύφασμα].
ρίζα (n) [riza] root, foot, origin [μεταφ], source [μεταφ].
ριζάλευρο (το) [rizalevro] cornflour.
ριζικό (το) [riziko] destiny, fortune.

ριζικός-ή-ό (ε) [rizikos] radical, fundamental.

ριζοβολώ (ρ) [rizovolo] root, take root.

ριζοβούνι (το) [rizovuni] foothills.

ριζόγαλο (το) [rizogalo] rice pudding.

ριζοσπάστης (ο) [rizospastis] radical.

ριζοσπαστικός-ή-ό (ε) [rizospastikos] radical.

ριζωμένος-η-ο (μ) [rizomenos] rooted, fixed, implanted.

ριζώνω (ρ) [rizono] become established, take root, grow.

ρικνωτικός-ή-ό (ε) [riknotikos] contractile.

ρίμα (η) [rima] rhyme.

ριμαδόρος (ο) [rimadhoros] ballad-monger.

ρινικός-ή-ό (ε) [rinikos] nasal.

ρίνισμα (το) [rinisma] chip.

ρινίσματα (τα) [rinismata] filings.

ρινόκερος (ο) [rinokeros] rhinoceros.

ριξιά (η) [riksia] throw, cast[ing], charge, shot, firing.

ρίξιμο (το) [riksimo] casting, throwing, dropping, shooting.

ριπή (η) [ripi] burst of firing, throwing, blast.

ριπίζω (ρ) [ripizo] fan.

ριπολίνη (η) [ripolini] enamel paint.

ρίπτω (ρ) [ripto] throw, fling, cast, drop [βόμβα], fire [όπλου], overthrow [ανατρέπω], pull down [τοίχο], fell [δέντρο].

ρισκάρω (ρ) [riskaro] risk, chance.

ρίχνομαι (ρ) [rihnome] fling myself, rush, plunge [στο νερό].

ρίχνω (ρ) [rihno] throw, fling, cast, drop [βόμβα], fire [όπλου], overthrow [ανατρέπω], pull down [τοίχο], fell [δέντρο].

ρίψη (η) [ripsi] throw[ing], dropping.

ριψοκίνδυνα (επ) [ripsokindhina] dangerously.

ριψοκινδυνεύω (ρ) [ripsokindhinevo] risk, endanger.

ριψοκίνδυνος-η-ο (ε) [ripsokindhinos] risky, dangerous, reckless [ανθρ], adventurous, bold.

ροβολώ (ρ) [rovolo] tear down, tumble down.

ρόγα (n) [roga] berry.

ρόγχος (ο) [roghos] rattle, blowing, death rattle.

ρόδα (n) [rodha] wheel, cart-wheel.

ροδάκινο (το) [rodhakino] peach .

ροδαλός-ή-ό (ε) [rodhalos] rosy.

ροδέλα (n) [rodhela] washer.

ροδέλαιο (το) [rodheleo] oil of roses.

ρόδι (το) [rodhi] pomegranate.

ροδιά (n) [rodhia] pomegranate, track [αυτοκ].

ροδίζω (ρ) [rodhizo] brown [μαγειρ].

ρόδινος-η-ο (ε) [rodhinos] rosy, bright.

ρόδισμα (το) [rodhisma] browning, becoming rose.

ροδίτης (ο) [rodhitis] kind of pink grape.

ρόδο (το) [rodho] rose.

ροδοδάφνη (n) [rodhodhafni] oleander.

ροδοκόκκινος-η-ο (ε) [rodhokokkinos] rose-red.

ροδομάγουλος-η-ο (ε) [rodhomagulos] rosy-cheeked.

ροδόνερο (το) [rodhonero] rose-water.

ροδοπέταλο (το) [rodhopetalo] rose-leaf.

ροδόσταμα (το) [rodhostama] rosewater.

ροδώνας (ο) [rodhonas] rose-bed.

ροζ (ε) [roz] pink.

ροζάριο (το) [rozario] chaplet.

ροζιάζω (ρ) [roziazo] become knotty.

ροζιάρης-α-ικο (ε) [roziaris] gnarled.

ροζιασμένος-η-ο (μ) [roziasmenos] callous.

ρόζος (ο) [rozos] knot, knuckle [δακτύλων].

ροή (n) [roi] flow, flood, discharge, running.

ρόκα (n) [roka] distaff, rocket.

ροκάνα (n) [rokana] rattle [παιχνίδι], clapper.

ροκάνι (το) [rokani] plane.

ροκανίδι (το) [rokanidhi] chip, shaving.

ροκανίζω (ρ) [rokanizo] plane, crunch, chew.

ροκάνισμα (το) [rokanisma] nibbling, crunching.

ρολό (το) [rolo] cylindrical roll, shutter, cylinder.

ρολογάς (ο) [rologas] watchmaker.

ρολόγι (το) [roloyi] clock [τοίχου], watch [χεριού], meter [μετρητής].

ρολόι (το) [roloi] clock.

ρόλος (ο) [rolos] roll, part [θεατρικός], role [θεατρικός], part [μεταφ].

ρομαντικός-ή-ό (ε) [romandikos] romantic.

ρομαντισμός (ο) [romandismos] romanticism.

ρομάντσο (το) [romantso] romance.

ρομβία (η) [romvia] street organ.

ρόμβος (ο) [romvos] rhombus.

ρόμπα (η) [romba] dressing gown.

ρομπότ (το) [rombot] robot.

ρόπαλο (το) [ropalo] club, bludjeon.

ροπαλοειδής-ής-ές (ε) [ropaloidhis] claviform.

ροπή (η) [ropi] inclination, propensity.

ροσμπίφ (το) [rosmbif] roast beef.

ρότα (η) [rota] course.

ρούβλι (το) [ruvli] rouble, ruble.

ρουζ (το) [ruz] rouge.

ρουθούνι (το) [ruthuni] nostril.

ρουθουνίζω (ρ) [ruthunizo] snort, sniff.

ρουκέτα (η) [ruketa] rocket.

ρουλεμάν (το) [ruleman] ball bearings.

ρουλέτα (η) [ruleta] roulette.

Ρουμάνα (η) [Rumana] Rumanian woman.

ρουμάνι (το) [rumani] thicket, spinney.

Ρουμανικός-ή-ό (ε) [Rumanikos] Rumanian.

Ρουμάνος (ο) [Rumanos] Rumanian.

ρούμι (το) [rumi] rum.

ρουμπινές (ο) [rumbines] bib.

ρουμπίνι (το) [rumbini] ruby.

ρούπι (το) [rupi] measure of length.

ρους (ο) [rus] flow, flood, discharge [πύ-ου].

ρουσφέτι (το) [rusfeti] favour, string pulling.

ρουσφετολογία (η) [rusfetoloyia] favouritism, corruption.

ρουσφετολόγος (ο) (η) (ε) [rusfetologos] corrupt dealer.

ρουσφετολογώ (ρ) [rusfetologo] seek special favours, do special favours.

ρουτινιέρικος-η-ο (ε) [rutinierikos] routine.

ρούφηγμα (το) [rufigma] noisy sipping.

ρουφηξιά (η) [rufiksia] mouthful, sip, puff.

ρουφήχτρα (η) [rufihtra] whirlpool.

ρουφιανιά (η) [rufiania] scandalmongering.

ρουφώ (ρ) [rufo] draw in, suck up.

ρούχα (τα) [ruha] clobber.

ρουχικά (τα) [ruhika] clothing.

ρουχισμός (ο) [ruhismos] fit out.

ρούχο (το) [ruho] cloth, stuff, material, dress [φόρεμα].

ρόφημα (το) [rofima] hot drink.

ροφός (ο) [rofos] blackfish.

ροχαλητό (το) [rohalito] snoring.

ροχαλίζω (ρ) [rohalizo] snore.

ρόχαλο (το) [rohalo] phlegm, spit.

ρυάκι (το) [riaki] stream, brook.

ρύγχος (το) [righos] muzzle, nose.

ρύζι (το) [rizi] rice.

ρυζόγαλο (το) [rizogalo] rice pudding.

ρυζόχαρτο (το) [rizoharto] rice-paper.

ρυθμίζω (ρ) [rithmizo] regulate [ρολόι], manage [τα του σπιτιού], settle [υποθέσεις], close [λογαριασμούς], compound, dispose.

ρυθμική (η) [rithmiki] rhythmics.

ρυθμικός-ή-ό (ε) [rithmikos] rhythmical.

ρύθμιση (η) [rithmisi] regulating, adjusting.

ρυθμιστής (ο) [rithmistis] regulator, controller.

ρυθμιστικός-ή-ό (ε) [rithmistikos] regulatory.

ρυθμός (ο) [rithmos] rhythm, rate, cadence [μουσ], style [αρχιτεκτονική].

σάβανο (το) [savano] winding sheet.
σαβάνωμα (το) [savanoma] shrouding.
σαβανώνω (ρ) [savanono] shroud.
Σάββατο (το) [Savvato] Saturday.
σαββατογεννημένος-η-ο (ε) [savvatoyennimenos] born on a Saturday, moonstruck, very lucky.
Σαββατοκύριακο (το) [Savvatokiriako] weekend.
σαβούρα (η) [savura] rubbish, junk.
σαβούρωμα (το) [savuroma] stuffing oneself.
σαβουρώνω (ρ) [savurono] guzzle.
σαγανάκι (το) [saganaki] frying pan, dish of fried cheese.
σαγή (η) [sayi] harness.
σαγήνευμα (το) [sayinevma] enticing.
σαγήνευση (η) [sayinefsi] captivation.
σαγηνευτικά (επ) [sayineftika] charmingly.
σαγηνευτικός-ή-ό (ε) [sayineftikos] enchanting, charming, captivating, seductive, fascinating,.
σαγηνεύω (ρ) [sayinevo] seduce, charm, attract, allure.
σαγήνη (η) [sayini] fascination, enchantment.
σαγίζω (ρ) [sayizo] saddle.
σαγόνι (το) [sagoni] chin.

σαδισμός (ο) [sadhismos] sadism.
σαδιστής (ο) [sadhistis] sadist.
σαδιστικός-ή-ό (ε) [sadhistikos] sadistic.
σαδομαζοχισμός (ο) [sadhomazohismos] sado-masochism.
σαδομαζοχιστής (ο) [sadhomazohistis] sadist.
σαθρός-ή-ό (ε) [sathros] decayed, rotten.
σαθρότητα (n) [sathrotita] decay, rottenness.
σαιζόν (n) [sezon] season.
σαΐνι (το) [saini] sharp-witted person.
σαΐτα (n) [saita] arrow, dart.
σαΐτεμα (το) [saitema] bowshot, shooting an arrow.
σαϊτεύω (ρ) [saitevo] hit with an arrow.
σάκα (n) [saka] satchel [μαθητική], gamebag [κυνηγού], briefcase.
σακάκι (το) [sakaki] jacket, coat.
σακαράκα (n) [sakaraka] old motorcar [μεταφ].
σακάτεμα (το) [sakatema] maiming, crippling,.
σακατεύω (ρ) [sakatevo] cripple, mutilate, wear out [μεταφ].
σακάτης (ο) [sakatis] cripple, infirm.
σακάτικος-n-o (ε) [sakatikos] maimed, crippled, mutilated.
σακατιλίκι (το) [sakatiliki] physical infirmity.

σακί (το) [saki] sack, bag.
σακίδιο (το) [sakidhio] haversack, satchel, rucksack.
σακοράφα (n) [sakorafa] sack needle, packing needle.
σάκος (ο) [sakos] sack, bag, mailbag [ταχυδρομικός].
σακούλα (n) [sakula] sack, bag, paper bag.
σακουλάκι (το) [sakulaki] sachet.
σακούλι (το) [sakuli] sack, small bag.
σακουλιάζω (ρ) [sakuliazo] put into a bag, pocket, be loose-fitting [για ρούχα], not fit well.
σακούλιασμα (το) [sakuliasma] bagging.
σακχαρίνη (n) [sakharini] saccharin[e].
σακχαρόπηκτο (το) [sakharopikto] sugar-coated pill.
σακχαρότευτλο (το) [sakharoteftlo] sugar beet.
σάλα (n) [sala] hall, drawing-room.
σάλαγος (ο) [salagos] noise.
σαλαγώ (ρ) [salago] shout to, shout at.
σαλαμάντρα (n) [salamandra]salamander.
σαλάμι (το) [salami] sausage, salami.
σαλαμούρα (n) [salamura] brine.
σαλάτα (n) [salata] salad.
σαλατιέρα (n) [salatiera] salad bowl.
σαλατικό (το) [salatiko] greens, salad.
σάλεμα (το) [salema] moving, stirring.
σαλέπι (το) [salepi] salep.
σαλεύω (ρ) [salevo] move, stir, shake.
σάλι (το) [sali] shawl.
σάλιαγκας (ο) [saliangas] snail.
σαλιάρα (n) [saliara] baby's bib.
σαλιάρης-α-ικο (ε) [saliaris] lecherous man.
σαλιαρίζω (ρ) [saliarizo] chatter.
σαλιαρίσματα (τα) [saliarismata] slobbering.
σαλιγκάρι (το) [salingari] snail.
σάλιο (το) [salio] saliva.
σάλιωμα (το) [salioma] smearing.
σαλιώνω (ρ) [saliono] moisten, lick, wet.
σάλος (ο) [salos] swell, rolling [πλοίου],

disturbance [μεταφ].
σαλπάρισμα (το) [salparisma] sailing.
σαλπάρω (ρ) [salparo] weigh anchor.
σάλπιγγα (n) [salpinga] trumpet, tube.
σαλπιγγίτιδα (n) [salpingitidha] salpingitis.
σαλπιγγοειδής-ής-ές (ε) [salpingoidhis] buccinal.
σάλπιγκα (n) [salpiga] clarion.
σαλπιγκτής (ο) [salpingtis] trumpeter.
σαλπίζω (ρ) [salpizo] sound the trumpet.
σάλπισμα (το) [salpisma] trumpet call.
σαλτάρισμα (το) [saltarisma] leap, jump.
σαλτάρω (ρ) [saltaro] jump, leap.
σαλτιμπάγκος (ο) [saltimbangos] fairground acrobat [μεταφ], charlatan.
σάλτο (το) [salto] jump, leap, bound.
σάλτσα (n) [saltsa] gravy, sauce.
σαλτσιέρα (n) [saltsiera] gravy-boat.
σαμαράς (ο) [samaras] saddle-maker.
σαμάρι (το) [samari] packsaddle, copestone.
σαμάρωμα (το) [samaroma] saddling.
σαμαρώνω (ρ) [samarono] saddle.
σαματάς (ο) [samatas] noise, clatter.
σαμιαμίδ(θ)ι (το) [samiamidh[th]i] slow-worm.
σαμοβάρι (το) [samovari] tea-urn.
σαμπάνια (n) [sam-pania] champagne.
σαμπανιζέ (ε) [sambanize] carbonated.
σαμποτάζ (το) [sambotaz] sabotage.
σαμποτάρισμα (το) [sambotarisma] sabotaging.
σαμποταριστής (ο) [sambotaristis] saboteur.
σαμποτέρ (ο) [samboter] saboteur.
σαμπρέλα (n) [sambrela] inner tube.
σάμπως (σ) [sambos] as though, it appears that, as if.
σαν (επ) [san] when, as soon as, if, like, as if.
σανατόριο (το) [sanatorio] sanatorium.
σανδάλι (το) [sandhali] sandal.
σανίδα (n) [sanidha] board, beam, plank, ironing board.
σανιδένιος-α-ο (ε) [sanidhenios] wooden.

σανίδι (το) [sanidhi] block.

σανιδόσκαλα (n) [sanidhoskala] gangplank.

σανίδωμα (το) [sanidhoma] boarding, panelling, battening.

σανιδώνω (ρ) [sanidhono] floor, plank, cover with board.

σανίδωση (n) [sanidhosi] flooring with boards, covering with boards.

σανός (ο) [sanos] hay, fodder.

σανιγύ (n) [sandiyi] whipped cream.

σάντουιτς (το) [sanduits] sandwich.

σαντούρι (το) [sanduri] kind of string instrument.

σαξόφωνο (το) [saksofono] saxophone.

σάουνα (n) [sauna] sauna.

σαπίζω (ρ) [sapizo] rot, spoil, decompose, decay.

σαπίλα (n) [sapila] decay, putridity, corruption [μεταφ].

σάπιος-α-ο (ε) [sapios] decomposed, rotten, corrupt, depraved.

σάπισμα (το) [sapisma] decay, corruption, decomposition.

σαπουνάδα (n) [sapunadha] soapsuds, lather.

σαπούνι (το) [sapuni] soap, shaving soap.

σαπουνίζω (ρ) [sapunizo] soap, lather.

σαπουνόφουσκα (n) [sapunofuska] soap bubble.

σαπρός-ή-ό (ε) [sapros] putrescent.

σαπρότητα (n) [saprotita] putrescence.

σάπφειρος (ο) [sapfiros] sapphire.

Σαπφικός-ή-ό (ε) [Sapfikos] Sapphic.

σαπωνοποίηση (n) [saponopiisi] saponification.

σαπωνοποιία (n) [saponopiia] soap making.

σάρα (n) [sara] scree.

σαραβαλάκι (το) [saravalaki] cheap car.

σαραβαλιάζω (ρ) [saravaliazo] wreck, mess up, break up.

σαραβάλιασμα (το) [saravaliasma] dilapidation, wreckage.

σαραβαλιασμένος-n-ο (μ) [saravaliasmenos] dilapidated, crumbling, wrecked.

σαράβαλο (το) [saravalo] ruin, wreck, sickly person.

σαράκι (το) [saraki] woodworm, prick of conscience.

σαρακοστή (n) [sarakosti] Lent.

σαρακοφάγωμα (το) [sarakofagoma] worm-hole.

σαράντα (αριθ) [saranda] forty.

σαρανταποδαρούσα (n) [sarandapodharusa] centipede.

σαρανταριά (n) [sarandaria] forty.

σαρανταριάζω (ρ) [sarandariazo] become forty, be forty days since.

σαράφης (ο) [sarafis] moneychanger.

σαργός (ο) [sargos] sargus.

σαρδέλα (n) [sardhela] anchovy, sardine.

σαρδελοκούτι (το) [sardhelokuti] sardine tin.

σαρδόνιος-α-ο (ε) [sardhonios] sardonic, sarcastic.

σαρίκι (το) [sariki] turban.

σάρκα (n) [sarka] flesh.

σαρκάζω (ρ) [sarkazo] sneer, mock.

σαρκασμός (ο) [sarkasmos] derision, sarcasm.

σαρκαστικός-ή-ό (ε) [sarkastikos] sarcastic, jeering, mocking.

σαρκικός-ή-ό (ε) [sarkikos] fleshy, sensual.

σαρκίο (το) [sarkio] carunkle.

σαρκοβόρο (το) [sarkovoro] carnivore.

σαρκοβόρος-α-ο (ε) [sarkovoros] carnivorous, flesh-eating.

σαρκοφάγα (τα) [sarkofaga] carnivora.

σαρκοφάγο (το) [sarkofago] carnivore.

σαρκοφάγος-α-ο (ε) [sarkofagos] carnivorous, flesh eater.

σαρκοφάγος (n) [sarkofagos] sarcophagus.

σαρκώδης-ης-ες (ε) [sarkodhis] fleshy, pulpy.

σαρκώδης καρπός (ο) [sarkodhis karpos] berry.

σάρκωμα (το) [sarkoma] sarcoma, fleshy growth.

σαρκώνομαι (ρ) [sarkonome] be incarnated.

σάρκωση (n) [sarkosi] incarnation.

σάρπα (n) [sarpa] scarf.

σάρωθρο (το) [sarothro] broom.

σάρωμα (το) [saroma] sweeping.

σαρώνω (ρ) [sarono] sweep [δωμάτιο], rake [μεταφ].

σαρωτικός-ή-ό (ε) [sarotikos] sweeping.

σας (αν) [sas] you, your.

σασί (το) [sasi] chassis.

σαστίζω (ρ) [sastizo] disconcert, embarrass, confuse, get disconcerted.

σάστισμα (το) [sastisma] confusion, daze.

σατανάς (ο) [satanas] Satan, devilish person.

σατανικός-ή-ό (ε) [satanikos] devilish, satanical.

σατινάρισμα (το) [satinarisma] glazing.

σάτιρα (n) [satira] satire, lampoon.

σατιρίζω (ρ) [satirizo] satirize.

σατιρικός-ή-ό (ε) [satirikos] satirical.

σατιρικός (ο) [satirikos] satirist.

σατραπεία (n) [satrapia] satrapy.

σατράπης (ο) [satrapis] satrap, tyrant.

σατραπικός-ή-ό (ε) [satrapikos] tyrannical.

σατραπισμός (ο) [satrapismos] tyrannical behaviour.

σατυρικός-ή-ό (ε) [satirikos] satyric.

σάτυρος (ο) [satiros] satyr.

σαύρα (n) [saira] lizard.

σαυροειδής-ής-ές (ε) [savroidhis] saurian.

σαφήνεια (n) [safinia] clearness, distinctness, lucidity.

σαφηνίζω (ρ) [safinizo] clarify, explain.

σαφής-ής-ές (ε) [safis] clear, obvious, plain.

σαφώς (επ) [safos] clearly, obviously, clear, cogently.

σάχης (ο) [sahis] shah.

σαχλά (επ) [sahla] cornily.

σάχλα (n) [sahla] silly talk, insipidity.

σαχλαμάρα (n) [sahlamara] nonsense, rubbish, stupidity.

σαχλαμαρίζω (ρ) [sahlamarizo] talk through one's hat, mess about.

σαχλαμαρίσματα (n) [sahlamarismata] carryings-on.

σάχλας (ο) [sahlas] silly person.

σαχλός-ή-ό (ε) [sahlos] flat, flabby, stupid.

σάψαλο (το) [sapsalo] crock.

σβάρνα (n) [svarna] harrow.

σβαρνίζω (ρ) [svarnizo] harrow.

σβάρνισμα (το) [svarnisma] dragging.

σβάστικα (n) [svastika] swastika.

σβελτάδα (n) [sveltadha] dexterity.

σβέλτος-n-o (ε) [sveltos] nimble, slim, slender.

σβελτοσύνη (n) [sveltosini] nimbleness, agility.

σβέρκος (ο) [sverkos] nape of neck, scruff.

σβήνω (ρ) [svino] extinguish, quench, put out, erase [γράμματα], strike out [με πένα κτλ], dye out [χρώμα], subside [ενθουσιασμός], die down, blear, blow.

σβήσιμο (το) [svisimo] extinction, erasure, rubbing out.

σβησμένος-n-o (μ) [svismenos] extinct, dead.

σβηστήρι (το) [svistiri] rubber.

σβηστός-ή-ό (ε) [svistos] put out, extinguished, switched off.

σβίγκος (ο) [svingos] fritter.

σβόλος (ο) [svolos] lump, clot, clod.

σβουνιά (n) [svunia] cow pat.

σβούρα (n) [svura] spinning top.

σβουρίζω (ρ) [svurizo] spin, reel.

σβωλιάζω (ρ) [svoliazo] clot.

σβώλος (ο) [svolos] gob, clot.

σγουραίνω (ρ) [sgureno] curl.

σγουρομάλλης (ο) [sguromallis] curly-haired.

σγουρός-ή-ό (ε) [sguros] curly, fuzzy, curled.

σε (π) [se] to, at, in.

σέβας (το) [sevas] regard, reverence, deference, respect.

σεβάσμιος-α-ο (ε) [sevasmios] respectable, reverend.

σεβασμιότατος-η-ο (ε) [sevasmiotatos] His/Your Reverence.

σεβασμιότητα (n) [sevasmiotita] His Reverence, Your Reverence.

σεβασμός (ο) [sevasmos] regard, reverence, respect.

σεβαστός-ή-ό (ε) [sevastos] respected, respectable, considerable.

σέβη (τα) [sevi] respects.

σέβομαι (ρ) [sevome] respect, admire, esteem, cherish, delight in, relish.

σεβρό (το) [sevro] kid[-leather].

σεγκοντάρω (ρ) [sengondaro] second, support, help.

σειέμαι (ρ) [sieme] stir, move, shake.

σειρά (n) [sira] series, succession, row, line, rank, turn [στην τάξη], consequence, order.

σειρήνα (n) [sirina] siren [φυσ], foghorn, buzzer, alarm.

σειρίτι (το) [siriti] stripe, ribbon.

σείσιμο (το) [sisimo] shake, shaking, quake.

σεισμικός-ή-ό (ε) [sismikos] seismic.

σεισμικότητα (n) [sismikotita] seismism.

σεισμογραφικός-ή-ό (ε) [sismografikos] seismographic.

σεισμολογία (n) [sismoloyia] seismology.

σεισμολογικός-ή-ό (ε) [sismoloyikos] seismological.

σεισμολόγος,(ο) [sismologos] seismologist.

σεισμός (ο) [sismos] earthquake, earth tremor.

σεΐχης (ο) [seihis] sheikh.

σείω (ρ) [sio] move, shake, wave.

σεκλέτι (το) [sekleti] worry, trouble, care.

σεκλετίζω (ρ) [sekletizo] trouble, upset.

σέλα (n) [sela] saddle.

σέλας (το) [selas] brightness, brilliance.

σελάχι (το) [selahi] gun belt.

σελέμης (ο) [selemis] sponger, scrounge.

σελεμίζω (ρ) [selemizo] scrounge.

σελήνη (n) [selini] moon.

σεληνιάζομαι (ρ) [seliniazome] have an epileptic fit.

σεληνιακός-ή-ό (ε) [seliniakos] lunar, moon.

σεληνιάζομαι (ρ) [seliniazome] suffer from epilepsy, have an epileptic fit.

σεληνιασμός (ο) [seliniasmos] epilepsy.

σελήνιο (το) [selinio] selenium.

σελνόφως (το) [selinofos] moonlight.

σελνοφώτιστος-n-ο (ε) [selinofotistos] moonlit.

σελίδα (n) [selidha] page [of book].

σελιδοθέτης (ο) [selidhothetis] chase.

σελιδοποίηση (n) [selidhopiisi] layout, pagination.

σελιδοποιώ (ρ) [selidhopio] lay out.

σελίνι (το) [selini] shilling.

σέλινο (το) [selino] celery.

σελοφάν (το) [selofan] cellophane.

σέλωμα (το) [seloma] saddling.

σελώνω (ρ) [selono] saddle.

σεμινάριο (το) [seminario] seminary.

σεμνά (επ) [semna] bashfully.

σεμνοπρέπεια (n) [semnoprepia] decency, modesty.

σεμνοπρεπής-ής-ές (ε) [semnoprepis] decent, dignified, modest.

σεμνός-ή-ό (ε) [semnos] decent, modest, simple, plain [ενδυμασία], bashful.

σεμνότητα (n) [semnotita] modesty, decency.

σεμνότυφος-n-ο (ε) [semnotifos] prudish, demure.

σεμνύνομαι (ρ) [semninome] take pride in.

σέμπρος (ο) [sembros] tenant.

σενάριο (το) [senario] script, screenplay, scenario.

σεναριογράφος (ο, n) [senariografos]

script-writer.

σενίλ (το) [senil] chenille.

σεντ (το) [sent] cent.

σεντόνι (το) [sendoni] sheet.

σεντούκι (το) [senduki] linen closet, box, chest.

σεξ (το) [seks] sex.

σεξαπίλ (το) [seksapil] sex appeal.

σεξολόγος (ο, η) [seksologos] sex specialist.

σεξουαλικός-ή-ό (ε) [seksualikos] sexual.

σεξουαλικότητα (n) [seksualikotita] sexuality.

Σεπτέμβριος (ο) [Septemvrios] September.

σεπτός-ή-ό (ε) [septos] august, holy.

σέρα (n) [sera] greenhouse.

Σέρβικος-n-ο (ε) [Servikos] Serbian.

σερβίρισμα (το) [servirisma] waiting on.

σερβίρω (ρ) [serviro] serve.

σερβιτόρα (n) [servitora] waitress.

σερβιτόρος (ο) [servitoros] waiter.

σερβίτσιο (το) [servitsio] dinner service, place setting.

Σέρβος (ο) [Servos] Serb.

σεργιάνι (το) [seryiani] walk, stroll.

σεργιανίζω (ρ) [seryianizo] promenade, walk, stroll.

σερενάδα (n) [serenadha] serenade.

σερίφης (ο) [serifis] sheriff.

σερμαγιά (n) [sermayia] starting capital.

σερμπέτι (το) [sermbeti] sherbet, syrup.

σέρνομαι (ρ) [sernome] crawl, drag, drag ourselves along.

σερνόμενος-n-ο (μ) [sernomenos] creeping.

σέρνω (ρ) [serno] draw, pull, drag, haul.

σερπαντίνα (n) [serpandina] streamer.

σέρτης (ο) [sertis] choleric person.

σέρτικος-n-ο (ε) [sertikos] strong.

σεσημασμένος-n-ο (μ) [sesimasmenos] criminal.

σέσκουλο (το) [seskulo] white beet.

σέσουλα (n) [sesula] scoop.

σεφτές (ο) [seftes] first sale [of a day].

σπκός (ο) [sikos] nave.

σήκωμα (το) [sikoma] raising, lifting, getting out of bed.

σπκωμός (ο) [sikomos] rising, rebellion, lifting up, rearing.

σπκώνομαι (ρ) [sikonome] rise, stand up, get up.

σπκώνω (ρ) [sikono] raise, hoist, pick up, lift up, carry [μεταφέρω], get up [αφυπνίζω], bear, hold up, stir up.

σπκωτός-ή-ό (ε) [sikotos] up, raised.

σήμα (το) [sima] signal, sign, mark.

σπμάδεμα (το) [simadhema] taking aim, marking.

σπμαδεμένος-n-ο (μ) [simadhemenos] marked, scarred, branded.

σπμαδεύω (ρ) [simadhevo] mark, aim at, take aim at.

σπμάδι (το) [simadhi] trace, scar, spot, sign [ένδειξη], mark [ένδειξη].

σπμαδιακός-ή-ό (ε) [simadhiakos] marked, crippled.

σπμαδούρα (n) [simadhura] buoy.

σπμαία (n) [simea] flag, ensign, colours, standard.

σπμαίνω (ρ) [simeno] mean, be a sign of, signify, ring [καμπάνα κτλ], sound [καμπάνα κτλ], matter [έχων σημασία], be of consequence.

σπμαιοστολίζω (ρ) [simeostolizo] deck with flags.

σπμαιοφόρος (ο) [simeoforos] standard bearer, sublieutenant [ναυτ], leader [μεταφ].

σήμανση (n) [simansi] marking, stamping, noting of details.

σπμαντικά (επ) [simandika] materially, considerably.

σπμαντικός-ή-ό (ε) [simandikos] important, significant, remarkable [πρόσωπο], considerable [πρόσωπο], momentous, meaningful.

σπμαντικότητα (n) [simantikotita] importance.

σήμαντρο (το) [simandro] stamp, seal, special monastery bell.

σημασία (n) [simasia] sense, meaning, importance, gravity, significance.

σημασιολογικός-ή-ό (ε) [simasioloyikos] semantic.

σηματοδοσία (n) [simatodhosia] signalling.

σηματοδότης (ο) [simatodhotis] signal box, signalman, traffic light.

σηματοδότηση (n) [simatodhotisi] signalling.

σηματωρός (ο) [simatoros] signalman, flagman.

σημείο (το) [simio] sign, mark, proof, indication, stage, point, symbol [μαθημ].

σημειογραφία (n) [simiografia] notation.

σημειολογία (n) [simioloyia] semeiology.

σημείωμα (το) [simioma] written note, memorandum, record.

σημειωματάριο (το) [simiomatario] notebook, agenda, diary.

σημειώνω (ρ) [simiono] mark, indicate, note, make a note of, jot down, write down, pay attention to [προσέχω], achieve.

σημείωση (n) [simiosi] written note, remark, comment.

σημειωτέος-έα-έο (ε) [simioteos] noteworthy.

σήμερα (επ) [simera] today.

σημερινός-ή-ό (ε) [simerinos] today's, modern.

Σημιτικός-ή-ό (ε) [Simitikos] Semitic.

σημιτικός-ή-ό (ε) [simitikos] semitic.

σημιτισμός (ο) [simismos] Semitism.

σημύδα (n) [simidha] birch.

σήπομαι (ρ) [sipome] rot, decay, decompose.

σπιτικός-ή-ό (ε) [siptikos] septic.

σήραγγα (n) [siranga] tunnel.

σηροτροφία (n) [sirotrofia] sericulture.

σηροτρόφος (ο) [sirotrofos] sericulturist.

σηρραγγώδης-ης-ες (ε) [sirrangodhis]

cavernous.

σήτα (n) [sita] sieve.

σηψαιμία (n) [sipsemia] septicaemia, blood poisoning.

σήψη (n) [sipsi] decay, putrefaction, sepsis.

σθεναρός-ή-ό (ε) [sthenaros] sturdy, strong, powerful, robust.

σθεναρότητα (n) [sthenarotita] sturdiness.

σθένος (το) [sthenos] vigour, strength, energy, pluck, valence.

σιαγόνα (n) [siagona] jaw, jawbone.

σιάζω (ρ) [siazo] arrange, set in order, straighten, tidy, repair [επισκευάζω], patch [επισκευάζω].

σίαλος (ο) [sialos] saliva, spittle.

σιάξιμο (το) [siaximo] tidying.

σιβυλλικός-ή-ό (ε) [sivillikos] cryptic.

σιγά (επ) [siga] softly, lightly, gently, slowly.

σιγαλιά (n) [sigalia] quiet, peace.

σιγαλός-ή-ό (ε) [sigalos] silent, quiet, gentle, still.

σιγανά (επ) [sigana] slowly, gently.

σιγανός-ή-ό (ε) [siganos] silent, quiet, gentle.

σιγαρέτο (το) [sigareto] cigarette.

σιγαστήρας (ο) [sigastiras] muffler.

σιγή (n) [siyi] silence, quiet, stillness.

σιγοβράζω (ρ) [sigovrazo] simmer, boil slowly.

σιγομίλημα (το) [sigomilima] whispering.

σίγουρα (επ) [sigura] for certain.

σιγουράρισμα (το) [sigurarisma] securing.

σιγουράρω (ρ) [siguraro] secure, fasten.

σιγουρεύομαι (ρ) [sigurevome] make sure, make certain.

σιγουρεύω (ρ) [sigurevo] secure, fasten.

σιγουριά (n) [siguria] security, safety, certainty.

σίγουρος-n-ο (ε) [siguros] certain, assured, sure,secure.

σιγώ (ρ) [sigo] keep quiet die down.

σιδεράς (ο) [sidheras] blacksmith, ironmonger.

σιδερένιος-α-ο (ε) [sidherenios] of iron, strong.

σιδερικά (τα) [sidherika] scrap iron.

σίδερο (το) [sidhero] iron, curling tongs [μαλλιών].

σιδέρωμα (το) [sidheroma] ironing.

σιδερώνω (ρ) [sidherono] iron.

σιδηροδρομικώς (επ) [sidhirodhromikos] by rail, by train.

σιδηρόδρομος (ο) [sidhirodhromos] railway.

σιδηρομετάλλευμα (το) [sidhirometallevma] iron ore.

σιδηροπυρίτης (ο) [sidhiropiritis] pyrites.

σιδηροπωλείο (το) [sidhiropolio] ironmonger's, hardware shop.

σίδηρος (ο) [sidhiros] iron.

σιδηροτροχιά (η) [sidhirotrohia] railway track.

σιδηρουργείο (το) [sidhiruryio] forge.

σιδηρουργός (ο) [sidhirurgos] blacksmith.

σιδηρούχος-α-ο (ε) [sidhiruhos] chalybeate.

σιδηρωρυχείο (το) [sidhirorihio] iron mine.

σίελος (ο) [sielos] saliva.

σικ (ε) [sik] chic.

σίκαλη (η) [sikali] rye.

σικάλινος-η-ο (ε) [sikalinos] rye.

σιληνή (η) [silini] campion.

σιλό (το) [silo] silo.

σιλουέτα (η) [silueta] silhouette, figure.

σιμά (επ) [sima] near, close by.

σιμιγδάλι (το) [simigdhali] semolina.

σίμωμα (το) [simoma] approaching.

σιμώνια (η) [simonia] simony.

σιμώνω (ρ) [simono] approach.

σινάπι (το) [sinapi] mustard, mustard seed.

σιναπόσπορος (ο) [sinaposporos] mustard-seed.

σινάφι (το) [sinafi] guild, trade, tribe.

σινεμά (το) [sinema] cinema.

σινιάλο (το) [sinialo] signal, sign, mark.

σινική (η) [siniki] India ink [μελάνη].

Σινικός-ή-ό (ε) [Sinikos] Chinese.

σινιόν (το) [sinion] chignon.

σιντριβάνι (το) [sindrivani] fountain.

σιρόκος (ο) [sirokos] south-east wind.

σιρόπι (το) [siropi] syrup.

σισύφειος-α-ο (ε) [sisifios] sisyphean.

σιταποθήκη (η) [sitapothiki] granary.

σιταρήθρα (η) [sitarithra] skylark.

σιτάρι (το) [sitari] wheat, grain.

σιτέμπορος (ο) [sitemboros] corn dealer.

σιτευτός-ή-ό (ε) [siteftos] fattened.

σιτεύω (ρ) [sitevo] hang, make tender.

σιτηρά (τα) [sitira] cereals.

σιτηρέσιο (το) [sitiresio] ration.

σιτίζω (ρ) [sitizo] feed, nourish.

σίτιση (η) [sitisi] taking one's meals.

σιτιστής (ο) [sitistis] quartermaster.

σιτοβολώνας (ο) [sitovolonas] granary, barn.

σιτοδεία (η) [sitodhia] shortage of corn.

σιτοπαραγωγή (η) [sitoparagoyi] wheat crop, wheat yield.

σιτοπαραγωγός-ός-ό (ε) [sitoparagogos] corny.

σιτοπαραγωγός (ο) [sitoparagogos] wheat farmer.

σίτος (ο) [sitos] wheat [βοτ], grain.

σιφόν (ο) [sifon] chiffon.

σιφόνι (το) [sifoni] siphon.

σιφονιέρα (η) [sifoniera] chest of drawers.

σίφουνας (ο) [sifunas] waterspout.

σιχαίνομαι (ρ) [sihenome] loathe, detest, feel disgust for.

σίχαμα (το) [sihama] detestation.

σιχαμάρα (η) [sihamara] detestation.

σιχαμένος-η-ο (μ) [sihamenos] loathsome, sickening, disgusting.

σιχαμερός-ή-ό (ε) [sihameros] disgusting, repulsive, sickening.

σιχαμερός-ή-ό (ε) [sihameros] fulsome.

σιχαμερός (ο) [sihameros] abominator.

σιχασιά (η) [sihasia] detestation.

σιχασιάρης-α-ικο (ε) [sihasiaris] squeamish.

Σιωνισμός (ο) [Sionismos] Zionism.

σιωπή (n) [siopi] silence.

σιωπηλός-ή-ό (ε) [siopilos] silent [μεταφ], quiet.

σιωπρός-ή-ό (ε) [siopiros] silent, implicit.

σιωπητήριο (το) [siopitirio] last post, lights out.

σιωπώ (ρ) [siopo] remain silent.

σκάβω (ρ) [skavo] dig up, scoop out, excavate [τάφρο], engrave [χαράσσω], carve [χαράσσω].

σκάγι (το) [skayi] small shot.

σκάζω (ρ) [skazo] burst, open, split, crack, splinter [ξύλο κτλ], explode [οβίδα], be exasperated, be infuriated by, chap.

σκαθάρι (το) [skathari] beetle.

σκαιός-ή-ό (ε) [skeos] rude, curt, blunt.

σκαιότητα (n) [skeotita] rudeness, bluntness.

σκάκι (το) [skaki] chess.

σκακιέρα (n) [skakiera] chessboard.

σκακιστής (ο) [skakistis] chess-player.

σκάλα (n) [skala] staircase, flight, ladder, backstairs [υπηρεσίας], wharf [αποβάθρα], port [λιμάνι], scale [μουσικ], wave [μαλλιών].

σκαλί (το) [skali] step, flight, rung.

σκαλίζω (ρ) [skalizo] weed, dig, chisel [μέταλο], sculpture [πέτρα κτλ], carve [ξύλο], poke [φωτιά], rummage [βιβλιοθήκη], search [βιβλιοθήκη], chase.

σκάλισμα (το) [skalisma] weeding, searching, carving, chasing, digging, tampering with.

σκαλιστήρι (το) [skalistiri] hoe, weeding fork.

σκαλιστής (ο) [skalistis] carver, engraver.

σκαλιστός-ή-ό (ε) [skalistos] engraved, carved sculptured.

σκαλοπάτι (το) [skalopati] step, rung.

σκαλτσούνι (το) [skaltsuni] turnover.

σκάλωμα (το) [skaloma] scaling, hitch [μεταφ], climb.

σκαλώνω (ρ) [skalono] climb, mount, get held up [μεταφ], meet with an obstacle [μεταφ].

σκαλωσιά (n) [skalosia] scaffolding.

σκαλωτός-ή-ό (ε) [skalotos] terraced.

σκάμμα (το) [skamma] [sand]pit.

σκαμνί (το) [skamni] stool, chair.

σκαμπάζω (ρ) [skambazo] know, understand.

σκαμπανέβασμα (το) [skambanevasma] pitching.

σκαμπίλι (το) [skambili] slap.

σκαμπιλίζω (ρ) [skambilizo] slap,.

σκαμπίλισμα (το) [skambilisma] slapping.

σκανδάλη (n) [skandhali] trigger.

σκανδαλιά (n) [skandhalia] mischief, escapade.

σκανδαλίζομαι (ρ) [skandhalizome] be tempted, be shocked.

σκανδαλίζω (ρ) [skandhalizo] intrigue, allure, scandalize, shock,.

σκανδαλισμός (ο) [skandhalismos] temptation, scandalizing, intrigue.

σκανδαλιστικός-ή-ό (ε) [skandhalistikos] naughty, tempting, shocking.

σκάνδαλο (το) [skandhalo] scandal, intrigue.

σκανδαλώδης-ης-ες (ε) [skandhalodhis] scandalous, disgraceful, shocking.

σκανδαλωδώς (επ) [skandhalodhos] blatantly.

Σκανδιναβικός-ή-ό (ε) [Skandhinavikos] Scandinavian.

σκαντζόχοιρος (ο) [skandzohiros] hedgehog.

σκαπανέας (ο) [skapaneas] pioneer.

σκαπάνη (n) [skapani] mattock, pickaxe, pick.

σκαπουλάρισμα (το) [skapularisma] getting off, escape.

σκαπουλάρω (ρ) [skapularo] escape from.

σκαπτικός-ή-ό (ε) [skaptikos] excavating, digging.

σκάπτω (ρ) [skapto] dig up, scoop out, excavate [τάφρο], engrave [χαράσσω], carve [χαράσσω].

σκάρα (n) [skara] grill, grid.

σκαραβαίος (ο) [skaraveos] scarab.

σκαρί (το) [skari] slipway, character [μεταφ], idiosyncrasy [μεταφ].

σκαρίφημα (το) [skarifima] sketch.

σκαρλατίνα (n) [skarlatina] scarlet fever.

σκαρπέλο (το) [skarpelo] chisel, gouge.

σκαρπίνι (το) [skarpini] lace-up shoe.

σκάρτο (το) [skarto] cull.

σκάρτος-n-o (ε) [skartos] defective, useless.

σκαρφάλωμα (το) [skarfaloma] climbing up, scrambling up, climb.

σκαρφαλωμένος-n-o (ε) [skarfalomenos] perched.

σκαρφαλώνω (ρ) [skarfalono] climb, chamber up, scramble up.

σκαρφίζομαι (ρ) [skarfizome] think up, invent.

σκάρωμα (το) [skaroma] invention [μεταφ].

σκαρώνω (ρ) [skarono] invent [μεταφ], carpenter.

σκασιαρχείο (το) [skasiarhio] truancy.

σκασίλα (n) [skasila] chagrin, spite, vexation, distress.

σκάσιμο (το) [skasimo] cracking, chap [δέρματος], desertion [διαφυγή], escape [διαφυγή], playing truant [μαθήματος].

σκαστός-ή-ό (ε) [skastos] noisy, loud, smacking, playing truant [μαθητής].

σκατά (τα) [skata] shit.

σκατολογία (n) [skatoloyia] coprology.

σκάτωμα (το) [skatoma] messing up.

σκάφανδρο (το) [skafandhro] diving suit.

σκάφη (n) [skafi] trough, tub.

σκαφίδι (το) [skafidhi] kneading-trough.

σκάφος (το) [skafos] ship, vessel, boat.

σκαφτιάς (ο) [skaftias] grubber, navvy.

σκάψιμο (το) [skapsimo] digging, ploughing, carving.

σκάω (ρ) [skao] burst, open, split, crack, splinter [ξύλο κτλ], burst [οβίδα], be infuriated by, bunk, dub up [χρηματικό ποσό].

σκεβρός-ή-ό (ε) [skevros] crooked, deformed.

σκεβρώνω (το) [skevrono] twist, get warped/deformed.

σκελετός (ο) [skeletos] skeleton, framework, shape, chassis [αυτοκινήτου].

σκελετώδης-ης-ες (ε) [skeletodhis] emaciated.

σκελετωμένος-n-o (ε) [skeletomenos] bony, scrawny, scraggy.

σκελίδα (n) [skelidha] clove.

σκέλος (το) [skelos] leg, side.

σκεπάζω (ρ) [skepazo] cover, protect, hide.

σκεπάρνι (το) [skeparni] hammer.

σκέπασμα (το) [skepasma] roofing, covering, blanketg.

σκεπαστός-ή-ό (ε) [skepastos] covered in, veiled, roofed, secret [μεταφ].

σκέπαστρο (το) [skepastro] shelter, cover, lid.

σκέπη (n) [skepi] shelter, cover, protection [μεταφ], shield.

σκεπή (n) [skepi] roof, coverture.

σκεπακισμός (ο) [skeptikismos] scepticism.

σκεπτικό (το) [skeptiko] grounds.

σκεπτικός-ή-ό (ε) [skeptikos] sceptical, pensive, engrossed.

σκέπτομαι (ρ) [skeptome] think, reflect conceive.

σκέπω (ρ) [skepo] cover, protect.

σκέρτσο (το) [skertso] flirtatious ways, jesting, playfulness.

σκερτσόζος-α-ο (ε) [skertsozos] affected, flirtatious.

σκέτος-n-o (ε) [sketos] plain, simple, without sugar [καφές], arrant.

σκετς (το) [skets] sketch.

σκευοθήκη (n) [skevothiki] sideboard.

σκεύος (το) [skevos] utensil, implement.

σκευοφόρος (n) [skevoforos] luggage van.

σκευοφυλάκιο (το) [skevofilakio] ambry.

σκευωρία (n) [skevoria] scheme, machination, intrigue, fabrication.

σκευωρίες (οι) [skevories] practices.

σκευωρώ (ρ) [skevoro] fabricate, scheme, plot.

σκέψη (n) [skepsi] thought, consideration, concern, thinking.

σκηνή (n) [skini] scene, trouble, quarrel, stage [θεάτρου], tent, doing.

σκηνικά (τα) [skinika] scenery.

σκηνικό (το) [skiniko] set, setting.

σκηνικός-ή-ό (ε) [skinikos] theatrical, scenic, stage.

σκηνογραφία (n) [skinografia] stage designing.

σκηνογράφος (ο, n) [skinografos] stage designer.

σκηνοθεσία (n) [skinothesia] stage production, fabrication [μεταφ].

σκηνοθετώ (ρ) [skinotheto] direct, stage, fabricate [μεταφ], direct.

σκήνωμα (το) [skinoma] relics.

σκήπτρο (το) [skiptro] sceptre, superiority [μεταφ].

σκήτη (n) [skiti] small monastery, cloister.

σκι (το) [ski] ski.

σκιά (n) [skia] shade, shadow.

σκιαγράφημα (το) [skiagrafima] outline.

σκιαγραφώ (ρ) [skiagrafo] sketch.

σκιάδα (n) [skiadha] bower.

σκιάδι (το) [skiadhi] sunshade.

σκιάζομαι (ρ) [skiazome] be scared.

σκιάζω (ρ) [skiazo] shade, veil, hide, frighten [φοβίζω], overshadow [μεταφ].

σκίαση (n) [skiasi] shading.

σκιερός-ή-ό (ε) [skieros] shady, shadowy.

σκιερότητα (n) [skierotita] shadineess.

σκίζα (n) [skiza] splinter.

σκίζομαι (ρ) [skizome] struggle.

σκίζω (ρ) [skizo] split, cleave, tear, rip.

σκίουρος (ο) [skiuros] squirrel.

σκιόφως (το) [skiofos] penumbra, dusk.

σκίρτημα (το) [skirtima] start, leap.

σκιρτώ (ρ) [skirto] bound, leap, bounce.

σκίσιμο (το) [skisimo] tear, rent, crack.

σκιστός-ή-ό (ε) [skistos] slit, split, slashed, cloven.

σκιτζής-ής-ές (ε) [skitzis] bungler.

σκιτσάρω (ρ) [skitsaro] make a sketch.

σκίτσο (το) [skitso] sketch, cartoon, rough draft.

σκιτσογράφος (ο) [skitsografos] cartoonist, artist, sketcher.

σκιώδης-ης-ες (ε) [skiodhis] shady, shadowy.

σκλαβιά (n) [sklavia] servitude, slavery, obligation [μεταφ], drudgery.

σκλάβος-α (ε) [sklavos] slave, captive.

σκλάβος (ο) [sklavos] bondman.

σκλάβωμα (το) [sklavoma] enslavement.

σκλαβώνω (ρ) [sklavono] enslave, put under obligation [μεταφ].

σκλήθρα (n) [sklithra] splinter, chip.

σκληρά (επ) [sklira] brutally.

σκληραγωγημένος-n-ο (μ) [skliragogimenos] seasoned, tough.

σκληραγωγία (n) [skliragoyia] hardening [μεταφ], seasoning.

σκληραγωγώ (ρ) [skliragogo] accustom to hardship, toughen.

σκληραίνω (ρ) [sklireno] harden, make hard.

σκληρίζω (ρ) [sklirizo] scream, squeak, shriek.

σκληρόκαρδος-n-ο (ε) [sklirokardhos] hard-hearted.

σκληροκεφαλιά (n) [sklirokefalia] stubbornness.

σκληροκέφαλος-n-ο (ε) [sklirokefalos] stubborn.

σκληροκόκκαλος-n-ο (ε) [sklirokokkalos] hardy, tough.

σκληροπυρηνικός-ή-ό (ε) [skliropirinikos] hard-core.

σκληρός-ή-ό (ε) [skliros] hard, tough, cruel, heartless.

σκληρότητα (n) [sklirotita] hardness, toughness, stiffness, cruelty.

σκληροτράχηλος-n-o (ε) [sklirotrahilos] opinionated, obstinate.

σκλήρυνση (n) [sklirinsi] hardening.

σκληρυντικός-ή-ό (ε) [sklirintikos] hardening.

σκληρύνω (ρ) [sklirino] coarsen.

σκλήρωση (n) [sklirosi] sclerosis.

σκνίπα (επ) [sknipa] blotto.

σκνίπα (n) [sknipa] midge, drunk as a lord [μεταφ].

σκοινάκι (το) [skinaki] skipping-rope.

σκοινί (το) [skini] rope, cord, clothes line.

σκόλη (n) [skoli] holiday, feast day.

σκολίωση (n) [skoliosi] scoliosis.

σκολνώ (ρ) [skolno] get off [work], leave.

σκονάκι (το) [skonaki] powder, dose [ναρκωτ].

σκόνη (n) [skoni] dust, powder.

σκόνισμα (το) [skonisma] dustiness.

σκονισμένος-n-o (ε) [skonismenos] dusty.

σκόνταμα (το) [skondama] stumble, trip.

σκοντάφτω (ρ) [skondafto] knock against, stumble, come up against an obstacle.

σκόντο (το) [skondo] discount, deduction.

σκόπελος (ο) [skopelos] rock, shoal, stumbling block [μεταφ], danger.

σκόπευση (n) [skopefsi] aim[ing].

σκοπευτήριο (το) [skopeftirio] shooting gallery.

σκοπευτής (ο) [skopeftis] shot, marksman.

σκοπευτικός-ή-ό (ε) [skopeftikos] sighting, aiming.

σκοπεύω (ρ) [skopevo] take aim at [μετ], take aim [με όπλο], intend [έχω σκοπό], plan.

σκοπιά (n) [skopia] lookout, sentry box, signal box.

σκόπιμα (επ) [skopima] intentionally, deliberately, conveniently.

σκόπιμος-n-o (ε) [skopimos] convenient, expedient, intentional, deliberate.

σκοπιμότητα (n) [skopimotita] advisability, expediency, expedience.

σκοποβολή (n) [skopovoli] target practice.

σκοπός (ο) [skopos] purpose, intent, intention, aim, goal, target [στόχος], tune [ήχος], air [ήχος].

σκοράρω (ρ) [skoraro] score a goal.

σκορβούτο (το) [skorvuto] scurvy.

σκορδαλιά (n) [skordhalia] garlic sauce.

σκόρδο (το) [skordho] garlic.

σκόρος (ο) [skoros] moth.

σκοροφάγωμα (το) [skorofagoma] moth-hole.

σκοροφαγωμένος-n-o (μ) [skorofagomenos] moth-eaten.

σκορπίζω (ρ) [skorpizo] scatter, disperse, waste [περιουσία], shed [φως], disintegrate, melt away.

σκόρπιος-a-o (ε) [skorpios] dispersed.

σκορπιός (ο) [skorpios] scorpion.

σκορποχέρης-a-ικο (ε) [skorpoheriš] spendthrift.

σκορπώ (ρ) [skorpo] scatter, disperse, waste [περιουσία], shed [φως], disintegrate, melt away.

σκοτάδι (το) [skotadhi] darkness, obscurity.

σκοταδιστικός-ή-ό (ε) [skotadhistikos] obscurantist.

σκοτεινά (επ) [skotina] darkly.

σκοτεινιά (n) [skotinia] darkness, cloudiness.

σκοτεινιάζω (ρ) [skotiniazo] darken, become overcast, cloud over.

σκοτείνιασμα (το) [skotiniasma] getting dark, darkening.

σκοτεινός-ή-ό (ε) [skotinos] dark, gloomy, overcast [ουρανός], murky [νύχτα], melancholy [χαρακτήρας], sinister [προθέσεις], obscure [λόγια], bleak.

σκοτεινότητα (n) [skotinotita] gloom, obscurity.

σκοτίζομαι (ρ) [skotizome] worry, trouble ourselves, care for.

σκοτίζω (ρ) [skotizo] darken, obscure, worry, annoy.

σκότιση (n) [skotisi] darkening, confusion, bother, dizziness.

σκοτοδίνη (n) [skotodhini] dizziness, vertigo.

σκότος (το) [skotos] darkness, gloom.

σκοτούρα (n) [skotura] care, nuisance, dizziness.

Σκοτσέζος (ο) [Skotsezos] Scot, Scotsman.

σκότωμα (το) [skotoma] killing.

σκοτωμός (ο) [skotomos] massacre, killing, hustle [μεταφ],.

σκοτώνομαι (ρ) [skotonome] hurt ourselves seriously, work ourselves to death [μεταφ].

σκοτώνω (ρ) [skotono] kill, kill time.

σκούζω (ρ) [skuzo] howl, yell, scream.

σκουλαρίκι (το) [skulariki] earring.

σκουληκαντέρα (n) [skulikandera] earthworm.

σκουλήκι (το) [skuliki] worm, maggot.

σκουμπρί (το) [skumbri] mackerel.

σκούνα (n) [skuna] schooner [ναυτ].

σκούντημα (το) [skundima] push, dig.

σκουντούφλημα (το) [skuntuflima] stumble.

σκουντούφλης-α-ικο (ε) [skunduflis] sullen, sulky.

σκουντουφλιάζω (ρ) [skundufliazo] sulk.

σκουντούφλιασμα (το) [skundufliasma] long face, sulks.

σκουντουφλώ (ρ) [skunduflo] stumble.

σκουντώ (ρ) [skundo] push, jostle.

σκούξιμο (το) [skuksimo] yelling, howling.

σκούπα (n) [skupa] broom.

σκουπιδαριό (το) [skupidhario] rubbish dump.

σκουπίδι (το) [skupidhi] rubbish.

σκουπίδια (τα) [skupidhia] rubbish, litter, refuse.

σκουπιδιάρης (ο) [skupidhiaris] dustman.

σκουπιδιάρικο (το) [skupidhiariko] dustcart.

σκουπιδοτενεκές (ο) [skupidhotenekes] dustbin.

σκουπίζω (ρ) [skupizo] sweep, wipe, mop, dust.

σκούπισμα (το) [skupisma] sweeping, wiping.

σκουπόξυλο (το) [skupoksilo] broomstick.

σκουραίνω (ρ) [skureno] get darker, get worse.

σκουριά (n) [skuria] rust.

σκουριάζω (ρ) [skuriazo] rust.

σκούριασμα (το) [skuriasma] rusting.

σκουριασμένος-n-ο (μ) [skuriasmenos] rusty, corroded.

σκούρος-α-ο (ε) [skuros] dark-coloured.

σκουφάτος-n-ο (ε) [skufatos] wearing a cap.

σκούφια (n) [skufia] cap, baby's bonnet.

σκούφος (ο) [skufos] cap, beret, bonnet.

σκύβαλα (τα) [skivala] grain siftings, refuse.

σκύβαλο (το) [skivalo] chaff.

σκύβω (ρ) [skivo] bend, lean, bow.

σκυθρωπιάζω (ρ) [skithropiazo] scowl, sulk, grow glum.

σκυθρωπός-ή-ό (ε) [skithropos] sullen, sulky, surly, clouded [μεταφ], glum.

σκυθρωπότητα (n) [skithropotita] sulks, glumness.

σκύλα (n) [skila] bitch, cruel woman.

σκύλευση (n) [skilefsi] looting, robbing.

σκυλί (το) [skili] dog.

σκυλιάζω (ρ) [skiliazo] infuriate.

σκύλιασμα (το) [skiliasma] rage.

σκυλολόι (το) [skiloloi] rabble, mob.

σκυλομούρης-α-ικο (ε) [skilomuris]

ugly person.

σκυλοπινίχτης (ο) [skilopnihtis] tub [πλοίο].

σκυλόψαρο (το) [skilopsaro] dogfish, shark.

σκυρόδεμα (το) [skirodhema] concrete.

σκυρόστρωμα (το) [skirostroma] macadam.

σκυρόστρωση (n) [skirostrosi] metal.

σκυρόστρωτος-n-ο (ε) [skirostrotos] metalled.

σκυτάλη (n) [skitali] bar, staff [αθλ].

σκυταλοδρομία (n) [skitalodhromia] relay race.

σκυφτός-ή-ό (ε) [skiftos] bending.

σκύψιμο (το) [skipsimo] bending, bowing.

σκωληκοειδίτιδα (n) [skolikoidhitidha] appendicitis.

σκωπτικός-ή-ό (ε) [skoptikos] mocking.

σκώρος (ο) [skoros] moth, canker.

Σλάβος (ο) [Slavos] Slav.

σλόγκαν (το) [slogan] catchword.

σμάλτο (το) [smalto] enamel.

σμαράγδι (το) [smaragdhi] emerald.

σμάρι (το) [smari] swarm.

σμέρνα (n) [smerna] moray eel.

σμηναγός (ο) [sminagos] flight lieutenant.

σμήναρχος (ο) [sminarhos] group captain, colonel.

σμηνίας (ο) [sminias] sergeant.

σμηνίτης (ο) [sminitis] airman.

σμήνος (το) [sminos] swarm, flight [αερ], squadron.

σμίγω (ρ) [smigo] mingle, mix, meet, come face to face with.

σμίκρυνση (n) [smikrinsi] reduction, diminution.

σμίλευμα (το) [smilevma] boasting.

σμίλευση (n) [smilefsi] boasting.

σμιλεύω (ρ) [smilevo] sculpture.

σμίλη (n) [smili] chisel, bolster.

σμίξιμο (το) [smiksimo] mixing, meeting.

σμόκιν (το) [smokin] dinner jacket.

σμπαραλιάζω (ρ) [smbaraliazo] smash, take it out of somebody [μεταφ].

σμύριδα (n) [smiridha] emery.

σμύρνα (n) [smirna] myrrh.

σνομπ (ο) [snomb] snob.

σνομπισμός (ο) [snombismos] snobbery.

σοβαντίζω (ρ) [sovandizo] plaster.

σοβαρά (επ) [sovara] gravely.

σοβαρεύομαι (ρ) [sovarevome] look serious, speak seriously.

σοβαρολογώ (ρ) [sovarologo] be serious.

σοβαρός-ή-ό (ε) [sovaros] serious, grave, earnest, earnest, quiet.

σοβαρότητα (n) [sovarotita] seriousness, earnestness.

σοβαροφάνεια (n) [sovarofania] pomposity.

σοβαροφανής-ής-ές (ε) [sovarofanis] pompous, demure, owlish.

σοβάς (ο) [sovas] wall plaster.

σοβατζής (ο) [sovatzis] plasterer, housepainter.

σοβατίζω (ρ) [sovatizo] plaster.

σοβάτισμα (το) [sovatisma] roughcast, plastering.

Σοβιέτ (το) [Soviet] Soviet.

Σοβιετικός-ή-ό (ε) [Sovietikos] Soviet.

σοβώ (ρ) [sovo] impend.

σόγια (n) [soyia] soya.

σόδα (n) [sodha] soda water, bicarbonate of soda.

σοδειά (n) [sodhia] crop, harvest.

σόι (το) [soi] lineage, breed, sort, kind.

σοκ (το) [sok] shock, turn, jar.

σοκάκι (το) [sokaki] narrow street, lane, alley.

σοκάρισμα (το) [sokarisma] shocking.

σοκάρω (ρ) [sokaro] shock, upset.

σόκιν (το) [sokin] shocking story, dirty story.

σοκολάτα (n) [sokolata] chocolate.

σοκολατένιος-α-ο (ε) [sokolatenios] chocolate.

σόλα (n) [sola] sole [of shoe].

σολιάζω (ρ) [soliazo] have something soled.

σόλιασμα (το) [soliasma] getting soled.

σόλικος-n-o (ε) [solikos] incorrect, ungrammatical.

σολοικισμός (o) [solikismos] solecism.

σολομός (o) [solomos] salmon.

σόμπα (n) [somba] heater.

σονάρ (το) [sonar] asdic.

σονάτα (n) [sonata] sonata.

σονέτο (το) [soneto] sonnet.

σορόπι (το) [soropi] syrup.

σιροπιάζω (ρ) [siropiazo] pour syrup.

σιρόπιασμα (το) [siropiasma] necking, spooning, flirting.

σορός (n) [soros] the dead [person], corpse, coffin.

σοσιαλδημοκράτης (o) [sosialdhimokratis] social democrat.

σοσιαλισμός (o) [sosialismos] socialism.

σοσιαλιστής (o) [socialistis] sosialist.

σοσιαλιστικός-ή-ό (ε) [sosialistikos] socialistic.

σούβλα (n) [suvla] skewer.

σουβλάκι (το) [suvlaki] skewered meat, shish kebab, giros.

σουβλερός-ή-ό (ε) [suvleros] sharp, pointed.

σουβλί (το) [suvli] awl, spit.

σουβλιά (n) [suvlia] injury from a pointed object, acute pain [πόνος].

σουβλίζω (ρ) [suvlizo] run through, pierce, skewer [ψήνω], cause pain.

σούβλισμα (το) [suvlisma] prodding, goading, skewering.

σουβλιστός-ή-ό (ε) [suvlistos] on the spit.

σουγιάς (o) [suyias] penknife.

σούδα (n) [sudha] narrow pass.

Σουηδικός-ή-ό (ε) [Suidhikos] Swedish.

Σουηδός (o) [Suidhos] Swede.

σουλατσάρισμα (το) [sulatsarisma] lounging.

σουλατσάρω (ρ) [sulatsaro] wander about.

σουλούπι (το) [sulupi] outline, cut.

σουλούπωμα (το) [sulupoma] tidying, up, shaping.

σουλτάνα (n) [sultana] sultana.

σουλτανικός-ή-ό (ε) [sultanikos] sultanic.

σουλτανίνα (n) [sultanina] sultana.

σουλτάνος (o) [sultanos] sultan.

σούμα (n) [suma] sum total.

σουμιές (o) [sumies] spring mattress.

σούπα (n) [supa] soup.

σουπιά (n) [supia] cuttlefish, sneaky person [μεταφ].

σουπιέρα (n) [supiera] tureen.

σούρα (n) [sura] fold, wrinkle, crease.

σουραύλι (το) [suravli] pipe, reed, flute.

σουρλουλού (n) [surlulu] slut.

σούρουπο (το) [surupo] dusk.

σουρρεαλισμός (o) [surrealismos] surrealism.

σουρρεαλιστής (o) [surrealistis] surrealist.

σουρρεαλιστικός-ή-ό (ε) [surrealistikos] surrealistic.

σούρτα-φέρτα (τα) [surta-ferta] comings and goings.

σούρωμα (το) [suroma] straining, drunkenness, booze.

σουρωμένος-n-o (μ) [suromenos] intoxicated, drunk.

σουρώνω (ρ) [surono] strain, filter, fold, pleat, lose weight [αδυνατίζω], get drunk.

σουρωτήρι (το) [surotiri] strainer.

σουσάμι (το) [susami] sesame.

σουσουράδα (n) [susuradha] wagtail, wench, saucy girl [μεταφ].

σούσουρο (το) [susuro] noise, rustle, scandal [μεταφ].

σούστα (n) [susta] spring [of seat], cart [όχημα], clasp.

σουτ (επιφ) [sut] hush, shut up.

σουτ (το) [sut] shoot.

σουτάρισμα (το) [sutarisma] shooting.

σουτάρω (ρ) [sutaro] shoot.

σουτζουκάκια (τα) [sutzukakia] meatballs.

σουτιέν (το) [sutien] bra[ssiere].

σούφρα (n) [sufra] pleat, crease, fold, theft [μεταφ].

σουφραζέτα (n) [sufrazeta] sufragette.

σούφρωμα (το) [sufroma] crinkling, pucker, thieving.

σουφρώνω (ρ) [sufrono] fold, pleat, crease, steal [μεταφ], cabbage, crumple.

σοφάς (ο) [sofas] sofa, divan.

σοφέρ (ο) [sofer] chauffeur, driver.

σοφία (n) [sofia] wisdom, learning.

σοφίζομαι (ρ) [sofizome] devise, fabricate.

σόφισμα (το) [sofisma] quibble.

σοφιστεία (n) [sofistia] sophistryy.

σοφιστής (ο) [sofistis] sophist, quibbler.

σοφιστικός-ή-ό (ε) [sofistikos] captious.

σοφίτα (n) [sofita] attic.

σοφολογιότατος-n-o (ε) [sofoloyiotatos] learned, lettered.

σπαγέτο (το) [spayeto] spaghetti.

σπαγκοραμμένος-n-o (μ) [spangorammenos] mean, stingy.

σπάγκος (ο) [spangos] string, mean person [μεταφ].

σπαζοκεφαλιά (n) [spazokefalia] puzzle.

σπάζω (ρ) [spazo] break, shatter, smash, bash.

σπάθα (n) [spatha] sabre, backsword.

σπαθί (το) [spathi] sabre, sword, spade [στα χαρτιά].

σπάλα (n) [spala] shoulder-blade.

σπανάκι (το) [spanaki] spinach .

σπανίζω (ρ) [spanizo] become rare, be exceptional.

σπάνιος-a-o (ε) [spanios] uncommon, scarce.

σπανιότητα (n) [spaniotita] rareness, scarcity.

σπανίως (επ) [spanios] rarely, seldom.

σπανός-ή-ό (ε) [spanos] beardless, raw, very young.

σπαράγγι (το) [sparangi] asparagus .

σπαραγμός (ο) [sparagmos] heartbreak, anguish.

σπαράζω (ρ) [sparazo]cut to the heart, distress, quiver, palpitate.

σπάραχνα (τα) [sparahna] gills.

σπαραχτικός-ή-ό (ε) [sparahtikos] heartbreaking, agonizing, harrowing .

σπάργανα (τα) [spargana] swaddling clothes.

σπαργάνωμα (το) [sparganoma] swaddling.

σπαργανώνω (ρ) [sparganono] swaddle.

σπαρμένος-n-o (μ) [sparmenos] spread, strewn, sown.

σπάρος (ο) [sparos] two-banded bream, lazybones [μεταφ].

σπαρτά (τα) [sparta] crops.

σπαρταριστός-ή-ό (ε) [spartaristos] fresh, beautiful [κορίτσι], descriptive.

σπαρταρώ (ρ) [spartaro] throb, palpitate.

σπάρτο (το) [sparto] rush.

σπαρτός-ή-ό (ε) [spartos] spread, strewn.

σπασίλας (ο) [spasilas] swot, grind.

σπάσιμο (το) [spasimo] break, fracture.

σπασμένος-n-o (μ) [spasmenos] broken, cracked.

σπασμός (ο) [spasmos] convulsion, twitching.

σπασμωδικός-ή-ό (ε) [spasmodhikos] convulsive.

σπασμωδικότητα (n) [spasmodhikotita] jumpiness.

σπαστικός-ή-ό (ε) [spastikos] spastic, convulsive.

σπατάλη (n) [spatali] lavishness, waste.

σπάταλος-n-o (ε) [spatalos] wasteful, extravagant.

σπαταλώ (ρ) [spatalo] waste, squander.

σπάτουλα (n) [spatula] spatula.

σπάω (ρ) [spao] disjoint.

σπείρα (n) [spira] coil, spiral, band [ομάδα], gang [ομάδα].

σπειρί (το) [spiri] bean.

σπειροειδής-ής-ές (ε) [spiroidhis] spiral.

σπείρω (ρ) [spiro] sow.

σπείρωμα (το) [spiroma] winding, thread.

σπείρωση (n) [spirosi] convolution.

σπεκουλάρω (ρ) [spekularo] speculate.

σπέρμα (το) [sperma] seed, germ, semen, sperm, offspring [μεταφ].

σπερματέγχυση (n) [spermateghisi] semination.

σπερματικός-ή-ό (ε) [spermatikos] seminal.

σπερματσέτο (το) [spermatseto] candle.

σπερμολογία (n) [spermoloyia] spreading of rumours.

σπέρνω (ρ) [sperno] sow, propagate.

σπεσιαλιτέ (n) [spesialite] speciality, patent medicine.

σπεύδω (ρ) [spevdho] hurry, haste.

σπήλαιο (το) [spileo] cave, cavern.

σπηλαιολόγος (ο) [spileoloyos] spelaeologist.

σπηλαιώδης-ης-ες (ε) [spileodhis] cavernous.

σπηλιά (n) [spilia] cave, cavern, lair.

σπίθα (n) [spitha] spark, flash.

σπιθαμή (n) [spithami] span.

σπιθαμιαίος-α-ο (ε) [spithamieos] puny, tiny.

σπιθίζω (ρ) [spithizo] throw out sparks, glint.

σπιθοβολώ (ρ) [spithovolo] sparkle, spark, gleam.

σπιθούρι (το) [spithuri] pimple.

σπιλιάδα (n) [spiliadha] gust, squall.

σπιλώνω (ρ) [spilono] stain, blemish.

σπινθήρας (ο) [spinthiras] ignition spark.

σπινθήρισμα (το) [spinthirisma] sparking.

σπινθηροβόλημα (το) [spinthirovolima] sparkle.

σπινθηροβόλος-α-ο (ε) [spinthirovolos] sparkling.

σπινθηροβολώ (ρ) [spinthirovolo] sparkle, glitter, flash.

σπίνος (ο) [spinos] linnet, chaffinch.

σπιούνος (ο) [spiunos] spy.

σπιρούνι (το) [spiruni] spur.

σπιρουνιάζω (ρ) [spiruniazo] spur on.

σπιρτάδα (n) [spirtadha] pungency, wit [μεταφ], intelligence [μεταφ], liveliness.

σπίρτο (το) [spirto] match, alcohol, spirit.

σπιρτόζος-α-ο (ε) [spirtozos] witty, clever, lively, spirited.

σπιρτόκουτο (το) [spirtokuto] match-box.

σπιτάκι (το) [spitaki] cottage.

σπίτι (το) [spiti] house, home, family [μεταφ], residence.

σπιτικό (το) [spitiko] house, home, family [μεταφ].

σπιτικός-ή-ό (ε) [spitikos] home-made, domestic.

σπιτίσιος-α-ο (ε) [spitisios] home-made, domestic.

σπιτόγατος (ο) [spitogatos] home-bird.

σπιτονοικοκύρης (ο) [spitonikokiris] landlord.

σπίτωμα (το) [spitoma] lodging, housing.

σπιτώνω (ρ) [spitono] lodge, house, keep [a woman] [μεταφ].

σπλάχνα (τα) [splahna] entrails, feelings [μεταφ], offspring.

σπλαχνίζομαι (ρ) [splahnizome] have pity on.

σπλαχνικός-ή-ό (ε) [splahnikos] sympathetic.

σπλάχνο (το) [splahno] offspring, child.

σπλήνα (n) [splina] spleen.

σπογγαλιέας (ο) [spongalieas] sponge-diver.

σπόγγος (ο) [spongos] sponge.

σπογγώδης-ης-ες (ε) [spongodhis] spongy.

σποδός (n) [spodhos] ashes.

σπονδή (n) [spondhi] libation.

σπονδυλικός-ή-ό (ε) [spondhilikos] vertebral.

σπονδυλίτιδα (n) [spondhilitidha] spondylitis.

σπόνδυλος (ο) [spondhilos] vertebra.

σπονδυλωτός-ή-ό (ε) [spondhilotos] vertebrate.

σπόντα (n) [sponda] cushion, dig [μεταφ], hint [μεταφ].

σπορ (τα) [spor] sports, games.

σπορά (n) [spora] sowing, seed time, generation [μεταφ].

σποραδικός-ή-ό (ε) [sporadhikos] dispersed, scanty.

σπορέας (ο) [sporeas] sower.

σπορείο (το) [sporio] seed-bed.

σπορέλαιο (το) [sporeleo] seed oil.

σπόρος (ο) [sporos] seed, semen.

σπουδάζω (ρ) [spudhazo] study.

σπουδαία (επ) [spudhea] famously.

σπουδαίος-α-ο (ε) [spudheos] serious, important.

σπουδαιότητα (n) [spudheotita] importance.

σπουδασμένος-n-ο (μ) [spudhasmenos].

σπουδαστής (ο) [spudhastis] student, keenness, study [μελέτη].

σπουδή (n) [spudhi] abruptness, study, étude, sketch [ζωγρ].

σπουργίτης (ο) [spuryitis] sparrow.

σπρωξιά (n) [sproksia] push, hustle.

σπρώξιμο (το) [sproksimo] pushing, encouraging.

σπρώχνω (ρ) [sprohno] push, thrust, encourage.

σπυρί (το) [spiri] grain, pimple, boil.

σπυριάρης-α-ικο (ε) [spiriaris] pimply.

σπυρωτός-ή-ό (ε) [spirotos] granulated.

σταβλίζω (ρ) [stavlizo] stable, stall.

στάβλισμα (το) [stavlisma] stalling, stabling.

σταβλίτης (ο) [stavlitis] groom.

στάβλος (ο) [stavlos] stable.

σταγόνα (n) [stagona] drop, dash.

σταγονόμετρο (το) [stagonometro] dropper.

σταδιακός-ή-ό (ε) [stadhiakos] gradual.

στάδιο (το) [stadhio] stadium, athletic ground, career [μεταφ].

σταδιοδρομία (n) [stadhiodhromia] career, course.

σταδιοδρομώ (ρ) [stadhiodhromo] make one's career.

στάζω (ρ) [stazo] trickle, drip.

σταθερά (n) [stathera] constant.

σταθεροποίηση (n) [statheropiisi] stabilization, steadying down.

σταθεροποιητής (ο) [statheropiitis] stabilizer.

σταθεροποιητικός-ή-ό (ε) [statheropiitikos] stabilizing.

σταθεροποιούμαι (ρ) [statheropiume] fixate.

σταθεροποιώ (ρ) [statheropio] stabilize, steady.

σταθερός-ή-ό (ε) [statheros] stable, firm, secure, consistent.

σταθερότητα (n) [statherotita] firmness, stability, consistency,.

σταθμά (τα) [stathma] weights.

σταθμάρχης (ο) [stathmarhis] station master.

στάθμευση (n) [stathmefsi] stopping, waiting.

σταθμεύω (ρ) [stathmevo] stop, wait, park.

στάθμη (n) [stathmi] plumb-line, water level.

σταθμίζω (ρ) [stathmizo] weigh, level, appreciate.

στάθμιση (το) [stathmisi] weighing up, plumbing.

σταθμός (ο) [stathmos] station, halting place, garage [αυτοκινήτου], parking lot, stop, landmark [στην ιστορία], terminal.

στάλα (n) [stala] drop, trickle.

σταλαγματιά (n) [stalagmatia] drop.

σταλαγμίτης (ο) [stalagmitis] stalagmite.

σταλάζω (ρ) [stalazo] drip, dribble, trickle, drop.

σταλακτίτης (ο) [stalaktitis] stalactite.

σταλίκι (το) [staliki] punt-

στάλσιμο (το) [stalsimo] sending.

σταμάτα (ρ) [stamata] belay.

σταμάτημα (το) [stamatima] stop, pause, block.

σταματώ (ρ) [stamato] stop working, check, halt, give up, cease.

στάμνα (n) [stamna] jug.

στάμπα (n) [stamba] stamp, seal, impression, print, hallmark.

στάνη (n) [stani] sheepfold, pen.

στανιό (το) [stanio] involuntary [με το].

σταξιά (n) [staksia] blob, spot.

στάξιμο (το) [staksimo] dripping.

σταράτα (επ) [starata] bluffly.

σταράτος,n-ο (ε) [starato] wheat-coloured, straightforward, frank.

στάση (n) [stasi] halt, stop, bus stop, station, stoppage [εργασίας], position [τρόπος], retention [ιατρ], rebellion [εξέγερση], behaviour [μεταφ].

στασιάζω (ρ) [stasiazo] rebel.

στασιαστής (ο) [stasiastis] rebel, mutineer.

στασίδι (το) [stasidhi] stall.

στάσιμος,n-ο (ε) [stasimos] motionless, stagnant [νερό].

στασιμότητα (n) [stasimotita] immobility, stagnation.

στατική (n) [statiki] statics.

στατιστική (n) [statistiki] statistics.

σταύλος (ο) [stavlos] cowhouse.

σταυροβελονιά (n) [stavrovelonia] cross stitch.

σταυροδρόμι (το) [stavrodhromi] crossroads.

σταυροειδής-ής-ές (ε) [stavroidhis] cross-like.

σταυρόλεξο (το) [stavrolekso] crossword puzzle.

σταυροπόδι (επ) [stavropodhi] crossed-legs.

σταυροφορία (n) [stavroforia] crusade.

σταυρώνομαι (ρ) [stavronome] cross, cut across.

σταυρώνω (ρ) [stavrono] crucify, cross.

σταύρωση (n) [stavrosi] crucifixion.

σταυρωτός-ή-ό (ε) [stavrotos] crossways, crosswise.

σταφίδα (n) [stafidha] raisin, sultana, currant.

σταφιδιάζω (ρ) [stafidhiazo] dry up.

σταφίδιασμα (το) [stafidhiasma] drying up.

σταφύλι (το) [stafili] grape.

σταφυλόκοκκος (ο) [stafilokokkos] staphylococcus.

στάχτη (n) [stahti] ash, ashes.

σταχτής-ιά-ί,(ε) [stahtis] ashen, pale.

σταχτοδόχος (n) [stahtodhohos] ashpit.

σταχτόνερο (το) [stahtonero] lye.

στάχυ (το) [stahi] ear of corn.

σταχυολόγημα (το) [stahioloyima] selection [μεταφ].

σταχυολόγος (ο) [stahiologos] gleaner.

σταχυολογώ (ρ) [stahiologo] glean, select [μεταφ].

στεγάζω (ρ) [stegazo] roof, house, shelter.

στεγανός-ή-ό (ε) [steganos] airtight, waterproof.

στεγανότητα (n) [steganotita] watertightness, air-tightness.

στέγαση (n) [stegasi] housing, sheltering.

στέγασμα (το) [stegasma] roof, shelter.

στέγη (n) [steyi] roof, dwelling [μεταφ].

στεγνά (επ) [stegna] dryly.

στεγνός-ή-ό (ε) [stegnos] dry, skinny [μεταφ].

στέγνωμα (το) [stegnoma] drying.

στεγνώνω (ρ) [stegnono] dry, become dry.

στεγνωτικός-ή-ό (ε) [stegnotikos] drying.

στειλιάρι (το) [stiliari] bludjeon, cudgel.

στειρότητα (n) [stirotita] sterility, infertility.

στείρωση (n) [stirosi] sterilization.

στέκα (n) [steka] billiard cue, thin as a rake [μεταφ].

στέκι (το) [steki] stamping-ground.

στέκομαι (ρ) [stekome] stand up, stop, prove to be [μεταφ].

στέκω (ρ) [steko] stand, come to a stop.

στελέχη (τα) [stelehi] management staff.

στέλεχος (το) [stelehos] stalk, stem, rod, counterfoil [τσεκ], handle.

στέλλω (ρ) [stello] consign.

στέλνω (ρ) [stelno] send, direct, forward.

στέμμα (το) [stemma] crown, diadem.

στεναγμός (ο) [stenagmos] sigh, moan, groan.

στενάζω (ρ) [stenazo] sigh, moan.

στενάχωρος-η-ο (ε) [stenahoros] bothersome.

στένεμα (το) [stenema] taking in, narrowing, shrinkage.

στενεύω (ρ) [stenevo] narrow down, take in, shrink, get narrow.

στενή (η) [steni] prison cell.

στενό (το) [steno] strait, pass.

στενογραφία (η) [stenografia] shorthand.

στενοκεφαλιά (η) [stenokefalia] narrow-mindedness.

στενοκέφαλος-η-ο (ε) [stenokefalos] narrow-minded.

στενόμακρος-η-ο (ε) [stenomakros] oblong.

στενομυαλιά (η) [stenomialia] bigotry.

στενόμυαλος (ο) [stenomialos] bigot.

στενός-ή-ό (ε) [stenos] narrow, tight-fitting, close [μεταφ], dear [φίλος].

στενότητα (η) [stenotita] tightness, closeness, lack of money.

στενούμενος-η-ο (μ) [stenumenos] contracting.

στενοχωρημένος-η-ο (μ) [stenohorimenos] upset, sad, hard-up, ill at ease.

στενοχώρια (η) [stenohoria] lack of room, difficulty [δυσκολία], inconvenience [δυσκολία], embarrassment.

στενόχωρος-η-ο (ε) [stenohoros] narrow, tight, troublesome, comfortless.

στενοχωρούμαι (ρ) [stenohorume] concern.

στενοχωρώ (ρ) [stenohoro] worry, embarrass, annoy.

στένωμα (το) [stenoma] narrow passage.

στενωπός (η) [stenopos] narrow street, back street.

στένωση (η) [stenosi] constriction, stenosis.

στερεά (η) [sterea] mainland.

στερεοποίηση (η) [stereopiisi] fixation.

στερεοποιώ (ρ) [stereopio] solidify.

στερεός-ή-ό (ε) [stereos] firm, compact, solid, substantial.

στερεότητα (η) [stereotita] consistency.

στερεότυπος-η-ο (ε) [stereotipos] stereotyped.

στερεούμαι (ρ) [stereume] fixate.

στερεύω (ρ) [sterevo] dry up, stop.

στερέωμα (το) [stereoma] consolidation, support, fastening, firmament.

στερεωμένος-η-ο (μ) [stereomenos] anchored.

στερεώνω (ρ) [stereono] consolidate, make secure, tighten, firm, fixate.

στερέωση (η) [stereosi] fixation.

στερεωτικό (το) [stereotiko] fixative.

στερεωτικός-ή-ό (ε) [stereotikos] confirmative, fixative.

στερημένος-η-ο (μ) [sterimenos] devoid.

στερήσεις (οι) [sterisis] privation, want, loss.

στέρηση (η) [sterisi] deprivation, shortage, absence.

στεριά (η) [steria] terra firma.

στερλίνα (η) [sterlina] pound sterling.

στέρνα (η) [sterna] cistern, tank.

στέρνο (το) [sterno] breastbone, chest.

στερνός-ή-ό (ε) [sternos] later, last.

στερούμαι (ρ) [sterume] go without, lack, be needy [φτώχεια].

στερώ (ρ) [stero] deprive of, take away.

στέφανα (τα) [stefana] marriage wreaths.

στεφάνη (η) [stefani] crown, brim [αγγείου], hoop [βαρελιού], corolla [άνθους], ring, band, tyre [τροχού].

στεφάνι (το) [stefani] garland, wreath, band [βαρελιού], chaplet.

στεφανιαίος-η-ο (ε) [stefanieos] coronal, coronary.

στεφανικός (ο) [stefanikos] coronary.

στεφάνωμα (το) [stefanoma] crowning.

στεφανώνομαι (ρ) [stefanonome] get married.

στεφανώνω (ρ) [stefanono] crown, be the best man at a wedding, be best woman at a wedding.

στέψη (η) [stepsi] coronation, wedding ceremony.

στηθάγχη (η) [stithaghi] heartburn, cardialgia.

στηθόδεσμος (ο) [stithodhesmos] bra.

στήθος (το) [stithos] chest, breast, bodice [φορέματος], bust.

στηθοσκόπηση (η) [stithoskopisi] stethoscopy.

στήλη (η) [stili] staff, pillar, column, electric battery.

στηλίτευση (η) [stilitefsi] castigation, stricture.

στηλιτεύω (ρ) [stilitevo] castigate, inveigh, pillory.

στηλώνω (ρ) [stilono] prop up, support.

στημόνι (το) [stimoni] warp.

στην υγειά σας! (επιφ) [stin igia sas!] cheers!.

στήνω (ρ) [stino] raise, erect.

στήριγμα (το) [stirigma] prop, support, stay.

στηρίζομαι (ρ) [stirizome] lean on, rely on, be based on.

στηρίζω (ρ) [stirizo] support, prop, base on.

στήριξη (η) [stiriksi] propping, shoring, leaning, support.

στήσιμο (το) [stisimo] erection.

στητός-ή-ό (ε) [stitos] standing, upright, erect, cocked, straight.

στιβάδα (η) [stivadha] pile, heap, mass.

στιβαρός-ή-ό (ε) [stivaros] strong, steady, firm, compact.

στιβαρότητα (η) [stivarotita] robustness,

strength.

στίβος (ο) [stivos] track, ring.

στιγκάρω (ρ) [stigaro] clew [πανί].

στίγμα (το) [stigma] spot, brand, stain, stigma, disgrace, position, fix.

στιγματίζω (ρ) [stigmatizo] discredit.

στιγματισμένος-η-ο (μ) [stigmatismenos] branded.

στιγμή (η) [stigmi] instant, moment, point [τυπογραφικό], cedilla.

στιγμιαίος-α-ο (ε) [stigmieos] instantaneous, momentary.

στιγμιότυπο (το) [stigmiotipo] snapshot, snap.

στιλβώνω (ρ) [stilvono] polish, varnish.

στιλβωτικό (το) [stilvotiko] abrasive.

στιλβωτικός κύλινδρος (ο) [stilvotikos kilindhros] calender.

στιλέτο (το) [stileto] stiletto, dagger.

στιλπνός-ή-ό (ε) [stilpnos] brilliant, polished, bright.

στιλπνότητα (η) [stilpnotita] gloss, sleekness, polish.

στίξη (η) [stiksi] punctuation [γραμμ], dot, spot.

στιφάδα (η) [stifadha] acerbity.

στιφάδο (το) [stifadho] casserole.

στίφος (το) [stifos] crowd gang.

στιχομυθία (η) [stihomithia] vivid dialogue.

στίχος (ο) [stihos] line, row, file.

στιχουργός (ο) [stihurgos] versifier, lyricist.

στοά (η) [stoa] colonnade, portico, arcade, passage, gallery.

στοίβα (η) [stiva] pile, stack, mass.

στοιβαγμένος-η-ο (μ) [stivagmenos] compact.

στοιβάζομαι (ρ) [stivazome] bank.

στοιβάζω (ρ) [stivazo] stack, pile up, crowd, squeeze, bank.

στοιχεία (τα) [stihia] elements, rudiments, printing types.

στοιχειό (το) [stihio] ghost.

στοιχείο (το) [stihio] component, element, piece of evidence, cell [πλεκτ].

στοιχειοθεσία (n) [stihiothesia] typesetting.

στοιχειώδης-ης-ες (ε) [stihiodhis] elementary, essential, capital.

στοιχειώνω (ρ) [stihiono] become haunted, haunt.

στοίχημα (το) [stihima] bet, wager.

στοιχηματίζω (ρ) [stihimatizo] bet.

στοιχίζω (ρ) [stihizo] cost, pain [μεταφ].

στοίχος (ο) [stihos] row, line, rank.

στόκος (ο) [stokos] putty.

στόλαρχος (ο) [stolarhos] commodore.

στολή (n) [stoli] uniform, costume.

στολίδι (το) [stolidhi] jewellery, adornment, decoration.

στολίζω (ρ) [stolizo] adorn, decorate, deck, trim, brighten.

στολισμός (ο) [stolismos] ornamenting, decoration.

στόλος (ο) [stolos] navy, fleet.

στόμα (το) [stoma] mouth, lips.

στοματικός-ή-ό (ε) [stomatikos] buccal.

στομάχι (το) [stomahi] stomach.

στομαχιάζω (ρ) [stomahiazo] suffer from indigestion.

στόμιο (το) [stomio] mouth, opening, aperture, entrance.

στόμφος (ο) [stomfos] boast, declamation, bombast.

στομφώδης-ης-ες (ε) [stomfodhis] declamatory.

στομώνω (ρ) [stomono] blunt, temper.

στορ (το) [stor] blind.

στοργή (n) [storyi] affection, love.

στουμπώνω (ρ) [stumbono] stuff, plug.

στουπί (το) [stupi] oakum, drunk.

στουπόχαρτο (το) [stupoharto] blotting paper.

στουρνάρι (το) [sturnari] flint, stupid, dull.

στοχάζομαι (ρ) [stohazome] think, meditate on, dwell on.

στοχασμός (ο) [stohasmos] thought, meditation, consideration.

στοχαστής (ο) [stohastis] contemplative.

στοχαστικός-ή-ό (ε) [stohastikos] thoughtful, discreet, wise, considerate, meditative.

στόχος (ο) [stohos] mark, target, objective.

στραβά (επ) [strava] obliquely, wrongly, askew.

στραβισμός (ο) [stravismos] anorthopia, squinting.

στραβοκάνης-α-ικο (ε) [stravokanis] bandy-legged.

στραβομάρα (n) [stravomara] blindness, bad luck, blunder [μεταφ], short sightedness.

στραβόξυλο (το) [stravoksilo] obstinate person,.

στραβοπάτημα (το) [stravopatima] staggering.

στραβοπόδης (ε) [stravopodhis] bandy.

στραβός-ή-ό (ε) [stravos] crooked, twisted, slanting [λοξός], faulty, blind [τυφλός].

στραβώνομαι (ρ) [stravonome] go blind.

στραβώνω (ρ) [stravono] bend, distort, make a mess of, spoil, blind.

στραγάλια (τα) [stragalia] roasted chickpeas.

στραγγαλίζω (ρ) [strangalizo] strangle, stifle, choke.

στραγγάλισμα (το) [strangalisma] straining, strangulation.

στραγγαλισμός (ο) [strangalismos] choke.

στραγγαλιστής (ο) [strangalistis] strangler.

στραγγίζω (ρ) [strangizo] drain, filter, press out,.

στράγγισμα (το) [strangisma] straining, wringing, drainage.

στραγγιστήρι (το) [strangistiri] strainer, filter, colander.

στραμπουλίζω (ρ) [strambulizo] sprain, twist.

στραπατσάρισμα (το) [strapatsarisma] crumpling up, dent.

στραπατσαρισμένος-η-ο (ε) [strapatsa-rismenos] messed up, damaged.

στραπατσάρω (ρ) [strapatsaro] harm, damage, ruffle, humiliate.

στραπάτσο (το) [strapatso] maltreatment.

στράτα (η) [strata] way, street, road.

στρατάρχης (ο) [stratarhis] marshal.

στράτευμα (το) [stratevma] army, troops, forces.

στρατευμένος-η-ο (μ) [stratevmenos] militant.

στρατεύομαι (ρ) [stratevome] serve in the army.

στράτευση (η) [stratefsi] conscription, enlistment.

στρατεύω (ρ) [stratevo] enlist, call up.

στρατηγείο (το) [stratiyio] headquarters.

στρατήγημα (το) [stratigima] stratagem, trick.

στρατηγία (η) [stratiyia] generalship.

στρατηγικός-ή-ό (ε) [stratiyikos] strategic.

στρατηγός (ο) [stratigos] general.

στρατιά (η) [stratia] army, force.

στρατιώτης (ο) [stratiotis] soldier, private.

στρατιωτικό (το) [stratiotiko] military service.

στρατιωτικοποίηση (η) [stratiotikopiisi] militatrization.

στρατιωτικοποιώ (ρ) [stratiotikopio] militarize.

στρατιωτικός-ή-ό (ε) [stratiotikos] military.

στρατοδικείο (το) [stratodhikio] court-martial.

στρατοκρατία (η) [stratokratia] military government.

στρατολογία (η) [stratoloyia] conscription, call-up.

στρατοπέδευση (η) [stratopedhefsi] encamping.

στρατοπεδεύω (ρ) [stratopedhevo] pitch one's camp.

στρατόπεδο (το) [stratopedho] camp,

side [μεταφ].

στρατός (ο) [stratos] army, troops.

στρατόσφαιρα (η) [stratosfera] stratosphere.

στρατώνας (ο) [stratonas] barracks.

στρατωνίζω (ρ) [stratonizo] billet.

στρεβλός-ή-ό (ε) [strevlos] crooked, deformed, difficult [μεταφ].

στρεβλωμένος-η-ο (μ) [strevlomenos] buckled.

στρέβλωση (η) [strevlosi] contortion, distortion, twisting.

στρείδι (το) [stridhi] oyster, clam.

στρέμμα (το) [stremma] quarter of an acre.

στρέφομαι (ρ) [strefome] turn, rotate, revolve.

στρέφω (ρ) [strefo] turn, turn about, rotate, revolve.

στρέψη (η) [strepsi] torsion.

στρεψοδικία (η) [strepsodhikia] chicanery, quibbling.

στρεψόδικος (ο) [strepsodhikos] casuist.

στρεψοδικώ (ρ) [strepsodhiko] chicane.

στρίβω (ρ) [strivo] rotate, turn, corner, spin, screw.

στριγγός-ή-ό (ε) [stringos] braasy.

στρίγκλα (η) [stringla] witch, sorceress.

στριγκλιά (η) [stringlia] wickedness, shriek.

στριγκλίζω (ρ) [stringlizo] scream, shriek, squeal.

στριμμένος-η-ο (μ) [strimmenos] twisted, ill-humoured, wicked, malicious.

στρίμωγμα (το) [strimogma] bottleneck.

στριμωγμένος-η-ο (μ) [strimogmenos] constrained, cramped.

στριμωξίδι (το) [strimoksidhi] jam, squeeze, press.

στριμώχνω (ρ) [strimohno] cram, squeeze, crowd, press hard, oppress.

στριφογυρίζω (ρ) [strifoyirizo] move round, turn round, whirl, spin.

στριφογύρισμα (το) [strifoyirisma] toss, turn, roll, twist, spin.

στρίφωμα (το) [strifoma]hemline.

στριφώνω (ρ) [strifono] hem.

στρίψιμο (το) [stripsimo] twisting.

στροβιλίζω (ρ) [strovilizo] whirl.

στρόβιλος (ο) [strovilos] spinning top, whirlwind [άνεμος], swirling [χιόνι], turbine [μηχανή].

στρογγυλεύω (ρ) [strongilevo] make round, grow plump.

στρογγυλός-ή-ό (ε) [strongilos] round [αριθμός], even [αριθμός], full [πρόσωπο].

στρουθοκάμηλος (n) [struthokamilos] ostrich.

στρουθοκαμηλισμός (ο) [struthokamilismos] self-delusion.

στρουμπουλός-ή-ό (ε) [strumbulos] plump, rounded.

στρόφαλος (ο) [strofalos] crank, handle, starting handle.

στροφή (n) [strofi] turn, revolution, twist [οδού], detour [κατεύθυνσης], stanza [ποίηση], ritornello [μουσική].

στρόφιγγα (n) [strofinga] hinge, pivot.

στρυφνά (επ) [strifna] crabbedly.

στρυφνός-ή-ό (ε) [strifnos] harsh, peevish, crabbed [χαρακτήρας], difficult [ύφος κτλ], sharp [γεύση], astringent [μεταφ], crabby.

στρυφνότητα (επ) [strifnotita] crabbedness.

στρώμα (το) [stroma] couch, bed, mattress, bed [γεωλογίας], layer.

στρώνομαι (ρ) [stronome] apply ourselves.

στρώνω (ρ) [strono] spread, lay, make [κρεβάτι], pave [δρόμο], be well under way [μεταφ].

στρώση (n) [strosi] layer, paving, flooring.

στρωσίδι (το) [strosidhi] carpet, bedding.

στρώσιμο (το) [strosimo] spreading, littering, breaking-in, running-in.

στρωτός-ή-ό (ε) [strotos] strewn, paved, normal [ζωή], regular [ζωή].

στύβω (ρ) [stivo] squeeze, wring, rack one's brains [μεταφ], dry up [στειρεύω].

στυγερός-ή-ό (ε) [stiyeros] abominable, horrible, harsh, atrocious.

στυγερότητα (n) [stiyerotita] horror.

στυγνός-ή-ό (ε) [stignos] doleful, gloomy, harsh.

στυγνότητα (n) [stignotita] cruelty, callousness.

στυλίσκος (ο) [stiliskos] bollard.

στυλό (το) [stilo] fountain pen.

στυλοβάτης (ο) [stilovatis] pedestal, base, pillar [μεταφ].

στύλος (ο) [stilos] pillar, column, pole, prop [μεταφ], mainstay [μεταφ].

στύλωμα (το) [stiloma] shoring up, bracing up, support.

στυλώνω (ρ) [stilono] support, prop up.

στυπτικός-ή-ό (ε) [stiptikos] binding, astringent.

στυπτικότητα (n) [stiptikotita] astringency.

στύση (n) [stisi] erection.

στυφός-ή-ό (ε) [stifos] sour, bitter, astringent.

στύψιμο (το) [stipsimo] squeezing, pressing.

στωικός-ή-ό (ε) [stoikos] stoical.

σύγγαμπρος (ο) [singambros] brother-in-law.

συγγένεια (n) [singenia] relationship, relation, connection, blood.

συγγενεύω (ρ) [singenevo]be related to.

συγγενής-ής-ές (ε) [singenis] connected, related, cognate, congenital, connate.

συγγενής (ο) [singenis] cognate, congener.

συγγενολόι (το) [singenoloi] relations, relatives.

συγγνώμη (n) [singnomi] pardon, excuse, forgiveness.

σύγγραμμα (το) [singramma] work[of writing].

συγγραφέας (ο) [singrafeas] author, writer.

συγγραφή (n) [singrafi] writing.

συγγράφω (ρ) [singrafo] write.

συγκαίομαι (ρ) [singeome] be chafed.

συγκαίω (ρ) [sigeo] chafe.

σύγκαλα (τα) [singala] normal, in good health.

συγκαλύπτω (ρ) [singalipto] hide, cover.

συγκάλυψη (n) [singalipsi] masking, disguise.

συγκαλώ (ρ) [singalo] convene, convoke, assemble [πρόσωπο].

σύγκαμα (το) [sigama] chafe.

συγκατάβαση (n) [sigatavasi] condescention.

συγκαταβατικός-ή-ό (ε) [singatavatikos] accommodating, reasonable [τιμή].

συγκαταβατικότητα (n) [sigatavatikotita] condescention.

συγκατάθεση (n) [singatathesi] assent, consent.

συγκαταλέγω (ρ) [singatalego] include, number among, consider.

συγκατανεύω (ρ) [singatanevo] consent, assent, adhere to.

συγκατατιθέμενος-n-o (μ) [sigatatithemenos] assentient.

συγκατοίκηση (n) [singatikisi] cohabitation, sharing a room.

συγκατοικώ (ρ) [singatiko] live together.

συγκεκαλυμμένος-n-o (μ) [sigekalimmenos] covert.

συγκεκριμένα (επ) [singekrimena] plainly, actually.

συγκεκριμενοποιώ (ρ) [sigekrimenopio] concretize.

συγκεκριμένος-n-o (μ) [singekrimenos] concrete, positive, clear, specific.

συγκεντρωμένος-n-o (μ) [sigendromenos] collected.

συγκεντρώνομαι (ρ) [singendronome] concentrate, club.

συγκεντρώνω (ρ) [singendrono] collect, bring together, concentrate, centralize, clump.

συγκέντρωση (n) [singendrosi] crowd, gathering, assembly, concentration, centralization, fixation, lodgment.

συγκεντρωτισμός (ο) [sigendrotismos] centralism.

συγκεντρωτικός-ή-ό (ε) [sigkentrotikos] centralized, concentrated.

συγκερασμός (ο) [singerasmos] mixing, compromise, blending.

συγκεχυμένος-n-o (μ) [singehimenos] confused, jumbled, indistinct [ήχος], vague [φήμες], hazy [ιδέες], obscure [λόγοι].

συγκίνηση (n) [singinisi] emotion, sensation, feeling, excitement, stir.

συγκινητικός-ή-ό (ε) [singinitikos] moving, touching.

συγκινούμαι (ρ) [singinume] be excited, be moved.

συγκινώ (ρ) [singino] move, affect, excite.

συγκληρονόμος (ο) [siglironomos] coheir, coheiress.

σύγκληση (n) [singlisi] calling together.

σύγκλητος (n) [singlitos] senate.

συγκλί (το) [sigli] bleak.

συγκλίνω (ρ) [singlino] concentrate, focalize.

συγκλίνων (μ) [siglinon] convergent, converging.

σύγκλιση (n) [siglisi] focalization, convergence.

συγκλονίζω (ρ) [singlonizo] shake, excite, stir up, shock.

συγκλονισμός (ο) [syglonismos] shock, shattering.

συγκλονιστικός-ή-ό (ε) [siglonistikos] appalling.

συγκοινωνία (n) [singinonia] communications, means of transport.

συγκοινωνώ (ρ) [singinono] communicate, be connected.

συγκοινωνών (μ) [siginonon] communicant.

συγκόλληση (n) [sigolisi] binding.

συγκολλητικός-ή-ό (ε) [sigollitikos] adhesive.

συγκολλώ (ρ) [singollo] glue, join together, weld [μέταλα], mend a puncture [σαμπρέλα].

συγκολλώμαι (ρ) [sigolome] coalesce.

συγκομιδή (n) [singomidhi] harvest, crop.

συγκοπή (n) [singopi] syncopation, heart failure, contraction [γραμμ].

συγκρατημένος-n-ο (μ) [sigratimenos] collected.

συγκράτηση (n) [singratisi] containing, restraining.

συγκρατούμαι (ρ) [singratume] control ourselves.

συγκρατώ (ρ) [singrato] check, govern [πάθη], control [θυμό], suppress [θυμό], restrain [τα πλήθη], bottle up [μεταφ].

σύγκριμα (το) [sigrima] conglomeration, concretion.

συγκρίνω (ρ) [singrino] compare [with/to], liken, contrast, parallel.

συγκρίνων (μ) [sigrinon] collator.

σύγκριση (n) [singrisi] comparison, parallel, compare, contrast.

συγκρίσιμος-n-ο (ε) [sigrisimos] comparable.

συγκριτικός-ή-ό (ε) [singritikos] comparative, compared.

συγκρότημα (το) [singrotima] group, cluster, complex [κτίρια], group [μουσ].

συγκροτήματα (τα) [sigrotimata] clustered.

συγκρότηση (n) [singrotisi] composition, formation, constitution.

συγκροτώ (ρ) [singroto] form, compose, convoke, convene, array.

συγκρούομαι (ρ) [singruome] bump into, collide, come to blows.

συγκρουόμενος-n-ο (μ) [sigruomenos] crashing, counter.

σύγκρουση (n) [singrusi] collision, clash, fight, engagement, encounter.

σύγκρυο (το) [singrio] shivering, trembling.

συγκυβερνήτης (ο) [sigivernitis] co-pilot.

συγκυρία (n) [singiria] coincidence, chance, conjuncture [οικ].

συγυρίζω (ρ) [siyirizo] tidy up, arrange,

ill-treat [μεταφ].

σιγύρισμα (το) [siyirisma] housework, housekeeping.

συγχαίρω (ρ) [sinhero] congratulate, compliment.

συγχαρητήρια (τα) [sinharitiria] congratulations.

συγχαρητήριος-α-ο (ε) [sinharitirios] congratulatory.

συγχέω (ρ) [sinheo] confuse, perplex.

συγχορδία (n) [sinhordhia] harmony of sounds, accord.

συγχρονίζω (ρ) [sinhronizo] modernize, bring up to date, synchronize.

συγχρονισμός (ο) [sinhronismos] timing, synchronization, modernization.

σύγχρονος-n-ο (ε) [sinhronos] simultaneous, concurrent, contemporary.

σύγχρονος (ο) [sighronos] coeval.

συγχύζω (ρ) [sinhizo] get mixed up, worry, confound, harass.

σύγχυση (n) [sinhisi] confusion, disorder, chaos, commotion, bewilderment, confusedness, discomposure, vexation, muddle, worry.

συγχωνεύομαι (ρ) [sighonevome] amalgamate.

συγχώνευση (n) [sighonefsi] amalgamation, joinder.

συγχωνεύω (ρ) [sinhonevo] amalgamate, blend, merge.

συγχώρηση (n) [sinhorisi] pardon.

συγχωρητέος-α-ο (ε) [sinhoriteos] pardonable, excusable.

συγχωρώ (ρ) [sinhoro] pardon, forgive, excuse.

σύζευξη (n) [sizefksi] coupling, bind.

συζεύω (ρ) [sizevo] connect, couple.

συζήτηση (n) [sizitisi] discussion, debate, argument, argumentation.

συζητήσιμος-n-ο (ε) [sizitisimos] controvertible, disputable.

συζητητής (ο) [sizititis] debater, talker.

συζητητικός-ή-ό (ε) [sizititikos] argumentative.

συζητώ (ρ) [sizito] discuss, argue, talk.

συζυγικός-ή-ό (ε) [siziyikos] conjugal, marital.

σύζυγος (n) [sizigos] wife.

σύζυγος (ο) [sizigos] husband.

συζώ (ρ) [sizo] live together, cohabit.

συκιά (n) [sikia] fig tree.

σύκο (το) [siko] fig.

συκοφάντης (ο) [sikofandis] slanderer.

συκοφαντία (n) [sikofandia] aspertion.

συκοφαντικός-ή-ό (ε) [sikofandikos] calumniatory.

συκοφαντώ (ρ) [sikofando] slander.

συκώτι (το) [sikoti] liver.

συλλαβή (n) [sillavi] syllable [γραμμ].

συλλαλητήριο (το) [sillalitirio] mass meeting, demonstration.

συλλαμβάνω (ρ) [sillamvano] catch, capture, seize, arrest, conceive [ιδέες], apprehend.

συλλέγω (ρ) [sillego] collect, gather.

συλλέκτης (ο) [sillektis] collector, gatherer.

συλλυπούμαι (ρ) [sillipume] commiserate.

συλλυπητικός-ή-ό (ε) [silliptikos] conceptive.

σύλληψη (n) [sillipsi] capture, arrest, seizure, conception [ιδέας], apprehension.

συλλογέας (ο) [silloyeas] gatherer.

συλλογή (n) [silloyi] set, assortment, collection, thought [σκέψη].

συλλογίζομαι (ρ) [silloyizome] think out, reflect about, consider.

συλλογικά (επ) [silloyika] bodily [μεταφ].

συλλογικός-ή-ό (ε) [silloyikos] collective, corporate.

συλλογισμένος-n-ο (μ) [silloyismenos] pensive, thoughtful.

συλλογισμός (ο) [silloyismos] thought, reflection, reasoning.

σύλλογος (ο) [sillogos] society, association, club.

συλλυπητήρια (τα) [sillipitiria] sympathy.

συλλυπούμαι (ρ) [sillipume] offer condolence, feel sorry for.

συμβαδίζω (ρ) [simvadhizo] keep up with, go together.

συμβαίνω (ρ) [simveno] happen, take place develop, fall out, go down.

συμβάλλομαι (ρ) [simvallome] enter into an agreement.

συμβαλλόμενος-n-ο (μ) [simvallomenos] contracting (ο) covenanter.

συμβάλλω (ρ) [simvallo] contribute to, pay one's share, meet [ποτάμι].

συμβάλλων (μ) [simvallon] contributory.

συμβάν (το) [simvan] event, accident, fortuity, luck.

σύμβαση (n) [simvasi] agreement, contract, treaty, pact.

συμβατικός-ή-ό (ε) [simvatikos] usual, standard, conventional.

συμβατικότητα (n) [simvatikotita] conventionality.

συμβία (n) [simvia] wife, consort.

συμβιβάζομαι (ρ) [simvivazome] compromise, agree with, be compatible with.

συμβιβαζόμενος-n-ο (μ) [simvivazomenos] compatible.

συμβιβαζόμενος (ο) [simvivazomenos] compounder.

συμβιβάζω (ρ) [simvivazo] arrange, adjust, compromise.

συμβιβάσιμος-n-ο (ε) [simvivasimos] compatible.

συμβιβασμός (ο) [simvivasmos] compromise, accommodation, settlement.

συμβιβαστικότητα (n) [simvivastikotita] reconciliatory tendency.

συμβίωση (n) [simviosi] living together.

συμβόλαιο (το) [simvoleo] contract, agreement, covenant.

συμβολαιογράφος (ο, n) [simvoleografos] notary public.

συμβολή (n) [simvoli] contribution,

junction [ποταμών], concourse, conflux.

συμβολίζω (ρ) [simvolizo] symbolize.

σύμβολο (το) [simvolo] symbol, mark, sign.

συμβουλεύομαι (ρ) [simvulevome] consult, take advice.

συμβουλεύω (ρ) [simvulevo] advise, recommend, consult, counsel.

συμβουλεύων (μ) [simvulevon] consulting.

συμβουλή (n) [simvuli] advice, recommendation.

συμβούλιο (το) [simvulio] council, board, committee.

σύμβουλος (ο) [simvulos] adviser, consultant.

συμμάζεμα (το) [simmazema] tidying up, getting together, crouching, holding.

συμμαζεύω (ρ) [simmazevo] tidy up, collect, assemble, gather together, restrain [ελέγχω].

συμμαθητής (ο) [simmathitis] classmate, schoolmate.

συμμαχία (n) [simmahia] alliance.

συμμαχικός-ή-ό (ε) [simmahikos] allied.

σύμμαχος (ο, n) [simmahos] ally.

σύμμειξη (n) [simmiksi] admixture.

συμμερίζομαι (ρ) [simmerizome] have a part in.

συμμετέχω (ρ) [simmeteho] participate in, take part in.

συμμετέχων (μ) [simmetehon] entrant.

συμμετοχή (n) [simmetohi] participation, sharing.

συμμέτοχος (ο) [simmetohos] copartner.

συμμετρικά (επ) [simmetrika] commensurately.

συμμετρικός-ή-ό (ε) [simmetrikos] symmetrical, well-proportioned.

σύμμετρος-n-o (ε) [simmetros] commensurable.

συμμιγνύω (ρ) [simmignio] compound.

συμμορία (n) [simmoria] gang, band.

συμμορίτης (ο) [simmoritis] bandit, brigand.

συμμορφώνομαι (ρ) [simmorfonome] comply, conform, agree with.

συμμορφώνω (ρ) [simorfono] adapt, conformtailor, fit.

συμμόρφωση (n) [simmorfosi] conformity to, tidying up.

συμπαγής-ής-ές (ε) [simbayis] solid, firm, compact.

συμπαγώς (επ) [simbagos] compactly.

συμπάθεια (n) [simbathia] compassion, sympathy, weakness [for].

συμπαθής-ής-ές (ε) [simbathis] likeable, lovable.

συμπαθητικά (επ) [simbathitika] appealingly.

συμπαθητικός-ή-ό (ε) [simbathitikos] likeable, lovable, sympathetic, appealing.

συμπάθιο (το) [simbathio] begging your pardon [με το].

συμπαθώ (ρ) [simbatho] feel compassion for.

συμπαιγνία (n) [simbegnia] collusion.

σύμπαν (το) [simban] universe, everybody, cosmos.

συμπαράσταση (n) [simbarastasi] backing, help.

συμπαραστάτης (ο) [simbarastatis] helper, backer.

συμπατριώτης (ο) [simbatriotis] compatriot.

συμπατριώτισσα (n) [simbatriotissa] countrywoman.

συμπεθερικά (τα) [simbetherika] fathers-in-law.

συμπεπηγμένος-n-o (μ) [simbepigmenos] compact.

συμπεπιεσμένος-n-o (μ) [simbepiesmenos] compressed.

συμπεπυκνωμένος-n-o (μ) [simbepiknomenos] compacted, compressed.

συμπεραίνω (ρ) [simbereno] conclude, presume.

συμπέρασμα (το) [simberasma] in conclusion, deduction.

συμπεριλαμβάνω (ρ) [simberilamvano] include, contain, comprise.

συμπεριφέρομαι (ρ) [simberiferome] behave, conduct ourselves.

συμπεριφορά (n) [simberifora] behaviour, conduct.

συμπηγνύω (ρ) [simbignio] compact.

σύμπηξη (n) [simbiksi] concretion.

συμπιέζω (ρ) [simbiezo] compact.

συμπίεση (n) [simbiesi] compression.

συμπιεστής (o) [simbiestis] compressor.

συμπιεστικός-ή-ό (ε) [simbiestikos] compressive.

συμπίπτω (ρ) [simbipto] coincide, happen, change.

συμπίπτων (μ) [simbipton] convergent.

σύμπλεγμα (το) [simblegma] tangle, cluster.

συμπλέκομαι (ρ) [simblekome] quarrel, fight.

συμπλέκτης (o) [simblektis] clutch.

συμπλεκτικός-ή-ό (ε) [simblektikos] interweaving, copulative.

συμπλήρωμα (το) [simbliroma] complement, supplement, addition, accretion, augmentation.

συμπληρωματικός-ή-ό (ε) [simbliromatikos] complementary, further, supplementary.

συμπληρώνω (ρ) [simblirono] complete, complement, finish, fill [θέon].

συμπλήρωση (n) [simblirosi] completion, filling.

συμπλοκή (n) [simbloki] fight, engagement, clash.

σύμπνοια (n) [simbnia] harmony, agreement, understanding.

συμπολιτεία (n) [simbolitia] confederation, confederacy.

συμπολίτης (o) [simbolitis] fellow citizen.

συμπόνια (n) [simbonia] pity, commiseration, compassion.

συμπονώ (ρ) [simbono] sympathize with, commiserate.

συμποσιακός-ή-ό (ε) [simbosiakos] convivial.

συμπόσιο (το) [simbosio] banquet, feast.

συμποσούμαι (ρ) [simbosume] come to.

συμπράγαλα (n) [simbragala] clobber.

σύμπραξη (n) [simbraksi] cooperation, contribution.

συμπράττω (ρ) [simbratto] club, combine.

συμπρωταγωνιστώ (ρ) [simbrotagonisto] co-star.

συμπτύσσομαι (ρ) [simptissome] fall back.

συμπτύσσω (ρ) [simptisso] shorten, abbreviate, cut short, compact.

σύμπτωμα (το) [simptoma] symptom, sign.

συμπτωματικά (επ) [simptomatika] accidentally, incidentally, casually,.

συμπτωματικός-ή-ό (ε) [simptomatikos] accidental, circumstantial, coincidental.

σύμπτωση (n) [simptosi] coincidence, accident, chance, fortuity.

συμπύκνωμα (το) [simbiknoma] condensate.

συμπυκνώνω (ρ) [simbiknono] condense, compress.

συμπύκνωση (n) [simbiknosi] condensation.

συμπυκνωτής (o) [simbiknotis] condenser, compressor.

συμφέρον (το) [simferon] advantage, interest, profit, vantage.

συμφεροντολογία (n) [simferondoloyia] self-interest.

συμφεροντολόγος-n-o (ε) [simferondologos] calculating.

συμφιλιώνω (ρ) [simfiliono] reconcile, restore friendship, make up.

συμφιλίωση (n) [simfiliosi] conciliation.

συμφορά (n) [simfora] calamity, disaster, misfortune.

συμφόρηση (n) [simforisi] stroke [ιατρ], traffic jam.

σύμφορος-n-o (ε) [simforos] advantageous, profitable, useful, lucrative, paying.

συμφραζόμενα (τα) [simfrazomena] context.

συμφυής-ής-ές (ε) [simfiis] connate.

συμφύρω (ρ) [simfiro] confuse, mix, jumble.

σύμφυση (n) [simfisi] commissure, .

σύμφυτος-n-o (ε) [simfitos] congenital.

σύμφωνα (επ) [simfona] according to, in conformity with.

συμφωνημένος-n-o (μ) [simfonimenos] concerted.

συμφωνητικό (το) [simfonitiko] agreement, deed of contract.

συμφωνία (n) [simfonia] agreement, convention, accord, consent, symphony [μουσ], accordance, bargain, compact, compatibility, concordance, conformity.

συμφωνικός-ή-ό (ε) [simfonikos] symphonic.

σύμφωνο (το) [simfono] consonant [γραμμ], compact, agreement, pact.

σύμφωνος-n-o (ε) [simfonos] in accord, in conformity with, compatible, concordant, conformable, consistent.

συμφωνώ (ρ) [simfono] concur, agree, match, go well together.

συμψηφίζω (ρ) [simpsifizo] counterbalance, make up for.

συμψηφισμός (ο) [simpsifismos] clearing.

συν (μαθ) [sin] plus [μαθ].

συναγερμός (ο) [sinayermos] alarm, alert, rally [πολιτικός].

συναγρίδα (n) [sinagridha] kind of sea bream.

συνάγω (ρ) [sinago] collect, assemble, bring together, conclude [συμπεραίνω], deduce.

συναγωγή (n) [sinagoyi] collection, assembly, synagogue [εβραίων].

συναγωνίζομαι (ρ) [sinagonizome] compete, fight together.

συναγωνισμός (ο) [sinagonismos] rivalry, contest, competition.

συναγωνιστής (ο) [sinagonistis] rival, competitor, brother in arms [συμπολεμιστής].

συναγωνιστικός-ή-ό (ε) [sinagonistikos] competitive, fighting.

συναγωνιστικότητα (n) [sinagonistikotita] competitiveness.

συναδελφικότητα (n) [sinadhelfikotita] camaraderie, comradeship.

συνάδελφος (ο) (n) [sinadhelfos] bedfellow [μεταφ], colleague, fellow member.

συναδέλφωση (n) [sinadhelfosi] fraternization.

συνάδω (ρ) [sinadho] consist with.

συναθροίζω (ρ) [sinathrizo] congregate.

συνάθροιση (n) [sinathrisi] assemblage.

συνάθροισμα (το) [sinathrisma] conglomeration, aggregation.

συναίνεση (n) [sinenesi] assent, consent, agreement, consensus.

συναινέτης (ο) [sinenetis] consenter.

συναινώ (ρ) [sineno] consent to, agree to.

συναίρεση (n) [sineresi] contraction [γραμμ].

συναισθάνομαι (ρ) [sinesthanome] become aware of, be conscious of.

συναισθανόμενος-n-o (μ) [sinesthanomenos] apprehensive.

συναίσθημα (το) [sinesthima] sentiment, feeling, sensation.

συναισθηματικός-ή-ό (ε) [sinesthimatikos] emotional, sentimental.

συναισθηματικότητα (n) [sinesthimatikotita] sentimentality.

συναισθηματισμός (ο) [sinesthimatismos] sentiment.

συναισθηματοποιώ (ρ) [sinesthimatopio] emotionalize.

συναίσθηση (n) [sinesthisi] feeling, sense, appreciation.

συναπερίζομαι (ρ) [sineterizome] company.

συναίτερος (ο) [sineteros] copartner.

συναιώνιος-α-ο (ε) [sineonios] coeternal.

συναλλαγή (n) [sinallayi] exchange, dealings.

συνάλλαγμα (το) [sinallagma] foreign currency.

συναλλαγματική (n) [sinallagmatiki] bill of exchange.

συναλλάσσομαι (ρ) [sinallassome] deal, trade, traffic.

συνάμα (επ) [sinama] together, in one lot, at the same time.

συναναστρέφομαι (ρ) [sinanastrefome] consort with, mix with.

συναναστροφή (n) [sinanastrofi] association, company, party, reception.

συνάντηση (n) [sinandisi] falling in with, meeting.

συναντούμαι (ρ) [sinandume] meet.

συναντώ (ρ) [sinando] meet, happen[upon], run across.

σύναξη (n) [sinaksi] concentration, meeting, collecting, receipts.

συναπάντημα (το) [sinapantima] encounter.

συναπτή (n) [sinapti] collect [εκκλ].

συνάπτομαι (ρ) [sinaptome] conjoin.

συναπτός-ή-ό (ε) [sinaptos] consecutive, successive, appended.

συνάπτω (ρ) [sinapto] attach, contract [συμμαχία], conclude [ειρήνη], give battle [μάχη], clip.

συναρμογή (n) [sinarmoyi] binding.

συναρμόζω (ρ) [sinarmozo] bond.

συναρμολόγηση (n) [sinarmoloyisi] assemblage.

συναρμολογητής-ής-ές (ε) [sinarmoloyitis] fixer.

συναρμολογώ (ρ) [sinarmologo] fit together, join, make up.

συναρπάζω (ρ) [sinarpazo] carry away, enrapture, entrance.

συναρπαστικός-ή-ό (ε) [sinarpastikos] enthralling, arresting.

συνάρτηση (n) [sinartisi] attachment, connection, cohesion.

συνασπίζομαι (ρ) [sinaspizome] confederate.

συνασπίζω (ρ) [sinaspizo] confederate.

συνασπισμός (ο) [sinaspismos] coalition, alliance, league, coalescence.

συναυλία (n) [sinavlia] concert.

συνάφεια (n) [sinafia] connection, link, reference, connexion.

συναφής-ής-ές (ε) [sinafis] adjacent, linked, connected, like, conjunct.

συνάχι (το) [sinahi] cold [στο κεφάλι], catarrh.

σύναψη (n) [sinapsi] conclusion, arrangement.

συνδεδεμένος-n-ο (μ) [sindhedhemenos] having ties with, cohererent.

συνδέομαι (ρ) [sindheome] conjoin, cohere.

σύνδεση (n) [sindhesi] joining, binding together, connection, coupling.

σύνδεσμος (ο) [sindhesmos] bond, union, liaison [στρατ], relationship, affinity, conjunction [γραμμ], connection, copula [ανατ], ligament.

συνδετήρας (ο) [sindhetiras] clip, paper clip, coupling.

συνδετικό (το) [sindhetiko] copula [γραμμ].

συνδετικός-ή-ό (ε) [sindhetikos] joining, connective, copulative [γραμμ], binding, conjunctive.

συνδέω (ρ) [sindheo] bind together, unite, join [μεταφ], link [μεταφ], bind [μεταφ], connect, bond.

συνδιαιρετός-ή-ό (ε) [sindhieretos] commensurable.

συνδιαλέγομαι (ρ) [sindhialegome] converse with, talk, communicate.

συνδιάλεξη (n) [sindhialeksi] colloquy.

συνδιαλλαγή (n) [sindhiallayi] conciliation.

συνδιάσκεψη (n) [sindhiaskepsi] deliberation.

συνδικάτο (το) [sindhikato] syndicate, trade union.

συνδράμω (ρ) [sindhramo] support, help, contribute.

συνδρομή (n) [sindhromi] coincidence, conjunction, help [βοήθεια], subscription.

συνδρομητής (ο) [sindhromitis] subscriber.

σύνδρομο (το) [sindhromo] syndrome.

συνδυάζομαι (ρ) [sindhiazome] assort, combine.

συνδυαζόμενος-n-ο (μ) [sindhiazomenos] combinable.

συνδυάζω (ρ) [sindhiazo] unite, combine, match, pair, compound.

συνδυασμένος-n-ο (μ) [sindhiasmenos] conjoint.

συνδυασμός (ο) [sindhiasmos] combination, arrangement, matching.

συνδυαστής (ο) [sindhiastis] combiner.

συνεδρία (n) meeting, session.

συνεδριάζω (ρ) [sinedhriazo] meet, sit.

συνεδρίαση (n) [sinedhriasi] sitting, session.

συνέδριο (το) [sinedhrio] congress, convention.

σύνεδρος (ο) [sinedhros] delegate, councillor, judge .

συνείδηση (n) [sinidhisi] conscience.

συνειδητοποιώ (ρ) [sinidhitopio] realize, become conscious.

συνειδητός-ή-ό (ε) [sinidhitos] conscious.

συνειρμός (ο) [sinirmos] coherence, order, sequence.

συνείρω (ρ) [siniro] concatenate.

συνεισφέρω (ρ) [sinisfero] contribute, subscribe.

συνεισφέρων (μ) [sinisferon] contributory.

συνεισφορά (n) [sinisfora] share, contribution.

συνεκδοχή (n) [sinekdhohi] connotation.

συνεκτικός-ή-ό (ε) [sinektikos] cohesive, binding.

συνεκτικότητα (n) [sinektikotita] cohesiveness.

συνέλευση (n) [sinelefsi] meeting, assembly.

συνέλιξη (n) [sineliksi] convolution.

συνεμπόλεμος-n-ο (ε) [sinembolemos] co-belligerent.

συνεννόηση (n) [sinennoisi] understanding, agreement, exchange of views, collusion.

συνεννοούμαι (ρ) [sinennoume] agree, exchange views, communicate.

συνεννούμαι (ρ) [sinennume] cohere.

συνενοικιαστής (ο) [sinenikiastis] co-tenant.

συνενοχή (n) [sinenohi] complicity.

συνένοχος (ο) [sinenohos] conspirator.

συνέντευξη (n) [sinendefksi] interview, appointment.

συνενώνω (ρ) [sinenono] unite, join together, combine.

συνένωση (n) [sinenosi] joining, unity, merger.

συνεπάγομαι (ρ) [sinepagome] lead to, involve, call for.

συνεπαίρνω (ρ) [sineperno] transport.

συνεπακόλουθο (το) [sinepakolutho] concomitant.

συνεπαρμένος-n-ο (μ) [sineparmenos] besotted.

συνέπεια (n) [sinepia] result, outcome, consequence, consistency, .

συνεπής-ής-ές (ε) [sinepis] true, in keeping with, consistent, punctual, .

συνεπτυγμένος-n-ο (μ) [sineptigmenos] compact, succinct, brief,.

συνεπώς (επ) [sinepos] consequently, accordingly, so, then, therefore.

σύνεργα (τα) [sinerga] apparatus, outfit.

συνεργάζομαι (ρ) [sinergazome] cooperate, collaborate, contribute.

συνεργασία (n) [sinergasia] collaboration, collusion.

συνεργάσιμος-n-ο (ε) [sinergasimos] co-operative.

συνεργάτης (ο) [sinergatis] contributor.

συνεργείο (το) [sineryio] workroom, workshop, gang, shift.

συνεργία (n) [sineryia] complicity, confederacy.

σύνεργο (το) [sinergo] implement, tool, instrument.

συνεργός (ο) [sinergos] accessory, accomplice, party, co-respondent, confederate.

συνεργώ (ρ) [sinergo] collude.

συνερίζομαι (ρ) [sinerizome] heed, take into account.

συνέρχομαι (ρ) [sinerhome] get over, recover, come together, meet.

σύνεση (n) [sinesi] caution, good sense, judgment, carefulness.

συνεσταλμένος-n-ο (μ) [sinestalmenos] shy, modest, timid, withdrawn.

συνεστραμμένος-n-ο (μ) [sinestrammenos] convoluted.

συνετά (επ) [sineta] cautiously.

συνεταιρικός-ή-ό (ε) [sineterikos] corporate.

συνεταιρισμός (ο) [sineterismos] cooperative, association.

συνέταιρος (ο) [sineteros] partner, associate, colleague, co-partner.

συνετός-ή-ό (ε) [sinetos] wise, prudent, sensible, cautious.

συνεύρεση (n) [sinevresi] sexual intercourse.

συνευρίσκομαι (ρ) [sinevriskome] copulate.

συνεφέρνω (ρ) [sineferno] revive, bring round.

συνέχεια (n) [sinehia] continuation, outcome, consecution, instalment

συνέχεια (επ) [sinehia] running, consecutively, in succession.

συνεχής-ής-ές (ε) [sinehis] continuous, incessant, successive, adjacent, continued.

συνεχιζόμενος-n-ο (μ) [sinehizomenos] continued, continuing.

συνεχίζω (ρ) [sinehizo] continue, keep on, go on, proceed, pursue, persist.

συνεχίζων (μ) [sinehizon] continuative.

συνέχιση (n) [sinehisi] continuation,

continuance, follow-up, persistence.

συνεχισθείς (μ) [sinehisthis] continued.

συνεχισυακός-ή-ό (ε) [sinehistikos] continuative.

συνεχώς (επ) [sinehos] continually, endlessly.

συνήγορος (ο) [sinigoros] advocate, defender, counsel.

συνήθεια (n) [sinithia] habit, practice.

συνήθης-nς-ες (ε) [sinithis] habitual, customary, usual, common, ordinary.

συνηθίζω (ρ) [sinithizo] get accustomed to, be in the habit of.

συνηθισμένος-n-ο (μ) [sinithismenos] accustomed, familiar, habitual.

συνήθως (επ) [sinithos] commonly.

συνημίτονο (το) [sinimitono] cosine.

συνημμένος-n-ο (μ) [sinimmenos] attached, connected, enclosed.

συνήχηση (n) [sinihisi] clanging.

συνηχώ (ρ) [siniho] clang.

σύνθεση (n) [sinthesi] mixture, composition, collocation.

συνθέτης (ο) [sinthetis] composer, compositor.

συνθετικός-ή-ό (ε) [sinthetikos] artificial, synthetic, constitutive.

σύνθετος-n-ο (ε) [sinthetos] compound, intricate.

συνθέτω (ρ) [sintheto] compose, make up, compact.

συνθήκες (οι) [sinthikes] conditions, circumstances.

συνθήκη (n) [sinthiki] treaty, agreement, convention.

συνθηκολόγηση (n) [sinthikoloyisi] surrender, capitulation.

συνθηκολογώ (ρ) [sinthikologo] surrender, negotiate a treaty.

σύνθημα (το) [sinthima] signal, sign, password, catchword.

συνθηματικός-ή-ό (ε) [sinthimatikos] symbolic, in code.

συνθλίβω (ρ) [sinthlivo] squeeze.

σύνθλιψη (n) [sinthlipsi] crushing, squeeze.

συνίσταμαι (ρ) [sinistame] consist of.

συνιστώ (ρ) [sinisto] advise, recommend, establish [επιτροπή], form [επιτροπή], introduce.

συννεφάκι (το) [sinnefaki] cloudlet.

συννεφάκια (τα) [sinnefakia] cloud-rack.

συννεφιά (n) [sinnefia] cloudy weather.

συννεφιάζω (ρ) [sinnefiazo] become cloudy.

συννέφιασμα (το) [sinnefiasma] cloudiness.

συννεφιασμένος-n-o (μ) [sinnefiasmenos] clouded.

σύννεφο (το) [sinnefo] cloud.

συννυφάδα (n) [sinnifadha] wife of one's brother-in-law.

συνοδεία (n) [sinodhia] escort, suite, convoy, procession, accompaniment.

συνοδευτικός-ή-ό (ε) [sinodheftikos] covering, accompanying.

συνοδεύω (ρ) [sinodhevo] accompany, go with, escort, carry, companion.

συνοδικός-ή-ό (ε) [sinodhikos] conciliar [εκκλ].

συνοδοιπόρος (ο) [sinodhiporos] companion.

σύνοδος (n) [sinodhos] congress, sitting, assembly, synod [εκκλ].

συνοδός (ο) (n) [sinodhos] accompanist, companion.

συνοικέσιο (το) [sinikesio] arranged marriage, match.

συνοικία (n) [sinikia] neighbourhood.

συνοικιακός-ή-ό (ε) [sinikiakos] local, suburban.

συνοικισμός (ο) [sinikismos] settlement.

συνοικώ (ρ) [siniko] chum.

συνολικός-ή-ό (ε) [sinolikos] total, whole.

συνολκή (n) [sinolki] contracture.

σύνολο (το) [sinolo] total, entirety, agglomeration, aggregation.

συνομίληκος-n-o (ε) [sinomilikos] of the same age, contemporary.

συνομιλητής (ο) [sinomilitis] interlocutor.

συνομιλία (n) [sinomilia] conversation, chat, talk, interview.

συνομιλώ (ρ) [sinomilo] commune, communicate, converse.

συνομολόγηση (n) [sinomoloyisi] compact.

συνομοταξία (n) [sinomotaksia] branch, group, class.

συνονόματος-n-o (ε) [sinonomatos] having the same name.

συνοπτικός-ή-ό (ε) [sinoptikos] summary, brief, synoptic, concise.

σύνορα (τα) [sinora] confines.

συνόρευση (n) [sinorefsi] bordering.

συνορεύω (ρ) [sinorevo] have a common frontier, border on.

σύνορο (το) [sinoro] boundary, border, frontier.

συνουσία (n) [sinusia] intercourse, copulation, coitus.

συνουσιάζομαι (ρ) [sinusiazome] copulate.

συνουσιαστικός-ή-ό (ε) [sinusiastikos] coital.

συνοφρυωμένος-n-o (μ) [sinofriomenos] grumpy.

συνοφρυώνομαι (ρ) [sinofrionome] frown, scowl, sadden.

συνοχεύς (ρ) [sinohefs] coherer.

συνοχή (n) [sinohi] coherence, cohesion, sequence [ιδεών], consistence, consistency.

σύνοψη (n) [sinopsi] summary, synopsis, prayer book [εκκλ], digest.

συνοψίζω (ρ) [sinopsizo] docket.

συνταγή (n) [sindayi] formula, prescription, recipe.

σύνταγμα (το) [sindagma] constitution, regiment.

συνταγματάρχης (ο) [sindagmatarhis] colonel.

συνταγματικός-ή-ό (ε) [sindagmatikos] constitutional.

συνταγματικότητα (n) [sindagmatikotita] constitutionality.

συνταιριάζω (ρ) [sinderiazo] coordinate.

συνταίριασμα (το) [sinteriasma] matching, blending.

συντάκτης (ο) [sindaktis] author, writer, editor [εφημερίδας], drafter [συνθήκης].

συντακτικό (το) [sindaktiko] syntax, structure.

συντακτικός-ή-ό (ε) [sindaktikos] constituent, editorial, syntactical.

σύνταξη (n) [sindaksi] compilation, wording, writing, organization, editing [εφημερίδας], editorial staf, pension, construction [γραμμ], syntax [γραμμ].

σύνταξη (n) [sindaksi] collocation.

συνταξιδιώτης (ο) [sindaksidhiotis] companion.

συνταξιούχος-α-ο (ε) [sindaksiuhos] pensioner.

συνταράσσω (ρ) [sindarasso] shake, disturb, trouble, disconcert [μεταφ], shock.

συνάσσομαι (ρ) [sindassome] collocate.

συντάσσω (ρ) [sindasso] arrange, write, draft, draw up, construe [γραμμ], form, organize, frame [νόμο], edit.

συνταύτιση (n) [sindaftisi] coincidence, identification.

συντείνω (ρ) [sindino] contribute to.

συνέλεια (n) [sindelia] end of the world.

συντελεστής (ο) [sindelestis] factor, component, contributor.

συντελεστικός-ή-ό (ε) [sindelestikos] coefficient, contributory.

συντελώ (ρ) [sindelo] finish, complete, contribute to.

συνέμνουσα (n) [sindemnusa] cosecant.

συντεταγμένη (n) [sindetagmeni] coordinate.

συντετριμμένος-n-ο (μ) [sindetrimmenos] deeply affected, afflicted.

συντεχνία (n) [sindehnia] guild, trade union, corporation.

συντεχνιακός-ή-ό (ε) [sindehniakos] corporate.

συντήρηση (n) [sindirisi] preservation, maintenance [μηχανής].

συντηρητής (ο) [sindiritis] conservator.

συντηρητικό (το) [sindiritiko] conservative.

συντηρητικός-ή-ό (ε) [sindiritikos] conservative.

συντηρώ (ρ) [sindiro] preserve, conserve, keep up, maintain.

σύντομα (επ) [sindoma] in short, briefly, soon, at once, immediately.

συντομευτής (ο) [sindomeftis] abbreviator.

συντομεύω (ρ) [sindomevo] shorten.

συντομία (n) [sindomia] shortness, brevity.

σύντομος-n-ο (ε) [sindomos] short, brief, compressed [μεταφ].

συντονίζομαι (ρ) [sindonizome] concert.

συντονίζω (ρ) [sindonizo] coordinate, harmonize.

συντονισμένος-n-ο (μ) [sindonismenos] concerted.

συντονισμός (ο) [sindonismos] coordination.

συντρέχω (ρ) [sindreho] help, meet, converge.

συντριβάνι (το) [sindrivani] jet, fountain.

συντριβή (n) [sindrivi] ruin, crushing, smashing, attrition, blasting.

συντρίβω (ρ) [sindrivo] shatter, break, crush, smash, ruin, wear out, bash.

συντριπτικός-ή-ό (ε) [sindriptikos] crushing [μεταφ], overwhelming.

συντροφεύω (ρ) [sindrofevo] companion.

συντροφιά (n) [sindrofia] company, gathering, society.

συντροφικός-ή-ό (ε) [sintrofikos] matey.

συντροφικότητα (n) [sindrofikotita] comradeship, camaraderie.

σύντροφος (ο) (n) [sindrofos] companion, mate, comrade, partner.

συνύπαρξη (n) [siniparksi] coexistence.

συνυπάρχω (ρ) [siniparho] coexist.

συνυπεύθυνος-n-o (ε) [sinipefthinos] jointly liable.

συνυπογεγραμμένος-n-o (μ) [sinipoyegrammenos] co-signatory.

συνυφαίνω (ρ) [sinifeno] entwine, intrigue [μεταφ].

συνφύραμα (το) [sinfirama] coenzyme.

συνωμοσία (n) [sinomosia] plot, conspiracy.

συνωμότης (o) [sinomotis] conspirator.

συνωμοτικός-ή-ό (ε) [sinomotikos] conspiratorial.

συνωμοτώ (ρ) [sinomoto] conspire, plot.

συνωνυμία (n) [sinonimia] synomymity.

συνώνυμο (το) [sinonimo] synonym.

συνωστίζω (ρ) [sinostizo] congest.

συνωστισμός (o) [sinostismos] jostle, crush, scramble.

Συριακός-ή-ό (ε) [Siriakos] Syrian.

σύριγγα (n) [siringa] syringe, tube.

συριγγώδης-ης-ες (ε) [siringodhis] fistular.

σύριγμα (το) [sirigma] fizz.

συριγμός (o) [sirigmos] fizzle.

συριστικός-ή-ό (ε) [siristikos] fizzy.

σύρμα (το) [sirma] wire.

συρμάτινος-n-o (ε) [sirmatinos] wire.

συρματόπλεγμα (το) [sirmatoplegma] barbed wire.

συρμός (o) [sirmos] cult.

συρόμενος-n-o (μ) [siromenos] crawling, creeping.

σύρραξη (n) [sirraksi] clash, collision.

συρραφή (n) [sirrafi] stitching together, patchwork.

συρρέω (ρ) [sirreo] crowd,flock.

συρρέων (μ) [sirreon] confluent.

σύρριζα (επ) [sirriza] by the root, root and branch, very closely.

συρρικνώνω (ρ) [sirriknono] corrugate.

συρροή (n) [sirroi] crowd, throng, inflow, influx, abundance, profusion.

σύρσιμο (το) [sirsimo] crawl, lug.

συρτά (επ) [sirta] creepily.

συρτάρι (το) [sirtari] drawer.

συρταρωτός-ή-ό (ε) [sirtarotos] sliding.

σύρτης (o) [sirtis] bolt, bar.

συρτός-ή-ό (ε) [sirtos] dragged, listless, sliding [πόρτα].

συρτός (o) [sirtos] kind ofdance.

συρφετός (o) [sirfetos] mob, common people.

σύρω (ρ) [siro] draw, pull, drag, lead [χορό].

συσκεή (n) [siskevi] appliance.

συσκέπτομαι (ρ) [siskeptome] confer, deliberate.

συσκεπτόμενος-n-o (μ) [siskeptomenos] conferee.

συσκευάζω (ρ) [siskevazo] pack, box, wrap.

συσκευασία (n) [siskevasia] wrapping up, packing, preparation.

συσκευή (n) [siskevi] apparatus.

σύσκεψη (n) [siskepsi] discussion, deliberation, conference, consultation.

συσκοτίζω (ρ) [siskotizo] obscure, darken, black out.

συσκότιση (n) [siskotisi] blackout, confusion.

σύσπαση (n) [sispasi] contraction, shrinking.

συσπειρούμαι (ρ) [sispirume] roll into a ball, coil.

συσπείρωμα (το) [sispiroma] conglomerate.

συσπειρώνομαι (ρ) [sispironome] clan.

συσπώ (ρ) [sispo] contort, convulse.

συσσίτιο (το) [sissitio] mess, soup kitchen.

συσσωματώ (ρ) [sissomato] compact.

συσσωματωμένος-n-o (μ) [sissomatomenos] compacted.

σύσσωμος-n-o (ε) [sissomos] all together, entire, united.

συσσώρευμα (το) [sissorevma] conglomerate.

συσσωρεύομαι (ρ) [sissorevome] accrue, bank, conglomerate.

συσσώρευση (n) [sissorefsi] accumulation.

συσσωρευτής (ο) [sissoreftis] gatherer, accumulator.

συσσωρευτικός-ή-ό (ε) [sissoreftikos] accumulative.

συσσωρεύω (ρ) [sissorevo] accumulate, pile up, bundle, bank, agglomerate, bulk, collect

συστάδα (n) [sistadha] clump of trees, cluster, grove.

συσταίνω (ρ) [sisteno] advise, recommend, establish [επιτροπή], introduce [γνωρίζω].

συσταλτικός-ή-ό (ε) [sistaltikos] constringent.

συσταλτός-ή-ό (ε) [sistaltos] contractile.

συστάσεις (οι) [sistasis] references, advice, recommendation.

σύσταση (n) [sistasi] address, composition, structure, consistency [πάχος], creation [σχηματισμός], setting up [σχηματισμός], recommendation [πρόταση], advice [συμβουλή], consistency [πάχος], skill.

συστασιώτης (ο) [sistasiotis] conspirator.

συστατικά (τα) [sistatika] components parts, ingredients.

συστατικός-ή-ό (ε) [sistatikos] component, essential, constituent.

συστέλλομαι (ρ) [sistellome] shrink, contract, feel shy, be timid.

συστελλόμενος-n-ο (μ) [sistellomenos] contracting.

συστέλλω (ρ) [sistello] contract, shrink, shrivel, constrict.

σύστημα (το) [sistima] method, system, plan, appliance.

συστηματικός-ή-ό (ε) [sistimatikos] systematic.

συστήνω (ρ) [sistino] advise, recommend, establish [επιτροπή], introduce.

σύστοιχο (το) [sistiho] correlate.

συστολή (n) [sistoli] shrinking, contraction, modesty, shame, shyness, constriction.

σύστρεμμα (το) [sistremma] convolution.

συστρέφω (ρ) [sistrefo] contort.

συστροφή (n) [sistrofi] convolution, involution.

συσφίγγω (ρ) [sisfingo] tighten, constrict, draw tighter.

συσφιγκτήρ (ο) [sisfigtir] constrictor.

σύσφιξn (n) [sisfiksi] constriction.

συσχετίζομαι (ρ) [sis-hetizome] correlate.

συσχετίζω (ρ) [sis-hetizo] compare, relate, put together.

συσχετικός-ή-ό (ε) [sis-hetikos] correlative.

συσχέτιση (n) [sis-hetisi] correlation.

σύφιλη (n) [sifili] syphilis.

συφρωμένος-n-ο (μ) [sifromenos] crumpled.

συχνά (επ) [sihna] often, frequently.

συχνάζω (ρ) [sihnazo] frequent.

συχνός-ή-ό (ε) [sihnos] frequent.

συχνότητα (n) [sihnotita] frequency.

συχωρνώ (ρ) [sihorno] forgive, tolerate.

σφαγείο (το) [sfayio] slaughterhouse, butchery.

σφαγή (n) [sfayi] slaughter, carnage, massacre.

σφάγιο (το) [sfayio] victim, animal for slaughter.

σφαδάζω (ρ) [sfadhazo] writhe, jerk.

σφάζω (ρ) [sfazo] slaughter, kill.

σφαίρα (n) [sfera] globe, sphere, ball, bullet [όπλου], field [μεταφ].

σφαιρικός-ή-ό (ε) [sferikos] round.

σφαλερός-ή-ό (ε) [sfaleros] erroneous.

σφαλερότnτα (n) [sfalerotita] fallibility.

σφαλιάρα (n) [sfaliara] smack.

σφαλίζω (ρ) [sfalizo] enclose, shut in, close [κλείνω], lock [κλείνω].

σφάλλω (ρ) [sfallo] be wrong, make a mistake, misfire.

σφάλμα (το) [sfalma] fault, error,

blunder, slip, mistake.

σφάχτης (ο) [sfahtis] twinge, sharp pain.

σφενδόνη (n) [sfendhoni] sling.

σφεντόνα (n) [sfendona] catapult .

σφετερίζομαι (ρ) [sfeterizome] purloin, embezzle, appropriate.

σφετερισμός (ο) [sfeterismos] arrogation.

σφήκα (n) [sfika] wasp.

σφήνα (n) [sfina] wedge, chock.

σφηνώνω (ρ) [sfinono] push in, wedge.

σφίγγα (n) [sfinga] sphinx, enigmatic [μεταφ].

σφίγγομαι (ρ) [sfingome] squeeze together, endeavour, try hard.

σφίγγω (ρ) [sfingo] squeeze, press, tighten, pull tighter, stick [σκληρύνω].

σφιγκτήρας (ο) [sfigtiras] constrictor.

σφιγκτικός-ή-ό (ε) [sfigtikos] constringent.

σφιγμένος-n-ο (μ) [sfigmenos] compressed.

σφικτά (επ) [sfikta] compactly.

σφικτήρας (ο) [sfiktiras] clamp.

σφίξη (n) [sfiksi] urgency, necessity.

σφίξιμο (το) [sfiksimo] pressing, tightening, squeezing, pressure.

σφιχτός-ή-ό (ε) [sfihtos] tight, hard, thick, stingy.

σφοδρά (επ) [sfodhra] avidly.

σφοδρός-ή-ό (ε) [sfodhros] violent, wild, strong, severe, sharp, passionate.

σφοδρότητα (n) [sfodhrotita] violence, vehemence, wildness,sharpness.

σφουγγάρι (το) [sfungari] sponge .

σφουγγαρόπανο (το) [sfungaropano] mop.

σφραγίδα (n) [sfrayidha] seal, signet, stamp.

σφραγίζω (ρ) [sfrayizo] set one's seal to, stamp, cork [μπουκάλι], fill [δόντι].

σφραγισμένος-n-ο (μ) [sfrayismenos] branded.

σφριγηλός-ή-ό (ε) [sfriyilos] hardy.

σφρίγος (το) [sfrigos] youthful, exuberance, vigour.

σφυγμός (ο) [sfigmos] pulse, caprice [μεταφ], whim.

σφύξη (n) [sfiksi] pulsation, throbbing, throb.

σφύρηγμα (το) [sfirigma] blast.

σφυρήλατος-n-ο (ε) [sfirilatos] beaten.

σφυρηλατώ (ρ) [sfirilato] hammer, batter, pound away.

σφυρί (το) [sfiri] hammer.

σφύριγμα (το) [sfirigma] hissing.

σφυρίζω (ρ) [sfirizo] whistle, hiss, boo.

σφυρίχτρα (n) [sfirihtra] whistle, pipe.

σφυροκοπώ (ρ) [sfirokopo] hammer, pound away.

σχάση (n) [s-hasi] lancination.

σχεδία (n) [s-hedhia] raft, float.

σχεδιάγραμμα (το) [s-hedhiagramma] sketch, outline, draft.

σχεδιάζω (ρ) [s-hedhiazo] sketch, outline, design, draw, plan, intend.

σχεδίασμα (το) [s-hedhiasma] designing.

σχεδιαστής (ο) [s-hedhiastis] draughtsman, designer.

σχέδιο (το) [s-hedhio] plan, design, sketch, outline.

σχεδόν (επ) [s-hedhon] almost, nearly scarcely.

σχέση (n) [s-hesi] relation, connection, reference, intercourse, relations.

σχετίζομαι (ρ) [s-hetizome] get acquainted with, make friends with.

σχετιζόμενος-n-ο (μ) [s-hetizomenos] correlative.

σχετίζω (ρ) [s-hetizo] put side by side, connect.

σχετικός-ή-ό (ε) [s-hetikos] relative, allied.

σχετικότητα (n) [s-hetikotita] relativity.

σχήμα (το) [s-hima] form, shape, format [μέγεθος], size [μέγεθος], cloth [ιερατικό].

σχηματίζω (ρ) [s-himatizo] form, model, shape, create, produce.

σχηματισμός (ο) [s-himatismos] formation, fashioning, construction, conformation, figuration.

σχίζω (ρ) [s-hizo] split, cleave, tear, rend, shred.

σχίσιμο (το) [s-hisimo] cleavage.

σχίσμα (το) [s-hisma] crack, breach, cleavage [μεταφ].

σχισμάδα (n) [s-hismadha] crack, split.

σχισμή (n) [s-hismi] crack, split, chink, cleft.

σχισμός (ο) [s-hismos] cleavage.

σχιστόλιθος (ο) [s-histolithos] slate.

σχιστός-ή-ό (ε) [s-histos] split, slit, torn, open.

σχιστότητα (n) [s-histotita] cleavage.

σχοινί (το) [s-hini] rope, clothes line.

σχοίνινος-n-ο (ε) [s-hininos] corded.

σχοινοβάτης (ο) [s-hinovatis] acrobat.

σχοινόδετος-n-ο (ε) [s-hinodhetos] corded.

σχολαστικός-ή-ό (ε) [s-holastikos] pedantic, scholastic.

σχολείο (το) [s-holio] school.

σχολή (n) [s-holi] school, academy, free time, leisure.

σχολιάζω (ρ) [s-holiazo] comment on, pass remarks on, criticize.

σχολίαση (n) [s-holiasi] commentation.

σχολιαστής (ο, n) [s-holiastis] commentator, editor.

σχολικός-ή-ό (ε) [s-holikos] scholastic, educational.

σχόλιο (το) [s-holio] comment, commentary.

σχολνώ (ρ) [s-holno] stop work, rest, be on vacation, dismiss [από εργασία].

σωβινισμός (ο) [sovinismos] chauvinism.

σώβρακο (το) [sovrako] pants, drawers.

σώζομαι (ρ) [sozome] escape, remain in existence.

σώζω (ρ) [sozo] save, rescue, keep, deliver.

σωθικά (τα) [sothika] entrails, bowels, intestines.

σωληνάριο (το) [solinario] small tube.

σωλήνας (ο) [solinas] pipe, tube.

σωλήνωση (n) [solinosi] canalization.

σώμα (το) [soma] body, corpse, army.

σωματειακός-ή-ό (ε) [somatiakos] corporate.

σωματείο (το) [somatio] guild, association.

σωματέμπορος (ο) [somatemboros] white slaver, pimp.

σωματικά (επ) [somatika] corporally.

σωματικός-ή-ό (ε) [somatikos] physical, bodily.

σωμάτιο (το) [somatio] corpus.

σωματοφυλακή (n) [somatofilaki] bodyguard.

σωματώδης-ης-ες (ε) [somatodhis] corpulent, stout.

σώνω (ρ) [sono] save, rescue, use up, consume, attain, be enough.

σώος-a-ο (ε) [soos] safe, entire, whole, unharmed.

σωπαίνω (ρ) [sopeno] keep silent.

σωρείτης (ο) [soritis] cumulus.

σωριάζομαι (ρ) [soriazome] collapse.

σωριάζω (ρ) [soriazo] cock, bundle.

σωρός (ο) [soros] heap, mass, pile, clutter.

σωσίας (ο) [sosias] double, stand-in.

σωσίβιο (το) [sosivio] life jacket.

σώσιμο (το) [sosimo] saving, finishing up.

σωστά (επ) [sosta] correctly, precisely, rightly, exactly.

σωστός-ή-ό (ε) [sostos] correct, just, right, whole.

σωτήρας (ο) [sotiras] saviour, liberator.

σωτηρία (n) [sotiria] safety, security.

σώφρονας (ο) [sofronas] wise, sensible, prudent, moderate, sober.

σωφρονίζω (ρ) [sofronizo] reform, chastise, correct, bring to reason.

σωφρονισμός (ο) [sofronismos] castigation.

σωφροσύνη (n) [sofrosini] wisdom, prudence, sense, judgement.

T

ταβάνι (το) [tavani] ceiling.

ταβανοσάνιδο (το) [tavanosanidho] batten.

ταβάνωμα (το) [tavanoma] ceiling.

ταβανώνω (ρ) [tavanono] supply with a ceiling.

ταβάς (ο) [tavas] round pan.

ταβατούρι (το) [tavaturi] din.

ταβέρνα (η) [taverna] tavern, inn.

ταβερνιάρης (ο) [taverniaris] publican.

τάβλα (η) [tavla] board, plank, table.

ταβλαδόρος (ο) [tavladhoros] backgammon-player.

τάβλι (το) [tavli] backgammon.

ταγάρι (το) [tagari] bag, sack, wallet.

ταγή (η) [tayi] fodder.

ταγιέρ (το) [tayier] woman's suit.

ταγκιάζω (ρ) [tangiazo] go rancid, go taint.

ταγκό (το) [tango] tango.

ταγκός-ή-ό (ε) [tangos] rancid, rank, tainted.

τάγμα (το) [tagma] order [εκκλ], battalion [στρατ].

ταγματάρχης (ο) [στρατ] [tagmatarhis] major.

τάδε (ο) (η) (το) [tadhe] such- and-such, so-and-so.

τάζω (ρ) [tazo] promise, dedicate.

ταΐζω (ρ) [taizo] feed, nurse [μωρό].

ταινία (η) [tenia] band, stretch, strip, ribbon, film, tape [μηχανής], ribbon [μηχανής], tapeworm [ιατρ], tape measure [μέτρησης].

ταινιόδρομος (ο) [teniodhromos] creeper.

ταινιοθήκη (η) [teniothiki] film library.

ταίρι (το) [teri] helpmate, partner, mate, match, equal, peer, like, fellow.

ταιριάζω (ρ) [teriazo] match, pair, suit, harmonize.

ταίριασμα (το) [teriasma] matching, suiting, fit.

ταιριαστός-ή-ό (ε) [teriastos] well-suited, matched.

τάισμα (το) [taisma] feeding, bribery.

τάκος (ο) [takos] wooden fixing block.

τακούνι (το) [takuni] heel, spike.

τακτ (το) [takt] tact, discretion.

τακτικά (επ) [taktika] frequently.

τακτική (η) [taktiki] tactics, strategy, method.

τακτικός-ή-ό (ε) [taktikos] regular, orderly, settled, quiet, fixed.

τακτικότητα (η) [taktikotita] regularity.

τακτοποιηθείς (μ) [taktopiithis] foregone.

τακτοποίηση (η) [taktopiisi] arrangement, accommodation.

τακτοποιώ (ρ) [taktopio] arrange, set in order, settle, fix up, tidy up.

τακτός-ή-ό (ε) [taktos] fixed, appointed.

ταλαιπωρία (n) [taleporia] torment, hardship, pain, adversity, suffering.

ταλαίπωρος-n-o (ε) [taleporos] miserable, wretched.

ταλαιπωρούμαι (ρ) [taleporume] suffer, toil, labour.

ταλαιπωρώ (ρ) [taleporo] harass, pester.

ταλανίζω (ρ) [talanizo] badger.

ταλαντεύομαι (ρ) [talandevome] swing, sway, rock, waver, hesitate.

ταλάντευση (n) [talantefsi] oscillation, wobble, fluctuation.

τάλαντο (το) [talando] talent,gift.

ταλαντούχος-α-ο (ε) [talanduhos] talented, gifted.

ταλαντώνω (ρ) [talandono] oscillate.

ταλέντο (το) [talendo] talent, gift.

τάλιρο (το) [taliro] five drachma coin.

ταλκ (το) [talk] talc.

τάμα (το) [tama] vow, promise.

ταμειάκος-n-o (ε) [tamiakos] cash.

ταμείο (το) [tamio] cashier's office, cash desk, treasury, pension fund.

ταμιακός-ή-ό (ε) [tamiakos] cash.

ταμίας (ο) [tamias] cashier, treasurer.

ταμευτήριο (το) [tamieftirio] savings bank.

ταμπακιέρα (n) [tambakiera] snuff-box, cigarette-case.

ταμπάκος (ο) [tambakos] tobacco, snuff.

ταμπέλα (n) [tambela] nameplate, bill, registration.

ταμπεραμέντο (το) [tamberamendo] temperament.

ταμπλάς (ο) [tamblas] stroke.

ταμπλέτα (n) [tambleta] tablet.

ταμπλό (το) [tamblo] painting, picture, dashboard switchboard.

ταμπόν (το) [tambon] ink-pad.

ταμπού (το) [tambu] taboo.

ταμπουράς (ο) [tamburas] flute.

ταμπούρι (το) [tamburi] rampart.

ταμπούρλο (το) [tamburlo] drum.

ταμπουρώνομαι (ρ) [tamburonome] trench, barricade oneself.

ταμπουρώνω (ρ) [tamburono] fortify, barricade.

τανάλια (n) [tanalia] pliers, tongs, tweezers, bender.

τανάπαλιν (επ) [tanapalin] vice-versa, conversely.

τανκ (το) [tank] tank.

τάνυσμα (το) [tanisma] stretching, straining.

τάξη (n) [taksi] order, succession, regularity, class, rank, grade, form.

ταξί (το) [taksi] taxi.

ταξιάρχης (ο) [taksiarhis] archangel.

ταξιαρχία (n) [taksiarhia] brigade [στρατ].

ταξίαρχος (ο) [taksiarhos] brigadier [στρατ].

ταξιδευτής (ο) [taksidheftis] traveller.

ταξιδεύω (ρ) [taksidhevo] travel.

ταξίδι (το) [taksidhi] trip, journey.

ταξιδιώτης (ο) [taksidhiotis] traveller.

ταξιδιωτικός-ή-ό (ε) [taksidhiotikos] travel[ling], traveller's.

ταξιθέτηση (n) [taksithetisi] classification.

ταξιθέτρια (n) [taksithetria] usher.

ταξικός-ή-ό (ε) [taksikos] class.

τάξιμο (το) [taksimo] vow, promise.

ταξινομημένος-n-o (μ) [taksinomimenos] classified.

ταξινόμηση (n) [taksinomisi] classification, filing.

ταξινομήσιμος-n-o (ε) [taksinomisimos] classifiable.

ταξινομικός-ή-ό (ε) [taksinomitikos] classificatory.

ταξινομώ (ρ) [taksinomo] classify, class, arrange, grade, assort.

ταξιτζής (ο) [taksitzis] taxi-driver.

τάπα (n) [tapa] plug, cork, stopper.

ταπεινά (επ) [tapina] abjectly, basely.

ταπεινός-ή-ό (ε) [tapinos] modest, humble.

ταπεινοσύνη (n) [tapinosini] humility, modesty.

ταπεινότητα (n) [tapinotita] humbleness, humility, meanness.

ταπεινόφρονας (o) [tapinofronas] humble, modest.

ταπεινοφροσύνη (n) [tapinofrosini] humility, modesty.

ταπεινωμένος-n-o (μ) [tapinomenos] crestfallen.

ταπεινώνομαι (ρ) [tapinonome] be humiliated.

ταπεινώνω (ρ) [tapinono] humble, humiliate, embarrass.

ταπείνωση (n) [tapinosi] humiliation, embarrassment.

ταπεινωτικός-ή-ό (ε) [tapinotikos] humiliating, galling, humbling, embarrassing, abasing.

ταπέτο (το) [tapeto] carpet, rug.

ταπετσαρία (n) [tapetsaria] tapestry, wall covering, upholstery.

ταπετσάρω (ρ) [tapetsaro] paper, upholster.

ταπετσιέρης (o) [tapetsieris] paperhanger, upholsterer.

τάπητας (o) [tapitas] carpet.

ταπητοστρώνω (ρ) [tapitostrono] carpet.

ταπητουργία (n) [tapituryia] carpet-making.

τάπωμα (το) [tapoma] corkage, plugging.

ταπώνω (ρ) [tapono] stop, plug.

τάρα (n) [tara] tare.

τάραγμα (το) [taragma] agitation, shaking, disturbance.

ταραγμένα (n) [taragmena] confusedly.

ταράζω (ρ) [tarazo] shake, disturb, upset.

ταρακούνημα (το) [tarakunima] disturbance, shaking.

ταρακουνιέμαι (ρ) [tarakunieme] bump.

ταρακουνώ (ρ) [tarakuno] shake, upset.

ταραμάς (o) [taramas] fish roe.

ταραμοσαλάτα (n) [taramosalata] taramosalata.

τάρανδος (o) [tarandhos] reindeer.

ταραξίας (o) [taraksias] noisy person.

ταράσσω (ρ) [tarasso] cloud.

ταράτσα (n) [taratsa] flat roof, terrace.

ταραχή (n) [tarahi] agitation, disturbance, upset, affray, bobbery, botheration, feeze, flap.

ταραχοποιός-ός-ό (ε) [tarahopios] rowdy person, noisy person, troublemaker.

ταραχώδης-ης-ες (ε) [tarahodhis] disorderly, riotous, violent, stormy, restless.

ταρίφα (n) [tarifa] price list, rates.

ταρίχευση (n) [tarihefsi] embalming, stuffing.

ταριχεύω (ρ) [tarihevo] embalm, preserve, cure, smoke.

ταρτάρειος-α-ο (ε) [tartarios] cimmerian.

ταρταρούγα (n) [tartaruga] tortoise shell.

τασάκι (το) [tasaki] saucer, ashtray.

τάση (n) [tasi] tension, strain, voltage, inclination [μεταφ], tendency [μεταφ], bent.

τάσι (το) [tasi] shallow bowl.

τασκεμπάπ (το) [taskembap] shishkebab.

τάσσομαι (ρ) [tassome] place ourselves, support.

τάσσω (ρ) [tasso] place, put, post, set, assign, fix.

τατουάζ (το) [tatuaz] tattoo.

ταυρομαχία (n) [tavromahia] bullfight.

ταυρομάχος (o) [tavromahos] bullfighter, matador.

ταύρος (o) [tavros] bull, bullock.

ταυτίζω (ρ) [taftizo] identify, regard as same.

ταύτιση (n) [taftisi] identification, equation.

ταυτολογία (n) [taftoloyia] tautology.

ταυτόσημος-n-o (ε) [taftosimos] equivalent, synonymous.

ταυτότητα (n) [taftotita] identity, sameness, identity card, similarity.

ταυτόχρονος-n-o (ε) [taftohronos] simultaneous, concurrent.

ταφή (n) [tafi] burial.

ταφόπετρα (n) [tafopetra] tombstone.

τάφος (ο) [tafos] grave, tomb.

τάφρος (n) [tafros] ditch, trench, drain, moat.

ταφτάς (ο) [taftas] taffeta.

τάχα (σ) (μο) (επ) [taha] as if, as though, as it were, so to speak.

ταχεία (n) [tahia] express train.

ταχέως (επ) [taheos] apace.

ταχιά (επ) [tahia] tomorrow, in the morning.

ταχίνι (το) [tahini] ground sesame.

τάχιστα (επ) [tahista] very quickly.

ταχτικός-ή-ό (ε) [tahtikos] regular, settled, quiet, fixed, ordinal, tidy, neat.

ταχυδακτυλουργικός-ή-ό (ε) [tahidhaktiluryikos] conjuring, juggling.

ταχυδακτυλουργός (ο) (n) [tahidhaktilurgos] conjurer, magician.

ταχυδρομείο (το) [tahidhromio] post, mail, post office.

ταχυδρόμηση (n) [tahidhromisi] posting, mailing.

ταχυδρομικός-ή-ό (ε) [tahidhromikos] post, mail, postal.

ταχυδρόμος (ο) [tahidhromos] postman, courier.

ταχυδρομώ (ρ) [tahidhromo] mail, post.

ταχυκίνητος-n-o (ε) (tahikinitos) nimble, agile, swift.

ταχύμετρο (το) [tahimetro] speedometer.

τάχυνση (n) [tahinsi] quickening, hastening.

ταχύνω (ρ) [tahino] quicken, speed up, accelerate, hasten.

ταχυπαλμία (n) [tahipalmia] palpitation.

ταχυπιεστήριο (το) [tahipiestirio] rotating press.

ταχύς-εία-ύ (ε) [tahis] quick, brisk, rapid, fleet, swift, fast, prompt, speedy,

adroit, brisky.

ταχύτατος-n-o (ε) [tahitatos] cracking.

ταχύτητα (n) [tahitita] swiftness, speed, rapidity, promptness, velocity.

ταψί (το) [tapsi] large shallow pan.

τεζάρω (ρ) [tezaro] stretch, pull tight.

τεθλασμένος-n-o (μ) [tethlasmenos] broken.

τεθλιμμένος-n-o (μ) [tethlimmenos] griefstricken, heartbroken, afflicted.

τείνω (ρ) [tino] tighten, stretch out, strain, tend to, lead to.

τειχίζω (ρ) [tihizo] wall in.

τείχιση (n) [tihisi] walling.

τείχος (το) [tihos] wall, high wall.

τεκές (ο) [tekes] opium den.

τεκμαίρομαι (ρ) [tekmerome] be presumed.

τεκμαρτός-ή-ό (ε) [tekmartos] presumptive.

τεκμήριο (το) [tekmirio] sign, token, mark, clue.

τεκμηριωμένος-n-o (ε) [tekmiriomenos] factual, documented.

τεκμηριώνω (ρ) [tekmiriono] document, prove.

τεκμηρίωση (n) [tekmiriosi] substantiation, documentation.

τέκνο (το) [tekno] child, offspring.

τεκνοποιία (n) [teknopiia] childbearing.

τεκνοποιώ (ρ) [teknopio] give birth to, bear.

τεκταίνομαι (ρ) [tektenome] be plotted, be hatched.

τέκτονας (ο) [tektonas] mason, freemason.

τεκτονισμός (ο) [tektonismos] freemasonry.

τελάλης (ο) [telalis] town crier.

τελάλισμα (το) [telalisma] public announcement.

τελαμώνας (ο) [telamonas] baldric.

τελάρο (το) [telaro] embroidery frame, door frame.

τέλεια (επ) [telia] clean, directly.

τελεία (n) [telia] full stop.

τελειοποίηση (n) [teliopiisi] perfection, perfecting.

τελειοποιώ (ρ) [teliopio] perfect, improve, make better.

τέλειος-α-ο (ε) [telios] perfect, faultless, ideal, accomplished, consummate.

τελειότητα (n) [teliotita] perfection, faultlessness.

τελειόφοιτος-η-ο (ε) [teliofitos] final year[student], graduate.

τελείωμα (το) [telioma] conclusion, completion, exhaustion, end, finishing.

τελειώνω (ρ) [teliono] exhaust, finish up, end, conclude, be exhausted.

τελείως (επ) [telios] perfectly, completely, fully, entirely.

τελείωση (n) [teliosi] completion, perfection.

τελειωτικός-ή-ό (ε) [teliotikos] definitive, decisive, final, conclusive.

τέλεση (n) [telesi] ceremony, completion.

τελεσίγραφο (το) [telesigrafo] ultimatum.

τελεσίδικο (το) [telesidhiko] finality.

τελεσίδικος-n-o (ε) [telesidhikos] final, decisive.

τελεσφόρος-α-ο (ε) [telesforos] effective, effectual.

τελεσφορώ (ρ) [telesforo] be effective, be successful.

τελετάρχης (ο) [teletarhis] master of ceremonies.

τελετή (n) [teleti] celebration, feast, festival, ceremony.

τελετουργία (n) [teleturyia] ritual.

τελετουργικά (επ) [teleturyika] ceremonially.

τελετουργικός-ή-ό (ε) [teleturyikos] ceremonial, ritual.

τελευταία (επ) [teleftea] last.

τελευταίος-α-ο (ε) [telefteos] last, bottom, concluding, final, latter, ultimate, previous.

τελεφερίκ (το) [teleferik] cable-car, ski-lift.

τέλι (το) [teli] thin wire.

τελικά (επ) [telika] in the end, finally.

τελικός-ή-ό (ε) [telikos] final, eventual, concluding.

τέλμα (το) [telma] swamp, marsh, bog.

τελματώνω (ρ) [telmatono] get bogged down.

τελμάτωση (n) [telmatosi] stagnation.

τέλος (το) [telos] end, tax [φόρος], duty [φόρος], expiration, close, conclusion, outcome, expiry, rates.

τελούμαι (ρ) [telume] happen, take place, chance, come off, develop, fall out.

τελώ (ρ) [telo] perform, celebrate, do.

τελωνειακός-ή-ό (ε) [teloniakos] customs, tariff.

τελωνείο (το) [telonio] customs house.

τελώνης (ο) [telonis] customs officer.

τελώνιο (το) [telonio] goblin, fairy, gnome.

τελωνοφύλακας (ο) [telonofilakas] customs guard.

τελωνοφυλακή (n) [telonofilaki] coast guard.

τεμάχια (τα) [temahia] chessmen.

τεμαχίζω (ρ) [temahizo] cut into pieces, separate, break up.

τεμάχιο (το) [temahio] piece, parcel, bit.

τεμαχισμός (ο) [temahismos] concission.

τεμενάς (ο) [temenas] low bow.

τέμενος (το) [temenos] temple, shrine, mosque, house of worship.

τέμνουσα (n) [temnusa] secant.

τέμνω (ρ) [temno] cut, divide, open.

τεμπέλης-α-ικο (ε) (ο) [tembelis] lazy, indolent, idle.

τεμπελιά (n) [tembelia] laziness.

τεμπελιάζω (ρ) [tembeliazo] loaf, get lazy, idle.

τεμπέλικα (επ) [tembelika] idly.

τεμπέλικος-n-o (ε) [tembelikos] lazy, idle.

τέμπλο (το) [templo] reredos.

τέμπο (το) [tempo] tempo, beat.

τενεκεδάκι (το) [tenekedhaki] cannikin.

τενεκεδένιος-α-ο (ε) [tenekedhenios] made of tin.

τενεκές (ο) [tenekes] large can, good-for-nothing, container.

τένις (το) [tenis] tennis.

τένοντας (ο) [tenondas] tendon].

τενόρος (ο) [tenoros] tenor.

τέντα (η) [tenda] tent, awning.

τέντζερης (ο) [tendzeris] cooking pot, kettle, casserole.

τεντιμπόης (ο) [tendimbois] teddy-boy, tearaway, rebel.

τέντωμα (το) [tendoma] stretching, tightening.

τεντωμένος-η-ο (μ) [tendomenos] cocked.

τεντώνω (ρ) [tendono] stretch, tighten, bend, strain.

τέρας (το) [teras] monster, freak, terror.

τεράστιος-α-ο (ε) [terastios] prodigious, enormous, huge, vast, almighty.

τερατολόγος (ο) [teratologos] great liar, story-teller.

τερατομορφία (η) [teratomorfia] hideous ugliness.

τερατόμορφος-η-ο (ε) [teratomorfos] monstrous, freakish.

τερατούργημα (το) [teraturyima] monstrosity, atrocious deed.

τερατώδης-ης-ες (ε) [teratodhis] prodigious, monstrous, ugly.

τερετίζω (ρ) [teretizo] chirp, chirrup, warble.

τερετισμός (ο) [teretismos] chirp, chirrup.

τερηδόνα (η) [teridhona] caries, decay.

τερηδονισμένος-η-ο (μ) [teridhonismenos] carious.

τέρμα (το) [terma] extremity, terminus, end, goal.

τερματίζω (ρ) [termatizo] finish, terminate, end.

τερματικό (το) [termatiko] computer terminal.

τερματικός (ο) [termatikos] terminal.

τερματισμός (ο) [termatismos] termination, finish.

τερματοφύλακας (ο) [termatofilakas]

goalkeeper.

τερπνός-ή-ό (ε) [terpnos] delightful, agreeable, pleasing.

τέρπω (ρ) [terpo] delight, amuse, please.

τερτίπι (το) [tertipi] trick, whim, fancy.

τέρψη (η) [terpsi] delight, pleasure, amusement.

τέσσερα (αριθ) [tessera] four.

τεταμένος-η-ο (μ) [tetamenos] stretched, extended.

τέτανος (ο) [ιατρ] [tetanos] tetanus.

Τετάρτη (η) [Tetarti] Wednesday.

τέταρτο (το) [tetarto] quarter of an hour.

τέταρτος-η-ο (ε) [tetartos] fourth.

τετελεσμένος-η-ο (μ) [tetelesmenos] accomplished, done.

τετμημένη (η) [tetmimeni] abscissa.

τέτοιος-α-ο (ε) [tetios] similar, alike, such.

τετραγωνίζω (ρ) [tetragonizo] square, quadrate.

τετραγωνικός-ή-ό (ε) [tetragonikos] square.

τετράγωνο (το) [tetragono] square, block.

τετράγωνος-η-ο (ε) [tetragonos] square, reasonable [μεταφ].

τετράδα (η) [tetradha] set of four.

τετράδιο (το) [tetradhio] exercise book.

τετράδυμα (τα) [tetradhima] quadruplets.

τετραετής-ές (ε) [tetraetis] four-year, four year-old.

τετραήμερος-η-ο (ε) [tetraimeros] four-day.

τετρακόσιοι-ιες-ια (ε) [tetrakosii] four hundred.

τετραλογία (η) [tetraloyia] tetralogy.

τετραμελής-ής-ές (ε) [tetramelis] four-member.

τετραμερής-ής-ές (ε) [tetrameris] four-part.

τετράμηνο (το) [tetramino] four-month period.

τετράμηνος-η-ο (ε) [tetraminos] four-month.

τετράπαχος-η-ο (ε) [tetrapahos] very stout, very fat.

τετραπέρατος-η-ο (ε) [tetraperatos] very clever.

τετραπλάσιος-α-ο (ε) [tetraplasios] four times as much.

τετράποδο (το) [tetrapodho] quadruped, beast [μεταφ].

τετράπρακτος-η-ο (ε) [tetrapraktos] four-act.

τετρασέλιδος-η-ο (ε) [tetraselidhos] four-page.

τετράτροχος-η-ο (ε) [tetratrohos] four-wheeled.

τετραφωνία (η) [tetrafonia] in four parts.

τετριμμένος-η-ο (μ) [tetrimmenos] worn-out, commonplace, corny.

τεύτλο (το) [teftlo] beetroot.

τεύχος (το) [tefhos] issue.

τέφρα (η) [tefra] ashes, cinders.

τεφροδόχη (η) [tefrodhohi] cinerarium.

τεφρόχρους (ε) [tefrohrus] ashy, cinereous.

τεφρώδης-ης-ες (ε) [tefrodhis] ashy.

τεφτέρι (το) [tefteri] notebook.

τέχνασμα (το) [tehnasma] ruse, artifice, trick, device.

τέχνη (η) [tehni] art, profession, dexterity, craft.

τεχνητός-ή-ό (ε) [tehnitos] false, artificial, simulated, affected.

τεχνική (η) [τεχν] [tehniki] technique, means.

τεχνικός-ή-ό (ε) [tehnikos] technical, professional.

τεχνικός (ο) [tehnikos] technician.

τεχνίτης (ο) [tehnitis] professional, craftsman, technician, mechanic, specialist.

τεχνοκράτης (ο) [tehnokratis] technocrat.

τεχνοκρίτης (ο) [tehnokritis] art critic.

τεχνολογία (η) [tehnoloyia] technology, grammatical analysis.

τεχνοτροπία (η) [tehnotropia] artistic style.

τεχνουργός (ο) [tehnurgos] artificer.

τέως (επ) [teos] former, late, ex.

τζαζ (n) [tzaz] jazz.

τζάκι (το) [tzaki] fireplace, heating.

τζαμαρία (η) [tzamaria] glass panelling.

τζάμι (το) [tzami] window pane.

τζαμί (το) [tzami] mosque.

τζαμπατζής (ο) [tzambatzis] gatecrasher, fare-dodger.

τζαμωτός-ή-ό (ε) [tzamotos] glass.

τζαναμπέτης-ισσα-ικο (ε) [tzanambetis] wicked person.

τζάνερο (το) [tzanero] sloe.

τζην (το) [tzin] jeans.

τζίβα (n) [tziva] padding.

τζιν (το) [tzin] gin.

τζιπ (το) [tzip] jeep.

τζίρος (ο) [tziros] business turnover.

τζίτζικας (ο) [tzitzikas] cicada.

τζιτζιφιά (n) [βοτ] [tzitzifia] jujube.

τζίφος (ο) [tzitos] blank, flop, failure.

τζίφρα (n) [tzifra] cipher, initial.

τζογαδόρος (ο) [tzogadhoros] gambler.

τζόγος (ο) [tzogos] gambling, backlash.

τζόκεϊ (ο) [tzokei] jockey.

τζουκμπόξ (το) [tzukmboks] jukebox.

τίβεννος (n) [tivennos] toga, gown, robe.

τηγανητός-ή-ό (ε) [tiganitos] fried.

τηγάνι (το) [tigani] frying pan.

τηγανίζω (ρ) [tiganizo] fry.

τηγανίτα (n) [tiganita] pancake.

τηγανιτός-ή-ό (ε) [tiganitos] fried.

τήκομαι (ρ) [tikome] thaw, melt, wither, pine.

τηλεβόας (ο) [tilevoas] loud hailer.

τηλεβόλο (το) [tilevolo] cannon.

τηλεγραφείο (το) [tilegrafio] telegraph office.

τηλεγράφημα (το) [tilegrafima] telegram, cable.

τηλεγραφητής (ο) [tilegrafitis] telegraph operator.

τηλεγραφία (n) [tilegrafia] telegraphy.

τηλεγραφόξυλο (το) [tilegrafoksilo] telegraph pole.

τηλέγραφος (ο) [tilegrafos] telegraph.

τηλεγραφώ (ρ) [tilegrafo] telegraph, wire, cable.

τηλεκατευθυνόμενος-η-ο (μ) [tilekatefthinomenos] remote controlled.

τηλεκινησία (n) [tilekinisia] levitation.

τηλεοπτικός-ή-ό (ε) [tileoptikos] television.

τηλεόραση (n) [tileorasi] television.

τηλεπάθεια (n) [tilepathia] telepathy.

τηλεπικοινωνία (n) [tilepikinonia] telecommunication.

τηλεσκόπιο (το) [tileskopio] telescope.

τηλέτυπο (το) [tiletipo] teleprinter.

τηλεφώνημα (το) [tilefonima] telephone call.

τηλεφωνητής (ο) [tilefonitis] telephone operator.

τηλεφωνικός-ή-ό (ε) [tilefonikos] telephone.

τηλέφωνο (το) [tilefono] telephone

τηλεφωνώ (ρ) [tilefono] telephone.

τήξη (n) [φυσ] [tiksi] melting, thawing, casting.

τήρηση (n) [tirisi] observance, maintenance, keeping.

τηρητής (ο) [tiritis] keeper, maintainer.

τηρώ (ρ) [tiro] keep, observe, follow, maintain.

τι (αν) [ti] what, how.

τιάρα (n) [tiara] tiara.

τίγκα (επ) [tinga] packed, full up.

τίγρη (n) [tigri] tiger, tigress [ζωολ].

τιθασεύω (το) [tithasevo] tame.

τιθάσεψη (n) [tithasepsi] domestication, taming.

τίθεμαι (ρ) [titheme] be arranged, be placed, be imposed.

τικ (το) [tik] tick, twitch.

τιμαλφή (τα) [timalfi] jewellery, jewels.

τιμάριθμος (ο) [timarithmos] cost of living.

τιμάριο (το) [timario] manor.

τιμαριούχος (ο) [timariuhos] manor lord.

τιμαριωτικός-ή-ό (ε) [timariotikos] feudal.

τιμή (n) [timi] respect, honour, rate, price.

τίμημα (το) [timima] cost, price, value.

τιμημένος-n-ο (μ) [timimenos] honoured, valued.

τιμητής (ο) [timitis] censor, critic.

τιμητικός-ή-ό (ε) [timitikos] honorary, prestigious.

τίμια (επ) [timia] aboveboard.

τίμιος-α-ο (ε) [timios] honest, upright, valuable, aboveboard, straight.

τιμιότητα (n) [timiotita] honesty, uprightness, incorruptness fairness.

τιμοκατάλογος (ο) [timokatalogos] price list, menu.

τιμολόγηση (n) [timoloyisi] pricing, quotation, price-fixing.

τιμολόγιο (το) [timoloyio] invoice, bill, price-list, account.

τιμολογώ (ρ) [timologo] price, fix the price, quote, bill, invoice.

τιμόνι (το) [timoni] helm, rudder steering wheel.

τιμονιέρης (ο) [timonieris] helmsman, coxswain.

τιμώ (ρ) [timo] honour, respect.

τιμώμαι (ρ) [timome] cost, be worth, be honoured.

τιμωρητέος-έα-έο (ε) [timoriteos] punishable.

τιμωρία (n) [timoria] punishment, penalty, castigation.

τιμωρός (ο) [timoros] punisher, castigator.

τιμωρώ (ρ) [timoro] punish, chastise, fine, castigate, correct.

τίναγμα (το) [tinagma] shake, throw, bump, whisk, start.

τιναγμένος-n-ο (μ) [tinagmenos] jolted, shaken, thrown.

τινάζομαι (ρ) [tinazome] leap, spring, brush one's clothes.

τινάζω (ρ) [tinazo] shake off, shake, hurl, toss [πετώ], beat, fling, pitch, spring.

τινάσσομαι (ρ) [tinassome] bob.

τίποτε (αν) [tipote] any, anything, nothing, some.

τιποτένιος-α-ο (ε) [tipotenios] mean, trivial, worthless, beggarly.

τιράντα (n) [tiranda] shoulder-strap, braces, suspenders.

τιρμπουσόν (το) [tirmbuson] corkscrew.

τιτάνας (ο) [titanas] giant.

τιτβίζω (ρ) [titivizo] chirp, tweet, cheep.

τίτλος (ο) [titlos] title, right, claim, certificate, label.

τιτλούχος-α-ο (ε) [titluhos] titled.

τιτλοφόρηση (n) [titloforisi] labelling, titling.

τιτλοφορώ (ρ) [titloforo] entitle.

τμήμα (το) [tmima] part, segment, section, department, police station.

τμηματάρχης (ο) (n) [tmimatarhis] head of (a) department.

τμηματικός-ή-ό (ε) [tmimatikos] part.

το (αρθ) [to] the, it, him, her.

τοιούτος, τοιαύτη, τοιούτο (αν) [tiutos, tiafti, tiuto] such.

τοιουτοτρόπως (επ) [tiutotropos] so, in this way, thus, like this.

τοιχίζω (ρ) [tihizo] wall in, wall up.

τοιχίο (το) [tihio] parapet, low wall.

τοίχιση (n) [tihisi] walling.

τοιχογραφία (n) [tihografia] wall painting, mural.

τοιχοδομή (n) [tihodhomi] stonework, brickwork.

τοιχοκόλληση (n) [tihokollisi] bill posting.

τοιχοκολλητής (ο) [tihokollitis] bill-sticker.

τοιχοκολλώ (ρ) [tihokollo] post up, put up.

τοιχοποιία (n) [tihopiia] brickwork, stonework.

τοίχος (ο) [tihos] wall.

τοίχωμα (το) [tihoma] inner wall, partition wall.

τοκετός (ο) [toketos] childbirth, confinement, delivery.

τοκίζω (ρ) [tokizo] lend money, invest.

τοκογλυφία (n) [tokoglifia] usury.

τοκογλύφος (ο) [tokoglifos] usurer.

τοκομερίδιο (το) [tokomeridhio] dividend coupon.

τόκος (ο) [tokos] interest, rate.

τοκοχρεολύσιο (το) [tokohreolisio] sinking fund.

τόλμη (n) [tolmi] daring, audacity, boldness.

τόλμημα (το) [tolmima] bold act.

τολμηρά (επ) [tolmira] boldly.

τολμηρός-ή-ό (ε) [tolmiros] bold, courageous, daring, confident.

τολμηρότητα (n) [tolmirotita] boldness.

τολμώ (ρ) [tolmo] dare, risk, hazard.

τολύπη (n) [tolipi] wisp.

τομάρι (το) [tomari] hide, skin, leather.

τομάτα (n) [tomata] tomato.

τομέας (ο) [tomeas] sector, incisor, chisel.

τομή (n) [tomi] cut, gash, incision, section, lancination.

τόμος (ο) [tomos] volume.

τόμπολα (n) [tombola] tombola.

τονίζω (ρ) [tonizo] accent, accentuate, stress.

τονικός-ή-ό (ε) [tonikos] tonal, tonic, accent.

τονισμός (ο) [tonismos] emphasizing, stress, intonation.

τόνος (ο) [tonos] ton, tuna fish, accent, tone, key.

τονώνω (ρ) [tonono] fortify, invigorate, refreshen, brace.

τόνωση (n) [tonosi] strengthening, bracing up.

τονωτικό (το) [tonotiko] corroborant.

τονωτικός-ή-ό (ε) [tonotikos] bracing, invigorating, tonic, refreshening.

τοξεύω (ρ) [toksevo] shoot with an arrow.

τοξικομανής-ής-ές (ε) [toksikomanis] drug addict.

τοξικός-ή-ό (ε) [toksikos] toxic.

τοξίνη (n) [toksini] toxin.

τοξίνωση (n) [toksinosi] poisoning, toxicosis.

τόξο (το) [tokso] bow, arch, arc, curve.

τοξοβολία (n) [toksovolia] archery.

τοξοειδής-ής-ές (ε) [toksoidhis] bowed, arched, curved.

τοξότης (ο) [toksotis] archer.

τοπάζι (το) [topazi] topaz.

τόπι (το) [topi] ball, roll of cloth, cannonball, bolt.

τοπικισμός (ο) [topikismos] local patriotism.

τοπικιστικός-ή-ό (ε) [topikistikos] sectional.

τοπικός-ή-ό (ε) [topikos] local, regional.

τοπίο (το) [topio] landscape, site.

τοπογράφος (ο) [topografos] topographer, surveyor.

τοποθεσία (n) [topothesia] location, site, place.

τοποθέτηση (n) [topothetisi] putting, placing, investment.

τοποθετώ (ρ) [topotheto] place, set, put, invest, position, lay, assign.

τοπολαλιά (n) [topolalia] local dialect.

τόπος (ο) [topos] place, position, country, space, room, locus.

τοποτηρητής (ο) [topotiritis] deputy, vicar [εκκλ].

τοπωνυμία (n) [toponimia] place name.

τορβάς (ο) [torvas] nosebag, wallet, sack.

τορναδόρος (ο) [tornadhoros] turner.

τορνάρισμα (το) [tornarisma] polishing.

τορνεύω (ρ) [tornevo] work a lathe.

τόρνος (ο) [tornos] lathe.

τορπίλα (n) [torpila] torpedo.

τορπιλάκατος (n) [torpilakatos] torpedo-boat.

τορπίλη (n) [torpili] torpedo.

τορπιλίζω (ρ) [torpilizo] torpedo.

τόσο (επ) [toso] so much.

τοσοδά-nδα-οδα (αν) [tosodha-idha-odha] that little, that short, tiny.

τόσος-n-ο (αν) [tosos] so large, so great, so much, so many.

τοσούλης-α-ικο (ε) [tosulis] tiny, that little.

τότε (επ) [tote] then, at that time, in that case, therefore, thereupon.

τουαλέτα (n) [tualeta] toilet, dress, dressing room, dressing table, lavatory.

τούβλο (το) [tuvlo] brick, simpleton.

τουλάχιστον (επ) [tulahiston] at least.

τούλι (το) [tuli] tulle, chiffon.

τουλίπα (n) [tulipa] tulip.

τουλούμι (το) [tulumi] goatskin bottle.

τούμπα (n) [tumba] somersault, fall.

τουμπανιάζω (ρ) [tumbaniazo] swell, become swollen.

τουμπάνισμα (το) [tumbanisma] beating, up, swelling, gorging oneself.

τούμπανο (το) [tumbano] drum.

τουμπάρισμα (το) [tumbarisma] overthrowing.

τουναντίον (επ) [tunandion] on the contrary.

τούνελ (το) [tunel] tunnel.

τούντρα (n) [tundra] tundra.

τουπέ (το) [tupe] cheek, audacity.

τουρισμός (ο) [turismos] tourism, touring.

τουρίστας (ο) [turistas] tourist.

Τουρκικός-ή-ό (ε) [Turkikos] Turkish.

Τούρκος (ο) [Turkos] Turk.

τούρλωμα (το) [turloma] bulging, vaulting, heap, pile.

τουρλώνω (ρ) [turlono] pile up, swell out.

τουρλωτός-ή-ό (ε) [turlotos] piled up, rounded.

τουρμπάνι (το) [turmbani] turban.

τουρμπίνα (n) [turmbina] turbine.

τουρνέ (n) [turne] theatrical tour.

τουρσί (το) [tursi] pickle, brine.

τούρτα (n) [turta] gateau, tart.

τουρτουρίζω (ρ) [turturizo] shiver, shudder.

τουρτούρισμα (το) [turturisma] shudder, shiver.

τούτος-n-ο (αν) [tutos] this one.

τούφα (n) [tufa] tuft, bunch, cluster, lock, clump.

τουφέκι (το) [tufeki] rifle, musket, gun.

τουφεκιά (n) [tufekia] gunshot.

τουφεκίδι (το) [tufekidhi] rifle fire.

τουφεκίζω (ρ) [tufekizo] shoot, fire.

τουφεκισμός (ο) [tufekismos] firing.

τουφωτός-ή-ό (ε) [tufotos] tufted.

τραβέρσα (n) [traversa] tie, barge-couple.

τραβεστί (ο) [travesti] transvestite.

τράβηγμα (το) [travigma] pulling, dragging, tug, drawing off.

τραβηξιά (n) [traviksia] puff, pull, draw.

τραβιέμαι (ρ) [travieme] draw back, leave, be in demand, it's unbearable.

τραβολόγημα (το) [travoloyima] harassment, pulling about.

τραβώ (ρ) [travo] pull, drag, haul, draw [όπλο, χρήματα, κτλ], absorb [απορροφώ], fire [τουφεκιά], attract [προσελκύω], head for [αμετ], move on [αμετ], last [συνεχίζω], suck [τσιμπούκι κτλ].

τραγανίζω (ρ) [traganizo] munch, grind, chew.

τραγάνισμα (το) [traganisma] crunch, gnawing.

τραγανιστός-ή-ό (ε) [traganistos] crisp, crunchy.

τραγανό (το) [tragano] cartilage, grist.

τραγανός-ή-ό (ε) [traganos] crisp, brittle, crunchy.

τραγελαφικός-ή-ό (ε) [trayelafikos] monstrous.

τραγί (το) [trayi] kid.

τραγιάσκα (n) [trayiaska] cap.

τραγικός-ή-ό (ε) [trayikos] calamitous, tragic.

τραγογένης (ο) [tragoyenis] beard-ed devil.

τράγος (ο) [tragos] billy-goat, goat.

τραγουδάκι (το) [tragudhaki] ditty.

τραγούδι (το) [tragudhi] song, air, tune.

τραγουδιστής (ο) [tragudhistis] singer, vocalist.

τραγουδιστός-ή-ό (ε) [tragudhistos] sung, tuneful.

τραγουδώ (ρ) [tragudho] sing, chant, hum [σιγά], chorus.

τραγωδία (n) [tragodhia] tragedy.

τραγωδός (ο) [tragodhos] tragic actor, tragic actress.

τρακ (το) [trak] stage fright.

τράκα (n) [traka] sponging.

τρακαδόρος (ο) [trakadhoros] sponger, borrower.

τρακάρισμα (το) [trakarisma] crash, argument, sponging.

τρακάρω (ρ) [trakaro] collide with, meet by accident.

τράκας (ο) [trakas] borrower.

τρακατρούκα (n) [trakatruka] firecracker.

τράκο (το) [trako] collision, attack .

τρακτέρ (το) [trakter] farm tractor.

τραμ (το) [tram] tram, tramcar.

τραμουντάνα (n) [tramundana] north wind.

τράμπα (n) [tramba] swap.

τραμπάλα (n) [trambala] seesaw.

τραμπούκος (ο) [trambukos] scoundrel, rotter.

τρανεύω (ρ) [tranevo] grow big.

τρανζίστορ (το) [tranzistor] transistor.

τράνζιτο (το) [tranzito] transit.

τρανός-ή-ό (ε) [tranos] powerful, large, grand, important.

τράνταγμα (το) [trandagma] jolting, shake, shaking, jolt, jerk.

τραντάζω (ρ) [trandazo] jolt, joggle, rattle, tremble.

τρανταχτός-ή-ό (ε) [trandahtos] ringing, resounding.

τράπεζα (n) [trapeza] table, bank, altar [αγία].

τραπεζαρία (n) [trapezaria] dining room.

τραπέζι (το) [trapezi] table, dinner.

τραπεζικός-ή-ό (ε) [trapezikos] bank[ing].

τραπεζίτης (ο) [trapezitis] banker, molar.

τραπεζιτικός-ή-ό (ε) [trapezitikos] banking, bank employee.

τραπεζογραμμάτιο (το) [trapezogrammatio] banknote.

τραπεζοκόμος (ο) [trapezokomos] waiter.

τραπεζομάντιλο (το) [trapezomandilo] tablecloth.

τραπεζώνω (ρ) [trapezono] wine and dine.

τράπουλα (η) [trapula] pack of cards.

τραπουλόχαρτο (το) [trapuloharto] playing-card.

τραστ (το) [trast] trust.

τράτα (η) [trata] fishing boat.

τρατάρω (ρ) [trataro] regail for, treat, offer.

τραυλίζω (ρ) [travlizo] stammer, stutter, lisp.

τραύλισμα (το) [travlisma] lisp, stutter, stammer.

τραυλός-ή-ό (ε) [travlos] stammering, stuttering.

τραύμα (το) [travma] wound, hurt, injury.

τραυματίας (ο) [travmatias] casualty.

τραυματίζω (ρ) [travmatizo] hurt, wound, injure.

τραυματικός-ή-ό (ε) [travmatikos] traumatic.

τραυματιοφορέας (ο) [travmatioforeas] stretcher-bearer.

τραυματισμός (ο) [travmatismos] wounding, injuring.

τραχανάς (ο) [trahanas] frumenty, semolina.

τραχεία (η) [trahia] trachea, windpipe.

τραχέως (επ) [traheos] crabbedly.

τραχηλικός-ή-ό (ε) [trahilikos] cervical.

τράχηλος (ο) [trahilos] neck.

τραχύνω (ρ) [trahino] make harsh, make rough.

τραχύς-ιά-ύ (ε) [trahis] harsh, rough, sharp [στη γεύση], harsh [στην ακοή], sour [χαρακτήρας], abrasive, brusque, crabby.

τραχύτητα (η) [trahitita] roughness, harshness, abruptness, coarseness,.

τράχωμα (το) [trahoma] trachoma.

τρεις (αριθ) [tris] three.

τρεκλίζω (ρ) [treklizo] stagger.

τρέλα (η) [trela] madness, mania, anything pleasing [μεταφ].

τρελάδικο (το) [treladhiko] madhouse.

τρελαίνομαι (ρ) [trelenome] go insane, be driven mad.

τρελαίνω (ρ) [treleno] drive mad.

τρελοκομείο (το) [trelokomio] mental hospital.

τρελός (ο) [trelos] madman, fool.

τρελός-ή-ό (ε) [trelos] insane, mad.

τρεμάμενος-η-ο (ε) [tremamenos] shaky, trembling, flickering.

τρεμολάμπω (ρ) [tremolambo] twinkle, flicker.

τρεμοπαίζω (ρ) [tremopezo] flicker, waver.

τρεμοσβήνω (ρ) [tremosvino] flicker, sparkle.

τρεμούλα (η) [tremula] shivering, trembling, quiver.

τρεμουλιάζω (ρ) [tremuliazo] flicker, quiver, tremble.

τρεμούλιασμα (το) [tremuliasma] trembling, quivering.

τρεμοφέγγω (ρ) [tremofengo] glimmer.

τρέμω (ρ) [tremo] tremble, shiver, shake [από φόβο], flicker [το φως], quiver [φωνή].

τρενάρισμα (το) [trenarisma] delay.

τρενάρω (ρ) [tenaro] delay, protract.

τρένο (το) [treno] railway train.

τρέξιμο (το) [treksimo] running, flow [αίματος].

τρέπω (ρ) [trepo] change, turn, translate.

τρέφω (ρ) [trefo] nourish, nurture, cherish [ελπίδα], support, keep.

τρεχάλα (η) [trehala] running.

τρεχάματα (τα) [trehamata] running about, cares [μεταφ].

τρεχάμενος-η-ο (μ) [trehamenos] running.

τρεχαντήρι (το) [trehandiri] small sailing boat.

τρεχάτα (επ) [trehata] at full speed.

τρεχάτος-η-ο (ε) [trehatos] running, hasty.

τρέχω (ρ) [treho] run, race, hurry, flow [για υγρά], course, streak.

τρέχων-ουσα-ον (μ) [trehon] running, current, present.

τρία (αριθ) [tria] three.

τριάδα (n) [triadha] trinity, trio.

τρίαινα (n) [triena] trident.

τριακόσια (αριθ) [triakosia] three hundred.

τριακόσιοι-ες-α (ε) [triakosii] three hundred.

τριακοστός-ή-ό (ε) [triakostos] thirtieth.

τριάντα (αριθ) [trianda] thirty.

τριανταφυλλιά (n) [triandafillia] [βοτ] rose[bush].

τριαντάφυλλο (το) [triandafillo] rose.

τριάρι (το) [triari] figure.

τριβαδισμός (o) [trivadhismos] lesbianism.

τριβελίζω (ρ) [trivelizo] pester.

τριβέλισμα (το) [trivelisma] drilling, pestering.

τριβή (n) [trivi] friction, chafing, rubbing, wear and tear, use [μεταφ], experience [μεταφ].

τρίβολος (n) [trivolos] caltrop.

τρίβομαι (ρ) [trivome] wear out, disintegrate, get experienced [μεταφ].

τρίβω (ρ) [trivo] rub, polish up, grate, massage [το σώμα].

τριγαμία (n) [trigamia] trigamy.

τριγμός (o) [trigmos] crackling, cracking, grinding [δοντιών].

τριγόνι (το) [ζωολ] [trigoni] turtledove.

τριγυρίζω (ρ) [triyirizo] encircle, roam, hang about.

τριγύρισμα (το) [triyirisma] surrounding, encirclement, hanging around, chase.

τριγύρω (επ) [triyiro] round, about.

τριγωνικός-ή-ό (ε) [trigonikos] triangular.

τρίγωνο (το) [trigono] triangle.

τριγωνομετρία (n) [trigonometria] trigonometry.

τρίδιπλος-n-o (ε) [tridhiplos] threefold.

τρίδυμα (τα) [tridhima] triplets.

τριετής-ής-ές (ε) [trietis] of three years, three years old [ηλικία].

τριζάτος-n-o (ε) [trizatos] crunchy.

τριζοβόλημα (το) [trizovolima] crackling.

τριζοβολώ (ρ) [trizovolo] crackle, creak, grind.

τρίζω (ρ) [trizo] crackle, crack, creak, squeak, grind [δόντια].

τρικινητήριο (το) [trikinitirio] three-engined.

τρικλίζω (ρ) [triklizo] stagger, wobble.

τρικλοποδιά (n) [triklopodhia] trip-up.

τρίκλωνος-n-o (ε) [triklonos] three-stranded.

τρικούβερτος-n-o (ε) [trikuvertos] splendid, terrific, wonderful.

τρίκυκλο (το) [trikiklo] tricycle.

τρικυμία (n) [trikimia] storm, tempest.

τρικυμιώδης-ης-ες (ε) [trikimiodhis] stormy, tempestuous, rough.

τρίλια (n) [trilia] trill.

τριλογία (n) [triloyia] trilogy.

τριμερής-ής-ές (ε) [trimeris] tripartite.

τριμηνία (n) [triminia] quarter of a year.

τριμηνιαίος-α-ο (ε) [triminieos] of three months, quarterly.

τρίμηνο (το) [trimino] quarter of a year, quarter's rent.

τρίμηνος-n-o (ε) [triminos] of three months, quarterly.

τρίμμα (το) [trimma] fragment, morsel, chip.

τριμμένος-n-o (μ) [trimmenos] showing wear and tear, ground.

τρίξιμο (το) [triksimo] gnashing, grinding.

τρίο (το) [trio] trio.

τριπλασιάζω (ρ) [triplasiazo] treble, triple.

τριπλασιασμός (o) [triplasiasmos] tripling, trebling.

τριπλάσιος-α-ο (ε) [triplasios] threefold, triple, treble.

τριπλότυπος-n-o (ε) [triplotipos] triplicate.

τρίποδας (o) [tripodhas] tripod.

τριποδίζω (ρ) [tripodhizo] trot.

τρίποδο (το) [tripodho] tripod, easel.

τρισάθλιος-α-ο (ε) [trisathlios] wretched.

τρίσβαθος-η-ο (ε) [trisvathos] very deep.

τρισδιάστατος-η-ο (ε) [trisdhiastatos] three-dimensional.

τρισέγγονος (ο) [trisengonos] great-great- grandchild.

τρισένδοξος-η-ο (ε) [trisendhoksos] most glorious.

τρισκατάρατος-η-ο (ε) [triskataratos] thrice-cursed, abominable.

τρίστηλος-η-ο (ε) [tristilos] three-column.

τρίστιχο (το) [tristiho] triplet.

Τρίτη (n) [Triti] Tuesday.

τρίτο (το) [trito] third.

τρίτος-η-ο (ε) [tritos] third.

τριφασικός-ή-ό (ε) [trifasikos] three-phase.

τρίφτης (ο) [triftis] grater.

τριφύλλι (το) [trifilli] clover, trefoil.

τρίχα (n) [triha] hair, bristle, fur.

τρίχας (ο) [trihas] windbag.

τριχιά (n) [trihia] rope.

τριχοειδές (το) [trihoidhes] capillarity.

τριχοειδής-ής-ές (ε) [trihoidhis] capillary, capilliform.

τριχόπτωση (n) [trihoptosi] loss of hair.

τριχοφόρος-η-ο (ε) [trihoforos] ciliate.

τρίχωμα (το) [trihoma] fur, hair, coat.

τριχωτός-ή-ό (ε) [trihotos] hairy, shaggy.

τρίψιμο (το) [tripsimo] chafing, massage, rubbing, friction, polishing, grating, grinding.

τρίωρος-η-ο (ε) [trioros] of three hours.

τριώροφος-η-ο (ε) [triorofos] three-storeyed.

τροβαδούρος (ο) [trovadhuros] singer, busker.

τρόλεϊ (το) [trolei] trolley bus.

τρόμαγμα (το) [tromagma] fright, scare.

τρομάζω (ρ) [tromazo] terrify, frighten, get scared.

τρομακτικός-ή-ό (ε) [tromaktikos] fearful, awful, frightening, terrific [μεταφ], terrifying.

τρομάρα (n) [tromara] dread, fright.

τρομερός-ή-ό (ε) [tromeros] terrible, dreadful, frightful, terrific [μεταφ], almighty, appalling.

τρομοκράτης (ο) [tromokratis] terrorist.

τρομοκράτηση (n) [tromokratisi] intimidation.

τρομοκρατία (n) [tromokratia] terrorism, terror.

τρομοκρατικός-ή-ό (ε) [tromokratikos] terrorist.

τρομοκρατώ (ρ) [tromokrato] terrorize, browbeat.

τρόμος (ο) [tromos] trembling, shaking, dread.

τρόμπα (n) [tromba] pump.

τρομπάρω (ρ) [trombaro] pump up.

τρομπέτα (n) [trombeta] trumpet.

τρομπόνι (το) [tromboni] trombone.

τρόπαιο (το) [tropeo] trophy, triumph.

τροπαιούχος-α-ο (ε) [tropeuhos] triumphant.

τροπάριο (το) [tropario] hymn, same old refrain [μεταφ].

τροπή (n) [tropi] change, turn, conversion.

τροπίζω (ρ) [tropizo] careen.

τροπικός-ή-ό (ε) [tropikos] tropical, of manner.

τροπιστήριο (το) [tropistirio] careenage.

τροπολογία (n) [tropoloyia] amendment, change.

τροποποίηση (n) [tropopiisi] alteration, change.

τροποποιήσιμος-η-ο (ε) [tropopiisimos] alterable.

τροποποιώ (ρ) [tropopio] modify, change, alter, amend.

τρόπος (ο) [tropos] way, manner, method, behaviour.

τρούλος (ο) [trulos] dome, cupola.

τρουλωτός-ή-ό (ε) [trulotos] domed.

τρούφα (n) [trufa] truffle.

τροφαντός-ή-ό (ε) [trofandos] plump, fleshy.

τροφή (n) [trofi] food, nutrition, fodder [ζώων], sustenance, board.

τροφικός-ή-ό (ε) [trofikos] food.

τρόφιμα (τα) [trofima] provisions.

τρόφιμος-n-o (ε) [trofimos] lodger, boarder.

τροφοδοσία (n) [trofodhosia] provisioning, supply.

τροφοδότης (ο) [trofodhotis] caterer, provider, supplier.

τροφοδότηση (n) [trofodhotisi] supply, feed.

τροφοδοτούμαι (ρ) [trofodhotume] board.

τροφοδοτώ (ρ) [trofodhoto] feed, provision, supply.

τροφός (n) [trofos] wet-nurse.

τροχάδην (επ) [trohadhin] hurriedly, at full speed, fluently [μεταφ].

τροχαία (n) [trohea] traffic police.

τροχαίος-a-o (ε) [troheos] rolling.

τροχαίος (ο) [troheos] traffic policeman.

τροχαλία (n) [trohalia] pulley, block.

τροχιά (n) [trohia] track, groove, rut, track [σιδηροδρόμου], orbit [δορυφόρου κτλ].

τροχίζω (ρ) [trohizo] sharpen, grind, train [μεταφ].

τροχιοδεικτικό (το) [trohiodhiktiko] tracer-shell.

τροχιόδρομος (ο) [trohiodhromos] railway.

τροχίσκος (ο) [trohiskos] disc, roller, caster.

τρόχισμα (το) [trohisma] sharpening, grinding, exercising [μεταφ].

τροχονόμος (ο) [trohonomos] traffic policeman.

τροχοπέδη (n) [trohopedhi] brake, skid.

τροχοπέδηση (n) [trohopedhisi] baking.

τροχοπέδιλο (το) [trohopedhilo] roller-skate.

τροχός (ο) [trohos] wheel, grindstone.

τροχόσπιτο (το) [trohospito] caravan.

τροχοφόρο (το) [trohoforo] vehicle.

τρύγημα (το) [triyima] skinning.

τρυγητής (ο) [triyitis] grape harvester, vintager.

τρυγητός (ο) [triyitos] grape harvest, vintage.

τρύγος (ο) [trigos] grape harvest.

τρυγώ (ρ) [trigo] gather grapes, loot [μεταφ].

τρύπα (n) [tripa] hole, den [μεταφ].

τρυπάνι (το) [tripani] drill, drilling, machine.

τρυπανίζω (ρ) [tripanizo] drill, bore, perforate.

τρυπάνιση (n) [tripanisi] drilling.

τρύπανο (το) [tripano] auger.

τρύπημα (το) [tripima] perforating, boring, piercing, prick.

τρυπημένος-n-o (μ) [tripimenos] perforated, pricked, bored.

τρυπητήρι (το) [tripitiri] punch, drill.

τρυπητό (το) [tripito] strainer, colander.

τρυπητός-ή-ό (ε) [tripitos] perforated, pierced, holey.

τρύπιος-a-o (ε) [tripios] perforated, holey.

τρυπώ (ρ) [tripo] bore, pierce, prick, clip, perforate.

τρύπωμα (το) [tripoma] tacking, hiding.

τρυπώνω (ρ) [tripono] hide, conceal, squeeze in, take refuge, baste.

τρυφεραίνω (ρ) [trifereno] become tender, make tender.

τρυφερός-ή-ό (ε) [triferos] tender, soft, affectionate, mild, gentle, sensitive, delicate, fond.

τρυφερότητα (n) [triferotita] tenderness, softness, kindness, mildness, gentleness.

τρυφή (n) [trifi] luxury, easy life, comfort.

τρυφηλός-ή-ό (ε) [trifilos] luxurious.

τρυφηλότητα (n) [trifilotita] sensualism, softness.

τρώγλη (n) [trogli] hole, lair, den.

τρωγλοδύτης (ο) [troglodhitis] cave-dweller, squatter.

τρώγομαι (ρ) [trogome] be edible.

τρώγω (ρ) [trogo] eat, bite, feed on, lunch, spend [ξοδεύω], defeat [νικώ], itch.

Τρωικός-ή-ό (ε) [Troikos] Trojan.

τρωκτικό (το) [troktiko] rodent.

τρωτός-ή-ό (ε) [trotos] vulnerable, weak.

τρωτότητα (n) [trototita] vulnerability.

τρώω (ρ) [troo] eat, bite.

τσαγερό (το) [tsayero] kettle.

τσαγιέρα (n) [tsayiera] teapot.

τσαγκάρης (ο) [tsangaris] shoemaker, cobbler.

τσαγκός-ή-ό (ε) [tsangos] cross-grained.

τσαγκρουνίζω (ρ) [tsangrunizo] scratch, rake.

τσάι (το) [tsai] tea [βοτ], char.

τσακάλι (το) [tsakali] jackal [ζωολ].

τσακίζομαι (ρ) [tsakizome] strive, struggle, fold.

τσακίζω (ρ) [tsakizo] break, crack, shatter, weaken [μεταφ], wear out [μεταφ].

τσάκιση (n) [tsakisi] crease, pleat.

τσάκισμα (το) [tsakisma] breaking, shattering, smashing.

τσακισμένος-n-o (μ) [tsakismenos] beaten.

τσακιστός-ή-ό (ε) [tsakistos] crushed, shattered, smashed.

τσακμάκι (το) [tsakmaki] cigarette lighter.

τσάκωμα (το) [tsakoma] seizing, catching, quarrelling.

τσακωμός (ο) [tsakomos] falling out, argument.

τσακώνομαι (ρ) [tsakonome] quarrel, fight, dispute.

τσακώνω (ρ) [tsakono catch red-handed, apprehend, cop.

τσαλαβούτημα (το) [tsalavutima] wading, dabbling.

τσαλαβουτώ (ρ) [tsalavuto] flounder, splash about, do a sloppy job [μεταφ].

τσαλακώνομαι (ρ) [tsalakonome] crumple.

τσαλακώνω (ρ) [tsalakono] crease, wrinkle, fold, buckle.

τσαλαπάτημα (το) [tsalapatima] treading, humiliation.

τσαλαπατημένος-n-o (μ) [tsalapatime-nos] downtrodden.

τσαλαπατώ (ρ) [tsalapato] tread over.

τσαλαπετεινός (ο) [tsalapetinos] hoopoe.

τσαλίμι (το) [tsalimi] trick, follies.

τσαλόσκουπα (n) [tsaloskupa] besom.

τσαμπί (το) [tsambi] bunch [of grapes], cluster.

τσαμπουκαλής (ο) [tsambukalis] bully.

τσαμπούνα (n) [tsambuna] bagpipes.

τσαμπουνώ (ρ) [tsambuno] drivel, waffle, jabber.

τσανάκα (n) [tsanaka] earthenware bowl.

τσανάκι (το) [tsanaki] skunk.

τσανακογλείφτης (ο) [tsanakogliftis] toady, bootlicker.

τσάντα (n) [tsanda] pouch, handbag, briefcase, bag, satchel.

τσαντίζω (ρ) [tsandizo] rile, be in a huff, annoy, irritate.

τσαντίλα (n) [tsandila] huff, annoyance.

τσαντίρι (το) [tsandiri] [gipsy's] tent.

τσάντσμα (το) [tsandisma] huff, ruffle.

τσάπα (n) [tsapa] hoe, pickaxe.

τσαπατσουλιά (n) [tsapatsulia] sloppiness, botch.

τσαπατσούλικος-n-o (ε) [tsapatsulikos] slovenly, sloppy, botchy.

τσαπέλα (n) [tsapela] string of dried figs.

τσαπί (το) [tsapi] hoe, pickaxe.

τσαπίζω (ρ) [tsapizo] hoe.

τσάπισμα (το) [tsapisma] digging, hoeing.

τσαρισμός (ο) [tsarismos] tsarism.

τσάρκα (n) [tsarka] walk, promenade, stroll.

τσαρλατάνος (ο) [tsarlatanos] charlatan.

Τσάρος (ο) [Tsaros] tsar, czar.

τσαρούχι (το) [tsaruhi] rustic shoe with pompom.

τσατσάρα (n) [tsatsara] comb.

τσαχπινιά (n) [tsahpinia] coquetry, roguery, trickery, archness, cockiness.

τσαχπίνικα (επ) [tsahpinika] cockily.

τσαχπίνικος-n-o (ε) [tsahpinikos] roguish, saucy.

τσεβδίζω (ρ) [tsevdhizo] stutter, stammer.

τσέβδισμα (το) [tsevdhisma] lisp, stammer, stutter.

τσεκάρισμα (το) [tsekarisma] checking.

τσεκάρω (ρ) [tsekaro] tick off, check.

τσέκι (το) [tseki] cheque, check [ΗΠΑ].

τσεκουράτος-η-ο (ε) [tsekuratos] blunt, outspoken.

τσεκούρι (το) [tsekuri] axe, hatchet.

τσεκουριά (n) [tsekuria] axe-blow.

τσεκούρωμα (το) [tsekuroma] axe-blow, harsh criticism.

τσεκουρώνω (ρ) [tsekurono] cut with axe, criticize harshly [μεταφ].

τσεμπέρι (το) [tsemberi] veil.

τσέπη (n) [tsepi] pocketful, pocket.

τσεπώνω (το) [tsepono] pocket, swipe [μεταφ].

τσερβέλο (το) [tservelo] brain.

τσέρκι (το) [tserki] hoop.

τσευδίζω (ρ) [tsevdhizo] lisp, stammer, falter.

τσευδός-ή-ό (ε) [tsevdhos] lisping, stammering, faltering.

Τσέχικος-η-ο (ε) [Tsehikos] Czech.

Τσέχος (ο) [Tsehos] Czech.

τσιγαρίζω (ρ) [tsigarizo] fry lightly, brown.

τσιγάρισμα (το) [tsigarisma] browning, light basting.

τσιγάρο (το) [tsigaro] cigarette.

τσιγαρόχαρτο (το) [tsigaroharto] cigarette-paper.

τσιγγάνος (ο) [tsinganos] gipsy, Bohemian.

τσιγγέλι (το) [tsingeli] creeper.

τσιγγουνεύομαι (ρ) [tsingunevome] grudge.

τσιγγούνης-α (ε) [tsingunis] churlish.

τσιγγούνικα (επ) [tsingunika] meanly.

τσιγκέλι (το) [tsingeli] meat hook.

τσιγκλώ (ρ) [tsinglo] goad, prick.

τσιγκογραφία (n) [tsingografia] cliche, printing-block.

τσίγκος (ο) [tsingos] zinc.

τσιγκουνεύομαι (ρ) [tsingunevome] be stingy.

τσιγκούνης-α-ικο (ε) [tsingunis] miserly, stingy, skinflint.

τσιγκούνης (ο) [tsingunis] miser.

τσιγκουνιά (n) [tsingunia] miserliness, meanness.

τσιγκούνικος-η-ο (ε) [tsingunikos] miserly, mean.

τσίκλα (n) [tsikla] chewing-gum.

τσικνίζω (ρ) [tsiknizo] scorch, burn.

τσικνίσμα (το) [tsiknisma] scorching, burning.

τσικουδιά (n) [tsikudhia] kind of spirit, raki.

τσιλιμπούρδημα (το) [tsilimburdhima] prancing, gambol.

τσίμα-τσίμα (επ) [tsima-tsima] scarcely.

τσιμεντάρισμα (το) [tsimendarisma] cementing.

τσιμέντο (το) [tsimendo] cement.

τσιμεντόλιθος (ο) [tsimendolithos] cement block.

τσιμινιέρα (n) [tsiminiera] chimney.

τσιμουδιά (n) [tsimudhia] silence.

τσιμούχα (n) [tsimuha] seal, gasket.

τσιμπάω (ρ) [tsimbao] cop, pinch.

τσίμπημα (το) [tsimbima] prick, sting, pinch, bite, peck.

τσιμπιά (n) [tsimbia] pinch, bite, sting, prick.

τσιμπίδα (n) [tsimbidha] nippers, tongs, forceps.

τσιμπιδάκι (το) [tsimbidhaki] tweezers, hairclip.

τσίμπλα (n) [tsimbla] eye mucus, sleep.

τσιμπλιάζω (ρ) [tsimbliazo] get bleary eyes.

τσιμπλιάρης-α-ικο (ε) [tsimbliaris] bleary-eyed.

τσιμπλιασμένος-η-ο (μ) [tsimbliasmenos] blear.

τσιμπολόγημα (το) [tsimboloyima] nibbling, pecking, picking.

τσιμπούκι (το) [tsimbuki] tobacco pipe,

blow job [χυδ].

τσιμπούρι (το) [tsimburi] tick pest [μεταφ], barnacle [μεταφ].

τσιμπούσι (το) [tsimbusi] spread, feast.

τσιμπώ (ρ) [tsimbo] prick, pinch, sting, bite [δαγκώνω], peck [δαγκώνω], nibble [φαγητό], cadge [μεταφ], seize.

τσινιάρης-α-ικο (ε) [tsiniaris] vicious.

τσίνουρο (το) [tsinuro] eyelash.

τσιντσιλά (η) [tsintsila] chinchilla.

τσινώ (ρ) [tsino] kick [άλογο].

τσίπα (η) [tsipa] thin skin, crust.

τσιπούρα (η) [tsipura] gilthead.

τσίπουρο (το) [tsipuro] alcoholic drink.

τσιπς (τα) [tsips] crisp.

τσιράκι (το) [tsiraki] henchman.

τσίριγμα (το) [tsirigma] shriek, squeak.

τσιρίζω (ρ) [tsirizo] shriek, scream.

τσίρκο (το) [tsirko] circus.

τσίρλα (η) [tsirla] diarrhoea.

τσίρος (ο) [tsiros] dried mackerel, skinny person [μεταφ].

τσιρότο (το) [tsiroto] sticking plaster.

τσίτα-τσίτα (επ) [tsita-tsita] scarcely.

τσίτι (το) [tsiti] calico.

τσίτσιδος-η-ο (ε) [tsitsidhos] stark naked.

τσιτσιρίζω (ρ) [tsitsirizo] sputter.

τσιτσίρισμα (το) [tsitsirisma] sputter[ing].

τσιτώνω (ρ) [tsitono] stretch, tighten.

τσιτωτός-ή-ό (ε) [tsitotos] close-fitting, tight.

τσιφλικάς (ο) [tsiflikas] big landowner.

τσιφλίκι (το) [tsifliki] large country estate.

τσιφούτης (ο) [tsifutis] miser.

τσίφτης (ο) [tsiftis] sport, brick.

τσίφτικος-η-ο (ε) [tsiftikos] faultless, perfect.

τσίχλα (η) [tsihla] thrush, skinny person.

τσογλάνι (το) [tsoglani] bastard.

τσοκ (το) [tsok] choke, chuck.

τσόκαρο (το) [tsokaro] clog.

τσολιάς (ο) [tsolias] kilted soldier.

τσομπάνης (ο) [tsombanis] shepherd.

τσόντα (η) [tsonda] inset, porno flash, spot [διαφνμ], addition.

τσοντάρω (ρ) [tsondaro] join on.

τσοπάνο(η)ς (ο) [tsopano[i]s] shepherd.

τσοπανόσκυλο (το) [tsopanoskilo] sheepdog.

τσότρα (η) [tsotra] wooden flask.

τσουβάλι (το) [tsuvali] sackful, sack.

τσουβαλιάζω (ρ) [tsuvaliazo] bundle [off] [μεταφ], coop up [φυλακίζω].

τσουγκράνα (η) [tsungrana] rake.

τσουγκρανίζω (ρ) [tsungranizo] scratch.

τσουγκρίζω (ρ) [tsungrizo] clink glasses.

τσούζω (ρ) [tsuzo] sting, hurt.

τσουκάλι (το) [tsukali] jug, pot.

τσουκνίδα (η) [tsuknidha] nettle.

τσούλα (η) [tsula] whore.

τσουλάω (ρ) [tsulao] coast.

τσουλήθρα (η) [tsulithra] slide.

τσούλι (το) [tsuli] patchwork rug.

τσουλούφι (το) [tsulufi] lock of hair.

τσουλώ (ρ) [tsulo] slip along, push.

τσούξιμο (το) [tsuksimo] sting, nip.

τσούπρα (η) [tsupra] wench, daughter.

τσουράπι (το) [tsurapi] sock, stocking.

τσουρέκι (το) [tsureki] brioche.

τσούρμο (το) [tsurmo] throng, band.

τσουρουφλίζω (ρ) [tsuruflizo] grill.

τσουχτερός-ή-ό (ε) [tsouhteros] keen, smart, sharp.

τσούχτρα (η) [tsuhtra] jellyfish.

τσόφλι (το) [tsofli] shell, rind.

τσόχα (η) [tsoha] felt.

τσόχινος-η-ο (ε) [tsohinos] felt.

τυγχάνω (ρ) [tighano] happen to be, obtain, attain.

τύλιγμα (το) [tiligma] winding, coiling.

τυλίγω (ρ) [tiligo] wind, wrap up, twist, coil.

τυλώδης-ης-ες (ε) [tilodhis] callous.

τύλωμα (το) [tiloma] callocity.

τυλώνω (ρ) [tilono] fill up.

τύμβος (ο) [timvos] grave, tomb.

τυμπανιστής (ο) [timbanistis] drummer.

τύμπανο (το) [timbano] drum, eardrum.

τυμπανοκρουσία (η) [timbanokrusia] roll of drums, tattoo.

τυπικά (επ) [tipika] ceremoniously.

τυπικό (το) [tipiko] morphology [γραμμ], ritual [εκκλ], ceremonial.

τυπικός-ή-ό (ε) [tipikos] usual, conventional, typical.

τυπικότητα (η) [tipikotita] formality, conventionality.

τυπογραφείο (το) [tipografio] printing press.

τυπογραφία (η) [tipografia] printing.

τυπογράφος (ο) [tipografos] printer.

τυπολάτρης (ο) [tipolatris] formalist.

τυποποίηση (η) [tipopiisi] standardization.

τυποποιώ (ρ) [tipopio] standardize.

τύπος (ο) [tipos] print, mould [καλούπι], form [καλούπι], type [υπόδειγμα], formality [συμπεριφοράς], type [οικίας], formula [μάθημα], the press.

τύπωμα (το) [tipoma] printing.

τυπώνω (ρ) [tipono] print, publish.

τυπωτικός-ή-ό (ε) [tipotikos] printing.

τυράδικο (το) [tiradhiko] cheese shop.

τυραννία (η) [tirannia] tyranny, oppression.

τυραννικός-ή-ό (ε) [tirannikos] tyrannical, oppressive, tormentive.

τυραννίσκος (ο) [tiranniskos] little tyrant.

τύραννος (ο) [tirannos] oppressor, tyrant.

τυραννώ (ρ) [tiranno] oppress, torture.

τύρβη (η) [tirvi] bustle, whirl.

τυρί (το) [tiri] cheese.

τυριέρα (η) [tiriera] cheese board.

τυρόγαλο (το) [tirogalo] whey.

τυροκομείο (το) [tirokomio] cheese factory.

τυροκόμος (ο) [tirokomos] cheese-maker.

τυρόπιτα (η) [tiropita] cheese pie.

τυροπωλείο (το) [tiropolio] cheese shop.

τυρός (ο) [tiros] cheese.

τύρφη (η) [tirfi] peat.

τυρώδης-ης-ες (ε) [tirodhis] cheesy.

τυφεκιοφόρος (ο) [στρατ] [tifekioforos] rifleman.

τύφλα (η) [tifla] blindness.

τυφλόμυγα (η) [tiflomiga] blind man's bluff.

τυφλοπόντακας (ο) [tiflopondikas] mole.

τυφλός-ή-ό (ε) [tiflos] blind.

τυφλοσούρτης (ο) [tiflosurtis] crib.

τυφλώνομαι (ρ) [tiflonome] grow blind.

τυφλώνω (ρ) [tiflono] blind, dazzle [φως], deceive [μεταφ].

τύφλωση (η) [tiflosi] blindness.

τυφοειδής-ής-ές (ε) [tifoidhis] typhoid.

τύφος (ο) [tifos] typhus.

τυφώνας (ο) [tifonas] typhoon [μετεωρ], hurricane.

τυχαία (επ) [tihea] incidentally, accidentally.

τυχαίνω (ρ) [tiheno] happen to be, obtain, attain.

τυχαίος-α-ο (ε) [tiheos] casual, chance, accidental.

τυχαίως (επ) [tiheos] by chance, by accident.

τυχάρπαστος-η-ο (ε) [tiharpastos] upstart, casual.

τυχερά (τα) [tihera] casual profits, tips.

τυχερό (το) [tihero] fortune, destiny.

τυχερός-ή-ό (ε) [tiheros] fortuitous, fortunate.

τύχη (η) [tihi] destiny, chance, fortune, fate.

τυχοδιώκτης (ο) [tihodhioktis] opportunist.

τυχοδιωκτισμός (ο) [tihodhioktismos] opportunism.

τυχόν (επ) [tihon] by chance.

τύψη (η) [tipsi] remorse, conscience, scruple.

τώρα (επ) [tora] nowadays, at present, now, this minute, at once.

τωρινός-ή-ό (ε) [torinos] present-day, contemporary.

ύαινα (n) [iena] hyena.

υάκινθος (o) [iakinthos] hyacinth.

υαλοβάμβακας (o) [ialovamvakas] fiberglass.

υαλοβερνίκωμα (το) [ialovernikoma] frit.

υαλοβερνίκωση (n) [ialovernikosi] glazing.

υαλογράφημα (το) [ialografima] stained glass.

υαλοειδής-ής-ές (ε) [ialoidhis] glasslike, glassy.

υαλοκαθαριστήρας (o) [ialokatharistiras] windscreen wiper.

υαλοπίνακας (o) [ialopinakas] pane.

υαλοποίηση (n) [ialopiisi] vitrification.

υαλοπωλείο (το) [ialopolio] china shop.

ύαλος (n) [ialos] glass.

υαλουργείο (το) [ialuryio] glass-works.

υαλουργός (o) [ialurgos] glassmaker.

υάρδα (n) [iardha] yard.

ύβος (o) [ivos] hump.

υβρεολόγιο (το) [ivreoloyio] volley of abuse.

ύβρη (n) [ivri] insult, injury.

υβρίδιο (το) [ivridhio] hybrid, crossbreed.

υβρίζω (ρ) [ivrizo] insult, abuse, swear at, blast [μεταφ].

ύβρις (n) [ivris] hubris, opprobrium.

υβριστής (o) [ivristis] mud-slinger.

υβριστικός-ή-ό (ε) [ivristikos] insulting.

ύβωμα (το) [ivoma] hunch, hump.

υγεία (n) [iyia] health.

υγειονομικός-ή-ό (ε) [iyionomikos] sanitary.

υγιαίνω (ρ) [iyieno] be healthy.

υγιεινή (n) [iyiini] hygiene, sanitation.

υγειονολογία (n) [iyionoloyia] hygienics.

υγειονολογικός-ή-ό (ε) [iyionoloyikos] sanitary, hygienic.

υγειονολόγος (o) [iyionologos] hygienist.

υγιεινός-ή-ό (ε) [iyiinos] healthy.

υγιής-ής-ές (ε) [iyiis] healthy, sound [μεταφ].

υγραέριο (το) [igraerio] liquid gas.

υγραίνω (ρ) [igreno] moisten, dampen, wet.

υγρασία (n) [igrasia] moisture, moistness, humidity.

υγρό (το) [igro] liquid, fluid.

υγροποίηση (n) [igropiisi] liquifaction, condensation.

υγροποιώ (ρ) [igropio] liquify.

υγρός-ή-ό (ε) [igros] fluid, liquid, humid, damp, watery.

υγρότητα (n) [igrotita] dampness.

υδαρής-ής-ές (ε) [idharis] watery.

υδαταγωγός (o) [idhatagogos] water pipe.

υδατάνθρακας (o) [idhatanthrakas] carbohydrate.

υδαταποθήκη (n) [idhatapothiki] water-tank.

υδατογραφία (n) [idhatografia] water-colour.

υδατογράφος (ο) [idhatografos] water-colourist.

υδατόπτωση (n) [idhatoptosi] waterfall.

υδατοστεγής-ής-ές (ε) [idhatosteyis] watertight, waterproof.

υδατόσφαιρα (n) [idhatosfera] water-polo.

υδραντλία (n) [idhrandlia] water pump.

υδράργυρος (ο) [idhraryiros] mercury.

υδρατμός (ο) [idhratmos] steam.

υδραυλική (n) [idhravliki] hydraulics.

υδραυλικός-ή-ό (ε) [idhravlikos] hydraulic, plumber.

υδρεύομαι (ρ) [idhrevome] draw water, get water, plumb.

ύδρευση (n) [idhrefsi] water supply.

υδρευτικός-ή-ό (ε) [idhreftikos] water.

υδρία (n) [idhria] urn, pitcher.

υδρόβιος-α-ο (ε) [idhrovios] aquatic.

υδρόγειος (n) [idhroyios] earth.

υδρογονάνθρακας (ο) [idhrogonanthrakas] hydrocarbon.

υδρογόνο (το) [idhrogono] hydrogen.

υδρογονοβόμβα (n) [idhrogonovomva] H-bomb.

υδροδυναμική (n) [idhrodhinamiki] hydrodynamics.

υδροηλεκτρικός-ή-ό (ε) [idhroilektrikos] hydroelectric.

υδροκέφαλος-n-ο (ε) [idhrokefalos] hydrocephalous.

υδροκίνητος-n-ο (ε) [idhrokinitos] waterpowered.

υδροκυάνιο (το) [idhrokianio] prussic acid.

υδρόμυλος (ο) [idhromilos] water mill.

υδροπλάνο (το) [idhroplano] seaplane.

υδρορροή (n) [idhrorroi] gutter.

υδροσκόπος (ο) [idhroskopos] water diviner.

υδροστάθμη (n) [idhrostathmi] water level.

υδροστάτης (ο) [idhrostatis] hydrostat.

υδροστατική (n) [idhrostatiki] hydrostatics.

υδροστρόβιλος (ο) [idhrostrovilos] whirlpool.

υδροσυλλέκτης (ο) [idhrosillektis] bilge.

υδροσωλήνας (ο) [idhrosolinas] water pipe.

υδροφοβία (n) [idhrofovia] rabies.

υδροφόρος-α-ο (ε) [idhroforos] water-carrying.

υδρόφυτο (το) [idhrofito] aquatic plant.

υδροχλώριο (το) [idhrohlorio] hydrochloric acid.

Υδροχόος (ο) [Idhrohoos] Aquarius.

υδρόχρωμα (το) [idhrohroma] whitewash.

υδρόψυκτος-n-ο (ε) [idhropsiktos] water-cooled.

υδρωπικία (n) [idhropikia] dropsy.

ύδωρ (το) [idhor] water.

υιοθεσία (n) [iiothesia] adoption.

υιοθέτηση (n) [iiothetisi] espousal [μεταφ].

υιοθετώ (ρ) [iiotheto] adopt, accept.

υιός (ο) [iios] son.

υλακή (n) [ilaki] bark.

ύλη (n) [ili] material, stuff, matter.

υλικά (επ) [ilika] materially.

υλικό (το) [iliko] material, stuff, ingredient.

υλικός-ή-ό (ε) [ilikos] material, real.

υλισμός (ο) [ilismos] materialism.

υλιστής (ο) [ilistis] materialist.

υλιστικά (επ) [ilistika] materially.

υλιστικός-ή-ό (ε) [ilistikos] materialistic.

υλοποίηση (n) [ilopiisi] materialization, realization.

υλοποιώ (ρ) [ilopio] materialize, realize, corporealize.

υλοτομία (n) [ilotomia] woodcutting.

υλοτόμος (ο) [ilotomos] woodcutter, feller.

υμέναιος (ο) [imeneos] marriage, wedding.

υμένας (ο) [imenas] membrane, tissue, hymen.

υμνητής (ο) [imnitis] glorifier.

υμνητικός-ή-ό (ε) [imnitikos] commendatory.

υμνολογία (n) [imnoloyia] hymnology, [hymn-]singing, praising.

υμνολογώ (ρ) [imnologo] sing somebody's praises.

ύμνος (ο) [imnos] hymn, anthem.

υμνώ (ρ) [imno] celebrate, praise.

υμνωδία (n) [imnodhia] hymn.

υνί (το) [ini] ploughshare.

υπάγομαι (ρ) [ipagome] belong, be dependent.

υπαγόρευση (n) [ipagorefsi] dictation, suggestion [μεταφ].

υπαγορεύω (ρ) [ipagorevo] dictate, suggest [μεταφ].

υπάγω (ρ) [ipago] go, go under, rank.

υπαγωγή (n) [ipagoyi] classification, subordination.

υπαίθριος-α-ο (ε) [ipethrios] outdoor.

ύπαιθρο (το) [ipethro] open air.

ύπαιθρος (n) [ipethros] countryside.

υπαινιγμός (ο) [ipenigmos] hint, intimation.

υπαινικτικός-ή-ό (ε) [ipeniktikos] allusive.

υπαινίσσομαι (ρ) [ipenissome] hint at.

υπαινισσόμενος-n-o (μ) [ipenissomenos] allusive.

υπαίτιος-α-ο (ε) [ipetios] responsible.

υπαιτιότητα (n) [ipetiotita] responsibility.

υπακοή (n) [ipakoi] obedience, submission.

υπάκουος-n-o (ε) [ipakuos] obedient, submissive.

υπακούω (ρ) [ipakuo] obey, submit. υπαλληλικός-ή-ό (ε) [ipallilikos] clerical, staff.

υπάλληλος (ο, n) [ipallilos] employee, clerk, official.

υπανάπτυκτος-n-o (ε) [ipanaptiktos] developing.

υπαναχωρώ (ρ) [ipanahoro] back out, go back on, retract, take back.

ύπανδρος-n-o (ε) [ipandhros] married.

υπάνθρωπος (ο) [ipanthropos] subhuman.

υπαξιωματικός (ο) [ipaksiomatikos] non-commissioned officer.

υπαρκτικός-ή-ό (ε) [iparktikos] existential.

υπαρκτός-ή-ό (ε) [iparktos] existent, subsisting.

ύπαρξη (n) [iparksi] existence, being, life.

υπαρξιακός-ή-ό (ε) [iparksiakos] existential.

υπαρξισμός (ο) [iparksismos] existentialism.

υπαρξιστής (ο) [iparksistis] existentialist.

υπαρχηγός (ο) [iparhigos] deputy commander.

υπάρχοντα (τα) [iparhonda] belongings.

ύπαρχος (ο) [iparhos] first mat.

υπάρχω (ρ) [iparho] exist, be, live.

υπαστυνόμος (ο) [ipastinomos] police lieutenant.

ύπατος-n-o (ε) [ipatos] highest, supreme.

υπέγγυος-α-ο (ε) [ipengios] accountable.

υπέδαφος (το) [ipedhafos] subsoil.

υπεισέρχομαι (ρ) [ipiserhome] enter secretly.

υπεκφεύγω (ρ) [ipekfevgo] escape, avoid.

υπεκφυγή (n) [ipekfiyi] escape, subterfuge, evasion.

υπενθυμίζω (ρ) [ipenthimizo] remind of, call to mind.

υπενθύμιση (n) [ipenthimisi] reminder.

υπενοικιάζω (ρ) [ipenikiazo] sublet.

υπεξαίρεση (n) [ipekseresi] pilfering, taking away.

υπεξαιρώ (ρ) [ipeksero] embezzle.

υπεξούσιος-α-ο (ε) [ipeksusios] dependent, minor.

υπέρ (επ) [iper] over, upwards, above, for [για].

υπεραγαπώ (ρ) [iperagapo] love dearly.

υπεραιμία (n) [iperemia] excess of blood, flush.

υπερακοντίζω (ρ) [iperakondizo] surpass.

υπεραμύνομαι (ρ) [iperaminome] defend, support.

υπεράνθρωπος-n-o (ε) [iperanthropos] superhuman.

υπεράνω (επ) [iperano] above, beyond.

υπεραξία (n) [iperaksia] surplus, value.

υπεράριθμος-n-o (ε) [iperarithmos] redundant.

υπεραρκετά (επ) [iperarketa] amply.

υπεραρκετός-ή-ό (ε) [iperarketos] ample.

υπεραρκώ (ρ) [iperarko] be more than enough.

υπερασπίζομαι (ρ) [iperaspizome] defend myself.

υπερασπίζω (ρ) [iperaspizo] defend, protect.

υπεράσπιση (n) [iperaspisi] defence, protection, the defendants.

υπερασπιστής (o) [iperaspistis] defender, advocate.

υπεραστικός-ή-ό (ε) [iperastikos] long-distance.

υπερατλαντικός-ή-ό (ε) [iperatlandikos] transatlantic.

υπεραφθονία (n) [iperafthonia] super-abundance, glut.

υπερβαίνω (ρ) [iperveno] surmount, exceed.

υπερβάλλον (το) [ipervallon] surplus, excess.

υπερβάλλω (ρ) [ipervallo] surpass, outdo, exceed, exaggerate, overdo.

υπέρβαρος-n-o (ε) [ipervaros] overweight.

υπέρβαση (n) [ipervasi] exceeding, violation.

υπερβατικότητα (n) [ipervatikotita] transcendency, transcendence.

υπερβέβαιος-n-o (ε) [iperveveos] certain, confident.

υπερβολή (n) [ipervoli] exaggeration [γεωμ].

υπερβολικός-ή-ό (ε) [ipervolikos] excessive, exaggerating.

υπέργηρος-n-o (ε) [iperyiros] very old, decrepit.

υπεργλυκαιμία (n) [iperglikemia] diabetes.

υπεργολαβία (n) [ipergolavia] subcontract[ing].

υπεργολάβος (o) [ipergolavos] subcontractor.

υπερδεξιός-ά-ό (ε) [iperdheksios] ultra-rightist.

υπερδιέγερση (n) [iperdhieyersi] over-excitement.

υπερεκτίμηση (n) [iperektimisi] overrating.

υπερεκτιμώ (ρ) [iperektimo] overrate, over-estimate, overvalue.

υπερκχείλιση (n) [iperkhilisi] overflow.

υπερένταση (n) [iperendasi] overstrain.

υπερεντατικός-ή-ό (ε) [iperendatikos] intensive, crash, hectic, tense.

υπερεπάρκεια (n) [ipereparkia] over-abundance.

υπερεπείγομαι (ρ) [iperepigome] be overhasty.

υπερεπείγων-ουσα-ον (ε) [iperepigon] most urgent.

υπερευαίσθητος-n-o (ε) [iperevesthitos] over-sensitive.

υπερέχω (ρ) [ipereho] excel, surpass, exceed.

υπερήλικος-n-o (ε) [iperilikos] elderly person.

υπερήμερος-n-o (ε) [iperimeros] overdue.

υπερηφάνεια (n) [iperifania] pride.

υπερηφανεύομαι (ρ) [iperifanevome] be proud.

υπερήφανος-n-o (ε) [iperifanos] proud.

υπερηχητικός-ή-ό (ε) [iperihitikos] supersonic.

υπερθεματίζω (ρ) [iperthematizo] make higher bid, outdo [μεταφ].

υπερθερμαίνω (ρ) [iperthermeno] overheat.

υπερθετικός-ή-ό (ε) [iperthetikos] superlative [γραμ].

υπερίπταμαι (ρ) [iperiptame] fly over.

υπερίσχυση (n) [iperishisi] prevalence, victory.

υπερισχύω (ρ) [iperishio] predominate, prevail over, overcome.

υπερίτης (o) [iperitis] mustard gas.

υπεριώδης-ης-ες (ε) [iperiodhis] ultraviolet.

υπερκαλύπτω (ρ) [iperkalipto] overbalance.

υπερκόπωση (n) [iperkoposi] overwork.

υπερκορεσμός (ο) [iperkoresmos] glutting.

υπερκόσμιος-α-ο (ε) [iperkosmios] unearthly, heavenly.

υπέρλαμπρος-η-ο (ε) [iperlambros] resplendent, magnificent.

υπέρμαχος-η-ο (ε) [ipermahos] champion, defender.

υπερμεγέθης-ης-ες (ε) [ipermeyethis] huge, oversized, bloated.

υπερνίκηση (n) [ipernikisi] overcoming.

υπερνικώ (ρ) [iperniko] overcome.

υπέρογκος-η-ο (ε) [iperongos] enormous, outrageous.

υπερόπτης (ο) [iperoptis] arrogant man.

υπεροπτικός-ή-ό (ε) [iperoptikos] arrogant.

ύπερος (ο) [iperos] style.

υπεροχή (n) [iperohi] superiority.

υπέροχος-η-ο (ε) [iperohos] superior, excellent.

υπεροψία (n) [iperopsia] arrogance, haughtiness.

υπερπαραγωγή (n) [iperparagoyi] overproduction.

υπερπέραν (το) [iperperan] afterlife.

υπερπηδώ (ρ) [iperpidho] jump over.

υπερπληθυσμός (ο) [iperplithismos] over-population.

υπερπλήρης-ης-ες (ε) [iperpliris] overflowing, overcrowded.

υπερπληρώ (ρ) [iperpliro] engorge.

υπερπλήρωση (n) [iperplirosi] overfilling, cramming.

υπερπόντιος-α-ο (ε) [iperpondios] overseas.

υπερρεαλισμός (ο) [iperrealismos] surrealism.

υπερρεαλιστής (ο) [iperrealistis] surrealist.

υπερρεαλιστικός-ή-ό (ε) [iperrealistikos] surrealistic.

υπεροτισμός (ο) [ipersitismos] over-feeding.

υπερσυντέλικος (ο) [ipersindelikos] past perfect tense [γραμμ].

υπέρταση (n) [ipertasi] high blood pressure.

υπερτασικός-ή-ό (ε) [ipertasikos] hypertensive.

υπέρτατος-η-ο (ε) [ipertatos] greatest, supreme.

υπέρτερος-η-ο (ε) [iperteros] superior, overpowering.

υπερτερώ (ρ) [ipertero] excel, exceed.

υπερτίμηση (n) [ipertimisi] overestimation, increase in value [οικον].

υπερτιμώ (ρ) [ipertimo] overestimate, raise price of [οικον].

υπερτροφικός-ή-ό (ε) [ipertrofikos] overgrown.

υπέρυθρος-η-ο (ε) [iperithros] ultra-red.

υπερύψηλος-η-ο (ε) [iperipsilos] exceedingly high.

υπερυψώνω (ρ) [iperpsono] raise up.

υπερφαλάγγιση (n) [iperfalangisi] outflanking.

υπερφόρτωση (n) [iperfortosi] overloading.

υπερφυσικός-ή-ό (ε) [iperfisikos] supernatural, extraordinary [μεταφ].

υπερχειλίζω (ρ) [iperhilizo] overflow.

υπερψηφίζω (ρ) [iperpsifizo] vote for.

υπερώα (n) [iperoa] palate.

υπερωκεάνιο (το) [iperokeanio] liner.

υπερώο (το) [iperoo] top floor, attic, loft.

υπερωρία (n) [iperoria] overtime.

υπερωριμάζω (ρ) [iperorimazo] be over-ripe, get sleepy.

υπερώριμος-η-ο (ε) [iperorimos] over-ripe.

υπεύθυνος-η-ο (ε) [ipefthinos] responsible, answerable.

υπευθυνότητα (n) [ipefthinotita] responsibility.

υπήκοος (ο, n) [ipikoos] citizen.

υπηκοότητα (n) [ipikootita] nationality.

υπήνεμος-η-ο (ε) [ipinemos] lee.

υπηρεσία (n) [ipiresia] service, attendance,

employ, domestic servant [οικίας].

υπηρεσιακός-ή-ό (ε) [ipiresiakos] of service.

υπηρέτης (ο) [ipiretis] servant.

υπηρέτρια (n) [ipiretria] maid.

υπηρετώ (ρ) [ipireto] do one's military service.

υπίατρος (ο) [ipiatros] medical lieutenant.

υπίλαρχος (ο) [ipilarhos] cavalry lieutenant.

υπναλέος-α-ο (ε) [ipnaleos] sleepy.

υπνηλία (n) [ipnilia] sleepiness, drowziness.

υπνοβάτης (ο) [ipnovatis] sleepwalker.

υπνοβατώ (ρ) [ipnovato] sleep-walk.

υπνοπαιδεία (n) [ipnopedhia] sleep-learning.

ύπνος (ο) [ipnos] sleep.

ύπνωση (n) [ipnosi] hypnosis.

υπνωτήριο (το) [ipnotirio] dormitory.

υπνωτίζω (ρ) [ipnotizo] hypnotize.

υπνωτικό (το) [ipnotiko] sleeping pill.

υπνωτικός-ή-ό (ε) [ipnotikos] hypnotic, soporific.

υπνωτισμός (ο) [ipnotismos] hypnotism.

υπνωτιστής (ο) [ipnotistis] hypnotist.

υπό (επ) [ipo] below, beneath, by [μέσο], with.

υποαπασχολούμαι (ρ) [ipoapasholume] work part-time.

υποαπασχολούμενος-n-ο (μ) [ipoapasholumenos] part-timer.

υποβαθμίζω (ρ) [ipovathmizo] degrade.

υποβάθμιση (n) [ipovathmisi] degradation.

υπόβαθρο (το) [ipovathro] base.

υποβάλλω (ρ) [ipovallo] submit, hand in, subject [υποτάσσω], propose.

υποβαστάζω (ρ) [ipovastazo] support.

υποβιβάζω (ρ) [ipovivazo] lower, reduce, diminish.

υποβίβαση (n) [ipovivasi] relegation, lowering, decrease.

υποβιβασμός (ο) [ipovivasmos] demotion, lowering.

υποβλέπω (ρ) [ipovlepo] suspect,.

υποβλητικός-ή-ό (ε) [ipovlitikos] evocative.

υποβοήθηση (n) [ipovoithisi] assistance, promotion.

υποβοηθητικός-ή-ό (ε) [ipovoithitikos] subservient.

υποβοηθώ (ρ) [ipovoitho] assist, support.

υποβολέας (ο) [ipovoleas] instigator.

υποβολείο (το) [ipovolio] prompt-box.

υποβολή (n) [ipovoli] submission, presentation, prompting, instigation.

υποβόσκω (ρ) [ipovosko] smoulder, lie hidden.

υποβρύχιο (το) [ipovrihio] submarine.

υποβρύχιος-α-ο (ε) [ipovrihios] underwater.

υπογάστριος-α-ο (ε) [ipogastrios] alvine.

υπογεγραμμένος-n-ο (μ) [ipoyegrammenos] undersigned.

υπόγειο (το) [ipoyio] basement, cellar.

υπόγειος-α-ο (ε) [ipoyios] underground.

υπογραμμίζω (ρ) [ipogrammizo] underline, emphasize.

υπογράμμιση (n) [ipogrammisi] underlining, emphasis.

υπογραμμός (ο) [ipogrammos] model.

υπογραφή (n) [ipografi] signature.

υπογράφω (ρ) [ipografo] sign.

υποδαυλίζω (ρ) [ipodhavlizo] fan the flame.

υποδεέστερος (ο) [ipodheesteros] inferior, lower.

υπόδειγμα (το) [ipodhigma] model, example, specimen.

υποδειγματικός-ή-ό (ε) [ipodhigmatikos] exemplary, representative.

υποδεικνύω (ρ) [ipodhiknio] indicate, suggest, propose.

υπόδειξη (n) [ipodhiksi] indication, recommendation, suggestion.

υποδείχνω (ρ) [ipodhihno] point out, indicate, suggest [υποδηλώ], advise [συμβουλεύω], nominate [ορίζω].

υποδεκάμετρο (το) [ipodhekametro] ruler.

υποδεκανέας (o) [ipodhekaneas] lance-corporal.

υποδέχομαι (ρ) [ipodhehome] receive, welcome.

υποδηλώ (ρ) [ipodhilo] declare, announce.

υποδήλωση (n) [ipodhilosi] indication, intimation, sign.

υποδηλώνω (ρ) [ipodhilono] indicate, hint at.

υπόδημα (το) [ipodhima] shoe, boot.

υποδηματοποιός (o) [ipodhimatopios] shoemaker's.

υποδηματοπωλείο (το) [ipodhimatopo-lio] shoe-shop.

υποδιαίρεση (n) [ipodhieresi] subdivision.

υποδιαιρώ (ρ) [ipodhiero] subdivide.

υποδιαστολή (n) [ipodhiastoli] decimal point, comma [γραμμ].

υποδιευθυντής (o) [ipodhiefthindis] assistant director, deputy manager.

υπόδικος-n-o (ε) [ipodhikos] detainee, the accused [νομ].

υποδιοικητής (o) [ipodhiikitis] assistant commissioner.

υποδουλώνω (ρ) [ipodhulono] enslave, subdue.

υποδούλωση (n) [ipodhulosi] enslave-ment, bondage.

υποδοχέας (o) [ipodhoheas] container.

υποδοχή (n) [ipodhohi] reception, greeting.

υποδύομαι (ρ) [ipodhiome] assume a role.

υποθάλπω (ρ) [ipothalpo] protect, maintain, entertain.

υπόθαλψη (n) [ipothalpsi] incitement.

υποθερμία (n) [ipothermia] hypothermy.

υπόθεση (n) [ipothesi] supposition, matter, affair, business, case [δικαστηρί-ου], plot (θεατρικού έργου κτλ), theme (θεατρικού έργου κτλ).

υποθετικός-ή-ό (ε) [ipothetikos] hypo-thetical [υποθ], speculative, imaginary, conditional [γραμμ].

υπόθετο (το) [ipotheto] inferior.

υποθέτω (ρ) [ipotheto] suppose, assume.

υποθηκεύω (ρ) [ipothikevo] mortgage.

υποθήκη (n) [ipothiki] mortgage.

υποθηκοφύλακας (o) [ipothikofilakas] land registrar.

υποκαθιστώ (ρ) [ipokathisto] replace, substitute.

υποκάμισο (το) [ipokamiso] shirt.

υποκατανάλωση (n) [ipokatanalosi] underconsumption.

υποκατάσταση (n) [ipokatastasi] re-placement, substitution.

υποκατάστατο (το) [ipokatastato] sub-stitute, replacement.

υποκατάστημα (το) [ipokatastima] chain store.

υποκάτω (επ) [ipokato] beneath.

υπόκειμαι (ρ) [ipokime] be subject, be liable, lie under.

υποκειμενικός-ή-ό (ε) [ipokimenikos] subjective.

υποκείμενο (το) [ipokimeno] subject [γραμ], individual.

υποκείμενος-n-o (μ) [ipokimenos] bonded.

υποκελευστής (o) [ipokelefstis] petty officer [ναυ].

υποκίνηση (n) [ipokinisi] instigation.

υποκινώ (ρ) [ipokino] stir up, excite, in-cite, actuate.

υποκλίνομαι (ρ) [ipoklinome] bow, bend, yield.

υπόκλιση (n) [ipoklisi] bow, curtsy.

υποκλοπή (n) [ipoklopi] interception, tapping [τηλεφ].

υποκλυσμός (o) [ipoklismos] enema.

υποκόμης (o) [ipokomis] viscount.

υποκόπανος (o) [ipokopanos] butt.

υποκοριστικό (το) [ipokoristiko] di-minutive [γραμμ].

υπόκοσμος (o) [ipokosmos] underworld.

υποκρίνομαι (ρ) [ipokrinome] act, im-personate, assume.

υπόκριση (n) [ipokrisi] pretending, acting, dissembling.

υποκρισία (n) [ipokrisia] hypocrisy, artificiality.

υποκριτής (ο) [ipokritis] actor, hypocrite, dissembler, impersonator, mime.

υποκριτική (n) [ipokritiki] acting.

υποκριτικός-ή-ό (ε) [ipokritikos] feigned, insincere.

υπόκρουση (n) [ipokrusi] accompaniment.

υποκρύπτω (ρ) [ipokripto] conceal, hide.

υποκύανος-n-ο (ε) [ipokianos] azurine.

υποκύπτω (ρ) [ipokipto] bend, submit, succumb.

υπόκωφος-n-ο (ε) [ipokofos] hollow, deep.

υπόλειμμα (το) [ipolima] residue.

υπολείπομαι (ρ) [ipolipome] be left, be inferior to.

υπολήπτομαι (ρ) [ipoliptome] look up to, respect.

υπόληψη (n) [ipolipsi] esteem, credit, reputation.

υπολογίζω (ρ) [ipoloyizo] estimate, calculate, bargain for.

υπολογίσιμος-n-ο (ε) [ipoloyisimos] considerable, estimated.

υπολογισμός (ο) [ipoloyismos] calculation, estimate, account.

υπολογιστής (ο) [ipoloyistis] computer.

υπολογιστικοποιώ (ρ) [ipoloyistikopio] computerize.

υπολογιστικός-ή-ό (ε) [ipoloyistikos] calculating, accounting.

υπόλογος (ο) [ipologos] responsible, accountable, liable, subject to.

υπόλοιπο (το) [ipolipo] remainder, balance, rest.

υπολοχαγός (ο) [ipolohagos] lieutenant [στρατ].

υπομένω (ρ) [ipomeno] endure.

υπομισθώνω (ρ) [ipomisthono] sublet.

υπομίσθωση (n) [ipomisthosi] subletting.

υπομισθωτής (ο) [ipomisthotis] subtenant.

υπόμνημα (το) [ipomnima] memorandum.

υπόμνηση (n) [ipomnisi] reminder, suggestion.

υπομονεύω (ρ) [ipomonevo] be patient.

υπομονή (n) [ipomoni] patience.

υπομονητικός-ή-ό (ε) [ipomonitikos] patient.

υποναύαρχος (ο) [iponavarhos] rear-admiral.

υπόνοια (n) [iponia] suspicion.

υπονομευτικός-ή-ό (ε) [iponomeftikos] subversive.

υπονομεύω (ρ) [iponomevo] undermine.

υπόνομος (ο) [iponomos] sewer, mine [στρατ].

υπονοούμενο (το) [iponoumeno] connotation.

υπονοούμενος-n-ο (ε) [iponoumenos] implied, implicit.

υπονοώ (ρ) [iponoo] infer, mean, connote.

υποπίπτω (ρ) [ipopipto] commit, come to the notice of.

υποπλοίαρχος (ο) [ipopliarhos] lieutenant, ship's mate.

υποπροϊόν (το) [ipoproion] by-product.

υποπρόξενος (ο) [ipoproksenos] vice-consul.

ύποπτα (επ) [ipopta] fishily, suspiciously.

υποπτεύομαι (ρ) [ipoptevome] suspect.

ύποπτος-n-ο (ε) [ipoptos] suspect, suspicious.

υποσημαίνω (ρ) [iposimeno] imply.

υποσημειώνω (ρ) [iposimiono] make a footnote.

υποσημείωση (n) [iposimiosi] footnote.

υποσιτίζομαι (ρ) [ipositizome] be underfed, be undernourished.

υποσιτισμός (ο) [ipositismos] undernourishment, malnutrition.

υποσκάπτω (ρ) [iposkapto] undermine.

υποσκελίζω (ρ) [iposkelizo] upset.

υποσμηναγός (ο) [iposminagos] first lieutenant.

υποστάθμη (n) [ipostathmi] sediment, residue.

υπόσταση (n) [ipostasi] existence, foundation, basis.

υποστάτης (ο) [ipostatis] chock.

υποστατικό (το) [ipostatiko] farm, estate.

υπόστεγο (το) [ipostego] shed, hangar, shelter.

υποστέλλω (ρ) [ipostello] strike, lower, slow down.

υποστήριγμα (το) [ipostirigma] support, brace, bracket.

υποστηρίζω (ρ) [ipostirizo] support, second, back, maintain, brace.

υποστήριξη (n) [ipostiriksi] support, backing, bolstering, seconding.

υποστηρίξιμος-n-o (ε) [ipostiriksimos] defensible, tenable.

υποστηριχτής (ο) [ipostirihtis] supporter, patron, exponent.

υποστράτηγος (ο) [ipostratigos] major-general.

υποστροφή (n) [ipostrofi] involution.

υπόστρωμα (το) [ipostroma] saddlecloth.

υποστύλωμα (το) [ipostiloma] bolster.

υποστυλώνω (ρ) [ipostilono] shore up, support, bolster.

υποστύλωση (n) [ipostilosi] supporting.

υποσυνείδητο (το) [iposinidhito] subconscious.

υπόσχεση (n) [iposhesi] promise, pledge, engagement, word.

υπόσχομαι (ρ) [iposhome] promise, pledge.

υποταγή (n) [ipotayi] obedience, subjection, submission.

υποταγμένος-n-o (ε) [ipotagmenos] submissive, subject.

υποτακτική (n) [ipotaktiki] subjective [γραμμ].

υποτακτικός-ή-ό (ε) [ipotaktikos] obe-

dient, submissive.

υπόταση (n) [ipotasi] low blood pressure.

υποτάσσομαι (ρ) [ipotassome] submit, give in, yield.

υποτάσσω (ρ) [ipotasso] subdue, chasten.

υποτείνουσα (n) [ipotinusa] hypotenuse.

υποτέλεια (n) [ipotelia] subjection.

υποτελής-ής-ές (ε) [ipotelis] subordinate.

υποτίθεμαι (ρ) [ipotitheme] be supposed, suppose, consider.

υποτιθέμενος-n-o (μ) [ipotithemenos] assumed, assumptive.

υποτίμηση (n) [ipotimisi] depreciation, underestimation, devaluation.

υποτιμητής (ο) [ipotimitis] disparager.

υποτιμητικός-ή-ό (ε) [ipotimitikos] disparaging, depreciatory.

υποτιμώ (ρ) [ipotimo] under-estimate, lower the price of, depreciate.

υπότιτλος (ο) [ipotitlos] subtitle.

υποτονικός-ή-ό (ε) [ipotonikos] uninspired, tame.

υποτροπή (n) [ipotropi] relapse, deterioration, reversion, regression.

υποτροπιάζω (ρ) [ipotropiazo] relapse [have a].

υποτροφία (n) [ipotrofia] scholarship.

υπότροφος-n-o (ε) [ipotrofos] scholar.

υποτυπώδης-nς-ες (ε) [ipotipodhis] imperfectly formed.

υποτυπώνω (ρ) [ipotipono] outline, sketch.

υποτύπωση (n) [ipotiposi] outline, sketch.

ύπουλος-n-o (ε) [ipulos] shifty, underhand, cunning, devious.

υπουλότητα (n) [ipulotita] deviousness, cunningness, shiftiness.

υπουργείο (το) [ipuryio] ministry.

υπουργικός-ή-ό (ε) [ipuryikos] ministerial.

υπουργός (ο) [ipurgos] minister, secretary.

υποφαινόμενος-n-o (μ) [ipofenomenos] the undersigned.

υποφερτός-ή-ό (ε) [ipofertos] tolerable,

passable.

υποφέρω (ρ) [ipofero] bear, support, endure, suffer, tolerate.

υποχείριος-α-ο (ε) [ipohirios] pawn.

υποχονδρία (ε) [ipohondhria] hypochondria, obsession.

υποχονδριακός-ή-ό (ε) [ipohondhriakos] hypochondriac.

υπόχρεος-n-ο (ε) [ipohreos] obliged.

υποχρεωμένος-n-ο (μ) [ipohreomenos] bounden.

υποχρεώνω (ρ) [ipohreono] oblige, compel, force.

υποχρέωση (n) [ipohreosi] obligation, duty.

υποχρεωτικός-ή-ό (ε) [ipohreotikos] obligatory, compulsory.

υποχώρηση (n) [ipohorisi] withdrawal, yielding.

υποχωρητικός-ή-ό (ε) [ipohoritikos] compliant, accommodating.

υποχωρητικότητα (n) [ipohoritikotita] compliance.

υποχωρώ (ρ) [ipohoro] withdraw, give way, fall in.

υπόψη (επ) [ipopsi] in view, into account.

υποψήφιος-α-ο (ε) [ipopsifios] candidate, applicant, entrant.

υποψήφιος (ο) (n) [ipopsifios] aspirant.

υποψηφιότητα (n) [ipopsifiotita] candidature, application, candidacy.

υποψία (n) [ipopsia] suspicion, misgiving, mistrust, distrust.

υποψιάζομαι (ρ) [ipopsiazome] suspect.

ύπτιος-α-ο (ε) [iptios] lying on one's back.

ύστατος-n-ο (ε) [istatos] last, final.

ύστερα (επ) [istera] afterwards, then, later, furthermore, after, besides.

υστερεκτομή (n) [isterektomi] hysterectomy.

υστέρημα (το) [isterima] shortage, small savings.

υστερία (n) [isteria] hysteria.

υστερικός-ή-ό (ε) [isterikos] hysterical.

υστερισμός (ο) [isterismos] hysteria, hysterics.

υστεροβουλία (n) [isterovulia] afterthought, deceit.

υστερόβουλος-n-ο (ε) [isterovulos] scheming, self-seeking, calculating.

υστερόγραφο (το) [isterografo] postscript.

ύστερος-n-ο (ε) [isteros] later, inferior.

υστερότοκος-n-ο (ε) [isterotokos] last-born.

υστερόχρονος-n-ο (ε) [isterohronos] posterior, later, ulterior.

υστερώ (ρ) [istero] come after, be inferior, deprive.

υφαίνω (ρ) [ifeno] weave, spin, plot.

υφαίρεση (n) [iferesi] discount.

υφαιρώ (ρ) [ifero] misappropriate, discount.

ύφαλα (τα) [ifala] beam, part below waterline.

υφάλμυρος-n-ο (ε) [ifalmiros] brackish.

υφαλοκρηπίδα (n) [ifalokripidha] continental shelf.

ύφαλος (ο) [ifalos] reef, shoal.

ύφανση (n) [ifansi] weaving, weave.

υφαντήριο (το) [ifandirio] textile factory.

υφαντό (το) [ifando] handwoven material.

υφαντουργείο (το) [ifanduryio] textile factory.

υφαντουργία (n) [ifanduryia] textile industry.

υφαντουργικός-ή-ό (ε) [ifanduryikos] textile.

υφαντουργός (ο) [ifandurgos] weaver, textile manufacturer.

υφαρπαγή (n) [ifarpayi] snatch.

υφαρπάζω (ρ) [ifarpazo] obtain by fraud.

ύφασμα (το) [ifasma] cloth, fabric, material.

υφάσματα (τα) [ifasmata] textiles, fabrics.

υφασματέμπορος (ο) [ifasmatemboros] draper.

ύφεση (n) [ifesi] decrease, abatement, depression [βαρομέτρου], flat [note] [μουσ].

υφή (n) [ifi] texture, web, weave.

υφηγεσία (n) [ifiyesia] readership, lectureship.

υφηγητής (ο) [ifiyitis] lecturer.

υφήλιος (n) [ifilios] earth, world.

υφίσταμαι (ρ) [ifistame] bear, sustain, exist [είμαι], experience [περνώ].

υφιστάμενος-n-ο (μ) [ifistamenos] subordinate, inferior.

ύφος (το) [ifos] style, air, look.

υφυπουργείο (το) [ifipuryio] subministry.

υφυπουργός (ο) [ifipurgos] undersecretary of state.

υψηλός-ή-ό (ε) [ipsilos] high, tall, lofty [μεταφ], great [μεταφ], alpine.

υψηλότατος (ο) [ipsilotatos] [His/Your] Highness .

υψηλότητα (n) [ipsilotita] Highness.

υψηλόφρονας (ο) [ipsilofronas] generous, highminded, haughty.

υψηλοφροσύνη (n) [ipsilofrosini] highmindedness.

υψικάμινος (n) [ipsikaminos] blast furnace.

υψίπεδο (το) [ipsipedho] plateau.

ύψιστος-n-ο (ε) [ipsistos] highest, paramount, most important, God.

υψίφωνος (ο) [ipsifonos] tenor [άνδρας], soprano [γυναίκα].

υψομέτρης (ο) [ipsometris] altimeter.

υψομετρία (n) [ipsometria] hypsometry.

υψομετρικός-ή-ό (ε) [ipsometrikos] hypsometrical.

υψόμετρο (το) [ipsometro] above sea level.

ύψος (το) [ipsos] height, altitude, pitch [μουσ], elevation.

ύψωμα (το) [ipsoma] height, elevation, high ground, knoll.

υψωματάκι (το) [ipsomataki]hill.

υψώνω (ρ) [ipsono] raise, increase, hoist, lift.

ύψωση (n) [ipsosi] raising, lifting, rise in price, lift, hoisting, putting up, rearing, soaring.

υψωτικός-ή-ό (ε) [ipsotikos] bull.

Φ

φάβα (n) [fava] yellow pea, pea puree.
φαβορί (το) [favori] favourite.
φαβορίτα (n) [favorita] sideburns.
φαβοριτισμός (ο) [favoritismos] favouritism.
φαγάδικο (το) [fagadhiko] cheap restaurant, eating-house.
φαγάνα (n) [fagana] dredger, digger.
φαγάς-ού-ούδικο (ε) [fagas] gourmand, glutton.
φαγγρί (το) [fangri] sea bream.
φαγητό (το) [fayito] meal, dish, food, dinner.
φαγκότο (το) [fagoto] bassoon.
φαγούρα (n) [fagura] itching, irritation.
φάγωμα (το) [fagoma] corrosion, disintegration, eating, quarrel [τσακωμός].
φαγωμάρα (n) [fagomara] itch, irritation, dispute [τσακωμός].
φαγωμένος-n-ο (μ) [fagomenos] eaten, eroded.
φαγώνομαι (ρ) [fagonome] be eaten away, wear away, squabble [μεταφ].
φαγώσιμα (τα) [fagosima] provisions, victuals.
φαγώσιμος-n-ο (ε) [fagosimos] eatable, edible.
φαεινός-ή-ό (ε) [fainos] bright idea.
φαΐ (το) [fa-i] food, meal.
φαιδρά (επ) [fedhra] comically, cheerfully.

φαιδρός-ή-ό (ε) [fedhros] merry, cheerful, ridiculous [μεταφ], comical.
φαιδρότnτα (n) [fedhrotita] cheerfullness, gaiety, merriment, hilarity.
φαιδρύνω (ρ) [fedhrino] cheer up.
φαινικός-ή-ό (ε) [fenikos] carbolic.
φαινόλn (n) [fenoli] carbolic acid.
φαίνομαι (ρ) [fenome] appear, come in sight, seem, look.
φαινόμενα (τα) [fenomena] judging by appearances.
φαινομενικός-ή-ό (ε) [fenomenikos] seeming, apparent, deceptive.
φαινομενικότnτα (n) [fenomenikotita] semblance.
φαινομενικώς (επ) [fenomenikos] apparently.
φαινόμενο (το) [fenomeno] wonder, phenomenon.
φαιός-ά-ό (ε) [feos] grey.
φαιοχίτωνας (ο) [feohitonas] brownshirt.
φάκα (n) [faka] snare.
φάκελος (ο) [fakelos] envelope, file, record.
φακή (n) [faki] lentils.
φακίδα (n) [fakidha] freckle.
φακιόλι (το) [fakioli] headscarf.
φακός (ο) [fakos] lens, magnifying glass.
φάλαγγα (n) [falanga] column [στρατ],

row [στοίχος].

φάλαινα (n) [falena] whale.

φαλαινοθηρικό (το) [falenothiriko] whaler.

φαλάκρα (n) [falakra] baldness, bald head.

φαλακραίνω (ρ) [falakreno] go bald.

φαλακρός-ή-ό (ε) [falakros] bald.

φαλιμέντο (το) [falimendo] bust.

φαλλικός-ή-ό (ε) [fallikos] phallic.

φαλλοκρατία (n) [fallokratia] phallocracy.

φαλλός (ο) [fallos] phallus.

φαλτσάρω (ρ) [faltsaro] sing out of tune.

φαλτσέτα (n) [faltseta] paring knife.

φάλτσο (το) [faltso] wrong note, dissonance, mistake [μεταφ].

φάλτσος-α-ο (ε) [faltsos] out of tune.

φαμελιά (n) [famelia] family.

φάμπρικα (n) [fambrika] factory, fabrication.

φαμπρικάρω (ρ) [fambrikaro] manufacture.

φανάρι (το) [fanari] lamp, light, lantern, headlamp, lighthouse.

φανατίζω (ρ) [fanatizo] make fanatical, fanaticize.

φανατικός-ή-ό (ε) [fanatikos] overzealous, fanatical too) fanatic.

φανατισμένος-η-ο (μ) [fanatismenos] digoted, fanatical, opinionated.

φανατισμός (ο) [fanatismos] fanaticism.

φανέλα (n) [fanela] flannel, vest.

φανελένιος-α-ο (ε) [fanelenios] flannel.

φανερά (επ) [fanera] clear, obviously.

φανερός-ή-ό (ε) [faneros] clear, plain.

φανέρωμα (το) [faneroma] disclosure, appearance.

φανερώνω (ρ) [fanerono] reveal, make plain, make evident, show,, disclose.

φανέρωση (n) [fanerosi] disclosure, revelation, appearance.

φανός (ο) [fanos] lamp.

φανοστάτης (ο) [fanostatis] lamp-post.

φαντάζομαι (ρ) [fandazome] imagine, think, believe.

φαντάζω (ρ) [fandazo] make an impression, stand out.

φαντάρος (ο) [fandaros] infantryman, soldier.

φαντασία (n) [fandasia] imagination, illusion, pride [υπερηφάνεια], brain.

φαντασιοκοπία (n) [fandasiokopia] illusion.

φαντασιοκόπος (ο) [fandasiokopos] daydreamer, visionary.

φαντασιοπληξία (n) [fandasiopliksia] extravagant notion.

φαντασιόπληκτος-n-o (ε) [fandasioplihtos] fanciful.

φαντασίωση (n) [fandasiosi] fantasy.

φάντασμα (το) [fandasma] phantom, ghost, spirit.

φαντασμένα (επ) [fandasmena] conceitedly.

φαντασμένος-n-o (μ) [fandasmenos] presumptuous, vain, haughty, big-headed.

φανταστικός-ή-ό (ε) [fandastikos] illusory, imaginary, fantastic, extravagant.

φανταχτερά (επ) [fandahtera] flashily.

φανταχτερός-ή-ό (ε) [fandahteros] showy, bright, glaring.

φάντης (ο) [fandis] knave [στα χαρτιά].

φανφάρα (n) [fanfara] brass band.

φανφαρονισμός (ο) [fanfaronismos] flamboyance, heroics.

φανφαρόνος (ο) [fanfaronos] boaster, blusterer, flamboyant.

φάπα (n) [fapa] slap, box on the ear, smack, clip.

φάρα (n) [fara] race, progeny, breed, creed.

φαράγγι (το) [farangi] gorge, gully, ravine, chine.

φαράσι (το) [farasi] dustpan.

φαρδαίνω (ρ) [fardheno] widen, broaden, stretch, extend.

φάρδεμα (το) [fardhema] letting out.

φάρδος (το) [fardhos] width, breadth.

φαρδύς-ιά-ύ (ε) [fardhis] wide, large, broad.

φαρέτρα (n) [faretra] quiver.

φαρίνα (n) [farina] meal, flour, farina.

φαρισαϊκός-ή-ό (ε) [farisaikos] hypocritical.

φάρμα (n) [farma] farm, homestead.

φαρμακείο (το) [farmakio] chemist's.

φαρμακερός-ή-ό (ε) [farmakeros] venomous, spiteful.

φαρμακευτικός-ή-ό (ε) [farmakeftikos] pharmaceutical, healing.

φαρμάκι (το) [farmaki] poison [φαρ], anything bitter [μεταφ].

φάρμακο (το) [farmako] medicine, remedy.

φαρμακολογία (n) [farmakoloyia] pharmacology.

φαρμακοποιός (ο) [farmakopios] pharmacist, chemist.

φαρμακωμένος-n-ο (μ) [farmakomenos] cankered.

φαρμακώνω (ρ) [farmakono] poison, cause grief [μεταφ], mortify.

φάρος (ο) [faros] lighthouse, beacon.

φαροφύλακας (ο) [farofilakas] lighthouse-keeper.

φάρσα (n) [farsa] trick, practical joke.

φαρσοειδής-ής-ές (ε) [farsoidhis] farcical.

φάρυγγας (ο) [faringas] pharynx, windpipe.

φασαρία (n) [fasaria] disturbance, fuss, noise, bustle, ado, bluster, brawl, broil, brouhaha, clatter.

φάση (n) [fasi] phase, change, turn, aspect.

φασιανός (ο) [fasianos] pheasant.

φασίνα (n) [fasina] scrub.

φασίολος (ο) [fasiolos] bean.

φασισμός (ο) [fasismos] fascism.

φασίστας (ο) [fasistas] fascist.

φασιστικός-ή-ό (ε) [fasistikos] fascist.

φασκιά (n) [faskia] swaddling clothes.

φασκιώνω (ρ) [faskiono] swaddle, swathe.

φασκόμηλο (το) [faskomilo] sage, sage tea.

φάσκω (ρ) [fasko] contradict oneself.

φάσμα (το) [fasma] spectrum.

φασματικός-ή-ό (ε) [fasmatikos] spectral.

φασματοσκόπιο (το) [fasmatoskopio] spectroscope.

φασολάδα (n) [fasoladha] bean soup.

φασόλι (το) [fasoli] haricot bean [βοτ], kidney bean.

φασουλιά (n) [fasulia] bean.

φάσσα (n) [fassa] wood-pigeon [ορνιθ].

φάτνη (n) [fatni] manger, stall.

φατρία (n) [fatria] faction, clique, gang, clan.

φατριάζω (ρ) [fatriazo] form factions.

φατριαστής (ο) [fatriastis] factionary, clannish.

φατριαστικός-ή-ό (ε) [fatriastikos] factionary.

φαυλοκρατία (n) [favlokratia] political corruption.

φαυλοκρατικός-ή-ό (ε) [favlokratikos] corrupt.

φαύλος-n-ο (ε) [favlos] wicked, depraved.

φαύλος κύκλος (ο) [favlos kiklos] vicious circle.

φαυλότητα (n) [favlotita] depravity, corruption.

φαφλατάς (ο) [faflatas] bouncer.

φαφλατάς-ού (ε) [faflatas] chatterer, mumbler.

Φεβρουάριος (ο) [Fevruarios] February.

φεγγαράδα (n) [fengaradha] moonlight.

φεγγάρι (το) [fengari] moon.

φεγγαρόλουστος-n-ο (ε) [fengarolustos] moonlit.

φέγγισμα (το) [fengisma] glimmer, showing through.

φεγγίτης (ο) [fengitis] skylight, fanlight.

φεγγοβόλημα (το) [fengovolima] glow, shine.

φεγγοβόλος (ο) [fengovolos] glowing, radiant.

φεγγοβολώ (ρ) [fengovolo] shine brightly.

φέγγω (ρ) [fengo] shine, glow.

φειδίσιος-α-ο (ε) [fidhisios] anguine.

φείδομαι (ρ) [fidhome] save, spare, be stingy.

φειδώ (n) [fidho] thrift, economy.

φειδωλά (επ) [fidhola] charily, economically.

φειδωλός-ή-ό (ε) [fidholos] sparing, thrifty, stingy, mean,.

φελλώδης-ης-ες (ε) [fellodhis] cork, corky.

φελός (ο) [felos] bung, cork.

φεμινισμός (ο) [feminismos] feminism.

φεμινιστής (ο) [feministis] feminist.

φενάκη (η) [fenaki] hoax, put-on.

φενακίζω (ρ) [fenakizo] deceive, trick.

φέξη (η) [feksi] dawn.

φεουδαρχία (η) [feudharhia] feudalism.

φεουδαρχικός-ή-ό (ε) [feudharhikos] feudal.

φέουδο (το) [feudho] fief.

φερέγγυος-α-ο (ε) [ferengios] solvent, trustworthy.

φερεγγυότητα (η) [ferengiotita] solvency, trustworthiness.

φέρελπις (ο) [ferelpis] full of promise.

φερετζές (ο) [feretzes] veil [of a Muslim woman].

φέρετρο (το) [feretro] coffin, bier.

φερμένος-η-ο (μ) [fermenos] arrived, imported.

φερμουάρ (το) [fermuar] zip fastener.

φέρνω (ρ) [ferno] bring, carry, support, have [έχω πάνω μου], bear [παράγω], lead, conduct.

φέρομαι (ρ) [ferome] conduct, behave, be reputed, be held as, comport.

φέρσιμο (το) [fersimo] behaviour, conduct.

φέρω (ρ) [fero] bring, carry, support, fetch [στέλνω], carry [έχω πάνω μου], have [έχω πάνω μου], cause [προξενώ], bear [παράγω], bring forth [παράγω], bring in [παράγω], yield [παράγω], wear [φορώ], lead [κατευθύνω], conduct [κατευθύνω].

φέσι (επ) [fesi] blotto (στο μεθύσι).

φέσι (το) [fesi] fez.

φεστιβάλ (το) [festival] festival.

φέτα (η) [feta] slice, white goat's cheese.

φετινός-ή-ό (ε) [fetinos] of this year.

φέτος (επ) [fetos] this year.

φευγάλα (η) [fevgala] flight, escape.

φευγαλέος-α-ο (ε) [fevgaleos] fleeting.

φευγατίζω (ρ) [fevgatizo] help to escape.

φευγάτος-η-ο (ε) [fevgatos] gone, run away, left.

φευγιό (το) [fevyio] flight, escape.

φεύγω (ρ) [fevgo] leave, depart, get away, escape, flee.

φευκτός-ή-ό (ε) [fefktos] avertable.

φήμη (η) [fimi] report, rumour, reputation, renown.

φημισμένος-η-ο (μ) [fimismenos] famous, celebrated.

φημολογώ (ρ) [fimologo] bruit.

φηρίκι (το) [firiki] codling.

φθάνω (ρ) [fthano] catch, overtake, attain, equal [μεταφ], arrive, reach.

φθαρμένος-η-ο (μ) [ftharmenos] beaten.

φθαρτός-ή-ό (ε) [fthartos] perishable, destructible.

φθειρίαση (η) [fthiriasi] lousiness.

φθείρομαι (ρ) [fthirome] decay, wash away, lose importance [μεταφ].

φθείρω (ρ) [fthiro] damage, spoil, corrupt, pervert.

φθινοπωριάτικος-η-ο (ε) [fthinoporiatikos] autumn.

φθινόπωρο (το) [fthinoporo] autumn.

φθίνω (ρ) [fthino] pine away, decay, decline.

φθίση (η) [fthisi] consumption, decline.

φθισιατρείο (το) [fthisiatrio] sanatorium.

φθισικός-ή-ό (ε) [fthisikos] consumptive, tubercular.

φθογγολογία (η) [fthongoloyia] phonology, phonetics.

φθόγγος (ο) [fthongos] voice, sound, a note [μουσ].

φθονερός-ή-ό (ε) [fthoneros] envious, jealous.

φθόνος (ο) [fthonos] malicious envy, jealousy.

φθονούμενος-η-ο (μ) [fthonumenos] envied.

φθονώ (ρ) [fthono] be envious of, begrudge, be jealous of.

φθορά (n) [thora] deterioration, damage, destruction, decay, loss.

φθόριο (το) [fthorio] fluorine.

φθορισμός (ο) [fthorismos] fluorescence.

φθοροποιός-ά-ό (ε) [fthoropios] malign, corruptive.

φιάλη (n) [fiali] bottle, flask.

φιαλίδιο (το) [fialidhio] phial, vial.

φιαλοθήκη (n) [fialothiki] cellaret.

φιάσκο (το) [fiasko] fiasco, flop, washout.

φιγούρα (n) [figura] figure, image, expression [μεταφ].

φιγουράρω (ρ) [figuraro] show off.

φιγουρατζής (ο) [figuratzis] show-off.

φιγουρίνι (το) [figurini] fashion journal, fashionable person.

φιδές (ο) [fidhes] vermicelli.

φίδι (το) [fidhi] snake, serpent.

φιδωτός-ή-ό (ε) [fidhotos] winding.

φίλαθλος (ο) [filathlos] sports fan.

φιλαλήθης-ης-ες (ε) [filalithis] truthful.

φιλαναγνώστης (ε) [filanagnostis] bookish.

φιλανθρωπία (n) [filanthropia] charity.

φιλανθρωπικός-ή-ό (ε) [filanthropikos] charitable.

φιλάνθρωπος (ο) [filanthropos] charitable person, benevolent.

φιλαράκος (ο) [filarakos] pal, scoundrel, rascal.

φιλαργυρία (n) [filaryiria] avarice, meanness.

φιλάργυρος-n-o (ε) [filaryiros] niggardly, miserly.

φιλαρέσκεια (n) [filareskia] coquetry.

φιλάρεσκος-n-o (ε) [filareskos] coquettish.

φιλαρμονική (n) [filarmoniki] band.

φίλαρχος-n-o (ε) [filarhos] power-loving.

φιλάσθενος-n-o (ε) [filasthenos] sickly, weakly.

φιλαυτία (n) [filaftia] selfishness, egotism.

φιλειρηνικός-ή-ό (ε) [filirinikos] peace-loving.

φιλελευθερισμός (ο) [fileleftherismos] liberalism.

φιλελευθεροποίηση (n) [filelefheropiisi] liberalization.

φιλελεύθερος-n-o (ε) [fileleftheros] liberal.

φίλεμα (το) [filema] treat, tip.

φιλενάδα (n) [filenadha] girlfriend, mistress.

φιλεργία (n) [fileryia] assiduity.

φίλεργος (ο) [filergos] hardworking.

φιλές (ο) [files] hairnet, snood.

φιλέτο (το) [fileto] fillet of meat.

φιλεύσπλαχνος-n-o (ε) [filefsplahnos] merciful, charitable.

φιλεύω (ρ) [filevo] make a present.

φίλη (n) [fili] friend.

φιλήδονος-n-o (ε) [filidhonos] sensual, voluptuous.

φίλημα (το) [filima] kissing.

φιλήσυχος-n-o (ε) [filisihos] peace-loving, calm, quiet, serene.

φιλί (το) [fili] kiss.

φιλία (n) [filia] friendship.

φιλικός-ή-ό (ε) [filikos] friendly.

φιλιππικός-ή-ό (ε) [filippikos] tirade, slashing attack.

φιλιστρίνι (το) [filistrini] porthole.

φιλίωμα (το) [filioma] reconciliation.

φιλιώνω (ρ) [filiono] make it up.

φιλμ (το) [film] film.

φιλντισένιος-α-ο (ε) [filndisenios] of ivory.

φίλντισι (το) [filndisi] mother-of-pearl, ivory.

φιλοβασιλικός-ή-ό (ε) [filovasilikos] royalist.

φιλοδικία (n) [filodhikia] barratry.

φιλοδοξία (n) [filodhoksia] ambition, aspiration.

φιλόδοξος-η-ο (ε) [filodhoksos] ambitious, pretentious, showy,.

φιλοδοξώ (ρ) [filodhokso] be ambitious, desire strongly.

φιλοδοξών (μ) [filodhokson] desirous.

φιλοδώρημα (το) [filodhorima] tip.

φιλοδωρώ (ρ) [filodhoro] tip.

φιλοζωΐα (n) [filozoia] egocentrism.

φιλόζωος-η-ο (ε) [filozoos] selfish.

φιλόθρησκος-η-ο (ε) [filothriskos] religious.

φιλοκαλία (n) [filokalia] good taste.

φιλόκαλος-η-ο (ε) [filokalos] tasteful.

φιλοκατήγορος-η-ο (ε) [filokatigoros] fault-finding.

φιλοκέρδεια (n) [filokerdhia] greed.

φιλοκερδής-ής-ές (ε) [filokerdhis] greedy.

φιλολογία (n) [filoloyia] literature.

φιλολογικός-ή-ό (ε) [filoloyikos] literary, pointless [μεταφ].

φιλομάθεια (n) [filomathia] studiousness.

φιλόμουσος-η-ο (ε) [filomusos] lover of music, fond of learning.

φιλονικία (n) [filonikia] dispute, wrangle, argument, disputation, bicker, broil.

φιλόνικος-η-ο (ε) [filonikos] argumentative.

φιλονικώ (ρ) [filoniko] quarrel.

φιλόνομος-η-ο (ε) [filonomos] law-abiding.

φιλοξενία (n) [filoksenia] hospitality.

φιλόξενος-η-ο (ε) [filoksenos] hospitable.

φιλοξενούμενος-η-ο (μ) [filoksenumenos] guest.

φιλοξενώ (ρ) [filokseno] entertain.

φιλοπατρία (n) [filopatria] patriotism.

φιλοπεριέργεια (n) [filoperieryia] curiosity.

φιλοπερίεργος-η-ο (ε) [filoperiergos] curious.

φιλοπονία (n) [filoponia] industry.

φιλόπονος-η-ο (ε) [filoponos] industrious.

φιλοπρόοδος-η-ο (ε) [filoproo-dhos] progressive.

φιλόπτωχος-η-ο (ε) [filoptohos] charitable.

φίλος (ο) [filos] friend, dear, boy friend [κοπέλας].

φιλοσοφία (n) [filosofia] philo-sophy.

φιλοσοφικός-ή-ό (ε) [filosofikos] philosophical.

φιλόσοφος (ο) [filosofos] philosopher.

φιλοστοργία (n) [filostoryia] affection.

φιλόστοργος-η-ο (ε) [filostorgos] loving, affectionate.

φιλοτελιστής (ο) [filotelistis] philatelist, stamp-collector.

φιλοτέχνημα (το) [filotehnima] work of art.

φιλότεχνος-η-ο (ε) [filotehnos] art lover.

φιλοτεχνώ (ρ) [filotehno] create [artistically].

φιλοτιμία (n) [filotimia] sense of honour, pride.

φιλότιμο (το) [filotimo] pride, ambition.

φιλότιμος-η-ο (ε) [filotimos] eager to excel, obliging.

φιλοφρόνημα (το) [filofronima] compliment.

φιλοφρονητικός-ή-ό (ε) [filofronitikos] complimentary, courteous.

φιλοφρόνως (επ) [filofronos] ceremoniously.

φιλοφροσύνη (n) [filofrosini] courtesy.

φιλόφρωνας (ε) [filofronas] chivalric, chivalrous.

φιλοχρηματία (n) [filohrimatia] avarice.

φιλοχρήματος-η-ο (ε) [filohrimatos] avaricious.

φίλτατος-η-ο (ε) [filtatos] dearest.

φιλτράρισμα (το) [filtrarisma] filtering.

φιλτράρω (ρ) [filtraro] filter, percolate, filtrate.

φίλτρο (το) [filtro] filter.

φιλύποπτος-η-ο (ε) [filipoptos] suspicious.

φιλώ (ρ) [filo] kiss, embrace.

φίλωμα (το) [filoma] muzzling.

φιμώνω (ρ) [fimono] muzzle, silence [μεταφ].

φίμωτρο (το) [fimotro] muzzle, gag.

φινάλε (το) [finale] finale, end.

φινέτσα (η) [finetsa] subtlety.

Φινλανδός (ο) [Finlandhos] Finn.

φινλανδία (η) [finlandhia] Finland.

φίνος-α-ο (ε) [finos] fine, subtle.

φιντάνι (το) [findani] seedling.

φιξάρισμα (το) [fiksarisma] fixation, set [μαλλίων].

φιξάρω (ρ) [fiksaro] fix, set.

φιόγκος (ο) [fiongos] knot, bow.

φίρμα (η) [firma] firm, trade name.

φιοριτούρα (η) [fioritura] ornamentation, embellishment, flourish.

φιρμάνι (το) [firmani] firman.

φίσα (η) [fisa] filing slip, gambling chip.

φισέκι (το) [fiseki] cartridge.

φισεκλίκι (το) [fisekliki] cartridge-belt.

φιστύκι (το) [fistiki] pistachio nut, peanut.

φιτίλι (το) [fitili] wick, fuse.

φλαμουριά (η) [flamuria] linden, lime-tree.

φλάμπουρο (το) [flamburo] standard.

φλαούτο (το) [flauto] flute.

φλασκί (το) [flaski] flask.

φλέβα (η) [fleva] vein, lode, talent.

Φλεβάρης (ο) [Flevaris] February.

φλεβαριδοφόρος-η-ο (ε) [flevaridhoforos] ciliate.

φλεβίτιδα (η) [flevitidha] phlebitis.

φλεβοτομώ (ρ) [flevotomo] bleed.

φλέγμα (το) [flegma] phlegm, mucus, coolness [μεταφ].

φλεγμονή (η) [flegmoni] inflammation, soreness.

φλέγομαι (ρ) [flegome] burn, flare up [μεταφ], blaze.

φλεγόμενος (ο) [flegomenos] blazing, ablaze, afire, aflame.

φλερτ (το) [frert] flirt, courting.

φλερτάρισμα (το) [flertarisma] courtship, flirting.

φλερτάρω (ρ) [flertaro] flirt with.

φλιτζάνι (το) [flitzani] cup, mug.

φλόγα (η) [floga] flame, blaze, passion [μεταφ], ardour.

φλογέρα (η) [floyera] shepherd's pipe, reed.

φλογερός-ή-ό (ε) [floyeros] burning, flaming, ardent [μεταφ], passionate.

φλογίζω (ρ) [floyizo] inflame.

φλογοβόλο (το) [flogovolo] flamethrower.

φλογοβόλος-ος-ο (ε) [flogovolos] ablaze.

φλόγωση (η) [flogosi] inflammation, soreness.

φλοιός (ο) [flios] peel, rind, shell [φυστικιού], bark.

φλοιός σιτηρών (ο) [flios sitiron] chaff.

φλοίσβος (ο) [flisvos] rippling of waves.

φλοιώδης-ης-ες (ε) [fliodhis] cortical.

φλοκάτη (η) [flokati] thick blanket.

φλόκος (ο) [flokos] jib.

φλομώνω (ρ) [flomono] stun.

φλούδα (η) [fludha] peel, rind, shell bark.

φλουρί (το) [fluri] gold coin.

φλυαρία (η) [fliaria] gossiping, chatter, back-chat.

φλύαρος-η-ο (ε) [fliaros] talkative, chatter-box, gossiper, gabbler.

φλυαρώ (ρ) [fliaro] chatter, gossip.

φλύκταινα (η) [fliktena] blain.

φλώρος (ο) [floros] linnet.

φοβάμαι (ρ) [fovame] be afraid, fear.

φοβερά (επ) [fovera] awfully.

φοβέρα (η) [fovera] threat, menace.

φοβερίζω (ρ) [foverizo] threaten intimidate.

φοβερός-ή-ό (ε) [foveros] terrible, frightful, amazing, formidable, intimidating, appalling.

φόβητρο (το) [fovitro] scarecrow.

φοβητσιάρης-α-ικο (ε) [fovitsiaris] fearful.

φοβία (η) [fovia] fear, phobia.

φοβίζω (ρ) [fovizo] frighten, threaten, intimidate.

φοβισμένος-η-ο (μ) [fovismenos] afraid, apprehensive.

φοβιτσιάρης (ε) [fovitsiaris] cowardly, coward.

φόβος (ο) [fovos] fear, fright.

φοβούμαι (ρ) [fovume] fear, be afraid of, be scared of, be frightened of.

φόδρα (n) [fodhra] lining.

φοδράρω (ρ) [fodhraro] line.

φοίνικας (ο) [finikas] palm tree, date.

φοίτηση (n) [fitisi] attendance [at school].

φοιτητής (ο) [fititis] student.

φοιτητικός-ή-ό (ε) [fititikos] student's.

φοιτήτρια (n) [fititria] coed.

φοιτώ (ρ) [fito] be a student.

φόλα (n) [fola] dog poison.

φολοφρόνηση (n) [folofronisi] compliment.

φολύδα (n) [folidha] cortex.

φονεύω (ρ) [fonevo] murder.

φονιάς (ο) [fonias] murderer, killer.

φονικό (το) [foniko] murder, killing.

φονικός-ή-ό (ε) [fonikos] murderous, bloody.

φόνος (ο) [fonos] murder, homicide, assasination, blood.

φόντο (το) [fondo] bottom, base, back, background, capital.

φόρα (n) [fora] impulse, force.

φορά (n) [fora] force, course, run, direction, time.

φοράδα (n) [foradha] mare.

φοραδίτσα (n) [foradhitsa] filly.

φορατζής (ο) [foratzis] tax collector.

φορβή (n) [forvi] fodder.

φορέας (ο) [foreas] carrier, porter, agent.

φορείο (το) [forio] stretcher, litter.

φόρεμα (το) [forema] dress.

φορεσιά (n) [foresia] dress, suit of clothes.

φορητός-ή-ό (ε) [foritos] portable.

φόρμα (n) [forma] form, shape, mould, matrix, overall.

φορμαλισμός (ο) [formalismos] formalism.

φορμαλιστικός-ή-ό (ε) [formalistikos] formalistic.

φορμόλη (n) [formoli] formalin.

φόρμουλα (n) [formula] formula.

φοροδιαφυγή (n) [forodhiafiyi] tax evasion.

φορολογήσιμος-n-o (ε) [foroloyisimos] taxable, rateable, chargeable.

φορολογία (n) [foroloyia] taxation.

φορολογικός-ή-ό (ε) [foroloyikos] tax.

φορολογούμενος-n-o (μ) [forologumenos] taxpayer.

φορολογώ (ρ) [forologo] tax.

φόρος (ο) [foros] tax.

φόρτε (το) [forte] strong point, full swing.

φορτηγίδα (n) [fortiyidha] lighter.

φορτηγό (το) [fortigo] lorry, truck.

φορτίζω (ρ) [fortizo] charge with electricity.

φορτικός-ή-ό (ε) [fortikos] intrusive.

φορτικότητα (n) [fortikotita] importunity.

φορτίο (το) [fortio] cargo, load, burden, charge.

φόρτος (ο) [fortos] heavy load.

φορτσάρισμα (το) [fortsarisma] burst.

φορτσάρω (ρ) [fortsaro] force, intensify, increase.

φόρτωμα (το) [fortoma] loading, burden.

φορτώνομαι (ρ) [fortonome] pester, annoy.

φορτώνω (ρ) [fortono] load, pile on, take on cargo.

φόρτωση (n) [fortosi] loading.

φορτωτής (ο) [fortotis] shipper.

φορτωτική (n) [fortotiki] bill of landing.

φορώ (ρ) [foro] wear, put on, carry.

φουγάρο (το) [fugaro] funnel, flue, smokestack.

φουκαράς-ού (ε) [fukaras] unfortunate fellow.

φουλάρι (το) [fulari] scarf, cravat.

φούμαρα (τα) [fumara] big talk.

φουμάρω (ρ) [fumaro] smoke.

φούμος (ο) [fumos] soot.

φούντα (n) [funda] tassel, tuft, crest.

φουντούκι (το) [funduki] hazelnut .

φούντωμα (το) [fundoma] burge-oning

[δέντρου], growth, anger, flush.

φουντωμένος-η-ο (μ) [fundomenos] ablaze.

φουντώνω (ρ) [fundono] become bushy, stretch out, spread, expand.

φουντωτός-ή-ό (ε) [fundotos] bushy, thick.

φούξια (n) [fuksia] fuchsia.

φούρια (n) [furia] haste, bustle.

φουριόζος-α-ο (ε) [furiozos] brash.

φούρκα (n) [furka] rage, anger, gallows.

φουρκέτα (n) [furketa] hairpin.

φουρκίζω (ρ) [furkizo] pester, make angry.

φούρκισμα (το) [furkisma] anger, fury, hanging.

φούρναρης (ο) [furnaris] baker.

φουρνέλο (το) [furnelo] grid, blasting charge.

φουρνίζω (ρ) [furnizo] bake.

φούρνος (ο) [furnos] oven, bakery, kiln.

φουρούσι (το) [furusi] corbel, console.

φουρτούνα (n) [furtuna] tempest, storm, rough sea.

φουρτουνιασμένος-η-ο (μ) [furtuniasmenos] rough.

φούσκα (n) [fuska] bladder, balloon, blister.

φουσκάλα (n) [fuskala] blister, bubble.

φουσκαλιάζω (ρ) [fuskaliazo] blister.

φουσκί (το) [fuski] manure, muck.

φουσκίζω (ρ) [fuskizo] manure.

φουσκοδεντριά (n) [fuskodhendria] saprising.

φουσκονεριά (n) [fuskoneria] flood tide.

φούσκωμα (το) [fuskoma] inflation, swelling.

φουσκωμένος-η-ο (μ) [fuskomenos] swollen, inflated.

φουσκώνω (ρ) [fuskono] swell, inflate, blow up, exaggerate, irritate [ενοχλώ], rise, puff [αναπνοή], pant.

φουσκωτός-ή-ό (ε) [fuskotos] puffed, inflated, curved.

φούστα (n) [fusta] skirt.

φουστανέλα (n) [fustanela] kind of kilt.

φουστάνι (το) [fustani] gown, dress.

φουτουρισμός (ο) [futurismos] futurism.

φουφού (n) [fufu] brazier.

φουφούλα (n) [fufula] bloomers.

φούχτα (n) [fuhta] handful.

φραγγέλιο (το) [frangelio] lash.

φράγκικος-η-ο (ε) [frangikos] Frankish, West European.

φράγκο (το) [frango] franc, drachma.

φραγκογαρίφαλο (το) [frangogarifalo] redcurrant.

φραγκόπαπας (ο) [frangopapas] Catholic priest.

φραγκοράφτης (ο) [frangoraftis] tailor.

φραγκοστάφυλο (το) [frangostafilo] gooseberry.

φραγκόσυκο (το) [frangosiko] prickly pear.

φράγμα (το) [fragma] enclosure, fence.

φραγμός (ο) [fragmos] fence, barrier.

φράζω (ρ) [frazo] surround, hedge, stop.

φραίζα (n) [freza] bur.

φράκο (το) [frako] tails.

φράκτης (ο) [fraktis] fence, enclosure, fencing.

φράντζα (n) [frantza] fringe.

φραντζόλα (n) [frandzola] long loaf.

φραντζολάκι (το) [frantzolaki] small loaf.

φραντσέζικος-η-ο (ε) [frandsezikos] French.

φράξια (n) [fraksia] faction.

φράξιμο (το) [fraksimo] enclosing, fencing.

φραξιονιστής (ο) [fraksionistis] factionalist.

φραξιονιστικός-ή-ό (ε) [fraksionistikos] factional.

φράουλα (n) [fraula] strawberry.

φράπα (n) [frapa] kind of large citrus fruit.

φρασεολογία (n) [fraseoloyia] phraseology.

φράσσομαι (ρ) [frassome] clog.

φράσσω (ρ) [frasso] surround, hedge, block up, stop, obstruct.

φραστικός-ή-ό (ε) [frastikos] phrasal, verbal.

φράχτης (ο) [frahtis] fence, enclosure.

φρέαρ (το) [frear] well, pit, shaft.

φρεάτιο (το) [freatio] small well.

φρεγάτα (n) [fregata] frigate.

φρέζα (n) [freza] milling-machine.

φρένα (τα) [frena] reason, brakes.

φρεναπάτη (n) [frenapati] delusion.

φρενάρισμα (το) [frenarisma] braking.

φρενάρω (ρ) [frenaro] brake, check.

φρένες (οι) [frenes] mind, reason.

φρενιάζω (ρ) [freniazo] get furious, lose control.

φρενίτιδα (n) [frenitidha] fury.

φρένο (το) [freno] brake.

φρενοβλάβεια (n) [frenovlavia] insanity, lunacy.

φρενοβλαβής-ής-ές (ε) [frenovlavis] mentally disturbed.

φρενοκομείο (το) [frenokomio] lunatic asylum.

φρενολογία (n) [frenoloyia] phrenology.

φρενολόγος (ο) (n) [frenologos] alienist.

φρεσκάδα (n) [freskadha] freshness, coolness.

φρεσκάρω (ρ) [freskaro] freshen, cool.

φρέσκο (το) [fresko] coolness, freshness.

φρέσκος-n-ο (ε) [freskos] fresh, new, recent.

φριζάρω (ρ) [frizaro] curl.

φρικαλέος-α-ο (ε) [frikaleos] horrible, atrocious.

φρικαλεότητα (n) [frikaleotita] atrocity, horror.

φρίκη (n) [friki] terror, horror, frightful.

φρικιάζω (ρ) [frikiazo] shiver, shudder.

φρικιαστικός-ή-ό (ε) [frikiastikos] horrifying, ghastly, creepy.

φρικτά (επ) [frikta] appallingly, awfully.

φρικτός-ή-ό (ε) [friktos] horrible , hideous, awful, appalling.

φρόκαλο (το) [frokalo] sweepings, rubbish.

φρόνημα (το) [fronima] opinion, morale.

φρονήματα (τα) [fronimata] political beliefs.

φρονηματίζω (ρ) [fronimatizo] chasten.

φρονηματικός-ή-ό (ε) [fronimatikos] chastening.

φρόνηση (n) [fronisi] prudence.

φρονιμάδα (n) [fronimadha] wisdom, prudence, good behaviour, modesty, chastity.

φρονιματίζω (ρ) [fronimatizo] inspire self-confidence.

φρονιμεύω (ρ) [fronimevo] become prudent, be well-behaved.

φρονιμίτης (ο) [fronimitis] wisdom tooth.

φρόνιμος-n-ο (ε) [fronimos] reasonable, sound, well-behaved.

φροντίδα (n) [frondidha] care, anxiety.

φροντίζω (ρ) [frondizo] look after, care for, take care.

φροντιστήριο (το) [frondistirio] coaching school, prep school.

φροντιστής (ο) [frondistis] tutor, commissary.

φρονώ (ρ) [frono] think, suppose.

φρουμάζω (ρ) [frumazo] snort.

φρουρά (n) [frura] lookout, guard.

φρούρηση (n) [frurisi] custody, watch.

φρούριο (το) [frurio] fortress.

φρουρός (ο) [fruros] guard, sentinel, sentry.

φρουρώ (ρ) [fruro] guard, keep watch.

φρουτιέρα (n) [frutiera] fruit-bowl.

φρούτο (το) [fruto] fruit, dessert.

φρυάζω (ρ) [friazo] get angry.

φρυγανιά (n) [frigania] toast.

φρυγανιέρα (n) [friganiera] toaster.

φρυγανίζω (ρ) [friganizo] toast.

φρύδι (το) [fridhi] eyebrow.

φρύνος (ο) [frinos] toad.

φταίξιμο (το) [fteksimo] fault, error.

φταίχτης (ο) [ftehtis] culprit.

φταίω (ρ) [fteo] be responsible, make a mistake.

φτάνω (ρ) [ftano] catch, overtake, attain, be equal to, arrive, reach.

φταρνίζομαι (ρ) [ftarnizome] sneeze.

φτασμένος-n-ο (μ) [ftasmenos] made man.

φτελιά (n) [ftelia] elm[tree].

φτέρη (n) [fteri] fern [βοτ], bracken.

φτέρνα (n) [fterna] heel.

φτερνίζομαι (ρ) [fternizome] sneeze.

φτέρνισμα (το) [fternisma] sneeze.

φτερό (το) [ftero] feather, plume, wing, feather duster, wing.

φτεροκόπημα (το) [fterokopima] flap.

φτερούγα (n) [fteruga] wing.

φτερουγίζω (ρ) [fteruyizo] flap.

φτερούγισμα (το) [fteruyisma] flapping.

φτέρωμα (το) [fteroma] plumage.

φτερωτός-ή-ό (ε) [fterotos] winged.

φτηνά (επ) [ftina] cheap, cheaply.

φτηναίνω (ρ) [ftineno] become cheaper.

φτηνοδουλειά (n) [ftinodhulia] botch (job).

φτηνός-ή-ό (ε) [ftinos] cheap, shoddy.

φτιαγμένος-η-ο (μ) [ftiagmenos] made, accomplished.

φτιάνομαι (ρ) [ftianome] make up one's face, look better.

φτιάνω (ρ) [ftiano] arrange, tidy up, correct, have made, do.

φτιασίδι (το) [ftiasidhi] cosmetic, make-up.

φτιασίδωμα (το) [ftiasidhoma] make-up.

φτιασιδώνω (ρ) [ftiasidhono] make up, paint.

φτιάσιμο (το) [ftiasimo] making, fixing, preparation, tidying up, construction, doing.

φτιάχνω (ρ) [ftiahno] arrange, tidy up, correct, have made, do.

φτιαχτός-ή-ό (ε) [ftiahtos] fabricated, affected.

φτουρώ (ρ) [fturo] last long, go a long way.

φτυάρι (το) [ftiari] shovel, spade.

φτυαρίζω (ρ) [ftiarizo] spade, shovel.

φτυάρισμα (το) [ftiarisma] shovelling.

φτύμα (το) [ftima] spittle.

φτύνω (ρ) [ftino] spit out.

φτύσιμο (το) [ftisimo] spitting.

φτωχαίνω (ρ) [ftoheno] impoverish.

φτώχεια (n) [ftohia] poverty.

φτωχεύω (ρ) [ftohevo] become poor, go bankrupt.

φτωχικά (επ) [ftohika] barely.

φτωχικό (το) [ftohiko] humble abode.

φτωχικός-ή-ό (ε) [ftohikos] poor, mean.

φτωχογειτονιά (n) [ftohoyitonia] shanty-town.

φτωχολογιά (n) [ftoholoyia] the poor, the needy.

φτωχός-ή-ό (ε) [ftohos] poor, needy.

φτωχούλης (ο) [ftohulis] poor thing.

φυαλίδιο (το) [fialidhio] ampulla.

φυγαδεύω (ρ) [figadhevo] help to escape.

φυγάδεψη (n) [figadhepsi] escape.

φυγάς (ο) [figas] runaway, deserter, fugitive.

φυγή (n) [fiyi] escape, fleeing, flight.

φυγοδικία (n) [figodhikia] default.

φυγόδικος-η-ο (ε) [figodhikos] defaulter.

φυγοδικώ (ρ) [figodhiko] flee from justice.

φυγόκεντρος-η-ο (ε) [figokendros] centrifugal.

φυγόμαχος-η-ο (ε) [figomahos] deserter.

φυγομαχώ (ρ) [figomaho] desert.

φυγοπόλεμος-η-ο (ε) [figopolemos] deserter.

φυγοπονία (n) [figoponia] laziness,.

φυγόπονος-η-ο (ε) [figoponos] lazy (ο) lazybones.

φύκι (το) [fiki] seaweed.

φύκια (τα) [fikia] driftage.

φύλαγμα (το) [filagma] guard, watch, custody.

φυλάγομαι (ρ) [filagome] take care.

φυλάγω (ρ) [filago] guard, protect, mind, tend, keep, lay aside.

φύλακας (ο) [filakas] keeper, guardian, guard, caretaker.

φυλακή (n) [filaki] prison, jail.

φυλακίζω (ρ) [filakizo] imprison, cage.

φυλάκιο (το) [filakio] guardhouse, post, guardroom.

φυλάκιση (n) [filakisi] imprisonment, confinement.

φυλακισμένος-η-ο (μ) [filakismenos] imprisoned, confined, jailed (ο) prisoner.

φυλακτό (το) [filakto] charm.

φύλαρχος (ο) [filarhos] tribal chief.

φυλάττω (ρ) [filatto] cache.

φυλαχτό (το) [filahto] charm.

φυλάχτρα (n) [filahtra] lookout post, hide.

φυλετικός-ή-ό (ε) [filetikos] tribal, racial.

φυλή (n) [fili] race, tribe, nation.

φυλλάδα (n) [filladha] booklet, pamphlet, brochure.

φυλλάδιο (το) [filladhio] pamphlet, instalment.

φύλλο (το) [fillo] leaf, petal, sheet, page [σελίδα], shutter [πόρτας κτλ], playing card.

φυλλοβόλος-ος-ο (ε) [fillovolos] deciduous.

φυλλομετρώ (ρ) [fillometro] turn pages of, run through.

φυλλορροώ (ρ) [fillorroo] shed one's leaves, vanish, fade.

φυλλοφόρος-α-ο (ε) [filloforos] leaf-bearing.

φυλλώδης-ης-ες (ε) [fillodhis] bowery.

φύλλωμα (το) [filloma] foliage.

φύλο (το) [filo] sex, race, tribe.

φύμα (το) [fima] carunkle.

φυματικός-ή-ό (ε) [fimatikos] consumptive, tubercular.

φυματιολόγος (ο) [fimatiologos] TB specialist.

φυματίωση (n) [fimatiosi] tuberculosis, consumption.

φύομαι (ρ) [fiome] grow, bud, sprout.

φύρα (n) [fira] loss of weight, wastage, shrinkage.

φυραίνω (ρ) [fireno] shorten, shrink, lose weight.

φύραμα (το) [firama] paste, dough, blend, character.

φύρδην μίγδην (επ) [firdhin migdhin] higgledy-piggledy.

φυρός-ή-ό (ε) [firos] shrivelled, underweight, soft.

φυσαλίδα (n) [fisalidha] bubble, blister.

φυσαρμόνικα (n) [fisarmonika] accordion, mouth organ.

φυσέκι (το) [fiseki] cartridge.

φυσεκλίκι (το) [fisekliki] bandoleer.

φυσερό (το) [fisero] bellows.

φύση (n) [fisi] nature, temper, character.

φύσημα (το) [fisima] breath, puff, breathing.

φυσίγγιο (το) [fisingio] cartridge.

φυσιγγιοθήκη (n) [fisingiothiki] cartridge-belt.

φυσικά (επ) [fisika] as a matter of fact, of course.

φυσική (n) [fisiki] physics.

φυσικό (το) [fisiko] custom, habit.

φυσικοθεραπεία (n) [fisiotherapia] physiotherapy.

φυσικός-ή-ό (ε) [fisikos] natural, physical.

φυσικός (ο) [fisikos] physicist.

φυσικότητα (n) [fisikotita] naturalness.

φυσιογνωμία (n) [fisiognomia] cast of features, well-known person.

φυσιογνωσία (n) [fisiognosia] natural history.

φυσιολάτρης (ο) [fisiolatris] lover of nature.

φυσιολατρικός-ή-ό (ε) [fisiolatrikos] nature-loving.

φυσιολογία (n) [fisioloyia] physiology.

φυσιολογικός-ή-ό (ε) [fisioloyikos] physiological, normal.

φυσομανώ (ρ) [fisomano] rage.

φυσώ (ρ) [fiso] blow up, puff, pant.

φυτεία (n) [fitia] plantation, vegetation, bed of vegetables.

φύτεμα (το) [fitema] planting.

φυτεύω (ρ) [fitevo] plant, lay out, lodge.

φύτεψη (n) [fitepsi] planting.

φυτικός-ή-ό (ε) [fitikos] vegetable.

φυτίνη (n) [fitini] vegetable butter.

φυτό (το) [fito] vegetable, plant.

φυτοζωώ (ρ) [fitozoo] live in poverty.

φυτοκομία (n) [fitokomia] horticulture.

φυτολογία (n) [fitoloyia] botany.

φυτοφάγος-α-ο (ε) [fitofagos] vegetarian.

φύτρα (n) [fitra] germ, embryo, lineage.

φύτρωμα (το) [fitroma] germination, growth.

φυτρώνω (ρ) [fitrono] grow, germinate.

φυτώριο (το) [fitorio] nursery, plantation.

φώκια (n) [fokia] seal.

φωλιά (n) [folia] nest, den, hole.

φωλιάζω (ρ) [foliazo] nestle, nest.

φώλιασμα (το) [foliasma] nestling.

φωνάζω (ρ) [fonazo] shout, call, cry, scream.

φωνακλάς (ο) [fonaklas]noisy talker.

φωνασκώ (ρ) [fonasko] bawl.

φωνή (n) [foni] sound, voice, cry, shout.

φωνήεν (το) [fonien] vowel.

φωνητική (n) [fonitiki] phonetics.

φωνητικός-ή-ό (ε) [fonitikos] vocal, phonetic.

φωνογράφος (ο) [fonografos] phonograph.

φως (το) [fos] light, sight [μεταφ], knowledge, illumination.

φωστήρας (ο) [fostiras] luminary, learned [μεταφ].

φωσφορίζω (ρ) [fosforizo] phosphoresce.

φωσφορικός-ή-ό (ε) [fosforikos] phosphoric.

φωσφόρισμα (το) [fosforisma] phosphorescence.

φωσφόρος (ο) [fosforos] phosphorus.

φώτα (τα) [fota] lights, knowledge, Epiphany [εκκλ].

φωταγώγηση (n) [fotagoyisi] illumination.

φωταγωγός (ο) [fotagogos] skylight.

φωταγωγώ (ρ) [fotagogo] illuminate.

φωταέριο (ρ) [fotaerio] gas lighting, coal-gas.

φωταψία (n) [fotapsia] illumination.

φωτεινός-ή-ό (ε) [fotinos] luminous, light, clear.

φωτεινότητα (n) [fotinotita] luminosity, brightness.

φωτιά (n) [fotia] fire, light, great heat [μεταφ], fury.

φωτίζομαι (ρ) [fotizome] brighten.

φωτίζω (ρ) [fotizo] illuminate, light up, light, inform.

φωτίκια (τα) [fotikia] christening clothes.

φώτιση (n) [fotisi] enlightenment.

φωτισμός (ο) [fotismos] illumination.

φωτιστικός-ή-ό (ε) [fotistikos] lighting, illuminating.

φωτοαντίγραφο (το) [fotoandigrafo] photocopy.

φωτοβολία (n) [fotovolia] blaze.

φωτοβολίδα (n) [fotovolidha] flare.

φωτογενής-ής-ές (ε) [fotoyenis] photogenic.

φωτογραφία (n) [fotografia] photograph [φωτ], photography.

φωτογραφίζω (ρ) [fotografizo] photograph.

φωτογραφικός-ή-ό (ε) [fotografikos] photographic.

φωτογράφος (ο) [fotografos] photographer.

φωτοδότης (ο) [fotodhotis] luminary.

φωτοκύτταρο (το) [fotokittaro] photo-electric cell.

φωτόλουστος-η-ο (ε) [fotolustos] floodlit.

φωτόλουτρο (το) [fotolutro] sunbath.

φωτόμετρο (το) [fotometro] light meter.

φωτοσκιάζω (ρ) [fotoskiazo] shade.

φωτοσκίαση (n) [fotoskiasi] light and shade.

φωτοστέφανος (ο) [fotostefanos] halo, glory, prestige.

φωτοστεφανωμένος-η-ο (μ) [fotostefanomenos] haloed, aureoled.

φωτοσύνθεση (n) [fotosinthesi] phototypeset[ting].

φωτοτυπία (n) [fototipia] photocopy.

φωτοφράχτης (ο) [fotofrahtis] shutter.

φωτοχυσία (n) [fotohisia] illumination.

X

χαβιάρι (το) [haviari] caviar.

χαβούζα (n) [havuza] cistern, reservoir.

χάδι (το) [hadhi] stroke, cuddle.

χαδιάρικος-n-o (ε) [hadhiarikos] caressing, fondling.

χαζεύω (ρ) [hazevo] idle about, loiter.

χάζι (το) [hazi] pleasure, delight, amusement.

χαζολόγημα (το) [hazoloyima fooling, loitering.

χαζομάρα (n) [hazomara] stupidity, slowness.

χαζός-ή-ό (ε) [hazos] stupid, silly.

χαζός (o) [hazos] mug, fool.

χαϊβάνι (το) [haivani] beast.

χάϊδεμα (το) [haidhema] caressing, stroke.

χαϊδεμένος-n-o (μ) [haidhemenos] spoilt, pampered.

χαϊδευτικός-ή-ό (ε) [haidheftikos] caressing, affectionate.

χαϊδεύω (ρ) [haidhevo] caress, fondle, pet, spoil.

χαϊδολογήματα (τα) [haidholoyimata] billing.

χαϊδολογώ (ρ) [haidhologo] caress, canoodle.

χαιρεκακία (n) [herekakia] malice.

χαιρέκακος (o) [herekakos] malicious.

χαιρεκακώ (ρ) [herekako] chuckle.

χαίρετε! (επιφ) [herete!] hello, see you soon.

χαιρετίζω (ρ) [heretizo] greet.

χαιρέτισμα (το) [heretisma] greeting.

χαιρετισμός (o) [heretismos] salute, greeting, bow.

χαιρετώ (ρ) [hereto] greet.

χαίρομαι (ρ) [herome] be happy, enjoy.

χαίρω (ρ) [hero] be pleased.

χαίτη (n) [heti] mane.

χαλάζι (το) [halazi] hail.

χαλαζοθύελα (n) [halazothiela] hailstorm.

χαλάλι (το) [halali] you can have it.

χαλαρός-ή-ό (ε) [halaros] relaxed, slack, loose.

χαλαρότητα (n) [halarotita] laxity, looseness, flabbiness.

χαλαρώνω (ρ) [halarono] unbend, loosen [σχοινί], relax [μεταφ], ease up.

χάλασμα (το) [halasma] ruin, demolition, spoiling, decay, damage, destuction.

χαλασμένος-n-o (μ) [halasmenos] out of order, rotten, broken, damaged, demolished.

χαλασμός (o) [halasmos] demolition, destruction, disturbance, storm.

χαλαστής (o) [halastis] wrecker.

χαλάω (ρ) [halao] spoil, ruin, break, go

bad [τροφές], fall through [σχέδια], break down [μηχανές], corrupt [διαφθείρω], break off [διαλύω], fall out [τσακώνομαι], break with [τσακώνομαι], change [χρήματα], spend [ξοδεύω], pull down [γκρεμίζω], demolish [γκρεμίζω].

χαλβαδόπιτα (n) [halvadhopita] nougat.

χαλβάς (o) [halvas] halva, silly fellow [μεταφ].

χάλι (το) [hali] plight, sorry state.

χαλί (το) [hali] carpet, rug.

χαλίκι (το) [haliki] pebble, gravel.

χαλίκια (τα) [halikia] chesil.

χαλικόστρωτος-n-ο (ε) [halikostrotos] gravelled, metalled.

χαλιναγώγηση (n) [halinagoyisi] bridling, handling.

χαλιναγωγώ (ρ) [halinagogo] lead by the bridle, check [μεταφ], control [πάθη], bit [μεταφ].

χαλινάρι (το) [halinari] bridle, bit, rein, curbing [μεταφ].

χαλκάς (o) [halkas] ring, link.

χάλκινος-n-ο (ε) [halkinos] of copper, copper, coppery.

χαλκογραφία (n) [halkografia] copperplate engraving.

χαλκός (o) [halkos] copper, brass.

χάλκωμα (το) [halkoma] copper, brass.

χαλκωματάς (o) [halkomatas] coppersmith.

χαλκωματένιος-α-ο (ε) [halkomatenios] brass, copper.

χάλυβας (o) [halivas] steel.

χαλύβδινος-n-ο (ε) [halivdhinos] steel, steely.

χαλυβδώνω (ρ) [halivdhono] steelplate, steel [μεταφ].

χαλύβδωση (n) [halivdhosi]steel plating.

χαλυβουργείο (το) [halivuryio] steel works.

χαλώ (ρ) [halo] demolish, break, ruin,

wear out [φθείρω], break down [υγεία], spend, pervent [διαφθείρω], change [νόμισμα], go bad/off.

χαμαιλέων (o) [hameleon] chameleon, thistle.

χαμένος-n-ο (μ) [hamenos] lost, disappeared, losing (o) loser, scoundrel [μεταφ].

χαμηλός-n-ό (ε) [hamilos] low, gentle [φωνή], soft [φωνή].

χαμηλότητα (n) [hamilotita] lowness.

χαμηλόφωνα (επ) [hamilofona] in an undertone, softly.

χαμηλόφωνος-n-ο (ε) [hamilofonos] low-voiced, subdued.

χαμήλωμα (το) [hamiloma] lowering, reducing.

χαμηλώνω (ρ) [hamilono] lower, reduce, bring down.

χαμογελαστός-n-ό (ε) [hamoyelastos] smiling.

χαμόγελο (το) [hamoyelo] smile.

χαμογελώ (ρ) [hamoyelo] smile.

χαμόδεντρο (το) [hamodhendro] shrub.

χαμόκλαδο (το) [hamokladho] shrub.

χαμομήλι (το) [hamomili] camomile.

χαμός (o) [hamos] loss, destruction, ruin, death, chaos.

χαμόσπιτο (το) [hamospito] hovel.

χαμπάρι (το) [hambari] piece of news.

χαμπαρίζω (ρ) [hambarizo] know, understand, listen.

χάμω (επ) [hamo] down, on the ground.

χάνι (το) [hani] country inn.

χάνομαι (ρ) [hanome] lose oneself, get lost.

χαντάκι (το) [handaki] ditch, drain.

χαντακώνω (ρ) [handakono] destroy, ruin.

χάντρα (n) [handra] bead.

χάνω (ρ) [hano] lose, go astray, let slip [ευκαιρία], waste time [καιρό], miss [τρένο].

χάος (το) [haos] chaos.

χάπι (το) [hapi] pill.

χαρά (n) [hara] joy, delight [υπερβολική].

χαραγή (n) [harayi] cut, slit.

χάραγμα (το) [haragma] tracing, engraving.

χαραγμένος-n-o (μ) [haragmenos] cut, engraved.

χαράδρα (n) [haradhra] ravine, gorge, gully.

χαράζω (ρ) [harazo] cut, engrave, trace, mark out [δρόμο κτλ].

χάρακας (ο) [harakas] straight edge, ruler.

χαρακτήρας (ο) [haraktiras] letter, character, temper.

χαρακτηρίζω (ρ) [haraktirizo] define, qualify, characterize.

χαρακτηρισμός (ο) [haraktirismos] characterization.

χαρακτηριστικό (το) [haraktiristiko] characteristic, trait.

χαρακτηριστικός-ή-ό (ε) [haraktiristikos] typical, distinctive, characteristic.

χαράκτης (ο) [haraktis] engraver.

χαρακτικός-ή-ό (ε) [haraktikos] inscriptive.

χαράκωμα (το) [harakoma] trench, ruling [γραμμών].

χαρακώνω (ρ) [harakono] rule, line.

χαρακωτός-ή-ό (ε) [harakotos] lined, ruled.

χάραμα (το) [harama] dawn.

χαραμάδα (n) [haramadha] fissure, crack, crevice.

χαράματα (τα) [haramata] dawn.

χαραματιά (n) [haramatia] crack, incision, scratch.

χαράμι (το) [harami] in vain.

χαραμίζω (ρ) [haramizo] waste.

χάραξη (n) [haraksi] engraving, incision, laying out [δρόμου].

χαράσσω (ρ) [harasso] engrave, carve, rule [γραμμές], map out, lay out [δρόμο].

χαραυγή (n) [haravyi] daybreak, dawn.

χάρη (n) [hari] favour, good point, grace, charm.

χαριεντίζομαι (ρ) [hariendizome] be in a teasing mood, jest.

χαριεντισμός (ο) [hariendismos] jesting, teasing.

χαρίζω (ρ) [harizo] give, donate, present.

χάρισμα (το) [harisma] talent, gift, accomplishment, finish.

χαριστικός-ή-ό (ε) [haristikos] prejudiced.

χαριτολογία (n) [haritoloyia] banter.

χαριτολογώ (ρ) [haritologo] jest, speak wittily.

χαριτωμένα (επ) [haritomena] charmingly.

χαριτωμένος-n-o (ε) [haritomenos] charming, amusing, engaging.

χχαρμόσυνα (επ) [harmosina] cheerfully.

χαρμόσυνος-n-o (ε) [harmosinos] cheerful.

χαροπάλεμα (το) [haropalema] death-rattle.

χαροπαλεύω (ρ) [haropalevo] be at death's door.

χαροποιώ (ρ) [haropio] gladden.

χάρος (ο) [haros] death.

χαρούμενα (επ) [harumena] cheerfully.

χαρούμενος-n-o (μ) [harumenos] cheerful, joyful, happy.

χαρταετός (ο) [hartaetos] kite.

χαρτέμπορος (ο) [hartemboros] paper dealer.

χαρτζιλίκι (το) [hartziliki] pocket money.

χάρτης (ο) [hartis] paper, map.

χαρτί (το) [harti] paper, playing card [χαρτοπαιξίας], toilet paper.

χάρτινος-η-ο (ε) [hartinos] of paper.

χαρτογραφία (n) [hartografia] cartography.

χαρτογραφώ (ρ) [hartografo] map, chart.

χαρτόδετος-η-ο (ε) [hartodhetos] paperbacked.

χαρτοκιβώτιο (το) [hartokivotio] carton, cardboard box.

χαρτοκόπτης (o) [hartokoptis] paper knife.

χαρτοκούτι (το) [hartokuti] carton.

χαρτομαντεία (n) [hartomandia] fortune-telling.

χαρτόνι (το) [hartoni] cardboard.

χαρτονόμισμα (το) [hartonomisma] bill, paper money.

χαρτοπαίγνιο (το) [hartopegnio] card-game, gambling.

χαρτοπαίζω (ρ) [hartopezo] play cards.

χαρτοπαίκτης (o) [hartopektis] gambler.

χαρτοπωλείο (το) [hartopolio] stationer's.

χαρτοπώλης (o) [hartopolis] stationer.

χαρτορίχτρα (n) [hartorihtra] fortuneteller.

χαρτοσακούλα (n) [hartosakula] paper bag.

χαρτόσημο (το) [hartosimo] stamp tax.

χαρτοφύλακας (o) [hartofilakas] briefcase, archivist [εκκλ].

χαρτοφυλάκιο (το) [hartofilakio] lettercase, briefcase.

χαρωπά (επ) [haropa] cheerfully, cheerily.

χαρωπός-ή-ό (ε) [haropos] cheerful, happy.

χασάπης (o) [hasapis] butcher.

χάσιμο (το) [hasimo] loss.

χασίσι (το) [hasisi] hashish.

χασισοπότης (o) [hasisopotis] opium-smoker.

χάσμα (το) [hasma] abyss, pit, gap.

χασμουρητό (το) [hasmurito] yawn.

χασμουριέμαι (ρ) [hasmurieme] yawn.

χασμωδία (n) [hasmodhia] disorder, confusion.

χασομέρης (o) [hasomeris] loafer, good-for-nothing.

χασομέρι (το) [hasomeri] delay, loss of one's work.

χασομερώ (ρ) [hasomero] be idle, linger.

χαστούκι (το) [hastuki] slap, smack.

χαστουκίζω (ρ) [hastukizo] slap, smack.

χατίρι (το) [hatiri] favour.

χατιρικός-ή-ό (ε) [hatirikos] as a favour.

χαύνωση (n) [havnosi] torpor, sloth.

χαυνότητα (n) [havnotita] flabbiness.

χαυνωτικός-ή-ό (ε) [havnotikos] enervating.

χαφιές (o) [hafies] stool, agent, informer.

χάφτω (ρ) [hafto] swallow, take in [μεταφ].

χαχανίζω (ρ) [hahanizo] burst into laughter.

χαχάνισμα (το) [hahanisma] giggling.

χάχας (o) [hahas] idiot.

χαψιά (n) [hapsia] mouthful.

χαώδης-ης-ες (ε) [haodhis] confused.

χέζω (ρ) [hezo] defecate, send to the devil [μεταφ], crap.

χείλι (το) [hili] lip.

χειλικός-ή-ό (ε) [hilikos] labial.

χείμαρρος (o) [himarros] torrent.

χειμαρρώδης-ης-ες (ε) [himarrodhis] torrential.

χειμερινός-ή-ό (ε) [himerinos] wintry.

χειμώνας (o) [himonas] winter.

χειμωνιάτικος-η-ο (ε) [himoniatikos]

winter, wintry.

χειραγώγηση (n) [hiragoyisi] guidance.

χειραγωγώ (ρ) [hiragogo] guide, lead.

χειραφέτηση (n) [hirafetisi] emancipation.

χειραφετώ (ρ) [hirafeto] liberate, emancipate.

χειραψία (n) [hirapsia] shake of the hand.

χειρίζομαι (ρ) [hirizome] handle, manipulate, drive [μηχανή].

χειρισμός (ο) [hirismos] manipulation, working, driving, handling [υπόθεσης].

χειριστήριο (το) [hiristirio] controls of a machine, console.

χειριστής (ο) [hiristis] operator, pilot.

χειρόγραφο (το) [hirografo] manuscript, handwritten.

χειρόγραφος-n-ο (ε) [hirografos] handwritten, scripted.

χειροδικία (n) [hirodhikia] taking the law into law into one's hands.

χειροδικώ (ρ) [hirodhiko] use force.

χειροκίνητος-n-ο (ε) [hirokinitos] hand-operated.

χειροκρότημα (το) [hirokrotima] clapping, applause.

χειροκροτώ (ρ) [hirokroto] applaud, clap.

χειρολαβή (n) [hirolavi] handle, grip, handrail.

χειρομαντεία (n) [hiromandia] palm reading.

χειρονομία (n) [hironomia] flourish, gesture.

χειρονομώ (ρ) [hironomo] gesticulate.

χειροπιαστός-ή-ό (ε) [hiropiastos] tangible.

χειροποίητος-n-ο (ε) [hiropiitos] handmade.

χειροτέρεμα (το) [hiroterema] worsening, deterioration.

χειροτερεύω (ρ) [hiroterevo] worsen.

χειρότερος-n-ο (ε) [hiroteros] worse, the worst.

χειροτέχνημα (το) [hirotehnima] handiwork.

χειροτέχνης (ο) [hirotehnis] artisan, craftsman.

χειροτεχνία (n) [hirotehnia] handicraft, craft.

χειροτονία (n) [hirotonia] ordination.

χειροτονώ (ρ) [hirotono] ordain, thrash [μεταφ].

χειρουργείο (το) [hiruryio] operating theatre.

χειρούργηση (n) [hiruryisi] operation.

χειρουργική (n) [hiruryiki] surgery.

χειρουργός (ο) [hirurgos] surgeon.

χειρουργώ (ρ) [hirurgo] operate on somebody.

χέλι (το) [heli] eel.

χελιδόνι (το) [helidhoni] swallow .

χελώνα (n) [helona] tortoise, turtle.

χελώνια (τα) [helonia] scrofula, chelonia.

χέρι (το) [heri] hand, arm, handle [χειρολαβή], going-over.

χεριά (n) [heria] handful.

χεροβολιάζω (ρ) [herovoliazo] make into sheaves.

χερόβολο (το) [herovolo] sheaf.

χεροδύναμος-n-ο (ε) [herodhinamos] strong-armed, muscular.

χερουβίμ (τα) [heruvim] cherub.

χερούκλα (n) [herukla] big hand, paw.

χερούλι (το) [heruli] handle, haft, ear [στάμνας].

χερσαίος-a-ο (ε) [herseos] terrestrial, continental [κλίμα], land, road.

χερσόνησος (n) [hersonisos] peninsula.

χέρσος-a-ο (ε) [hersos] uncultivated.

χερσώνω (ρ) [hersono] run wild, go to waste.

χέσιμο (το) [hesimo] shit, defecation,

fright [μεταφ], volley of abuse.

χεσμένος-η-ο (ε) [hesmenos] windy.

χημεία (n) [himia] chemistry.

χημείο (το) [himio] chemical laboratory.

χημικοθεραπεία (n) [himikotherapia] chemotherapy.

χημικός-ή-ό (ε) [himikos] chemical.

χήνα (n) [hina] goose.

χήρα (n) [hira] widow, widowed.

χηρεύω (ρ) [hirevo] become widowed, be unoccupied [θέση].

χήρος (o) [hiros] widower.

χθες (επ) [hthes] yesterday.

χθεσινός-ή-ό (ε) [hthesinos] of yesterday, recent.

χίλια (αριθ) [hilia] thousand.

χιλιάζω (ρ) [hiliazo] reach a thousand.

χιλιαπλάσιος-α-o (ε) [hiliaplasios] thousandfold.

χιλιάρικο (το) [hiliariko] thousand-drachma note.

χιλιαστής (o) [hiliastis] millenarian, chiliast.

χιλιετηρίδα (n) [hilietiridha] millennium.

χιλιετής-ής-ές (ε) [hilietis] thousand-year-old.

χιλιετία (n) [hilietia] millenium.

χιλιόγραμμο (το) [hiliogrammo] kilogramme.

χιλιόμετρο (το) [hiliometro] kilometre.

χιλιοστόγραμμο (το) [hiliostogrammo] milligram.

χιλιοστόμετρο (το) [hiliostometro] millimetre.

χιλιοστός-ή-ό (ε) [hiliostos] thousandth.

χιλιόχρονος-η-o (ε) [hiliohronos] thousand-year-old.

χιμαιρικός-ή-ό (ε) [himerikos] utopian.

χιμπατζής (o) [himbatzis] chimpanzee.

χιμώ (ρ) [himo] rush, dart, burst, tear, rush at.

χινοπωριάτικος-η-o (ε) [hinoporiatikos] autumnal.

χιονάνθρωπος (o) [hionanthropos] snowman.

χιονάτος-η-o (ε) [hionatos] snow-white.

χιόνι (το) [hioni] snow.

χιονίζει (ρ) [hionizi] it is snowing.

χιονίστρα (n) [hionistra] chilblain.

χιονοδρομία (n) [hionodhromia] skiing.

χιονοδρόμος (o) [hionodhromos] skier.

χιονοθύελλα (n) [hionothiella] snowstorm.

χιονοπόλεμος (o) [hionopolemos] snowballing.

χιονοσκεπής-ής-ές (ε) [hionoskepis] snowy, snow-capped, cover in snow.

χιονοστιβάδα (n) [hionostivadha] avalanche, snowdrift.

χιούμορ (το) [hiumor] humour.

χιουμορίστας (o) [hiumoristas] humorist.

χιουμοριστικός-ή-ό (ε) [hiumoristikos] humorous.

χίπης (o) [hipis] hippy.

χιτώνιο (το) [hitonio] jacket, tunic .

χλαίνη (n) [hleni] duffel coat [ναυτ], cloak.

χλευάζω (ρ) [hlevazo] mock, make fun of.

χλευαστικός-ή-ό (ε) [hlevastikos] mocking, sarcastic, derisive.

χλιαρός-ή-ό (ε) [hliaros] tepid, lukewarm, mild [άνεμος].

χλιαρότητα (n) [hliarotita] tepidity.

χλιμίντρισμα (το) [hlimindrisma] whinny, neigh[ing].

χλόη (n) [hloi] grass, lawn, greenness.

χλομιάζω (ρ) [hlomiazo] go pale.

χλομός-ή-ό (ε) [hlomos] pale, white.

χλωράδα (n) [hloradha] greenness,

freshness.

χλωρίδα (n) [hloridha] flora.

χλωρίνη (n) [hlorini] chlorine.

χλώριο (το) [hlorio] chlorine.

χλωριούχος-α-ο (ε) [hloriuhos] chloride, chloric.

χλωρίωση (n) [hloriosi] chlorination [νερού].

χλωρός-ή-ό (ε) [hloros] green, fresh.

χλωροφύλλη (n) [hlorofilli] chlorophyll.

χνότο (το) [hnoto] breath.

χνουδάτος-n-o (ε) [hnudhatos] downy, fluffy.

χνούδι (το) [hnudhi] down, fuzz.

χοιρίδιο (το) [hiridhio] pork, piglet.

χοιρινό (το) [hirino] pork.

χοιρομέρι (το) [hiromeri] ham, bacon, gammon.

χοίρος (ο) [hiros] pig, hog, swine.

χοιροστάσιο (το) [hirostasio] pigsty.

χοιροτρόφος (ο) [hirotrofos] pig-breeder.

χολέρα (n) [holera] cholera.

χολή (n) [holi] bile, gall, bitterness [μεταφ].

χοληδόχος (n) [holidhohos] gall-bladder.

χοληστερίνη (n) [holisterini] cholesterol.

χολιάζω (ρ) [holiazo] get irritated, lose one's temper.

χόλιασμα (το) [holiasma] huff, sulk, soreness, anger, bitterness, vexation.

χολόλιθος (ο) [hololithos] gall-stone.

χολωμένος-n-o (ε) [holomenos] angered, sore.

χολώνω (ρ) [holono] get cross, gall.

χονδρικός-ή-ό (ε) [hondhrikos] wholesale.

χονδροειδής-ής-ές (ε) [hondhroidhis] rough, clumsy, coarse.

χονδροποιώ (ρ) [hondhropio] granulate.

χονδρός-ή-ό (ε) [hondhros] big, fat, thick, vulgar [σε τρόπους].

χόνδρος (ο) [hondhros] cartilage, grit.

χοντρά (επ) [hondra] clownishly.

χοντράδα (n) [hondradha] coarseness.

χοντραίνω (ρ) [hondreno] become fat, make thicker.

χοντρικός-ή-ό (ε) [hondrikos] wholesale.

χοντροκοπιά (n) [hondrokopia] clumsy job of work.

χοντρός-ή-ό (ε) [hondros] big, fat, stout, thick, vulgar [σε τρόπους].

χόντρος (ο) [hondros] fatness, thickness.

χορδή (n) [hordhi] chord, string, catgut [από έντερο].

χορεία (n) [horia] chorea, clan, set.

χορευτής (ο) [horeftis] dancer, partner.

χορευτικός-ή-ό (ε) [horeftikos] for dancing, of dancing.

χορεύτρια (n) [horeftria] ballerina.

χορεύω (ρ) [horevo] dance, dance with.

χορήγηση (n) [horiyisi] granting, giving, supplying.

χορηγός (ο) [horigos] donor.

χορικός-ή-ό (ε) [horikos] choric.

χορογραφία (n) [horografia] choreography.

χορογράφος (ο) [horografos] choreographer.

χοροδιδασκαλείο (το) [horodhidhaskalio] dancing school.

χοροπήδημα (το) [horopidhima] bob.

χοροπηδώ (ρ) [horopidho] leap about.

χορός (ο) [horos] dance, chorus, choir.

χοροστατώ (ρ) [horostato] conduct divine service.

χόρτα (τα) [horta] greens.

χορταίνω (ρ) [horteno] have enough, satisfy, get bored with [βαριέμαι].

χορτάρι (το) [hortari] grass.

χορταριάζω (ρ) [hortariazo] run to weeds.

χορταρικά (τα) [hortarika] vegetables.

χορτασμός (ο) [hortasmos] satisfaction.

χορταστικός-ή-ό (ε) [hortastikos] satisfying, substantial, filling.

χορτάτος-η-ο (ε) [hortatos] satisfied.

χόρτο (το) [horto] grass, herb, weed [άγριο], chaff.

χορτοφαγία (η) [hortofayia] vegetarianism.

χορτοφάγος-α-ο (ε) [hortofagos] vegetarian, herbivorous.

χορωδία (η) [horodhia] choir, chorus.

χουζούρεμα (το) [huzurema] loafing, idling.

χουζουρεύω (ρ) [huzurevo] lie in.

χούι (το) [hui] nature [λαϊκ], habit [λαϊκ].

χουρμάς (ο) [hurmas] date.

χούφτα (η) [hufta] handful.

χουφτιά (η) [hufria] handful.

χουφτιάζω (ρ) [huftiazo] cup, grip.

χούφτιασμα (το) [huftiasma] cluching, gripping.

χοχλακίζω (ρ) [hohlakizo] boil, seethe [μεταφ].

χρεία (η) [hria] exigence.

χρειάζομαι (ρ) [hriazome] need, lack, want, require.

χρεμετίζω (ρ) [hremetizo] neigh.

χρεμετισμός (ο) [hremetismos] neighing.

χρεόγραφο (το) [hreografo] security.

χρέος (το) [hreos] debt, obligation.

χρεοκοπία (η) [hreokopia] bankruptcy.

χρεοκοπώ (ρ) [hreokopo] go bankrupt.

χρεωμένος-η-ο (ε) [hreomenos] in debt.

χρεώνομαι (ρ) [hreonome] get into debt.

χρεώνω (ρ) [hreono] debit, charge.

χρέωση (η) [hreosi] debit, charge.

χρεωστικός-ή-ό (ε) [hreostikos] debit.

χρεωστώ (ρ) [hreosto] be in debt, owe, be indebted to.

χρήζω (ρ) [hrizo] need, require.

χρήμα (το) [hrima] money.

χρηματίζομαι (ρ) [hrimatizome] take bribes, hoard up money.

χρηματίζω (ρ) [hrimatizo] serve as.

χρηματιστήριο (το) [hrimatistirio] stock exchange.

χρηματιστής (ο) [hrimatistis] stockbroker.

χρηματοδότης (ο) [hrimatodhotis] financier.

χρηματοδοτώ (ρ) [hrimatodhoto] finance, invest.

χρηματοκιβώτιο (το) [hrimatokivotio] safe, cash box.

χρηματοφυλάκιο (το) [hrimatofilakio] strong-box.

χρήση (η) [hrisi] use, usage, employment, enjoyment.

χρησιμεύω (ρ) [hrisimevo] be useful, serve.

χρησιμοποίηση (η) [hrisimopiisi] employment.

χρησιμοποιώ (ρ) [hrisimopio] use, make use of.

χρήσιμος-η-ο (ε) [hrisimos] useful.

χρησιμότητα (η) [hrisimotita] usefulness, utility, benefit.

χρησμοδοτώ (ρ) [hrismodhoto] prophesy.

χρησμός (ο) [hrismos] oracle, divination.

χρηστός-ή-ό (ε) [hristos] honourable, upright.

χρίζω (ρ) [hrizo] anoint, plaster.

χρίση (η) [hrisi] smearing, coating.

χρίσμα (το) [hrisma] chrism, unction.

χριστιανικός-ή-ό (ε) [hristianikos]

Christian.

χριστιανισμός (ο) [hristianismos] Christianity.

χριστιανός (ο) [hristianos] Christian.

Χριστός (ο) [Hristos] Christ.

Χριστούγεννα (τα) [Hristuyenna] Christmas.

χρονιά (η) [hronia] year.

χρονίζω (ρ) [hronizo] delay, dally.

χρονικό (το) [hroniko] chronicle.

χρονικογράφος (ο) [hronikografos] diarist.

χρόνιος-α-ο (ε) [hronios] chronic, enduring, lasting.

χρονογράφημα (το) [hronografima] newspaper leader article.

χρονογραφία (η) [hronografia] chronography.

χρονογράφος (ο) [hronografos] leader writer, chronograph, columnist.

χρονοδιάγραμμα (το) [hronodhiagramma] schedule, timetable.

χρονοδιακόπτης (ο) [hronodhiakoptis] time-switch.

χρονολόγηση (η) [hronoloyisi] chronology.

χρονολογία (η) [hronoloyia] date, chronology.

χρονολογούμαι (ρ) [hronologume] date from.

χρονολογώ (ρ) [hronologo] date.

χρονομέτρηση (η) [hronometrisi] timing.

χρονόμετρο (το) [hronometro] chronometer.

χρόνος (ο) [hronos] time, duration, period, tense [γραμμ].

χρονοτριβώ (ρ) [hronotrivo] linger.

χρυσαφένιος-α-ο (ε) [hrisafenios] golden.

χρυσάφι (το) [hrisafi] gold.

χρυσαφικό (το) [hrisafiko] gold jewel.

χρυσή (η) [hrisi] jaundice.

χρυσίζω (ρ) [hrisizo] gild, shine like gold, glisten.

χρυσοθήρας (ο) [hrisothiras] golddigger.

χρυσοθηρία (η) [hrisothiria] gold rush.

χρυσός-ή-ό (ε) [hrisos] golden, gold.

χρυσός (ο) [hrisos] gold, kind-hearted [μεταφ].

χρυσοφόρος-α-ο (ε) [hrisoforos] gold[-bearing].

χρυσοχοείο (το) [hrisohoio] jeweller's shop.

χρυσοχόος (ο) [hrisohoos] jeweller.

χρυσώνω (ρ) [hrisono] gild.

χρυσωρυχείο (το) [hrisorihio] gold mine.

χρώμα (το) [hroma] colour, tint, paint [μπογιά], dye [μπογιά].

χρωματίζω (ρ) [hromatizo] colour, paint, dye, tint.

χρωμάτισμα (το) [hromatisma] painting, colouring, dyeing.

χρωματιστός-ή-ό (ε) [hromatistos] coloured.

χρωματοπωλείο (το) [hromatopolio] paint store.

χρωμικός (ο) [hromikos] chromic.

χρώμιο (το) [hromio] chromium.

χρωμόμετρο (το) [hromometro] colorimeter.

χρωμόσωμα (το) [hromosoma] chromosome.

χρωστώ (ρ) [hrosto] be in debt, owe, be indebted to.

χταπόδι (το) [htapodhi] octopus.

χτένα (η) [htena] comb.

χτενίζω (ρ) [htenizo] comb, polish up.

χτένισμα (το) [htenisma] hairstyle.

χτες (επ) [htes] yesterday.

χτεσινός-ή-ό (ε) [htesinos] of yesterday, latest [πρόσφατος].

χτήμα (το) [htima] estate, land.

χτίζω (ρ) [htizo] construct, erect.

χτικιάζω (ρ) [htikiazo] be affected with tuberculosis, pester, plague.

χτικιό (το) [htikio] tuberculosis, torture [μεταφ].

χτίστης (ο) [htistis] bricklayer, builder, constructor.

χτύπημα (το) [htipima] blow, kick, punch, hit, knock, bruise, wound.

χτυπητήρι (το) [htipitiri] beater, whisk, knocker.

χτύπος (ο) [htipos] blow, stroke, beat [καρδιάς], ticking [ρολογιού].

χτυπώ (ρ) [htipo] knock, hit, beat, strike, clap [χέρια], stamp [πόδια], beat [χρόνο], whisk [αυγά κτλ], strike [ρολογιού κτλ].

χυδαία (επ) [hidhea] coarsely.

χυδαίος-α-ο (ε) [hidheos] vulgar, trivial, crude, rude.

χυδαιότητα (n) [hidheotita] vulgarity, coarseness, foul language.

χυλός (ο) [hilos] liquid paste.

χυλώνω (ρ) [hilono] mash, make mushy.

χύμα (το) [hima] confusedly.

χυμός (ο) [himos] sap, juice.

χύνομαι (ρ) [hinome] overflow, pour out, flow out.

χύνω (ρ) [hino] spill, tip over, pour out, shed [δάκρυα].

χύσιμο (το) [hisimo] discharge, pouring out, spilling, moulding.

χυτήριο (το) [hitirio] smelting works.

χύτης (ο) [hitis] caster.

χύτρα (n) [hitra] cooking pot, pressure cooker.

χώμα (το) [homa] soil, dust, earth, ground.

χωματένιος-α-ο (ε) [homatenios] earthen.

χωματόδρομος (ο) [homatodhromos] dirt road.

χωνάκι (το) [honaki] bindweed.

χώνευση (n) [honefsi] digestion, casting [μετάλλων].

χωνευτήρι (το) [honeftiri] melting pot.

χωνευτός-ή-ό (ε) [honeftos] built-in.

χωνεύω (ρ) [honevo] digest, cast [μέταλλο], smelt [μέταλο], endure [μεταφ].

χωνί (το) [honi] funnel, cone [παγωτού].

χώνω (ρ) [hono] thrust, force, bury, hide.

χώρα (n) [hora] country, place, chief town.

χωρατεύω (ρ) [horatevo] joke.

χωράφι (το) [horafi] field, land.

χωράω (ρ) [horao] fit into, have room, hold [περιέχω].

χωρητικότητα (n) [horitikotita] volume, capacity.

χωριανός (ο) [horianos] fellow villager, countryman.

χωριάτης (ο) [horiatis] peasant, villager, countryman, ill-mannered person [μεταφ].

χωριάτισσα (n) [horiatissa] countrywoman.

χωρίζω (ρ) [horizo] separate, part, split, get a divorce [ζεύγος].

χωριό (το) [horio] village, hamlet, hometown [μεταφ].

χωρίς (επ) [horis] without, apart from, not including, but for, out of, short of.

χώρισμα (το) [horisma] sorting, separation, wall [δωματίου], compartment.

χωρισμός (ο) [horismos] partition, separation, separating, divorce, breakaway.

χωριστός-ή-ό (ε) [horistos] separate, different, distinct, isolated.

χωρίστρα (n) [horistra] parting of hair.

χώρος (ο) [horos] space, area, room, interval.

χωροφύλακας (ο) [horofilakas] gendarme.

χωρώ (ρ) [horo] fit into, have room.

ψάθα (n) [psatha] straw, cane, rush mat [χαλί], straw hat [καπέλο].

ψαθάκι (το) [psathaki] table-mat.

ψάθινος-η-ο (ε) [psathinos] made of straw.

ψαθυρός-ή-ό (ε) [psathiros] crimp.

ψαλίδα (n) [psalidha] shears, centipede.

ψαλίδι (το) [psalidhi] scissors, pruning scissors, curling tongs.

ψαλιδίζω (ρ) [psalidhizo] cut, trim, reduce [μεταφ], cut down [μεταφ].

ψαλίδισμα (το) [psalidhisma] snipping, reduction.

ψαλιδωτός-ή-ό (ε) [psalidhotos] swallow-tailed, ribbed.

ψάλλω (ρ) [psallo] sing, chant, extol, celebrate.

ψαλμός (ο) [psalmos] psalm, chant.

ψαλμωδός (ο) [psalmodhos] psalmist.

ψάλσιμο (το) [psalsimo] chanting, nagging [μεταφ].

ψαλτήριο (το) [psaltirio] psalter.

ψάλτης (ο) [psaltis] chorister, singer.

ψάξιμο (το) [psaksimo] searching, quest, search.

ψαράδικο (το) [psaradhiko] fishing boat, fishmonger's shop.

ψαράκι (το) [psaraki] alevin.

ψαράς (ο) [psaras] fisherman, fishmonger, angler.

ψάρεμα (το) [psarema] fishing, angling, netting.

ψαρεύω (ρ) [psarevo] fish, sound, fish for information.

ψάρι (το) [psari] fish.

ψαρική (n) [psariki] fishing, angling.

ψαρίλα (n) [psarila] fishy smell.

ψαρόβαρκα (n) [psarovarka] fishing boat.

ψαροκάικο (το) [psarokaiko] fishing caique.

ψαρονέφρι (το) [psaronefri] fillet of meat, tenderloin.

ψαρόνι (το) [psaroni] starling.

ψαροπούλα (n) [psaropula] fishing-boat.

ψαρόσουπα (n) [psarosupa] fish soup.

ψαρότοπος (ο) [psarotopos] fishery.

ψαροφάγος (ο) [psarofagos] fish-eater, king ofisher [ορνιθ], egret.

ψαχνό (το) [psahno] lean meat.

ψάχνομαι (ρ) [psahnome] look through one's pockets.

ψάχνω (ρ) [psahno] search for, look for, seek.

ψαχούλεμα (το) [psahulema] rummaging, groping.

ψαχουλευτός-ή-ό (ε) [psahuleftos] feeling, fumbling, groping.

ψαχουλεύω (ρ) [psahulevo] search for, grope for, feel, rummage.

ψεγάδι (το) [psegadhi] fault, failing, shortcoming.

ψείρα (n) [psira] louse, vermin.

ψείρας (ο) [psiras] fussy.

ψειριάρης-α-ικο (ε) [psiriaris] lousy person.

ψειρίζω (ρ) [psirizo] delouse, examine in great detail [μεταφ].

ψείρισμα (το) [psirisma] delousing.

ψεκάζω (ρ) [psekazo] spray.

ψεκασμός (ο) [psekasmos] spray[ing].

ψεκαστήρας (ο) [psekastiras] spray, vapourizer, scent sprayer.

ψέλνω (ρ) [pselno] sing, chant, extol, celebrate.

ψέμα (το) [psema] lie, falsehood, fib.

ψες (επ) [pses] last night.

ψευδαίσθηση (n) [psevdhesthisi] delusion, hallucination.

ψευδάργυρος (ο) [psevdharyiros] zinc.

ψευδής-ής-ές (ε) [psevdhis] untrue, false, artificial, sham, assumed.

ψευδίζω (ρ) [psevdhizo] stammer, stutter, lisp.

ψευδολογία (n) [psevdholoyia] mendacity, falsehood, untruth.

ψευδολόγος-ος-ο (ε) [psevdhologos] lying, untruthful.

ψευδολογώ (ρ) [psevdhologo] tell lies.

ψεύδομαι (ρ) [psevdhome] lie, fib.

ψευδομαρτυρία (n) [psevdhomartiria] false testimony.

ψευδομαρτυρώ (ρ) [psevdhomartiro] give false witness, commit perjury.

ψευδορκία (n) [psevdhorkia] perjury.

ψευδορκώ (ρ) [psevdhorko] commit perjury, perjure.

ψευδός-ή-ό (ε) [psevdhos] lisping, stammering, stuttering.

ψεύδος (το) [psevdhos] lie, falsehood.

ψευδώνυμο (το) [psevdhonimo] pseudonym, alias.

ψεύτης (ο) [pseftis] liar, cheat, impostor.

ψευτιά (n) [pseftia] untruth, lie.

ψευτίζω (ρ) [pseftizo] adulterate.

ψεύτικος-n-ο (ε) [pseftikos] false, untrue, artificial, inferior.

ψευτοζώ (ρ) [pseftozo] scrape along.

ψευτομάρτυρας (ο) [pseftomartiras] false witness.

ψευτοπαλληκαράς (ο) [pseftopallikaras] bouncer, tough-nut (χυδ).

ψεύτρα (n) [pseftra] liar.

ψήγμα (το) [psigma] filings, chips.

ψήκτρα (n) [psiktra] water fountain.

ψηλά (επ) [psila] high up, aloft.

ψηλαφητός-ή-ό (ε) [psilafitos] langible, palpable.

ψηλαφίζω (ρ) [psilafizo] fumble, grope, feel.

ψηλαφώ (ρ) [psilafo] feel, touch, feel one's way.

ψηλός-ή-ό (ε) [psilos] high, tall.

ψηλώνω (ρ) [psilono] make taller, make higher, grow taller.

ψημένος-n-ο (μ) [psimenos] done, cooked, baked, roasted, hardened [μεταφ], seasoned [μεταφ].

ψήνω (ρ) [psino] bake, roast, cook, torture, worry [μεταφ],.

ψήσιμο (το) [psisimo] baking, broiling, roasting, cooking, frying.

ψηστιέρα (n) [psistiera] broiler.

ψητός-ή-ό (ε) [psitos] roast, baked.

ψηφιακός-ή-ό (ε) [psifiakos] digital.

ψηφιδωτό (το) [psifidhoto] mosaic.

ψηφίζω (ρ) [psifizo] vote, pass [νόμο].

ψηφίο (το) [psifio] cipher, figure, letter [αλφαβήτου], character [αλφαβήτου].

ψήφιση (n) [psifisi] voting, passing.

ψήφισμα (το) [psifisma] decree, edict.

ψηφοδέλτιο (το) [psifodheltio] ballot paper.

ψηφοδόχος (n) [psifodhohos] ballot box.

ψηφοθηρία (n) [psifothiria] canvass.

ψηφοθηρώ (ρ) [psifothiro] canvass for votes.

ψήφος (n) [psifos] vote, voting.

ψηφοφορία (n) [psifoforia] voting.

ψηφοφόρος (o, n) [psifoforos] voter.

ψηφώ (ρ) [psifo] listen to.

ψίδι (το) [psidhi] upper, toe-cap.

ψιθυρίζω (ρ) [psithirizo] mutter, whisper.

ψιθύρισμα (το) [psithirisma] muttering, whisper[ing], murmuring.

ψίθυρος (o) [psithiros] murmur, whisper

ψιλικά (τα) [psilika] haberdashery.

ψιλικατζής (o) [psilikatzis] haberdasher.

ψιλικατζίδικο (το) [psilikatzidhiko] haberdashery.

ψιλοδουλειά (n) [psilodhulia] fine work.

ψιλός-ή-ό (ε) [psilos] fine, slender.

ψίχα (n) [psiha] kernel, crumb, bit [μεταφ], scrap [μεταφ].

ψιχάλα (n) [psihala] drizzle.

ψιχίο (το) [psihio] mite, bit.

ψίχουλο (το) [psihulo] crumb.

ψόγος (o) [psogos] blame, reproach.

ψοφίμι (το) [psofimi] carcass.

ψόφιος-α-ο (ε) [psofios] dead [για ζώα], worn-out [μεταφ].

ψόφος (o) [psofos] noise, death [θάνατος], freezing cold [μεταφ].

ψοφώ (ρ) [psofo] die, yearn for [μεταφ],.

ψυγείο (το) [psiyio] refrigerator, radiator [αυτοκινήτου].

ψυκτήρας (o) [psiktiras] cooler, freezer.

ψύλλος (o) [psillos] flea.

ψύξη (n) [psiksi] refrigeration.

ψυχαγωγία (n) [psihagoyia] recreation, entertainment.

ψυχαγωγικός-ή-ό (ε) [psihagoyikos] recreational, entertaining,.

ψυχαγωγώ (ρ) [psihagogo] recreate, entertain, divert.

ψυχανάλυση (n) [psihanalisi] psychoanalysis.

ψυχαναλυτής (o) [psihanalitis] psychoanalyst.

ψυχή (n) [psihi] anima, core.

ψυχιατρείο (το) [psihiatrio] mental hospital.

ψυχιατρική (n) [psihiatriki] psychiatry.

ψυχίατρος (o) [psihiatros] psychiatrist.

ψυχικός-ή-ό (ε) [psihikos] psychical.

ψυχοθεραπεία (n) [psihotherapia] psychotherapy.

ψυχοθεραπευτής (o) [psihotherapeftis] psychotherapist.

ψυχολογία (n) [psiholoyia] psychology.

ψυχολογικός-ή-ό (ε) [psiholoyikos] psychological.

ψυχολόγος (o) [psihologos] psychologist.

ψυχολογώ (ρ) [psihologo] read mind of, psychoanalyse.

ψυχομαχώ (ρ) [psihomaho] be at the last gasp.

ψυχοπαθής-ής-ές (ε) [psihopathis] psychopathic.

ψυχοπαίδι (το) [psihopedhi] adopted child.

ψυχοπονώ (ρ) [psihopono] pity.

ψυχορραγώ (το) [psihorrago] to be at death' s door.

ψύχος (το) [psihos] cold, chilliness.

ψυχοσάββατο (το) [psihosavvato] All Souls' Day.

ψυχοσωματικός-ή-ό (ε) [psihosomatikos] psychosomatic.

ψυχοσωτήριος-α-ο (ε) [psihosotirios] soul-saving.

ψυχοφθόρος-α-ο (ε) [psiros] soul-destroying.

ψυχρά (επ) [psihra] chilly, coolly.

ψύχρα (n) [psihra] chilly weather.

ψύχραιμα (επ) [psihrema] calmly.

ψυχραιμία (n) [psihremia] self-control, cool, composure.

ψύχραιμος-n-ο (ε) [psihremos] cool, collected.

ψυχραίνω (ρ) [psihreno] cool, chill, cool off [μεταφ].

ψύχρανση (n) [psihransi] cooling, estrangement.

ψυχρόαιμος-n-ο (ε) [psihroemos] cold-blooded.

ψυχρολουσία (n) [psihrolusia] telling off.

ψυχρός-ή-ό (ε) [psihros] cold, indifferent [μεταφ].

ψυχρότητα (n) [psihrotita] coldness, indifference.

ψύχω (ρ) [psiho] freeze, chill.

ψυχωμένος-n-ο (μ) [psihomenos] plucky, spirited.

ψυχώνω (ρ) [psihono] encourage.

ψύχωση (n) [psihosi] psychosis.

ψυχωφελής-ής-ές (ε) [psihofelis] uplifting, edifying.

ψωμάκι (το) [psomaki] bap.

ψωμάς (ο) [psomas] baker.

ψωμί (το) [psomi] bread, loaf, living [μεταφ].

ψωμοζήτης (ο) [psomozitis] beggar.

ψωμοζώ (ρ) [psomozo] live scantily.

ψωμοτύρι (το) [psomotiri] bread and cheese.

ψώνια (τα) [psonia] provisions, shopping.

ψωνίζω (ρ) [psonizo] buy, go shopping.

ψώνιο (το) [psonio] purchase, mania.

ψώνισμα (το) [psonisma] shopping, picking-up.

ψώρα (n) [psora] scabies, itch, mange.

ψωραλέος-α-ο (ε) [psoraleos] scabby.

ψωριάζω (ρ) [psoriazo] become itchy.

ψωριάρης-α-ικο (ε) [psoriaris] mangy, beggar [μεταφ].

ψωρίαση (n) [psoriasi] psoriasis, itch[ing].

ψωροκώσταινα (n) [psorokostena] poor.

ψωροπερηφάνια (n) [psoroperifania] stupid pride.

Ω

ω! (επιφ) [o!] oh!, ah!, aha!.

ωάριο (το) [oario] ovum.

ωδείο (το) [odhio] conservatory.

ωδή (n) [odhi] ode, song.

ωδική (n) [odhiki] singing lesson.

ωδικός-ή-ό (ε) [odhikos] singing.

ωδίνες (οι) [odhines] difficulties [μεταφ], labour.

ώθηση (n) [othisi] push, thrust.

ωθώ (ρ) [otho] push, thrust.

ωκεάνιος-α-ο (ε) [okeanios] ocean.

ωκεανογραφία (n) [okeanografia] oceanography.

ωκεανός (ο) [okeanos] ocean.

ωλένη (n) [oleni] forearm, ulna [ανατ].

ωμοπλάτη (n) [omoplati] shoulder blade.

ωμόπλινθος (n) [omoplinthos] cob.

ωμός-ή-ό (ε) [omos] uncooked, raw, hard, brutal.

ώμος (ο) [omos] shoulder.

ωμότητα (n) [omotita] cruelty, atrocity, brutality.

ωοειδής-ής-ές (ε) [ooidhis] oval.

ωοθήκη (n) [oothiki] ovary, egg cup.

ωοτοκία (n) [ootokia] egg-laying.

ωοτόκος-α-ο (ε) [ootokos] egg-laying.

ώρα (n) [ora] hour, time, o'clock, moment, while.

ωραία (επ) [orea] beautiful, very well, perfectly, good.

ωραία (n) [orea] belle.

ωραιοπαθής (n) [oreopathis] aesthete.

ωραιοποιώ (ρ) [oreopio] beautify.

ωραίος-α-ο (ε) [oreos] handsome, lovely, fine, good.

ωραιότητα (n) [oreotita] beauty.

ωράριο (το) [orario] working hours, timetable.

ωριαίος-α-ο (ε) [orieos] hourly, lasting an hour.

ωριμάζω (ρ) [orimazo] become ripe, mature.

ωρίμανση (n) [orimansi] ripening, maturity.

ώριμος-n-ο (ε) [orimos] ripe, mature, mellow.

ωριμότητα (n) [orimotita] ripeness, maturity.

ωροδείχτης (ο) [orodhihtis] hour hand.

ωρολογιακός-ή-ό (ε) [oroloyiakos] clock, watch, time [βόμβα].

ωρολογοποιός (ο) [orologopios] watch-maker.

ωροσκόπιο (το) [oroskopio] horoscope.

ωρύομαι (ρ) [oriome] howl, roar, yell,

scream.

ως (επ) [os] about.

ως (πρ) [os] around, round.

ως (σ) [os] until, till, down to, up to, as far as.

ωσαννά (επιφ) [osanna] hosannah.

ωσαύτως (επ) [osaftos] likewise, in the same way, also, besides, as well, too.

ώσπου (επ) [ospu] until.

ώστε (σ) [oste] thus, and so, so, accordingly, therefore, that, then.

ωτακουστής (ο) [otakustis] eavesdropper.

ωτακουστώ (ρ) [otakusto] eavesdrop.

ωτίτιδα (η) [otitidha] otitis.

ωτολόγος (ο) [otologos] ear specialist, otologist.

ωτορινολαρυγγολόγος (ο) [otorinolaringologos] ear, nose and throat doctor.

ωφέλεια (η) [ofelia] benefit, utility, usefulness, profit, advantage.

ωφέλημα (το) [ofelima] benefit, gain, particular profit, advantage.

ωφελημένος-η-ο (μ) [ofelimenos] bene-ficiary.

ωφελιμισμός (ο) [ofelimismos] utilitarianism.

ωφελιμιστής (ο) [ofelimistis] utilitarian.

ωφελιμιστικός-ή-ό (ε) [ofelimistikos] utilitarian.

ωφέλιμος-η-ο (ε) [ofelimos] beneficial, useful, advantageous, lucrative, money-making, paying.

ωφελιμότητα (η) [ofelimotita] usefulness, utility.

ωφελούμαι (ρ) [ofelume] benefit, profit from, turn to good account.

ωφελώ (ρ) [ofelo] do good to, be useful to, benefit, aid, be worth, be use, be good.

ωχρά (επ) [ohra] bloodlessly.

ώχρα (η) [ohra] ochre.

ωχριώ (ρ) [ohrio] become pale.

ωχρός-ή-ό (ε) [ohros] pallid, pale, indistinct [μεταφ].

ωχρότητα (η) [ohrotita] paleness.